診断と治療総論	1
外傷	2
スポーツ外傷と障害	3
感染性疾患	4
骨・軟部腫瘍および腫瘍類似疾患	5
関節リウマチ，慢性関節疾患および骨壊死症	6
骨系統疾患，代謝性骨疾患	7
筋・神経疾患	8
末梢循環障害，壊死性疾患	9
運動器リハビリテーション	10
肩甲帯の疾患	11
上腕の疾患	12
肘関節の疾患	13
前腕の疾患	14
手関節の疾患	15
手の疾患	16
脊椎・脊髄疾患	17
脊柱変形	18
頚椎部の疾患	19
胸椎部，胸郭の疾患	20
腰・仙椎部の疾患	21
骨盤の疾患	22
股関節の疾患	23
下肢全体の問題	24
大腿の疾患	25
膝関節の疾患	26
下腿の疾患	27
足関節，足部の疾患	28

第 8 版

今日の整形外科治療指針

Today's Therapy in
Orthopaedics, Traumatology & Rehabilitation

編集

土屋 弘行　金沢大学大学院 教授
紺野 愼一　福島県立医科大学 教授
田中 康仁　奈良県立医科大学 教授
田中 　栄　東京大学大学院 教授
岩崎 倫政　北海道大学大学院 教授
松田 秀一　京都大学大学院 教授

医学書院

歴代編集者（初版〜第7版）	
山内　裕雄	越智　隆弘
真角　昭吾	国分　正一
辻　　陽雄	岩谷　　力
桜井　　実	落合　直之
二ノ宮節夫	佛淵　孝夫
冨士川恭輔	

今日の整形外科治療指針

発　行　1987年 3月 1日　第1版第1刷
　　　　1988年12月 1日　第1版第3刷
　　　　1991年 1月15日　第2版第1刷
　　　　1994年 8月 1日　第2版第2刷
　　　　1995年 3月15日　第3版第1刷
　　　　2000年 1月15日　第4版第1刷
　　　　2002年12月 1日　第4版第3刷
　　　　2004年 3月 1日　第5版第1刷
　　　　2008年11月15日　第5版第4刷
　　　　2010年 6月15日　第6版第1刷
　　　　2014年 3月 1日　第6版第2刷
　　　　2016年 5月15日　第7版第1刷
　　　　2018年 8月15日　第7版第2刷
　　　　2021年10月 1日　第8版第1刷©

編集者　土屋弘行・紺野愼一・田中康仁・田中　栄・
　　　　岩崎倫政・松田秀一

発行者　株式会社　医学書院
　　　　代表取締役　金原　俊
　　　　〒113-8719　東京都文京区本郷 1-28-23
　　　　電話　03-3817-5600（社内案内）

印刷・製本　アイワード

本書の複製権・翻訳権・上映権・譲渡権・貸与権・公衆送信権（送信可能化権を含む）は株式会社医学書院が保有します．

ISBN978-4-260-04260-4

本書を無断で複製する行為（複写，スキャン，デジタルデータ化など）は，「私的使用のための複製」など著作権法上の限られた例外を除き禁じられています．大学，病院，診療所，企業などにおいて，業務上使用する目的（診療，研究活動を含む）で上記の行為を行うことは，その使用範囲が内部的であっても，私的使用には該当せず，違法です．また私的使用に該当する場合であっても，代行業者等の第三者に依頼して上記の行為を行うことは違法となります．

JCOPY 〈出版者著作権管理機構　委託出版物〉
本書の無断複製は著作権法上での例外を除き禁じられています．複製される場合は，そのつど事前に，出版者著作権管理機構（電話 03-5244-5088，FAX 03-5244-5089，info@jcopy.or.jp）の許諾を得てください．

第8版 序

　この度，本書の第8版を出版する運びとなりました．1987年の初版からは34年，前版からは5年が経過しています．今回は編集者を1名増員して，岩崎倫政，紺野愼一，田中栄，田中康仁，土屋弘行，松田秀一の6名で編集を担当しました．

　前版から今回の第8版までの5年間に整形外科の診断と治療は，日進月歩，着実に大きな発展を遂げています．基本的には，前版の方針を継続して，内容を大幅にアップデートしました．今回の変更としましては，各項目で，「リハビリテーションのポイント，関連職種への指示」などを記載したという点があります．チーム医療の面からの重要性を考慮しまして，より実践的に役立つようにしました．

　トピックスでは，iPS細胞の利用などの再生医療や，シミュレーション手術，ロボット手術などを新たに追加しました．もう数年しますと，整形外科領域でも人工知能，拡張現実，ビッグデータを応用した診断や治療の項目が更に追加となるでしょう．

　また，今版では「先端医療」は「トピックス」にまとめ，各分野の先進技術や特有の話題をコラム形式で掲載しています．長年臨床に携わってこられた経験豊富な先生がたによるコラム「私のノートから/My Suggestion」は，好評につき継続しています．エビデンスが重要であるのは論を俟たないわけですが，医学は経験によるところも非常に大きく，豊富な経験をお持ちの先人たちに，整形外科の核心部分に触れた示唆をいただいています．

　総章数はこれまでと同一の全28章となり，総項目数621項，総執筆者数456名となっています．時間の経過による進歩に伴い，項目の分担を細かくした結果，執筆者数が25名増えました．また，章の冒頭に各部位の臨床的に重要な解剖についての項目を多数設けているのは前版と同様です．本書の作成に当たり，ご多用の中，執筆の労を厭わず，ご協力くださった執筆者各位に厚く御礼申し上げます．非常に質の高い指針を完成することができました．

　日本整形外科学会などから，代表的な整形外科疾患に関する診療ガイドラインが新版あるいは改訂版として発表されています．整形外科の守備範囲は膨大であり，あらゆる疾患のガイドラインを取り揃えることは不可能です．本書では，臨床経験が豊富で，それぞれの分野で指導的立場にある先生がたに，これまでの整形外科医療の進歩を踏まえたうえで，現時点における最良の治療指針を執筆していただきました．本書が，実践的な「整形外科疾患の診療事典」として，整形外科医のみならず，一般外傷医，看護師，理学・作業療法士などの皆様に大いに活用され，それが最終的に整形外科医療を必要とする全ての病者の幸せに結びつくことを心より願っています．

2021年9月

編集者一同

第1版 序

　医学書院から毎年『今日の治療指針』が出ており，多くのかたがたに広く利用されている．同社より約2年前，この本の整形外科版のようなものが出来ないものかとの相談を受けた．近年，整形外科関係の書物は手をかえ，品をかえて沢山出ているので，いまさら屋上屋を架す必要もあるまいという気もしたが，治療に主眼をおいて実地臨床にただちに役立つような百科全書的なものは案外少ないようであり，意義はあろうと考えて企画をお受けした．

　そもそも整形外科の発達の歴史的背景は国によってさまざまであるので，その守備範囲にも大きな違いがある．例えば，ドイツでは Unfallheilkunde が別の speciality となっているためか，Orthopädie は比較的 "cold surgery" に主体がおかれているようであるし，アメリカでは外傷は含まれるかわり，neurosurgery rheumatology, oncology などとの境界領域で整形外科の守備範囲は狭められつつある．そんな目でみると，わが国の整形外科はいささか欲張り過ぎともいえるほど守備範囲が広く，大変な科である．しかし未だ内科，外科のように細分科はされていないので，整形外科医たるものは実に広範囲な知識と経験を要求されるし，これがまた研究心をかり立てるものであり，これ故にこそ多くの学会や研究会があり，本も売れているのであろう．

　そんなわけで，われわれ編集者はそれぞれ得意とする分野を分担し，項目と筆者を考えた．その上で会合を重ね，重複を整理し，なるべく各部門の統一をはかったが，各編者の個性は消しがたく，ある程度の自主性も本書の特色となるであろうことを期待して最終案とした．筆者はなるべく第一線にて実際にその項目に相応しい活躍をされている方々に依頼した．大変お忙しい方ばかりであるにも拘わらず，比較的短時日のうちにお書きいただき，ここに刊行の運びとなったことを編集者一同，心から感謝する次第である．

　最終ゲラに目を通してみると，今更ながら前述の守備範囲の広さに驚くとともに，筆者の方々の御熱意に敬服させられる．もちろん，完璧にはまだ遠く，とくに分担執筆特有の濃淡のムラが気になる．しかしこれは，今後版を重ねる毎に改めてゆけることであろうし，また筆者の個性もにじみ出ていることと，御海容いただきたい．本書の利用法は今後読者の皆様が考えていっていただきたいし，更にいっそう良きものとするため，忌憚のない御意見，御叱正をお寄せいただければ幸いである．

1986年12月

編集者一同

執筆者一覧 (五十音順)

〔註〕所属は特記以外整形外科

あ

相澤	俊峰	東北大学大学院 教授
青木	保親	東千葉メディカルセンター 部長〔千葉県東金市〕
赤井	隆文	国保旭中央病院 主任医長(血管外科)〔千葉県旭市〕
赤羽	武	山形大学
秋末	敏宏	神戸大学大学院保健学研究科 教授(リハビリテーション科学領域)
秋山	達	自治医科大学附属さいたま医療センター 教授
秋山	智彦	慶應義塾大学 専任講師(坂口光洋記念講座システム医学)
秋山	治彦	岐阜大学大学院 教授
淺沼	邦洋	三重大学医学部附属病院 講師
阿部	麻美	新潟県立リウマチセンター 診療部長〔新潟県新発田市〕
阿部	哲士	吉川中央総合病院 院長〔埼玉県吉川市〕
安部	幸雄	山口県済生会下関総合病院 副院長〔山口県下関市〕
尼子	雅敏	防衛医科大学校病院リハビリテーション部 教授
新井	祐志	京都府立医科大学大学院 准教授(スポーツ・障がい者スポーツ医学)
新井	嘉容	埼玉県済生会川口総合病院 副院長〔埼玉県川口市〕
安藤	哲朗	亀田総合病院 部長(脳神経内科)〔千葉県鴨川市〕

い

飯塚	陽一	群馬大学 准教授
池内	昌彦	高知大学 教授
池上	博泰	東邦大学 教授
池口	良輔	京都大学医学部附属病院リハビリテーション科 准教授
池澤	裕子	永寿総合病院 部長〔東京都台東区〕
池田	和夫	金沢医療センター 外科系診療部長〔石川県金沢市〕
生駒	和也	京都府立医科大学大学院 准教授
伊佐治寿彦		杏林大学 講師(心臓血管外科)
石川	肇	新潟県立リウマチセンター 院長〔新潟県新発田市〕
石橋	恭之	弘前大学大学院 教授
石山	昭彦	国立精神・神経医療研究センター病院 医長(小児神経科)〔東京都小平市〕
泉	恭博	いずみ整形外科クリニック 院長〔広島市中区〕
磯本	慎二	奈良県総合医療センター 部長〔奈良市〕
井樋	栄二	東北大学 名誉教授／東北労災病院 副院長〔仙台市青葉区〕
伊東	勝也	医真会八尾総合病院 統括部長〔大阪府八尾市〕
伊藤	順一	心身障害児総合医療療育センター 副園長・医務部長〔東京都板橋区〕
伊藤	雅之	福島県立医科大学 教授(外傷再建学講座)
伊東	学	国立病院機構北海道医療センター 統括診療部長〔札幌市西区〕
稲垣	克記	昭和大学 教授
稲葉	裕	横浜市立大学大学院 教授
井上	和也	奈良県立医科大学 助教
井上	雅寛	東千葉メディカルセンター 医長〔千葉県東金市〕
井上	芳徳	てとあしの血管クリニック東京 院長〔東京都千代田区〕
射場	浩介	札幌医科大学 准教授
今井	晋二	滋賀医科大学 教授
今谷	潤也	岡山済生会総合病院 副院長〔岡山市北区〕
今出	真司	島根大学 助教
入船	秀仁	手稲渓仁会病院 主任医長〔札幌市手稲区〕
岩﨑	博	和歌山県立医科大学 准教授
岩渕	真澄	福島県立医科大学会津医療センター 教授
岩堀	裕介	あさひ病院スポーツ医学・関節センター センター長〔愛知県春日井市〕
岩本	卓士	慶應義塾大学 専任講師
岩本	幸英	九州大学 名誉教授／労働者健康安全機構九州労災病院 院長〔北九州市小倉南区〕

う

上松	耕太	市立奈良病院人工関節センター センター長〔奈良市〕
魚谷	弘二	岡山大学病院 医員
牛尾	修太	九段坂病院 医長〔東京都千代田区〕
内川	伸一	三島東海病院〔静岡県三島市〕
内田	淳正	三重大学 前学長
内田	宗志	産業医科大学若松病院 診療教授
内田	俊彦	NPO オーソティックスソサエティー 理事長〔東京都品川区〕
内野	正隆	博慈会記念総合病院 診療部長〔東京都足立区〕
内山	茂晴	岡谷市民病院 部長／副院長〔長野県岡谷市〕
内山	善康	東海大学 教授
瓜田	淳	獨協医科大学 講師

え

江川	琢也	岡波総合病院 医長〔三重県伊賀市〕
恵木	丈	北浜えぎ整形外科 院長〔大阪市中央区〕
江口	佳孝	国立成育医療研究センター 診療部長〔東京都世田谷区〕
江尻	荘一	いわき市医療センター手外科・四肢機能再建学講座 教授〔福島県いわき市〕
江幡	重人	国際医療福祉大学 教授
江森	誠人	札幌医科大学 講師
遠藤	寛興	岩手医科大学 講師

お

大井	直往	福島県立医科大学 教授(リハビリテーション医学)
大内	一夫	福島県立医科大学 准教授

執筆者一覧

大江 隆史	NTT東日本関東病院 院長〔東京都品川区〕	
大川 淳	東京医科歯科大学大学院 教授	
大澤 透	京都第一赤十字病院 主任部長〔京都市東山区〕	
大関 覚	レイクタウン整形外科病院 名誉院長〔埼玉県越谷市〕	
太田 壮一	関西電力病院 部長〔大阪市福島区〕	
大谷 卓也	東京慈恵会医科大学附属第三病院 教授	
大塚 和孝	長崎記念病院 部長〔長崎市〕	
大野 久美子	東京大学医科学研究所附属病院 助教(関節外科)	
大原 邦仁	髙木整形外科・内科 院長〔名古屋市瑞穂区〕	
大原 英嗣	市立ひらかた病院 主任部長・下肢機能再建センター センター長〔大阪府枚方市〕	
岡崎 賢	東京女子医科大学 教授	
岡田 慶太	東京大学医学部附属病院 助教	
岡田 貴充	社会保険仲原病院〔福岡県糟屋郡〕	
緒方 直史	帝京大学 教授(リハビリテーション医学講座)	
岡本 成史	金沢大学 教授(新学術創成研究機構)	
奥田 龍三	洛西シミズ病院 顧問〔京都市西京区〕	
奥脇 透	国立スポーツ科学センター 副センター長〔東京都北区〕	
生越 章	新潟大学医歯学総合病院魚沼地域医療教育センター 特任教授	
尾﨑 敏文	岡山大学大学院 教授	
長田 伝重	獨協医科大学日光医療センター 主任教授	
小澤 浩司	東北医科薬科大学 教授	
落合 達宏	宮城県立こども病院 科長〔仙台市青葉区〕	
小野 智敏	勝田台病院〔千葉県八千代市〕	
小野 浩史	西奈良中央病院 手外科センター長〔奈良市〕	
面川 庄平	奈良県立医科大学 教授(手の外科学講座)	
折田 純久	千葉大学フロンティア医工学センター 教授

か

柿崎 潤	千葉県こども病院 部長〔千葉市緑区〕
柿木 良介	近畿大学 教授
垣花 昌隆	獨協医科大学埼玉医療センター 講師
楫野 良知	金沢大学附属病院 特任准教授(医療安全管理部・整形外科)
梶山 史郎	長崎大学病院 病院講師
柏倉 剛	市立秋田総合病院 科長〔秋田市〕
加藤 欽志	福島県立医科大学 講師
加藤 賢治	名古屋市立大学 助教
加藤 仁志	金沢大学大学院 助教
加藤 真介	徳島赤十字ひのみね総合療育センター 園長〔徳島県小松島市〕
加藤 博之	医療法人社団曙会・流山中央病院手外科・上肢外科センター〔千葉県流山市〕
加藤 義治	河野臨牀医学研究所附属第三北品川病院 名誉院長〔東京都品川区〕
門野 邦彦	五條病院 部長〔奈良県五條市〕
金谷 文則	金永草野病院 理事長〔新潟県三条市〕
金岡 恒治	早稲田大学スポーツ科学学術院 教授
金子 浩史	あいち小児保健医療総合センター 医長〔愛知県大府市〕
金城 聖一	かねしろ整形外科リウマチクリニック 院長〔大阪府寝屋川市〕
加畑 多文	金沢大学 准教授
上條 哲	医療法人研成会諏訪湖畔病院整形外科・足の外科センター 所長〔長野県岡谷市〕
亀田 秀人	東邦大学 教授(膠原病学)
亀山 泰	井戸田整形外科名駅スポーツクリニック 院長〔名古屋市西区〕
川井 章	国立がん研究センター中央病院 科長〔東京都中央区〕
川上 亮一	福島県立医科大学 特任准教授(外傷再建学講座)
川口 善治	富山大学 教授
河﨑 敬	京都府立医科大学 講師(リハビリテーション医学)
川手 信行	昭和大学 教授(リハビリテーション医学講座)
河野 博隆	帝京大学 主任教授
川原 範夫	金沢医科大学 教授
河村 健二	奈良県立医科大学附属病院・玉井進記念四肢外傷センター 准教授
河村 太介	北海道大学大学院 助教
神崎 至幸	神戸大学大学院 特命助教
寒竹 司	山口労災病院脊椎・脊髄外科 部長〔山口県山陽小野田市〕

き

菊地 臣一	福島県立医科大学 名誉教授
岸本 暢将	杏林大学 准教授(腎臓・リウマチ膠原病内科)
北野 利夫	大阪市立総合医療センター小児整形外科 部長〔大阪市都島区〕
北野 元裕	国立病院機構大阪医療センター 医長〔大阪市中央区〕
城戸 顕	奈良県立医科大学 教授(リハビリテーション医学講座)
木戸 健司	愛媛労災病院 副院長〔愛媛県新居浜市〕
鬼頭 浩史	あいち小児保健医療総合センター 副センター長〔愛知県大府市〕
衣笠 清人	近森病院 統括部長〔高知市〕
木下 光雄	大阪医科薬科大学 名誉教授／西宮協立脳神経外科病院 名誉院長〔兵庫県西宮市〕
金 憲経	東京都健康長寿医療センター研究所自立促進と精神保健研究チーム 研究部長〔東京都板橋区〕
木村 雅史	善衆会病院 理事長〔群馬県前橋市〕

く

日下部 隆	東北労災病院 脊椎外科部長〔仙台市青葉区〕
国定 俊之	岡山大学大学院 准教授(運動器医療材料開発講座)
久保田 智哉	大阪大学大学院 准教授(臨床神経生理学)
久保田 雅也	島田療育センター 院長〔東京都多摩市〕
熊井 司	早稲田大学スポーツ科学学術院 教授
栗山 新一	京都大学大学院 病院講師
黒川 紘章	奈良県立医科大学 診療助教
黒澤 健司	神奈川県立こども医療センター 部長(遺伝科)〔横浜市南区〕

黒住　健人	帝京大学医学部附属病院外傷センター
黒田　良祐	神戸大学大学院 教授
桑名　正隆	日本医科大学大学院 教授（アレルギー膠原病内科学分野）

こ

國府田正雄	筑波大学医学医療系 准教授
古賀　英之	東京医科歯科大学大学院 教授（運動器外科学）
国分　正一	東北大学 名誉教授／仙台西多賀病院脊椎脊髄疾患研究センター センター長〔仙台市太白区〕
小久保安朗	福井大学医学部附属病院 准教授（手術部）
小﨑　慶介	心身障害児総合医療療育センター 所長〔東京都板橋区〕
小須賀基通	国立成育医療研究センター 診療部長（遺伝診療科）〔東京都世田谷区〕
後藤　英之	至学館大学健康科学部 教授（健康スポーツ科学科）
小林　大介	兵庫県立こども病院 部長（リハビリテーション科・整形外科）〔神戸市中央区〕
小林　洋	福島県立医科大学 学内講師
小林　誠	横浜労災病院 運動器外傷センター長〔横浜市港北区〕
近藤　真	北海道整形外科記念病院 院長〔札幌市豊平区〕

さ

雑賀　建多	岡山大学病院 助教
西須　孝	千葉こどもとおとなの整形外科 院長〔千葉市緑区〕
齋藤　貴徳	関西医科大学 主任教授
齋藤　琢	東京大学大学院 准教授
斎藤　政克	医療法人宝生会 PL 病院 部長〔大阪府富田林市〕
佐浦　隆一	大阪医科薬科大学 教授（リハビリテーション医学教室）
酒井　昭典	産業医科大学 教授
坂井　孝司	山口大学大学院 教授
酒井　紀典	徳島大学大学院 特任教授（地域運動器・スポーツ医学分野）
坂野　裕昭	平塚共済病院 副院長〔神奈川県平塚市〕
阪本　桂造	昭和大学 客員教授
坂本　優子	順天堂大学医学部附属練馬病院 准教授
櫻吉　啓介	金沢こども医療福祉センター センター長〔石川県金沢市〕
笹原　潤	帝京大学スポーツ医科学センター 准教授
佐竹　寛史	山形大学 准教授
薩摩　眞一	兵庫県立こども病院 副院長〔神戸市中央区〕
佐藤　和毅	慶應義塾大学医学部スポーツ医学総合センター 教授
佐藤　秀峰	大阪府済生会千里病院千里救命救急センター 副部長〔大阪府吹田市〕
佐藤　慎哉	山形大学医学部総合医学教育センター 教授
佐藤　毅	能代厚生医療センター 副院長〔秋田県能代市〕
佐藤　徹	岡山医療センター 診療部長〔岡山市北区〕
讃岐美智義	呉医療センター・中国がんセンター 部長（中央手術部）〔広島県呉市〕
佐野　和史	順天堂大学 先任准教授（形成外科学）
佐野　敬介	愛媛県立子ども療育センター 医監〔愛媛県東温市〕
佐本　憲宏	国保中央病院 副院長〔奈良県磯城郡〕
澤井　英明	兵庫医科大学病院 教授（遺伝子医療部）

し

塩田　直史	岡山医療センター 医長（整形外科・リハビリテーション科）〔岡山市北区〕
篠原　靖司	立命館大学スポーツ健康科学部 教授
四宮　謙一	東京医科歯科大学 名誉教授／国立印刷局東京工場診療所 管理者〔東京都北区〕
志波　直人	久留米大学 教授
柴田　徹	兵庫県立障害児者リハビリテーションセンター センター長〔兵庫県尼崎市〕
柴田　政彦	奈良学園大学保健医療学部 教授（リハビリテーション学科）
柴田　陽三	福岡大学筑紫病院 病院長
島田　幸造	JCHO 大阪病院 統括診療部長〔大阪市福島区〕
島田　洋一	秋田県立療育機構 理事長〔秋田市〕
島村　安則	岡山大学大学院 准教授（運動器スポーツ医学講座）
嶋村　佳雄	田中脳神経外科病院脊椎脊髄外科部長〔東京都練馬区〕
清水　隆昌	奈良県立医科大学 学内講師
下村　哲史	東京都立小児総合医療センター 前部長〔東京都府中市〕
白井　寿治	京都府立医科大学 准教授
白濱　正博	医療法人社団慶仁会川崎病院 院長〔福岡県八女市〕
神野　哲也	獨協医科大学埼玉医療センター 主任教授

す

菅本　一臣	大阪大学大学院 教授（運動器バイオマテリアル学講座）
菅谷　啓之	東京スポーツ＆整形外科クリニック 院長〔東京都豊島区〕
杉原　毅彦	聖マリアンナ医科大学 准教授（リウマチ・膠原病・アレルギー内科）
杉本　和也	奈良県総合医療センター 副院長〔奈良市〕
杉本　勝正	名古屋スポーツクリニック 院長〔名古屋市昭和区〕
鈴木　朱美	山形大学 講師
鈴木　一秀	麻生総合病院 副院長・スポーツ整形外科 部長〔川崎市麻生区〕
鈴木　卓	帝京大学医学部附属病院外傷センター 准教授
鈴木　秀典	山口大学大学院 講師
須田　浩太	北海道せき損センター 副院長〔北海道美唄市〕
須田　康文	国際医療福祉大学塩谷病院 病院長
須藤　貴史	群馬大学大学院医学系研究科 講師（麻酔神経科学）
砂川　融	広島大学大学院 教授（上肢機能解析制御科学）
住田　孝之	筑波大学名誉教授（膠原病リウマチアレルギー内科学）

執筆者一覧

住谷	昌彦	東京大学医学部附属病院緩和ケア診療部 准教授
隅屋	寿	富山大学附属病院 診療教授(放射線科)

せ

瀬川	裕子	東京医科歯科大学 助教
関	敦仁	国立成育医療研究センター小児外科系専門診療部統括部長〔東京都世田谷区〕
関	健	東京医科大学 助教
千田	益生	岡山大学病院 教授(総合リハビリテーション部)
千馬	誠悦	中通総合病院 診療部長〔秋田市〕

そ

副島	修	福岡山王病院 部長〔福岡市早良区〕
園生	雅弘	帝京大学 主任教授(神経内科学講座)

た

平良	勝章	埼玉県立小児医療センター 科長〔さいたま市中央区〕
高尾	正樹	大阪大学 講師
高尾	昌人	重城病院 CARIFAS 足の外科センター 所長〔千葉県木更津市〕
高木	岳彦	国立成育医療研究センター 診療部長〔東京都世田谷区〕
髙木	辰哉	順天堂大学 先任准教授
髙木	博	昭和大学藤が丘病院 准教授
高瀬	勝己	東京医科大学 教授(運動機能再建外科学寄附講座)
高田	宗知	石川県立中央病院外傷センター センター長〔石川県金沢市〕
高野	弘充	順天堂大学医学部附属順天堂医院脊椎脊髄センター 助教
高橋	裕樹	札幌医科大学 教授(免疫・リウマチ内科学)
高橋	良輔	総合せき損センター泌尿器科 部長〔福岡県飯塚市〕
高平	尚伸	北里大学 教授/大学院医療系研究科 研究科長
高見	正成	和歌山県立医科大学 教授(低侵襲脊椎外科手術研究開発講座)
高山	利夫	東京大学医学部附属病院 講師(血管外科)
滝川	一晴	静岡県立こども病院 医長〔静岡市葵区〕
竹内	大作	那須赤十字病院 部長〔栃木県大田原市〕
竹内	拓海	杏林大学 助教
竹内	幹伸	腰・首・頭の中京スパインクリニック 院長〔愛知県日進市〕
竹中	聡	大阪国際がんセンター 部長〔大阪市中央区〕
多田	薫	金沢大学 助教
立花	陽明	埼玉医科大学 教授
建部	将広	名古屋大学大学院医学系研究科四肢外傷学寄附講座 准教授
田仲	和宏	大分大学 准教授(整形外科・人工関節学講座)
田中	清和	日本赤十字社医療センター 副部長(リハビリテーション科)〔東京都渋谷区〕
田中	弘志	心身障害児総合医療療育センター 医長〔東京都板橋区〕
田中	雅人	岡山労災病院脊椎脊髄センター センター長/副院長〔岡山市南区〕
田中	洋平	JR東京総合病院 主任医長(リハビリテーション科)〔東京都渋谷区〕
谷口	晃	奈良県立医科大学 准教授
谷口	昇	鹿児島大学大学院 教授
谷口	優樹	東京大学大学院 特任准教授(次世代運動器イメージング学講座)
谷藤	理	新潟大学 助教
田村	太資	大阪母子医療センター 主任部長(リハビリテーション科)〔大阪府和泉市〕
田村	直人	順天堂大学 教授(膠原病内科)
田村	裕昭	社会医療法人玄真堂川嶌整形外科病院 回復期センター長〔大分県中津市〕
丹澤	義一	東海大学 講師

ち

帖佐	悦男	宮崎大学 教授

つ

塚本	真治	奈良県立医科大学 助教
辻	収彦	慶應義塾大学 特任講師
辻	英樹	羊ヶ丘病院 医長〔札幌市厚別区〕
津田	英一	弘前大学大学院 教授(リハビリテーション医学)
土田	芳彦	湘南鎌倉総合病院外傷センター センター長〔神奈川県鎌倉市〕
坪川	直人	新潟手の外科研究所病院 院長〔新潟県聖籠町〕
妻木	範行	大阪大学大学院 教授(生化学・分子生物学講座)/京都大学iPS細胞研究所 特定拠点教授

て

出家	正隆	愛知医科大学 主任教授
出村	諭	金沢大学附属病院 准教授
寺井	秀富	大阪市立大学大学院 准教授
寺本	篤史	札幌医科大学 講師

と

藤	哲	弘前大学 名誉教授
當銘	保則	琉球大学大学院 准教授
戸口田淳也		京都大学ウイルス・再生医科学研究所 教授
徳永	真巳	福岡整形外科病院 副院長〔福岡市南区〕
栃木	祐樹	獨協医科大学埼玉医療センター 准教授
土肥美智子		国立スポーツ科学センタースポーツメディカルセンター 副主任研究員〔東京都北区〕
富田	雅人	長崎大学大学院 准教授
富村奈津子		南風病院 部長〔鹿児島市〕
戸山	芳昭	慶應義塾大学 名誉教授/一般財団法人 国際医学情報センター 理事長
豊田	宏光	大阪市立大学大学院 准教授(総合医学教育学)

な

中	紀文	那智勝浦町立温泉病院 副院長〔和歌山県東牟婁郡〕
中川	匠	帝京大学 教授
中川	照彦	同愛記念病院 副院長〔東京都墨田区〕
中川	泰彰	国立病院機構京都医療センター 統括診療部長〔京都市伏見区〕
仲川	喜之	宇陀市立病院 病院長〔奈良県宇陀市〕

中嶋	耕平	国立スポーツ科学センタースポーツメディカルセンター 副主任研究員〔東京都北区〕
中嶋	秀明	福井大学 講師
永島	英樹	鳥取大学 教授
中島	康晴	九州大学大学院 教授
中瀬	順介	金沢大学 助教
仲田	和正	西伊豆健育会病院 院長〔静岡県賀茂郡〕
仲西	康顕	奈良県立医科大学 講師
仲村	一郎	独立行政法人地域医療機能推進機構湯河原病院 診療統括部長〔神奈川県足柄下郡〕
中村	耕三	東京大学 名誉教授／東和病院 院長〔東京都足立区〕
中村	純人	東京都立北療育医療センター 科長, 訓練科長〔東京都北区〕
中村	琢哉	富山県立中央病院 部長〔富山市〕
中村	俊康	国際医療福祉大学 教授
中村	直行	神奈川県立こども医療センター 整形外科部長・肢体不自由児施設長〔横浜市南区〕
中村	憲正	大阪保健医療大学 教授
中村	仁	仁整形外科クリニック 院長〔栃木県宇都宮市〕
中村	博亮	大阪市立大学 教授
中村	雄作	りんくう総合医療センター脳神経内科 主任部長〔大阪府泉佐野市〕
中山正一郎		済生会御所病院 病院長〔奈良県御所市〕
中山ロバート		慶應義塾大学 講師
中山田真吾		産業医科大学 准教授(第1内科学講座)
名越	慈人	慶應義塾大学 講師
南里	泰弘	富山県厚生連滑川病院 診療部長〔富山県滑川市〕

に

新倉	隆宏	神戸大学 准教授
二階堂琢也		福島県立医科大学 准教授
仁木	久照	聖マリアンナ医科大学 主任教授
西浦	康正	筑波大学附属病院土浦地域臨床教育センター 教授
西川	節	守口生野記念病院 院長／脊椎・脊髄センター長〔大阪府守口市〕
西田	淳	東京医科大学 教授
西田	佳弘	名古屋大学医学部附属病院 病院教授(リハビリテーション科)
西谷	江平	京都大学 特定助教
西塚	隆伸	中日病院名古屋手外科センター 副センター長〔名古屋市中区〕
西中	直也	昭和大学大学院保健医療学研究科 教授
西村	玄	武蔵野陽和会病院 医長(放射線科)〔東京都武蔵野市〕
西村	行秀	岩手医科大学 教授(リハビリテーション医学講座)
二村	昭元	東京医科歯科大学大学院 運動器機能形態学講座 教授

の

野口	幸志	JCHO 久留米総合病院 医長〔福岡県久留米市〕
野口	英雄	石井クリニック 院長〔埼玉県行田市〕
野口	昌彦	東京女子医科大学 客員教授
野坂	光司	秋田大学 講師
野島	孝之	金沢大学附属病院 客員教授
野田	知之	川崎医科大学 教授(運動器外傷・再建整形外科学教室)
信田	進吾	東北労災病院 副院長〔仙台市青葉区〕

は

芳賀	信彦	国立障害者リハビリテーションセンター 自立支援局長〔埼玉県所沢市〕
橋口	宏	米倉脊椎・関節病院 院長〔東京都足立区〕
橋本	淳一	山形大学医学部附属病院 教授(医療安全管理部)
橋本	健史	慶應義塾大学 教授(スポーツ医学)
羽田	康司	筑波大学 教授(リハビリテーション医学)
蜂谷	裕道	はちや整形外科病院 理事長〔名古屋市千種区〕
羽鳥	正仁	仙塩総合病院 副院長〔宮城県多賀城市〕
馬場	正之	青森県立中央病院 医療顧問(脳神経内科)〔青森市〕
浜田純一郎		桑野協立病院 部長〔福島県郡山市〕
濱西	千秋	近畿大学 名誉教授／市立岸和田市民病院リハビリテーションセンター センター長〔大阪府岸和田市〕
林	克洋	金沢大学大学院 特任教授(地域未来医療整形外科学講座)
林	宏治	大手前病院 足の外科センター長〔大阪市中央区〕
林	正徳	信州大学 講師
原	章	順天堂大学医学部附属浦安病院 准教授
原	良太	奈良県立医科大学 助教
原口	直樹	聖マリアンナ医科大学横浜市西部病院 副院長
原田	将太	福島県立医科大学 助教(外傷学講座)／総合南東北病院外傷センター 医長
原藤	健吾	慶應義塾大学 専任講師
波呂	浩孝	山梨大学大学院 教授
半田	隼一	福島県立医科大学 助教
坂野	元彦	和歌山県立医科大学 講師(リハビリテーション医学)

ひ

平池	修	東京大学医学系研究科 准教授(産婦人科学講座)
平石	英一	永寿総合病院整形外科〔東京都台東区〕
平賀	博明	国立病院機構北海道がんセンター 統括診療部長〔札幌市白石区〕
平瀬	雄一	四谷メディカルキューブ手の外科・マイクロサージャリーセンター センター長〔東京都千代田区〕
平田	仁	名古屋大学大学院 教授(手の外科学)
平野	貴章	聖マリアンナ医科大学 准教授

ふ

福岡	真二	福岡県こども療育センター新光園 園長〔福岡県糟屋郡〕
福本	恵三	埼玉慈恵病院埼玉手外科マイクロサージャリー研究所 所長〔埼玉県熊谷市〕
藤井	隆夫	和歌山県立医科大学 教授(リウマチ・膠原病科学)

執筆者一覧

藤井	朋子	東京大学医学部附属病院 22 世紀医療センター運動器疼痛メディカルリサーチ&マネジメント講座 特任研究員
藤井	宏真	奈良県立医科大学 学内講師
藤澤	佑介	東京大学医学部附属病院(小児科)
藤野	圭司	藤野整形外科医院 院長〔浜松市中区〕
藤原	俊之	順天堂大学 教授(リハビリテーション医学)
藤原	浩芳	京都第二赤十字病院 部長〔京都市上京区〕
藤原	正利	赤穂中央病院 前部長(リハビリテーション科)〔兵庫県赤穂市〕
麩谷	博之	兵庫医科大学病院 教授
二見	徹	滋賀県立小児保健医療センター 病院長〔滋賀県守山市〕
船越	忠直	慶友整形外科病院慶友肩関節センター センター長〔群馬県館林市〕
古矢	丈雄	千葉大学大学院 講師

ほ

朴木	寛弥	奈良県立医科大学 教授(骨軟部腫瘍制御・機能再建医学)
保科	克行	東京大学 准教授(血管外科)
星野	雅俊	大阪市立総合医療センター 副部長〔大阪市都島区〕
堀井恵美子		関西医科大学 理事長特命教授
堀部	秀二	大阪府立大学大学院 教授
本郷	道生	秋田大学 講師

ま

前	隆男	佐賀県医療センター好生館 副館長/主任部長〔佐賀市〕
前川	尚宜	奈良県立医科大学 講師(救急医学講座)
前田	和洋	東京慈恵会医科大学 講師
正岡	利紀	東京医科大学 准教授
益田	郁子	十条武田リハビリテーション病院 部長(リウマチ科)〔京都市南区〕
町田	治郎	神奈川県立こども医療センター 総長〔横浜市南区〕
松井	利浩	国立病院機構相模原病院 部長(リウマチ科)〔相模原市南区〕
松井	智裕	済生会奈良病院 部長〔奈良市〕
松井雄一郎		北海道大学大学院歯学研究院 准教授
松下	雄彦	神戸大学 特命准教授
松下	雅樹	名古屋大学大学院 講師
松橋	智弥	北新病院上肢人工関節・内視鏡センター〔札幌市白石区〕
松原	秀憲	金沢大学附属病院 講師
松峯	昭彦	福井大学 教授
松本	秀男	日本スポーツ医学財団 理事長〔東京都新宿区〕
松山	幸弘	浜松医科大学 教授
眞鍋	裕昭	徳島大学 助教

み

三浦	俊樹	JR 東京総合病院 副院長〔東京都渋谷区〕
三上	靖夫	京都府立医科大学大学院 教授(リハビリテーション医学)
三木	健司	大阪行岡医療大学医療学部 特別教授
三崎	智範	福井県立病院 主任医長〔福井市〕
水谷	潤	東京女子医科大学八千代医療センター 准教授
南出	晃人	獨協医科大学日光医療センター 教授
三幡	輝久	大阪医科薬科大学 准教授
宮腰	尚久	秋田大学大学院 准教授
三輪	真嗣	金沢大学 助教

む

村上	栄一	JCHO 仙台病院 院長〔仙台市泉区〕
村上	秀樹	岩手医科大学 特任教授
村上	玲子	新潟大学医歯学総合病院整形外科・リハビリテーション科 助教
村瀬	剛	大阪大学 准教授
村田	英俊	横浜市立大学大学院脳神経外科学 准教授
村松	慎一	自治医科大学 オープンイノベーションセンター 神経遺伝子治療部門 教授

も

本宮	真	帯広厚生病院 部長〔北海道帯広市〕
本村	悟朗	九州大学大学院医学研究院人工関節生体材料学講座 准教授
森	幹士	滋賀医科大学 准教授
森	雅亮	東京医科歯科大学大学院 教授(生涯免疫難病学講座)/聖マリアンナ医科大学 教授(アレルギー・リウマチ・膠原病内科, 生涯治療センター)
森井	健司	杏林大学 教授
森崎	裕	東京大学医学部附属病院 講師
森平	泰	獨協医科大学 准教授
森友	寿夫	大阪行岡医療大学理学療法学科 教授
水掫	貴満	南奈良総合医療センター リウマチ・運動器疾患センター長〔奈良県大淀町〕

や

矢島	弘嗣	市立奈良病院 名誉院長〔奈良市〕
安井	哲郎	帝京大学医学部附属溝口病院 教授
安田	稔人	大阪医科薬科大学看護学部 教授
安竹	秀俊	石川県立中央病院 診療部長〔石川県金沢市〕
八幡徹太郎		金沢大学附属病院 臨床教授(リハビリテーション科)
矢吹さゆみ		東京都立北療育医療センター 医長〔東京都北区〕
矢吹	省司	福島県立医科大学保健科学部 学部長
矢部	一郎	北海道大学大学院 教授(神経病態学分野神経内科学教室)
山川	泰明	高知医療センター 医長〔高知市〕
山口	智志	千葉大学大学院国際学術研究院 准教授
山口	岳彦	獨協医科大学日光医療センター 教授(病理診断科)
山崎	哲也	横浜南共済病院スポーツ整形外科 部長〔横浜市金沢区〕
山下	修二	東京大学医学部附属病院 特任講師(形成外科)
山田	圭	久留米大学 准教授
山田	浩司	中野島整形外科 院長〔川崎市多摩区〕
山田	仁	福島県立医科大学 教授(運動器骨代謝学講座)
山田	宏	和歌山県立医科大学 教授

山寺　亘	東京慈恵会医科大学葛飾医療センター 診療部長（精神神経科）	米澤　郁穂	参宮橋脊椎外科病院 副院長〔東京都渋谷区〕
山本　晃太	宮内庁皇嗣職 侍医	**わ**	
山本　哲司	香川大学 教授	若林　良明	横浜市立みなと赤十字病院 院長補佐・部長（手外科・上肢外傷整形外科）〔横浜市中区〕
山本　宣幸	東北大学大学院 准教授	早稲田明生	わせだ整形外科 院長〔東京都狛江市〕
山本　憲男	金沢大学大学院 特任教授	和田簡一郎	弘前大学医学部附属病院 講師
よ		和田　卓郎	済生会小樽病院 病院長〔北海道小樽市〕
横須賀公章	久留米大学 講師	渡邉　和之	福島県立医科大学 准教授
吉井　俊貴	東京医科歯科大学大学院 准教授	渡邊　孝治	わたなべ整形外科クリニック 理事長〔石川県金沢市〕
吉田　健治	筑後市立病院 顧問〔福岡県筑後市〕	渡邉　耕太	札幌医科大学保健医療学部 教授（理学療法学第2講座）
吉田　剛	浜松医科大学 助教	渡辺　航太	慶應義塾大学 准教授
吉田　行弘	日本大学医学部附属板橋病院 部長代行（リハビリテーション科）	渡部　欣忍	帝京大学 教授
吉村　一朗	福岡大学病院 准教授		
吉本　三徳	札幌医科大学 准教授		

目次

1 診断と治療総論

診断総論

三次元CTと三次元MRI	中村　博亮	2
関節穿刺法と関節液検査	西谷　江平	3
筋力訓練・測定器	志波　直人	5
神経伝導速度と筋電図	八幡徹太郎	6
脊髄誘発電位と術中脊髄モニタリング	松山　幸弘	8
超音波診断	中瀬　順介	10
サーモグラフィー	河村　太介	11
脊髄造影	加藤　賢治	12
椎間板造影	川口　善治	13
神経根造影	出村　諭	14
シンチグラフィー	隅屋　寿	16
骨塩定量法	山本　憲男	17

治療総論

自己血輸血	小久保安朗	19
肺血栓塞栓症	中村　琢哉	20
院内・手術室内感染対策	藤原　正利	22
整形外科手術に対する麻酔法の選択	讃岐美智義	23
硬膜外ブロック	讃岐美智義	24
超音波ガイド下伝達麻酔	仲西　康顕	25
頭蓋直達牽引とhalo vest固定	渡辺　航太	26
関節鏡視下手術と手術機器	木村　雅史	27
骨延長［術］	櫻吉　啓介	29
骨移植と骨バンク	蜂谷　裕道	31
人工生体材料（人工骨）	松原　秀憲	32
針刺し切創，皮膚・粘膜曝露	楾野　良知	33
インフォームド・コンセント	大川　淳	35

2 外傷

外傷性ショック	山川　泰明	38
多発外傷の初期治療	土田　芳彦	39
多発骨折とそのピットフォール	安竹　秀俊	41
汚染・挫滅創のプライマリ・ケア	入船　秀仁	42
外傷性軟部組織欠損	前川　尚宜	44
圧挫症候群	當銘　保則	46
脂肪塞栓症候群	佐藤　秀峰	47
骨折のプレート固定	野田　知之	48
骨折の髄内釘固定	島村　安則	50
打撲，挫傷，捻挫	南里　泰弘	52
幼児の骨折の特殊性	西須　孝	53
高齢者の骨折の特殊性	白濵　正博	55
関節内骨折と脱臼骨折の特殊性	中瀬　順介	57
被虐待児症候群における骨折	江口　佳孝	58
脆弱性骨折	白濵　正博	59
遷延治癒骨折，偽関節	塩田　直史	62
骨折の基本的整復法	塩田　直史	63
副子・ギプス包帯固定法	原田　将太	64
骨折の創外固定	高田　宗知	66
骨折に対する低出力超音波パルス療法	砂川　融	68
血管損傷総論	池田　和夫	68
末梢神経損傷総論	金谷　文則	69
区画症候群（コンパートメント症候群）	多田　薫	72
外傷後の急性骨萎縮	今谷　潤也	73
外傷後の異所性骨化，外傷性骨化性筋炎	土田　芳彦	74
外傷肢切断の適応基準	黒住　健人	74
集団災害	黒住　健人	76

3 スポーツ外傷と障害

- スポーツ整形外科とは　帖佐　悦男　80
- スポーツ競技者の診療で考慮すべきこと　石橋　恭之　81
- 内科的メディカルチェック　土肥美智子　82
- 整形外科的メディカルチェック　中嶋　耕平　83
- スポーツによる内科的障害　土肥美智子　85
- 運動性無月経　平池　修　87
- スポーツ外傷・障害に対する現場での応急処置　中嶋　耕平　89
- スポーツ外傷・障害の予防　古賀　英之　90
- 下肢の筋打撲傷と肉ばなれ　奥脇　透　92
- スポーツによる疲労骨折　帖佐　悦男　93
- スポーツによる肩関節部の外傷・障害　今井　晋二　94
- スポーツによる上腕の外傷・障害　今井　晋二　97
- スポーツによる肘関節の外傷・障害　瓜田　淳　98
- スポーツによる手関節・手部の外傷・障害　瓜田　淳　101
- 骨盤・股関節のスポーツ外傷・障害　内田　宗志　104
- スポーツによる頸部の外傷・障害　岩﨑　博　106
- スポーツによる腰背部の外傷・障害　眞鍋　裕昭　108
- スポーツによる大腿・膝・下腿部の外傷・障害　黒田　良祐　110
- スポーツによる足部・足関節の外傷・障害　熊井　司　111
- 成長期のスポーツ外傷・障害の留意事項　松本　秀男　115
- 中高年者のスポーツ外傷・障害の留意事項　津田　英一　116

4 感染性疾患

- 起炎菌の今日的特徴　山田　浩司　120
- MRSAによる感染症　山田　浩司　121
- 化膿性疾患の化学療法　正岡　利紀　123
- 真菌による感染症　三輪　真嗣　123
- 嫌気性菌による感染症　阿部　哲士　125
- 蜂巣炎（蜂窩織炎）　斎藤　政克　126
- 急性化膿性関節炎　稲葉　裕　127
- 急性化膿性骨髄炎　新倉　隆宏　129
- 慢性化膿性骨髄炎　新倉　隆宏　131
- Brodie膿瘍　梶山　史郎　133
- Garré[硬化性]骨髄炎　梶山　史郎　133
- 開放骨折後の骨髄炎　渡部　欣忍　134
- 皮膚や骨欠損を伴う骨髄炎　渡部　欣忍　135
- 内固定材料使用後の感染　三崎　智範　137
- 人工関節周囲の感染　稲葉　裕　139
- 骨・関節結核および非結核性抗酸菌症　多田　薫　140
- 感染に対する高気圧酸素療法　田村　裕昭　142
- 壊死性筋膜炎　岡本　成史　143
- 化膿性脊椎炎　出村　諭　144
- 脊椎インプラント術後感染　出村　諭　145
- 結核性脊椎炎（脊椎カリエス）　川原　範夫　147

5 骨・軟部腫瘍および腫瘍類似疾患

- 骨・軟部腫瘍診断の手順　山本　哲司　150
- 骨・軟部腫瘍の画像診断　林　克洋　152
- 骨・軟部腫瘍の病理診断　山口　岳彦　153
- 骨・軟部腫瘍の遺伝子診断　野島　孝之　156
- 生検術　松峯　昭彦　157
- 悪性骨・軟部腫瘍（肉腫）の化学療法　川井　章　158
- 悪性骨・軟部腫瘍の放射線療法　西田　佳弘　161
- 悪性骨・軟部腫瘍の切除縁　森井　健司　163

骨腫瘍切除後再建（人工関節）	吉田 行弘	164
生物学的再建術	林 克洋	166
悪性腫瘍の緩和ケア	秋末 敏宏	167
良性骨腫瘍および腫瘍類似疾患	生越 章	169
骨巨細胞腫	麩谷 博之	171
骨組織球症（好酸球性肉芽腫）	白井 寿治	173
良性軟部腫瘍	田仲 和宏	174
色素性絨毛結節性滑膜炎	秋山 達	175
デスモイド型線維腫症	朴木 寛弥	176
骨肉腫	山本 憲男	177
軟骨肉腫	中 紀文	180
Ewing 肉腫	国定 俊之	182
未分化多形肉腫	髙木 辰哉	183
脂肪肉腫	丹澤 義一	184
滑膜肉腫	竹中 聡	184
線維肉腫	中山ロバート	185
平滑筋肉腫	當銘 保則	185
横紋筋肉腫	竹中 聡	186
悪性末梢神経鞘腫瘍	淺沼 邦洋	187
悪性リンパ腫，白血病	山田 仁	187
多発性骨髄腫	富田 雅人	188
脊索腫	丹澤 義一	190
四肢の転移性骨腫瘍	河野 博隆	190

6 関節リウマチ，慢性関節疾患および骨壊死症

関節リウマチの新しい治療体系	仲村 一郎	194
関節リウマチの薬物療法	亀田 秀人	198
関節リウマチ合併症の治療	松井 利浩	199
関節リウマチのリハビリテーション，機能訓練と装具療法	阿部 麻美	202
関節リウマチの外科治療	石川 肇	204
関節リウマチ患者と介護保険	仲村 一郎	206
関節リウマチ患者の在宅生活支援	仲村 一郎	207
若年性特発性関節炎	森 雅亮	208
高齢発症の関節リウマチ	杉原 毅彦	210
悪性関節リウマチ	藤井 隆夫	211
高尿酸血症・痛風	益田 郁子	212
偽痛風	益田 郁子	214
アパタイト結晶沈着症	浜田 純一郎	215
脊椎関節炎（総論）	田村 直人	215
強直性脊椎炎	岸本 暢将	217
乾癬性関節炎	岸本 暢将	219
血友病性関節炎	大野久美子	221
神経病性関節症（Charcot 関節）	大野久美子	222
糖尿病性関節症	大野久美子	223
特発性大腿骨頭壊死症	秋山 治彦	224

7 骨系統疾患，代謝性骨疾患

■骨系統疾患

骨系統疾患の臨床診断	小﨑 慶介	230
骨系統疾患国際命名・分類 2015	小﨑 慶介	232
遺伝子診断とカウンセリング	黒澤 健司	235
骨系統疾患の X 線診断	西村 玄	236
出生前診断	澤井 英明	240

■FGFR 3 軟骨異形成症グループ

概説	松下 雅樹	241
軟骨無形成症	松下 雅樹	242
軟骨低形成症	松下 雅樹	243

■2 型コラーゲングループおよび類似疾患

概説	鬼頭 浩史	244
先天性脊椎骨端異形成症	鬼頭 浩史	245
Kniest 骨異形成症	鬼頭 浩史	246
Stickler 症候群	鬼頭 浩史	247

■Filamin グループと関連疾患

Larsen 症候群	岡田 慶太	248

■大きな骨変化を伴う繊毛異常症

軟骨外胚葉異形成症	関 敦仁	249

■多発性骨端異形成症および偽性軟骨無形成症グループ

多発性骨端異形成症	滝川 一晴	250
偽性軟骨無形成症	下村 哲史	251

■骨幹端異形成症
Schmid 型骨幹端異形成症 ……………… 鬼頭　浩史　252
McKusick 型軟骨・毛髪低形成症 ……… 岡田　慶太　253
■脊椎骨幹端異形成症
概説 ………………………………………… 滝川　一晴　254
■脊椎・骨端（・骨幹端）異形成症
遅発性脊椎骨端異形成症 ………………… 伊藤　順一　255
■遠位肢異形成症
毛髪鼻指節異形成症 ……………………… 田中　弘志　256
■遠位中間肢異形成症
概説 ………………………………………… 髙木　岳彦　257
■中間肢・近位肢中間肢異形成症
異軟骨骨症（Leri-Weill） ………………… 関　　敦仁　257
■弯曲肢異形成症および関連疾患
概説 ………………………………………… 小林　大介　258
■点状軟骨異形成症グループ
概説 ………………………………………… 中村　直行　259
■大理石骨病と関連疾患
大理石骨病 ………………………………… 西須　　孝　261
濃化異骨症 ………………………………… 西須　　孝　262
流蝋骨症 …………………………………… 魚谷　弘二　263
骨斑紋症 …………………………………… 魚谷　弘二　265
■他の骨硬化性骨疾患
骨幹異形成症（Camurati-Engelmann 病）
　………………………………………………… 北野　元裕　266
皮膚骨膜肥厚症 …………………………… 内川　伸一　267
■骨形成不全症と骨密度低下を示すグループ
骨形成不全症 ……………………………… 芳賀　信彦　267
若年性特発性骨粗鬆症 …………………… 藤澤　佑介　269
■異常骨石灰化グループ
低ホスファターゼ症 ……………………… 坂本　優子　271
低リン血症性くる病 ……………………… 坂本　優子　272
■骨変化を伴うリソソーム蓄積症（多発性異骨症グループ）
ムコ多糖症 ………………………………… 小須賀基通　273
ムコ脂質症 ………………………………… 小須賀基通　275
■骨格成分の発生異常グループ
多発性軟骨性外骨腫症 …………………… 滝川　一晴　276

内軟骨腫症，Ollier 病 …………………… 滝川　一晴　277
進行性骨化性線維異形成症 ……………… 中島　康晴　278
Marfan 症候群 …………………………… 谷口　優樹　279
■遺伝性炎症性/リウマチ様骨関節症
進行性偽性リウマチ様骨異形成症 ……… 平良　勝章　280
■鎖骨頭蓋異形成症と類縁疾患群
鎖骨頭蓋異形成症 ………………………… 瀬川　裕子　281
■頭蓋骨癒合症候群
Apert 症候群 ……………………………… 髙木　岳彦　282
■短指症（骨外形態異常を伴う/伴わない）
Poland 症候群 …………………………… 堀井恵美子　283
■代謝性骨疾患，その他
骨軟化症，くる病 ………………………… 坂本　優子　284
慢性腎臓病・透析に併発する運動器疾患（腎性
　骨ジストロフィー） …………………… 加藤　義治　284
骨 Paget 病 ………………………………… 前田　和洋　286
骨粗鬆症 …………………………………… 齋藤　　琢　288
McCune-Albright 症候群 ………………… 田村　太資　290

8　筋・神経疾患

筋・神経疾患の臨床診断 ………………… 安藤　哲朗　294
整形外科医に必要な筋・神経疾患の検査法
　………………………………………………… 石山　昭彦　297
進行性筋ジストロフィー ………………… 石山　昭彦　301
多発性筋炎 ………………………………… 住田　孝之　302
多発ニューロパシー ……………………… 石山　昭彦　303
Charcot-Marie-Tooth 病 ………………… 石山　昭彦　304
先天性無痛無汗症 ………………………… 久保田雅也　304
神経痛性筋萎縮[症] ……………………… 園生　雅弘　305
糖尿病神経障害（糖尿病性ニューロパシー）
　………………………………………………… 馬場　正之　305
帯状疱疹後神経痛 ………………………… 柴田　政彦　307
周期性四肢麻痺 …………………………… 久保田智哉　308
脳性麻痺の療育 …………………………… 中村　純人　309
脳性麻痺の手術療法 ……………………… 中村　純人　311
重複障害児の療育管理指導 ……………… 中村　純人　313

| 異所[性]骨化 | 矢吹さゆみ | 314 |

9 末梢循環障害，壊死性疾患

主幹動脈損傷	保科 克行	318
急性動脈閉塞	高山 利夫	319
閉塞性血栓血管炎（Buerger 病）	高山 利夫	320
閉塞性動脈硬化症	伊佐治寿彦	321
循環障害肢切断の適応	赤井 隆文	323
Raynaud 病，Raynaud 症候群	桑名 正隆	324
振動障害	木戸 健司	325
下肢静脈瘤	山本 晃太	326
静脈血栓塞栓症	山本 晃太	327
リンパ浮腫	山下 修二	328
下腿潰瘍，うっ滞性潰瘍	山下 修二	329
褥瘡	山下 修二	331

10 運動器リハビリテーション

運動器リハビリテーションの考え方	千田 益生	334
運動器疾患患者の機能評価	千田 益生	335
高齢者のリスク管理と運動処方	矢吹 省司	336
高齢者の移動能力評価	矢吹 省司	337
関節可動域テスト，徒手筋力テスト	緒方 直史	338
筋力増強訓練，ストレッチング	緒方 直史	339
ADL 訓練	津田 英一	340
関節拘縮に対する運動療法	津田 英一	342
温熱・冷熱療法の考え方と処方	城戸 顕	343
骨折・脱臼のリハビリテーション	城戸 顕	344
運動器不安定症	大井 直往	345
転倒予防	大井 直往	347
片麻痺（脳血管障害）患者のリハビリテーション治療	藤原 俊之	348
神経・筋疾患患者のリハビリテーション治療	藤原 俊之	349

上肢装具	森崎 裕	351
下肢装具	佐浦 隆一	352
頸椎・体幹装具	加藤 真介	354
靴型装具	佐浦 隆一	355
義手の処方と装着訓練	田中 清和	356
義足の処方と装着訓練	田中 洋平	358
車椅子，歩行補助具	加藤 真介	360
運動器リハビリテーション実施計画の立て方	志波 直人	361
補装具の公的支給と手続き	田中 洋平	363
労災補償の手続き	田中 清和	364
身体障害者診断書の記入の仕方	芳賀 信彦	365
在宅生活支援の社会資源	坂野 元彦	366
介護保険の仕組み	河﨑 敬	367
介護保険における主治医意見書	坂野 元彦	368
障害年金診断書の記入の仕方	芳賀 信彦	371
脳卒中患者と介護保険	川手 信行	372
脳卒中患者の在宅生活支援	川手 信行	373

11 肩甲帯の疾患

肩関節の機能解剖	今井 晋二	378
肩関節の診察法	今井 晋二	379
肩の痛みのコントロール	後藤 英之	381
肩関節疾患の X 線診断	谷口 昇	383
肩関節疾患の MRI 診断	谷口 昇	385
肩疾患の超音波診断	後藤 英之	386
肩関節のバイオメカニクス	菅本 一臣	387
肩腱板断裂の病態と診断	山本 宣幸	389
肩腱板断裂の治療	内山 善康	390
肩関節の鏡視診断と鏡視下手術	菅谷 啓之	391
胸鎖関節部の疾患と外傷	三幡 輝久	393
外傷性肩関節脱臼	井樋 栄二	394
非外傷性肩関節不安定症	井樋 栄二	395
肩関節上方唇損傷（SLAP 損傷）	岩堀 裕介	396
上腕二頭筋腱の障害	西中 直也	398
肩関節の人工関節手術	柴田 陽三	400

肩甲帯の先天異常	池上　博泰	401
肩こりの治療	中川　照彦	402
腕神経叢損傷，分娩麻痺	池上　博泰	405
胸郭出口症候群	岩堀　裕介	408
石灰沈着性腱板炎・滑液包炎	高瀬　勝己	410
肩鎖関節部の疾患と外傷	高瀬　勝己	411
肩甲骨骨折	江川　琢也	413
鎖骨骨折	仲川　喜之	414
肩のリハビリテーション	後藤　英之	416
五十肩（凍結肩）	柴田　陽三	418
投球障害肩	杉本　勝正	419
投球障害肩の手術療法	鈴木　一秀	421
変形性肩関節症	松橋　智弥	422
リウマチ肩	橋口　宏	423

12　上腕の疾患

上腕の解剖	中川　泰彰	426
上腕部近位部骨折	水掫　貴満	427
上腕骨骨幹部骨折	河村　健二	429
上腕骨顆上骨折	清水　隆昌	430
上腕骨外側顆骨折	小林　誠	431
上腕骨内側顆骨折	山崎　哲也	432
上腕骨内上顆骨折	小林　誠	433
上腕骨滑車形成不全	佐竹　寛史	434
上腕骨骨頭の無腐性壊死	井上　和也	434
上腕二頭筋腱・三頭筋腱皮下断裂	船越　忠直	435

13　肘関節の疾患

肘関節の機能解剖	今谷　潤也	438
肘の痛みのとらえ方/診断手順	林　正徳	439
肘頭骨折	辻　英樹	440
肘関節脱臼	辻　英樹	440
橈骨頭骨折，橈骨頸部骨折	西浦　康正	441
先天性橈骨頭脱臼	佐竹　寛史	443
肘内障	佐竹　寛史	443
上腕骨外側上顆炎	和田　卓郎	444
内反肘，外反肘	和田　卓郎	444
肘関節の離断性骨軟骨炎	佐藤　和毅	446
肘周辺の異所性骨化（骨化性筋炎）	稲垣　克記	447
変形性肘関節症	稲垣　克記	448
リウマチ肘	池上　博泰	450
靱帯損傷	島田　幸造	452
肘関節不安定症	島田　幸造	453

14　前腕の疾患

前腕の解剖	二村　昭元	456
前腕骨骨幹部骨折	江尻　荘一	457
Monteggia 骨折	尼子　雅敏	458
Galeazzi 骨折	小野　浩史	459
橈骨遠位部骨折の分類	坂野　裕昭	460
Colles 骨折	坂野　裕昭	460
Smith 骨折	長田　伝重	463
Barton 骨折	長田　伝重	463
Madelung 変形	村瀬　剛	464
Volkmann 拘縮	池田　和夫	466
先天性橈尺骨癒合症	加藤　博之	467
橈骨神経麻痺	柿木　良介	467
正中神経麻痺（手根管症候群，円回内筋症候群，前骨間神経麻痺を含む）	藤原　浩芳	470
尺骨神経麻痺（上肢全体について）	太田　壮一	473
肘部管症候群	太田　壮一	474
上肢における注射麻痺	池田　和夫	474

15　手関節の疾患

手関節の機能解剖	中村　俊康	478
手関節痛のとらえ方/診断手順	坪川　直人	479
手関節の画像診断	坪川　直人	481
手関節鏡	恵木　丈	482

月状骨周囲脱臼，月状骨脱臼	松井雄一郎	484
舟状骨骨折	森崎　裕	485
有鉤骨鉤骨折	近藤　真	487
有頭骨骨折	原　章	487
遠位橈尺関節脱臼	安部幸雄	489
三角線維軟骨複合体（TFCC）損傷	安部幸雄	490
Kienböck 病（月状骨軟化症）	西塚隆伸	492
Preiser 病	西塚隆伸	493
リウマチ手関節	石川　肇	494
手根不安定症	森友寿夫	495
de Quervain 病（橈骨茎状突起痛）	三浦俊樹	497
内反手	射場浩介	497
手根管症候群	内山茂晴	498
尺骨神経管症候群	信田進吾	499
尺骨突き上げ症候群	建部将広	500

16　手の疾患

手の解剖	二村昭元	504
中手骨骨折	多田　薫	505
指基節骨骨折	副島　修	506
MP 関節脱臼	多田　薫	507
PIP 関節脱臼骨折	矢島弘嗣	508
槌指（ついし，つちゆび）	川上亮一	509
Bennett 骨折，Roland 骨折	酒井昭典	510
ボタン穴変形	岩本卓士	511
白鳥のくび変形	岩本卓士	512
指尖部損傷	土田芳彦	513
手袋状剝皮損傷	池口良輔	514
高圧注入損傷	池口良輔	515
手・指切断傷	本宮　真	515
指屈筋腱損傷	岡田貴充	517
指伸筋腱損傷	岡田貴充	518
屈筋腱皮下断裂	内山茂晴	520
ばね指（手指屈筋腱の狭窄性腱鞘炎）	面川庄平	521
母指 MP 関節ロッキング，示指 MP 関節ロッキング	面川庄平	522
Heberden 結節	砂川　融	523
母指 CM 関節症	砂川　融	524
先天性握り母指症	高木岳彦	525
合指症	高木岳彦	526
多指症	佐竹寛史	526
合短指症	佐竹寛史	527
先天性絞扼輪症候群	射場浩介	528
裂手	射場浩介	529
屈指症，斜指症	本宮　真	529
先天性風車翼状手	河村太介	531
巨指症	河村太介	531
母指形成不全	堀井恵美子	533
Dupuytren 拘縮	池上博泰	534
リウマチ手指変形	岩本卓士	536
指屈筋腱化膿性腱鞘炎	千馬誠悦	537
ひょう疽	千馬誠悦	538
爪周囲炎	佐野和史	539
石灰性（化）腱炎	佐野和史	540
［太鼓］ばち指	福本恵三	540
ガングリオン	福本恵三	541
グロムス腫瘍	大江隆史	541
内軟骨腫	大江隆史	542
Maffucci 症候群	金谷文則	543
傍骨性軟骨腫	西田　淳	544
限局型腱滑膜巨細胞腫（腱鞘巨細胞腫）	西田　淳	544
手・指の循環障害	平瀬雄一	545
痙性麻痺手	河村太介	545
書痙	若林良明	546
複合性局所疼痛症候群（CRPS）	平田　仁	547

17　脊椎・脊髄疾患

脊柱の機能解剖	小林　洋	550
整形外科的脊椎・脊髄疾患のとらえ方/診断手順	國府田正雄	551
神経内科的脊髄疾患診断の進め方	酒井紀典	552

結核性脊椎炎	本郷　道生	554
原発性脊椎腫瘍	相澤　俊峰	555
転移性脊椎腫瘍	橋本　淳一	557
骨粗鬆症性椎体骨折	星野　雅俊	558
透析性脊椎症	大澤　透	560
脊髄髄内腫瘍	豊田　宏光	562
脊髄髄外腫瘍	豊田　宏光	564
脊髄くも膜嚢腫	岩渕　真澄	567
脊髄動静脈奇形	小澤　浩司	568
脊髄出血	小林　洋	570
前脊髄動脈症候群	竹内　大作	571
癒着性くも膜炎	村上　秀樹	572
脊髄空洞症	水谷　潤	574
脊髄外傷後の脊髄空洞症	川口　善治	575
多発性硬化症	中村　仁	577
脊髄小脳変性症	矢部　一郎	578
筋萎縮性側索硬化症	村松　慎一	579
脊髄炎	名越　慈人	582
むち打ち損傷（外傷性頚部症候群）	三木　健司	583
低髄液圧症候群	佐藤　慎哉	585

18　脊柱変形

思春期特発性側弯症に対する保存療法　　　二階堂琢也		590
特発性側弯症の手術療法	二階堂琢也	591
先天性脊柱側弯症	伊東　学	594
Marfan症候群による脊柱変形	田中　雅人	596
多発性神経線維腫症に合併した脊柱変形の治療　　　渡邉　和之		598
腰椎変性後側弯症	高見　正成	599
変性腰椎後弯	森平　泰	600
Scheuermann病	泉　恭博	602
Calvé扁平椎	高野　弘充	603
老人性円背	藤井　朋子	604
椎弓切除後の脊柱変形	竹内　拓海	605
脊椎外傷後の進行性脊柱変形	渡邉　和之	606

神経・筋原性疾患に伴う脊柱変形	寺井　秀富	608

19　頚椎部の疾患

頚椎の解剖	岩渕　真澄	612
頚部痛，上肢痛のとらえ方/診断手順　　　吉井　俊貴		614
頚部脊髄障害のとらえ方/診断手順	寒竹　司	615
頭蓋底陥入症	村田　英俊	618
環椎後頭骨癒合	半田　隼一	621
歯突起の形成異常（歯突起形成不全）　　　横須賀公章		622
Chiari奇形	名越　慈人	623
Klippel-Feil症候群	古矢　丈雄	624
環軸椎回旋位固定	村上　玲子	626
筋性斜頚	村上　玲子	627
痙性斜頚	中村　雄作	628
急性頚部椎間板石灰化症	嶋村　佳雄	628
頚椎椎間板ヘルニア	新井　嘉容	630
頚椎症性神経根症	竹内　幹伸	632
頚椎症性脊髄症	小林　洋	633
頚椎後縦靱帯骨化症	関　健	635
頚椎黄色靱帯石灰化症	西川　節	637
頚椎屈曲性脊髄症	出村　諭	638
Pancoast症候群	仲田　和正	640
頚性頭痛と頚性めまい	住谷　昌彦	641
頚椎リウマチ病変	米澤　郁穂	642
上位頚椎・頚髄損傷	飯塚　陽一	644
中下位頚椎・頚髄損傷	半田　隼一	646
頚椎症性筋萎縮症	牛尾　修太	648

20　胸椎部，胸郭の疾患

胸椎の解剖	加藤　仁志	650
脊髄損傷の褥瘡	西村　行秀	651
脊髄損傷患者の急性期の排尿管理	高橋　良輔	652

脊髄損傷患者の慢性期の排尿管理	須田　浩太	654
胸部脊髄障害のとらえ方/診断手順	川口　善治	655
胸椎後縦靱帯骨化症	吉田　剛	656
胸椎黄色靱帯骨化症	森　幹士	658
肋骨骨折，胸骨骨折	小林　洋	660
胸椎椎間板ヘルニア	赤羽　武	662
胸肋鎖骨肥厚症	佐藤　毅	663
背痛・胸郭痛のとらえ方/診断手順	遠藤　寛興	665
胸腰椎部脊椎・脊髄損傷	和田簡一郎	666

21　腰・仙椎部の疾患

腰椎・仙椎の解剖	江幡　重人	670
腰痛・下肢痛のとらえ方/診断手順	波呂　浩孝	671
二分脊椎	折田　純久	673
終糸症候群，脊髄係留症候群	折田　純久	676
急性腰痛発作の初期治療	井上　雅寛	677
慢性腰痛の保存療法	渡邉　和之	679
非器質性腰痛	加藤　欽志	680
若年者の腰椎椎間板ヘルニア	小林　洋	682
成人の腰椎椎間板ヘルニア	寺井　秀富	684
高齢者の腰椎椎間板ヘルニア	小林　洋	685
腰椎外側椎間板ヘルニア	眞鍋　裕昭	686
内視鏡下椎間板切除術	眞鍋　裕昭	689
腰椎再手術（医原性術後疼痛）	眞鍋　裕昭	690
成人の腰椎分離症・腰椎分離すべり症	青木　保親	692
発育期腰椎分離症	加藤　欽志	693
腰椎変性すべり症	南出　晃人	695
腰部脊柱管狭窄症	三上　靖夫	697
椎間関節嚢腫，ガングリオン	日下部　隆	700
Schmorl結節	吉本　三徳	702
椎体辺縁分離	吉本　三徳	703
腰椎不安定症	永島　英樹	704
梨状筋症候群	齋藤　貴徳	704
化膿性腸腰筋炎	永島　英樹	706
術後椎間板炎	山田　圭	707
仙骨部腫瘍	尾﨑　敏文	708
仙腸関節の疼痛	金岡　恒治	709

22　骨盤の疾患

骨盤輪骨折，仙腸関節脱臼	伊藤　雅之	714
骨盤骨折に伴う血管損傷・尿路損傷	伊藤　雅之	715
外傷性恥骨結合離開	鈴木　卓	716
骨盤輪不安定症	鈴木　卓	717
恥骨炎（恥骨結合炎）	村上　栄一	717
仙腸関節炎	村上　栄一	718

23　股関節の疾患

股関節の機能解剖（バイオメカニクス）	大谷　卓也	722
股関節部の痛みのとらえ方/診断手順	坂井　孝司	723
発育性股関節形成不全（いわゆる先天性股関節脱臼について）	二見　徹	725
発育性股関節形成不全	二見　徹	727
Perthes病	金子　浩史	728
大腿骨頭骨端異形成症（Meyer骨異形成症）	金子　浩史	730
大腿骨頭すべり症	大谷　卓也	730
単純性股関節炎	佐野　敬介	732
乳児化膿性股関節炎	佐野　敬介	733
弾発股	帖佐　悦男	734
一過性大腿骨頭萎縮症	神野　哲也	734
急速破壊型股関節症	神野　哲也	735
大腿骨頭壊死症	稲葉　裕	737
変形性股関節症	中島　康晴	739
股関節脱臼骨折	吉田　健治	743
大腿骨頭骨折	吉田　健治	744
大腿骨頚部骨折	徳永　真巳	745

大腿骨転子部骨折 ……………… 徳永 真巳 748	脛骨プラトー骨折 ……………… 野田 知之 791
Femoroacetabular impingement(FAI)	脛骨顆間隆起骨折 ……………… 石橋 恭之 792
……………… 大原 英嗣 750	脛骨粗面骨折 …………………… 高木 博 793
	Segond 骨折 …………………… 高木 博 794
	側副靱帯損傷 …………………… 古賀 英之 795

24 下肢全体の問題

脚長不等 ………………………… 西須 孝 756	前十字靱帯損傷 ………………… 黒田 良祐 797
O 脚，X 脚 ……………………… 落合 達宏 757	後十字靱帯損傷 ………………… 黒田 良祐 798
下肢における絞扼性神経障害 … 齋藤 貴徳 759	複合靱帯損傷 …………………… 石橋 恭之 799
大腿四頭筋拘縮症，殿筋拘縮症 … 阪本 桂造 761	半月板損傷 ……………………… 堀部 秀二 800
	膝関節タナ障害 ………………… 小野 智敏 802
	滑膜骨軟骨腫症 ………………… 新井 祐志 803
	[膝]離断性骨軟骨炎 …………… 中村 憲正 804
	膝蓋下脂肪体炎(Hoffa 病) …… 新井 祐志 805

25 大腿の疾患

大腿骨転子下骨折 ……………… 塩田 直史 764	ジャンパー膝 …………………… 中瀬 順介 806
大腿骨骨幹部骨折 ……………… 前 隆男 766	Osgood-Schlatter 病 …………… 中瀬 順介 807
小児大腿骨骨折 ………………… 西須 孝 768	Sinding Larsen-Johansson 病 … 中瀬 順介 808
大腿骨遠位部の骨折 …………… 野田 知之 770	有痛性分裂膝蓋骨 ……………… 池内 昌彦 810
人工股関節全置換術後の大腿骨骨折	腸脛靱帯炎 ……………………… 津田 英一 810
……………… 高平 尚伸 772	変形性膝関節症 ………………… 出家 正隆 811
人工膝関節全置換術後の大腿骨骨折	膝関節特発性骨壊死 …………… 岡崎 賢 815
……………… 内野 正隆 774	化膿性膝関節炎 ………………… 立花 陽明 816
大腿四頭筋，ハムストリングの断裂	Baker 囊腫 ……………………… 原藤 健吾 817
……………… 中川 匠 775	鵞足炎 …………………………… 原藤 健吾 818
非定型大腿骨骨折 ……………… 宮腰 尚久 776	

27 下腿の疾患

	下腿の機能解剖 ………………… 栃木 祐樹 820
	下腿の痛みのとらえ方/診断手順 … 須田 康文 821

26 膝関節の疾患

膝関節の機能解剖 ……………… 中川 匠 780	下腿コンパートメント症候群 … 前川 尚宜 822
膝関節周辺の痛みのとらえ方/診断手順	シンスプリント(過労性脛部痛) … 笹原 潤 822
……………… 池内 昌彦 781	脛骨・腓骨骨折 ………………… 佐藤 徹 823
特発性膝関節血症 ……………… 谷藤 理 782	腓骨神経麻痺 …………………… 渡邊 孝治 825
関節軟骨損傷 …………………… 中村 憲正 783	下腿内弯 ………………………… 上松 耕太 826
膝関節脱臼 ……………………… 石橋 恭之 786	先天性下腿偽関節症 …………… 柿崎 潤 827
膝蓋骨脱臼 ……………………… 松下 雄彦 787	先天性脛骨列欠損症，先天性腓骨列欠損症
膝蓋骨骨折 ……………………… 谷藤 理 789	……………… 薩摩 眞一 828

28 足関節，足部の疾患

足関節・足部の解剖	大関　覚	832
足関節・足部の診断	仁木　久照	833
先天性内反足	町田　治郎	834
先天性垂直距骨	北野　元裕	836
多趾症，合趾症	藤井　宏真	836
小児期外反扁平足	北野　利夫	838
Sever 病，Köhler 病，Freiberg 病	雑賀　建多	839
中足骨短縮症	落合　達宏	840
足根骨癒合症	垣花　昌隆	841
外反母趾	佐本　憲宏	842
強剛母趾	内田　俊彦	843
槌趾	大原　邦仁	845
内反小趾	須田　康文	847
陥入爪	門野　邦彦	847
変形性 Lisfranc 関節症	平野　貴章	848
成人期扁平足（後脛骨筋腱機能不全症）	生駒　和也	849
変形性足関節症	谷口　晃	850
距骨無腐性壊死	今出　真司	852
脛骨天蓋骨折	衣笠　清人	854
足関節果部骨折	佐藤　徹	856
距骨骨折	栃木　祐樹	858
足関節・距骨下関節脱臼	原口　直樹	859
距骨滑車骨軟骨障害	林　宏治	860
踵骨骨折	奥田　龍三	861
舟状骨骨折，立方骨骨折	大塚　和孝	862
Lisfranc 関節脱臼骨折	大内　一夫	863
中足骨骨折，趾骨骨折	伊東　勝也	864
足関節新鮮外側靱帯損傷	杉本　和也	866
足関節陳旧性外側靱帯損傷	橋本　健史	867
遠位脛腓靱帯損傷	寺本　篤史	869
足根洞症候群	渡邉　耕太	870
二分靱帯損傷，踵骨前方突起骨折	篠原　靖司	871
Lisfranc 靱帯損傷	野口　幸志	871
中足骨疲労骨折	山口　智志	873
内果疲労骨折，舟状骨疲労骨折	亀山　泰	874
麻痺足（弛緩性麻痺）	福岡　真二	875
麻痺足（痙性麻痺）	柴田　徹	876
関節リウマチの足部変形	原　良太	878
糖尿病性足病変	早稲田明生	879
神経障害性関節症	野口　昌彦	879
重症下肢虚血	富村奈津子	881
痛風の足部障害	金城　聖一	881
足部の腫瘍	塚本　真治	883
足根管症候群	羽鳥　正仁	884
Morton 病	磯本　慎二	885
前足根管症候群	安井　哲郎	886
アキレス腱皮下断裂	中山正一郎	887
アキレス腱症，アキレス腱周囲炎	安田　稔人	888
アキレス腱付着部症	松井　智裕	889
腓骨筋腱脱臼	鈴木　朱美	890
足底腱膜症	熊井　司	892
足関節前方インピンジメント症候群	野口　英雄	894
足関節後方インピンジメント症候群	吉村　一朗	895
長母趾屈筋腱障害	平石　英一	896
母趾種子骨障害	上條　哲	896
Os subfibulare 障害，Os subtibiale 障害，Os peroneum 障害	神崎　至幸	897
外脛骨障害	篠原　靖司	899

付録

資料 1．関節可動域表示ならびに測定法	903
資料 2．その他の資料	910
和文索引	921
欧文索引	942

私のノートから / My Suggestion

"Gedankengang"ということ	木下　光雄	36
対面診療における問診と診察の重要性：骨軟部腫瘍の外来より	岩本　幸英	189
骨転移の診断治療を通してチーム医療のあり方を考えよう	内田　淳正	192
筋肉と痛み	国分　正一	315
開業後の運動器リハビリテーション	藤野　圭司	374
産業医からみる復職時の診断書	四宮　謙一	375
"患者から学ぶ"の精神，そして常に疑問を	戸山　芳昭	587
整形外科医のよろこび	濱西　千秋	668
腰痛のもつ意味を探れ	菊地　臣一	711
運動器の解剖と機能	中村　耕三	753
「手術は成功しました！！」	藤　　哲	830

トピックス

整形外科における患者立脚型評価	加畑　多文	6
骨・関節感染症治療の up to date	山田　浩司	122
整形外科における抗菌材料	白井　寿治	138
骨・軟部腫瘍における多施設共同研究	尾﨑　敏文	151
骨・軟部腫瘍に対する分子標的治療薬	平賀　博明	160
悪性骨・軟部腫瘍に対する免疫療法	江森　誠人	163
IgG4 関連疾患	高橋　裕樹	197
関節リウマチにおける経口分子標的治療薬	中山田真吾	201
進行性骨化性線維異形成症の治療：iPS 細胞を用いた創薬研究	戸口田淳也	280
サルコペニアとフレイル	金　　憲経	297
筋分化の基礎	秋山　智彦	300
レストレスレッグス症候群	山寺　　亘	308
血管の再生医療	井上　芳徳	322
マゴットセラピー（医療用無菌ウジ治療）	井上　芳徳	330

運動器疾患と機能的電気刺激	島田　洋一	350
ロボットスーツ HAL®	羽田　康司	352
リバース型人工肩関節置換術	菅谷　啓之	403
手関節 TFCC 損傷に対する診断と治療	森友　寿夫	491
母指 CM 関節症に対する形成術（直視下，鏡視下）	酒井　昭典	524
iPS 細胞を用いた頚髄損傷治療	鈴木　秀典	576
脊髄における拡散テンソルトラクトグラフィー	辻　　収彦	580
fMRI を用いた慢性腰痛の研究	二階堂琢也	586
神経障害性疼痛の病態と治療	須藤　貴史	610
FDG-PET による圧迫性脊髄症の機能診断	中嶋　秀明	617
腰痛と心理社会的因子	小林　　洋	683
腰椎椎間板ヘルニアの新しい治療	松山　幸弘	687
腰椎変性すべり症に対する脊椎内視鏡手術	南出　晃人	696
腰部脊柱管狭窄症に対する新しい疫学	山田　　宏	698
大腿骨頭軟骨下脆弱性骨折	本村　悟朗	739
股関節のロボット手術	高尾　正樹	742
骨折領域におけるシミュレーション手術	塩田　直史	765
関節軟骨の再生医療	妻木　範行	784
HTO のコンピュータシミュレーション	栗山　新一	814
外反母趾に対する最小侵襲骨切り術（DLMO 法）	池澤　裕子	844
変形性足関節症に対する遠位脛骨斜め骨切り術	柏倉　　剛	852
距骨壊死に対する人工距骨置換術	黒川　紘章	854
陳旧性足関節外側靱帯損傷に対する鏡視下手術	高尾　昌人	868
足部変形矯正に対する創外固定器の応用	野坂　光司	877

ご注意　本書に記載されている治療法に関しては，出版時点における最新の情報に基づき正確を期するよう，執筆者，編集者ならびに出版社はそれぞれ最善の努力を払っていますが，医学，医療の進歩から見て，記載された内容があらゆる点において正確かつ完全であると保証するものではありません．従って実際の治療，特に新薬をはじめ，熟知していない，あるいは汎用されていない医薬品の使用に当たっては，まず医薬品添付文書で確認のうえ，常に最新のデータに当たり，本書に記載された内容が正確であるか読者ご自身で細心の注意を払われることを要望いたします．本書記載の治療法・医薬品がその後の医学研究ならびに医療の進歩により本書発行後に変更された場合，その治療法・医薬品による不測の事故に対して，執筆者，編集者ならびに出版社はその責を負いかねます．

株式会社　医学書院

確かな知識が身に付く、運動器疾患を学ぶ人にとって必携の1冊

標準整形外科学 第14版

● B5　頁1098　2020年　定価：10,340円（本体9,400円＋税10%）
[ISBN978-4-260-03880-5]

編集　井樋栄二・吉川秀樹・津村　弘・
　　　田中　栄・髙木理彰

医学生だけでなく運動器疾患診療にかかわる医療者に最も支持されている整形外科テキストの改訂第14版。豊富な写真やイラストには、より丁寧な解説が加わり、整形外科で扱う個々の疾患が易しく学べ、かつ詳細に理解できる。今版では変形性関節症や関節リウマチの章がよりアップデートされた。また代表的な身体検査をより理解するために付録WEB動画も掲載。運動器疾患を学び、確かな診療・研究を目指す人にとって最良の1冊。

目次

序　章　整形外科とは

第 I 編　整形外科の基礎科学
- 第 1 章　骨の構造，生理，生化学
- 第 2 章　骨の発生，成長，維持
- 第 3 章　骨の病態，病理
- 第 4 章　骨の修復と再生
- 第 5 章　関節の構造，生理，生化学
- 第 6 章　関節の病態，病理
- 第 7 章　関節軟骨の修復と再生
- 第 8 章　筋・神経の構造，生理，化学
- 第 9 章　痛みの基礎科学と臨床

第 II 編　整形外科診断総論
- 第10章　診療の基本
- 第11章　主訴，主症状から想定すべき疾患
- 第12章　整形外科的現症の取り方
- 第13章　検査

第 III 編　整形外科治療総論
- 第14章　保存療法
- 第15章　手術療法

第 IV 編　整形外科疾患総論
- 第16章　軟部組織・骨・関節の感染症
- 第17章　関節リウマチとその類縁疾患
- 第18章　変形性関節症とその類縁疾患
- 第19章　四肢循環障害と阻血壊死性疾患
- 第20章　先天性骨系統疾患
- 第21章　先天異常症候群
- 第22章　代謝性骨疾患
- 第23章　骨腫瘍
- 第24章　軟部腫瘍
- 第25章　神経疾患，筋疾患
- 第26章　ロコモティブシンドローム

第 V 編　整形外科疾患各論
- 第27章　肩関節
- 第28章　肘関節
- 第29章　手関節と手
- 第30章　頚椎
- 第31章　胸郭
- 第32章　胸椎，腰椎
- 第33章　股関節
- 第34章　膝関節
- 第35章　足関節と足

第 VI 編　整形外科外傷学
- 第36章　外傷総論
- 第37章　軟部組織損傷
- 第38章　骨折・脱臼
- 第39章　脊椎・脊髄損傷
- 第40章　末梢神経損傷

第 VII 編　スポーツと整形外科
- 第41章　スポーツ損傷
- 第42章　障害者スポーツ

第 VIII 編　リハビリテーション
- 第43章　運動器疾患のリハビリテーション
- 第44章　義肢

◆ 別冊付録
[OSCE対応] 運動器疾患の診察のポイント

◆ 付録Web動画
[肩]
Neerの手技／Hawkinsの手技／前方不安感テスト
[手関節および手指]
Froment徴候／Allenテスト／Eichhoffテスト
[頚椎・胸椎・腰椎]
Spurlingテスト／Jacksonテスト／Adsonテスト／下肢伸展挙上テスト(SLRT)／大腿神経伸展テスト(FNST)
[股関節]
Thomasテスト／Patrickテスト
[膝関節]
McMurrayテスト／側方不安定性テスト（右膝・外反，右膝・内反）／Lachmanテスト／脱臼不安感テスト
[足関節と足趾]
内反・外反テスト／Thompsonテスト

医学書院

〒113-8719　東京都文京区本郷1-28-23　　[WEBサイト] https://www.igaku-shoin.co.jp
[販売・PR部] TEL:03-3817-5650　FAX:03-3815-7804　E-mail:sd@igaku-shoin.co.jp

1 診断と治療総論

■診断総論

- 三次元 CT と三次元 MRI ……… 2
- 関節穿刺法と関節液検査 ……… 3
- 筋力訓練・測定器 ……… 5
- 神経伝導速度と筋電図 ……… 6
- 脊髄誘発電位と術中脊髄モニタリング ……… 8
- 超音波診断 ……… 10
- サーモグラフィー ……… 11
- 脊髄造影 ……… 12
- 椎間板造影 ……… 13
- 神経根造影 ……… 14
- シンチグラフィー ……… 16
- 骨塩定量法 ……… 17

■治療総論

- 自己血輸血 ……… 19
- 肺血栓塞栓症 ……… 20
- 院内・手術室内感染対策 ……… 22
- 整形外科手術に対する麻酔法の選択 ……… 23
- 硬膜外ブロック ……… 24
- 超音波ガイド下伝達麻酔 ……… 25
- 頭蓋直達牽引と halo vest 固定 ……… 26
- 関節鏡視下手術と手術機器 ……… 27
- 骨延長[術] ……… 29
- 骨移植と骨バンク ……… 31
- 人工生体材料（人工骨） ……… 32
- 針刺し切創，皮膚・粘膜曝露 ……… 33
- インフォームド・コンセント ……… 35

1 診断と治療総論

診断総論

三次元 CT と三次元 MRI

Three-dimensional computed tomography,
Three-dimensional magnetic resonance imaging

中村 博亮　大阪市立大学 教授

【概説】 三次元 CT および MRI により，二次元とは異なる視点で診断や病態の把握，術前計画を行うことができる．CT に関してはマルチスライス CT の普及により撮影は高速化し，空間分解能が飛躍的に向上している．それにより鮮明な三次元画像が視覚化できるようになっている．MRI に関しても高磁場装置の普及により迅速で鮮明な画像撮影が可能となり，薄いスライスを得ることができる三次元撮像が臨床的に広く普及しているが，CT とはやや異なり，三次元 MRI ではボリュームデータを分割して信号を収集することにより，二次元撮像より薄い 0.2～1 mm 厚のスライス画像を得ることを目的とする場合が多い．

1 三次元 CT

立体感のある画像を再構成する手法には，一定の閾値以上のものを可視化するサーフェスレンダリング法と，ボリューム要素をサンプリングすることによって構成されるボリュームレンダリング法がある．サーフェス法では主に骨の変形，骨病変の視覚化が可能であるが，ボリュームレンダリング法では骨を立体視するだけではなく対象物を半透明にして内部を可視化することや，腱や靱帯などの軟部組織の描出も可能である．

脊椎領域では術前計画に使用されることが多く，先天性側弯症など重度の変形矯正術，上位頸椎や胸腰椎前方アプローチの際の血管との位置関係の把握などに使用される．他領域では骨折や関節面の評価，腱，靱帯の評価，骨接合術や骨切り術，人工関節置換術などの術前計画に有用であり，三次元 CT は手術を安全に行ううえで欠かせないツールである．

2 三次元 MRI

二次元と異なり薄いスライスでの描出が可能なため，脊椎領域では神経根や脊髄の描出，関節領域では軟骨や靱帯の微細な変性・損傷の評価，手の外科領域

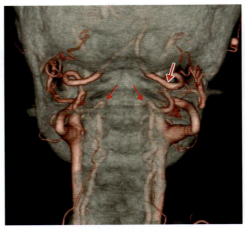

図 1-1　三次元 CT ＋血管造影
環軸椎亜脱臼術前．椎骨動脈が C2 内の関節突起間部の付近まで上行してから横走化して横突孔を抜けていることが確認できる．右の椎骨動脈が後弓の背側を横切っている．これらのことから手術の際に使用するインプラントの種類，設置法を決定することが可能である．

では腕神経叢や正中神経など末梢神経の描出にも利用されている．グラディエントエコー法による撮像が一般的であったが，スピンエコー系を用いた撮像によるシーケンスも多数開発されてきている．脊椎領域ではグラディエントエコー法での神経の詳細な描出や，拡散強調像から三次元的に神経線維路を構築する拡散テンソルトラクトグラフィーが使用される．また，CT と MRI 画像のフュージョン画像も開発されている．関節領域ではコラーゲン配列の変化を評価できる T2 マッピングや，プロテオグリカンの含有量が評価できる T1ρ マッピング，高速スピンエコーを利用した T2 強調像による靱帯の描出などに三次元 MRI が利用されている．

3 実例

三次元 CT が有用な代表例として，術前計画および手術のシミュレーションへの利用が挙げられる．環軸椎亜脱臼の実例を 1 例挙げるが，上位頸椎などの手術では血管造影と組み合わせることにより，インプラントの刺入法の決定や不用意な血管損傷も予防できる（図 1-1）．

三次元 MRI については，脊椎分野では特に腰椎の椎間孔部での病変描出に有用である（図 1-2）．われわれは 3 テスラ MRI でコントラストが鮮明な fast field echo（FFE）法による T2* 強調像で撮影範囲を 8 cm，スライス厚を 1 mm とし冠状断を撮影している．右 L

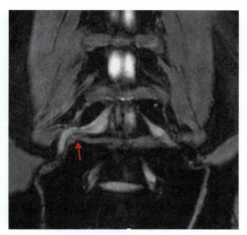

図 1-2 三次元 MRI
右 L5/S 椎間孔の外縁で椎弓根と椎間板による右 L5 神経根の圧排を認める（矢印）．それにより右 L5 神経根は横走化し腫脹を伴っている．

5/S 外側狭窄の症例であるが，椎間孔の外縁で椎弓根と椎間板による右 L5 神経根の圧排を認め，それにより右 L5 神経根の横走化および腫脹を伴っている．

注意事項

①三次元 CT は二次元データを基に再構成されているため大まかな把握には非常に有用であるが，詳細に関しては必ず多断面再構成像（multi-planar reconstruction；MPR）で確認すること．

②三次元 MRI は撮像シーケンスにより見え方やコントラストが変化するので，その特徴を十分理解すること．

関節穿刺法と関節液検査
Joint puncture and synovial fluid analysis

西谷 江平　京都大学 特定助教

【概説】 関節穿刺は関節液の検査，関節内に薬剤を注入する治療の両方に必要であり，整形外科診断治療において必須の手技である．関節液検査は外傷や炎症性関節炎の鑑別診断に重要であり，関節液の肉眼所見は診察室での診断補助に有用である．

【適応】 関節穿刺はほとんどすべての関節に施行できるが，関節液採取目的の穿刺は主に肩，肘，手，股，膝，足など大きな関節に行われる．適応疾患は外傷や関節炎であり，診断補助に用いる．治療目的の穿刺は小関節にも行われ，主な適応疾患は変形性関節症，肩関節周囲炎，関節リウマチなどである．注入する薬剤としてはステロイド，ヒアルロン酸，局所麻酔薬や関節造影検査の造影剤などがある．関節液採取は 18〜21 G 針，薬剤注入は対象関節サイズに応じて 22〜27 G 針を使用する．

実施手順

穿刺前にはアルコールだけでなく，ポビドンヨードもしくはクロルヘキシジンも使用し消毒を行う．皮膚異常部からの穿刺は避け，刺入部周囲に触れながら穿刺する場合は滅菌手袋を使用する．

腱，神経，血管などの重要な組織を傷害することなく，関節腔へ針を進める．安全に行える部位は肩，膝関節であり，肘，手，足関節も穿刺は比較的容易であるが，関節腔が小さく，慣れていない場合は画像的補助が有効である．股関節は深部にあり，大腿動脈の拍動の外側から神経血管を避けて穿刺するが，確実に股関節に達するには画像的補助が望ましい．膝，肩関節穿刺は施行頻度が高く，以下に代表的な手技を述べる（図 1-3）．

1 ▶ 膝関節穿刺
(1) 外側上方穿刺

最も一般的な穿刺法であり，関節液を採取する場合はこの方法をとる．患者は仰臥位，膝関節は伸展〜軽度屈曲位とし，膝蓋骨上外側角の高位で外側広筋の後方の陥凹を確認し，同部より穿刺する．

(2) 前方外側穿刺

薬剤投与に用いられる．患者は仰臥位もしくは座位，膝関節は 90° 屈曲位とする．膝蓋腱の外側，脛骨関節面の上方で穿刺する．注入に抵抗がある場合は膝蓋下脂肪体，軟骨などの組織内に針先があるため針先を微修正する．

2 ▶ 肩関節穿刺
(1) 前方穿刺

患者は座位，上肢下垂位とする．烏口突起の 1 横指上外側よりおおむね皮膚に垂直に，肩関節の傾きを意識して穿刺する．上腕骨頭に当たれば針を若干戻す．烏口突起より内側や下方で穿刺した場合，腕神経叢損傷の恐れがある．

(2) 肩峰下滑液包穿刺

患者は座位，肩下垂前腕回外位として，肩峰前外側縁の 1 横指外側より皮膚にほぼ垂直に穿刺する．注入の場合は上腕骨頭に針先を当ててから少しずつ引き，抵抗消失をみて注入する．

実施上のポイント・注意事項

関節穿刺の成功には，針を安全に関節内に進めることが大前提である．そのためには，関節穿刺により起

1 診断と治療総論

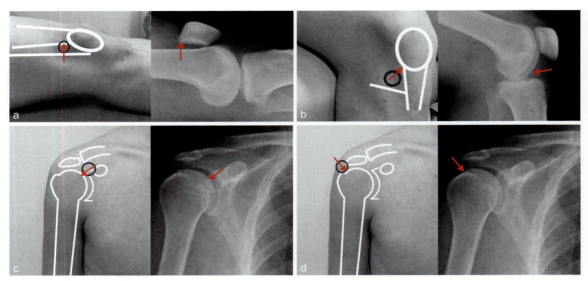

図 1-3　さまざまな関節穿刺法
a：膝関節外側上方穿刺，b：膝関節前方外側穿刺，c：肩関節前方穿刺，d：肩峰下滑液包穿刺．黒丸は皮膚穿刺部，矢印は穿刺方向を示す．

表 1-1　関節液の性状と診断

	正常	血性	非炎症性	炎症性	結晶性	感染性
量	ごく少量	出血量に依存	少量～数十 mL	数 mL～数十 mL	数 mL～数十 mL	数 mL～数十 mL
色調	無色～淡黄色	淡赤色～赤色	淡黄色～黄色	淡黄色～黄白色	黄色～黄白色	黄白色～白色
透明度	透明	半透明～不透明	透明～半透明	半透明～混濁	軽度混濁～混濁	軽度混濁～混濁
粘稠度	とても高い	出血量・時期に依存	高い～中等度	中等度～低い	低い	低～中等度
白血球数(/μL)	<200	200～8,000	200～2,000	1,500～40,000	2,000～100,000	3,000～200,000（急性感染症の多くは>50,000）
好中球分画	<25%	出血量・時期に依存	<25%	>50%	>50%	>80%
他の所見	ほとんど吸引不可	脂肪滴は骨折を示唆	軟骨片の debris を含むことがあり，時に顕微鏡検査でピロリン酸カルシウム結晶	結晶検査，細菌培養検査陰性	顕微鏡検査でピロリン酸カルシウム結晶，尿酸ナトリウム結晶，ステロイド結晶など	グラム染色，細菌培養で菌体の検出，PCR で結核菌の検出
主な診断		外傷(骨折，靱帯損傷など)血友病性関節症色素性絨毛結節性滑膜炎	変形性関節症慢性結晶性関節炎骨壊死の慢性期アミロイド関節症	関節リウマチ乾癬性関節炎反応性関節炎骨壊死の急性期ウイルス性関節炎小児単純性関節炎関節注射後関節炎フレア	結晶性関節炎(痛風発作，偽痛風発作)ステロイド結晶性関節炎	細菌性関節炎結核性関節炎真菌性関節炎

こりうる合併症を知らなければならない．
　皮膚には常在菌が存在し，関節穿刺・注射による化膿性関節炎のリスクは1/2,700～1/42,000である．使用薬剤によっては反応性の急激な炎症を惹起することがあり，感染との鑑別を要する．神経に穿刺すると電撃痛を生じ，最悪の場合は後遺症が残る．血管への穿

刺では血腫や，血腫による神経障害，コンパートメント症候群などが起こりうるため，抗凝固薬使用患者の場合には特に注意する．腱内への薬剤誤注入で腱断裂を生じうる．薬剤注入時の抵抗を伴う強い痛みは，組織内穿刺の可能性があるため注入を止める．関節内の合併症として関節内出血，軟骨損傷や靱帯損傷がある．合併症を防ぐためには，局所解剖と安全な穿刺ルートの熟知が必要である．座位での施行では疼痛刺激による迷走神経反射にも注意する．

3 ▶ 関節液検査

採取した関節液の量・色調・透明度・粘稠度で，病状をある程度肉眼的に判断できる(表1-1)．関節液検査として顕微鏡検査，血液・生化学検査，細菌検査があり，関節炎の鑑別診断に役立つ．細菌検査に用いる場合は，採取した関節液の清潔操作に留意する．関節液の細菌培養検査は感度60%程度で，陰性でも感染を完全に否定できず，他の所見と総合的に判断する．

筋力訓練・測定器

Training and measurement of muscular strength

志波 直人　久留米大学 教授

筋力訓練は，①筋力を回復させる(筋力強化)，②筋力低下を予防する(筋力維持)，③正常以上に筋力を強化する(筋力増強)に分けることができ，機能向上，ADL・QOL向上，廃用症候群の予防・改善を目的とする．筋力訓練は広く抵抗運動(レジスタンストレーニング)として行われるが，整形外科では症例に即した実施が必要となる．

1 筋力測定と測定器

臨床では通常，測定機器を用いない徒手筋力テスト(manual muscle testing：MMT)が広く行われる．5：正常，4：やや低下，3：抗重力で全可動域で運動可能，2：重力の影響をなくすと全可動域で運動可能，1：筋肉の収縮はみられるが関節は運動しない，0：筋収縮がみられない，の6段階で評価される．より客観的な評価では，筋力測定器が用いられる．筋力を表す指標には，①力〔force：N(Kgf)〕，②モーメント(トルク：Nm)，③移動距離を乗じた仕事量(work：J)，④単位時間あたりの仕事量パワー(power：W)がある．いずれも広義の筋力であるが，BIODEX®などの計測器具を用いた筋力評価では一般的に，②モーメントを用いる．徒手把持式の筋力計測装置(hand held dynamometer；HHD)は，検者が手に把持した小型の筋力計測装置を被検者の肢に押し当て筋力を計測し，筋力はN(Kgf)で表記される．

2 筋力増強の因子

運動の初期段階は①神経学的因子，継続段階では②形態学的因子が筋力増強の決定因子となる．

①神経学的因子：運動により神経が賦活され，筋収縮の活動に参加する運動単位の数や発火頻度が増加(neural adaptation)し，筋肥大を伴わない筋力増強が生じる．

②形態学的因子：筋断面積の増加(筋肥大)に従って，筋力は直線的に増加する．筋断面積の増加は，主に筋原線維の増加による筋線維の肥大化によってもたらされている．筋肥大による効果は，筋力訓練開始後約6週間以降に出現するとされている．また，サイズの原理(Hennemanの原理)があり，筋力レベルが上がるに従って，遅筋線維から速筋線維へと賦活されていく．

3 筋力訓練の3原則

①過負荷の原則：筋力を強化するためには，生体の適応性を利用して一定以上の張力を発揮し，かつ，それを一定期間以上続ける必要がある．条件として，運動の強度，持続時間，頻度が挙げられる．

②特異性の原則：同じ運動を行うことでその効果が高められ，異なる種類の運動に対する効果は低くなる．3つの側面(筋収縮様式，負荷様式，運動様式)から考えられる．

③可逆性の原則：運動の効果は，運動の継続中は維持されるが，止めてしまうと徐々に失われていく．

4 運動の形態

筋の活動様式により，等尺性運動(一定の肢位を維持する)，求心性運動(筋収縮の方向と関節運動が同じ)，遠心性運動(筋収縮と関節運動が逆で筋肉は収縮しつつ伸展される)に分けられる．発揮する筋力は大きい順に，遠心性＞等尺性＞求心性となる．

運動の形態には，次の2つがある．

①開放性運動連鎖(open kinetic chain；OKC)：運動する末端が自由．椅子座位の膝屈伸運動を例に挙げると，膝伸展で大腿四頭筋は求心性収縮，膝屈曲で遠心性収縮し，ハムストリングは収縮せず，膝関節の単関節運動となる．立位や歩行が困難な患者で実施できる．

②閉鎖性運動連鎖(closed kinetic chain；CKC)：運動する末端が抑制される．スクワットが代表的なCKC運動であり，抗重力下での膝伸展時であっても，膝屈筋であるハムストリングは二関節筋で股伸展筋でもあり，同時に収縮する．複合関節運動となり，抗重

1 診断と治療総論

> **トピックス**　整形外科における患者立脚型評価

　疾患の重症度や機能障害の程度などといった患者の臨床的状況を, 治療前後で評価することは重要である. これまでに数多くの臨床評価基準が各種整形外科疾患に対して考案され報告されているが, 1980年代以前の評価基準は, ほとんどが医療者側からみた客観的な指標で構成されていた. しかしながら, 疼痛に代表される主観的な指標は患者の感覚や感情に左右されるものであるため, 医療者側からの測定や評価が必ずしも実際を反映しているとはいいがたい. また治療に対する患者の満足度は, 患者の主観によって決まるものであるため, 医療者目線の客観的な評価が患者の満足度と一致しないことは決して珍しくない.

　そこで近年では, 医療者目線の客観的な指標に加え, 患者目線の主観的な指標, すなわち患者立脚型の臨床評価基準でも病状や治療効果を評価する必要があると考えられるようになった. 骨折治療を例に挙げると, 治療が奏効したかどうかは, 医療者目線では, 骨折部の骨癒合率や骨癒合までの期間, 合併症の有無, 関節可動域, 筋力などで評価されるが, 患者目線では, 痛みや違和感などの有無や外観の美醜, 不都合の程度などで評価される. このような患者立脚型の臨床評価基準は, 患者自身が記入し, 患者の quality of life（QOL）などに関する質問項目を中心に構成されることが多く, 健康関連 QOL 尺度ともよばれる. また, それぞれの疾患特有の症状に着目した疾患特異的尺度と, 患者だけでなく広く一般の人々にも共通した項目で測定する包括的尺度とがある.

　患者立脚型の臨床評価基準の利点としては, 医療者側が認識しにくい軽度の症状をとらえることができ網羅性があることであるが, 一方で回答に不備がある可能性や, 再現性が高くないこと, 疾患に関連しない症状を回答に含めてしまう懸念があること, 曖昧さが排除できず客観的評価には向いていないことなどが欠点といえる. 医療者側からの客観的評価, 患者側からの主観的評価にはそれぞれ利点と欠点が存在するため, 最近の臨床研究においては両者を併用して評価するようになってきている.

加畑 多文〔金沢大学 准教授〕

力運動に筋収縮力が相まって同時に下肢の骨には負荷が加わる. 立位荷重が可能な患者では, 効率よく筋骨格系へ運動負荷を与えることができる.

5 最新の知見

　運動効果に関する研究によると, 低負荷の運動でも運動回数を増やすと筋力増強効果があると報告されている. すなわち, 筋蛋白質の合成作用＝総負荷量（運動強度×運動回数）で表され, 必ずしも大きな負荷でなくとも, 可能な範囲の負荷で, 回数を増やすことで効果を得ることができることが明らかとなっている.

神経伝導速度と筋電図

Nerve conduction velocity and electromyography

八幡 徹太郎　金沢大学附属病院 臨床教授（リハビリテーション科）

【概要】　四肢の筋力低下・筋萎縮・感覚障害を診療する整形外科医にとって, 電気生理学的検査は診断を確診に導く有意義な検査である. 数ある検査法の中で, 神経伝導検査（nerve conduction study；NCS）と針筋電図検査（needle electromyography；nEMG）の2つは, 整形外科医のプライマリー検査と考える. これらは, 整形外科疾患では絞扼性や外傷性の末梢神経障害の診断, 予後予測, 治療方針決定, 経過観察に有用である.

　NCS は, 末梢神経への経皮的な電気刺激を通じその伝導性を評価する. 運動神経刺激による記録電位は筋線維活動電位の総和であり（compound muscle action potential；CMAP）, 運動神経の大径有髄線維の伝導性, 神経筋接合部の伝導性, 筋線維の興奮が反映される. 感覚神経刺激による記録電位は, 感覚神経の大径有髄線維が発する神経活動電位の総和であり（sensory nerve action potential；SNAP）, 神経線維の伝導性のみが反映される.

　nEMG は, 筋線維の電気的活動をみている点が CMAP と共通するが, 筋全体としての活動を表わす CMAP とは違い, 刺入針先の周囲数 mm 程度を記録野とする nEMG は, 筋の機能的最小単位である運動単位の活動電位（motor unit potential；MUP）をみている.

1 神経伝導検査

1 ▶ 目的と適応
NCS は①筋萎縮・筋力低下や感覚障害の原因が末梢神経にあるか否かの判断，②末梢神経の病変が脱髄か軸索変性か，および限局性か広汎（全身性疾患）かの判別を目的として行われる．NCS はすべての末梢神経に行える検査ではないが，検査できる代表的病態（神経）としては手根管症候群（正中神経），肘部管症候群（尺骨神経），腓骨神経麻痺（腓骨神経），足根管症候群（脛骨神経）が挙げられる．また，これらの結果から二次ニューロンの近位部（神経叢や神経根など）の病変の診断に間接的に役立つこともある．

2 ▶ 実施手順
温度（室温，皮膚温）が神経伝導に影響を及ぼすため，検査室の室温を一定に保ち，皮膚温をモニターする．原則，両側を検査し，健側，患側の順に行う．

記録用の活性電極（－，黒）と基準電極（＋，赤）は，刺激部位より遠い側に＋を置く．CMAP の記録では筋腹を－，同筋遠位側の腱や付着部を＋とする．アース電極は刺激部位と記録部位の間に置く．アーチファクト混入を低減するため，前処置として電極設置部位の皮膚の清潔・乾燥・研磨，および十分な電極固定を行う．

電気刺激は，波形が最大振幅となる最大上刺激で行う（強度目安：上肢 10 mA 以下，下肢 30 mA 以下）．SNAP 導出では，振幅が数 μV と小さいため平均加算記録を行う．

末梢神経ごとの手順の詳細などは専門書に委ねる．

3 ▶ 評価のポイント
波形では潜時，振幅，持続時間に注目する．さらに神経伝導速度（nerve conduction velocity；NCV）が重要である．

振幅は，刺激に反応する神経線維数と各々の伝導時間のばらつきで大きさが変化する．そのため，刺激-記録間距離が長いほど持続時間は延長し，振幅は低下する．

潜時と NCV は，伝導性が最も速い大径有髄線維を反映する．運動神経の NCV 計測では，神経筋接合部と筋線維で要した時間を省くため，離れた 2 点刺激で 2 つの CMAP を導出し，2 点間距離÷CMAP 潜時差で求める．

理論上，軸索変性では，振幅低下が健側比で著しい反面，潜時と NCV は正常か軽度低下にとどまる．脱髄では，障害部位を挟む刺激で得た電位の潜時と NCV は低下するが，神経伝導が保たれている遠位部の刺激では電位は正常を示す（図 1-4）．

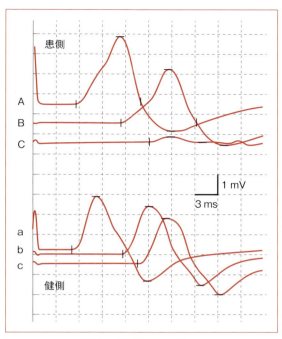

図 1-4　NCS（運動神経）の記録結果
片側の下垂足を呈した症例の腓骨神経 NCS（運動神経）の波形を示す．腓骨頭レベルに限局した脱髄病変があるときの典型的な所見である．患側の活動電位は，電気刺激部位 A, B では導出され，C では導出されない．A, a：腓骨頭より遠位，B, b：腓骨頭よりわずかに遠位，C, c：膝窩〜腓骨頭の間．活動電位の記録部位は短趾伸筋．

4 ▶ 注意事項
①NCS は，個体間の比較よりも，同一症例での健側比や経時変化把握に有用である．

②臨床では軸索変性と脱髄が混在した病態が多いことを踏まえ，結果を判読する．

③小径有髄線維や無髄線維の異常は検出できないため，SNAP 導出困難が感覚脱失を示しているわけではない．

④潜時は波形の基線からの立ち上がり部分で計測するが，これが不明瞭な SNAP は陰性波頂点で計測する．

2 針筋電図検査

1 ▶ 目的と適応
①病態診断：整形外科では，筋力低下・筋萎縮の原因が神経原性（下位運動ニューロンの障害）か否かの判断に有用である．筋原性も直接的な判断対象となる．いずれも該当しない場合，上位運動ニューロン障害や腱損傷などが間接的に疑われる．

②病変局在の検索：神経原性の場合，その病変局在

や無症候性病変の広がりの検索に利用する．

③予後予測：神経原性の場合，脱神経状態からの回復徴候の有無を確認するのに役立つ．

2 ▶ 実施手順

被検者にアース電極を設置する．検査時の温度に対する配慮はNCSと同様である．針電極は同心針電極の使用が多い．針刺入時には，手技に関するガイド書の参照が望ましい．加えて，随意収縮のある筋では必ずその筋腹や走行を触診で確かめる．

針刺入後は，筋弛緩時（安静時）と筋収縮時の電位を観察する．判定は視覚（モニター上の波形観察）と聴覚（機器からの音の特徴）の両面から行う．

3 ▶ 評価のポイント

①安静時：正常筋では，針を動かさない状態では電気活動を認めない．脱神経筋では無収縮でも自発放電を認めるが，線維自発電位（fibrillation potential；Fib）と陽性鋭波（positive sharp wave；PSW）が代表的で判別も比較的容易である．

②収縮時：MUPの形を観察する．正常なMUPは2～3相性だが，脱神経後の再支配過程ではまず多相性のMUPが出現し，再支配が進むにつれて高振幅電位になる．また，随意収縮漸増に伴うMUPの動員（recruitment）の様子を観察する．

③最大収縮時：MUPの干渉を観察する．正常ではMUPの多発によって基線が見えなくなる（完全干渉）．

4 ▶ 注意事項

①針刺入の侵襲を考慮し，検査筋数が必要最小限となるよう，事前に被検筋とその検査順序を決めておく．健側との比較は原則不要である．

②被検筋の萎縮が強いなど誤刺入が大きく懸念される場合，誤った判定を行わないよう同筋の検査の割愛も検討する．

③NCSで得た情報が十分であれば，nEMGを積極的に追加する必要はない．

④FibやPSWを認めたら軸索変性，とは断言はできない．筋疾患でもFibやPSWは発生しうる．他の筋のnEMG所見や一般臨床所見との総合判断が重要である．

脊髄誘発電位と術中脊髄モニタリング

Spinal cord evoked potential and intraoperative spinal cord monitoring

松山 幸弘　浜松医科大学 教授

1 術中脊髄モニタリングの意義

脊椎脊髄手術において神経障害を予見，回避するために，脊椎手術を行う施設の9割で術中脊髄モニタリングが施行されている．神経障害は避けうる合併症であるが，その頻度は2～3％と比較的高い．術中脊髄モニタリングにより神経麻痺を最小限に抑えることが重要である．

2 脊髄モニタリングの基礎知識

術中脊髄モニタリングには，さまざまなモダリティがある．まず運動路と感覚路のモニタリングに大別される．運動路のモニタリングとして，経頭蓋電気刺激筋誘発電位〔muscle evoked potential after electrical stimulation to the brain；Br(E)-MsEP〕が最も普及している．さらに経頭蓋電気刺激脊髄誘発電位〔spinal cord evoked potential after electrical stimulation to the brain；Br(E)-SCEP〕，脊髄刺激筋誘発電位〔muscle evoked potential after electrical stimulation to the brain；Sp(E)-MsEP〕，末梢神経刺激筋電位〔Pn(E)-MsEP，triggered EMG，stimulated EMG〕がある．また持続筋電位（free running wave，continuous EMG）は誘発電位ではないが，リスクのある手術手技を行うときは，リアルタイムに監視可能なモダリティである．また感覚路のモニタリング法として体性感覚誘発電位（somatosensory evoked potential；SSEP），脊髄刺激脊髄誘発電位〔spinal cord evoked potential after electrical stimulation to the spinal cord；Sp(E)-SCEP〕，末梢神経刺激脊髄誘発電位〔spinal cord evoked potential after electrical stimulation to the peripheral nerve；Pn(E)-SCEP〕がある．

脊髄モニタリングの刺激方法であるが，経頭蓋刺激法では最大上刺激（刺激強度を上げても，それ以上電位の増大がみられない強度）で，トレイン刺激〔トレイン数5，刺激間隔(ISI) 2.5 ms，時間0.5 ms，加算回数4～10回〕を用いる．Br(E)-MsEP記録は，術者と事前に相談のうえ，四肢のkey muscleよりモニター筋を選択する．偽陰性を防ぐために，8つ以上の筋電位を記録することが望ましい．針電極を筋腹に2～3 cmの間隔をあけて設置する．また，belly-tendon法を

用いて，遠位の腱と筋腹(motor point)に設置すると，より高振幅の波形が得られる．フィルターは0.1〜2 kHzと設定する．波形の評価をするには，潜時と振幅，持続時間を定量する．潜時はonset latency，振幅はpeak-to-peakで測定する．

3 執刀前の脊髄モニタリングの準備

脊髄モニタリングの適応は，術中神経障害をきたす可能性が高い脊椎脊髄手術である．例えば脊髄腫瘍や脊柱変形，後縦靱帯骨化症(OPLL)の症例はよい適応となる．モダリティの選択では，個々の手術に応じて損傷リスクが高い神経伝導路のモニタリングを優先する．例えば頚椎部の脊髄腫瘍ではBr(E)-MsEPやSSEPを選択し，さらに術野から硬膜外電極を挿入しBr(E)-SCEPを記録する．また馬尾腫瘍の手術であれば，Br(E)-MsEP，SSEPに加えてtriggered EMGやfree running waveを記録する．脊髄高位のモニタリングであれば，運動路と感覚路のモダリティを最低1つずつ選択するのが望ましい．

4 特殊な場合の対応

術前麻痺がある症例では波形が導出できない，または不安定な症例がある．筆者らのBr(E)-MsEP記録を施行した76例の検討によると，MMT 1，2の筋力の波形導出(振幅5μV以上)は50%で得られ，MMT 3，4の筋力は70%，MMT 5の筋力では97%であった．そのため執刀前に十分な波形が得られない場合は，①刺激条件を変更する，②麻痺があっても近接したほかの筋電位をとる，③他のモダリティを選択する．
注意が必要なのは，てんかん，脳動脈瘤のクリッピング術直後や，心臓ペースメーカー，電子インプラントを体内に埋め込んでいる症例は，経頭蓋電気刺激は禁忌であり，他のモダリティを用いる．

5 脊髄腫瘍摘出術における脊髄モニタリング

日本脊椎脊髄病学会の術中脊髄モニタリングワーキンググループ(WG)において117例の髄内腫瘍手術の検討を行ったところ，32例(27%)に術中アラーム(振幅70%の電位低下)が出現し，21例(18%)に術後麻痺があった．振幅の70%低下をアラームポイントとし，感度90%，特異度92%と良好な精度を示したが，偽陰性例が2例あり注意が必要である．2例(2%)の偽陰性例は，いずれも頚髄腫瘍例であった

髄内腫瘍摘出におけるアラーム時には手術の休止，ステロイドやグリセロールの投与が有効であった．また硬膜閉鎖の際にアラームが出現した1例では，硬膜縫合部を抜糸し，人工硬膜を用いて硬膜形成を行ったところ，波形が回復した．

6 脊柱変形手術における脊髄モニタリング

術中脊髄モニタリングWGにおいて，脊柱変形手術でモニタリングを行った273例の報告をした．振幅の70%低下をアラームポイントとし，術中に27例に波形変化が起きた．波形変化のタイミングは，矯正操作時が最も多かった(15例)．また次に多かったのが椎弓根スクリューの設置(5例)と短縮矯正の時点(3例)であった．

脊柱変形手術においてアラームが出現した場合に有効であった救済手技としては，手術の休止，除圧追加，矯正の解除，ステロイド投与がある．

最終波形で改善がなかった8例中3例に術後麻痺の悪化がみられた．側弯症手術においては感度100%，特異度94.6%と良好な精度であった．

7 後縦靱帯骨化症における脊髄モニタリング

OPLLは全脊椎に生じうるが，胸椎OPLLは生理的後弯を有し，脊髄血流のwatershed areaであるため，前弯位を呈する頚椎部，腰椎部と比べ症状進行が重篤で，治療に難渋する．過去に本疾患の神経合併症発生率は24〜33%と報告されている．

8 脊髄モニタリングにおけるアラームポイント出現のタイミング

OPLL手術時のアラームポイント(振幅の70%低下)出現のタイミングは頚椎OPLLでは椎弓開大時が61.5%と最多で，次いで前方手術時の椎体切除時であった．これは脊髄と靱帯骨化巣の癒着によるものと思われるが，実際にアラームが出現したうち，麻痺を生じたものはその12.5〜33.3%と低率である．一方，胸椎OPLLでは，アラームの出現タイミングは椎弓切除時が54%と最多であった．他に体位交換時やインプラント設置時にもアラームが出現しており，胸椎OPLLでは除圧操作時の脊髄障害のみならず，アライメントの変化などによる間接的な障害にも十分に注意を払う必要がある．胸椎OPLLではさまざまなタイミングでアラームが出現しているが，特記すべきは，後方除圧時に認めたアラームでは術後麻痺に至る率が70.4%と非常に高率であった．このことが頚椎部の除圧操作と，胸椎部の除圧操作の違いである．

1 診断と治療総論

超音波診断
Ultrasonography

中瀬 順介　金沢大学 助教

【概説】 高周波リニアプローブの技術進歩により、超音波で体表近くの組織を詳細に観察することが可能になった。さらに、装置の小型化やフルデジタル化によって整形外科診療において超音波は必要不可欠な診断ツールの1つになった。超音波では、X線撮影やCTのような被曝がなく、MRIのような時間の制約を受けない。超音波にはその簡便性、高い自由度、動的評価など、これまでの診断ツールにはない長所がある。また、超音波はリアルタイムに動的画像を観察することができるため、患者とのコミュニケーションに役立つのみならず、さまざまな注射や手術にも応用可能である。一方で、描出される画像は検者の技量に大きく左右される。超音波画像の描出と理解には超音波診断装置の基礎知識に加え、解剖学的知識が必須となる。

1 超音波診断装置の基礎知識

超音波診断装置は、超音波を送受信する「プローブ」、画像を映し出す「モニター」と画質調整を行う「操作パネル」で構成されている。プローブから送信された超音波は異なる音響インピーダンスの物質と物質との間で反射し、プローブへ戻ってくる。プローブに戻ってくるまでの時間から位置情報へと変換されたのち、画像へと再構築される。

1 ▶ プローブ選択

きめ細かで高分解能の画像を得るためには周波数は高いほうが有利であるが、その一方で周波数が高くなるほど媒質に深く伝搬できなくなる減衰という現象が起こる。こうした超音波の特性から部位や組織の性質によって周波数・プローブを選択する必要がある。整形外科診療では周波数10 MHz以上の高周波リニアプローブを使用することが多い。

2 ▶ 画質調整

目的とする組織をきれいに描出するために、最低限調整が必要なものとして以下の3つがある。

①フォーカス：送信されている超音波をどの深度に収束させるかの指標である。目的とする組織にフォーカスを一致させることにより、鮮明な画像が得られる。

②ゲイン：画面全体の明るさのことで、ゲインを上げると画像全体の輝度が高く（明るく）なり、下げると低く（暗く）なる。

③視野深度：画像表示の大きさのことで、表在組織を観察する際には拡大し、深部組織を観察するときに

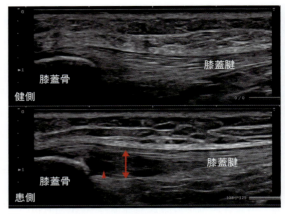

図1-5　膝蓋腱症の超音波所見
下段では膝蓋腱が肥大し（矢印）、膝蓋腱深層で層状配列が消失している（矢頭）。

は画像表示を小さくしなければ全体を観察できないことがある。パネル操作により、健側との比較に有用な2画面表示や局所の血流状態を描出するドプラ画像の表示が可能となる。

2 画像解釈

超音波画像の表示方法については、日本超音波医学会で認定された指針がある。目的とする組織の長軸に対して直角に走査する場合を短軸走査、長軸に平行に走査する場合を長軸走査とよぶ。短軸走査の画像では断面を被検者の尾側からみた形で、また、長軸走査では被検者の頭側が画面に向かって左となるように表示する。超音波診断を行うためには腱、脂肪、骨、軟骨、神経などの正常画像を理解する必要があり、正常画像を理解することが異常所見を同定する手がかりとなる。

①腱：正常腱は長軸像で連続する線状の高エコー像と低エコー像が層状に配列するfibrillar pattern（層状配列）を示す。腱の変性による腱症では、腱が肥大化し、層状配列が不鮮明になり、血流シグナルが増加することがある（図1-5）。

②脂肪：脂肪組織は高エコーの隔壁に包まれて低エコーで描出される。脂肪体炎では隔壁の肥厚、脂肪体内血流シグナルが増加することがある。

③骨：骨皮質は超音波をほとんど反射してしまうため、骨皮質は線状高エコーとして描出できるが、皮質骨の後方は音響陰影のため、無エコー像となる。

④軟骨：軟骨は硝子軟骨と線維軟骨に分けられ、硝子軟骨は均一な構造のため、均一な低エコー像で描出される。一方、半月板などの線維軟骨は高エコー像と

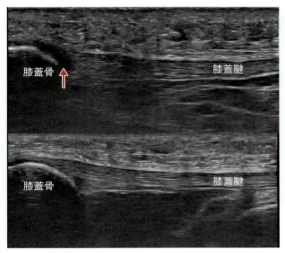

図 1-6 膝蓋腱症の異方性
上図では膝蓋腱のたるみにより，膝蓋腱近位が低エコーに描出されている（矢印）．下図では膝関節を屈曲させたことにより異方性が消失している．

して描出される．

⑤神経：正常神経は長軸像では低エコーと高エコーが層状になる fascicular pattern として描出され，短軸像では「ブドウの房状」を呈する．

3 実施上のポイント・注意事項

超音波検査を実施するうえでの注意事項には，「異方性」が挙げられる．異方性とは，超音波が対象とする組織に対して垂直に当たった部分では高エコー像，斜めに当たった部分では低エコーもしくは無エコー像として描出される現象をいう．異方性の影響を受けやすい腱や靱帯では常に念頭におき，異方性の影響を疑ったときには，対象組織の「たるみ」を解消してみることや，プローブの角度を変えてみるなどの工夫が必要である（図 1-6）．発生機序を理解すると，組織の描出や病態把握に利用することができる．

サーモグラフィー
Thermography

河村 太介　北海道大学大学院 助教

【概説】　体表から発せられる輻射熱を，赤外線を検知することで計測し，温度分布を表示する検査法である．皮膚温を定量的かつ非侵襲的に描出することができるため，乳癌の診断法として医療に応用されてきた．現在では空港などで，SARS やインフルエンザといった発熱性疾患患者のスクリーニングにも活用されている．整形外科疾患についても手腕振動症候群をはじめさまざまな疾患で，診断や治療効果判定などに応用する試みがなされてきた．

室温が 25℃ 前後で一定の外的環境下では，皮膚温は自律神経系で調節される皮膚血流量によって決定される．したがってサーモグラフィーは，間接的な自律神経機能検査ともいえる．

【適応】
手腕振動症候群・Raynaud 現象・複合性局所疼痛症候群など循環障害を生じうる疾患，関節リウマチなどの炎症性疾患，椎間板ヘルニアや神経根症などの脊椎疾患が適応となる．

実施手順

1 ▶ 安静時サーモグラフィー

検査室の環境を整える必要がある．室温は 22〜28℃ 程度とし，室内は無風状態にする．室温に順応するために 20 分以上時間をかける．被検者に対する注意として，冷湿布や温湿布は検査日には使用しないよう伝えておく．

検査部が露出するよう脱衣した状態で室温に順応する必要があるが，羞恥心から自律神経系の影響を受ける可能性があるため注意を要する．

撮影は立位または座位で行う．目的に応じて上半身，下半身，四肢の前面，後面，側面から撮影する．手指を撮影する際には，手を広げ各指が独立して撮影されるよう留意する．

2 ▶ 負荷刺激サーモグラフィー

皮膚温測定前に種々の負荷を加える場合がある．負荷としては冷水，温水，振動，神経ブロックなどが挙げられる．Raynaud 現象の評価には冷水負荷を行い，その後の皮膚温回復を経時的に計測する（図 1-7）．

注意事項

サーモグラフィーは非侵襲的であることから，反復検査を行うことが可能である．一方，欠点として測定環境や測定状況により結果が変動する点に注意が必要となる．

皮膚温に影響を及ぼす内的な因子として，性別，性周期，概日リズム，季節差，皮下脂肪，血圧，喫煙，アルコール摂取などが挙げられる．また，外的な因子としては気温，気流，湿度，化粧などがある．測定において上記の影響をすべて取り除くことは困難なため，検査としての正常値が設定できず，補助的診断と位置づけられている．

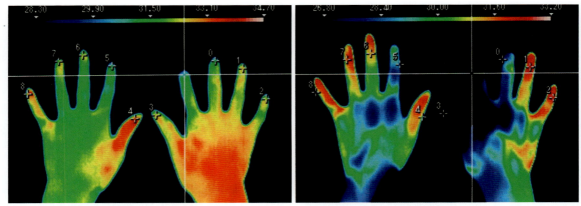

図 1-7 Raynaud 現象に対する負荷刺激サーモグラフィー
全身性エリテマトーデスに合併した Raynaud 現象の症例．右示指指尖部に壊死が生じており，患側の母指・示指で寒冷負荷後の皮膚温の回復遅延が確認できる（a：寒冷負荷前，b：寒冷負荷後 9 分）．

脊髄造影

Myelography

加藤 賢治　名古屋市立大学 助教

【概説】　脊椎穿刺により造影剤をくも膜下腔に注入し，X 線撮影，および CT 撮影を行う．水溶性非イオン性造影剤を使用するようになり副作用は軽減されてきたが，それでも副作用の危険があり侵襲性の高い検査である．最近では MRI の発展により脊髄造影を行う機会は減ってきた．

【適応】　よい適応は MRI 検査ができない場合である．例えば体内金属の問題，閉所恐怖症，体が大きく MRI 装置に入れない，脊椎固定術後のためアーチファクトが強く描出が困難な場合などである．また，MRI では狭窄が高度でないものの症状が強く，動的不安定性による狭窄を疑う場合は脊髄造影での動態撮影が有用である．分解能は MRI より CT のほうが勝るため，神経根の破格など詳細な画像診断には脊髄造影後 CT が有用なこともある．

【合併症】　造影剤過敏症のある患者は禁忌とされている．主な合併症は頭痛，嘔気である．検査後のヘッドアップでの安静，鎮痛薬の使用，補液により多くは数日で軽快する．検査中に患者が下肢痛などを訴える場合は，症状が悪化することもあり無理な造影剤注入はしないようにする．また感染（髄膜炎），出血（硬膜外血腫）にも注意が必要である．

【実施手順】
　飲水制限はしていないが直前の食事は中止する．造影剤は水溶性非イオン性のイオトロラン（イソビスト®240）またはイオヘキソール（オムニパーク®240）が広く用いられている．必ず穿刺する術者本人が確認しバイアルから吸引する．腰椎のみの場合は 8〜10 mL，頚椎まで描出する場合は 12〜15 mL を使用している．

1 ▶ 造影剤注入
　①MRI 画像が参考にできる場合は確認し，穿刺は L2/3 または L3/4 で行うことが多い．L1/2 では脊髄レベルになる可能性があり，L4/5 では通常狭窄部位であり刺入困難なことが多い．
　②患者は X 線透視台に腹臥位とする．腹部にバスタオルを巻いた枕を入れ，やや腰椎前弯を軽減し，棘間を開大するようにする．穿刺部周囲を十分に消毒し，穴あきドレープで被覆する．
　③X 線透視にて穿刺レベルの棘突起間を確認し，局所麻酔を施行する（慣れてくれば局所麻酔は不要である）．確認した刺入部位から垂直に 23 G スパイナル針を刺入する．
　④黄色靱帯から硬膜を抜ける感触があれば内筒を抜き，髄液の流出を針を少しずつ回転しながら確認する．深すぎると椎体後面の静脈を穿刺してしまい出血する．深度は X 線透視側面像で確認できる．硬膜内に留置できたら 10°ほどヘッドアップとし，造影剤を注入する．注入が終了したら針を抜き保護パッドを貼り，周囲を清拭する．

2 ▶ X 線撮影
　①X 線透視台を垂直にし，患者を立位とする．立位

をとることで通常造影剤は仙骨まで流れる．完全ブロックの場合は，患者を椅子に座らせ，前屈させる．3分ほど待つと造影剤は通過することが多い（もし造影剤が仙骨レベルに到達せず，描出したい場合にはL5/Sから2～3mLほど追加する）．

②腰椎は順に立位正面（PA像），側面，側面屈曲，側面伸展，斜位，正面屈曲（AP像），正面伸展（PA像）での撮影としている．管球の角度は通常L4/5の椎間に合わせている．次に腹臥位へ戻しX線透視台を15°ほどヘッドダウンし胸腰椎移行部の造影剤の通過を確認して撮影し，腰椎のみの場合はここで終了とする．

③頸椎も撮影する場合はヘッドダウンで頸椎まで造影剤を上行させる．胸椎後弯が高度な場合は側臥位でヘッドダウンして上行させる．頸椎で造影剤を確認できればX線透視台を水平に戻し，頸椎中間位で正面，斜位，次に側面撮影とする．側面は上肢を牽引し，肩関節が下位頸椎にかからないようにして中間位，屈曲位，伸展位を撮影し，終了とする．

④引き続きすぐにCT撮影を行う．

⑤検査終了後は30°以上ヘッドアップキープとし，トイレ歩行までの安静を3時間としている．検査後の飲食制限はしていない．翌日，合併症がなければ退院可能である．

椎間板造影

Discography

川口 善治　富山大学 教授

【概説】　椎間板へ少量の造影剤を注入する検査法である（図1-8）．造影剤の注入が腰痛などの症状を再現するか否かによって当該椎間板が症状の原因となっているかを検査するものである．よって現在は画像検査というよりも機能的検査の役割が大きい．造影後に局所麻酔薬を注入し，症状の軽快の有無を確認する椎間板ブロックも行われることがある．ただし，椎間板造影および椎間板ブロックの診断的価値については，いまだ議論の余地がある．MRIが普及する以前は，椎間板造影によって椎間板の形態変化から椎間板変性の程度を判断していたが，MRI画像の質が高くなったことで現在は形態的評価の診断的価値は低い．しかし，MRIが撮像できない症例や外側ヘルニアで描出が困難な症例では本検査が施行されることがある．

椎間板は人体最大の無血管組織であるため，椎間板造影によって感染が引き起こされる可能性があることが問題点として挙げられる．また椎間板造影自体が長期経過のなかで椎間板変性を助長するという報告がある．よって本検査の適応は慎重に検討すべきである．

実施手順

1▶準備するもの
・頸部の場合は21または22Gのスパイナル針．

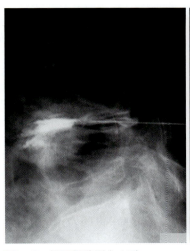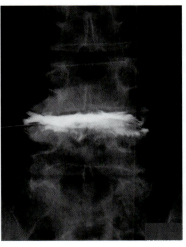

図1-8　椎間板造影（L4/5）
腰痛の原因を検索するために行った．椎間板変性が著しく内部に線維輪の亀裂が認められる．

- 腰部の場合は 21 または 22 G の PTCD 針．
- イオヘキソール注射液，穴あきドレープ，局所麻酔薬．
- X 線透視装置（2 方向透視があれば便利だが，1 方向でも可能）．

2 ▶ 頸椎椎間板造影

(1) 体位と準備

患者を仰臥位とする．頸部を軽度後屈位とする．当該椎間板の位置を X 線透視で確認する．正面，側面が正確に観察できるように管球を振る．

(2) 実際の手技

頸部に広めの消毒を行う．通常は患者の右側に立つが，症状側の反対側からの刺入を試みることもある．刺入点を決めたら局所麻酔を行う．片方の指で椎体の前面を確認する．このとき頸動脈の拍動を外側に感じる．胸鎖乳突筋と頸動脈は外側によせ，気管と食道は内側にしっかりとよけてスパイナル針を内側に向け，椎間板の中心を狙って挿入する．椎間板に針が刺入されると針は固定される．X 線透視の正面と側面で椎間板の適切な位置に針先があることを確認する．造影剤を漏れないようにゆっくりと注入する．通常造影剤は 0.5～1.5 mL 注入可能であるが，注入量と痛みの再現性を観察し，カルテに記載する．造影剤注入後は正面像，側面像，斜位像の X 線撮影を行う．また CT 撮影も行う．

(3) 施行後の注意

検査後局所に血腫が生じていないことを確認する．血腫が生じ増大するようであれば血腫除去を行う．

(4) 注意すべき合併症

検査後の感染症，神経根損傷，食道・血管損傷，薬物アレルギー，迷走神経反射などが挙げられる．

3 ▶ 腰椎椎間板造影

(1) 体位と準備

患者を腹臥位とする．当該椎間板の位置を X 線透視で確認する．正面，側面が正確に観察できるように管球を振る．

(2) 実際の手技

腰部に広めの消毒を行う．患者を斜位にして管球の方向に真っすぐに針を刺入する方法と，腹臥位のまま針を斜め 45° を目安に刺入する方法がある．後者の場合は患者の体格を念頭にあらかじめ針の刺入部位と刺入角度を予測しておくとよい．L5/S1 椎間板では症例によっては腸骨稜が針刺入の障害になり，椎間板に針が入りにくいことがある．刺入点を決めたら局所麻酔を行う．後方に位置する神経根および前方の腹腔内臓器を損傷しないように注意しながら，当該椎間板の中央に針を進める．椎間板に針が刺入されると針は固定される．X 線透視の正面と側面で椎間板の適切な位置に針先があることを確認する．造影剤を漏れないようにゆっくりと注入する．通常造影剤は 1.5～3.0 mL 注入可能であるが，注入量と痛みの再現性を観察しカルテに記載する．造影剤注入後は正面像，側面像，斜位像の X 線撮影を行う．また CT 撮影も行う．

(3) 施行後の注意

腸管の損傷がないか，検査後の腹部症状に注意する．可能性があれば絶食のうえ外科にコンサルトする．

(4) 注意すべき合併症

検査後の感染症，神経根損傷，腸管損傷，薬物アレルギー，迷走神経反射などが挙げられる．

神経根造影

Radiculography

出村 諭　金沢大学附属病院 准教授

【概説】　神経根造影は，脊椎神経根症における障害神経根の診断および治療に用いられる検査法である．診断的意義としては，神経根の周囲に造影剤を注入し描出することにより，椎間孔内外の形態変化を把握することができる．またブロック針による疼痛再現性の確認や，その後の少量の局所麻酔薬注入による疼痛消失の確認により，責任神経根の同定に有用となる．治療的意義としては，局所麻酔薬やステロイド薬の使用によりブロック後の疼痛改善効果も期待できる．CT や MRI などの画像診断の進歩により，椎間孔周辺の描出が容易となり，形態的な診断としての侵襲的な神経根造影の適応は減少する一方で，近年では被曝や安全性に配慮した超音波ガイド下での頸椎神経根ブロックの有用性も報告されている．

【適応】

診断としての神経根造影の適応は，①MRI や脊髄造影などの画像所見では異常をとらえられないが，神経根由来の症状が疑われる場合，②画像所見では多椎間の異常所見を認めており，責任高位を特定できない場合，③神経学的所見と各種画像所見の責任高位に乖離がある場合などである．

治療としての神経根ブロックの適応は，①神経根由来の疼痛が強く，内服やその他の治療で効果が認められない場合，②患者サイドから保存療法の希望がある場合や，全身状態の問題から手術療法が困難な場合などがある．一般に，神経根症状に加えて，脊髄症状や馬尾症状を有する混合型の神経障害に比べ，神経根単独の障害では，ブロック治療により症状の軽減や，効果の持続が得られやすい．

実施手順

1 ▶ 準備および注意事項

①特別な前処置は不要であるが，検査時のショック状態に対応できるように救急セットを準備しておく．

②問診でヨード過敏症の有無を確認する．

③抗凝固薬の服用状況を確認する．出血リスクの高い薬剤に関しては，抗凝固薬の休薬を検討する．

④神経根造影の際，脊髄腔への流入リスクもあるため，非イオン性ヨード造影剤の使用が望ましい．

⑤針の刺入に伴う神経根損傷のリスクを軽減するため，先端が鈍であるブロック針の使用が望ましい．

⑥局所麻酔薬を使用した場合，検査後に当該神経根の一時的な筋力低下が生じるため，転倒に注意する必要がある．

2 ▶ 腰椎部神経根造影

①患者を腹臥位とする．腰椎前弯が強い場合は，腹部に枕を入れ前弯を減少させる．腹臥位での手技が一般的であるが，半側臥位で直接神経根に到達するアプローチもある．

②皮膚，筋膜に局所麻酔薬を浸潤させたのち，X線透視下に横突起基部の下縁まで進める．ブロック針が横突起に接触したら，針を若干戻して，尾側，内側に方向を変え，ゆっくり針を進めていく．

③ブロック針が神経根に接触すると下肢への放散痛を生じるため，同部位で針先を固定する．

④指先で軽く針を叩き，下肢への疼痛再現性を確認する．

⑤X線透視下に造影剤を少量注入し，神経根が造影されていることを確認後，計1～2 mL程度の造影剤を注入する．診断目的の場合は，少量の局所麻酔薬 (2% リドカイン，0.5 mL 程度) を注入し，疼痛消失や，神経学的所見を確認する．治療目的の場合は診断目的より多めの局所麻酔薬およびステロイド薬を加えている．

⑥S1神経根の刺入に関しては，S1後仙骨孔および前仙骨孔の高さが一致するように管球の角度を調整する．ブロック針を上外側から仙骨孔へ向けて刺入する．腰神経根造影と同様にゆっくりと針を進めると下肢に放散痛が出現し，S1神経根周囲へ到達する．

3 ▶ 頸椎部神経根造影

従来の頸椎部神経根造影はX線透視下での前方刺入法，(後)側方刺入法が報告されていたが，近年では超音波ガイド下の後側方からのアプローチも増えてきている．

(1) 前方法 (X線透視下)

①患者を仰臥位とし，刺入側と対側に頭部を軽度回旋させる．

②胸鎖乳突筋内縁および頸動脈の拍動を指で触知しながら外側に圧排する．内側の気管，食道を避けながら，頸椎前面を触知する．

③X線透視下に当該神経根頭側の横突起前面に針を接触させる．針を若干戻して，尾側に方向を変え，ゆっくり針を進めていく．

④針が神経根に接触すると上肢への放散痛を生じる．その後指先で軽く針を叩き，上肢への放散痛を確認する．

⑤頸椎神経根造影では軽微な針先の動きで容易にずれを生じやすいため，エクステンションチューブを用いて操作を行い，血液逆流の確認や薬液の注入を助手に依頼するほうがより安全である．

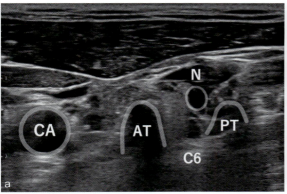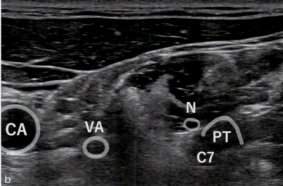

図 1-9　C6，7 横突起の形状

頸椎横突起は前結節と後結節からなり，前結節はC6で最も大きく(a)，上位の頸椎に行くほど小さくなる．C7横突起には前結節がなく後結節のみからなる(b)．そのため，C6，7がランドマークとなる．
CA：頸動脈，VA：椎骨動脈，N：神経根，AT：前結節，PT：後結節．

1 診断と治療総論

(2)後側方法(超音波ガイド下)
　①患者を側臥位(または仰臥位)とし,刺入側と対側に頭部を軽度側屈させる.
　②表在用リニアプローブを頚椎に対して垂直に設置し,水平断像での総頚動脈もしくは内頚動脈を確認する.その後プローブを後方へ移動させ,横突起前結節(C6が一番大きい)および後結節(C7神経根は後結節のみ)を確認する(図1-9).
　③C6,7神経根をランドマークとしてプローブを近位方向に移動し,C5神経根を同定する.
　④皮膚消毒を行った後,23〜25Gの注射針を用い,エクステンションチューブを用いてプローブ後方より罹患神経根の後方へ針を進める.ドプラモードで神経根周囲および刺入経路に血管がないことを確認してから行う.
　⑤血液の逆流がないことを確認し薬液を注入する.薬液注入時に放散痛が生じることが多いため,必ずしも神経根の穿刺は必要ない.

シンチグラフィー

Scintigraphy (Radionuclide imaging)

隅屋　寿　富山大学附属病院 診療教授(放射線科)

【概要】　ラジオアイソトープで標識した放射性医薬品を人体に投与し,その分布をガンマカメラで撮像するのがシンチグラフィー検査である.
【種類】
　整形外科領域で使用される検査としては,骨シンチグラフィーおよび ^{201}Tl(タリウム)や ^{67}Ga(ガリウム)などの腫瘍シンチグラフィーがある.シンチグラフィーではないが,FDG-PET検査も使用される.近年SPECT/CT装置やPET/CT装置が普及し,SPECTやPET像とCT像を重ね合わせたフュージョン画像により,異常集積の解剖学的情報が容易に得られるようになった.なお,海外で広く使用されている ^{99m}Tc-MIBIは,わが国では骨軟部腫瘍には保険適用がない.
【適応】
　骨シンチグラフィーは,悪性腫瘍の骨転移検索や原発性骨腫瘍の単発性・多発性の鑑別などに用いられる.また腫瘍類似疾患の単発性・多発性の鑑別や骨折,炎症性疾患,代謝性骨疾患病変の全身分布評価,さらに人工関節置換術後の感染・弛みの評価,骨痛・関節痛の活動性・全身分布評価などにも用いられる.良悪の鑑別については他の検査との組み合わせにより可能な場合もあるが,単独では困難である.ただし,無集積の場合はかなりの高確率で良性が示唆される.
　腫瘍シンチグラフィーやFDG-PET検査は骨病変の良悪の鑑別ではなく,遠隔転移評価や術前化学療法の治療評価を主目的として用いる.適応は基本的に悪性腫瘍と診断されているか,悪性の可能性が高い症例となる.ただし肺転移検出にはX線CTがより有用である.治療評価にはタリウムシンチグラフィーまたはFDG-PET検査を用いる.化学療法前後に検査を施行し,腫瘍への集積低下の程度から推測された治療効果予測は組織学的治療効果とよく相関するが,現時点(2020年11月)でFDG-PETは治療効果予測としての保険適用がない(申請中).また,局所再発の検出にも有用である.腫瘍シンチグラフィーも病変の良悪の鑑別については他検査との組み合わせにより可能な場合もあるが,単独では困難である.なお,ガリウム

表1-2　各検査の時間および注意事項など

検査名	投与後から撮像までの時間および撮像時間(施設により違いあり)	前処置(施設により違いあり)	保険適用	その他の注意点
骨シンチグラフィー	2〜4時間後 20〜30分	特になし	骨・関節疾患	骨折部にも集積するため腫瘍への集積との鑑別が必要
タリウムシンチグラフィー MIBIシンチグラフィー	直後と約3時間後 10〜30分	特になし	骨軟部腫瘍など MIBIは骨軟部腫瘍に保険適用なし	腹部病変では腸管への生理的集積との鑑別が必要
ガリウムシンチグラフィー	2〜3日後 20〜30分	特になし	炎症・悪性腫瘍	腸管への生理的集積を減らすため便通をよくする
FDG-PET	60〜90分後(症例により追加撮像あり) 20〜30分	検査前4〜6時間絶食 糖を含まない水分摂取は可能	悪性腫瘍(疑いは不可)の病期・転移・再発診断 良悪の鑑別目的は不可 治療効果判定目的は不可	高血糖の場合,集積が過小評価されるため,血糖値が200mg/dL以上の場合は中止・延期を検討

シンチグラフィーは主に炎症性病変の評価に用いる．

実施上のポイント

治療評価には原則治療前後の画像を比較して評価するが，治療途中での効果予測も可能である．

禁忌・注意事項

通常の使用量での薬理作用は無視できるため，造影剤使用が禁忌の腎不全，肝不全やヨード過敏症の患者にも安全に施行できる．閉所恐怖症でMRI検査が不可能な患者でも，通常施行は可能である．妊娠女性は原則禁忌である．授乳中の女性は検査前に搾乳・保存し，一定期間授乳を禁止すれば可能である．体内金属を有する患者でも通常の検査は施行可能であるが，ペースメーカーや植え込み型除細動器は，CT搭載装置で悪影響を及ぼす場合がある．表1-2に各検査の時間や個々の注意点などをまとめた．

副作用

被曝は避けられないが，通常の使用量で被曝線量はCT検査と大差なく，脱毛，不妊など，しきい値のある放射線障害は起こりえない．放射性医薬品による副作用の報告は皆無ではないが，骨・腫瘍シンチグラフィー用製剤での副作用発生率は0.001〜0.003％（10万件で1〜3件）である．報告されているのは血管迷走神経反応やアレルギー反応で，重篤なものはない．

骨塩定量法

Bone mineral measurement

山本　憲男　金沢大学大学院 特任教授

1 原発性骨粗鬆症のガイドラインにおける骨塩量評価（骨密度測定）の位置づけ

骨量とは，骨基質（コラーゲンなど）と骨塩（カルシウムなどのミネラル）の総量を指し，骨塩量とは，骨中ミネラルの総量を指す．骨密度は，骨サイズの影響を除外するために算出されるもので，DXA法では骨塩量を骨面積（cm^2）で除した値として示される．厳密には，これら骨量，骨塩量，骨密度は異なるものを指す言葉ではあるが，ほぼ同義として用いられることも多い．

現在わが国で用いられている「骨粗鬆症の予防と治療ガイドライン2015年版」では，原発性骨粗鬆症の診断に際し，骨密度測定は重要な役割を果たしている．しかし骨粗鬆症は，「骨強度の低下を特徴とし，骨折のリスクが増大しやすくなる骨格疾患」であり，必ずしも骨密度だけで診断されるものではない．例えば，脆弱性骨折の既往のうち椎体骨折や大腿骨近位部骨折では，その後の骨粗鬆症性骨折の発生リスクが有意に高く，骨密度の値にかかわらず，その既往のあるものは骨粗鬆症と診断される．またその他の脆弱性骨折においても，その後の骨折リスクが上昇することから，これら骨折の既往があった場合には，骨密度が若年成人平均値（YAM）の80％未満であれば，骨粗鬆症と診断される．骨密度がYAMの70％以下または－2.5 SD以下で骨粗鬆症と診断されるのは，脆弱性骨折の既往のない場合であることに注意する必要がある．

また，骨密度評価についてこのガイドラインでは，
・骨密度評価には，原則として腰椎または大腿骨近位部骨密度を用いること
・複数部位で測定した場合には，より低い％値またはSD値を採用すること
・腰椎においては，L1〜4またはL2〜4を基準値とすること
・ただし高齢者において，脊椎変形などのために腰椎骨密度の測定が困難な場合には，大腿骨近位部骨密度を用いること
・大腿骨近位部骨密度では，頸部またはtotal hip (total proximal femur) の値を用いること
・これらの測定が困難な場合には，橈骨や第二中手骨での骨密度を用いるが，この場合には％値のみを使用すること
などが示されている．

2 骨密度測定法

1 ▶ DXA法

二重エネルギーX線吸収（dual energy X-ray absorptiometry；DXA）法は，2種類の異なるX線を照射し，骨と他の組織におけるX線吸収率の差から骨密度を求める方法であり，躯幹骨DXA法と末梢骨DXA法がある．原則的に骨粗鬆症診断では，DXA法による腰椎または大腿骨近位部骨密度で評価を行うが，要再検査率あるいは要再解析率は，腰椎と比べ大腿骨近位部で有意に高く，検査時のポジショニングなどに十分注意を払う必要がある．DXA法では，骨周囲の軟部組織領域をベースラインとし，その平均値をゼロとして骨量を計算するため，正確な骨密度評価には，骨のみならずベースラインを含む関心領域（range of interest；ROI）を正しく設定することが重要である．また2回目以降の測定では，体動などで骨輪郭が不一致となることがあるため，骨面積変動が5％未満に収まっているか確認する．

各種造影剤の使用が測定値に影響を及ぼす恐れがあるため，投与された医薬品の種類や量により異なるが，核医学検査の場合は3〜7日，消化管X線透視検査で

バリウムを用いた場合には3〜7日，CT，血管造影，尿路造影検査などでヨード造影剤を用いた場合は1日ほど，間隔を空けて評価を行うことが勧められている．

2 ▶ RA法

放射線吸収測定（radiographic absorptiometry；RA）法は，中手骨とともに基準アルミ板（スロープ）のX線撮影を行って骨密度評価を行うMD（micro densitometry）法がわが国で開発され，CXD（computed X-ray densitometry）法やDIP（digital image processing）法へと発展した．DXA装置の導入が難しいクリニックなどの施設で多く用いられている．

3 ▶ QUS法

定量的超音波測定（quantitative ultrasound；QUS）法は，主に踵骨で超音波伝搬速度と減衰率を計測し，これらの値から骨密度を推定する方法である．放射線を使用せず，使用資格や使用場所の制限がないため簡便に用いることができ，骨粗鬆症のスクリーニング目的に用いられることも多い．得られた骨密度は，推計値に過ぎず測定精度も低いため，骨粗鬆症の診断に用いることはできない．

4 ▶ QCTおよびpQCT法

定量的CT測定（quantitative CT；QCT）法では腰椎で測定が行われ，pQCT（peripheral QCT）法では，体幹より末梢の橈骨などで測定が行われる．DXA法が二次元骨密度で評価するのに対して，これらの方法では骨密度は三次元骨密度として評価ができ，海綿骨の骨密度を選択的に測定することも可能である．DXA法やRA法と比べ放射線被曝量が多く，ファントムを用いた相対値であるため正確度が低いといった特徴がある．

3 各部位のDXA法施行時の注意点

1 ▶ 腰椎DXA法

腰椎DXA法の測定精度には，測定体位の再現性が大きく影響しており，測定時には被検者の体位を仰臥位として，腰椎の前弯をきちんと是正して撮影する必要がある．検査時には，腰椎が中央に位置していることが大切で，腰椎が5°以上側屈している場合や，椎体中心線が左右いずれかに2 cm以上偏っている場合は，再検査の対象となる．各DXA装置では，自動解析プログラムにより骨輪郭が自動で描出されるが，低骨密度の患者では検出された骨輪郭が，実際よりも小さく食い込んだ状態となることも多いので，手作業で修正を行う必要がある．

2 ▶ 大腿骨近位部DXA法

大腿骨近位部の測定では，左右の骨密度に統計学的な有意差は認めず，左右どちらを測定対象とするかは定められていない．骨折などの既往がある場合には，反対側で測定を行う．大腿骨近位部DXA法の測定精度には，腰椎以上に測定体位の再現性が大きく影響しており，被検者の体位は仰臥位で下肢内旋20°とし，大腿骨の前捻をきちんと是正する必要がある．特に前足部の固定だけでは，膝関節が屈曲することで股関節も屈曲してしまい，正しい測定が行えなくなるので注意が必要である．検査時には，大腿骨骨幹部の中心線が中央に真っすぐ位置するように撮影を行う．この際，前捻の補正が不十分であると，大転子後方成分が大腿骨頸部と重なることで，正しい評価が行えなくなる．また頸部におけるROIの設定では，領域内に坐骨を含んでいることがあり，適宜手作業で修正を行う必要がある．大腿骨近位部骨密度の定量領域は，頸部，転子部，転子間（骨幹）部，Ward三角の4つに分けられるが，その領域の詳細な定義は，各測定装置間で異なる．測定精度は，トータル（4領域全体）が最もよく，Ward三角が最も劣るため，通常の診療では，トータルあるいは頸部での骨密度が用いられる．

3 ▶ 橈骨DXA法

橈骨遠位部で測定する場合には，非利き手で測定を行う．例えば右利きであった場合には，左側は右側と比べ骨密度が低値となる．骨折などの既往がある場合には，反対側で測定を行う．

治療総論

自己血輸血
Autologous blood transfusion

小久保 安朗　福井大学医学部附属病院 准教授（手術部）

【概要】　自己血輸血は，院内での実施管理体制が適正に確立している場合には，出血時の回収式自己血輸血，まれな血液型の患者の待機的な外科手術の貯血式自己血輸血など臨床状況に応じて自己血輸血を行うことを考慮する，とされている．〔厚生労働省：輸血療法の実施に関する指針（2020年3月一部改正）〕．自己血輸血には，①貯血式自己血輸血，②希釈式自己血輸血，③回収式自己血輸血がある．

1 貯血式自己血輸血

【適応】
　全身状態が良好な待期手術患者で，術中出血量が600 mL以上で輸血が必要となる可能性がある患者，あるいはまれな血液型，赤血球不規則抗体陽性患者に適応がある．年齢制限はないが，原則としてHb値が11.0 mg/dL未満の患者では採血を行わない．また，収縮期血圧180 mmHg以上，拡張期血圧100 mmHg以上の高血圧，あるいは収縮期血圧80 mmHg以下の低血圧患者では慎重に採血する．

【種類】
　①全血冷蔵保存：自己血を全血としてそのまま4〜6℃で冷蔵保存する．
　②MAP加赤血球と新鮮凍結血漿（FFP）保存：自己血を赤血球と血漿に分離した後，赤血球にMAP液を加え冷蔵保存，血漿はFFPとして冷凍保存する．
　③冷凍赤血球とFFP保存：自己血を赤血球と血漿に分離した後，それぞれを冷凍保存し，手術当日に解凍して使用する．

【禁忌】
　菌血症のおそれのある細菌感染患者，不安定狭心症患者，中等度以上の大動脈弁狭窄症患者，NYHA心機能分類Ⅳ度の患者は禁忌である．

【実施手順】
　事前準備としてエポエチンアルファを，貯血開始前のHb濃度が13 g/dL未満の患者には初回採血1週間前から，Hb濃度が13〜14 g/dLの患者には初回採血後から，最終採血まで採血のタイミングで週1回24,000 IUを皮下投与する．鉄剤は原則として経口投与とし，100〜200 mg/日を初回採血1週間前から開始し，最終採血翌日まで投与する．

　医師，または医師の監督の下で看護師が採血する．消毒は原則として10%ポビドンヨードを使用し，皮膚消毒後は穿刺部位に触れず，滅菌手袋を使用し採血針を刺入する．採血中は血液バッグ内の抗凝固薬と血液を常に混和し，採血後にチューブをシールしたのちに採血バッグを切離し，採血相当量の輸液を採血バッグの側管から行い，その後抜針する．抜針後5〜10分（ワルファリン服用患者は20〜30分）圧迫止血する．

　回路の閉鎖性を保つため，プラスチック留置針あるいは翼状針による採血は避け，緊急時に対応できる側管のついた金属針の採血バッグを使用する．また，術後の静脈血栓塞栓症の発生およびバッグ内凝集塊産生を抑制する観点から，保存前白血球除去用血液バッグを使用する．

　採血後，専用自己血ラベルに患者氏名，生年月日，ID番号などを記入し，採血バッグに貼付する．採血バッグは輸血部門の自己血専用保冷庫で患者ごとに保管する．返血時には，患者氏名，生年月日，ID番号などを複数の医療従事者によって確認することが必要である．

【実施上のポイント】
　採血中は血管迷走神経反射（VVR）の発生に注意する．VVR出現時には即座に採血を中止し，頭部を下げ下肢を挙上し，必要があれば補液を行う．
　患者には，採血前の食事と常用薬を内服するよう指導する．採血後には水分を十分とり，激しい運動や労働，飲酒を避けるよう指導する．帰宅途中，帰宅後に嘔気，立ちくらみなどの遅発性VVR様症状が約10%に発症することを患者に説明する．

【注意事項】
　自己血の返血は貯血開始前のHb値を参考に返血する．返血リスクが輸血効果を上回る場合には返血しない．その際，貯血した自己血は同種血への転用はできない．

2 希釈式自己血輸血

【適応】
　緊急手術，がん患者を含めすべての手術に適応がある．患者の年齢，体重により制限されない．全身麻酔下で麻酔科医が実施する．

【禁忌】
　心筋障害，弁膜症，心内外の動静脈シャントがある

場合など心予備能がない患者，腎機能障害や出血傾向のある患者，高度の貧血患者，血液の酸素化に異常がある肺疾患患者，高度の脳血管狭窄患者は禁忌である．

実施手順

気管挿管後に乳酸リンゲル液 500 mL を急速注入する．採血は静脈路（上肢もしくは頚部）から留置針を用いて行う．採血は静脈留置針に針なし採血バッグを接続して，数回に分けて自己血採血と代用血漿剤の補液を交互に行う．1 回の採血量は 400 mL を上限とし，総採血量を 400～1,200 mL とする．希釈後（自己血採血後）の Hb 値は，原則として 7～8 g/dL 程度を維持する．

実施上のポイント

自己血採血後は毎回，採血量と等量の代用血漿剤を用いて循環血液量を補充する．代用血漿剤の過剰投与は，出血傾向や腎機能障害の可能性があり，腎機能障害がない場合でも，使用量は 20～30 mL/kg までとする．

注意事項

患者への循環負荷と手術開始までに時間がかかることを理解する．自己血は採取した手術室内で室温保存し，外には持ち出さないようにして輸血取り違えに十分注意する．

3 回収式自己血輸血

【適応】

関節手術，脊椎固定術など輸血が必要となる可能性がある手術に適応がある．年齢・Hb 値・体重・血圧などの制限を受けない．

【禁忌】

細菌あるいは悪性腫瘍細胞の混入がある場合は禁忌である．

実施手順

1 ▶ 術中回収式

回収血に添加する抗凝固薬は，ヘパリン加生理食塩水（30 単位/mL）を，回収血 100 mL に対し 15 mL で滴下する．添加した抗凝固薬は，そのほとんどが洗浄工程により除去される．輸血取り違え防止のため，原則として手術室内で返血を開始する．回収処理終了後 4 時間以内に返血を完了する．大量返血で希釈性の凝固因子低下による出血傾向が生じることに注意する．

2 ▶ 術後回収式

抗凝固薬は，洗浄式では機種にあわせて添加するが，非洗浄式では添加しない．回収開始後 6 時間以内に返血を完了する．

肺血栓塞栓症

Pulmonary thromboembolism

中村 琢哉　富山県立中央病院 部長〔富山市〕

【疾患概念】

肺動脈内で血栓による塞栓を生じた状態が，肺血栓塞栓症（pulmonary thromboembolism；PTE）である．約 90% は下肢や骨盤内の静脈で形成された血栓が血管壁から遊離・進展することにより，肺動脈内に塞栓を生じると考えられている．PTE は急性 PTE と慢性 PTE に分けられるが，一般に整形外科領域で対象となるのは，新鮮血栓が肺動脈を閉塞する急性 PTE である．小さな血栓による小塞栓であれば無症候であるが，大きな血栓による塞栓では症候性の PTE となり，ショック状態となった場合は致死率が非常に高い．かつてわが国では，周術期に長期臥床を強いても PTE を発症することはほとんどなく，PTE は欧米の疾患と思われていた．しかし，現代においては，PTE 発症は決して珍しいことではない．PTE を含む静脈血栓塞栓症に関しては，日本整形外科学会による「症候性静脈血栓塞栓症予防ガイドライン」など，いくつかのガイドラインがある．

【病態】

Virchow が提唱した 3 因子（①静脈血流の停滞，②血管内皮の障害，③血液凝固能の亢進）が血栓の誘発因子と考えられている．

【臨床症状】

呼吸困難，胸痛が主症状である．失神，冷汗も重要な症候である．深部静脈血栓による下肢の浮腫，腫脹は認められないこともある．浮遊血栓では血管の完全塞栓はきたしにくいためである．

【危険因子】

静脈血栓塞栓症の既往，長期臥床，肥満，高齢，下肢麻痺，下肢静脈瘤，悪性腫瘍，薬物（エストロゲン製剤，経口避妊薬），脱水，抗リン脂質抗体症候群などが危険因子である．整形外科領域では，骨盤・下肢の骨折，多発外傷，下肢ギプス固定がリスクとなる．手術侵襲，特に股関節・下肢手術や脊椎手術は危険因子である．

【発症の誘因】

安静解除後の起立，歩行，排便・排尿に伴って発症することが多い．下肢の筋肉ポンプ作用により血栓が遊離すると考えられている．

必要な検査とその所見

ショック状態となった PTE の致死率は高い．まず基本的なバイタルサインの確認が必要である．

①経皮的動脈血酸素飽和度：酸素飽和度の低下を認

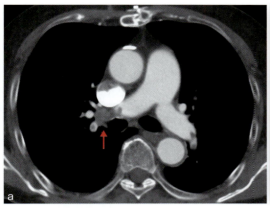 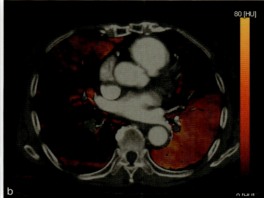

図 1-10　肺血栓塞栓症
a：造影CT．矢印は血栓による造影欠損を示している．b：灌流画像で血流欠損域が分布している．

める．
　②血圧：低血圧を認める．
　③心電図：右室の虚血所見としてのV$_{1-3}$陰性T波や呼吸不全代償のための洞性頻脈が高率にみられる．重症例では，S1Q3T3（Ⅰ誘導の深いS波，Ⅲ誘導のQ波と陰性T波）も認めることが多い．
　④胸部単純X線写真：PTEに特異的所見はないが，呼吸困難を起こす他疾患の除外鑑別に有用である．
　⑤動脈血ガス分析：換気血流不均衡による低酸素血症，代償性過換気による低二酸化炭素血症，呼吸性アルカローシスが特徴的所見である．
　⑥Dダイマー：Dダイマー値は，手術，外傷，悪性腫瘍などの血栓以外の要因でも上昇するため，特異度が低く，術後の検査としての有用性は低い．ただし，感度は高いため，PTE診断の除外に価値があり，正常値であればPTEではないとほぼ判断できる．整形外科領域としては，術前スクリーニングとしての価値のほうが高い．
　⑦造影CT：胸部造影CTで肺動脈内に血栓（塞栓子）を確認すれば確定診断できる（図1-10）．

診断のポイント

　PTEの症状は非特異的である．何らかの理由で臥床を強いられた患者が安静解除後に呼吸困難，胸部痛や冷汗を訴えたときには，まずPTEを疑わなければならない．ショック状態になければ，前述の侵襲の低い検査でスクリーニングを行えばよいが，PTEが強く疑われる場合には，早々に造影CTによる確定診断を行う．

鑑別診断で想起すべき疾患

　呼吸困難と胸痛を示す肺疾患や心疾患はすべて鑑別疾患に挙がる．

治療方針

　症候性PTEの治療で整形外科医が行える内容は限られている．突然死に至ることも多い本疾患においては，いかに早く治療を開始するかが重要である．症候性PTEを疑った時点で，検査をオーダーすると同時にためらうことなく救急医や循環器専門医に応援を依頼するべきである．循環虚脱や心肺停止状態の場合は検査よりも救命措置を優先する．応援が到着するまでの応急処置について記載する．
　①バイタルサインのチェックを行う．
　②酸素投与を開始する．
　③静脈ラインを確保する．
　④低血圧には昇圧薬を投与する．
　⑤ショック状態や心肺停止状態にある場合には，確定診断を待たずに未分画ヘパリン5,000単位をワンショットで静脈内投与する．

周術期予防法

　周術期におけるPTEの予防は重要である．下肢関節の早期自他動運動，早期離床，早期歩行などの比較的安全で低侵襲な予防は，可能な限り行う．以前は，積極的に抗凝固薬を使用する風潮にあったが，昨今のガイドラインには，出血などの合併症も考慮して，患者にとっての益が害を上回ると判断したときに抗凝固薬を使用するべきであることや，どの予防法を選択するべきかを医師と患者が相談して決めるべきであると述べられている．また，予防的な下大静脈フィルターの設置に関しても，設置後の合併症の観点から以前よりも控える傾向にある．

■1 診断と治療総論

院内・手術室内感染対策
Prevention of surgical site infection

藤原 正利　赤穂中央病院 前部長(リハビリテーション科)〔兵庫県赤穂市〕

1 整形外科領域手術部位感染症の疫学

　厚生労働省院内感染対策サーベイランス事業(2019年)の公開情報によると，整形外科領域のSSIは脊椎固定術1.7%，椎弓切除・形成術1.1%，人工膝関節全置換術0.8%，人工股関節全置換術0.6%，骨折観血的整復術0.7%である．主な原因菌は*Staphylococcus aureus*(methicillin-resistant *Staphylococcus aureus*；MRSA含む)などのブドウ球菌属で，これらすべての術式で検出されている．

2 患者免疫能の維持

　米国疾病予防管理センター(Centers for Disease Control and Prevention；CDC)は，SSI予防のためのガイドラインの改訂版を2017年に公開している．この中で宿主の免疫能を維持するため糖尿病の有無にかかわらず，周術期血糖を<200 mg/dLにコントロールすること，周術期は正常体温を維持することなどが推奨されている．高濃度の酸素を投与することも推奨されているが，無気肺などの悪影響も危惧されており，わが国で取り入れている施設は少ない．

3 予防抗菌薬投与

　予防抗菌薬投与は，CDCガイドラインや日本化学療法学会/日本外科感染症学会の「術後感染予防抗菌薬適正使用のための実践ガイドライン」(JSC/JSSI 2016)などで強く推奨されている．アレルギーがなければ第1世代セフェム系(セファゾリン)の使用が推奨される．β-ラクタム系薬に対するアナフィラキシーなどアレルギー既往がある場合はリンコマイシン系(クリンダマイシン)，グリコペプチド系(バンコマイシン，テイコプラニン)などの使用が推奨される．
　投与のタイミングは手術が始まる時点で十分な殺菌作用を示す血中濃度，組織中濃度が必要なため，執刀1時間前以内(バンコマイシンは執刀2時間前以内に投与を開始し，レッドマン症候群を避けるため1時間以上をかける)に投与する．駆血帯を使用する際は，少なくとも加圧する5〜10分前に抗菌薬の投与を終了する．術中も腎機能が正常であれば血中半減期の2倍の間隔で再投与を行い，また短時間に1,500 mLの大量出血をした場合は追加投与することが望ましい．

長期の抗菌薬投与は耐性菌選択のリスクとなるため，CDCガイドラインでは閉創まで，日本整形外科学会の「骨・関節術後感染予防ガイドライン2015」では術後48時間以内の使用を推奨している．
　バンコマイシンパウダーの局所投与についてCDCガイドライン，JSC/JSSI 2016では推奨されていないが，さまざまなメタ解析で報告され，いずれも強力な予防効果を示している．今後もバンコマイシンパウダーの有用性についてはさらなる研究が必要である．

4 術野消毒

　術野消毒は一般的にポビドンヨードが用いられることが多い．ただポビドンヨードよりグルコン酸クロルヘキシジン(CHG)のほうが残存効果があり，CDCガイドラインではアルコール含有消毒薬を使用することが推奨されている．CHGも殺菌能に限界があるため，術野残存菌に対する対策として「ヨード含有ドレープ」の貼付を実践している施設が多いが，エビデンスは乏しい．ただ理論的に間違いのない方法である．
　また術野汚染対策として術中洗浄は重要であるが，生理食塩水洗浄のエビデンスは十分でない．CDCガイドラインなどではポビドンヨード洗浄が推奨されているが，潜在的ヨードアレルギー患者には注意が必要である．

5 手術室環境と手術器材・手術時手洗い

　手術室内の出入りは最小限にとどめること，室内は必要最低限のスタッフ数であることなどが望ましい．人工関節手術はバイオクリーンルームで行われることが多いが，有用性に関するエビデンスは明らかではない．
　整形外科手術では業者貸出器材を使用することも多く，使用前に再度施設内で洗浄・滅菌を行う．
　手術時手洗いの方法はラビング法，スクラブ法があり，いずれの方法も擦式消毒を行う．
　整形外科領域では手袋の穿孔リスクが高いため，二重に手袋を装着し，長時間手術では手袋交換を行うことが望ましい．

6 薬剤耐性菌対策

　MRSAなどの薬剤耐性菌は標準・接触感染予防策の遵守が院内感染対策の基本となる．MRSA保菌者はMRSAによるSSI発生率が高く，ムピロシン軟膏鼻腔内塗布は全身薬浴とともに重要性が報告されている．一方でルーチンに保菌者スクリーニング検査を実施するのは困難であり，MRSA感染症発症率なども考慮のうえ，施設のinfection control team(ICT)とも相談し，対策を検討することが望ましい．

整形外科手術に対する麻酔法の選択

Anesthesia for orthopaedics surgery

讃岐 美智義　呉医療センター・中国がんセンター 部長（中央手術部）〔広島県呉市〕

　整形外科手術では，いずれの部位の手術も全身麻酔単独で行うことが可能であるが，全身麻酔に神経ブロックを組み合わせた麻酔を行うことが通例である．最近では，肺血栓塞栓症予防のために術後に抗凝固療法が行われるという理由で，硬膜外麻酔を避ける場合がある．以下，脊椎，上肢，下肢に分けて（表 1-3），麻酔法の選択について述べる．

1 脊椎・脊髄手術

　ほとんどの手術は全身麻酔で行うことが多い．術中に運動誘発電位（motor evoked potential；MEP）や体性感覚誘発電位（somatosensory evoked potential；SEP）測定を行う場合には，セボフルランやデスフルランなどの揮発性麻酔薬の使用により脊髄レベルでの神経のシグナル伝達を抑制する可能性が強いため，使用は避け，プロポフォール，レミフェンタニルを用いた全静脈麻酔（total intravenous anesthesia；TIVA）で行う．MEP測定時は筋弛緩薬の投与をしないか，筋弛緩モニター下で筋弛緩薬の投与量を制限し，必要に応じてスガマデクスでの筋弛緩薬の拮抗も念頭におく．頚椎の可動域制限が起きやすい頚椎後縦靱帯骨化症や関節リウマチなどでは，頚椎の前後屈が危険あるいは気道確保が難しいことから，意識下挿管が行われることが多い．その際には，十分に患者に説明し同意を得る必要がある．胸椎レベルの手術で開胸になる場合には，分離肺換気用の気管チューブが必要になることがある．

2 上肢・肩手術

　全身麻酔単独で行うことも多い．肩の手術では，術後痛が強い場合には，斜角筋間アプローチによる腕神経叢ブロック持続注入の併用や，経静脈患者管理鎮痛法（intravenous patient-controlled analgesia；IV-PCA）を用いることがある．斜角筋間アプローチでは，片側の横隔神経麻痺に注意する．肩より遠位の腕の手術では鎖骨上アプローチ，腋窩より遠位の腕の手術では鎖骨下アプローチ，肘，前腕，手のすべての手術に腋窩アプローチが併用される．駆血帯を使用しない手や指の手術で限局した手術野の場合は，前腕での正中神経，尺骨神経および橈骨神経などの選択的神

表 1-3　手術部位と麻酔法

手術部位	麻酔法の組み合わせ
脊椎	全身麻酔（MEP 測定時は全静脈麻酔を使用，筋弛緩薬は使用制限あり）
肩	全身麻酔 腕神経叢ブロック（斜角筋間アプローチ） 経静脈患者管理鎮痛法
腕，肘	全身麻酔 腕神経叢ブロック（鎖骨上，鎖骨下，腋窩アプローチ）
手	全身麻酔 腕神経叢ブロック（腋窩アプローチ） 選択的神経ブロック 指ブロック
股関節	全身麻酔 硬膜外麻酔 脊髄くも膜下麻酔 大腿神経ブロック 腸骨筋膜下ブロック
膝関節	全身麻酔 硬膜外麻酔 脊髄くも膜下麻酔 大腿神経＋坐骨神経ブロック
足関節，足趾	全身麻酔 硬膜外麻酔 脊髄くも膜下麻酔 足関節神経ブロック 坐骨神経＋伏在神経ブロック

経ブロックや指ブロックで行うことができる．

3 下肢手術

　全身麻酔と硬膜外麻酔の併用，全身麻酔と神経ブロックの併用，硬膜外麻酔や脊髄くも膜下麻酔の単独などで行う．人工股関節置換術や人工膝関節置換術は，硬膜外麻酔併用全身麻酔で行うことが多い．しかし，股関節，膝関節の術後には肺血栓塞栓症のリスクがあり，術後抗凝固療法が行われるため，抗凝固療法開始前に硬膜外麻酔のカテーテルを抜去する．最近では，膝関節の手術では硬膜外麻酔を避けるために，全身麻酔に大腿神経ブロック＋坐骨神経ブロックなどの末梢神経ブロックを併用することも増えている．

　膝関節鏡手術やインプラント抜去などは，全身麻酔単独で行うことが多い．膝の十字靱帯再建の手術では，硬膜外麻酔併用全身麻酔もよく行われる．

硬膜外ブロック

Epidural block

讃岐 美智義 呉医療センター・中国がんセンター 部長(中央手術部)〔広島県呉市〕

手術の麻酔としての硬膜外ブロックは,術中のみならず術後鎮痛コントロールにも用いられるため,硬膜外カテーテルを挿入して行うのが一般的である.

1 硬膜外ブロックの適応

頭頸部以外の手術および術後鎮痛のために用いる.腰部硬膜外ブロックは,疼痛治療目的に1回注入法で行うことも多い.

2 硬膜外ブロックの禁忌

絶対的な禁忌として,出血傾向(抗血小板薬・抗凝固薬使用中を含む),穿刺部の感染,患者の拒否がある場合は行わない.相対的禁忌として,ショックなどの循環不安定,頭蓋内圧亢進(脳ヘルニアの危険性),脊髄変性疾患などがある.

3 硬膜外ブロックの合併症

1 ▶ 重篤な合併症

硬膜外血腫,神経障害,偶発的硬膜穿刺とその後の頭痛,局所麻酔薬中毒などがある.また,長期(5日以上)の硬膜外カテーテル留置ではカテーテル感染(硬膜外膿瘍)のリスクが高まる.

抗血栓療法(抗血小板薬・抗凝固薬の使用中)患者では,硬膜外カテーテルの留置時のみならず抜去時に,硬膜外血腫の危険性がある.術前にワルファリン内服をヘパリン静注に変更している場合には,術前4〜6時間前に中止する.アスピリン内服を中止せずに手術を行う場合には,硬膜外穿刺は行わないのが一般的である.硬膜外穿刺を行う場合には,抗凝固薬,抗血小板薬の効果が消失するまで待つべきである.

局所麻酔薬中毒の予防には,硬膜外カテーテル挿入時やカテーテルから局所麻酔薬追加投与時に,必ず吸引を行って血液の逆流がないことを確認する.また,硬膜外麻酔の薬剤の1回当たりの投与量を5mL以下とする.硬膜外カテーテル挿入時には,試験量を投与して腫脹が出現しないことを確認する.

2 ▶ 対応すべき合併症

①循環器系合併症:局所麻酔薬の交感神経遮断により低血圧や徐脈が起こりうる.効果範囲が広くなれば,低血圧の頻度が増加する.T1〜T4に効果範囲が及べば,心臓への交感神経枝遮断により徐脈が生じる.また,循環血液量が減少した場合は低血圧が増強する.低血圧には十分な輸液,エフェドリン4〜8 mg,フェニレフリン0.1〜0.2 mgの静注で対応する.高度の徐脈にはアトロピン0.5 mgの静注で対応する.

②呼吸器系合併症:高濃度の局所麻酔薬が肋間神経の広範囲領域に及ぶと,肋間筋麻痺を起こす可能性がある.肋間筋の麻痺では,咳による喀痰排泄力が弱まる可能性がある.局所麻酔薬濃度と投与量(持続速度)を調節する.硬膜外腔へのフェンタニルやモルヒネの投与で,呼吸抑制の可能性がある.高度の呼吸抑制には,ナロキソンの静注で対応する.

③消化器系合併症:局所麻酔薬では,腸管蠕動は亢進する.オピオイドでは腸管蠕動の低下による便秘の可能性や悪心・嘔吐が起きる.便秘には緩下剤,悪心・嘔吐には制吐剤を使用する.

④泌尿器系合併症:排尿困難の可能性がある.導尿で対応することもある.

⑤運動器系合併症:下肢への局所麻酔薬の作用により筋力低下が起こりうるため,転倒に注意する.広範囲に及んでいる場合には,ふらつきによる転倒も起きうる.

⑥皮膚合併症:オピオイド投与では,かゆみが起きる可能性がある.軽度では抗ヒスタミン薬の軟膏や内服で対応するが,高度ではナロキソン投与が必要である.

4 手技の実際と注意点

①体位:側臥位および座位で行うが,介助者がついたうえで椎弓間隙をできるだけ広げ,穿刺しやすい前屈した体位とする.

②消毒,感染予防:術者は清潔操作で,清潔手袋,キャップ,マスクを着用する.穿刺部位を中心に広範囲の消毒を行い,大きな穴あきドレープをかける.

③穿刺時:意識下で行い,異常感覚があれば,それ以上針を進めない.針やカテーテルは抜去する.

④カテーテル挿入:挿入長は5cm程度までとし,深く挿入しない.

⑤薬液注入:薬液注入やカテーテル取り扱い時には清潔操作を行う.薬物注入前には,必ず,吸引テストを行う.

⑥カテーテル挿入部の観察:感染徴候が認められればカテーテルを抜去する.

5 硬膜外ブロックに用いる局所麻酔薬

基本的には,局所麻酔薬(表1-4)の濃度により神経遮断の強さを,投与量により効果範囲を調節できる.濃度が高いと運動神経遮断が現れやすい.交感神経遮断の範囲が広ければ低血圧や徐脈に注意が必要である.

表 1-4 硬膜外ブロックに使用する局所麻酔薬の特徴

薬物(商品名)	使用濃度(%)	作用発現時間(分)	作用持続時間(分)	極量(mg/kg)
リドカイン(キシロカイン)	0.5〜2	5〜15	60〜120	5
メピバカイン(カルボカイン)	0.5〜2	5〜15	60〜120	5
ロピバカイン(アナペイン)	0.2〜0.75	10〜20	120〜420	3
レボブピバカイン(ポプスカイン)	0.25〜0.5	10〜20	120〜420	3

超音波ガイド下伝達麻酔

Ultrasound-guided block anesthesia

仲西 康顕 奈良県立医科大学 講師

【概説】 伝達麻酔は，末梢神経をターゲットとして局所麻酔薬を注入することにより，末梢神経の支配領域に対して区域的な鎮痛を得る方法であり，上肢や下肢の手術における麻酔方法の選択肢の1つとなる．また，全身麻酔との併用や術後鎮痛としても用いられる．

超音波ガイド下伝達麻酔は，ターゲットとする神経，針の位置，注入する局所麻酔薬の広がり方をリアルタイムに超音波で確認することができるため，触診による穿刺と薬液の注入に比べて安全性と確実性に優れている．

【使用する薬剤と機材】

長時間作用型局所麻酔薬である，ロピバカイン(アナペイン®)や，レボブピバカイン(ポプスカイン®)が使用しやすい．これらは，心毒性を生じにくいように開発された局所麻酔薬であるが，過量投与により心停止をきたす例も過去に報告されているため，極量には十分注意して使用する必要がある．体重あたりの使用量として，3 mg/kgが1つの目安であり，例えば50 kgの成人に対しては伝達麻酔施行時，および局所麻酔薬の効果不十分時には最大150 mgを上限とすることを意識しなければならない．

超音波診断装置は，基本的にリニアプローブで高周波(12 MHz以上)のプローブを使用する．正確にブロックするためには神経を確実に描出することが必要であるが，近年の超音波診断装置の機能向上によって，画像の質は飛躍的に進歩しており，できるだけ高性能機材を使用することが望ましい．

穿刺針は，筆者らは正確に組織の間に針を進めることを目的として，23 Gカテラン針(鋭針)を使用している．鈍針が用いられている施設も多い．針は必ず延長チューブでシリンジと接続する．薬剤の注入は，針やプローブの操作を行う者とは異なる介助者が，延長チューブ内に血液の逆流がないか確認しながら少量ずつ行うことで，繊細な穿刺針の操作ができ，血管内への局所麻酔薬の誤投与を避けることができる．

手技の実際

1 ▶ 腕神経叢ブロック(腋窩アプローチ)

主に橈骨遠位端骨折に対する手術など，肘関節より遠位の手術が対象となる．

対象となる末梢神経は正中神経，尺骨神経，橈骨神経，筋皮神経であり，仰臥位で肩関節を約60°外転，最大外旋位で，広背筋が上腕骨に停止する部位で行う．完全に上記の神経がブロックされている場合はターニケットペインを生じずに駆血して手術可能である．使用する局所麻酔薬は，長時間作用型であるロピバカイン(アナペイン®)を使用し，成人では0.75%を最大20 mLもしくは0.375%で最大40 mL(いずれも150 mg)以内を用いる．

2 ▶ 坐骨神経ブロック(膝窩部アプローチ)および伏在神経ブロック(下腿近位)

主に足関節や足部の手術が対象となる．下腿中央で駆血しても，ターニケットペインを生じずに手術可能である．坐骨神経ブロックは側臥位で，総腓骨神経と脛骨神経の分岐部をターゲットとし，0.75% ロピバカイン15 mLもしくは0.375% ロピバカイン30 mL以内を用いる．伏在神経ブロックは仰臥位，膝関節は軽度屈曲位で，大腿脛骨関節面より約5 cm末梢で，縫工筋腱膜と薄筋腱膜の間に0.75% ロピバカイン5 mL，もしくは0.375% ロピバカイン10 mL以内を用いる．

安全対策

局所麻酔薬中毒に対する知識と準備が何より必要となる．術前，術中を通じて局所麻酔薬の極量を超えないことが重要である．手技に不安がある場合は，局所麻酔薬を倍希釈してブロックに用いることも選択肢の

1つである．その場合，効果発現までの時間は遅延する．

局所麻酔薬中毒は，局所麻酔薬の血中濃度が上昇することにより，中枢神経毒性としてめまい，耳鳴りや口の周囲のしびれ，興奮状態，四肢の振戦などが生じるため，それらの症状に対してブロック終了後60分は経過観察が必要である．さらに局所麻酔薬の血中濃度が高くなると意識障害だけでなく，心毒性を生じ，心停止に至る可能性がある．脂肪乳剤（イントラリポス®）の急速静注は有用な治療法であり，伝達麻酔を行う場合は常備するべき薬剤である．振戦に対しては，ジアゼパム（セルシン®）やミダゾラム（ドルミカム®）などのベンゾジアゼピン系薬剤の投与，心停止に対してはすみやかな心肺蘇生処置が必要である．

神経を穿刺し放散痛を生じた場合は，そのまま薬液を注入するのではなく，いったん針先の位置を変えてから手技の継続の判断を行う．神経への穿刺に対する患者の不安に対応することが重要である．術後，必ず神経学的な評価を行う．

頭蓋直達牽引と halo vest 固定

Skull traction and halo vest fixation

渡辺 航太　慶應義塾大学 准教授

【概説】　牽引による脊柱疾患の治療の歴史は非常に古く，古代ギリシャ時代にヒポクラテスが脊椎の骨折や脱臼の整復に用いたとの記録がある．直達牽引では，頭蓋骨にピンを刺入するため侵襲性は高いが，直接的に脊柱に牽引力が加わるため，頸椎の脱臼もしくは脱臼骨折の整復に有効である．そして，ハローベスト（halo vest）はその整復を維持し治癒させる保存療法として使用されてきた．

1 頭蓋水平牽引

【適応】

頸椎骨折や脱臼（環軸椎回旋位固定なども含む）の整復と整復位の維持，そして，これらの外傷の保存療法として使用される場合もある．その他，一時的な利用として，頸椎手術中の頭位固定，脊柱変形手術例の術中牽引などがある．術中の整復操作や矯正が必要な頸椎手術では，頭蓋水平牽引による flexible な固定が有効な場合がある．脊柱変形手術時では，牽引により脊椎インプラントに加わるストレスを軽減しながら矯正操作が可能になるので，骨が脆弱な変形例や重度の変形例には有効である．

実施上のポイント・注意事項

小児も含めた頭蓋直達牽引の合併症は16〜72%と高率である．その中でピン関連の合併症が19〜29%と最も高率であった．その他，頭蓋骨の穿孔は硬膜損傷，眼窩蜂巣炎，気脳症，硬膜下血腫，脳脊髄液漏出へ進展する懸念があるのでしっかりと対応する．頸椎脱臼例において，脱臼整復後に神経症状が悪化した例が報告されているため，整復は覚醒下で行い，麻痺の悪化について十分に留意する必要がある．さらに，外転神経麻痺（第Ⅵ脳神経）による複視のほか，第Ⅸ，Ⅺ，Ⅻ脳神経麻痺も牽引による合併症として報告されている．ピンの不適切な設置により，浅側頭動脈損傷の可能性がある．

2 頭蓋垂直牽引（halo gravity 牽引）

【適応】

重度脊柱変形，特に頸椎後弯症や小児の胸椎側弯症および後弯症が適応になる．期待される効果として，栄養状態の改善，肺機能改善，神経合併症の出現予防，重度脊柱変形の牽引による矯正効果などがある．

【方法】

垂直牽引装置を車椅子や歩行器に装着することで，移動性を担保し，下肢の筋力低下を予防しながら長期の牽引を行う．順次重錘を増量し，最大牽引は体重の30〜40%と考えられている．期間は数週間〜数か月．

3 ハローベスト固定

【適応】

環椎骨折（Jefferson 骨折），ハングマン骨折（Levine-Edwards 分類 type Ⅰ，Ⅱ），歯突起骨折（Anderson 分類 type Ⅱ，Ⅲ）などに適応される．骨の脆弱性により固定力が乏しい場合，ハローベストを併用することにより手術部位の安定性が向上し，治療成績が向上する

実施手順

ハローリングとベストより構成される（図1-11）．ハローリングは局所麻酔で設置可能であるが，小児例では安静が保てないので，全身麻酔下での設置が安全である．頭位を事前に計測し，リングのサイズを決定する．リングは最大周径位より尾側に設置する．その際，頭蓋骨の表面からリングまで1〜2cmの空間が必要で，ハローリングと耳介が触れないように注意する．前方のピンは眉毛の1cm程度頭側，外1/3の位置に設置することになっているが，前額部に瘢痕が長期に残る可能性があるため，極力，毛髪に隠れる部位にする．閉眼できなくなる可能性があるので，瞼は閉じた状態で設置する．後方のスクリューは耳の約5cm後

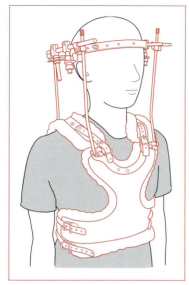

図 1-11 ハローベスト固定
〔日本整形外科学会(監):義肢装具のチェックポイント.第9版,p248, 医学書院, 2021 より〕

方に設置し，ピンの方向は前方反対側のピンに向くことが理想的である．成人例では4本のピンを，6～8ポンドで締結する．小児例は頭蓋骨が薄く軟らかいため，ピンの数を増やして刺入トルクを下げる必要がある．6本を5ポンドで設置(前方2本，後方4本)，8本を3～4ポンドで設置(前方4本，後方4本)などの選択肢がある．ハローリング設置後，胴体部にベストを着用し，付属機器を用いてリングとベストを連結する．

実施上のポイント・注意事項

ハローベストは頸椎全体を完全に不動化することはできない．特に下位頸椎へ移行するほど固定性は低下する．頸椎伸展位や屈曲位での固定は，嚥下障害や誤嚥性肺炎を惹起する可能性があるので，整復位維持のための固定位を優先するだけでなく，嚥下機能に関して評価する必要がある．また，頭位が固定されているため，通常の経口挿管は困難な場合がある．そのため，経鼻挿管もしくはファイバー挿管を検討する．さらに緊急時には気管切開を検討する．また心肺蘇生時には，前方のシェルを外して心臓マッサージなどを行う．後方シェルとリングは結合しているため，頭位の安定性は担保される．

関節鏡視下手術と手術機器

Arthroscopic surgery and surgical instruments

木村 雅史　善衆会病院 理事長〔群馬県前橋市〕

【概説】 1959年，渡辺正毅氏が渡辺式21号関節鏡を開発し，世界で初めて実用化に成功したことは，関節外科の新たな扉を開く革命的な出来事であった．当初は，膝の診断的関節鏡として使用されていたが，その後，主に断裂半月板を関節切開することなく切除，取り出すことに努力が払われ，1970年代後半から膝疾患全般に対する関節鏡視下手術として普及していった．さらに，膝関節のみならず，上肢では肩関節，肘関節，手関節へと，下肢では股関節，足関節へと各関節へ診断・手術の適応が拡大していき，現在では脊椎外科でも鏡視下手術がなされるようになっている．

1 関節鏡の種類と特性

関節鏡は内視鏡のなかで硬性鏡の範疇に入り，太さ(直径)は膝関節では直径4mm，外套管を付けると径5mmのものが一般的である．一時，肩関節，足関節，肘関節では直径2～3mmの細いものを使用していたが，現在では足関節，手関節を除いて膝関節と共通の太さのものが使用されている．

関節鏡には視向角と視野角がある．視向角は関節鏡(硬性鏡)の中心線と視野の中心の角度をいい，視向角により直視鏡と斜視鏡に分かれる．0°の直視鏡と，30°，45°，70°などの斜視鏡がある(図 1-12a)．直視鏡は術野の立体感を把握しやすい一方，斜視鏡では関節鏡を回転することにより視野を広くとることができ，一般的には30°斜視鏡が使用されている．

関節鏡に限らず，内視鏡には distortion(歪み)が多少ともあること，また鏡視時の遠近の差が大きいことから，対象物の大きさの評価にも注意をしなくてはならない．

2 関節鏡視および鏡視下手術の実際

関節鏡視下手術を成功させるためには，対象とする関節における安全な穿刺点をつくる必要があり，その部位の解剖を熟知して関節鏡を挿入しなくてはならない．関節鏡視下手術の適応症例，鏡視方法，手術機器は各関節によって異なるので，膝関節を例にとって概略を記載する．

1 ▶ 膝関節鏡視下手術の適応となる疾患

人工関節置換術や骨切り術を除いて，ほとんどの膝疾患が対象となる．半月板損傷，十字靱帯損傷，骨軟骨損傷に対して広く行われている．

1 診断と治療総論

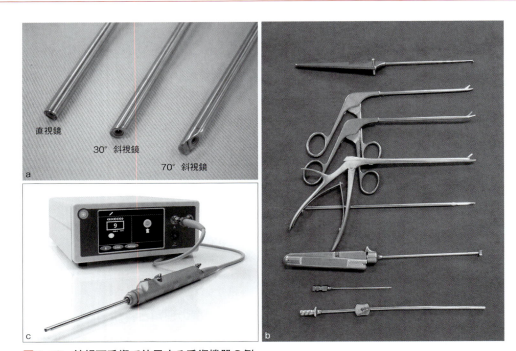

図 1-12　鏡視下手術で使用する手術機器の例
a：直視鏡と斜視鏡，b：半月板切除用器具，c：シェーバー．

2 ▶ 膝関節鏡視法の準備

手術室全体の配置は通常の整形外科手術と変わりないが，テレビシステム，関節鏡光源，関節灌流装置，シェーバーシステムなどを術者，外回り看護師が動きやすい位置に置く必要がある．

麻酔は基本的に全身麻酔で行うが，筋弛緩が得られれば下半身の麻酔でもよい．

患者は仰臥位で両下肢とも手術台に乗せておく．必要に応じて膝関節が 90°屈曲位をとれる肢位の準備をする．また関節鏡，手術機器を挿入するためのスペースがとりにくい肩関節，足関節などでは牽引装置が必要となる．

関節内を灌流する灌流水は，関節灌流液として特化したアルスロマチック®がベターである．水柱圧は 80 cmH₂O が至適で，当科では手術の状況によって，灌流ポンプを使用し，30〜50 mmHg 圧を加え手術をしている．ターニケット（駆血帯）は必要時のみに使用する．

3 ▶ 膝関節鏡視下手術の基本となる穿刺部位

外側膝蓋下穿刺と内側膝蓋下（もしくは前内側）穿刺部位の 2 点のみで手術は可能である．外側膝蓋下穿刺より鏡視し，前内側穿刺からのプローブ，もしくは手術機器を視野の中央に持ってくることを triangulation technique という．この手技をスムースかつ迅速に行うことが，鏡視下手術の巧緻さにかかわるといってよい．

また，後方の膝窩腔の鏡視は，内側では後内側穿刺を，外側では後外側穿刺をつくって行うが，外側は前方から広く見えることが多いので，その頻度は少ない．手術機器と関節鏡の挿入部位は適宜入れ替えて行う．

3 鏡視下手術で使用する代表的な手術機器

鏡視下手術にはプローブなど共通する手術機器があるが，対象とする部位，疾患によって種々なものがある．各関節，各疾患に固有な手術機器については各論に譲るとして，ここでは普遍的に使用するものを主に提示したい．手関節，足関節では同様のもので細いものがつくられている．

①プローブ：本来診断用器具であるが，狭い部位での組織のレトラクトなどに便利で，手術器具としての使用頻度も高い．

②鋏，バスケット鉗子，ナイフ，キュレット：組織を切除するのに用いる（図 1-12b）．使用部位によって種々なものが作製されている．

③把持鉗子：組織の把持，摘出などに欠かせない

④シェーバー：電動であり，滑膜をはじめ組織の切除に必須である．吸引を行いながら切除するので，周囲組織を傷つけないように注意が必要である（図

1-12c）．
　⑤Radiofrequency device（高周波電気蒸散装置）：組織の焼灼切除のみならず，止血操作もでき，きわめて有用な手術機器である．
　⑥スーチャーレトリバー：縫合糸などを誘導するときに使用する．肩関節，膝関節では使用頻度が高い．
　⑦スーチャーパッサー：スーチャーフック，スコーピオン®などがあり，組織を縫合するときに使用する．狭い部位での操作に有用であるが，部位は限定される．
　⑧その他：縫合糸アンカー，吸引管，カニューラ，スイッチングロッドなど

4 合併症

1 ▶ 術中合併症
　術中は神経血管損傷，軟骨損傷に加え，機器の破損や関節内逸脱にも注意をする．

2 ▶ 周術期合併症
　周術期で最も注意する点は，静脈血栓塞栓症（venous thromboembolism；VTE）と感染である．VTEは特に下肢の手術では高リスクとなる．また，膝の膝蓋大腿関節周囲の手術では，複合性局所疼痛症候群（complex regional pain syndrome；CRPS）にも配慮しておく必要がある．

骨延長［術］

Bone elongation, Bone lengthening

櫻吉 啓介　金沢こども医療福祉センター センター長〔石川県金沢市〕

【概要】　骨延長術は100年以上の歴史があるが，現在主に行われているのは創外固定器を用いて骨切りを行い，骨切り部を徐々に牽引する方法である．この方法は，1950年代にロシアのIlizarovが，創外固定器で延長した部位に仮骨が形成されているのを偶然発見し，独自のリング型創外固定器を使用して実用化したものである．Ilizarov法は長い間国外に知られることはなかったが，イタリア人の難治性骨髄炎を治癒させたことで西側諸国に広まった．徐々に組織を牽引して新生されるのは骨，筋肉，腱，血管，皮膚などのあらゆる組織で，distraction histogenesisとよばれる再生医療である．

【適応】
　四肢の短縮や変形を有するあらゆる疾患が対象となる．軟骨無形成症などによる低身長では，座位の際に足底が床に接地できないと座位作業が不安定になるので，主に下腿の延長が行われる．上肢の短縮により排泄動作が困難な場合には，上腕骨延長が行われる．対象となる疾患は多岐にわたるが，注意を要するのは，①延長骨に隣接する関節に不安定性や関節軟骨障害，②骨脆弱性，③延長部の軟部組織に高度の循環障害や瘢痕，④麻痺による筋のアンバランス，⑤放射線照射の既往，⑥創外固定器を管理できないほどの精神疾患などを有する場合である．

1 延長器の種類

1 ▶ 単支柱型創外固定器
　遠位骨と近位骨にハーフピンを刺入し，1本の支柱で支える創外固定器である．単純な延長や，一期的矯正後の延長に使用される．リング型に比べ装着が簡便であるが，三次元的矯正が困難である．

2 ▶ リング型創外固定器
　遠位骨と近位骨にハーフピンやワイヤーを刺入し，リング型の創外固定器に連結する．単支柱型に比べて装着が煩雑であるが，固定しなければならない骨片が小さくても比較的強固に固定でき，矯正角度の変更が行いやすい．リング型の中でもヘキサポッド型は，飛行機のフライトシミュレーターを参考に考えられたものであり，リング間をストラットとよばれる連結棒でつなぎ，回旋や軸偏位などの複雑な変形を矯正できる．

3 ▶ 髄内釘型
　現在国内での使用はできないが，2000年代にはラチェット機構により遠位部を内外旋させることによって延長を行う，Albizzia髄内釘という閉鎖式延長器の使用が可能であった．近年海外では，骨延長量を体外から磁気によって制御する髄内釘型の延長器が使用されている．

2 延長方法

　単純な骨延長のほかに，骨欠損部の骨充塡を目的とした，bone transport（骨移動術）とshortening-distraction（短縮延長法）がある．骨移動術は，骨長を保ったまま骨切りした骨片を徐々に移動させ骨欠損部を充塡する方法で，短縮延長法は，一期的または緩徐に骨欠損部を接合し，他の部位で骨切りし延長を行う方法である．一期的な短縮は，大腿部10 cm下腿部5 cmが限界とされている．骨端延長は，骨端と骨幹端にピンを刺入し，骨端線を牽引する延長法である．骨端線の開存が必要だが，その後の骨成長が期待できないので低年齢で行うことはできない．

3 実施手順（図1-13）

1 ▶ 術前評価
　角状変形，軸偏位，短縮や延長，回旋変形を評価す

1 診断と治療総論

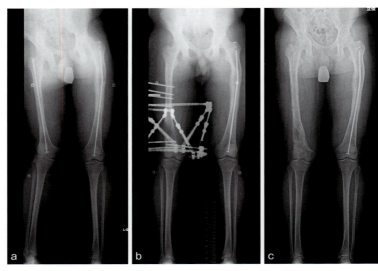

図 1-13　骨延長術
a：骨形成不全症（18歳，男性）．複数回骨折による右大腿骨遠位部の外反と5cmの短縮を認める．
b：Taylor spatial frame（ヘキサポッド型創外固定器）による変形矯正と延長．
c：抜釘後．

るために単純X線撮影やCT撮影を行う．小児の骨延長では最終的な脚長差を予想し，手術の時期や過延長の必要性を判断する．変形の評価は，健側との比較や正常角度との差を計測し，変形中心や矯正角度を判断して骨切り位置を決定する．術前に創外固定器を組み立てて，リングの大きさや位置が適当かを確認しておく．

2 ▶ 手術方法

イメージ下に関節面・骨端線・解剖軸や機能軸・変形中心をマーキングし，創外固定器の設置部位を確認する．延長骨近位部に解剖軸または機能軸に垂直にワイヤーやハーフピンを刺入し，創外固定器を固定する．延長骨遠位部も同様に固定し，イメージで理想的な設置となっているかを確認し，ワイヤーやハーフピンを追加して固定性を上げる．骨切りはなるべく変形の中心に近いところで，小皮切で骨膜を温存し，熱で骨組織を傷めないように生理食塩水などで冷却しながらワイヤーで multiple drilling し，ノミにて行う．

3 ▶ 術後処置

症例によって術後1～2週間待機し延長を開始する．1回の延長量を少なくし，複数回に分けて行うことが望ましいが，現実には1日2回0.25mm（1日0.5mm）ずつ実施し，骨形成がよい場合は1日1mmまで増やす．変形を調整しつつ目標延長量まで達したら，そのまま延長仮骨が成熟するのを待つか，内固定に変更する．髄内釘併用延長も可能であるが，延長直後に髄内釘を挿入しようとすると，延長仮骨には髄腔が存在しないため髄内釘挿入は難渋する．

4 実施上のポイント・注意事項

1 ▶ ピンやワイヤーの感染

以前は消毒や薬浴を行っていたが，極力消毒を行わず水道水でシャワー浴を行い，患肢全体の清潔を保つようにする．抗菌薬を投与しても感染制御困難な場合はピンやワイヤーの抜去を要することもあるが，それを見越して手術時にピンやワイヤーを多めに刺入し固定性を上げておく．

2 ▶ 関節拘縮

術後のリハビリテーションを早期から開始し，自他動運動を積極的に行う．あらかじめ装具を装着したり，手術時に創外固定器を装着した状態で可動域を確認し，関節の動きが悪ければ，障害となっている腱や筋を延長しておく．先天性形成不全疾患では延長を妨げる索状物が存在することがあり，術中に切除や解離する必要がある．

3 ▶ 仮骨形成不良

延長速度を落としたり，一時停止や短縮を行う．画一的に延長速度を決めず，症例ごとに延長速度を調整する．積極的な荷重刺激を行うことで骨形成を促進させる．

4 ▶ 抜釘後の変形や骨折

抜釘前に創外固定器の固定を弛めたり，ワイヤーやピンを部分抜去したりすることで十分な骨強度が得られたのを確認し，創外固定器を抜去する．術後の再骨折や変形が多い骨形成不全症や先天性下腿偽関節症では，内固定の併用も考慮する．

骨移植と骨バンク
Bone graft and Bone bank

蜂谷 裕道　はちや整形外科病院 理事長〔名古屋市千種区〕

1 骨移植

【概念】

骨移植は骨欠損を有する疾患の骨補填手技として古くから認識され，骨形成作用促進と，その結果得られる力学的支持性の獲得を目的に骨を移植する手技である．

1 ▶ 骨移植の種類

(1) ドナーによる分類

同一個体内で骨組織を他の部位へ移植する「自家骨移植」(autograft)，他人の骨組織を移植する「同種骨移植」(allograft)，動物の骨組織を種の異なった動物に移植する「異種骨移植」(xenograft)に分類される．自家骨は骨伝導(osteoconduction)能と高い骨誘導(osteoinduction)能を有しており，骨癒合を得るには最も有利といえる．また，同種骨や異種骨も骨伝導能だけでなく，骨誘導能を有しているが，骨誘導能は自家骨に比べ同種骨，異種骨の順に劣る．また，骨組織は抗原性が弱い組織とされているものの，同種骨や異種骨移植の場合にも移植免疫は起こりうる．しかし移植骨片が拒絶脱落するほど強いものではなく，抗原性は同種骨よりも異種骨のほうが高い．日本整形外科学会(日整会)が5年ごとに認定研修施設を対象に実施している組織移植に関するアンケート調査によると，ヒトにおける異種骨移植の報告は2010〜2014年の5年間で140,526例中12例ときわめて少ない．

(2) 血行による分類

自家骨移植の多く，同種骨移植，異種骨移植ではすべて血行を伴わない遊離骨移植が行われる．遊離骨移植を行うと，移植された骨は一度壊死に陥り，周囲組織から再血行化され，移植骨のもつ骨伝導能，骨誘導能により移植母床に生着する．自家骨移植の一部には血行を伴った移植が行われ，この場合，移植骨片は壊死に陥ることなく，通常の骨折治癒過程と同様の経過をたどり移植母床と癒合する．

2 ▶ 骨移植の適応

(1) 骨欠損の補填

腫瘍や感染の治療に伴う骨欠損や外傷性骨欠損，また偽関節の治療や骨延長術に伴う骨欠損，さらに人工関節置換術においてインプラント設置に必要な骨欠損部などを補うことを目的に用いられる．特に，人工関節再置換時に生じる大きな骨欠損を補うために，骨移植は不可欠な手技である．

(2) 骨癒合の促進

外傷の遷延治癒や偽関節に対して，骨癒合を促進する目的で骨移植が用いられる．また，外傷の部位や程度によっては早期に骨癒合をはかる目的で，初回手術であっても骨移植が適応されることがある．

(3) 固定術との併用

変形性関節症や脊柱側弯症などの疾患により，関節や脊椎の固定術を必要とする場合，骨移植の適応となる．

3 ▶ 骨移植の現状

前述の日整会による2010〜2014年のアンケート調査によると，2,022の調査対象施設のうち回答率は42％(841施設)で，そのうち526施設(63％)が組織移植を行っていると回答した．骨移植数は140,526件で，前回調査(2005〜2009年)の132,005件と比較して増加していた．また，組織移植の総数も経時的に増加しており，2014年では2010年と比較し約1.4倍となっていた．また同種骨移植の使用目的は，前回調査では人工関節置換術が45％，脊椎手術が33％であったが，今回の調査でも人工関節置換術が44％，脊椎手術が38％となっており，大きな変化はなかった．また骨移植総数における各骨組織別移植数の割合は，前回調査では自家骨55％，人工骨41％，保存同種骨4％であったが，今回の調査では自家骨54％，人工骨42％，保存同種骨4％とこちらも大きな変化はなかった．これは保存同種骨に比し人工骨の入手の容易さによるものと推察する．

2 骨バンク

【概念】

人工股関節置換術における切除大腿骨頭など，不要となった骨組織を冷凍保存し，自施設で臨床に使用する施設骨バンク(institutional bank)と，非生体から骨を採取し処理・保存を行い，他施設への供給を行う地域骨バンク(regional bank)が存在する．前述の日整会の調査では施設内骨バンクは208施設存在するのに対し，地域骨バンクは2施設に過ぎない．欧米では地域骨バンクが整備されているが，わが国においては

1 診断と治療総論

地域骨バンクが活動できる社会的基盤が十分に整備されているとは言えない．

1 ▶ 法的基盤

1997年に「臓器の移植に関する法律」が施行された．同種骨移植はその運用に関する指針（第14；組織移植の取扱いに関する事項）のなかで，心臓死後本人または遺族の同意のもとに骨などの組織提供が認められている．また，2000年に健康保険法の改正にあたり，骨移植術に自家骨以外の項目が追加され，法律上も同種骨移植が認められた．また，2016年度の診療報酬改定により，日本組織移植学会のガイドラインを遵守していること，同学会の認定を受けた組織バンクであることを条件に，診療報酬の算定が可能となった．

2 ▶ 運営の実際

骨採取・保存・処理・供給に当たっては，2007年に改訂された日整会の「整形外科移植に関するガイドライン」，「冷凍ボーンバンクマニュアル」に従って，各施設の倫理委員会の承認を得て運営する必要がある．

3 ▶ 骨バンクの整備

2005年から厚生労働省の委託を受け，日本組織移植学会による組織バンクの認定制度が発足した．2020年11月時点では，全国で13の組織バンクが他施設への供給を認められているカテゴリーⅠの認定を受けており，そのうち骨バンクは2施設が認定されている．この2施設から同種骨の供給を受けるためには，他施設は保存同種骨の処理・保存費として当該手術で得られる診療報酬【K 059 骨移植術3 同種骨移植（特殊なもの）】を支払う契約を，事前に締結しなければならない．これをそれぞれのバンクは運営資金としている．今後，提供者を増やすためには，現状のマンパワーでは摘出医が疲弊してしまうため，全国に摘出チームを組織する必要がある．また，この2施設が全国で使用する同種骨をすべて供給することは不可能であり施設骨バンクの充実も必須であるが，日整会のアンケート調査では同種骨の安全性を確保するための組織採取前検査や低温加温処理などの実施率は十分ではない．わが国での同種骨移植を安全に行うためにも，施設骨バンクの整備も早急に取り組む必要があると思われる．

人工生体材料（人工骨）

Artificial biomaterials (artificial bone)

松原 秀憲　金沢大学附属病院 講師

【概説】　生体材料（biomaterial；バイオマテリアル）とは「生命をもたず，医療器具に用いられ，生体との相互作用を意図された材料」と定義され，生体に適合する人工材料の総称である．主な生体材料として，金属，セラミックス，合成高分子，生体由来材料などがあり，医学の各分野において広く使用されている．金属にはステンレス，コバルト－クロム合金，チタン合金，タンタルなどが挙げられ，整形外科分野では骨折の内固定材料や人工関節，骨欠損部補填に使われている．セラミックスには人工関節の一部としても使われているアルミナやジルコニア，そして人工骨の主成分であるハイドロキシアパタイトやリン酸三カルシウム（TCP）がある．合成高分子は，主に縫合糸に使われ，生体由来材料としては人工真皮，一部人工骨で使われている．

1 人工骨の歴史と背景

重篤な骨折や骨腫瘍の切除後などにはしばしば骨欠損が生じるが，その場合は何らかの方法で欠損部を補填する必要がある．最も一般的な補填様式は骨移植であり，自家骨移植や同種骨移植が古くから行われている．自家骨移植は骨形成能に優れており，もともとの自分の骨を移植するため生体親和性が高い，しかし自分の骨の一部を採取する必要があるため侵襲的であること，欠損部に適した形状と大きさのものが必ずしも採取できないこと，採取する骨の量には限界があることなどの問題がある．

一方，同種骨移植は，非侵襲的であり十分な量の骨を利用することができるが，自家骨に比べると骨形成能や親和性は劣り，感染症に罹患する懸念があるなどの問題点がある．またわが国では宗教的・文化的背景から同種骨が普及せず，合成セラミックスの人工骨が世界に先駆けて臨床応用された．1970年代以降は，硬組織修復用バイオマテリアルとしてのセラミックスの研究開発が進んだ．その結果，1980年代には生体骨の無機質主成分であるハイドロキシアパタイト〔hydroxyapatite；HA，$CA_{10}(PO_4)_6(OH)_2$〕の人工的な合成が可能になり，次いで高い骨親和性を示すA-Wガラスセラミックが開発された．それ以降，HAやHAとTCPの複合材料など，種々のバイオセラミックスによる人工骨補填材料の実用化開発が始まった．

2 人工骨の特徴

1 ▶ 構造

人工骨の構造には，相対密度が99％以上の緻密体のものと，数百μmの気孔を有する多孔体のものが存在する．大別すると，人工骨は気孔をもたない緻密体人工骨と気孔をもつ多孔体人工骨に分けられる．緻密

体人工骨は，730 MPa程度の圧縮強度を有しており初期強度があるため，人工椎体などとして使用されている．一方，多孔体人工骨は初期強度が落ちるが，埋植後に気孔内に新生骨が形成されて一体となり，二次強度の獲得が期待できる．気孔率を変えることで，気孔の分布と強度を調節することができる．気孔率によって10%程度の低気孔率多孔体，30〜60%の中気孔率多孔体，80%以上の超高気孔率多孔体などに分けられる．

2 ▶ 形状

人工骨はさまざまな骨欠損に対応する必要がある．欠損は術前から予想される場合もあれば，術中にわかるときもある．また形状がある程度きれいな立方体である場合や，複雑な形状である場合などさまざまである．その場合，手術中にある程度の形に成形できること，またその取り扱いやすさが求められる．人工骨の形状として，立方体や円柱などの決まった形のものや，顆粒状，スポンジ状，ペースト状のものなどがある．

3 ▶ 骨親和性

骨親和性の高い人工骨は，生体内に埋植後，異物反応を惹起せず骨と直接結合する．骨伝導能とよばれる材料そのものの性質である．骨親和性の弱いもの，表面のみ骨親和性のあるもの，また材料全体が強い骨親和性をもち，ほとんどが吸収されるものなどがある．また，HA，TCPとともに，コラーゲンなどの有機物がまざった人工骨も開発され，より骨親和性を高めている．

4 ▶ 分解吸収性

生体内で材料のほとんどが吸収されるもの，されないものなどさまざまな人工骨がある．TCPでもαとβが存在し，それぞれで焼成温度が異なる．β-TCPはそのほとんどが吸収される．α-TCPはβ-TCPよりも吸収されにくいが水和反応でHAになり残存する．

3 人工骨の選択

理想的な人工骨は，構造支持体として十分な強度があり，手術中の形状が調整可能な加工性・取り扱いやすさをもち，骨組織との高い親和性，生体内での分解吸収性を有するものである．また骨形成を促進する活性があればさらによい．しかしながら今日，これらすべてを満たす人工骨は存在しないため，人工骨の使用目的，病態，移植部位，年齢に合わせて，初期強度，二次強度，吸収性の観点から適切な人工骨を選択する必要がある．

初期強度は気孔率と微細構造が関係しており，二次強度は気孔間通過性（連通性）によって決定される．吸収性をもつ人工骨は吸収されることによって強度が変化する．連通性が高く吸収されにくいような人工骨（HAなど）は，関節リウマチ，偽関節，骨粗鬆症などの骨形成の条件が不良であるが，ある程度の強度が必要な部位での使用が適している．連通性が高く，ある程度の初期強度をもつ人工骨（低-中気孔率多孔体β-TCPなど）は，術前・術中の加工が必要な矯正骨切り術などに適している．若年者に対してはリモデリングを受けやすく，体内に残存しにくい吸収性の高い人工骨（中または高気孔率多孔体β-TCP，HA＋コラーゲンなど）が適している．力学的強度が求められるときは，低気孔率の人工骨（HA，α-TCP）が適している．

4 人工骨の応用と今後の展望

症例によっては大きな骨欠損部の補填や，複雑な形状の補填が要求される場合がしばしばあるが，これまでは，既存の自家骨や同種骨を症例に応じて加工して対処されてきた．しかし，移植骨量や骨採取部の問題，適合性の問題が常に存在した．今日，術前CT画像データに基づくコンピューター支援モデリングの技術によって，術前に正確な移植片の作製が可能になってきている．さらに最近では3Dプリンターの普及により，より短時間でオーダーメイドの人工骨が作製できる時代になってきている．

これら人工骨・骨補填材の多くはヒト由来成分を含まない合成材料であるため，前述のごとく感染のリスクがなく，供給量に制限がない．しかしながら，人工物であるため，骨誘導能は自家骨には及ばないのが現状である．近年ヒト由来の脱灰骨基質から作製された人工骨も開発され，微量な成長因子を含むとされており，少なからず骨誘導能を有するものも出てきているが，臨床レベルには達していない．次世代の人工骨として，構造体としての人工骨と骨形成蛋白などの成長因子を組み合わせたハイブリッド人工骨・骨補填材，また自家骨と同様に細胞を含んだ人工骨など，前述の理想的な人工骨を目指して開発が進められている．

針刺し切創，皮膚・粘膜曝露

Needlestick injuries, percutaneous exposure

楫野　良知　金沢大学附属病院 特任准教授（医療安全管理部・整形外科）

【概説】　本項では，注射針に限らず，整形外科の日常診療で使用する頻度が高いギプスカッターや手術におけるメス，ノミ，サージカルソー，ドリル，ワイヤー，レトラクターといった，先端が鋭利な医療機器による受傷も含めた血液・体液曝露への対応としてまとめる．

1 診断と治療総論

血液・体液曝露は，医療従事者が患者などの他者の血液などで汚染された機器で外傷を受けること，また，血液や体液が皮膚粘膜に曝露することを指す．血液や体液を介して感染する代表的な疾患としては，B型およびC型肝炎，後天性免疫不全症候群(AIDS)，成人T細胞白血病，梅毒などが挙げられるが，その他の未知の病原体が存在することも考えられる．曝露後の感染発症の確率は，B型肝炎ウイルス(HBV)で1〜31%，C型肝炎ウイルス(HCV)で1〜7%，ヒト免疫不全ウイルス(HIV)で0.2〜0.5%といわれている．針刺し切創に限った発生頻度は，過去の報告では病床100床あたり年間30〜40件程度と推計されている．職種では，半数が看護職であるが，近年，医師における発生数の増加傾向が認められている．血液・体液曝露対策を考えるうえでは，受傷する前の未然防止策と，曝露が起きてしまった後の対策の双方を考える必要がある．

1 未然防止策

第一に，普段からの標準予防策(standard precautions)の職員への習慣化が必要である．標準予防策とは，血液，汗を除くすべての体液，分泌物，排泄物，傷のある皮膚，粘膜は感染性があるものとして対応することである．患者および医療従事者双方の感染リスクを低減するために実施するものであり，手指衛生に加え，ガウンやエプロン，ゴーグル，マスクなどの個

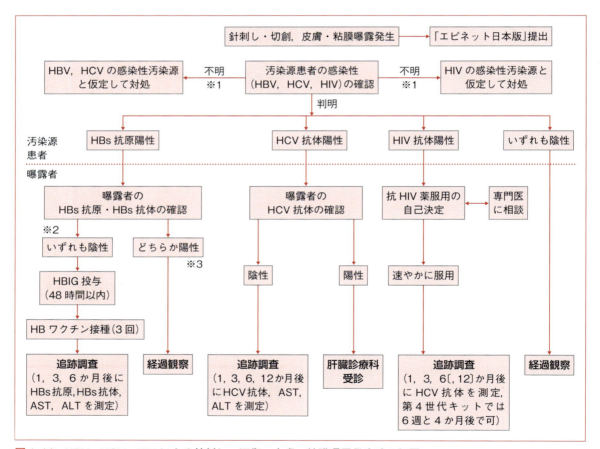

図1-14 HBV, HCV, HIVによる針刺し・切傷，皮膚・粘膜曝露発生時の処置

※1 曝露源不明の場合や患者が同定できても検査の同意が得られない場合や検査実施が不可能の場合は，HBV, HCVの曝露源と仮定して対処する．HIV感染の曝露の可能性がある場合はHIV曝露源と仮定して対処する．
※2 曝露者のHBs抗原・HBs抗体の検査結果が24時間(遅くとも48時間)以内に判明しない場合は，結果を待たずに乾燥抗HBsヒト免疫グロブリン(HBIG)の投与を考慮してもよい．
※3 HBVキャリア(HBs抗原とHBs抗体がともに陽性，またはHBs抗原陽性でHBs抗体陰性)の場合は，肝臓診療科受診を勧める．

〔国公立大学附属病院感染対策協議会(編)：病院感染対策ガイドライン 2018年版. p268, じほう，2018より〕

人防護具の使用などが含まれる．針刺し切創に関していえば，使用後の注射針にはリキャップをしない，使用後には鋭利物は持ち歩かずにすぐにその場で廃棄ボックスに捨てることが予防策となる．静脈留置針や動脈血採血キットなどでは，針刺し損傷防止機構が付いたものが市販されているが，整形外科の外来診療で行われる関節注射や神経ブロックでは，通常のキャップ付き注射針を使用するのがまだ一般的であり，前述の予防策の徹底が重要である．

手術中の未然防止策としては，術野の汚染防止と血液・体液曝露防止の双方の利点から，世界保健機関（World Health Organization；WHO）や米国疾病管理予防センター（Centers for Disease Control and Prevention；CDC）からの各種ガイドラインで，二重手袋や内外で色が異なる手袋（インディケーター手袋）の使用が推奨されている．また，鋭利な医療機器を器械出し看護師に戻す際に直接手渡しせずに，トレーやマットなどのニュートラルゾーンを介して返却するハンズフリーテクニックなどの取り組みも行われている．そのほか，血液や体液，創部洗浄液の飛散から眼を守るためのゴーグルやフェイスシールドの使用も推奨されている．

血液や体液などへの曝露の可能性がある医療職では，曝露時の感染発症を予防するため，医療関係者のためのワクチンガイドラインが発行されている．感染発症率が高く，重症化しやすい HBV は，すべての医療職でワクチン接種を実施しなければならない．各医療職は，自身のワクチン接種歴とそれぞれの抗体価の情報を把握しておくべきである．

2 曝露発生後の対応

血液・体液曝露が発生した場合には，直ちに損傷部位を流水と石けんで十分に洗浄することが必要である．効果は確認されていないが，可能であれば消毒薬による消毒を行ってもよい．使用していた針や鋭利な医療機器は汚染されているので，使用を継続すべきではない．

汚染源患者の HBV, HCV, HIV の感染性の有無の確認を行い，病院ごとの対応フローに従う．参考までに，国公立大学附属病院感染対策協議会の対応フローを図 1-14 に示す．感染性ありの場合には，原則として曝露直後の採血検査を実施する．場合によっては，労働災害保障手続きが必要となる．

血液・体液曝露は，全国の病院で情報の収集を行い，データベース化（EPINet™，エピネット）し，曝露後の対策を講じるための分析などがなされているため，院内の感染対策部門にも連絡する必要がある．

インフォームド・コンセント

Informed consent

大川 淳　東京医科歯科大学大学院 教授

整形外科領域の治療手段の中心である手術だけでなく，脊髄造影などの侵襲的検査も含めて，文書によるインフォームド・コンセント（以下 IC）を取得する時代になった．保存療法で文書による同意が取得されることはまだ一般的とはいえないが，治療を契約ととらえるとすれば，本来的には IC が必要なのかもしれない．本項では，整形外科領域における IC の留意点について述べる．

1 IC の意義

IC は，医療行為が本来患者の身体への侵襲を伴う傷害行為であるため，その違法性を阻却するために必要と考えられている．加えて，患者の自己決定権を個人の人格権の一部として認め，それを保障する仕組みでもある．つまり，医療は，医師が患者にとって最適であると考える医療行為を提供するというヒポクラテス時代の父権主義（パターナリズム）から，患者自身が情報を得て主体的に医療行為を選択する，という考え方に変わった．医療者としても，IC を仕方なく取得するというよりは，患者とのコミュニケーションの手段としてとらえるほうがよいだろう．

しばしば医療の不確実性についての説明を IC に含めることがある．発生しうる合併症を説明するだけでなく，合併症が起きることを前提にして，それを含めて疾患の治療である点を十分に説明し同意を得る．これはある意味で患者に対して不都合な結果が起こりうることを事前に通知することであり，仮にそれが起きた場合にはその結果を受け止める準備を求めることになる．言い換えると，IC は患者を医療のなかに巻き込む取り組みである．

2 IC の要件

説明義務について一般的に求められる要件は次の通りである．

①現在の病状および今後の予測に関する情報．
②提供する医療行為の態様に関する情報．
③選択された医療行為の効果（利益）と危険性（リスク）に関する情報．

特に②については，医療行為を選択するうえで必要な情報であり，医療行為の必要性，医療行為の具体的な内容，手術療法か保存療法かの選択に関与する．

3 手術に関する説明と留意事項

ICの説明文書は下記に留意して，定型的な書式を作成する．個々の症例に対しては，一部を改変して用いることで，説明不足が生じないように心がける．

①合併症の発生について明確に説明する．
②合併症の確率は，可能なら自施設のものを用いる．なければ公表データなど，一般的な調査結果を利用する．
③侵襲が大きい手術では，生命に危機を及ぼす合併症が周術期に起こりうることを明示する．
④説明された合併症に対して追加治療費が生じた場合，その費用が患者負担（健康保険を適用し，減免などの対象にはならない）であることを明示する．
⑤セカンドオピニオンを保証する．
⑥教育研究やレジストリの対象となりうる点について包括的な同意を取得する．個々の研究の対象となった場合には別途その研究に関する同意書が必要な場合もある．
⑦紹介元に返書を作成する際に，術後経過など個人情報を伝えることを明示する．
⑧同意の撤回が可能であることを明示する．
⑨医療の不確実性（将来予想の困難性）について，一定の理解を求める．

手術に際して，合併症発生時の費用負担は，その事象の発生に何らかの過失が関与していなければ，治療費は普通と同じように健康保険で賄うべきと考えられる．事象発生を予見し，十分な準備を行って注意義務を果たしていれば，仮に術後感染やインプラントの早期脱転などで再手術とそれに伴う入院期間延長が起きたとしても，基本的に医療過誤とはいえない．その点もあらかじめ患者に説明しておかないと，合併症によって増えた治療費の支払いに支障が生じる場合がある．

4 まとめ

ICは一定の書式を用意して，それに沿って過不足なく行う．しかし，医療過誤の免罪符ではなく，患者とのコミュニケーションの手段ととらえ，傷病に対し協働して治療に向かうという意識が大切である．

私のノートから／My Suggestion "Gedankengang" ということ

恩師から"Gedankengang"ということを意識しておくことの大切さを教わった．言葉の意味合いとしては「一連の考え，思考の仕方」ということになるかと思う．これは論理的で合理的なものでなければならない．問題に直面したとき，いつも「どのように考えていけばよいか」ということを念頭において対応してきたが，実臨床においても大きく誤ることはなかったように感じている．

診療は医療面接から始まり，診察，検査を経て診断に至る．暫定的な場合もあるが傷病名が確定すれば治療法は決まる．患者への説明と同意を得て治療法を選択し，これを実施して経過観察する．手術治療を選択するにあたっては，その根拠が論理的かつ合理的なものであるかを検証し，患者背景や術者のテクニカルスキルを含め適応するかを判断する．治療の経過が予期されたものと異なる場合には，診療過程を遡って検証していく．いわゆる診療のスパイラルといわれるものであり，このことにより臨床のスキルは確実に向上する．大切なことは，すべての過程において"Gedankengang"ということを常に意識しておくということである．安全・安心の医療を実践する上でも意義がある．

医師の働き方改革が推し進められようとしている現況下，臨床の現場では積極的に医師から多職種へ業務移管（タスク・シフティング）されるようになってきている．タスクシェアする際には多職種で構成されるチームをまとめ上げる工夫や配慮が求められ，適切に対応するノンテクニカルスキルが必要となる．まさに"Gedankengang"が役立つ場面といえる．

医師の生涯教育は自主的に行うべきものであり，自己研鑽によりスキルは向上する．限られた時間のなかで，より一層効率よく自己研鑽できるよう研修会やワークショップが数多く開催され，またさまざまなツールが開発され提示されている．どれを選択するかということも大切ではあるが，どのように利用していったらよいのか考えることの方に重きを置くべきではないだろうか．思考の列が論理的で合理的であるよう意識したい．

木下 光雄（大阪医科薬科大学 名誉教授／西宮協立脳神経外科病院 名誉院長〔兵庫県西宮市〕）

2 外傷

外傷性ショック ……………………… 38	遷延治癒骨折，偽関節 ……………… 62
多発外傷の初期治療 ………………… 39	骨折の基本的整復法 ………………… 63
多発骨折とそのピットフォール …… 41	副子・ギプス包帯固定法 …………… 64
汚染・挫滅創のプライマリ・ケア … 42	骨折の創外固定 ……………………… 66
外傷性軟部組織欠損 ………………… 44	骨折に対する低出力超音波パルス療法
圧挫症候群 …………………………… 46	……………………………………… 68
脂肪塞栓症候群 ……………………… 47	血管損傷総論 ………………………… 68
骨折のプレート固定 ………………… 48	末梢神経損傷総論 …………………… 69
骨折の髄内釘固定 …………………… 50	区画症候群（コンパートメント症候群）
打撲，挫傷，捻挫 …………………… 52	……………………………………… 72
幼児の骨折の特殊性 ………………… 53	外傷後の急性骨萎縮 ………………… 73
高齢者の骨折の特殊性 ……………… 55	外傷後の異所性骨化，外傷性骨化性
関節内骨折と脱臼骨折の特殊性 …… 57	筋炎 ……………………………… 74
被虐待児症候群における骨折 ……… 58	外傷肢切断の適応基準 ……………… 74
脆弱性骨折 …………………………… 59	集団災害 ……………………………… 76

外傷性ショック

Traumatic shock

山川　泰明　高知医療センター　医長〔高知市〕

【疾患概念】　外傷性ショックは一般的には外傷により発生したショックが想起される用語である．救急医学会のウェブサイト上の医学用語解説集によると，「ショック」は生体に対する侵襲あるいは侵襲に対する生体反応の結果，重要臓器の血流が維持できなくなり，細胞の代謝障害や臓器障害が起こり，生命の危機に至る急性の症候群とされている．したがって外傷に伴う大量出血により重要臓器の血流が維持できないものを外傷性ショックと考えるのが妥当であろう．

【病型・分類】
　ショックはその成因により**表 2-1** のように 4 つに分類される．
　外傷に伴って発生するショックはほとんどの場合，大量出血に伴う出血性ショック（循環血液量減少性ショック）である．米国外科学会（American College of Surgeons）による出血性ショックの重症度分類を**表 2-2** に示す．出血量に応じてバイタルサインの変化も異なる．循環動態の変化としては，まず心拍数が増加し心拍出量を代償する．代償が効かなくなると収縮期血圧の低下がみられ，Shock Index（心拍数/収縮期血圧）が 1 を超えてくるが，その時点ではすでに class Ⅲ のショックになっている．

そのほか心タンポナーデや緊張性気胸に伴う閉塞性ショック（心外閉塞・拘束性ショック），脊髄損傷に伴う神経原性ショック（血液分布異常性ショック）なども起こりうる．

必要な検査とその所見

1 ▶ 画像検査
①超音波検査：FAST（focused assessment with sonography for trauma）により，心タンポナーデや胸腔・腹腔内出血など，出血により生じるエコーフリースペースを迅速に検索する．
②胸部および骨盤単純 X 線検査：大量血気胸，緊張性気胸および不安定型骨盤骨折の有無を確認する．
③pan-scan CT（全身 CT）：出血源の同定のため動脈相・静脈相での撮影を行う．

2 ▶ 血液検査
①ショックに伴う末梢循環不全：乳酸値の上昇，base excess の低下，代謝性アシドーシスなどが起こる．
②大量出血に伴う凝固障害：消耗によるフィブリノゲンや血小板の低下を認める．
　ヘモグロビンの低下は早期のショック認知には適していない．
　これらの所見は当初は顕在化していなくても，出血の持続に伴い顕在化することもあるため，経時的にフォローする．

診断のポイント

受傷機転やバイタルサインの経時的な変化，上記の画像検査や血液検査などから外傷性ショックを起こしうる病態かどうかを迅速に把握する．早期にショックを認知し，輸血や止血への対策をとることが重要である．

専門病院へのコンサルテーション

外傷性ショックの場合，大量輸血が必要となる可能性が高いため，緊急大量輸血の体制が整っている高次医療機関への転送を行う．救急要請の段階で外傷性ショックを疑う場合，輸血体制の整っていない病院ではトラウマバイパスにより高次医療機関への搬送を促すことも必要である．

表 2-1　ショックの分類

循環血液量減少性ショック（hypovolemic shock）	出血，脱水，熱傷など
血液分布異常性ショック（distributive shock）	アナフィラキシー，脊髄損傷，敗血症など
心原性ショック（cardiogenic shock）	心筋梗塞，心不全，弁膜症，重症不整脈，心筋炎など
心外閉塞・拘束性ショック（obstructive shock）	肺塞栓，心タンポナーデ，緊張性気胸など

表 2-2　米国外科学会による出血性ショックの重症度分類（出血量は体重 70 kg の男性を想定）

Shock class	出血量　mL（%）	心拍数（回/分）	血圧	脈圧	呼吸数（回/分）	意識状態
Ⅰ	<750（15）	<100	正常	正常	14〜20	少し不安
Ⅱ	750〜1,500（15〜30）	100〜120	正常	狭小	20〜30	やや不安
Ⅲ	1,500〜2,000（30〜40）	120〜140	低下	狭小	30〜40	不安，混乱
Ⅳ	>2,000（>40）	>140	低下	狭小	>35	混乱，無気力

治療方針

出血性ショックの治療としては輸血療法ならびに止血療法を同時に行う．閉塞性ショックの場合は閉塞の解除が必要である．心タンポナーデであれば心嚢穿刺，緊張性気胸であれば胸腔ドレーンによる脱気を行う．神経原性ショックであれば，末梢血管抵抗の減少によるショックであるため，循環血液量を増加させる輸液負荷ならびに末梢血管抵抗を増加させるノルアドレナリンの投与を行う．以下に出血性ショックに対する輸血療法および止血療法について述べる．

1 ▶ 輸血療法

大量出血が予想される患者においては大量輸血プロトコールを発動し，異型輸血〔O＋の赤血球製剤（RBC）4〜10単位，AB＋の新鮮凍結血漿（FFP）4〜10単位〕の準備を行っておく．血液型確定用の採血ができ次第，輸血を検討する．出血性ショックが認められる患者では，以前に行われていた初期輸液療法（1〜2Lの急速輸液）は希釈性の凝固障害を惹起するため行わず，早期の輸血を開始する．

RBCとFFPの投与比率は議論のあるところであるが，RBC：FFPが1：1となるように行い，RBC投与のみによる凝固障害を予防するためフィブリノゲンが150 mg/dLを下回ることのないように輸血を行っていく．血小板（PC）についてもRBC/FFP 10単位につき10単位ずつ補充する（RBC：FFP：PC＝1：1：1）．また大量輸血に伴い，輸血に含まれるクエン酸が低カルシウム血症を引き起こすため，塩化カルシウムの補充も適宜必要となる．

2 ▶ 止血療法

ショックに対する止血療法として開胸術，開腹術またはinterventional radiology（IVR）が行われる．活動性の外出血を伴う場合は圧迫止血や縫合止血が行われる．

外傷性ショックに陥っている場合は蘇生を優先事項と考える．開胸術においては体幹部外傷の出血性ショックや閉塞性ショックを迅速に改善することを目的とし，開腹術は出血のコントロールならびに汚染の回避が目的となる．IVRは従来，循環動態が安定している動脈性出血を対象としてきたが，近年では循環動態を安定化させるための手段としても用いられる．症例ごとに治療戦略が異なり，外傷診療に習熟した医師により優先度が決定される．

また，腹腔内出血や骨盤骨折などの大量出血における一時的な出血コントロールとして，大動脈遮断バルーン（resuscitative endovascular balloon occlusion of the aorta；REBOA）も使用される．これはあくまで一時的に出血を減少させる手段であり，根本的な止血戦略への時間稼ぎであるということを認識すべきである．大腿動脈が触知できない重症ショック患者ではREBOAの挿入も難しく，開胸大動脈遮断が行われる．

多発外傷の初期治療
Primary treatment of patients with multiple trauma

土田　芳彦　湘南鎌倉総合病院外傷センター センター長〔神奈川県鎌倉市〕

【概説】

多発外傷患者の初期治療として最も重要なものの1つは，出血のコントロールである．主たる出血源は胸腔，腹腔，後腹膜腔の3つであるものの，四肢骨折，特に開放骨折に伴う出血も相当なものである．骨盤骨折は後腹膜出血をきたすものとして知られているが，早期に骨盤バンドで固定し，動脈塞栓術を行うことが鍵となる．多発外傷患者の場合，1人の外傷チームリーダーが治療の優先順位を決定していくことが必要である．救命のためには，四肢外傷の診断がつく前に治療が開始されることもしばしばである．しかし，四肢外傷治療は非常に専門的な医療であり，患者の社会的予後に重大な影響を与える．それゆえ，外傷整形外科医がチームの一員として，外傷初期から参加することが必要である．外傷チームリーダーと外傷整形外科医は，患者の全身状態からダメージコントロール整形外科手術（damage control orthopaedics；DCO）の必要性を判断し，そして後日確定的治療を計画しなければならない．

実施手順

1 ▶ 初期外傷蘇生

多発外傷患者の初期治療は，ATLS®（Advanced Trauma Life Support）プロトコル〔日本ではJATEC™（Japan Advanced Trauma Evaluation and Care）プロトコル〕に準拠した包括的survey（primaryからsecondary）が必要である．初期蘇生（primary resuscitation）のゴールは，生命を脅かす損傷を同定し，直ちに治療を開始することである．気道，呼吸，循環は，組織の酸素化が十分に保たれるために必要である．そして循環の評価として，出血部位を同定し止血をはかることが必要となる．病院に到着したときにショック状態である患者は，おそらくは出血性ショックに陥っている．胸腔，腹腔，後腹膜腔は3大出血部位であり，胸部・骨盤X線，FASTにより出血部位の検索を行う．

出血源として四肢外傷を評価することは重要なことである．1つひとつの骨折からの出血は大した量では

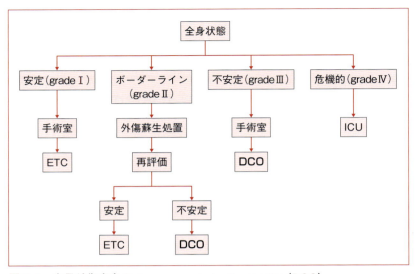

図 2-1 多発外傷患者の damage control orthopaedics (DCO)
ETC：early total care

ないかもしれないが，多発骨折においては相当な量になりうる．また大腿骨骨折は単独でも出血量が多く，それゆえ初期の段階で大腿骨骨折は整復固定(牽引)すべきである．整復によりタンポナーデ効果が得られる．

開放骨折はより出血量が多い．通常は病院へ到着する前にガーゼなどで覆われており，これが出血量の認識をマスクし，過小評価する一因となっている．また，現場で相当の出血があっても，病院に着いたときにはすでに止まっていることはよくある．これは出血性ショックにより一見止血されているようにみえているだけであるため，fluid resuscitation しなければならない．血管容量が回復してくれば，おそらく再出血してくる．外傷チームはこのことを認識し，十分に備えておく必要がある．

また，四肢外傷の出血の多くは皮下組織からの出血であるが，深部動脈からの活動性出血もありうる．その場合には直接圧迫止血，あるいは結紮処置が必要である．結紮の際には隣接する神経を同定して血管単独処置をしなければならない．大雑把な処置は禁物である．閉鎖性骨折と同様に整復することでコンパートメント容量を減らし，タンポナーデ効果を発揮し筋肉や骨髄からの出血をコントロールできる．

神経学的所見は，呼吸管理などで鎮静を受ける患者においては，初期の段階で検索しておく．重度開放骨折患者で，神経損傷の有無が今後の治療(例えば切断か温存か)を左右するような場合には特に必要である．

Primary resuscitation で気道，呼吸，循環，意識を安定させてから secondary survey に移行するが，全身すべての器官について理学的所見と画像所見により精査する．もちろん四肢の精査も含む．Primary そして secondary survey の間は一貫して脊柱固定を継続する．閉鎖性骨折は，神経血管損傷の有無を調べたのちに整復しスプリント固定する．体幹臓器損傷に対する緊急処置のために，手術室に搬送されることもある．そういった場合は X 線透視でチェックすることもある．

急性期の出血コントロールがついたならば，治療の優先順位決定が大きな問題となる．その場合，外傷チームリーダーが全身の生理学的状態から，治療と検査の順番とそれに要する時間などを計画する．四肢外傷の診断がつかないまま，体幹外傷手術に踏み切ることも散見される．しかし，より高い機能回復を獲得するためには，初期から高度専門的医療の介入が必要である．時には，体幹臓器と四肢外傷の並列の手術を要するし，DCO を要する場合もある(図 2-1)．

2 ▶ 外傷初期における優先順位と管理

多発外傷においては，損傷治療の優先順位を含めた包括的治療戦略が必要になる．包括的治療戦略を立てるのは外傷整形外科医である．

チームリーダーたる外傷整形外科医の役割は情報を集め，どの治療が必要かを集約し，各々の手術における制限(時間と方法)を決定することにある．詳細については，それぞれの専門各科の外科医と煮詰める必要がある．

例えば，「最初は開腹止血・パッキング，続いて開頭

血腫除去，同時に開放骨折に対する洗浄と創外固定」といった具合である．これらの手術に必要な設備や道具について，手術室スタッフと協議する．そして最後にチームリーダーは，麻酔科と一緒に患者の全身状態を管理する．

多発外傷治療における当初の目的は，できるだけ早く手術室より退室することであり，手術加療の必要性とその害を認識する必要がある．例えば大腿骨骨折における早期骨接合は有効な手段であるものの，多発外傷においては時間，出血量などが許容範囲を超すこともある．こういった場合には，DCOとしての創外固定が必要となる．

出血，輸液による希釈，そして低体温は凝固不全をきたす．組織酸素化の悪化は乳酸蓄積からアシドーシスを引き起こし，結果的に患者を死に至らしめる．この死の3徴を認識し，外傷整形外科医はDC（damage control）の概念を導入しなければならない．DCにおいては，患者の生理学的状態を保つための手技のみが許容される．すなわち出血と汚染のコントロールである．DC後に患者をICUに運び，集中治療管理にて状態が安定したのちに，再び手術室に戻り複雑な手術を遂行する．この段階的手技は新しいものではなく，多くの外傷整形外科医はこの概念に基づき治療を遂行している．

3 ▶ 多発外傷における重度開放骨折

重度開放骨折の治療は，経験豊富な外傷整形外科医にとっても難しい．このような損傷は，骨，血管，軟部組織損傷の同時修復を必要とする．初期段階における判断は，これらの治療に影響を与える．最も重要なことの1つは，神経学的所見である．初期においては疼痛が強く，明確な判断は困難であるものの，ピンプリックテストは痛覚の有無の判定に役立つ．完全なる知覚脱失は切断の判断に重要だが，脛骨神経の単独損傷例や有連続性損傷については，即時切断の判断は禁物である．

初期段階において，四肢の血行動態の判断は重要な事項である．血行は十分か不十分か，それとも阻血なのか．血行動態の判断は色調やcapillary refill，さらには脈拍触知によって判断できる．大腿部などの損傷であれば，ABI（ankle-brachial index）測定が血行動態評価に役立つ．血行が十分であれば骨安定化に移行できる．

末梢の脈拍が弱い，あるいはABIが0.9以下の場合は，動脈損傷の疑いが強い．一方で四肢は温かく，capillary refillも正常に思える場合もある．こういった場合には血管造影検査を施行する必要がある．しかし，カテーテルによる血管造影検査は時間を要するので，通常はCT血管造影で代用されることが多い．た

だし，多発外傷では他部位損傷の治療の関連から直ちに手術室に搬送されることがあり，その場合は手術室内で近位動脈から造影剤を注入することもできる．

■ 実施上のポイント・注意事項

多発外傷患者の適切な治療には，十分な設備はもちろんのこと，スタッフ全員が相当の知識と技術を有していなければならない．しかし，それよりも経験が重要であることは事実である．年間に多くの多発外傷を扱う救命救急センターのほうが救命率は高いことはよく知られており，初期には迷わず大規模救命救急センターに集約するべきである．

しかし，救命後の治療はまた別であり，救命とは別の技量を要する．特に四肢外傷においては複雑な骨再建，軟部再建，神経再建，機能再建などが必要であり，救命救急センターから専門の再建センターへ転送することが必要である．

多発骨折とそのピットフォール

Multiple fractures and its pitfalls

安竹 秀俊　石川県立中央病院 診療部長〔石川県金沢市〕

多発骨折とは2か所以上の骨折が同時に起こることをいうが，多くは高エネルギー外傷で多臓器損傷を合併しているため，初期診療としてprimary surveyを行い，生命維持のため生理機能の回復維持を優先する．その後secondary surveyにより損傷部位の評価を行って整形外科的診療に向かう．高エネルギー外傷の場合，多発骨折とともに局所の軟部組織損傷が著しいことが多く，適切な初期治療が必要となる．近年高齢者の多発骨折も多く，その基盤には骨脆弱性が存在し，骨折部位の安定化に苦慮することが多い．また小児の多発骨折にもいくつかの注意点があり，それらについて概説する．

1 高エネルギー外傷による多発骨折

交通事故や高所転落などの高エネルギー外傷では，多臓器損傷を伴った多発骨折が多い．近年early appropriate care（EAC）という概念が提唱されている．EACでは，多発外傷で大腿骨や脊椎，骨盤などに不安定な骨折がある場合，8時間以内にpH 7.25以上，乳酸4.0 mmol/L以下，base excess（BE）−5.5 mmol/L以上の状態に蘇生できなければdamage control orthopaedics（DCO）を継続するが，可能であれば受傷後36時間以内に上記パラメーターを改善させてdefinitive fixation を行うことにより多発骨折，多発外傷の患者の合併症低減が可能になるとされている．

1 ▶ 多臓器損傷合併例

頭部外傷による意識障害を伴った多発骨折や，重度の胸部外傷を合併した多発骨折，腹腔内出血，後腹膜出血を伴った骨盤骨折などでは出血コントロールのうえ，早期に四肢，骨盤などへのDCOを行うことにより，体位交換や看護を可能とし，喀痰排出や血圧のコントロールなども容易となる．その後全身状態の回復を待って rigid fixation を行う．

2 ▶ 脊椎，脊髄損傷合併例

頸椎損傷では脱臼があれば可及的早期に整復を行い，装具またはハローベスト固定で安定化をはかり，他の骨折治療に向かう．呼吸状態が不安定であれば気管内挿管あるいは気管切開を行いDCOにて待機する必要がある．胸椎損傷では，不安定で座位をとれないレベルであれば他の骨折の固定とともに経皮的にスクリュー固定を行い早期離床を目指す．脊髄損傷を合併した多発骨折に関しては，早期に骨折部の安定化をはかったうえで頻回の体位交換やギャッチアップを行うことにより，呼吸管理や循環動態の管理を行うことが重要である．下肢の麻痺に伴い深部静脈血栓による肺血栓塞栓症のリスクが高くなるので，弾性ストッキングの装着や下肢の運動を励行し，定期的にDダイマーの測定と下肢エコーを行う．

3 ▶ 四肢多発骨折例

全身状態が安定しており，軟部組織の状態がよければ不安定な骨折や，関節内骨折，関節をまたいだ骨折（floating knee, floating elbow など）に対してはできる限り早期に内固定を行い，早期離床，早期可動域訓練，早期荷重を行い，関節拘縮や廃用性萎縮を予防することが重要である．単独では保存療法が可能な骨折であっても，多発骨折の場合，早期ADL拡大のために内固定を積極的に行うことも考慮される．多発骨折の急性期合併症として，特に下肢の多発骨折では肺血栓塞栓症や脂肪塞栓のリスクが高い．局所の合併症としては神経血管損傷，コンパートメント症候群がある．血行動態あるいは神経麻痺の改善には，骨折部の安定化のため早期に整復固定が必要である．コンパートメント症候群が疑われれば早急に筋膜切開を加え対処する．

4 ▶ 重度な軟部組織損傷の例

初期治療において十分な洗浄とデブリドマンと創外固定による安定化，人工真皮での被覆または陰圧閉鎖療法（negative pressure wound therapy；NPWT）を行い，1週間以内に皮弁と内固定を行うことで感染率を低下させることが重要である．

2 骨脆弱性による多発骨折

転倒などによる低エネルギー外傷でも，骨脆弱性があると多発骨折を引き起こす．高齢者の骨粗鬆症だけでなく，がんの多発骨転移による病的骨折，消化管の術後のカルシウム，ビタミンDなどの吸収障害による高度の骨粗鬆症，そのほか副甲状腺機能亢進症，Cushing症候群など内分泌障害からくる骨粗鬆症により脊椎，肋骨，骨盤に病的多発骨折をきたす場合もある．また糖尿病，慢性腎不全，慢性閉塞性肺疾患などは骨質劣化をきたし脆弱性骨折が多発する．サルコイドーシス，関節リウマチなども骨脆弱性をきたす疾患である．荷重肢や脊椎骨折では可能な限り除痛と早期離床のために内固定を行うとともに，骨粗鬆症と原疾患の治療を行っていく．また多発骨折を初発症状として内分泌疾患や悪性腫瘍が診断されることもあり，全身の検索も必要である．

3 小児の多発骨折

高エネルギー外傷などで多発外傷を伴った小児の多発骨折では，成人と同様に全身状態を把握したうえで骨折治療を行っていくが，成人と異なりその旺盛な骨形成能から基本的には保存療法が用いられる．骨折部の安定化のために低侵襲のピンニングや創外固定だけでも骨癒合が完成することが多く，二期的なdefinitive fixationまでは必要ないことが多い．一方，乳幼児など患者本人の訴えが聞けない場合，骨折部位，形態と受傷原因に矛盾を感じる場合は虐待を鑑別する．頭蓋骨や肋骨の骨折の有無や体全体の腫脹，全身のアザ，やけど，生殖器の外傷のチェックが重要であるとともに，必要に応じて全身の単純X線検査を行う．特に骨幹端骨折（corner fracture/ bucket handle fracture），螺旋骨折，肋骨・肩甲骨・椎骨・鎖骨遠位の骨折，乳児の骨折，歩行開始前の大腿骨骨折，上腕骨骨幹部中央の骨折，乳幼児の頭蓋骨骨折は積極的に虐待を疑う骨折として注意が必要である．また軽微な外傷で骨折をきたした場合や，骨折を繰り返す場合，骨形成不全症やくる病などの骨系統疾患も念頭におく必要がある．

汚染・挫滅創のプライマリ・ケア

Primary management of the dirty and crushed wound

入船 秀仁　手稲渓仁会病院 主任医長〔札幌市手稲区〕

【疾患概念】　外傷によって生じる創では，大なり小な

り軟部組織の汚染や挫滅を伴っている．そのような創では，局所の挫滅により損傷組織から周辺にかけての微小循環は破綻している可能性が高い．洗浄後一次的に創閉鎖を行ったとしても，創治癒に向けた血管新生は見込めず，最終的には創周囲の組織壊死をきたし，壊死組織から感染が生じて治療に難渋する可能性がある．

汚染・挫滅創のプライマリ・ケアで重要なことは，①徹底的な洗浄・異物除去を行って一次感染を予防すること，②挫滅範囲を見極め，デブリドマンを行って新鮮化を行い，壊死組織による二次感染を予防することである．特に広範囲，深部に至る軟部組織損傷を伴う症例では，局所の血流悪化や感染の発症などにより壊死範囲が拡大して治療が長期化，難治化することもある．そのため，汚染・挫滅創では，その後の再建も含めた軟部組織治療を円滑に行うために，適切なプライマリ・ケアが非常に重要である．

診断のポイント

局所の損傷の形態（圧挫，引き抜き損傷，熱損傷，熱圧挫損傷，化学物質による損傷など）ばかりでなく，全身状態，他部位損傷や主要臓器損傷などの合併損傷の有無についてすみやかに評価を行い，可及的早期に治療を開始する．

治療方針

1 ▶ 問診

受傷機転，受傷場所，屋外であれば天候や気温，受傷時間，既往歴（感染のリスク要因；高齢，糖尿病，長期透析，ステロイド・免疫抑制薬の常用など，血行障害や止血能などに影響する要因；高血圧，抗血小板薬・抗血栓薬・抗凝固薬の使用など）について確認する．

2 ▶ 損傷部位の確認

交通外傷や高所墜落などの高エネルギー外傷では，特に患者が訴える部位や肉眼で確認できる部位以外（衣服で覆われている部位や，頭蓋内や体幹部の主要臓器など）にも損傷を受けていることがある．治療対象となる創の部位や数を正確に把握することは重要であるが，常に全身にも目を向けて検索することが必要である．

ここまではあくまでも治療の前段階の初期評価であり，患者接触後に可及的すみやかに行い，損傷部位の把握と治療対象，治療方法の決定を行う．救急搬送患者の場合では，病院到着までに救急隊と十分に連絡をとって情報収集するとよい．また，初期評価を行ったあとで，損傷部位の単純X線撮影を行い，骨関節の損傷や，軟部陰影からの損傷範囲の把握，異物の有無などについて評価を行う．

3 ▶ 洗浄と抗菌薬投与

これらは，創の評価と一次感染予防のために行う．

①洗浄：基本的には大量の流水（水道水）あるいは生理食塩水で洗浄を行う．油などの化学物質の付着が高度な場合には，せっけんを使用して創周囲のスクラビングを行い，ある程度汚染を落としてから，水道水または生理食塩水で再度洗浄を行う．洗浄の際には，可能な限りシリンジやスポイトなどを使用して圧をかけて洗浄を行うのが望ましい．これらの操作で創周囲および創内に付着した異物を可能な限り摘出する．

②抗菌薬投与：創の汚染を確認した場合，直ちに抗菌薬の予防投与を行う．創が大きい場合や，汚染や挫滅が高度である場合には早期に投与を開始する．特に開放骨折では受傷後3時間以内に投与を開始するのが望ましい．使用する抗菌薬は基本的に第一世代セフェム系抗菌薬（セファゾリン；CEZ）を用いる．汚染，挫滅が高度の場合には，アミノグリコシド系抗菌薬（ゲンタマイシン；GM，アミカシン；AMK）の併用を考慮する．また，これらの薬剤が使用できない場合には，ペニシリン系抗菌薬（ピペラシリン/タゾバクタム；PIPC/TAZ）の使用を検討する．また，開放創のある患者すべてに対して破傷風予防を考える必要があるが，実際には，受傷後6時間以内，線状創，創の大きさが1cm未満，ナイフやガラスによる切創などで，組織壊死や土壌汚染，異物のないものなどでは破傷風感染のリスクが低いとされており，この場合には破傷風トキソイド（テタノブリン®）の筋肉内注射のみでよい．しかし，これ以外の場合はリスクが高いとされているため，抗破傷風ヒト免疫グロブリンを追加投与する．

4 ▶ デブリドマン

高度の汚染，挫滅があり，明らかに生物学的活性を失っている軟部組織（皮膚，皮下脂肪組織，筋膜，筋，腱など）は原則すべて切除する．血行の途絶した組織はいずれ壊死をきたして感染の原因となるため，デブリドマンを躊躇してはならない．デブリドマンは系統立った手順で行うのが重要で，表層から深層に向かって順に評価して切除を加えていく．デブリドマンの際には，特に皮下脂肪と筋のデブリドマンが重要である．脂肪組織は容易に壊死して感染の培地となるので，損傷を受けたものは原則すべて切除する．筋組織は色調，組織密度，出血，収縮性の4つを評価し，いずれも正常でない場合は確実に切除を行う．しかし，腱に関しては機能面を考慮して，高度に汚染や挫滅した部位のみの切除にとどめる．また，判断に迷う場合には，その組織を残しておき，後日再評価するといった段階的な手順を考慮しておく．特殊なものとして，デグロービング損傷のように組織が比較的きれいなまま周

囲との部分的な血行の途絶を認める場合には，一次的に軟部組織を整復・縫着し，後日壊死範囲を見極めたうえで再度デブリドマンを行う．また，熱圧挫損傷などでは，損傷範囲が初期治療段階では判断できず，経時的に拡大することが往々にしてあるため，はじめから段階的にデブリドマンを行うつもりで計画する．また，骨折などの合併損傷があり，緊急手術を行うような場合は，救急処置室での初期治療は，明らかな汚染組織および粗大な創内異物の除去，および神経血管損傷の有無の評価が可能な範囲のデブリドマンにとどめておき，手術室でしっかりとしたデブリドマンを再度行うようにしてもよい．

5 ▶ デブリドマン後の組織欠損に対する治療

汚染，挫滅の範囲が小さく，皮膚に緊張がかかることなく縫縮可能な場合は，一次閉鎖を行う．この際には，可能な限り死腔を残さないように縫合を行い，さらにドレーン留置を行うことが望ましい．創閉鎖後は縫合部周囲の皮膚色を観察し，蒼白になっている部位があれば抜糸などを行って緊張を緩めるようにする．無理な一次閉鎖は，新たな皮膚壊死を生じさせて創を拡大させてしまう原因となるので，十分な配慮が必要である．高エネルギー外傷患者や高齢者など軟部組織が脆弱な患者においては，デブリドマン後に一次閉鎖不能な組織欠損を認めることもしばしばある．そのような場合には，創傷被覆材を用いた湿潤療法や局所陰圧閉鎖療法（negative pressure wound therapy；NPWT）による保存治療，組織移植による外科的治療などが選択肢となるが，その決定は組織欠損の範囲，質，量によって決定することとなる．

保存治療

神経，血管，腱，骨などの重要組織の露出を伴わない軟部組織欠損であれば，ハイドロコロイドやハイドロファイバー，ポリウレタンフォーム材などの創傷被覆材を使用した湿潤療法での治癒が見込める．このような被覆材が使用できない場合は，軟膏と非固着性シリコンガーゼを用いるのもよい．また，NPWTが使用可能であれば，創閉鎖までの期間の短縮を目的とし，積極的に使用を検討するのが望ましい．いずれを選択するとしても，滲出液の量，開放創の広さ，深さに応じて適した材質の被覆材を用い，軟部組織の浸軟を避け，適度な湿潤環境を形成することが重要である．また，創の状態に応じて至適な被覆材の使用，各種外用剤の併用や交換頻度を決定する．例として，創の出血が多い場合には止血効果のあるアルギン酸塩被覆材や止血剤の併用，感染のリスクが高いと考えられる場合には銀含有被覆材や銀含有軟膏，抗菌薬含有軟膏の併用，肉芽増生を促進させたい場合にはPGE$_1$軟膏やbFGF製剤の併用，壊死組織を除去しやすくするためにリゾチーム含有軟膏を併用するなどがある．状況に応じて各種創傷被覆材や軟膏などを選択し，組み合わせて治療を行う．

いずれの方法を選択したとしても，定期的に創の状態を観察し，出血があれば止血，新たな壊死組織形成があれば追加デブリドマン，感染を認める場合には適時洗浄・ドレナージ・抗菌薬を併用して至適な環境を維持するとともに，常に外科的治療への移行を考慮しておくことが重要である．

外科的治療

保存治療での治癒の見込みが低い場合や，骨や神経，血管，腱などの露出がある場合には，植皮術や有茎あるいは遊離皮弁などの血流のよい組織移植により，早期に創閉鎖をはかる必要がある．はじめから重要組織が露出している場合には，NPWTを使用して組織移植手術まで待機するのがよいが，いたずらに待機期間をとってしまうと感染率を上げてしまうこととなるため，1週間程度で外科的治療に移行するのが望ましい．こうした外科的治療に関しては，次項「外傷性軟部組織欠損」を参照されたい．

患者説明のポイント

壊死範囲の拡大や感染による創の拡大については十分に説明を行い，創治癒が完全に得られるまではその可能性は持続すること，また，場合によっては外科的治療に移行する可能性もあることについて，十分説明を行って理解してもらうことが重要である．

外傷性軟部組織欠損

Traumatic soft tissue defect

前川 尚宜　奈良県立医科大学 講師（救急医学講座）

【疾患概念】　外傷性軟部組織欠損とは，外傷に伴う骨以外の皮膚，神経，血管，腱，靱帯，筋，筋膜などの軟部組織欠損の総称であり，四肢で生じることが多い．損傷の程度は外力の大きさ，剪断力の方向，持続時間などにより異なる．初療時に閉鎖創であったとしても広範囲に筋膜上剥脱（Morel-Lavallée lesion）を生じ，後日表皮壊死が生じ軟部組織欠損に至ることもある．軽微に見える損傷であっても，広範囲の筋膜上剥脱，筋体の損傷や血腫形成，組織の浮腫などによるコンパートメント症候群を呈することがあり，経時的に観察する必要がある．特に受傷後数日は適宜軟部組織の状態を評価し，コンパートメント症候群を疑う所見な

どには注意しておくことが重要である．

初期治療と診断のポイント

特に高エネルギー外傷では，初療時はJATEC™に則り診療にあたるべきである．そのうえで，生命に影響を及ぼす外傷がないことが確認できれば，軟部組織損傷および末梢循環障害の有無，神経障害の評価を行う．単純X線撮影を行い骨折や脱臼だけでなく，異物の有無についても確認する．

十分な麻酔を行い，創部を確認して異物を徹底的に除去したのちに，デブリドマンを進めていく．デブリドマンとは外傷創を外科手術創に近づけることであり，感染源になりうる壊死組織や高度に挫滅した組織の十分な切除を行う必要がある．デブリドマンは各層ごとに計画的に行い，それを終えてから創部の評価を行う．

表皮に関しては，挫滅している部分などは切除を考える．筋層のデブリドマンでは，神経血管の損傷を避けるべく，駆血帯が使用可能なら駆血した状態でデブリドマンを行う．なお組織の血行を確認するために，適宜駆血を解除して組織の状態（色調や出血など）を確認する．筋体については挫滅した組織や，電気メスなどで刺激しても収縮のみられない筋体は切除する．挫滅した筋体のデブリドマンを徹底的に行う必要があり，必要に応じて水圧式デブリドマンを行うこともある．

神経・血管・腱については，機能を考えると初期には可及的に温存するが，汚染が高度な場合には切除が必要となることもある．創部の状況を術後しっかり観察し，壊死の進行などがあれば追加デブリドマンを行うことを忘れてはいけない．また他院で初療が行われた症例においては，必要に応じて再度デブリドマンを行うことも考慮する．これらを終えた時点で，各組織の損傷状況や欠損の程度を詳細に記録し，綿密な軟部組織の再建計画を立てる．

専門病院へのコンサルテーション

デブリドマンを終えた時点で軟部組織の損傷を評価し，少しでも自施設で治療が困難と思われる場合（治療に悩む場合）には，外傷性軟部組織再建に長けた施設へのコンサルトを早期に行うとよい．

治療方針

創閉鎖の方法としては受傷直後に行う一次的創閉鎖，それが困難な場合に待機的に行う二次的創閉鎖がある．損傷が明らかに限局しているものであれば，正しく評価することで一次的創閉鎖が可能であることが多いが，外力が大きな損傷である場合などは遅れて創の壊死が起こることから，腫脹の軽減を待って行うほうが安全である．

下腿前面や手背部のような皮下組織が薄く軟部組織の余裕が少ない部位では，二次的創閉鎖を考慮する．二次的創閉鎖とする際には，待機期間中は創部を湿潤環境としておくか，人工真皮の使用，持続陰圧閉鎖療法（negative pressure wound therapy；NPWT）を用いることになる．フィルムで被覆することにより周辺環境との隔離が可能であるなどの利点から，NPWTでの管理を行うことが多い．骨折部直上や関節近傍でない部分では肉芽形成を促し，上皮化に期間を要すると思われる場合には，全層または分層植皮術で治療することも可能である．

一方，開放骨折に伴う軟部組織欠損や神経血管束，腱組織の露出部では，皮弁での被覆が必須である．また関節近傍，手部の軟部組織欠損などでは，瘢痕拘縮を避けるべく皮弁での再建も考慮する．用いる皮弁としては局所皮弁，有茎皮弁，遊離皮弁があるが，皮弁の選択には下記の注意点がある．

①皮弁採取部が外傷部に近すぎないか？（zone of injuryに入っていないか？）
②採取する組織が十分に被覆できるものであるか？
③皮弁採取部の被覆方法は？

有茎皮弁や局所皮弁は，血管吻合の技術を必要としないことから一見容易な印象があるが，ピットフォールが多く，適応を判断する際には特に上記の3点に注意する．これらのうち1つでも疑わしい場合には，遊離皮弁（組織移植）とするほうが安全である．

待機的に皮弁による被覆を考慮する際には，可及的すみやかな被覆が望ましいが，それが困難な場合にはNPWTの使用が考慮される．しかしNPWTの使用期間が1週間を超えると感染の危険率が上昇すると報告されていることもあり，1週間をめどにすみやかに軟部再建を行う必要がある．治療を進めるうえで，創の状態を逐次評価して処置を行っていくことを忘れてはならない．

(1) 局所皮弁

小さな欠損では双茎皮弁，回転皮弁や前進皮弁などが考慮される．皮膚の血行支配を考慮することで安全に挙上できる．

(2) 有茎皮弁

下腿では腓腹筋弁，ヒラメ筋弁，腓腹皮弁が挙げられる．近年では穿通枝を用いた皮弁として，腓骨動脈や後脛骨動脈の皮下穿通枝を利用した穿通枝プロペラ皮弁なども考慮される．上肢では有茎広背筋弁，上腕外側皮弁，橈側前腕皮弁，後骨間動脈皮弁などが挙げられる．ただし到達限界があることから，各皮弁の到達範囲は熟知しておく必要がある．

(3) 遊離皮弁

整形外科医の利用頻度が高い遊離皮弁としては，広

背筋皮弁，前外側大腿皮弁，腓骨皮弁が挙げられる．多くの症例は，これらの皮弁を用いることで治療が可能であるといえる．現在はほかにもさまざまな遊離皮弁が報告されていることから，再建においては施設の状況なども踏まえて選択することになる．遊離皮弁を成功させるには，適切な術前評価と術前計画，十分な技術，術後管理が必要であることから，対応が困難な施設では行ってはならない．

患者説明のポイント

創部の状態，汚染の程度，損傷形態によっては複数回の手術加療が必要となることを，あらかじめ説明しておく必要がある．

圧挫症候群

Crush syndrome

當銘 保則　琉球大学大学院 准教授

【疾患概念】　上肢，下肢，殿部などボリュームのある筋肉が長時間にわたって重量物などに圧迫され，救助によって圧迫が解除された際に急激な循環不全や代謝異常をきたす，局所的あるいは全身的な症候群である．そのため地震や戦争，労働災害，交通外傷といった特殊な状況下での報告がほとんどである．長時間の圧迫により虚血や骨格筋の細胞障害で生じた組織液・血液が，圧迫の解除により再灌流されるために生じる．急激に四肢の腫脹をきたすとともに，全身の循環障害・血圧低下が生じる．前腕や下腿では，極度の腫脹によってコンパートメント症候群を併発することがある．

【病態】　圧迫部位の筋細胞の細胞膜が障害され，筋細胞内に大量に含有するクレアチンキナーゼ(CK)，ミオグロビン，カリウム(K)が流出する．圧迫が解除されて損傷を受けた組織に流入した血液中の水分は，血管内皮障害のため急速に血管外へ漏出して，急激に四肢の腫脹をきたすとともに，全身的には循環血液量が低下した状態になり血圧が低下する．こうした循環障害や圧挫された組織から流出したミオグロビンなどの細胞成分は，近位尿細管細胞障害や尿細管閉塞を引き起こし，急性腎不全や著明な代謝性アシドーシスを引き起こす．治療介入が遅延すると，腎不全の進行や，高K血症による心室細動など致死性不整脈の発症から死に至ることもある．

問診で聞くべきこと

圧迫時間を推定できる情報が大切である．4〜6時間に及ぶ長時間の圧迫があれば，本症の発生を強く考慮する．1時間以内の圧迫での発症も報告されているため，圧迫の程度(重量)や受傷状態も考慮する．また，薬物によっては横紋筋融解を生じるものもあるため，可能であれば内服歴のチェックも重要である．

診断のポイント・必要な検査とその所見

救出直後は，バイタルサインも安定し，頭部外傷を合併していない限り，意識も清明で重篤感に欠ける．受傷状況から本症を疑うことが重要である．

圧迫解除早期には，局所の腫脹はみられないこともあるが，感覚障害や運動障害は多くの場合で認められるので，重要な身体所見としてチェックする．時間の経過で，感覚障害や運動障害に加えて腫脹と疼痛が出現した場合は，コンパートメント症候群の合併を考慮して，筋区画内圧の測定を行う．末梢動脈拍動の消失や毛細血管再充満試験が異常を示すのは，コンパートメント症候群の病態がかなり進行している場合が多いので，初期のコンパートメント症候群の除外には判断材料としないなど注意が必要である．

血液学的検査所見の異常としては，代謝性アシドーシス，高ミオグロビン血症，高CK血症，高K血症を呈する．高ミオグロビン血症を有する症例では，ミオグロビン尿を合併して尿は褐色を呈する．急性腎不全を合併した場合は，乏尿，血清クレアチニン値の上昇を認める．高K血症では異常心電図(T波の増高，PQ間隔延長，QRS幅の延長)を認め，心室細動に陥ることもある．

鑑別診断で想起すべき疾患

特殊な状況や環境下での発症が多く，四肢の運動麻痺と知覚異常から，脊髄損傷や高位の末梢神経損傷との鑑別が必要になる．両側の下肢麻痺でも，本症では肛門反射や排尿機能が残っている場合が多い．知覚異常も不規則な地図状であることが多い．

治療方針

災害現場や救急現場，病院到着前の情報により本症が疑われる場合は，呼吸状態と循環動態を評価しつつ輸液ラインを確保して，Kを含まない細胞外液を十分に輸液する準備を行う．また，圧迫を解除する際には，急激な呼吸や循環の変化に対応できる体制を整えておく必要がある．

1 ▶ 局所の治療

損傷を受けた四肢の安静が重要である．筋区画内圧が30 mmHg以上ある場合は，すみやかに筋膜切開術を施行し，コンパートメント症候群を回避することがある．しかし，圧挫症候群での筋膜切開術の施行に関しては否定的な意見もある．救助までの経過時間が長いため，神経・筋障害による四肢機能障害をすでに発

症している例が多く，予防の目的に合致しないことや，切開後のコントロール不能な出血や滲出液のコントロール，感染に難渋することが理由とされている．筋膜切開術に関しては，症例に応じて総合的な判断が必要になる．高度な挫滅創，骨・軟部組織損傷，血管損傷などの合併で患肢温存が困難である場合は，救命のために損傷肢の切断も検討する．

2 ▶ 全身管理

急激な血管透過性亢進のために循環血液量が減少し，ショックを呈することがある．循環動態が不安定な場合は，確実な気道確保のために気道挿管下に管理を行うこともある．生理食塩水や1号輸液など，Kを含有しない細胞外液の十分な輸液を行ってショックを是正しつつ，呼吸・循環動態を監視する．適正尿量2 mL/kg/時と通常の2倍以上の管理目標に設定して腎不全を予防する．炭酸水素ナトリウム（メイロン®）の投与は，K値の低下作用，尿のアルカリ化，ミオグロビンの腎毒性を低下させる目的で推奨されている．高度な腎不全や代謝性アシドーシスに対して，血液透析あるいは持続的血液濾過透析をすみやかに導入することが重要である．全身管理に関しては，整形外科単独での治療は困難を極める．救急科医や集中治療医との連携が不可欠である．施設によって透析治療が困難である場合は，透析治療が可能な医療施設への移送も重要な判断となる．

合併症と予後

発症後2週間以内に死亡する最大の原因は，急性腎不全とそれに続発する多臓器不全である．それ以降は，敗血症による感染症が死亡原因になると報告されている．したがって，これらの病態を厳重に管理することが重要である．

患者説明のポイント

損傷四肢の腫脹・疼痛などの局所の症状と，血圧低下・急性腎不全などの全身的な症状が出現することを十分に説明する．神経損傷やコンパートメント症候群を発症した場合の患肢機能予後は不良で，時には救命のため切断が必要であることも説明する．

関連職種への指示

急激なバイタルサインの悪化，心停止も起こりうることを共有し，呼吸や循環のモニター装着を指示する．コンパートメント症候群が発症すると患肢機能の予後が不良であることを指導し，疼痛や感覚障害，運動障害の推移をチェックするよう指示する．

脂肪塞栓症候群

Fat embolism syndrome

佐藤　秀峰　大阪府済生会千里病院千里救命救急センター 副部長〔大阪府吹田市〕

疾患概念

脂肪塞栓症候群（fat embolism syndrome；FES）は骨折に伴う致死的合併症の1つである．大腿骨骨幹部骨折に合併することが多い．発症率は1％未満から30％以上と報告により差がある．これは診断基準が定まっていないことが原因である．重要な点は外傷患者において急激な呼吸状態の悪化，意識障害の出現，循環動態の破綻を認めた際にFESを疑うことである．人工呼吸管理，大量輸液，昇圧薬の使用が必要となることを認識し，適切な治療を遅滞なく行うことが求められる．呼吸状態の急激な悪化は人工呼吸管理のみでは対応できず，経皮的心肺補助装置（PCPS，ECMO）が必要となった劇症型も報告されており，自施設での対応が困難な場合は早期に転送を考慮すべきである．

診断のポイント

典型例では受傷後12～72時間後に低酸素血症，意識障害，点状出血を3徴とする複数の症状で発症する．最初に呼吸困難，頻呼吸，低酸素血症，呼吸不全が出現したのちに神経学的異常が出現することが多い．神経学的異常は不穏から昏睡まで程度に幅がある．点状出血は結膜，頭部，頚部，腋窩にみられる．重篤なFES患者では凝固障害が出現することもある．劇症型FESでは右心不全，両心不全，急性呼吸窮迫症候群（ARDS），ショックから死亡に至る．外傷で入院した患者が頭部外傷，胸部外傷などの経過から想定されない突然発症の呼吸不全，意識障害を認めた場合は本症を疑わなければならない．わが国では鶴田の診断基準，欧米ではGurdの診断基準が知られている．胸部単純X線ではsnow storm appearanceと表現されるような両側肺野の斑状浸潤影を認めるが，肺水腫や肺胞出血との鑑別は難しい．正常と判断されることも多い．脳MRI拡散強調像ではstar-field patternといわれるびまん性，点状の高信号域を認める．

専門病院へのコンサルテーション

骨折の患者において呼吸不全や意識障害が生じた場合は，本症の可能性を考え集中治療管理が可能な施設への転送を考慮すべきである．

治療方針

FESに対する特異的な治療方法はない．ICUにおいて適切に対症療法を行うことが重要である．呼吸不

全に対しては酸素投与，人工呼吸管理を行う．大量輸液，昇圧薬投与にて循環を維持する．呼吸，循環の維持ができなければ経皮的心肺補助装置（PCPS，ECMO）を使用することもある．FES に伴う頭蓋内病変は可逆性であるといわれている．頭蓋内圧亢進による二次的脳損傷を防ぐために，頭蓋内圧のモニタリングを行いながら脳圧コントロールを行うこともある．ヘパリンとステロイドの投与は罹患率，死亡率ともに改善させない．FES 発症後の骨折固定方法と時期を確定できるエビデンスは乏しい．

予防

長管骨骨折に対するステロイド投与が FES を予防する可能性はあるが，質の高い研究はなく，現状ではルーチンでの投与を推奨するエビデンスはない．24 時間以内に骨折部を固定することが FES のリスクを下げるといわれている．

患者説明のポイント

骨折で入院する患者に対して，予想される合併症の1つであること，病態が解明されておらず予防方法も明確ではないことを説明する．特に若年の大腿骨骨幹部骨折の患者においては説明すべき内容の1つである．発症を疑った場合は，呼吸，循環，意識レベルに異常が生じる可能性があり，重篤となる可能性を再度説明する．

骨折のプレート固定

Plate fixation of fractures

野田 知之　川崎医科大学 教授（運動器外傷・再建整形外科学教室）

【概説】骨折固定材料としてスクリュー，プレート，髄内釘，創外固定器などが挙げられるが，プレート固定法は髄内釘と並ぶ代表的な骨折内固定法の1つである．プレートとスクリューとを組み合わせて固定する方法で，近年では関節近傍の各部位の形状に適合させたアナトミカルプレートや，プレート孔にスクリューヘッドがロックして角度安定性を得るロッキングプレートが開発・導入され，汎用されるようになってきている．関節内骨折，骨幹端骨折，髄内釘では固定不能な骨幹部骨折などに適応される．

【プレートの分類】（表 2-3）

(1) 形態による分類

使用する部位や骨のサイズに応じてさまざまな厚さや大きさ，形状のプレートがあり，それに応じてスクリューの種類（皮質骨スクリュー，海綿骨スクリュー，ロッキングスクリューなど）も各種準備されている．近年はロッキング機構をもつプレートが主流を占めている．

①ストレートプレート：主に骨幹部骨折に対して使用される．LC-DCP（limited contact-dynamic compression plate），円プレート（1/3 円など），リコンストラクションプレートなどが挙げられる．LC-DCP は骨との接触面積を少なくして血行障害の低減をはかっており，ダイナミックコンプレッションホールを用いて圧迫，保護（中和）などさまざまなプレート機能をもたせることができる．1/3 円プレートは厚みが薄く，腓骨の固定に頻用される．リコンストラクションプレートは複雑な成形に有利であり，寛骨臼骨折の固定などに用いられる．後述するロッキングプレートのストレートタイプはこの範疇にも含まれる．

②アナトミカルプレート：骨の形状に合わせた各部位に専用のプレートで，四肢長管骨の骨幹端部や鎖骨などに対して近年盛んに開発されている．

③アングルブレードプレート：ブレードにて骨端部骨片を固定する角度安定性を有するプレートで，大腿骨の骨切り術や偽関節手術などに用いられる．

④ロッキングプレート（図 2-2）：スクリューヘッドがプレート孔にロックする，あるいはロックナットにてスクリューヘッドを固定するなど，スクリュー挿入・固定により角度安定性をもったプレート固定が可能となるプレートである．従来のプレートはスク

表 2-3　プレートの分類

形態による分類	機能による分類	適応
• ストレートプレート 　• LC-DCP（limited contact-dynamic compression plate） 　• 円プレート（1/3 円など） 　• リコンストラクションプレート • アナトミカルプレート • アングルブレードプレート • ロッキングプレート	• 圧迫 • 保護（中和） • 支持（バットレス） • テンションバンド • 架橋	• 部分関節内骨折 • 完全関節内骨折 • 骨幹端骨折 • 前腕骨骨幹部骨折 • 骨盤・寛骨臼骨折 • 髄内釘使用不可能な骨幹部骨折 　• 髄腔狭小例 　• インプラント周囲骨折　など • 変形矯正骨切り術

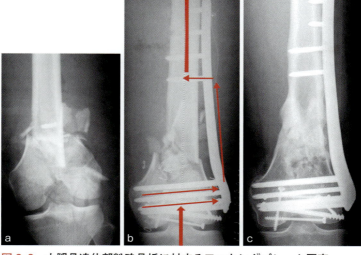

図2-2　大腿骨遠位部粉砕骨折に対するロッキングプレート固定
a：受傷時．b：術直後．矢印は荷重の伝達経路を示す．c：術後2年．

リュー挿入によってプレートを骨に押し付け，摩擦を生じさせることによって固定性を得ていたが，ロッキングシステムではスクリューとプレートを介して荷重伝達が行われるため，プレートと骨が接触する必要はない（図2-2）．ロッキング機能と従来のダイナミックコンプレッションホールの機能を併せもった"combi-hole"が特徴的な locking compression plate（LCP）では，骨折型や骨折部位あるいは骨質に応じて，従来法のみでの固定，ロッキングのみでの固定，あるいはそれらを組み合わせた固定とさまざまな選択が可能となった．

(2)機能による分類

解剖学的整復と骨片間の圧迫固定を基本とする，絶対的安定性の獲得を目指すプレート機能（下記①〜④）と，隣接関節のアライメント，長さ，回旋を再建する相対的安定性の獲得を目標とするプレート機能（下記⑤）に大別される．

①圧迫：ダイナミックコンプレッションホールへの偏心性スクリューの挿入，あるいは圧迫固定器によるプレートの軸圧固定により，骨折部に圧迫をかけ絶対的安定性を獲得する．主に横骨折，単斜骨折に用いられる．

②保護（中和）：ラグスクリューテクニックにより骨片間の絶対的安定性を獲得して，保護（中和）プレートにて負荷を減少させ，ラグスクリュー固定の破綻を防止する．ラグスクリューは独立しての挿入も，プレートからの挿入も可能である．

③支持（バットレス）：骨幹端，骨端の剪断骨折に対しては，ラグスクリュー固定だけでは不十分な場合が少なくない．支持（バットレス）プレートは剪断力に抗した力学的環境を提供する．ラグスクリューを保護し，骨折部を支持して固定可能である．

④テンションバンド：偏心性に荷重や負荷がかかる伸長側にプレートを設置して使用し，張力を対側皮質骨への圧迫力に変換する．整復後，対側皮質骨が接して骨性の支持が獲得されている必要がある．

⑤架橋（図2-2）：骨幹部，骨幹端の多骨片骨折に対して各骨片を個々に解剖学的整復するのではなく，近位主骨片と遠位主骨片間の長さ，アライメント，回旋を復する機能的整復を行ってそれぞれの主骨片のみを固定する方法である．多骨片部分を展開しないため生物学的活性のさらなる低下を避けることができる．相対的安定性の獲得によって，仮骨が形成され骨折部は癒合する．

プレート固定の実際

1 ▶ プレートの適応

プレート固定の適応として，部分もしくは完全関節内骨折（絶対的安定性獲得手技と併用），骨幹端骨折，さらには髄内釘が使用不可能な骨幹部骨折（髄腔狭小例やインプラント周囲骨折など）が挙げられる．部位別では，骨幹部骨折ながら関節内骨折と同様に扱われる前腕骨骨幹部骨折，骨盤・寛骨臼骨折，鎖骨骨折などが挙げられ，その他に各部位の四肢長管骨の骨幹端から骨端（関節内）の骨折が適応となる．さらには，変形癒合した部位の矯正骨切り術にもプレートが用いら

2 ▶ プレート固定のポイント

　骨折部の整復は可能な限り非観血的(経皮的)に行い，骨折部の血流や骨膜保護に努める．十分な整復が得られない場合や関節内骨折では骨折部を展開し，観血的整復を行う．関節内骨折に対しては解剖学的な整復を行うが，骨幹端や骨幹部の骨折に対しては機能的整復と安定した固定の獲得が重要である．創外固定の併用や各種整復鉗子など，さまざまな整復手技や器具にも精通する必要がある．

　ロッキングプレートは角度安定性の維持や初期固定性に優れており，骨幹部から骨幹端にかけての粉砕骨折，粗鬆骨，インプラント周囲骨折などにおいてより有用性が高いとされている．しかしながらこれは従来プレートおよびそれに付随するテクニックに取って代わるものではなく，先に述べたプレート固定概念の分類のうち，いずれを選択してロッキングプレートを使用するのかという点がきわめて重要である．

リハビリテーションのポイント，関連職種への指示

　関節拘縮防止のため，非荷重下あるいは負荷をかけない早期可動域訓練をドレーン抜去後より積極的に行う．下肢の荷重については，術後4〜6週前後から部分荷重歩行訓練を開始し，術後10〜12週で全荷重歩行を許可するのが一般的である．

　関節可動域訓練の励行と廃用性萎縮の防止，免荷や部分荷重指示の遵守を指示する．

骨折の髄内釘固定
Intramedullary nail fixation of fractures

島村　安則　岡山大学大学院 准教授(運動器スポーツ医学講座)

【概説】　髄内にインプラント(釘)を挿入し骨折部の安定性を得ることで骨癒合をはかる手法である．したがって長管骨(主に大腿骨，脛骨，上腕骨)の骨幹部骨折に多く適用されてきたが，近年インプラントの改良などにより骨幹端部の骨折にも応用され，良好な治療成績が報告されている．また広義の髄内固定法として，鎖骨と橈骨，尺骨，中手骨，中足骨の骨幹部骨折に対する髄内スクリュー・ピンによる固定法もある．

【歴史】　象牙を髄内釘として使用し始めて以来(1800年代)，さまざまな工夫・改良が加えられてきた．特にドイツのGerhard Küntscher(1900〜1972)によるリーミングや閉鎖性髄内固定の開発により，広く髄内固定法が用いられるようになった．現在では遠位横止めスクリューにロッキング機構を備えたシステムもあり，より強固な初期固定性が得られるようになっている．

【利点・欠点】

　髄内釘固定では骨折部を展開せずに(閉鎖的に)手術を行うことを基本とする．そのため，骨折部周囲の軟部組織に対する侵襲を最小限にすることが可能で，骨癒合率もよい．したがって症例によっては高度粉砕している中間骨片の整復にこだわることなく，近位・遠位骨片同士のアライメントのみ整えて固定することが可能である．また長管骨を髄内より固定するため，外側にプレート固定を行うより力学的に有利である．一方で，整復操作やインプラント挿入など閉鎖性に行うため，X線透視装置による術者被曝量が高くなることがデメリットである．

【適応・非適応】

　先述のごとく大腿骨，脛骨，上腕骨の骨幹部骨折に対して行われており，これらが最もよい適応である(図2-3，4)．近年，釘の断端から比較的短い距離に挿入可能な横止めスクリューの本数が増し，ロッキング機構などによりその固定性も向上したため，骨幹端部骨折に対する髄内釘も汎用される．

　一方で，明らかに髄腔が狭い症例や，骨折線や粉砕部が骨端部に及ぶ症例では，髄内釘固定は難しい．また開窓部に汚染を伴うような場合も積極的適応とはなりにくい．

手術の実際

1 ▶ 術前計画

　健側の骨全長単純X線を撮像し，骨長や髄腔径を測定する．テンプレートなどを使用し，実際のインプラントサイズを想定・準備する．骨幹端部に骨折線が及ぶ場合などは横止めスクリューの位置や挿入可能本数も確認しておく．

2 ▶ 挿入部の作成

　髄内釘の挿入部位を慎重に決定する．このエントリーポイントは最終アライメントに大きく影響するためである．また限定された適応とはなるが，脛骨近位骨幹端骨折に対して膝蓋骨近位より関節内を経由して釘を挿入するsuprapatellarアプローチや，上腕骨骨折に対する髄内釘挿入時にローテーターインターバルを経由させることで腱板への侵襲を低減させる手技も考案されている．

3 ▶ リーミング

　骨折部を可及的整復位としながら，髄腔内へガイドワイヤーを挿入する．整復位獲得が困難な場合，最小限の切開を追加しエレバトリウムなどを使用して整復操作を行う．ガイドワイヤー越しに髄腔内のリーミン

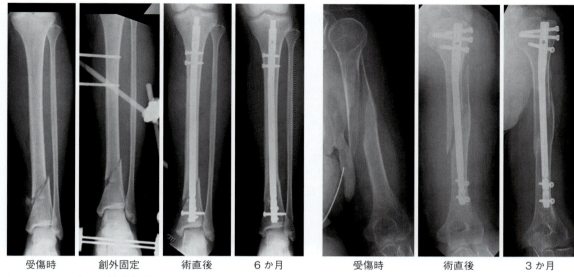

図2-3 脛骨遠位骨幹端部開放骨折の髄内釘固定
（20歳，女性）
受傷時／創外固定／術直後／6か月

図2-4 上腕骨骨幹部骨折の髄内釘固定
（65歳，女性）
受傷時／術直後／3か月

グを行うが，予定した髄内釘より1mm程度オーバーリーミングする．固定強度を高めるため，より大きい径の釘が挿入できるようにする．ただし過剰な力をかけてリーミングを行うと，髄腔内が高温となり癒合不全の原因となるため，"gentle reaming"を心がける．骨幹端部から骨端部のより良好な位置に髄内釘を誘導するため，ブロッキングスクリューを使用して全体のアライメントを整えることも可能である．

4 ▶ 釘の挿入

徒手にて愛護的に挿入していく．場合によってはハンマーなどを用いることもあるが，難しい場合は再度リーミングを行うなどし，十分な深度まで挿入する．

5 ▶ 横止めスクリューの挿入

近位・遠位ともに複数本のスクリューを挿入する．確実にスクリューホールに挿入するためX線透視装置にて十分に確認する（特に遠位横止めスクリューの場合）．近年，ナビゲーションにより挿入を容易にするシステムも使用可能となった．髄内釘挿入後，先に遠位の横止めスクリューを挿入したのちに骨折部に圧迫をかけることも可能であるが，いったん釘を挿入してしまうと，回旋の調整が難しくなるため注意を要する．

6 ▶ 後療法

術後は挙上位とし，骨折部の粉砕の程度や横止めスクリューの固定性により一定の免荷期間を設ける．定期的な単純X線撮影などにより癒合判定を行い，部分荷重を開始していく．

術後合併症

(1) 回旋変形

大腿骨・脛骨で生じればいわゆる「がにまた」，「うちまた」となり，上腕骨で生じると肩関節の回旋制限をきたし，いずれも生活に支障をきたす場合がある．術中X線透視下に近位骨片と遠位骨片の位置関係を確認することで回避できる．例えば，大腿骨であれば小転子と膝蓋骨を，上腕骨であれば上腕骨頭と肘関節の陰影を指標に正しい回旋位としたうえで釘を挿入・固定することが重要である．

(2) 神経障害

整復操作時に骨折部に神経を挟みこむことなどが原因となる．特に上腕骨骨幹部骨折（Holstein-Lewis骨折など）では注意を要する．なお受傷時にすでに神経損傷を併発している場合もあるため，医療訴訟対策のためにも術前の評価は必須である．

(3) 偽関節

術後の画像評価にて仮骨形成に乏しい場合，超音波骨折治療器などを併用する．3〜6か月で改善しない場合は，追加手術（偽関節部掻爬，骨移植，追加固定など）を検討する．

打撲，挫傷，捻挫

Contusion, Bruise, Sprain

南里　泰弘　富山県厚生連滑川病院 診療部長〔富山県滑川市〕

【疾患概念】　打撲，挫傷，捻挫ともに皮膚に創はなく，皮下における損傷である．

①打撲：他の物体と体の一部が強く当たった結果，皮下の軟部組織において出血，筋膜損傷，筋断裂などを起こす．鈍的外傷による場合がほとんどである．皮下の出血による皮下血腫，腫脹，うっ血などを伴うことがある．下腿，大腿の打撲で重度の場合，コンパートメント症候群を起こす場合がある．

②挫傷：打撲と同様に皮下の損傷である．主に筋断裂や皮下出血を伴った場合で打撲より状態的には重症度が増した疾患名であり，下腿，大腿部で多くみられる．打撲と同様に使用されることが多いが，打撲は原因を重視した疾患名であり，挫傷は人体からみた変化を疾患名として表現したものともとれる．なお，筋挫傷（筋断裂など）においては急激に筋肉が引き延ばされた状態でも発生する．

③捻挫：関節に無理な力が働いて，捻ったりすると正常な可動域を超えて関節が曲がってしまう状態である．その結果として関節包の破綻，関節可動域を制限する靱帯損傷，関節周囲の軟部組織損傷などがみられる．完全に関節が破綻してしまうと脱臼状態となるが，そこまででなければ単純X線上は正常な関節としてとらえられる．また，外傷により一度亜脱臼状態を起こしてから正常に戻ったものも捻挫として表現される．

【好発部位】　一般に転倒に伴うものが多く，上肢より下肢に多くみられる．

①打撲，挫傷：上肢では前腕部，上腕部にみられ，下肢では大腿部，下腿部に多くみられる．走行中の転倒に伴う下腿筋挫傷，大腿下部挫傷などが多い．マラソンにおいては大腿部挫傷によりコンパートメント症候群に至ることもある．

②捻挫：ジャンプしたあとの着地時や転倒に伴う場合が多く，下肢にとりわけ多くみられる．そのなかでも足関節，膝関節が多い．上肢においては転倒の際に手をつくため手関節，球技などでは指関節が多い．時に肘関節にもみられる．一般に捻挫は重症度に応じて3つに分類される．

・1度：関節痛や腫脹は軽度であり運動制限はほとんどみられない．関節包の損傷はなく，靱帯の一部線維の断裂・損傷と思われる．

・2度：関節痛や腫脹を認める．一部には皮下出血を伴う．疼痛のため運動制限を認め，下肢の場合は歩行障害を認めることがある．関節包の断裂・破綻を認め，靱帯の部分断裂を伴う．関節可動域の異常がみられることがあり，関節内外の血腫により腫脹も高度となる．

・3度：関節痛や腫脹は高度で広範囲に及ぶ．関節包の断裂・破綻とともに靱帯の完全断裂を伴うものである．関節は安定性が欠如しており外固定にて安定性を得ることになる．疼痛が強く，関節を自動運動させることは困難であり，下肢においては歩行困難となることがある．関節部の腫脹は血腫を伴い，広範囲の皮下出血斑を伴う．麻酔下では完全靱帯断裂のため関節の異常可動性がみられる．

■ 問診で聞くべきこと

受傷機序が重要な診断の根拠となる．転倒した場合，膝や足関節をどのように捻ったか，受傷機転によって受傷部位，靱帯損傷などが類推できる．

■ 必要な検査とその所見

①単純X線：2方向撮影を行い，骨折・脱臼などの有無を調べる．骨折，脱臼などがなければ打撲，挫傷，捻挫と診断される．

②ストレス撮影（X線）：捻挫の場合，関節の異常可動性を調べる．疼痛が強いときは麻酔下に行う．異常可動性があれば捻挫の重症度は2度以上である．内外反ストレス，前方・後方への関節動揺性をチェックする．

③関節造影：造影剤を関節内に注入して漏出の有無を調べる．関節包や靱帯の損傷が診断可能である．

④超音波検査：皮下・関節内血腫や関節包・靱帯損傷などが診断可能である．

⑤MRI：打撲，筋挫傷では筋肉の炎症，浮腫（T2-STIR像）が診断可能である．ただし骨挫傷もMRIにて診断可能であり，鑑別に注意する．捻挫では皮下・関節包内血腫や関節包・靱帯損傷が診断可能である．

■ 診断のポイント

①打撲，挫傷については単純X線像において骨折がなければ診断可能である．骨挫傷においてはMRI（T1-low，T2-high）にて鑑別を行う．

②捻挫については受傷機転，圧痛部位，肉眼的に関節周囲の腫脹，皮下出血，皮下血腫を伴い単純X線像にて脱臼がみられない場合，捻挫と診断する．捻挫の重症度によって腫脹や疼痛の程度は増大し，関節の不安定性が増す．

■ 治療方針

局所の冷却，安静・固定が求められる．すなわち

RICE(Rest, Icing, Compression, Elevation)を行う．RICEを行うことで局所の出血・腫脹を軽減して，さらなる関節の動揺性を防ぐことができる．
(1)打撲・挫傷
　鎮痛薬を処方し，湿布処置などを行う．さらなる出血を抑えるために，保存療法にて包帯で圧迫固定を行うことがある．
(2)捻挫
　一般的に保存療法が多く行われる．疼痛には鎮痛薬を処方する．完全な靱帯断裂で関節の動揺性が激しい場合は，手術療法が行われることもある．
　①保存療法：膝関節や足関節において装具装着やテーピングをすることで関節の不安定性を軽減し可動域を制限し，部分的な靱帯，関節包損傷を治癒に導く．ADL上の制限が少ない点で重宝される．
・ギプス固定；2～3度の捻挫において，ギプスによる3～4週間の関節固定が行われる．ギプス除去後のリハビリテーションが重要である．
　②手術療法：3度の捻挫において関節動揺が激しい場合，手術（靱帯縫合術）の適応となる．捻挫を繰り返すスポーツ選手や陳旧例においては再建術も考慮される．

幼児の骨折の特殊性

Characteristics of fractures in young children

西須　孝　千葉こどもとおとなの整形外科 院長〔千葉市緑区〕

【疾患概念】　幼児の骨折には，柔軟性のある骨が小さな外力によって不全骨折を起こす場合と，成人同様に大きな外力によって完全骨折を起こす場合とがある．長管骨においては成長軟骨板が存在し，この部位は骨端線損傷とよばれる骨折が起こりやすく，治療後には骨端線早期閉鎖などの成長障害が発生しうる．骨癒合後の自家矯正や過成長が旺盛であることも幼児の骨折の特徴である．

【病型・分類】
(1)小児の不全骨折
　小児においては成人と比して不全骨折が起こりやすいため，比較的診断が難しい．
　①急性塑性変形：長管骨骨幹部に生じた骨折線を伴わない外傷性の変形で，骨幹部が全体に弯曲しているもの．橈骨頭脱臼を伴う尺骨の急性塑性変形が代表的である．
　②隆起骨折：長管骨に長軸方向の力が加わり，竹の節のような環状の隆起を生じた骨折．
　③若木骨折：若い木の枝が折れ曲がったような変形を生じた骨折で，片側の皮質骨は連続性を絶たれているが，その反対側の皮質骨は連続性を保っている．
(2)骨端線損傷の分類(Salter-Harris分類)
　骨端線損傷（骨端骨折）においては，成長軟骨板に骨性架橋が生じたり，壊死したりすると，成長障害が生じて予後不良となる．
・Ⅰ型：骨端線が離開しているタイプ．予後良好の場合が多い．
・Ⅱ型：骨端線が離開しているが，骨折線の一部が骨幹端を通過するタイプ．一般に予後良好とされるが，大腿骨遠位部，脛骨・上腕骨近位部においては予後不良例が少なくない．
・Ⅲ型：骨端線が離開しているが，骨折線の一部が骨端部を通過するタイプ．脛骨遠位部のTillaux骨折が代表的で，整復が不十分な場合は予後不良となる．
・Ⅳ型：骨折線が骨幹端から骨端線を通過して骨端部に至るタイプ．整復が不十分な場合は予後不良となる．
・Ⅴ型：成長軟骨板が圧挫して不可逆的損傷を受け，のちに骨端線早期閉鎖が起こるタイプ．高所転落などの高エネルギー外傷後に多くみられる．有効な治療法はなく，予後不良である．
・Ⅵ型：軟骨膜輪が損傷され，のちに骨端線辺縁部に骨性架橋ができるタイプ．骨癒合後に成長障害と進行性の変形がみられ，予後不良である．
(3)その他
　①分娩骨折：分娩時の外力によって生じた骨折．鎖骨，大腿骨，上腕骨に多い．一般に予後良好である．
　②よちよち歩き骨折(toddler's fracture)：幼児の下肢にみられる外傷のエピソードのない不全骨折で跛行を愁訴として受診する．脛骨骨幹部に多い．
　③被虐待児症候群：虐待による骨折で，新旧時期の異なる骨折が複数箇所にみられることが多い．上腕骨や大腿骨の角骨折や肋骨近位部骨折が比較的特異的な骨折とされる．担当医が個人として対応すると保護者との間でトラブルとなることが多いので，専門委員会をもつ病院において組織として対応し，児童相談所に通告することが重要である．
　④骨系統疾患に伴う骨折：骨形成不全症，大理石骨病，濃化異骨症，McCune-Albright症候群などの骨脆弱性がみられる骨系統疾患による骨折は，まだ原疾患の診断がついていない小児期においては注意を要する．

問診で注意すべきこと
　外傷のエピソードがないか問診するが，小児の場合，転倒のエピソードがあっても，それは日常生活のなか

2 外傷

で珍しいことではないので，転んだ直後に激痛がみられた場合でなければ必ずしも骨折の原因ではないと認識すべきである．

必要な検査とその所見

ほとんどの骨折は単純X線検査で診断できるが，ごく軽微な骨折は受傷1～2週後の仮骨形成を確認することによってはじめて骨折と診断できる．骨端線離開は転位が大きい状態で単純X線検査が行われていれば診断できるが，転位の小さい状態では診断が難しい．X線透視下に骨折の疑われる部位を動かしたときに，骨幹端と骨端部の位置関係が変化することを確認できれば，骨端線離開と診断できる．MRIやCT検査は有力な診断ツールであるが，一定時間静止してもらうことが困難な乳幼児においては睡眠薬の投与が必要となるため，手術適応の判定や術式の選択をするうえでどうしても必要なときだけ行う．超音波検査は，乳幼児においても簡便に行える検査であるが，検査手技が標準化されていないため，画像所見だけを見ても，検査を担当していない医師にとっては骨折部位や骨折型がわかりにくいという欠点がある．

診断のポイント

小児の四肢の外傷においては，成人と比べ捻挫よりも骨折である確率が高い．2方向以上の単純X線撮影を必ず行い，必要に応じて健側の単純X線撮影も行って比較を行う．正しい診断に至らない骨折には，ある程度パターンがあるので，よくあるものを列挙する．

①足関節捻挫と診断されがちな前距腓靱帯の腓骨付着部剥離骨折：通常行われる単純X線正面像・側面像に加えて，頭側45°から入射した足関節正面像を撮影すると剥離骨片が外果下方に同定できる．

②肘内障と診断されてしまうことの多い肘関節周辺の不全骨折：単純X線検査では，すぐに骨折は同定できないが，発症後2週くらいで再検すると，仮骨形成や骨内骨硬化像の出現によって診断できる．

③見逃されることの多い上腕骨顆上骨折に合併する前腕骨遠位部骨折：上腕骨顆上骨折と診断したときは，必ず前腕部の圧痛を確認し，必要に応じて前腕骨全長の単純X線検査を行っておけば見逃すことはない．

④橈骨頭脱臼を伴う尺骨の急性塑性変形：外傷後に肘や前腕の痛みを訴える場合は，肘関節の単純X線検査を行って橈骨頭と上腕骨小頭が向かい合った位置にあるかどうか確認すれば，脱臼を見逃すことはない．尺骨全長を肘関節の正確な側面像を撮影する方向でX線撮影し，尺骨の後縁に弯曲がみられたら，尺骨の急性塑性変形を疑うが，健常でも軽度の弯曲がみられることもあるので，確定診断は難しい．経過観察を行って，のちに仮骨形成がみられたら尺骨急性塑性変形と診断できる．大切なことは，橈骨頭脱臼を見逃さないことである．

⑤上腕骨外側顆骨折と診断されることの多い上腕骨遠位骨端線離開：単純X線検査で鑑別することは，転位が大きくない限り難しい．X線透視下に肘関節を内外反させるように動かしたときに，上腕骨遠位端と尺骨近位端が関節として連結していないように大きく動けば，上腕骨遠位骨端線離開と診断できる．上腕骨外側顆骨折と誤診して手術を行うと，回復困難な後遺障害が生じることが多い．

治療方針

よちよち歩き骨折などの不全骨折の多くは放置しても問題ないが，痛みの訴えが明らかなときは，痛みがとれるまでの間，ギプスシーネによる固定を行う．5歳未満の骨折は基本的に外固定や牽引による保存療法を行うが，関節内骨折，骨端線損傷，関節近傍の骨折において十分な整復ができないときは手術療法を考慮する．ただし旺盛な自家矯正が期待できる橈骨近位端・遠位端，上腕骨近位端では，保存療法の適応が広い．一方，自家矯正が起こりにくい上腕骨遠位部，膝関節周囲においては，より積極的に手術療法を行う．

保存療法

骨折部位と骨折型によりさまざまな保存療法があるが，転位の少ない骨折は良肢位でギプスシーネ固定し，転位の大きい骨折は牽引して整復位を保つことが原則となる．問題となるのは回旋転位であるが，それが起こりやすい代表的な骨折について以下に解説する．

①5歳未満の大腿骨骨幹部骨折：水平方向への牽引は高率に外旋転位をもたらすことが知られている．Bryant牽引と呼ばれる膝伸展位で両下肢を垂直上方へ介達牽引する方法が，回旋転位を最小限にするためには有効である．

②乳児の上腕骨骨幹部骨折：乳児において肘を伸したまま上肢を体幹に固定すると，極端な外旋転位が生じやすいことが知られている．三角巾などを用い肘を屈曲して，前腕をお腹につけた位置で固定するのが最善である．

手術療法

(1)長管骨骨幹部骨折

近年，elastic stable intramedullary nailing（ESIN）とよばれる髄内釘手術がわが国にも導入され，それまで行われていた直達牽引や創外固定による治療が行われることは少なくなってきた．特に5歳以上の大腿骨骨折や脛骨骨折においては，このチタン製の弾力性の高い髄内釘による治療が主流となりつつある．

(2)関節近傍の骨折

小児においては，整復位で Kirschner 鋼線で固定してからギプスで外固定するのが原則であるが，未骨化の骨端軟骨の骨折を鋼線固定すると鋼線が弛みやすいので，複数の鋼線を挿入しておくことが重要である．

合併症と予後

(1)変形癒合の自家矯正

十分な整復が得られずに骨癒合した場合，角状変形の多くは自家矯正によって改善していくが，自家矯正の鍵となる骨端線の非対称性成長が十分に期待できない上腕骨遠位部，大腿骨遠位部，脛骨近位部においては，矯正骨切り術が必要となることが多い．ただし2歳未満では予想外の自家矯正に救われることもある．

(2)成長軟骨板の骨性架橋

これが骨端線損傷後に生じると，成長障害による骨短縮や変形が生じる．骨性架橋を鏡視下または直視下に切除することによって，ある程度成長再開をもたらすことができる．

(3)骨折後の過成長

小児の骨折においては骨折によって患側の骨成長が加速され，健側よりも骨長が長くなってしまうことが多い．下肢において過成長が原因で大きな脚長差がもたらされたときは，側弯症や歩容異常が生じる可能性があるため，脚長補正のための手術を考慮する．

(4)骨壊死

大腿骨頚部骨折後の骨頭壊死は，小児においては一定期間完全に免荷することで回復することが多い．骨壊死の可能性がある時期に荷重を行って骨頭が圧潰してしまうと，その後の治療が非常に困難になるので，荷重する前に MRI 検査を行って壊死がないことを確認しておくことが重要である．また，fishtail 変形とよばれる上腕骨遠位部骨折後の滑車部の骨壊死は，骨折後数年してから生じてくる合併症である．これについては，事前の説明と十分な経過観察を行っていくほかなく，有効な防止策は見出されていない．

患者説明のポイント

骨端線損傷による成長障害や，過成長によって，左右の骨長差が生じる可能性について，治療開始前に説明しておくことが重要である．

リハビリテーションのポイント，関連職種への指示

急性期には，血液循環障害や神経麻痺が生じてこないか，注意して経過観察することが重要である．血液循環障害の徴候がみられたときには，ギプス固定の解除を含めた処置を検討する必要性があるので，直ちに主治医へ報告する．

慢性期においては，必要以上のリハビリテーションによって異所性骨化をきたすことがあるため，他動的可動域訓練はできるだけ行わないようにし，どうしても必要な場合は愛護的に行うことが重要である．

高齢者の骨折の特殊性

Specificity of geriatric fracture

白濱 正博　医療法人社団慶仁会川﨑病院 院長〔福岡県八女市〕

【疾患概念】 高齢者の骨折は骨粗鬆症などによる骨の脆弱性を基盤に，転倒などによる低エネルギー外傷や，交通事故などによる高エネルギー外傷によって生じる．低エネルギー外傷による脆弱性骨折は，機能予後を考慮して早期手術が要求され，高エネルギー外傷による骨折では，易出血性や予備能力低下から生命の危機に直面することもあり，慎重な全身管理が要求される．人口の高齢化に伴い，高齢者の骨折数は今後さらに増加すると思われる．大腿骨近位部骨折は2030年には年間30万人，脆弱性骨盤輪骨折は現在の2.4倍に増加すると予測されている．また，高齢者は既往症や合併症も多く，多剤服用していることも多いため，治療にあたり整形外科単科では対応困難で，老年内科医や看護師，薬剤師，理学療法士など，多職種連携による治療が必要となる．

【病態】

高齢者の骨は易骨折性で，その原因には骨自体の脆弱性と転倒リスクなどの要因がある．

(1)骨脆弱性

①骨粗鬆症：加齢による骨構造の変化．骨皮質の厚さの減少（菲薄化），骨径の増大，ハバース管腔の拡大，海綿骨では骨梁の菲薄化，骨梁の連続性途絶，骨梁数の減少などがみられ，骨強度（骨密度と骨質）の低下が特徴である．骨粗鬆症患者は年々増加傾向で，現在約1,300万人と推定されている．

②病的骨折：悪性腫瘍の骨転移や骨髄腫などによる病的骨折のほか，糖尿病や腎不全（長期透析患者），関節リウマチ，ステロイド長期内服患者などで骨脆弱性をきたし，病的骨折を起こすことがある．

③非定型大腿骨骨折：骨粗鬆症治療薬（ビスホスホネート）の長期服用，抗がん剤としての高濃度抗RANKL抗体服用の合併症として，大腿骨転子下骨折を，また，加齢に伴う大腿骨の外側弯曲変形によるストレス骨折として，大腿骨骨幹部骨折をきたすことがある．

(2)転倒リスク

①内的因子：加齢による身体機能，特に下肢筋力低下や平衡感覚低下による歩行・バランス機能の低下による転倒，既存疾患（脳血管障害，呼吸器系疾患，循環

2 外傷

器系疾患，眼疾患や認知症）による運動器不安定に伴う転倒，さらに，向精神薬などの服薬に伴う平衡感覚低下による転倒がある．

②外的因子：転倒場所はほとんどが屋内である．和風建築の構造上の問題で，段差や階段，敷居やカーペットのふちなどでつまずきやすく，また室内の照明など環境要因が転倒の原因になることが多い．

問診で聞くべきこと

受傷時の状況，受傷機序，疼痛の部位と性質，受傷以前の生活活動性，歩行能力，既往症，内服薬の種類などを確認する．また，非定型大腿骨骨折では前駆症状として大腿部違和感や大腿部痛の訴えがある．

診断のための診察と検査

(1) 診察

高齢者は記憶があいまいで転倒の記憶，受傷機序を覚えていないこともある．また，疼痛の部位も広範囲にわたったり，胸痛，背部痛，腰痛，鼠径部痛，大腿部痛と愁訴が不特定なこともあるため，視診と触診が重要である．痛い部位の腫脹や皮下出血，圧痛，叩打痛を確認する．

(2) 画像検査

①単純X線写真：通常2方向撮影が基本であるが，部位によっては斜位像を追加する．また，加齢による弯曲の変化もあるため，健側も撮影する必要がある．単純X線写真で骨折が認められないからといって，必ずしも骨折がないとはいえない．疑わしい場合はCTかMRIにて確認が必要となる．

②CT検査：最近はどこの病院でも撮影可能なことが多い．関節近傍，または関節内骨折や単純X線写真では描出しにくい部位などに有用で，多断面再構築（multiplanar reconstruction；MPR）や3D-CTでは多方面から骨折を確認したり，骨折部位を再構築し立体的に確認することもできる．

③MRI検査：不顕性骨折を疑う場合は第一選択である．ただし，頚部骨折を疑い，仙骨骨折や恥骨・坐骨骨折を見逃すおそれもある．

④dual energy X-ray absorptiometry（DEXA）：骨密度測定は重要で，脊椎と大腿骨を両方計測できるほうが望ましい．骨粗鬆症治療薬投与の判断や治療効果判定に有用である．

(3) 全身状態把握のための諸検査

血液学的検査や呼吸器，循環器，糖尿病，脳血管障害，深部静脈血栓の検査も必要である．

診断のポイント

①高齢者が身体のどこかを痛がって受診した場合は，明らかな外傷歴がなくても脆弱性骨折の可能性がある．

②診察時の視診で腫脹の有無，変形の有無の確認，触診で圧痛や叩打痛の有無を慎重に確認することが重要である．

③不顕性骨折の可能性も高いため，単純X線写真で骨折が判明しない場合はCT，またはMRI検査をすべきである．

④骨脆弱性の程度，部位，全身状態，既存疾患，認知症の有無，受傷前のADLなどが治療成績に影響するので，詳細を把握する．

専門病院へのコンサルテーション

・高エネルギー外傷による高齢者の骨盤輪骨折は，骨折自体は大きな不安定性がなくても，急激に出血が増強し出血性ショックをきたす症例があるため，造影検査や経動脈塞栓術（TAE）が可能な救急病院，救命救急センターへ搬送するほうがよい．

・高齢者の大腿骨近位部骨折（頚部，転子部）は機能予後，生命予後を考慮すると早期手術が推奨されるため，できれば48時間以内に手術ができる救急病院へ紹介する．

・悪性腫瘍の転移や多発性骨髄腫などによる病的骨折は，基礎疾患の治療と集学的治療が必要となるため，専門病院へ紹介するほうがよい．

・高齢者の脆弱性骨盤輪骨折は，CTやナビゲーションシステムを用いた治療が必要となるため，高度な治療が可能な病院へ紹介するほうがよい．

治療方針

1 ▶ 保存療法

転位が少ない上肢の骨折や，椎体骨折新鮮例などは保存療法が可能である．ただし，安静と外固定のみでは骨癒合が遷延する可能性があるため，テリパラチドの併用を考慮したほうが確実で早期に骨癒合する可能性が高い．

2 ▶ 観血的治療

高齢者のADLを考慮すると早期に手術したほうがよい．近年，ロッキングプレートや髄内釘のデザイン改良，脊椎インプラントの進歩などにより，低侵襲で強い固定方法が考案され普及しているため，手術適応も増えてきている．適応としては，骨折転位がある症例，転位は少ないが早期離床をさせたい症例，保存療法を行っても痛みが続く症例，大腿骨近位部骨折，偽関節，感染性偽関節，インプラント周囲骨折などの症例は手術の対象となる．高齢者は軟部組織も易出血性や治癒遷延傾向があるため，できるだけ低侵襲で小切開で行い，止血を確実に行い，縫合も緊張が強くならないよう心がける．

治療法

粗鬆骨に対しては，ロッキングシステムのインプラ

ントが有効である．髄内釘は，より多くのロッキングスクリューが刺入できて，できるだけ太い径を選択する．ロッキングプレートは解剖学的に形状が適合して，より多くスクリューが打てるタイプを選択する．ロッキングスクリューは，できるだけ長いスクリューを多方向に向けて刺入し，できれば対側骨皮質を貫通させる．インプラント周囲骨折では，ケーブルや長いロッキングプレートで補強固定する．また，Kirschner鋼線やスクリューのみではチーズカットするおそれがあるので，ワッシャーや薄いプレートを併用する．整復後の骨欠損部の充填には，人工骨を積極的に使う．また，人工関節の固定には，できるだけセメントを用いたほうがよい．

骨脆弱性のため，整復時やインプラント挿入時に，新たな骨折を生じさせる危険性がある．どの部位，どのような骨折にも対応できるように，使用インプラントのサイズを幅広く準備しておく．または，一般的に対応できるように，ケーブルとロッキングプレートをバックアップ用に準備しておく．ロッキング機構となっていてもスクリューのバックアウトが生じることもある．

合併症と予後

高齢者は全身的にも局所的にも予備能力が低いため，安静・臥床によって容易に合併症を起こす可能性が高く，機能回復や予後が不良となるおそれがある．特にせん妄，認知症，誤嚥性肺炎，尿路感染，褥瘡，深部静脈血栓などに注意を要する．

リハビリテーションのポイント，関連職種との協力

受傷直後，または入院直後から体幹，四肢機能低下防止のための訓練が必要である．特に体幹，下肢の骨折では早期離床をはかるため，早期のリハビリテーション開始が望ましい．術後もできるだけ術翌日から，全荷重起立・歩行訓練を行う．また，創治癒や精神面，機能回復評価に加え，栄養状態評価やせん妄リスク評価，嚥下評価，ロコモティブシンドローム評価，転倒リスク評価なども行ったほうがよい．

高齢者の骨折患者は合併症，多剤服用，認知症や機能障害，また生活環境などさまざまな問題を含んでいるため，整形外科単独では対処できないことが多くなってきている．内科，精神神経科などの他科，看護師，理学療法士，栄養士などとの多職種連携が必要で，さらにさまざまな連絡，確認，患者治療状況把握のため，骨粗鬆症リエゾンサービス（osteoporosis liaison service；OLS）や骨折リエゾンサービス（fracture liaison service；FLS）などを活用する必要がある．

関節内骨折と脱臼骨折の特殊性

Special characteristics of intra-articular fractures and fracture dislocations

中瀬 順介　金沢大学 助教

2 外傷

【疾患概念】

関節内骨折とは，骨折線が関節包内に及ぶ骨折である．脱臼骨折とは，関節脱臼に伴い，関節包内もしくは関節近傍に骨折が生じたものである．両骨折ともに比較的強い外力により生じ，関節内骨折では軟骨損傷を，脱臼骨折では軟骨損傷に加え靱帯や腱を含む周囲軟部組織損傷や血管神経損傷を伴うこともあり，関節拘縮や不安定性が残存しやすい．治療に際しては早期に解剖学的整復・固定・リハビリテーションを行い，機能障害をできる限り少なくすることが重要である．

問診で聞くべきこと

受傷機転について詳細に聴取し，骨折・脱臼の機序を理解することが治療方針の決定に必須である．それと同時に受傷前の患肢の機能や就労の状況，患者の治療に対する期待を聴くことが機能回復レベルの目標を決めるうえで重要となる．また画像検査や処置の前には皮膚損傷（裂創や水疱）や感覚障害，冷感といった神経血管障害の有無を確認し，症状がある場合にはそれがどの時点から生じていたか（受傷直後，搬送中，脱臼整復の前か後かなど）も聴取し，可能な限り詳細に診療録に記載しておくことが大切である．

必要な検査とその所見

①関節穿刺：穿刺した血性液に脂肪滴が存在することは関節内骨折を示唆する重要な所見である．

②単純X線検査：関節内骨折，脱臼骨折いずれにおいても第一に行う画像検査である．各関節において患側・健側とも正面・側面の2方向が基本であり，健側と比較することで正確な診断が可能となる．

③超音波検査：関節内血腫の有無，受傷時および整復後の骨折部の転位評価に加え，仮骨形成や骨折部の安定性の評価など治癒過程の評価も可能である．

④CT（3D-CT）検査：単純X線検査で評価が困難な関節内骨折の有無や骨片の転位・位置関係の評価が可能である．3D-CTは骨片の位置を立体的にとらえることが可能であり，関節内骨折の手術計画に非常に役立つ．

⑤MRI検査：関節内外の靱帯・腱や関節周囲軟部組織などの評価に有用である．特に脱臼骨折では骨折の治療だけではなく靱帯・腱の修復も要する可能性があり，必須である．また，海綿骨の評価（骨挫傷：bone bruise）も可能である．

⑥血管造影・造影 CT 検査：診察において損傷部遠位の脈が触れない場合や冷感がある場合で，経皮的動脈血酸素飽和度が計測できない場合には，血管造影や造影 CT 検査を考慮する．

診断のポイント

単純 X 線像で見える骨折や脱臼だけに目を奪われないことが重要である．肩関節脱臼における腕神経叢損傷や鎖骨下動脈損傷，膝関節における脛骨・総腓骨神経損傷や膝窩動脈損傷など，脱臼骨折においては，多くの神経血管損傷が合併することがある．この診断には損傷部遠位での脈の触知，色調，痛み，しびれ，運動麻痺といった所見を見逃さないことが重要で，これらを念頭において診察する必要がある．

専門病院へのコンサルテーション

初期対応・手術において致死的な出血のリスクを伴う骨盤骨折や血管神経損傷・多臓器損傷をきたしている場合は，関節内骨折・脱臼骨折いずれにおいても緊急事態に対応可能な専門機関への紹介を迷う必要はなく，全身状態が許すのであれば可及的早期に搬送する．

治療方針

関節内骨折治療の原則は，関節面の解剖学的整復と安定した固定による四肢アライメントの修復，早期のリハビリテーションである．そのため転位のない関節内骨折ではギプス固定などの保存療法が選択されることもあるが，転位があるものは原則観血的整復・内固定を行う．これにより早期のリハビリテーションが可能となる．粉砕が強く，解剖学的整復・内固定が困難な場合や，周囲軟部組織の損傷が大きい場合には，創外固定による固定も考慮する．

脱臼骨折は整復までの時間が予後を左右する可能性があり，可及的早期に脱臼の徒手整復を行う．非観血的整復が困難な症例では観血的整復を行い，骨折に対しては上記の関節内骨折と同様に対処する．

以上を原則としたうえで，患者の年齢や合併疾患，骨脆弱性や ADL を考慮して治療方針を決定する．

治療法

転位のある関節内骨折に対しては，手術による観血的整復・内固定が原則である．これにより早期リハビリテーションが可能となり関節機能温存につながる．関節内骨折・脱臼骨折に合併する神経麻痺は，ほとんどの場合自然回復する．しかし，脱臼整復直後からの麻痺症状や，3か月待機して回復徴候（Tinel 徴候の末梢への伸長や筋電図上での筋収縮）がないときには観血的に神経を確認し，神経剝離術を考慮する．

リハビリテーションのポイント

骨折部の安定性や疼痛を考慮しつつ，可及的早期から可動域訓練を開始する．疼痛のないリハビリテーションのためには，カテーテル留置による持続末梢神経ブロックを併用することも有用である．荷重開始は骨折の整復・固定性，筋力などによるが，通常は術後4～6週をめどに行い，長期免荷が必要な場合は免荷装具を作製する．下肢・骨盤の骨折では，深部静脈血栓の予防に留意し，抗凝固薬の投与を考慮する．

また，患者自身が積極的にリハビリテーションに参加するように，モチベーションを高めることが重要である．

患者説明のポイント

各骨折に応じて受傷時，術前に下記を十分説明する．
①関節機能を温存するには，解剖学的整復と強固な内固定，早期のリハビリテーションが必要な点．
②整復が良好でも，将来的に関節機能障害が残存する可能性がある骨折である点．
③術後リハビリテーションが手術同様に重要であり，リハビリテーションが長期にわたる可能性がある点．
④小児においては骨癒合後の成長に伴う変形が生じる可能性があり，長期経過観察を要す点．
⑤脱臼骨折では，壊死や再脱臼などの骨折治癒後の合併症の可能性がある点．
⑥骨癒合後も，変形治癒や関節拘縮などにより二期的手術が必要になることがある点．

被虐待児症候群における骨折

Fractures of abused infant and young children

江口 佳孝　国立成育医療研究センター　診療部長〔東京都世田谷区〕

【疾患概念：児童虐待は"疾患"】　児童虐待は，現在「子供虐待（child abuse）」や「不適切養育（child maltreatment）」が適切な用語となっている（本項では child abuse, child maltreatment を総称して CA とする）．CA は子供の「安心・安全」が阻害される行為すべてを指す「疾患」である．CA には身体的虐待・ネグレクト・心理的虐待・性的虐待があり，病期が進行すると重症化し致死的となる．虐待による慢性経過は患児に身体的・精神的障害をもたらし，患児自身が虐待者になるなど伝染性が高い．CA の重症度の低い段階で子供の安全を確保し，親と介護者に対して非暴力的な規範と価値観の教育支援および経済的な家族支援などの創造的介入をすることで，CA の重症化を予防できる．そのなかで骨折診断は CA 診断の重要な要

素となっている．

【病態：頻度と病型】

2019年度のわが国における児童相談所（児相）での児童虐待相談対応件数（速報値）は193,780件（前年比＋33,942）で身体的虐待49,240件（25.4％：＋9,002），ネグレクト33,345件（17.2％：＋3,866），性的虐待2,077件（1.1％：＋347），心理的虐待109,118件（56.3％：＋20,727）であった．施設別児相通告件数は警察などからの通告件数が96,473件（49.8％）と最も多く，一方で医療機関は3,675件（1.9％）にとどまった．

問診で聞くべきこと

子供の安全確保を第一とし，診察内容は確実に記録することが大切である．問診は誘導的にならないよう客観性に配慮し，診療録は相手が話した言葉をそのまま，誰が話したかも記載する．診察中の気になる言動も記載する．受傷時間，受傷から来院までの時間，来院までに行った処置なども記載する．問診は子供と親・介護者とを分けて行う．2歳半以上であれば虐待の「誰が何を」を答えることができる．親・介護者の問診では患児の客観的情報収集に注力し，虐待についての告白・動機・故意などを無理に引き出そうとしない．患児の病歴などの曖昧・不自然な説明はいったん受け入れ，既往歴，アレルギー歴などを聴取する．

必要な検査とその所見

新鮮・陳旧例問わず外傷の評価を行う．乳幼児骨折の場合は年齢発達を特に考慮する．全身の打撲痕などはできるだけ写真撮影をする．写真は個人が特定できる状態で，受傷部位，大きさ，日時を記録する．放射線検査ではCA疑いの場合，2歳以下では全例に全身骨X線撮影を行う．1歳以下では骨シンチグラフィーを検討する．児を1枚でとらえる"ベビーグラム"は推奨されない．2～5歳でCA疑いの場合も全身骨X線撮影を行う．5歳以上では外傷部位の単純X線撮影を健側も含めて行う．骨膜下骨新生，典型的骨幹端損傷が後日明らかになることがあるので，2週間以内に全身骨X線撮影を再検査する．

診断のポイント・鑑別診断

虐待に類似した骨病変を呈する疾病として，骨形成不全症，くる病・壊血病などの栄養による骨症状，遺伝性骨異形成症，遺伝性感覚性自律神経性ニューロパシー，麻痺性疾患，骨髄炎などの感染症，肥大性骨関節症，腫瘍，薬剤性，銅欠乏症などがある．事故との鑑別は家族や患児から語られた病歴，併存損傷の所見から包括的に判断する．

治療方針

CA疑いの初期対応は患児の身体面の安全確保と小児科医，child protection team担当医師との連携をはかることである．児童虐待防止医療ネットワーク事業により各都道府県にCA対応拠点病院が整備されている．専門医が近隣にいない場合は児相へ連絡する．医療スタッフが孤立した状態で対応することは，間違った判断を下す危険性を増大させる．多職種連携は「包括的評価」を最大限保証するものであり，子供の安全と家族に与える負の影響を最小化することができる．

患者説明のポイント

虐待通告は加害者の告発が目的ではなく，子供の安心安全を第一に家庭支援を開始するための診療行為であると心得る．「児童虐待の防止等に関する法律」第6条により児相および市町村へのCA通告は同意不要となっている．ただしCA通告に対する社会的心象から，通告判断はできる限り多職種で吟味されるべき行動といえる．

脆弱性骨折

Insufficiency fracture

白濱 正博　医療法人社団慶仁会川﨑病院 院長〔福岡県八女市〕

【疾患概念】

骨粗鬆症や既存疾患による骨脆弱状態に，転倒など軽微な外力が加わることによって生じた骨折．多職種連携を活用して早期手術，早期離床が求められる．

部位別骨折治療法

1 ▶ 椎体骨折

椎体圧迫骨折は，高齢者の骨折部位として最も多い．通常は安定型骨折であるため安静，体幹装具による保存療法が選択される．圧潰が高度で痛みが強い症例には，バルーン椎体形成術（balloon kyphoplasty；BKP）や経皮的椎弓根スクリュー固定（percutaneous pedicle screw；PPS）が，高度の椎体破裂骨折や偽関節，変性側弯症，神経症状を呈する症例に対しては，観血的脊椎固定や変形矯正術が行われる．

2 ▶ 上腕骨近位部骨折

転位が少ない症例は保存療法でも可能であるが，高齢者は起座・起立に上肢の支えが必要になるため，早期の機能訓練を目指し手術治療を選択することもある．ロッキングプレート，髄内釘が多用されるが，粉砕の強い4-part骨折や脱臼骨折では，人工骨頭置換術やリバース型人工肩関節置換術が行われる．

2 外傷

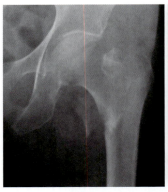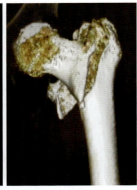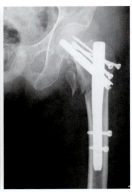

図 2-5　不安定型大腿骨転子部骨折に対する新しい SFN による固定

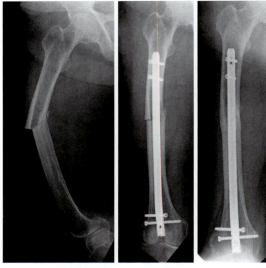

図 2-6　非定型大腿骨骨幹部型に対する逆行性髄内釘固定

転位型も骨接合術の適応が広がってきている．転子部骨折は，現在 90％ 近くが short femoral nail（SFN）タイプの髄内釘で固定されている（図 2-5）．画像診断の進歩により，分類や安定性の評価も変わった．内側骨片や後外側骨片の整復・固定を慎重に行い，術中内側前方の骨皮質の整復位が重要視される．

5 ▶ 非定型大腿骨骨折

ビスホスホネートの長期服用や，高濃度抗 RANKL 抗体服用の合併症として大腿骨転子下骨折と，加齢に伴う大腿骨の外側弯曲変形によるストレス骨折として大腿骨骨幹部骨折をきたす．転子下骨折型は解剖学的に整復して，髄内釘で強固に固定する必要がある．また骨幹部骨折型は弯曲が強いため，髄内釘の機種選択が重要で，逆行性髄内釘のほうが整復固定に有利である（図 2-6）．ともにロッキングプレートでは破損の危険性が高いため，髄内釘が第一選択である．さらに術後は骨癒合が遷延する可能性が高いため，テリパラチドを併用するほうが望ましい．また，両側性に発症するため，健側にも予防的髄内釘固定を考慮したほうがよい．

3 ▶ 橈骨遠位端骨折

保存療法と観血的治療の長期的予後には大きな差はないが，関節内骨折に対しては掌側ロッキングプレート固定による手術治療が多く行われている．ただし，屈筋腱断裂など合併症も起こりうるため，手術には注意を要し抜釘も必要になる．

4 ▶ 大腿骨近位部骨折

長期臥床を回避するために，早期手術が推奨される．欧米では 48 時間以内に手術をするようになっている．現在わが国の平均は 4.2 日である．頚部骨折は通常 Garden 分類が用いられ，Stage Ⅰ，Ⅱ の非転位型は骨接合術を，Stage Ⅲ，Ⅳ の転位型は人工骨頭置換術が推奨されるが，固定インプラントの改善により，

6 ▶ 骨盤輪骨折

近年増加してきている．当初単なる恥骨・坐骨骨折と思われていても，経過中に仙骨骨折，腸骨骨折に進展し，両側性になり大きく転位することもある．骨折が片側か両側か，前方のみか後方のみか両方か，および転位の有無によって分類した Rommens 分類（図 2-7）が用いられ，転位のない初期であればテリパラチドが有効で，約 8 週間で骨癒合が得られる．痛みがとれない場合は，CT またはナビゲーションシステムを用いて S1，S2 をスクリューで貫通する transiliac-transsacral（TITS） screws pelvic stabilization が行われる．また，転位した Type Ⅲa，Ⅳa には，脊椎インストゥルメントを用いた固定が行われる（図 2-8）．

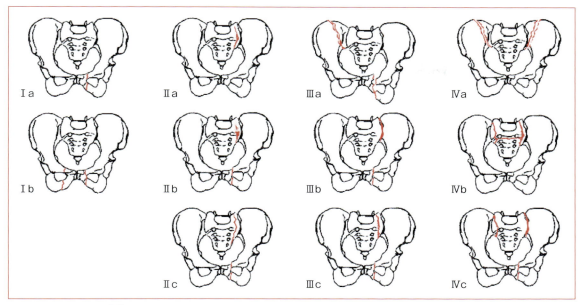

図 2-7　Rommens 分類
(Rommens PM, et al: Comprehensive classification of fragility fractures of the pelvic ring: Recommendations for surgical treatment. Injury 44: 1733-1744, 2013 より)

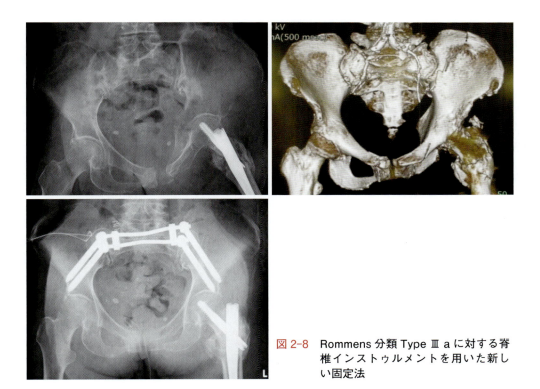

図 2-8　Rommens 分類 Type Ⅲ a に対する脊椎インストゥルメントを用いた新しい固定法

7 ▶ インプラント周囲骨折

　壮年期に人工関節置換術を受けた症例の高齢化と，人工関節手術を受ける高齢者が増えたため，この骨折は増加してきている．人工関節置換術後，人工骨頭置換術後や髄内釘の周囲に生じる．ステムが弛んでいる場合は人工関節そのものから置換する必要があり，使用できるインプラントやスクリュー刺入方向が制限されるなど困難なことが多く，ロングステムやセメント，ロッキングプレート，ケーブルなどを用いた手術が必要になる．

遷延治癒骨折，偽関節

Delayed union and Nonunion (Pseudoarthrosis)

塩田　直史　岡山医療センター　医長（整形外科・リハビリテーション科）〔岡山市北区〕

【疾患概念】　骨折の治癒過程が遅れ，患者の年齢と骨折型から予測される時期までに骨折が癒合していないものを遷延治癒骨折という．そして骨折が存在するにもかかわらず，骨折治癒過程が停止した状態を偽関節という．その原因として，感染を伴うものと伴わないものがある．本項では感染を伴わない遷延治癒骨折と偽関節について述べる．

【病型・分類】
　①遷延癒合：予想した時期に骨癒合が進行していない状態であり，インプラントの弛みや間隙の拡大はまだ生じていないことが多い．この時期を見逃さず，別の手段を講じることで偽関節への移行を防ぐことができる．
　②肥厚性偽関節：力学的安定性の欠如により骨折部に仮骨を生じているが，架橋仮骨が認められない状況．単純 X 線写真上で象足型や馬蹄型とよばれる．力学的安定性の追加によって骨癒合は進行する．
　③阻血性偽関節：外傷や骨折に伴う骨折部近辺の血流低下により発生する．単純 X 線写真上では骨吸収により骨欠損が生じていることもあり，診断が遅れると廃用性骨減少を生じる．
　④萎縮性偽関節：骨折断端は力の伝達がないため不安定となることで極端な骨吸収が起こり，仮骨形成が認められないことが特徴である．

【臨床症状または病態】
　原因として，血行障害・力学的不安定性・神経障害・その他が挙げられる．
　骨折時には血行障害が発生しているが，手術治療によってさらなる損傷が発生して血行障害が悪化し，局所阻血により骨癒合が遷延することがある．力学的不安定性は固定方法の選択ミスや整復不良に起因して発生し，インプラントが挿入されていれば弛みが生じる．また糖尿病や麻痺を伴う四肢の骨折や，患者自身の問題によって適切な荷重コントロールができない場合は，骨癒合が阻害される．近年では，喫煙や生活習慣上の問題も指摘されている．

■ 問診で聞くべきこと
　荷重時や運動時の疼痛について問診する．遷延癒合や偽関節の場合，何らかの痛みの症状を訴えることがほとんどである．また，骨折部の局所状態として，発赤・腫脹・熱感を呈することもあるので，確認すべきである．また，生活習慣や日常の患肢の荷重・使用状況もチェックする必要がある．

■ 必要な検査とその所見
　単純 X 線写真上では骨折部の間隙が残るだけでなく，内固定したインプラントがあればその周囲に弛み（透亮像）が認められることもある．インプラントが挿入されていて確認が難しい場合は，CT が有用である．

■ 鑑別診断で想起すべき疾患
　感染の可能性は常に考えるべきである．局所の腫脹・発赤・熱感の有無，培養検査また赤血球沈降速度・CRP や白血球数を調べ，感染のスクリーニングを行う必要がある．

■ 診断のポイント
　①単純 X 線：骨折部の間隙が残る．4 方向撮影でも架橋仮骨が完成していない．
　②CT：インプラントが挿入されている場合は，CT のほうが確認しやすい．単純 X 線と同様に架橋仮骨がないか，インプラントの弛みによる透亮像をチェックする．

■ 専門病院へのコンサルテーション
　遷延癒合・偽関節の要因がはっきりせず，次の対策に窮する場合は，専門病院へコンサルトすべきである．

■ 保存療法
　電気刺激，超音波刺激，体外衝撃波などがある．わが国では，低出力超音波パルス（low-intensity pulsed ultrasound；LIPUS）が薬事承認され使用可能である．肥厚性偽関節であれば，外固定によって力学的安定性を強化する保存療法も有効である．

■ 手術療法
　遷延癒合・偽関節の要因を検討し，追加すべき処置を決める．肥厚性偽関節であれば，固定力を強化するためインプラントの追加や変更を検討する．阻血性偽関節の場合は，力学的安定性の強化とともに筋-骨膜-骨のデコルチケーションを行い，血流改善をはかるこ

とが一般的である．骨欠損を伴う場合は，自家海綿骨移植を追加する，または松下らのchipping techniqueを行う．骨欠損のサイズが大きければ仮骨延長術や遊離血管柄付き骨移植，近年ではMasquelet法〔二期的再建を行う方法で，1回目で欠損部にPMMA（polymethyl methacrylate）セメントを充塡しinduced membraneをつくり出し，そこへ2回目手術時に自家骨移植を行う方法〕も考慮される．

薬物療法

骨癒合を促進すると期待されるのは，骨形成蛋白質（bone morphogenic protein；BMP），線維芽細胞増殖因子（basic fibroblast growth factor；bFGF），副甲状腺ホルモン（parathyroid hormone；PTH）などがあるが，現時点では四肢の偽関節治療薬として薬事承認されているものはない．

患者説明のポイント

遷延癒合・偽関節の要因を説明し，患者要因がある場合は，治療に協力してもらう必要がある．また，荷重制限も重要であり，協力してもらう必要がある．

リハビリテーションのポイント，関連職種への指示

荷重を制限する場合，スタッフの協力は不可欠である．日常から厳密に遵守するように指導・管理してもらう．

骨折の基本的整復法

Principle of reduction for fracture

塩田　直史　岡山医療センター 医長（整形外科・リハビリテーション科）〔岡山市北区〕

1 整復の目的

整復とは，骨折骨片を正しい位置関係に復元させることで，骨折治療においては基礎の部分である．関節内骨折であれば，関節面の再建も含めて行わなければならない．整復操作は，基本的に受傷時に骨片が転位した過程を逆行させる操作である．そのため周囲の筋の付着，牽引力などを把握したうえで，転位と変形の状態を分析して必要な操作を理解することが重要である．

①骨幹部と骨幹端部：関節面を含む，両端の主骨片の三次元的アライメント（長さ・軸・回旋）を矯正し，上下の関節を正しい位置関係に戻すことが重要である．

②関節内と骨端部：関節内骨折では，外傷性関節症を防止するため，関節面を正確に整復し，解剖学的整復位を得ることが求められる．骨端部の骨折も同様に，正確に整復を行わなければ，近傍の関節適合性が悪くなることが多く，注意すべきである．

2 整復方法

1 ▶ 直接的整復（direct reduction）

徒手あるいは器具操作にて，直接的に骨折骨片を操作することで行う．基本的に骨折部を直視で確認して行うので，比較的容易である．適応は関節内骨折と骨幹部の単純骨折である．しかし骨折部を展開することにより，軟部組織への侵襲が大きくなる傾向にあるため，操作には注意が必要である．そして絶対的安定性が得られるように固定を行うべきである．絶対的安定性とは，ラグスクリュー法などを用いて骨片間に圧迫をかけ，骨折部に動きのない状況をつくり，直接的骨癒合または一次性骨癒合（仮骨形成のない骨癒合，骨折内での再造形で骨癒合する）を得る固定性のことである．

2 ▶ 間接的整復（indirect reduction）

骨折部位を展開せず骨折部から離れた部分から，間接的に牽引などの矯正力を作用させて骨片を操作することで行う．直接的に骨折部の確認ができないため，比較的難易度が高い．ただし，軟部組織は温存されるため低侵襲手術が可能である．そして相対的安定性が得られるように固定を行う．相対的安定性とは，骨折部に生理的負荷がかかると，適度なマイクロモーションがあり，それにより仮骨形成を伴う骨癒合が得られ，間接的あるいは二次性骨癒合が得られる固定性のことである．

3 整復手技

1 ▶ 牽引

牽引は最も基本的で重要な整復方法である．骨幹部骨折では長さを修復し，周囲の軟部組織の緊張（リガメントタキシス：ligamentotaxis）によってアライメントが整復される．また関節内骨折においても，牽引によってリガメントタキシスが働き整復可能である．徒手整復操作や牽引手術台，創外固定やディストラクターなどで行う．

2 ▶ 整復鉗子を用いた整復

各種の骨把持鉗子などによって直接骨を挟み込み，整復操作を行う．さまざまな形状があり，骨の形状や部位，大きさにあわせて使用する．ポイント付き整復鉗子や歯付き整復鉗子，コリニア整復鉗子などがある．

3 ▶ インパクター・プッシャーを用いた整復

一点で押し込んだり，フックの先端で引き寄せたりする操作で使用する．先端がポイント付きのボール形

2 外傷

状のインパクターであれば，骨膜上で滑りにくく，骨片を操作しやすい．

4 ▶ ジョイスティック整復

シャンツスクリューを用いて行う．整復操作を行いたい骨片に挿入し，挿入した骨片を直接的に整復する．力が入りやすく，多方向への操作が可能である．一方で，脆弱な骨の場合には挿入部に弛みが生じることもあり，注意が必要である．

5 ▶ Kapandji 法

鋼線やレトラクターなどを骨折部から挿入し，それをテコにしてひっくり返して整復を行う方法である．

6 ▶ 鋼線締結・ワイヤリング

骨折を横断するように鋼線を巻き付け，それを締め上げていくにつれて，整復位が得られる．ただし，鋼線を巻き付けた部位は阻血が起こるため，同一の骨に対して多数本（3本以上）を巻き付けることは注意が必要である．

7 ▶ インプラントを用いた整復

インプラントを固定していく際，骨折部を越えた部分を押し込むことにより整復される．アンチグライドプレート法や，髄内釘の挿入がこれにあたる．ただし，スクリューやプレートなどのインプラントの種類や設置位置は，術前計画をしっかり行い施行すべきである．

4 整復の評価

直視で行うことはもちろん，触診や X 線透視装置，単純 X 線にて確認する．ただし，回旋変形や微細な転位，長管骨の全体像は確認しにくい．関節面であれば関節鏡を併用することも有用である．近年では術中の 3DX 線透視装置にて，より詳細な確認も可能である．

副子・ギプス包帯固定法

Casting and Splinting methods

原田 将太　福島県立医科大学 助教（外傷学講座）/総合南東北病院外傷センター 医長

【概説】　骨折部の整復位保持をはじめとして，副子・ギプス包帯固定を行う機会は，手術治療の発達した現代においても依然として頻度が高く，整形外科医はその適応と固定方法，合併症などを熟知しておくべきである．不適切な手技固定により関節拘縮を招いたり，コンパートメント症候群などの重篤な合併症に気づかず，患者が不利益を被るような事態を招いてはならない．

【適応】　骨折部の整復位保持・安定化による腫脹軽減と鎮痛のため，また骨折のみならず打撲や靱帯損傷部，術後，手根管症候群などの末梢神経障害時の安静目的に用いることもある．

【外固定材料の種類】　基布として綿布，ガラス繊維，ポリエステル繊維があり，硬化材として石膏，熱可塑性樹脂，水硬化性樹脂，最近では光硬化性樹脂を用いたものがある．近年，整形外科領域では，硬化時間が短く，軽くて通気性のあるガラスやポリエステル繊維を用いた，水硬化性樹脂によるスプリントが主流となっている．石膏ギプスは以前と比べると用いられる機会は少なくなってはきているものの，安価で細かなモデリングが可能であり，現在でも小児整形外科領域の先天性内反足の矯正や装具採型の際には好んで用いられており，整形外科治療には欠かせない．

【実施上の原則】　従来から長管骨骨幹部骨折においては両端の二関節固定が原則とされているが，実臨床では特に骨端や骨幹端部骨折では，固定による日常生活での不便さも考慮し，一関節固定を行うことも多い．また外傷では単純 X 線上明らかな骨折がなくても，身体所見上明らかな腫脹や圧痛を認める場合は，外固定しておいたほうが，のちに骨折が判明しトラブルとなる危険性を回避できる．

実施手順

本項では，実際に使用される頻度の高いプラスチックキャストによるギプス包帯固定（以下ギプス固定）について，手順を説明する．

1 ▶ 準備物品

患肢に合わせたサイズのチューブ包帯（ストッキネットなど），下巻き用綿包帯（オルテックス®など），プラスチックキャスト，水を入れたバケツ，手袋，エプロン，新聞紙などの下敷き，テープ，タオルなどを準備する．

プラスチックキャストのサイズは，どのぐらいの固定強度をもたせたいか，小児と成人，患者の体格によっても変わってくるが，例えば手関節の固定時は 2 号 1 つと 3 号 1 つ，足関節固定時は 3 号 1 つと 4 号 1 つなど，ある程度の目安を自分のなかでもっていると準備がしやすい．これは術者の好みと経験によるところが大きく，絶対的なものはないこと，また病院間で使用する物品にも多少違いがあるので，経験を積んで習得する必要がある．

2 ▶ 皮膚の清拭

皮膚の状態を観察し，汚れや異物が付着している場

合は除去し清拭する．今後しばらくギプス固定となるため清潔を保つ意味と，小石や砂などの異物が付着したままギプス固定すると，褥瘡のような皮膚トラブルを起こす可能性があるためである．

3 ▶ チューブ包帯（ストッキネット）装着

皮膚の清拭が終わったら，患肢の太さに合ったストッキネットを，巻く予定部位よりも長めにカットして装着する．シワにならない太さのものを選択し，たるみが出ないようにする．

4 ▶ 下巻き用綿包帯（オルテックス®）装着

ストッキネットの上から，遠位から近位に向かって弛まないように適度な緊張をかけながら，転がすように巻いていく．この際に良肢位を保って巻くようにする．一般的にその幅の1/3から1/2程度重ねながら巻き，ギプス固定よりも広範囲に巻いておく．

5 ▶ ギプス巻き

やむを得ず1人でギプス巻きをしなければならない場面もあるが，基本的には術者と助手2人1組で行うことが望ましい．助手の理解度でその後の操作のしやすさも変わってくるので，助手が不慣れな場合は前もって良肢位を説明し，それを保持してもらうように指示する．衣服や皮膚に樹脂材が付着しないようにエプロンと手袋を装着し，さらに患者が水に濡れないようタオルなどで患肢以外を覆ったうえで，ギプス巻きに取りかかる．バケツの水は常温でよい（温水の場合，ギプスの硬化が短時間で進んでしまうため好ましくない）．ギプスの袋を開封し取り出したら，バケツの水に5秒程度つけて，水中で空気を抜くように軽く握る．その後水中から取り出して軽く絞ってから，下巻き用綿包帯と同様に末梢側から適度に緊張をかけつつ，転がすように巻いていく．水を絞りすぎると短時間で硬化するため注意する．ギプスを巻き終えたら，良肢位で直ちにモールディングを行う．空気を抜くように層と層を接着させるが，凹凸のある部位では特にギプスがたわみやすいので，浮かないように十分モールディングしなければならない．

6 ▶ ギプスのトリミング

ギプスを巻き終えて十分硬化したら，固定したい部位以外の関節運動の邪魔になる部分はトリミングする．特に手関節固定において，MP関節は十分露出しておかないと手指の関節可動域訓練ができず，すぐに拘縮を招いてしまう．手掌指節皮線はMP関節部ではない．自分で指を曲げて確認してもらうとわかるように，MP関節は掌側から見るともっと近位に存在するはずである．ギプスカッターでトリミングする場合もあるが，筆者は果物採取時に用いる採果鋏（さいかばさみ）を愛用している．これは値段も安価で，先端が丸く反っているので皮膚を傷つけにくく，細かなト

リミングもしやすい．音もしないため，小児でも恐怖心を抱かせずに処置できるメリットがある．トリミング後，長めに巻いたストッキネットを折り返してテープで固定すると，見た目にも美しいギプスができ上がる．

7 ▶ ギプスカット

ギプス固定後，腫脹が軽減してギプスが弛んだ場合や，最終的に除去する場合は，ギプスカッターでギプスをカットする．ギプスカッターをはじめて見る患者には，特に十分説明をしたうえで作業に取りかかる．具体的には「大きな音がしますが，刃は左右に揺れているだけなので皮膚を傷つける心配はありませんよ」などで，患者を安心させることが肝要である．しかし，これだけでは緊張している患者や小児では理解できないことも多いので，実際に術者の皮膚に軽く当てて皮膚が切れないことを実演するのが一番有効だと思われる．ただ実際には泣き叫び抵抗する小児や認知症高齢者では理解させることが困難なことも多く，患者家族に説明したうえで，抑制しながらギプスカットすることもしばしばである．ギプスと皮膚の間に余裕があれば術者の指を間に入れて少し持ち上げるようにしてギプスを切り始めれば安全である．刃はギプスに垂直に当て，押すようにしてカットするのが基本であり，刃をギプス内に入れたまま左右にカッターを動かしてはならない．皮膚を切ったり熱傷を起こす可能性があり危険である．カット時には粉末状になったギプスが飛散するので，目に入らないよう注意するとともに，マスクをして防御する．ギプスカットをしたら，ギプス用の鋏でストッキネットとオルテックス®をカットする．この際も皮膚を切らないように注意するのはもちろんである．

実施上のポイント

(1) 患者の理解度

骨折のギプス固定による保存療法は，患者自身もしくは介護にあたる家族の理解なしには成立しない．骨折部や皮膚状態の観察のため定期的な外来通院の必要性があること，腫脹軽減とともにギプスの弛みが生じるため巻き直す必要性があること，転位が増悪した場合には手術療法に移行する可能性があること，またギプス固定による合併症などで，緊急を要する処置に迫られる可能性があることを十分説明する．特に認知症のある高齢者への保存療法では，本人の協力は基本的に得られないため，介護にあたる家族や施設職員らの十分な理解が必要である．

(2) 骨折整復位保持のための3点固定

骨折の整復位保持のために3点固定を施すことは非常に重要である．不安定な骨折を整復してそれを保持するためにギプス固定する場合は，この3点固定が

2 外傷

しっかりできているかが肝である．しっかり3点固定を行っても転位が進むものは，手術適応と考えてよいと思われる．モールディングされていないギプス固定で骨折部が転位してこないのは，ただ単に元々骨折部が安定しているからである．石膏ギプスと比べて，プラスチックギプスはモールディングしづらく，弾性で戻ろうとするため，術者が明確な意思をもってモールディングしなければよい3点固定は得られない．

合併症・注意事項

(1) 皮膚障害（火傷・潰瘍など）

ギプスが固まる際に熱が発生するが，水につけたあとで絞りすぎると発熱温度が高くなるため注意を要する．腓骨頭，内外果，踵骨などの骨性に突出した部位は，潰瘍を形成しやすい．またギプス断端で皮膚を傷つける可能性があるため，フェルトなどで覆ったり，角を落として滑らかにしたりといった配慮が必要である．

(2) 神経障害

腓骨頭や肘内側上顆は，ギプス固定時に強く巻きすぎると，各々腓骨神経麻痺や尺骨神経麻痺を起こす可能性があるため，これらの部位に綿包帯などを多めに当てて圧迫を緩和する工夫が必要である．

(3) 循環障害

骨折直後の急性期には腫脹が増悪してくるため，一般的にはギプスシーネ固定を選択することが多いが，弾性包帯の巻き方がきつすぎると循環障害を起こす危険性がある．整復位保持のため固定性を優先しギプス固定する場合は，腫脹が増悪しても全周性に固定されており逃げ場がないため，特に注意を要する．一側のみカットして圧を逃がしたり，ギプスを半分にカットしてシャーレ状にし，弾性包帯で再度固定することもある．筆者はギプス固定時は必ず起こりうる合併症を十分説明して，翌日再診し異常がないか診察するよう心がけている．この配慮により，コンパートメント症候群などの重篤な合併症の回避につながる．コンパートメント症候群を疑う症状があれば直ちにギプスカットをするが，その際必ず下巻きの綿包帯とストッキネットもカットする．そうしなければ十分な除圧ができない．

(4) 関節拘縮・廃用性筋萎縮

各関節は良肢位でギプス固定するのが原則である．骨折部の整復位保持のために必要があればその限りではないが，特に足関節の尖足位固定や手関節掌屈位での固定は，のちに関節拘縮につながる危険性が高い．またギプスシーネが完全に硬化する前に固定肢位を保持せず目を離すと，不良肢位での固定となってしまうこともあるため注意を払う．特に足関節の固定時は，ギプスシーネのみでは尖足にならないように保持するのは難しく，シーネを2重にしたり，あるいはギプス固定後にカットしてシャーレとするような手間も必要になることがある．長期間の固定を行うと固定部分の廃用性筋萎縮は必発であるが，固定部以外の関節は積極的に動かすことを指導するなど，患者自身の理解も重要である．

骨折の創外固定

External fixation for bone fracture

高田 宗知　石川県立中央病院外傷センター センター長〔石川県金沢市〕

【概説】　創外固定法は，骨片をピンポイントに固定し皮膚外のフレームで支えるため，低侵襲な治療法である．プレートや髄内釘による内固定を行うまでの一時的な固定として使用されることが一般的だが，確定的な固定としてリング型創外固定器が選択されることもある．

【適応】

多発外傷で全身状態が悪くそれ以上のダメージを避けるべき場合や，開放骨折，圧挫などの受傷により局所のダメージと腫脹が強く，内固定法では創閉鎖が困難となる場合に，骨折部の安定化と軟部組織の改善を目的に一時的な創外固定を用いることが多い．また，骨盤輪骨折では大量出血がある場合，止血目的に用いられる．

ほかに，高齢者の下肢骨折で早期荷重を目指す場合や，関節内骨折や強い粉砕を伴う骨折の場合，確定的な固定としてリング型創外固定器を用いることがある．また，骨折の合併症として，変形治癒に対する緩徐矯正や，化膿性偽関節に対して感染巣を避け固定を行う場合にもリング型が用いられる．

【創外固定器の種類】

(1) モジュラー型

創外固定ピンで固定した骨片のモジュール（module，基本単位）を，X線透過性の高いカーボンファイバー製のバー（チューブ）で連結する．複数のメーカーからキット製品が発売されており，外傷患者の多い病院では常に院内に備えてあるだろう．重度外傷では緊急手術までに十分な時間が確保できないおそれがあるため，あらかじめ部位別での使用法について把握しておきたい．一時的な仮固定として使用し，単独で確定的な固定とすることは通常ない．

(2) リング型

創外固定ピンを多く使用して受傷肢を包み込むよう

に固定できるため，モジュラー型よりも強い固定力を有する．ナットの操作による牽引とそれによる整復（ligamentotaxis），早期荷重を可能とし，膝関節・下腿・足関節周囲の粉砕骨折や，高齢者の骨折に対して有用である．リング型のなかにはヘキサポッド型があり，長さが可変する6本の柱を動かすことで，骨片間の変形を矯正することができる．矯正後，低侵襲にプレート固定を行えることも利点の1つである．しかし，扱いには熟練を要するため初学者が安易に行ってはならない．

(3) ハイブリッド型

ワイヤーを用いたリング型を関節近傍に，ハーフピンで固定する片側型を骨幹部に用いる複合式である．顆部での固定力上昇と，骨幹部でのシンプルな固定を可能とする．

(4) その他

太い1本の支柱を基準に骨を固定する片側型（unilateral もしくは monolateral）や，骨を挟み込むように固定する非貫通型があるが，ピンの挿入方向が限られ，固定力が弱いという短所があるため，使用には注意が必要である．特殊な用途として指PIP関節脱臼骨折に対するパンタグラフ型がある．

【創外固定ピンの種類】

(1) ハーフピン

片側から骨を貫通させて固定する．上肢では太さが4〜5 mm，下肢では5〜6 mm径を目安に用いる．顆部など骨が弱い部分に対しては，ハイドロキシアパタイトでコーティングされたピンを挿入すれば弛みにくい．ただし，皮質骨に用いると抜去できなくなる可能性があるため用いてはならない．

(2) ワイヤー

反対側の皮膚まで貫通させてリングに固定する．ワイヤーには専用の器械で90〜130 kgの張力をかけ，剛性を高める．骨片を押さえ込むための膨隆部をもつオリーブワイヤーもあり，局所の整復に用いられる．

実施手順

1 ▶ 術前計画

「一時的な固定だから」と無計画に手術に臨んではならない．創外固定法では自由にフレームを組めるため，かえって混乱することになる．ピンの本数やバーの長さから完成型を作図し，整復と組み立ての手順を十分に計画しておくことは必須である．1つの骨片をより安定化させるには，①より広い範囲で，②さまざまな方向から，③多くの本数を用いるのが力学的に優れる．ただし，それぞれ①関節や骨折部，開放創から十分に距離をとり，②なるべく筋肉を貫通させず，③軽くするため必要以上には使用しない，という生物学的な制限を伴う．挿入本数については，例えば骨幹部の一時的固定なら2本，確定的固定なら4本を目安にするとよい．また最終的な内固定法まで見据えて，プレート設置部位や髄内釘の刺入部を避けてピンを挿入しておけば，創外固定器の補助下に低侵襲な内固定法を行うことも可能となる．

2 ▶ 手術手順

汚染が著しい場合，明らかな汚れや異物を生理食塩水で洗浄してからドレーピングし，清潔野で再度洗浄する．関節レベル，骨折部とピン挿入箇所をX線透視下に同定し，皮膚にマーキングしておく．バーの長さや本数が想定より足りない場合があるため，実際にピンを挿入する前に，計画通りに創外固定器を組めるか確認する．皮膚切開はピンの直径よりもやや長くし，皮下組織はモスキート鉗子やエレバトリウムで剥離する．挿入後はX線透視下で挿入深度が適切かを確認する．創外固定ピンを設置したのち，モジュラー型ではそれをハンドルとして整復したうえで固定し，可能なら鋼線やスクリューも追加する．逆にあらかじめ整復，鋼線固定してから創外固定器を設置してもよい．手術終了時，すべての連結部位がしっかりとレンチで締められているか再度確認する．

実施上のポイント

ピンサイトのトラブルを避けるためにいくつかポイントがある．挿入は骨に対して垂直に，貫通する軟部組織が短くなるよう心がける．ピンサイト周囲で皮膚が突っ張る場合，その方向をメスで切開して解除する．放置すれば持続的な圧迫により皮膚の血流低下から壊死をきたし，深部感染の原因になる．骨の局在を正確に把握するため，カテラン針2本を平行に挿入して骨径前後の接線位置に留置し，その中央から挿入すれば皮膚切開-骨孔を一直線にして皮膚の突っ張りを減らすことができる．軟部組織の厚い大腿部で有用な方法である．また，肢位によっては皮膚軟部組織が大きく移動するため，その後の安静期間を考慮して，良肢位の状態で挿入することを心がける．

術後，ピンの局在をCTで確認し，想定通りの固定力が得られているか確認する．

関節運動によりピン挿入部で軟部組織が動くことで，ピンサイト感染や痛みによる関節拘縮が生じる．大腿では外側，下腿では前内側（いわゆる弁慶の泣き所）が皮膚の動きが少なく，ピンの挿入位置として勧められる．

注意事項

骨折部を展開する内固定法では，筋間の安全な部分から進入して神経・血管を避けられるが，創外固定法では軟部組織を貫通して骨に達するため，各断面における正確な解剖を把握しておかなくてはならない．

先端にドリル，タップの機能をもたせた創外固定ピンが販売されており，手順を簡便にしている．ただし，ドリル・タップ部分の固定力はピンの本体部分よりも弱いことに注意が必要である．先端を十分に出さない場合，力学的には手前の皮質骨のみ固定していると評価すべきである．また，こうした機構は回転により周囲組織を容易に巻き込んで損傷するため，十分な剥離とガイドの使用を怠ってはならない．

骨折に対する低出力超音波パルス療法

Low-intensity pulsed ultrasound on fracture repair

砂川 融　広島大学大学院 教授（上肢機能解析制御科学）

【概説】　低出力超音波パルス療法（low-intensity pulsed ultrasound；LIPUS）とは，超音波骨折治療法ともよばれ，超音波検査で使用される程度の低出力の超音波をパルス状に骨折部に断続的（1日20分，連日）に照射することで骨癒合を促進し，骨癒合期間を短縮しようとするものである．本治療法の開始当初はその有効性を支持する報告が多かったが，近年はX線上の骨癒合は促進するが臨床的な改善に結びついていないといった否定的な報告も散見される．その効果機序についてはなお不明な点が多いが，局所での細胞分化機序に影響を与えているようである．

【適応】　2006（平成18）年に先進医療として認可され，2008（平成20）年には「四肢の開放骨折または粉砕骨折に対して手術を実施した後で受傷から3週間以内に開始」という制限つきながら保険収載され，2016（平成28）年には骨折型の制限が解除となり骨折手術後であれば本治療法を行うことは保険適応となった．その他，骨折治療後に遷延治癒，あるいは偽関節となった症例に対しては，難治性骨折超音波治療法として保険適応となっている（表2-4）．いずれにしても骨癒合の遷延が予測，あるいはすでに遷延している場合に本治療法を行うことは，これまで侵襲的な追加手術しか治療法のなかった分野に新たな展開をもたらし，治療期間の延長に伴う患者QOLあるいは社会的損失を最小限にとどめることが期待されている．

保険適応についての状況は以上の通りであるが，本治療法はあくまで補助療法であり，骨折治療の原則である．正確な整復と強固な固定が重要であり，安易に本治療法に頼るのは慎むべきである．実際に適応とな

表2-4　低出力超音波パルス療法の保険適応（抜粋）

K047-3　超音波骨折治療法（一連につき）4,620点
四肢（手足を含む．）の観血的手術，骨切り術又は偽関節手術を実施した後に，骨折治癒期間を短縮する目的で，当該骨折から3週間以内に超音波骨折治療法を開始した場合に算定する
K047-2　難治性骨折超音波治療法（一連につき）12,500点
四肢（手足を含む．）の遷延治癒骨折や偽関節であって，観血的手術，区分番号「K044」骨折非観血的整復術，区分番号「K045」骨折経皮的鋼線刺入固定術又は区分番号「K047-3」超音波骨折治療法等他の療法を行っても治癒しない難治性骨折に対して行った場合に限り算定する

るのは高度な粉砕骨折や骨欠損を伴った開放骨折，元来骨癒合に時間のかかる舟状骨骨折，脛骨に代表される骨幹部骨折，患者の全身状態が追加手術には不適当といった場合であろう．ロッキングプレートに代表される骨接合材料や手術手技の進歩に伴い，適応は限られていると考えている．

実施上の原則

X線透視診断装置を使用するなどして，目的とする照射部位をピンポイントでマークする必要がある．また連日使用が必須であり，患者自身あるいは家族が照射する場合には十分な教育が必要である．近年の装置には装置使用の記録が残ることで外来受診時に使用状況が確認できるものがある．

血管損傷総論

Vascular injuries

池田 和夫　金沢医療センター 外科系診療部長〔石川県金沢市〕

【疾患概念】　高エネルギー外傷（交通事故，労働災害など）により，主要動脈が損傷を受けると，そこから末梢に血行不全が生じるため，すみやかな診断と治療が要求される．放射線科医，血管外科医，微小外科医といった専門医との連携が不可欠である．

【臨床症状】　古典的な5P（pain, paleness, paralysis, paresthesia, pulselessness）は揃わないことも多い．本幹の損傷でも，その中枢からの側副血行路が存在すると完全阻血にならないことも多いからである．そのような場合に放置されると，末梢が完全壊死には陥らないものの，血流供給不足で間欠跛行のような症状が残る場合がある．開放骨折であれば，その骨折断端による損傷を疑う．閉鎖性骨折であれば，動脈損傷の好発部

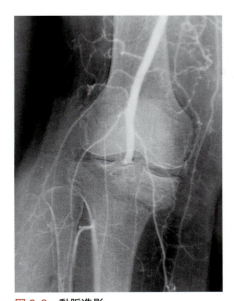

図 2-9　動脈造影
脛骨近位の骨折で足背動脈が触れなかったため，大腿動脈造影を行い，膝窩動脈での閉塞を確認した．

位があるので（上腕骨遠位，脛骨近位），その骨折では注意を払う必要がある．

● 診断のポイント

　身体所見で重要なのは，末梢の動脈拍動が触知可能かどうかである（図2-9）．骨折を合併することが多いので，骨折に気をとられて循環のチェックをおろそかにしないことが重要である．側副血行路があると，完全に蒼白にはならないので見逃されやすくなる．患肢をいったん挙上してから降ろすと，側副血行路のみの循環では，すぐに血色が戻らないので診断の一助になる．また，阻血時間が長くなると感覚・運動麻痺が生じるので，搬送されたときからその程度を経時的にチェックする．血管造影や造影CTで動脈の損傷部位を特定する．開放創であれば，クリップなどで止血してから検査を行う．側副血行路の評価のためにも，損傷部位が見えていても，造影評価は必要である．

● 治療方針

　搬送されてきた患者の動脈損傷に気づいたら，すぐに末梢患肢のクーリングを行い，少しでも阻血による組織損傷を軽減させておく．治療方針には，受傷からの経過時間が重要な因子である．早期であれば血管縫合または血管移植で血行再建を行い，患肢の救済をはかる．動脈損傷部位よりも末梢が，多重切断や圧挫滅などで障害を受けている場合には，切断もやむを得な

い．阻血時間が長い場合には，最初から切断術を行う場合もある．しかし，本幹が途絶していても，側副血行路があり完全阻血に陥っていない場合もあるので，単純に時間のみでは決められない．末梢の感覚が残っていたり，運動が少しでも可能であったりすれば，救済できる可能性が高い．

● 合併症と予後

　血流完全途絶が長時間（常温で6～8時間）に及ぶと筋組織が壊死に陥り，カリウムやミオグロビンが血中に放出され，急性心不全や急性腎障害が生じる．ミオグロビン尿（褐色）がみられるようになれば，血液透析が必要になってくる．この場合には，切断術が早急に行われなくてはならない．血管縫合により血行を再開できた場合でも，血流遮断時間が長かった場合には，再灌流障害で同じような病態が生じることがある．また，大腿動脈損傷の場合には下腿の，上腕動脈損傷の場合には前腕の筋膜切開を予防的にしておかなければ，コンパートメント症候群を生じて二次的に筋壊死を生じることがある．このような場合には，患肢は救済できても，機能的に不良な四肢となる．

● 患者説明のポイント

　動脈損傷を放置すればそこから先の組織は壊死してしまい，切断せざるを得ない．したがって，急を要する事態であることを理解してもらう．また患肢を救済しても再灌流障害が生じたり，コンパートメント症候群を併発したりすると機能的に不良な四肢となることを理解してもらう．

● 関連職種への指示

　血管縫合術後の数日間は血行状態が不安定で，血栓形成による血流再途絶が懸念される．末梢での動脈拍動チェックが重要であるが，触れにくい症例ではパルスオキシメーターを指・趾先部に装着して，酸素分圧が正常であることをチェックする．データが悪化するようであれば，再手術もありうるのですみやかに連絡するように指示を出す．

末梢神経損傷総論

Peripheral nerve injuries

金谷　文則　　富永草野病院 理事長〔新潟県三条市〕

【疾患概念】　末梢神経は末梢からの情報を受け取り中枢へ伝達し，中枢からの指令を軸索を経由して末梢へ伝達する機能をもつ．そのほかに神経細胞で生成された神経栄養物質を軸索輸送で運搬し，受容体（筋，知覚受容体など）の形態を維持している．末梢神経損傷

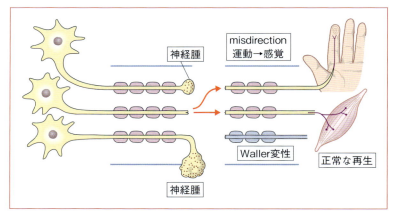

図 2-10　末梢神経損傷（再生，神経腫と misdirection）

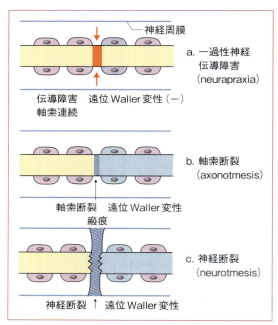

図 2-11　神経損傷の分類

により，さまざまな程度の感覚低下，筋力低下，効果器の萎縮を生じる．軸索は神経細胞の突起であり，断裂すれば遠位は変性をきたし（Waller 変性），再生軸索が効果器に達すれば機能が回復する．

末梢神経軸索径は有髄神経で 2〜20 μm であり，数千本の神経軸索が神経周膜に包まれて神経束を形成し，1〜数本の神経束が神経外膜に囲まれて末梢神経を構成している．神経縫合に用いられる縫合糸（8-0, 9-0 ナイロン糸）の径が 30〜50 μm であるため，外科的に修復可能なのは神経束のレベルである．軸索が断裂すると，断裂部より数本の軸索が再生し，神経外に再生すると神経腫を形成する．軸索が遠位神経内に再生すると 1〜2 mm/日遠位方向に伸長する．神経腫または再生神経先端の叩打により，損傷された神経支配領域に生じる電撃感や蟻走感を Tinel 徴候とよぶ．再生軸索が元と異なる遠位神経に再生，特に運動神経と感覚神経を間違って再生した場合は過誤支配（misdirection）とよび，機能回復は得られない（図 2-10）．

【病態・分類】

Seddon は臨床所見により末梢神経損傷を一過性神経伝導障害（neurapraxia），軸索断裂（axonotmesis），神経断裂（neurotmesis）の 3 型に分類した（図 2-11）．鋭利な切創では，分類は比較的容易であるが，牽引や圧挫損傷では伝導障害，軸索断裂，神経断裂が混在する．

①一過性神経伝導障害（図 2-11a）：軸索の断裂を伴わない一過性の伝導障害であり，数日から数週間，通常 8 週間以内に完全回復する．神経の外観は正常であり，損傷部位では伝導障害を認めるが，軸索断裂を伴わず，Waller 変性をきたしていないため Tinel 徴候はなく，遠位神経の伝導能は保たれている．

②軸索断裂（図 2-11b）：軸索は断裂しているが，神経内膜および周膜の連続性は保たれている．軸索が断裂しているため Waller 変性をきたし，Tinel 徴候が出現するが，内膜は損傷されていないため再生軸索は元の筋や感覚受容体に到達する．軸索の再生に伴い Tinel 徴候は 1〜2 mm/日遠位方向に進行し，筋は近位から順に回復する．

③神経断裂（図 2-11c）：軸索，神経周膜（上膜）が断裂し，肉眼的に連続性がないか，連続していても瘢痕が介在している．自然回復は期待できない．断端を新

鮮化して神経縫合を行うと神経線維は1～2mm/日の速度で遠位に再生するが，再生神経のある程度の過誤支配は不可避であり，小児を除き不完全な回復をきたす場合が多い．過誤支配をきたした場合，Tinel徴候が遠位に進むことは必ずしも機能回復を意味しない．

Sunderlandは神経損傷を1～5度に分類しているが，手術適応を考えるうえではSeddon分類のほうが簡便である．

問診で聞くべきこと

外傷（特に開放創），骨折（上腕骨骨幹部骨折に橈骨神経麻痺，上腕骨顆上骨折に正中神経麻痺の合併），腕枕や睡眠薬過量摂取・泥酔による長期間の圧迫の有無を聴取する．

必要な検査と理学所見

感覚検査，筋力評価，Tinel徴候が最も重要である．感覚検査では特に二点識別覚が鋭敏である．筋力低下を徒手筋力検査（MMT：0～5の6段階）で評価する．反射は亢進しない．Tinel徴候は外傷性神経腫の有無や再生軸索の伸長を示し，神経の走行に沿って損傷部遠位から近位に向けて軽くタップして評価する．受傷数日経過してもTinel徴候がなければ一過性神経伝導障害を疑う．Tinel徴候が出現し遠位に進行すれば軸索断裂を，進行しなければ神経断裂を疑う．

①誘発筋電図：近位の刺激で導出されなければ神経損傷を疑う．なお，損傷部位より遠位の刺激では，神経損傷後3～4日間は誘発筋電図が導出できることに注意する．一部の神経線維が連続していれば誘発筋電図は導出されるため，神経部分断裂・損傷の診断は困難である．

②筋電図：安静時に線維自発電位（fibrillation potential）や陽性鋭波（positive sharp wave）などの脱神経電位がみられ，収縮時に運動単位電位（motor unit potential；MUP）がみられなければ神経断裂を疑う．神経再生時には多相性高電位の再支配電位が観察できるが，干渉の減少がみられる．

③エコー，CT，MRI：神経の連続性は評価できるが，病態の評価は困難である．

診断のポイント

①外傷，圧迫の有無．
②神経支配に一致する感覚鈍麻，筋力低下．
③Tinel徴候の有無と遠位への進行．

治療方針

神経麻痺を評価する．神経支配領域に一致しない麻痺や，感覚・運動麻痺に解離がある場合は不全損傷であることが多い．また，神経損傷部にTinel徴候がない場合は一過性神経伝導障害の可能性がある．両者とも6～8週間経過を観察し，治療方針を決定する．鋭利な刃物による刺創や切創に麻痺を伴う場合は神経断裂が多いため，初療時に開放創の処置と同時に神経損傷の有無を確認し，断裂していれば一次的または二次的に神経修復を行う．泥酔して腕枕をすることにより生じるSaturday night paralysisやベンチの角で橈骨神経が圧迫されて生じるlover's paralysisなどの閉鎖性障害は一過性神経伝導障害が多いが，睡眠薬中毒・一酸化炭素中毒などでは軸索断裂も生じる．皮下骨折や打撲では一過性神経伝導障害や軸索断裂が多いが，まれに神経断裂を生じる．

(1) 一過性神経伝導障害

特に治療を要さず，保存的に経過観察を行う．

(2) 軸索断裂

受傷1週間後よりTinel徴候が遠位に進行すれば軸索断裂であり，原則として保存的に加療する．神経再生を促進するビタミンB_{12}を投与する．関節拘縮防止の理学療法や，筋萎縮防止のために麻痺筋の電気刺激療法を行う．腕神経叢損傷など神経損傷が近位の場合は，手内筋の回復が期待できないので神経移行術が必要な場合もある．

(3) 神経断裂

自然回復は期待できないので神経縫合術を行う．神経損傷が広範囲な場合や陳旧例では神経移植が必要になる．神経縫合後は軸索断裂の保存療法と同様に神経再生を促進するビタミンB_{12}を投与し，関節拘縮防止の理学療法や筋萎縮防止のための麻痺筋の電気刺激療法を行う．

(4) 特殊な神経損傷

①牽引損傷：ベルトコンベアに上肢を巻き込まれた場合やバイクの転倒による腕神経叢損傷では，広範囲にさまざまな程度の神経損傷を生じる．

②電撃傷：災害時などに四肢が高圧電流に触れると，電気抵抗の少ない神経と血管に通電し広範囲に神経障害を生じる．

③薬物注入：抗がん剤，抗菌薬，ピリン系薬の点滴漏れでは化学的に主に小径線維が障害される．

患者説明のポイント

軸索断裂および神経断裂では神経縫合を行っても回復に長時間を要すること，特に神経断裂は完全な回復が得られないことを理解させることが重要である．

リハビリテーションのポイント

神経の再生を促進するリハビリテーションはなく，麻痺が回復するまでの拘縮の防止と電気刺激による筋萎縮の防止が重要である．回復期には自動運動が有効である．

2 外傷

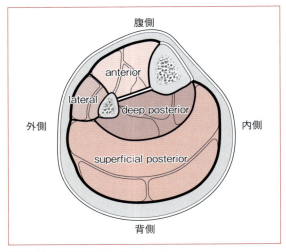

図 2-12 下腿のコンパートメント
下腿には anterior, lateral, superficial posterior, deep posterior の 4 つのコンパートメントが存在する．

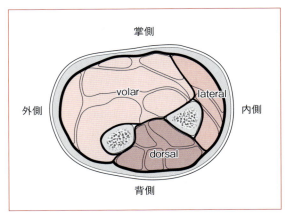

図 2-13 前腕のコンパートメント
前腕には volar, lateral, dorsal の 3 つのコンパートメントが存在する．

区画症候群（コンパートメント症候群）

Compartment syndrome

多田 薫　金沢大学 助教

【疾患概念】　四肢や体幹において骨や筋膜，骨間膜に囲まれたコンパートメント（区画）の内圧が上昇し，筋肉や神経などの組織の循環障害を生じた状態である．循環障害が発生すると2時間以内に筋肉の壊死が生じ，6〜8時間が経過すると筋肉や神経に不可逆的な阻血性障害が生じるとされるため，早期の診断，治療が必須である．骨折や血管損傷などの外傷が原因となることが多く，好発部位は下腿や前腕であるが，手や足，大腿などにも発生する．本項では急性型のコンパートメント症候群について述べる．

【病態】　コンパートメントの容積の減少（圧迫や牽引）あるいは，コンパートメントの内容の増加（出血や阻血後の再灌流）によって生じる．なお下腿には4つの，前腕には3つのコンパートメントが存在する（図 2-12, 13）．

問診で聞くべきこと

外傷を契機に発症することが多いため，受傷機転や受傷時期について聴取する．また，血友病や血管脆弱性をきたす疾患の既往歴，抗凝固薬や睡眠薬の服用歴についても聴取する．

診断のポイント

動脈圧モニター装置やコンパートメント内圧測定装置を用いてコンパートメント内圧を測定することで確定診断できるとされているが，内圧の測定は偽陽性率が高い検査であり，臨床症状を優先して診断を行うのが原則である．一般的にコンパートメント内圧が30〜40 mmHg 以上となった場合，または拡張期血圧とコンパートメント内圧との差が30 mmHg 以下となった場合は，筋膜切開術の適応とされる．内圧を測定する際は動脈圧モニター装置のラインに18 G 針をつけ生理食塩水で満たし，各コンパートメントに針を刺入して測定する方法が簡便である．内圧は測定部位によるばらつきがあるため，数か所で測定すべきである．

症状としては有名な徴候である 5 P〔pain（疼痛），pallor（蒼白），paresthesia（知覚鈍麻），paralysis（麻痺），pulselessness（脈拍消失）〕を評価する．なかでも通常では考えられない強い疼痛が特徴的であり，一般的な鎮痛薬では鎮痛効果は得られない．なお脈拍が消失するのは動脈血行も障害された末期の状態であり，脈拍を触れるからという理由で筋膜切開術をためらってはいけない．皮膚は緊満しており，水疱形成がみられることが多い．

専門病院へのコンサルテーション

緊急を要する疾患であり，診断がつき次第，直ちに治療を開始しなければならない．

治療方針

1 ▶ 保存療法

ギプスなどの外的要因が原因となっている場合は，

すみやかに除去する．外的要因を除去しても症状が改善せず内圧が高い場合は，ためらわずに筋膜切開術を計画する．

2 ▶ 手術療法

症状を有しておりコンパートメント内圧が30〜40mmHg以上の場合は早急に筋膜切開術を行う．状況によっては手術室への入室を待たず，救急室や集中治療室で筋膜切開術を行う．筋膜切開術を行う際には十分な皮切を加えて視野を確保し，神経や血管を損傷しないように留意する．筋肉の腫脹があり皮膚を一期的に閉創するのが難しい場合は，ステイプラーを用いたシューレース法などを行い，後日閉創する．

患者説明のポイント

緊急に治療を要する状態であり，治療が遅れると切断に至る可能性もあることを説明しておくべきである．また，筋膜切開術後も段階的な皮膚の縫縮や壊死組織のデブリドマン，感染に対する治療や関節拘縮に対する授動術など，追加処置を要する可能性があることについて説明しておかねばならない．

外傷後の急性骨萎縮

Acute bone atrophy after trauma

今谷 潤也　岡山済生会総合病院 副院長〔岡山市北区〕

【疾患概念】　打撲などの軟部組織損傷や骨折により生じる局所性の骨組織減少である．外傷による疼痛や不動（安静，臥床，非荷重）などにより局所の力学的ストレスが減少し，破骨細胞数の増加により骨吸収が亢進し，さらに骨形成が低下して生じる．関節の運動性が低下すると，関節周囲にも骨萎縮がみられる（廃用性骨萎縮）．

【病態・分類】　発生病態は不明であるが，外傷により損傷された組織から発生した疼痛刺激が，感覚神経を通じて大脳へと伝わり，交感神経が刺激され外傷部位の血管の収縮や腫脹・浮腫を誘起する．これらの変化で疼痛が増悪し，さらに交感神経が刺激されるという悪循環に陥り骨萎縮が進行してゆく．また骨萎縮に強い疼痛，血管運動障害，皮膚障害などの自律神経症状を伴う病態を複合性局所疼痛症候群（complex regional pain syndrome；CRPS）とよび，末梢神経損傷のないものはCRPS type 1，神経損傷を伴うものはCRPS type 2に分類される．

病期分類

外傷後の急性骨萎縮の病期分類はないが，前述のCRPSは以下の3期に分類される．

Stage I：①外傷部位に限局された疼痛の発生，②接触または軽い圧力への皮膚過敏性の増大（触覚過敏），③局所腫脹，④筋痙攣，⑤硬直，可動域の制限，⑥発症時，通常皮膚は温かく赤味を帯び乾燥するが，その後，外見上青くなり（チアノーゼ），冷たく汗ばむようになる，⑦発汗の増加（多汗症），⑧軽症例ではこの病期が数週間続いた後，自然に治まるか迅速に治療に反応する．

Stage II：①痛みはより強く，より広範囲になる，②腫脹は拡大し，軟らかいタイプから硬い（盛り上がった）タイプに変わる，③体毛は硬くなり，その後少なくなる．爪がもろくなり，ひびが入る，④局所的な骨萎縮，⑤筋萎縮．

Stage III：①組織の不可逆的萎縮，②疼痛は耐えがたいものとなり患肢全体に拡大，③患者の数％は症状が全身に拡大．

診断のポイント

外傷後，X線上海綿骨骨梁の粗造化や皮質骨の菲薄化が認められる．また重症化しCRPSとなると，原因となる外傷に不釣り合いな強い疼痛，発赤，発汗異常といった交感神経系の機能異常などの諸症状が認められるようになる．

治療方針

早期診断，そして可及的早期に治療を開始することが重要である．

患者にできるだけ患肢を自然に使うように促すことが大切であり，関節の運動療法（自動，介助下自動，軽い他動運動訓練）や温熱療法や交代浴などの理学療法により骨萎縮の改善をはかれる．

薬物療法として急性期での副腎皮質ステロイドの短期間投与，NSAIDs，交感神経遮断薬，自律神経調整薬などの投与が行われる場合がある．また交感神経ブロックなどの神経ブロック法や，脊髄電気刺激法が用いられることもある．また症例によっては心理社会的な評価のもと心理サポートを行うことも考慮する．

予後

骨萎縮は，早期に適切な加療が行われればすみやかに改善することもあるが，CRPSとなり重症化した場合にはきわめて難治性となる．

外傷後の異所性骨化，外傷性骨化性筋炎

Traumatic heterotopic ossification, Ectopic bone formation, Myositis ossificans traumatica

土田 芳彦　湘南鎌倉総合病院外傷センター センター長〔神奈川県鎌倉市〕

【疾患概念】　異所性骨化，外傷性骨化性筋炎とは，本来骨組織が存在しない筋肉およびその周囲に異常に骨形成が起こる病態である．股関節，肘関節，肩関節に発生することが多く，外傷後早期の過度な可動域訓練によって引き起こされ，頭部外傷，遷延性意識障害患者に多発するといわれている．

【病態】
骨格筋が損傷することにより炎症性サイトカインが放出され，これらのサイトカインが血管の内皮細胞を刺激し間葉系幹細胞に変化させ，さらにこれが骨芽細胞に分化し軟部組織に骨形成を促すとされる．

【問診で聞くべきこと】
臨床症状からの早期診断は難しい．外傷後早期に，過度な可動域訓練があったかどうかを聞く．

【診断のポイント，必要な検査と所見】
局所臨床症状として，熱感，発赤，腫脹，圧痛，関節可動域制限などが挙げられるが，外傷後，手術後としては非特異的なものである．血液学的には，初期に骨形成を反映する血清アルカリホスファターゼ（ALP）値や CRP の上昇を認めるが，軽度のことも多く有用ではない．

単純 X 線画像所見は最も診断的価値が高い．初期には異常陰影は認めないが，3〜4 週後に局所に淡い石灰化様陰影のみが確認され，1 か月〜数か月の経過とともに，線状もしくは雲状などの不定型な骨陰影が出現する．

超音波検査は近年注目されている．異所性骨化が疑われる関節周囲部分に zone phenomenon が認められるか，それが経時的にどのように変化していくかを観察する．Zone phenomenon は中心部，中間層，外層の 3 つの層に分けられ，中心部は未分化間葉細胞を含んだ血腫，中間層は仮骨，外層は成熟骨である．

^{99m}Tc 骨シンチグラフィーでも異常集積を認める．骨化部分の切除手術の術前評価には CT（三次元再構成画像などを含む）や MRI が利用されるが，特に後者は骨化部分と神経などの重要組織との位置関係把握にも有用である．

【鑑別診断で想起すべき疾患】
鑑別診断には，多くの腫瘍性病変が含まれる．重要なことは，早期の骨化性筋炎と悪性軟部組織腫瘍を区別することであり，後者は急速に成長することが特徴である．臨床的，画像的に肉腫が疑われる場合は，生検を実施する必要がある．

【治療方針】
骨格筋損傷後，患肢は RICE 治療（安静，冷却，圧迫，挙上）を施行し血腫増大を予防する．症状の悪化を防ぐために，この段階では積極的な理学療法は推奨されない．48〜72 時間後，痛みを伴わない範囲で可動域訓練を導入する．病変がより成熟した場合，関節の機能を維持するために，活発な可動域訓練と抵抗強化運動が有用である．

外科的切除は，非外科的治療が奏効せず，日常生活に影響を与える関節可動域制限を伴う事例に適応される．手術は骨成熟を待ち，外傷から 6〜18 か月後に行われる．早期手術は再発の素因になる可能性がある．

術後 3 週間の経口インドメタシン投与や，単回低線量放射線照射は，異所性骨化の予防に有効である．

【患者説明のポイント】
異所性骨化の 80％ は関節可動域制限のない良性とされており，残りの 20％ は関節可動域が制限され，そのなかの 10％（全体の 2％）が強直に至るとされている．

【リハビリテーションのポイント】
初期に異所性骨化を助長するリハビリテーションを禁止する．

外傷肢切断の適応基準

The criteria for immediate amputation of traumatized extremities

黒住 健人　帝京大学医学部附属病院外傷センター

【概説】　外傷患者の四肢切断の適応は，虚血時間が長く皮膚・筋肉の壊死が明らかな症例や，広範な軟部組織の挫滅・汚染を伴うなど適応が明らかな症例を除き，局所および全身状態を考慮して決定する．しかし，現場で治療を行う医師の経験や技量が異なるため，担当医の主観や医療機関の設備などに左右され，切断決定の判断に普遍性が得られていない．そのため，客観的な指標に基づき切断か温存かを決定する試みがなされてきた．本項では，現在までに提唱されてきた指標を示し，それらの評価について紹介する．

【適応】
急性期に切断を考慮しなければならない四肢外傷

表 2-5 各指標における評価項目

	PSI	MESS	LSI	NISSSA	HFS-98	GHOIS	OTA
年齢		○		○		○	
ショック		○		○	○		
温阻血時間	○	○	○	○	○	○	
骨	○		○	○	○	○	○
筋	○		○	○			
皮膚			○		○	○	○
神経			○				
深部静脈			○				
骨・軟部組織		○		○			
汚染				○		○	○
治療までの時間	○				○		
併存症						○	

PSI：predictive salvage index, MESS：mangled extremity severity score, LSI：limb salvage index, NISSSA：nerve injury, ischemia, soft-tissue injury, skeletal injury, shock, and age of patient score, HFS-98：Hannover fracture scale '98, GHOIS：Ganga hospital open injury score, OTA：Orthopaedic Trauma Association open fracture classification
(Rajasekaran S, et al: Ganga hospital open injury score in management of open injuries. Eur J Trauma Emerg Surg 41: 3-15, 2015 より改変)

は，圧挫症候群，熱傷，凍傷などの特殊な状況を除いて，多くは主要動脈損傷を合併した場合である．動脈損傷は鋭的損傷と鈍的損傷に分けられる．切断か温存かの判断は，鋭的血管損傷では側副血行路，虚血時間，神経損傷の程度が，鈍的血管損傷ではそれに加えて軟部組織の挫滅の程度や骨折の形態が重要となる．さらに，鈍的血管損傷は開放創の有無により非開放性と開放性に分けられ，非開放性損傷では初期に明らかな虚血症状を呈さず見逃されやすいことに注意が必要である．このため，主要動脈損傷を合併しやすい骨折・脱臼の部位についてあらかじめ知っておくこと，そしてhard sign, soft sign の有無について注意深く身体所見を得ることが重要である．

適応決定のための局所因子は上述のごとく，鋭的または鈍的損傷かなどの損傷メカニズム，血管損傷レベル，虚血時間，神経および軟部組織損傷の程度，骨折形態，汚染の程度，損傷肢の多重損傷の有無，上肢であるか下肢であるかなどがある．一方，全身因子としては年齢，合併損傷の重症度，基礎疾患の内容，宗教・文化的背景，患者の希望などが考えられる．

提唱されてきた指標

現在までに提唱されてきた指標としては，mangled extremity syndrome index（MES, 1985），predictive salvage index（PSI, 1987），mangled extremity severity score（MESS, 1990），limb salvage index（LSI, 1991），nerve injury, ischemia, soft-tissue injury, skeletal injury, shock, and age of patient score（NISSSA, 1994）などがある．近年，開放骨折のためにつくられたHannover fracture scale '98（HFS-98, 2001），Ganga hospital open injury score（GHOIS, 2006），Orthopaedic Trauma Association open fracture classification（OTA-OFC, 2010）などを切断か温存かの指標として用いた報告が増えている．それぞれの指標と評価項目の関係を**表 2-5**に示す．

実施手順

1990年代はMESSやLSIを用いた報告が多かった．これらは切断か温存かの判断が問題となることが多い，下腿部の損傷の客観的指標として用いられ，各々カットオフ値を提唱し，切断か温存かを決める指標とされた．近年MESSの精度が下がったとの報告が散見されるが，これは微小血管外科技術の進歩・発達に伴い，切断肢再接着の成功率が向上したためである．従来，切断術の適応であるとされてきた後脛骨神経断裂の症例に対しても，再接着術の成績のほうがよいとされ，遊離筋・皮弁移植術も安定した成績が得られるようになり，高度に挫滅した四肢外傷に対して積極的に温存手術が行われるようになった．そして近年では，開放骨折のためにつくられた評価を，切断か温存かを決める指標として用いた報告がなされている．

2 外傷

Rajasekaran ら(2015)は GHOIS が Gustilo Anderson's classification IIIB の温存手術のよい指標であると報告し，Hao ら(2016)は OTA-OFC の合計点が患肢温存の指標であるとしている．その他さまざまな報告で個々の切断に対する指標の感度・特異度に言及しているが，結局のところこれらの指標は絶対的な評価の基準になり得ないとしている．

また，切断の適応を考えるとき，本来の四肢機能や義肢装着後の機能が大きく異なる上肢と下肢を，同列に評価し決定することはできない．上肢は下肢に比較して，より積極的な温存を試みる価値がある．上肢の切断肢再接着の各レベルでの予後について知っておくことが，切断か温存かの決定の目安となる．

実施上のポイント・注意事項

外傷肢の切断適応は，これまで述べたいくつかの指標の点数により，明確に区別・決定されるものではない．外傷肢に対する切断か温存かの決定は，温存することにより得られる機能と切断後の義肢装着により得られる機能を考慮し，十分に検討しなければならない．

外傷肢に対する安易な切断の決定は慎むべきである．しかし，一方で積極的に温存を試みた結果，機能しない四肢をつくり出し，患者および家族に身体的，精神的，経済的負担をかけることもあるため，温存の決定を行う際にも十分な検討が必要である．客観的指標は，治療にあたる医師による主観的な判断を標準化するためには必要である．しかし，現在のところ絶対的な評価基準にはなり得ず，今後さらなる臨床的検討が必要である．

集団災害

Trauma management in disasters

黒住 健人 帝京大学医学部附属病院外傷センター

【概説】 集団災害とは，通常の救急医療活動の範囲を超えるような多数の傷病者が，同時に発生したときをいう．さまざまな状況で起こりうるが，一般には自然災害(natural disaster)と人為災害(human-made disaster)に大きく分けられる(表2-6)．集団災害においては，十分な医療資源がない状況で多数の傷病者に医療を提供しなければならないが，災害の種類によって求められる医療は異なる．災害現場に派遣されない医師であっても，被災患者の受け入れ要請を受けることは十分に想定され，医師はそれらについての基本的知識を学んでおく必要がある．

表2-6 災害の原因と分類

自然災害	
水気象学系	台風，洪水，高潮
地質学系	地震，津波，噴火，土砂崩れ
生物学系	新型インフルエンザ，SARS，COVID-19
人為災害	
都市災害	火災，大気汚染，水質汚濁，地盤沈下，群集(mass gathering)
産業災害	工場施設，建築現場，放射線
交通災害	陸上，航空機，船舶
テロリズム	chemical(化学)，biological(生物)，radiological(放射性物質)，nuclear(核)，explosive(爆発物)

〔國井 修(編)：災害時の公衆衛生．pp 3-7, 南山堂, 2012 を参考に作成〕

1 自然災害への対応

大きな自然災害が起こると，被災地域ではライフラインの損害・職員の被災に伴い，医療サービスの機能が大幅に低下すると予想される．自身の医療機関が被災地域内に位置する場合には，まず自身の安全を確保したのちに施設の被災状況を確認し，職員の確保を含めてどの程度の診療がどれくらいの期間継続可能かということを判断し，自治体などに向けて発信する必要がある．診療継続不可能で，入院患者の避難などを要する場合には，その人数と緊急度を至急伝える必要がある．通常の通信手段が確保されていれば電話などの利用が可能であるが，災害時には情報が混乱することから FAX や広域災害救急医療情報システム(emergency medical information system；EMIS)を用いるほうが正確である．通常の通信手段が使えない場合などに備えて，防災無線や衛星携帯電話などを用意しておくとさらによい．いずれを用いるにしても，平時より災害訓練などを行い，その扱いに慣れておく必要がある．また，水や自家発電用の重油，薬や医療資器材などを調達するための緊急連絡先や輸送手段を確認しておくことも重要である．食糧は，現在多くの施設で整備されているように，3日分程度は備蓄しておくべきであろう．

被災地近隣ではあるが自施設が被災を免れた場合には，被災患者を受け入れる準備が必要となる．上述と同様に，EMIS などを用いて自治体に自施設での受け入れ可能患者の種類や人数を伝えるべきである．その場合にも，職員の確保や勤務の調整，通常以上に必要となる薬や医療資器材の確保を迅速に行う必要があり，日頃からの体制づくりが重要である．

都市型地震では，圧挫症候群・骨盤輪骨折・脊髄損傷などの重症外傷が発生する．また打撲・骨折・裂創などの比較的軽症な外傷も多く発生する．整形外科医の需要は非常に多い．重症外傷の搬送先は，平時の病院機能に合わせて自ずと決まってくるであろうが，中・小規模の医療機関においては中等症・軽症の患者が多数押し寄せる可能性があり，包帯・副木・松葉杖・ガーゼなどの不足が予想される．津波災害では死者に比べて負傷者の数は少ないが，整形外科領域の負傷者は転倒による骨折や下肢の切創などが予想される．洪水では下痢，脱水，肺炎など内科的な需要が多くなるが，下肢外傷では泥が創の深くまで入り込み，創部感染や破傷風を合併することがあるので，注意を要する．

　自然災害後には，その復旧作業で転落や釘の踏み抜きなどの傷病者が発生する．また，高齢者は慣れない避難所生活での転倒なども起こしうる．さらには，不十分な装備で参加するボランティアのけがなど，長期にわたり通常よりも多くの患者が発生し続けることを念頭に，災害に対応する医師は少し余裕をもった診療体制を維持することを心がけるべきである．

2 人為災害への対応

　列車事故などの交通災害や群集（mass gathering）事故の場合は，医療機関・ライフラインなどは被災しないことが多いが，一部の医療機関の大混雑と通信の混乱・不通，マスメディアの取材合戦などによる影響がしばしば問題になる．重症者は病院選定をされて搬送されるが，軽症者は自力で医療機関を受診することも可能で，多くの軽症者を受け入れたあとに重症者の受け入れを要請されることがあり（upside-down triage），注意を要する．交通災害では，タイプにより異なるが，死傷者数やそれに対する重症者の割合を推定することはできる．

　化学工場の事故では，漏出した化学物質の毒性や対処方法に関する情報の入手と伝達が重要である．火災では煙の吸入による一酸化炭素，シアン中毒に対する救助と医療が必要になる．これらのほかにも，テロなどで原因物質が特定できていない場合には，安易に患者に近寄ることを避け，医療者への二次災害を起こさないようにすべきである．医療機関に受け入れる前に，安全地帯の設定（ゾーニング；zoning）や除染といった考え方が必要になる．しかし，先にも述べた通り軽症者は自力で医療機関を受診することもあり，多数傷病者が受診した場合にはこのような化学災害も念頭に病歴を聴取するとともに，日頃からの感染防御対策などを習慣づけておくことが重要となる．

　日本で核災害が起こった場合は，地方自治体に災害対策本部が設けられ，その一部に緊急医療本部が組織される．そこに放射線医学総合研究所などから専門家集団が派遣され，指導助言を行うことになっている．しかし発生初期には，先述の化学災害と同様にその事実が認識されていない可能性もある．汚染地域に入った傷病者の処置にあたった医療従事者は，放射能汚染の検査をし，二次被曝や内部被曝を防止しなければならない．高度の被曝を受けた可能性のある者は，専門医療施設で入院・精査が必要になる．

3 災害に対する整形外科医の準備

　災害において整形外科医の果たすべき役割は多い．直接災害現場の最前線に出ないとしても，災害に対する知識の習得と準備は必要である．医療機関の事業継続計画（business continuity plan；BCP）と合わせて，災害時の対応マニュアルも作成しておくべきである．また範囲の狭い化学災害やテロの場合には，自分が第一発見者になる場合もあることを念頭に診療にあたる必要がある．広域災害における整形外科患者搬送システムやその教育は，現在日本整形外科学会で準備が進んでいる．

Ortho Clinical Diagnostics
Because Every Test Is A Life™

体外診断用医薬品 I型コラーゲン架橋N-テロペプチドキット

ビトロス® NTx

承認番号:30200EZX00012000

ビトロス® NTx試薬の特長

- ☑ 短時間(38分)で尿中NTXの測定が可能
- ☑ CLEIA法(化学発光酵素免疫法)測定
- ☑ 試薬調製不要の全自動化測定
- ☑ 再現性はCV0.7%〜4.2%※
- ☑ キャリブレーションは1週間に1回のみ

※本製品IFUより

販売名:ビトロス® XT7600 届出番号:13B3X10182000019

ポイント 用手法のELISA法と同様の原理・工程を採用し、**全自動**で測定プロセスを統合的に監視・報告します

☑ 尿中NTXの特長 [1]

- 採血が不要です。
- 尿中で物質として安定であり、検体は冷蔵での保管が可能です。
- 治療薬剤による効果の変動が大きいので、治療に対する患者さんの理解が深まり、アドヒアランスの向上に貢献します。
- NTXは骨吸収によるI型コラーゲンの分解産物であり、破骨細胞による骨吸収現象を直接反映します。
- 食事の影響は受けません [2]。

☑ NTX保険適用 [3] (2021年8月時点)

NTX 156 点
(D008-25 内分泌学的検査)

NTXは原発性副甲状腺機能亢進症の手術適応の決定、副甲状腺機能亢進症手術後の治療効果判定、また骨粗鬆症の薬剤治療方針の選択に際して実施された場合に算定します。なお、骨粗鬆症の薬剤治療方針の選択時に1回、その後6月以内の薬剤効果判定時に1回に限り、また薬物治療方針を変更したときは変更後6月以内に1回に限り算定できます。NTX、OCまたはDPDを併せて実施した場合は、いずれか1つのみ算定します。

☑ ビトロス® NTx試薬の測定原理

ビトロス® NTxは競合法の化学発光酵素免疫測定法(CLEIA法)を原理としています。
尿検体中に存在するNTxとマイクロウェルに結合しているビオチン化合成NTxペプチドがHRP標識抗NTx抗体に対して競合します。非結合物質を洗浄試薬により洗い流した後、発光試薬を加えて発光させることにより、HRP標識複合体の量を測定します。この量は尿検体中のNTxに反比例します。

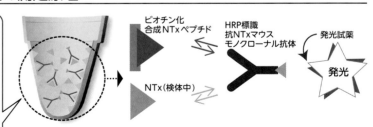

製造販売元:オーソ・クリニカル・ダイアグノスティックス株式会社
〒141-0032 東京都品川区大崎1-11-2 ゲートシティ大崎イーストタワー
お客様サポートセンター Tel.0120-03-6527

URL OrthoClinicalDiagnostics.com

出典元:
1) 特別座談会 骨粗鬆症の骨代謝マーカーとしてのNTXの有用性:Bone Joint Nerve, 第10巻4号, 2021
2) 一般社団法人 日本骨粗鬆症学会:骨粗鬆症診療における骨代謝マーカーの適正使用ガイドライン(2004年度版)
3) 生化学的検査(II)D008 内分泌学的検査, 医科診療報酬点数表令和2年4月版, 社会保険研究所.

3 スポーツ外傷と障害

スポーツ整形外科とは	80
スポーツ競技者の診療で考慮すべきこと	81
内科的メディカルチェック	82
整形外科的メディカルチェック	83
スポーツによる内科的障害	85
運動性無月経	87
スポーツ外傷・障害に対する現場での応急処置	89
スポーツ外傷・障害の予防	90
下肢の筋打撲傷と肉ばなれ	92
スポーツによる疲労骨折	93
スポーツによる肩関節部の外傷・障害	94
スポーツによる上腕の外傷・障害	97
スポーツによる肘関節の外傷・障害	98
スポーツによる手関節・手部の外傷・障害	101
骨盤・股関節のスポーツ外傷・障害	104
スポーツによる頚部の外傷・障害	106
スポーツによる腰背部の外傷・障害	108
スポーツによる大腿・膝・下腿部の外傷・障害	110
スポーツによる足部・足関節の外傷・障害	111
成長期のスポーツ外傷・障害の留意事項	115
中高年者のスポーツ外傷・障害の留意事項	116

スポーツ整形外科とは

Orthopaedic sports medicine

帖佐 悦男 宮崎大学 教授

1 スポーツとは

　スポーツとは，運動のなかでも「ルールに則り運動をする」ことであり，一般に選手は競技技術の向上を目指している．スポーツ選手は，子供から高齢者，健常者から障がい者，アマチュアからプロフェッショナル，初心者からトップアスリート，健康スポーツから競技スポーツまでさまざまである．またスポーツの目的は，生活の充実（生きがい）や健康維持・増進であったり，身体・精神的能力や技術を高め，人間の極限へ挑戦し，記録の向上を目指すなどさまざまである．その際，生理的状態を超え日常生活とかけ離れたトレーニングを実施することもあり，内科的疾患や整形外科的疾患などさまざまな疾患を発症する可能性がある．

2 スポーツ医学・スポーツ整形外科とは

　以前は，スポーツに伴うそれぞれの疾患に関係する医師が，個々に治療を中心に行っていた．しかし，スポーツに伴う健康管理や競技力向上のための最適なトレーニング法，スポーツ外傷や障害の予防・治療などの実施，メタボリックシンドロームやロコモティブシンドロームを合併しながら運動やスポーツをする愛好家や，障がい者スポーツの普及に伴い，より集学的にアプローチする必要性が高まり，「スポーツ医学」という学問が誕生し発展をとげている．また，スポーツ実践にあたっては，特に運動器の外傷や障害の予防・治療・早期復帰などが選手や関係者にとって重要であり，そのマネジメントを行うのが「スポーツ整形外科」である．そのためには，Scammonの発育・発達曲線，一般人とスポーツ選手との身体特性の差異，競技種目特性やアスレチックリハビリテーションを含む保存療法から手術療法まで，網羅的な知識や技術の習得が必要である．

3 スポーツドクターとは

　スポーツを主な原因とする外傷・障害や疾病の診断・治療にあたる専門医が，「スポーツドクター」である．スポーツドクターには，「日本医師会認定健康スポーツ医」，「日本整形外科学会（日整会）認定スポーツ医」と「日本スポーツ協会公認スポーツドクター」がある．一般には，トップアスリートなどはスポーツ協会公認スポーツドクター，健康運動実践者は日本医師会認定健康スポーツ医が担当し，その両者または中間に属するスポーツ愛好家・選手を日整会認定スポーツ医が担当することが多く，学生スポーツや地方規模のスポーツイベントは，日整会認定スポーツ医が最も協力しやすいと考えられる．

4 スポーツ外傷・障害

　スポーツ整形外科で扱う疾患は，主にスポーツ外傷と障害である．スポーツ活動中に単一の外力により組織の損傷を生じた場合を「スポーツ外傷」とよび，打撲，骨折，靱帯断裂などがある．ほかの選手や器具などに接触して受傷する「接触損傷」と，着地などほかとの接触なしに受傷する「非接触損傷」がある．一方，スポーツ活動中の反復性の動作により組織の損傷を生じた場合を，「スポーツ障害」とよぶ．スポーツ障害には，野球肘（外側・内側障害）などの「オーバーユース」や，重量挙げなどの「オーバーロード」がある．特に成長期は脆弱な成長軟骨があるため，Scammonの発育・発達曲線を理解し，指導することが重要である．

5 スポーツ外傷・障害の予防

　運動器のスポーツ外傷・障害は，発症を予防し，また最小限に抑えることが最善の措置であり，パフォーマンスを落とすことなく予防することが「スポーツ整形外科医」の使命である．「スポーツ整形外科医」はスポーツ外傷・障害の誘因となる内的（遺伝的）要因と外的（環境的）要因の評価を行い，それぞれに応じた治療を行う．メディカルチェックで社会背景や発症様式などスポーツ環境を含めた病態の聴取を行い，身体所見としてアライメント，関節弛緩性，筋柔軟性，筋力や関節可動域などを評価する．運動器の外傷・障害は，心疾患などに比べ，発見が遅れたために致死的になることはまれであるが，野球肘（上腕骨小頭離断性骨軟骨炎）のように運動器の不可逆性変化を生じ，選手生命を絶たれる場合があるため，早期発見・早期治療が重要である．また，外傷・障害予防のためにScammonの発育・発達曲線を理解し，オーバーユースに注意し多様な動作を考慮したうえで，成長に応じたトレーニングを指導する．次いで，スポーツ外傷・障害を生じやすい動作を避ける方法ならびに，フォームの変更や改善指導によるコンディショニングを行い，健康維持・競技力向上につながる基本的知識を習得させることが重要である．特に，ウォーミングアップとクーリングダウンは必要不可欠である．環境因子への対策として，グラウンド，スポーツ用具や衣類・靴などは，外傷・障害予防のみでなくスポーツパフォーマンスにも密接にかかわるため，競技種目ごとに安全性やルールなどを考慮する必要がある．

6 スポーツ外傷・障害の治療

「スポーツ整形外科医」は，フィールドで初期対応にあたる場合と，医療施設で治療にあたる場合がある．現場に行く前に，AED（automated external defibrillator）を含めた医療機器・道具や後方支援病院などの確認を行う．現場では一次救命処置（basic life support；BLS）と，局所に対しては損傷部位の障害を最小限にとどめるために「RICE処置」（rest, icing, compression, elevation）を実施する．受傷選手の競技復帰への判断も重要な役割である．医療施設では，診断のもとに適切な治療を実施する．特にスポーツ選手に対するリハビリテーション医療（アスレチックリハビリテーション）は，その目標がADLの改善のみならずスポーツ現場に復帰するという高いレベルに設定されるため，スポーツ種目，競技レベル，役割（ポジションなど），試合時期などまで詳しく聴取し，多職種連携のもと個々に治療プログラムを設定し，選手が早期復帰できるようマネジメントする必要がある．

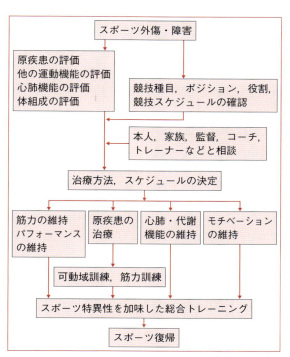

図 3-1 スポーツ外傷・障害に対するスポーツ整形外科的アプローチ

原疾患の治療ばかりでなく，他の運動機能，心肺機能，体組成，モチベーションなどの維持が大切である．
〔松本秀男：スポーツ競技者の診療で考慮すべきこと．土屋弘行，他（編）：今日の整形外科治療指針（第7版）．p80, 医学書院，2016より〕

スポーツ競技者の診療で考慮すべきこと

Essential consideration when examining athletes

石橋 恭之 弘前大学大学院 教授

外傷と障害の治療において，スポーツ選手と一般の患者との間に本質的な差違はない．しかしスポーツ競技者は，できるだけ早期に，かつ高いレベルで復帰することが常に求められている．さらに，スポーツ外傷の場合には再受傷予防，障害の場合には再発予防が重要である．そのためには，競技者の身体的特性の評価に加え，各競技種目において要求される動作や身体負荷など，スポーツそのものに関する知識が必要となる．治療に入る前に，各種治療の意義，トレーニングの指導，また復帰の道筋を示すことも必要である．競技復帰にあたっては，可動域訓練・筋力訓練などのメディカルリハビリテーションに加え，競技種目に即したアスレチックリハビリテーションやコンディショニングを行い，監督・コーチ・トレーナーなどと相談して復帰のタイミングを決めていかなければならない（図3-1）．

1 背景を理解する

スポーツ外傷・障害を適切に診断し治療するためには，詳細な情報を適切に聴取し，選手の希望や目的を理解する必要がある．スポーツ外傷も障害も多くの場合原因がある．どのような受傷機転でけがをしたのか，どのような練習をしてきたのか（質，量，環境など），また既往歴などの情報は有用である．また，選手がどの時期にどれくらいのレベルに復帰したいかといった情報も，その後の治療方針に大きく影響する．

2 身体的特性を考慮する

スポーツ外傷・障害を治療するうえで大切なことは，選手の身体的特性を考慮することである．例えば回内足（扁平足）の選手にはシンスプリントが生じやすいとか，ジャンプ着地時にX脚傾向がある選手には前十字靱帯（ACL）損傷のリスクが高いといったことなどである．局所的な治療はもちろんであるが，スポーツ外傷・障害を引き起こす誘因となったリスク因子の評価が必須である（整形外科的メディカルチェックの項 ➡ 83頁参照）．柔軟性や動的アライメントなど修正可能なリスク因子であれば，局所治療とともにアプローチし改善していく必要がある．スポーツにはさま

ざまな競技種目があり，種目により異なる運動能力が求められており，さらに同一の競技種目であっても，ポジションやプレースタイルなどによって要求される能力は異なる．スポーツ競技者の診療を行うにあたっては，これらの身体的特性の違いを十分に認識して，強化，指導する必要がある．

3 競技種目特性の違いを考慮する

競技種目によって特有のスポーツ外傷や障害が存在する．このため，それぞれの種目に合った予防法，手術や術前後のリハビリテーションを考えることが重要である．例えばバドミントン選手のACL損傷では，オーバーヘッドストローク後の利き手の反対側の片脚着地での受傷が多い．このような危険因子を選手に教えること，さらにこのような危険肢位とならないような動作指導を行うことが重要である．またACL損傷に対して再建術を行う場合でも，競技種目特性によって，どの移植腱（膝屈筋腱または膝蓋腱）を選択するのかなど考慮が必要となる．例えば，膝の深屈曲を要する競技では膝蓋腱を選択することなどである．術後のリハビリテーションやトレーニングも競技特性を考えて，理学療法士やコーチとともに治療方針を計画する必要がある．

4 治療法の選択

スポーツ選手では，時間をかければ保存療法で改善する疾患であっても，手術によって回復を早めることができるのであれば，そちらを選択する場合もある．例えば難治性の脛骨跳躍型骨折やJones骨折などは，いたずらに保存療法を行っても再発する可能性が高いため，早期に手術治療を選択すべきである．しかしその一方で，早期復帰を目指すばかりに短絡的な治療を選択させないことも必要である．例えば，スポーツ選手に対する安易な半月板切除は復帰を早めるが，急速に変形性膝関節症を進行させ，選手生命を短くすることにもなりかねない．治療法の選択は，選手のキャリアなどを考慮し，十分相談して決める必要がある．

5 復帰時期の決定

スポーツ選手にとって早期復帰はきわめて重要な要素であり，治療期間が長くなればなるほど筋力は低下し，敏捷性や試合勘なども低下し，復帰が困難となる．また，団体競技では一度失ったポジションを取り戻すのは至難の業である．治療期間中に，患部外機能をいかに維持するかも重要である．全身の筋力トレーニング，心肺機能や体組成の維持，試合勘やモチベーションの維持にも，常に配慮しながら治療にあたる必要がある．一方，早期復帰を焦るばかりに，再発したり再

受傷したりしては意味がない．例えばACL再建後の早期復帰は，再受傷のリスク因子の1つである．理学療法士やトレーナーと協力し十分な身体機能評価を行ってから，復帰時期の決定を行うべきである．

内科的メディカルチェック

Pre-participation health screening and evaluations

土肥 美智子 国立スポーツ科学センタースポーツメディカルセンター 副主任研究員〔東京都北区〕

1 スポーツにおけるメディカルチェックの意義

現在のスポーツ医学は，アスリートにけがをさせない，病気をさせないという予防医学が中心であり，いかに試合時によいコンディションを保つかを扱う医学である．そのため疾患の早期発見，早期介入，リスク因子を検出することが重要であり，その役目を果たすのがメディカルチェックである．

メディカルチェック実施者の利益としては，疾患の早期発見，介入ができることは当然のことながら，けがや疾病の疫学特性を知ることで予防策を講じられること，またアスリートとの信頼関係の構築やアスリートへの医学的な教育をする機会が得られることが挙げられる．アスリートにとってのメディカルチェックの利益としては，疾患の早期発見・早期治療，予防接種を含めた感染症の予防，コンディションの把握，ドーピング違反の回避が挙げられる．アスリートであっても，若年者が罹患する疾病の罹患率と大きな差異があるとはいえないため，一般人と比較して自分は健康であるという自負をもつ傾向のあるアスリートに，メディカルチェックの必要性とその意義を理解してもらうことは重要である．タイミングとその頻度は状況によるが，上述した実施者およびアスリートの利益に鑑みると，シーズン前や大会前に年に1回程度行うのがよいと考える．

2 内科的メディカルチェックにおける問診票

多忙なアスリートはメディカルチェックに多くの時間を割けないこと，また異なる診察医によるアスリートへの確認事項の統一をはかる必要があることから，内科的メディカルチェックの問診票は重要である．心臓に関する問診票（個人歴と家族歴）は，頻度は高くないものの若年アスリートの死因で最も多い突然心停止を防ぐために，婦人科の月経に関する問診票は，疲労

骨折のリスク因子の1つである無月経の確認，月経周期とパフォーマンスおよび月経調整に関する選手への教育の機会の位置づけで，薬剤・サプリメント摂取状況についての項目は，ドーピング違反防止のために有用である．またコンディションの確認には，体重変化，睡眠，栄養についての問診項目も必要である．

3 内科的メディカルチェックの検査項目

血液検査〔白血球数，赤血球数，ヘモグロビン，ヘマトクリット，網状赤血球，血小板，血清鉄，総鉄結合能，フェリチン，総蛋白，アルブミン，総コレステロール，HDLコレステロール，LDLコレステロール，尿酸，クレアチニン，尿素窒素，アスパラギン酸アミノトランスフェラーゼ，アラニンアミノトランスフェラーゼ，γ-GTP，アルカリホスファターゼ，クレアチンキナーゼ（CK），甲状腺刺激ホルモン（TSH），C反応性蛋白，B型肝炎・麻疹・風疹抗体価〕，尿検査（テステープで尿潜血，尿蛋白，尿糖，尿中白血球），胸部X線，安静時心電図，スパイロメトリ，静止視力検査である．

4 スポーツにおける内科的メディカルチェックの特異的項目およびオプション検査

血液検査で特記すべき項目はCK，TSH，B型肝炎・麻疹・風疹抗体価である．CKで筋疲労の程度を確認する．アスリートは一般人より24時間前の運動により高値であることが多いが，一時的変化であり病的意義は少ない．TSHはスポーツによる疲労と甲状腺機能異常による体調不良の鑑別のために行っている．B型肝炎は，スポーツ活動中の出血により接触感染の可能性があるため，確認を行っている．感染力の強い麻疹，風疹の罹患は本人の体調不良の原因となること，感染源や感受性者となり，チーム内感染を起こす可能性があること，またワクチンで予防可能な疾患であるため，検査を行い抗体価の低いアスリートには接種を推奨している．

心臓超音波検査に関しては，家族歴，心雑音，50％以上の心胸郭比，不整脈，心電図異常，Marfan症候群の疑いがある場合に行っている．

スパイロメトリは喘息の治療薬の多くがドーピング禁止物質であること，自覚症状のない喘息が認められ，治療により呼吸機能の改善がはかられることにより積極的に行っている．

整形外科的メディカルチェック
Medical check-ups of orthopaedics

中嶋 耕平　国立スポーツ科学センタースポーツメディカルセンター 副主任研究員〔東京都北区〕

【概説】 整形外科的メディカルチェックの目的は，安全にスポーツを実施するための潜在的な危険因子の除外と，スポーツ活動の継続過程で発生した，あるいは発生することの多い障害や外傷の前段階の有無について評価を行い，早期治療や予防方法ついて適切なアドバイスを行うことにある．アスリートにおいては，必要に応じてパフォーマンスへの影響を含めた議論を交わす場合もある．本来，メディカルチェックはアスリートのみならず，スポーツ活動を行う者すべてを対象に実施することが望ましく，適切な評価とフィードバックを行うことで，スポーツ外傷や障害の発生や，症状の悪化を未然に防ぐことが期待される．

1 実施上のポイント

メディカルチェックは対象者がスポーツ活動を継続して行うことを前提に実施し，初回には対象者のプロフィールとして，不変な項目を基本項目として評価する．初回以降は，スポーツ活動の継続によって変化する項目を重点的に継続的評価項目として設定することになるが，成長に伴う変化が多い若年者では，継続的評価項目が多くなるといえる（表3-1）．

また，実施するスポーツの種類，すなわち競技や種目の特性に応じて評価項目を設定することも重要である．

2 基本項目

基本項目は内科的な項目（既往歴，家族歴，アレルギーの有無など）に加えて，年代別のスポーツ歴と専門的スポーツの開始年齢（時期）を記録し，整形外科的な既往歴についても別途詳細に記録しておいたほうがよい．

3 継続的評価項目

成人の場合，主要な関節のアライメントや関節弛緩性については，経時的な変化が少ないので基本項目として設定してもよいと思われるが，小児や若年アスリートの場合，成長に伴ってアライメントや関節弛緩性（可動域）も変化する場合があるので，少なくとも年に1回程度は評価することが望ましい．

関節のアライメントチェックは6項目（①肘関節外反角度；carrying angle，②脊柱側弯の有無，③足趾・

3 スポーツ外傷と障害

表3-1 整形外科的メディカルチェック（継続的評価項目）

問診項目		(1) 現在治療や定期的検査を受けているけがや病気 (2) 関節の痛みの有無と部位 (3) 関節の不安定性の有無と部位 (4) 関節の可動域制限の有無と部位 (5) 関節や骨の変形の有無と部位 (6) 関節以外の疼痛の有無と部位 (7) 麻痺やしびれの有無と部位 (8) 脳振盪の受傷歴
アライメントチェックなど	(1) アライメントチェック	①carrying angle, ②脊柱の側弯の有無, ③足趾・足部の形状, ④膝関節の内・外反, ⑤Q-angle, ⑥脚長差の有無
	(2) 関節弛緩性テスト	①肘関節伸展（反張）, ②手関節屈曲, ③肩関節回旋, ④脊柱前屈, ⑤股関節外旋, ⑥足関節背屈, ⑦膝関節反張
	(3) タイトネステスト	①下腿三頭筋, ②腸腰筋, ③ハムストリング, ④大腿四頭筋, ⑤股関節内旋, ⑥長座体前屈／立位体前屈
圧痛点の評価	(1) 上肢	①肩鎖関節, ②上腕二頭筋長頭腱, ③肩峰下外側, ④腱板疎部, ⑤上腕骨内側上顆, ⑥上腕骨外側上顆, ⑦TFCC, ⑧DRUJ
	(2) 体幹	①腰部（正中・傍脊柱）, ②仙腸関節, ③背部
	(3) 下肢	①上前腸骨棘, ②鼡径部, ③恥骨結合, ④大転子部, ⑤膝蓋骨周囲, ⑥膝蓋腱, ⑦腸脛靱帯遠位, ⑧膝関節裂隙, ⑨鵞足部, ⑩脛骨骨幹部, ⑪脛骨遠位部内側, ⑫足関節内外果, ⑬第5中足骨基部, ⑭アキレス腱, ⑮足底腱膜, ⑯外脛骨
理学所見	(1) 肩関節	①可動域, ②不安定性評価, ③腱板機能評価
	(2) 肘関節	①可動域, ②内・外反不安定性評価, ③内外顆圧痛の有無
	(3) 股関節	①可動域, ②Patric test, ③FADDIR test
	(4) 膝関節	①可動域, ②内・外反不安定性評価, ③Lachman test, ④McMurray test
	(5) 足関節	①可動域, ②前方引き出しテスト, ③内反ストレステスト
	(6) 脊椎	①屈曲伸展時痛, ②SLR test, ③Kemp test, ④FNS test

TFCC：三角線維軟骨複合体，DRUJ：遠位橈尺関節，FADDIR test：股関節多方向性運動テスト，SLR test：下肢伸展挙上テスト，FNS test：大腿神経伸展テスト

足部の形状，④膝関節の内・外反，⑤Q-angle，⑥脚長差の有無）を評価する．

関節弛緩性テストについては，7項目（①肘関節伸展，②手関節屈曲，③肩関節回旋，④脊柱前屈，⑤股関節外旋，⑥足関節背屈，⑦膝関節反張）について規定値以上であったものを点数（左右各0.5点，脊柱と股関節は1点で合計7点）化し，合計得点を評価する．

その他，運動器のコンディション評価指標として，筋腱の緊張（タイトネス）テストについては，6項目（①下腿三頭筋，②腸腰筋，③ハムストリング，④大腿四頭筋，⑤股関節内旋，⑥長座体前屈／立位体前屈）の数値を記録する．

事前の問診票において，前回評価時から今回までの間の受傷歴と治療経過および現症としての自覚症状や愁訴について記載してもらう．診察時にはこれらの情報をもとに理学所見として，四肢関節および体幹の機能評価や潜在する病的所見の有無を確認する．原則は全身の評価であるが，競技特性に応じた評価を行うことが重要であり，運動（使用）頻度の高い部位では，当該部位で発生頻度の高いスポーツ障害についての入念な評価を行い，必要に応じて超音波断層撮影や単純X線，MRI検査などの画像診断も追加する．なかでも超音波画像診断は，苦痛や侵襲がなくリアルタイムで受診者にフィードバックが可能であり，今後も活用範囲が広がると思われる．

4 メディカルチェックの結果について

メディカルチェックの有用性は，その結果と解釈が十分に受診者に伝わるかにある．そのためには可能な限り短時間で受診者が理解しやすい表現方法で還元されるように努める．国立スポーツ科学センターでは，診察所見から得られた臨床診断をプロブレムリストとして記載し，各プロブレムについて3段階の評価（A, F, I分類）を行っている．すなわち，A（active）：治療や精査が必要な状態，F（follow）：引き続き経過観察が必要な状態，I（inactive）：治癒もしくは解決済みの問題として，継続的に評価している．

ただし，この評価は個々のプロブレムについての評

価であり，しばしば実際のスポーツ実施における評価とは乖離する場合もある．このため，以下のように受診者の当該スポーツの実施可否を考慮した総合判定（6段階評価）を追加している．

　A（既往／健常）：健常もしくは治療が終了し，経過観察も不要．
　B（治癒）：治療は終了しているが，経過観察が望ましい．
　C（観察）：治療，処置を行いながら，競技や練習参加が可能な状態．
　D（注意）：治療，処置を行いながら，制限つき，あるいは部分的に競技や練習参加が可能な状態．
　E（警告）：治療・検査などの対応は開始されているが，引き続き競技，練習参加は支障がある．
　F（中止）：検査や治療を要し，競技や練習参加に支障のある未対応な問題を有する．

　最終的に，選手へのフィードバック帳票には，選手個々の総合判定と臨床診断に加えて，今後の対応方法などについてのコメントを記載する．アスリートはスポーツ活動を継続して実施しているため，コンディションの変化や，新たな障害発生の可能性もあり，メディカルチェック実施後，できる限りすみやかにフィードバックできるように努めることが重要である．

スポーツによる内科的障害

Medical disorders by sports activities

土肥　美智子　国立スポーツ科学センタースポーツメディカルセンター　副主任研究員〔東京都北区〕

　スポーツによる内科的障害には急性障害と慢性障害がある（表3-2）．以下に代表的なものについて概説する．

1 急性障害

1 ▶ 突然死

　世界保健機関（World Health Organization；WHO）では，突然死を「発症から24時間以内の予期せぬ内因性（病）死」と定義しており，そのなかで心臓突然死は，急性の症状が発症したのち，1時間以内に突然意識喪失をきたす心臓に起因する内因死とされる．
　日本スポーツ振興センターの近年のデータでは，学校の管理下の死亡総数は年間70件台，その50～60%が突然死，さらに心臓突然死はその45.7～80.0%を占めている．運動中・運動後の突然死の発生については，

表3-2　主なスポーツによる内科的障害

急性の内科的障害
突然死（心臓突然死）
環境因子による（熱中症，低体温，高山病，潜水病）
気管支喘息（運動誘発性気管支攣縮を含む）
食物依存性運動誘発性アナフィラキシー
脱水，電解質異常，循環不全
急性腎不全
慢性の内科的障害
貧血
無月経（原発性，続発性）
オーバートレーニング症候群
摂食障害
高尿酸血症・痛風

中学校および高等学校で約60%，また男子において発生割合が高くなっており，高校2年生以降の運動内容の変化に注意する必要がある．死亡原因のうち後天性心疾患で多い大動脈解離は，運動中に発症する比率が高く，かつ運動強度が強いほど例数が多かったとのことから，運動中の心臓突然死に対する注意を怠らないことが大切である．
　心臓に関する問診票，メディカルチェックで安静時心電図や場合によっては心臓超音波検査を行うことで，原因疾患の発見が可能な場合もあるが，発見されない疾患や心臓振盪のような疾患もあるため，スポーツ現場での心臓突然死（突然心停止）を回避するためには，スポーツ中のAEDの携行，アスリートも含め指導者，保護者，審判などアスリートを取り巻く人々への心肺蘇生法やAEDの使用方法の指導が，救命率を上げる効果的な方法である．

2 ▶ 熱中症

　熱中症とは，暑熱環境下での運動で，高体温になり，体温調節機能のバランスが崩れ，体内に熱がこもることにより生じるさまざまな病態を総称したものである．「日本救急医学会熱中症分類2015」では，その重症度によって以下のように分類している．
　Ⅰ度：現場での応急処置で対応できる軽症（立ちくらみ，筋肉痛，筋肉の硬直，大量の発汗など）．
　Ⅱ度：医療機関への搬送を必要とする中等症（頭痛，気分の不快，吐き気，嘔吐，倦怠感，虚脱感など）．
　Ⅲ度：入院して集中治療の必要性のある重症（意識障害，痙攣，手足の運動障害，高体温など）．
　熱中症に罹患した場合には，まずは身体冷却と脱水の改善をはかり，Ⅰ度以外は医療機関での治療が必要である．現場での効果的な身体冷却は，バスタブで氷水に全身を浸す方法で，それができない場合には全身に水をかけたり，濡れたタオルを全身にかけ扇ぐ方法が有用である．
　熱中症後からどのタイミングでスポーツに復帰させ

85

3 ▶ スポーツ外傷と障害

るのがよいかについては，その知見が少なく，難しい課題である．いずれにしても涼しい環境で軽度の運動から徐々に開始し，心拍数，深部体温，脱水状況などをモニタリングしながら，また症状の悪化がないか確認しながら段階的に強度を上げていくべきである．そして暑熱下の運動は十分体力が回復し，暑熱馴化を行ってから数週のトレーニングを経て，競技への完全復帰が望ましいと考える．

3 ▶ 気管支喘息

国立スポーツ科学センターの調べでは，国内トップアスリートの喘息の有病率は約10%である．症状は喘鳴より咳が多く，インターバルや持久系の運動，乾燥した環境で生じることが多い．運動誘発性気管支喘息は小児喘息の既往がなくても生じるため，アスリートでは注意が必要である．治療は「喘息予防・管理ガイドライン」に則るが，アスリートの場合にはより早期の症状改善が求められるため，現在の症状に合わせた治療ステップより一段階高い治療ステップから開始し，症状の改善に伴いステップダウンしていく方法で治療を行うことが多い．また喘息に使用される薬剤のなかにはドーピング禁止物質が含まれているものがあるため，競技スポーツのアスリートに使用する治療薬には注意を要する．

4 ▶ 食物依存性運動誘発性アナフィラキシー

「食物アレルギー診療ガイドライン2016」によると，「特定の食物摂取後の運動負荷によってアナフィラキシーが誘発される疾患である．ただし，原因食物の即時型アレルギーの既往を有する場合や経口免疫療法後などはこれに含めない」としている．発症機序はIgE依存性で，原因食物は小麦と甲殻類が多く，食後2時間以内の運動による発症が大部分である．初回発症年齢のピークは10〜20歳代と若年である．診断は問診や食物日誌から原因食物を絞り込み，アレルギー検査を行い誘発試験を実施する．再発症の防止には運動前の原因食物の回避，あるいは摂取してしまった場合には摂取後4時間の運動の中止を行う．アナフィラキシーを起こした場合に備えてエピペン®の携行が望ましく，併せてアスリートおよび周囲の人々への教育・指導を行う．エピペン®はドーピング禁止薬であるので，競技スポーツに参加するアスリートの場合は治療特例使用（therapeutic use exemptions；TUE）申請を係る機関に提出する必要がある．

2 慢性障害

1 ▶ 貧血

スポーツの現場でよくみられるのは鉄欠乏性貧血である．女性に多いと思われがちであるが，男性，特に成長期のジュニア男子にも多く認められており，男女問わずアスリートによくみられる慢性疾患である．貧血があると有酸素能力が低下することより，当然パフォーマンスを低下させ，ひいては外傷・障害のリスクも上がることから，介入は必要である．原因を検索し，鉄欠乏が原因と判断されれば，まずは，必要なエネルギーを満たした栄養バランスのよい食事に改善していくことが大事である．特にジュニア期は基礎代謝量に加え，成長のためのエネルギーと運動のためのエネルギーが必要になるため，身長が急激に伸びたり，体重増加が十分でない時期には，摂取エネルギーと貧血の有無の確認は重要である．食事で改善が得られない場合には経口鉄剤による治療を行う．鉄剤の静脈注射は，鉄が過剰に投与された場合に健康被害が生じる可能性があること，またアスリートではドーピングに抵触する場合があるので，安易には行わない．

2 ▶ オーバートレーニング症候群

オーバートレーニング症候群とは，スポーツなどによって生じた生理的な疲労が，十分に回復しないまま蓄積することで引き起こされる慢性疲労状態を指し，トレーニング効果が出なかったり，疲労感，倦怠感，食欲不振などの不定愁訴が出現する．原因は肉体的・精神的ストレスにより，視床下部や脳下垂体から分泌されるホルモンのバランスが崩れるためと考えられており，内科的な問題，例えば貧血や甲状腺機能異常，感染症などの疾患を除外したうえで，オーバートレーニング症候群と診断される．また疲労により増加するといわれている起床時心拍数や，心理的プロフィールテスト（profile of mood states；POMS）は診断の補助や経過観察には有用である．重症な場合には日常生活にも支障が出て，競技復帰に長期間かかったり，復帰が難しいこともあるので，早期発見が重要である．治療はトレーニングの中止とストレスとなっている環境の改善である．

3 ▶ 摂食障害

WHOによる国際疾病分類では，摂食障害は「生理的障害および身体的要因に関連した行動症候群」の1つに分類され，「身体的要因と精神的要因が相互に密接に関連して形成された食行動の異常」と考えられている．死亡率も高い疾患である．大きく神経性食欲不振症と神経性過食症に分類される．近年では増加傾向にあり，特に過食型の摂食障害の増加が特徴的である．また10歳代の占める割合が年々増加し，若年発症の傾向を示している．一般に90%以上が女性と報告され，女性アスリートではさらに2〜3倍高く，体重のコントロールが関係する審美系，体重別階級制，持久系競技で多いとされている．

治療は，食行動の改善，こころの問題の解決をはかる，家族をはじめ，コーチ，カウンセラー，栄養士，

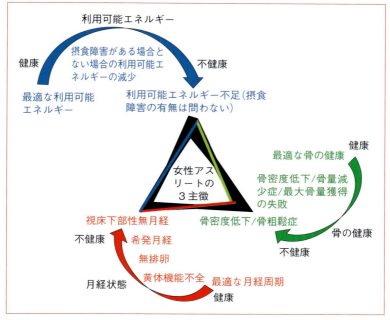

図3-2 女性アスリートの3主徴を表す概念図
(Mallinson RJ, et al: Current perspectives on the etiology and manifestation of the "silent" component of the Female Athlete Triad. Int J Womens Health 6: 451-467, 2014 より)

また学校や職場などと連携して、チームで治療を進めることが基本である。そのうえで場合によっては薬物療法、心理療法、入院による治療も必要となる。若いアスリートの場合、心身の成長・発達を長い目で見守ることも大切である。

運動性無月経

Exercise-induced amenorrhea

平池 修　東京大学医学系研究科 准教授（産婦人科学講座）

【疾患概念】　女性アスリートの3主徴である視床下部性無月経、骨粗鬆症、利用可能エネルギーの不足は、摂取エネルギーと運動強度のミスマッチであることはよく知られるようになった（図3-2）。運動性無月経の本質は、この3主徴のうちの視床下部性無月経のことである。国際オリンピック委員会（IOC）のワーキンググループは、2014年に3主徴よりさらに広い概念である relative energy deficiency in sport（RED-S）を提唱するようになった。RED-S は、代謝機能、月経、骨代謝、免疫機能などがエネルギー摂取と消費のバランス不良で障害されているということを指す概念であり、女性のみならず男性においても適応される概念である。

【病型・分類】
運動性無月経においては続発性無月経となるが、続発性無月経の定義は、これまで規則的にあった月経が3か月以上停止したものをいう。3か月という期間は、単なる月経発来の遅延や希発月経との境界を設定するために設けられたものである（図3-3）。

【病態】
視床下部-下垂体系ニューロンの発育は思春期近くになると成熟が進み、黄体化ホルモン（luteinizing hormone；LH）のパルス状分泌が夜間に起こるようになる。そしてゴナドトロピンの分泌が増すようになり、次いで性腺からのエストロゲン分泌が上昇し、第2次性徴が開始するといわれている。思春期が発来する約2年前から夜間に LH パルスが発生するようになるが、LH パルスは次第に日中にも認められるようになる。日中にも認めるパルス状分泌が最終的には思春期の成熟を促進する。GnRH（ゴナドトロピン放出ホルモン）ニューロンは律動的な分泌パターンをもつため、下垂体からのゴナドトロピン分泌も律動的である。ひとたび視床下部-下垂体-卵巣系の排卵調節系が確立すると、女性の排卵は閉経期に至るまで定期的にみられ

図3-3 運動性無月経の程度を表す概念図
程度が深刻であると，正常排卵（最左）から排卵障害，無排卵（中央），最終的に無月経（最右）に至るというものである．
(Mallinson RJ, et al: Current perspectives on the etiology and manifestation of the "silent" component of the Female Athlete Triad. Int J Womens Health 6: 451-467, 2014 より)

るようになるが，運動性無月経でみられるような体重減少・身体的ストレス，神経性食欲不振症に代表される精神的ストレスなどがあると，視床下部-下垂体-卵巣系の制御は失われ，排卵メカニズムは破綻し，正常な排卵周期は異常化または喪失する．利用可能エネルギーの不足はLHのパルス状分泌を阻害し，分泌は顕著に低下する．視床下部の性中枢は，オピオイドやカテコールアミンなどを介した周囲の脳内神経性インパルスに影響を受けやすいため，精神的ストレスなどの強い脳内刺激が起こると周期的な神経性インパルスの機能が障害され，GnRHの分泌異常が起こる．米国スポーツ医学会では利用可能エネルギー不足の第一段階のスクリーニングとして成人ではBMI 17.5以下，思春期では標準体重の85％以下を用いて評価している．

問診で聞くべきこと

既往歴，家族歴の聴取，身長，体重，生活歴（食事の状況も含む），乳汁漏出の有無，妊娠・分娩既往について問診する．正常な生殖可能年齢女性における月経周期は，正常周期は25～38日，周期日数の変動は±2～20日以内とされていることから，元来の月経周期と現在の妊娠の可能性は聴取する．

診断のポイント，必要な検査とその所見

身体所見としては，乳房発育，恥毛の有無，外性器所見など，内性器，外性器の形態の観察として，内診，経腟超音波断層法，CT，MRIなど各種画像診断を用

いうるが，続発性無月経の診断においてこれらすべては必ずしも必要ではない．

採血の項目としては，下垂体前葉のゴナドトロピン産生細胞から分泌されるLHおよび卵胞刺激ホルモン（follicle stimulating hormone；FSH）が重要である．性成熟期女性において卵胞期初期に測定するFSH，LH基礎値は排卵障害の有無，多嚢胞性卵巣症候群の診断，卵巣予備能の検定を目的としており，月経期（月経周期2～5日前後）において測定をするのが標準的であるが，無月経が持続している場合には随時採取が可能である．性機能を判定するためにエストラジオール値を検査するが，結果の解釈は，年齢，性別により大きく異なる．同時に同じ下垂体前葉から分泌されるプロラクチンもみる．高プロラクチン血症は無月経の原因として重要であり，高プロラクチン血症を伴う続発性無月経の場合，鑑別診断として薬剤性高プロラクチン血症，下垂体プロラクチン産生腫瘍，甲状腺機能低下症などが挙げられる．

以前はGnRH負荷試験（別名LHRH負荷試験）が中枢性無月経の診断に必須とされていたが，随時採血でおおむね機能の推測が可能である．無月経や無排卵の患者に対してホルモン療法により消退出血を起こすとFSHやLHの分泌が抑制されるため，GnRH負荷試験を行うのであれば1か月の休薬期間を設けてから行う．GnRH負荷試験の反応パターンにより卵巣機能不全型，多嚢胞性卵巣型，視床下部不全型，下垂体

表 3-3　利用可能エネルギー不足の改善法

団体	内容
米国スポーツ医学会	最近減少した体重を元に戻す 正常月経を保てる体重に戻す 成人は BMI 18.5 以上，思春期は標準体重の 90％以上にする エネルギー摂取量や体重は下記を目指す ・エネルギー摂取量は最低 2,000 kcal/日にする ・エネルギー必要量よりもエネルギー摂取量を 20〜30％増やす ・7〜10 日ごとに 0.5 kg 以上体重を増加させる．ただしトレーニングによるエネルギー消費量によってはさらに増やす 利用可能エネルギーを 45 kcal/kg 除脂肪量/日以上にする
国際オリンピック委員会	最近のエネルギー摂取量に 300〜600 kcal/日を加える トレーニング負荷を適正にする トレーニングや食事に関するストレスへの対応を考える

不全型に分類されるが，運動性無月経の本体である視床下部不全型の場合，LH，FSH の基礎値は正常または低値を示すが，軽症型の場合には，下垂体から下流は正常のため GnRH 負荷に対して良好な反応を示す．

鑑別診断で想起すべき疾患

分娩時に大量出血がみられた場合は，下垂体の壊死を病態とする Sheehan 症候群の可能性がある．運動に関係ない急激な体重減少または増加の有無，卵巣手術（子宮内膜症性卵巣囊胞，皮様囊腫など）既往の有無などが続発性無月経の鑑別として重要となる．

治療方針

利用可能エネルギーの不足は，生体の機能を維持するためのエネルギー量が不足している状態を指し，利用可能エネルギーは「エネルギー摂取量－運動によるエネルギー消費量」で求められ，除脂肪量（fat free mass；FFM）が，1 kg あたり 30 kcal/日未満の状態になると LH の周期的分泌が抑制され月経異常につながる．よって，エネルギー消費量に見合ったエネルギー量を食事から摂取することが，運動性無月経の改善において最重要である．表 3-3 に，米国スポーツ医学会および国際オリンピック委員会の利用可能エネルギー不足の改善法指針を示す．管理栄養士と連携し，食事内容の改善をはかることが重要である．

現在までのところ，運動性無月経はエストロゲン分泌が損なわれることから，骨密度に対する治療としてエストロゲン補充を考えがちであるが，女性アスリートにおいてエストロゲン補充のみでは骨密度の維持およ び増加はほぼ達成不可能であることが知られている．正常な月経の発来は適切なエストロゲンの分泌が保たれていることと同義であるが，エストロゲンレベルは最大骨量（peak bone mass）の獲得に大きな影響を及ぼすことに注意する．

スポーツ外傷・障害に対する現場での応急処置

Emergency measures of sports injuries in the field

中嶋　耕平　国立スポーツ科学センタースポーツメディカルセンター 副主任研究員〔東京都北区〕

【概説】　スポーツ活動の実施に際しては，起こりうる外傷や障害に対して，事前のメディカルチェックの実施などによって，最大限の予防に努める必要があるが，それでもスポーツ活動の現場では，ある程度の数の外傷や障害が発生しているのが実情である．国際オリンピック委員会（IOC）の医事委員会による，夏季オリンピック競技の外傷・疾病調査では，競技期間中の外傷発生率は 8〜10％ 程度ともいわれている．

スポーツが広く人々に普及していくためには，①スポーツが身体の健康にもたらす陽性効果の実証と，②安全に実施可能な環境の確立，さらには③万が一，外傷や障害が発生しても適切な処置と治療によって，スポーツからの離脱を最小限にとどめ，再開意欲を損なわないための配慮が重要といえる．スポーツによる外傷や障害を契機に，治療後も永遠にスポーツから離れてしまうという事態は避けなければならない．そのためには，外傷や障害発生時には，受傷者の不安や苦痛を最小限に抑え，すみやかかつ円滑に対処することが求められる．

また，発生した事例に対しては有用性の高い疫学的な検討を実施し，持続的な再発予防への取り組みを行うことがきわめて重要となる．

1　実施上のポイント

スポーツ外傷・障害の治療に関しては，いわゆる一般の整形外科治療の枠組みと大きな差はないが，発生現場での対応は，その後に行われる治療とその期間を効率的に短縮し，早期にもとの活動レベルに回復させることを念頭において実行する必要がある．

スポーツ外傷や障害には競技や種目による特性もあるため，スポーツ現場に立ち会う場合には，あらかじめ競技特性に応じた応急処置の準備をしておくことが望ましい．また，主要な競技では，国内もしくは国際

競技団体が医事規定を設けていることが多く，事前にその内容をチェックしておくことで，準備すべき医薬品や衛生材料，医療機器を把握することも可能である．さらに競技によっては試合中の外傷発生時の対応が，競技規定や審判規定に含まれている場合もあり，規定に則った対応を行わないと，選手の失格や罰則などが適用される場合もあるので注意が必要である．

また，スポーツ活動の現場で実施可能な医療処置の内容には限界がある．不十分な医療環境で過剰な治療に固執することは避けるべきである．そのため，あらかじめスポーツの実施現場から搬送可能な近隣の医療施設に対し，実施競技や発生頻度の高い外傷について情報の共有をはかり，後方支援の依頼をしておくのが理想的である．

2 応急処置の基本

スポーツにおける外傷・障害の発生現場で，応急処置の基本となる項目は，RICE（PRICE）処置とされる．これは各処置の頭文字を冠した表現で，R（rest）：安静，I（icing）：冷却，C（compression）：圧迫，E（elevation）：挙上，P（protect）：保護を意味する．すなわち，患部を保護，安静とし，すみやかに氷嚢などによる冷却と弾性包帯やバンデージによる圧迫を施し，患部を心臓より高い位置に挙上する処置である．整形外科医が現場に立ち会う場合は，これらの処置を実施する前に，短時間で適切な診断を行い，救急搬送の要否を判断することになる．

一般的なスポーツ現場で準備しておくべき医療機器・物品は，救急救命処置に必要とされる医療機器（体外式除細動器，スクープストレッチャーもしくはバックストラップ／スパインボード，頸椎固定帯，アンビューバッグもしくは人工呼吸用マウスピース，血圧計，血中酸素飽和度測定器，ペンライトなど）のほか，整形外科的な医療機器としては，前述のRICE処置に使用する，弾性包帯や三角巾，冷却用の氷やアイスバッグ，アイスバケツ，患肢固定用のギプスシーネや移動用としての松葉杖，車椅子などの準備が必要である．また，切創や挫創，擦過傷，止血などの創傷処置用の衛生材料も準備すべきである．近年は携帯型の超音波断層装置も普及しつつあり，骨傷の有無や靱帯損傷の評価など，受傷者に苦痛を与えずに短時間で有用な情報を得ることが可能であり，スポーツ外傷や障害の現場での貢献度は高い．

3 専門的な対応

前述のIOCの報告によれば，競技期間中，すべての競技における外傷・障害発生の71％が新鮮外傷であり，このうち28％が他選手との接触で，21％が非接触外傷とされている．特に他選手との接触が前提となるコリジョンスポーツや格闘技，他選手との接触がなくても高エネルギー外傷の発生リスクが高い，自転車競技や乗馬，ウエイトリフティング，および跳躍動作を伴う競技では，頭部外傷や脊椎損傷の発生に対応可能な準備と搬送経路の確保が必要となる．

4 疫学的な取り組み

スポーツ現場での外傷や障害に対して，適切な応急処置がなされることの重要性はいうまでもないが，発生件数を減らすための取り組みも不可欠である．明らかに発生頻度の高い外傷や障害については，発生予防のためのアプローチの検討が必要となる．これまでも多くの外傷・障害の発生頻度に関する報告は行われているが，国内外を含め共通の定義や形式を用いることで，より汎用性の高いデータベースを構築でき，他競技との比較も可能となる．現在，IOCが展開している"Injury and Illness Report Form"は国際的にも活用頻度が高いといえる．これは，オリンピック競技大会などの主要な国際総合競技大会における外傷・疾病サーベイランスとして採用されており，競技種別，受傷状況（試合の段階）や日時，受傷部位，損傷の種類，受傷機転，重症度（治療日数）などがコード化して定義されており，採用している国際競技団体も多い．これらの集計結果をもとに，外傷発生率については，選手1,000名あたりの発生頻度（1,000 athlete-exposure；1,000 AE）や，試合とトレーニングを区別し，各々の状況で，スポーツ実施人数×活動時間（曝露時間）を1,000とした際の発生頻度（1,000 athlete-exposure hours；1,000 AEH）などで表現することが多い〔例：50人×200時間で3件発生＝0.3（1,000 AEH）〕．

スポーツ外傷・障害の予防

Prevention of sports injuries

古賀 英之　東京医科歯科大学大学院 教授（運動器外科学）

1 スポーツ外傷・障害の予防に対する注目度の高まり

世界中で高齢化が進むなかで，心身とも自立した活動的状態で生存できる期間としての健康寿命（平均寿命から要介護状態となった期間を引いた期間）の延伸は，わが国のみならず世界共通の最重要課題である．そこで世界保健機関は2000年より「運動器の10年」世界運動を開始し，この運動は2010年からの10年に

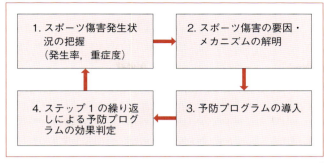

図 3-4　スポーツ傷害（外傷・障害）予防のための 4 つのステップ

おいても継続されている．わが国では，要支援・要介護となった原因は運動器の障害が 25% を占めて第 1 位，高齢者の有訴者率では関節痛が男性で 3 位，女性で 2 位となっている．健康寿命阻害因子としていわゆるロコモティブシンドローム（運動器症候群）が提唱され，その克服が喫緊の課題となっている．

一方，2021 年に東京オリンピック・パラリンピックが開催されるにあたり，国内におけるスポーツ医学に対する一般の関心，理解もいっそう深まってきている．スポーツ医学は単にスポーツ選手の競技力向上をサポートするだけでなく，一般のスポーツ愛好家に対するスポーツ外傷・障害の予防と治療を通して健康増進を促し，ひいては健康寿命の延伸に重要な役割を果たすようになった．

このように国内外においてスポーツ医学が大きな注目を集めるなか，スポーツ外傷・障害に対するアプローチとしては従来の治療に特化した医療から，近年ではその予防に焦点が当てられるようになってきている．その発想は北欧を中心にいち早く 2000 年代から取り入れられ，2005 年に世界で初めてスポーツ外傷予防医学の学会がノルウェーのオスロで開催されて以来，徐々に広まりをみせるようになった．同学会が第 3 回より IOC の主催となり，2021 年には第 6 回 IOC World Conference on Prevention of Injury & Illness in Sport がモナコで開催予定であるが，国内においても近年ようやくその注目度が高まりつつある．

2 スポーツ外傷・障害予防へのアプローチ

スポーツ外傷・障害の予防に対するアプローチとして，古くから数多く引用され，今でもなお世界中で多く用いられているものがいわゆる van Mechelen モデルである（図 3-4）．このモデルは 4 つのステップからなる．第 1 のステップは発生率，重症度などの傷害発生状況の把握であり，このステップで予防すべき傷害を同定する．第 2 のステップでは内的および外的要因，危険因子や受傷メカニズムなどその傷害の原因となるものを特定，解明する．第 3 のステップでは第 2 のステップで得られた知見をもとに予防プログラムを導入する．第 4 のステップでは第 1 のステップを繰り返すことにより予防プログラムの効果を評価する．これらのうち実際に予防方法を考えるうえでは特に第 2 ステップが大事であり，多くの研究においてこの部分に焦点が当てられている．

スポーツ外傷・障害の原因を考えるうえでは，以下の 3 段階に分けて考えると理解しやすい．①年齢，性別，生理学的あるいは解剖学的要因，技術，精神的要因など（これに加えて近年ではその外傷・障害の既往が最も大きな素因であることが数多くの外傷・障害で報告されている）の内的要因があり，そこに②外的要因，すなわちスポーツの要素，防具，用具や環境などの要因が加わることにより，アスリートは非常に外傷・障害を生じやすい状況におかれる．そして，③実際の場面においてその受傷メカニズムが加わることにより，外傷・障害が発生する．

これらの危険因子や受傷メカニズムを同定するための研究方法にはさまざまなアプローチがあり，これまで，選手への聞き取り調査，臨床所見（関節鏡，画像所見など）の研究，模擬動作における 3 次元動作解析，*in vivo* 研究，cadaver を用いた研究，受傷シーンのビデオ解析，コンピュータモデルを用いたシミュレーションなどのアプローチによって研究が行われてきている．

3 スクリーニングテストの意義

また近年では，これら危険因子に対するスクリーニングテストの意義についても疑義が生じている．スクリーニングテストが実際に外傷・障害の予期・予防のために妥当であることを示すためには，以下の 3 つを満たす必要がある．

①前向きコホート研究によって，スクリーニングテ

ストで用いられる非常に相関の強い危険因子を同定し，閾値を設定すること．

②ほかの多くのコホートにおいて，適切な統計，適切な母集団を用いてそのテストと閾値の妥当性を検証すること．

③仮にこれらを満たすスクリーニングテストが存在したとして，randomized controlled trial を行い，実際の予防プログラムをこのスクリーニングテストで同定されたハイリスク群のみに適用したほうが，すべてのアスリートに適用するよりも有用であることを示すこと．

現時点において，これらの観点から十分な意義をもつスクリーニングテストは存在しない．なぜなら現状のテストにおいては，ほぼすべてのデータが連続変数で示されるため，仮に統計学的有意差のある危険因子が同定されたとしても，どこに閾値を引いてもハイリスク群とローリスク群の間には必ずオーバーラップが存在し，明確な閾値を引くことはほぼ不可能である．例えば現時点で最も有意な危険因子とされるその外傷・障害の既往をスクリーニングに用いたとしても，既往のないアスリートも実際にはある一定数その外傷を生じるわけであり，ハイリスク群だけに予防プログラムを適用しても全体の予防につながらない．そのため，これまで統計学的に有意差のある危険因子として示されてきたほぼすべてのテストにおいて，受傷のリスクを十分な精度をもって同定することはできないといえる．

以上の観点から，現時点においては外傷・障害を予防するための適切なスクリーニングテストは存在せず，よって予防プログラムはすべてのアスリートに行うべきである，といえるのではないだろうか．一方で，既存の発想を変えることによって上記を満たす新たなスクリーニングテストを発見できれば，スポーツ予防医学界に革新的な発展をもたらすといえよう．

下肢の筋打撲傷と肉ばなれ

Muscle contusion and muscle strain of lower extremity

奥脇 透 国立スポーツ科学センター 副センター長〔東京都北区〕

1 下肢の筋打撲傷

【疾患概念】

筋打撲傷は，直達外力による筋線維部の損傷である．典型的には相手の膝などが大腿前面に当たることなどにより生じる．

【臨床症状】

大腿前面では深部にある中間広筋が損傷されやすい．重症度は，損傷で生じた血腫や浮腫による筋の伸展障害となって反映される．中間広筋の筋打撲傷では，膝関節の屈曲制限が生じる．慢性化すると，損傷部に骨が形成されたり（骨化性筋炎），損傷した筋が硬くなったり（拘縮）して，膝関節の屈曲制限が遷延し，治療に長期間を要する．

問診で聞くべきこと

受傷機転（いつ，どのスポーツで，どのように受傷したのか）と，その直後の対応（プレーの継続の有無，その期間，直後の処置と受診までの経過など）．

必要な検査とその所見

問診にて筋打撲傷を疑ったら，膝関節の屈曲角度をみる．120°以上曲がらない場合には，超音波検査かMRI撮像を行う．2，3週経過していて明らかなしこりを触れる場合には，骨化性筋炎の合併を疑い，大腿部の単純X線を撮る．

診断のポイント

問診と患側の膝関節屈曲角度が決め手となる．

専門病院へのコンサルテーション

骨化性筋炎の合併や，膝関節が90°以上屈曲できない場合には相談する．

治療法

最も重要なのはスポーツ現場での応急処置であり，受傷後できるだけ早期に膝関節を屈曲させることである．診察時に膝関節屈曲角度が120°以上あれば，数日の安静でスポーツ復帰が可能である．しかし，90°以下の場合には，3週間以上を要することが多い．

患者説明のポイント

筋打撲傷は，損傷した筋による関節可動域の制限が問題となる．

リハビリテーションのポイント，関連職種への指示

関節可動域運動と患部の温熱療法を行いながら，120°の屈曲角度を目指す．受動運動は，痛みを増強させないよう愛護的に行う．

2 下肢の肉ばなれ

【疾患概念】

肉ばなれは，自らの筋力（拮抗筋の力）または介達外力によって，抵抗下に筋が過伸展されて発症する．

【臨床症状】

好発部位は，ハムストリングスであり，腱膜の損傷が主体となる．重症例としては，格闘技などでの転倒の際に，膝関節伸展位で股関節の屈曲を強制され，坐骨結節部付近を損傷する例などがある．

問診で聞くべきこと

受傷機転と，受傷した瞬間の自覚症状，その後の経過など．

必要な検査とその所見

①診察では圧痛点を調べ，筋の起始や停止部付近にある場合には要注意である．またストレッチ痛の有無や程度（関節角度）も重症度の推定には重要である．ただし，これらは経過とともに軽減してくるので，急性期ほど有用となる．

②画像検査は，超音波検査やMRIが有用であり，ストレッチ痛が明らかな場合にはMRI検査を勧める．MRIによる重症度の見極めは，損傷部位により3つに分類し，軽症（筋線維部損傷），中等症（腱膜部損傷），重症（付着部損傷）となる．肉ばなれの予後は，軽症では1〜2週，中等症では1〜3か月である．重症例の場合は手術療法を勧める場合もあり，復帰には数か月を要する．

診断のポイント

問診，圧痛部位，ストレッチ痛および画像所見（MRIにて損傷部位と損傷の程度を把握すること）である．

専門病院へのコンサルテーション

重症な筋腱付着部損傷を疑った場合，手術適応の有無を含めて相談する．

治療法

原則として保存療法を行う．中等症以上では，ストレッチ痛の改善をみながら荷重動作や抵抗運動に移る．伸張性収縮力の回復と画像検査における損傷部の修復が復帰への目安となる．

患者説明のポイント

肉ばなれの典型例は，腱膜の損傷で，その修復には数週間を要することを説明する．

リハビリテーションのポイント，関連職種への指示

ストレッチ痛の軽減や消失がポイントとなる．ストレッチ痛が長引く場合には再診を勧める．

スポーツによる疲労骨折

Stress fracture caused by sports activity

帖佐 悦男　宮崎大学 教授

【疾患概念】　いわゆる疲労骨折（fatigue fracture）は，正常の骨に通常以上の繰り返しの外力が加わり生じる．ストレス骨折（stress fracture）は，骨強度と慢性の外力のミスマッチで生じ，スポーツ時はオーバーユースが主原因である．同一部位に反復性の過度の負荷がかかり，骨の生理的修復機能を上回る負荷が継続した場合，微小骨折（骨梁，海綿骨，皮質骨の損傷）をきたし，最終的には骨折線（仮骨）を認める．したがって，スポーツによる疲労骨折は外傷ではなく障害の代表であり，骨形態や骨強度とスポーツ動作が互いに関与するため，発生部位に特徴がある．

【病態】　発症要因は，筋付着部を含む骨形態，骨強度，筋のアンバランスとスポーツ動作（種目特性）や環境要因（不適切なグラウンド・靴）であり，好発年齢は10歳代で16，17歳にピークがある．また種目・動作により疲労骨折が生じやすい部位があり，最も多い脊椎分離症は体幹の伸展，回旋動作により椎間突起間部に発生し，脛骨の跳躍型は前面中央，疾走型は近位または遠位に発生し，無月経の女性で発症しやすい．頻度・好発部位は種目・性差などに依存するが，腰椎，下肢で約90%を占め，そのうち第5腰椎関節突起間部（腰椎分離症），脛骨，中足骨で約80%を占める（表3-4）．

【臨床症状】　日常生活では支障がないほどの局所の叩打痛と，運動動作時の疼痛が特徴である．腰椎疲労骨折では棘突起の叩打痛や腰椎伸展・回旋時痛，下肢の疲労骨折では疾走時や跳躍時痛がみられる．大腿骨疲労骨折では，病巣部に負荷を加えるfulcrum testが陽性となる．

問診で聞くべきこと

疼痛部位，疼痛誘発姿勢，種目，運動方法（発症前後の運動の種類，時間，強度，環境など）について疲労骨折を疑い聴取する（表3-4）．

必要な検査とその所見

一般外来ではまず単純X線検査を行うが，早期には所見を認めないことが多い．成長期であれば2〜3週後に再度撮影することで仮骨（骨膜反応など）を認めることが多い．早期診断には，MRI，CT，超音波，骨シンチグラフィーや骨代謝マーカーが有用である．超音波所見では，皮質骨の不整と低エコー像を認める．鑑別診断として，打撲，捻挫や筋損傷がある．下腿の場合，シンスプリントの鑑別が必要で，MRI上広範囲の骨髄浮腫や骨折線を認めた場合は疲労骨折と診断する．

診断のポイント

種目と疼痛発症前後の病態の聴取から，疲労骨折を疑うことが重要である（表3-4）．表在性の場合，限局性の叩打痛を認めるが単純X線上不明であることも多く，緊急を要する場合はMRIなどの精査を勧める．

専門病院へのコンサルテーション

保存療法で難治性の疲労骨折〔脛骨跳躍型，第5中足骨近位骨幹部（Jones骨折），足関節内果，膝蓋骨，

表 3-4 疲労骨折好発部位（頻度順）・特徴

部位		特徴，誘因など
腰椎	関節突起間	体幹伸展回旋動作
脛骨	近位1/3，遠位1/3 中央前方	疾走型 跳躍型：完全骨折に注意
中足骨	第2～5中足骨 Jones骨折	骨幹部-頚部；行軍骨折，長距離走，足部アーチ異常 基部（第2中足骨）；エアロビクス 近位骨幹部（第5中足骨）；サッカー，ラグビー，バスケットボールなど．完全骨折に注意
腓骨	近位 遠位	跳躍型：跳躍，短距離走，バスケットボール 疾走型：ランニング
肋骨		ゴルフ：利き腕と反対側の第5，6肋骨
大腿骨	頚部，遠位1/3	女性，長距離走
骨盤	恥骨結合・下枝	ランニング，跳躍．裂離骨折の鑑別
尺骨	肘頭	投球動作
足根骨	足舟状骨	ランニング
膝蓋骨	遠位	跳躍
上腕骨	骨幹	投球動作時の捻転ストレス．投球骨折（1回の外力）の鑑別

足舟状骨，尺骨肘頭〕の場合，手術適応を含め専門医へ紹介する．

治療方針

一般には，要因となった動作や種目の中止と環境（硬いグラウンドなど）の改善により治癒するので，発症要因を選手に理解させ対策をとることが最も重要である．また女性の場合，摂食障害や無月経への対応も必要である．

1▶保存療法

局所の安静，柔軟性低下など個体要因の改善や病変部への超音波治療を行う．

2▶手術療法

前述の難治性骨折に対しては，手術療法（脛骨跳躍型；髄内釘，Jones骨折・尺骨肘頭・膝蓋骨；スクリュー）が選択されることがある．手術適応時期を逃すと偽関節になり，スポーツ復帰に予定以上の期間を要する場合があるので，windows of opportunity を逃さないことが肝要である．

患者説明のポイント

同一部位に反復性の過度の負荷（オーバーユース）が加わったこと，女性の場合は無月経であればその影響があること，ならびに個体・環境要因の改善が必要なことを理解させ，休養も重要な治療であることを説明する．

リハビリテーションのポイント，関連職種への指示

個体の要因（柔軟性低下，アライメント異常など）に対するアプローチが重要であり，骨癒合状況に応じアスレチックリハビリテーションを実施する．患部外トレーニングの指導，柔軟性の獲得や動作指導を含めたリコンディショニングは，モチベーション維持の観点からも重要である．

スポーツによる肩関節部の外傷・障害

Shoulder problems associated with sports

今井 晋二　滋賀医科大学 教授

【疾患概念】　日常生活で必要とされるレベル以上のハイパフォーマンスが要求されるスポーツでは，肩関節は多大な物理的・生物学的ストレスにさらされる．野球やテニスなどのオーバーヘッド動作では，高度の力学的出力が要求され，サッカーやバスケットボールでは，下肢・体幹のパフォーマンスを支える高度のバランス機能が要求される．肩・肩甲帯の機能を全く必要としないスポーツは皆無と言っても過言ではない．特にラグビー，アメリカンフットボールに代表されるいわゆるコリジョンスポーツでは，肩の動きとしてのハイパフォーマンスが要求される以外に，激しい衝突にさらされつつ，相手を撃破する機能が要求される．

オーバーヘッド動作で過度の反復ストレスが加わる

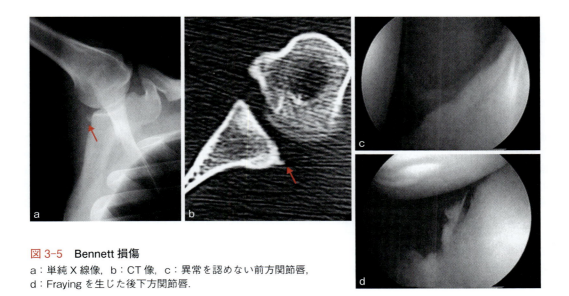

図 3-5　Bennett 損傷
a：単純 X 線像，b：CT 像，c：異常を認めない前方関節唇，
d：Fraying を生じた後下方関節唇．

と，上方関節唇損傷，関節包側腱板部分断裂や Bennett 損傷が，またスライディング時にバランスを崩すと肩関節脱臼，肩鎖関節脱臼や上腕骨近位部骨折が，また激しいタックルから上腕を過外転・外旋され反復性肩関節脱臼が引き起こされる．現役のスポーツ選手に起こるこれらの肩関節部の障害以外に，青年期のオーバーヘッド動作の反復が中年期になってから関節包側腱板部分断裂として遺残し，症状が出ることも多くある．

【病態】
⑴上方関節唇損傷
　転倒で上肢をついて，上腕骨頭が上方にせり上がるときに，一気に関節唇を関節窩から上方に剥がすように受傷する外傷と，オーバーヘッド動作繰り返し上腕骨頭が上方にせり上がり，上方関節唇を関節窩から剥がすオーバーユースに起因する障害がある．
⑵関節包側腱板部分断裂
　上方関節唇損傷と同じく，オーバーヘッド動作で繰り返し上腕骨頭が上方にせり上がり，関節内から腱板を突き上げると，腱板を関節内から損傷する原因となる．別名インターナルインピンジメント症候群という．
⑶Bennett 損傷
　投球に伴う肩甲骨関節窩下方の骨棘で，以前は三頭筋付着部の骨棘とされていたが，近年では投球動作に伴う後下方の関節包の損傷としてとらえられており，その後の瘢痕組織による後方関節包の硬さ，すなわち肩外転位での内旋制限の原因として臨床的意義がある（図 3-5）．これにより肩挙上位での内旋が制限される

と，フォロースルー期に上腕骨頭が関節窩をせり上がり，上方関節唇損傷や関節包側腱板部分断裂の原因となる．
⑷外傷性肩甲下筋断裂
　他者や障害物などと接触した際に腕が外旋強制され，肩甲下筋が破断する．受傷直後は断裂による激しい痛みで肩挙上が困難となるが，受傷後 2 週間程度で挙上制限は改善し，肩甲下筋機能不全特有の症状が出現してくる．
⑸外傷性肩関節前方脱臼
　肩関節はすべての関節のなかでも最も脱臼しやすい関節であり，過外転・外旋動作で脱臼する．しかし，スポーツ現場では必ずしも過外転・外旋動作で脱臼するとは限らず，スローモーション動画を見てみると，転倒や前方障害物，ほかの選手と衝突する際に，肩甲骨の接線方向の加速度に平行しない上腕骨頭の加速度が発生したときに脱臼することがわかる．
⑹肩鎖関節脱臼（関節症）
　柔道や相撲，ラグビーなど肩から地面に転落することの多いスポーツで好発する．ほとんど転位を認めない Rockwood 分類 1 型と鎖骨 1 本分までの転位の 2 型は主に肩鎖靱帯の損傷を，鎖骨 1 本分の転位の 3 型では烏口鎖骨靱帯の損傷を，それ以上の 4 型，5 型では三角筋筋膜や僧帽筋筋膜の損傷を段階的に伴うとされる．1，2 型では保存療法が，4，5 型では手術療法が選択されることが多いが，3 型では意見が分かれる．1 型でもまれに関節円板が損傷され，肩鎖関節症として痛みの原因となると外科治療が行われることがある．

(7)鎖骨遠位端骨折

肩鎖関節脱臼と同様，肩から地面に転落することの多いスポーツで好発する．烏口鎖骨靱帯は正常で遠位骨片の転位の少ない Neer 分類 1 型では保存療法が選択され，烏口鎖骨靱帯が損傷され転位が大きい 2 型では，整復固定術が選択されることが多い．肩鎖関節内骨折の 3 型では，関節症性変化をきたしやすく，鎖骨遠位端形成術を選択されることがある．

(8)反復性肩関節脱臼

初回の肩関節前方脱臼では，前下関節上腕靱帯が損傷され，外固定による初期治療に失敗すると，恒久的な関節上腕靱帯機能不全となり，反復性肩関節脱臼の原因となる．特に 10 歳代の初回脱臼では，90％ が反復性脱臼に移行するとされ，初期治療の重要性が強調される．関節上腕靱帯機能不全は，関節造影 CT で関節唇の消失，後退，萎縮，関節包靱帯の弛緩などとして描出され，画像診断が有用である．近年の MRI では T2 脂肪抑制像でほぼ同等の画像診断が可能であるが，全く関節水腫を伴わないときには，やはり関節造影が必要になることがある．さらに脱臼を繰り返すと，上腕骨上後方の骨欠損（Hill-Sachs 損傷）や関節窩前下方の骨欠損（骨性 Bankart 損傷）となり，易脱臼性が増す．

問診で聞くべきこと

初回問診において，受傷時の年齢，受傷機転，前医での画像診断の有無，症状（疼痛）の部位や性質，投球側が受傷側か，利き手はどちらか，コリジョン（衝突）の有無，脱臼の際には，麻酔下に整復されたか，反復性脱臼では，自力で整復可能か，を確認することは特に重要である．

必要な検査

①単純 X 線：大結節の形や骨折には，肩関節正面と true AP，小結節や関節窩の形状には軸写が有用であり，使い分ける．最近では，X 線透視下の関節造影はあまり行われなくなったが，大小結節の変形によるインピンジメント症候群や偽関節の診断には，X 線透視下に関節の動きを見ることが重要である．肩鎖関節脱臼では，5 kg の重錘で牽引下の転位評価が有効なことがある．

②CT：上腕骨近位部骨折の大小結節の剥離骨片の評価，外傷性肩関節脱臼に伴う関節窩前縁の骨折の評価，反復性肩関節脱臼の際の Hill-Sachs 損傷や骨性 Bankart 損傷の評価，鎖骨遠位端骨折の評価に特に有用である．

③MRI：上方関節唇損傷，関節包側腱板部分断裂では，T2 脂肪抑制像で高輝度領域として描出される．外傷性肩甲下筋断裂では，受傷後早期では血腫が，その後断裂部が描出される．Rockwood 分類 1 型肩鎖関節脱臼で関節円板が損傷されている場合，単純 X 線や CT で診断がつかなくても，MRI で骨挫傷として描出されることがある．

診断のポイント

①スポーツ障害：当該種目で好発する障害病名を念頭において，各種の誘発試験を実施する必要がある．上方関節唇損傷では O'Brien テストや crank テストが，関節包側腱板部分断裂ではインピンジメントテストが，肩鎖関節脱臼では cross-body adduction test が，反復性肩関節脱臼では anterior apprehension テストが，Bennett 損傷，すなわち後方関節包の硬さでは hyperexternal rotation テストや combined abduction テストが陽性となる．

②スポーツ外傷：当該種目で好発する外傷に加え，受傷機転を参考に外傷病名を念頭において，各種の画像診断，誘発試験を実施する．外傷性肩甲下筋断裂では，lift-off テスト，belly-press テストが陽性となる．

治療方針

1 ▶ 保存療法

肩関節部のスポーツ障害の多くは保存療法が適応される．特に投球側の上方関節唇損傷，関節包側腱板部分断裂，Bennett 損傷などの多くは，投球動作に伴う後下方の関節包の損傷とその後の瘢痕組織による後方関節包の硬化，すなわち肩外転位での内旋制限と後方関節包の硬化に続発することが多い．このため，障害が出現する以前の投球数制限や登板間隔の調整，その間のストレッチによる正常可動域の回復，カフトレーニングによる肩関節求心性の回復と維持が非常に重要である．

2 ▶ 手術療法

反復性肩関節脱臼では，手術療法が多く選択される．オーバーヘッド動作が要求される競技では鏡視下 Bankart 修復術が一般的で，大きな Hill-Sachs 損傷を伴う場合は，後方関節包を同部に縫着する remplissage 法の追加が検討されるが，外旋制限の出現の有無については意見が分かれる．ラグビーや柔道など衝突を伴うコリジョンスポーツでは，より強い制動力が求められ Bristow 法や Latarjet 法などの烏口突起移行術が選択される．近年では，早期スポーツ復帰を目指して鏡視下での烏口突起移行術が試みられているが，それによる早期復帰の可否については意見が分かれる．

スポーツによる上腕の外傷・障害

Arm problems associated with sports

今井 晋二　滋賀医科大学 教授

【疾患概念】　上腕骨は近位部で肩関節を構成し，投球動作による障害や衝突にさらされる．遠位部では肘関節を構成しており，上肢全体のねじり動作にもさらされる．

(1) 上腕骨近位骨端線離開

上腕骨近位部の骨端線が存在する10〜15歳程度の成長期に，投球動作によって同部にねじれと牽引力が加わり，骨端線が離開する．投球時の疼痛が主要症状で，投球休止ですみやかに痛みは軽快するが，左右を比較した単純X線での異常所見が消失する以前に投球を再開すると，疼痛も再燃する．これを不用意に繰り返すと，成長軟骨障害から上肢長の左右差を生じる．

(2) 上腕二頭筋長頭腱炎

上腕二頭筋長頭腱が徐々に変性を起こして腱線維がほつれ，癒着や腱の線維化が起こる．上腕二頭筋長頭腱の結節間溝内の腱鞘に水腫をきたし，腱の滑走が妨げられる．関節面前面の痛み，上腕内側の痛みをきたす．

(3) 上腕二頭筋長頭腱断裂

1回の強力な牽引でも断裂しうる．パラセーリング，ボルダリングなどで肘を曲げながら耐えつつ，外力により非常に強く肘伸展を強制されることで受傷する．上腕部に断裂感を感じ，激しい痛み，腫脹，脱力が出現する．このような若壮年者での断裂により，肘の屈曲力は健側比で50％強になるとの報告もあり，やはり高齢者の退行性断裂とは異なる．

(4) 上腕骨近位部骨折

70歳以上の高齢者に好発する上腕骨近位部骨折は，骨粗鬆症を基礎とし，軽微な外傷により発症するのに対して，スポーツ外傷としての上腕骨近位部骨折は，中高所からの転落や衝突を原因とする．骨質は良好で骨癒合はおおむね良好であるが，大小結節の偽関節や変形治癒は，筋出力低下や可動域制限，疼痛の原因となり，スポーツ復帰の妨げとなる．

問診で聞くべきこと

初回問診において，受傷時の年齢，受傷機転，前医での画像診断の有無，症状（疼痛）の部位や性質，投球側が受傷側か，利き手はどちらか，肘屈曲位からの肘伸展強制などを確認することが診断に有用である．

必要な検査

①単純X線：上腕骨近位骨端線離開では，両側の比較が重要であり，上腕骨内旋位，外旋位での撮影でSalter-Harris分類も評価する．上腕骨近位部骨折でも，小さな大小結節の剥離骨片に留意する．
②CT：骨端線離開，骨折に有用．
③MRI：上腕二頭筋長頭腱炎では，結節間溝内の腱鞘に水腫を認め，pulleyが損傷されてくると，肩甲下筋の付着部剥離が描出される．上腕二頭筋長頭腱断裂もMRIで描出されるが，超早期は血腫により，2週以降では筋退縮により読影が困難になることがある．

診断のポイント

①上腕骨近位骨端線離開：上腕骨近位骨端線離開では，投球休止によりすみやかに疼痛は軽減する．上肢へのねじれ，張力の介達外力でも外傷性に出現するが，この場合は痛みのため，全く肩を動かそうとしないので鑑別できる．外傷の場合は，Salter-Harris分類で成長障害の予後判定を行い，場合によっては手術が必要になる．

②上腕二頭筋長頭腱炎：結節間溝に圧痛があり，SpeedテストやYergasonテストが陽性となる．腱板のエコー検査の際には，必ず結節間溝内の水腫，腱の有無(断裂)を評価する．

③上腕二頭筋長頭腱断裂：診断は比較的容易であるが，受傷後に長期間経過すると，断端が退縮し，筋線維も線維化が進み，手術が困難となるので，丁寧な説明と同意が必要である．

④上腕骨近位部骨折：大小結節の転位は，高齢者ならば大きな機能障害とならない程度の転位でも，壮年者や若年者ではスポーツなど期待する身体能力が高いため，想像以上にQOLが障害されることがある．スポーツ活動を勘案し，適切な治療を選択する．

治療方針

1 ▶ 保存療法

①上腕骨近位骨端線離開：投球による上腕骨近位骨端線離開では，投球休止によりすみやかに疼痛は軽減するが，単純X線で左右を比較し，異常所見が消失するまで投球は休止する．外傷性上腕骨近位骨端線離開では，Salter-Harris分類で成長障害の予後判定を要する．

②上腕二頭筋長頭腱炎：局所安静，腱鞘内ステロイド注射などを行う．

2 ▶ 手術療法

①上腕二頭筋長頭腱断裂：40歳以下の単発の断裂ならば，なるべく早期に腱固定を行う．鏡視下，直視下ともに臨床成績に差はない．

②上腕骨近位部骨折：3-，4-part骨折は当然であるが，結節のminimal displacementと診断された骨折が，想像以上に転位しており，ADL・QOL障害をきたすことも少なくない．精密な評価と必要なら整復固

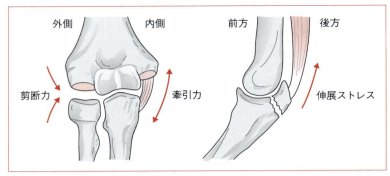

図 3-6 投球動作における肘関節にかかるストレス
肘関節内側に牽引力，外側に圧迫と回旋による剪断力，後方には伸展ストレスがかかる．

定術を辞さない心構えが必要である．

スポーツによる肘関節の外傷・障害

Elbow injuries in sports

瓜田 淳　獨協医科大学 講師

【疾患概念】　スポーツ種目に特有の外力が肘関節にかかり生じる傷害である．コンタクトスポーツなどにより肘関節に直達外力がかかり生じる骨折や靱帯損傷などの外傷と，競技種目に特有の動作による繰り返しのストレスで生じる慢性障害に大別される．前者はスポーツ競技による特異性はなく，一般外傷に準じた治療が行われる．慢性障害については，肘関節周辺の骨端線は成長期に閉じるため，成長期のスポーツによる傷害は遺残すると成人期に変形性関節症に進行していく可能性もあり，予防，早期診断および的確な治療が重要である．

【病態】
　競技種目としては，外傷を除くと野球やテニスなどのオーバーヘッドスローのスポーツに多いが，なかでも競技人口の多さから野球が最も多い．投求・投擲競技においては，投球動作により肘にかかる外反ストレスや伸展ストレスの繰り返しにより傷害が生じる．これらは野球肘と総称される．成人期の傷害は靱帯や変形性関節症であるのに対し，成長期の傷害は成長軟骨に生じる骨端症，骨端線離開や離断性骨軟骨炎（OCD）といった特有の病態となる．
　また，テニスのようなラケットスポーツでは，繰り返しのスイングにより前腕筋群の起始部である外側上顆（伸筋群）や内側上顆（屈筋群）に炎症が生じる．

(1) 野球肘
　投球動作では肘関節に外反力がかかるため，肘関節内側には牽引力，外側には圧迫と回旋による剪断力，後方には伸展ストレスがかかる（図 3-6）．投球動作中はこのストレスをコントロールすることは難しく，ストレスの部位によって異なる病態が生じる．また，成長期の野球肘では骨端線の閉鎖により病態が異なるため，肘関節の部位や成長の時期による病態の理解が重要である．

①離断性骨軟骨炎（OCD）：繰り返す投球動作により，上腕骨小頭にはストレスがかかっている．このストレスにより骨端核の二次骨化の障害が生じて，上腕骨小頭 OCD となる（図 3-7）．上腕骨小頭に好発するが，橈骨頭に生じることもある．野球以外に成長期の体操選手でも，倒立の繰り返しにより発症する．病期が進行して剥がれた骨軟骨片が関節内に嵌頓すると，ロッキング症状や可動域制限が生じる．

②内上顆の骨化障害：成長期では尺側側副靱帯（UCL）付着部の内上顆は軟骨であるため，外反ストレスによる張力は靱帯実質部よりも付着部にかかり，骨軟骨障害を引き起こす（図 3-7）．野球肘のなかで最も頻度が高く，内側型野球肘とよばれている．内側上顆は前腕屈筋群の起始でもあり，前腕屈筋群は UCL とともに外反ストレスによる制動因子でもあるため，張力により骨端線離開を生じることもある（Little Leaguer's elbow）．

③尺側側副靱帯（UCL）損傷：投球などによる UCL にかかるストレスは，高校生以上の年齢になると，靱帯実質あるいは骨付着部における傷害となる（図 3-8）．成長期の内上顆の傷害が遺残している場合も少なくない．日常生活に支障をきたすような大きな不安定性は生じないが，投球時のわずかな動揺性が痛み

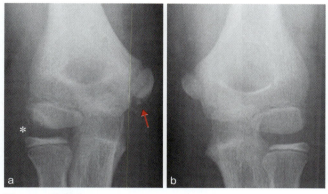

図3-7 野球肘
a：投球側，b：非投球側．投球側に内上顆骨化障害（矢印）と上腕骨小頭離断性骨軟骨炎（＊印）を認める．

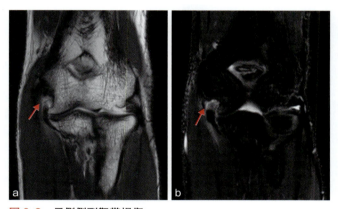

図3-8 尺側側副靱帯損傷
a：T2強調像，b：STIR像．尺側側副靱帯付着部に信号変化を認める（矢印）．

などの症状の原因となる．

④肘頭の骨端線離開・疲労骨折：繰り返しの肘関節の伸展動作により，肘頭が肘頭窩に衝突することでストレスがかかり生じる（図3-9）．成長期の骨端線の閉じた若年者に生じることが多く，成人の疲労骨折は少ない．

⑤関節内遊離体・変形性関節症：前述の傷害を有したまま投球を継続することにより，変形性関節症に進行する．骨棘の骨折や関節面から剝がれた骨軟骨が関節内遊離体となり，ロッキング症状を生じることがある．

(2) テニス肘

テニスなどのラケットスポーツやゴルフでは，インパクトの瞬間に前腕筋群を収縮させるため，筋起始部と停止部に大きな張力が働く．この張力の繰り返しのストレスおよび筋疲労や筋柔軟性の低下により，筋起始部と停止部に慢性の炎症が生じる．テニスのバックハンドストローク時の前腕伸筋群の起始部に生じるものを外側上顆炎（テニス肘，図3-10），フォアハンドストロークやゴルフスイングでの前腕屈筋群へのストレスで生じるものを内側上顆炎（ゴルフ肘）という．

問診で聞くべきこと

①スポーツ歴：どのようなスポーツをいつからどのくらいの頻度で行っているか．競技におけるポジションや投球競技では投球数を聞くことも重要である．

②疼痛：どの部位に，いつ頃から，どの程度の痛みか．発症肢位（どのようなストレスで疼痛が生じるか）．ロッキング症状の有無．

3 スポーツ外傷と障害

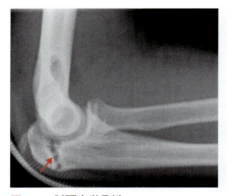

図 3-9　肘頭疲労骨折
肘頭に骨折線と周囲の骨硬化像を認める（矢印）．疲労骨折を示唆する所見である．

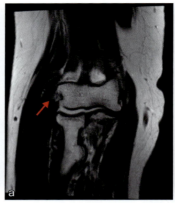

図 3-10　テニス肘
a：T2 強調像，b：STIR 画像．前腕伸筋群の起始部に炎症を認める（矢印）．

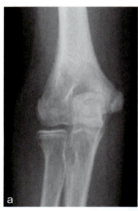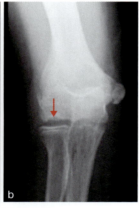

図 3-11　上腕骨小頭離断性骨軟骨炎
a：X 線正面像，b：X 線 45°肘屈曲位．X 線正面像では病変がはっきりしないが 45°屈曲位で病変が確認できる（矢印）．

③既往歴：肘関節以外の部位（肩など）に痛みがなかったか．同様の肘痛の既往はないか．

必要な検査とその所見

①単純 X 線撮影：正面像，側面像および tangential view（肘関節 45°屈曲位で前腕に合わせて撮影，上腕骨小頭・内側上顆の前下方を評価する）（図 3-11）．成長期の患者の場合は健側も撮影して比較する．

②超音波：非侵襲的な検査であり，OCD，内上顆の骨化障害や UCL 損傷の診断に有用である．

③MRI：OCD や UCL 損傷の診断に用いるが，撮像や読影に熟練を要する．

診断のポイント

スポーツ種目や動作により特徴的な病態が生じることを理解して診療すること，圧痛部位を正確に同定することが重要である．画像診断で病変を認めれば，診断は確実となる．肘以外に肩痛を訴えて受診する患者もいる．胸郭出口症候群や四辺形間隙症候群などと鑑別を要することもある．

各傷害に特徴的な誘発テスト（UCL 損傷に対する moving valgus stress test や milking test，テニス肘における wrist extension test）が診断に有用である．

専門病院へのコンサルテーション

肘のスポーツ傷害の診療においては，診断や治療とともに復帰へのリハビリテーションも重要になるため，診断や治療に難渋する場合や，リハビリテーションの環境が整っていないと判断される場合は，専門病院へ紹介することが望ましい．

治療方針

肘のスポーツ傷害は繰り返すストレスによる慢性障害につながるおそれがあるため，治療の原則は局所安静やリハビリテーションなどの保存療法である．保存療法を行っても治癒傾向がない場合や，傷害が進行している場合には，手術療法が検討される．

骨端線閉鎖前の治癒能力が高い時期と，骨端線閉鎖後の治癒能力が低下した時期では治療が異なるため，成長期の肘のスポーツ傷害では，成長に伴った病態の把握と治療が必要となる．

保存療法

保存療法の原則は局所の安静である．投球・投擲競技であれば投球禁止（守れない場合はボールを握らせない），外側上顆炎や内側上顆炎ではラケットやクラブを使用しないといった指導を徹底させる．少しよくなったからといって，ボールやラケットを使用することが，最終的な復帰を遅らせる原因となることを理解

させる．期間としては約2週間～1か月を目安とする．競技再開の目安としては，動作時痛や安静時痛の消失はもちろんのこと，局所の圧痛が完全に消失していることが重要である．この局所安静の期間に，ストレッチや筋力訓練などのリハビリテーションおよび患部外のコンディショニングを行うことも重要である．

競技復帰に向けては再発予防が重要であるため，筋起始部への負荷を軽減するサポーターの併用を勧める．OCDは長期化して最終的に手術療法を要することもある．

手術療法

OCDや内側上顆の骨化障害においては，骨端線が閉鎖している場合は保存療法で治癒することは少なく，手術療法を検討する．保存療法抵抗性の場合は，専門医への紹介が望ましい．テニス肘などでも，圧痛消失の遷延化や再発を繰り返している場合は，手術療法が検討される．

患者説明のポイント

傷害のメカニズムを説明し再発防止の重要性を理解させる．復帰を焦って中途半端な治療を行うと，完全復帰が遅れることを説明する．

成長期における骨軟骨障害を遺残させることにより，のちに重大な慢性障害となる可能性があることを，両親および指導者にも十分理解させる．

リハビリテーションのポイント，関連職種への指示

競技復帰を目指したリハビリテーションを行っていく．外反ストレスに対する前腕屈筋群，伸展ストレスに対する肘屈筋，外側上顆炎に対する前腕筋群は拮抗筋として働くため，これらの筋力強化に努める．ストレッチを十分に指導して，筋の柔軟性の維持・回復に努める．肘関節のリハビリテーションと同時に，全身（肩，体幹，下半身）のコンディショニングや投球フォームの見直しを行うことが，復帰後の競技レベルの維持や再発防止につながる．

スポーツによる手関節・手部の外傷・障害

Sports injuries of the wrist joint and finger

瓜田 淳　獨協医科大学 講師

【疾患概念】競技種目に特有の外力および受傷機転により生じる，骨折や靱帯損傷などの外傷と，繰り返しの動作により生じる慢性障害に大別される．手関節・手部では外傷の頻度が高く，慢性障害の頻度はそれほど高くない．

手指の外傷は，すべてのスポーツ外傷および障害のなかで最も頻度が高く，骨折，腱損傷，靱帯損傷など多岐にわたる．ボール競技での受傷が多いが，すべてのスポーツ競技で生じる可能性がある．

慢性障害は，手関節に負担のかかる競技である，体操，剣道，ゴルフによる障害が多い．体操は，スポーツのなかでも手や腕に負担のかかる競技であり，足関節の障害に次いで手関節の障害が多いといわれている．

【病態】

(1) 急性外傷

①槌指，マレット指：野球のように硬いボールで突き指をして生じる．伸筋腱の末節骨付着部での断裂を腱性マレット指，付着部の骨片を含む剥離骨折を骨性マレット指という（図3-12）．

②母指MP関節尺側側副靱帯損傷（Skier's thumb）：スキーストックを握ったまま転倒して，手をついたときに生じることから，この名前がついている．母指MP関節に屈曲力が働いている状態で橈側にストレスがかかり，尺側側副靱帯を損傷する．コンタクトスポーツでも生じる．

③母指MP関節橈側側副靱帯損傷：頻度は高くないが，転倒やコンタクトスポーツで尺側にストレスがかかったときに生じる．機能障害は生じにくいが，短母指伸筋腱付着部を含めて損傷すると，母指MP関節の伸展障害を生じることがある．

④深指屈筋腱皮下断裂（Jersey finger）：ラグビー中にジャージを掴んだ際に，深指屈筋腱に強い屈曲力が働き，ジャージに引っ張られてDIP関節に伸展力がかかることで，腱停止部が剥離して皮下断裂する．環指に多く生じる．

⑤PIP関節損傷：バレーボールやバスケットボールのような大きなボールによる突き指で生じることが多い．PIP関節側副靱帯損傷（図3-13）や掌側板損傷，剥離骨折が多い．脱臼を伴うこともある．

⑥Boxer's knuckle（MP関節部伸筋腱脱臼，中手骨頚部骨折）：拳で硬いものを殴打したときに生じることが，この名前の由来である．競技レベルの選手よりも，素人の受傷が多い．殴打により指伸展機構の矢状索が断裂して，指を屈曲するとMP関節部で伸筋腱が脱臼する．多くは橈側の矢状索が断裂して，尺側に脱臼する（図3-14）．中指に多く生じる．中手骨頚部の骨折は，素人が殴打した場合は尺側の環指や小指に生じるが，競技レベルの選手では橈側に軸圧がかかり，第1，2，3中手骨の基部や舟状骨を骨折することがある（図3-15）．

⑦三角線維軟骨複合体損傷（TFCC損傷）：バランス

3 スポーツ外傷と障害

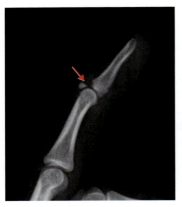

図 3-12　骨性マレット指
伸筋腱の末節骨付着部の骨片を含む剥離骨折(矢印).

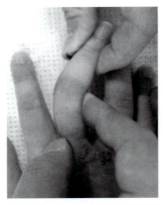

図 3-13　PIP 関節側副靱帯損傷
橈側側副靱帯の損傷により尺側へのストレスを加えると不安定性(動揺性)が確認できる.

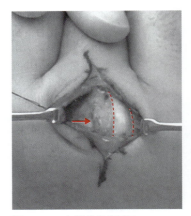

図 3-14　中指伸筋腱脱臼
橈側の矢状索の断裂(矢印)と伸筋腱の尺側への脱臼がみられる(点線).

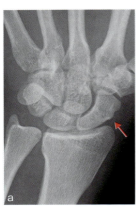 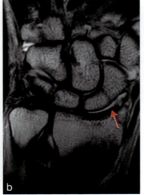

図 3-15　舟状骨骨折
a：単純 X 線，b：MRI．不顕性骨折では X 線で骨折線が明らかでなくても MRI でより骨折部を描出できる(矢印).

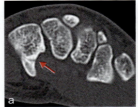 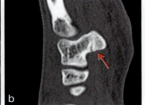

図 3-16　有鉤骨鉤骨折
CT にて鉤部の骨折線と周囲の骨硬化像を認める(矢印).疲労骨折を示唆する所見である.

を崩して手をついたり，ラケット競技などで，手関節に回旋と尺屈ストレスがかかることで生じる．手関節捻挫の1つで，手関節尺側部痛を生じる．野球のバッティングや捕球でも生じることがある．

(2)慢性障害

①有鉤骨鉤骨折：バットやゴルフクラブでのスイングの際に，グリップエンドが有鉤骨鉤に繰り返し当たることにより生じる．新鮮骨折は少なく，疲労骨折が転位することで発生することが多い．手掌から手関節尺側の痛みを生じる．有鉤骨鉤部を通る環指・小指屈筋腱が，摩耗により皮下断裂を生じることもある(図3-16)．

②豆状骨滑液包炎：バレーボールのスパイクやレシーブなどで，豆状骨と皮膚との間にある滑液包への衝撃が繰り返されることで，炎症が生じる．石灰沈着を伴う場合は激痛となることもある．

③TFCC 損傷：急性期に限らず，ラケットスポーツによる手関節尺屈・回内外の繰り返しのストレスにより，慢性障害を引き起こすこともある．

④腱鞘炎：手指の慢性炎症のなかでも頻度が高い．ラケット・クラブを使うスポーツに多い．A1腱鞘，長・短橈側手根伸筋腱(ECRL/B)や尺側手根屈筋腱(FCU)に多い．ECRL/B や FCU の停止部である第2・3中手骨基部や豆状骨の停止部に慢性炎症を呈することもある．

⑤Bowler's thumb：ボウリングの投球を繰り返すことにより，母指の基部(近位指皮線部)がフィンガーホールのエッジで圧迫されて，指神経障害が生じる．母指の橈側に多い．

⑥動脈閉塞：バレーボールのスパイクや投球の繰り返しで，指動脈，上腕動脈や鎖骨下動脈の血栓症を引

き起こすことがある．閉塞部より遠位に，強い疼痛としびれ感を生じる．

⑦月状骨軟化症（Kienböck 病）：月状骨の無腐性壊死であるが，反復する衝撃や月状骨骨折が原因になると推測されている．剣道，ゴルフ，体操などの競技で発生することがある（図 3-17）．

問診で聞くべきこと

スポーツ歴：どのようなスポーツをいつからどのくらいの頻度で行っているか．

受傷機転：発症のきっかけとなる動作・受傷機転（どのような肢位で痛みが生じるかなど）．

疼痛：どの部位に，いつ頃から，どの程度の痛みか．

診断のポイント

スポーツ種目や動作により，特徴的な病態があることを理解しておく必要がある．疑わしい病態に合わせて必要な検査を行い診断する．

必要な検査とその所見

単純 X 線：手関節の評価では，必ず斜位像も含めて撮影するようにする．

ストレス X 線：手指関節靱帯損傷において，不安定性（動揺性）の確認に用いる．

CT：有鈎骨鈎骨折や舟状骨骨折が疑われた場合は有用となる．

MRI：舟状骨骨折では，X 線上で明らかな骨折線を認めない不顕性骨折も多いため，所見上（snuff-box の圧痛や舟状骨結節の圧痛）疑われる場合は，MRI 検査を行う．TFCC 損傷に対しては有用な場合もあるが，診断が難しい場合もある．

サーモグラフィー，血管造影：動脈閉塞の診断に用いる．

専門病院へのコンサルテーション

手関節・手部のスポーツ外傷および障害は，リハビリテーションを含めた専門的な治療を要することが多いため，治療の環境が整っていないと判断される場合は，手外科専門医のいる病院へのコンサルテーションが望ましい．

治療方針

治療方針に関しては一般外傷や障害に準じて行うが，スポーツ選手の場合は，手関節および手指の機能をより確実に回復させて，早期の競技復帰を目指す．

保存療法

保存療法は一般外傷・障害の治療に準じて行う．腱鞘炎に対する保存療法（安静，ストレッチング），TFCC 損傷に対するギプスまたは装具固定などを行いながら，早期復帰に向けてリハビリテーションを積極的に行っていく．

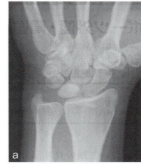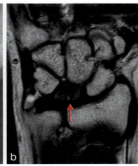

図 3-17　月状骨軟化症
a：単純 X 線，b：MRI．単純 X 線で明らかでなくても MRI で信号変化が確認できる（矢印）．

手術療法

手術療法の基本は一般外傷と同様であるが，スポーツ外傷の場合は，転位のない舟状骨骨折で保存療法が可能な場合でも，固定期間を短縮して早期復帰することを目的に，手術療法を行うこともある．有鈎骨鈎骨折は新鮮骨折では骨接合を行うこともあるが，疲労骨折の場合は摘出術を行うことが多い．

患者説明のポイント

早期に競技復帰するためには，リハビリテーションによる機能回復が重要であることを理解させる．

外傷に関しては，一般外傷では保存療法の適応であっても早期復帰のためには手術療法を行う場合があることを理解させる．

慢性障害に関しては，メカニズムを説明し再発防止の重要性を理解させる．復帰を焦って中途半端な治療を行うと，完全復帰が遅れることを説明する．

リハビリテーションのポイント，関連職種への指示

手関節・手部は，機能回復を最も重視して行う．手指に関しては，関節拘縮予防および手内在筋の温存・回復が重要である．手指骨折の固定は，両端 2 関節以上の固定を行わずに，可能な限り早期から可動域訓練を行うようにする．固定が必要な場合は，intrinsic plus position（MP 関節屈曲，DIP・PIP 関節伸展）での固定を行う．手指のリハビリテーションは，特に作業療法士との連携が重要で，個々の症例により適宜リハビリテーションの内容を変更したり，装具を作製したりすることも多いので，手外科医と習熟した作業療法士が連携をとりながらのリハビリテーションが必要である．

骨盤・股関節のスポーツ外傷・障害
Sports injuries in pelvis and hip joint

内田 宗志　産業医科大学若松病院 診療教授

1 骨盤周囲の裂離骨折

【疾患概念と疫学】
　成長期に骨盤および股関節の骨の先端の骨端部分が裂離骨折を起こし，時に解剖学的な位置から転位する病態である．股関節や骨盤の骨端線裂離骨折は，14～25歳で，まだ骨端線が閉鎖していない部位で発生することが多い．特に多い部位は坐骨結節（表3-5），下前腸骨棘，上前腸骨棘，の3つである．

【病態】
　裂離骨折は，その部分に付着している腱が牽引あるいは圧がかかることによって，骨端線が損傷を起こす病態である．骨盤および股関節周囲の骨端線裂離骨折は，それらの部位にそれぞれ付着している筋腱付着部が関連する（表3-6）．

問診で聞くべきこと
　受傷機転，症状の部位，圧痛点や痛みの性質，既往歴などが診断に重要である．

必要な検査
　①単純X線写真：正面X線写真，仰臥位と立位，false profile像，Lauenstein像，modified Dunn像など，見落としがないように多方向からの撮影を行う．
　②CT検査：MPR撮影を行う．
　③MRI：T2脂肪抑制もしくはSTIR像で，裂離骨折部は高信号を呈する．T1強調像では骨折部が低信号を呈する．

診断のポイント
　身体所見と病歴聴取が基本となる．単純X線写真で診断が確定されることが一般的である．しかし，転位のない骨折や明らかな外傷がなく疲労骨折のように起こる場合は，診断が確実に行われない可能性がある．MRIは転位のない骨折に対して有用である．転位のある骨折の場合は，CTで転位の大きさなどを測定することが可能である（表3-7）．

治療方針
　転位のない骨折あるいは5mm以内であれば保存療法を行う．転位が2cm以上であれば，手術で整復固定することが推奨される．下前腸骨棘は最近関節鏡視下に修復されることが報告されている．

表3-5　Martin and Pipkin 分類（坐骨結節裂離骨折）

Type Ⅰ	転位のない骨折
Type Ⅱ	急性の裂離骨折
Type Ⅲ	慢性の癒合不全裂離骨折

表3-6　骨端線裂離骨折の部位と対応する筋腱

骨端線裂離骨折の部位	対応する筋腱
腸骨稜	外腹斜筋
下前腸骨棘	大腿直筋直頭
上前腸骨棘	縫工筋，大腿筋膜張筋
坐骨結節	ハムストリング
恥骨結合	股関節内転筋
小転子	腸腰筋
大転子	中殿筋，小殿筋

表3-7　McKinney and Nelson 分類

Type Ⅰ	転位のない骨折
Type Ⅱ	2cm以下の転位
Type Ⅲ	2cm以上の転位
Type Ⅳ	症状のある癒合不全，もしくは疼痛のある外骨腫

保存療法
　疼痛が強い場合は，疼痛範囲内で部分荷重から開始する．通常は外固定を行わない．約3か月経過し，骨癒合が得られたことを確認したのち，ランニングなどを開始する．キック動作やダッシュは，4か月後から開始する．

合併症と予後
　下前腸骨棘の変形治癒や癒合不全は，遅発性の大腿骨寛骨臼インピンジメント（femoroacetabular impingement；FAI）を伴った関節外インピンジメントによる股関節唇損傷のリスク因子となる．術後しばらく経過して疼痛が再燃してくる場合は，関節内の精査が必要である．

患者説明のポイント
　患者自身が未成年であることがほとんどであるため，治療に伴う合併症，予後，退院後の予定などについて，患者だけでなく家族にも十分説明し，インフォームド・コンセントをとっておくことが必要である．

2 大腿骨寛骨臼インピンジメント（FAI）

【疾患概念と疫学】
　FAIは，股関節痛，股関節唇損傷，軟骨損傷，早期の変形性股関節症の原因の1つとして近年注目されて

おり，大腿骨骨頭・頚部と寛骨臼蓋縁との間で繰り返される衝突により，関節唇や関節軟骨の損傷が起こり，さらに関節症性変化が惹起される．特にアスリートやスポーツ愛好家においては，痛みや可動域制限のためにパフォーマンスの低下をきたす．トップアスリートでは，一般の人と比較して，X線上で骨形態異常としてFAIが示唆される頻度が60～95％ときわめて高い．今まで欧米人に多く日本人は少ないと考えられてきたが，日本人のプロ選手でもその頻度は高いことが報告されている．股関節のスポーツ障害のなかで最も多いものの1つである．

アスリートでは，陸上やトライアスロンなど持久力を要するスポーツ，バスケットボールなどのピボット動作の多いスポーツ，格闘技，コリジョンスポーツやコンタクトスポーツなどあらゆるスポーツ活動でインピンジメントが惹起されやすい．特にサッカー選手は頻度が高く，またサッカー選手のFAIのうち約67％に恥骨結合炎が合併しており，診断に難渋することが多い．

【病態】

FAIでは，大腿骨骨頭・頚部と寛骨臼蓋縁との間で繰り返される衝突により，関節唇や関節軟骨の損傷が起こり，さらに関節症性変化が惹起される．

問診で聞くべきこと

スポーツ活動での疼痛の増悪，股関節の可動域制限の有無，車の乗り降りでの疼痛の増悪の有無を聴取する．また，小児期のPerthes病あるいは大腿骨頭すべり症などの疾患は二次的FAIとなるリスクが高いため，既往歴として必ず聴取する．

必要な検査と所見

単純X線写真による診断としては，Pincer typeとCam typeに分かれる．Pincer type FAI（Pincer病変）を示唆する画像所見として，① lateral center edge（LCE）角40°以上，② LCE角30°以上かつacetabular roof obliquity（ARO）0°以下，③ LCE角25°以上かつcross-over sign陽性が挙げられている．したがってLCE角25°以下の症例は，寛骨臼形成不全としてFAIから除外する必要があることを示唆している．

Cam type FAI（Cam病変）を示唆する画像所見として，主項目α角55°以上，副項目head-neck offset ratio（0.14未満），pistol grip変形，herniation pitのうち主項目を含む2項目以上の所見を有する症例が挙げられる．

MRIにおける関節唇の評価にはT2*強調像が適しており，正常な股関節唇は全体に低信号な三角形の形状を示すとされる．なお股関節唇の高信号は加齢とともに増加することが知られており，身体所見と照らし合わせて診断することが必要である．関節損傷は，放射状撮影により非常に効率よく関節唇損傷を診断することが可能となった．関節唇損傷の好発部位は，臼蓋の前上方であり，下前腸骨棘の付近を特に注意して読影するとよい．関節唇近傍の軟骨解離（delamination）は，関節唇損傷とともに起こることが多く，reversed Oreo cookie signにより診断することができる．

身体所見

診断は，症候性の股関節痛や鼠径部痛を訴え，可動域制限，FABER（flexion abduction external rotation）testとFADIR（flexion adduction internal rotation）testが陽性であること，Hip dial testを必ず行い不安定性を確認する．またgeneral joint laxityの指標となるBeighton scoreを調査する．

診断のポイント

日本股関節学会のFAI診断指針（表3-8）に基づいて診断を行う．

治療方針

1 ▶ 保存療法

保存療法では，スポーツ活動や仕事など症状の誘発動作を中止しながら，体幹筋力トレーニングを取り入れた運動療法を行うことが有用である．特に胸郭を含めた体幹筋力の強化や，骨盤の矢状面の可動性を改善させることが有用である．

2 ▶ 手術療法

股関節鏡は仰臥位で牽引台を用いて行う．股関節鏡や手術機材を出し入れするポータルは，前外側ポータル，中内側ポータル，近位中内側ポータルの3つを用いて行う．筆者は前外側ポータルと中内側ポータル間の関節包切開を行い，股関節鏡の操作性を向上させている．70°関節鏡を用いて関節内を鏡視する．Pincer病変が存在する場合には，関節唇を寛骨臼から剥がした後に骨切除を行う．この際X線透視下で削り過ぎないよう確認しながら，注意深く行う必要がある．またtype 2または3の下前腸骨棘（AIIS）裂離骨折後の突出を有する症例ではAIIS decompressionも行う．Pincer病変の切除が終わったら，スーチャーアンカーを挿入し関節唇を縫合する．変性が強く縫合不能な症例に対しては，関節唇再建術を行う．Cam病変の切除は股関節唇縫合後に牽引を解除して行う．X線透視下にCam病変の切除を行う（cam osteochondroplasty）．最後に切開した関節包を縫合する．最近は，ストロングスーチャーテープを用いてshoelace techniqueで縫合する．

合併症と予後

股関節鏡は牽引を行うため，牽引に関連する末梢神

表3-8 FAI（狭義*）の診断指針

画像所見
●Pincer type のインピンジメントを示唆する所見 　①CE角 40°以上 　②CE角 30°以上かつ acetabular roof obliquity 0°以下 　③CE角 25°以上かつ cross-over sign 陽性 　・正確なX線正面像による評価を要する．特に cross-over sign は偽陽性が生じやすいことから，③の場合においては CT・MRI で寛骨臼の後方開きの存在を確認することを推奨する ●Cam type のインピンジメントを示唆する所見 　CE角 25°以上 　主項目：α角 55°以上 　副項目：head-neck offset ratio（0.14 未満），pistol grip 変形，herniation pit 　（主項目を含む2項目以上の所見を要する） 　・X線，CT，MRI のいずれによる評価も可
身体所見
●前方インピンジメントテスト陽性（股関節屈曲・内旋位での疼痛の誘発を評価） ●股関節屈曲内旋角度の低下（股関節 90°屈曲位にて内旋角度の健側との差を比較） 　最も陽性率が高く頻用される所見は前方インピンジメントテストである．Patrick テスト（FABER テスト）（股関節屈曲・外転・外旋位での疼痛の誘発を評価）も参考所見として用いられるが，他の股関節疾患や仙腸関節疾患でも高率に認められる．また，上記の身体所見も他の股関節疾患で陽性となり得ることに留意する必要がある
診断の目安
上記の画像所見を満たし，臨床症状（股関節痛）を有する症例を臨床的に FAI と判断する
除外項目
以下の疾患のなかには二次性に大腿骨-寛骨臼間のインピンジメントをきたし得るものもあるが，それらについては本診断基準をそのまま適用することはできない ●既知の股関節疾患：炎症性疾患（関節リウマチ，強直性脊椎炎，反応性関節炎，SLE など），石灰沈着症，異常骨化，骨腫瘍，痛風性関節炎，ヘモクロマトーシス，大腿骨頭壊死症，股関節周囲骨折の既往，感染や内固定材料に起因した関節軟骨損傷，明らかな関節症性変化を有する変形性股関節症（股関節症），小児期より発生した股関節疾患（発育性股関節形成不全，大腿骨頭すべり症，Perthes 病，骨端異形成症など），股関節周囲の関節外疾患 ●股関節手術の既往

*：明らかな股関節疾患に続発する骨形態異常を除いた大腿骨寛骨臼間のインピンジメント
〔日本整形外科学会/日本股関節学会（監），日本整形外科学会診療ガイドライン委員会/変形性股関節症診療ガイドライン策定委員会（編）：変形性股関節症診療ガイドライン 2016 改訂第2版．南江堂，2016 より〕

経障害，皮膚障害などが起こるリスクがある．また術後の癒着，股関節唇癒合不全などがある．関節包を縫合しない場合には，術後関節不安定性が起こるリスクが高い．さらに術前にすでに軟骨損傷が高度で，年齢が 50 歳以上の場合は，変形性股関節症へと進行するリスクが高い．

患者説明のポイント

治療に伴う合併症，予後，退院後の予定などについて，患者だけでなく家族にも十分説明し，インフォームド・コンセントをとっておくことが必要である．

リハビリテーションのポイント

術後早期のリハビリテーションが必要である．術前からセルフケアの必要性を指導する．

スポーツによる頚部の外傷・障害

Cervical spine injury related to sports activities

岩﨑 博　和歌山県立医科大学 准教授

【疾患概念】　スポーツ損傷は，スポーツ外傷とスポーツ障害に大別される．スポーツ外傷は急激な外力が加わることによって生じる骨折や脱臼などが含まれ，頚部の外傷は発生してしまうと選手生命が絶たれる危険性もあり，初期対応はもちろんその発生予防が重要である．

【頻度】

スポーツ安全協会・日本体育協会が発行する『スポーツ外傷・障害予防ガイドブック』によれば，全体の傾向として脳振盪を含む頭頚部の外傷は約 10% にみられ，年齢別では未就学児（0〜6 歳）においては頭頚部が最も多く，特にラグビーにおいては他のスポーツに

比べ頭頸部や肩・上腕における外傷の発生頻度が高いとされている．

【病型】

注意すべきスポーツによる頸部の外傷・障害として，頸椎・頸髄損傷，頸椎捻挫，Burner症候群，頸椎椎間板ヘルニア，頸椎症性神経根症などが挙げられる．

問診で聞くべきこと

競技の種類，ポジション，競技歴，受傷機転，意識消失の有無，外傷発生時間，疼痛部位，しびれなどの感覚障害部位，スポーツ障害においてはこれに加え過去の外傷歴，症状出現時期や経過，症状誘発および増悪動作などが診察・治療に必要な情報となる．家族，監督，コーチ，トレーナー，チームメイトなどから情報を得ることも重要である．

診断のポイント

頭部外傷の合併や頸椎・頸髄損傷は，早期診断および初期治療が大変重要であり，高次医療機関への搬送判断が求められる．意識障害・脳神経症状・頭痛・嘔気嘔吐・頸部痛・上下肢の麻痺や感覚障害の有無が診断のポイントとなる．頸部のスポーツ障害に関しては，頸肩腕部痛部位およびその誘発動作，可動域制限とその方向，上肢放散痛部位，上下肢体幹の感覚障害部位，上下肢筋力低下部位，上下肢腱反射・病的反射の有無を確認することで診断し，各種画像検査で確定を行う．頸椎捻挫や頸椎椎間板ヘルニアなどと思われるスポーツ損傷のなかには，頸髄中心性損傷・頸椎損傷や不安定性の見落としにより，経過で頸椎のすべりが発生し神経症状を発症することがあるため注意を要する．単純X線側面像において後咽頭腔間隙・棘突起間・椎間関節などの開大を確認する習慣をつけるとよい．

専門病院へのコンサルテーション

先述の頭部外傷や頸椎・頸髄損傷が疑われる場合には，後遺障害を減少させるためにも早急に専門病院へコンサルトすることが必要であり，搬送に際しても自家用車ではなく頸部および体幹固定を行ったうえで救急車を用い，スピーディーに対応することが重要である．また，スポーツ障害への手術加療を考慮しなければならない場合には，競技復帰のためにも低侵襲脊椎手術が必要となることも少なくないため，専門病院や専門医師へのコンサルト・紹介を躊躇すべきではない．

治療方針

骨傷を伴う頸椎・頸髄損傷は，時間経過や不安定性による障害範囲や症状の増悪，不可逆的神経損傷発生を予防するために，できるだけ早期に，整復・安定化・神経圧迫解除を行う．スポーツ障害に関しては，治療の原則は保存療法であるが，低侵襲手術療法により早期の競技復帰が可能となった例も多い．また，スポーツ障害においては再損傷予防のために，障害原因の追究およびその改善に向けてリハビリテーションスタッフおよびメディカルサポート関係者との協力が必須である．

治療法

1 ▶ 頸椎捻挫

明らかな画像異常がなく上下肢神経症状を伴わないことを確認し，NSAIDsなどを中心とした服薬を行い，自動での可動域訓練を開始する．服薬で疼痛改善が得られない場合には，超音波ガイド下注射を積極的に活用している．

2 ▶ Burner症候群

頸髄・神経根・腕神経叢損傷やこれらの圧迫など，障害部位が多岐におよぶため，障害部位診断が重要となる．上肢症状が継続する場合には頸椎カラーなどを用いた頸部安静が必要となる．受傷直後や神経症状がある時期はコンタクトスポーツを中止する．病態によって後述の頸椎椎間板ヘルニアや頸椎症性神経根症の治療を行うが，競技を行う際のフォーム変更はもちろんのこと，競技種目・ポジション・レベルの変更を考慮しなければならない場合も多い．

3 ▶ 頸椎・頸髄損傷

現場においては，頸椎を安定化させ神経損傷を拡大させないために，担架へ移す際や搬送する際に頸部の安静・固定に注意を払う必要があり，意識障害を伴う頭部外傷の場合にも頸椎・頸髄損傷が合併していると考えて対応しなければならない．

頸椎アライメントの改善や脱臼整復を行い，ネックカラーやハローベストなどによる固定を行い，筋力低下に対して早期リハビリテーションを導入することとなる．これらの保存療法でアライメントの改善が困難な場合や，脊髄・神経根圧迫残存，脊柱管狭窄遺残がある場合には，手術療法を選択することとなる．椎弓形成術などによる脊柱管拡大，外傷性ヘルニア・骨片・靱帯切除を行うとともにインストゥルメントを用いた固定術の併用が必要な症例も多い．術後リハビリテーションも重要であるが損傷前の競技レベルへの復帰は困難である．個々の損傷に対する治療法は本書19章「頸椎部の疾患」を参照していただきたい．

4 ▶ 頸椎椎間板ヘルニア・頸椎症性神経根症

保存療法としては頸部安静が基本となり，NSAIDsやアセトアミノフェン，神経障害性疼痛治療薬，抗うつ薬，ワクシニアウイルス接種家兎炎症皮膚抽出液，ステロイドなどを神経症状に合わせて処方している．しかしながら，スポーツ競技においてはドーピング禁止という重要な問題があるため，禁止物質・禁止薬剤

3 スポーツ外傷と障害

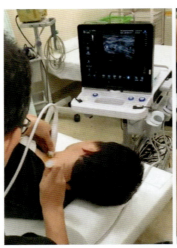
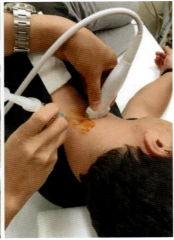

図 3-18　超音波ガイド下頸椎神経根ブロック
患側を上にした半側臥位とし,術者は患者の背側に座り,超音波装置を患者の腹側に配置する.超音波ガイド下に注射針を目標神経根周囲に進め,薬液を注入する.

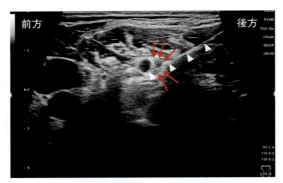

図 3-19　頸椎神経根ブロック時の超音波画像
注射針(矢頭)および神経周囲に拡がる薬液が確認できる(矢印).

の把握ならびに使用薬剤の説明が不可欠である.強い神経根症状に対してはブロックなど各種注射による治療を行うが,超音波ガイド下に行う頸椎神経根周囲への薬液注入は低侵襲・合併症回避・効果の面からも推薦したい方法である(図 3-18, 19).

これらの保存療法に抵抗し競技復帰が困難である場合には,内視鏡下椎間孔拡大術を行うことで症状が改善し,もとの競技に復帰することができたスポーツ選手も多いことから,日本整形外科学会認定脊椎内視鏡下手術・技術認定医に紹介し,その適応判断および手術療法を依頼することも考慮すべきである.

リハビリテーションのポイント,関連職種への指示
保存療法および術後療法としてのリハビリテーショ

ンにおいては,安静にすべき部位・動作ならびにトレーニングすべき部位・動作,トレーニングの許容範囲,スポーツ復帰までの想定期間などを,選手,医師,理学療法士,監督,コーチ,メディカルトレーナーと協議のうえ情報共有して治療にあたることが大切である.

予防
脊椎の変性・脊柱管狭窄・不安定性や神経症状などの存在は,スポーツによる頸部損傷の危険因子であり,コンタクトスポーツなどではこれらを念頭においたメディカルチェックが必要である.また安全に対する指導や環境整備も予防の面で忘れてはならない.

スポーツによる腰背部の外傷・障害

Lumbar spine injury related to sports activities

眞鍋 裕昭　徳島大学 助教

【概説】　アスリートのうち,約75%は競技人生の中で少なくとも1回は腰痛を訴えるとされている.これはスポーツ活動中の脊椎の屈曲・伸展動作の反復が関与すると考えられている.疼痛の原因部位としては椎体終板,椎間板,椎間関節,仙腸関節,神経根などが挙げられる.アスリートの最終目標は疼痛がない状態でできるだけ早く復帰することであり,適切な治療を

行うためにも早期に正確な診断を行うことが求められる．アスリートの腰痛は，特異的腰痛から非特異的腰痛に至るまで，病態はさまざまである．非特異的腰痛は，種々の画像検査を行っても診断不能な原因不明の腰痛の代名詞として使われることがあるが，本来の意味は，画像診断を急ぐ必要のない腰痛の総称であり，アスリートの疫学・患者背景を考慮すると，ほとんどの症例は特異的腰痛として扱われるべきものである．

問診で聞くべきこと

腰痛の発症時期，罹患期間，発生の状況（外傷の有無），スポーツの種類，競技開始時期，腰痛を感じるタイミング，ポジション，チーム内の立場（学年やレギュラーか控えかなど），重要な試合の時期．

必要な検査とその所見

(1)理学所見

圧痛，叩打痛による疼痛部位の検索は必須である．特に圧痛は棘突起，傍脊柱起立筋，椎間関節，仙腸関節などを正確に母指で圧迫することで得られる情報は多い．続いて，脊柱の可動域を確認する．前屈・伸展・側屈・回旋の4方向の負荷をかけるが，いずれかの姿位で疼痛が誘発される場合がほとんどであり，これらを競技中の動作と照らし合わせることで病態把握が可能となる．また，前屈時痛が強い場合には指尖床間距離（FFD）を計測することで，治療効果の判定にも用いることができる．疼痛誘発テストとしての大腿神経伸展テスト（FNST）や下肢伸展挙上テストについては，疼痛がない場合でも，大腿四頭筋や大腿二頭筋の柔軟性評価のために必ず行う．その他，腰椎のみならず，胸郭の可動性についても確認しておく．

(2)画像所見

単純X線では脊柱アライメントや椎間不安定性の有無などの評価は可能であるが，若年者のスポーツ選手では明らかな異常所見を認めることは少ない．分離症でも，単純X線で明らかとなるのは終末期に至ってからである．現在の腰痛診断にはMRIは必須の検査である．椎体終板や椎間板の輝度変化，椎間関節や仙腸関節の水腫や炎症像，神経圧迫所見を明らかにすることができる．CTでは罹患部位の形態評価や分離症の病期分類が可能となり，治療方針の決定に用いられる．

神経根や椎間板，分離部などへの各種ブロックは治療のみならず，診断的意義も高いため，効果的に活用する．ただし，不確かな手技は診断をより難しくするため，X線透視下に確実に病変にアプローチする必要がある．診断にはリドカイン（1%）単独でよいが，同時に治療効果を期待する場合には少量のステロイドを使用する．

診断のポイント

アスリートの腰痛の訴えは，安静時よりは競技中の特定の動作によって誘発されることが多い．その場合の疼痛源の検索には，脊椎を前方構成体と後方構成体の2つに分けると考えやすい．まれに，炎症を起こした背筋の牽引により体幹の屈曲・伸展ともに痛みを感じることもあるが，基本的には体幹屈曲中に痛みを感じる場合は椎間板や終板および骨端輪を含む前方構成体に，伸展中に痛みを感じる場合は関節突起間部や椎間関節など後方構成体にその痛みの原因があることが多い．スポーツ選手の脊柱運動は，日常生活動作では考えられないような動きを必要とし，各競技によって大きく異なる．そのため，競技ごとの動きを理解する必要がある．いずれにせよ，診断の迅速性・正確性は以後の治療経過に大きく影響する

治療方針

(1)保存療法

アスリートの保存療法の基本は運動療法であるが，局所の炎症や神経刺激症状による疼痛改善に薬物療法を，局所安静目的で装具療法を行う．薬物療法については疼痛に応じて消炎鎮痛薬としてNSAIDsを用い，神経症状を呈している場合はプレガバリンやミロガバリンを併用する．装具療法において重要な点は，どの動きを何の目的で制御するかである．例えば，腰椎分離症において骨癒合を目指すためには関節突起間部に負荷のかかる伸展・回旋を予防する硬性コルセットを，分離部滑膜炎や椎間関節炎に対する疼痛軽減目的の場合は，装着下でもスポーツ活動ができるように過度の伸展のみが予防される軟性装具を装着する．装具は保存療法において要であり，適切な選択が求められる．運動療法については後述のリハビリテーションのポイントで解説する．

(2)手術療法

症状が遷延する場合や早期復帰を目指す場合には手術療法が選択されることがあり，その場合もなるべく低侵襲であることが望ましい．昨今はデバイスの進化に伴い，内視鏡の進化が目覚ましい．代表的な手技として全内視鏡下椎間板切除術（FED）が挙げられる．この手技はtransforaminal approachを用いることで局所麻酔下に8mmの切開で行うことができ，傍脊柱筋に対する侵襲を最小限に抑えられるという利点があるため，椎間板ヘルニア摘出術や椎間板性腰痛に対するラジオ波焼灼術など，現在も適応を広げながら普及している．

患者説明のポイント

スポーツ選手の治療の適応は非スポーツ患者とは全く異なる．さらに，スポーツ選手の治療のゴールは症

状の軽減ではなく，受傷前と同レベルでの完全復帰である

治療の選択肢を提示する場合には，復帰時期とメリット・デメリットを明確に伝える必要がある．特に復帰時期については個人の希望のみならず，チーム事情も多分に関係することから各個人の置かれている立場を十分に理解して相談していく必要がある．1週単位の治療の遅れが競技生命を脅かす可能性があることを忘れてはならない．

リハビリテーションのポイント，関連職種への指示

スポーツ選手の最終目標は，もとの競技レベルへの完全復帰であり，休止中にパフォーマンスを落とさず，再発を予防するために発症時からスポーツ復帰まで，さらには復帰後にも運動療法の介入を必要とする．現在，われわれは以下の2点をキーポイントとして指導している．

(1) Joint by joint theory (JBJT)

Mobility first としてストレッチにより胸郭と下肢（ハムストリングス，大腿四頭筋）の可動性を高め，そして stability next として，コアトレーニングにより腰部の安定化を導く．

(2) Dysfunction no-pain joint (DN) の克服

罹患部位である腰部以外に痛みを伴わない機能障害（DN）がある場合，腰部がその機能障害を代償することで，腰痛の原因である overload を助長する．例えば，肩関節の可動性低下やハムストリングス・大腿四頭筋のタイトネスによる骨盤回転障害などが挙げられる．腰痛治療の際には，腰部以外の DN を克服することが，予防の観点から重要となる．

一概にアスリートといえども，競技レベルや患者背景はそれぞれ異なるため，医師・セラピストはそれぞれの患者に合わせた治療を行うことが大切である．

スポーツによる大腿・膝・下腿部の外傷・障害

Sports injuries of thigh, knee, and leg

黒田 良祐　神戸大学大学院 教授

【概説】　大腿・膝・下腿部は，「走る」「跳ぶ」「蹴る」といったスポーツ活動で繰り返し外力が加わるため，さまざまな外傷・障害が発生する．障害は一定の動作を繰り返すことで慢性的に起こるもので，外傷は明らかな受傷機転がある"けが"をいう．

障害の代表的疾患を各部位別に挙げる．大腿部では大腿骨疲労骨折，大転子部滑液包炎，膝関節では腸脛靱帯炎，分裂膝蓋骨，Osgood-Schlatter病，鵞足炎，離断性骨軟骨炎，さらには膝関節外傷に起因する二次性変形性膝関節症，下腿部では脛骨・腓骨の疲労骨折，シンスプリント，慢性下腿コンパートメント症候群などがある．一方，外傷は大腿・下腿部では筋挫傷，肉ばなれ，膝関節では靱帯損傷，半月板損傷，関節内骨折，関節軟骨損傷などがある．いずれも正確な診断のもとに適切な治療が行われないとスポーツ復帰が困難となり，競技スポーツでは選手生命を脅かす事態にもなる．本項では重複を避けるために，大腿・膝・下腿部のスポーツ外傷・障害に対する診断・治療の一般的なポイントについて述べる．

問診で聞くべきこと

訴えの発症様式とその性状を正確に把握することが重要である．外傷例では受傷機転と受傷肢位，pop音の有無，受傷後の状況（スポーツ活動中であれば継続の可否）を聴取することで，損傷部位の予測が可能である．明らかな外傷歴がない慢性障害で疼痛を主訴とする場合には，疼痛の部位と疼痛を誘発する動作を明らかにすることにより，障害を推測できる場合が多い．また疼痛によるスポーツ活動や日常生活動作の障害の有無を把握することが重要である．スポーツ歴，現在のスポーツ種目，ポジションとともに，以前に受けた外傷・障害の治療歴と経過についての情報も大切である．

必要な検査とその所見

骨病変が考えられる例では単純X線検査を行う．症状に応じて通常の2方向に加えて，特殊な方向や肢位での撮影が必要になる．膝では膝蓋骨軸射，荷重時撮影，顆間窩撮影などを追加する．CTは関節内骨折や関節内の小骨片などの確認に有用である．近年では三次元の再構成画像で，より立体的な病変の把握も可能である．MRIは筋・腱・靱帯，軟骨などの病変を評価するうえで有用である．また疲労骨折や離断性骨軟骨炎の早期診断や病期診断に用いられ，シンスプリントの鑑別にも有用であるとされている．ベッドサイドでリアルタイムに病変部の形態，動態の観察が可能な超音波検査は，外来診療での応用が急速に進み，表在性の筋・腱・靱帯や関節内の軟部組織，軟骨下骨などの観察に使用されている．

画像検査とともにもう1つの重要なポイントは，視診・触診などの診察である．腫れの有無や圧痛部位の特定を行い，診断のために徒手検査を行う．膝靱帯の不安定性をチェックする徒手検査（前方引き出しテスト，後方引き出しテスト，膝蓋骨 apprehension test，Lachman test，pivot shift test など）は診断において有用である．

診断のポイント

問診で得られた情報から考えられる疾患を想定し，これらを念頭において診察や検査を進めていくことが重要である．

治療方針

1 ▶ スポーツ障害

病態の進行度や症状の程度に応じてスポーツ活動の継続可否を判断し，局所の安静が必要な例ではスポーツの制限や休止を指導する．疲労骨折や発育期の離断性骨軟骨炎では，スポーツ活動の休止が必要である．疼痛に対しては外用や内服の消炎鎮痛薬の使用，冷却療法，温熱療法などで改善をはかる．同時に障害発生に関与する要因を解明し，これを是正することが再発を予防するうえでも不可欠である．患者個々の内的要因としては下肢の柔軟性や筋力不足，アライメントや形態異常などが挙げられ，ストレッチング，筋力強化，装具療法などで対処する．さらにトレーニングの方法，用具，環境などの外的要因を十分に把握し，障害の要因となるものがあれば具体的にアドバイスを行うことが大切である．

近年は腱炎，腱付着部炎などに対し，多血小板血漿療法，体外衝撃波療法，ヒアルロン酸注入療法などの新たな治療法が試みられている．現時点ではこれらの治療法の有用性について十分なエビデンスは得られていないが，今後の研究の進展が期待される．スポーツ障害で，病期が進行している場合や安静でも症状が軽快しない場合は，手術療法の適応になる．離断性骨軟骨炎に対するドリリング，固定術，自家骨軟骨柱移植，自家培養軟骨移植，ジャンパー膝に対する変性部の切除術，有痛性分裂膝蓋骨の骨片摘出術や外側支帯切離術などが行われる．

2 ▶ スポーツ外傷

活動レベルに加え，重症度，合併損傷，反復性の有無，転位の程度などを考慮して，それぞれの疾患に応じた手術療法と保存療法の選択が行われるが，その詳細については他項に譲る．

患者説明のポイント

病態を詳細に説明したうえで，特に競技スポーツの場合はトレーニングの予定や試合のスケジュール，チームでの立場（レギュラー/控え）なども考慮して治療法を提示する．治療のためにスポーツ活動の休止や制限を要する場合には安静期間の見込みを示し，その間も可能なトレーニング内容について具体的に指示をする．また適切な治療がなされないと後遺障害を生じる危険性がある発育期の患者では，保護者と指導者にも十分な説明を行い，正しい理解のもとに治療を進めていくことが大切である．

スポーツによる足部・足関節の外傷・障害

Sports injuries of foot and ankle

熊井 司　早稲田大学スポーツ科学学術院 教授

【疾患概念】　ヒトの「足」は特殊である．30 cmにも満たない「足」は，不安定な上体を支えつつ，全体重を受けて運動するという大きな役割を担っている．当然のことながらスポーツにおいても，ランニング，ジャンプ，着地，切り返し動作などさまざまな運動を行う際に，「足」には床（地面）を相手に強大な力学的負荷がかかっている．そのため「足」には多種多様な外傷・障害が発生し，それらはスポーツにおけるパフォーマンスを著しく低下させる．スポーツによる足部・足関節の外傷・障害は，頻度も高く多岐にわたるため，診断や治療に難渋することも少なくない．ほとんどの運動パフォーマンスに影響を与えるため，満足いくスポーツ復帰にはしっかりと診断し治療することが要求される．

1 診断の進め方のポイント

問診と診察を行った段階で，ある程度の疾患・病態を予測したうえで補助診断としての画像検査を選択的に行う．的確な画像検査を依頼するためには，鑑別診断を含めた病態予測がしっかりとできている必要がある．特に足を診るにあたって他の部位と異なる点は，①足固有の機能を理解し評価することと，②皮下組織が少なくほとんどの構造物が容易に触診できる点である．

足は直接地面に接地する器官であるため，スポーツ外傷・障害の多くは地面との接地・荷重に関連したものである．そのため，座位やベッド上での非荷重での診察で判断するのではなく，実際に荷重させてみて疼痛部位を確認し，足部の変形やアライメントを評価することが必須である．さらに皮膚上からの触診で腱，靱帯，関節，骨隆起などほとんどの構造物を直接手で触れることができるため，どの部位にはどういった疾患が起こりうるのか，あらかじめ熟知しておくことで，単純X線検査など補助診断に頼らずともほとんどの疾患の予測が可能である．

2 問診で聞くべきこと

1 ▶ 年齢・性別

年齢・性別により発生頻度が異なる疾患も多く，それらを予め知っておくことで疾患を予測することができ，診断に役立つ（**表 3-9**）．踵骨骨端症（Sever病）や

表 3-9 代表的なスポーツ外傷・障害の年齢・性差による特徴

疾患名	好発年齢	性別
アキレス腱断裂	20歳代後半〜	男≒女
アキレス腱症・滑液包炎	10〜30歳	男<女
足関節外側靱帯損傷	全年齢	男≒女
二分靱帯損傷	全年齢	男≒女
距骨骨軟骨損傷	10〜30歳	男≒女
（離断性骨軟骨炎）	（10〜20歳）	（男≪女）
骨端症		
踵骨骨端症（Sever病）	5〜10歳	男>女
第1Köhler病	6〜13歳	男>女
Freiberg病	12〜18歳	男<女
足根骨癒合症		
距踵骨癒合症	12歳〜	男≒女
踵舟状骨癒合症	8歳〜	男≒女
三角骨症候群	15歳〜	男>女
腓骨筋腱脱臼	新生児/15歳〜	男≒女
足底腱膜症	20歳代/中高年	男≪女
有痛性外脛骨	10〜20歳	男≒女
扁平足（回内足）	10〜20歳代	男≒女
疲労骨折（中足骨）	10〜30歳	男>女
母趾種子骨障害	15歳〜	男<女

第1Köhler病，Freiberg病といった骨端症は学童期から思春期にみられるが，好発年齢や性差は微妙に異なっている．第1Köhler病は学童期の男子に多くみられるのに対し，Freiberg病は少し遅く思春期の女子に多い傾向にある．また距骨骨軟骨損傷のうち，全く外傷歴のみられない離断性骨軟骨炎は女性に多く両側性が多い．

2 ▶ スポーツ歴・競技種目

これまでのスポーツ歴・競技種目を問診することは重要である．どの競技をいつ頃からどのくらい続けており，現在の競技レベルはどうなのかという情報に加え，今後の競技大会，選手権などのスケジュールについても聞く必要がある．競技レベルの高い選手に対しては，最終的にどの試合・大会に照準を合わせて治療していきたいのかということを聞いておく必要がある．また競技種目により，好発する外傷・障害も異なる．スポーツ時に着用する特別な防具・用具やシューズの有無についても聞き，場合によっては持参してもらう．

3 ▶ 既往歴

以前に受けた外傷・障害の時期，治療方法・経過についての情報を聞いておく．特に大腿骨や下腿など下肢の骨折については，下肢全体のアライメントが腱側と異なっていることもあり注意を要する．足関節捻挫の既往についても，時期，回数，その後の治療経過が重要な情報となる．また足部については先天性奇形による変形が遺残している場合もあるため，治療歴や家族歴について聞いておく必要がある．

4 ▶ 受傷機転・発症様式

外傷では受傷機転，受傷肢位が診断への重要な手がかりとなる．最も多い足部・足関節の内がえし捻挫による受傷では，外側靱帯損傷のみでなく二分靱帯損傷や踵骨前方突起骨折，第5中足骨基部裂離骨折といった多岐にわたる外傷が考えられ，また捻挫を契機に有痛性外脛骨や足根骨癒合症が発症し，疼痛が遷延することもあるので注意を要する．障害では症状を誘発する競技中の動作，つまりランニングやジャンプ，ピボット動作，ボールキックなど各動作のどの瞬間に症状が誘発されるのかについてしっかり聞くことで，疾患をある程度予測することができる．

5 ▶ 愁訴

①疼痛：疼痛の発生する部位を正確に把握することで，予想される疾患をかなり絞り込むことができる．疼痛を誘発する動作・肢位がある場合には，診察中に軽く再現してもらい正確な疼痛部位を聞き出す．

②変形：足部には種々の変形がみられる．当初，変形のみで疼痛がみられないものも多いが，学童期から思春期へとスポーツ活動が活発になるにつれて疼痛を伴いやすい．早期に変形を把握し，進行を抑えるための装具や体操などを指導する必要がある．そのためには，代表的な足部変形について知っておく必要がある．

③知覚障害：足部の知覚障害を示す代表的な疾患としては，足根管症候群と前足根管症候群がある．足背から外側の知覚障害を呈するものでは，椎間板ヘルニアや腓骨近位外側での腓骨神経麻痺などとの鑑別が必要となる．足根管症候群では足底の知覚障害，しびれ感と安静時痛，入浴時痛が特徴的である．

3 診察での身体所見の取り方

1 ▶ 視診

①皮下出血・腫脹部位：外側靱帯損傷の際には，通常外果下端から外側にかけての皮下出血が認められる．Lisfranc関節損傷では足背の腫脹が強く，数日後に皮下出血斑が認められるようになる．

②下肢と足部のアライメント：膝関節の内・外反を含めた下肢全体のアライメント評価を行う必要がある．足部には多くの関節が存在しており，より近位で起こったアライメント異常を代償していることもあるため，起立させて下肢全体を観察し評価する．

③歩容：診察室に入ってくる際の歩き方を観察する．うちわ歩行（toe-in gait），そとわ歩行（toe-out gait）といった歩容異常や，内反尖足位での歩行，疼痛性跛行などを評価する．

④変形：多様な足部変形がみられ，あらかじめ熟知

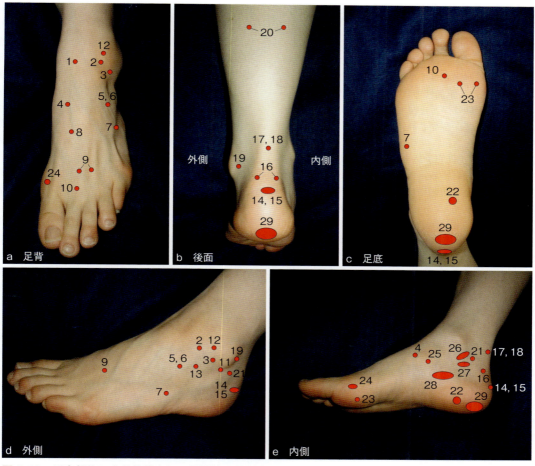

図 3-20 圧痛部位により予想される足関節・足部疾患

1：変形性足関節症/距骨骨軟骨損傷（内側型），2：変形性足関節症/距骨骨軟骨損傷（外側型），3：前距腓靱帯損傷，4：第1 Köhler病/舟状骨（疲労）骨折，5：踵骨前方突起骨折/二分靱帯損傷，6：踵舟状骨癒合症，7：第5中足骨基部骨折，8：Lisfranc靱帯損傷，9：中足骨疲労骨折，10：Freiberg病，11：踵腓靱帯損傷/os subfibulare，12：前下脛腓靱帯損傷，13：足根洞症候群，14：アキレス腱付着部症，15：踵骨骨端症，16：アキレス腱滑液包炎，17：アキレス腱断裂，18：アキレス腱炎（症），19：腓骨筋腱脱臼/腓骨筋腱炎，20：腓腹筋肉ばなれ，21：三角骨症候群，22：足底腱膜炎（症），23：母趾種子骨障害，24：外反母趾/強剛母趾，25：有痛性外脛骨，26：足根管症候群，27：距踵骨癒合症，28：Jogger's foot，29：踵部脂肪体萎縮

しておく必要がある．さらにその変形が徒手的に矯正可能かどうか（可塑性）を評価する．回内足（外反扁平足）では，立位で後方から観察し，外側に足趾が多く認められる too many toes sign の評価を行う．

⑤靴：スポーツシューズを持参させて，アウトソールの減り方やスパイクの位置などをチェックする．またインソールの硬さや形状，摩耗している部分もチェックする．

2▶触診

触診のなかでも最も重要となるのは，圧痛部位の確認である．あらかじめどの部位にどういったスポーツ傷害が発生するのかを念頭において触診することで，疾患をほぼ推測することができる．

①関節液貯留：膝関節とは異なり，足関節の関節液貯留はわかりにくいとされている．足関節前面中央には多くの腱が走行しており，側面の内・外果，後面の後果により囲まれている．そのため関節液の貯留を判断するには，足関節前面の前脛骨筋腱の内側と第3腓骨筋腱の外側にある関節包を，直接皮下に触れることができる部位を軽く押さえることで，わずかな波動を触れて判断する．

②圧痛部位：診察の最大の鍵となる．しかしそのた

めには，触診による解剖学的部位の正確な把握が不可欠である（図 3-20）．

③**可動域**：足関節の底・背屈のみでなく，足部の内・外がえしについても評価する．足根骨癒合症では距骨下関節の動きが制限されており，健側と比較することでわかりやすいが，両側性のこともあり注意を要する．さらに腓骨筋攣性扁平足を呈している症例では，内がえし強制にて疼痛が誘発され，腓骨筋腱のスパズムを観察することができる．

④**筋力評価（徒手筋力テスト）**：個々の筋について収縮力を徒手的に評価する．アキレス腱断裂では，足底筋の作用により足関節底屈はできることが多いが，立位でのつま先立ちは不可能である．腹臥位でのThompson's squeeze test はアキレス腱断裂の評価に有用である．また後脛骨筋腱機能不全では，片脚でのつま先立ちが可能かどうかチェックする（single heel rise test）．

⑤**下腿周径と下肢長**：疼痛による免荷が継続すると下腿三頭筋の廃用性萎縮が強くなり，下腿周径の患健差が大きくなる．下肢長差の評価には，仰臥位での腸骨前上棘から足関節内果先端までの距離（spina malleolar distance；SMD）を用いることが多いが，最近では X 線撮影での下肢長尺立位正面像を評価することも多い．

⑥**関節不安定性**：足関節の不安定性は，通常内がえしストレステストおよび前方引出しテストを行うことで判断する．椅子に座った状態で行うよりは，ベッド脇に座らせて下腿を下垂させた状態で行うほうがわかりやすい．受傷直後の内がえし強制は疼痛を伴うことが多く，筋性防御により偽陰性に出やすいため注意を要する．

4 必要な画像検査とその所見

単純 X 線検査が標準的であるが，機能評価を重視した立位での撮影が推奨される．遠位脛腓靱帯損傷では足関節立位正面像，Lisfranc 靱帯損傷では足部立位背底像で関節離開が明瞭となる．足関節外側靱帯損傷では，超音波検査による動態撮影が主流となってきており，以前のようなストレス X 線撮影をする機会は少なくなっている．足部では皮下組織が薄いため，靱帯損傷，腱症といった軟部組織病変の描出に，高周波リニアプローブを用いた超音波検査が非常に有用である．骨形態の詳細を評価するには CT が，骨挫傷や疲労骨折など骨の質的評価や軟部組織評価を行うには MRI が有用である．

5 治療方針

外傷に対してはできるだけ早期に，PRICE 処置〔Protection（保護），Rest（安静），Icing（冷却），Compression（圧迫），Elevation（挙上）〕を行う．特に足は皮下組織が少なく，血腫で腫脹が強くなると復帰が遅れてしまうため，アイシングと圧迫に留意する必要がある．足部・足関節は外傷の既往が多い部位であるため，画像検査によりさまざまな過去の異常所見がみつかることが少なくない．あくまでも現在のスポーツ活動において支障となっている病変の治療を優先することが原則であるが，全く症状を訴えていない無症候性病変について言及する場合には，今後の治療可能性の有無やその際の対処法についても，選手本人のみでなくチームスタッフにも十分に説明しておく必要がある．

また個々のアスリートの障害発症要因を検討する必要がある．全身弛緩性や過剰骨の存在といった解剖学的異常によるもの，toe-in/out 着地など動的アライメントの乱れや関節不安定性，筋協調性不良など運動時の動作異常によるもの，成長期や高齢者での年齢的な変化（柔軟性の低下，思春期女子の月経異常，筋力低下，骨密度減少など）によるもの，練習量や試合日程の調整不良によるもの，コンディショニングや心理的要因に関連したもの，シューズや用具，天候など外的環境によるものなど，個々の症例に関連した発症要因をしっかりと見極めて治療に臨むことが治療効果を上げ，治療後の再発防止にもつながる．

スポーツ外傷・障害の治療原則は保存療法であり，なかでも物理療法や運動療法といった理学療法が最重要かつ有用である．

保存療法

1 ▶ 装具療法

スポーツ外傷の治療には機能装具療法が推奨される．可能な限りギプス固定を避け，損傷部位の負荷を選択的に軽減させる装具を着用させるとともに，荷重時期の決定にも十分に留意する．スポーツ現場ではテーピングが多用される．急性期の局所の固定だけでなく，段階的なリハビリテーションを行ううえでの補助装具として，また再発防止のためにも有用である．シューズを履く競技では足底挿板も多用される．下肢アライメント補正やアーチ補助，局所の免荷や補強に用いられる．回内足に対するアーチサポート，足関節不安定症に対する外側ウエッジ，アキレス腱障害や heel tightness に対する heel lift，足底腱膜症に対する踵部 counter sink などが用いられる．

2 ▶ 物理療法

表層を温めるホットパックや渦流浴，深層を温める超音波刺激による温熱療法，アイスパックやアイスバス，持続冷却装置による寒冷療法，治癒促進や神経筋

促通性再教育のための干渉波や経皮的電気刺激（TENS，NMESなど）による電気刺激療法，骨組織修復のための低周波超音波治療（LIPUS），疼痛抑制や組織修復促進のための体外衝撃波治療（ESWT）などが，目的に応じて単一あるいは組み合わせて用いられている．局所への物理療法では，超音波検査で損傷部位を確認することにより，正確な照射が可能となる．

3 ▶ 運動療法

足部・足関節に特徴的なものとしては，足関節背屈可動域の獲得とバランス機能の向上が重要である．足関節背屈可動域の低下は，下腿前傾角の減少とともに後方重心を誘発し，踵着地や腰椎前弯の増加といったさまざまなスポーツ外傷・障害のリスクを増やすことにつながる．足底固有知覚訓練と足部内在筋強化によるバランス機能の向上は，ジャンプ着地時や切り返し動作時の安定性のみでなく，コンタクトスポーツにおける接触型外傷の抑制にも有用である．競技復帰を目的としたアスレチックリハビリテーションは，各競技特性に応じて必要な動作を確認し，トレーナーとともに段階的に進めていくことが重要である．

4 ▶ 薬物療法および局所注入療法

疼痛に対しては非ステロイド性消炎鎮痛薬（NSAIDs）が用いられるが，内服のみでなく外用剤（貼付剤や塗布剤）が汎用されている．疼痛部位が明瞭な疾患に対しては局所投与の希望が多く，超音波ガイド下での局所注入療法が行われている．局所麻酔薬のみでなくヒアルロン酸製剤やステロイドが用いられる．腱症や腱付着部症に対しては各種成長因子の効果を期待した多血小板血漿（PRP）療法も行われるが，ヒアルロン酸製剤とともに現時点では保険適応になっていない．薬物療法を行う際には，世界ドーピング防止機構（WADA）の定める禁止薬物についての確認を行い，エリートアスリートの場合にはドーピング検査に備える意味でも，使用した薬剤を選手またはチームのメディカルスタッフに正確に伝えておく必要がある．

手術療法

可能な限り早期の復帰を目指した低侵襲手術で対応する．関節鏡による鏡視下手術が主体となるが，近年のインプラントやデバイスの開発により，より組織侵襲が少ない観血的手術も可能となってきている．足関節に対しては直径2.7 mmの30°斜視鏡，足部のMTP関節やChopart関節など小関節に対しては1.9 mmの30°斜視鏡が一般的に用いられており，良好な鏡視を得るには，足部牽引器と潅流装置の使用が推奨される．関節内遊離体の切除術や距骨骨軟骨損傷に対する骨髄刺激法，前方・後方インピンジメント症候群に対するクリーニングなどが主流であったが，最近は鏡視下での外側靱帯修復術も盛んに行われるようになってきており，スポーツへの早期復帰に効果を上げている．また，改良された材質を用いた各種サイズのアンカーや人工材料の開発，工夫されたデバイスの作製により，新たな低侵襲手術法が考案されており治療成績の向上が期待されている．

成長期のスポーツ外傷・障害の留意事項

Considerations for sports injuries in growing period

松本　秀男　日本スポーツ医学財団 理事長〔東京都新宿区〕

1 成長期スポーツの重要性

スポーツは成長期の小児にとって運動器ばかりでなく，呼吸器，循環器，消化器などすべての臓器の発達に重要な役割を担っている．さらに，精神面での発達にも重要であることが指摘されている．しかし，スポーツはある程度の外傷や障害のリスクを伴うため，いかに安全にスポーツを行うように指導していくかが重要となる．

2 成長期スポーツ外傷の特徴と対策

成長期における運動器の特徴は，骨端軟骨の存在である．この骨端軟骨の存在により，成長期特有のスポーツ外傷が生じ，また治療にあたっても，常にその存在を考慮する必要がある．

スポーツ外傷で最も問題となるのが骨端軟骨損傷であり，これが損傷すると骨の成長障害の原因となる．また転位を伴った骨端軟骨損傷では，不用意に整復操作を行うと骨端軟骨をさらに損傷することがあり，愛護的な整復操作が重要である．Salter-Harris分類が有名であるが，特にIV型は単純X線所見で損傷が軽度に見えても，その後の成長障害が大きな問題となる．したがって，骨端軟骨損傷では受傷直後の治療ばかりでなく，復帰後も長期の経過観察が必要となる．また，成長期には骨の強度そのものが問題となることもある．成人で膝関節靱帯損傷が起こるのと同じような外力が成長期の膝に加わると，靱帯骨付着部の裂離骨折になることが多い．さらに，小児では関節軟骨が厚いことも大きな特徴である．軟骨部分の損傷は単純X線所見では正確な情報が得られない．したがって，臨床症状で疑わしい場合にはMRI所見などを参考に慎重に診断を下す必要がある．

治療にあたって留意することは，スポーツ外傷に対して手術療法が必要になった場合に，骨端軟骨を損傷しないように注意することである．骨端軟骨を貫いて固定材料を使わざるを得ないような場合でも，できるだけ骨端軟骨を損傷しないようにスムースな固定材料を使うことや，癒合が得られ次第抜釘を行うなどの工夫が必要である．一方で，成長期にはリモデリングが生じるため，年齢にもよるが骨折に伴って軽度の変形治癒が生じても，成長に伴って自然に矯正されることもある．したがって，成長期に生じた骨折は，成人の骨折に対する治療方針とは異なり，リモデリングも考慮して，部位，転位の程度，年齢などを加味して決定する必要がある．

3 成長期スポーツ障害の特徴と対策

スポーツ障害の原因はその大多数がオーバーユースである．成人の場合には男性では腱の繰り返す過牽引による腱炎，女性では関節面の繰り返す剪断力による軟骨面の障害が多いが，成長期の場合には腱の骨付着部が脆弱であるため，Osgood-Schlatter病のように腱の付着部に繰り返す過牽引が加わって生じる腱付着部炎が多い．また，関節軟骨が厚く軟らかいため，外側型の野球肘のような離断性骨軟骨炎をはじめとする軟骨下骨の病変も生じる．さらに，成長期は骨の成長速度と軟部組織の成長速度の差が生じるため，軟部組織の伸張性が低下し，これも先に述べた腱付着部炎などの原因となる．いずれにせよ運動器の成長過程で生じるこのようなスポーツ障害は，不可逆性の変化を生じ，成長後もスポーツ活動ばかりでなく，日常生活動作においてもさまざまな問題が残存することがあるので，早期の予防と治療が大切である．

治療にあたって留意することはスポーツ外傷と同様に，骨端軟骨を損傷しないことである．したがってスポーツ障害に対しては，手術療法が適応されることはまれで，可能な限り運動負荷の軽減などによる保存療法が行われる．手術療法が行われる場合でも，常に骨端軟骨の存在に注意する．

中高年者のスポーツ外傷・障害の留意事項

Considerations for sports injury in middle-aged and the elderly people

津田 英一　弘前大学大学院 教授（リハビリテーション医学）

1 中高年者のスポーツ外傷・障害の背景

世界のなかで超高齢社会の先頭を走るわが国では，中高年者のスポーツ参加機会は増加しつつある．その目的も多種多様であり，マスターズ大会出場を目指した競技として，スポーツ愛好家の趣味として，健康維持・増進のため運動療法としてなど，若年者と比較して幅が広い．近年ではマスターズ大会も地方，国内，国際レベルで開催されるようになり，競技レベルでスポーツに参加する中高年者では，若年者と同様なオーバーユース障害や競技中の外傷の発生機会が増加している．逆に健康維持・増進でスポーツを始めた中高年者では，身体の加齢変化による機能低下のため，低負荷であってもスポーツ外傷・障害を生じるおそれがある．

2 中高年者におけるスポーツの効果

適度なスポーツ活動は全身の器官および精神活動にプラスの作用があり，特に高齢者では，加齢による負の変化を最小限に抑えて自己を調整し，上手く適応しながら年齢を重ねる"successful aging"に不可欠な要素とされている．中高年者に好発する各疾患に対するスポーツ活動・エクササイズの効用は以下の通りである．

1 ▶ 心血管系疾患

エクササイズによる劇的な効果が期待できる器官の1つが心血管系であり，虚血性心疾患に対しては自覚症状を改善し，有病率，死亡率，再入院率を抑制する効果が示されている．毛細血管の拡張，ミオグロビン濃度上昇，心拡張期の延長による心筋への酸素供給能の向上，LDL/HDLコレステロール比の改善によるものと報告されている．

2 ▶ 呼吸器系疾患

エクササイズは慢性閉塞性肺疾患に対する呼吸リハビリテーションの1つとしてよく知られている．無酸素性作業閾値を高めることで高齢者の運動耐容能を改善する．

3 ▶ 糖尿病

食事療法とエクササイズの併用により2型糖尿病

の発症は抑制され，治療中の患者ではインスリン抵抗性の改善により内服治療からの離脱が期待できる．

4 ▶ 変形性関節症
エクササイズにより関節可動性の改善，関節周囲筋力の向上が得られ，疼痛改善効果がある．

5 ▶ 骨粗鬆症
筋抵抗トレーニング・高強度負荷トレーニングは高齢者の骨量維持に，筋力トレーニング・バランストレーニングは転倒予防による骨粗鬆症性骨折の抑制に効果がある．

③ スポーツ外傷・障害の治療

1 ▶ 筋・腱・靱帯の外傷・障害
高齢者では筋力低下や腱，靱帯の加齢変化のため，若年者より低い運動負荷でも相対的なオーバーユースとなり症状が発現する．下肢ではウォーキングやジョギングによる腸脛靱帯炎，アキレス腱症，足底腱膜炎，上肢ではテニスやゴルフによる肩関節周囲炎，上腕骨内・外上顆炎がみられる．適切な運動量の調整，ストレッチや筋力トレーニングなどにより再発予防を指導する．外傷による腱・靱帯損傷や肉ばなれに対しては若年者と同様の治療が必要である．手術適応に関しては，年齢のみを理由に適応から除外することはせず，スポーツ活動継続の意思と競技レベルに応じて検討する．

2 ▶ 疲労骨折
マスターズ選手や息の長いスポーツ愛好家では，若年者での好発部位である脛骨骨幹部，腓骨骨幹部，中足骨骨幹部など下肢を中心に疲労骨折が発生する．これらに加え，骨粗鬆症による骨量減少の影響を受けやすい骨端・骨幹端にも少なからず発生する．特に脛骨内顆は内反アライメントの存在により力学的負荷が集中するため，中高年者で罹患率が高い部位である．治療にはスポーツ活動の休止が原則であり，再開時には運動量の調整，環境・用具の整備など再発予防策が必要である．完全骨折に至ることは若年者に比較してまれであるが，保存療法では骨癒合が遷延するため手術療法が必要となる．

3 ▶ 変形性関節症
初期の変形性関節症では，適度なスポーツ活動を行うことで筋力や骨量が維持され疼痛改善効果が得られるが，進行期では力学的負荷の増大による関節軟骨の破壊，関節炎の増悪を助長する可能性が危惧される．スポーツ活動の継続を希望する場合には，関節症性変化の進行を予防する医学的対応を講じたうえでの継続が望ましい．内・外反アライメント異常を伴った単顆型の変形性膝関節症に対しては，膝関節周囲の骨切り術が適応となることが多い．近年では衝撃性の低い種目を中心に人工関節置換術後でも推奨されるスポーツが報告されており，種目が患者の好みと合致すれば，スポーツ継続の希望を叶える治療方法として人工関節置換術も選択肢の１つになりうる．

運動療法 その前に！
運動器の臨床解剖アトラス

監修　**北村清一郎**　森ノ宮医療大学保健医療学部 教授・解剖学
　　　馬場麻人　徳島大学大学院医歯薬学研究部口腔顎顔面形態学分野 教授
編集　**工藤慎太郎**　森ノ宮医療大学保健医療学部理学療法学科 教授

リハを始めるその前に！ 本書を見ておくと運動療法の質が変わります。

関節の可動域制限や不安定性，軟部組織の拘縮，そして圧痛に疼痛。なぜ動かせないのか？ なぜ痛むのか？ いったいその中身はどうなっているのか？ 本書が全部お見せします！
筋や靱帯の周囲にある結合組織にも着目。臨床で問題となる部位を「ここから見たかった」角度で紹介。さらに運動療法による動態をエコーで明示します。

■目次
- 第1章　上肢
  肩甲帯／肩関節／肘関節／手関節・手部
- 第2章　下肢
  股関節／膝関節／足関節・足部
- 第3章　体幹
  頭頸部／胸部／腰部・骨盤部

●A4　頁376　2021年
定価：**8,800円**（本体8,000円＋税10％）
[ISBN978-4-260-04313-7]

医学書院　〒113-8719　東京都文京区本郷1-28-23　[WEBサイト]https://www.igaku-shoin.co.jp
[販売・PR部]TEL：03-3817-5650　FAX：03-3815-7804　E-mail：sd@igaku-shoin.co.jp

4 感染性疾患

起炎菌の今日的特徴	120
MRSAによる感染症	121
化膿性疾患の化学療法	123
真菌による感染症	123
嫌気性菌による感染症	125
蜂巣炎（蜂窩織炎）	126
急性化膿性関節炎	127
急性化膿性骨髄炎	129
慢性化膿性骨髄炎	131
Brodie膿瘍	133
Garré［硬化性］骨髄炎	133
開放骨折後の骨髄炎	134
皮膚や骨欠損を伴う骨髄炎	135
内固定材料使用後の感染	137
人工関節周囲の感染	139
骨・関節結核および非結核性抗酸菌症	140
感染に対する高気圧酸素療法	142
壊死性筋膜炎	143
化膿性脊椎炎	144
脊椎インプラント術後感染	145
結核性脊椎炎（脊椎カリエス）	147

4 感染性疾患

起炎菌の今日的特徴

A characteristic transition of today's bacteriological environment in bone and joint infections

山田　浩司　中野島整形外科 院長〔川崎市多摩区〕

1 わが国の特徴

　骨関節感染症は，多少の地域的特性はあるものの，黄色ブドウ球菌を中心としたグラム陽性球菌（GPC）が主要起炎菌であることに変わりはない．骨関節感染症で最も起炎菌に関する疫学的情報が多いのは手術部位感染（surgical site infection；SSI）であるが，どの国のSSIサーベイランスもGPCが主要起炎菌である．わが国でも，日本整形外科学会が主導し2010年に報告された学術プロジェクト研究で，人工関節置換術と脊椎インストゥルメンテーション手術のSSI起炎菌はともに黄色ブドウ球菌が最多であり，それぞれ59％，49％を占めた．本報告では特にメチシリン耐性黄色ブドウ球菌（methicillin-resistant *Staphylococcus aureus*；MRSA）の割合が多く，それぞれ全体の42％，37％と最多であった．さらに，表皮ブドウ球菌などコアグラーゼ陰性ブドウ球菌（coagulase-negative *Staphylococci*；CNS）を含めると，GPCはSSI全体の70％以上を占めた．

　2018年の厚生労働省院内感染対策サーベイランス（JANIS）年報でも整形外科手術のSSI起炎菌は，四肢切断術，骨折の観血的整復術，椎弓切除，脊椎固定術，人工膝関節，人工股関節のいずれの術式においても黄色ブドウ球菌が最多で，全SSIの33〜50％を占めた．そのうち33〜42％がMRSAであり，同定される耐性菌のなかで最多である．感染対策上重視すべき病原体であることに変わりなく，特にMRSA感染は難治性感染症の原因となるだけでなく，院内アウトブレイクを起こす点で注意が必要である．その他JANIS年報で報告されている主要SSI起炎菌は *Pseudomonas aeruginosa*, *Corynebacterium*, *Enterobacter cloacae*, *Streptococcus agalactiae*, *Escherichia coli* などであり，脊椎では *Propionibacterium acnes* も重要な起炎菌である．JANISの2015年以降の年報においても整形外科SSIにおけるこれらの特徴に大きな変化はなく，骨関節感染症では上記の起炎菌が重要といえる．

2 英国の特徴

　英国でも，全国のNHS病院で2013年4月〜2018年3月に同定された全SSIの起炎菌は人工股関節，人工膝関節，大腿骨近位部骨折，脊椎手術のすべてで黄色ブドウ球菌が最多であり，それぞれ33.7％，43.7％，39.7％，42.9％であった．CNSも含めると，それぞれ57.9％，68.6％，56.7％，68.4％とさらに高い．特徴的なのはMRSAの割合の低さであり，それぞれ4.2％，4.0％，10.8％，1.9％と大腿骨近位部骨折以外はとても低く，日本と大きく異なる．整形外科以外を含めた全術式のSSI割合をみても，全SSIのなかでMRSAの占める割合はこの10年低下傾向にあり，2017/2018年は1.4％と非常に低い．これは，2004年から開始した"cleanyourhands campaign"や，その後に導入した"National guidelines for MRSA screening"などで，積極的にMRSAのスクリーニングと除菌を行ってきたことが関係していると考えられ，大きな成果を上げている．一方，SSI全体に占めるメチシリン感受性黄色ブドウ球菌（methicillin-susceptible *Staphylococcus aureus*；MSSA）の割合に変化はなく，CNSの割合はむしろ増加傾向にあることが問題となっている．上記以外に *Enterobacteriaceae*, *Pseudomonas*, *Streptococcus*, *Enterococcus* などがSSI起炎菌として同定されやすいという点は共通している．

3 *Staphylococcus lugdunensis*

　CNSのなかでは *Staphylococcus lugdunensis*（*S. lugdunensis*）という菌に注意が必要である．CNSでありながら黄色ブドウ球菌のような特徴を併せもつ菌で，その病原性は強く皮膚軟部組織感染症から菌血症，感染性心内膜炎（infective endocarditis；IE），人工物感染までさまざまな報告がある．IEでは市中発症が多く，他のCNSと異なり自然弁感染も多く，致死率は自然弁で42％，人工弁で78％と高い．30％以上の入院患者の皮膚にいたという報告もあり，わが国ではCNSの1.3〜5.2％が，菌血症の0.28％が *S. lugdunensis* であった．培養で *S. lugdunensis* が検出された場合，他のCNSと異なりコンタミネーションの可能性は比較的低く，起炎菌である可能性を考える必要がある．必ずしもすべての施設で他のCNSと分けて同定されておらず，まれに *S. aureus* と間違えられる可能性もあり注意が必要である．

4 おわりに

　2016年に政府が提唱した薬剤耐性（AMR）対策アクションプランでは，黄色ブドウ球菌に占めるMRSAの割合を2020年に20％以下にする目標が掲げられた．わが国では，手指衛生など標準予防策の啓発活動などが功を奏し，入院患者から分離される黄色ブドウ球菌のうちMRSAの占める割合は減少傾向にある．しかし，上記報告をみる限り，整形外科領域での改善は十分とは言えない．特に整形外科は手術件数が多い

ため，整形外科医として今後どのような取り組みを行っていくかは重要な課題である．今後は，日本骨・関節感染症学会主導のレジストリーが立ち上がり，定期的に調査が行われる予定であり，成果が期待される．

MRSAによる感染症
Characteristics of MRSA infections

山田 浩司　中野島整形外科 院長〔川崎市多摩区〕

1 MRSA感染の現状と予防

入院患者から分離される黄色ブドウ球菌のうち，MRSA（methicillin-resistant *Staphylococcus aureus*）の占める割合は減少傾向にある．しかし，2018年の厚生労働省院内感染対策サーベイランス（JANIS）年報で，整形外科手術のSSI（surgical site infection）起炎菌はどの術式も黄色ブドウ球菌が最多であり，そのうち33〜42%がMRSAであった．耐性菌のなかで最も分離頻度が高い整形外科の主要SSI起炎菌であり，感染対策上重視すべき病原体であることに変わりない．特にMRSA感染は難治性感染症の原因となるだけでなく，院内アウトブレイクを起こす点で注意が必要である．

MRSA感染対策で重要なのはMRSAの伝播防止であり，保菌者や感染者に対し接触感染予防策の実施が必要となる．しかし，すべての保菌者をスクリーニングすることは難しく，手指衛生など標準予防策の徹底がMRSA伝播を防ぐ有効な手段となる．WHOの推奨する5つのタイミングの遵守，環境整備，実施状況の把握と現場へのフィードバックも重要である．また，抗菌薬の不適切使用で保菌者の感染リスクを高めないことも重要であり，組織的にantimicrobial stewardshipに取り組むことが望ましい．

手術患者ではMRSA保菌者に対する抗MRSA薬の予防投与〔標準的予防薬にバンコマイシン（VCM）を併用する〕や，術前鼻腔・全身除菌が推奨される．鼻腔除菌はムピロシンが，全身除菌はクロルヘキシジンが推奨される．2016年に政府が提唱した薬剤耐性（AMR）対策アクションプランでは，黄色ブドウ球菌に占めるMRSAの割合を2020年に20%以下にする目標が掲げられ，整形外科領域では手術患者のMRSA感染予防が重要である．

2 抗MRSA薬の種類

わが国で認可されている抗MRSA薬は，VCM，テイコプラニン（TEIC），アルベカシン（ABK），リネゾリド（LZD），ダプトマイシン（DAP），テジゾリド（TZD）の6種類である．このうち骨髄炎で承認を得ているのはVCMのみである．そのためVCMは最も標準的な治療薬となるが，最小発育阻止濃度（MIC）は徐々に上がってきており（MIC creep），VCMのMICが$2\mu g/mL$の株は治療効果が芳しくない．VCMの低い組織移行性やバイオフィルム感染症に対する効果の限界なども，臨床的障壁と認識されつつある．2019年に改訂された「MRSA感染症の治療ガイドライン」でも，MRSA感染症の予後は必ずしも十分に満足できるものではなく，常にVCMで治療を開始するのではなく，感染症の病態や基礎疾患に応じて，適切に初期治療薬を選択することが重要であり，症例に応じてその他の抗菌薬との併用も考慮するべきとある．

3 抗MRSA薬の特徴

抗MRSA薬の治療効果と相関するPK/PDパラメータはいずれも濃度依存的殺菌と考えられ，VCM，TEICではAUC/MIC，ABKではC_{peak}/MIC，LZD，TZDではAUC/MIC，DAPではAUC/MICおよびC_{max}/MICと考えられている．臨床で薬物血中濃度モニタリング（TDM）が可能な抗MRSA薬はVCM，TEICとABKである．VCMの目標トラフ値は15〜$20\mu g/mL$であるが$20\mu g/mL$以上で腎毒性の発現が高率となる．また，red neck症候群のリスクがあり，投与スピードは$1g$/時以下に抑える必要がある．TEICは投与初期のローディングが必須であり，VCMに比べ腎機能障害やred neck症候群のリスクが低く，目標トラフ値は20〜$30\mu g/mL$である．LZD，TZDは腎機能障害時でも用量調節が不要であり，さまざまな組織へ良好な組織移行性を有し，経口剤の生物学的利用率はほぼ100%である．LZDは血小板減少を認めやすく2週間以上の長期投与は難しいが，TZDは同リスクが低い．DAPは高度の腎機能障害時のみ調整が必要で，骨髄炎治療での有効性も報告されており，高濃度ほど有用である．ただしCPK上昇を伴いやすく注意が必要である．一方，リファンピシン（RFP），ST合剤，ミノサイクリン（MINO）は治療効果予測のためのPK/PDパラメータ，およびその目標値は明らかでない．

他剤との併用効果はVCM，TEIC，ABK，DAPとβ-ラクタム薬が*in vitro, in vivo*で確認されているが，臨床的有用性に関してはさらなる検討が必要である．VCMを主軸とした治療を行う場合は，RFPの併用を考慮する．RFPは単独使用で耐性化しやすいため，必ず併用する．

4 感染性疾患

骨髄炎治療では，ブドウ球菌の骨芽細胞などへの細胞内寄生の問題もある．黄色ブドウ球菌はこれらの細胞内に寄生し再燃を繰り返す可能性があり，VCMやDAPは骨芽細胞内ブドウ球菌に対してほぼ抗菌力を示さず，むしろLZD，RFP，オフロキサシン（OFLX），クリンダマイシン（CLDM）などが殺菌的に作用する．LZD，RFP，CLDMは骨移行性も比較的良好であり，細胞内寄生の問題はこれらの抗菌薬をどのように使用していくかが重要となる．一方，バイオフィルム感染症ではDAPなどの抗菌活性が勝るが，いずれの抗菌薬も minimum biofilm eradication concentration（MBEC）は通常治療濃度をはるかに上回る濃度であり，点滴投与での実現は困難である．バイオフィルムの問題に対して局所投与以外の抗菌薬治療は現実的でなく，インプラント抜去が優先される．

4 MRSA骨髄炎の抗菌薬治療

MRSA骨髄炎の第一選択はVCMである．ただし，MIC creepや組織移行性などの問題もあるため，病態や基礎疾患に応じて適切に初期治療薬を選択することが重要である．VCM以外では，TEIC，DAP，LZD，TZDのいずれかが推奨される．投与期間については，十分なエビデンスはないため手術の有無や臨床経過などを踏まえ総合的に判断するが，一般的な骨髄炎の投与期間よりは長くしたほうがよい．MRSAに対するRFPの感受性は通常良好であり，インプラント周囲感染では抗MRSA薬との併用を考える．病巣掻爬後の死腔コントロールも重要であり持続洗浄療法，抗MRSA薬含有セメントビーズやセメントスペーサーなども検討する．膿瘍や血行が途絶した腐骨を認める場合は，抗菌薬投与のみでの治療は困難であり，適切なデブリドマンが必要である．

人工関節周囲感染では，人工関節に弛みがなく比較的早期の感染は，DAIR（debridement, antibiotics, and implant retention）が選択され，交換可能なモジュラー・コンポーネントを交換し人工関節を温存する．この場合の抗菌薬の投与期間に関して明確な基準はなく，静脈内投与後に経口剤に切り替え，合計投与期間は人工股関節で3か月，人工膝関節で6か月間が目安となる．感染が鎮静化しない場合，人工関節に弛みのある場合，十分なデブリドマンが期待できない場合などは，人工関節を抜去し二期的再置換を行う．一期的再置換も有用であるが，症例を選んで行う必要がある．

トピックス　骨・関節感染症治療の up to date

骨髄炎治療では抗菌薬の適正使用が重要である．しかし，抗菌薬の投与量や投与期間については不明な点が多く，エビデンスも構築しにくい．さらに，バイオフィルムなどの問題もあり，その病態は非常に複雑である．高用量投与が原則であるが，わが国では認可されている投与量が不十分な場合がある．「JAID/JSC感染症治療ガイド2019」では，緑膿菌の骨髄炎治療でシプロフロキサシンの高用量投与が推奨されるなど，少しずつ動きがある．さらにブドウ球菌は骨芽細胞など細胞内に移行することがわかっており，抗菌薬の細胞内移行の問題も注目されている．移行性の高い抗菌薬を上手に使うことが重要である可能性がある．また，バイオフィルムに対して minimum biofilm eradication concentration（MBEC）という概念が提唱され，局所抗菌薬投与の重要性が再認識されつつある．わが国でもiMAP/iSAPなどの投与法が考案され注目されている．

近年グリコペプチド系以外にさまざまな抗MRSA薬が登場し，MRSA感染症に対する治療オプションが拡大した．これに伴い，MRSA感染であっても早期介入できればインプラントの温存が可能となった．しかし，骨髄炎治療で認可されている抗MRSA薬が，VCMだけであることは大きな問題といえる．

人工関節周囲感染は一律にインプラントを抜去するのではなく，症例によってはDAIR（debridement, antibiotics, and implant retention）や一期的再置換術が可能であることがわかってきた．長管骨の骨髄炎治療で生じた骨欠損に対して，海外では抗菌薬入りの人工骨が使用可能であり注目されている．

近年，化膿性脊椎炎，化膿性関節炎，人工関節周囲感染や開放骨折など，代表的な骨関節感染症に関するRCTが行われ，徐々にエビデンスが蓄積されてきた．2018年には国際コンセンサスが改訂され，本領域の治療法についても，大量の文献をもとに指針がまとめられており有用である．さまざまな研究や技術革新を通して，さらに高いレベルでの診療が可能となることが期待される．

山田 浩司〔中野島整形外科 院長（川崎市多摩区）〕

化膿性疾患の化学療法

Antibiotic therapy in orthopaedic infections

正岡 利紀　東京医科大学 准教授

【疾患概念】　化膿性疾患とは細菌が原因となり組織に生じる炎症性疾患であり，膿貯留とともに組織壊死を生じる．整形外科領域では骨髄炎・関節炎・椎間板炎・蜂窩織炎・筋膜炎のほか，術後創部感染症なども含まれる．起因菌としては，黄色ブドウ球菌（*Staphylococcus aureus*），表皮ブドウ球菌（*Staphylococcus epidermidis*），緑膿菌（*Pseudomonas aeruginosa*）などが多いが，連鎖球菌属（*Streptococcus*），エンテロコッカス属（*Enterococcus*）や真菌（fungus）などが原因となることもある．最近ではメチシリン耐性黄色ブドウ球菌（MRSA）の割合が増加傾向にある．また糖尿病患者の増加，ステロイドや免疫抑制薬などの使用患者の増加に伴い，嫌気性菌が起因菌となる場合も増えている．

問診で聞くべきこと

既往疾患や現疾患をしっかり聴取することは，感染につながるバックグラウンドを把握するうえで重要となる．また抗菌薬に対するアレルギーの有無の聴取は薬剤選択上，必須である．

必要な検査と診断のポイント

化膿性疾患の局所所見としては発赤・腫脹・熱感あるいは膿の流出などが挙げられるが，深部感染の場合は所見に乏しいこともあり注意を要する．診断上最も重要なのは細菌の同定であり，複数箇所より複数回の検体採取を行うようにする．また，抗菌薬投与前に検体を採取することが重要である．

治療方針

①黄色ブドウ球菌・表皮ブドウ球菌：メチシリン感受性ブドウ球菌の多くがペニシリン耐性を有するため，第1選択薬は第1世代セフェム系薬となる．MRSAについては他項参照．

②緑膿菌：アミノグリコシド系薬，ピペラシリン，第3世代セフェム系薬などが選択される．また，感受性に応じてカルバペネム系，キノロン系薬なども選択される．

③連鎖球菌：ペニシリンが第1選択となる．

④エンテロコッカス：アンピシリン・ペニシリン・バンコマイシンなどにアミノグリコシド系薬が併用されることが多いが，β-ラクタム系薬やアミノグリコシド系薬，バンコマイシンに耐性を示す場合もある．

⑤嫌気性菌：*Peptococcus*，*Peptostreptococcus*にはペニシリンG，ピペラシリン，*Bacteroides*属にはクリンダマイシンが使用される．

抗菌薬の有効な使用方法

抗菌薬はその殺菌作用の特性から，最高血中薬物濃度（C_{max}）または最高薬物濃度（C_{peak}）/最小発育阻止濃度（MIC）が指標となる濃度依存的抗菌薬と，薬物濃度がMICを上回る時間の割合（$\%T > MIC$）が指標となる時間依存的抗菌薬に大別される．前者にはアミノグリコシド系薬，キノロン系薬が含まれる．すなわちこれらの薬剤を使用する際は，体内濃度を高めるため，1回の投与量を増やして1日1回にまとめて投与することが有効となる．一方，後者にはβ-ラクタム系薬やグリコペプチド系薬が含まれ，これらの薬剤は曝露時間を延ばすことが有利となるので，同じ1日投与量でも複数回に分割投与することでより有効となる．

薬物濃度はMICを上回れば増殖抑制に働くが，さらに最小殺菌濃度（MBC）を上回ると細菌が死滅する．不十分な薬物濃度の投与継続は細菌の突然変異を招き，耐性菌の出現につながる．耐性菌も含め死滅させる耐性菌出現阻止濃度（MPC）とMICの間が耐性菌選択域（mutant selection window；MSW）といわれており，MSWの濃度域・時間をより少なくすることが効果的となる．

さらに整形外科領域においては，骨を含めた深部組織あるいはインプラント手術に伴う感染など，バイオフィルムの存在から抗菌薬の移行不良が問題となる場合がある．MPCを超え，さらにバイオフィルムも抑制する濃度（minimum biofilm eradication concentration；MBEC）はMICの100～1,000倍ともいわれ，局所投与法なども考案されている．

真菌による感染症

Fungal infection in bone and joint

三輪 真嗣　金沢大学 助教

【疾患概念】　10万種以上存在する真菌のうち，約150種がヒトや動物に対して病原性をもつといわれている．整形外科領域の真菌感染症では，カンジダ属が起炎菌として最も頻度が高く，次いでアスペルギルス属，クリプトコッカス属が多い．真菌感染の原因として血行性感染が多いが，関節穿刺や手術も少なくない．無症状のものから急速に組織破壊をきたすものまで症状は多様であり，無症状の場合には診断に難渋することが多い．炎症性マーカーは正常または軽度上昇であることが多い．診断は培養検査による真菌の同定が基本

となる．

【病態】

カンジダは皮膚，口腔，消化管，生殖器，土壌，植物などさまざまな環境のなかに常在しており，中心静脈栄養，抗菌薬使用，外傷，関節内注射，免疫不全状態などさまざまな要因によって感染をきたす．細菌感染に比べて緩徐な経過を示すことが多く，炎症所見が乏しい．カンジダによる骨髄炎は，血行性感染が約70％，直接感染が25％といわれる．罹患部位として脊椎，次いで大腿骨，肋骨，胸骨が多い．一方，カンジダによる化膿性関節炎の頻度は非常に少ない．罹患部位として膝，股，肩関節が多く，大部分が血行性感染であるが，外傷や関節内注射などによる直接感染も生じる．起炎菌として C. albicans が半数以上であり，ほかに C. glabrata，C. tropicalis，C. parapsilosis が多い．また，血液培養での陽性率は30～50％程度であり，診断に難渋することも少なくない．カンジダは消化管や上気道などに定着している常在菌であるため，培養検査で陽性であってもコンタミネーションの可能性を念頭におく必要がある．

アスペルギルスは土壌や植物などに存在しており，鼻腔，呼吸器，中枢神経系に感染することがある．アスペルギルス感染をきたす要因として，免疫抑制状態，中耳炎・副鼻腔炎，肺疾患が挙げられる．アスペルギルスによる骨髄炎の罹患部位として，脊椎が約半数を占め，次いで頭蓋骨，肋骨，胸骨，四肢が多い．アスペルギルスによる関節炎は，免疫不全患者では血行性感染が多く，健常者では関節内注射や外傷による直接感染が多い．関節の腫脹，疼痛，悪寒，倦怠感といった症状を呈する．

クリプトコッカスは鳥類の糞や土壌に存在しており，呼吸器，中枢神経系に感染することがある．感染をきたす要因としてステロイドや免疫抑制薬，血液透析，化学療法などによる免疫抑制状態が挙げられる．クリプトコッカスによる肺炎は健常人でもみられるが，免疫不全状態の患者では髄膜炎，真菌血症などを生じ，クリプトコッカスの播種性感染のうち10％に骨髄炎を生じる．骨髄炎では画像で明らかな骨透亮像を呈する．一方，化膿性関節炎は比較的まれであり，近接する骨髄からの波及によって生じる．

診断のポイント

感染が複数の骨に生じることがあり，MRIや核医学検査で病変部位を特定する．穿刺液は混濁や血性を呈することが多い．培養検査による診断が基本となり，組織や貯留液から真菌が検出された場合には真菌感染の診断が得られる．また，真菌感染症に対する血液検査として，β-D-グルカンは幅広く用いられており，カンジダ，アスペルギルス，トリコスポロン感染で陽性となるが，クリプトコッカス，ムコール症では陰性となるため注意を要する．また，アスペルギルス感染ではガラクトマンナン（GM）抗原，クリプトコッカス感染ではグルクロノキシロマンナン（GXM）抗原が診断に有用であるが，感染が限局している場合には感度が低くなるため，陰性であっても真菌の存在を否定することはできない．

治療方針

外科的デブリドマンと抗真菌薬投与が原則である．腐骨，低い薬物組織移行性，血行不良，バイオフィルム形成などの問題のため，難治性となることが多く，瘻孔を含む感染組織の除去，骨軟部組織のデブリドマン，抗真菌薬含有セメントビーズ留置，人工物がある場合は除去を行う．脊椎感染では感染が広範囲に及び，脊椎の不安定性をきたす場合は脊椎固定による安定化が必要となることもある．

治療法

真菌性関節炎はドレナージ，滑膜切除などのデブリドマン，抗真菌薬投与が原則となる．人工関節感染の場合は人工関節抜去が必要である．真菌性骨髄炎の場合はデブリドマン，抗真菌薬投与を必要とする．真菌性脊椎炎では，基本的に安静と抗真菌薬投与を行うが，破壊の程度により外科的手術（デブリドマン，脊椎固定）を考慮する．

カンジダによる骨髄炎の場合，抗真菌薬としてはアムホテリシンBリポソーム製剤を2～6週間投与し，その後ホスフルコナゾール静注に変更し，その後は経口薬に変更する．6～12か月の薬物治療を要することが多い．化膿性関節炎の場合，抗真菌薬は C. albicans，C. tropicalis，C. parapsilosis ではホスフルコナゾールが第1選択となり，最低6週間の投与を行う．一方，C. krusei，C. guilliermondii ではホスフルコナゾールに対する感受性が低く，アムホテリシンBリポソーム製剤が選択薬となる．

アスペルギルスによる骨髄炎の場合，抗真菌薬ではボリコナゾールやアムホテリシンBリポソーム製剤が用いられるが，有効性はボリコナゾールのほうが高いと報告されている．ポサコナゾールや，ミカファンギンなどのキャンディン系薬は，骨髄炎の治療薬としてはエビデンスが少ない．最低8週間の治療期間が必要であるが，わが国のガイドラインでは3か月～約2年と設定されている．化膿性関節炎の場合，抗真菌薬としてアムホテリシンBリポソーム製剤が広く用いられているが，近年はボリコナゾールにより治療成績が向上している．投与期間としては6～12週間が推奨される．

表 4-1 整形外科領域でみられる主な嫌気性菌感染症

	グラム染色	細菌	主な整形外科領域の感染症
桿菌 芽胞形成	グラム陽性	Clostridium	C. perfringens によるガス壊疽 破傷風菌（C. tetani）による破傷風
桿菌 無芽胞菌	グラム陰性	Bacteroides Fusobacterium	Bacteroides fragilis などによる軟部組織感染 （非クロストリジウム性ガス壊疽 など）
	グラム陽性	Propionibacterium	異物感染症（人工関節感染 など）

クリプトコッカスによる感染の場合，播種性クリプトコッカス症に準じ，アムホテリシンBリポソーム製剤とフルシトシンを2～6週間投与し，その後ホスフルコナゾールに変更して数か月投与する．

嫌気性菌による感染症

Infection with anaerobic bacteria

阿部 哲士　吉川中央総合病院 院長〔埼玉県吉川市〕

【疾患概念】 嫌気性菌とは，酸素のない条件下で発育する細菌群である．ヒトの粘膜（口腔内，腸管，腟）の常在菌叢を構成する主要な細菌群であり，粘膜の破綻などから内因性感染をきたす．また，土壌などの環境中にも存在し，外因性感染をきたすことがある．

嫌気性菌感染症は膿瘍形成のみならず組織壊死を引き起こす．嫌気性菌のなかには組織を破壊する酵素や，麻痺性毒素を産生するものもあり，重症軟部組織感染症をきたす．

【病型（表4-1）】
(1)ガス壊疽

ガス産生菌による筋肉・筋膜の壊死性軟部組織感染症の総称である．ウェルシュ菌（*Clostridium perfringens*）によるクロストリジウム性ガス壊疽と非クロストリジウム性ガス壊疽に大別される．

クロストリジウム性ガス壊疽は狭義のガス壊疽とされている．ウェルシュ菌は蛋白毒素を産生し，筋壊死や溶血活性を有し，急速に筋壊死が進行する．非クロストリジウム性ガス壊疽は混合感染をきたし，皮膚〜脂肪組織や浅筋膜を侵す壊死性筋膜炎を呈することが多い．

(2)破傷風

破傷風菌（*Clostridium tetani*）は芽胞の形で広く土壌中に常在し，外傷を契機に体内に侵入する．破傷風菌が産生する神経毒素によって中枢神経の抑制が効かなくなり，硬直性痙攣などの激しい全身症状をきたす

致死率の高い感染症である．

【臨床症状と病態】
(1)クロストリジウム性ガス壊疽

土壌汚染のある外傷後24～72時間後に発症する．発赤・腫脹・熱感が急速に悪化し，皮膚や皮下組織，筋組織の壊死により著しい疼痛が生じる．感染の進行に伴いショックや多臓器不全，播種性血管内凝固症候群（DIC）をきたし死に至る．

(2)非クロストリジウム性ガス壊疽

発赤・腫脹・熱感から，水疱・血疱，潰瘍，紫斑を形成し急速に壊死が進行・拡大する．感染の進行に伴い全身状態の悪化を招き，ショックや多臓器不全，DICから死に至ることもある．

(3)破傷風

潜伏期（3～21日）のあとに，開口障害，痙笑，嚥下困難などの頭頸部の筋硬直から発症する．悪化すると呼吸困難や全身痙攣，後弓反張が現れ，呼吸筋麻痺により死に至る．

▶問診で聞くべきこと

(1)クロストリジウム性ガス壊疽：土壌汚染のある土地での農作業などによる外傷歴に注意すべきである．
(2)非クロストリジウム性ガス壊疽：糖尿病や悪性腫瘍などの免疫力の低下した患者の足部の胼胝や潰瘍から感染することが多い．基礎疾患を把握することが重要である
(3)破傷風：破傷風に特有な症状（開口障害や嚥下障害）により，早期の臨床診断と治療開始が重要である．

▶診断のポイント

膿または感染組織と健常組織の境界部にガスを認める．これは気泡として皮下に握雪感として触知できる．単純X線やCTでは羽毛状のガス像を検出し，病巣の広がりや深達度を判断する．

感染組織の壊死と，悪臭のある膿は嫌気性菌感染を疑うべき所見である．嫌気性感染が疑われるときは，細菌混入を避けるため，深部感染組織から採取した壊死組織や膿を用いてグラム染色と嫌気培養を行う．嫌気培養に用いる検体は，酸素を遮断した容器（嫌気ポーター）で輸送する．グラム染色または培養で複数菌が

治療方針

1 ▶ ガス壊疽

可及的早期に排膿および壊死組織のデブリドマンを行うべきである．十分な壊死組織の切除を行っても壊死や感染拡大があれば，切断術も必要となる．

ガス壊疽では，経験的抗菌薬治療として，カルバペネム系薬またはピペラシリン/タゾバクタムにクリンダマイシンを併用する．起炎菌の感受性を確認したうえで抗菌薬を変更する．

2 ▶ 破傷風

感染巣に対してデブリドマンを行うべきである．病早期では，抗破傷風ヒト免疫グロブリンと破傷風トキソイドを使用する．抗菌薬治療（ペニシリン，メトロニダゾール）と痙攣や呼吸障害に対する全身管理を行う．

蜂巣炎（蜂窩織炎）

Cellulitis, Phlegmon

斎藤 政克　医療法人宝生会PL病院 部長〔大阪府富田林市〕

【疾患概念】　細菌感染により皮膚の真皮深層から皮下脂肪組織に波及する，びまん性の急性化膿性炎症である．通常は皮膚のバリア機能の破綻により細菌が侵入して炎症を引き起こすが，明らかなバリア機能の破綻がなくても，血流感染などで発症することもある．また，化膿性骨髄炎や化膿性関節炎などの深部感染が，二次的に皮膚や皮下組織へ波及して生じることもある．

【頻度】　片側の下肢，特に下腿に好発する．顔面も好発部位であるが，整形外科を受診する場合は下肢に出現したものが対象となることが多い．

【臨床症状または病態】　皮膚の境界不明瞭な発赤，腫脹，熱感，圧痛を伴う硬結がみられる．また，膿瘍を形成する場合もある．

問診で聞くべきこと

蜂窩織炎のリスク因子の有無について確認する．
①皮膚のバリア機能の破綻：外傷，皮膚炎，虫刺され，潰瘍など．
②既存の皮膚感染症の存在：白癬，膿痂疹など．
③免疫不全状態：糖尿病，免疫抑制薬，ステロイド使用など．
④浮腫：リンパ浮腫や静脈機能不全など．慢性的な下肢の血流やリンパ流のうっ滞での蜂窩織炎は，再発を繰り返すことが多い．
⑤肥満

必要な検査とその所見

(1) 血液検査
急性炎症の所見（白血球数増加，好中球の左方移動，CRP陽性，赤血球沈降速度の亢進など）．

(2) 細菌検査
血液培養での起炎菌の検出率は低い（10％以下）とされているが，可能であれば施行するほうがよい．膿瘍が存在する場合は，穿刺あるいは切開排膿にて得られた検体で，起炎菌の同定に努める．

(3) 画像検査
膿瘍が形成された場合はエコー検査が有用であるが，単純X線検査，CT，MRIなどは主に鑑別診断に用いられる．蜂窩織炎ではMRI画像で皮膚や皮下組織の浮腫像がみられるが，それに加えて深部筋膜の炎症像がみられた場合は壊死性筋膜炎が疑われる．

鑑別診断で想起すべき疾患

下肢の紅斑を伴う炎症性疾患は，鑑別診断の対象となり，皮膚科へのコンサルテーションを要する症例もある．

①丹毒：顔や下肢の皮膚浅層に生じる細菌感染で，連鎖球菌群が起炎菌であることが多い．蜂窩織炎の紅斑と比較し，境界明瞭な紅斑で浮腫が強く光沢を伴う．

②癤（せつ）・癰（よう）：毛包に限局した細菌感染で，毛孔に一致した紅斑，膿疱がみられ，中心に膿点を有する．

③壊死性筋膜炎：浅層筋膜を病変の主座とする重症細菌感染症（主にA群β溶血性連鎖球菌）．初期は蜂窩織炎と同様に紅斑，発赤，腫脹であるが，急速に深部の筋膜まで波及・拡大する．ショックなどの全身症状を伴い，緊急な対応が必要な疾患である．

④ガス壊疽：非クロストリジウム性ガス壊疽は，クロストリジウム性ガス壊疽と比べ，症状が激烈でなく，蜂窩織炎と同様の所見を呈する．軟部組織の握雪感が特徴的で，画像所見（単純X線，CT）で筋内にガス像がみられる．

⑤痛風：尿酸結晶による結晶性関節炎である．足部，特に母趾IP関節が好発部位といわれるが，MP関節や足関節などにも発症し，足部に発赤，腫脹などの炎症所見を呈する．

⑥結節性紅斑：下腿伸側に多発する有痛性紅色結節．結節は境界不明瞭で熱感，圧痛を伴う．サルコイドーシスやBehçet病などの基礎疾患に合併するものがある．

⑦下肢血栓性静脈炎：血栓による下肢の静脈閉塞により起こる．下腿の表在静脈に沿って有痛性の索状硬結，腫脹と発赤を伴う．

診断のポイント

診断は主に視診によるびまん性の紅斑と腫脹，触診による局所の圧痛，熱感などの理学所見と，画像検査による深部感染症の除外による．細菌侵入路として，足趾間部の皮膚の状態は観察すべきである．最も重要なことは，壊死性筋膜炎などの重篤なものとの鑑別を，常に念頭におくことである．紅斑，腫脹，熱感などの症状に加え，紫斑，血疱，水疱，潰瘍，皮膚壊死などが早期からみられる場合や，皮膚所見に比して，歩行困難になるくらいの激しい疼痛を訴える場合，血液検査で CRP 20 mg/dL 以上，白血球数 20,000/μL 以上の場合は壊死性筋膜炎が疑われる．

専門病院へのコンサルテーション

上記の壊死性筋膜炎などの重篤な疾患が疑われた場合は，専門病院への早急なコンサルテーションが必要である．

治療方針

一般的には下肢の挙上，安静などのうえ，抗菌薬による保存的加療が選択される．

起炎菌は皮膚常在菌の黄色ブドウ球菌，A 群 β 溶血性連鎖球菌が主であるので，抗菌薬は第 1 世代セフェム系やペニシリン系が選択される．全身状態が良好で，膿瘍がなければ，経口投与から開始する．38℃ 以上の発熱，頻脈，血圧低下などの全身症状を有する場合，症状が抗菌薬内服後 48 時間でも進行する場合，病変が人工関節などのインプラントの近くにある場合などは点滴などの非経口投与が勧められる．抗菌薬の投与期間は局所所見が消失するまでで，約 1～2 週間程度である．膿瘍形成がみられる場合は切開・排膿などの外科的処置が必要になる．

合併症と予後

通常は局所の安静と抗菌薬にて改善し，機能障害も残さず，予後は良好な疾患である．しかし，菌血症，壊死性筋膜炎などに進展した場合は予後不良な例もみられる．

患者説明のポイント

通常は予後良好であることが多い．しかし，発熱などの全身症状，疼痛の増強，皮膚症状の拡大などがみられた場合は，壊死性筋膜炎や菌血症の可能性があり，緊急を要する症状であることを説明しておく．

リハビリテーションのポイント，関連職種への指示

蜂窩織炎に対する直接的なリハビリテーションはなく，患部の安静，挙上，冷罨が勧められる．罹患部位以外に対しての，廃用や拘縮予防のためのリハビリテーションは全身状態が許せば可能である．

関連職種には，受診時からの全身状態，疼痛，皮膚症状の増悪がないかを，経時的に観察するよう指示する．壊死性筋膜炎の場合は，数十分から数時間の間に紫斑や血疱が拡大していくため，頻回の観察が必要となる．

急性化膿性関節炎

Acute pyogenic arthritis

稲葉 裕　横浜市立大学大学院 教授

【疾患概念】　化膿性関節炎は細菌性関節炎の 1 つであり，起炎菌が関節内に侵入し，増殖する疾患である．真菌性・結核性・淋菌性・ウイルス性関節炎とは起炎病原体，臨床症状・経過が異なり，区別して扱う必要がある．本疾患は乳幼児，高齢者，易感染性宿主に発症することが多い．診断・治療が遅れた場合には，急速な関節破壊を引き起こし，永続的な関節機能障害をきたす可能性があるため，診断・治療の緊急性が高い疾患である．

【病態】

感染経路として，①血行性感染，②周囲軟部組織や骨組織からの感染の波及，③関節内注射や手術操作，開放性の外傷に関連した直接感染，の 3 つが挙げられ，血行性感染の頻度が最も高い．関節内に侵入した菌体は滑膜に付着し，増殖する．菌体に対する急性炎症反応が起こり，菌が放出する蛋白質分解酵素と毒素によって関節軟骨が破壊される．滑液の循環障害や膿の貯留による関節内圧の上昇は，軟骨破壊を助長する．

問診で聞くべきこと

基礎疾患の有無，内服薬，関節内注射や手術，外傷の既往を確認する．糖尿病，副腎皮質ステロイド薬の服用，アルコール依存，悪性腫瘍，腎機能障害，肝機能障害，低栄養状態，human immunodeficiency virus（HIV）感染が，化膿性関節炎の罹患リスクを上昇させることが知られている．

必要な検査とその所見

①血液生化学検査：白血球数の増加，好中球分画の増加，赤血球沈降速度（ESR）の遅延，C 反応性蛋白（CRP）高値を認める．

②関節液検査：関節穿刺を施行し，関節液検査（細胞数，細胞分画，結晶検査，グラム染色および細菌培養検査）を行う．化膿性関節炎では関節液は黄白色に混濁し，白血球数の増加（50,000/μL 以上）を認めることが多い．

③血液培養検査：血行性感染もしくは化膿性関節炎

4 感染性疾患

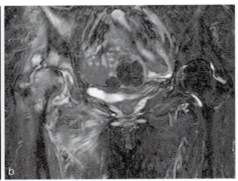

図 4-1 右化膿性股関節炎（70歳, 女性）
a：両股関節単純X線正面像. 右股関節の関節裂隙狭小化と大腿骨頭軟骨下骨の不整像を認める.
b：MRI（STIR 法）冠状断像. 右大腿骨頭, 寛骨臼の高信号域, 関節液貯留と周囲軟部組織への炎症の波及を認める.

から菌血症をきたしている場合には，起炎菌の同定に有用である．

④画像検査（図 4-1）：単純 X 線像では，発症早期において，関節内液体貯留による関節裂隙の拡大を認める場合がある．進行すると，関節軟骨の破壊に伴う関節症性変化をきたす．MRI または造影 CT により，関節腔内の液体貯留を確認する．MRI では周囲軟部組織の炎症所見や，骨髄炎の有無が評価可能である．

⑤分子生物学的診断：細菌培養検査で起炎菌が同定されない症例においては，細菌性 DNA/RNA を検出する polymerase chain reaction（PCR）法が有用である．迅速性に優れており，メチシリン耐性菌の特異的検出が可能である．

診断のポイント

①急性に発症した単関節炎もしくは少関節炎では，化膿性関節炎の可能性を考慮して検査・診断を進めていく必要がある．

②典型例では，罹患関節の発赤，腫脹，疼痛，熱感および可動域制限を認める．深部関節では発赤，腫脹，熱感が明らかでない場合も多い．安静時や夜間においても疼痛を認め，新生児や乳児の場合では，患肢を動かさない仮性麻痺が特徴的である．発熱，悪寒，倦怠感などの全身症状を呈することもある．

③小児例では若年性特発性関節炎や，その他の感染性関節炎との鑑別が必要である．股関節では単純性股関節炎との鑑別が重要であり，診断に迷う場合には股関節穿刺を行う．

④成人例では痛風・偽痛風などの結晶誘発性関節炎，変形性関節症，関節リウマチなどの疾患との鑑別が重要である．これらの疾患自体が化膿性関節炎発症のリスクを上昇させることが知られており，既診断例において も急激な症状悪化を認める場合には，化膿性関節炎の合併も考慮する．また，軟部組織感染症である蜂窩織炎や壊死性筋膜炎との鑑別も必要である．

⑤血行性感染では感染の主病巣が存在するため，心臓，肝臓，肺，皮膚，口腔などを含めた全身検索を行う必要がある．

治療方針

膿の貯留を認める場合には，切開排膿を行うことが基本である．特に乳幼児では，治療開始の遅延により遺残変形を残す危険性が高まるため，すみやかな診断と外科的治療が必要である．関節切開による排膿，炎症性滑膜の切除，十分な関節内の洗浄を行ったあとにドレナージチューブを留置する．近年，急性化膿性関節炎の外科的治療として鏡視下手術の有用性が報告されている．関節切開術と比較して侵襲が小さいこと，術後の機能回復が早いことなどの利点があり，今後普及していく可能性がある．

抗菌薬投与は検体採取後から開始し，関節穿刺液の細菌培養検査により起炎菌が同定されるまでは，広域なスペクトラムを有する抗菌薬を投与する．経静脈的投与を 2～4 週間行い，炎症反応の鎮静化を確認したあとに経口投与へ変更する．創部からの滲出液持続や CRP 上昇の遷延を認め，鎮静化が得られていないと判断した場合には，再度の外科的治療を行う．

化膿性関節炎の起炎菌として，黄色ブドウ球菌（S. aureus）の頻度が高いが，年齢により主要な起炎菌が異なることに注意する．近年では高齢者のメチシリン耐性黄色ブドウ球菌（methicillin-resistant S. aureus）による化膿性関節炎が増加しており，治療に難渋する傾向があるため注意を要する．

患者説明のポイント
①外科的治療による排膿，関節内の減圧，炎症性滑膜の切除と術後の抗菌薬治療が必要である．
②関節軟骨の破壊と続発する関節症性変化および拘縮により，機能障害が残る可能性がある．
③化膿性関節炎から敗血症をきたし，死亡に至る可能性があることについても説明する．

リハビリテーションのポイント，関連職種への指示
関節切開後には局所の安静を目的として，シーネなどにより良肢位で固定を行う．感染が鎮静化した場合には，関節拘縮を予防するために自動運動および他動運動による可動域訓練を早期から行う．本疾患は治療が長期化する場合があり，機能障害が残る可能性もあるため，患者本人および家族の不安や精神的苦痛を軽減するような支援が必要である．

急性化膿性骨髄炎

Acute pyogenic osteomyelitis

新倉　隆宏　神戸大学 准教授

【疾患概念】　骨髄炎は，細菌をはじめ抗酸菌，真菌などの病原体が骨に感染して起こる骨の炎症および，それに伴う骨の破壊性変化である．化膿性骨髄炎とは，細菌が骨に感染して起こる化膿性炎症のことであり，このうち急性発症するものを急性化膿性骨髄炎という．感染，炎症は骨髄を中心とし，骨皮質や骨膜にも生じる．

【頻度】
抗菌薬の発達や外傷初期治療の発展によって，発症頻度は減少してきたと考えられる．しかし近年において，高齢者や内科的併存症をもつ易感染性宿主の増加により，発症は増加傾向となる可能性がある．

【臨床症状】
末梢骨の急性化膿性骨髄炎の患者は通常，限局性の熱感，腫脹，発赤，疼痛という局所症状に加え，発熱，全身倦怠感，易疲労感，進行すれば体重減少といった全身症状を伴うことが多い．慢性化膿性骨髄炎との主な違いは，このような全身症状を伴うか，また，局所症状の強弱である．慢性化膿性骨髄炎であれば局所炎症所見，症状はあっても弱いことが多いが，急性化膿性骨髄炎では強いことが多い．
乳幼児では，初期では機嫌が悪くなったり，患肢を動かさなくなったりする．他動的に動かそうとすると疼痛を訴えたり，健側と比較して可動性が低下していることもある．下肢に発症した場合は跛行を呈する．

成人では全身症状を欠くこともあり，局所の疼痛が主症状となることもある．

【病態】
血流に乗って病原体が骨に運ばれ感染が成立する血行性骨髄炎と，そうではないものに分けられる．血行性骨髄炎以外では，褥瘡などの感染組織または感染した人工関節からの連続的な進展によるもの，開放骨折など外傷からの感染によるものがある．局所血流不良，異物の存在は骨髄炎発症の契機となりうる．急性血行性骨髄炎は小児に多く，長管骨の骨幹端部（特に大腿骨と脛骨）に発症することが多い．ここでの血流が緩やかであることから感染が成立しやすいと考えられている．外傷性は成人に多く発症し，脛骨や大腿骨など下肢の例が多い．

骨髄炎は局所血管を閉塞する傾向があり，それが骨壊死および感染の局所的な広がりをもたらす．骨髄から骨皮質を通して感染が進展し骨膜下に広がることがあり，皮下膿瘍や皮膚を通して排液される瘻孔を形成することもある．

血行性化膿性骨髄炎は通常単一の細菌に起因する．小児ではグラム陽性細菌が最もよくみられる．成人で血行性に広がる骨髄炎は通常脊椎を侵す．成人における危険因子は，高齢，衰弱，免疫抑制状態，血液透析などである．

血行性以外の骨髄炎では多菌性のことが多い．メチシリン感受性株およびメチシリン耐性株を含む黄色ブドウ球菌が検出されることが多い．近年では黄色ブドウ球菌のうちメチシリン耐性株の割合が増えているといわれている．嫌気性細菌が検出されることもある．

問診で聞くべきこと
どこにどのような症状があるかに加え，いつからあるかを聴取する．発症からの時間が短い時点で治療介入できればより効果的であるからである．また，易感染性宿主であるか把握するため，内科的併存症や使用薬剤について聴取する．

必要な検査とその所見
(1)血液検査
白血球数，CRP，赤血球沈降速度を検査する．これらの上昇を認めれば炎症の存在が示唆され，また，これらの値の高低，推移は病勢評価にも役立つ．白血球分画にて好中球分画増多を認めれば，化膿性炎症であることが示唆される．しかしCRP，赤血球沈降速度の値は関節リウマチなどの炎症性疾患で高値となることもあれば，病原性の低い病原体に起因する感染症では正常であることもある．したがって，これらの検査結果は身体診察および画像検査の結果と関連させて考察すべきである．

(2)単純X線撮影

症状のある部位の撮影を行う．発症初期には軟部組織腫脹を反映する所見以外に，骨には異常所見を呈さないことも多い．小児では疼痛の訴えが先行し，X線像での骨変化は発症後1～2週で現れることが多く，症状が続く場合は骨髄炎を疑って，1回ではなく時間をおいて複数回撮影することも重要である．より年長になると骨の異常所見がみられるのはこれより遅くなり，発症後2～4週からとなることが多い．骨萎縮像や骨融解像，不規則な骨硬化像，骨膜反応といった所見を認める．ただし起炎菌や炎症の程度により，顕著な所見を呈さないこともある．

(3)Computed tomography(CT)

単純X線撮影と同様の所見を呈するが，より鋭敏に異常所見を検出できる可能性がある．

(4)Magnetic resonance imaging(MRI)

膿瘍形成があればそれを検出することができる．造影を加えれば膿瘍周囲に造影効果がみられることがあり，骨外軟部組織への炎症の波及を観察することもできる．単純X線撮影やCTではっきりしない骨内の病巣も，比較的早期から異常信号領域としてとらえることができる場合が多い．

(5)骨シンチグラフィー

テクネチウム99m(^{99m}Tc)を用いた放射性同位体による骨シンチグラフィーを行ってもよい．急性化膿性骨髄炎の病巣を高集積像として，単純X線検査よりも早い時期から示す．しかし，感染，骨折および腫瘍の鑑別はできない．インジウム111(^{111}In)で標識した細胞を用いる白血球シンチグラフィーは，骨シンチグラフィーでみられる感染部位をより正確に同定するために役立つことがある．ただし実施可能な施設は限られると思われる．

(6)細菌培養検査

適切な治療を行うには細菌学的診断が必要である．血液培養を実施し，さらに症状を呈している局所においては，穿刺による骨生検や膿瘍の吸引，または外科的デブリドマンによって深部組織検体を採取する．瘻孔を生じている患者でここからの排液や，排液で汚染したガーゼを検体とすることは不適切であり，無菌的に採取した深部組織を検体とすべきである．無菌的に採取した深部組織を検体とし，培養検査および抗菌薬感受性試験を行う．治療に適切な抗菌薬を選定するのに役立つ．

診断のポイント

急性化膿性骨髄炎では，発熱など全身症状に加えて，局所の強い症状を呈していることが多い．この症状からまずは疑うことが重要である．疑えば，上記の検査を行い，臨床症状と併せて診断する．

専門病院へのコンサルテーション

自施設で急性化膿性骨髄炎の治療経験が少なければ，経験豊富な医師，施設へと転送することが勧められる．また，抗菌薬投与にて治療したものの治療効果が乏しい場合は，自分の治療方針に固執せず，感染症専門医がおり専門的な外科的治療が可能な施設へ転送することが勧められる．

治療方針

1 ▶ 局所安静

良肢位でのシーネ固定，牽引などで局所を安静にする．患部冷却や患肢挙上を行う．

2 ▶ 抗菌薬投与

グラム陽性菌および陰性菌の両方に対して効果がある広域抗菌薬を，培養結果および感受性試験の結果を得るまで投与する．培養結果および感受性試験の結果が出れば，治療効果が期待できる抗菌薬へ切り替えて投与する．治療に使用する抗菌薬の決定は，できれば感染症診療に造詣の深い内科医と協力してなされることが望ましい．抗菌薬は長期間（4～8週間），注射剤にて投与する．病状に応じ，内服抗菌薬へ切り替えて継続することもある．

3 ▶ 手術

全身症状が持続する場合，または骨の広い領域が罹患している場合，壊死組織に対して外科的なデブリドマンを行う．また，起炎菌同定のための深部組織検体採取を目的に行われることもある．死腔管理と抗菌薬局所放出を期待して，抗菌薬含有骨セメント留置を行うこともある．デブリドマンの結果として生じた欠損部が大きい場合，それを閉鎖するために骨移植や，皮弁や植皮など軟部組織再建が必要になることがある．手術を行った場合も，上記に準じて長期間の抗菌薬投与を行う．

4 ▶ 持続洗浄および高濃度抗菌薬局所注入

骨髄炎の範囲が広い場合や，慢性化（慢性化膿性骨髄炎への進展）が危惧される場合は持続洗浄チューブを留置して持続洗浄療法が行われることもある．また最近では，抗菌薬局所投与が治療に有効であったとする報告もあり，さらなるevidenceの構築が期待されている．

予後

適切に治療されれば，血行性骨髄炎の多くは手術なしで治癒する．慢性化膿性骨髄炎に比べれば予後は良好である．

患者説明のポイント

適切に治療しても慢性化膿性骨髄炎へ進展してしまうことはあると説明し，よく理解してもらうことが重要である．

> **リハビリテーションのポイント，関連職種への指示**
> 急性炎症所見，症状が強い時期には患部の高強度の運動は避けるべきである．病状の安定，鎮静化とともに，運動強度を上げ，機能回復に努める．

慢性化膿性骨髄炎
Chronic pyogenic osteomyelitis

新倉 隆宏 神戸大学 准教授

【疾患概念】 骨髄炎は，細菌をはじめ抗酸菌，真菌などの病原体が骨に感染して起こる骨の炎症および，それに伴う骨の破壊性変化である．化膿性骨髄炎とは，細菌が骨に感染して起こる化膿性炎症のことであり，このうち慢性化しているものを慢性化膿性骨髄炎という．急性化膿性骨髄炎が過去にありそれが慢性化したものが多い．感染，炎症は骨髄を中心に，骨皮質や骨膜にも及んでいることが多い．

【頻度】
抗菌薬の発達や外傷初期治療の発展によって，発症頻度は減少してきたと考えられる．しかし近年においても，若年時に急性化膿性骨髄炎として発症し，これが慢性化した高齢者の慢性化膿性骨髄炎に遭遇することがある．開放骨折などの外傷後，また，骨折手術後に慢性化膿性骨髄炎となり，さらに骨癒合も得られていない感染性偽関節となっている症例も一定数存在する．

【臨床症状】
総じて，急性化膿性骨髄炎に比べて症状に乏しい．発熱をはじめとする全身症状はないことが多い．限局性の熱感，腫脹，発赤，疼痛という局所症状はあっても軽微か，伴わないことも多い．瘻孔がある症例では，瘻孔からの排膿のみが症状であることが多い．排膿は持続的であることもあれば，間欠的であることもある．また，普段は無症状だが，体調を崩したときに急性転化し，急性骨髄炎に準ずる症状を呈することもある．普段抗菌薬を内服して感染を抑制して生活していた患者が，抗菌薬内服を中止した際に急性転化し，急性骨髄炎に準ずる症状を呈することもある．数か月から数年，数十年という長期にわたりこのようなことが起こりうる．

【病態】
近年の慢性化膿性骨髄炎の多くは，外傷性骨髄炎が慢性化したものである．骨髄炎が進展すれば，膿が骨内から骨膜下に達し骨膜下膿瘍を形成する．骨髄内圧が亢進して骨の栄養動脈が閉塞すれば，骨が部分壊死して慢性化膿性骨髄炎へと移行する．成人では骨膜下膿瘍になることは少なく，膿が骨髄内にとどまり慢性化していくことが多い．

慢性化すると骨は壊死に陥り，壊死骨を温床として細菌はさらに増殖し，病巣部の血流低下もあって，自己免疫能が作用しにくくなり，また，抗菌薬の到達も不十分となり，さらなる化膿性炎症を惹起するなど悪循環となり，治療に難渋する．骨折症例で骨癒合が得られておらず感染も伴った慢性化膿性骨髄炎症例は感染性偽関節とよばれ，感染制御と骨癒合獲得の両方が必要となり，さらに治療は難しくなる．

瘻孔が何年も長期化すると，扁平上皮癌に移行する場合もあり注意を要する．

問診で聞くべきこと
どこにどのような症状があるかに加え，いつからあるかを聴取する．罹病期間が長いほど難治性と予測される．また，易感染性宿主であるか把握するため，内科的併存症や使用薬剤について聴取する．

必要な検査とその所見
(1) 血液検査
白血球数，CRP，赤血球沈降速度を検査する．ただし慢性化膿性骨髄炎では，CRP や赤血球沈降速度の上昇，白血球増加などの所見はあっても軽度である．瘻孔から排膿していると，全く異常所見がないこともよくある．長年瘻孔のある症例では，扁平上皮癌の潜在がないか調べることを目的に SCC を検査することもある．

(2) 単純 X 線撮影
症状のある部位の撮影を行う．慢性化膿性骨髄炎で治療，手術が繰り返された症例では骨髄腔の閉鎖，骨梁構造の消失，骨萎縮，不規則な骨硬化像，骨皮質の肥厚などが混在し，病状の経過に応じて多様な所見を呈する．瘻孔に造影剤を注入し X 線撮影をする瘻孔造影を行うと，骨までの連続性を確認するのに役立つ．

(3) Computed tomography (CT)
単純 X 線撮影と同様の所見を呈する．より詳細な観察が可能になる．

(4) Magnetic resonance imaging (MRI)
膿瘍形成があればそれを検出することができる．造影を加えれば膿瘍周囲に造影効果がみられることがある．骨外軟部組織への炎症の波及を観察することもでき，病巣の範囲を確認するために必須の検査である．ただし MRI で異常信号のある領域すべてが骨髄炎を反映しているとは限らない．

(5) 骨シンチグラフィー
テクネチウム 99 m (^{99m}Tc) を用いた放射性同位体による骨シンチグラフィーを行ってもよい．慢性化膿性骨髄炎は高集積像としてとらえられることが多い．

しかし，感染，骨折および腫瘍の鑑別はできない．インジウム111（^{111}In）で標識した細胞を用いる白血球シンチグラフィーは，骨シンチグラフィーでみられる感染部位をより正確に同定するために役立つことがある．ただし実施可能な施設は限られると思われる．

(6) Positron emission tomography-computed tomography（PET-CT）

近年では限られた施設で臨床研究が行われ，骨髄炎の病巣の把握に優れているという報告もある．ただし保険適応はない．

(7) 細菌培養検査

適切な治療を行うには細菌学的診断が必要である．しかし抗菌薬が投与されている症例では，細菌が検出されないことも多くある．細菌検出率を向上させるため，例えば1週間など一定期間，抗菌薬投与を中止してから細菌培養検査を行うことがよくなされる．検出率は高くないが血液培養を実施する．さらに症状を呈している局所においては，穿刺による骨生検や膿瘍の吸引，または外科的デブリドマンによって深部組織検体を採取する．瘻孔を生じている患者でここからの排液や，排液で汚染したガーゼを検体とすることは不適切であり，無菌的に採取した深部組織を検体とすべきである．無菌的に採取した深部組織を検体とし，培養検査および抗菌薬感受性試験を行う．治療に適切な抗菌薬を選定するのに役立つ．

診断のポイント

急性化膿性骨髄炎と異なり顕著な症状に乏しいが，局所の長期にわたる持続的あるいは間欠的な症状がある場合，慢性化膿性骨髄炎を疑う．長期間存在する瘻孔があり，上記画像所見と合致すれば診断は確定する．

専門病院へのコンサルテーション

難治性疾患であるため，自施設で慢性化膿性骨髄炎の治療経験が少なければ，経験豊富な医師，施設へと転送することが勧められる．その場合，感染症専門医がおり専門的な外科的治療が可能な施設へ転送することが勧められる．

治療方針

1 ▶ 根治を目指さず感染をコントロールし慢性化膿性骨髄炎との共存を目指す場合

難治性疾患であるため，患者の状態つまり高齢，内科的併存症，免疫不全などで根治は難しいと判断される，あるいは根治のための手術適応となりづらいと判断される場合には，この疾患とうまく付き合っていくことを指導することも重要である．感受性のある抗菌薬を内服していれば急性転化を防げる症例であれば，これを継続して経過をみることもある．慢性瘻孔に変化が生じた場合は扁平上皮癌発生も考慮し，皮膚科コンサルトも考える．補助療法として高圧酸素療法が行われることもある．

2 ▶ 根治を目指す場合

手術療法を要する．確定的な指針はない．病巣を全切除はせず掻爬にとどめ，持続洗浄療法を行う，あるいは抗菌薬含有骨セメント留置を行うこともある．近年では，抗菌薬局所投与が治療に有効であったとする報告もあり，さらなるevidence構築が期待されている．より根治を期待できるのは，病巣骨の一塊とした切除である．適切な切除縁で当該四肢の切断術を行えば，理論的には病巣はすべて体外へ除去され，根治が得られる．切断を望まない患者であれば，病巣骨を切除した結果できた大規模骨欠損を補塡する手術を行わねばならない．この目的でIlizarov法による骨延長を利用した再建，血管柄付き腓骨移植が行われる．近年では骨欠損部に一定期間骨セメントを留置しておくと，その周囲に血流に富み骨形成能を有するinduced membraneが形成され，この中に自家海綿骨移植を行うと大規模骨欠損でもよく修復されるという，Masquelet法という再建法が行われることもある．骨欠損だけでなく大きな軟部組織欠損がある場合も多いので，遊離皮弁手術なども要することが多い．難度の高い治療であるので，専門施設にて行われるべきである．補助療法として高圧酸素療法が行われることもある．

予後

根治を目指すなら，急性化膿性骨髄炎よりはかなり難治性である．そのため，根治を目指さず感染をコントロールし，慢性化膿性骨髄炎との共存を目指すことも選択肢となる．

患者説明のポイント

慢性化膿性骨髄炎は非常に難治性の疾患なので，手を尽くしても完治に導くことができないかもしれないということを十分に説明し，理解を得ておくべきである．また，慢性化膿性骨髄炎では治療が奏効し，数十年良好に経過しても再発する場合があること，完治したのではなく炎症が鎮静化している状態にあるかもしれないとの認識をもち，定期的に経過観察する必要があることを説明し，認識してもらう必要がある．

リハビリテーションのポイント，関連職種への指示

病状が落ち着いていれば患肢への運動制限は必要なく，患肢機能を落とさないよう適度な活動をさせる．しかし根治を目指す大掛かりな手術を行った場合は，その後の骨癒合の程度，筋力の状態などに応じて，患肢機能を回復させるためのリハビリテーションを段階的に行う．

Brodie 膿瘍

Brodie abscess

梶山 史郎　長崎大学病院 病院講師

【疾患概念】　急性期を経ず亜急性から慢性に発症する骨髄炎の一種である．1832 年に Brodie により詳細に報告された．

【病態】
　大腿骨や脛骨の骨幹端部に好発する骨内に限局した膿瘍で，黄色ブドウ球菌が起炎菌として検出されることが多い．30 歳以下の男性に多いが，幼少期にもみられる．

【臨床症状】
　局所の疼痛，腫脹，熱感，発赤といった炎症症状を認める．軽度の炎症症状を繰り返す例や急性炎症症状を呈する例，無症状で偶然に単純 X 線検査にて指摘される例など臨床経過はさまざまであり，注意深い問診が重要である．

必要な検査とその所見
　①血液検査：白血球数の増加や CRP 値上昇，赤血球沈降速度亢進などの炎症反応を示す例が多いが，異常所見を認めない場合もある．
　②画像所見：単純 X 線検査では，円形ないし楕円形の限局した骨透亮像を認め，その周囲は骨硬化像を伴っている．CT や MRI は病巣の把握に有用である（図 4-2）．骨シンチグラフィーでは集積像を認めるが，特異性はない．
　③細菌学的検査：起炎菌は黄色ブドウ球菌が多いが，菌が検出されない場合もある．

鑑別診断で想起すべき疾患
　単純 X 線検査で骨透亮像を呈する類骨骨腫や骨巨細胞腫などの骨腫瘍，あるいは骨腫瘍類似疾患との鑑別が必要である．

診断のポイント
　繰り返す症状と特徴的な X 線所見で診断は比較的容易である．生検での術中所見や組織像で診断がつく場合もある．

治療方針
　局所の安静や抗菌薬投与などによる保存療法では再燃を繰り返すことが多い．根治的治療としては手術にて病巣部を開窓して排膿させ，骨硬化部を含めて掻爬することが必要である．骨欠損部には自家骨移植が行われることが多く，引き続いての抗菌薬投与が必要である．

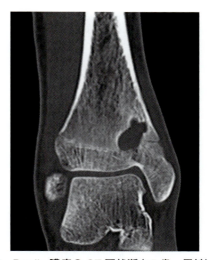

図 4-2　Brodie 膿瘍の CT 冠状断（15 歳，男性）
右脛骨遠位 Brodie 膿瘍．右脛骨遠位骨幹端から骨端に及ぶ境界明瞭で辺縁に骨硬化を伴う溶骨性病変を認める．

予後
　再発はまれであり，予後は比較的良好である．

Garré［硬化性］骨髄炎

Sclerosing osteomyelitis of Garré

梶山 史郎　長崎大学病院 病院講師

【疾患概念】　1893 年に Garré は膿瘍や瘻孔を伴わず，骨の膨隆と肥厚を起こす骨髄炎を報告した．それ以降，細菌培養陰性，単純 X 線検査で著明な骨硬化をきたし，組織像で慢性骨髄炎の所見を認めるものを Garré 骨髄炎と呼称するようになった．

【病態】
　軽微な慢性炎症により骨芽細胞が刺激されるため，皮質骨の肥厚による骨の膨隆が形成される．30 歳以下の男性に多いが，中高年でもみられる．大腿骨，脛骨，下顎骨などに好発する．

【臨床症状】
　自覚症状は軽微なことが多い．時に患部の発赤，腫脹，疼痛（特に夜間痛）などの症状が出現し，数か月から数年間再燃を繰り返すが，罹患骨の機能障害は少ない．

必要な検査とその所見
　①血液検査：赤血球沈降速度，白血球数，CRP 値などは多くの症例で正常値を示す．

4 感染性疾患

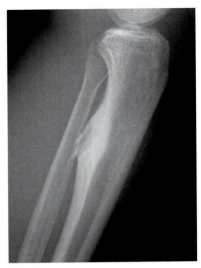

図 4-3　Garré 骨髄炎
脛骨に発生した Garré 骨髄炎の X 線側面像．病巣部を中心に骨皮質の紡錘状の肥厚と硬化像を認める．
（金沢大学大学院　土屋弘行先生より提供）

②画像所見：単純 X 線検査（図 4-3）や CT では，病巣部を中心に骨皮質は紡錘状に肥厚し，硬化像が強く，骨髄腔が不明確になる．骨シンチグラフィーでは集積像を認め，早期診断に有用である．

③細菌学的検査：起炎菌は一般に検出されないが，黄色ブドウ球菌やアクネ菌，真菌を検出したという報告もみられる．

④病理組織学的検査：慢性非特異性炎症像を認める．

鑑別診断で想起すべき疾患

Paget 病，SAPHO 症候群，類骨骨腫，骨硬化を呈する悪性骨腫瘍（骨肉腫や Ewing 肉腫）など．

診断のポイント

繰り返す症状と特徴的な X 線所見が重要である．骨硬化像を呈する悪性骨腫瘍との鑑別が問題となり，確定診断に生検を要することがある．

治療方針

炎症症状に対する消炎鎮痛薬や抗菌薬の投与による保存療法が主体となる．症状が持続する例では，手術療法を検討する．開窓術および術後の抗菌薬投与は除痛効果があるが，病巣の範囲が広いため，再発の可能性がある．診断目的の生検を兼ねて試みることがあるが，根治は難しい．髄腔のリーミングや髄内釘が有効であったとする報告もある．

開放骨折後の骨髄炎

Osteomyelitis following open fractures

渡部　欣忍　帝京大学 教授

【疾患概念】
開放骨折の治療中に，骨折部に細菌感染を生じた状態である．起炎菌としては，黄色ブドウ球菌が多い．開放骨折は，感染に対するバリアである皮膚・軟部組織に損傷を伴うため，感染リスクが高い．骨折後に骨髄炎を生じると，骨癒合しないため感染性偽関節となる．治療は，感染の鎮静化と骨・軟部組織再建が必要であり難治性疾患である（「皮膚や骨欠損を伴う骨髄炎」の項 ➡ 135 頁を参照）．

【頻度】
開放骨折全体の約 10%，Gustilo type ⅢB およびⅢC では 15〜45% 程度に骨髄炎を発症する．

問診で聞くべきこと

糖尿病，腎臓病，肝硬変，膠原病，ステロイド内服など，易感染性の原因となる併存症を問診する．

診断のポイント

①起炎菌の同定と感染範囲の把握：培養検査で起炎菌を同定して，抗菌薬の感受性を検索する．培養検体は，できるだけ深層から採取する．瘻孔など表層からスワブで採取した培養検体の信頼性は著しく低い．

②骨髄炎に対する画像検索：単純 X 線写真，CT 画像，MRI，骨シンチグラフィー，白血球シンチグラフィー，PET などがある．感度・特異度ともに PET が最も優秀であるが，保険適応はない．

専門病院へのコンサルテーション

整形外傷手術を多く行っている施設へ紹介する．骨髄炎の治療を多く行っている専門施設へコンサルトできるとよいが，そのような施設は少ない．

治療方針

抗菌薬の長期投与で治癒できる場合もあるがまれであり，通常は手術療法を要する．治療は，感染の鎮静化と骨軟部組織の再建を行う．

1 ▶ 感染の鎮静化

(1) デブリドマン

血行のない組織の外科的切除（デブリドマン）を行う．デブリドマンの範囲は，画像検査に基づいておおむね決めておくが，最終的には術中の肉眼所見で評価して確定する．血行がないと判断した組織は可能な限り切除する．骨表面から点状出血がない部分は，壊死骨と判断し原則として切除する．深層から検体を採取して，培養検査および抗菌薬感受性検査を行う．

(2) 死腔の処置

デブリドマンによって生じた死腔には，抗菌薬を混和した骨セメントビーズや骨セメントスペーサーを留置する．このような骨セメントの使用法は，欧米・日本で実績がある治療法だが，日本では保険適用がない．ドレーンを留置する．

(3) 骨欠損部の固定

デブリドマン後は，骨長とアライメントをできるだけ保つために骨欠損部を固定する．伝統的に創外固定器で固定する場合が多い．デブリドマンがしっかりできたと判断すれば内固定を行ってもよい．

(4) 抗菌薬の投与

骨・骨髄への移行性を考慮した，感受性のある抗菌薬を投与する．起炎菌が同定されない場合は，MRSAなどの耐性菌感染も考慮し，スペクトラムの広い抗菌薬を使用する．培養検査と臨床的効果をみてデ・エスカレーションする．

2 ▶ 軟部組織再建

一次縫合ができない場合には，局所(筋)皮弁や遊離筋皮弁などで創を覆う．

3 ▶ 骨組織再建

50 mm 未満の骨欠損を再建する場合には，通常は自家海綿骨移植を行う．これを超えるような巨大な骨欠損の再建には，Masquelet 法，血管柄付き骨移植術，骨移動術などで再建する．

患者説明のポイント

まず，開放骨折の治療では感染リスクがあることを十分に説明する．感染が生じた場合の治療法は，非常に複雑で大変になることを説明しておく．

リハビリテーションのポイント，関連職種への指示

骨髄炎・感染性偽関節になってしまうと，治療期間が著しく長くなるため，その間の患肢機能低下を最小限に食い止めることが必要である．長管骨では，隣接関節の可動域訓練や筋力トレーニングが必須である．上肢では巧緻運動機能，下肢では荷重機能が重要である．ただし，創外固定器を装着せざるを得ない場合も多く，ピンやワイヤー刺入部の疼痛などにより十分な機能訓練ができないことも少なくない．

皮膚や骨欠損を伴う骨髄炎

Osteomyelitis with skin and bone defect

渡部 欣忍　帝京大学 教授

【疾患概念】　骨折の治療中に，骨折部に細菌感染を生じた状態が骨髄炎である．起炎菌としては，黄色ブドウ球菌が多い．骨組織を外科的に切除(デブリドマン)するため，骨髄炎の治療では骨欠損を生じる．Gustilo type ⅢB および ⅢC の開放骨折では，皮弁形成術などを要する皮膚軟部組織欠損を伴う．また，受傷時の軟部組織損傷の程度は軽くても，脛骨骨髄炎では治療中に皮膚欠損を生じ，皮弁形成術などを要することも多い．50 mm 以上の骨欠損は，通常の自家海綿骨移植術だけでは再建が困難であるので，induced membrane technique (Masquelet 法) を用いた自家海綿骨移植術，血管柄付き骨移植術，骨移動術などによる再建を要する (「開放骨折後の骨髄炎」の項 ➡ 134 頁を参照)．

【頻度】

Gustilo type ⅢB および ⅢC 開放骨折後の骨髄炎発症率は，15〜45% といわれている．

問診で聞くべきこと

糖尿病，腎臓病，肝硬変，膠原病，ステロイド内服など，易感染性の原因となる併存症を問診する．骨髄炎発症後に紹介転院してきた患者を治療する場合は，受傷からの治療経過の詳細な情報を前医に求める．

診断のポイント

①起炎菌の同定と感染範囲の把握：培養検査で起炎菌を同定して，抗菌薬の感受性を検索する．培養検体は，できるだけ深層から採取する．瘻孔など表層からスワブで採取した検体は，菌が検出されても信頼性は著しく低い．骨折固定用インプラント周囲のバイオフィルムは，超音波装置などを用いてこれを分解 (sonication) しないと，菌は同定できない．

②骨髄炎に対する画像検索：単純 X 線写真，CT 画像，MRI，骨シンチグラフィー，白血球シンチグラフィー，PET などがある．感度・特異度ともに PET が最も優秀であるが，保険適用はない．

専門病院へのコンサルテーション

できるだけ早期に治療が可能な病院へ転院させて治療すべきである．

治療方針

治療は，感染の鎮静化と軟部組織再建，骨欠損の再建を行う．

1 ▶ 感染の鎮静化

(1) デブリドマン

血行のない組織のデブリドマンを行う．デブリドマンの範囲は，画像検査に基づいておおむね決めておくが，最終的には術中の肉眼所見で評価して確定する．血行がないと判断した組織は可能な限り切除する．骨表面から点状出血がない部分は，壊死骨と判断し原則として切除する (paprika 徴候)．関節面をもつ大きな骨片は，血行はなくてもまずは温存を試みる．深層の

5検体以上を採取して，培養検査および抗菌薬感受性検査を行う．

(2) 死腔の処置

デブリドマンによって生じた死腔には，抗菌薬を混和した骨セメントビーズや骨セメントスペーサーを留置する．欧米では，実績がある一般的な治療法だが，骨セメントにより死腔を減らし，抗菌薬を局所投与する方法は，日本では保険適用がない．ドレーンを留置する．

(3) 骨欠損部の固定

デブリドマン後は，骨長とアライメントをできるだけ保つために骨欠損部を固定する．もとの感染巣に異物を残さずに固定できることから，創外固定が伝統的に使用されてきた．ただし，デブリドマンがしっかりできたと判断すれば内固定を行ってもよい．

(4) 抗菌薬の投与

骨・骨髄への移行性を考慮した，感受性のある抗菌薬を投与する．起炎菌が同定されない場合は，MRSAなどの耐性菌感染も考慮し，スペクトラムの広い抗菌薬を使用する．培養検査と臨床的効果をみてデ・エスカレーションする．

2 ▶ 軟部組織再建

軟部組織再建法を「低侵襲で容易なもの」から「高侵襲で難しいもの」へ順に並べると，一次縫合，二次縫合，植皮術，組織延長法(shoelaceテクニック)，局所皮弁，区域皮弁，遠隔皮弁，遊離皮弁となる．これを再建の梯子(reconstructive ladder)とよぶ．皮膚欠損を伴う骨髄炎では，通常は局所皮弁以上の再建が必要になる．局所の血行状態が著しく悪い場合は，遊離皮弁のほうがより安全であるといわれている．

3 ▶ 骨組織再建

50 mm 以上の巨大骨欠損は，Masquelet法，マイクロサージェリーを用いた血管柄付き骨移植術，Ilizarov法を用いた骨移動術などで再建する．

(1) Masquelet法

デブリドマンで生じた骨欠損部に骨セメントスペーサーを留置する．6〜8週間後に第2回手術を行う．骨セメントをすべて除去し，骨セメント周囲に形成された滑膜様の血行のよい膜の中に大量の自家海綿骨を移植する．移植骨量が足りない場合には，同種骨，demineralized bone matrix(DBM)などの生体材料，あるいはβ-TCP(tricalcium phosphate)などの人工骨顆粒を混合して移植する．

(2) 遊離血管柄付き骨移植術(free vascularized bone graft)

対側の腓骨を，栄養血管を付けたまま採取し，これを骨欠損部に移植する．切り離した腓骨の栄養血管は，移植する部位の血管に顕微鏡を用いて縫合する．腓骨のほかに肩甲骨などを用いる場合もある．固定法としては，創外固定器やロッキングプレートを使用することが多い．

(3) 骨移動術(bone transport)

骨欠損部をまたぐように主骨片を創外固定器で固定する．主骨片の一側あるいは両側を骨切りして，創外固定器の骨延長機能により骨片を0.5〜1 mm/日の速度で移動させる．移動した骨片が対側の主骨片と接触するまで移動させる．下肢では，左右の脚長差がなくなるまで，さらに延長を続ける．

合併症と予後

骨髄炎では，感染の再燃を生じる危険性が常にあり，治療完了後少なくとも1年は経過観察が必要であり，その後も年1回程度のフォローアップを行う．

軟部組織再建の合併症としては，皮弁形成術後の皮膚・軟部組織が壊死して生着しない可能性がある．

骨再建の合併症としては，Masquelet法では十分量の海綿骨が移植できないと，移植組織が吸収してしまう可能性がある．また，採骨部の疼痛，血腫，漿液腫，神経損傷，骨折などの合併症がある．遊離血管柄付き骨移植術では，移植骨の骨折や吸収，採骨部の疼痛・筋力低下などの合併症がある．アライメント不良を残すこともある．骨移動術では，延長部やドッキング部の骨形成不良，隣接関節の拘縮，疼痛，ピン感染などの合併症がある．

患者説明のポイント

皮膚欠損と骨欠損を伴う骨髄炎の治療は，高度の専門的な知識・技術と治療経験を要する．治療期間が長く，隣接関節の拘縮などの合併症を生じやすい．感染の再燃や再建の失敗が生じた場合には，最終的には切断術になる可能性がある．

リハビリテーションのポイント，関連職種への指示

皮膚欠損や骨欠損のある骨髄炎・感染性偽関節は，治療期間が著しく長くなるため，その間の患肢機能低下を最小限に食い止めることが必要である．長管骨では，隣接関節の可動域訓練や筋力トレーニングが必須である．上肢では巧緻運動機能，下肢では荷重機能が重要である．ただし，創外固定器を装着せざるを得ない場合も多く，ピンやワイヤー刺入部の疼痛などにより十分な機能訓練ができないことも少なくない．

内固定材料使用後の感染

Infection after osteosynthesis

三崎 智範　福井県立病院 主任医長〔福井市〕

【疾患概念】　骨折に対する内固定術においては，主にプレート，髄内釘，スクリュー，鋼線といった金属製の内固定材料が使用される．これらは骨折部の固定や整復位の保持にはきわめて重要な役割を果たすが，生体にとっては異物であるため，適切な術後感染予防対策がなされたとしてもまれに術後感染を生じて治療に難渋することがある．特に開放性骨折の場合にはそのリスクが高くなるが，その詳細は他項に譲るとして，本項では閉鎖性骨折に対する内固定術後に生じた感染を念頭に述べる．

【頻度】
　閉鎖性骨折術後に生じる手術部位感染の頻度は，大腿骨近位部骨折，橈骨遠位端骨折をはじめいずれの部位においても1％以下とされているが，下肢の骨折においてその頻度が高いと報告されている．

診断のポイント

　全身的には37.5℃以上の持続する発熱，肉眼的には手術部位の発赤，腫脹，熱感を認め，手術部位に排膿や瘻孔を認める場合には診断が容易である．排膿がある場合には必ず細菌培養検査を行って起炎菌を同定するが，仮に培養結果が陰性であっても感染を否定してはならない．また，コンタミネーションの可能性を常に念頭におく必要があり，無菌的な検体採取や必要に応じて複数回の検査が必要である．

　血液生化学検査では白血球数やCRP値，赤血球沈降速度の上昇，核の左方移動を認めることが一般的であるが，弱毒菌感染や慢性感染例では必ずしも高値を示さないこともあり，注意が必要である．CRPのカットオフ値は急性感染で10 mg/dL，遅発性感染で1 mg/dLとされているが，術後早期にはCRPが高値であることもまれではないため，総合的な判断が必要となる．近年ではプロカルシトニンやプレセプシン，IL-6を診断の補助に用いることもある．

　画像検査では単純X線検査は必須であり，最低2方向で撮影する．骨癒合の有無，骨融解像や異常な骨膜反応はもちろん，内固定材料の弛みや折損の有無を確認する．単純X線では内固定材料と重なって評価が困難な場合が多いため，CTでも詳細に検討する．CTでは金属によるアーチファクトが問題になるが，最近のCT装置にはアーチファクトを低減する機能を有するものが多く，より詳細な評価が可能となる．感染が骨に波及して骨髄炎にまで至っているかどうかの判断にはMRIや骨シンチグラフィーが有用であるが，いずれの検査においても内固定材料が画像に少なからず影響を与えるため，その評価は慎重に行う．

治療方針

　感染と診断すれば保存療法で治癒に至る可能性は低いため，早期に手術療法を検討する．

1 ▶ 内固定材料の抜去と洗浄，デブリドマン

　内固定術後早期に生じた感染であり，起炎菌が明らかでかつ有効な抗菌薬が存在する場合には，内固定材料を抜去せずに洗浄，デブリドマンのみで治療を試みる場合もあるが，感染と診断した場合には生体内異物である内固定材料をすべて抜去することを原則としている．近年用いられているロッキングプレートでは抜釘が困難だったりスクリューが折損したりすることがあるため，必ず折損用の抜釘セットやカーバイドドリルを準備する．また，近年は最小侵襲プレート固定法（MIPO法）で骨折部を展開せずにプレート固定する症例も多いが，感染を生じた場合には躊躇なくプレートの全長にわたって切開を加えてプレートを抜去し，プレートと骨の間に存在するバイオフィルムに対しても十分に洗浄，デブリドマンを行うことが重要である．髄内釘術後の場合も，横止めスクリューが折損している場合には抜去に難渋することがあるので，注意が必要である．

　手術に際しては，汚染した軟部組織は瘻孔も含めて徹底的にデブリドマンを行う．内固定材料を抜去したあとは十分に洗浄を行うが，バイオフィルムをできるだけ除去するためにパルス洗浄器を使用し，髄内釘術後の場合には先端に髄腔用チップを接続して髄腔内の洗浄を行う．最近では偽関節手術の際に自家骨を採取するために開発されたreamer irrigator aspirator（RIA）が髄腔内の洗浄に有用との報告もある．基本的には生理食塩水を10 L以上使用するが，感染制御効果を期待して0.35％ポビドンヨード混合液を用いることも多い．

　すでに骨癒合が得られている場合には，内固定材料を抜去したのちに十分な洗浄，デブリドマンが行えればドレーンを留置して閉創するが，骨癒合が得られていない場合には骨折部が不安定となるため，一時的な創外固定や，創外固定が困難な場合にはギプスやシーネによる外固定を行う．ギプス固定を行う場合には創部の観察や処置のために必要な部分を開窓するが，中途半端な開窓ではかえって創部の汚染につながるため，注意が必要である．

　閉創の際にはモノフィラメント糸を用い，可能なら抗菌作用のある縫合糸を使用している．また，閉鎖性骨折の術後ではまれであるが，一期的に閉創が困難な

4 感染性疾患

場合には開放創のままとして陰圧閉鎖療法を行う．近年，骨髄内や軟部組織に高濃度の抗菌薬を持続微量投与するiMAP（intra-medullary antibiotics perfusion）やiSAP（intra-soft tissue antibiotics perfusion）の有用性が報告されており，症例によっては選択している．

2 ▶ 術後の抗菌薬投与

術後は基本的に起炎菌に感受性のある抗菌薬を選択するが，起炎菌が不明の場合には，ある程度広域のスペクトラムを有する薬剤を選択する．MRSAに対しては抗MRSA薬を選択するが，バンコマイシン，テイコプラニン，アルベカシンでは定期的な血中濃度測定が必要であり，院内に感染対策チーム（ICT）がある場合には密に連携して治療にあたる．骨への移行性を考慮してリファンピシンやミノサイクリン，ST合剤を併用することも多い．すでに骨癒合が得られていて術後感染徴候がすみやかに改善した症例であっても，骨髄炎に準じて最低4～6週間は抗菌薬を継続する．一方，長期間抗菌薬を投与すると耐性菌が出現することもあるため，定期的な採血のチェックや創部の観察は必須である．

3 ▶ 感染鎮静化後の内固定術

骨癒合が得られていない場合には，感染鎮静化後に再度内固定術を考慮するが，万一感染が再燃した場合には再び抜去することになるため，そのタイミングは局所所見，血液生化学検査，体温などの推移をみながら慎重に判断する．骨欠損が大きい場合にはMasquelet法やbone transport法，血管柄付き骨移植を行うことになるが，その詳細は他項に譲る．骨欠損が小さい場合には可能ならプレートや髄内釘を用いた内固定を行うが，内固定術が困難と判断した場合には，リング型創外固定器を用いて骨癒合まで治療することもある．

患者説明のポイント

術後感染については初回の内固定術の際に合併症として説明されているはずだが，特に遅発性感染においては初回手術時の説明内容を忘れていたり，不適切な手術や術後管理のために感染が生じたと誤解している

トピックス　整形外科における抗菌材料

整形外科手術において術後感染症は深刻な合併症の1つである．術後感染を予防する目的で，さまざまな抗菌材料が開発されているが，基礎的な研究にとどまるのみで，その大部分が臨床応用されていない．現在，欧米ではゲンタマイシンをコーティングした脛骨髄内釘や創外固定のスリーブ，使用するインプラント周囲に塗布する抗菌薬を混ぜたハイドロゲル，銀コーティングをした腫瘍用人工関節が実用化されている．日本では2016年に銀コーティングを施した人工股関節が使用可能となっている．いずれの抗菌材料においても，術後感染の発生を抑制した良好な成績が報告されている．しかしその一方で，抗菌薬では持続期間や感受性，耐性菌などの問題が指摘されているほか，銀においてはアルギリア症（銀皮症）などの毒性や脳星状細胞への沈着なども報告されている．抗菌材料の開発に際しては，抗菌効果と副作用とのバランスが非常に難しい課題である．

ヨードコーティング

ヨードコーティングインプラントは現在，臨床研究が行われている唯一の生体材料である．ヨードコーティングは，チタン製のインプラント表面に酸化被膜を形成し，その被膜内に電気的にヨードを含浸させる技術である．筆者らは，これまで基礎的研究における抗菌性および安全性に加え，臨床研究においても術後感染を抑制する良好な成績を報告してきた．さらに，術後感染例に使用し，再感染率を低下させた報告も行った．ヨードは抗菌薬と違い，非常に広域な抗菌スペクトラムを有し，耐性菌を生じることはない．また，銀とは異なり，元来体内に存在する微量元素の1つであり，甲状腺ホルモンの合成に必須である．昔から消毒薬として医薬品に使用されており，CTの造影剤にも使用されていることから生体への安全性も高い．さらに，チタン表面の酸化被膜内に含浸させることで，体内埋入1年後でも抗菌効果を有し，バイオフィルム形成を抑制することが証明されている．また，ヨードコーティングは骨伝導能を有しており，骨接合やインプラント固着を阻害しないことも明らかとなっている．以上の点からヨードコーティングインプラントは理想的な抗菌材料であり，早期の実用化が望まれる．ヨードコーティングインプラントは整形外科領域だけでなく，歯科用インプラント，人工弁など他科領域にも応用が可能であり，今後の医療界に多大なる福音をもたらす生体材料として期待される．

〈白井　寿治〔京都府立医科大学 准教授〕〉

患者も多いため，丁寧な説明が必要である．また，手術のタイミングを逃すと治療が後手に回って難治性となってしまうため，迅速に説明を行うことも重要となる．特に骨癒合前の感染例においては治療期間が長期化するため，治療中にも適宜説明を行って，患者や家族との良好な信頼関係を構築することが重要である．

リハビリテーションのポイント

骨癒合完了後に感染を生じた場合には，術後早期から荷重や可動域訓練を許可しているが，骨癒合前に感染を生じて内固定材料を抜去した場合には，創外固定かギプス固定になっていることが多く，特に下肢骨折の場合にはリング型創外固定器を使用した場合を除いて荷重は許可できない．ただし廃用や拘縮予防のため，動かせる関節についてはマイルドな可動域訓練を許可している．

人工関節周囲の感染

Periprosthetic joint infection

稲葉 裕　横浜市立大学大学院 教授

【疾患概念】　人工関節周囲感染（periprosthetic joint infection；PJI）は人工関節手術後に生じた感染であり，術後早期に発症するものから術後長期間を経過して血行性に生じるものまでを含む．

【病態】
感染経路として，①手術時における患者の皮膚常在菌や手術室の落下細菌の侵入，②術後の表層感染からの波及，③他部位の感染病巣からの血行性感染，がある．

PJIではインプラント表面に付着した細菌がバイオフィルムを形成し，成熟したバイオフィルムから再び浮遊菌が放出されて，菌体を拡散する．バイオフィルム感染症は抗菌薬抵抗性を示し，生体の防御機構から逃れやすくなる．また，バイオフィルム内では細菌間の遺伝子水平伝播によって薬剤耐性化をもたらすことが知られており，しばしば難治性となる．

問診で聞くべきこと

基礎疾患の有無，内服薬，薬剤アレルギー，人工関節手術の内容を確認する．糖尿病，関節リウマチ，human immunodeficiency virus（HIV）感染，血液透析などの易感染性宿主では，治療に難渋する可能性が高まる．

必要な検査とその所見

①血液生化学検査：C反応性蛋白（CRP）高値，赤血球沈降速度（ESR）の遅延を認める．カットオフ値は急性感染でCRP > 10 mg/dL，慢性感染でCRP > 1 mg/dL，ESR > 30 mm/時とされる．

②関節液検査：関節穿刺を施行し，関節液検査（細胞数，細胞分画，グラム染色および細菌培養検査）を行う．関節液検査はPJI診断において重要な検査であるが，採取困難例も存在する．

③細菌培養検査：インプラント付着組織およびその近傍の組織を，3～6か所から採取し，好気性・嫌気性培養に提出する．培養期間は5～7日間とする．弱毒菌感染が疑われる症例では，培養期間を14日間まで延長する．検体の超音波処理によりバイオフィルム内の細菌が浮遊し，検出率を上げることが可能である．

④病理組織検査：インプラント付着組織およびその近傍の組織に浸潤する好中球数で評価を行う．強拡大（400倍）で，好中球が5～10個以上存在する視野を5視野以上認めた場合を陽性とする．電気メスなどにより，組織に熱を加えると細胞破壊が生じて評価困難になるため，検体採取の際にはメスを用いて鋭的に切除する．

⑤画像検査：単純X線検査では，インプラントの弛みや移動，radiolucent lineの有無などを評価するが，早期では異常所見を呈さない場合も多い．CTおよびMRIは軟部組織の評価が可能であるが，金属製インプラント周囲ではアーチファクトの影響が大きく観察困難である．骨シンチグラフィー，白血球シンチグラフィー，positron emission tomography（PET）などの核医学検査の有用性が報告されている．

診断のポイント

Musculoskeletal Infection Society（MSIS）やCenters for Disease Control and Prevention（CDC）/National Healthcare Safety Network（NHSN）から，PJIの診断基準が提唱されている．この診断基準では，大項目として，①人工関節周囲からの採取検体中2検体以上における細菌培養検査の陽性，②人工関節と交通する瘻孔形成，小項目として，(a)血液炎症反応陽性（血清CRP値上昇かつESR遅延），(b)関節液中の白血球数上昇，(c)関節液中の好中球分画上昇，(d)病理組織検査陽性，(e)1検体のみの細菌培養検査陽性，が挙げられている．大項目の1つ以上，もしくは小項目の3つ以上を満たせばPJIと診断する．

2018年に開催された，第2回整形外科感染対策における国際コンセンサス会議では，診断基準にスコアリングシステムが導入され，新しい診断法としてαディフェンシン，polymerase chain reaction（PCR）法をさらに発展させた次世代シークエンスや核医学画像検査などが追加されている．

4 感染性疾患

治療方針

本疾患では、さまざまな併存疾患を有する場合が多く、免疫機能が低下していることもある。治療方針は感染の重症度に加えて、患者の全身状態、ADL、生命予後などを包括的に考慮したうえで、慎重に決定するべきである。

1 ▶ 洗浄・デブリドマン

PJIのなかでも、術後30日以内や血行性感染による症状の発現から3週以内の早期で、人工関節の弛みや瘻孔形成がなく、起炎菌の経口抗菌薬に対する感受性が良好な場合に適応がある。インプラントの温存を目的とした洗浄・デブリドマンは、感染の診断後できるだけ早期に行うことが望ましい。また、その際には、交換可能なモジュラーコンポーネントはすべて交換する。術後に全身投与する抗菌薬は、起炎菌の抗菌薬感受性に基づいて選択することが原則であり、抗バイオフィルム効果も考慮する。抗バイオフィルム効果が良好な抗菌薬として、リファンピシンが挙げられる。抗菌薬の投与は単剤よりも、多剤抗菌薬の併用療法で感染の寛解が得られやすい。

2 ▶ 一期的再置換術

Infectious Diseases Society of America（IDSA）のガイドラインでは、二期的再置換術より侵襲の低い一期的再置換術も推奨されている。その条件として、①人工股関節全置換術後感染である、②軟部組織の状態が良好である、③術前に起炎菌が同定されている、④骨が十分に温存されている、⑤体内に吸収されやすい経口抗菌薬に感受性がある、⑥抗菌薬含有セメントを用いて再置換術を行う、⑦骨移植を必要としない、などが挙げられている。

3 ▶ 二期的再置換術

二期的再置換術では、感染した人工関節の抜去後に抗菌薬含有スペーサーを留置し、一定期間の抗菌薬の全身および局所投与を行ったあとに、再置換術を行う。留置したスペーサーは、待機期間中に局所での抗菌薬濃度を高めるとともに、関節の安定性を保持する。抗菌薬の全身投与を行ったあとに、再度、洗浄・デブリドマンを施行して再置換術を行うため、より確実に感染を沈静化することが可能である。二期的再置換術では90%程度の感染寛解率が報告されているが、欠点として長期の待機期間を要することが挙げられる。

4 ▶ Chronic suppression therapy

PJIでは高齢者が多く、手術侵襲や長期の待機期間は患者の負担が大きくなることが多い。患者の全身状態、ADLや生命予後を考慮し、手術侵襲が患者の利益にならないと判断される場合には、手術を施行せずに抗菌薬投与のみを行うchronic suppression therapyも選択肢の1つである。静脈投与を含めた多剤併用抗菌療法を3か月間行い、その後長期にわたって感染再燃を抑えるために抗菌薬を使用する。その他、関節切除術・固定術・切断術などが選択されることもあるが、まれである。

患者説明のポイント

人工関節置換術の合併症の1つとしてPJIがあり、発症した場合には長期間の治療と複数回の手術が必要となる可能性があることを、初回人工関節手術の術前に説明することが重要である。また、感染の沈静化には長期間にわたる抗菌薬投与が必要であり、その副作用についても説明する。

骨・関節結核および非結核性抗酸菌症

Tuberculosis of bone and joint, Nontuberculous mycobacteriosis

多田 薫　金沢大学 助教

【疾患概念】

結核はかつて日本の国民病とされていたが、戦後以降の社会環境の改善と医学の進歩により罹患率は減少しており、脊椎や股関節などに発症する骨・関節結核はまれな疾患となった。

骨・関節結核は2018年に252人が新規登録されており、全結核患者の1.6%を占めている。発生部位は脊椎が最多であり、股関節、膝関節がこれに続く。なお結核は感染症法で「二類感染症」に分類されており、診断した際は直ちに最寄りの保健所に届け出なければならない。この発生届を受け、保健所は医療機関と連携しながら患者への面接や治療支援、疫学調査や接触者健診などを実施している。

非結核性抗酸菌とは結核菌と同じ抗酸菌に属する桿菌の総称であり、約170種類の菌種が登録されている。非結核性抗酸菌は結核菌が典型的な抗酸菌であるとの考えから「非定型抗酸菌」と呼称されていたが、非定型という定義が明確ではないとの理由で、現在は「非結核性抗酸菌」と呼称されている。非結核性抗酸菌はヒトを宿主とする結核菌とは異なり環境中に常在し、池や海などの水や土壌、動物などから検出される。またヒトからヒトへの感染経路は報告されておらず、感染経路は塵芥や水であると考えられている。主として肺への感染が問題となるが、非結核性抗酸菌症全体の20〜30%が肺外病変であるとされ、皮膚や筋肉、骨、リンパ節などに感染する。

【臨床症状と病態】

骨・関節結核は肺から侵入した結核菌が血行性，リンパ行性に骨・関節に到達し発生する．骨結核は脊椎，なかでも下位胸椎から腰椎にかけて発生するものが多く，脊椎カリエスとも呼称される．脊椎の病変により腰痛や脊椎の叩打痛が生じ，進行すると骨破壊から亀背となることがある．また脊椎に形成された肉芽腫が崩壊すると膿瘍となり骨外へ流出するため，殿部や大腿部に膿瘍を認めることがある．膿瘍により脊髄，馬尾が圧迫されると，下肢の知覚障害や運動障害を生じる．関節結核は股関節や膝関節に発生するものが多く，骨端部から関節内に波及する骨型と，血行性に滑膜へと波及する滑膜型が存在する．滑膜炎に伴う関節水腫や疼痛で初発し，次第に関節裂隙の狭小化，関節破壊を生じる．結核菌は発育速度が遅いため，これらの病状の進行は緩徐である．

非結核性抗酸菌による軟部組織感染症では局所の腫脹，発赤，熱感や可動域制限を生じるが，一般的な細菌感染症に比べると炎症所見に乏しいため，診断が遅れることがある．

問診で聞くべきこと

骨・関節結核例に対しては家族歴や結核患者との接触歴を聴取する．集団感染を考慮して家庭や学校，職場で咳などの結核症状を有する者がいないかについても確認する．糖尿病や血液透析，HIV感染などの基礎疾患がある例は結核を発症しやすいので注意を要する．免疫抑制状態となるステロイドや生物学的製剤，免疫抑制薬などの使用歴についても確認する．

非結核性抗酸菌症例に対しては，農作業やガーデニングなど土壌を扱う作業や水場での作業の有無を聴取する．創部からの感染が感染経路の1つと考えられているため，小さな創の既往についても聴取すべきである．

必要な検査とその所見

骨・関節結核例および非結核性抗酸菌症例では一般的にCRPは低値か陰性，白血球数は正常範囲内であることが多い．病巣から採取した検体から結核菌，非結核性抗酸菌の検出を行う．

①塗抹検査：安価であり短時間で結果が出るため，迅速検査としての有用性が高い検査である．しかし，培養検査に比べ感度が低く菌種の判別は行えない．

②培養検査：菌種の同定や薬剤感受性試験を行ううえで欠かせない検査である．塗抹検査に比べ感度が高く，感染の確定診断にも用いられるが，結果が出るまでに数週間を要する．近年は，固体培地よりも早期に高い感度で菌を検出できる液体培地を用いた検査が普及しつつある．

③核酸増幅検査（PCR法）：DNAを増幅し菌を検出する感度の高い検査であり，数時間で結果を出すことが可能である．偽陽性の可能性があるため，結果の解釈には塗抹検査と培養検査の結果を併せた総合的な判断を要する．

④ツベルクリン反応：ツベルクリン反応はBCG接種例でも陽性となる点，結核感染から数週間は陰性となる点から，結核感染の可能性について評価する1つの指標と考えるべきである．

⑤インターフェロンγ遊離検査（IGRA）：結核菌によるインターフェロンγの遊離を応用した検査であり，BCG接種や多くの非結核性抗酸菌の影響を受けない．感度，特異度ともに90％を超えるが，休眠期感染と潜在性感染の判別は行えない．

⑥単純X線：骨・関節結核では関節近傍の骨密度の低下，骨辺縁の侵食像，関節裂隙の緩徐な狭小化というPhemisterの3徴がみられる．

⑦CT：骨・関節結核では上記のPhemisterの3徴に加え，骨内膿瘍や腐骨の形成などを認める．

⑧MRI：骨・関節結核ではT2強調像で高信号を呈する膿瘍を認める．造影MRIでは膿瘍周囲に造影効果が認められる．非結核性抗酸菌症では，T2強調像で高信号を呈する滑膜炎を認めることがある．

診断のポイント

骨・関節結核や非結核性抗酸菌症は病状の進行が緩徐であり，長期経過後に初めて医療機関を受診することがある．病歴や画像所見からこれらの疾患の可能性を考慮し，関節液や膿瘍の塗抹検査，培養検査，核酸増幅検査などで早期に診断することが重要である．呼吸器症状の有無についても留意する．

治療方針

抗結核薬による治療が必須であり，手術を行った場合も術後には抗結核薬の長期投与を要する．中核となる薬剤はリファンピシン（RFP）とイソニアジド（INH）であり，これにピラジナミド（PZA）とエタンブトール（EB）またはストレプトマイシン（SM）の2剤を加えた4剤による6か月間の治療が標準的である．肝障害のある例や高齢者に対してはピラジナミド以外の3剤による9か月間の治療を行う．肺結核の場合は喀痰培養の検査結果で投薬期間の延長について判断するが，骨・関節結核では検体を採取することが困難な場合もあるため，炎症所見や画像検査により治療効果を推測し投薬期間を決定する必要がある．なお処方の詳細については，日本結核・非結核性抗酸菌症学会が作成した「結核診療ガイド」および「非結核性抗酸菌症診療マニュアル」をご参照いただきたい．

脊椎病変に対してはまずコルセットなどによる保存療法を行う．神経症状を認める例や高度の骨破壊を認

める例に対しては手術療法を行う．手術では前方からの病巣掻爬術や固定術を行う．術後の後弯変形を予防するために後方からの固定術を追加することもある．

関節結核に対しては早期に穿刺，排膿やドレナージを行うことが望ましい．病巣が滑膜に限局している場合は，滑膜切除術により関節機能を温存できる可能性がある．関節破壊が進行した場合は，関節固定術や切除関節形成術の適応となる．人工関節置換術については再燃の可能性について十分説明し，長期間の感染の鎮静化が得られたうえで手術を計画する．非結核性抗酸菌による軟部組織感染症に対しても，早期に病巣を切除，摘出することが望ましい．

患者説明のポイント

長期間の投薬が必要となるため，薬物療法の副作用と自己判断による休薬の危険性について説明，指導する．

感染に対する高気圧酸素療法

Hyperbaric oxygen therapy for infection

田村 裕昭　社会医療法人玄真堂川嶌整形外科病院 回復期センター長〔大分県中津市〕

【概説】　高気圧酸素療法（hyperbaric oxygen therapy；HBO）は，高気圧酸素治療装置を用いて，高い気圧環境の中で純酸素を吸入して，血液中の溶解酸素を高濃度にして病態の改善をはかる酸素療法である．

好中球は細菌を貪食すると，細胞内の顆粒に存在する酵素とともに活性酸素の作用で細菌を死滅させるが，殺菌力を発揮するには少なくとも30～40 mmHg以上の局所酸素分圧が必要である．HBOは，好中球の酸素分圧を上昇させ活性酸素の産生を飛躍的に増加させて殺菌力を増強する．この酸素依存性殺菌能により，嫌気性菌のみならず好気性菌感染症にも有効である．さらに，細菌への静菌作用や抗菌薬の抗菌作用の増強なども認められ，感染制御に有効に働く．また，低酸素状態の組織に対して酸素分圧を上昇させ，線維芽細胞の活性の増強や毛細血管新生を促し創傷治癒に導く．HBOにより破骨細胞が活性化され，壊死骨の吸収を促進することが確認されている．

整形外科に関連する感染症として，2018年改訂の厚生労働省基準では，骨髄炎，ガス壊疽，壊死性筋膜炎，難治性潰瘍を伴う末梢循環障害などが適応であり，それぞれに診療報酬の適用回数が設定されるようになった．

1 骨髄炎に対するHBO

骨髄炎では，感染の存在と罹患部位の骨および周辺軟部組織の低酸素状態（感染した骨では0～20 mmHg程度）がその治療を困難にしている．

抗菌薬投与と創部の処置を行いながら，2絶対気圧（atmosphere absolute；ATA）60分の純酸素吸入を1日1回，20～30回を1クールとして治療効果を評価する．改善傾向にあればさらに継続し，改善がないか悪化傾向にあれば持続洗浄療法などの骨髄炎手術を行い，その後HBOを再開する（診療報酬の適用回数は30回）．

2 クロストリジウム性ガス壊疽に対するHBO

嫌気性菌の*Clostridium*による感染症で，多くは外傷や手術後48時間ほどで発症し，ガス産生を伴いながら急速に筋壊死が進行し，適切に治療されなければ多臓器不全などで死に至ることもある．起炎菌として最も頻度が高い（80～90％）*Clostridium perfringens*は，70 mmHg以上で発育が抑制され，臨床症状の主原因となる致死，溶血，筋壊死を惹起するα毒素は，250 mmHg以上で産生が抑制される．

菌の発育とα毒素産生の抑制のため，創開放や壊死組織除去などの簡単な外科処置後，まずすみやかにHBOを開始する．2.8 ATA（国際的には2.4～3.0 ATA）60～90分の純酸素吸入を初日は2～3回，以後は症状により1日1～2回を数日間行う．HBOにより死亡率や切断率の低下が報告されている（診療報酬の適用回数は10回）．

3 壊死性筋膜炎に対するHBO

壊死性筋膜炎は，筋膜の浅層あるいは深層に生じ，急速に皮下組織や皮膚の広範な壊死が進行する細菌感染症で，適切に診断・治療されなければ四肢の切断や死亡率の高い重篤な疾患である．非クロストリジウム性ガス壊疽は，ガス産生以外の病態は壊死性筋膜炎と似ていることから，壊死性筋膜炎として扱われている場合が多い．

できるだけ早期の徹底した外科的処置（壊死組織の除去，病巣の掻爬・清浄化など）と，適切な抗菌薬投与および全身の集中管理が原則である．HBOは，感染制御と組織が壊死性変化に陥るのを最小限にする目的で，発症後できるだけ早期に開始する．最初の1～3日は2.8 ATA（国際的には2.4～3.0 ATA）60～90分の純酸素吸入を1日1～2回行い，以後状態が改善するまで2 ATA 60分の純酸素吸入を1日1回継続する．HBO併用で，死亡率や切断率の低下が報告されてい

る（診療報酬の適用回数は 10 回）．

4 難治性潰瘍を伴う末梢循環障害に対するHBO

　閉塞性動脈硬化症や糖尿病に伴う難治性潰瘍が適応になる．糖尿病足病変では，感染や骨髄炎を伴っていることも多いが，HBO は創傷治癒過程を促進し，切断率の低下が報告されている．
　2 ATA（国際的には 2.0～2.5 ATA）60 分の純酸素吸入を 1 日 1 回行う（診療報酬の適用回数は 30 回）．

5 治療上の注意事項

　HBO は感染制御や創傷治癒に有効な補助的治療法であるが，変化する病状を十分に把握し，切開・排膿やデブリドマンなどの病巣処置や骨髄炎手術，生命を優先した切断などのタイミングを逃すことのないようにする．

HBO 実施上の注意事項

　HBO の相対的禁忌疾患があるので，施行前に確認しておく必要がある．
　酸素中毒として痙攣や脳酸素中毒があるが，通常のプロトコールを順守していれば 2.8 ATA 以下であればまず起こることはない．気圧外傷として耳閉感や耳鳴り，時に鼓膜損傷を起こすことがあるので加圧時の耳抜きを指導する．
　安全性の確保のため，ライターやカイロなどの可燃性物を決して持ち込まないように説明する．

壊死性筋膜炎

Necrotizing fasciitis

岡本 成史　金沢大学 教授（新学術創成研究機構）

【疾患概念】　壊死性筋膜炎は，皮下組織，特に筋膜での急速な病原体感染の拡散を伴う生命を脅かす軟部組織感染症である．

【頻度】　世界における壊死性筋膜炎の発症率は 10 万例中 0.4 例程度と低いが，死亡率は 20% 以上ときわめて高い．

【病態】　壊死性筋膜炎は，皮膚などにおける切創，虫刺され，注射や軽微な外傷，熱傷などを契機とした患部への病原微生物の感染，もしくは毒素性ショックや敗血症などに付随して発症することが多い．局所的な臨床症状として，四肢，会陰・陰嚢部，腹部における紅斑，広範囲の浮腫，水疱，潰瘍，壊死を認める．また，全身症状として高熱，関節痛，せん妄，ショック，多臓器不全などの症状を呈する．症状の進行はきわめて速く，患部における壊死の急速な拡大と知覚低下を伴うことが多い．
　壊死性筋膜炎の原因となる病原細菌の種類から以下の 4 つに分類される．
　①type I：複数の微生物による混合感染により発症するもの．壊死性筋膜炎全症例の 55～90% と最も多く，罹患者の多くが糖尿病などの基礎疾患を有するとされる．
　②type II：A 群レンサ球菌などの化膿レンサ球菌や黄色ブドウ球菌の単独感染により発症するもの．
　③type III：クロストリジウム属，ビブリオ属，エロモナス属の各細菌の単独感染によって発症するもの．
　④type IV：真菌感染により発症するもの．多くはカンジダ属真菌の感染が原因とされる．

問診で聞くべきこと

　患部の出現時期とその原因，患部の痛みの状態，全身状態，症状の変化，基礎疾患の有無とその疾患名などを聞きとる．

必要な検査とその所見

　LRINEC スコア（CRP, 白血球, Hb, 血清 Na, 血清 Cr, 血糖の 6 項目を測定，スコア化し，13 点満点中 6 点以上を壊死性筋膜炎とする）を調べる．壊死組織中の迅速病理組織診断により確定診断を行う．また，起炎菌特定のために患部から採取された組織や膿，あるいは血液などの検体を培養し，細菌検査を行う．

診断のポイント

　初診時では，蜂窩織炎との鑑別が重要となる．LRINEC スコアが鑑別に有効とされるが，以下の症状がみられる場合，壊死性筋膜炎の可能性が高い．
　①ショック症状．
　②頻呼吸，頻脈，血圧低値．
　③患部での紫斑，血疱，水疱．
　④発赤の範囲を大きく超え，視診上では正常に見える皮膚部分での圧迫時での強い痛み．
　⑤視診で紫斑の存在する部分での痛みの消失，麻痺．
　⑥病変部位の短時間での拡大．
　その場合，疑わしい部分を皮膚切開し，筋膜壊死の有無を確認する．患部の内部の状態（病変の侵襲範囲と深さや組織内でのガスの有無など）を調べるために MRI, CT などによる画像診断を行うことも有効である．

専門病院へのコンサルテーション

　壊死性筋膜炎は症状の進行が速く，一刻を争う状況となるため，この疾患を疑った場合，救急対応可能で手術施設や ICU がある専門病院への迅速な搬送を勧奨する．

治療方針

即時に外科的治療および抗生物質(海外ではアンピシリンとスルバクタムに加えて,クリンダマイシンないしメトロニダゾールの併用を推奨,国内ではペニシリンやカルバペネム系抗菌薬とクリンダマイシンの併用が多い)の大量投与を併用して行わないと予後が不良となる.特に壊死性軟部組織において,即時的かつ根治的な壊死組織切除術ないし切断術を行うか否かで生死を左右する.ショック症状などがある場合,上記処置に先行して大量の輸液やドパミン,アドレナリンなどの血管収縮薬投与を行う.

患者説明のポイント

症状が急速に進行し重篤化する可能性があり,生命を守るために患部の壊死組織の切除や切断を要する場合があることを,迅速かつ適切に説明することが重要である.

化膿性脊椎炎

Pyogenic spondylitis

出村 諭　金沢大学附属病院 准教授

【疾患概念】　化膿性脊椎炎は頚椎から仙椎にかけての細菌による脊椎の感染症である.その多くは血行性に椎体の上下終板を中心に感染が成立し,椎体や椎間板に病変が波及する.また後方要素の化膿性椎間関節炎なども含まれる.

基礎疾患として,糖尿病や肝疾患,ステロイドや免疫抑制薬の使用,透析,悪性腫瘍の既往などを有することが多く,compromised host の増加や人口の高齢化により発生数が増加している.わが国の報告では65歳以上の割合は37.5%(1988〜1993年),44.4%(1994〜1999年),55.5%(2000〜2005年)と高齢者の割合は年々増加している.

感染経路としては呼吸器,泌尿器感染症から血行性に波及することが多く,近年は中心静脈栄養や尿道カテーテルからの感染,椎間板穿刺,硬膜外注射に関連した医原性の感染も増加傾向である.

起炎菌は黄色ブドウ球菌などのグラム陽性菌が多いが,大腸菌などの陰性菌や真菌も検出されている.またわが国では海外と比較してメチシリン耐性菌の頻度が高く,メチシリン耐性菌の占める割合は27〜34%との報告もある.

【臨床症状】　Kulowskiにより,①激しい腰背部痛や高熱,脊椎不撓性で発症する急性型,②37℃台の微熱で疼痛の訴えが軽度である亜急性型,③疼痛はあるが発熱を認めない慢性型に分類されている.

高齢者の発生が増加傾向であるが,まれに小児発生例も報告されており,全年齢層で発生しうる.好発部位は腰椎発生例が50%以上を占めており,以下胸椎,頚椎発生の順である.

急性型と比較して,亜急性型や慢性型は診断に苦慮することがあり,また発熱や菌血症に対する内科的治療後の二次感染巣として明らかになる場合もあり,診断に時間を要することも多い.

必要な検査とその所見

(1)組織生検,培養

診断,治療には血液培養や椎間板生検などの組織培養を可能な限り実施し,起炎菌の同定を試みるべきである.しかし,検査前に抗菌薬が先行投与されていることも多く,同定率は50〜60%にとどまる.

(2)採血

白血球数(好中球分画)増加,CRP値上昇,赤血球沈降速度(血沈)亢進などの炎症反応を認める.治療効果の判定にも採血データの推移を用いるが,CRP値を指標として治療継続の判断を行うことが多い.一方,CRP値が正常化したあとも血沈は亢進が持続していることが多く,血沈の推移も最終的な治療継続の参考となる.

(3)単純X線

椎体終板の不整・吸収像,椎間板高の減少を認める.さらに進行すると椎体の骨破壊に伴う局所の脊柱変形を伴う.一方,初期には単純X線での異常所見の判定は非常に困難で,早期診断には限界がある.

(4)MRI

典型例では椎間板,椎体の上下終板を中心として,T1強調像で低信号,T2強調像で高信号,脂肪抑制法(STIR法など)にて高信号に描出される.ガドリニウムT1強調像では,炎症性肉芽部分は均一に造影され(diffuse enhancement),膿瘍部分は周囲が造影される(rim enhancement).感染早期の診断としては,最も鋭敏で有用であるが,感染成立後から数日間では異常所見を認めなかった報告もあり,早期の化膿性脊椎炎を疑った場合は,初回に異常がなくてもMRIの再検査を念頭におく必要がある.

(5)その他

複数の感染病巣の確認のための全身検索や,腫瘍性病変との鑑別にはガリウムシンチグラフィー,骨シンチグラフィー,FDG-PETが用いられることがある.また,血行性の化膿性脊椎炎が疑われる場合は,感染性心内膜炎の合併検索を行うべきである.

治療方針

1 ▶ 安静, 外固定

化膿性脊椎炎の治療の中心は保存療法であり, 75～90％の症例で適切な抗菌薬の投与と安静臥床, 硬性装具や体幹ギプスなどの保存療法により感染の沈静化が得られたとの報告がある. 急性期にはベッド上安静を行う. 急性期の炎症が落ち着いた時期に外固定を行い, 炎症反応の推移を確認しながら慎重に離床を進める. 一方, 脊髄麻痺が出現した場合, 骨破壊の程度が強く脊柱不安定性を伴う場合, 数週間の保存療法に抵抗性の場合には観血的治療を考慮する.

2 ▶ 抗菌薬による治療

適切な抗菌薬の全身投与が治療には必須である. 起炎菌の同定や感受性の結果が判明するまでの間は, 最も頻度の高いブドウ球菌を想定した第一世代のセフェム系やペニシリン系抗菌薬を選択することが多い. 一方 compromised host の症例, 尿路感染や腹部・骨盤内疾患に起因した脊椎炎の場合は, グラム陰性菌を念頭においたカルバペネム系抗菌薬を使用することもある. またわが国では, 海外と比較してメチシリン耐性菌が起炎菌となっている頻度が高く, 第一選択薬をメチシリン耐性菌の可能性を念頭において選択する報告もある. 起炎菌が判明したら, 直ちに感受性のある抗菌薬への変更を行う. 脊椎感染症では抗菌薬の病巣への移行は必ずしも良好ではないため, 投与の際は重症感染症に準じた投与量を考慮する. また4週間未満の抗菌薬治療は感染を制御できない頻度が高く, 6週間以上の生体利用率の高い抗菌薬の投与が推奨されている.

抗菌薬の投与にあたって, 重要なことは, PK (pharmacokinetics, 薬物動態学)/PD (pharmacodynamics, 薬力学)理論に基づいて, 各抗菌薬の特徴を考慮して, 感染症治療を行うことである. 一般にセフェム, ペニシリン, カルバペネム系などのβ-ラクタム系抗菌薬は短時間型時間依存性薬剤であるため, 投与回数(time above MIC)の調節による設定を行い, バンコマイシン, テイコプラニン, テトラサイクリン系などの長時間型時間依存性薬剤はトラフ値, 投与回数による設定, アミノグリコシド, ニューキノロン系などの濃度依存性抗菌薬を選択する場合は投与量(Cmax)による調整を行う. メチシリン耐性菌に対する抗菌薬対策としては, リファンピシン(RFP)/ST合剤の併用療法やホスホマイシン(FOM)/抗MRSA薬併用療法が報告されている. また近年では infection control team (ICT) との連携による感染対策の有効性も報告されており, 可能であれば各施設でのICT介入による対策の構築が望まれる.

3 ▶ 外科的治療

(1) 低侵襲病巣掻爬ドレナージ

骨破壊に伴う脊柱不安定性が軽度の場合や全身状態が不良な症例, 上記の保存療法に抵抗性の場合に適応となる. 内視鏡やPED (percutaneous endoscopic discectomy) 手技を用いての報告がある.

(2) 脊椎(除圧)固定術

多くの症例では病巣が脊椎前方要素に存在するため, 前方法が最も理にかなった手技である. 頚椎から腰椎にかけての1椎間病変や脊柱アライメント異常を認めない症例などがよい適応となる. 一方, 骨破壊が強く高度の脊柱不安定性を有する症例, 複数椎間に病変が及ぶ症例, 脊柱アライメント異常を有する症例では脊椎インストゥルメントの併用を考慮する. 脊椎インストゥルメントの併用により, 良好な脊柱安定性の獲得が可能となり, 脊椎アライメントの維持, 早期離床の点からも有利と考えられる. その一方で, 金属表面に形成されるバイオフィルムの問題から, 感染部位へのインストゥルメント使用を躊躇する意見も存在し, 罹患椎への挿入を回避した使用が望ましい. 近年では経皮的椎弓根スクリュー(percutaneous pedicle screw ; PPS)手技が普及しており, 筋組織の剥離やインストゥルメンテーションに伴う死腔を最小限にできるという観点から, 化膿性脊椎炎に対する後方インストゥルメンテーション手技として有用と考えられる.

脊椎インプラント術後感染

Infection associated with spinal implants

出村 諭　金沢大学附属病院 准教授

【はじめに】　近年の脊椎インストゥルメンテーション手術の発展により, 高い骨癒合率の達成や早期の社会復帰が可能となり, 脊椎インプラントを用いた手術件数は増加している. 日本脊椎脊髄病学会脊椎脊髄手術調査報告(2013)によれば, 全手術例31,380例中9,487例(30.2％)に脊椎インストゥルメンテーション手術が行われており, 2001年の調査時と比較して症例数は倍増している. その一方で, 術後深部感染の頻度は脊椎手術全体で1.1％, インプラント使用で2.0％, 非使用で0.7％と, インストゥルメンテーション手術は明らかに感染率が高い. またいったん感染すると, 金属表面に形成されるバイオフィルムが抗菌薬の効果を減弱させるため, 治療に難渋する. そのため, 在院日数の延長や, 医療費の増大のみならず, 患者のADLや満足度を著しく損ない, 医療者側への多大な

4 感染性疾患

負担を強いるなど，多くの問題を有している．

診断のポイント

手術創から排膿を認めた場合は，その診断は容易であるが，深部感染の場合は必ずしも創哆開や手術創表面の発赤，熱感などの感染徴候が確認できないこともある．特に術後1週以降の発熱や局所の疼痛を訴えた場合は，血液データや各種画像診断と併せて総合的に判断を行う必要がある．また感染が表層か深部感染かによっても治療方針が異なるため，その見極めは重要となる．

術後感染の有無を確認する炎症性マーカーとして，白血球数，白血球分画（好中球，リンパ球など），赤血球沈降速度，C-reactive protein（CRP），プロカルシトニン（procalcitonin；PCT）などが用いられている．術後早期では手術侵襲に伴う炎症性マーカーの上昇が起こり，白血球数（好中球数）では術後1～2日目に，CRP値は術後2～3日目とやや遅れてピークを示したあとに，徐々に炎症性マーカーは低下する．したがって，その後に生じる炎症性マーカーの再上昇は術後感染を疑う所見となる．また術後早期の感染を判断する目的で，リンパ球数に注目し，術後4日目のリンパ球低下（10%，1,000/μL以下）は免疫抑制状態を示し，術後感染を誘発しやすい状態であるため，注意が必要との報告もある．画像評価としては，インプラントによるアーチファクトの影響はあるものの，膿瘍を疑う場合，造影CTや造影MRIにより確認を行う．

治療方針

術後早期感染が明らかである場合は，洗浄，デブリドマンによる菌量の減少と適切な抗菌薬の全身投与は，おおよそ一致した治療方針と考えられる．臨床所見や画像診断から表層感染が疑われる場合は，創を切開後に洗浄を行う．その際，筋層下への感染の波及の確認を行う．一方，深部感染の場合は徹底的な感染組織のデブリドマン，洗浄を行い，汚染の状態によっては移植骨などの異物の抜去も必要となることもある．

1 ▶ 抗菌薬による治療

外科的治療と並行して，適切な抗菌薬の全身投与が治療には必須となる．起炎菌の同定や感受性の結果が判明するまでの間は，最も頻度の高いブドウ球菌を想定したセフェム系抗菌薬の投与を行う．またcompromised hostの症例や，術前の合併疾患を有する症例，敗血症などの全身状態の不良な症例に対しては広域の抗菌薬を併用することも多い．起炎菌が判明したら，ただちに感受性と感染部位への移行性を考慮して最適な抗菌薬への変更を行う．MRSAに対しては，抗MRSA薬以外の有効な抗菌薬として，リファンピシン（rifampicin；RFP）やST合剤，ホスホマイシン（fosfomycin；FOM）が使用されており，それらの併用療法の有効性が報告されている．抗菌薬の持続期間は，感染のコントロール状況によって異なるが，インプラントを温存した場合で12週程度，インプラントを抜去した場合で6週程度の使用が推奨されている．

2 ▶ 脊椎インプラントの抜去

脊椎インプラントを抜去するかどうかは意見が分かれている．起炎菌がMRSAなどの多剤耐性菌の場合，治療に難渋しインプラントの抜去を余儀なくされることもある．しかしインプラント抜去により脊椎不安定性は増悪するため，初回治療としてはできるだけ抜去せずに治療を行うことが望ましい．一般的には早期感染はインプラントを温存したまま治療できる可能性がより高い．

3 ▶ 持続洗浄

創の汚染状態によっては，持続洗浄が行われる．1～3% ポビドンヨード液を用いて灌流を行うことが多いが，長期留置による逆行性感染の可能性もある．また最近では陰圧閉鎖療法（negative pressure wound therapy；NPWT）を併用し，脊椎インプラントを温存しながら創の閉鎖や感染の沈静化を試みる報告もある．

4 ▶ 抗菌薬含有セメントビーズ留置

抗菌薬の徐放効果を期待して，人工関節置換術後の感染同様，抗菌薬含有セメントビーズ留置やインプラントをセメントで包埋する手技も報告されている．セメント内に使用される抗菌薬としてはバンコマイシンや耐熱性のあるアミノグリコシド系の抗菌薬を使用する報告がある．

5 ▶ 手術野でのバンコマイシンパウダー撒布

血流のないインプラント周囲への抗菌薬の組織移行性は必ずしも十分とはいえず，抗菌薬の局所撒布なども試みられている．一方，治療効果に差がなかったとの報告もあり，セメントビーズ留置，バンコマイシン撒布ともに，有効性に関するエビデンスは不明である．

6 ▶ 抗菌インプラントを用いた治療

わが国では承認されていないが，抗菌薬をコーティングしたインプラントや抗菌作用を有する銀，イソジンコーティングインプラントでの治療報告がある．

以上のように多くの試みがなされてきているが，そのほとんどが症例報告にとどまっており，今後エビデンスレベルの高い検討が待たれる．

結核性脊椎炎（脊椎カリエス）
Tuberculous spondylitis

川原 範夫　金沢医科大学 教授

【疾患概念】　戦後，抗結核薬により肺結核患者は急速に減少し，それに伴い新規の結核性脊椎炎患者も減少し続けている．2018年の結核の全国新規登録患者の総数は15,590人で，そのうち結核性脊椎炎は155人であった．脊椎結核155人中103人（66％）が70歳以上の高齢者である．この大半は肺結核罹患の既往があり，免疫力の低下とともに発症したと考えられる．

【臨床症状】　肺結核と同様に微熱，倦怠感，食思不振などの全身症状を認めることがある．

局所症状としては，罹患部位の疼痛や圧痛，叩打痛がある．脊柱の不撓性が生じることがある．骨破壊が進行すると脊柱変形（多くは後弯変形）が生じる．膿瘍を合併することが多く，炎症所見に乏しく冷膿瘍（cold abscess）とよばれる．膿瘍は腸腰筋に沿って流注膿瘍となり，腸骨窩膿瘍が有名である．また脊髄麻痺は重篤な合併症であり，Pott麻痺とよばれる．小児期に複数椎体が骨溶解のあとに治癒・癒合し，亀背を呈している成人もみられる．

問診で聞くべきこと
肺結核の既往，周囲の結核患者の有無，疼痛部位，四肢の麻痺症状などについて聞く．

必要な検査とその所見
(1)臨床検査

①Tスポット®TB（T-SPOT）やクォンティフェロン®TB（QFT）など，結核菌特異抗原の刺激によって産生されるインターフェロンγ（IFN-γ）を測定・評価することでBCG接種の影響を受けずに結核菌の感染診断を行う．

②生検による脊椎病変の組織標本から，乾酪壊死と類上皮細胞を主体とした肉芽腫性病変を認め，Ziehl-Neelsen染色で結核菌を見いだせば結核性脊椎炎の診断が確定する．また生検組織の培養により菌集落の生育が認められ結核菌であれば，結核性脊椎炎である．通常の培養では判定までに数か月かかるので，ポリメラーゼ連鎖反応（PCR）法による結核菌の検索も行う．

(2)画像検査

①単純X線像：初期に骨萎縮像，椎間板腔の狭小化を認め，進行すると椎体の骨破壊，脊柱の後弯変形を生じる．傍脊柱膿瘍を疑わせる陰影を認めることも多い．

②CT像：骨吸収像や腐骨の描出に優れている．造影剤投与で膿瘍の周囲の造影増強効果（ring enhancement）を認める．またCTガイド下生検で病巣を正確に穿刺できる．

③MRI：X線像やCTより早期に病変を描出できる．罹患椎体はT1強調像では低信号，T2強調像では高信号で描出される．膿瘍もT1強調像では低信号，T2強調像では高信号を示す．腐骨はT1強調像，T2強調像ともに低信号を示す．実際は，椎体の炎症，膿瘍，腐骨，炎症性肉芽が不規則に混在し，さまざまな所見を呈する．ガドリニウム造影による病変周囲の造影増強効果は診断根拠となる．

治療方針
基本は化学療法と外固定である．3か月間の薬物療法で治癒傾向が認められない場合や，脊髄麻痺，骨破壊による変形の進行・不安定性，膿瘍・瘻孔の形成などに対しては観血的治療が選択される．

治療法
(1)化学療法

結核治療の基本である．標準的な治療はイソニアジド（INH），リファンピシン（RFP），エタンブトール（EB）あるいはストレプトマイシン（SM）に，ピラジナミド（PZA）を加えた4剤を投与する．通常，PZAは炎症の強い時期に有効で初期の2か月間で投与を中止し，その後3剤で治療を継続する．INHとRFPに対して耐性の場合はニューキノロン系抗菌薬の併用が有効とされる．化学療法の期間は6か月〜1年程度である．

(2)観血的治療

手術療法は腐骨，病的肉芽，壊死した椎間板組織の郭清と欠損部への自家骨移植が基本である．最近，鏡視下手術や経皮的椎体固定が報告されている．結核菌は化膿菌と違いバイオフィルムを形成することがないという理由で，インプラントを併用した手術の報告が多くなってきている．

患者説明のポイント
結核は法定伝染病であること，体力・抵抗力が大切であること，薬物療法・保存療法が基本であるが麻痺，脊柱破壊などがあれば手術も必要になることなどを説明する．

リハビリテーションのポイント
四肢筋力低下，関節拘縮予防のため，早期からベッドサイドでのリハビリテーションを開始する．

がん薬物療法副作用管理マニュアル

第2版

監修
吉村知哲　大垣市民病院 薬剤部長
田村和夫　福岡大学 名誉教授

編集
川上和宜　がん研究会有明病院薬剤部 臨床薬剤室長
松尾宏一　福岡大学筑紫病院 副薬剤部長
林　稔展　福岡大学薬学部 准教授
大橋養賢　国立病院機構東京医療センター薬剤部
　　　　　がん薬物療法研修マネージャー
小笠原信敬　岩手県立大船渡病院 薬剤科次長

抗がん薬の適切な使用、継続そして治療効果発揮のために！

副作用の早期発見、重症度評価、原因薬剤の中止や減量、支持療法の情報をコンパクトにまとめた。原因薬および発現割合、好発時期、リスク因子の他、irAEの情報も充実。抗がん薬の副作用が疑われた症例と抗がん薬以外の原因が疑われた症例も提示。第2版では、総論に「患者のみかたと捉えかた」「副作用の考えかたと伝えかた」「副作用のDIとRMPの活用」の他、各論3項目を新規追加。

● B6変型　頁368　2021年
　定価：4,180円（本体3,800円＋税10%）
　[ISBN978-4-260-04478-3]

目次

1　抗がん薬の副作用
2　患者のみかたと捉えかた
3　副作用の考えかたと伝えかた
4　副作用のDIとRMPの活用
5　症例──有害事象から副作用への判断手順
6　悪心・嘔吐・食欲不振
7　下痢
8　口内炎（口腔粘膜炎）
9　味覚障害
10　発熱
11　疲労・倦怠感
12　発疹
13　浮腫
14　関節痛・筋肉痛
15　過敏症
16　手足症候群
17　末梢神経障害
18　視覚異常・流涙
19　心機能障害
20　高血圧
21　間質性肺炎
22　肝障害
23　腎障害
24　蛋白尿
25　出血性膀胱炎
26　不妊（性機能障害）
27　甲状腺機能障害
28　電解質異常
29　高血糖
30　血小板減少
31　栄養障害

医学書院

〒113-8719　東京都文京区本郷1-28-23　[WEBサイト]https://www.igaku-shoin.co.jp
[販売・PR部] TEL:03-3817-5650　FAX:03-3815-7804　E-mail:sd@igaku-shoin.co.jp

5 骨・軟部腫瘍および腫瘍類似疾患

骨・軟部腫瘍診断の手順 … 150	色素性絨毛結節性滑膜炎 … 175
骨・軟部腫瘍の画像診断 … 152	デスモイド型線維腫症 … 176
骨・軟部腫瘍の病理診断 … 153	骨肉腫 … 177
骨・軟部腫瘍の遺伝子診断 … 156	軟骨肉腫 … 180
生検術 … 157	Ewing 肉腫 … 182
悪性骨・軟部腫瘍（肉腫）の化学療法 … 158	未分化多形肉腫 … 183
	脂肪肉腫 … 184
悪性骨・軟部腫瘍の放射線療法 … 161	滑膜肉腫 … 184
悪性骨・軟部腫瘍の切除縁 … 163	線維肉腫 … 185
骨腫瘍切除後再建（人工関節） … 164	平滑筋肉腫 … 185
生物学的再建術 … 166	横紋筋肉腫 … 186
悪性腫瘍の緩和ケア … 167	悪性末梢神経鞘腫瘍 … 187
良性骨腫瘍および腫瘍類似疾患 … 169	悪性リンパ腫，白血病 … 187
骨巨細胞腫 … 171	多発性骨髄腫 … 188
骨組織球症（好酸球性肉芽腫） … 173	脊索腫 … 190
良性軟部腫瘍 … 174	四肢の転移性骨腫瘍 … 190

骨・軟部腫瘍診断の手順

The diagnosis of bone and soft tissue tumors

山本 哲司　香川大学 教授

骨・軟部腫瘍の診断の手順としては，問診と理学所見などの臨床所見，各種画像検査所見および病理組織所見を総合的に判断して行う．侵襲の少ない検査から順に進め，最終的に病理医とよく議論したうえで確定診断を行う．

1 骨腫瘍の診断

1 ▶ 臨床所見

患者の年齢，性別，罹患部位，疼痛の有無および程度と経過，外傷歴，家族歴などを参考にする．多くの骨腫瘍はわずかに男性に好発するが，骨巨細胞腫は女性に多い．診断にあたり年齢は重要で，3歳以下に多いのは神経芽細胞腫の骨転移であり，その他良性骨腫瘍および骨肉腫を含む悪性骨腫瘍とも5～30歳ぐらいまでの若年者に多い．中高年に多い骨腫瘍としては転移性骨腫瘍や多発性骨髄腫が最も多く，原発性腫瘍としては軟骨肉腫，脊索腫などが挙げられる．

安静時の疼痛は良性骨腫瘍の場合はないことが多く，骨軟骨腫などの場合は周囲組織との機械的刺激によって運動時の疼痛を生じることがある．病的骨折によって発症しやすい良性骨腫瘍は，線維性骨異形成症，単発性骨嚢腫および内軟骨腫などである．これらの疾患は骨折前に無症状にもかかわらず骨内病変が増大し，骨脆弱性を生じているためである．また長管骨への転移性骨腫瘍も病的骨折を生じる．類骨骨腫は持続的な疼痛や夜間痛を生じることで知られており，非ステロイド性抗炎症薬が有効である．また悪性骨腫瘍の疼痛は数週間から数か月に及ぶ持続的で軽快することのない疼痛で，しばしば夜間痛を訴える．

2 ▶ 単純X線検査

骨腫瘍を診断するうえで最も重要な検査である．脊椎や扁平骨に発生しやすい骨腫瘍と長管骨に好発する骨腫瘍がある．Langerhans細胞組織球腫は脊椎と扁平骨に多く，骨芽細胞腫は脊椎の後方成分に発生しやすい．

好発部位は骨腫瘍の種類によって長管骨の骨端部，骨幹端部および骨幹部に分類される．骨腫瘍の多くは骨幹端部に発生するが，骨巨細胞腫と軟骨芽細胞腫は骨端部に発生しやすい．また骨幹部に発生しやすい腫瘍として，良性では線維性骨異形成症，悪性ではEwing肉腫がある．また単純X線像上，長管骨の中央部に発生する中心性病変と，一方の骨皮質に偏った偏心性病変を呈するものがある．中心性病変を呈するものには，単発性骨嚢腫，動脈瘤様骨嚢腫や内軟骨腫などがある．偏心性病変を呈するものには，非骨化性線維腫，軟骨粘液線維腫，骨巨細胞腫や骨肉腫などがある．良性骨腫瘍の一般的な単純X線所見としては，骨吸収像の大きさが比較的小さく，境界明瞭で辺縁硬化像が認められることが多い．悪性骨腫瘍の一般的な単純X線所見は骨破壊の程度が大きく，健常部位との境界は不明瞭で骨皮質の破壊も認められる．骨肉腫に代表される原発性骨悪性腫瘍の場合は，Codman三角，spicula，onion-peel appearanceなどの骨膜反応が認められる．

骨腫瘍の頻度として，良性骨腫瘍で多いものは骨軟骨腫，内軟骨腫および骨巨細胞腫である．原発性悪性骨腫瘍では骨肉腫と軟骨肉腫の頻度が高い．常染色体優性遺伝により家族内発生がみられる骨腫瘍として，多発性骨軟骨腫症がある．また内軟骨腫，線維性骨異形成症，Langerhans細胞組織球腫なども多発することがある．

3 ▶ CT

骨皮質の破壊や腫瘍内部の骨化や石灰化を同定するのに有用である．骨肉腫などの骨形成性腫瘍や内軟骨腫や軟骨肉腫，軟骨芽細胞腫などの軟骨性腫瘍では骨化や石灰化が観察される．

4 ▶ MRI

腫瘍の骨髄内浸潤および骨外進展を同定するのに有用であり，腫瘍の性状を判断するのに有効である．一般に骨腫瘍はT1強調像で筋肉と等信号か低信号で，T2強調像で高信号を示すことが多い．したがって脂肪髄はT1強調像で高信号を示すため，腫瘍の骨髄内浸潤を見るにはT1強調像が適しており，T2強調像は腫瘍の骨外病変や周囲の反応層を観察する場合に有用である．また嚢腫性病変はT2強調像で均一な高信号を示す．

5 ▶ 核医学検査

^{99m}Tcシンチグラフィーは骨形成のある部位に強く集積するため，多発性骨病変の同定には重要である．特に多発性の転移性骨腫瘍の診断には有用である．^{201}Tlシンチグラフィーは血流の豊富な病変に集積がみられ，以前は骨腫瘍の良悪の鑑別に頻用されたが，PETの出現により次第に使用頻度は低下しつつある．

6 ▶ 陽電子放出断層撮影（positron emission tomography；FDG-PET）

腫瘍のブドウ糖代謝を反映する検査であり，転移性腫瘍の原発巣の発見や原発性腫瘍の転移巣の発見など全身検索に有用であるとともに，個々の病巣の糖代謝の程度をSUV値により数値化できるため良悪の鑑別

トピックス　骨・軟部腫瘍における多施設共同研究

2018（平成30）年3月に閣議決定された第3期がん対策推進基本計画の分野別施策として，がん予防，がん医療の充実，がんとの共生が挙げられている．そして，がん医療の充実のなかに，希少がんが記載されている．希少がんとは人口10万人あたりの年間発生率が6例未満のものである．骨肉腫の年間国内発生数は200例程度，人口10万人で計算すると約0.16人となる．このように原発性骨・軟部肉腫は典型的な希少がんに属す．

希少がんは発生数が少ないのはもちろん，対応している施設が全国に分散しているため各施設での症例数も少ない状況である．骨・軟部腫瘍に対する標準的治療の確立には全国規模の多施設共同研究が不可欠である．日本臨床腫瘍グループ（Japan Clinical Oncology Group；JCOG）内の1グループとして骨軟部腫瘍グループが2002年度から活動している．高悪性度非円形細胞軟部肉腫に対する術前術後補助化学療法の第Ⅱ相試験（JCOG 0304），骨肉腫に対する化学療法のランダム化第Ⅲ相試験（JCOG 0905），悪性軟部腫瘍に対する術前術後化学療法のランダム化第Ⅱ/Ⅲ相試験（JCOG 1306）が行われたほか，ドキソルビシン治療後の進行軟部肉腫に対するトラベクテジン，エリブリン，パゾパニブのランダム化第Ⅱ相試験（JCOG 1802）が進行中である．また，それらの附随研究を実施している．

また，日本ユーイング肉腫研究グループ（Japan Ewing Sarcoma Study；JESS）では2005年より小児科医，整形外科医，放射線治療医，病理診断医，その他の専門家が中心となり，わが国で標準的な治療を確立するべく臨床研究を行っている．JESSおよび日本横紋筋肉腫研究グループ（Japan Rhabdomyosarcoma Study Group；JRSG）は日本小児がん研究グループ（Japan Children's Cancer Group；JCCG）に属している．さらに，骨軟部肉腫治療研究会（Japanese Musculoskeletal Oncology Group；JMOG）も整形外科医が中心となり多施設共同臨床研究を行っている．骨・軟部肉腫で臨床研究を行い治療法の確立につなげていくためには，このような多施設共同研究が重要となる．希少がんに対する臨床研究は困難なことも多々あるが，世界に向けたエビデンスを発信できるようにグループに所属している施設が協力して研究に取り組んでいる．

尾﨑 敏文〔岡山大学大学院 教授〕

にも有用である．

2 軟部腫瘍の診断

軟部に腫瘤を形成する疾患は真の腫瘍以外にも腫瘍類似疾患や炎症性疾患が混在し，また軟部腫瘍も線維組織由来，脂肪組織由来，筋由来，滑膜由来，末梢神経組織由来など起源によって分類が多岐にわたる．それに加えて骨腫瘍の診断における単純X線検査のように決定的な診断方法を欠くため，最終診断を生検による病理検査に頼ることも多い．一般的な診断手順として「軟部腫瘍診断ガイドライン」を参照するのがよい．

1 ▶ 臨床所見

年齢，性別，発生部位，疼痛の有無，腫瘍の性状，既往歴，家族歴などを参考にする．一般に悪性軟部腫瘍は中高年に多いが，胎児型および胞巣型横紋筋肉腫は若年に発生する．女性に多い軟部腫瘍として腱鞘巨細胞腫や血管腫がある．悪性軟部腫瘍は上肢より下肢に多く，後腹膜と大腿部が肉腫の好発部位である．持続的な疼痛を生じる軟部腫瘍としてグロムス腫瘍がある．また血管腫は運動後に疼痛を誘発し，神経鞘腫は叩打により放散痛を生じることがある．一般に脂肪腫と血管腫以外では長径が5cmを超える軟部腫瘍は悪性を疑う．また悪性軟部腫瘍は表在筋膜より深部に発生しやすい．多発する軟部腫瘍としては血管腫，神経線維腫，脂肪腫などがある．

2 ▶ 画像所見

単純X線所見では脂肪腫は透過性亢進を認め，石灰化や骨化が認められる軟部腫瘍としては血管腫や脂肪腫があり，悪性としては滑膜肉腫や骨外性骨肉腫がある．

MRIは軟部腫瘍の質的判断にきわめて有用である．脂肪腫や高分化型脂肪肉腫はT1強調像，T2強調像ともに高信号を示す．囊腫性病変や粘液の豊富な軟部腫瘍はT1強調像で低信号，T2強調像で非常に高信号となる．デスモイド腫瘍や腱鞘線維腫などの線維成分の多い腫瘍はT2強調像でも低信号となることが多い．神経鞘腫ではT2強調像で辺縁が高信号で中央が低信号となるtarget signが認められる．一般に悪性軟部腫瘍の場合は内部に出血や壊死を伴うことが

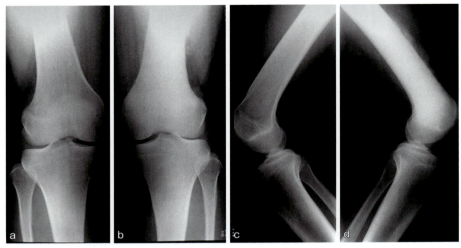

図 5-1　左大腿骨遠位骨肉腫
　a：健側正面．b：患側正面．健側に比べ大腿骨全体が硬化している．
　c：健側側面．d：患側側面．骨外に石灰化病変も認める．

多く，MRI 上，高信号と低信号が入り混じった heterogeneous pattern を示すことが多く，腫瘍の周囲に反応層とよばれる浮腫や炎症性変化が認められる．

3 ▶ FDG-PET

軟部腫瘍の術前の良悪の鑑別にきわめて有用であり，SUV 値が 3 以上の場合は悪性疾患を念頭におく必要がある．

4 ▶ 生検

画像上悪性腫瘍が疑われる場合，病理診断を確定させるために行う．吸引生検，針生検，切開生検および切除生検がある．

骨・軟部腫瘍の画像診断

Imaging in the diagnosis of bone and soft tissue tumors

林　克洋　金沢大学大学院 特任教授（地域未来医療整形外科学講座）

【概要】

整形外科外来で単純 X 線はルーチンで撮影されるが，骨折や変形性関節症など頻度の高い疾患に目が行きがちである．写真を見る際に，骨の輪郭をまずは一周するように目を通し，皮質の破綻や，透亮像，硬化像など異常陰影がないか隅から隅まで観察することを心がけたい．骨肉腫に代表される悪性腫瘍の患者は，はじめから専門施設を受診することはめったになく，一般整形外科医の診察を受けるため，見逃されることもある．腫瘍性病変などを疑った場合は，MRI の撮影や専門機関への紹介を躊躇しないことも大事である．軟部腫瘍では，ガングリオン，アテローマなどの頻度が高く，検査せず摘出しがちであるが，少しでも所見に違和感があるなら，まず MRI 検査を行うことを勧める．

骨・軟部腫瘍専門施設では，造影 MRI，核医学検査などで診断の絞り込みを行う．また，化学療法の効果判定，術前計画，再発の確認などのためにも画像検査は適宜行われる．

1 単純 X 線

外来検査として最初に行うものである．腫瘍性疾患を疑うなら，必ず単純 X 線で左右両側を撮影し，正常側と比較する（図 5-1）．骨腫瘍の多くは，年齢などの背景と単純 X 線像で診断が絞り込める．具体的には，腫瘍の基質（溶骨型，造骨型，混合型），辺縁（明瞭，不明瞭，硬化像），骨膜反応，石灰化や骨化の有無などを評価する．一方，軟部腫瘍は単純 X 線では検出が困難なものが多いが，血管腫の丸い石灰化（静脈石）や，滑膜肉腫や骨外性骨肉腫の不整な石灰化が認められることがある．

2 MRI

骨腫瘍，軟部腫瘍ともに必須の検査で，発生部位，サイズ，広がり，腫瘍の基質，神経や血管との位置関係の情報が得られる．腫瘍は一般に T1 強調像で低信

号，T2強調像で高信号を呈する．骨内の病変の広がりは，T1強調像で低信号域として容易に把握できる．組織分解能に優れており，脂肪，血腫，液体，線維などの腫瘍を構成している成分が推測できる．脂肪腫は，T1とT2強調像ともに脂肪と同じ均一な高信号を呈する．腫瘍内に血腫が貯留した場合，赤血球と血漿が分離してT2強調像でfluid-fluid levelを示すことがある．

3 CT

単純X線像では評価しにくい微細な骨化や石灰化の描出に優れている．特に，多方向からみるCTの多断面再構成像（MPR像）を用いると，骨破壊の部位と程度が詳細に把握できる．そのほか，造影CTと3D画像を組み合わせることで，造影された血管と腫瘍の位置関係や，栄養血管が立体的に観察できる．解像度が高いため，筋肉や神経のオリエンテーションが，MRIより優れる．悪性腫瘍患者では，肺転移やリンパ節転移の評価にもルーチンで撮影される．

4 超音波検査

軟部腫瘍に対する外来検査として有用である．発生部位の特定，サイズ，嚢腫か充実性病変かの鑑別などが簡便に行える．カラードプラ画像によって腫瘍内の血流の豊富さや形状を評価することで，軟部腫瘍の良性と悪性の鑑別にも用いられている．

5 核医学検査

(1) 骨シンチグラフィー

全身の骨病変のスクリーニングに優れ，骨肉腫や骨転移の評価に特に有用である．感染や関節症変化でも集積するように，特異度は低い．骨に隣接した軟部肉腫の骨浸潤の有無を判断することにも使える．

(2) FDG-PET

悪性腫瘍では糖代謝が亢進することを利用した検査で，CTやMRIと組み合わせて評価する．①良性と悪性との鑑別，②悪性腫瘍の再発や転移の検索，③転移性骨腫瘍の原発検索，④化学療法の効果判定などに用いられている．金属製の手術材料からのアーチファクトの影響を受けない．便利な検査であるが，偽陽性の問題や，保険適応が厳しいことにも注意が必要である．

(3) タリウムシンチグラフィー

タリウムとカリウムは生物学的に類似性を有し，腫瘍に多く含まれるカリウムとNa-K-ATPase系によって，タリウムが置換されると考えられている．良性と悪性の鑑別，化学療法の効果判定に用いられる．

骨・軟部腫瘍の病理診断

Pathologic diagnosis on bone and soft tissue tumors

山口 岳彦　獨協医科大学日光医療センター 教授（病理診断科）

【概説】 骨・軟部腫瘍分類の国際標準はWHO分類（2020年改訂第5版）である．加えて国内では，日本整形外科学会骨・軟部腫瘍委員会による「悪性骨腫瘍取扱い規約」，「悪性軟部腫瘍取扱い規約」に則り検体は取り扱われる．腫瘍分類は，かつてはどんな組織に由来するかという視点で行われてきたが，近年はどのような分化を示すかという視点に変わってきた．また，特異的遺伝子変異が知られるようになり，遺伝子変異も腫瘍分類要素の1つとなっている．

骨・軟部悪性腫瘍のほとんどが希少がんと定義されるように，発生頻度が低いにもかかわらず種類が多く組織所見が多様であることから，その組織診断には高度の専門性が要求される．そのため，骨・軟部腫瘍を扱う病院には骨・軟部腫瘍を専門とする病理診断医が必要とされるが，骨・軟部腫瘍病理医は少なく，Jaffe's triangleを実践できている病院は限られている．そのような環境下で骨・軟部腫瘍や腫瘍類似疾患の正しい組織診断を得るためには，臨床医，放射線診断医，病理医間のコミュニケーションを密にする必要がある．加えて，形態診断方法の種類，それらの特徴や適した検体の提出方法などを知っておくことも大切である．

1 病理組織診断依頼に際して

1 ▶ 臨床情報

骨・軟部腫瘍の組織診断では，臨床所見や画像所見は重要である．病理組織診断を依頼する際には，これらの情報を効率よく的確に病理医に伝える必要がある．年齢・性・主訴・現病歴・既往歴・臨床診断は最低限必要である．なかでも既往歴は重要な情報であり，特に転移性腫瘍の鑑別診断時には欠かせない．がんの治療後10年以上を経て転移を生じることもまれではない．がんの転移巣の組織像はしばしば肉腫様となり，未分化多形肉腫と鑑別を要するなど，原発性腫瘍と転移性腫瘍の鑑別に苦慮することがある．その際，がんの治療歴の有無や画像所見が重要な判断材料となる．また，女性の骨平滑筋肉腫症例では，子宮手術の既往を必ず確認する必要がある．その際，子宮肉腫としてではなく，子宮筋腫の治療歴があることも多いので注意を要する．子宮平滑筋腫と診断されていた腫瘤が実は平滑筋肉腫であったという例は多い．既往

歴により疾患の背景となる症候群が明らかとなることもある．神経線維腫症（neurofibromatosis）などの症候群の既往の有無も診断に欠かせない．

2 ▶ 画像情報

骨腫瘍であれば，罹患骨の部位，腫瘍境界の性状，骨膜反応の有無，石灰化・骨化の有無，AYA世代であれば骨端線閉鎖の有無も重要な情報となる．軟部腫瘍であれば，筋膜を境として浅層あるいは深層発生か，腫瘍境界の性状，石灰化・骨化の有無，単房性あるいは多房性嚢胞や血腫の有無，脂肪成分の有無も重要である．骨・軟部腫瘍ともに，性状の異なる複数の腫瘤から構成される腫瘍では脱分化肉腫の可能性も考えられるため，その旨を伝える．最後に考えられる臨床的な鑑別診断を伝える．

3 ▶ 病理診断方法の種類と目的

形態学的な病理診断には，細胞診，組織診，迅速組織診がある．組織診には，生検診断と摘出検体診断が含まれる．

(1) 細胞診

吸引細胞診は外来で行える利便性があるが，確定診断を得る可能性は高くない．そのため，簡便な良悪性判定のツールとして，入院予約の必要性判断のために初診時に行うこともある．この場合，骨・軟部腫瘍に明るい細胞検査士がいることが前提であり，どこの施設でも可能というわけではない．針生検で用いた針の内腔に残存する細胞を生理食塩水で洗い流したものや，摘出検体の割面を擦過し採取する細胞像は，診断だけでなく病理医や細胞検査士のトレーニングや将来的な細胞診診断にも役立つ．

(2) 組織診

①生検診断

生検には主に針生検と切開生検があり，目的に応じた生検方法を選択する必要がある．針生検は外来で行えるなど侵襲性が低いものの，組織採取量が限られる．一方，組織学的確定診断が求められるときには切開生検を行い，十分量の組織を得ることが必要である．針生検で納得できる組織診断が得られないときには，すみやかに切開生検を行う判断が求められる．Ewing肉腫や悪性リンパ腫などの円形細胞腫瘍は，わずかな圧迫でも核が圧挫により核線を引いてしまう．細心の注意を払い生検することが肝要である．せっかく採取しても組織が壊死あるいは反応層の場合は診断が不可能となるため，画像所見を参照し腫瘍を代表する部位から採取する．分子病理学的手法による診断や研究のために，凍結保存用検体を採取することも重要である．なお生検で確定診断に至らなくても，良悪性や腫瘍の種類や悪性度がある程度わかれば治療に進むことは可能なので，いたずらに時間を費やして確定診断を求めるより，治療を先行することも大切である．

②摘出検体診断

組織型の確認，腫瘍の進展範囲，切除縁評価，化学療法の効果判定を行う．摘出検体をそのままホルマリンに浸漬すると，肝心の腫瘍内部の固定が不良となる．そのため，固定前あるいは固定後数時間で検体に割を入れる必要がある．切除縁評価で問題となりそうな部位や，画像所見から組織像を知りたい部位などを考慮し，割入れを臨床医か病理医が行うかを含め，あらかじめ病理医と相談することが望ましい．

(3) 迅速組織診

術中迅速組織診は，一般的に手術中の組織診断，切除縁，リンパ節転移や播種病変の確認のために行われる．しかし，骨・軟部腫瘍に関しては迅速組織診の絶対的適応はほとんどない．骨・軟部腫瘍での迅速切片による確定診断は，細胞形態の保存性が著しく劣るため，良悪性の判断を含め期待するのは難しい．そのため，術前に生検を行い適切な診断を得たうえで，あらかじめ切除縁を設定し摘出手術に望むことが求められる．唯一適応があるとすれば，広範な壊死などが予想される腫瘍から新鮮標本を摘出する際，適切な組織が採取されているか否かを確認することであり，診断後凍結組織をそのまま遺伝子診断や研究用に保存することができるという利点がある．迅速組織診は診断精度にリスクを伴う検査法であることを認識し，あえて迅速組織診を希望する場合には，その目的などを担当病理医と前もって検討する．

4 ▶ 採取組織の取扱い

(1) 細胞診

パパニコロウ（Papanicolaou）染色にはアルコール固定を，ギムザ（Giemsa）染色には乾燥固定を行う．固定の成否が細胞診断結果を左右する．よい固定標本が得られなければ，良悪性の診断もままならない．前もって病理部に予約し，細胞採取時に細胞検査士に出張してもらい，検体採取直後に適切な固定処理をしてもらうとよい．

(2) 組織診

採取した組織の固定は大変重要である．不十分な固定では組織像を評価できず，免疫染色に反応する抗原性が失活する可能性もある．組織採取直後から組織変性が始まるので，検体摘出後可及的すみやかに十分量の10%中性緩衝ホルマリンに入れて固定する．通常固定時には，検体の10倍量のホルマリンが必要とされる．また，厚みのある検体では中心部は固定されない．ホルマリンの浸透は厚さ5mm程度なので，大きさが1cmを超える検体では中心部の固定不良が生じる可能性がある．特に手術的切除検体では注意を要する．摘出検体をホルマリンに入れたからといって，

表 5-1 悪性軟部腫瘍の FNCLCC grading system（WHO 分類 2013 年版準拠）

パラメーター		評価基準	
Ⅰ．腫瘍分化度	Score 1	組織亜型により決定	異型脂肪腫様腫瘍など
	Score 2		粘液型脂肪肉腫，通常型平滑筋肉腫など
	Score 3		滑膜肉腫，横紋筋肉腫，未分化肉腫など
Ⅱ．核分裂像	Score 1	0〜9 個/10 高倍率視野	
	Score 2	10〜19 個/10 高倍率視野	
	Score 3	20 個以上/10 高倍率視野	
Ⅲ．腫瘍内壊死	Score 0	いずれの切片にも壊死がみられない	
	Score 1	壊死範囲が 50％より少ない	
	Score 2	壊死範囲が 50％以上	
組織学的悪性度	Grade 1	Ⅰ＋Ⅱ＋Ⅲの合計：2〜3 点	
	Grade 2	Ⅰ＋Ⅱ＋Ⅲの合計：4〜5 点	
	Grade 3	Ⅰ＋Ⅱ＋Ⅲの合計：6〜8 点	

2〜3 日後に病理部へ検体が提出されると，中心部は固定不良により組織学的検討ができないという事態も起こりうる．近年では，パラフィン切片での遺伝子検査が可能であるが，過固定による遺伝子断片化のためその信頼度が低下する．組織採取後 72 時間以内での切り出し・包埋が推奨されている．

(3) 迅速組織診

採取した組織を，乾燥しないようシャーレなどの密閉できる容器に，そのままあるいは生理食塩水を少量含ませた濾紙に載せ，乾燥しないようにすみやかに病理部に提出する．

5▶切り出し・骨切り

摘出腫瘍は，最大割面およびそれと直交する面で切り出しを行う．少なくとも最大割面を切片化し，直交する面や割面性状の異なる領域などの切片作製を適宜追加する．

骨腫瘍摘出検体や石灰化・骨化を示す軟部腫瘍では，硬組織対応が求められる．さまざまな硬組織を切る道具があるが，それぞれ一長一短がある．のこぎりやストライカーといったギザギザの歯の付いた刃で骨を切ると，切りくずが骨梁間に入り込み美しい割面が得られないだけでなく，周囲の軟部組織を同時に切ることはできない．また歯の付いた円盤やバンドソーは，施術者の安全確保が難しい．ダイヤモンドバンドソーは，周囲の軟部組織とともに硬組織の美しい割面も得ることができ，施術者の安全も担保し，標本作製用に 5 mm 程度の厚さに切り出すことも容易にできる．

6▶脱灰

骨腫瘍検体や石灰化・骨化を伴う軟部腫瘍では，脱灰操作を要することが多い．酸を用いた脱灰により，免疫染色の抗体によっては著しく反応が低下し，遺伝子検査は困難になる．そのため，非脱灰用組織を別途採取したり，Ca-EDTA を用いた脱灰ブロックを作製するといった工夫が必要となる．脱灰時間を少なくするためにも，検体を 5 mm 程度に切り出しておく．また，結節性偽痛風（tophaceous pseudogout）など結晶沈着を伴う腫瘍においては，結晶成分を同定することが診断に直結する．このような症例が予想されるときには，非脱灰切片を作製する必要がある．

7▶染色

ヘマトキシリン-エオジン（H-E）染色が基本であり，必要に応じて PAS 染色，鍍銀染色，さまざまな膠原線維染色，アミロイド染色などを行う．免疫染色は必須であり，鑑別診断に応じてさまざまな抗体から適切なものを選択し行う．

8▶組織学的悪性度分類

(1) 骨腫瘍

骨腫瘍は，伝統的に grade 1〜4 の 4 段階に分類し，grade 1, 2 を低悪性，grade 3, 4 を高悪性度とし，化学療法の適応の判断材料としてきた．しかし，2013 年の WHO 分類により grade 1〜3 の 3 段階分類が推奨されるようになったが，4 段階分類との整合性や分類上の問題も多く，現状は混沌としている．

(2) 軟部腫瘍

一般的には，FNCLCC（La Fédération Nationale des Centres de Lutte Contre le Cancer）grading system を用いる．この分類では，①腫瘍分化度，②核分裂像，③腫瘍内壊死の有無と程度をスコアリングし，それらの和により腫瘍を Grade 1〜3 に分類する（表 5-1）．

表5-2 組織学的効果判定基準

Grade	「生きている腫瘍細胞（viable tumor cell）」の残存割合
Grade 1	Viable tumor cell が50％を超えるもの
Grade 2	Viable tumor cell が10％を超え50％以下
Grade 3	Viable tumor cell が10％以下
Grade 4	Viable tumor cell を全く認めない

（日本整形外科学会，日本病理学会（編）：整形外科・病理　悪性骨腫瘍取扱い規約．第4版，p60，金原出版，2015を参考に作成）

9 ▶ 術前療法の組織学的効果判定

術前に化学療法を行った場合は，摘出検体による治療効果判定を行う．腫瘍の最大割面の評価を原則とし，画像所見が異なる部位があるときには必要に応じて切り出し面を追加する．評価は残存腫瘍細胞の割合で判断する（表5-2）．生きている腫瘍細胞（viable tumor cell）の残存割合は，生検所見と比較した細胞密度や変性所見の程度とそれぞれの占有面積から求める．

2 病理診断のポイント

骨・軟部腫瘍の多くは，好発年齢・好発部位・特徴的な画像所見を示すことが多い．一方，組織学的には非特異的所見であることが多く，組織所見のみでの確定診断が困難なことも少なくない．適切な診断を得るために，組織所見から想定される腫瘍がそのような臨床的特徴に合致しない場合には，遺伝子診断を加えた集学的なアプローチが必要である．そのためには，組織診断に十分量の組織を採取し，病理医・臨床医・放射線診断医間の情報交換を密にすることが重要である．確定診断が得られない場合には，積極的にコンサルテーションを行うことも必要である．

骨・軟部腫瘍の遺伝子診断

Genetic diagnosis of bone and soft tissue tumors

野島 孝之　金沢大学附属病院 客員教授

【意義】　骨・軟部腫瘍の組織診断の基本は，腫瘍細胞の分化形質，分化の方向を明らかにすることであり，免疫染色が汎用されている．近年，骨・軟部腫瘍の腫瘍型に特徴的な染色体や遺伝子異常が見出され，組織診断の補助として活用されている．がん遺伝子パネル検査の保険診療化に伴い，種々の腫瘍型で新たな遺伝子異常が今後急速に明らかにされるであろう．

【適応】

骨・軟部腫瘍に特徴的な染色体転座とその結果としての転座型融合変異遺伝子は，30種以上の腫瘍型に見出されている．Ewing肉腫の11番染色体と22番染色体の相互転座は，11番染色体の *FLI1* 遺伝子と22番染色体の *EWSR1* と名付けられたRNA結合蛋白質遺伝子との融合である．また，滑膜肉腫では18番染色体の *SYT* 遺伝子とX染色体の *SSX* 遺伝子が融合し，*SYT-SSX* 融合遺伝子が形成される．高分化型および脱分化型脂肪肉腫，傍骨性骨肉腫や骨内高分化型骨肉腫では12番染色体長腕の *MDM2* および *CDK4* 遺伝子の増幅が検出される．特定の遺伝子の点突然変異として，線維性異形成症の *GNAS* 遺伝子，内軟骨腫の *IDH1* や *IDH2* 遺伝子，骨巨細胞腫の *H3F3A* 遺伝子，軟骨芽細胞腫の *H3F3B* 遺伝子などが挙げられる．

【試料・実施手順】

用途により新鮮な生材料やホルマリン固定パラフィン包埋ブロック（FFPE）の組織標本を用いる．染色体の核型解析には生材料を細胞培養する必要がある．染色体上の遺伝子の増幅や欠失，転座の解析にはFFPE組織標本から fluorescence in situ hybridization（FISH）法が用いられる．FISH法による転座型融合変異遺伝子の検出は，標的とする遺伝子の両側に異なる色調のプローブを使用し，組織像を確認しながら検索するので説得力がある．遺伝子の解析には腫瘍組織から抽出したDNAやRNAを用いる．新鮮凍結生材料は良質の核酸を効率的に抽出できるが，FFPEを用いることにより組織像を確認し，壊死や正常組織をできるだけ避けることができ，腫瘍細胞含有率も正確に把握できる．

【実施上のポイント・注意事項】

適正な遺伝子解析を行うため，検体採取後すみやかに10％中性緩衝ホルマリンに浸漬し，6～48時間固定後FFPEを作製する．骨や石灰化した硬組織は脱灰操作が必要である．過度の脱灰を避け，すみやかに完了することが望まれるが，脱灰操作により染色性の低下，核酸の細断片化や分解が生じる．脱灰前に硬組織を含まない組織を切り出し，非脱灰パラフィンブロックを別途作製しておくことが望まれる．

腫瘍組織型に特異的とされる遺伝子異常が検出された場合，組織像に矛盾がなければ，診断を確定できる．典型的と思われる組織像にもかかわらず遺伝子異常がない場合，偽陰性の可能性がある．脱灰標本や固定不良および過固定標本では核酸の保持が悪く，検出できないことが多い．非典型的組織像にもかかわらず，遺伝子異常を検出した場合，第一に手技上の誤りがない

か確認する必要がある．PCR法では試薬調整中，あるいは大気中での汚染に常に注意を要する．核酸抽出からやり直すことが確実な検証となる．技術的に問題がなく，間違いなく遺伝子異常が同定された場合，謙虚に受け入れる．同一腫瘍の組織学的に新たな亜型の可能性や，新しい疾患概念の確立に結びつくかもしれない．組織型を異にする同一遺伝子異常が発がん機構に共通して関与している可能性もある．

生検術

Biopsy

松峯　昭彦　福井大学 教授

【概説】　骨・軟部腫瘍において臨床所見や画像所見で悪性腫瘍を疑う際には，生検を行うことにより病理組織学的診断および組織学的悪性度の評価を行う．正確な病理診断を得るためには正しい生検を行わなければならない．不適切な生検により，治療プランが何らかの影響を受けたり，患肢温存が不可能となる場合があるので，生検は正しい手法で，計画的に行われなければならない．

【適応】　骨・軟部腫瘍，骨髄炎，画像では診断できない骨病変，隆起性病変など．

1 生検術の種類

1 ▶ 針生検術
軟部肉腫に対する針生検は外来で容易に行うことができる．深部に発生した軟部腫瘍では，正確にサンプル採取するために，超音波エコーを併用することが望ましい．骨腫瘍であっても，溶骨性病変であればX線透視下あるいはCTガイド下に針生検が可能である．針生検のサンプルは小さいため，病理診断に難渋することがあるのが欠点である．

2 ▶ 骨生検針による生検術
硬い骨腫瘍の生検では，外筒に特殊な刃の付いた骨生検針が必要となる．小さく切開して，X線透視下，またはCTガイド下で生検する．

3 ▶ 切開生検術
通常は手術室で，小さく皮膚切開し組織を採取する．十分量の組織採取が可能であるが，広範切除での生検ルート合併切除時に，軟部組織切除量が大きくなる傾向にある．

4 ▶ 切除生検術
3 cmまでの小さな腫瘍に対しては切除生検を行ってもよい．ただし，病理組織診断が悪性腫瘍であった場合には，追加広範切除が必要となる．

2 実施上の注意点

1 ▶ 局所麻酔下での切開生検術はできるだけ避ける
周囲軟部組織への腫瘍の播種を最小限にするために，局所麻酔下での切開生検はできるだけ避ける．全身麻酔，伝達麻酔，腰椎麻酔などで生検を行うのが望ましい．

2 ▶ 生検ルートの決定は重要である
診断確定後には生検ルートを含めた腫瘍広範切除が必要となるので慎重に生検ルートを決定する．生検ルートは，坐骨神経や大腿動脈のような神経血管系から十分離れていなければならない．皮膚切開後は，切開部を筋鉤などで広げ過ぎてはならない．さらに，皮膚切開部から腫瘍までは直線ルートをとらなければならない．

3 ▶ 駆血帯使用時にエスマルヒ駆血帯を用いない
四肢発生の軟部腫瘍の場合，エスマルヒ駆血帯で腫瘍とその周囲を圧迫すると，静脈内腫瘍塞栓を誘発する可能性がある．患肢を数分間挙上することで虚血状態にしたのち，駆血帯を使用する．

4 ▶ 皮膚切開は長軸方向に入れるのが基本である
四肢骨・軟部腫瘍の生検時には，原則として長軸方向に皮膚切開する（縦皮切）．長軸と直交する皮膚切開（横皮切）で生検を行うと，腫瘍広範切除の際，長軸方向に走行する多くの筋肉を合併切除する必要が生じてしまうので，横皮切は避ける．さらに，筋間からアプローチすると，腫瘍広範切除の際に，筋間を形成する筋肉を両者とも切除しなければならないので，単一筋を縦切開して腫瘍にアプローチするのが望ましい．

5 ▶ 採取した組織片は愛護的に扱う
採取した組織は，鑷子などで強く把持してはならない．挫滅した組織では正確な診断が不可能となる．

6 ▶ 確実に腫瘍が採取できていることを術中迅速病理診断で確認する
軟部肉腫は広範囲に血腫や壊死を伴っている場合がある．そのような部位から生検を行ってしまうと，「血腫」や「壊死組織」などの診断となってしまい，肉腫であることが見逃されてしまう可能性がある．造影MRIで造影される部分から組織を採取することが必要である．また，腫瘍被膜下に生きた腫瘍細胞が残存している場合が多いので，腫瘍の被膜も採取する．術中迅速病理診断で確実に組織が採取できていることを確認することをお勧めする．

7 ▶ 生検術後は確実に止血し，腫瘍被膜，筋膜は可能な限り縫合する
生検後の止血は徹底的に行う．血腫が皮下組織に広

がらないようにするため腫瘍被膜，筋膜は可能な限り縫合する．生検後ドレーンチューブを留置する場合は，皮膚切開部位からチューブを出す．

8 ▶ 生検術後の組織の処理と病理診断依頼

検体は採取後すみやかに10%中性緩衝ホルマリンで固定する．近年，病理組織学的に診断困難な症例における遺伝子診断の有用性が認識されつつある．遺伝子診断を行うために，採取したサンプルの一部をすぐに液体窒素で凍結させ，その後−80℃で凍結保存するのが望ましい．

病理医に生検標本を提出する際には，詳細で正確な情報を伝える必要があるのは言うまでもないが，病理診断が臨床診断，画像診断と大きく異なる場合は，病理医にその旨を伝えたうえで最終診断を再検討する必要がある．軟部腫瘍の最終診断は，臨床経過，症状，理学所見，画像診断，病理組織診断を総合して行う．

3 おわりに

悪性腫瘍を疑う骨・軟部腫瘍の患者に遭遇した場合には，大学やがん治療専門病院などの整形外科腫瘍専門医と，生検の必要性の有無，生検ルートや注意点についてよく相談することが重要である．また，生検する施設には骨・軟部腫瘍に習熟した病理医が勤務していることが望ましい．

悪性骨・軟部腫瘍（肉腫）の化学療法

Chemotherapy for malignant bone and soft tissue tumors

川井 章　国立がん研究センター中央病院 科長〔東京都中央区〕

【概要】 有効な化学療法が導入される以前，骨肉腫やEwing肉腫など高悪性度骨腫瘍の治療成績はきわめて不良であり，診断後直ちに患肢の切断術が行われていたにもかかわらず，多くの患者は，やがて顕在化する肺転移などの遠隔転移によって生命を奪われていた．この事実は，これらの高悪性度骨腫瘍の多くは診断時すでに微小な遠隔転移を生じていることを示しており，生命予後改善のためには有効な全身化学療法の導入が必須であることを物語っていた．1980年代，骨肉腫の治療にドキソルビシン，メトトレキサート，シスプラチンを用いた化学療法（MAP療法）が導入され，その生命予後は劇的に改善した．また，術前化学療法によって患肢温存術が可能となるなど，化学療法の導入は，高悪性度骨腫瘍治療のまさしくパラダイムシフトを引き起こした．

一方，悪性軟部腫瘍の多くを占める非小円形細胞肉腫においては，長年，ドキソルビシンとイホスファミドの2剤のみが有効な薬剤として用いられてきたが，21世紀に入り，悪性軟部腫瘍を適応症とする新薬（パゾパニブ，トラベクテジン，エリブリン）が続々と開発され，臨床の現場に登場してきた．

現在，悪性骨・軟部腫瘍のなかで化学療法の絶対的適応と考えられるのは，骨肉腫，Ewing肉腫，横紋筋肉腫であり，相対的適応とされるのは，滑膜肉腫，未分化多形肉腫などの高悪性度軟部腫瘍である．術前・術後補助療法として，また進行例に対する緩和的治療として，多くの悪性骨・軟部腫瘍の患者が化学療法の恩恵にあずかっている．

1 悪性骨・軟部腫瘍に使用される抗がん剤（表5-3）

1 ▶ ドキソルビシン（doxorubicin；DOX）

ドキソルビシンは，悪性骨・軟部腫瘍の治療で頻用される抗がん剤である．骨肉腫に対してはシスプラチンと組み合わせて，Ewing肉腫ではビンクリスチン，シクロホスファミドと組み合わせて用いられることが多い．悪性軟部腫瘍に対する術前化学療法ではイホスファミドと組み合わせて用いられる．悪性軟部腫瘍の進行・再発例に対しては，単剤で第一選択薬として用いられる．単剤では60〜75 mg/m^{2}を静脈内投与する．ドキソルビシンの単剤投与は，大量の輸液を要さないため外来での施行が可能である．有害事象としては，悪心・嘔吐のほか，投与量依存性に心筋障害のリスクが上昇するため，総投与量が400〜450 mg/m^{2}を超えないように注意する．

2 ▶ メトトレキサート（methotrexate；MTX）

骨肉腫に対するメトトレキサート・ロイコボリン救援療法（MTX・LV救援療法）として用いられる．MTX・LV救援療法では，大量（10〜12 g/m^2）のメトトレキサートを点滴静注した後，24時間後よりロイコボリンによる救援療法を行う．MTX・LV救援療法は，1972年に初めて報告されて以来，現在に至るまで骨肉腫に対する最も有効な化学療法の1つであり続けている．

MTX・LV救援療法の副作用の出現は，メトトレキサート血中濃度と関連するため，血中濃度のモニタリングを定期的に行う．投与開始後48時間の血中濃度1 μmol/L以下，72時間0.1 μmol/L以下が目安であり，これを上回る場合には，ロイコボリンによる救援療法の強化・延長を行う．尿が酸性に傾くとメトトレキサート結晶の析出によって急性尿細管壊死を生じる

表 5-3 悪性骨・軟部腫瘍に用いられる抗がん剤

薬剤	投与法	1日の投与量	投与日	投与間隔
ドキソルビシン	静脈注射	60～75 mg/m²	1日目	3週間ごと，最大6サイクル
メトトレキサート	静脈注射（MTX/LV 救援療法）	10～12 g/m²	1日目	1週間ごと
シスプラチン	静脈注射	100～120 mg/m²	1日目	3週間ごと
イホスファミド	静脈注射	2～3 g/m²	1～5日目	3週間ごと
パゾパニブ	経口	800 mg	1日1回	連日
トラベクテジン	静脈注射（24時間持続投与）	1.2 mg/m²	1日目	3週間ごと
エリブリン	静脈注射	1.4 mg/m²	1日，8日目	3週間ごと

危険があるため，十分な輸液と炭酸水素ナトリウムの投与によって尿量維持と尿のアルカリ化を行うことが重要である．利尿薬の使用にあたっては，尿を酸性化するフロセミドは避け，アセタゾラミド(ダイアモックス®)を用いる．また，非ステロイド性抗炎症薬もメトトレキサートの排泄遅延をもたらすため併用を避けるようにする．有害事象としては，肝機能障害，骨髄抑制，粘膜障害，間質性肺炎などに注意が必要である．

3 ▶ シスプラチン(cisplatin；CDDP)

100～120 mg/m² を2時間以上かけて点滴静注する．腎毒性を防止するため，十分な輸液と利尿薬投与による尿量維持が必要である．強い悪心・嘔吐などの消化器症状に対して適切な制吐薬(セロトニン受容体拮抗薬，ニューロキニン1受容体拮抗薬，デキサメタゾンなど)を投与する．有害事象としては，聴力障害，末梢神経障害，電解質異常などが問題となる．

4 ▶ イホスファミド(ifosfamide；IFO)

単剤では 3 g/m² を5日間(15 g/m²)，ドキソルビシンとの併用では 2 g/m² を5日間(10 g/m²)連続投与する方法が広く用いられる．骨肉腫に対してはMAPに次ぐ標準治療薬の1つと位置づけられている．また，ドキソルビシンとの併用で悪性軟部腫瘍に対して高い奏効率を示す．有害事象としては出血性膀胱炎が特徴的であり，その予防のためメスナの投与と十分な尿量維持が必要である．骨髄抑制のほか脳症の発生に注意を要する．男性不妊の原因となりやすいため，治療前の精子保存なども検討する．

5 ▶ パゾパニブ(pazopanib)

2012年，悪性軟部腫瘍を適応症として承認された初めての分子標的治療薬である．VEGFR-1,2,3，PDGFR，c-kit をターゲットとする経口のチロシンキナーゼ阻害薬であり，1日1回 800 mg から開始し，有害事象がみられた場合には 200 mg ずつ減量する．ファーストラインの標準治療薬であるドキソルビシンによる治療を行ったあとのセカンドライン以降での使用が推奨される．有害事象として，高血圧，下痢，倦怠感，肝機能障害，手足症候群，髪の毛の変色などが認められる．

6 ▶ トラベクテジン(trabectedin)

2015年に悪性軟部腫瘍を適応症として承認された薬剤である．1.2 mg/m² を24時間で中心静脈より投与する．平滑筋肉腫や脂肪肉腫，染色体転座を有する悪性軟部腫瘍で有効性が示され，特に粘液型脂肪肉腫では 40～50％ 近い奏効率が報告されている．悪性軟部腫瘍に対するセカンドライン以降の治療薬として用いられる．有害事象として，悪心・嘔吐，骨髄抑制，肝機能障害，頻度は低いが重篤なものとして横紋筋融解症が知られている．組織障害性があるため投与の際に血管外へ漏出しないよう注意が必要である．

7 ▶ エリブリン(eribulin)

2016年に悪性軟部腫瘍に対する使用が承認された薬剤である．1.4 mg/m² を週1回静脈内投与する．これを2週連続で行い，3週目は休薬する．悪性軟部腫瘍に対するセカンドライン以降の治療薬として用いられる．脂肪肉腫と平滑筋肉腫で有効性が示され，特に脂肪肉腫で高い有効性が報告されている．主な有害事象は骨髄抑制であり，その程度に応じて休薬や減量を検討する．

2 疾患別の化学療法

1 ▶ 骨肉腫の化学療法

生検で骨肉腫の診断が確定したら，直ちにドキソルビシン，メトトレキサート，シスプラチン(MAP療法)による術前化学療法を開始する．術前化学療法の目的は，診断時すでに存在している可能性の高い微小転移巣の早期治療と原発腫瘍手術時の安全性の確保にある．通常2～3か月の術前化学療法のあとに原発巣の手術が行われる．切除標本の組織学的効果判定に基づ

5 骨・軟部腫瘍および腫瘍類似疾患

トピックス　骨・軟部腫瘍に対する分子標的治療薬

細胞分裂など，正常細胞にもみられる普遍的な細胞の活動を阻害する細胞障害性抗がん剤に対し，各疾患の病態特異的に生じている分子を標的とし，それらを阻害することにより病状の改善を目指す薬剤のことを分子標的治療薬という．他領域で目覚ましい発展をみせている分子標的治療薬であるが，骨・軟部腫瘍領域では2剤が国内で保険収載されている．1剤は「悪性軟部腫瘍」に対するパゾパニブ（ヴォトリエント®）であり，もう1剤は「多発性骨髄腫による骨病変および固形癌骨転移による骨病変」と「骨巨細胞腫」に対するデノスマブ（ランマーク®）である．

パゾパニブは，血管内皮増殖因子と血小板由来増殖因子に対するチロシンキナーゼ阻害薬である．第Ⅲ相試験であるPALETTE試験において脂肪肉腫を除く悪性軟部腫瘍に対して，プラセボの無増悪生存期間中央値が1.6か月であったのに対し，パゾパニブでは4.6か月であり，3か月の延長が示されたため保険収載された．国内ではすべての悪性軟部腫瘍に使用可能である．デノスマブはヒト型抗RANKLモノクローナル抗体製剤である．多発性骨髄腫と固形癌骨転移による骨病変，および骨巨細胞腫において，骨破壊の主要な役割を担う破骨細胞をRANKリガンド（RANKL）が分化誘導するが，デノスマブはその中和抗体である．乳癌患者において，骨関連事象（病的骨折，骨転移に対する放射線療法や手術，および脊髄圧迫と定義）の発生までの期間をゾレドロン酸に比べて18％遅らせるなど，複数のがん種を対象とした大規模な臨床試験を通じて骨転移に対する標準的な治療薬になった．また，再発もしくは切除不能の骨巨細胞腫に対して，デノスマブの投与により高い奏効率が得られ，骨巨細胞腫に対する唯一の薬剤となっている．有害事象として低カルシウム血症が発生する可能性があるので，カルシウムおよびビタミンDを必ず併用する．また，顎骨壊死も報告されており，投与前には必要に応じて，患者に対し，適切な歯科検査を受け，侵襲的な歯科処置をできる限り済ませておくよう指導しなくてはならない．なお，デノスマブ製剤には「骨粗鬆症」と「関節リウマチに伴う骨びらんの進行抑制」に対するプラリア®という製剤もあるが，用量と用法ともに違いがあるので注意を要する．

平賀 博明〔国立病院機構北海道がんセンター 統括診療部長（札幌市白石区）〕

いた薬剤の変更が予後の改善に結びつくか否かに関して，欧米で行われたEURAMOS-1試験では否定的な結果が示され，わが国のJCOG 0905試験の結果が待たれる．手術後，MAP療法を中心とした8～10か月の術後化学療法が行われ，全治療期間は約1年間である．これら強力な化学療法と適切な根治手術によって，初診時転移のない骨肉腫の5年生存率は70～80％に達している．

切除困難な再発・転移例に対しては，MAP療法，イホスファミド以外に，イホスファミド＋エトポシド併用療法やゲムシタビン＋ドセタキセル併用療法などが試みられる．

2 ▶ Ewing肉腫の化学療法

生検でEwing肉腫の診断が確定したら，直ちにビンクリスチン，ドキソルビシン，シクロホスファミド3剤とイホスファミド，エトポシド2剤による化学療法（VDC-IE療法）による治療を開始する．VDC-IE療法を3週間隔で行うレジメンと2週間隔で行うレジメンのランダム化比較試験では，2週間隔投与のほうが有意に予後良好であることが示されている．

Ewing肉腫は放射線感受性が高いので，広範切除が困難な体幹・骨盤発生例では，局所治療として手術の代わりに放射線治療が選択されることもある．

3 ▶ 悪性軟部腫瘍の化学療法

悪性軟部腫瘍のなかで化学療法の絶対的適応となるのは横紋筋肉腫である．横紋筋肉腫に対しては，国際的にIntergroup Rhabdomyosarcoma Study Groupにより開発されたプロトコールが広く用いられており，ビンクリスチン，アクチノマイシンD，シクロホスファミド3剤によるVAC療法が基本である．

高悪性度で腫瘍サイズが大きな非小円形細胞肉腫に対しては，遠隔転移の抑制，腫瘍縮小を目的として，ドキソルビシンとイホスファミドによる術前・術後補助化学療法が考慮される．ドキソルビシンを含む補助化学療法と手術単独の比較を行ったメタアナリシスでは，補助化学療法によって，局所再発，遠隔転移のリスクが低下し全生存期間も延長することが報告されている．

一方，切除不能な非小円形細胞軟部肉腫に対する化学療法は，近年の新薬の承認により，使用できる薬剤

の選択肢が増えてきているが，一次治療の標準治療薬がドキソルビシンであることに変わりはない．二次治療以降に関しては，明確な推奨レジメンは定まっていないが，個々の薬剤，レジメンの特性を理解し，組織型，病態に合わせて使い分けることが重要である．

3 患者および家族への説明

化学療法は，多くの場合，程度の差こそあれ何らかの体調不良，有害事象を伴うことが多く，その実施にあたっては，患者および家族に，その治療の目的，意義と予想される有害事象，対処法などについて十分に説明し，理解を得たうえで実施することが重要である．専門用語はできるだけ避け，わかりやすい言葉で時間をかけて正確な情報提供を行うことが重要である．

骨肉腫やEwing肉腫の発生年齢のピークは10歳代であり，悪性骨・軟部腫瘍の治療においては患者が中学生以下であることもしばしばである．そのような場合も，両親だけでなく，できる限り患者本人にも正確な情報を伝えることを心がける．患者の現在の病状，病期と必要な治療，さらに可能な範囲で見通しについても，わかりやすく支持的な態度で説明を行い，医師と患者，家族が同じ理解のうえに立って治療を選択し，実施することが重要である．

4 ガイドラインにおける化学療法の位置づけ

「軟部腫瘍診療ガイドライン2020」によると，手術可能な高悪性度軟部腫瘍に対する周術期の補助化学療法は条件つきで推奨されている（CQ 12）．一方，小児・思春期の滑膜肉腫に関しては，周術期化学療法を行わないことが条件つきで推奨されている（CQ 14）．また，切除不能進行・再発悪性軟部腫瘍に対して，薬物療法を行うことが提案されており，一次治療としてドキソルビシン単剤の使用が推奨されている（CQ 20）．

悪性骨・軟部腫瘍の放射線療法

Radiotherapy for bone and soft tissue sarcoma

西田 佳弘　名古屋大学医学部附属病院 病院教授（リハビリテーション科）

【概要】 悪性骨・軟部腫瘍に対する放射線療法の意義・適応などについては，原発性と転移性では大きく異なる．本項では原発性について述べる．

悪性骨腫瘍，軟部腫瘍ともに一般的に放射線治療抵抗性を示すことが多く，治療の主体は手術による腫瘍の完全切除である．一方，放射線療法の併用により，局所制御率の改善や手術範囲の縮小を目指すことも行われている．骨・軟部腫瘍の種類によっては，集学的治療の一部として手術，化学療法とともに放射線療法が実施されることもある．放射線療法は体外から照射される外照射と，放射性同位元素などを利用して体内で照射する方法に大きく分けられる．手術と組み合わせて実施される場合は，照射する時期により，術前・術中・術後照射に分けられる．また，外照射は一般病院レベルで使用されているリニアックを用いてX線・電子線を照射する，高エネルギー放射線療法が標準的であるが，それ以外にコンピュータ技術を駆使してがん組織には高い放射線量を与え，さらに隣接する正常組織には放射線量を低く抑えることを可能にした強度変調放射線療法（intensity modulated radiation therapy；IMRT），優れた線量の集中性や生物効果を有する，陽子や重粒子（炭素イオン）などの粒子を病巣に照射する粒子線治療が実用化され，保険適用となっている．これらのさまざまな放射線の種類・照射法・新しい技術が，どの悪性骨・軟部腫瘍にどの程度のエビデンスをもって効果が認められているのかを理解して，放射線療法を実施すべきである．

【適応・目的】

放射線療法の目的は大きく3つに分けられる．どの目的で実施するのかを明確にすべきである．

(1) 根治照射

放射線療法を中心にした治療で根治を目指すものである．放射線療法単独で行う場合と，放射線療法と抗がん剤治療を併用する化学放射線療法がある．放射線に高い感受性を示すものが適応となる．代表的な骨腫瘍は切除困難なEwing肉腫であるが，60 Gy以上の線量が照射されることが多い．軟部腫瘍ではやはり切除困難な横紋筋肉腫に実施されることがある．照射方法・時期・量などは日本横紋筋肉腫研究グループのプロトコールを参考にするとよい．最近は，放射線治療に抵抗性と考えられる悪性骨・軟部腫瘍に対しても，粒子線を用いて根治を目指した高線量照射が試みられている．身体の深いところにある腫瘍に集中的により多くの放射線を照射できるので，浅いところの正常な組織の損傷を低く抑えられることで高線量照射を可能にする．

(2) 手術治療に対する補助としての放射線照射

手術と組み合わせて実施される放射線療法で，手術と放射線療法の実施時期により，術前，術中，術後照射に分けられる．術前照射の目的は腫瘍縮小効果と，手術中に散らばるおそれのあるがん細胞をできるだけ死滅させておくことである．術後照射は手術による切除縁評価において腫瘍が切除縁で陽性の場合，あるい

は近接している場合に実施すべきとされ，60 Gy/6 週間の照射が必要とされる．しかし，広範切除がなされており局所再発のリスクが低いことが予想される症例は，手術単独でも 10% 以下の局所再発率であるとの報告もあり，わが国では術前・術後照射を含めて放射線療法が必要とは考えられていないのが現状であることに留意すべきである．

　術前照射は，術後照射に比べて照射範囲を狭くすることが可能であることが利点であるが，照射により切除標本の評価時に正確な組織学的評価が困難となり，また，術後の創部感染や創部治癒の遅延の発症率が術後照射よりも高いと考えられる．術後照射は照射量が術前照射より多くなることのほかに，照射範囲が広くなるため遅発性の障害である浮腫，線維化，関節拘縮の発生率が高いとされる．術中照射は，術前または術後照射に加えて手術中，手術創に 8〜30 Gy の 1 回照射を加える方法であり，局所制御率を高める目的で実施される．また，術中に手術床にカテーテルを留置し，イリジウム線源などを用いた高線量率小線源治療が行われることもある．

(3) 姑息的照射

　切除不能原発肉腫で治癒が見込めない場合，再発・転移症例で切除による治癒が見込めない場合など，腫瘍による症状の緩和を目的に行われる放射線療法である．1 回線量を多くして短期間に治療を終えることにより，患者の負担を軽減する方法がとられることも多い．

実施手順

　放射線治療感受性か抵抗性か，広範切除が可能であるか，腫瘍と重要な神経血管が近接しているかどうか，放射線療法がはじめから治療プロトコールに含まれている腫瘍（横紋筋肉腫）であるかどうかを考慮して，まずは放射線療法の適応があるかを判断する．次に放射線療法を実施する場合は，放射線による根治を目指すのか，その場合に通常の X 線による放射線療法で臨むのか，あるいは粒子線治療を選択するべきなのか，補助として用いる場合は術前・術後照射のどちらを選択するのか，術前・術後放射線療法におけるそれぞれの長所・短所をよく理解してどちらを選択するかを慎重に判断する．姑息的に実施する場合は照射量，回数，化学療法との併用の可否などに留意して実施する．骨・軟部腫瘍専門医と放射線治療医の連携が必須であることは言うまでもない．

実施上のポイント・注意事項

　小児については，Ewing 肉腫の手術困難症例や放射線療法が治療プロトコールに含まれている横紋筋肉腫では放射線療法が必須となる．これらは円形細胞肉腫と称されるが，非円形細胞肉腫においても，補助放射線療法を実施する場合，晩期障害である骨成長障害，二次がんの発症，関節拘縮などに十分配慮して適応，および照射量・範囲を決定するべきである．また治療後の経過観察を慎重に行うべきである．粘液型脂肪肉腫のように非円形細胞肉腫のなかでも放射線療法による良好な成績が報告されているものがある．手術による治癒が見込めない場合でも，放射線療法あるいは放射線化学療法による根治を目指したい．その場合，特に放射線治療抵抗性腫瘍の場合は粒子線治療を考慮する．原発性骨・軟部肉腫については重粒子線・陽子線治療ともに保険適用となっている．実施できる施設が限られており，重粒子線は 5 か所，陽子線は 17 か所，重粒子と陽子線の両方の治療が可能な施設が 1 か所ある（2021 年 3 月時点）．これらの施設と連携し，粒子線治療の適応を相談することが必要である．

粒子線治療

　重粒子線治療，陽子線治療は比較的新しい放射線療法であり，日本から世界に発信すべき技術であるとともに臨床成績を蓄積してエビデンスを構築すべき治療法である．悪性骨・軟部腫瘍においても近年粒子線治療の臨床成績が報告されている．脊索腫においては重粒子線治療の 5 年局所制御率が 77% であり，歩行は 97% の患者で可能であったと報告されており，手術不能例や手術により重篤な機能障害が予測される症例にはよい適応と考える．切除不能骨肉腫，軟骨肉腫に対する 5 年局所制御率はそれぞれ 62.9%，53% であり，脊索腫よりも制御率は劣るが手術不能例には考慮してもよい．骨原発肉腫に対する陽子線治療の臨床成績の報告はまだ少ないが，頭蓋底・脊椎発生の骨原発肉腫に対する 5 年局所制御率が 70% を超えていたとの報告があり，今後多くの症例に関する報告が蓄積されれば，切除不能骨原発肉腫に対して陽子線治療も重要な治療の選択肢になるであろう．切除不能軟部肉腫に対して，特に非円形細胞肉腫では通常の放射線療法では根治が見込めないことが多い．重粒子線治療では切除不能軟部肉腫（未分化多形肉腫，悪性末梢神経鞘腫瘍，脂肪肉腫，滑膜肉腫，平滑筋肉腫などを含む）に対する 5 年局所制御率が 65% であったと報告され，切断で対応できない体幹発生の切除不能軟部肉腫に対して，重粒子線治療は重要な治療選択肢である．

トピックス　悪性骨・軟部腫瘍に対する免疫療法

悪性骨・軟部腫瘍の予後は，化学療法の導入により飛躍的に改善した．しかし進行期に対しては新規薬剤が開発されているものの，現在主に用いられている薬剤は40～50年前から使用されてきたものである．近年さらなる予後改善効果を目指して，免疫療法が盛んに臨床導入されている．これまで，悪性骨・軟部腫瘍に対してがんワクチン療法などが行われてきたが，期待できるような抗腫瘍効果は得られなかった．優れたがん抗原の同定や，がん抗原に対して長期に免疫記憶を保持できるT細胞の増幅など，精力的に研究が行われているが実用化にはまだ遠い．一方，2010年代初頭から報告された免疫チェックポイント阻害薬やT細胞の養子免疫療法は劇的な効果をもたらし，これまでのがん治療の歴史を大きく塗り替えた．悪性骨・軟部腫瘍にも多くの試験が行われている．

免疫チェックポイント阻害薬

抗原提示・認識における重要な抑制反応にかかわる分子群は，免疫チェックポイントとして注目され，その代表がPD-1/PD-L1経路，CTLA-4経路などである．免疫チェックポイント阻害治療は，これらの抑制性経路を制御することで本来のT細胞機能を取り戻し，腫瘍を制御しようとする治療である．悪性骨・軟部腫瘍に対しても抗PD-1抗体や抗CTLA-4阻害薬を用いた試験が行われた．残念ながら骨腫瘍には効果はなく，一部の軟部腫瘍（未分化多形肉腫など）に奏効を認めるのみである．今後LAG-3など，PD-1とCTLA-4に続く免疫チェックポイント分子に対する治療法の開発が待たれる．

T細胞の養子免疫療法

がん抗原特異的T細胞受容体（TCR）を導入した遺伝子改変T細胞（TCR-T）や，単鎖抗体断片に副刺激分子を直列につないだchimeric antigen receptor（CAR）遺伝子を導入したT細胞（CAR-T）が開発されている．悪性骨・軟部腫瘍に対しては，HLA-A2拘束NY-ESO-1特異的TCR-T細胞輸注療法が行われ，特に滑膜肉腫に対しては61％で奏効（完全奏効，部分奏効合わせて）した．さらにわが国で，がんワクチンとの併用TCR-T輸注療法（TriCombo試験）も行われた．しかし悪性骨・軟部腫瘍をはじめとする固形腫瘍では，T細胞の腫瘍への到達が困難で，さまざまな原因により抗腫瘍効果が限定的な場合も多く，また予期せぬ重篤な有害事象もあり今後の課題である．

江森　誠人〔札幌医科大学 講師〕

悪性骨・軟部腫瘍の切除縁

Surgical margin in the treatment of malignant bone and soft tissue tumor

森井　健司　杏林大学 教授

【概説】　悪性腫瘍は良性腫瘍より局所浸潤能が高い．良性腫瘍の治療は腫瘍組織のみを切除することで完遂するが，悪性腫瘍の根治を得るには腫瘍周囲の正常な組織を腫瘍とともに一塊に切除する必要がある．切除縁とは，腫瘍の悪性度に基づいて決定され，腫瘍外縁からの距離によって表現される切除予定線のことであり，悪性腫瘍の手術計画における最も重要な概念である．顕微鏡的評価と肉眼的評価があるが，評価結果は悪性腫瘍の局所制御率や全生存率に影響する重要な予後因子である．

【切除法の種類】

腫瘍外縁から切除縁までの距離により，以下のように分類される（図5-2）．

(1) 広範切除

悪性腫瘍の標準的切除法である．腫瘍外縁から2～5cm程度距離をおいた部位までの正常組織，あるいは筋膜，関節包，腱鞘，血管外膜，神経上膜など腫瘍の浸潤を阻害すると考えられている組織を，腫瘍と一塊に切除しうる切除予定線を設定する．

(2) 辺縁切除

広範切除よりもより腫瘍近傍に切除予定線を設定する．腫瘍には直接切り込まないが周囲の出血巣，浮腫状組織など反応層を切除線が通過することを容認する．広範切除と比較して侵襲が少なく機能温存に有利である．根治性に劣るため悪性腫瘍には原則適応せず，良性腫瘍および高分化脂肪肉腫など良悪性の中間的な生物学的態度を示す中間群腫瘍に適応される．神経血管束など解剖学的に重要な構造物が隣接し広範切除が困難である悪性腫瘍に対して，放射線照射など補助療法を併用した辺縁切除を行うことがある．

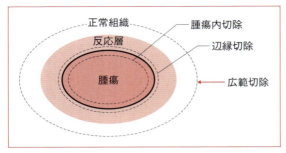

図 5-2　切除縁の概念図

(3) 拡大搔爬

Atypical cartilaginous tumors や骨巨細胞腫など良悪性中間群に適応される．通常の搔爬術を行ったあとで熱処理，液体窒素，エタノールなど細胞殺傷効果をもつ手段を用いて残存腫瘍細胞を殺傷する．

(4) 腫瘍内切除・搔爬

切除線が腫瘍を通過する．悪性腫瘍には適応されない．

広範切除の実施手順

病理組織学的に診断を確定し，腫瘍の悪性度・局所浸潤性を評価する．単純 X 線像，MRI，CT を詳細に検討することで腫瘍と周囲の組織の関係を把握し，切除予定線を決定する．生検創は周囲の皮膚を含めて腫瘍と一塊に切除する．皮下の粘液線維肉腫や未分化多形肉腫では，STIR や脂肪抑制像の造影 MRI において腫瘍辺縁より筋膜上に沿って尾を引く所見(tail sign)を示すことがある．術前計画においては tail sign の先端より外側に切除予定線を置く．皮膚欠損が生じる場合は形成外科的再建を計画する．広範切除を計画した場合，重要な神経や血管が切除予定線の内側に入ることがあり，血管合併切除と血行再建，放射線照射などを併用した辺縁切除などにより患肢を温存する工夫を行う．患肢を温存したとしても患肢機能が不良である場合は，根治性を得るため切断術の選択が必要となることもある．

実施上のポイント

手術中に腫瘍の局在の把握が困難となり，切除縁の設定に迷うことがある．切除縁設定に有効な解剖学的メルクマール(例えば膝関節関節面や大腿骨大転子頂部)と予定切除縁の距離をあらかじめ計測する，超音波検査やナビゲーションシステムを活用するなどの工夫が有用である．

注意事項

切除後検体を病理組織学的に評価する．術中腫瘍に切り込んだ可能性がある部位，特に切除縁設定が困難であった部位などの情報を病理診断医と共有し，切り出し作業を行う．病理組織学的検索を行った結果，切除縁への腫瘍の露出が確認された場合や，切除縁が腫瘍にきわめて隣接していると評価された場合は，追加切除や放射線照射などの対応を検討する．

骨腫瘍切除後再建(人工関節)

Prosthetic reconstruction after wide resection of malignant bone tumors

吉田 行弘　日本大学医学部附属板橋病院 部長代行(リハビリテーション科)

【概要】　四肢悪性骨腫瘍切除後の患肢再建としては，現在一般的には治療成績の安定している腫瘍用人工関節が用いられる．現在日本で利用できる腫瘍用人工関節は Stryker 社の Global Modular Reconstruction System(GMRS)や Zimmer Biomet 社の Orthopedic Salvage System(OSS)，京セラ社の Kyocera Modular Limb Salvage System(KMLS)などが代表的である．また小児の将来的な脚長差に対応する Stryker 社の Growing Kotz System がある．置換部位としては，大腿骨遠位，脛骨近位など膝関節が多く，次に大腿骨近位あるいは上腕骨近位などがある．Growing Kotz System は小児の成長に合わせてステム径，ステム長，コンポーネントのタイプ，延長量などを決めて作製するオーダーメイドタイプの腫瘍用人工関節である．他の人工関節は，各コンポーネントを組み合わせることで切除長，固定法などが調整可能なモジュラータイプであり，広く普及しているタイプである．膝関節部分は最近のモジュラータイプの腫瘍用人工関節はヒンジタイプからストレスの分散をはかるローテーティングヒンジ型に変わりつつあり，今ではこのタイプが一般的である．腫瘍用人工関節は，術後早期から安定した患肢機能を獲得できるが，経過とともに感染，破損，折損，弛みなど種々の合併症の頻度が増加することも事実である．腫瘍用人工関節の中長期成績は，当科では 5 年生存率 85％，10 年生存率 58％であった．

【適応】　術前化学療法により，安全な切除縁を確保して広範切除が可能な症例が適応となる．腫瘍用人工関節は切除部位により広範囲に生じる骨欠損に対応可能であり，年齢的には骨成長がほぼ終了した若年者が適応となる．小児期の患肢再建では，延長型人工関節も 1 つの患肢再建方法として考えられるが，その適応についてはまだ議論がある．当科では大腿骨遠位の症例で，

年齢的には10歳以上をその適応と考えている．

治療方針

1 ▶ 実際手順
術前計画通り安全な切除縁を確保した広範切除を行ったあとに，腫瘍用人工関節置換にとりかかる．創部を十分に止血，洗浄して術野をドレーピングし，術者も手術着を交換するのが望ましい．

2 ▶ 人工関節設置
使用する腫瘍用人工関節の手順書に従い行う．術前にあらかじめステム径，コンポーネントの長さなどを決めておく．大腿骨遠位の場合には，髄腔のリーミングを行い，関節面の骨切りを行い，大腿骨側のステム径はできる限り太いものを用いる．最低でも12 mm，できれば13 mm以上が望ましい．また，切除の長さによりストレスシールディングを防止するためにカーブドステムなども検討する余地がある．腫瘍用人工関節のステムの固定におけるセメント使用についての結論は出ていないが，日本では1990年代にセメントレス固定のHowmedica Modular Resection System（HMRS，Stryker社）が普及していたこともあり，将来的な再置換を考慮してセメントレスを選択する傾向がある．しかしながら，症例に応じてその適応を慎重に検討する必要がある．

腫瘍用人工関節で問題となるのが人工関節とステムの接合部分での骨皮質の吸収や弛みなどである．特に小児期に用いるGrowing Kotz Systemは，経験上大腿骨ステム周囲のストレスシールディングが認められ，歩行時に痛みなどを感じれば骨移植などを検討する（図5-3）．

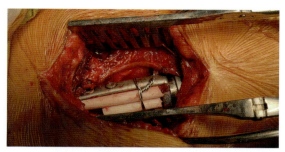

図5-3　延長型人工関節のストレスシールディングに対する骨移植

3 ▶ 軟部組織の再建
膝関節周囲の悪性骨腫瘍の場合，軟部組織の再建も重要な課題になる．特に感染予防のために良好な軟部組織で人工関節を被覆し，死腔をできる限り少なくすることは重要である．大腿骨遠位置換の場合は，大腿四頭筋を一部切除したら残っている筋肉群と屈筋側を縫合する方法などがあるが，四頭筋の切除が広範囲に及べば遊離筋皮弁移植術にて再建する必要がある．脛骨近位置換の場合には，特に膝伸展機構の再建が重要となるが，残存した膝蓋靱帯を移行した腓腹筋に縫着し人工関節全体を被覆する方法で対応するのが一般的である．大腿骨近位や上腕骨近位置換などはメッシュなどを用いて関節包の再建を行う．このような再建の終了後，十分洗浄してドレーンを留置する．

4 ▶ リハビリテーション
術前に術後の状態を想定した機能訓練を行うことが望ましい．腫瘍用人工関節については一定のリハビリテーションプログラムはない．一般的には，膝関節周辺に対しては術後良肢位を保ち，下肢静脈血栓予防のストッキングやフットポンプ装着し，術後1日目から大腿四頭筋等尺訓練を開始し，術後3〜4日目より関節可動域訓練を開始する．

膝屈曲角度は90°以上を目標として，ドレーンなどを抜去できる術後10日目頃から起立免荷歩行を開始し，部分荷重は術後6〜8週頃を目安にする．大腿四頭筋筋力が十分でなく膝崩れを起こすようなら，膝関節屈曲制御型の装具を作製することも検討する．術後4か月程度でほぼ全荷重にて歩行できるようにリハビリテーションプログラムを計画する．術後は化学療法も始まり，また小児では痛みの問題もあるため，リハビリテーションは患者の状況を把握しながら進めていくのがポイントである．

実施上のポイント
四肢悪性骨腫瘍に対する再建方法は，最近は液体窒素処理骨を利用した方法などが取り上げられているが，腫瘍用人工関節による再建方法がまだ広く採用されており，世界的にみてもその有用性は認められている．しかしながら，感染，弛み，ステム折損，将来的な再置換などについては，一定の割合で生じることは事実である．腫瘍用人工関節を用いた場合の患肢機能における利点とリスクは，術前に患者を含めて家族に丁寧に理解できるまで説明する必要がある．できれば，実際の患者の歩く姿を記録した動画などを紹介すると，術後の患肢機能がどの程度のものかより理解しやすい．また，日常生活で気をつける事柄なども説明し，長期間外来で経過観察を行うことも重要である．さらに小児の延長型人工関節については，一般の腫瘍用人工関節よりもいろいろな合併症が起こる確率が高く，慎重な計画のもとにその適応を判断し，術後は注意深い経過観察が必要である．

生物学的再建術
Biological reconstruction

林 克洋 金沢大学大学院 特任教授（地域未来医療整形外科学講座）

【概要】 悪性骨腫瘍切除後の再建方法として，大きく腫瘍用人工関節による再建と，生物学的再建の2つの方法がある．人工関節による再建術は，術後経過は安定しており早期から荷重リハビリテーションなどが可能な反面，近年の抗がん剤治療の進歩により，骨肉腫などは長期生存する患者が増えたため，長期的に再置換術や感染が危惧される．また，運動負荷も日常生活程度にとどまる．骨移植，仮骨延長などを応用した生物学的再建では，骨再生に時間がかかることがあるが，いったん再生が完成すれば，正常骨と同様，追加手術が必要になることはなく，運動などの負荷にも耐えられるという利点がある．

生物学的再建法

わが国で広く行われている生物学的再建法には，①同種骨を用いた再建，②自家移植骨を用いた再建，③創外固定器などを用いた骨延長術による再建，④自家腫瘍処理骨を用いた再建などがある（表5-4）．

1 ▶ 同種骨による再建

同種骨は骨バンクの発達した諸外国では広く用いられているが，わが国では宗教的死生観のため入手は限定的である．人工骨頭置換術などで切除された大腿骨頭を細骨片として用いることはあるが，一塊として四肢の再建に用いることは多くない．また，一塊として移植した際，自己由来の骨ではないので骨癒合に時間がかかること，骨再生は骨表面にわずかにみられるのみで，移植骨全体に再生するというところまでは期待できない．

2 ▶ 自家移植骨を用いた再建

自家骨を用いた再建では，腸骨や腓骨が用いられることが多い．腓骨を用いる場合には，有茎で血管を付けた血管柄付き腓骨移植と，血管を付けずに移植する方法がある．有茎で用いる場合には，形成外科医や手外科医による血管縫合が必要となり，手術時間も延長する．成人では，移植後腓骨の横径肥大は緩徐にしか生じないため，荷重部に使用した場合には骨折が問題となる．そのため左右から腓骨を採取したり，採取した腓骨を二重折りにしたりして再建に用いる場合がある．また，同種骨や自家腫瘍処理骨の再生を助ける目的で，併用することもある．

表5-4 主な生物学的再建法

1. 同種骨
2. 自家移植骨
3. 骨延長術
4. 自家腫瘍処理骨
   ①オートクレーブ処理
   ②放射線処理
   ③加温（Pasteur）処理
   ④凍結（液体窒素）処理

3 ▶ 創外固定器などを用いた骨延長術による再建

骨延長術を用いた新生自家骨による再建は恒久的であり，一度治療が終了すれば耐久性や感染の問題なども生じないため，有効な方法である．しかし，骨延長操作は緩徐に行う必要があり，延長後も骨成熟まで長期間創外固定器を装着する必要がある．欠損長が長い場合には，治療終了まで年単位でかかることもあり，患者の心理的負担が大きい場合がある．それに対しては，延長操作終了後に早期に創外固定器の抜去，プレート固定追加などの工夫がなされている．また，関節面の再建が行えないなどの問題もあり，適応は絞られる．

4 ▶ 自家腫瘍処理骨を用いた再建

同種骨を入手することが困難なわが国で，より積極的に用いられている方法である．これまでわが国で主に用いられてきた処理法には，①オートクレーブ処理，②放射線処理，③加温（Pasteur）処理，④凍結（液体窒素）処理などがある．

自家腫瘍処理骨を用いる利点としては，人工関節と比べ，より骨温存をはかることが可能であること，処理骨自体がもともと自分の骨であり，最良の形態的適合性があること，靱帯などの軟部組織の再縫合が容易であること，などが挙げられる．自家腫瘍処理骨は，同種骨などと同様に骨再生に時間を要することなどから，人工関節による再建とは対照的に初期の合併症発生率が高い傾向にあるが，長期経過後の成績は安定するといわれている．また，自家腫瘍処理骨を用いる方法では，潜在的な問題として腫瘍再発の危険性が危惧されるが，現在までのところ人工関節を用いた再建術と比べて有意に腫瘍再発率が高くなったという報告は，どの処理法においてもない．一般的には自家腫瘍処理骨の適応は，骨破壊の少ない病変や造骨性病変とされているが，溶骨性病変の場合でも，骨セメントや人工骨を併用することで施行可能な場合もある．関節面を含む腫瘍の場合は，選択肢としては軟骨を含めて移植する方法と，一期的に表面置換の人工関節と併用したコンポジット移植がある．

(1) オートクレーブ処理

他の処理法が開発される前に広く用いられていた処

理法で，切除骨を120℃前後で15分間程度オートクレーブ処理することが一般的である．しかし処理後は，骨再生に重要と考えられる骨形成因子であるBMPなどの各種蛋白が失われ，処理後の初期骨強度も低下してしまうことから，近年ではあまり用いられなくなっている．

(2) 放射線処理

一般的に放射線処理では，体外で50〜80 Gy程度の一括照射を行うことで，殺細胞処理を行う．100 Gyを超えるほどの線量になると，蛋白変性が生じるとされている．施行するためには放射線照射装置などの特別な設備が必要であり，また切除に合わせ迅速に照射を行うためには，放射線科医と良好な連携が重要である．

(3) 加温（Pasteur）処理

腫瘍細胞を死滅させる条件として，60℃以上の加温が必要といわれるが，80℃以上では骨形成能が低下するとされるため，この温度帯での自家腫瘍骨処理法の開発が目指され，さまざまな処理条件が提唱されてきた．現在では一般的に，60℃で30分間の処理を行うPasteur処理や70℃で15分間の処理が行われている．本法を施行するには，恒温槽などの厳密な温度管理を行える環境が必要であり，加温条件によっては，軟部組織が退縮して再建時に靱帯の再縫合が困難になることもあるので，注意が必要である．

(4) 凍結（液体窒素）処理

自家腫瘍骨を液体窒素を用いて凍結処理することで再建に用いる方法である．本法では，液体窒素（-196℃）で20分間の凍結処理を行ったあとに，15分間の室温（20℃）および15分間の蒸留水（37℃）内での解凍を行う．施行するためには液体窒素と，できれば滅菌された魔法瓶（Dewar瓶）の用意が望ましい．これまでの方法と同等以上の良好な骨癒合や骨再生，あるいは処理骨への靱帯・筋組織の再接着が報告されている．液体窒素を用いた処理法には，腫瘍をいったん切除して液体窒素処理後に体内に戻すfree freezing法と，骨の片側のみを切り離し，軟部組織を広く剥離し，骨を体から連続したままで液体窒素につけるpedicle freezing法がある．どちらの方法においても，凍結前に腫瘍部の可及的掻爬および必要に応じて骨孔を作成し，液体成分の逃げ道をつくっておくことが，処理時の骨折を防止するために重要である．

悪性腫瘍の緩和ケア

Palliative care of malignant tumors

秋末 敏宏　神戸大学大学院保健学研究科 教授（リハビリテーション科学領域）

【疾患概念】　緩和ケアとは，2002年にWHO（世界保健機関）により「生命を脅かす疾患による問題に直面している患者とその家族に対して，痛みやその他の身体的問題，心理社会的問題，スピリチュアルな問題を早期に発見し，的確なアセスメントと対処（治療・処置）を行うことによって，苦しみを予防し，和らげることで，quality of life（QOL：生活の質）を改善するアプローチである」と定義されている．

かつてのがん診療においては，「がん（悪性腫瘍）を治癒させる」ということを追求してきた側面が強かったが，近年は，がん患者のADL（日常生活動作）およびQOLを獲得・維持しつつ，がんに対する医療・ケアにあたることの重要性に注目が集まってきた．がん患者のADLおよびQOLを阻害する因子は，疼痛などの身体的苦痛のみでなく，精神的・社会的・スピリチュアルな苦痛も含まれるため，トータルペイン（全人的苦痛）を和らげる医療・ケアを積極的に行うことが必要である．また，緩和ケアは，がんの進行期や終末期のみに適応されるのではなく，がん診療におけるいずれの時期（診断時，治療期，再発・進行期，終末期）においても介入することにより，患者と家族の社会生活を含めて支えることが可能となり，療養生活の質をよりよいものにしていくことができる．悪性骨・軟部腫瘍においても，このような患者に対する緩和ケアの概念のもとで多診療科・多職種からなるチームでのアセスメントとそれに基づく介入が行われる．

【病態・背景】

がん患者におけるトータルペイン（全人的苦痛）は，身体的・精神的・社会的・スピリチュアルな苦痛からなり，それらは複数・同時並行的に発生することがまれでなく，その頻度や強度は変化してゆく．それぞれの苦痛の原因は以下のような要因からなる．

①身体的苦痛：疼痛，倦怠感，呼吸苦，食欲不振，悪心・嘔吐などの身体症状からもたらされる．

②精神的苦痛：不眠，不安，抑うつ，せん妄などの精神症状からもたらされる．

③社会的苦痛：仕事上の問題，経済的な問題，人間関係，家庭内の問題などからもたらされる．

④スピリチュアルな苦痛：死に直面することで「将来の消失」「他者との関係の消失」「自立の消失」を意識することにより，生に対する無意味，無価値，虚無，

孤独を抱えることによりもたらされる．

問診で聞くべきこと

トータルペインの要素である，身体的・精神的・社会的・スピリチュアルな苦痛の原因および背景について，多方面（多職種）からのアプローチで，患者のみならず家族からも情報を収集することが必要である．

必要な検査とその所見

原疾患および併存疾患・合併症の把握のため，一般的な身体所見，血液検査，画像検査を施行するが，特に進行期・終末期においては，これらの検査により患者に苦痛を与えることがないように，低侵襲で最小限必要な検査にとどめるべきである．一方，全身的な身体機能や精神症状，患者のADLおよびQOLを包括的に評価し把握することが重要である．

(1) 全身状態・身体機能

がん患者の身体的な活動性は，Performance Status（PS）で評価される．代表的なPS評価ツールは，Eastern Cooperative Oncology Group（ECOG）によるECOG-PSやKarnofsky Performance Status（KPS）がある．ECOG-PSはPS 0～4（PS 0が身体的制限なし）の5段階評価で，治療効果や生命予後との関連が示唆されている．一方，KPSは0～100（KPS 0は「死」，100が身体的制限なし）の11段階評価で，終末期においても細かなPS評価が可能である．

(2) 身体症状・精神症状

包括的な評価ツールとしては，エドモントン症状評価システム改訂版（Edmonton Symptom Assessment System-revised；ESAS-r）に代表される患者立脚型のツールと，Support Team Assessment Schedule（STAS）に代表される代理評価型のツールがある．代理評価型のツールは，全身状態が悪化し，主観的評価を患者自身から聴取不可能な場合にも，医療者がスコアリングすることで評価が可能である．

(3) QOL評価

QOL評価ツールは，身体面，精神面，認知機能，身体機能，社会的側面などの多面的な要素から構成されており，がん患者に対する代表的な評価ツールには，EORTC（European Organization for Research and Treatment of Cancer）QOL-C 30があり，自記式質問調査票である．

診断のポイント

トータルペインの多面的評価に基づき，多診療科・多職種からなる緩和ケアチームにより治療・ケア介入に必要な要素の抽出と介入の必要性を判断する．また，介入開始後も適宜再評価を行い，介入計画の変更などを弾力的に行うことが必要である．

治療方針

1 ▶ 保存療法

疼痛，倦怠感，呼吸苦，食欲不振，悪心・嘔吐などの身体症状に対しては，薬物療法などの保存療法が中心となる．疼痛に対しては薬物療法に加え，放射線療法や神経ブロックなども考慮されるため，放射線科専門医や麻酔科専門医へのコンサルトも必要である．また，近年，がん患者に対するリハビリテーション介入が，ADL，QOLの維持や疼痛緩和にも効果をもたらすとの研究成果が出ており，わが国では入院中のがんリハビリテーションが保険適応となっている．

2 ▶ 手術療法

進行期・終末期における手術療法は，根治的な観点からは適応はないが，他のがん腫の骨転移と同様に，四肢骨病変の病的骨折・切迫骨折，脊椎病変による進行性の神経麻痺に対しては，全身状態や生命予後などを総合的に判断し，ADL，QOLの維持のために手術療法を選択することもある．運動器以外の臓器への遠隔転移に関しても，進行期・終末期に手術療法の適応となることはまれである．しかし，保存療法抵抗性の症状の原因となっている場合，全身状態や生命予後，手術侵襲などを考慮し，総合的な判断で手術療法のメリットが大きい場合は手術療法の適応となることもあるので，それぞれの臓器に関する外科専門医にコンサルトすることも考慮する．

3 ▶ 在宅医療・ケア

終末期がん診療・ケアにおいて，わが国でも在宅での医療・ケアの取り組みが行われつつあり，病院より自宅での看取りが行われたがん患者のほうがQOLが高かったとの報告があるが，実際は多くの終末期がん患者の療養場所は病院（緩和ケア病棟および一般病棟）である．在宅での医療・ケアにおいては，患者および家族の希望と在宅での介護・支援の実現性を十分に評価し，病診連携，病病連携，在宅ケアサービスの利用など事前の準備・連携が必要である．

治療法

1 ▶ 疼痛管理

「WHO方式がん疼痛治療法」における鎮痛薬使用の5原則に則って行う．5原則は以下の通りである．①経口投与が基本，②時刻を決めて規則正しく投与，③鎮痛ラダーに沿った鎮痛薬の選択，④個別的な適量の決定，⑤鎮痛薬の副作用や疼痛以外の身体的・心理的・社会的苦痛への配慮．

薬剤としては，非オピオイド鎮痛薬，オピオイド鎮痛薬，神経障害性疼痛に対する鎮痛補助薬が使用される．また，薬物療法に加え，放射線療法や神経ブロックなどが適応となることもある．

2 ▶ 呼吸管理

悪性骨・軟部腫瘍の患者において，最も転移する頻度の高い臓器は肺であり，進行期・終末期においては呼吸困難を訴えることが多い．呼吸困難に対する管理としては，低酸素血症を伴う場合は酸素吸入を行う．薬物療法としては，モルヒネの全身投与の有効性が示されており，考慮すべきである．また，がん性胸膜炎などの呼吸困難の病態によっては副腎皮質ステロイドの投与が有効である．

3 ▶ 精神症状への対応

不安・抑うつ・睡眠障害などの精神症状は，診断時から終末期のいずれの時期にもみられる精神症状であり，精神科・心療内科専門医へのコンサルトを行い，適切な薬物療法やカウンセリングなどの介入を行う．

4 ▶ 終末期の苦痛と鎮静

緩和ケアにおける鎮静は，日本緩和医療学会の「がん患者の治療抵抗性の苦痛と鎮静に関する基本的な考え方の手引き（2018年版）」で，「治療抵抗性の苦痛を緩和することを目的として，鎮静薬を投与すること」と定義されている．鎮静には，間欠的鎮静と持続的鎮静があり，さらに持続的鎮静は調節型鎮静と持続的深い鎮静に分類され，苦痛の状況，生命予後，患者および家族の意思に基づき選択される．鎮静に使用される薬剤は，短時間作用型のベンゾジアゼピン系注射薬であるミダゾラムが第一選択薬である．

患者および家族への説明のポイント

悪性腫瘍の診断時から終末期のいずれの時期においても，患者および家族はさまざまな局面で意思決定をしなければならない．がん診療・緩和ケアにおけるインフォームド・コンセント（IC）では，患者の意向が明確でなかったり，患者・家族・医療者間での意見が一致していないことがしばしばみられる．そのような場合は，合意形成による意思決定を行う必要があり，その方法として共有型意思決定がある．共有型意思決定では，患者は支援を受けながら，患者および家族と複数の医療者で合意を形成する．このときの医療者は複数の多職種であることが望ましく，患者の意思決定のプロセスに寄り添い，支援を行いながら合意形成に関与する．

良性骨腫瘍および腫瘍類似疾患

Benign bone tumor and tumor-like lesion

生越 章 新潟大学医歯学総合病院魚沼地域医療教育センター 特任教授

【疾患概念】 骨内に発生する良性骨腫瘍にはさまざまなものがあり，それぞれに臨床的特徴がある．また単純性骨嚢腫のように，腫瘍性病変とするには疑義があるものも存在し，腫瘍類似疾患として長らく分類されてきた．表5-5に，日本整形外科学会の全国骨腫瘍登録一覧表（2015年）から抜粋した，良性骨腫瘍と腫瘍類似疾患の発生数を示す．腫瘍類似疾患が病理学的に腫瘍でないのかどうかは，その疾患ごとにさまざまな意見がある．

【臨床症状】

良性骨腫瘍は無症状のことも多く，打撲や捻挫に対する単純X線検査で偶然発見されることも多い．しかし類骨骨腫や軟骨芽細胞腫のように痛みを主訴とする疾患もあり，疾患ごとに特性がある．

問診で聞くべきこと

骨腫瘍の家族歴はないか（多発性骨軟骨腫症では常染色体優性の遺伝形質を示す），病変部に痛み（自発痛，

表5-5 主な良性骨腫瘍および骨腫瘍類似疾患の登録数（2015年）

良性骨腫瘍	登録数
総数	1,555
骨軟骨腫	520
内軟骨腫	447
骨巨細胞腫	163
血管腫	90
類骨骨腫	87
脂肪腫	60
軟骨芽細胞腫	43
腫瘍類似疾患	
総数	1,099
非骨化性線維腫	287
単発性骨嚢腫	281
線維性骨異形成	271
骨線維性異形成	45
骨内ガングリオン	44
動脈瘤様骨嚢腫	43
好酸球性肉芽腫（Langerhans細胞組織球症）	35

圧痛）はないか，骨関節の変形・腫脹や可動域制限はないか，皮膚色素斑はないか（Albright症候群）などを問診する．

必要な検査とその所見

①単純X線検査：最も重要で多くの情報を与えてくれる．腫瘍の局在が骨端か，骨幹端か，骨幹か，腫瘍陰影が溶骨性か，造骨性か，すりガラス状か，辺縁硬化があるか，骨皮質の破壊があるか，骨膜反応があるかなどが重要である．

②<u>MRI検査</u>：被曝の問題がなく，腫瘍の性状の解析に有用である．

③<u>CT検査</u>：CTも骨腫瘍の診断には多くの情報を与えてくれるが，特に小児においては被曝の問題は無視できないものがあり，その実施には慎重な判断が求められる．

鑑別診断で想起すべき疾患

一見良性に見えても，1回の画像検査のみで良性疾患と断定することは容易でなく，常に悪性の骨腫瘍や感染症との鑑別が必要になる．

診断のポイント

日常診療で多く遭遇する非骨化性線維腫や線維性骨皮質欠損のように，骨幹端に辺縁硬化を伴い偏在性の溶骨病変で痛みも圧痛もない，といった典型的な症例は，定期的に単純X線検査にて経過を観察する方針をとってよい．検査の間隔に一定の見解はないが，筆者は症状がない場合はまず3か月後に単純X線検査を行い，変化がなければ1年後の再検査を勧めている．小児の場合は骨年齢成熟までフォローすることが多く，成人の場合は3年間フォローして変化がなければ終診としている．明らかに良性と判断できる症例以外は，常に悪性腫瘍の可能性がないかを検討すべきである．

専門病院へのコンサルテーション

少しでも診断に迷った症例については，専門病院へのコンサルテーションが望ましいと考える．骨腫瘍は良性であっても組織診断が困難な場合もあり，腫瘍の遺伝子診断が重要になる例も多い．悪性の可能性を無視した生検は，時に根治治療に大きな障害をもたらす．

主な疾患の診断のポイントと治療方針

1 ▶ 骨軟骨腫

10歳代に多い腫瘍で，膝周辺の骨幹端に好発する．多発性のものは優性遺伝形質を示す．単純X線で骨より隆起する突起を示し，腫瘍部と基部の骨髄は連続している．MRIでは骨性隆起の表面にT2強調像で高輝度を示す軟骨帽が確認され，この軟骨帽が腫瘍の本体である．成長とともに腫瘍が増大するが，成人後も腫瘍の増大が続く場合は，悪性化（軟骨肉腫）の可能性を疑う．また軟骨帽が2cm以上あり，不規則な石灰化が認められる症例も，悪性化の可能性を疑う．

治療は経過観察が基本であるが，美容的問題から患者が希望する場合，神経や血管の圧迫症状がある場合，関節可動域制限や骨端部障害のため変形をきたす例には手術適応がある．小児例では，軟骨帽の切除が不十分であると再発する．

2 ▶ 内軟骨腫

多くは手足に発生し，各年齢層に広く分布する．単純X線で境界明瞭な骨透亮像となり，内部に石灰化を伴うことも多い．MRIではT2強調像で高輝度を呈する．大腿骨，脛骨，上腕骨などの大きな骨に発生したものは軟骨肉腫との鑑別が重要で，専門施設での評価が望まれる．多発性の内軟骨腫（Ollier病），それに血管腫を合併するMaffucci症候群があり，軟骨肉腫への悪性転化に注意が必要である．治療は症状がなければ経過観察が可能であるが，骨折の既往や危険がある場合は，掻爬単独，あるいは掻爬と人工骨または自家骨移植が行われる．

3 ▶ 骨巨細胞腫

良悪性中間的性質をもつ腫瘍であり，別項（→ 171頁）を参照されたい．

4 ▶ 類骨骨腫

10～20歳代に好発する有痛性の腫瘍で，大腿骨や脛骨の骨幹または骨幹端に好発するが，全身のさまざまな部位に発生しうる．夜間痛が有名であるが，夜間のみに疼痛が生じるとは限らない．疼痛は腫瘍の産生するプロスタグランジンによる．単純X線で円形の骨透亮像を示し，内部の骨化が認められる場合もある（nidus）．病巣が骨皮質に存在すると，皮質骨の旺盛な肥厚がみられる．MRIでは，病変の周囲に高度の浮腫性変化がみられることが多く，骨シンチグラフィーでは高集積像となる．疼痛にはNSAIDsが著効する．

治療はnidusの手術的摘出，CTガイドなどを用いた焼灼術などが行われるが，NSAIDsの継続投与で病変の縮小や疼痛の消失がみられることも多い．個人的には副作用に注意しながら数か月のNSAIDs治療を行い，軽快しない例に手術療法を推奨している．

5 ▶ 血管腫

MRI検査の普及により，脊椎の無症候性の血管腫が多数見出されるようになった．脊椎以外の血管腫はさまざまな画像所見を呈し，しばしば悪性腫瘍との鑑別が困難なため手術症例が多く，腫瘍登録に至っている可能性がある．全年齢層にみられ，脊椎の場合は肥大した骨梁による縦縞の単純X線像，CT像で水玉様の骨化像（polka-dot appearance），MRIのT1，T2強調像での高輝度変化などが特徴とされる．脊椎以外

に発生した場合，骨肉腫様の骨膜反応を呈するなど，バリエーションに富んだ画像所見となる．

偶然みつかった脊椎血管腫の場合は，治療の必要性はない．しかしまれに増大傾向を示し，症状を呈する症例があることに留意すべきである．

6 ▶ 単発性骨嚢腫

骨端線閉鎖以前の上腕骨，大腿骨，骨幹端，踵骨に好発する．単純X線で境界明瞭な骨透亮像としてみられ，MRIでは実質成分の乏しいT2高輝度の嚢腫として描出される．

治療には明確な基準がなく，症状のないものでは経過観察が基本であるが，大腿骨近位部では治療困難な病的骨折を生じる場合もある．病巣の掻爬＋(人工)骨移植，ステロイド注入，cannulated screwや穴の開いたハイドロキシアパタイトピンによるシャント術なども施行されている．

7 ▶ その他の腫瘍

良性軟骨芽細胞腫，動脈瘤様骨嚢腫は原則として手術療法が適応になり，好酸球肉芽腫（Langerhans細胞組織球症）も診断確定のために生検が必要な例が多い．線維性骨異形成，骨線維性異形成も症例によって手術療法が適応となるが，いずれも診断・治療ともに困難例があり，専門施設への紹介が望ましいと考える．

骨巨細胞腫

Giant cell tumor of bone

麩谷 博之 兵庫医科大学病院 教授

【疾患概念】 この名称は腫瘍内に多くみられる破骨細胞様巨細胞に由来する（図 5-4a）．良性と悪性の境界に位置する腫瘍（中間悪性腫瘍）であり，臨床的には再発率が高いことや，まれに転移をきたすことが問題となる．

【病態】

骨巨細胞腫は20～40歳代が好発年齢で，20歳代が約40％を占める．一方，15歳以下はまれで，10歳以下にはほとんどみられない．長管骨の骨端に発生するのが特徴的である．発生部位として，大腿骨遠位，脛骨近位，橈骨遠位，上腕骨近位の順に好発するが，脊椎や骨盤にも発生することがある．

腫瘍掻爬のみでは局所再発率が15～50％と高率であり，再発で難治例となることがある．骨巨細胞腫の多くは良性の臨床経過をとるが，まれに肺や骨に転移を認めることもある．

【臨床症状】

局所の腫脹，熱感，疼痛，関節可動域制限，荷重時痛などの非特異的な症状が多い．症状があれば，病的骨折のリスクが迫っていることを念頭におく必要がある．

診断のポイント

診断には単純X線が，最も簡便でかつ有効である．20～40歳代の患者で，長管骨の骨端を中心に偏心性，膨隆性の溶骨性病変を認めたら，骨巨細胞腫を鑑別診断に入れる（図 5-4b）．MRIでは病変の広がりを観察できる．T1強調像で低～等信号（図 5-4c），T2強調像では内部の出血や壊死などの二次性変化によって，低～高信号の不均一な像（図 5-4d）を示す．CTでは骨皮質の菲薄化や欠損を観察できる（図 5-4e）．骨皮質が完全に消失して，骨外に大きな病変を形成することはまれで，このような症例は悪性腫瘍との鑑別が重要となる．

骨巨細胞腫は20～40歳代に多く，これは骨肉腫の好発年齢と一部重なっており，画像診断で鑑別が困難なことがある．よって，骨巨細胞腫を疑う症例に遭遇した場合は，原則として生検を行い，組織診断を確定する必要がある．

専門病院へのコンサルテーション

骨巨細胞腫は中間悪性腫瘍であり，不十分な治療を行うと，再発を繰り返して，患者の関節機能に多大な影響を及ぼすこととなる．さらに，患者の生命に影響する骨肉腫の鑑別や，転移のフォローアップなどに専門的な知識と経験を要する腫瘍である．よって，骨巨細胞腫を疑う骨腫瘍に遭遇したときは，骨・軟部腫瘍の専門医に相談することを勧める．

治療方針

骨巨細胞腫は進行性の溶骨性病変であるため，病的骨折をきたしやすい．組織診断が確定したら可及的早急に治療を開始する必要がある．四肢に発生したものは比較的手術が行いやすく，手術が最も勧められる．手術が困難な症例や再発例には，後述する保存療法を考慮する．

骨巨細胞腫が肺転移をきたしても，その増大速度は緩徐であり，患者の生命を脅かすことはまれである．しかし，骨肉腫や悪性骨巨細胞腫との鑑別が問題となる症例があるため，定期的に単純X線やCTでフォローアップする必要がある．

手術

1 ▶ 標準的手術法

骨巨細胞腫の標準的な治療は，腫瘍掻爬術によって生じた骨欠損部を骨充填材で再建することである．腫

5 骨・軟部腫瘍および腫瘍類似疾患

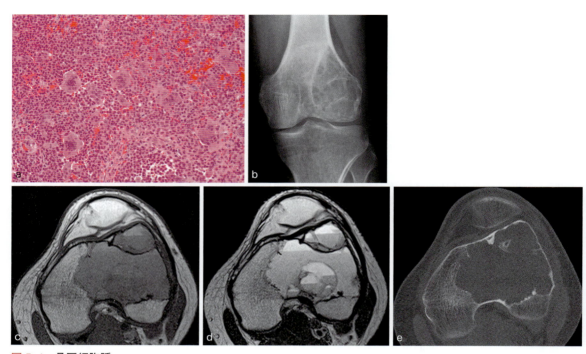

図 5-4　骨巨細胞腫
a：病理組織像，b：単純 X 線像，c：MRI T1 強調像，d：MRI T2 強調像，e：CT 像．

瘍を積極的に取り除くことが最も大切であるが，腫瘍掻爬術のみでは局所再発率が高いので，いくつかの局所での補助療法が考案されている．代表的なものとして，液体窒素による凍結・融解処理，アルコールによる化学処理，アルゴンビームによる焼灼がある．また，骨欠損部の骨充填材としての骨セメントも補助療法の1つで，硬化時に発生する重合熱で残存腫瘍の殺細胞効果が期待できる．

病的骨折を生じた症例や，術後骨折の可能性がある症例には，腫瘍掻爬後にプレートやヒップスクリューによる内固定を行い，骨欠損部を骨充填材で再建する．近年，骨充填材の主流は自家骨から人工骨や骨セメントへ移りつつある．

2 ▶ その他の手術法

腫瘍による関節破壊が進行している症例や，再発を繰り返している症例では腫瘍を en bloc に切除したあと，骨欠損部をプロステーシスで再建することもある．解剖学的に切除による機能欠損が少ない部位であれば，en bloc に切除のみとする．

近年では，内視鏡を使うことで，腫瘍掻爬と局所補助療法を低侵襲に行うことができる骨髄鏡手術も報告されている．

保存療法

1 ▶ デノスマブ

RANK リガンドのヒト型抗 RANKL モノクローナル抗体製剤である．デノスマブは 2014 年より骨巨細胞腫に使用可能となった．仙骨や骨盤などの切除が困難な部位に発生した場合や，再発症例には有効である．ただし，いつまで投与したほうがよいかという基準が現時点では明らかにされておらず，今後の検討が待たれる．

2 ▶ 血管塞栓術

骨巨細胞腫は血管に富むため，骨盤や脊椎などに発生した腫瘍を掻爬すると，大量出血をきたすことがある．このような症例では，手術前にあらかじめ血管塞栓術を行うことが勧められる．また，切除困難例に対する局所コントロールも有効である．

3 ▶ 放射線療法

骨巨細胞腫に対する放射線療法は，二次性発がんを誘発する可能性があるため，原則として禁忌とされている．しかし，仙骨などで切除困難例や，切除に伴う機能欠損が著しい場合は，十分なインフォームド・コンセントのもとに考慮してもよい．

患者説明のポイント

手術に際しては，血管に富む腫瘍のため大量出血のリスク，術中・術後の骨折のリスクがあることを説明する．臨床経過としては，再発率が高いこと，肺転移が出現することの可能性を説明しておかなければならない．

骨組織球症（好酸球性肉芽腫）
Langerhans cell histiocytosis of bone (LCH)

白井 寿治　京都府立医科大学 准教授

【疾患概念】
好酸球性肉芽腫とは，骨に生じる腫瘍性病変の1つであり，Langerhans細胞とよばれる組織球が異常をきたし腫瘍性増殖を示す疾患である．好酸球性肉芽腫と同様に組織球を原因として発症する病気に，Letterer-Siwe病，Hand-Schüller-Christian病がある．それらは以前，別々の病気だと考えられていたが，同一疾患であることが明らかとなり，histiocytosis Xとよばれるようになった．そして，その原因である組織球がLangerhans細胞であることが判明し，1987年にLangerhans細胞組織球症（Langerhans cell histiocytosis；LCH）という病名が確立した．現在では，発症部位によって単一臓器型と多臓器型に大きく分類され，単一臓器型では単発病変か多発病変かで分け，多臓器型はリスク臓器（肝臓，脾臓，造血器）の病変の有無で分ける．この単一臓器型が，以前は好酸球性肉芽腫とよばれていた．

【病態】
病態は，Langerhans細胞の異常増殖と同時にリンパ球やマクロファージ，破骨細胞様多核巨細胞腫などが集まり，炎症を引き起こし，腫瘤形成と骨破壊を生じた状態である．しかし，この病態がなぜ生じるのか原因は明らかにされていない．2010年には，異常に増殖しているLangerhans細胞に*BRAF*遺伝子の変異が発見された．*BRAF*遺伝子の異常は，大腸癌や甲状腺癌，悪性黒色腫などでも生じる発がん性の遺伝子変異と言われている．

【疫学】
小児に好発し，10歳未満が60%を占める．次いで10歳代で，通常は30歳までに発生する．3：2でやや男性に多い．単発，多発病変として全身骨に発生するが，頭蓋骨に最も多く，骨盤，大腿骨，肋骨，脊椎に好発する．鎖骨，上腕骨，下顎骨などにも多いとされる．長管骨では骨幹に発生しやすい．

【臨床症状】
好酸球性肉芽腫は主に限局する骨病変であることから，疼痛が主な症状であり，時に発熱，腫脹を伴うことがある．問題はLCHとして多臓器型であった場合で，皮膚や肺，肝臓，脾臓，下垂体，リンパ節などに病変が生じると，多様な症状を呈する．

必要な検査とその所見
(1) 血液検査
診断の決め手となる血液検査はない．炎症反応を示す赤血球沈降速度やCRPの上昇を認めることがある．また，可溶性IL-2受容体値が上昇することがある．

(2) 画像検査
単純X線像は単発あるいは多発病変で，辺縁は明瞭から不明瞭まで非常に多様である．頭蓋骨では硬化像を伴わない辺縁明瞭な骨透亮像（punched-out lesion）を呈する．長管骨では骨びらんをきたし，タマネギの皮様骨膜反応を伴うことが多い．脊椎病変では椎体骨が圧潰，扁平化（Calvé扁平椎）する．CT/MRIでは，病期によって多様だが，骨破壊像を伴い造影効果も認めることから，悪性腫瘍を疑わせる所見を示す．骨シンチグラフィーでは，病巣周辺に集積を認めることが多い．FDG-PETでは，病変に一致して高集積を認めることから，悪性との鑑別には有用性が低い．

(3) 病理検査
Langerhans細胞の密な増生・集簇からなる．Langerhans細胞は，好酸性の広い細胞質に卵円形の核を有し，その核には分葉や切れ込みがあり，典型的には縦溝によりコーヒー豆様を呈する．異型核分裂像もまれではない．免疫染色ではS-100蛋白やCD 1，CD 207（langerin）が陽性とされている．

鑑別診断で想起すべき疾患
年齢や画像所見から，Ewing肉腫や骨肉腫，白血病などの悪性骨腫瘍や非定型的な骨髄炎が鑑別診断として挙げられる．

診断のポイント
若年で溶骨性の骨病変をみつけた場合，LCHを念頭におき，全身的な疾患として他の骨に病変はないか，皮膚など他臓器に病変がないかを確認する必要がある．また，先述したように，悪性腫瘍や骨髄炎などの疾患も十分に考慮すべきである．

専門病院へのコンサルテーション
好酸球性肉芽腫はLCHの一疾患であるため，骨腫瘍を専門的に扱う施設であるとともに小児科での治療を必要とする場合もあることから，大学病院など総合的に治療が可能な専門施設に紹介することが望まれる．

治療方針

単発骨病変の場合,自然治癒することも多い．また,生検時にステロイドの注入や病巣掻爬を行うことで治癒するため,病的骨折の危険性がない場合は,基本的に低侵襲手術が推奨される．脊椎病変で扁平椎を認める場合にはコルセットによる外固定を行う．小児期の扁平椎では骨成熟後リモデリングされるので,病巣掻爬や骨移植術を行う必要はない．

多発骨病変,多臓器病変に対しては化学療法を行う．ステロイドとビンカアルカロイド(ビンブラスチンまたはビンクリスチン)を基本薬剤とし,シタラビン,6-メルカプトプリンなどを組み合わせた化学療法を約1年間行うことが推奨されている．以前は抗がん剤であるエトポシド(VP-16)投与や放射線療法が行われていたが,二次発がんの危険性があることなどから通常行われなくなった．

後遺症と予後

好酸球性肉芽腫における後遺症として,骨の変形や成長障害を生じる．欧米の報告では,LCHの多臓器型で70%以上に何らかの後遺症が生じるといわれ,日本の研究ではそれよりも低く約20%前後にみられたと報告されている．後遺症は主に尿崩症や難聴,神経障害,慢性呼吸不全,二次性白血病などが発生する．好酸球性肉芽腫の予後は基本的に良好であるが,LCHの多臓器型でリスク臓器に病変がある場合,その死亡率は欧米で30%,日本で8%と報告されている．

患者説明のポイント

10歳以下の小児において骨病変を認めた場合,本疾患や悪性骨腫瘍,骨髄炎などが鑑別に挙がり,生検術による組織診断が必要なことを説明する．診断後は,好酸球性肉芽腫がLCHの1つであることを説明し,LCHには単一臓器型と多臓器型があり,両者で治療方針が大きく異なることを十分に理解してもらう．単発骨病変では整形外科的治療が優先だが,多発骨病変や多臓器病変がある場合は小児科での化学療法を含めた全身的な治療が必要であり,その際の予後や後遺症なども十分に説明する．

良性軟部腫瘍

Benign soft tissue tumor

田仲 和宏 大分大学 准教授(整形外科・人工関節学講座)

【疾患概念】 軟部腫瘍は,全身の軟部組織(細網内皮系,グリア,実質臓器の支持組織は除く)から生じる非上皮性腫瘍の総称である．2020年のWHO分類では亜型も含めると100種類以上におよび,組織型がきわめて多様である．また,悪性度も良性,良悪性の中間型,低悪性度から高悪性度のものまでさまざまであるため,正確な診断は容易ではない．治療にも専門的知識が必要であるため,軟部腫瘍が疑われる場合には,骨・軟部腫瘍専門医にコンサルテーションあるいは紹介することが望ましい．

【頻度】

日本整形外科学会による2017年度全国軟部腫瘍登録によれば,わが国の良性軟部腫瘍で発生頻度の高いものは,脂肪腫,神経鞘腫,血管腫,腱鞘巨細胞腫,線維腫の順であった．

必要な検査とその所見

軟部腫瘍の画像診断においては,単純X線検査や超音波画像検査も行われる場合があるが,MRIが最も有用性が高く必須の検査といえる．脂肪腫,神経鞘腫,血管腫などではMRIである程度の質的診断が可能である．しかし,最終的な診断確定には,生検により採取した腫瘍サンプルの病理組織学的検査が必要となる．十分な画像検査を行わず安易に切除することはunplanned excisionとよばれ,術後の組織診断で悪性と判明した場合は高率に腫瘍の遺残が認められるため,厳に慎まねばならない．

診断のポイント

良性軟部腫瘍の診断においては悪性腫瘍との鑑別が重要となるが,疼痛の有無や腫瘍の発生部位,腫瘍サイズなどの臨床的所見に特徴的なものはなく,良悪性の判断の決め手にはならない．良性軟部腫瘍の多くは無痛性の腫瘤として自覚されるが,悪性腫瘍でも無痛性のことが多い．血管腫,神経原性腫瘍,グロムス腫瘍などでは疼痛を主訴とする場合がある．良性軟部腫瘍では長期にわたり腫瘍サイズが不変または緩徐な増大を示す場合が多いが,滑膜肉腫や類上皮肉腫など悪性腫瘍でも増大速度が遅い場合もまれではないため注意を要する．腫瘍サイズが小さく皮下に発生したものは良性と考えやすいが,例外も多数あるため安易な判断はすべきでない．

治療方針

良性軟部腫瘍と確定すれば,症状およびADL障害の有無,発生部位,腫瘍径,組織型,患者の希望などを総合的に考慮して治療方針を決定する．腫瘍が小さく増大傾向がない,無症状,かつ画像診断で良性が疑われる場合には経過観察が可能である．一方,良性と判断されても,疼痛などの症状を有する場合,関節可動域制限やADL障害を呈する場合,整容上問題がある場合,腫瘍増大により今後症状を呈するリスクが高

いと危惧される場合などは，手術療法の対象となる．一般的に良性軟部腫瘍に対する手術では，腫瘍の被膜部あるいは反応層部で切除する辺縁切除術を行って支障ない．万一術後の病理診断で悪性と判明した場合には，追加広範切除を行う必要があるため，すみやかに骨・軟部腫瘍専門医に紹介するべきである．追加広範切除においては，最初から計画的に広範切除術を行う場合に比べ，より大きな切除範囲を要し皮弁による再建などを余儀なくされる可能性も高いため，unplanned excision は行ってはならない．また，追加広範切除の可能性も考慮に入れて，軟部腫瘍の四肢発生例では皮膚切開は必ず長軸方向と平行に加えるべきである．

頻度の高い良性軟部腫瘍

(1) 脂肪腫

正常脂肪組織に類似する成熟した脂肪細胞からなる腫瘍で，良性軟部腫瘍では最も頻度が高い．80％以上の例で何らかの染色体異常が検出され，脂肪腫に特異的な染色体転座の存在も知られている．中高年の大腿，肩，頚部，背部に好発する．やや女性に多い．通常は単発性，時に多発性であり，軟らかい無痛性の腫瘤として触知される．多くは皮下発生であるが，筋肉内や筋間に発生することもまれではない．MRIでは脂肪成分を反映しT1強調像，T2強調像いずれも高信号を呈し，脂肪抑制像で抑制効果がみられる．腫瘍内の信号の不均一性や隔壁の存在は異型脂肪腫様腫瘍（高分化型脂肪肉腫）が，脂肪成分以外の結節病変の存在は脱分化型脂肪肉腫が疑われる．通常の軟部腫瘍では長径5cm以上のものは悪性の可能性が高くなるが，脂肪腫では10cmを超えるものもまれではない．大きな腫瘍や増大傾向にある場合は辺縁切除術を行う．筋肉内で浸潤性に発育している場合は再発する場合があるので注意を要する．

(2) 神経鞘腫

神経髄鞘のSchwann細胞が腫瘍化したものであり，30〜60歳代の四肢，体幹，殿部，後腹膜の末梢神経に好発する．疼痛や叩打痛，Tinel様徴候を呈する．脊髄発生の場合は麻痺症状を呈することがある．腫瘍の増大速度は通常緩徐であるが，腫瘍内部に出血を生じると急激に増大する場合がある．多発する場合があるが，神経線維腫症との鑑別が必要となる．MRIではT1強調像で低信号，T2強調像で高信号であるが，神経との連続性や腫瘍周囲の脂肪成分（split-fat sign）が診断に有用な所見である．腫瘍の中心部が変性や壊死に陥りT2強調像で低信号を呈した場合は，辺縁が高信号となり target sign とよばれる特徴的所見となる．症状があるものは手術の適応となる．神経線維を損傷しないよう注意しながら被膜を長軸方向に切開

し，腫瘍実質を核出することで治癒可能である．術後に神経脱落症状を呈するリスクがあるため，術前に十分な説明をして同意を得ておく必要がある．

(3) 血管腫

正常血管と類似の分化した血管形成細胞が増殖を示す腫瘍である．小児や若年者に好発し，女性にやや多い．先天性のものも多く，一種の過誤腫と考えられる．皮膚に好発するほか，皮下や筋肉内発生も頻度が高い．四肢に多く発生するが，多発することもまれではない．疼痛を主訴とすることが多いが，腫瘍サイズや症状が運動などにより変動し，静脈圧迫によりサイズが増大する場合がある．MRIで血管周囲の脂肪成分を反映し，T1強調像で高信号を示すことがある．血流が早い血管部分は無信号となり flow void とよばれる特徴的所見を呈する．また，単純X線検査で静脈石を認める場合もある．基本的に経過観察でよいが，症状が強い場合は手術を考慮する．ただし，腫瘍の境界が明瞭であれば切除して問題ないが，境界が不明瞭で浸潤性の発育を示す場合は再発のリスクが高くなるうえ，手術に際し正常組織の広範な切除を要するため，術後に機能障害を生じる可能性もある．リスク・ベネフィットバランスを十分に考慮して手術の適応を判断する必要がある．

(4) 腱鞘巨細胞腫

腱鞘，滑液包，関節などの滑膜組織から発生する腫瘍である．30〜50歳代の女性に好発する．手指での発生が大多数を占め，次いで足趾に多く発生する．無痛性の腫瘤として緩徐な増大を示すが，腫瘍サイズは4cm以下にとどまる場合が多い．MRIでは，線維組織とヘモジデリンの沈着を反映し，T1およびT2強調像で低信号を呈する．限局性，結節性に発育し，まれには関節内や骨内にも浸潤する．また，骨を全周性に取り巻くように増大する場合もあるが，類縁の病変である色素性絨毛結節性滑膜炎（次項）のようなびまん性，絨毛状の増殖はみられない．一塊として辺縁切除できれば治癒するが，腱や指神経などを巻き込んで増殖した腫瘍で病巣内切除となった場合は再発する可能性がある．

色素性絨毛結節性滑膜炎

Pigmented villonodular synovitis(PVNS)

秋山　達　自治医科大学附属さいたま医療センター　教授

【疾患概念】　本疾患は主に関節滑膜に発生するまれ

な良性関節内増殖性疾患である．本疾患は病理学的には腱鞘巨細胞腫と同一とされ，びまん型と結節型が存在する．本項では字数の関係もありびまん型について記載する．びまん型は切除後の再発率も高く難治性であることが多いのに対し，結節型は辺縁切除での再発率も低く，診療上それほど難渋することもない．びまん型と結節型は病理学的には同一のものであり遺伝子的な違いもみつかっておらず，臨床的には難治性であるびまん型と治療成績がよい結節型の違いを分ける要因については，今後の研究が待たれるところである．単関節に発症し，好発部位は膝である．基本的な治療法は外科的切除であるが再発率が高く，腫瘍が残存したまま放置すると次第に関節破壊と変形性関節症が進行する．

【頻度】
人口100万人あたり2〜8人とされる．

【臨床症状または病態】
誘因のない関節痛や関節腫脹，繰り返す血腫が特徴的な症状とされる．40歳以下での発生が多く，女性にやや多いとされる．好発部位は膝関節である．

問診で聞くべきこと
関節の腫脹と疼痛が繰り返していること，外傷歴と凝固異常にかかわる既往歴の確認が重要である．

必要な検査とその所見
診断確定には造影MRIと生検が必要である．造影MRIではT1強調像での高輝度の部位を含む，分葉状のびまん性結節性病変が認められる．

鑑別診断で想起すべき疾患
外傷，変形性膝関節症，凝固能異常に伴う関節内血腫，化膿性関節炎など．

診断のポイント
問診からできるだけ早く本疾患を疑い，造影MRIを行い，専門機関に紹介することが重要である．

専門病院へのコンサルテーション
非常に難治性の疾患であるうえに，希少疾患であるため，本疾患を疑った時点でできるだけ早く専門病院へコンサルトすべきである．

治療法
現在においては外科的切除が基本的治療とされる．切除法に定型的なものはないが，関節鏡単独での切除は再発率が高く，少なくとも後方コンパートメントは開放して切除することが望ましいと考えられる．再発巣をどの時点で切除するかということについては決定的な方針はない．

合併症と予後
再発率が高く，変形性関節症が続発しうる．

患者説明のポイント
生命にかかわる疾患ではないが，再発率が高く変形性関節症が続発しうるため，長期間の経過観察が望ましいことを説明し，複数回の手術が必要になることが大前提であることを治療に入る前に説明すべきである．

リハビリテーションのポイント，関連職種への指示
緩徐に進行する関節の破壊と，複数回の関節に対する手術が必要になるので，関節拘縮の予防と変形性関節症への対応が必要になってくる．

デスモイド型線維腫症
Desmoid-type fibromatosis

朴木 寛弥　奈良県立医科大学 教授（骨軟部腫瘍制御・機能再建医学）

【疾患概念】
デスモイド型線維腫症（以下，デスモイド）は，WHO腫瘍分類では局所浸潤性に富むが遠隔転移はきたさない，いわゆる中間型に分類される（筋）線維芽様細胞増殖性の軟部腫瘍である．年間発生頻度は100万人あたり2〜4人とされ，APC遺伝子変異による家族性大腸腺腫症に伴い腹腔内に多く発生するデスモイド（Gardner症候群）と，主にβ-catenin遺伝子（$CTNNB1$）変異を基盤として腹腔外に多く発生するデスモイドに分類される．

【病態】
腹腔外デスモイドの典型例では，深在性で辺縁がやや不明瞭な硬い腫瘤として触知し，痛みを伴うことも多い．好発部位は肩甲帯，胸腹壁，骨盤部・四肢などで，思春期から若年成人期の女性に多い．多中心性に発生したり，近接関節障害や神経圧迫症状を呈する場合もある．手術後の再発率がきわめて高く（20〜70％），再発例で急増大を示すものもあり，その治療には慎重を要する．

問診で聞くべきこと
特徴的な臨床症状に乏しいため，増大傾向，痛みの程度，近接関節障害や神経症状の有無などを問診するとともに，触診により深在性や硬さを確認することが重要である．

診断のポイント
単純X線，CT，MRIなどで局在と周囲臓器への影響や質的診断を行うが，最終的な診断には生検が必須である．針生検では診断が困難な場合もあり，熟練した骨・軟部腫瘍専門医と病理医の協力を得て，必要であれば切開生検を行うのがよい．

治療方針

従来は広範囲切除による手術療法が中心であったが，その高い再発率のため，近年では慎重な経過観察，薬物療法〔NSAIDs，抗エストロゲン薬（タモキシフェン），抗がん剤（ビンブラスチン，メトトレキサート，ドキソルビシン），分子標的薬（ソラフェニブ，パゾパニブ）〕や放射線療法などの有効性が示唆され，最適な治療選択は患者ごとに判断を要するため，骨・軟部腫瘍専門医を中心とした集学的な医療チームにより治療されることが望まれる．

骨肉腫
Osteosarcoma

山本 憲男　金沢大学大学院 特任教授

【定義・概念】
骨肉腫は，原発性悪性骨腫瘍のなかで最も発生頻度が高い腫瘍である．組織学的には，腫瘍細胞自体が骨や類骨をつくるのが特徴である．わが国における骨肉腫の発生頻度は，100万人に対して1～2人の発生率といわれており，希少がんに相当する．若年者に好発し，10歳代に発症のピークがある．特徴的な遺伝子変異はいまだ同定されていない．活動性が高い若年層で好発することから，外傷やスポーツによる局所の疼痛や腫脹として，近医を受診し発見されることも多い．また受診が遅れ，進行してから受診する場合も少なくない．

通常型骨肉腫は，高悪性度の腫瘍であり，多くの場合，発見時にはすでに潜在的な微小転移があるといわれている．化学療法の導入以前には，その生存率は10％程度であったが，1970年代以降の化学療法を含む集学的治療法の進歩により，その治療成績は飛躍的に向上している．今日骨肉腫に対しては，術前および術後の化学療法と腫瘍広範切除術が標準的な治療方法となっている．転移病変の有無が生命予後と強く相関しており，早期からの疾患の診断と適切な治療開始が非常に重要である．

【好発年齢・分類】
好発年齢は10歳代にピークがあり，次いで20歳代，10歳以下と続き，男性にやや優位に発生する．5歳以下に発症することは，極めてまれである．また，二次性の骨肉腫は中高年に発症のピークがある．どの骨にも発生しうるが，長管骨の骨幹端部に好発し，大腿骨遠位部，脛骨近位部，上腕骨近位部の順に多く発生し，膝関節周囲だけで半数を超える．

骨肉腫には，大きく骨内と骨表面に発生するものがある．通常型骨肉腫は骨内に発生し，その主たる組織像から，骨芽細胞型（osteoblastic type），軟骨芽細胞型（chondroblastic type），線維芽細胞型（fibroblastic type）の3つに分類される．通常型以外の骨内発生骨肉腫としては，血管拡張型骨肉腫，小細胞型骨肉腫，放射線照射後やPaget病などにみられる二次性骨肉腫，低悪性度中心性骨肉腫がある．骨表面には，高分化型の傍骨性骨肉腫，骨膜性骨肉腫，表在性低分化骨肉腫などが発生する．高悪性群に対しては，通常型骨肉腫と同様の治療が必要となる．本項では，特に断りがない限りは，通常型骨肉腫について論述している．

【臨床症状】
持続する局所の疼痛および腫脹を主訴として，来院することが多い．成長痛，体育や部活動などによる運動痛として来院することも多いので，注意が必要である．運動時のみならず，夜間（安静時）痛があることも多く，疼痛および腫脹は，数週間経っても改善しないか，増悪していることが多い．疼痛や腫脹が強いと，付近の関節に可動域制限がみられたり，下肢発生の場合では跛行を呈したりすることがある．

必要な検査とその所見

(1)画像検査

①単純X線検査：簡便ではあるが，きわめて重要な検査である．単純X線では，境界不明瞭な骨破壊像を呈し，骨融解像と骨硬化像が混在していることが多い．典型的な骨膜反応としては，軟部組織に骨化が放射状に広がる"sunburst appearance"や，骨膜が腫瘍により押し上げられることによって形成されるCodman三角を認めるのが典型である．時には，溶骨性変化のみで骨膜反応が認められない症例や，骨折を契機に受診し，単純な骨折として治療されていたが，単純X線で骨破壊が進行してくることで，骨肉腫による病的骨折と気づかれる症例もある．微小な変化を見逃さないよう，対側のX線画像と見比べて，骨膜反応，骨梁構造の破綻，皮質骨の欠損などがないか，注意深く読影を行うことが大切である．単純X線上有意な所見がなくとも，症状が改善しない場合には，2～3週間後にX線検査を再度施行して確認を行うことが大切である．

②CT検査：肺転移の評価には，主にCTが用いられる．骨肉腫の遠隔転移は肺に多く，定期的に胸部CTを施行して，肺転移の出現の有無について評価を行う．数mm程度の転移性病変を指摘することが可能であるが，炎症性病変との鑑別が必要となることもある．局所では，単純X線と比べ，より繊細に骨膜反応や腫瘍骨形成を評価することが可能である．術前に造影CTを撮影することで，腫瘍栄養血管や腫瘍と主

③MRI検査：MRIは，腫瘍の周囲組織への進展や周囲組織との関係を評価するのに有用である．骨肉腫そのものは，T1強調像で低信号，T2強調像で高信号あるいは高低信号が混在するという非特異的パターンを呈するが，骨髄内浸潤の状況や軟部組織への進展の度合いをとらえやすい．そのため，同一骨内のスキップ転移評価にも有用である．また化学療法の前後に造影MRIを行うことで，化学療法の治療効果判定を行うことも試みられている．

④核医学検査：骨シンチグラフィーでは強い集積を示し，病巣が単発あるいは多発か，また他の骨への遠隔転移があるのか評価するのに有用である．腫瘍シンチグラフィーであるタリウムやFDG-PETを用いた検査では，核種が高悪性腫瘍部へより強く集積することから，腫瘍悪性度の評価や遠隔転移を含めた腫瘍進展の評価に用いられる．近年ではCTやMRIと同時に撮影することで，機能的画像と形態的画像を融合し，より精度の高い検査を行うことも可能となっている．また，タリウムシンチグラフィーやFDG-PETを用いて，化学療法の治療効果判定を行うことも試みられている．

(2)病理組織検査

確定診断のために必須の検査であり，治療開始に先立って施行する．腫瘍内で変性・壊死が生じていることもあるため，生検術施行前には必ず画像検査を行い，どの部位から標本を採取するか，きちんと計画を立てる必要がある．針生検術や切開生検術があるが，基本的には十分量の検体が採取できる切開生検術の施行が望ましい．

皮膚の切開は，原則として長軸方向に置くことが重要である．後日施行する腫瘍広範切除術では，皮膚をバイオプシートラクトとともに切除するが，横皮切の場合では閉創時に皮膚を一期的に縫合することが困難となり，皮膚移植や皮弁術が必要になる場合がある．また皮下の経路は皮膚に垂直とし，筋間ではなく筋肉を貫くように置かなくてはならない．周囲の組織が腫瘍で汚染されるため，筋間を通過した場合には広範切除術で切除する範囲が広くなり，機能損失が大きくなる．これらの原則を守れないのであれば，生検術の施行は厳に慎むべきあり，確定診断をつけずともすみやかに専門施設へ患者を紹介することが肝要である．採取された検体において，病理組織学的に，細胞外基質として類骨や骨を産生する肉腫細胞が確認できれば，骨肉腫の診断が確定する．

広範切除術で切除された手術検体に対しては，病理組織学的に，切除縁が確保されていること（腫瘍の取り残しがないこと），壊死範囲（壊死率）などが評価される．この壊死の評価は，術前の化学療法の治療効果を判定し，術後に使用する薬剤の変更を行うか検討するための参考となる．壊死率の判定は，切除検体の最大割面を用いて行われる．日本整形外科学会の組織学的治療効果判定基準では，Grade 1が無効（50%を超える生腫瘍細胞残存），Grade 2が軽度の効果（10%を超え50%以下の生腫瘍細胞残存），Grade 3がかなりの効果（10%以下の生腫瘍細胞残存），Grade 4が著効（生腫瘍細胞を全く認めない）として評価される．しかし以前には，無効例をGrade 0としてGrade 3までの分類として評価されていたことがあるので，古い症例における壊死評価についてはGrade表記のみならず，その実際の壊死率についても確認を行う必要がある．

(3)血液検査

血液生化学的検査では，しばしば血清アルカリホスファターゼ（ALP）と乳酸脱水素酵素（LDH）が上昇し，治療効果や予後の指標となることが報告されている．しかし各年齢でも異なるが，ALPの小児正常値は成人の1.5～2倍程度とされており，その評価には注意も必要である．

診断のポイント

①整形外科医が，骨肉腫の初診医となる機会は一生に一度あるかどうか，といわれており，非常にまれな疾患である．しかし，若年者に発生する高悪性度の腫瘍であることを考えれば，見逃しがないよう常に頭の片隅にこの疾患を思い浮かべ，日常診療を行うことが大切である．

②初診時に単純X線画像上異常を認めなくとも，数週間の安静によっても疼痛や腫脹などの症状が軽快しない場合には，X線検査の再施行を躊躇してはならない．

③単純X線検査では，骨塩量の30～50%以上の変化がないと所見としてとらえることができない．所見が判然としない場合には，MRI検査などによる追加精査を行う．MRI検査は造影剤を使用しなくとも，異常所見を十分に確認することができる．特に骨盤部など，X線検査での評価が難しい部位で有用である．

専門病院へのコンサルテーション

骨肉腫の治療では，手術療法のみならず手術前後に化学療法を施行する必要があり，治療は専門施設で行う必要がある．高悪性度である骨肉腫では，急速に病状が進行することも多いため，確定診断がつかなくとも無理に対応せず，骨肉腫を疑った時点で迅速に専門施設に紹介することが重要である．日本整形外科学会のウェブサイト内には，骨・軟部腫瘍の診断治療相談コーナーが設置されており，各地域の専門施設と連絡先が記載されているので，これを参考にすると便利で

ある．

治療方針

骨肉腫の治療では，術前化学療法（neoadjuvant chemotherapy），広範切除術および再建術（wide resection and reconstruction），術後化学療法（adjuvant chemotherapy）を行うことが標準である．かつて骨肉腫の5年生存率は，10～20%程度ときわめて予後不良で，いわゆる不治の病であった．しかし近年の集学的治療法の進歩とともに，初診時に遠隔転移のない四肢原発骨肉腫症例における，一般的な5年生存率は70～80%程度にまで向上し，もはや不治の病ではなくなった．骨肉腫の治療成績を向上させた大きな要因として，化学療法の導入，画像診断技術の向上，再建材料の進歩などが挙げられる．より有効な化学療法の開発により，遠隔転移を防ぎ原発腫瘍周辺の微小浸潤巣やスキップ病変を制圧し，原発病変を縮小させることが可能となった．またCT，MRI，各種核医学的画像評価法の開発あるいは精密化により，化学療法の治療効果判定や手術時の切除範囲のより正確な決定が可能となった．さらに手術に際しては，modular prosthesis，expandable prosthesisなどの腫瘍用人工関節，あるいは生物学的再建を目指した創外固定器を用いた骨延長術，同種骨あるいは自家処理骨を用いた再建法が考案され，近年では，単なる患肢温存手術のみならず，より患肢機能温存を目指した手術も施行されるようになってきている．

化学療法

骨肉腫における化学療法の目的には，原発巣に対する縮小効果，潜在的なものも含めた遠隔あるいは局所の微小転移巣の撲滅などがある．現在，多数の化学療法プロトコールが存在するが，治療のキードラッグには，メトトレキサート（methotrexate；MTX），シスプラチン（cis-diamminedichloro-platinum；CDDP），アドリアマイシン（adriamycin；ADM），イホスファミド（ifosfamide；IFO）がある．各プロトコールでは，これらの薬剤を組み合わせて使用する，多剤併用化学療法が一般的である．

各薬剤に共通する一般的な副作用として汎血球減少症などがあるが，そのほかにも重篤あるいは致死的な副作用があり，厳重な管理下で化学療法を行う必要がある．各薬剤に比較的特徴的に生じる副作用として，MTXでの肝障害や脳症，CDDPでの腎障害，聴神経や末梢神経における神経障害，ADMでの心筋障害，IFOでの出血性膀胱炎，脳症などがある．

薬剤の抗腫瘍効果については，2～3コース終了ごとにX線，CT，MRI，各種核医学検査などを用いて画像的治療効果判定を定期的に行い，また広範切除術を施行した際には，切除標本を用いた病理学的な治療効果判定を行う．治療効果が認められないと判断された際に，使用する薬剤の変更を行うべきかについては，まだ一定の結論は得られていないが，一般的には薬剤を変更して化学療法を行うことが多い．

これまでわが国においても，骨肉腫に対する化学療法の多施設共同研究が行われてきた．これらの研究では，初診時に肺転移を有さず四肢原発で切除可能であった症例において，検討が行われた．ADM，高用量MTX（HD-MTX），CDDPをベースとした化学療法を行い，導入化学療法が無効と判断された場合には，高用量IFO（HD-IFO）をそのレジメンのなかに追加するNECO-93J試験，またその術後化学療法の回数を短縮したNECO-95J試験が引き続き行われ，NECO-93J/NECO-95J試験の治療成績は，治療5年でのevent-free survivalは65.5%，overall survivalは77.9%と良好な結果であった．

また現在では，「骨肉腫術後補助化学療法におけるifosfamide併用の効果に関するランダム化比較試験」がJCOG 0905試験として施行されている．この試験は，従来のNECO-93J/NECO-95J試験の流れを汲み，転移のない切除可能な高悪性度骨肉腫に，MTX，ADM，CDDPの3剤による術前化学療法を行い，standard responderに対する術後化学療法として，この3剤に加えIFOの併用が非併用に対して優れているか，ランダム化比較試験を行って評価することを目的としている．臨床試験結果の最終報告までは，いまだ長期間待たなくてはならないが，より奏効率の高い化学療法プロトコールとなるか，注目されている．

手術療法

骨肉腫では，現在の化学療法を併用した集学的治療法が導入されるまでは，切断術が標準的治療法として施行されてきた．しかし化学療法と組み合わせることにより，広範切除術でも切断術とほぼ同等の局所根治性が得られることが明らかとなってからは，患肢温存術が標準的な手術法となっており，切断術を行うことはむしろまれになってきている．

手術を施行する際には，画像検査により病変の進展を正確に評価すること，術前化学療法の効果をきちんと判定すること，適切かつ確実な切除範囲（切除縁）を設定することがきわめて重要である．現在でも広範切除術が標準術式であるが，化学療法が著効したと考えられる症例では，従来よりも正常組織の切除範囲を縮小した広範切除術も試みられるようになっている．

骨肉腫は膝関節周囲に好発する．荷重肢である下肢に発生した場合には，いかに荷重に耐えながら，長期

間にわたり安定した関節と良好な可動域を温存できるかが重要となる．確実な切除縁を確保し，さまざまな再建法を使い分けながら各症例に適した再建を行うことが肝要である．手術により切除された骨，関節の再建には，さまざまな材料が用いられる．再建材料としては，腫瘍用人工関節を用いることが一般的であり，さまざまな改良と工夫を行うことで，徐々にではあるが，その成績は改善されてきている．また腫瘍用人工関節を用いることで，短期的には平均して良好な患肢機能を獲得することが可能となったが，非生体材料を用いた再建であるため，中長期的にはインプラントの弛みや折損などの合併症が経時的に増加し，いまだ解決すべき課題も多く残されている．

より良好な患肢機能を温存するためには，関節面をいかに温存するかが非常に重要なポイントである．そのため関節面が温存可能な症例などでは，正常な関節面を犠牲にする腫瘍用人工関節ではなく，創外固定器を用いた骨延長術による新生自家骨による再建や，同種骨あるいは自家処理骨などを用いて，関節面を温存しながら再建を行うことも試みられている．ただし，骨欠損が大きい場合には，骨延長術による再建では長期間の創外固定器の装着を余儀なくされる．また，同種骨や自家処理骨などを用いる場合には，骨折，偽関節などの比較的早期の術後合併症の発生率は高くなるが，経過とともに成績は安定する．

その他の特殊な再建法として，体格が小さく腫瘍切除部の再建が困難な小児などでは，腫瘍部を膝関節ごと切除した後，残った脛骨を回転させ大腿骨と骨接合術を行うことで，残った足関節を膝関節機能の代用として利用する回転形成術（rotation plasty）を施行する場合もある．この方法では，装具を装着することで運動を行うことも可能であるが，外観上の問題があり，患者自身の本手術に対する受容性が大きな問題となるため，施行前に本人や家族と十分に話し合っておくことが大切である．

再発・転移時の対応

骨肉腫の遠隔転移は，約90％が肺に生じ，次いで骨転移が多い．骨肉腫の死亡原因のほとんどは，肺転移による呼吸不全である．肺転移は，発生時期によりその予後は異なる．初診時肺転移のある症例では，5年生存率は20％前後であるが，1年ないし2年以上を経過してから認められた肺転移症例では，5年生存率は30％を超えており，根治症例も報告されている．治療途中や治療終了1年以内の肺転移症例では，その予後は極めて不良で，3年生存症例もまれである．切除可能な転移巣に関しては，手術による局所根治を目指すのが基本である．特に肺転移に関して，片側，数個，初回治療後1年以上経過した症例に対しては，積極的な転移巣切除術が推奨されている．例えば，初診時肺転移巣を有する症例では，転移がない症例と同様に術前化学療法を行い，原発巣と同時，あるいは数週間の間をおいて肺転移巣の切除術を行って，完全寛解を目指す．一方完全切除できない多発肺転移例，胸膜播種，脊椎，骨盤転移などでは，新規薬剤による化学療法I／II相試験への参加や，緩和的化学療法，ベストサポーティブケア（best supportive care；BSC）を考慮する．

局所再発に対する化学療法に関しては，いまだ評価は定まっていないが，使用する薬剤を変更して化学療法を行うことが多い．局所根治性を求めた外科的切除を再度行うが，しばしば温存した患肢の切断を余儀なくされることもある．

患者説明のポイント

骨肉腫は，15～39歳のAYA（adolescents and young adults）世代とよばれる年齢層に好発する悪性腫瘍の1つである．治療に際しては，一般的な高齢者発生悪性腫瘍（がん）とは異なるさまざまな背景因子へのアプローチが重要となってくる．特にAYA世代での治療では，親子間の葛藤，教育や仕事の中断，社会からの隔絶，晩期合併症としての二次がん，妊孕性，また時に治療に伴う容姿変貌の受容，長期予後に伴う再置換術など多数回手術の必要性，将来にわたるQOLの低下などが大きな問題となる．本人への説明はもちろんのこと，保護者や配偶者に対しても不要な心配をもたせないよう，きめ細やかで丁寧な説明が必要である．

骨肉腫の治療には長期間を要し，身体的かつ精神的負担の大きい化学療法や手術療法をやり遂げなければならない．そのためには，医療者と患者本人のみならず，家族との良好な関係を構築することが不可欠であり，三者が力を合わせて治療に取り組むことの大切さを，誠意をもって話すことが重要である．

軟骨肉腫

Chondrosarcoma

中 紀文　那智勝浦町立温泉病院 副院長〔和歌山県東牟婁郡〕

【疾患概念】　腫瘍細胞が軟骨基質を形成する原発性悪性骨腫瘍である．類骨形成を伴う軟骨形成性骨肉腫との鑑別を要する．

【頻度】

発生頻度は悪性骨腫瘍の10～20％を占め，原発性

悪性骨腫瘍のなかでは骨髄腫，骨肉腫に次いで3番目に頻度が高い．発症率はわずかに男性のほうが高い．中高年者に好発し20歳以下ではまれである．

【病態】
　増殖速度は遅く，比較的緩徐な経過をとることが多い．発生部位は骨盤が最も多く，次いで大腿骨，上腕骨，肋骨，肩甲骨に好発する．広範切除が困難な体幹発生例で不適切な切除縁となった場合，再発を生じ予後不良となることが少なくない．

【分類】
　原発性軟骨肉腫のほかに，骨軟骨腫や内軟骨腫から二次性に発生することがあり，特に多発性骨軟骨腫症[*1]，内軟骨腫症(Ollier病[*2]，Maffucci症候群[*3])では悪性転化のリスクが高い．発生部位から，骨内から発生する中心性軟骨肉腫と骨表面から発生する末梢性軟骨肉腫に分類される．多発性骨軟骨腫症の約5％に末梢性軟骨肉腫を発症する．そのほかにも脱分化型軟骨肉腫，間葉性軟骨肉腫，淡明細胞型軟骨肉腫などの組織亜型がある．

〔補足情報〕
*1：多発性骨軟骨腫症：骨軟骨腫(外骨腫)が全身に多発する常染色体優性遺伝性疾患である．*EXT*遺伝子の発現欠失が原因と考えられている．
*2：Ollier病：片側性に内軟骨腫が多発する病態とされていたが，両側性のことも少なくない．
*3：Maffucci症候群：多発性の内軟骨腫に血管腫が合併する病態である．

【臨床症状】
　腫瘤，疼痛，病的骨折を主訴とすることが多い．中心性軟骨肉腫では骨皮質の破壊に伴う疼痛を生じる場合が多く，末梢性軟骨肉腫の場合は無痛性の腫瘤増大や運動制限を主訴とすることが少なくない．

問診で聞くべきこと
　二次性軟骨肉腫を疑う場合は，家族歴，発育歴，身長，体重，ADL障害(神経・血管の圧迫症状，関節可動域制限，四肢変形など)を問診する．特に成長期の終了後に腫瘍の増大がある場合は，増大速度や疼痛の有無について聴取する．

病理所見
　細胞密度，核異型，粘液変性などをもとに，組織学的悪性度をgradeⅠ，Ⅱ，Ⅲに分類する．組織学的悪性度は局所再発や遠隔転移と相関し，gradeⅡ，Ⅲの軟骨肉腫では転移能を有し予後不良である．gradeⅠの軟骨肉腫は内軟骨腫との鑑別が困難なことが多く，画像所見や疼痛の増強などの臨床所見を総合した診断が求められる．指趾骨の軟骨肉腫はまれで，大部分は内軟骨腫と考えてよい．

診断のポイント
　①初発症状は疼痛，腫脹，腫瘤形成である．多発性骨軟骨腫症や内軟骨腫症の患者が腫瘍の急速な増大や疼痛の増強を訴えた場合は，二次性軟骨肉腫の発症を疑う必要がある．
　②中心性軟骨肉腫では，単純X線上境界が比較的不明瞭な骨溶解像と内部の斑点状石灰化が認められる．骨皮質内側からの侵食像(endosteal scalloping)が特徴的である．末梢性軟骨肉腫では骨辺縁にカリフラワー状の著明な石灰化を呈することが多い．
　③CTでは腫瘍内部の石灰化や骨皮質の破壊像が明瞭に観察できる．MRIではT1強調像で低信号，T2強調像で高信号を呈し，骨内外の進展像が鮮明に描出される．
　④確定診断には病理検査が必要で，針生検または切開生検で診断を確定する．軟骨形成性骨肉腫との鑑別，gradeⅠの軟骨肉腫と内軟骨腫との鑑別に特に注意を要する．

治療方針
　軟骨肉腫は化学療法や放射線療法の感受性が低く，外科的切除が第一選択である．安全な切除縁を確保した広範切除が原則であり，腫瘍に隣接する健常組織とともに一塊に切除する．関節近傍では骨肉腫に準じて人工関節を採用するなど必要に応じて再建術を追加する．近年，gradeⅠの軟骨肉腫に対して搔爬と人工骨(あるいはセメント)移植で良好な成績を得られるとの意見もある．切除困難な体幹発生例や複数回再発例では重粒子線治療が選択肢の1つとなっている．

予後
　術後の再発や転移は緩徐な場合があるため，10年以上の観察が望ましい．適切な広範切除がなされなかった場合は局所再発を生じることが多く，特に体幹発生例で注意を要する．5年生存率は全体で70％前後と比較的良好であるが，腫瘍の大きさ，発生部位，組織学的悪性度により，治療成績は大きく異なる．骨軟骨腫から発生した二次性軟骨肉腫は転移を生じることが少なく予後良好である．

患者説明のポイント
　本疾患が，時に再発・転移を生じ予後不良になりうること，化学療法や放射線療法の有効性が低いことを十分に説明する．再発・転移に対して長期間の経過観察が必要であり，定期的な通院が必要であることも説明する．

Ewing 肉腫

Ewing sarcoma

国定　俊之　岡山大学大学院 准教授（運動器医療材料開発講座）

【疾患概念】 高悪性度の悪性骨腫瘍であり，適切に治療しなければ死に至る．わが国での年間発生例は約40例と非常にまれである．好発年齢は小児から青年期で，この年代では骨肉腫の次に多い悪性骨腫瘍である．全身に発生するが，長管骨の骨幹部や骨盤が好発部位である．疾患特異的な遺伝子異常が報告されているが，発生原因や起源細胞は不明である．画像診断で明らかな遠隔転移を認めなくても，診断時にすでに全身に微小転移が存在すると考えられており，経験のある専門医による集学的治療（化学療法・放射線療法・手術）が必要である．近年の遠隔転移を認めない限局例では，5年生存率は70〜80％と報告されている．

問診で聞くべきこと

症状の出現時期や発症要因，発熱，全身倦怠感，体重減少は，悪性骨腫瘍を疑うヒントになる．数週間程度で，誘因なく疼痛や局所の腫脹・熱感を訴えるときは注意が必要である．

必要な検査とその所見

①単純X線：辺縁がはっきりしない骨破壊像（浸潤像や虫食い像）を示す．長管骨発生例では，特徴的な単純X線所見として玉ねぎの皮様（onion-peel）骨膜反応がみられる．
②触診：単純X線で骨折を認めなくても，骨外腫瘍による局所症状として，圧痛，熱感，腫脹を認める．
③MRI：巨大な骨外腫瘍を認めることが多い．造影MRIが望ましい．
④生検術：病理診断．
⑤胸腹部CTや核医学検査（骨シンチグラフィーやPET）：全身の遠隔転移の検索．
⑥骨髄穿刺：骨髄播種の検索．
⑦血液・生化学検査：LDHが予後と関連すると報告されている．

診断のポイント

①小児や青年期の患者が原因不明の疼痛を訴え，単純X線で辺縁不明瞭な骨透亮像を認めたときには，悪性骨腫瘍の存在を考える．特に骨膜反応を見逃さないことが重要である．
②単純X線で診断に迷うときは，必ずMRIを行う．1か月の経過観察でも，骨破壊が急激に進行することがある．
③確定診断には生検術が必要だが，治療経験がある専門医が適切に行うべきである．また，病理診断が難しく分子遺伝学的な検索が必要なこともあり，診断経験のある病理医との連携も重要である．
④Ewing肉腫だけでなく，単純X線やMRIで悪性骨腫瘍を疑えば，それ以上の検査は行わずに，早急に専門病院へ紹介すべきである．

専門病院へのコンサルテーション

日本整形外科学会のウェブサイトに「骨・軟部腫瘍相談コーナー」があり，近隣の専門病院を検索できる．高悪性度の悪性骨腫瘍であり，迅速な対応が求められる．

治療方針

1 ▶ 限局例

術前補助化学療法，局所療法（手術，放射線療法），術後補助化学療法が標準治療である．多くの患者で術前化学療法により腫瘍サイズが縮小するため，局所コントロールを改善できる．腫瘍サイズ縮小は，四肢発生例の患肢温存手術だけでなく，胸壁や脊椎発生例においても重要な治療効果である．術前化学療法は，イホスファミド，エトポシド，ビンクリスチン，ドキソルビシン，シクロホスファミドを組み合わせた多剤併用療法が一般的に行われており，わが国では日本Ewing肉腫研究グループ（JESS）で臨床試験が行われている．手術は，四肢発生例や体幹発生のうち切除可能例では広範切除縁による切除術が行われる．切除困難例では根治的放射線療法が選択される．

2 ▶ 進行例

初診時に遠隔転移を認める症例はきわめて予後不良であるが，強力で集学的な治療を行うことで疼痛緩和や無増悪期間の延長が可能で，まれに治癒も期待できる．限局例と同様の薬剤を用いるが，高用量投与や治療間隔短縮により，さらに強力な化学療法を行う．幹細胞輸血を併用した高用量化学療法も行われているが，エビデンスは証明されていない．手術や放射線療法による局所制御を行うこともある．

患者説明のポイント

Ewing肉腫だけでなく悪性骨腫瘍はまれな疾患であるが，診断と治療には高度な専門知識が必要であることを伝える．専門病院への早急な受診を指示する．

未分化多形肉腫
Undifferentiated pleomorphic sarcoma

髙木 辰哉　順天堂大学 先任准教授

【疾患概念】　組織起源が不明の多形性悪性軟部腫瘍は，1963年にStoutらが悪性線維性組織球腫（malignant fibrous histiocytoma；MFH）として提唱した．しかし，その後組織球由来ではなく，未分化な間葉系細胞からの発生であるとされ，2013年のWHO分類からは，未分化・分類不能肉腫（undifferentiated/unclassified sarcomas）の名称となっている．未分化多形肉腫（undifferentiated pleomorphic sarcoma；UPS）はそのうちの1つであるが，未分化・分類不能肉腫と同義として使用されることが多い．軟部と骨の両者に診断名として存在し，軟部では，これまでMFHあるいはUPSと診断されてきた肉腫が，多形性平滑筋肉腫，脱分化型脂肪肉腫，高悪性度粘液線維肉腫などに分類される傾向にある．骨は，WHO分類では未分化高悪性度多形肉腫（undifferentiated high-grade pleomorphic sarcoma of bone）の名称となっている．

【病態】　軟部発生・骨発生のいずれも40歳以上の壮年から高齢者に多く発生し，男女差はほとんどない．軟部UPSの頻度は，病理診断方法によって多少の差がみられ，原発性悪性軟部腫瘍の15〜25%程度で，大腿部などの四肢と体幹部に発生する．骨UPSは原発性悪性骨腫瘍の2〜5%程度とされ，四肢長管骨の骨幹端，骨幹部，骨盤などに発生することが多い．

診断のポイント
軟部UPSでは，数か月程度で増大傾向を示す無痛性の腫瘤が多く，弾性硬の腫瘤として触知される．大きさは長径で3cmを超えるものが多い．MRIでは内部の信号が不均一で，造影でも不均一に描出されることが多い．骨UPSは疼痛や腫脹で来院し，単純X線で骨破壊を示す．がんの骨転移と鑑別困難な場合もある．MRIで骨内外への進展がみられるが，骨・軟部とも臨床所見および画像では特徴的な所見は少なく，確定診断には生検による組織診断が必要となる．

専門病院へのコンサルテーション
上記の診断のポイントで述べたような，UPSあるいは原発性の骨・軟部悪性腫瘍を疑う所見を認めた場合は，生検を行うことなく，できるだけ早く骨・軟部腫瘍専門医のいる施設へ紹介する．

治療方針
軟部UPSでは，転移の所見を認めない場合，外科的切除が基本である．十分な切除縁を設定できない場合は，術前あるいは術後に放射線療法を併用する．化学療法の有用性は明らかではないが，症例ごとに年齢や病期を考慮して併用を検討する．骨UPSでは，転移を認めない場合，高齢者などを除いて骨肉腫の治療に準じた治療となる．術前後の化学療法を併用して，広範切除と再建を行う．骨，軟部ともに転移を認める進行症例の場合は，延命を目的とした化学療法を中心に，放射線療法や画像下治療などの可能性を検討する．症例によっては肺転移の切除なども検討される．症状緩和の治療は常に行われるが，根治や延命を目指した治療は難しいと判断された場合は特に重点的に考慮する．

手術療法
軟部UPSでは，腫瘍周囲の正常組織を含む広範切除を目指す．神経血管束などの重要臓器が近接する場合，術中切除縁診断を行い，アルコール処理なども検討する．合併切除や血管再建，切断や離断も考慮される．骨UPSでも同様に広範切除を目指すが，その後の骨・関節の再建に腫瘍用人工関節や自家処理骨（温熱あるいは凍結）などを用いる．骨，軟部とも皮膚や筋肉組織の欠損が大きい場合，形成外科的な組織再建（皮弁・筋弁）を併用する．

化学療法
軟部UPSでは手術と併用する場合，イホスファミドやドキソルビシンが主に用いられる．進行例では，ドキソルビシンのほか，パゾパニブ，エリブリン，トラベクテジンなどの適応がある．骨UPSでは，シスプラチンとドキソルビシンを中心に，イホスファミドやメトトレキサートの併用も検討される．

合併症と予後
術後の合併症としては，感染，深部静脈血栓，創治癒遅延，知覚・運動障害，リンパ浮腫，局所再発などが起こりうる．化学療法の有害事象として，骨髄抑制，悪心・嘔吐，脱毛は比較的起こりやすく，肝・腎・心機能障害，横紋筋融解症なども起こることがある．これらの対策を十分に行う必要がある．予後は，転移のない軟部UPSで，5年生存率が60〜80%，骨UPSで50〜70%程度だが，最近は進行例の予後が延びつつあり，数年以上の生存も珍しくなくなった．

患者説明のポイント
専門医のいる施設での治療が望ましいことがまず第一である．治療を行う場合，手術・化学療法に伴う合併症や有害事象について，十分な説明を行う．治療後

は転移や再発，機能障害の可能性についてや，長期にわたる定期的なフォローアップが必要なことも説明する．

>> リハビリテーションのポイント，関連職種への指示

患肢機能の回復に合わせて，筋力訓練や関節可動域訓練，歩行訓練などを進めていく．切断の場合は義肢装具の作製と装着も併せて行う．手術の合併症，化学療法中の有害事象へのきめ細かい対応や進行例でのメンタルサポートについても，患者を中心に主治医や家族も含めて相談していくことが必要である．

脂肪肉腫

Liposarcoma

丹澤 義一 東海大学 講師

【疾患概念】 軟部肉腫のなかで最も発生頻度の高い肉腫である．脂肪肉腫には臨床像の異なる組織亜型があり，それぞれの亜型の特徴や病態に応じて適した治療と経過観察が行われる．

【分類】
WHO分類では良悪性中間群（locally aggressive：遠隔転移をきたさない局所浸潤性の高い）の異型脂肪腫様腫瘍／高分化型脂肪肉腫，脱分化型脂肪肉腫，粘液型脂肪肉腫，多形型脂肪肉腫の4型に分類されている．

【頻度】
組織型別では高分化型が全脂肪肉腫の約40％を占め最多であり，次いで粘液型の順で，多形型は5％と頻度は低い．粘液型は30～40歳代の若年成人に好発するが，ほかの亜型は中年以降から高齢者に好発する．好発部位は四肢の深部軟部組織で，特に大腿部が半分以上を占める．脱分化型の多くは後腹膜に発生する．

【臨床症状】
大腿部に発生した場合の一般的な症状は，無痛性の軟部腫瘤であることが多い．高分化型は軟らかい腫瘤，ほかの型は弾性硬の腫瘤として触知される．後腹膜腔に発生した場合は腹腔内腫瘤としての症状を呈するまで発見が遅れることがあり，画像で偶然発見されることもある．

>> 診断のポイント

造影MRIが有用である．高分化型はT1，T2強調像で高信号，内部に低信号で造影効果を示す比較的厚い隔壁様構造を認めることが多い．脱分化型は高分化成分と不均一な造影効果を示す部分が隣接して描出される．粘液型はT1強調像で低信号，T2強調像で高信号で内部は不均一なことが多い．生検で病理診断を行うが，組織型により治療方針が異なるため，診断が難しい場合には骨・軟部腫瘍専門の病理医へのコンサルトが望ましい．

>> 専門病院へのコンサルテーション

脂肪肉腫は四肢のほか後腹膜腔や体幹に発生することも多く，診療科横断的な集学的治療が必要となる疾患である．この疾患を疑った場合には骨・軟部腫瘍専門医の勤務する専門病院へのコンサルテーションが望ましい．

>> 治療方針

治療の原則は腫瘍広範切除であるが，高分化型で主要血管・神経と近接する場合は辺縁切除を行うのが一般的となっている．粘液型は他の組織型と比べ放射線感受性が高く，重要な臓器を温存するため補助療法として放射線照射を行うことがある．広範切除後の組織欠損に対しては，遊離皮弁による再建術が必要となることがある．遠隔転移を生じた進行例にはドキソルビシンを中心とした化学療法が行われるが，近年パゾパニブなど分子標的薬も用いられるようになった．染色体転座を有する粘液型に対してはトラベクテジンの有用性が報告されている．

滑膜肉腫

Synovial sarcoma

竹中 聡 大阪国際がんセンター 部長〔大阪市中央区〕

【疾患概念，発生頻度】 若年から青壮年に好発する悪性軟部腫瘍で，腺管形成など上皮性分化を伴う腫瘍である．悪性軟部腫瘍の5～10％程度を占め，四肢の関節近傍に多いが，手や足，頭頸部や縦隔などにも発生し，まれに腎や肺などの臓器からも発生する．*SS18*遺伝子と*SSX*遺伝子が相互転座をきたした融合遺伝子*SS18-SSX*がほぼ全例で認められ，腫瘍の発生に関与している．

【病型・分類】
紡錘形細胞の増殖と腺管形成を認める二相型（biphasic）と紡錘形細胞だけからなる単相型（monophasic）に分類され，それぞれで類円形細胞の増殖が著明な低分化領域（poorly differentiated area）を伴うものがある．

【臨床症状または病態】
数か月で増大する症例もあれば数年間ほとんど大きくならない症例もあり，注意を要する．著明な自発痛

や圧痛を伴う症例もある．

必要な検査とその所見
MRI，CT（PET-CT），単純X線検査を行う．単純X線やCTにて点状，斑状の石灰化を認める場合がある．小さなものはMRIで均一な充実腫瘍であることが多いが，大きなものでは壊死，出血，線維成分，石灰化などが混在し多様な信号変化を呈することが多い．

診断のポイント，コンサルテーション
確定診断には，病理検査と遺伝子診断が重要である．本疾患を疑えば，生検から専門施設で実施することが望ましい．仮に単純切除後に本腫瘍と診断された場合も，すみやかに専門施設へ紹介することが重要である．

治療方針
腫瘍の大きさ，転移の有無，病理学的悪性度などにより病期が決定し，年齢や腫瘍発生部位などを考慮し，治療方針を決定する．適切な切除縁を確保し周囲の健常組織と一塊に広範切除を行うことが治療の原則であり，5cm以上で高悪性度の場合は，補助化学療法を考慮する．

合併症と予後
初診時転移がない場合の5年生存率は60〜80%程度で，5cm以上，高悪性度は予後不良因子とされている．まれに10年以上経過後に再発や転移が生じることもあり注意を要する．

線維肉腫

Fibrosarcoma

中山 ロバート　慶應義塾大学 講師

【疾患概念】　線維肉腫は，線維芽細胞系の悪性腫瘍で，病理学的に紡錘形をした腫瘍細胞のヘリングボーン模様状の増殖を特徴とする．他の肉腫同様，希少がんである．

【病型・分類】
病理学の進歩に伴い，線維芽細胞系悪性腫瘍の細分類が進んだ．WHO分類（2020年，第5版）では，悪性孤在性線維性腫瘍，成人型線維肉腫，粘液線維肉腫，低悪性度線維粘液性肉腫，硬化性類上皮線維肉腫などが含まれる．

【臨床症状】
細分類された各組織型によって好発年齢，好発部位が異なるが，軟部肉腫は一般的に，四肢体幹の増大傾向の腫瘤を症状とすることが多い．その中でも粘液線維肉腫は，高齢者の皮下組織に浸潤することが多く，浅在性であることから良性と間違えられやすい．

問診で聞くべきこと
①いつから腫瘤を自覚しているか．
②腫瘤は増大傾向にあるか．

必要な検査とその所見
単純X線，CT，MRIが必須である．MRIはガドリニウム造影が望ましい．超音波検査は，腫瘍の性状評価においてはMRIに劣る．

診断のポイント
画像診断のうえ，悪性が疑われた場合は，必ず生検を行う．

専門病院へのコンサルテーション
本疾患は希少がんであり，治療経験のない病院が多い．手術だけでなく，化学療法や放射線療法などを組み合わせた集学的治療を行うことも多い．実際に治療にあたる診療科だけでなく，放射線診断科や病理診断科にとってもきわめて専門性の高い疾患である．生検の前に軟部肉腫専門施設に紹介することが望まれる．

治療方針
線維肉腫は，手術による切除が治療の原則になるが，各組織型の特徴に応じて化学療法や放射線療法が行われる．

平滑筋肉腫

Leiomyosarcoma

當銘 保則　琉球大学大学院 准教授

【疾患概念】　平滑筋肉腫は平滑筋への分化を示す肉腫である．悪性軟部腫瘍の5〜10%を占め，脂肪肉腫，未分化多形肉腫（悪性線維性組織球腫）に次いで多く発生する．中高年に好発するが，まれに小児にも発生する．後腹膜・骨盤内に多くみられ（50%），四肢・体幹の深部，皮膚・皮下組織，下大静脈などの大血管などに発生する．四肢発生では大腿に好発する．

【臨床症状と病態】
四肢・体幹では発生部位に神経が近接していない場合，無痛性腫脹や腫瘤として発見されることがほとんどである．後腹膜や下大静脈に発生した場合は，腫瘍の増大・圧迫により腹部膨満や嘔気・嘔吐，腹痛が初発症状となることがある．骨盤内・大腿静脈に発生すると，下肢浮腫が初発症状となることがある．

四肢および体幹発生例では，局所再発が10〜25%，遠隔転移が35〜45%に生じる．5年および10年累積

生存率はそれぞれ約65％，50％である．遠隔転移はほとんど肺であり，リンパ節転移はまれである．後腹膜発生例では，初診時より巨大腫瘍を形成したり，腹膜播種や肝転移を認めたりと根治的切除が困難な症例が多く，5年累積生存率は20％以下である．大血管発生例はまれであるが，早期から血行性転移をきたすため予後不良である．皮膚平滑筋肉腫は，中高年男性の頭皮に好発する．通常2cm以下で低悪性度の症例が多く，完全切除が達成できれば，予後は良好である．

必要な検査とその所見

本疾患を疑った場合は，可能な限り造影剤を用いた造影MRIで評価する．MRIで腫瘍の性状，サイズ，周囲組織への進展範囲などを評価する．平滑筋肉腫の遠隔転移は肺が最多であるため，胸部CTによる転移性肺腫瘍の検索を行う．FDG-PET CTでは，FDGの異常集積を示すことが多く，転移巣検索や治療効果判定に有用である．後腹膜・骨盤内・下大静脈発生の症例では，血管との関係を評価するために造影CT検査を考慮する．針生検あるいは切開生検にて病理組織診断を行い，組織型や悪性度を評価する．後腹膜や骨盤内発生では，CTガイド下生検を考慮する．

診断のポイント

特異的な遺伝子異常がなく，組織学的に診断される．組織学的には，異型紡錘形細胞が束状や渦巻き状に配列して増殖し，平滑筋細胞に類似した両切りタバコ形の核と好酸性細胞質を有するのが特徴である．免疫組織学的に，α-smooth muscle actin，desmin，caldesmonなどの平滑筋マーカーが少なくとも1つ陽性になる．

専門病院へのコンサルテーション

軟部腫瘍の最大径が5cm以上であったり，増殖速度が速かったりといった臨床症状，MRI所見などから，少しでも悪性の可能性が疑われる場合には，すみやかに骨・軟部腫瘍専門施設に紹介する．

治療方針

1 ▶ 手術療法

手術による切除が原則で，十分なマージンを確保した広範切除（R0切除）が最も重要である．しかし，主要な血管や神経が腫瘍に巻き込まれている場合は，切断術や関節離断術が必要になることがある．後腹膜，骨盤内，大血管発生例では整形外科単独での治療は困難で，血管外科，消化器外科，腎・泌尿器外科などの他の臓器診療科とのコラボレーション手術が必要になる．後腹膜や骨盤内発生の巨大な腫瘍では，広範切除が困難なことが多く，術前放射線療法，化学療法，腫瘍栄養血管塞栓術などを行い，腫瘍の縮小を得てから手術を行うことがある．

2 ▶ 化学療法

症例ごとに年齢や病期などを考慮して，化学療法を行うかどうか検討する．四肢・体幹発生例においては，ドキソルビシン単独あるいはドキソルビシンとイホスファミド併用療法の有効性が確立しており，術前あるいは術後に積極的に化学療法を行うことがある．また切除不能例や遠隔転移例には，化学療法が考慮される．主にドキソルビシン単独療法，パゾパニブ，エリブリン，トラベクテジンなどの薬剤が用いられる．

患者説明のポイント

平滑筋肉腫では局所コントロールとしての手術療法について，場合によっては化学療法の必要性についても説明し，十分に理解してもらう．さらに術後の局所再発や肺転移などのリスクがあるため，術後も長期にわたる定期的なフォローアップが必要であることを説明する．

横紋筋肉腫

Rhabdomyosarcoma

竹中 聡　大阪国際がんセンター 部長〔大阪市中央区〕

【疾患概念】　小児，若年者に好発する横紋筋への分化を示す悪性軟部腫瘍．2020年のWHO分類では胎児型，胞巣型，多形型，紡錘形細胞/硬化型の4つの亜型に分けられる．胎児型，胞巣型が多く，ともにリンパ節転移の頻度が高い．胎児型は小児の頭頸部や泌尿生殖器に好発し，胞巣型は思春期から若年成人の四肢や副鼻腔に，多形型は高齢男性の下肢に，紡錘形細胞/硬化型は男児の傍精巣と成人の頭頸部に好発する．胞巣型では融合遺伝子 *PAX3-FOXO1* もしくは *PAX7-FOXO1* がみられ，紡錘形細胞/硬化型では *MyoD1* の変異がみられることが多い．

【リスク分類】　胎児型と胞巣型は原発部位，腫瘍の広がり，大きさ，リンパ節転移，遠隔転移の有無によって治療前ステージが決定され，初回手術後の残存腫瘍の程度により術後グループ分類がなされる．治療前ステージと術後グループ分類の組み合わせによって低リスクから高リスクまでリスク分類される（「小児がん診療ガイドライン」を参照）．

必要な検査とその所見

本疾患を疑う場合，MRI，CT，PET-CT，骨髄検査を行う．PET-CTは感度特異度ともに高く，領域リンパ節の評価にも重要である．

:::: 診断のポイント
上記検査後，腫瘍切除または生検を行い，病理検査で診断を確定する．その際に領域リンパ節の生検も考慮する．融合遺伝子 *PAX-FOXO1* の検索も重要である．
::::

:::: 専門病院へのコンサルテーション
多診療科での集学的な診断治療体制が必要であり，本疾患を疑った時点ですみやかに日本横紋筋肉腫研究グループ参加施設などの専門病院への紹介が必要である．
::::

:::: 治療方針
胎児型と胞巣型では，リスク分類に応じて化学療法（ビンクリスチン，アクチノマイシンD，シクロホスファミドなどによるVAC療法など），放射線療法，手術療法を組み合わせた集学的治療が施行され，他の肉腫とは異なる治療方針が推奨されている．多形型では他の非小円形細胞肉腫と同様の治療方針が推奨されている．
::::

:::: 合併症と予後
5年生存率は低リスクで約80％，中リスクで約60％，高リスクで約40％と非常に予後不良であり，長期生存が得られた場合も，治療に伴う晩期合併症（心筋障害，腎障害，ホルモン異常，二次がん，不妊，成長障害など）も多く，長期にわたる定期的なフォローが必要である．
::::

悪性末梢神経鞘腫瘍

Malignant peripheral nerve sheath tumor (MPNST)

淺沼　邦洋　三重大学医学部附属病院 講師

【疾患概念】　MPNSTは，末梢神経から発生，あるいは神経鞘成分への分化を示す悪性腫瘍の総称である．軟部肉腫の約5％を占め，その発生原因として，約50％が神経線維腫症1型（neurofibromatosis 1；NF1）から発生し，逆にNF1の約10％がMPNSTを発症する．特に蔓状神経線維腫（plexiform neurofibroma）はMPNST発生のリスクが高い．約10％は放射線照射後に発生し，残りは散発性（sporadic）な発生である．発生部位は坐骨神経が最も多く，四肢，体幹，頭頸部，後腹膜の順に多い．20～50歳に好発し，特にNF1での発生は若い傾向があり，思春期でも発生しうるので注意を要する．神経鞘腫からの発生はきわめてまれである．

:::: 診断のポイント
増大傾向を示す腫瘍に対しMRI，CTなどの画像検査を行い，神経との連続性が認められた場合はMPNSTの可能性を考慮するが，そのほかにMPNSTに特徴的な画像所見はない．NF1の場合，もともと大きな神経線維腫を有する場合があるが，急速な腫瘍の増大，疼痛の出現，神経症状の出現，硬さの変化を認めた場合は，MPNSTの発生を考慮する．FDG-PETは，NF1におけるMPNSTの鑑別に有効との報告もある．NF1によるMPNSTは診断がやや遅れがちであり，サイズがより大きくなる傾向があるため，患者本人にも上記に注意するように教育するのは重要である．ただし，悪性腫瘍の合併率は健常人と比較して約2.7倍高いともいわれ，発生部位によってはMPNST以外の可能性も頭の片隅にとどめておく．特に50歳以下の乳癌発生リスクの指摘が多く，定期的な検診を勧める．また，消化管間質腫瘍の合併も比較的多く，下血や腹痛などの消化器症状を認めた場合は，消化器科に精査を依頼する．そのほか，過去の放射線照射範囲からの発生の場合は，放射線照射後肉腫としての発生も考慮すべきである．確定診断には生検による病理診断が必要である．
::::

:::: 治療方針
完全切除が原則である．一般的に放射線療法の効果は低く，化学療法は以前より行われるようになってきてはいるが，その効果に関しては一定した見解はない．
::::

:::: 予後
5年生存率は40～50％前後と予後不良である．局所再発，遠隔転移はともに約40～60％にみられ，遠隔転移は肺が最も多く，脳，腹膜，肝臓，骨，胸膜，リンパ節などにも生じる．NF1，放射線照射後のMPNSTは，sporadic MPNSTより予後不良との報告が多い．しかし，NF1によるMPNSTについては，大規模なメタアナリシスをはじめ，近年ではsporadic MPNSTと差はないとされてきている．
::::

悪性リンパ腫，白血病

Malignant lymphoma, Leukemia

山田　仁　福島県立医科大学 教授（運動器骨代謝学講座）

【疾患概念】　悪性リンパ腫（ML）や白血病は血液疾患であるが，骨・軟部の病変として整形外科を初診することもある．

必要な検査と診断のポイント

白血病は，倦怠感，発熱，出血傾向などの症状から，血液検査で診断されることがほとんどであるが，まれに骨関節痛を主訴として受診することもある．中高年で，単純X線像で骨破壊が認められた場合には，がんの骨転移と血液疾患を念頭に精査を進める．全身単純（必要時造影）CT，MRI，および血液検査を行う．CTで原発巣が不明瞭であれば，血液疾患の可能性がある．MRIではT1強調像で低信号，T2強調像で高信号の非特異的所見であるが，ぬり壁のような一様な印象を受ける．血液検査で，総蛋白が高値（高グロブリン血症），M蛋白陽性であれば，形質細胞腫（多発性骨髄腫）が強く疑われ，紹介可能と思われる．可溶性IL-2レセプター（sIL-2R）が高値であれば，MLが疑われる．しかし，sIL-2Rは炎症でも高値を示し，MLでも上昇しないことがある．

また，MLは骨以外にも軟部や後腹膜の腫瘍疑いで受診することもある．MLが疑われたときは，生検が必要である．安全に組織採取が可能な部位から，骨折に注意して採取する．後腹膜や重要臓器近傍などから採取しなければならない場合は，CTガイド下針生検が有用である．全身検索にはPET/CT，PET/MRIが有用である．骨髄穿刺も必要であるが，当該科（血液内科や小児科）で行われる．

治療方針

治療は，当該科で行われるので迅速に紹介する．治療前に，化学療法，骨吸収抑制薬併用，およびインプラント併用手術に備え，顎骨壊死や感染の予防のために歯科紹介を行う．病的骨折予防のために安静度を指示し，必要時装具を作製する．病的骨折に対しては，治療奏効により骨修復が期待できるので，装具療法，関節温存に努めて髄内釘による内固定，脊椎では除圧固定を行う．ステロイド併用の際には，骨粗鬆症にも注意する．

多発性骨髄腫

Multiple myeloma

富田 雅人　長崎大学大学院 准教授

【疾患概念】　骨髄腫は，形質細胞の腫瘍性増殖と単クローン性免疫グロブリン（M蛋白）の増加により特徴づけられる血液疾患である．
【頻度】
40〜60歳に多く60歳が発症のピークである．男女比は2：1で，わが国の発症率は人口10万人あたり約5人である．
【病型分類】
国際骨髄腫作業部会による病型分類を示す．
①意義不明の単クローン性ガンマグロブリン血症：M蛋白や骨髄腫細胞が少なく臓器障害がない．定期的な検査を行う．
②くすぶり型多発性骨髄腫：骨髄腫細胞やM蛋白が増加するが，症状や臓器障害がない．定期的な検査を行う．
③多発性骨髄腫：M蛋白と骨髄腫細胞が増加し，臓器障害を生じる．薬物療法や造血幹細胞移植を行う．
④孤立性形質細胞腫：骨や骨以外の組織に骨髄腫が形成されるが，臓器障害はない．腫瘍に放射線療法を行う．
⑤形質細胞白血病：末梢血中で骨髄腫細胞が増殖しリンパ節や臓器腫大などが高頻度にみられ，臓器障害が進行する．薬物療法や造血幹細胞移植を行う．
【臨床症状】
貧血（息切れ・だるさ），易感染性（肺炎や尿路感染症），出血傾向が生じる．M蛋白増加により腎障害や過粘稠度症候群が生じる．骨病変により骨痛や病的骨折，脊髄圧迫による麻痺，高カルシウム血症（吐き気や食欲不振，意識障害，口渇）が生じる．

問診で聞くべきこと

高齢者の多発性溶骨性病変の鑑別疾患として臓器がんの骨転移が挙げられる．そのため，既往歴や骨関連以外の症状を十分に聴取する．原発不明がんの骨転移症例では肺癌が約30％と最も多く，次いで本疾患が15〜20％と多い．

必要な検査とその所見

一般の血液検査で貧血があるにもかかわらず，血清総蛋白が高値の場合は本疾患を疑うべきである．確定診断に有用な検査は，血液と尿の蛋白電気泳動と免疫電気泳動である．血液検査におけるグロブリン分画の上昇と尿中のBence-Jones蛋白検出の特異度が高い．単純X線像では頭蓋骨や骨盤に境界明瞭で辺縁硬化を伴わない骨透亮像（打ち抜き像）がみられる．脊椎では椎体の扁平化・楔状変形がみられる．

診断のポイント

画像診断で多発性溶骨性病変が確認されたら，本疾患を念頭において血液・尿検査を行う．病変部あるいは骨髄の生検による組織診断を検討する．

専門科へのコンサルテーション

血液腫瘍の専門科へすみやかにコンサルトすることが望ましい．

治療方針

治療は薬物療法が中心である．自家造血幹細胞移植が可能な65歳以下の患者と，移植非適応の患者では異なった治療方針が選択される．現在ではメルファランなどの抗がん剤とステロイドに加えてさまざまな薬剤(ボルテゾミブ，レナリドミド，サリドマイド，ポマリドミドなど)を適切に組み合わせた治療が行われる．

骨病変による疼痛に対し20 Gy程度の局所放射線照射が有効である．腫瘍の消失や縮小を目的とする場合40〜50 Gyが用いられる．脊髄圧迫による麻痺に対し，放射線照射・ステロイドによる治療をすみやかに(48時間以内)開始する必要がある．骨代謝修飾薬(ビスホスホネート製剤，抗RANKL抗体製剤)も骨病変に有効である．脊椎圧迫骨折に対してコルセットを装着することがある．骨折による疼痛や麻痺を予防，改善するために手術を検討する．高カルシウム血症に対しては生理食塩水の輸液，利尿薬に加えて骨代謝修飾薬を投与する．

合併症と予後

生命予後は改善傾向にあるが5年生存率は約25％である．

患者説明のポイント

診断確定後は内科的治療が中心となる血液腫瘍であることを説明し，すみやかに治療を開始できるよう説明する．

リハビリテーションのポイント，関連職種への指示

病的骨折・麻痺のリスクを評価し，適切な荷重制限と廃用予防訓練，動作指導を行い，ADLを維持することが重要である．治療は血液内科主体で行われる．病的骨折のリスクを評価し，荷重制限など適切なADL訓練，動作指導による活動性維持が肝要である．

私のノートから／My Suggestion　対面診療における問診と診察の重要性：骨軟部腫瘍の外来より

最近オンラインによる外来診療が推奨されているが，少なくとも初診においては，対面診療なしに的確な診断を行うことは難しい．ぜひ若い整形外科医の皆さんは，画像診断やオンライン診療に頼る前に，まず適切な問診と診察を行えるだけの知識と経験を身につけてほしい．本稿では，骨軟部腫瘍外来における実例を示す．

①問診
痛みを伴う肘の軟部腫瘍で紹介された患者「1週間でみるみる大きくなりました」
私「猫を飼ってませんか？」
患者(けげんな顔で)「飼ってますけど……」
私「子猫じゃありませんか？」
患者「その通りです！何でわかるんですか？」
私「猫ひっかき病の可能性があります．針生検で確認しましょう」

外来における針生検の結果は炎症細胞浸潤や壊死を伴うリンパ節炎，猫ひっかき病の診断で抗菌薬投与，腫瘤は消失した．
(解説)1週間という短期間での増大は，悪性腫瘍より炎症の可能性が高い．肘や腋窩は飼い猫がじゃれてできる手や前腕の傷から混入した病原体によるリンパ節炎の好発部位である．よくじゃれる子猫であればより可能性が高い．

この例のように，問診においては，患者さんから診断のためのヒントを聞き出すことが大切である．

②診察
軟部腫瘍のうち悪性腫瘍の大まかな目安は，大きい(＞5 cm，鶏卵大以上)，深在性(浅在性筋膜より深部)，弾性硬である．ところが研修医のカルテを見ると，良悪性の如何にかかわらず，ほとんど弾性硬と記載してあり参考にならない．軟部腫瘍の硬さの目安は，軟が皮下脂肪程度の柔らかさ，弾性軟が力を抜いた腓腹筋の硬さ，弾性硬がつま先立ちした腓腹筋の硬さ，硬が骨や軟骨の硬さであることを知ったうえで記載してほしい．また，悪性が疑われたら必ず所属リンパ節を触知し，腫脹の有無を確認してほしい．リンパ節転移をきたす軟部腫瘍は滑膜肉腫，横紋筋肉腫，類上皮肉腫，明細胞肉腫など少数に限られるので診断を絞り込みやすいし，病期診断や治療方針決定の根拠ともなるので重要な所見である．

岩本 幸英(九州大学 名誉教授／労働者健康安全機構九州労災病院 院長〔北九州市小倉南区〕)

5 骨・軟部腫瘍および腫瘍類似疾患

脊索腫
Chordoma

丹澤 義一　東海大学 講師

【疾患概念】　胎生期の脊索が遺残し，脊索細胞が悪性化した腫瘍とされている．脊索細胞ががん化する原因はまだ解明されていない．悪性度は高くはないが，周囲に浸潤し切除術後にしばしば局所再発を繰り返す疾患である．

【頻度】
年間人口100万人あたり1人程度の発生率と非常にまれである．一般に40～60歳での発症が多いが，年齢を問わず発生する可能性がある．男性が女性と比べ約2倍の発生率とされている．発生部位は仙骨が約50％と多く，そのほか頭蓋底が35％，脊椎が15％（特に頸椎が多い）に好発する．

【臨床症状】
疼痛が主症状で，発生部位により腰痛，殿部痛，肛門部痛など多様であり，夜間の安静時痛として現れるときもある．発育は緩徐であり，腫瘍が大きくなってから発見されることがしばしばである．仙骨発生例ではサイズが大きくなると膀胱直腸障害や下肢の神経症状が出現する．

【診断のポイント】
原因の特定できない殿部痛や下肢の神経症状を認める場合は，本疾患を鑑別疾患として挙げるべきである．単純X線画像では拡張性に膨隆した多房性骨吸収像を認める．CTでは溶骨性病変を，MRIではT1強調像で筋肉と等信号，T2強調像で高信号，ガドリニウムで不均一な造影効果を示す．画像上は骨巨細胞腫，神経鞘腫や軟骨肉腫などとの鑑別が必要である．本疾患を疑った場合にはすみやかに骨・軟部腫瘍診療を専門とする医療機関に紹介し，生検による病理組織診断を行う必要がある．

【治療方針】
手術による広範切除が原則である．しかし発生部位が脊髄と近接しているため，治癒的切除が困難なことがしばしばある．また仙骨発生例では発生高位により性機能障害，膀胱直腸障害など手術による重大な合併症を生じるリスクが高いため，近年わが国においては重粒子線治療が適応されることが多くなった．重粒子線治療は手術と同等の治療成績が報告され，また良好な機能維持が期待できるというメリットがあり，各々の症例に応じて行われている．

脊索腫に有効な抗がん剤はないが，最近では新たな分子標的薬を用いた臨床研究が欧米を中心に行われており，今後は進行した治癒困難な脊索腫に対する新たな治療開発が待たれる．

【予後】
これまでの報告で5年生存率は80％を超え予後良好といえるが，10年生存率は50％以下へ低下し，局所再発をきたすことで予後不良となることがわかっている．

【患者説明のポイント】
悪性腫瘍であり専門医による診断・治療が必須であることを説明し，すみやかに専門施設へ紹介する．

四肢の転移性骨腫瘍
Skeletal metastasis of the extremities

河野 博隆　帝京大学 主任教授

【疾患概念】　ほぼすべての悪性腫瘍（がん）は骨に転移を生じる可能性があり，転移性骨腫瘍は最も頻度が高い悪性骨腫瘍である．原発腫瘍の治療成績の向上によって生存期間が延長したため，骨転移との共存期間も延長し，骨転移の治療頻度はますます高まってきている．

わが国が「がん時代」を迎え，がんは根治を目指すとともに，慢性疾患としてがんとの共存を許容してQOLの維持・向上をはかるというパラダイムシフトが生じている現在，がん患者が動き続けることを目的とする「がんロコモ」の概念に基づいた骨転移診療が求められている．骨転移診療はがん診療のチーム医療の一環として行われる．適切ながん診療には，移動能力の維持を通じてADL・QOLを向上させる整形外科の関与が欠かせない．

【頻度】
わが国のがんによる死亡者数は約38万人（2019年）であり，死亡時には60～70％が骨転移を有すると推定されている．好発部位は脊椎，骨盤などの体幹，そして大腿骨，上腕骨などの体幹に近い長管骨である．原発腫瘍として頻度が高いのは，剖検データでは肺癌，胃癌，乳癌，大腸癌の順と報告されている．

【病型・分類】
局所の単純X線所見で溶骨像が優位な溶骨型，造骨像が優位な造骨型，両者が混合した混合型，骨破壊がみられない骨梁間型に分類される．また，全身の骨に急速に進展する骨髄癌症という病態がある．

【臨床症状または病態】
骨転移によって生じる局所症状は疼痛，骨折，麻痺

表 5-6 新・片桐スコア

	予後悪化因子	点数
原発巣	肺，大腸，胃，膵，頭頚部，食道，泌尿器，黒色腫，肝，子宮頚，不明	3
	肺（分子標的薬治療），乳，前立腺，腎，子宮体，卵巣，肉腫，その他	2
	乳（ホルモン依存性），前立腺（ホルモン依存性），甲状腺，骨髄，リンパ	0
内臓転移	腹腔内，腹膜，軟膜への播種	2
	その他	1
採血	PLT<10万，血清Ca≧10.3，T-Bil≧1.4	2
	CRP≧0.4，LDH≧250，Alb<3.7	1
Performance Status	3以上	1
過去の化学療法	あり	1
多発骨転移	あり	1
		/10

予後予測合計点数	生存率		
	6か月	12か月	24か月
0〜3	0.981	0.914	0.778
4〜6	0.740	0.493	0.276
7〜10	0.269	0.060	0.021

(Katagiri H, et al: New prognostic factors and scoring system for patients with skeletal metastasis. Cancer Med 3: 1359-1367, 2014 より)

である．全身症状として高カルシウム血症による便秘，口渇，吐き気，意識障害などのさまざまな症状が生じる．ただし，骨転移は無症状のものも多いことに注意が必要である．

問診で聞くべきこと

骨転移が疑われた場合，最も重要なことはがんの既往の確認である．病名と治療内容，そして原発担当主治医からの説明内容を確認する．

必要な検査とその所見

①画像検査：局所の評価は単純X線検査が基本である．多くの骨転移は溶骨型を呈し，前立腺癌，乳癌，胃癌は造骨型を呈する．CTで骨破壊を詳細に評価し，MRIで骨外および髄内の進展範囲を評価する．骨梁間型はMRIでのみ描出されることが多い．全身のスクリーニング検査としては骨シンチグラフィー，FDG-PETが有用である．

②血液検査：腫瘍マーカーが原発腫瘍の推定，治療効果判定に有用である．

③生検：転移性骨腫瘍で原発不明の場合は，CTガイド下生検や切開生検による組織診断が必要となる．

診断のポイント

重要なことは骨腫瘍の鑑別診断として，常に骨転移を意識することである．中高年以上の軽微な外力による骨折も，骨転移による病的骨折を念頭におく．骨転移が疑われたら，すみやかに原発科と連携して，全身状態の評価，予後の推定を行い，ADLを保つために治療方針の決定を行う．

専門病院へのコンサルテーション

広範切除などの骨転移局所への特殊な侵襲的処置を要する場合は，専門病院へのコンサルテーションを要する．骨転移による病的骨折に対して固定術を行う際に，出血のリスクの高いがん種の場合は血管塞栓が実施可能な施設で行うべきである．多くの骨転移は，原発科や放射線科と連携して，一般整形外科で対応が可能である．

治療方針

骨転移の治療の目的はがんの根治ではなく，がん患者のADL維持である．患者の全身状態（耐術能），推定予後，骨折・麻痺の状態，治療効果の見込みを把握し，患者と家族の意思を尊重して総合的に治療方針を決定する．予後予測には片桐スコア（表5-6）が有用であるが，推定予後期間のみで手術を回避するべきではない．

治療法

骨転移による骨折・麻痺があり，ADLが低下していれば，可能な限り手術を行う．

1 ▶ 保存療法

抗がん剤と放射線療法の効果が見込まれ，骨折リスクが低い場合は保存療法でよい．骨修飾薬（ゾレドロン酸，抗 RANKL 抗体）投与の有効性が報告されている．また，骨転移局所の脆弱性を評価して，適切な安静度を設定し，骨折リスクがある場合は厳重な荷重制限を行う．

2 ▶ 手術療法

骨転移に対する手術の目的は四肢の支持機能の維持と回復である．推定される予後に応じて，腫瘍用人工関節による再建あるいは髄内釘・プレートを用いた内固定を行う．根治性がある場合は広範切除を行うが，頻度は低い．

患者説明のポイント

原発科から，病状についてどのように説明を受けているかを確認したうえで，骨転移の状態と治療法のリスク・ベネフィットについて説明する．

リハビリテーションのポイント

骨転移による骨折をおそれるあまりに過度の安静とならないよう留意する．移動能力と活動性の維持は，がん患者の生活およびがん治療の継続にきわめて重要である．

私のノートから／My Suggestion　骨転移の診断治療を通してチーム医療のあり方を考えよう

最近の整形外科医は転移性骨腫瘍の診断や治療を回避する傾向が強いとの声をよく耳にする．がんの治療成績が向上し，患者の生存期間が延長すれば骨転移が増える状況にあるにもかかわらず，である．特に第一線の病院では高齢者疾患や外傷への対応に追われて，多くの複雑な身体的，精神的また社会的問題を抱えている骨転移の患者を診察することを嫌がる．確かに放射線療法の発達や新しい薬物療法の出現などにより，整形外科に相談なく内科や放射線科に直接紹介されている．骨折をきたすと整形外科にとなるが，通常の骨折と異なり難渋することが少なくない．そのときになって初めて診察し，なぜ骨折する前に相談してくれなかったのかと残念な気がするが，これまでの努力不足により他科の信頼が得られていないことによると大いに反省しなければならない．日頃から病院内だけでなく地域の医療機関の他科の医師との交流や情報発信をはかることが重要である．

骨転移はがんの末期に現れることが一般的である．血流の豊富な脊椎骨，大腿骨近位などに転移しやすいことを理解して，骨への転移をきたしやすい原発がんの患者には定期的に骨シンチグラフィーを施行することを勧めるとよい．がんの治療を長く続けて身体的にも精神的にも疲労状態にある人に対応するには，医師や医療スタッフも自らの知性を高めなければならない．余命の正確な予測は困難であり，治療法が進んできている現在では治療者側の想定をはるかに超える患者も存在する．そんななかで残された命をいかに有意義に過ごせるかを考え，それを提供することが整形外科医の務めである．歩行しながら日常生活を送れることが最良であるが，歩けなくても車椅子での行動ができたり，ベッド上での動作が不自由なく行えれば生活の幅が大きく広がるはずである．それを提供できるように，医師，看護師，理学療法士，作業療法士，ソーシャルワーカーなどのチームが協力できる体制をつくらなければならない．

内田 淳正（三重大学 前学長）

6 関節リウマチ，慢性関節疾患および骨壊死症

関節リウマチの新しい治療体系	194
関節リウマチの薬物療法	198
関節リウマチ合併症の治療	199
関節リウマチのリハビリテーション，機能訓練と装具療法	202
関節リウマチの外科治療	204
関節リウマチ患者と介護保険	206
関節リウマチ患者の在宅生活支援	207
若年性特発性関節炎	208
高齢発症の関節リウマチ	210
悪性関節リウマチ	211
高尿酸血症・痛風	212
偽痛風	214
アパタイト結晶沈着症	215
脊椎関節炎（総論）	215
強直性脊椎炎	217
乾癬性関節炎	219
血友病性関節炎	221
神経病性関節症（Charcot 関節）	222
糖尿病性関節症	223
特発性大腿骨頭壊死症	224

6 関節リウマチ，慢性関節疾患および骨壊死症

関節リウマチの新しい治療体系

The new therapeutic strategy for patients with rheumatoid arthritis

仲村 一郎　独立行政法人地域医療機能推進機構湯河原病院 診療統括部長〔神奈川県足柄下郡〕

1 関節リウマチの病態・疫学・診断

　関節リウマチ（rheumatoid arthritis；RA）は，自己免疫反応を背景に関節滑膜に炎症が生じ，慢性，時に急性の経過で関節破壊に至る全身性炎症疾患である．日本における患者数は推定60〜70万人とされている．男女比は1：4〜6で，発症年齢は10〜80歳代までと幅広いが，好発するのは30〜50歳代の女性である．発症原因には遺伝的要因があるとされるが，一卵性双生児がともにRAを発症する確率は15％程度であり，発症のすべてを遺伝子で説明することはできない．近年，喫煙と歯周病がRAの発症要因として注目されている．

　RA治療の原則は，不可逆的な関節破壊や身体機能障害が生じる前に治療介入し，RAの病勢を十分に抑えることであり，そのためには早期診断が必要となる．RAを診断するために最も大切な点は，「関節腫脹を伴う関節痛があればRAの可能性を念頭におく」ということ，言い換えれば，疑わなければ診断できないということになる．随伴症状として，朝の手のこわばりや対称性の関節腫脹，リウマトイド結節といった症状があれば，さらに強くRAを疑うことになる．リウマトイド結節はRAを診断するうえで特異性が高く，これだけでRAと診断できる重要な身体所見である．

　RAを疑えば，「関節リウマチ分類基準」に照らして診断を進める（図6-1）．診断は，①少なくとも1か所の関節で関節腫脹（滑膜炎）を認めること，②その原因としてRA以外の疾患の可能性を否定できることの2点が大前提となる．関節滑膜炎を確認するために，付加的に関節エコーや核磁気共鳴画像（magnetic resonance imaging；MRI）などの画像診断を用いることもできる．注意すべき点は，関節痛だけではRAと診断することはできないという点である．

　「RA以外で説明できない関節腫脹がある」と確認できれば，スコアリングに進み（表6-1），スコアが6点以上であればRAの診断を確定することができる．このスコアリングの項目には，血清学的因子としてリウマトイド因子（RF）と抗CCP抗体（抗環状シトルリン化ペプチド抗体），急性期反応物質としてCRP，赤血球沈降速度（ESR）の評価が含まれている．

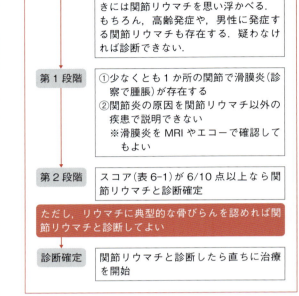

図6-1　関節リウマチ診断の流れ

【補足：診断基準と分類基準】

　米国リウマチ学会（American College of Rheumatology；ACR）と欧州リウマチ学会（European League Against Rheumatism；EULAR）によって2010年に提唱された「関節リウマチ分類基準」はなぜ「診断基準」ではなく「分類基準」なのか．RAを診断するための基準なら「診断基準」でもよさそうである．実は，この基準は「単にRAを診断する」ためのものではなく，「関節が痛み腫れている集団のなかからRA患者を『分類』してRA治療を開始するための基準」という意味が込められており，そのために「診断基準」ではなく「分類基準」となっている．

2 関節リウマチ治療の原則：Treat to Target

　RAと診断できたなら直ちに治療を開始する．RA治療の4本柱は，今日でもなお患者教育・支援，薬物療法，手術療法，リハビリテーションであるが，このなかで中心的役割を果たしているのが薬物療法である．整形外科医は運動器疾患の専門家として，基本的な抗リウマチ薬を適正かつ安全に使用できることが望ましい．

　RA治療の長期的な目標は患者のQOLを最大限に改善し，当たり前の暮らしを取り戻すことである．そ

表6-1 関節リウマチ分類基準2010（米国リウマチ学会・欧州リウマチ学会）

下記4項目の総スコアが10点満点中6点以上で関節リウマチと診断

A. 罹患関節（腫脹または圧痛のある関節）注1)	スコア（点）
1か所の大関節注2)	0
2〜10か所の大関節	1
1〜3か所の小関節注3)	2
4〜10か所の小関節	3
11か所以上の関節（少なくとも1つは小関節）	5
B. 血清学的検査	
抗CCP抗体およびRFが陰性	0
抗CCP抗体またはRFが低値陽性注4)	2
抗CCP抗体またはRFが高値陽性注5)	3
C. 急性期反応物質	
CRPおよびESRの両方が正常	0
CRPまたはESRが異常	1
D. 症状の持続期間	
6週間未満	0
6週間以上	1

注1) 除外関節：DIP・第1CMC・第1MTP関節
注2) 大関節：肩・肘・股・膝・足関節
注3) 小関節：MCP・PIP・第2〜5MTP・第1IP・手関節
注4) 低値陽性：基準値上限の3倍以内の値
注5) 高値陽性：基準値上限の3倍より高値
抗CCP抗体：抗環状シトルリン化ペプチド抗体，RF：リウマトイド因子，CRP：C反応性蛋白，ESR：赤血球沈降速度

のためには定期的な疾患活動性評価とそれに基づいた治療の適正化を行い，低疾患活動性，できれば臨床的寛解を保つことが重要となる．このような目標を見定めた治療指針を"Treat to Target"（T2T）という．

T2Tの原則として，①患者とリウマチ医が協働して治療法の選択を行う，②治療方針の決定の際には，疾患活動性だけでなく，関節破壊の進行，合併症や治療安全性といった要素も考慮する，③RAは個人的負担，社会的負担，医療負担が大きいため，これらを考慮して治療にあたる，といった点が挙げられる．さらに最近では，shared decision making（SDM．協働的意思決定）といって，患者と医師が治療方針の決定に関して，対等な立場で目標を共有し，協働して治療にあたることが提唱されている．

3 抗リウマチ薬による関節リウマチ治療推奨

現在では，このT2Tを基本方針として，ACR，EULARがそれぞれに，抗リウマチ薬によるRA治療推奨を発表し，定期的に更新している．現在，ACR推奨は2021年，EULAR推奨は2019年のものが使用されており，わが国でも2021年に日本リウマチ学会（Japan College of Rheumatology；JCR）から「関節リウマチ診療ガイドライン2020」が発表された（図6-2）．

基本的な考え方はいずれも同じで以下のような流れになる：①RAの診断がつき次第，抗リウマチ薬で治療を開始，②目標は寛解もしくは低疾患活動性の維持，③そのために検査と診察により疾患活動性をモニターし，3か月で改善がみられない場合や6か月で治療目標に達しない場合には治療内容を見直す，④メトトレキサート（MTX）による治療が基本．MTXが使用できない患者の場合にはサラゾスルファピリジンもしくはレフルノミドを含んだ治療を選択する，⑤ステロイドの短期併用も考慮すべき．ただし，臨床的に可能な限りすみやかに減量すること，⑥第一段階での治療が目標に達しなかった場合で予後不良因子があれば，生物学的製剤もしくは分子標的型合成抗リウマチ薬（JAK阻害薬）の追加を考慮すべき，⑦第二段階での治療が目標に達しなかった場合には，生物学的製剤もしくはJAK阻害薬の変更を考慮する．

4 関節リウマチの薬物療法：私はこう治療している

RAの薬物療法は，日米欧の治療推奨がほぼ足並みを揃えたものになっている今日，その推奨から大きく逸脱することはできない．ただ，それぞれの医師の経験と置かれた状況（呼吸器内科医が常在している病院か否かなど）によって，ある程度の幅は許容されるべきであろう．言い換えれば，大都会の大学病院やリウマチセンターでのRA治療と地方の整形クリニックでの治療に温度差があっても，それを否定することはできない．つまり大切なことは，治療推奨の範囲内で現在の自分の身の丈に合った治療パターンをもつこと，そしてそれを増やしていくことであろう．無論，その治療は第一に安全で，次に有効で合理的でかつ患者の経済性をも見据えたものであるべきと考えている．

1 ▶ 薬物療法の基本はメトトレキサート（MTX）

RAの薬物療法において生物学的製剤の占める割合が年々増しつつあるといっても，やはり薬物療法の中心はMTXである．その有効性，安全性，経済性を考えても，MTXがRA治療のアンカー・ドラッグであることは揺るがない．さらに，生物学的製剤の有効性もMTXとの併用で積み上げ効果があり，治療の第一歩はMTXを安全かつ適切に使用することである．

6 関節リウマチ，慢性関節疾患および骨壊死症

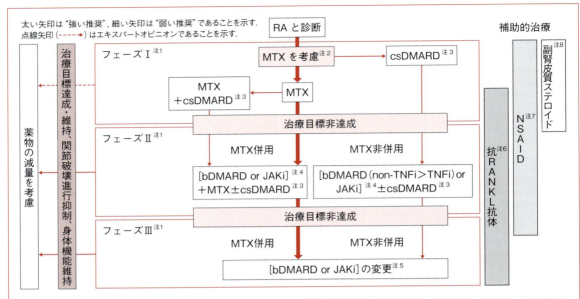

図 6-2　関節リウマチ診療ガイドライン 2020 における薬物治療アルゴリズム
(日本リウマチ学会(編)：関節リウマチ診療ガイドライン 2020．p17，診療と治療社，2021 より)

2 ▶ MTX 使用前スクリーニング

　MTX 使用に際して重要なことは使用前のスクリーニングである．肺障害のチェックには，胸部単純 X 線撮影を行う．必ず正面・側面の 2 方向を撮り，特に側面像での肋骨横隔膜角(costophrenic angle)が下方へ鋭角に伸びていることを確認する．これが鈍角であったり，他に疑わしい陰影があったりする場合，喫煙歴がある場合(個人的には Brinkman 指数：1 日の喫煙本数×喫煙年数が 400 以上の場合)，KL-6 高値，結核の既往歴・家族歴がある場合には，ためらわず胸部 CT を撮るようにしている．また，MTX の使用前に T-SPOT® などによる潜在性結核の有無をスクリーニングすることは，添付文書に記載されているので必ず行わなくてはならない．
　B 型肝炎ウイルス(HBV)については，免疫抑制療法などに伴い再活性化することがあり，それを予防するガイドラインが策定されている．MTX 使用開始前に，HBs 抗原，HBs 抗体，HBc 抗体を調べておく．筆者の場合，ウイルスが検出されない感染既往者(HBs 抗体陽性，HBc 抗体陽性)では，HBV-DNA を定期的にモニタリングしながら MTX 治療を行っているが，HBV キャリア(HBs 抗原陽性，HBs 抗体陰性)の患者の RA 治療は近隣の大学病院・高度医療機関に依頼している．
　腎機能と MTX 使用については，添付文書上「腎障害のある患者に使用禁忌」となっている．具体的な目安として『関節リウマチ治療におけるメトトレキサート(MTX)診療ガイドライン』では，腎糸球体濾過量(GFR)が 30 mL/分/1.73 m^2 以下は MTX 使用禁忌，30〜60 mL/分/1.73 m^2 の場合は使用量に注意とされている．この数値を 1 つの指標として MTX を使用することが望ましい．

3 ▶ MTX の用量をどう決定するか

　MTX の用量の決定には患者の年齢，体重，腎機能

を考慮するが，筆者は体重×0.25をその患者のMTX用量の上限と設定している．体重40 kgの患者であれば10 mg/週までを目安にという意味である．もちろん，高齢者や腎機能次第では［体重×0.2］とする場合もある．4～6 mg/週から開始し，4週ごとに2 mgずつ増量していく．この際，骨髄赤芽球のDNA合成障害を反映するMCV（平均赤血球容積）値が100［fL］を超えないように留意している．MTXの使用量に関しては，「8 mg/週で開始して，2週ごとに2 mgずつ，十分な効果が得られるまで早急に増量（最高用量16 mg）する」といった意見もあるが，個人的には身の丈に合わせて自分のペースを決め，経験と反省に学びながら調整していけばよいと考えている．

さらに言えば，わが国ではMTXは16 mg/週まで使用することができるが，現実的に最高用量まで使用している症例は多くない．気分不快，肝機能障害，脱毛，白血球数低下（骨髄抑制）などがその原因である．筆者は長期服用に際しての安全性を考えて，最高でも12 mg/週までを限度とし，それでも疾患活動性が制御できない場合には，他の従来型合成抗リウマチ薬（csDMARDs）や生物学的製剤の追加投与を考慮している．

4 ▶ MTXを使用できない場合，十分に増量できない場合

MTX使用前のスクリーニングを行っている期間には，サラゾスルファピリジンとステロイドによる治療を開始するが，結果としてMTXが使用できなかったり，十分に増量できなかったりする場合，ブシラミン（リマチル®），イグラチモド（ケアラム®），タクロリムス（プログラフ®）といったcsDMARDsを適宜組み合わせて使用する．これらは欧米ではRAに対する適応を取得していないが，安全性，有効性，経済性（タクロリムスは除く）の点から優れた薬剤である．レフルノミド（アラバ®）もMTXとほぼ同等の有効性をもつ強力な抗リウマチ薬であるが，間質性肺炎を増悪させるため，MTXが服用できずかつ肺障害のない患者に限り使用している．

トピックス　IgG4関連疾患

IgG4関連疾患は，血清IgG4値の上昇とIgG4陽性形質細胞のびまん性浸潤と線維化からなる腫瘤性・結節性・肥厚性病変を呈する慢性疾患である．涙腺・唾液腺，膵臓を二大好発臓器とし，胆管，腎臓，後腹膜・大動脈周囲，肺に病変が出現することが多い．20世紀までは涙腺・唾液腺病変はMikulicz病，膵病変は自己免疫性膵炎と呼称されていたが，IgG4をキーワードに共通の特徴を有する病変が形成されることがわが国からの報告で明らかになり，独立した疾患概念として確立した．

病因は不明であるが高IgG4血症，高ガンマグロブリン血症や低補体血症の存在，迅速なステロイドへの反応性から，基盤に免疫異常の存在が想定される非腫瘍性・非感染性疾患である．IgG4の病因的意義は定まっていないが，自己抗体として抗ラミニン511抗体や抗ガレクチン3抗体が報告され，自己免疫機序が注目されている．大規模な疫学研究は行われておらず，正確な発症率・罹患率は不明であるが，国内の患者数は1万人以上と推測される．発症年齢は60歳前後にピークがあり，男性に多い．

発熱などの全身症状はまれで，罹患臓器の腫大による局所症状が主体である．涙腺・唾液腺炎による容貌変化，膵腫大・胆管炎での黄疸，後腹膜線維症による水腎症などの症状・症候が診断のきっかけになる．また，無症候性の高蛋白血症や画像診断での好発臓器の腫大からIgG4関連疾患がみつかることもある．関節痛などのリウマチ症状はみられない．IgG4関連疾患は指定難病となっており，診断は包括診断基準，ないしは臓器ごとの診断基準に従うが，原則は高IgG4血症（135 mg/dL以上）と病変部にIgG4陽性形質細胞浸潤と線維化を認め，悪性腫瘍などが除外されることである．

治療の第一選択はグルココルチコイドである．投与開始2週間以内に病変の著明な縮小を認めることが多く，一次無効はまれとされているので，反応がない場合には診断の再考を要する．病変の進行は緩徐であり，無症状の場合は慎重な経過観察も可能であるが，黄疸，水腎症などの臓器障害を呈している場合は，絶対的な治療適応である．プレドニゾロン（PSL）0.6 mg/kg/日で寛解導入を開始し，2～4週間ごとに減量し，維持量10 mg/日以下を目指すが再燃も多く，完全寛解はまれである．再燃例やPSLの減量困難例に対しては経験的に免疫抑制薬が試みられているが，有効性は定まっていない．

髙橋　裕樹〔札幌医科大学 教授（免疫・リウマチ内科学）〕

6 関節リウマチ，慢性関節疾患および骨壊死症

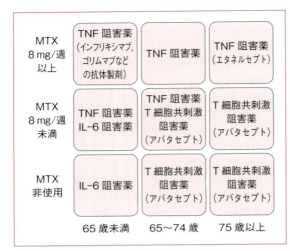

図 6-3　年齢と MTX の用量を考慮した生物学的製剤の使い分けの例

関節リウマチの薬物療法
Drug therapy for rheumatoid arthritis

亀田 秀人　東邦大学 教授（膠原病学）

1 薬物療法の考え方

　抗リウマチ薬（disease-modifying antirheumatic drugs；DMARDs）は，関節破壊やそれに伴う身体機能の不可逆的低下を抑制することで関節リウマチ（rheumatoid arthritis；RA）の自然経過を修飾しうる薬剤の総称であり，関節痛を緩和するものの上記の作用が認められない非ステロイド性抗炎症薬（nonsteroidal anti-inflammatory drugs；NSAIDs）と対比するために導入された用語である．グルココルチコイドにも同様の作用があるが，慣例として DMARDs には含まれない．DMARDs には従来型合成（conventional synthetic）DMARDs（csDMARDs），生物学的（biologic）DMARDs（bDMARDs），分子標的合成（targeted synthetic）DMARDs（tsDMARDs）がある．
　症状緩和のためにグルココルチコイドや NSAIDs を頓用あるいは半年以内の期間限定的に使用することは，リスク・ベネフィットバランスに鑑みて容認されているが，実際には結果的に長期使用となってしまい，後に有害事象が大きな問題となることも少なくない．

2 csDMARDs

　RA の診断後，通常は薬剤費も考慮して，比較的安価である csDMARD をすみやかに開始する．特に継続率が高いメトトレキサート（MTX，6〜16 mg/週，原則として葉酸製剤を併用し，肝障害，骨髄抑制，間質性肺炎，リンパ増殖性疾患に注意）が最も汎用される．MTX をはじめとした csDMARDs 投与開始前に，副作用の危険因子の評価に必要な問診と診察，尿一般検査，赤血球沈降速度，CRP，末梢血検査（白血球分画を含む），一般生化学検査（AST，ALT，ALP，アルブミン，血糖，Cr，BUN），免疫血清学的検査，胸部 X 線検査を行う．MTX 以外にもレフルノミド（10〜20 mg/日，間質性肺炎と下痢，高血圧に注意）とタクロリムス（1.5〜3 mg/日，腎障害，高血圧，高血糖に注意）などは免疫抑制薬に分類され，それらの開始前には肝炎ウイルス（HBs 抗原，抗原陰性なら HBs 抗体・HBc 抗体，いずれかの抗体陽性なら HBV-DNA 測定，また HCV 抗体も測定する）と結核のスクリーニング検査〔インターフェロンガンマ遊離試験（クォンティフェロン®TB ゴールドあるいは T-SPOT®）またはツベルクリン反応〕，真菌のスクリーニングとして血

5 ▶ 生物学的製剤の使い分け

　MTX を含めた経口の csDMARDs を工夫しても疾患活動性が十分に制御できない場合に，生物学的製剤の使用を考慮する．わが国では TNF 阻害薬（インフリキシマブ，エタネルセプト，アダリムマブ，ゴリムマブ，セルトリズマブ ペゴル），IL-6 阻害薬（トシリズマブ，サリルマブ），T 細胞共刺激阻害薬（アバタセプト）の 8 製剤の使用が可能であるが，個々の製剤の特徴，使用上の注意は他項に譲る．筆者は患者年齢と MTX の服用状況を組み合わせた 図 6-3 のようなチャートを参考に生物学的製剤を使い分けている．75 歳以上の高齢者には半減期の短い受容体製剤であるアバタセプト，エタネルセプトを MTX の使用状況で使い分け，非高齢者で MTX が服用できないか十分量服用できない場合には IL-6 阻害薬を，MTX が服用できる場合にはインフリキシマブ，ゴリムマブなどの TNF 阻害薬を使用している．またインフリキシマブとエタネルセプトに対してはバイオシミラー製剤が発売されているが，患者の経済的負担の軽減と国の医療費の現状に鑑みて，これらを積極的に使用している．一方，挙児希望の女性には胎盤移行性のないセルトリズマブ ペゴルを使用する．JAK 阻害薬に関しては，帯状疱疹を高率に発症することもあり，生物学的製剤を使用してもなお疾患活動性が抑制できない場合にその使用を考慮する．
　生物学的製剤の使用に関してはさまざまな見解があるが，すべての製剤に精通する前に，自分に合った薬剤をいくつか使いこなせるようにして，それらを使用していくなかで，経験値を上げていくことが大切であろう．

中β-D-グルカンの測定を実施する．

　免疫抑制薬に分類されない csDMARDs としてサラゾスルファピリジン(1,000 mg/日，重篤な皮疹，血球減少に注意)，ブシラミン(100～200 mg/日，皮疹，蛋白尿，黄色爪に注意)，イグラチモド(50 mg/日，胃腸障害と肝障害に注意)，注射金製剤(10 mg/週から漸増，皮疹，蛋白尿と間質性肺炎に注意)がある．

3 bDMARDs

　csDMARDs(の併用)による治療を 3～6 か月継続しても，治療目標である臨床的寛解あるいは低疾患活動性に到達しない場合には，bDMARDs の併用を考慮する．腫瘍壊死因子(tumor necrosis factor；TNF)を標的とした抗体製剤として，キメラ型(Fab 部位が異種動物のアミノ酸配列)抗体製剤であるインフリキシマブ，ヒト化(相補性決定領域のみ異種動物のアミノ酸配列)抗体製剤であるセルトリズマブ ペゴル，ヒト型抗体製剤であるアダリムマブとゴリムマブ，そして受容体製剤であるエタネルセプト(TNF 受容体Ⅱ型である p 75 と IgG_1-Fc 部分の融合蛋白質製剤)がある．効果発現が早いことが TNF 阻害 bDMARDs の特徴である．他にインターロイキン 6(IL-6)の受容体に対する抗体製剤として，ヒト化抗体製剤であるトシリズマブとヒト型抗体製剤であるサリルマブがあり，csDMARDs を併用しなくても高い有効性を示すことが特徴である．さらに T 細胞の副刺激経路を介した活性化を阻害するアバタセプト[cytotoxic T-lymphocyte [associated] antigen-4 (CTLA-4)と IgG_1-Fc 部分の融合蛋白質製剤]があり，比較的安全性が高いと考えられている．薬剤費が高いことがbDMARDs 最大の課題であり，完全に同一ではないが同等性が検証されたバイオ後続品も次々と製造販売されている．

　bDMARDs は csDMARDs と異なり，用量依存性の有害事象増加が明らかにはみられない．そして血中トラフ濃度が有効性の主要な規定要因であることから，インフリキシマブでは血中トラフ濃度の測定が可能となった(レミチェック Q® が 2017 年 10 月より保険適用)．有効性が不十分でトラフ濃度が 1 μg/mL 未満であった場合には投与期間短縮や増量を考慮する．IL-6 阻害 bDMARDs では血清 CRP 値が 0.01 mg/dL 以下になっていることが十分量投与の目安となり，CRP 値がこれよりも高い場合には，各製剤で許容されている期間短縮や増量を積極的に考慮すべきである．他方で IL-6 阻害 bDMARDs の投与中には感染症に罹患しても発熱や CRP 増加がみられにくい(マスキング現象)．なお，IL-6 阻害 bDMARDs による白血球(好中球)減少の多くは白血球の局在変化に伴うものであり，感染症リスクとは関連しないとされている．

　bDMARDs 投与前のスクリーニングは MTX と同様である．bDMARDs は有害事象がアレルギー反応(静脈注射製剤なら投与時反応，皮下注射製剤なら投与部位反応)と感染症にほぼ限定されることが特徴であり，それは標的分子への特異性が非常に高いことに起因する．インフリキシマブなどの TNF 阻害モノクローナル抗体製剤では，潜在性結核の再活性化により投与開始から 3 か月前後での結核発症(約半数は肺外結核)が特徴的にみられる．ニューモシスチス肺炎と間質性肺炎の鑑別はしばしば困難であり，喀痰や肺胞洗浄液の DNA-PCR 法による検出が汎用されている．

4 tsDMARDs

　csDMARDs 効果不十分例に対する新たな選択肢として tsDMARDs が注目されている．現時点ではヤヌスキナーゼ(Janus kinase；JAK)阻害薬のみが承認されている．tsDMARDs では bDMARDs ほどの標的「特異性」を得ることは不可能に近いが，比較的優れた標的「選択性」を得るように設計された製剤で，トファシチニブ，バリシチニブ，ペフィシチニブ，さらには JAK 1 選択的阻害薬としてウパダシチニブ，フィルゴチニブも承認された．bDMARDs とほぼ同等の有効性を示し，csDMARDs 併用と非併用で有効性に明らかな差異がみられないなど，有害事象のプロファイルも含めて IL-6 阻害 bDMARDs に類似している．ただし，帯状疱疹は JAK 阻害薬で特に増加することが知られている．

関節リウマチ合併症の治療

Treatment of complications of rheumatoid arthritis

松井 利浩　国立病院機構相模原病院 部長(リウマチ科)[相模原市南区]

【概説】　関節リウマチの経過中には，さまざまな合併症をきたすことが多い．関節リウマチの合併症は，①関節リウマチ自体によるもの(関節外症状)(表 6-2)，②他疾患の併発によるもの，③関節リウマチの治療に伴うものに大別されるが，診療の際には常にこれらに留意し，早期発見と適切な対応が求められる．本項では，合併症を臓器別に分類し，その治療について解説する．

表6-2 関節リウマチの主な関節外症状

全身症状	発熱，全身倦怠感，易疲労感，体重減少
肺病変	間質性肺炎，肺線維症，胸膜炎，胸水，肺結節
腎・消化器病変	アミロイドーシスによるネフローゼ，難治性下痢
眼病変	上強膜炎，強膜炎，乾燥性角結膜炎（Sjögren症候群合併）
心病変	心膜炎，心嚢液貯留，心筋症
神経病変	多発性単神経炎
皮膚病変	皮下結節（リウマトイド結節），皮膚潰瘍
血液異常	貧血，血小板増多・減少，白血球増多・減少

合併症と治療

1 ▶ 肺病変

(1) 関節リウマチによる肺障害

最も頻度が高いのは間質性肺炎で，リウマトイド因子（RF）高値例，男性，喫煙者に多い．画像的に，以下(2)，(3)との区別は難しいことが多い．治療にはステロイドが用いられるが，難治の場合には免疫抑制薬が併用される．

(2) 薬剤性間質性肺炎

原因薬剤としてメトトレキサート（約0.4％）やレフルノミド（1.3％）が有名だが，生物学的製剤や従来型の抗リウマチ薬（ブシラミン，サラゾスルファピリジン）でも生じうる．リスク因子として，既存の間質性肺病変や喫煙が挙げられる．治療は，被疑薬の中止，高用量ステロイド投与となる．

(3) 日和見感染症

肺感染症としては一般細菌による肺炎が最も多いが，原病や治療薬による免疫能の低下を背景に，ニューモシスチス肺炎やサイトメガロウイルス肺炎などの日和見感染症を合併することがある．病原微生物の同定と感受性のある抗菌薬の投与を行う．

2 ▶ 腎病変

(1) 関節リウマチによる腎障害

血尿のみのことが多く，頻度は少ない．特別な治療は要さない．

(2) 薬剤性腎障害

最も留意すべきである．

① 抗リウマチ薬：ブシラミン，ペニシラミン，金製剤では蛋白尿に留意して，定期的に尿検査を実施する．薬剤中止により数か月で軽快することが多い．タクロリムスでは腎機能低下をきたすことがあるので，定期的に腎機能をチェックする．薬剤の減量，中止で改善することが多い．

② 非ステロイド性抗炎症薬（NSAIDs）：腎機能低下をきたす可能性があり，特に高齢者，脱水時には注意する．治療は薬剤の減量，中止．COX-2選択的阻害薬でも腎障害は起こりうる．

(3) 合併症による腎障害

アミロイドーシスの合併により，蛋白尿，ネフローゼ，腎機能障害をきたすことがある．有効な治療はないが，一部の生物学的製剤が有用との報告がある．

3 ▶ 消化器病変

(1) NSAIDs潰瘍

痛みを伴わない場合も多く注意を要する．プロトンポンプインヒビター（PPI），プロスタグランジン（PG）製剤を用いて予防する．

(2) 合併症による消化器障害

アミロイドーシスにより慢性の下痢や吸収不良をきたすことがある．

4 ▶ 眼病変

(1) 上強膜炎

関節リウマチに血管炎を伴う悪性関節リウマチで認められることがある．ステロイドや免疫抑制薬による治療を要する．

(2) 乾燥性角結膜炎

Sjögren症候群の合併により認められることがある．点眼薬や涙点プラグによる治療を行う．

5 ▶ 神経病変

(1) 多発性単神経炎

血管炎を伴う悪性関節リウマチにおいて，神経の栄養血管障害により生じる．ステロイドや免疫抑制薬による治療を要する．

(2) 絞扼性神経障害

大後頭神経痛，手根管症候群，肘部管症候群などをきたしうる．原病治療強化，外科的対処を行う．

6 ▶ 皮膚病変

(1) リウマトイド結節

関節の伸側面，特に肘・膝の前面，後頭部など，圧迫されやすい部位に生じやすい．無痛性，弾性硬の腫瘤．関節リウマチの病勢改善により縮小する場合がある．メトトレキサートの使用により生じる場合があり，同剤の減量，中止で縮小する場合もある．

(2) 皮膚潰瘍

血管炎の合併により生じることがある．血管炎に対する治療が必要．

7 ▶ 血液異常

(1) 貧血

複数の原因がある．

① 慢性炎症に伴う貧血：鉄代謝異常により生じる．治療としては原病のコントロールが重要．

②鉄欠乏性貧血：鉄不足による．消化管からの出血も疑う．鉄の補充，消化管出血に対する精査，治療が必要．

③腎性貧血：腎機能障害に伴う貧血．必要に応じてエリスロポエチン投与を行う．

④骨髄の異常：血液疾患の合併，薬剤による骨髄抑制などが原因．原因の精査加療，被疑薬中止などが必要．

(2) 血小板減少，白血球減少

上記(1)-④と同様．

8 ▶ その他（悪性腫瘍，感染症，帯状疱疹，骨粗鬆症）

(1) 悪性リンパ腫

関節リウマチでは，一般人口と比べ悪性腫瘍全般の頻度は上昇しないが，悪性リンパ腫は3〜4倍多い．薬剤との関連も指摘されており，メトトレキサートやタクロリムス使用に伴うリンパ増殖性疾患が話題となっている．リンパ節腫脹に加えて，全身症状や節外症状，特に口腔内・咽頭病変，肺病変，皮膚病変を呈する頻度が高いので注意する．薬剤の中止で自然消退する場合もあるが，リンパ腫として化学療法を要することもある．

(2) 帯状疱疹

もともと高齢やステロイド使用がリスク因子として知られていたが，最近登場したJAK阻害薬により帯状疱疹の発生が増加することが注目されている．帯状疱疹後疼痛は患者のQOLを著しく低下させるため，

トピックス　関節リウマチにおける経口分子標的治療薬

関節リウマチ（RA）の治療では，メトトレキサートや生物学的製剤を用いても寛解に至るのは約6割であり，いまだにアンメット・メディカル・ニーズが存在する．生物学的製剤はRAに対する優れた臨床効果があるが，高分子の蛋白製剤であるため皮下注射あるいは点滴による投与を必要とする．近年，経口内服可能な低分子化合物で，生物学的製剤と同等の有効性があるJAK阻害薬が注目を集めている．TNFやIL-6などの単一分子を遮断する生物学的製剤と異なり，JAK阻害薬は複数のサイトカインシグナルを媒介するチロシンキナーゼのJAK（JAK1, 2, 3, TYK2）を選択的に阻害することで，RAの病態をマルチターゲットに抑制する．2013年にトファシチニブ，2017年にバリシチニブ，2019年にペフィシチニブ，2020年にウパダシチニブ，フィルゴチニブが相次いで上市された（表6-3）．しかし，JAK阻害薬の安全性に関する懸念は既存の生物学的製剤よりも少ないとはいえず，内服薬であるからといって安易な処方は避けるべきである．副作用として，帯状疱疹や重篤な感染症などには注意が必要であり，肝機能障害，腎機能障害を有する患者には代謝経路を踏まえて薬剤を選択する必要がある（表6-3）．これまでの生物学的製剤と同様，リウマチ専門医による十分なスクリーニング，モニタリングのもとでJAK阻害薬を適正に使用していくことが大切である．

中山田 真吾〔産業医科大学 准教授（第1内科学講座）〕

表6-3　JAK阻害薬

一般名	トファシチニブ	バリシチニブ	ペフィシチニブ	ウパダシチニブ	フィルゴチニブ
商品名	ゼルヤンツ®	オルミエント®	スマイラフ®	リンヴォック®	ジセレカ®
阻害活性	JAK1/JAK3	JAK1/JAK2	Pan JAK	JAK1	JAK1
投与量	5 mgを1日2回（中等度以上の腎障害および中等度の肝障害を有する場合は5 mgを1日1回）	4 mgを1日1回（30≦eGFR<60の場合は2 mgを1日1回，eGFR<30の場合は投与しない）	150 mgを1日1回，患者の状態に応じて100 mgを1日1回（中等度の肝障害を有する場合は50 mgを1日1回）	15 mgを1日1回，患者の状態に応じて7.5 mgを1日1回	200 mgを1日1回，患者の状態に応じて100 mgを1日1回（15≦eGFR<60の場合は100 mgを1日1回，eGFR<15の場合は投与しない）
代謝排泄経路	肝代謝：70%	腎排泄：75%	肝代謝：70%	肝代謝*	腎排泄：87%（代謝物を含む）

* 肝臓で代謝されるが，薬理活性は未変化体に起因している．

早期発見，早期治療（抗ウイルス薬投与）に努める．
(3) 骨粗鬆症
　ステロイド使用とは独立して，関節リウマチ自体が骨粗鬆症のリスクである．年齢，ステロイド使用の有無も考慮しながら，骨密度のチェックを行い，関節リウマチ治療と並行して適宜治療を行う．

関節リウマチのリハビリテーション，機能訓練と装具療法

Rehabilitation for rheumatoid arthritis, functional exercise and orthotic treatment

阿部　麻美　新潟県立リウマチセンター　診療部長〔新潟県新発田市〕

【概説】　関節リウマチ（rheumatoid arthritis；RA）は全身の関節に生じる炎症により関節破壊を起こす疾患で，経過によって関節拘縮や軟骨，骨破壊をきたす．関節破壊の程度によって日常生活動作，社会生活が脅かされる．

　昨今のRAの治療法の進歩，1999年のメトトレキサート，2003年の生物学的製剤（bDMARDs）の使用開始により，局所の炎症が抑えられ，RA患者の関節破壊の進行が食い止められてきている．早期のtight controlがRA治療の目標となり，これによって関節破壊を免れ，ほぼ問題なく生活できる患者も増えた．早期RAでは関節可動域訓練，筋力，持久力増強などの運動療法，除痛のための物理療法，患者教育の重要性が強調される．しかしさまざまな理由で関節破壊が進行してしまう患者も皆無ではない．進行例では関節破壊による変形があっても，除痛により過度の運動，使用を行ってしまう場合があり，軟骨破壊・骨破壊・腱断裂などの障害（オーバーユース症候群）を予防するために，関節保護の方法や患者への生活指導が重要になってくる．関節の炎症が鎮静化したのち，関節変形を伴う関節破壊，拘縮を呈する晩期例には，就学復帰，家庭・社会復帰に向けたチーム医療，医療連携などの積極的支援が求められる．

　生物学的製剤といっても万能ではなく，薬剤反応性が低い例，高疾患活動性の例では関節破壊も急速に進む場合がある．その場合手術療法も含めた介入が必要となることもある．リハビリテーション介入に関しても，重症RAでもコントロールされている例においては，手術とリハビリテーションの適切な組み合わせでADLを改善できるとも報告されている．

1 急性期のリハビリテーション

　関節炎が強いときに運動負荷をかけると関節破壊を助長してしまうので，関節炎の鎮静化が重要である．また，早期RA患者において手，足の関節破壊の進行は早い場合もある．局所の安静と運動のバランスをとりながら進めていくことが重要である．

　関節保護の指導，できないことを補うための自助具の使用，安静のための装具療法が基軸になる．しかし絶対安静ではなく，可動域の低下を防ぎ，保持するために適当な運動療法も必要になる．

2 慢性期のリハビリテーション

　炎症が鎮静化し，局所の線維化が生じて関節拘縮が起こり，筋力低下，さらに筋萎縮も起こってくる．痛みによる不動，運動量の減少による筋肉への血流低下，関節可動域の低下を繰り返さないために，除痛をはかりながら積極的に運動療法を行うことが重要である．

3 各種リハビリテーション（表6-4）

　関節炎から生じる疼痛，機能障害を軽減するために理学療法（物理療法，運動療法）などが行われる．

1 ▶ 物理療法

　痛みの緩和，消炎目的に運動療法の前処置として利用される．一般的には温熱療法，寒冷療法，水治療法，電気療法，レーザー光線療法などがある．

2 ▶ 運動療法

　関節可動域の改善・維持，筋力増強・維持，持久力の増強，協調性（バランス）の改善を目指して行われる．RAの進行に伴って各関節に特徴のある変形，拘縮が起こる．これらの対応は関節によって異なるが，訓練時には関節保護を念頭に行うことが重要である．

(1) 関節可動域訓練

　関節痛のため自力で運動訓練ができるかによって自動運動，介助自動運動，他動運動を用いる．拘縮に陥った関節には伸長（ストレッチング）訓練が有効である．持続的に行う方法として持続牽引法，器械を使うことで反復して行う持続他動運動（continuous passive motion；CPM）がある．

(2) 筋力増強訓練

　筋収縮には等尺性収縮，等張性収縮，等運動性収縮などがあり，筋力増強訓練に応用される．関節疾患では関節痛や関節破壊が増強される可能性があるため関節運動を伴わない等尺性訓練が利用される．歩行時に最も重要な大腿四頭筋訓練では，膝関節伸展位で下肢挙上することで等尺性運動を行える．スポーツ選手の筋力訓練と異なり，罹患関節の支持目的の筋バランスを獲得することが目標である．

表6-4 リハビリテーションの種類と方法，手段

種類	目的	方法	具体的手段
物理療法 (理学療法)	疼痛と腫脹の軽減	温熱療法 寒冷療法 水治療法 電気療法，光線療法	ホットパック，パラフィン浴 アイスパック 渦流浴，気泡浴，温泉療法，プール療法 マイクロ波，レーザー光線
運動療法 (理学療法)	筋力と関節可動性の維持・改善	等尺性運動 自動運動 抵抗運動 他動運動 持久力運動	ゴム，ボール体操 運動浴，リウマチ体操 徒手，錘，ばね 徒手矯正，牽引，持続他動運動 水中運動，水泳，自転車
作業療法	ADL基本動作の改善	ADL訓練 機能的作業療法	ADL指導，自助具 家事動作，住宅改造，環境整備
	QOLの向上	趣味的作業療法	編物，刺繍，絵画，書道，工作
装具療法	変形の予防・矯正	補装具	頚椎カラー，腰椎コルセット
	動揺関節の固定・支持・免荷		上肢装具，下肢装具
	局所安静・保持	副子	手副子(ハンドスプリント)，リストサポーター
	ADLの介助	自助具	リーチャー，ホルダー付きフォーク，レバー式水道栓

温泉や温水プールの中での運動療法は温熱による鎮痛効果，浮力による免荷，水の抵抗による筋力増強効果があり，痛みや関節保護を要する患者の全身運動療法としてふさわしい．

3 ▶ 装具療法

装具療法の目的は局所の固定，動的・静的支持，変形の矯正，進行予防，免荷，関節機能改善，疼痛の軽減などである．装具の適応，処方は関節変形の状態，機能障害の程度，患者の要望により決まる．

(1)頚椎装具

RAの頚椎病変は下位より上位頚椎に多く，環軸椎前方亜脱臼の頻度が高い．脱臼の進行予防，神経症状，椎骨動脈循環不全症状の発現防止を目的に屈曲制限の頚椎カラーが処方される．

(2)上肢装具

関節の安定性を改善し，疼痛を軽減する目的で装具が処方される．肘関節には，炎症の活動期は安静を目的にしたサポーターやスプリントが使われ，進行した動揺関節や術後の固定性を目的とする場合はプラスチック性肘継手付き固定装具が使われる．手関節は関節破壊の少ない初期ではリストサポーターが処方される．これにより回内外時の遠位橈尺関節の痛みを軽減する．手関節の変形がある場合には，手関節背屈装具が処方される．手指MP関節での尺側偏位にはさまざまな装具の工夫がなされているが，装着時に手指の運動制限が生じやすく，夜間スプリントとして使用される．指関節ではリング型，ストラップ型の固定スプリントが使用される．

(3)下肢装具

歩行や移動のため，体重を支持することを目的に使われる．股関節では術後の脱臼防止を目的とした股外転装具がある．膝関節には膝関節術後の運動制御のための保護用装具，屈曲・伸展を制御する過伸展・過屈曲防止装具，不安定性を支持する固定用装具(サポーター各種)，内反・外反や屈曲拘縮を矯正する装具などがある．足関節では，関節破壊の少ない時期のゴムベルトで8の字に固定するサポーター，破壊例での足関節固定装具がある．前足部変形に対しては足趾形成術後に足底装具(アーチサポート)を利用する．

(4)靴型装具

足部の変形矯正，炎症，圧迫による疼痛緩和を目的に，患者の足に合わせて作製する靴を処方する．内反足，扁平足，開張足，外反母趾，ハンマー趾，有痛性胼胝，皮膚潰瘍などが適応になる．RA病変による足部変形は1つではなく多数の変形が重複しているので，足関節から足趾までを1つの単位として足部装具を考えることが大切である．

4 ▶ リハビリテーション介入によるADL，QOL改善のエビデンス

Lamb SEらは，RA患者490名を対象に薬物療法と手の運動プログラムを3か月実施し，開始から4か月後と12か月後に評価したところ，手の関節保護に運動療法を加えることで手の機能，ADL，仕事の項目で4か月後と12か月後の2時点で改善がみられたと報告している．

RAのリハビリテーションは単独で行うのではな

く，基礎療法に基づき，薬物療法，手術療法，ケアを含めた4本柱で考えることが重要である．今後は薬物療法の進化に伴い，医療連携，社会的支援も含めた介入が必須と考えられる．

関節リウマチの外科治療
Surgical intervention for rheumatoid arthritis

石川 肇　新潟県立リウマチセンター　院長〔新潟県新発田市〕

【外科治療の概念】　関節リウマチ（rheumatoid arthritis；RA）は，全身性の炎症性自己免疫疾患であると同時に，関節（滑膜）をターゲットとする運動器疾患でもある．滑膜炎による関節腫脹と疼痛，関節破壊を伴う変形，不安定性，亜脱臼，時に拘縮，強直などにより身体機能障害を生じてくる．薬物療法における目標達成に向けた治療（Treat to Target；T2T）の導入と近年の生物学的製剤，Janus kinase（JAK）阻害薬などによる治療強化が推し進められた結果，低疾患活動性あるいは臨床的寛解となる患者が60％以上に増えた．

しかし，RAの炎症が全身的に鎮静化されても，手・足の小関節に滑膜炎が燻り続けていることがある．感染症などの併存疾患や経済的理由で薬物療法の強化ができずに，関節破壊と変形の進行（不可逆的変化）を生じてくることもある．人口の高齢化に伴い，RAの治療に加えて骨粗鬆症，サルコペニア，変形性関節症，腰部脊柱管狭窄症などのロコモティブシンドロームへの整形外科的対応も必要になっている．

このような環境のなかで，すべての患者が，真の寛解・治癒にまでに到達できておらず，「からだ」と「こころ」に問題を抱えて社会生活を営んでいることが多い．このような患者のアンメットニーズに応えるためには，薬物・リハビリテーション・ケアそして外科治療からなるトータルマネジメントが必要とされている．関節の構造的破壊・変形を生じているRA患者に対する外科治療は，身体機能の改善のみならず生活の質（quality of life；QOL）を高め，真の寛解に向けた有用な補完手段として考えられる．

【頻度】
RA有病率は全人口の約0.65％と推計され，女性は男性の約3.2倍多く，好発年齢は30〜50歳代とされてきたが，最近は高齢化の傾向にある．年間RA患者の約5％は外科治療の適応となる．近年，大関節手術や滑膜切除術のみの手術は減少しているが，手・足の小関節手術や骨折の手術は不変あるいはやや増加傾向にある．

問診で聞くべきこと
日常生活でどの程度の痛みと不自由さがあり，持続しているかを問診する．これまでの薬物療法の状況，内科合併症の有無，既往歴などを明確にしておく．

専門病院へのコンサルテーション
保存療法が奏効せず，関節の破壊・変形による機能障害がみられる場合には，整形外科リウマチ医に相談する．

治療方針
残存する滑膜炎や破壊性関節病変に対して，除痛と関節機能の回復を目的に滑膜切除と機能再建術を行う．手足の小関節の変形に対しては，整容面での改善と除痛を目的とした変形矯正手術となる．

部位別手術適応と術式
1 ▶ 上肢手術
関節破壊が，Larsen gradeⅢ（中等度）以上に進行し，身の回り動作（食事・整容・トイレ・更衣・入浴）に支障をきたしている場合が適応となる．ムチランス変形のgradeⅤでは，十分な機能回復が得られないことがある．手指の腱断裂，絞扼性神経障害がみられる場合には，早急に腱の再建，神経の除圧手術を考える．有痛性滑膜炎が持続し，数回のトリアムシノロンアセトニド（ケナコルト®）関節内注入が無効である場合には，滑膜切除術の適応となり，指関節では変形矯正のためのバランス再建術が併用される．

(1)肩関節
腱板正常例では，除痛，外転角度改善効果は，人工肩関節全置換術（total shoulder arthroplasty；TSA）のほうが人工骨頭置換術（humeral head replacement；HHR）に比べてよく，腱板菲薄例，機能不全例では，両者ともに差はない．近年，腱板広範欠損例に対して，リバース型人工肩関節置換術（reverse shoulder arthroplasty；RSA）が行われている．

(2)肘関節
RAによる障害肘には，疼痛を伴う拘縮肘（painful stiffness），疼痛を伴う不安定肘（painful instability），強直肘（ankylosis）の3つのタイプがある．

肘関節の機能的可動域は，屈曲130°以上，伸展−30°以上，前腕の回内，回外は各50°以上とされており，この可動域の確保と無痛の安定性が外科治療の目標となる．人工肘関節全置換術（total elbow arthroplasty；TEA）には，連結型（linked type）と非連結型（unlinked type）がある．

(3)手関節

遠位橈尺関節(distal radioulnar joint；DRUJ)に対する手術として，一端切離した尺骨頭で棚を形成するSauvé-Kapandji(SK)法と尺骨遠位端切除(Darrach法)がある．橈骨手根関節(radiocarpal joint；RCJ)に対する手術には，橈骨月状骨間(Chamay法)あるいは橈骨月状三角骨間の部分固定術，長橈側手根伸筋腱を尺側手根伸筋腱停止部に移行するClayton法，髄内固定ロッド(WFR®：wrist fusion rod)などを用いた全固定術がある．近年，国産初のDARTS人工手関節®が使われ始めている．

(4)指伸筋腱断裂に対する手術

滑膜および骨棘の切除，尺骨骨切り断端を掌側に押さえ込んで滑走床を平坦にしたうえで，腱移行術，腱移植術あるいは端側縫合が行われる．

(5)指屈筋腱に対する手術

手根管症候群，指屈曲障害，弾発現象に対しては屈筋腱腱鞘滑膜切除が行われる．指屈筋腱断裂では腱移植術，移行術による腱再建，母指節間(interphalangeal；IP)関節固定術が適応となる．

(6)母指

手根中手(carpometacarpal；CM)関節には，切除関節形成術(suspensionplasty：Thompson法など)，中手指節間(metacarpophalangeal；MP)関節にはインプラントMP関節形成術(シリコン人工指関節など)あるいは関節固定術，IP関節には関節固定術あるいは掌側関節包固定術が行われる．

(7)手指(示指～小指)

MP関節の尺側偏位に対して，Larsen gradeⅢ(中等度)以上のMP関節にはインプラント関節形成術(シリコン人工指関節など)が，軟部支持組織によるバランス再建(尺側内在筋腱の切離と伸筋腱の中央化，橈側関節包と側副靱帯の再縫着，内在筋交差移行術など)とともに行われる．白鳥のくび変形に対して，MP関節の掌側亜脱臼がみられる場合には，まずインプラントMP関節形成術を行い，近位指節間(proximal interphalangeal；PIP)関節が他動的に矯正可能な場合には，伸展拘縮解離術とともに斜支靱帯の再建(Thompson-Littler変法)などによるバランス再建が行われる．GradeⅢ(中等度)以上の場合には関節固定術となる．ボタン穴変形でPIP関節が他動的に矯正可能な場合には，側索を背側に引き上げ中央索の縫縮(Ohshio法)が行われる．GradeⅢ以上の場合には関節固定術となる．

2 ▶ 下肢手術

関節破壊が股・膝・足関節でLarsen gradeⅢ以上に進行し，起立・歩行が困難となった場合に再建術が適応となる．10分以上連続歩行できない，階段昇降でいつも手すりが必要となった時点が手術に踏み切るよいタイミングであり，筋萎縮が生じる前に行うべきである．

(1)股関節

股関節では骨頭の圧潰や臼底突出症がみられることがあり，人工股関節全置換術(total hip arthroplasty；THA)が施行される．臼底突出症に対しては，切除大腿骨頭を細切して臼底に移植して圧迫を加えたうえで寛骨臼ソケットを設置する方法がとられる．

(2)膝関節

破壊性病変に関節症変化が加わった膝関節には，人工膝関節全置換術(total knee arthroplasty；TKA)が行われる．THAと同様，TKAは術後20年以上の長期にわたり安定した良好な成績が得られている．Larsen gradeⅡ以下で薬物療法，関節内注射などに抗する滑膜炎には，滑膜切除が行われることがある．

(3)足関節

関節固定術が一般的に行われる．距腿関節のみなく距骨下関節，距舟関節などの後足部病変を伴い，踵骨外反，扁平足となっていることが多い．後足部の変形を矯正固定し，距腿関節に人工足関節を挿入する試みが行われている．

(4)足趾

外反母趾，ハンマー趾，槌趾，内反小趾，開張足などの変形による有痛性胼胝に対して，第1中足骨短縮骨切り術(Mitchell変法など)，人工趾関節置換術(シリコン人工趾関節)などが適応となり，第2～5趾には，中足骨頭を温存する中足骨短縮骨切り術が行われる．

3 ▶ 脊椎手術

環軸椎亜脱臼，軸椎垂直亜脱臼，軸椎下亜脱臼などの頚椎不安定性に伴う進行性の神経脱落(延髄，脊髄圧迫)症状に対して，除圧固定術が行われる．薬物療法，頚椎カラー装着などの保存療法に抗して持続する，頑固な後頭・後頚部痛や椎骨動脈不全症状に対しても手術が考慮される．

合併症と注意点

(1)感染

生物学的製剤使用例，糖尿病合併例，ステロイド服用例，RA長期罹患例，肘関節・足関節・足部手術例では術後感染率は高くなる．生物学的製剤は術前に1投与間隔以上あけて手術を行い，術後創が治癒したら再開する．JAK阻害薬の術前休薬についてはエビデンスがないが，米国リウマチ学会では，TKA，THAに際しては術前7日間の休薬を推奨している．

メトトレキサート(methotrexate；MTX)は整形外科予定手術の周術期において継続投与可能とされているが，予定外の手術やMTX 12 mg/週超の高用量投与

例では個々の症例によって判断する．インターロイキン（interleukin；IL）-6阻害薬では，術後の発熱やC反応性蛋白（C-reactive protein）値が上昇しにくいので，術後は白血球数の推移や手術部位の注意深い観察が必要となる．

(2) 創の遷延治癒

生物学的製剤使用患者では，感染予防と同様に周術期の休薬が勧められる．血管炎を伴うRA例，Raynaud現象を認める全身性硬化症合併例，足背・手背・足関節などの手術例では，皮膚の血行不良により創治癒が遅れることがある．

(3) 深部静脈血栓症

THA，TKA，大腿骨頚部骨折などの下肢手術の術後に深部静脈血栓症を生じやすくなるため，術後に間欠的空気圧迫法，弾性ストッキング装用，患肢挙上と足関節・足趾の自動運動，抗凝固療法を行う．

(4) 出血

脳梗塞，心筋梗塞や心房細動などのために抗血栓薬（経口抗凝固薬，抗血小板薬など）を，内服していることがあるので，術前にあらかじめRAの薬以外の内服薬をチェックしておくことが必要である．高リスクで術直前までどうしても内服を中止できない場合は，内服中止後持続ヘパリン点滴静注を行う．

(5) ステロイドカバー

局所麻酔で行う小手術以外の手術において，プレドニゾロン5 mg/日以上内服例ではストレスによる急性副腎不全を生じる可能性があるので，ステロイドカバー（当日，術前にソル・コーテフ® 100 mgと術後に同じく100 mgを点滴静注）を行う．

(6) その他

術中および術後の骨折，脱臼，神経障害などがある．

患者説明のポイント

外科治療により身体機能の改善が得られる．さらに，タイトコントロールのもとでは疾患活動性，QOL，精神面（うつ）の改善が得られ，薬物減量が期待できる．

リハビリテーションのポイント，関連職種への指示

手術部位と術式ごとのプログラムに従って，術翌日から機能回復訓練を開始し，治療ゴールに向けた強い意志と行動への方向付けを行う．術後2週間程度は，患肢挙上での運動を勧める．手・足の手術では後療法に2〜3か月要することがある．

関節リウマチ患者と介護保険

Usage of long-term care insurance system by patients with rheumatoid arthritis

仲村 一郎　独立行政法人地域医療機能推進機構湯河原病院 診療統括部長〔神奈川県足柄下郡〕

1 介護保険とは

介護保険制度は，医療保険制度とは独立した制度として2000年に導入された．人口構成比の未曽有の高齢化に対応し，健康寿命を延伸することがその理念である．そして，高齢者の身体的および知的障害を総合的に判断して介護サービスを公的に提供し，社会全体でケアすることがその主旨である．

2 関節リウマチは介護保険の特定疾患である

介護保険の対象者は，65歳以上で要支援・要介護認定（要支援1，2および要介護1〜5のいずれか）を受けた人（第1号被保険者），もしくは40歳以上65歳未満の医療保険加入者のうち，指定された16種類の疾患（特定疾病）が原因で，要支援・要介護認定を受けた人（第2号被保険者）である．

この特定疾病には整形外科に関連が深いものとして，後縦靱帯骨化症，脊柱管狭窄症，骨折を伴う骨粗鬆症，両側の膝関節または股関節に著しい変形を伴う変形性関節症，そして関節リウマチが含まれている．発症年齢が40〜60歳代であり，かつ病勢によって生活機能障害が進行する関節リウマチにとって，この制度は的を射たものとなっている．

関節リウマチ患者の主治医となった場合には，「65歳未満であっても40歳以上であれば，介護保険サービスを利用できる，少なくとも要介護認定を申請できる」ことを患者に説明するとともに，市町村からの要請に応じて主治医意見書を作成しなくてはならない．

3 関節リウマチ患者の介護保険サービスの利用状況

公益社団法人日本リウマチ友の会は5年ごとに患者実態調査を行い，その結果を『リウマチ白書』として報告している．2020年版の『リウマチ白書』によれば，回答者4,448人のうち介護保険制度を申請したものは1,271人（28.6％）であった．

認定結果は非該当が3.8％，要支援1が21.5％，要支援2が32.6％，要介護1が10.7％，要介護2が18.4％，要介護3が6.9％，要介護4が3.5％，そして要介護5が2.2％であった．5年前の調査と比較して，要支援1（5年前17.6％）が増加した以外は大きな変化はなかっ

た．

　実際にサービスを利用しているものは969人（申請者の76.2%）で，利用しているサービスの上位3項目は，福祉用具の貸与（39.5%），自宅改修費の支援（31.7%），訪問介護の家事援助（31.4%）であった．上位3項目は順位の変動はあったものの5年前の調査と同じ項目であり，関節リウマチ患者では家事援助（炊事・掃除・通院の付き添いなど）やベッド・車椅子などの貸与，住宅環境の整備の需要が依然として高いことがわかる．

関節リウマチ患者の在宅生活支援
Home life support for patients with rheumatoid arthritis

仲村　一郎　独立行政法人地域医療機能推進機構湯河原病院 診療統括部長〔神奈川県足柄下郡〕

1 地域包括ケアシステムによる在宅生活支援

　在宅生活を支援するための国の主な制度には医療保険と介護保険とがある．政府は2014（平成26）年に，地域における医療および介護の総合的な確保を推進するために医療介護総合確保推進法を成立させ，これに基づき地域包括ケアシステムの構築が進められている．

　地域包括ケアシステムとは，重度な要介護状態になっても住み慣れた地域で，尊厳をもって自分らしい暮らしを人生の最期まで続けるために，医療・介護・住まい・生活支援・介護予防が包括的に確保される体制のことをいう．おおむね30分以内に必要なサービスが提供される日常生活圏域（具体的には中学校区）を単位として設定され，地域の自主性や主体性に基づき，市町村が主体となってつくり上げていくことが必要とされている（図6-4）．

　この地域包括ケアシステムのなかで，医療機関への通院が困難な患者に対して医師が行う訪問診療は，医療保険を利用した在宅生活支援の1つである．また，患者が介護保険を利用して，通所リハビリテーションに通うこと，訪問リハビリテーションを受けることも，在宅生活支援に含まれる．一方，介護保険が「非該当」と判定され，介護保険サービスが利用できない場合でも，地方自治体が独自に「介護予防プログラム」を実施しており，地域包括支援センターが窓口となってさまざまなサービスを提供している．

2 在宅生活支援における医師の役割

　医師は地域包括ケアシステムの一員として，患者の日常医療を担う立場にある．関節リウマチの疾患活動性を制御し寛解に導くことは，リウマチ医の大きな役割である．圧痛関節，腫脹関節の部位と程度の確認，血液検査での炎症性マーカーの推移，適切な治療薬の選択と副作用のチェックを行い，在宅生活の基盤をつくる．身体障害者診断書や介護保険の主治医意見書の作成を通して，障害者福祉制度や介護保険制度など公的支援への道を開くことも医師の役割である．

　また医師は地域包括ケアシステムのなかで，多職種連携の要としてリハビリテーション専門職（理学療法士・作業療法士など），医療ソーシャルワーカーや社会福祉士，ケアマネジャーと連携し，患者の在宅生活支援における医療と福祉を橋渡しする役割を担っている．

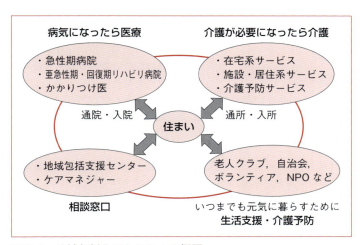

図6-4　地域包括ケアシステムの概要

3 リハビリテーションのポイント

関節リウマチ患者のリハビリテーションを行ううえでのキーワードは「関節保護」である．具体的には，①筋力維持・増強運動は等尺性収縮運動を基本とする，②関節疼痛には温熱療法も1つの選択肢，③水中運動訓練の利用（浮力による免荷，流体抵抗による運動負荷，温水の温熱効果，リラクゼーション効果）などである．

4 生活指導のポイント

日常生活指導のポイントも「関節保護」である．頚椎や手指の関節保護のために避けるべき動作を指導する．具体的には，頚椎の保護（環軸椎亜脱臼の進行予防）のために，①高い枕は使用しない，②編み物・読書などは時間を決めたり，書面台を用いて姿勢を工夫したりする．手指変形の進行予防のために，①重い荷物は肩にかける，②ジャムなどの広口ビンの蓋は手掌で開ける，③雑巾がけは橈・尺側方向でなく前後方向に拭く（尺側偏位の予防）．下肢関節の保護のために補高便座を使用する，といった点が大切である．

5 介護予防のポイント

地域包括支援センターは「介護予防プログラム」の一環として，さまざまな住民サービスを行うが，関節リウマチ患者を対象とした場合の具体例としては，①自宅でできる筋力トレーニング法を含んだ転倒予防教室の開催，②関節リウマチの発症要因の1つである歯周病対策を含めた口腔衛生改善教室の開催，③関節リウマチ性骨粗鬆症を予防する栄養教室の開催，④関節リウマチに併発する抑うつ，閉じこもりに対する予防対応，などがある．

若年性特発性関節炎

Juvenile idiopathic arthritis（JIA）

森 雅亮 東京医科歯科大学大学院 教授（生涯免疫難病学講座）/聖マリアンナ医科大学 教授（アレルギー・リウマチ・膠原病内科，生涯治療センター）

【疾患概念】 若年性特発性関節炎（JIA）は，16歳未満に発症し，少なくとも6週間以上持続する原因不明の慢性関節炎である．近年では，治療や治療反応性に関して，①全身型と②関節型の大きく2つに分けて管理している．

【疫学】
有病率はわが国では小児人口10万人対10〜15人であり，欧米の有病率と差異はない．しかし，発症病型ごとの頻度には差を認め，わが国では全身型とリウマトイド因子（RF）陽性多関節炎が多いことが判明している．

主要な発症病型別の性差と発症年齢のピークは，全身型（性差なし）1〜5歳，少関節炎（男女比＝1:3）1〜2歳，RF陰性/RF陽性多関節炎（男女比＝1:4）1〜3歳と小児期後期で，少関節炎と多関節炎は女児に多い．

【病型・分類】
JIAの分類基準は国際リウマチ学会と世界保健機関の主導で1994年に提案され，引き続き1997年に修正された後に2001年の改訂に至っているが，その分類亜型には7病型がある（表6-5）．

問診で聞くべきこと
JIAは起床時から午前中にかけて，特定の関節に疼痛・熱感などの炎症症状が出現するため，痛みがいつ発現するか，罹患部位が移動するかを確認する．

診断のポイント
正確に診断する単一の検査方法は存在しないため，患児の訴える症状が，後述する特徴的な所見であること，それが他の疾患と鑑別されることから総合的に診断する．

全身型：弛張熱または間欠熱，リウマトイド疹，関節炎を主徴とする．しばしば，肝脾腫，リンパ節腫脹，胸膜炎，心膜炎を伴う．

関節型：関節の腫脹，疼痛（圧痛），熱感，発赤，可動域制限，朝のこわばりがみられる．関節炎が長期に及ぶと関節の変形や成長障害が出現し，患児の生活の質は著しく障害される．

治療
日本リウマチ学会はわが国の一般小児診療に携わる医師のために，JIAの適切な診断と標準的な治療について「初期診療の手引き2015」を刊行した．その後，初期診療以降のプロセスなども含む改訂版として，「若年性特発性関節炎診療ハンドブック2017」（メディカルレビュー社）が刊行されている．

1 ▶ 全身型
(1) これまでの治療

非ステロイド性抗炎症薬（NSAIDs）で対応が可能な例は一部の症例にとどまる．NSAIDs不応例には，プレドニゾロン（PSL）1〜2 mg/kg/日を投与するか，メチルプレドニゾロン・パルス療法を行い後療法としてPSL 0.5〜0.7 mg/kg/日を用いる．免疫抑制薬としてメトトレキサート（MTX）が加えられることもあるが，少なくとも単独で活動期にある全身型の炎症抑制

表 6-5 JIA の分類基準

分類	定義	除外
全身型	1 か所以上の関節炎と 2 週間以上続く発熱(うち 3 日間は連続する)を伴い,以下の徴候を 1 つ以上伴う関節炎 ①暫時の紅斑,②全身のリンパ節腫脹,③肝腫大または脾腫大,④漿膜炎	a〜d
少関節炎	発症 6 か月以内の炎症関節が 1〜4 か所に限局する関節炎.以下の 2 つの型を区別する ①持続型:全経過を通して 4 か所以下の関節炎 ②進展型:発症 6 か月以降に 5 か所以上に関節炎がみられる	a〜e
RF 陰性多関節炎	発症 6 か月以内に 5 か所以上に関節炎が及ぶ型で,リウマトイド因子が陰性	a〜e
RF 陽性多関節炎	発症 6 か月以内に 5 か所以上に関節炎が及ぶ型で,リウマトイド因子が 3 か月以上の間隔で測定して 2 回以上陽性	a〜c, e
乾癬性関節炎	以下のいずれか ①乾癬を伴った関節炎 ②少なくとも以下の 2 項目以上を伴う例 　(A)指趾炎 　(B)爪の変形(点状凹窩,爪甲剥離など) 　(C)親や同胞に乾癬患者	b〜e
付着部炎関連関節炎	以下のいずれか ①関節炎と付着部炎* ②関節炎あるいは付着部炎を認め,少なくとも以下の 2 項目以上を伴う例 　(A)現在または過去の仙腸関節の圧痛±炎症性の腰仙関節痛 　(B)HLA-B27 陽性 　(C)親や同胞に強直性脊椎炎,付着部炎関連関節炎,炎症性腸疾患に伴う仙腸関節炎,Reiter 症候群または急性前部ぶどう膜炎のいずれかの罹患歴がある 　(D)しばしば眼痛,発赤,羞明を伴う前部ぶどう膜炎 　(E)6 歳以上で関節炎を発症した男児	a, d, e
未分類関節炎	6 週間以上持続する小児期の原因不明の関節炎で,上記の分類基準を満たさないか,または複数の基準に重複するもの	

除外項目:a.患児や親・同胞での乾癬罹患や乾癬既往歴,b.6 歳以降に発症した HLA-B27 陽性の関節炎男児,c.強直性脊椎炎,付着部炎関連関節炎,炎症性腸疾患に伴う仙腸関節炎,Reiter 症候群または急性前部ぶどう膜炎のいずれかに罹患しているか,親・同胞に罹患歴がある,d.3 か月以上の期間をおいて少なくとも 2 回以上の免疫グロブリン(Ig)M-RF 陽性,e.全身型 JIA
(Petty RE, et al: International League of Associations for Rheumatology classification of juvenile idiopathic arthritis: second revision, Edmonton, 2001. J Rheumatol 31: 390-392, 2004 より)

はできない.
(2)生物学的製剤による治療
　トシリズマブは治験を経て認可され,有効性がきわめて高く,副作用は軽微であることが判明している.カナキヌマブは,わが国で 2018 年に承認されたが,他の生物学的製剤が無効な場合に使用が認められている.一方,TNF 阻害薬の効果は 10〜30% 程度であると報告されている.

2 ▶ 関節型

(1)診断確定まで
　診断が確定するまでの 1〜2 週間は,NSAIDs を用いる.鎮痛および炎症反応の正常化がみられる例ではそのまま維持するが,赤血球沈降速度,CRP など炎症マーカー異常が持続している場合は(2)に移る.
(2)MTX を中心とした多剤併用療法
　多関節型症例や NSAIDs の効果不十分例では,早期に MTX 少量パルス療法に切り替える.MTX の効果発現までには少なくとも 8 週間程度の期間が必要

であるが,嘔気や肝機能障害が許容範囲内であるならば,小児最大量($10\,\text{mg/m}^2$)まで増量を試みる.
　また,即効性を期待して治療のはじめから PSL 5〜10 mg/日を加える方法も行われている.MTX の効果が認められるようになったら,PSL はすみやかに漸減する.
(3)生物学的製剤による治療
　上記でも改善がみられない症例では,生物学的製剤の導入をはかる.わが国ではトシリズマブ,エタネルセプト,アダリムマブ,アバタセプトがいずれも臨床試験において優れた安全性および有効性を示している.

予後

　本疾患の治療目標は,炎症病態を早期に鎮静化し機能障害を最小限にすることであるが,その予後は病型によって大きく異なる.疾患全体の累積治癒率は罹病期間 5 年で 30% 前後であるが,治癒率は病型で異なり,RF 陽性多関節炎と全身発症型関節炎は難治性で

ある．

- 患者説明のポイント

・関節炎症状がある場合は，患部を湿布薬で冷やし体育の授業や部活動は休むなどして安静を保つ．
・炎症所見が鎮静化したら，罹患関節が拘縮しないようにリハビリテーションを積極的に取り入れることが重要である．
・2018年4月から新たに指定難病に関節型JIAが加わり，従来から登録されていた全身型JIAと統合されて「若年性特発性関節炎」（指定難病107）として登録された．

高齢発症の関節リウマチ

Management of elderly-onset rheumatoid arthritis

杉原 毅彦　聖マリアンナ医科大学 准教授（リウマチ・膠原病・アレルギー内科）

【疾患概念】　コホート研究での定義は，60歳以上発症あるいは65歳以上で発症する関節リウマチ（RA）とされている．急性発症，大関節合併例が多く，早期から高疾患活動性となり，予後不良因子を有する場合は関節破壊も進行しやすい．

【頻度】
発症年齢の高齢化が，わが国の大規模なRAのコホート（NinJaコホート）で指摘されている．

【病型・分類】
若年発症と同様の典型的な病型，両肩から急性発症で始まりリウマチ性多発筋痛症（PMR）に類似する病型，RS3PE（remitting seronegative symmetrical synovitis with pitting edema）症候群のように末梢の浮腫と腱鞘滑膜炎が目立つ病型がある．

- 問診で聞くべきこと

朝のこわばり，夜間や早朝の疼痛，中足趾節（MTP）関節の違和感，大関節の疼痛（年齢のためと自覚している場合がある），発熱，内科合併症，結核既往，接触歴，喫煙歴．

- 鑑別診断で想起すべき疾患

抗CCP抗体陰性例でPMR，結晶性関節炎との鑑別に注意する．

- 診断のポイント

・まずは単純X線像で骨びらんの有無とRA分類基準（2010）を評価する．
・抗CCP抗体の陽性率は40〜60%程度，発症年齢が高齢化するほど陰性例が増加する．
・RF陰性，抗CCP抗体陰性で，PMR，RS3PE症候群の病型で末梢関節症状があるとき，関節エコーで関節滑膜炎が明らかであれば，RA分類基準（2010）で5点でもRAと診断する．

- 専門病院へのコンサルテーション

短期間で悪化すること，間質性肺炎など合併症が多いため，診断時から専門医へコンサルトするとよい．

治療方針

日本リウマチ学会によるRA診療ガイドライン（2014），RA治療におけるメトトレキサート（MTX）診療ガイドライン（2016），欧州リウマチ学会2019 update推奨に従い，予後不良因子（抗CCP抗体陽性，発症早期からの骨びらんの存在，高疾患活動性）がある場合は，MTXを開始する．高疾患活動性で身体機能低下例では，早期の身体機能改善目的で短期間の副腎皮質ステロイド（PSL換算で5〜7.5 mg/日）を併用する．MTXに併用する場合はPSL換算で5 mg/日としている．副腎皮質ステロイドは3〜6か月で中止する．MTXはeGFR＞60 mL/分/1.73 m^{2}で体重50 kg程度であればMTX 6 mg/週から開始し，2週後に8 mg/週に増量，10〜12 mg/週まで増量し，低疾患活動性あるいは寛解を達成したらPSLは漸減中止とし，その後MTXを6〜8 mg/週に減量して維持する．低体重者あるいはeGFR＜40 mL/分/1.73 m^{2}の場合はMTX 4 mg/週，低体重でeGFR＜40 mL/分/1.73 m^{2}の場合は2 mg/週から開始する．葉酸は5 mg/週併用する．

MTXを十分量に増やし（MTX用量依存性の有害事象があれば低用量でもよい），効果不十分であれば，分子標的薬を患者の好みやリスクを考慮して追加投与する．MTXの有効性があるがくすぶり残存（例えば低疾患活動性だが1〜2関節のくすぶりがあるときなど）の場合は，患者の好みを加味してサラゾスルファピリジン，ブシラミン，タクロリムス，イグラチモドのいずれかを併用する場合もある．分子標的薬は，高疾患活動性の場合はTNF阻害薬，トシリズマブ，アバタセプトのいずれかを選択する．MTXは4〜8 mg/週を併用する．アバタセプトは効果発現が遅いため，初期に短期間の副腎皮質ステロイド併用を考慮する．JAK阻害薬は経口の希望が強ければ最初の選択肢となるが，市販後調査による安全性評価が継続中であることを説明している．寛解達成後の生物学的製剤の中止は，どの薬剤でも再燃の可能性があることを前提とし，継続を基本とする．

- 合併症と予後

感染症のマネジメントに加えて，呼吸器疾患，悪性腫瘍，心血管イベント，骨粗鬆症，サルコペニア，認知症に留意する．

患者説明のポイント

薬物療法に伴う合併症のリスクが若年者より高いが，疾患活動性をコントロールしなければ身体機能が低下し，疾患に関連する合併症が増加し，健康寿命が短くなる．

リハビリテーションのポイント，関連職種への指示

発症早期から疼痛コントロールと筋力の維持，リウマチ体操を行う．仕事，社会生活，趣味は可能な限り制限しない．禁煙指導を行う．サルコペニア予防のための食事指導を行う．認知症による服薬管理の悪化を確認する．

悪性関節リウマチ

Rheumatoid vasculitis

藤井 隆夫　和歌山県立医科大学 教授（リウマチ・膠原病科学）

【疾患概念】 関節リウマチ（RA）に血管炎をはじめとした関節外症状を認め，難治性もしくは重症な臨床病態を伴う場合に，「悪性関節リウマチ」という．海外では rheumatoid vasculitis あるいは RA with vasculitis と記載され，この病名はわが国にしか存在しない．RA の関節病変が進行して徐々に身体機能が重症化する症例を指すのではなく，急速に進行する内臓病変を有する生命予後不良の RA のことであり，厚生労働省の診断基準（表6-6）を満たせば指定難病として医療費補助を受けることができる．

【病態】

RA の関節障害に加え，血管炎による皮膚症状（紫斑や皮膚潰瘍など），心血管病変（心筋炎や冠動脈炎など），眼症状（上強膜炎など），神経障害（多発性単神経炎など）などが特徴である．全身血管炎型ではリウマトイド因子（RF）高値，血清補体価低値，免疫複合体高値となることが多く，末梢動脈炎型では皮膚の潰瘍，梗塞または四肢先端の壊死や壊疽を特徴とする．IgG 型の RF がしばしば認められることも重要である．

問診で聞くべきこと

既存の RA 症状に加え，上記のような血管炎症状を確認する．他の熱性疾患がないにもかかわらず，38℃以上の発熱を認める場合には，悪性関節リウマチを疑う必要がある．

表6-6　悪性関節リウマチの診断基準（厚生労働省）

1. 臨床症状

(1) 多発性神経炎：知覚障害，運動障害いずれを伴ってもよい
(2) 皮膚潰瘍または梗塞または指趾壊疽：感染や外傷によるものは含まない
(3) 皮下結節：骨突起部，伸側表面または関節近傍にみられる皮下結節
(4) 上強膜炎または虹彩炎：眼科的に確認され，他の原因によるものは含まない
(5) 滲出性胸膜炎または心嚢炎：感染症など，他の原因によるものは含まない．癒着のみの所見は陽性にとらない
(6) 心筋炎：臨床所見，炎症反応，筋原性酵素，心電図，心エコーなどにより診断されたものを陽性とする
(7) 間質性肺炎または肺線維症：理学的所見，胸部X線，肺機能検査により確認されたものとし，病変の広がりは問わない
(8) 臓器梗塞：血管炎による虚血，壊死に起因した腸管，心筋，肺などの臓器梗塞
(9) リウマトイド因子（RF）高値：2回以上の検査で，RAHA ないし RAPA テスト 2,560 倍以上（RF 960 IU/mL 以上）の高値を示すこと
(10) 血清低補体価または血中免疫複合体陽性：2回以上の検査で，C3，C4 などの血清補体成分の低下もしくは CH50 による補体活性化の低下をみること，または2回以上の検査で血中免疫複合体陽性（C1q 結合能を基準とする）をみること

2. 組織所見

皮膚，筋，神経，その他の臓器の生検により小ないし中動脈壊死性血管炎，肉芽腫性血管炎ないしは閉塞性内膜炎を認めること

3. 診断のカテゴリー

ACR/EULAR による関節リウマチの分類基準（2010）を満たし，上記に掲げる項目の中で，
(1) 1. 臨床症状(1)～(10)のうち3項目以上満たすもの
または
(2) 1. 臨床症状(1)～(10)の項目の1項目以上と2. 組織所見の項目があるもの
を悪性関節リウマチと診断する

4. 鑑別診断

鑑別すべき疾患，病態として，感染症，続発性アミロイドーシス，治療薬剤（薬剤誘発性間質性肺炎，薬剤誘発性血管炎など）の副作用が挙げられる．アミロイドーシスでは，胃，直腸，皮膚，腎，肝などの生検によりアミロイドの沈着をみる．関節リウマチ以外の膠原病（全身性エリテマトーデス，強皮症，多発性筋炎など）との重複症候群にも留意する．Sjögren 症候群は，関節リウマチに最も合併しやすく，悪性関節リウマチにおいても約10%の合併をみる．Felty症候群も鑑別すべき疾患であるが，この場合，白血球数減少，脾腫，易感染性をみる

6 関節リウマチ，慢性関節疾患および骨壊死症

診断のポイント

上記のような関節外症状を前面に認めるRAの場合には，悪性関節リウマチを疑う．可能な限り皮膚生検を行い，血管炎を組織学的に確認する．しかし血管炎の組織所見が得られなくとも，厚生労働省の悪性関節リウマチ診断基準（表6-6）を満たすことがある．

治療方針

RA治療に加え，関節外症状に対しては副腎皮質ステロイドが用いられる．その用量は障害臓器によるが，多発性単神経炎や皮膚壊疽，重症の間質性肺炎では大量投与が必要で，病態によりシクロホスファミドなどの免疫抑制薬が併用されることもある．

合併症と予後

呼吸不全や心不全，腎不全などによる死亡例に加え，免疫抑制療法による感染症にも注意が必要なため，リウマチ・膠原病内科医に紹介したほうがよい．

患者説明のポイント

高熱を伴う急性期では，入院加療のうえ，RAとは異なる治療が必要である．ステロイドを導入される症例がほとんどであるため，その長期的な副作用や感染対策については日頃から注意しておく必要がある．

高尿酸血症・痛風
Hyperuricemia, Gout

益田 郁子 十条武田リハビリテーション病院 部長（リウマチ科）〔京都市南区〕

【疾患概念】 痛風は日常臨床の場で，最も遭遇する頻度の高い急性関節炎である．背景には尿酸の代謝異常による持続する高尿酸血症（> 7.0 mg/dL）があり，そのために関節やその周囲組織に尿酸一ナトリウム（monosodium urate；MSU）結晶が析出沈着し，そのMSU結晶により引き起こされた急性関節炎あるいは滑液包炎（痛風発作）である．また，高尿酸血症・痛風は腎障害をはじめ多くの隠れた内臓合併症を抱える場合が多く，放置すれば生命予後の短縮にも関係するため，その診断や治療，患者への説明・生活指導も含めて対応には多職種・多科連携も必要な疾患である．

【臨床症状】 通常，痛風関節炎は，①中年男性に好発，②24時間以内にピークに達する激烈な急性疼痛，圧痛，熱感，発赤，腫脹をきたす急性単関節炎，③下肢関節（特に母趾MTP関節）の罹患，④数日から遅くとも2週間ほどで自然軽快し発作間欠期がある，⑤背景に高尿酸血症の存在，⑥無治療なら次第に発作が頻発・慢性化し痛風結節を生じる，などの特徴的臨床像を示す．しかし，発作は比較的短期間に消退するため，典型的な発赤や腫脹などの臨床症状が診察時に消失している場合や，発作中の血清尿酸値（UA）は発作前より低値となることがあり，注意が必要である．母趾MTP関節の発作が約70%で，足関節，足背，アキレス腱，膝など下肢が多いが，まれに手関節や手指，肘（特に滑液包）など上肢にも起こることがある．原因治療をせず慢性痛風になると生じる痛風結節は，皮下のMSU結晶の塊であり，この存在は確定診断になる．結節はさまざまな部位（足や手，アキレス腱や肘頭・耳の皮下など）に生じ，時に自壊してチョーク様の結晶塊を排出する．慢性痛風・痛風結節は二次的に変形性関節症をきたし，ADL障害を起こす．女性で利尿薬の使用患者において，手指の痛風結節を生じることが知られている．

問診で聞くべきこと

同様の急性単関節炎の既往の有無，検診などでの高尿酸血症の指摘の有無，発作前の過食や過度の飲酒・脱水の有無，家族歴の有無などを確認する．薬剤性の高尿酸血症もありうるので，利尿薬使用の有無の問診も重要である．また，痛風患者の約20%に合併するといわれる尿路結石発作の既往の有無は，尿酸降下療法（urate lowering treatment；ULT）の薬剤選択を決めるうえで重要であるため，聞いておくべき点である．

必要な検査とその所見

結晶誘発性関節炎である痛風の確定診断としては，組織や関節液中で好中球に貪食されたMSU結晶を検出することが基本である．関節液中のMSU結晶は，補正偏光顕微鏡下では白血球に貪食された針状の負の複屈折性結晶と同定できるが，通常の光学顕微鏡においても，見慣れればその形状から結晶同定は可能である．まれではあるが化膿性関節炎と共存する場合もあり，感染を疑う関節液は，グラム染色や，同時に細菌培養に提出するべきである．

検査値では，UAの高値は痛風診断の裏づけにはなるが，特異度も感度も低い．急性発作時のUAは低くなることもあり，患者が過去に検診などでUAが高いことを指摘されたか，発作の既往はあるかなど，病歴聴取のほうが診断に重要である．

画像検査では，痛風結節が増大し隣接する骨を侵食すると，単純X線検査で硬化縁を伴う円弧状の骨びらん（overhanging edge, punched out）が観察される．また非侵襲的な画像検査として，関節超音波検査による高輝度の関節軟骨表面のMSU結晶沈着（double contour sign）や，微小結晶（MSU crystal aggregation）の検出は比較的疾患特異性が高く，偽痛風や外反母趾・蜂窩織炎などとの鑑別に有用である．関節

超音波検査は，関節穿刺やステロイド関節内注入が必要な場合にガイドとしても有用で，マネジメント的には結晶沈着が可視化されるため，ULT が必要な患者への説明や，治療継続の指導にも有用である．

診断のポイント

①典型的な病歴や臨床症状があれば，痛風の診断は容易である．
②明らかな痛風結節があれば診断は確定する．
③痛風の基本の確定診断は，関節液中の白血球が貪食した MSU 結晶の同定である．状況が許せば感染の合併の除外も含め関節穿刺が必要である．
④関節超音波検査は非侵襲的でかつ比較的疾患特異性の高い所見があり診断に有用である．

治療方針

痛風関節炎の治療，MSU 結晶沈着の除去，痛風に合併する生活習慣病の治療を行う．

(1)痛風関節炎の治療

治療はできるだけ早く抗炎症・鎮痛をはかる薬物療法を開始し，軽快したら中止することが基本である．「高尿酸血症・痛風の治療ガイドライン第3版」(2018年)では，急性痛風関節炎の薬物療法として，NSAIDs・グルココルチコイド・コルヒチン(低用量)を示し，臨床経過(発症からの時間)，重症度，薬歴，合併症，併用薬を考慮してこれらいずれかを選択するが，特に制限がなければ患者の好みや処方する医師が使い慣れたものかどうかで選択するのが妥当とした．

筆者は，禁忌や慎重投与(胃腸障害，腎障害，心血管障害など)がなければ，発作極期には NSAIDs を比較的高用量で短期間に限り投与する NSAIDs パルス療法を用いている．例えば(急性痛風関節炎に保険適応のある NSAIDs である)ナプロキセンの場合，初日のみ 300 mg を 3 時間ごとに 3 回投与し，2 日目からは常用量(100～200 mg を毎食後)を症状軽快まで投与する．高齢者には隠れた腎障害や脱水のリスクがあり，NSAIDs 使用には注意すべきである．

グルココルチコイドは NSAIDs 同様有効で，腎障害などで NSAIDs が使用しにくい場合でも用いることができる．経口であれば 20～30 mg/日を目安に 3～5 日間投与でよいとされている．筆者は経口ではなく，関節炎が重症である場合に，感染が否定できれば罹患関節内に，あるいは筋注・経静脈で投与することがある．

コルヒチンを発作治療に用いる場合，発症からできるだけ早く投与を開始することが重要で，発症 12 時間以内に 1.0 mg，その 1 時間後に 0.5 mg を投与する低用量投与法を行う．翌日以後は 0.5～1.0 mg/日で症状が改善したらすみやかに中止する．コルヒチンは治療域が狭く薬物相互作用も多いので，合併症や併用薬に注意すべきである．コルヒチンには発作前兆期に炎症を頓挫させる目的で 1 回 0.5 mg を頓用で用いたり，発作が頻発する場合の予防投与としてコルヒチン・カバー(0.5 mg/連日内服)として使用する方法がある．特に ULT 開始後には痛風関節炎が生じやすいので，筆者は，治療前の UA が 9.5 mg/dL 以上や明らかな痛風結節がある症例には，3～6 か月カバーを実施することが多い．

(2)発作間欠期の治療(高尿酸血症の治療)：ULT

関節内に沈着した MSU 結晶を完全に除去すれば痛風発作は起きない．よって，ULT により UA を結晶の溶解濃度限界以下(6.0 mg/dL 以下)に下げて維持できれば，発作は起きなくなる．UA の急激な変動はさらに発作を誘発するため，発作が完全寛解し新たに ULT を開始する場合は，尿酸降下薬は少量から開始し，UA 6.0 mg/dL 以下を目標に漸増し維持する．明らかな痛風結節がある場合は，UA は 5.0 mg/dL 以下にすべきで，UA が低いほど結節の消失が早まる．これらの目標値を維持するため薬剤内服を長期継続すべきだが，実臨床ではしばしば患者の内服継続率が低く，発作治療時に ULT の目的や必要性を患者に理解してもらうことが重要となる．尿酸降下薬としては尿酸生成抑制薬(フェブキソスタット，トピロキソスタット，アロプリノール)と尿酸排泄促進薬(ベンズブロマロン，プロベネシド，ブコローム，ドチヌラド[注])に分けられる．各薬剤の使用法・注意点については「高尿酸血症・痛風の治療ガイドライン第3版」(2018年)を参照されたい(注：ドチヌラドは 2020 年 5 月に発売された選択的尿酸再吸収阻害薬であり，現時点ではガイドライン未記載)．

近年では疫学・臨床研究および基礎研究により，高尿酸血症そのものの合併症や生命予後リスクが明らかにされてきており，なかでも腎障害進行や心血管・脳血管イベントとの関連が示唆されている．ただし無症候性高尿酸血症に対する ULT の臨床的意義については，まだエビデンスが確立しておらず，合併症(腎障害・尿路結石・高血圧・虚血性心疾患・糖尿病・メタボリックシンドロームなど)を有する UA 8 mg/dL 以上の患者で治療を検討してよいとされるが，腎障害と尿路結石以外の ULT 介入によるイベント抑制効果は示されてない．

患者説明のポイント

(1)ULT について開始前にしっかり説明する．
①痛風は関節内に沈着した MSU 結晶沈着により引き起こされる病態である．
②結晶は尿酸降下薬を適切に投与することで徐々に溶解吸収される．

③結晶はULTを開始してUAが溶解限界の6.0 mg/dL以下になった直後に消えるわけではなく，それを維持すること（年単位）で消えていく．検査値がよくても結晶沈着が残っていれば発作は起こりうる．

④発作はULT開始後半年は起こりやすい．発作が起こっても自分勝手に尿酸降下薬をやめない・増やさない．発作時の治療を上乗せするだけである．

(2)痛風は命にかかわる身体の変調の警告．ULTを行うことで発作だけでなく，腎障害・動脈硬化など高頻度に合併するリスクを下げられるかもしれない．

(3)生活習慣病の治療や基本の生活指導（過度な飲酒や過食を避ける，十分な水分摂取，有酸素運動，ストレス回避など）が重要であることはいうまでもない．

偽痛風

Pseudogout

益田 郁子　十条武田リハビリテーション病院 部長（リウマチ科）〔京都市南区〕

【疾患概念および病型分類】　従来，一般にピロリン酸カルシウム二水和物（calcium pyrophosphate dihydrate；CPP）による結晶沈着症（calcium pyrophosphate dihydrate crystal deposition disease；CPPD）自体は，"偽痛風"（pseudogout）とよばれてきた．これは1961年にMcCartyらが，ウリカーゼで溶けない結晶による急性の痛風様関節炎を「偽痛風」として最初に報告したことによる．しかし以後CPPDはCPP結晶が関節軟骨や周囲組織に沈着し，単純X線像上は関節軟骨石灰化（chondrocalcinosis；CC）を呈し，臨床的には急性・慢性の結晶誘発性関節炎や関節破壊など多様な臨床像をきたす疾患であることがわかってきた．そのため2011年に欧州リウマチ学会がCPP結晶によって生じるさまざまな病態を総称してCPP結晶沈着症すなわちCPPDと定義し，いわゆる"偽痛風"はCPP結晶による急性関節炎（acute CPP crystal arthritis）のみを指し，ほかに無症候性CPP結晶沈着症（asymptomatic CPPD, asymptomatic chondrocalcinosis），CPP結晶沈着症を伴う変形性関節症（pseudo-OA, CPPD co-occur with OA），慢性CPP結晶性関節炎（pseudo-RA, chronic CPP crystal arthritis），そのほか多くはないが脊椎病変（crowned dens syndromeなど），神経障害性（シャルコー様）関節症と分類・定義された．

CPPDは大多数は加齢に伴う特発性であるが，一部の症例は家族性であり，通常は常染色体優性遺伝で40歳までに結晶沈着に伴う関節炎を発症する．60歳未満の症候性CPPDはまれで，アミロイドーシス，低マグネシウム血症，副甲状腺機能亢進症，ヘモクロマトーシス，低リン血症，粘液水腫など代謝性疾患に二次性に生じる場合があり，検索が必要である．

【頻度】
CPPDは7～10％の有病率で，決してまれではない．特に特発性CPPDは高齢者に多発する．疫学的には加齢はCCの危険因子であり，60歳での有病率は7～10％，さらに65～75歳で10～15％，85歳以上では30～50％と増加する．

【臨床病態】
CPPDの臨床病態は多様である．CPP結晶による急性関節炎，いわゆる"偽痛風"発作は，CPPD患者の約25％に生じ，典型的には急性発症の単関節あるいは少関節炎である．痛風や化膿性関節炎と見紛うような関節や関節周囲の熱感や発赤・腫脹を伴う激しい急性炎症で，好発部位は膝など大関節が最も多く，頻度としては手関節，足関節，肘，肩，股関節と続く．しばしば発熱や悪寒・せん妄など全身症状を伴い，CRPも高値（時に10 mg/dL以上）を呈し，その炎症の激しさから，しばしば敗血症や化膿性関節炎との鑑別が必要な場合があり，高齢者の不明熱として悪性腫瘍や血管炎症候群，高齢発症の関節リウマチなども鑑別が必要になる．通常炎症は自然軽快するものの，数日から1週間ほどで軽快する痛風とは異なり，時に数週間以上続くこともある．発作の誘因がない場合もあれば，軽微な外傷や外科手術などにより誘発されることもある．副甲状腺摘出術後，消化器手術，循環器インターベンション後など，術前後の電解質変化やストレスが発作誘因になることがある．

CPPDは，単純X線像上のCCのみで無症候の場合もあり，OAとしてあるいは慢性滑膜炎の場合は関節リウマチとして診断されている場合も多い．急性発作を繰り返す場合や，慢性滑膜炎をきたす場合は，OAや関節破壊を生じ，急速破壊型関節症を生じることもある．

必要な検査とその所見
関節穿刺を行い，関節液に補正偏光顕微鏡下で正の複屈折性を示す単斜・三斜晶のCPP結晶の存在を証明すれば，診断は確定する．MSU結晶とは異なり，形状が多様で偏光も弱く，弱拡では検出しにくいこともある．同時に感染性関節炎の除外は必須で，グラム染色および培養が必要である．画像診断では単純X線像上，関節軟骨や半月板，三角線維軟骨複合体，恥骨結合などの線維軟骨に，線状あるいは点状の石灰化がみられる．単純X線より結晶沈着の検出感度・特異度が高いのが関節超音波で，CPP結晶による石灰

沈着は，関節硝子軟骨内のゴツゴツした粒状・線状，滑膜内や半月板内のスポット状・飛び石状（snow storm）の高輝度エコーとして描出される．

- 診断のポイント

①高齢者に多い急性単関節炎（炎症のピークは6〜24時間）が膝などの大関節に生じ，発熱など全身症状を伴うことが多い．
②単純X線上で関節軟骨や周囲組織の石灰化がみられる．
③診断の基本は関節液中のCPP結晶の存在の証明であり，感染などを否定するうえでも関節穿刺は必要．

- 治療方針

残念ながら同じ結晶性関節炎である痛風とは異なり，CPP結晶沈着の防止や，結晶を溶解除去するような治療は存在しない．よって，CPPD治療は自ずと対症的で，①急性関節炎（発作）に対する抗炎症・鎮痛治療，②発作が頻繁・遷延化する場合の治療，③CPPDに関連するOAのマネジメントが治療目的となる．急性関節炎に対しては痛風発作の治療に準ずる．すなわちNSAIDs，グルココルチコイド，コルヒチンが用いられる．合併症の多い高齢患者の場合，全身的な投薬より関節穿刺・排液が効果があり，感染が除外できればグルココルチコイドの関節内注入は著効する．発作が反復する場合は，少量のグルココルチコイドやNSAIDsをやむをえず継続する場合もあるが，高齢者が多いこともあり，それぞれの禁忌や長期使用のリスクに注意する．少量コルヒチンの予防投与も有用である．難治性慢性滑膜炎の場合はメトトレキサート（MTX）など関節リウマチに準じて治療している．関節破壊が強い場合は，人工関節置換術の適応である．

アパタイト結晶沈着症

Apatite crystal deposition disease

浜田 純一郎　桑野協立病院 部長〔福島県郡山市〕

【疾患概念】　関節周囲の腱，滑液包，関節内に沈着したアパタイト結晶が急性炎症を誘発する疾患である．カルシウム，リンと酸化脂質の複合体からアパタイト結晶に成長・自己増殖し石灰を形成する．本症の多くは石灰性関節周囲炎，石灰性腱炎，石灰性滑液包炎であり，関節内アパタイト結晶沈着症は少ない．透析患者や強皮症，皮膚筋炎などの膠原病に合併する二次性アパタイト結晶沈着症や，巨大な石灰腫瘤になる腫瘍状石灰（沈着）症も報告されている．

【病態】　肩石灰性腱炎では，腱板内の石灰が肩峰下滑液包に排出され白血球に貪食されると急性滑液包炎を生じる．本症の病態は，アパタイト結晶により誘発された急性炎症である．急性炎症に伴い結晶はマクロファージに貪食・吸収されるか，または溶解し石灰は消失し急性炎症も消退する．大きな石灰では関節運動，筋収縮，腱滑走の障害となる．

- 診断のポイント

本症の発症年齢は40〜60歳代である．好発部位は80％が肩関節であり，その他股関節，膝関節，手PIP・MCP関節にも発症する．誘因なく突然発症した激しい関節痛に加え，単純X線上で石灰像があれば本症を疑う．石灰像が認められても無症状であることも多い．石灰の周囲に局所麻酔薬を注射し症状が軽減すれば，本症である確率は高い．石灰物質が炭酸アパタイト結晶であることを証明すれば，確定診断となる．

- 治療法

肩石灰性腱炎であれば，肩峰下滑液包に局所麻酔薬とステロイドを注射する．その他の関節も，超音波下もしくはX線透視下に石灰部位に同薬剤を注射する．また消炎鎮痛薬の内服と安静が必要である．大きな石灰や関節・筋・腱の機械的刺激になる石灰には，穿刺術，対外衝撃波，外科的摘出術を行う．

- 患者説明のポイント

必ず治る疾患であること，激痛も2週間で軽減することを説明し安心させる．大きな石灰の場合には，石灰穿刺術や外科的摘出術の可能性にも言及しておく．

脊椎関節炎（総論）

Spondyloarthritis (review)

田村 直人　順天堂大学 教授〔膠原病内科〕

【疾患概念】　仙腸関節や脊椎などの体軸関節炎，末梢関節炎，付着部炎，ぶどう膜炎などの関節外症状，HLA-B 27の関連などの特徴を有する慢性炎症性疾患群の総称である．主な疾患を病変が体軸関節優位か末梢関節優位かに分けて図6-5に示す．

【病態】　腱や靱帯の骨への付着部が炎症の主座であり，HLA-B 27など遺伝的要因に加えて，物理的ストレス，細菌感染，腸内細菌叢の異常などの環境因子が発症や病態に関与すると考えられている．慢性炎症による骨のびらん性病変および骨新生による付着部や靱帯

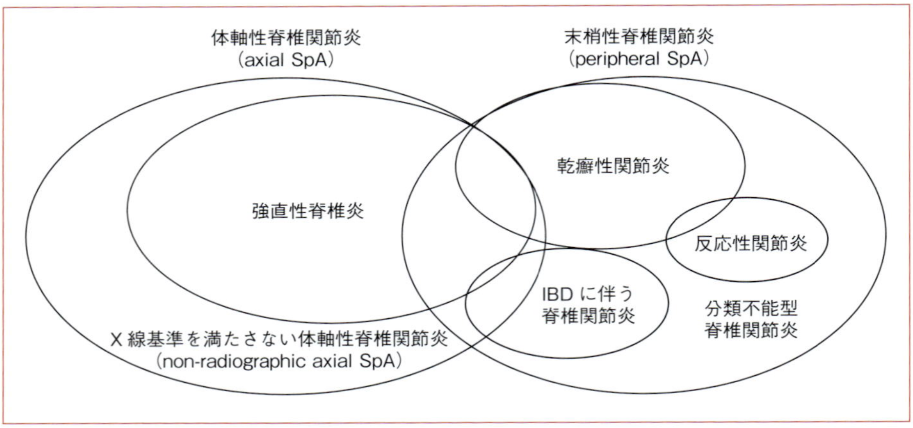

6 関節リウマチ，慢性関節疾患および骨壊死症

図 6-5　脊椎関節炎に含まれる疾患
SpA：spondyloarthritis，IBD：inflammatory bowel disease.

の骨棘形成の両者がみられるのが特徴である．IL-23/IL-17，TNF などの炎症性サイトカインが病態に関与するが，体軸性脊椎関節炎では IL-23 の関与は不明である．

問診で聞くべきこと

脊椎関節炎や乾癬の家族歴，ぶどう膜炎や乾癬の既往，腹部症状や炎症性腸疾患の有無，最近の感染症（腸炎や尿道炎など）の有無，腰背部痛の性状などの問診が重要である．

必要な検査とその所見

特異的な血液検査はない．CRP は陰性の場合も少なくない．HLA-B 27 は強直性脊椎炎の診断の補助となるが保険適用外である．罹患部位の X 線などの画像検査を行う．単純 X 線像で仙腸関節に変化がみられなくとも MRI で炎症所見を認めることがあるが，非特異的な変化の可能性に注意する．末梢の付着部炎の診断や鑑別には関節超音波が役立つ．

鑑別診断で想起すべき疾患

感染症などの急性疾患，腫瘍性病変を除外する．体軸性では腰痛や単純 X 線像で骨硬化，骨増殖性変化を認める疾患，末梢性では関節リウマチをはじめとする関節疾患が鑑別の対象となる．

診断のポイント

腰痛や末梢関節炎，付着部炎，指趾炎などが診断のきっかけとなる．体軸性脊椎関節炎では，炎症性腰背部痛といわれる，40 歳未満に起こり安静で増悪し運動で軽快する慢性腰背部痛が特徴である．踵などの付着部炎，指趾炎の存在，皮膚や爪の乾癬，ぶどう膜炎や炎症性腸疾患の既往や存在がないかを診察する．単純 X 線像では骨破壊性変化に加えて付着部や靭帯の骨増殖性変化がないか確認する．体軸性では仙腸関節の MRI での炎症所見をみる．

治療方針

①非ステロイド性抗炎症薬（nonsteroidal anti-inflammatory drugs；NSAIDs）を投与して経過を観察しつつ診断を進めていく．
②経口ステロイドは通常，使用しない．ステロイドの局所投与は検討してよい．
③乾癬性関節炎ではメトトレキサート（MTX）やサラゾスルファピリジン（いずれも保険適用外）などの抗リウマチ薬を使用するが，強直性脊椎炎の末梢関節炎に対して MTX は有効ではない．
④上記で効果が不十分な場合には TNF 阻害薬，IL-17 阻害薬，IL-12/IL-23 阻害薬（乾癬性関節炎のみ），IL-23 阻害薬（乾癬性関節炎のみ）などの生物学的製剤が用いられる．生物学的製剤は付着部炎や指趾炎などにも有効である．

患者説明のポイント

各疾患の経過，予後，合併症，治療選択と薬剤の副作用について十分に説明を行う．いずれも慢性疾患であり，継続した治療が必要であることを理解してもらう．喫煙は予後不良因子であり，喫煙者には禁煙指導を行う．体軸関節病変ではストレッチや水泳などが推奨されている．強直性脊椎炎は，条件を満たせば指定難病の申請が可能である．

強直性脊椎炎

Ankylosing spondylitis

岸本 暢将　杏林大学 准教授（腎臓・リウマチ膠原病内科）

【疾患概念】
脊椎関節炎（SpA）に共通する強直性脊椎炎〔AS；＝radiographic axial SpA（r-axSpA）〕の病態は，関節または脊椎の骨に靱帯，腱，関節包が付着する部位の炎症（付着部炎）である．付着部の炎症が二次的に関節炎をきたし，骨破壊や骨新生を惹起し，長期に持続すると非可逆性の関節破壊や強直をもたらす．

【頻度】
わが国のHLA-B27陽性率はきわめて低く（約0.3％），AS有病率は，0.01％と報告されていたが，昨今の検査法や治療の進歩によって，認知度が高まり，SpA全体ではまれな疾患ではなくなった．男女比は3：1〜9：1の割合で男性に好発し，発症年齢は40歳未満がほとんどで，罹患率のピークは20〜30歳である．

【臨床症状】
症状はSpAの各疾患によって若干異なるが，①関節所見，②関節外所見を中心に解説する．

(1)関節所見

①体軸関節症候（仙腸関節や脊椎の炎症）："腰痛持ち"ということで見逃されていることが多く，スポーツ後など活動で増悪する通常の腰痛と異なり，"炎症性腰背部痛"の所見〔ASAS基準：(1)発症が40歳以下，(2)緩徐発症，(3)運動で改善する，(4)安静で改善しない，(5)夜間疼痛（起床で改善する）の5項目中4項目を満たす場合，SpAの診断感度77％，特異度91.7％〕を有する場合には"ただの腰痛"や"ヘルニア"と決めつけず，SpAを念頭に診療を行う．仙腸関節炎では，大腿後部に放散痛を伴う殿部痛として発症することもある．その後進行すると胸椎，頸椎にも病変が及び，頸部痛，胸背部痛やこわばりなどの訴えもみられるようになる．

②下肢優位の末梢関節炎：ASではその頻度は約30〜40％と高くないが，通常は股関節，膝，足首や足趾など下肢優位の左右非対称性関節炎を認める．関節リウマチ（RA）患者において罹患関節の約90％がMCPやPIP関節などの手指関節で左右対称性に症状を認めるのとは異なる．

③腱の付着部炎（enthesitis）：好発部位は，機械的負荷がかかるアキレス腱や足底腱膜が踵骨に付着する部位で，歩行時の踵の痛みとして発症し，全身どの部位でも起こりうる．MRIでは付着部骨部の骨髄浮腫，付着部周囲軟部組織の炎症所見が認められる．放置すると単純X線でも付着部の毛羽立った靱帯骨化（enthesophytes）としてみられる．

④指趾炎（dactylitis）：関節の近傍に限局した腫脹ではなく指趾全体が腫脹するため"ソーセージ指"といわれる．SpAに共通の所見で，日常診療では痛風と誤診されることもある．

(2)関節外所見

①眼病変：ぶどう膜炎（多くが急性片側性前部ぶどう膜炎：虹彩炎）を合併することがある．

②下痢（体重減少）：AS患者における炎症性腸疾患の合併頻度は5〜10％との報告があるが，大腸内視鏡検査において非特異的腸粘膜の炎症所見はAS患者の約60％で認められるという報告もある．細菌性下痢の除外に便培養も考慮する．

③皮膚症状：AS患者の約20〜40％に乾癬病変が認められる．

④大動脈弁閉鎖不全症：大動脈起始部の弁の付着部の炎症（大動脈炎）が原因で，房室ブロックや大動脈弁閉鎖不全症がみられることがある．

問診で聞くべきこと

上記の関節病変の問診に加え，全身のシステムレビューを行う．

- 全身症状：発熱，体重減少，倦怠感．
- 眼：充血，眼痛，羞明感，視力低下（ぶどう膜炎）．
- 皮膚：体幹以外にも，頭皮，陰部，四肢に乾癬がないか，爪の変形がないか（乾癬）．
- 消化器：腹痛，下痢，血便（炎症性腸疾患）．
- 尿所見：排尿時痛・尿道・腟異常分泌物．

必要な検査とその所見

(1)血液・尿検査

RA患者ほど炎症反応が上昇しないこともあり注意する．鑑別診断として，反応性関節炎を考え，HIV抗体，クラミジア・トラコマチス尿PCR検査，血清梅毒反応，末梢関節炎がある場合，RA，全身性エリテマトーデス（SLE）など他の関節炎の除外も必要となる．

(2)画像検査（MRIの有用性）

仙腸関節や腰椎，さらに末梢関節など症状の認められる関節の前後方向（AP view）の単純X線検査は，通常診断および治療前のベースラインとして行う．さらに，仙腸関節の修正Ferguson撮影〔患者を腹臥位，X線管を斜位30°とし，仙腸関節を後前（PA）方向に撮影する〕も有用である．しかし，これら単純X線検査は病初期には感度が低い．CT検査は，仙腸関節炎の骨びらんを確認できるため感度が高く，X線と同程度の特異性をもっている．また近年ではMRIの有用性が示されており，仙腸関節炎の早期炎症（骨髄浮腫）の同定においてCT検査よりさらに高い感度をもつとされるが，健常者・産後・スポーツ後など偽陽性も認め

表6-7 ASの改訂ニューヨーク基準（1984年）

臨床症状の基準	
1	3か月以上続く腰痛および腰部硬直があり、運動により軽快するが、安静では軽快しない
2	腰椎の可動域制限が矢状面と前頭面の両面でみられる
3	年齢、性別により補正した正常値と比較して、胸郭の拡張制限がある

X線の診断基準	
	両側性の軽度以上の異常（grade 2以上）を伴った仙腸関節炎、あるいは片側性の明らかな異常（grade 3~4）を伴った仙腸関節炎がみられる

ASの診断	
Definite	臨床症状の基準から1項目以上＋X線の診断基準を満たす
Probable	臨床症状の基準から3項目、または、無症状でX線の診断基準を満たす

(van der Linden S, et al: Evaluation of diagnostic criteria for ankylosing spondylitis. A proposal for modification of the New York criteria. Arthritis Rheum 27: 361-368, 1984 より)

るため注意が必要である．したがって，臨床的にASを強く疑うが，仙腸関節炎が単純X線検査で陰性あるいは不確定の場合，仙腸関節および腰椎を含むMRIを行う．重度のAS患者の単純X線では，syndesmophytes（前縦靱帯の椎体付着部の骨化）や竹様脊柱（bamboo spine：炎症が進行し，椎体が互いに竹節状に強直）を伴った脊椎の強直がみられることがある．ASと鑑別すべき比較的頻度の高い疾患として，びまん性特発性骨増殖症（diffuse idiopathic skeletal hyperostosis；DISH）や硬化性腸骨骨炎は重要である．

診断のポイント

ASの診断基準としては改訂ニューヨーク基準（1984年）が通常診断に使われる（表6-7）．さらにより早期に同定するためのSpAの分類基準がAssessment of SpondyloArthritis international Society（ASAS）により2009年に発表されたが（図6-6），重要なのは問診と身体診察，さらに血液検査（炎症反応やHLA-B 27検査）や画像診断を補助的に用いて，感染症，悪性腫瘍の骨転移，その他頻度の高い骨変性疾患を除外して診断を行うことである．

治療方針

1 ▶ 治療目標と原則

ASの治療目標は，RAと同様に症状および炎症反応を抑え，健常人と変わらない日常生活を送れるようにすることである．ASの疾患活動性をankylosing spondylitis disease activity score（ASDAS）で評価し，ASDAS＜2.1（低疾患活動性）を達成することが治療目標として提唱されている．

2 ▶ 非薬物療法（リハビリテーションのポイント）

ASと診断されたすべての患者に対して可動域運動，姿勢トレーニングなどの理学療法を始める．臨床

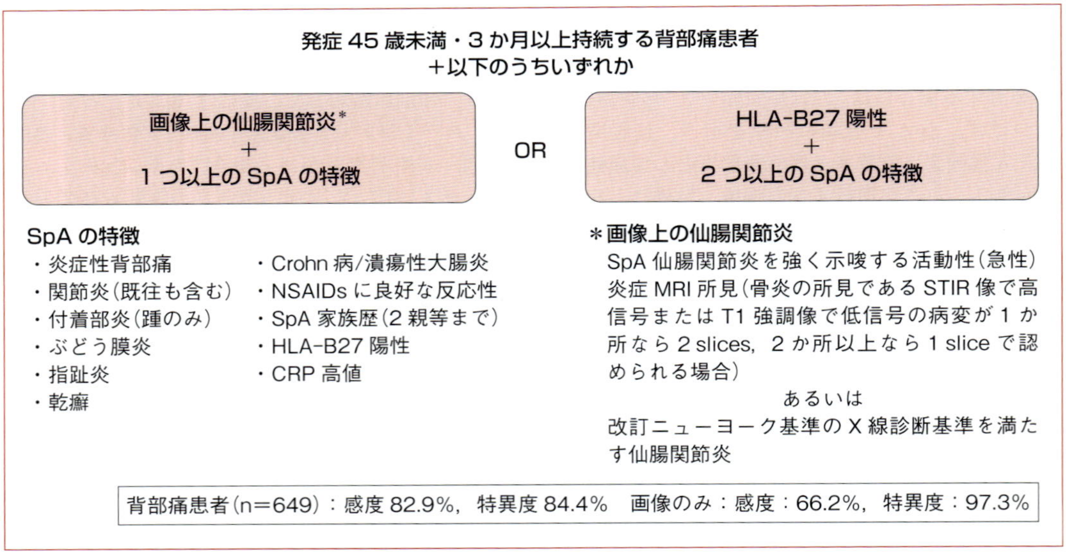

発症45歳未満・3か月以上持続する背部痛患者
＋以下のうちいずれか

画像上の仙腸関節炎*
＋
1つ以上のSpAの特徴

OR

HLA-B27陽性
＋
2つ以上のSpAの特徴

SpAの特徴
・炎症性背部痛
・関節炎（既往も含む）
・付着部炎（踵のみ）
・ぶどう膜炎
・指趾炎
・乾癬
・Crohn病/潰瘍性大腸炎
・NSAIDsに良好な反応性
・SpA家族歴（2親等まで）
・HLA-B27陽性
・CRP高値

＊**画像上の仙腸関節炎**
SpA仙腸関節炎を強く示唆する活動性（急性）炎症MRI所見（骨髄の所見であるSTIR像で高信号またはT1強調像で低信号の病変が1か所なら2 slices，2か所以上なら1 sliceで認められる場合）
あるいは
改訂ニューヨーク基準のX線診断基準を満たす仙腸関節炎

背部痛患者（n＝649）：感度82.9%，特異度84.4%　画像のみ：感度：66.2%，特異度：97.3%

図6-6　ASAS分類基準：体軸性脊椎関節炎（axial SpA）

(Rudwaleit M, et al: The development of Assessment of SpondyloArthritis international Society classification criteria for axial spondyloarthritis (part II): validation and final selection. Ann Rheum Dis 68: 777-783, 2009 より)

研究により，ほとんどの AS 患者において，理学療法が疼痛の軽減と機能状態の改善につながることが示されている．

3 ▶ 薬物療法

薬物療法における第一選択薬は，炎症性関節炎症状軽減のための NSAIDs である．末梢関節炎が認められる場合，サラゾスルファピリジンやメトトレキサートなどの DMARDs が RA と同様に使用される（本邦未承認）．NSAIDs 抵抗性または不耐性の体軸関節炎や DMARDs 抵抗性の末梢関節炎では，tumor necrosis factor（TNF）阻害薬や IL-17 阻害薬などの生物学的製剤が使用される．

予後

2000 年代前半の生物学的製剤の登場により，AS の治療は大きく進歩した．炎症性サイトカインおよび破骨細胞の分化誘導を抑制し，症状緩和・疾患活動性の制御の効果が示され，患者の QOL を改善した．長期フォローによる脊椎や関節強直の抑制効果も期待されている．

乾癬性関節炎

Psoriatic arthritis

岸本 暢将　杏林大学 准教授（腎臓・リウマチ膠原病内科）

【疾患概念】

乾癬性関節炎（psoriatic arthritis；PsA）は，皮膚の乾癬に関節炎を合併した慢性炎症性疾患である．1818 年にはその関連が指摘されていたが，1959 年になって初めて，Wright より関節リウマチ（RA）や変形性関節症と異なる疾患として PsA という疾患概念が提唱された．その後 Wright と Moll らにより血清反応陰性脊椎関節症〔seronegative spondyloarthropathy．その後，脊椎関節炎（SpA）となる〕という疾患概念が提唱され，PsA はそのなかの 1 疾患として多くの類似する症候を有する．

【頻度】

欧米では一般人口の 2～3％ に乾癬がみられ，最大で乾癬患者の約 40％ に関節炎を合併するといわれ，非常に頻度の高い疾患である．わが国の乾癬の頻度は欧米の 10 分の 1 であり，アジア諸国で乾癬患者の関節炎合併は約 5％，わが国の報告では 1％ 前後とされ，PsA はまれな疾患と考えられてきた．しかし，昨今では食生活の欧米化とともに，乾癬の有病率が上昇していると考えられ，最近の報告では乾癬患者中の PsA の有病率も約 15％ と上昇していた．PsA 発症年齢の中央値は 36 歳と RA より若年発症で，男女比は海外では 1：1 であるが，わが国では 2：1 と男性に多い．

【臨床症状】

PsA では，関節炎の発症前に約 70％ の患者で皮膚の乾癬病変がみられるため，関節炎を呈した患者が整形外科外来に受診した際には，PsA の可能性を考え，手足爪を含めた乾癬の好発部位の視診を必ず行う．例えば，機械的刺激部位に皮疹が現れるケブネル現象により，肘や膝の伸側が乾癬の好発部位であるが，乾皮症や湿疹と間違われるケースもあるため，診察時は必ず袖とズボンをまくって視診を行う．その他，頭皮の乾癬では"ふけ"，耳内では"耳垢"と間違われるため，確認するようにしたい．鼠径部や陰部，殿裂部，臍周囲などはなかなか患者が言い出せない部位であり，忘れずに問診にて確認する．

頻度は低いが，関節炎発症時に皮膚に乾癬のない関節炎先行型 PsA も全体の 10～15％ みられるため，皮膚に病変がなくても PsA は除外できない．このような患者では，RA では通常みられない付着部炎（踵部に多い），指趾炎（足趾では痛風との鑑別必要），体軸関節炎（頚椎～腰椎，仙腸関節病変），爪の変形などは PsA の診断を疑う所見となる．また，RA 同様 PsA では多関節炎を呈することが多いが，手指 DIP 関節に病変を有することが多く，RA との鑑別に有用である．この場合，変形性関節症との鑑別も重要となる．

【病態に関連する合併症】

PsA に関連する合併症・併発症を図 6-7 に示す．SpA の遺伝的背景に伴い付着部炎と病態が重なる虹彩炎（前部ぶどう膜炎），大動脈弁閉鎖不全，その他，肥満と炎症に起因する脂肪肝，メタボリックシンドローム，虚血性心疾患以外にも，炎症性サイトカインや疾患ストレスなどさまざまな原因が考えられるうつ病まで多岐にわたるため，日常診療において他科との連携が必要となる．

問診で聞くべきこと

上記関節症状および病態に関連する合併症について問診を行う．

必要な検査とその所見

(1) 血液・尿検査

リウマトイド因子陽性率は一般人口と同等であり，現時点で PsA を特定できる血清マーカーは不明である．炎症反応も RA 患者ほど上昇しないこともあり，注意が必要である．鑑別診断として，反応性関節炎を考え，血清 HIV 抗体や梅毒検査，クラミジア・トラコマチス尿 PCR 検査を行う．末梢関節炎がある場合，RA，全身性エリテマトーデス（SLE）など他の多関節炎を呈する疾患の除外も必要となる．

6 関節リウマチ，慢性関節疾患および骨壊死症

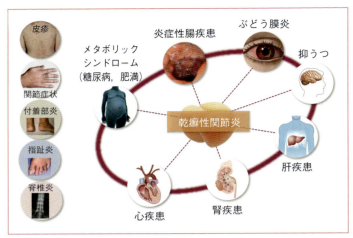

図 6-7 PsA に関連する合併症・併発症

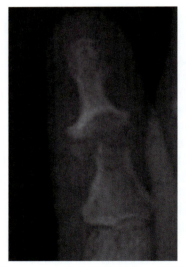

図 6-8 PsA 患者の手指単純 X 線所見

表 6-8 CASPAR (Classification criteria for psoriatic arthritis) 基準

> 関節炎（末梢関節炎，体軸関節炎，付着部炎のいずれか）を有する患者で以下 1 項目 1 点（現症の乾癬は 2 点）とし，3 点以上を PsA と診断する
> 1. 乾癬の現症，既往または家族歴（2 親等まで）
> 2. 乾癬性爪病変
> 3. 血清リウマトイド因子陰性
> 4. 指趾炎の現症または既往（医師による診断）
> 5. 手足の単純 X 線で骨新生病変（関節近傍に骨棘とは異なる骨新生）

病変を呈することがあり，皮膚科にて追診を行う．

診断のポイント

乾癬・PsA の症状，家族歴（2 親等まで）も含め，臨床所見・画像所見を統合した分類基準である CASPAR 基準を表 6-8 に示す．診断の参考になるため日常診療に役立てていただきたい．

治療方針

1 ▶ 治療目標と原則

PsA は，関連病変が多臓器にまたがる疾患であり，それらすべてに対して目を配りながら治療を進めることが重要である．治療目標は，症状および炎症反応を抑え，健常人と変わらない日常生活を送れるようにすることである．RA と同様に治療開始後も痛み，身体機能障害，QOL，構造破壊を定期的に評価する．さらに合併症である心血管疾患，ぶどう膜炎，炎症性腸疾患の活動性も併せて評価する．こうした疾患の多面性や選択肢の多様化を踏まえ，多領域の専門家，多職種による治療介入に加え，患者と治療者の間での shared decision making が重要である．

(2) 画像検査

手指の単純 X 線検査では，RA と同様に骨びらんもみられるが，RA では通常みられない骨新生像が認められるため注意して読影を行う（図 6-8）．さらに関節超音波検査や MRI では，単純 X 線では同定できない早期の付着部炎や指趾炎，爪周囲の炎症所見を同定することができる．また，体軸関節炎を疑う場合，強直性脊椎炎（AS）と同様に，脊椎と仙腸関節の単純 X 線および必要であれば同部位の単純 MRI 検査を行う．

(3) 皮疹・爪病変の鑑別

白癬や梅毒，HIV，クラミジア・トラコマチス，疥癬などの感染症，リンパ腫などの悪性腫瘍でも皮膚・爪

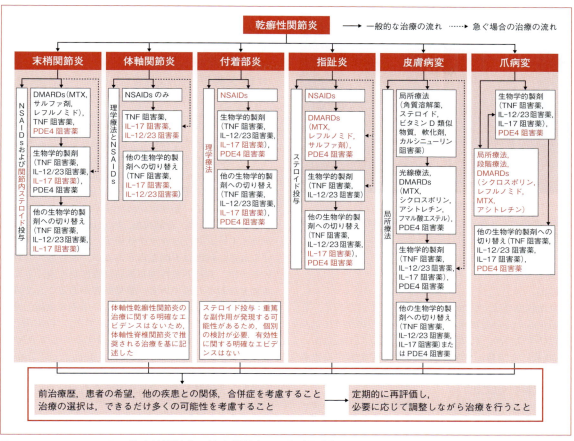

図6-9 GRAPPAによる乾癬性関節炎の治療推奨(2015年改訂版)
オレンジの字は,承認されていないための条件付き推奨治療または要約データのみに基づく推奨治療を示す.
GRAPPA:Group for Research and Assessment of Psoriasis and Psoriatic Arthritis(乾癬および乾癬性関節炎の研究・評価グループ)
(Coates LC, et al: Group for Research and Assessment of Psoriasis and Psoriatic Arthritis 2015 Treatment Recommendations for Psoriatic Arthritis. Arthritis Rheumatol 68: 1060-1071, 2016 より)

2 ▶ 薬物療法

2015年にGroup for Research and Assessment of Psoriasis and Psoriatic Arthritis(GRAPPA)がPsA治療推奨を改訂した.推奨は治療のターゲットとなる6つのドメイン(末梢関節炎,体軸関節炎,付着部炎,指趾炎,皮膚病変,爪病変)に分けて行われた(図6-9).また新規開発薬剤が推奨に加わり,特にinterleukin(IL)-17阻害薬,IL-12/23阻害薬,phosphodiesterase(PDE)4阻害薬の登場はTNF阻害薬不応の患者に対して革新的な治療手段となった.GRAPPA治療推奨には明記されていないが,2019年には皮膚・関節に同様に効果のあるIL-23阻害薬も登場した.

PsAに伴って起きる諸症状をできるだけ広くカバーできる薬剤を選択することが求められる.

血友病性関節炎

Hemophilic arthritis

大野 久美子 東京大学医科学研究所附属病院 助教
(関節外科)

【疾患概念】 血友病(X染色体連鎖劣性遺伝形式をとる凝固異常症)に特徴的な関節内出血が原因で起こる関節症である.関節内出血の好発部位は,肘,膝,足関節である.出血した関節内に残存した鉄(ヘモジデリン)により増生した滑膜炎が,軟骨や関節を破壊するとされる.

6 関節リウマチ，慢性関節疾患および骨壊死症

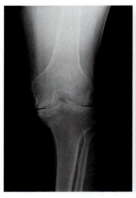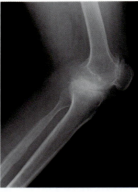

図 6-10　血友病性膝関節症
内側，外側そして膝蓋大腿関節に関節裂隙の狭小化と骨棘形成がみられる．

【頻度】
血友病患者は，国内に約 5,000 人いるとされる．乳児期から十分な血友病治療を受けた最近の患者では関節症は少ないが，乳幼児期に治療が確立していなかった 30 歳以上では，すでに複数の関節症を有する患者もいる．

問診で聞くべきこと
血友病の診断・治療状況，関節内出血の既往や現状に関する情報は重要である．一方，出血の自覚のない関節でも進行した関節症がみつかることもあり，出血の既往がなくても好発関節（肘，膝，足関節）の症状の問診は重要である．

診断のポイント
凝固検査以外では，単純 X 線は骨棘や骨嚢胞，関節裂隙狭小化などの関節症変化（図 6-10），MRI は滑膜炎，ヘモジデリン沈着の検出に適している．関節超音波（エコー）は，複数の関節の滑膜増殖や出血を日常診療で評価でき，近年注目されている．

治療方針
単関節の出血の場合，血液製剤の投与により出血を抑制する．関節出血が続き，滑膜増殖がある場合は滑膜切除術，さらに関節症が進行し，疼痛，機能障害がある場合，人工関節置換術や固定術の適応となることがある．血友病患者の整形外科手術には，日本血栓止血学会による止血治療ガイドラインに従った血液製剤投与が不可欠である．

神経病性関節症（Charcot 関節）
Neuropathic arthropathy (Charcot joint)

大野 久美子　東京大学医科学研究所附属病院 助教（関節外科）

【疾患概念】
神経病性関節症は，足や足関節の破壊を伴った進行性変性を特徴とした関節炎として，神経病理医の Charcot が 1868 年に報告した．本症は末梢神経障害の合併症の 1 つで，骨や関節の増殖性変化と破壊が混在した，著明な関節変形をきたす疾患である．原因疾患として，糖尿病が最も多く，ほかには脳血管障害，Hansen 病，脊髄疾患，Parkinson 病，HIV，サルコイドーシス，リウマチ性疾患，毒性物質曝露が挙げられる．病因は不明な点もあるが，現在考えられているのは，神経外傷性説や神経血管作動性説，さらに両者を合わせた説である．感覚障害があることで外傷に対する防御機構の低下や，さらに局所の血流上昇と虚血により，炎症性サイトカインである TNF-α (tumor necrosis factor-α) などが上昇することで RANK (receptor activator of nuclear factor-κB) ligand (RANKL) 系が活性化し，破骨細胞活性化，骨代謝が亢進し，骨破壊が進行すると考えられている．

【頻度】
Charcot 関節は明確な診断基準がなく，原因疾患ごとの正確な発生頻度は不明であるが，糖尿病患者の 0.1〜7.5％ に起こり，さらに末梢神経障害のある糖尿病患者の 35％ に発症するとされる．一方，Charcot 関節の 40％ は，特発性末梢神経障害により起こるという報告もある．

【臨床症状と病態】
感覚障害のため自覚症状が乏しく，強い関節変形にもかかわらず痛みが少ないことは本症の特徴である．初期症状である足部腫脹と発赤は見逃されやすく，発症時期を特定することは難しい．関節症の他覚所見として，関節腫脹，関節液貯留，熱感，骨棘形成，増殖性変化とともに骨の破壊変形がみられる．さまざまな関節が神経病性関節症として侵され，特に糖尿病性関節症は足関節や足部，脊髄癆性関節症では膝関節が罹患しやすい．

問診で聞くべきこと
関節変化に比べて自覚症状の訴えが乏しい場合，本疾患を念頭において問診を行う．下肢感覚障害の原因となる疾患既往の問診は重要である．感覚障害があるため疼痛を自覚しないことが多く，長時間の歩行，骨脆弱性による骨折，軽微な外傷などの既往の問診も重要である．

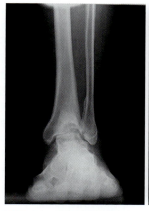
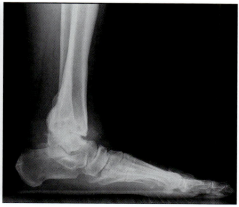

図 6-11　神経病性関節症
距腿関節の骨吸収が著明であり，足底アーチが消失している．

必要な検査とその所見

　初期の単純 X 線像は変形性関節症に類似した所見を示すが，変形性関節症と比べ，急速に骨破壊が進行することが特徴であり，本症を疑い X 線を実施した時点ではすでに，関節亜脱臼，骨増生，骨破壊，骨硬化，関節変形，石灰化などの多様な所見を有することが多い（図 6-11）．単純 X 線荷重位撮影は，Lisfranc 関節などの亜脱臼や関節不安定性の評価に有用である．MRI は，軟部組織の浮腫や関節液の貯留，骨髄浮腫，軟骨変性，微細骨折を検出し，膿瘍形成，骨髄炎などの鑑別に有用である．

診断のポイント

　感覚神経障害を伴う基礎疾患があり，自覚症状と他覚所見の乖離がみられるのが特徴である．進行した関節症では，骨硬化と骨破壊像が混在する著明な変形を呈することが診断の参考となる．

治療方針

　基礎疾患の種類や進行状況は，関節症を含めた全体の治療効果に影響するため，基礎疾患に対する患者教育を含めた治療と予防が不可欠である．そのうえで，関節の動揺性や骨破壊・骨欠損の進行を予防するための装具療法が有用である．しかし，感覚障害により自覚症状が乏しいため，装具装着のアドヒアランスが低い．さらに装具自体による表皮の損傷や潰瘍形成・感染が起きやすく，装具継続が難しい場合が多い．進行例には関節固定術の適応も考慮するが，人工関節の適応となることは少ない．

糖尿病性関節症

Diabetic osteoarthropathy

大野 久美子　東京大学医科学研究所附属病院 助教（関節外科）

【疾患概念】　糖尿病性関節症は，糖尿病に合併して発症する関節症の総称であり，神経病性関節症の代表である．糖尿病の合併症である神経障害，末梢循環障害，感染など多様な病態が関節症の病態を複雑化し，根治治療が困難になることがある．特に足関節やその末梢の関節で関節症を発症しやすく，糖尿病足（diabetic foot）ともよばれる．糖尿病性関節症は，体重の負荷を受ける足部の関節に多い．糖尿病性自律神経障害に由来する動静脈シャントによる骨関節の栄養障害や骨破壊，さらに感覚神経障害による外傷や脱臼変形の放置が原因と考えられているが，依然として不明な点が多い．

【頻度】　神経病性関節症と同様に標準的な診断方法や X 線画像評価が確立されておらず，不明な点もあるが，10 年以上の罹病期間をもつ糖尿病患者の 0.15～2.5％ が関節症を有し，その 30％ が両側性に発症するという報告がある．さらに外傷歴のある糖尿病患者の 25～50％ は急速に関節症が進行するとされている．

【問診で聞くべきこと】　糖尿病の罹病期間や治療状況，さらに糖尿病性合併症の有無などの糖尿病治療に関する問診は重要である．末梢神経障害により自覚症状が乏しいため，患者の愁訴がなくても，足部の症状の有無は確認すること

表 6-9 糖尿病性多発神経障害(distal symmetric polyneuropathy)の簡易診断基準

必須項目：以下の2項目を満たす 　1．糖尿病が存在する 　2．糖尿病性多発神経障害以外の末梢神経障害を否定しうる 条件項目：以下の3項目のうち2項目以上を満たす場合を"神経障害あり"とする 　1．糖尿病性多発神経障害に基づくと思われる自覚症状 　2．両側アキレス腱反射の低下あるいは消失 　3．両側内果の振動覚低下 注意事項 　1．糖尿病性多発神経障害に基づくと思われる自覚症状とは以下の2項目を満たす．上肢の症状のみの場合および「冷感」のみの場合は含まれない 　　1）両側性 　　2）足趾先および足底の「しびれ」「疼痛」「異常感覚」のうちいずれかの症状を訴える 　2．アキレス腱反射の検査は膝立位で確認する 　3．振動覚低下とはC128音叉にて10秒以下を目安とする 　4．高齢者については老化による影響を十分考慮する 参考項目：以下の参考項目のいずれかを満たす場合は条件項目を満たさなくても"神経障害あり"とする 　1．神経伝導検査で2つ以上の神経でそれぞれ1項目以上の検査項目(伝導速度，振幅，潜時)の明らかな異常を認める 　2．臨床症候上，明らかな糖尿病性自律神経障害がある．しかし自律神経機能検査で異常を確認することが望ましい

(糖尿病性神経障害を考える会　1998年9月11日作成，2000年3月24日改訂，2002年1月18日改訂より)

が重要である．自覚症状と他覚所見の乖離は，糖尿病性関節症の診断に有用である．

必要な検査とその所見

糖尿病の診断や病状に関する検査を行う．さらに神経病性関節症の診断目的に，糖尿病性神経障害の診断も必要である．また治療方針を決定するために，関節の状態を評価する．糖尿病性多発神経障害の診断として，糖尿病性神経障害を考える会が作成した簡易診断基準(表 6-9)があり，記載されている両側のアキレス腱反射の低下あるいは消失，両側内果の振動覚の低下などを確認する．関節症の病態に関しては，関節変形の安定性，皮膚潰瘍や感染の有無が重要である．画像所見である単純X線検査では，関節症性変化や骨破壊像を呈する．

診断のポイント

糖尿病患者で，神経障害所見とともに自覚症状と他覚所見の乖離があること，足部に吸収像と骨形成像が混在した関節・骨の破壊像や変形があることが診断のポイントである．

治療方針

糖尿病足の感染のコントロール，足潰瘍の予防が最も重要である．足部の安定性が得られている場合は，皮膚潰瘍の有無と感染症の有無が，治療方針を決定す

るうえで重要である．皮膚潰瘍がない場合は，装具などの保存療法の適応となる．皮膚潰瘍や感染がある場合は，免荷を行いながら，潰瘍と感染の治療を優先する．ただし感染を伴い，皮膚潰瘍が慢性化している場合は，手術治療も考慮する．装具を使用しても足部の安定性が得られない場合には手術適応となる．術式としては関節固定術，アキレス腱延長術，切断術が挙げられ，状態に合わせて適応を検討する．

特発性大腿骨頭壊死症

Idiopathic osteonecrosis of the femoral head (ION)

秋山 治彦　岐阜大学大学院 教授

【疾患概念】　特発性大腿骨頭壊死症は，大腿骨頚部骨折などの外傷，潜函病，放射線治療などの明らかな原因がなく，大腿骨頭の骨壊死が発生する疾患である．わが国での患者男女比は1.2〜2.1：1で男性に多く，男性では30〜59歳の割合が高く，女性では20〜79歳まで広く分布している．有病率は人口10万人あたり18.2人である．ステロイド全身投与，習慣性飲酒，喫煙などが関連因子とされているものの，壊死の発生機序は明らかになっていないが，大腿骨頭への血流障害が病因と考えられている．虚血の機序として，酸化ストレスや血管内皮機能障害，脂質代謝異常，脂肪塞栓，血液凝固能亢進などの関与が報告されている．現在，特発性大腿骨頭壊死症は「難病の患者に対する医療等に関する法律」に基づき指定される指定難病で，特定医療費受給者証が交付される．

【臨床症状】　特発性大腿骨頭壊死症の発生時期はいまだ不明である．特にアルコール関連では明らかになっていない．ステロイド投与においては，投与開始からおよそ1〜3か月でMRI上にband patternが出現している症例が報告されている．壊死範囲は縮小を認めた報告があり，拡大はしないと考えられている．

特発性大腿骨頭壊死症は，壊死の発生を認めても無症候性のことも多く，壊死の発生から数か月〜数年で壊死部の圧潰を呈してくるとともに，股関節部痛や腰痛，膝部痛，殿部痛などが出現する．進行するに従い，跛行，歩行障害をきたすこともある．

問診で聞くべきこと

特発性大腿骨頭壊死症が考えられる場合は，ステロイド投与歴，習慣性飲酒歴，喫煙歴を聞く．ステロイドはどのくらいの投与量をいつからいつまで投与されているのか，飲酒ではどのくらいの量の酒をどの程度

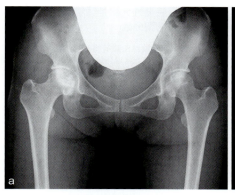
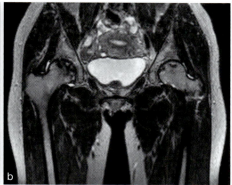

図 6-12　特発性大腿骨頭壊死症
a：単純 X 線像，b：MRI．

の頻度で何年飲んでいるのか，喫煙では 1 日平均何本を何年間吸っているのか，などを問診する．また，多発性骨壊死を考慮して，膝関節，肩関節，足関節の疼痛の有無を確認する．続発性大腿骨頭壊死症を除外するため，大腿骨頚部骨折や外傷性股関節脱臼，大腿骨頭すべり症，骨盤部放射線照射，減圧症の既往を問診する．そのほかにも除外診断として，腫瘍および腫瘍類似疾患，骨端異形成症，小児の Perthes 病，変形性股関節症，一過性大腿骨頭萎縮症，大腿骨頭軟骨下脆弱性骨折，急速破壊型股関節症に注意が必要である．

必要な検査とその所見

①単純 X 線検査：股関節単純 X 線像の正面像と側面像で，stage 4 を除いて関節裂隙が狭小化していないこと，寛骨臼には異常がないことを前提として，骨頭圧潰あるいは crescent sign（骨頭軟骨下骨折線像）および骨頭内の帯状硬化像の形成で診断する．

②骨シンチグラム：骨頭の cold in hot 像を認めることがある．

③MRI：骨頭内帯状低信号域（T1 強調像でのいずれかの断面で骨髄組織の正常信号域を分界する像）を認める．壊死領域の部位，範囲を明らかにすることが可能である．また，病態の初期には骨髄浮腫像を示すことがある（図 6-12）．

④骨生検：連続した切片標本内に骨および骨髄組織の壊死が存在し，健常域との界面に線維性組織や添加骨形成などの修復反応を示す像を認める．
上記項目のうち，2 つ以上を満たせば特発性大腿骨頭壊死症の確定診断とする．

⑤その他：CT により骨頭の圧潰を二次元，三次元的に明らかにすることができる．

診断のポイント

上記の通り，厚生労働省特発性大腿骨頭壊死症調査研究班診断基準（JIC 診断基準）に則って，診断する必要がある（表 6-10）．診察には日本整形外科学会股関節機能判定基準（JOA Hip score）を用いる．

表 6-10　特発性大腿骨頭壊死症診断基準

X 線所見（股関節単純 X 線の正面像および側面像で判断する．関節裂隙の狭小化がないこと，臼蓋には異常所見がないことを要する）
1. 骨頭圧潰あるいは crescent sign（骨頭軟骨下骨折線像）
2. 骨頭内の帯状硬化像の形成

検査所見
3. 骨シンチグラム：骨頭の cold in hot 像
4. MRI：骨頭内帯状低信号域（T1 強調画像でのいずれかの断面で，骨髄組織の正常信号域を分界する像）
5. 骨生検標本での骨壊死像（連続した切片標本内に骨および骨髄組織の壊死が存在し，健常域との界面に線維性組織や添加骨形成などの修復反応を認める像）

判定：上記項目のうち，2 つ以上を満たせば確定診断とする
除外診断：腫瘍および腫瘍類似疾患，骨端異形成症は診断基準を満たすことがあるが，除外を要する．なお，外傷（大腿骨頚部骨折，外傷性股関節脱臼），大腿骨頭すべり症，骨盤部放射線照射，減圧症などに合併する大腿骨頭壊死，および小児に発生するペルテス病は除外する

専門病院へのコンサルテーション

各臨床医の専門分野にもよるが，診断に難渋する場合や治療方針が決まらない場合には，股関節を専門に診察および治療している整形外科医に紹介することが望ましい．

①診断基準を満たす検査が実施できない場合．
②除外診断ができない場合．
③保存療法か手術療法かの治療方針が決定できない場合．
④特発性大腿骨頭壊死症では発症前診断に努めるべきであり，特にわが国ではステロイド投与歴のある，

表 6-11　特発性大腿骨頭壊死症の病期（Stage）分類

Stage 1：X線像の特異的異常所見はないが，MRI，骨シンチグラム，または病理組織像で特異的異常所見がある時期
Stage 2：X線像で帯状硬化像があるが，骨頭の圧潰（collapse）がない時期
Stage 3：骨頭の圧潰があるが，関節裂隙は保たれている時期（骨頭および臼蓋の軽度な骨棘形成はあってもよい）
　　Stage 3A：圧潰が3mm未満の時期
　　Stage 3B：圧潰が3mm以上の時期
Stage 4：明らかな関節症性変化が出現する時期

注1）骨頭の正面と側面の2方向X線像で評価する（正面像では骨頭圧潰が明らかでなくても側面像で圧潰が明らかであれば側面像所見を採用して病期を判定すること）
注2）側面像は股関節屈曲90°・外転45°・内外旋中間位で正面から撮影する（杉岡法）

表 6-12　特発性大腿骨頭壊死症の壊死域局在による病型分類

Type A：壊死域が臼蓋荷重面の内側1/3未満にとどまるもの，または壊死域が非荷重部のみに存在するもの
Type B：壊死域が臼蓋荷重面の内側1/3以上2/3未満の範囲に存在するもの
Type C：壊死域が臼蓋荷重面の内側2/3以上に及ぶもの
　　Type C-1：壊死域の外側端が臼蓋縁内にあるもの
　　Type C-2：壊死域の外側端が臼蓋縁をこえるもの

注1）X線/MRIの両方またはいずれかで判定する
注2）X線は股関節正面像で判定する
注3）MRIはT1強調像の冠状断骨頭中央撮像面で判定する
注4）臼蓋荷重面の算定方法
　　　臼蓋縁と涙痕下縁を結ぶ線の垂直2等分線が臼蓋と交差した点から外側を臼蓋荷重面とする

または投与中の患者に対してはMRI検査の実施を検討する必要がある．

⑤圧潰の危険性の高い症例では，関節温存手術や人工関節手術を専門とする整形外科医へのコンサルトが望まれる．また，再生医療を行っている施設への紹介も考慮する．

治療方針

　治療法の決定に際して，特発性大腿骨頭壊死症では重症度を確定する必要がある．わが国では，2001年に厚生労働省特発性大腿骨頭壊死症調査研究班により改定されたものが用いられており，重症度は病期(stage)分類（表6-11）と病型(type)分類（表6-12）で判定する．海外では，Ficat and Arlet病期分類，Steinberg分類，ARCO（Association Research Circulation Osseous）分類が用いられている．特発性大腿骨頭壊死症では，荷重面2/3を超える大きな壊死領域がある病型type C-1，C-2では，自然経過において骨頭の圧潰が起こりやすく，病期が進行しやすい．また，壊死領域が小さくても，荷重面に存在する症例では圧潰をきたすことがあり注意が必要である．治療は，合併症による全身状態，年齢，性別，職業，社会的・経済的背景なども考慮して決定する．

保存療法

　特発性大腿骨頭壊死症に対する保存療法は，疼痛緩和と大腿骨頭圧潰の進行抑制を目的とする．しかし，わが国では，保存療法に対する十分なエビデンスは得られていない．松葉杖やロフストランド杖による免荷療法は，発症初期に疼痛の緩和や歩行機能の改善を目的に行われているが，長期的な病期進行抑制効果は不明である．体外衝撃波，電磁場刺激，高圧酸素療法，超音波刺激装置による有効性も報告されている．薬物療法としてビスホスホネート製剤（アレンドロネート，ゾレドロネート）による骨頭圧潰抑制効果が報告されたが，その後の報告では有効性が示されていない．わが国ではビスホスホネートは大腿骨頭壊死症に適応はない．

手術療法

1 ▶ 関節温存手術

　現在，わが国では血管柄付き骨移植術，大腿骨内反骨切り術，大腿骨頭回転骨切り術が行われている．血管柄付き骨移植術は主に血管柄付き腓骨移植が行われており，関節症性変化に至っていない病期であれば良好な成績も期待できる．大腿骨内反骨切り術はType BおよびC-1でStage 3A，3Bまでが適応となる場合があり，大腿骨頭外側に十分な健常域を有する症例には有用である．大腿骨頭回転骨切り術はType C-2でも適応となる場合がある．骨切り術の実施に際しては，術後股関節正面像で荷重面の1/3以上の健常域再建が必要である．わが国ではcore decompressionの成績に関しての統一的な見解は得られていない．

2 ▶ 人工骨頭・人工関節置換術

　Stage 3A，3B，4で疼痛や可動域制限などによるADL障害が著明な症例では，大腿骨人工骨頭置換術または人工股関節全置換術が実施されている．比較的若年齢の症例では再置換術が必要になる可能性がある点，人工骨頭置換術では術後の鼠径部痛やインプラントのcentral migration，人工関節置換術では術後脱臼などにも留意する必要がある．

患者説明のポイント

①特発性大腿骨頭壊死症は，ステロイド治療を継続しても壊死領域が拡大することはない．また再発率や反対側発生率は低い．
②Stage 1，2の症例であってもType C-1，C-2で

は圧潰率が高く，定期的な受診が必要である．

リハビリテーションのポイント，関連職種への指示

術前のリハビリテーションは，骨頭圧潰の進行に十分な注意が必要である．術後のリハビリテーションでは，股関節周囲や下肢の低下した筋力の回復，可動域の低下した関節の柔軟性の回復を目指し，自立した日常生活を送ること，そして社会復帰することを目標とする．また，術後は下肢深部静脈血栓症や肺血栓塞栓症の予防のためフットポンプや弾性ストッキングなどを用い，必要な場合は抗凝固薬を投与する．

Asahi **KASEI**

Creating for Tomorrow

昨日まで世界になかったものを。

私たち旭化成グループの使命。

それは、いつの時代でも世界の人びとが"いのち"を育み、

より豊かな"くらし"を実現できるよう、最善を尽くすこと。

創業以来変わらぬ人類貢献への想いを胸に、

次の時代へ大胆に応えていくために—。

私たちは、"昨日まで世界になかったものを"創造し続けます。

旭化成ファーマ株式会社

7 骨系統疾患，代謝性骨疾患

- **骨系統疾患**
  - 骨系統疾患の臨床診断 ... 230
  - 骨系統疾患国際命名・分類 2015 ... 232
  - 遺伝子診断とカウンセリング ... 235
  - 骨系統疾患のX線診断 ... 236
  - 出生前診断 ... 240
- **FGFR3 軟骨異形成症グループ**
  - 概説 ... 241
  - 軟骨無形成症 ... 242
  - 軟骨低形成症 ... 243
- **2 型コラーゲングループおよび類似疾患**
  - 概説 ... 244
  - 先天性脊椎骨端異形成症 ... 245
  - Kniest 骨異形成症 ... 246
  - Stickler 症候群 ... 247
- **Filamin グループと関連疾患**
  - Larsen 症候群 ... 248
- **大きな骨変化を伴う繊毛異常症**
  - 軟骨外胚葉異形成症 ... 249
- **多発性骨端異形成症および偽性軟骨無形成症グループ**
  - 多発性骨端異形成症 ... 250
  - 偽性軟骨無形成症 ... 251
- **骨幹端異形成症**
  - Schmid 型骨幹端異形成症 ... 252
  - McKusick 型軟骨・毛髪低形成症 ... 253
- **脊椎骨幹端異形成症**
  - 概説 ... 254
- **脊椎・骨端（・骨幹端）異形成症**
  - 遅発性脊椎骨端異形成症 ... 255
- **遠位肢異形成症**
  - 毛髪鼻指節異形成症 ... 256
- **遠位中間肢異形成症**
  - 概説 ... 257
- **中間肢・近位肢中間肢異形成症**
  - 異軟骨骨症 (Leri-Weill) ... 257
- **弯曲肢異形成症および関連疾患**
  - 概説 ... 258
- **点状軟骨異形成症グループ**
  - 概説 ... 259
- **大理石骨病と関連疾患**
  - 大理石骨病 ... 261
  - 濃化異骨症 ... 262
  - 流蝋骨症 ... 263
  - 骨斑紋症 ... 265
- **他の骨硬化性骨疾患**
  - 骨幹異形成症（Camurati-Engelmann 病）... 266
  - 皮膚骨膜肥厚症 ... 267
- **骨形成不全症と骨密度低下を示すグループ**
  - 骨形成不全症 ... 267
  - 若年性特発性骨粗鬆症 ... 269
- **異常骨石灰化グループ**
  - 低ホスファターゼ症 ... 271
  - 低リン血症性くる病 ... 272
- **骨変化を伴うリソソーム蓄積症（多発性異骨症グループ）**
  - ムコ多糖症 ... 273
  - ムコ脂質症 ... 275
- **骨格成分の発生異常グループ**
  - 多発性軟骨性外骨腫症 ... 276
  - 内軟骨腫症，Ollier 病 ... 277
  - 進行性骨化性線維異形成症 ... 278
  - Marfan 症候群 ... 279
- **遺伝性炎症性/リウマチ様骨関節症**
  - 進行性偽性リウマチ様骨異形成症 ... 280
- **鎖骨頭蓋異形成症と類縁疾患群**
  - 鎖骨頭蓋異形成症 ... 281
- **頭蓋骨癒合症候群**
  - Apert 症候群 ... 282
- **短指症（骨外形態異常を伴う/伴わない）**
  - Poland 症候群 ... 283
- **代謝性骨疾患，その他**
  - 骨軟化症，くる病 ... 284
  - 慢性腎臓病・透析に併発する運動器疾患（腎性骨ジストロフィー）... 284
  - 骨 Paget 病 ... 286
  - 骨粗鬆症 ... 288
  - McCune-Albright 症候群 ... 290

骨系統疾患
Osteochondrodysplasia

骨系統疾患の臨床診断
Clinical diagnosis of skeletal dysplasia

小崎 慶介　心身障害児総合医療療育センター 所長〔東京都板橋区〕

1 骨系統疾患とは

骨系統疾患とは，先天的な原因によって全身の複数の骨や軟骨に変化を示す疾患の総称である．各疾患の骨・関節の形態的特徴は，骨・軟骨の発生・成長の異常に起因するものであり，原則的には複数にわたる骨・関節に共通する．最近は，次項「骨系統疾患国際命名・分類2015」で述べるように，代謝性骨疾患，異骨症，骨格系の異常を示すmalformation（形成不全）/reduction（縮小奇形）症候群も包含するものとしてとらえられている．2015年の国際分類には436疾患が含まれており，その約80%にあたる364の遺伝子との関連が明らかになっている．また，わが国では日本整形外科学会が1990年以来，学会所属施設を対象に骨系統疾患の初診患者の登録を毎年行っている．1990～2018年の総登録数は，8,786例であり，登録例数の順に骨形成不全症（1,056例），軟骨無形成症（1,039例），多発性軟骨性外骨腫症（557例）などとなっている．同期間に登録歴のある疾患は220種余りである．

骨系統疾患の診断にあたっては，病歴，臨床所見，画像所見が基本となる．さらに必要に応じて，臨床検査や遺伝子検査を追加する．画像所見においては，単純X線所見が重要な役割を果たすが，本項ではその前段階としての病歴聴取および臨床所見について述べる．

2 診断の流れ

1 ▶ 問診
①主訴：多くは，低身長，四肢・体幹の変形，関節変形や拘縮，異常可動性，易骨折性である．近年では，胎児期に超音波検査やCT検査にて四肢骨の短縮・変形などを指摘されて受診に至ることも増加している．

②家族歴：上述のように骨系統疾患の多くにおいて遺伝子変異があることが判明しており，家族歴の聴取は重要である．詳細な家系図を作成することが求められる．近親婚，自然流産，新生児死亡などの既往も聴取する．患者出生時の両親の年齢も聞き取っておく．

③既往歴：妊娠・出産の経過，出生時の体重・身長・頭囲・胸囲とそれらの経過（成長曲線），運動発達・精神発達の経過，骨格系以外の合併症の有無を聴取する．循環器，泌尿生殖器などの中胚葉性器官と，皮膚（爪，毛髪を含む），神経，視覚器，聴覚器，歯牙などの外胚葉性器官にみられる合併症に特に着目する．

④現病歴：臨床症状の発現時期とその重症度の変化に着目する．一例として，軟骨無形成症は出生時より明らかな低身長を呈するのに対して，偽性軟骨無形成症では出生時の低身長は明らかではないが，1～2歳頃からの身長の増加が著しく抑制される．

2 ▶ 臨床所見
(1)身長・体形（プロポーション）・四肢長の異常

日本成長学会・日本小児内分泌学会合同標準値委員会が2000年における日本人小児の各年齢における平均身長と標準偏差データを公開している．標準偏差の2倍を超える低身長または高身長は疾患を背景とする可能性を考慮する．

低身長は，四肢と体幹のバランスに着目して分類（均衡型と非均衡型）する．非均衡型は，四肢短縮型と体幹短縮型に分類され，四肢短縮型はさらに近位肢節（上腕・大腿）短縮型，中間肢節（前腕・下腿）短縮型，遠位肢節（手部・足部）短縮型に細分類される．疾患によっては，複数の肢節の短縮を呈することもある．

均衡のとれた正常なプロポーションでは，立位で指尖部が大転子のやや遠位まで達する．指尖部が，大転子に達しない場合は四肢短縮と，膝関節付近まで達する場合には体幹短縮とそれぞれ判断する．また，両肩関節外転90°の状態で左右の中指尖を結ぶ距離〔すなわち指極（指端距離：arm span）〕と身長は正常なプロポーションではほぼ等しいことから，四肢短縮と体幹短縮を判定することも可能である．

四肢短縮を呈する疾患を例示すると，軟骨無形成症や偽性軟骨無形成症では近位肢節短縮を，異骨症や中間肢異形成症では中間肢節短縮を，偽性副甲状腺機能低下症では遠位肢節短縮をそれぞれ示す．体幹短縮を呈する疾患には，先天性脊椎骨端異形成症やKniest骨異形成症，ムコ多糖症などがある．変容性骨異形成症では，進行性の脊柱変形により四肢短縮型から体幹短縮型にプロポーションが変化する．

均衡型低身長を呈する疾患は少ないが，鎖骨頭蓋異形成症，異骨性骨硬化症，濃化異骨症などが代表例である．一方，高身長を呈する代表的な疾患にMarfan症候群がある．

(2)四肢の変形

長管骨の弯曲変形や四肢関節可動域の異常，X脚，O脚など関節アライメントの異常がある．

長管骨の弯曲では，骨形成不全症や屈曲肢異形成症，

表 7-1　骨格系以外に症状・異常を合併する骨系統疾患の例

1) 皮膚
   - カフェオレ斑：神経線維腫症
   - 血管腫：血管腫を伴う内軟骨腫症(Maffucci 症候群)，Proteus 症候群
2) 頭部・顔面
   - 疎な頭髪：軟骨・毛髪低形成症，毛髪鼻指節異形成症，毛髪歯骨異形成症
   - 頭蓋冠の相対的な拡大：軟骨無形成症，濃化異骨症
   - 塔状頭：Apert 症候群，Carpenter 症候群
   - 泉門閉鎖遅延：鎖骨頭蓋異形成症，濃化異骨症
   - 疾患に特徴的な顔貌：軟骨無形成症，ムコ多糖症，ムコ脂質症，偽性副甲状腺機能低下症，Crouzon 症候群，頭蓋骨幹端異形成症
   - 青色強膜：骨形成不全症，Marfan 症候群
   - 水晶体脱臼：Marfan 症候群
   - 角膜混濁：ムコ多糖症
   - 網膜剥離：先天性脊椎骨端異形成症，Kniest 骨異形成症，Stickler 症候群
   - 歯牙異常：骨形成不全症，鎖骨頭蓋異形成症
   - 口蓋裂：先天性脊椎骨端異形成症，Kniest 骨異形成症
   - 耳介形成異常：弯曲肢異形成症
   - 難聴：骨形成不全症，Kniest 骨異形成症，Stickler 症候群，頭蓋骨幹端異形成症
   - 中耳炎：軟骨無形成症
3) 体幹
   - 狭胸郭：軟骨外胚葉異形成症(Ellis-van Creveld 症候群)，変容性骨異形成症，呼吸不全性胸郭異形成症
   - 樽状胸郭：先天性脊椎骨端異形成症，脊椎骨幹端異形成症
   - 胸骨突出(鳩胸)：ムコ多糖症(4型)，Kniest 骨異形成症
   - 腹部膨満(肝脾腫)：ムコ多糖症，大理石骨病
4) 精神発達遅滞：de Lange 症候群，ムコ多糖症，ムコ脂質症，Apert 症候群，偽性副甲状腺機能低下症
5) 先天性心疾患：軟骨外胚葉異形成症(Ellis-van Creveld 症候群)，短肋骨異形成症，Holt-Oram 症候群
6) 消化器疾患：短肋骨異形成症，軟骨・毛髪低形成症
7) 腎疾患：呼吸不全性胸郭異形成症，爪・膝蓋骨症候群
8) 免疫異常：軟骨・毛髪低形成症
9) 内分泌異常：多骨性線維性骨異形成症(McCune-Albright 症候群)
10) 内臓器腫瘍：内軟骨腫症

(上記のリストは代表例であり，すべてを網羅していないことに留意)

後弯肢異形成症などで骨幹部を中心に弯曲を呈するのに対して，先天性脊椎骨端異形成症，骨幹端異形成症，低リン血症性くる病などでは，関節近傍での弯曲が目立つという特徴がある．

四肢関節可動域の異常は全身性にみられる場合と特定の関節に局在している場合がある．先天性拘縮性くも状指趾症では全身の関節拘縮を呈する．また，進行性骨化性線維異形成症では，進行性の関節拘縮から関節強直に至る．一方，軟骨無形成症，偽性軟骨無形成症，遠位中間肢異形成症では肘関節拘縮が頻繁にみられる．軟骨無形成症や偽性軟骨無形成症では，膝関節弛緩性を認めることも多く，X脚，O脚変形の原因となりうる．ムコ多糖症は4型(Morquio 症候群)において関節弛緩性が特徴的であるのに対して，その他の型では関節拘縮を呈する．

(3) 脊柱の変形

体幹部での側弯または後側弯を示すことが多い．変容性骨異形成症，Kniest 骨異形成症のほか，進行性骨化性線維異形成症，Marfan 症候群などでもみられる．軟骨無形成症では，腰仙部での著しい前弯変形が高頻度にみられるほかに，時に胸腰椎移行部での著しい後弯変形(亀背)がみられる．骨形成不全症においても，特にⅢ型では脊柱変形をきたしやすい．偽性軟骨無形成症，先天性脊椎骨端異形成症，変容性骨異形成症などで歯突起形成不全や上位頸椎の不安定性を生じ，脊髄麻痺に至ることがあるので注意を要する．

(4) 易骨折性

易骨折性を生じる病態には，骨密度低下，骨石灰化障害，骨硬化がある．骨密度低下をきたす代表的疾患は，骨形成不全症である．骨折後の骨癒合は若年では良好であるとされているが，成人以降は不良となる場合も少なくない．骨石灰化障害を生じる疾患には，低リン血症性くる病や低ホスファターゼ症がある．骨硬化を示す代表的な疾患には，大理石骨病がある．重症型では骨髄機能低下を合併することがある．骨代謝回転が抑制されており，骨折後の骨癒合が不良であることが多い．

(5) 骨格系以外の臓器・組織の異常

問診の項で述べた通り，中・外胚葉性器官の異常を合併することがある．表 7-1 に合併する症状・異常の例を示す．合併異常は，診断の助けになるとともに，骨関節以外の合併症の医学的管理を行ううえでも重要である．

3 ▶ その他の追加検査

上述の通り，単純X線による全身の骨形態の詳細な観察が，診断に重要な役割を果たす．骨代謝の異常が疑われる場合には，臨床検査を追加する．遺伝子検査は診断確定に大きく寄与するが，実施にあたっては事前に十分なカウンセリングを実施し，患者・家族の権利擁護に配慮する必要がある．また，遺伝子変異の特定に至らない場合もあることに留意する．

疾患に関する情報は日々更新されており，遺伝性疾患を網羅したOMIM(Online Mendelian Inheritance in Man)では，最新情報を得ることができる．

骨系統疾患国際命名・分類2015

Nosology and classification of genetic skeletal disorders: 2015 revision

小﨑 慶介　心身障害児総合医療療育センター 所長〔東京都板橋区〕

骨系統疾患には非常に多くの疾患が含まれ，多様な表現型，病態を呈する．これら多くの疾患を整理して理解を深める目的で，1969年に世界中の専門家が集って分類や命名法に関する論議が行われ，その内容が公表された．以後，次々に新しい疾患が発見され，原因遺伝子などの病態が解明されるに従って，数年ごとに改訂が加えられてきた．2015年版の国際分類(Bonafe L, et al: Nosology and classification of genetic skeletal disorders: 2015 revision. Am J Med Genet A 167: 2869-2892, 2015)は，日本整形外科学会を中心に日本小児科学会，日本産科婦人科学会，日本小児放射線学会の協力を得て和訳作業が行われた(小﨑慶介，他：2015年版骨系統疾患国際分類の和訳．日整会誌 91：462-505，2017)．

2015年版国際分類は，以下の①〜④の条件を満たす疾患を収載している．

①以下に相当する重度の骨格系病変
・骨系統疾患
・代謝性骨疾患
・異骨症
・骨格系の異常を示すmalformation(形成不全)/reduction(縮小奇形)症候群

②論文になっているか，またはOMIMに収載されている．

③家系例で遺伝的基盤が証明されているか，異なる家系における表現型の同質性から遺伝的基盤の可能性が高い．

④実験的解析により，疾患分類学上の独立性が確認されている．

なお，1家系の報告であっても原因遺伝子が同定された疾患は分類に含められている．

その結果2015年版国際分類には42グループ436疾患が収められており，2010年版の40グループ456疾患と比較して，グループ数の増加と総疾患数の減少が生じている．これは，表現型からは区別のつかない疾患群を単一グループに集約したことによる．

2010年分類から2015年分類への改訂におけるグループ構成の変更点は以下の通りである．

1)9. Short-rib dysplasia(with or without polydactyly) groupは削除された

2)9. Ciliopathies with major skeletal involvement (大きな骨変化を伴う繊毛異常症)が追加された

3)18. Bent bone dysplasia groupはCampomelic dysplasia and related disorders(弯曲肢異形成症および関連疾患)に名称変更された．

4)23. Increased bone density group(without modification of bone shape)は，23. Osteopetrosis and related disorders(大理石骨病と関連疾患)と，24. Other sclerosing bone disorders(他の骨硬化性骨疾患)にそれぞれ名称変更された．

5)37. Brachydactylies(with or without extraskeletal manifestations) は，37. Brachydactylies (without extraskeletal manifestations)〔短指症(骨外形態異常を伴わない)〕と38. Brachydactylies(with extraskeletal manifestations)〔短指症(骨外形態異常を伴う)〕とに分割された．

6)40. Ectrodactyly with and without other manifestations(他の異常を伴う/伴わない欠指)が追加された．

各グループの名称と和訳を表7-2に掲載する．

なお，全体では総疾患数の約80％にあたる364の遺伝子との関連が明らかになっている．

また，低ホスファターゼ症の治療薬が上市され利用可能となったことに伴い，"lethal"という英語表記であっても必ずしも「致死性」とはよべなくなっていることから，全体を通して，"lethal"に対する日本語訳を「致死性」から「重症」へ変更した．

以下に整形外科医が診療にあたることの比較的多い疾患を含むグループについて概説する．

1 ▶ FGFR3軟骨異形成症グループ(グループ1)

線維芽細胞増殖因子受容体3をコードする*FGFR3*遺伝子の機能獲得型変異により引き起こされる疾患群である．骨系統疾患のなかでは最も頻度の高いものの1つである軟骨無形成症，軽度の表現型を示す軟骨低形成症，重度の表現型を示すタナトフォリック骨異形

表7-2 2015年国際分類に含まれるグループ

分類	和訳
1. FGFR3 chondrodysplasia group	FGFR3 軟骨異形成症グループ
2. Type 2 collagen group	2型コラーゲングループおよび類似疾患
3. Type 11 collagen group	11型コラーゲングループ
4. Sulphation disorders group	硫酸化障害グループ
5. Perlecan group	Perlecan グループ
6. Aggrecan group	Aggrecan グループ
7. Filamin group and related disorders	Filamin グループと関連疾患
8. TRPV4 group	TRPV4 グループ
9. Ciliopathies with major skeletal involvement	大きな骨変化を伴う繊毛異常症
10. Multiple epiphyseal dysplasia and pseudoachondroplasia group	多発性骨端異形成症および偽性軟骨無形成症グループ
11. Metaphyseal dysplasias	骨幹端異形成症
12. Spondylometaphyseal dysplasias（SMD）	脊椎骨幹端異形成症（SMD）
13. Spondylo-epi-(meta)-physeal dysplasias（SE(M)D）	脊椎・骨端（・骨幹端）異形成症（SE(M)D）
14. Severe spondylodysplastic dysplasias	重症脊椎異形成症
15. Acromelic dysplasias	遠位肢異形成症
16. Acromesomelic dysplasias	遠位中間肢異形成症
17. Mesomelic and rhizo-mesomelic dysplasias	中間肢・近位肢中間肢異形成症
18. Campomelic dysplasia and related disorders	弯曲肢異形成症および関連疾患*
19. Slender bone dysplasia group	狭細骨異形成症グループ*
20. Dysplasias with multiple joint dislocations	多発性脱臼を伴う骨異形成症
21. Chondrodysplasia punctata（CDP）group	点状軟骨異形成症（CDP）グループ
22. Neonatal osteosclerotic dysplasias	新生児骨硬化性異形成症
23. Osteopetrosis and related disorders	大理石骨病と関連疾患
24. Other sclerosing bone disorders	他の骨硬化性骨疾患
25. Osteogenesis imperfecta and decreased bone density group	骨形成不全症と骨密度低下を示すグループ
26. Abnormal mineralization group	異常骨石灰化グループ
27. Lysosomal Storage Diseases with Skeletal Involvement（Dysostosis Multiplex group）	骨変化を伴うリソソーム蓄積症（多発性異骨症グループ）
28. Osteolysis group	骨溶解症グループ
29. Disorganized development of skeletal components group	骨格成分の発生異常グループ
30. Overgrowth（tall stature）syndromes with skeletal involvement	骨格病変を包含する過成長（高身長）症候群
31. Genetic inflammatory/rheumatoid-like osteoarthropathies	遺伝性炎症性/リウマチ様骨関節症
32. Cleidocranial dysplasia and related disorders	鎖骨頭蓋異形成症と類縁疾患群
33. Craniosynostosis syndromes	頭蓋骨癒合症候群
34. Dysostoses with predominant craniofacial involvement	頭蓋顔面骨罹患を主とする異骨症
35. Dysostoses with predominant vertebral with and without costal involvement	脊椎罹患（肋骨異常を伴う/伴わない）を主とする異骨症
36. Patellar dysostoses	膝蓋骨異骨症
37. Brachydactylies（without extraskeletal manifestations）	短指症（骨外形態異常を伴わない）
38. Brachydactylies（with extraskeletal manifestations）	短指症（骨外形態異常を伴う）
39. Limb hypoplasia—reduction defects group	四肢低形成/欠失グループ
40. Ectrodactyly with and without other manifestations	他の異常を伴う/伴わない欠指
41. Polydactyly-Syndactyly-Triphalangism group	多指・合指・母指三指節症グループ
42. Defects in joint formation and synostoses	関節形成不全・骨癒合症

*2019年 国際分類において変更された項目. 本文末尾の注釈参照

成症1型および2型が中心となる．軟骨内骨化が抑制される結果，管状骨の長軸方向の成長障害による四肢短縮型低身長のほかに，頭蓋底・椎弓・腸骨翼の短縮または低形成が特徴的である．

2 ▶ 2型コラーゲングループおよび類似疾患（グループ2）

2型コラーゲン遺伝子（COL2A1）の変異により引き起こされる．このグループのなかでは頻度の高い先天性脊椎骨端異形成症は体幹短縮型低身長を呈する．より重度の表現型を呈する脊椎骨端骨幹端異形成症Strudwick型，軟骨低発生症，軟骨無発生症2型がある．Stickler症候群1型，Kniest骨異形成症では，骨端部の異形成に加えて骨端部の横径拡大が特徴的である．

2型コラーゲンは，軟骨基質のほかに硝子体や内耳にも存在するため，眼症状（近視，網膜剥離），難聴の合併の有無について検索する必要がある．また，口蓋裂の合併も多くみられる．

3 ▶ 多発性骨端異形成症および偽性軟骨無形成症グループ（グループ10）

多発性骨端異形成症は，管状骨骨端部に異形成がみられ，四肢短縮，関節変形，変形性関節症の早期発症などを特徴とする．判明している原因遺伝子には，COMP（cartilage oligomeric matrix protein），MATN3（matrilin 3），COL9A1，COL9A2，COL9A3（collagen type 9）がある．

4 ▶ 骨幹端異形成症（グループ11）

骨幹端異形成症は，管状骨骨幹端部の異形成による関節近傍の変形と低身長を特徴とする．Schmid型の頻度が高く，10型コラーゲン遺伝子（COL10A1）異常を呈し，四肢短縮型低身長と両外反膝などの骨格症状のみを示す．軟骨・毛髪低形成症（McKusick型骨幹端異形成症）は細く疎な毛髪と免疫異常などの骨格外病変を合併し，RMRP遺伝子（RNAseHのRNAコンポーネント）変異による．

5 ▶ 大理石骨病と関連疾患（グループ23）

大理石骨病は，破骨細胞の分化障害あるいは機能障害によって生じるが，さまざまな原因遺伝子がみつかっており，14の型が挙げられている．骨硬化に伴う易骨折性のほか，重症例では脳神経圧迫症状や骨髄機能障害を呈する．その他，濃化異骨症，流蝋骨症，骨斑紋症，骨線条症などはそれぞれ特徴的なX線所見を示す．

6 ▶ 骨形成不全症と骨密度低下を示すグループ（グループ25）

骨形成不全症は骨系統疾患のなかでは最も頻度の高いものの1つである．易骨折性，骨密度の低下を特徴とする．骨形成不全症は依然として新たな遺伝子変異が見出され続けているため，その分類は前回2010年の考え方を踏襲して表現型に基づいたSillence分類を採用している．Sillence分類1〜4型では，それぞれ原因となる複数の遺伝子〔代表的なものはCOL1A1，COL1A2（Ⅰ型コラーゲン）〕を列挙し，骨間膜石灰化と仮骨過形成を伴う5型を加え，残りはその他としている．

7 ▶ 骨変化を伴うリソソーム蓄積症（多発性異骨症グループ）（グループ27）

ムコ多糖症，ムコ脂質症などのリソソーム蓄積症では多発性異骨症（dysostosis multiplex）とよばれる特徴的な骨変化を呈する．すなわち，①頭部の変化（頭蓋骨の肥厚，顔面骨低形成と前額部突出，トルコ鞍の拡大など），②脊椎の変化（椎体前後縁の凹カーブの増強と脊柱管前後径拡大，胸腰椎部の著しい後弯），③骨盤の変化（腸骨遠位部の狭小化，外反股，骨頭骨端核の不整），④長管骨の変化（骨幹部の横径増加，骨幹端部の横径減少），⑤短管骨の変化（末節骨低形成，中節骨・基節骨の遠位狭小化，中手骨近位側の狭小化）などである．

8 ▶ 骨格成分の発生異常グループ（グループ29）

このグループには，多発性軟骨性外骨腫症（1〜3型），多骨性線維性骨異形成（McCune-Albright症候群），進行性骨化性線維異形成症（FOP），神経線維腫症1型（NF1），内軟骨腫症，メタコンドロマトーシスなどが属している．

注：2019年秋に国際分類・命名法が更新された（Mortier GR, et al: Nosology and classification of genetic skeletal disorders: 2019 revision. Am J Med Genet A 179: 2393-2419, 2019）．グループ数は変わらず42だが，2グループの名称が変更された．すなわちグループ18は，"Campomelic dysplasia and related disorders"から"Bent bone dysplasia group"に，グループ19は"Slender bone dysplasia group"から"Primordial dwarfism and slender bones group"にそれぞれ変更された．総疾患数は増加して461となった．これらのうち425疾患（約92％）において総計437種の遺伝子に変異が見出されている．

2019年国際分類も，2015年国際分類と同様に日本整形外科学会を中心に日本小児科学会，日本産科婦人科学会，日本小児放射線学会の協力を得て和訳作業が行われた（滝川一晴，他：2019年版骨系統疾患国際分類の和訳．日整会誌94：611-656, 2020）．

遺伝子診断とカウンセリング
Genetic diagnosis and genetic counselling

黒澤 健司 神奈川県立こども医療センター 部長（遺伝科）〔横浜市南区〕

1 遺伝学的検査と遺伝カウンセリング

骨系統疾患および代謝性骨疾患の多くは遺伝性疾患に分類される．これまで，その多くは臨床症状（易骨折性，低身長，側弯など）と画像診断（全身骨単純X線，CT，MRI像など）の組み合わせから診断を行ってきたが，責任遺伝子が同定されるにつれて，確実かつ侵襲性が低い遺伝子診断が普及するようになった．この遺伝子診断のうち，特に遺伝性疾患の診断のために必要な検査を遺伝学的検査とよび，生涯変化しない，その個体が生来的に保有する遺伝学的情報を明らかにする検査と定義づけられる．つまり，体細胞変異に由来するがんの遺伝子解析とは異なる，生殖細胞系列の遺伝情報を解析対象とする検査である．現在，保険収載された遺伝学的検査は，骨系統疾患の場合は非常に限られている．しかし，研究レベルも含めると，遺伝学的検査が可能な骨系統疾患・代謝性骨疾患はきわめて多い．遺伝子診断からわかる遺伝情報は，上述のように生涯変わることのない普遍性を有し，血縁者でも共有していることから，その取り扱いには慎重さが求められ，検査にあたっては心理的・社会的な影響も考慮する必要がある．つまり，検査にあたっては遺伝カウンセリングが必要となる．

2 遺伝学的検査の方法

遺伝学的検査の基本的な流れは，①遺伝情報を読み込む，②遺伝子の変異を探し出す，③得られた情報をデータベースと比較する，④どれが真の原因遺伝子変異かを決定する，という4つのステップから成り立つ．これは，Sanger法が遺伝病の診断に用いられるようになった時代から，現在まで変わりないスキームである．しかし，時代とともに，各ステップは膨大な情報を扱うようになり，複雑化してきている．

Sanger法ですませていた時代は，読み込む遺伝子は1つで，解析領域（蛋白コード領域およびその周辺）も限定されていたので，解析者の目で探し出し，過去の変異に関する文献（比較的限られた数の文献）と比較し，変異と症状に矛盾がないことを確認し，診断を下せばよかった．具体的には，軟骨無形成症の*FGFR3*解析や2型コラーゲン病〔Stickler症候群や先天性脊椎骨端異形成症（Spondyloepiphyseal dysplasia congenita；SEDC）など〕が挙げられる．しかし，一般に遺伝病，特に骨系統疾患は遺伝的異質性も高く，かつ遺伝子そのものもエクソン数が多く〔例：*COL1A2*（NM_000089）のエクソン数は52〕，特定遺伝子の解析でも，解析労力は膨大であった．

2000年代後半に登場した次世代シーケンサーは，こうした問題を解決する革新的なゲノム解析技術であった．臨床検査として登場したのはパネル検査で，複数検体において，複数（数個から数百）の遺伝子のエクソン領域を同時に次世代シーケンサーで解析する方法で，現在，遺伝学的検査として最も多く用いられている手法の1つである．臨床的汎用性が高く，骨所見から診断を絞りきれない場合でも，可能性のある候補遺伝子を複数想定して解析を進めることが可能である．骨系統疾患以外でも，難聴などの遺伝学的検査で広く用いられている．

遺伝的異質性がきわめて高く，特定の遺伝子に原因を絞りきれない場合は，すべての遺伝子（約20,000種類以上）のコード領域を解析対象とする全エクソーム解析が用いられる．

3 遺伝学的検査の倫理的側面と遺伝カウンセリング

遺伝学的検査は，侵襲性が低いものの，医学的有用性がきわめて高い検査であるが，診断として用いる際にはその特性を十分考慮する必要がある．日本医学会では，2011年に「医療における遺伝学的検査・診断に関するガイドライン」として基本的指針を公表している．検査は，分析的妥当性（検査法が確立されており，再現性の高い結果が得られるなど精度管理が適切に行われていること），臨床的妥当性（検査結果の意味づけが十分になされていること），臨床的有用性（検査の対象となっている疾患の診断がつけられることにより，今後の見通しについての情報が得られたり，適切な予防法や治療法に結びつけることができるなど臨床上のメリットがあること）などを確認したうえで，有用と考えられる場合に実施するとされている．検査前には，検査の意義や目的の説明のほかに，結果が得られたあとの状況と検査結果が血縁者に与えうる影響についても説明し，被検者が自律的に意思決定できるように支援する必要がある．書面による検査同意も必要となる．これら遺伝学的検査の事前の説明と同意・了解（インフォームド・コンセント，インフォームド・アセント）の確認に加え，遺伝カウンセリングなどの支援が受けられる体制が整っていることも重要である．

この遺伝カウンセリングは，疾患の遺伝学的関与について，その医学的・心理的影響および家族への影響を人々が理解し，それに適応していくことを助けるプ

ロセスと定義づけられている．このプロセスには，①疾患の発生および再発の可能性を評価するための家族歴および病歴の解釈，②遺伝現象，検査，マネジメント，予防，資源および研究についての教育，③インフォームド・チョイス（十分な情報を得たうえでの自律的選択），およびリスクや状況への適応を促進するためのカウンセリングなどが含まれる．日本では，遺伝カウンセリング担当者として，臨床遺伝専門医と認定遺伝カウンセラーがその役割を担っている．遺伝カウンセリングは，情報提供だけではなく，心理的・社会的支援が重要であるため，臨床遺伝専門医と認定遺伝カウンセラーから構成されるチーム医療として実施することが望ましい．

4 次世代シーケンサーを用いた網羅的遺伝学的解析とこれからの遺伝子診断

最初に述べた通り，次世代シーケンサーの登場により，遺伝子診断は特定の症候群（特定の原因遺伝子）症例から未診断症例（これまで疾患との関連が明らかにされていない遺伝子）まで幅広く応用が可能となったが，解析範囲が拡大するにつれて扱うゲノムの情報量も格段に増大した．遺伝情報を読みとる次世代シーケンサーの出力能力は指数的に向上しており，データ処理に用いられる解析プログラムは，さまざまな目的と機能を備えた一連のフローとして開発されつつある．また，正常人の参照ゲノムデータベースとして海外ではgnomAD，日本人データベースとしては東北メディカル・メガバンク機構（ToMMo）のリファレンスパネルやHuman Genetic Variation Database（HGVD）などが公開され，臨床診断に有用な情報となっている．しかし，ここまでは，優れたシーケンサー機器やデータ処理が中心となるが，遺伝学的診断の最後のステップである「どれが真の原因遺伝子変異か？」を決めるのは，担当医と上述のゲノム解析にかかわる多くのスタッフの協働作業となる．各専門家から構成されるエキスパートパネルによる検討会が遺伝子診断に重要な役割を果たすことは，従来の医療の形態と異なるゲノム医療の特徴の1つといえる．

以上より，次世代シーケンサーによる遺伝子診断の普及・発展は，骨系統疾患，代謝性骨疾患においても革新的ではあるが，最終的な評価として臨床診断，臨床評価が不可欠となることは今後も変わらない．検査結果説明は，充実した遺伝医療の体制下で行われるべきである．

骨系統疾患のX線診断

X-ray diagnosis of skeletal dysplasia

西村 玄　武蔵野陽和会病院 医長（放射線科）〔東京都武蔵野市〕

【概説】　骨系統疾患は骨軟骨異形成症（osteochondrodysplasia）と異骨症（dysostosis）に大別される．前者は骨・軟骨原基の成長と恒常性の障害による全身性疾患である．後者は局所的な骨・軟骨原基のパターン形成異常である．しかし，両者の複合を示す疾患も存在する．骨幹端異形成症Jansen型は，副甲状腺ホルモン・副甲状腺ホルモン関連ペプチドの受容体の機能亢進と軟骨細胞成熟障害を病態として骨軟骨異形成症に分類される疾患である．しかし，胎生期の軟骨成熟障害は，成長板の位置異常（骨幹側に形成）というパターン異常をもたらす．骨幹端の不整に加えて巨大骨端核がみられるのはこのためである（図7-1）．この項では，骨軟骨異形成症のX線診断について述べる．

最新の骨系統疾患国際分類は，461疾患を42グループに分類している（Am J Med Genet A 179: 2393-2419, 2019）．これら多くの疾患の詳細を記憶することは困難である．しかし，頻度の高い疾患の骨所見を把握しその鑑別診断を行うことで，目の前の症例にアプローチすることは可能である．頻度の高い骨系統疾患は骨形成不全症，軟骨無形成症，2型コラーゲン異常症で全疾患の半数を占める．Larsen症候群に代表される関節異常を主徴とする疾患群の骨所見，ムコ多糖症の骨所見（dysostosis multiplex）も把握しておくべきである．骨形成不全症や硬化性骨異形成症の診断は比較的やさしい．

診断の鍵となる骨所見

骨系統疾患の命名は，臨床像そのものを反映したもの（例：変容性骨異形成症），背景となる病態を反映したもの（例：軟骨無形成症），eponym（例：Kniest骨異形成症）とさまざまである．しかし，X線所見をそのまま病名としている疾患（例：先天性脊椎骨端異形成症）が多く，画像所見の記述がそのままカテゴリー分けにつながることが多い．ここを出発点として鑑別診断に進むことができる．以下，診断の鍵となる骨所見と疾患の関連について概説する．

1 ▶ 骨幹端盃状変形（図7-2）

成長板軟骨細胞の増殖障害や軟骨壊死による成長障害の結果として生じる，骨幹端の盃状（カップ状）陥凹である．前者の代表例は軟骨無形成症，後者の代表例は捻曲性骨異形成症である．成長障害が中央部で最も

強いことが盃状変形の原因であり，骨幹端縁の骨化は正常に保たれ，同部は嘴状に突出する．盃状変形が重度の場合は円錐骨端とよばれる変形をきたし，成長板の早期閉鎖を伴うことが多い．円錐骨端を伴う重度の短指趾，Jeune 症候群や Ellis-van Creveld 症候群に代表される skeletal ciliopathy の主要所見である．

2 ▶ 骨幹端異形成（図 7-1）

成長板軟骨細胞の成熟障害を反映する骨幹端不整像である．骨幹端異形成のみが際立つ疾患は骨幹端異形成症と呼ばれ，Schmid 型，McKusick 型，Jansen 型（前述）がよく知られた亜型である．

3 ▶ 骨端異形成（図 7-3）

骨端核軟骨細胞の成熟障害を反映する骨端核不整像である．骨端異形成のみが際立つ疾患は多発性骨端異形成症とよばれる．ただし，多発性骨端異形成症の重症例は，軽度の骨幹端異形成や椎体終板の不整像を認めることが多い．胎児期の軟骨細胞アポトーシス亢進が原因とされる骨端点状軟骨石灰化は，年齢とともに骨端異形成に変容する（図 7-4）．

4 ▶ ダンベル変形（図 7-5）

成長板軟骨の横方向の過形成を反映する管状骨の鉄亜鈴状変形である．この所見が目立つ代表的な疾患は，変容性骨異形成症，Kniest 骨異形成症，11 型コラーゲン異常症である．

5 ▶ 脊椎異形成（図 7-6）

椎体の軟骨内骨化異常は多様な椎体変形をもたらす．骨端異形成を併せもつ疾患は脊椎骨端異形成症とよばれ，代表的な疾患は先天性脊椎骨端異形成症である．椎体後部の骨化不全が目立ち，椎体後部の上下径が減じた西洋梨型の変形がみられる．X 連鎖遅発性

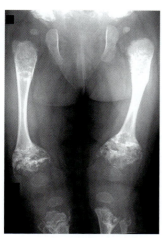

図 7-1　骨幹端異形成（骨幹端異形成症 Jansen 型）
重度骨幹端不整と巨大骨端核を認める．成長板は大きく開大している．

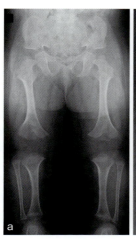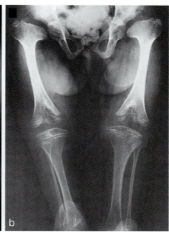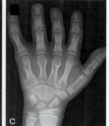

図 7-2　骨幹端盃状変形
a：軟骨無形成症．骨幹端のカッピングが大腿骨遠位で目立つ．大腿骨近位の透亮像は転子部のカッピングを反映する．腸骨翼低形成（方形の腸骨翼），坐骨切痕短縮，水平な臼蓋も特徴的．
b：捻曲性骨異形成症．遠位大腿骨骨端はカッピングを示す．大腿骨骨頭の骨化は遅延．骨幹端横径は増大（metaphyseal flaring）を示す．
c：Ellis-van Creveld 症候群．短管骨は円錐骨端を伴って重度短縮を示す．有頭骨・有鉤骨癒合もこの疾患の特徴である．軸後性多指の術後で第五中手骨基部が太い．

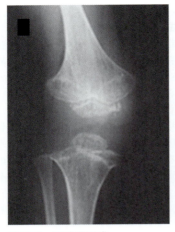

図 7-3　骨端異形成
偽性軟骨無形成症．膝関節の骨端・骨幹端異形成を認める．

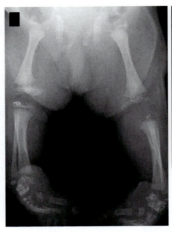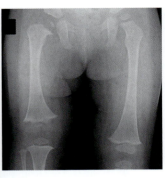

図 7-4　Conradi-Hunermann 症候群(同一患者，新生児期と幼児期)
乳児期の骨端点状軟骨石灰化が幼児期に骨端異形成に変容する．四肢非対称はこの疾患に必発である．

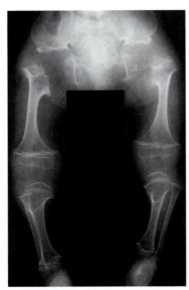

図 7-5　変容性骨異形成症
長管骨のダンベル変形．小転子の内側突出が目立つ．

脊椎骨端異形成症は逆に，椎体前方の骨化が不良で後方が膨隆する(posterior hump)．骨幹端異形成を併せもつ疾患は脊椎骨幹端異形成症とよばれ，Kozlowski 型がよく知られた亜型である．これは，変容性骨異形成症の対立遺伝子異常である．いずれの疾患も強度の扁平椎と椎体の横径・前後径増大を示す．骨端異形成と骨幹端異形成の両者を併せもつ疾患は，脊椎骨端骨幹端異形成症と総称される多様な疾患群を形成する．多発性骨端異形成症の最重症の表現型である偽性軟骨無形成症は，凸レンズ型椎体を特徴とする脊椎・骨端・骨幹端の異形成を示す．しかし，体幹短縮を原則とするほかの脊椎骨端骨幹端異形成症とは逆に，四肢短縮を示す点が特徴的である．軟骨無形成症の脊椎変化は，脊椎の軟骨内骨化部位の低形成を反映して，軽度扁平椎と後弓の短縮および脊柱管狭窄である．

6 ▶腸骨変形(図 7-7)

腸骨翼，Y 軟骨の軟骨内骨化異常を反映して，腸骨の特有な変形が観察される．腸骨翼，Y 軟骨を管状骨の成長板，腸骨体部を骨幹と考えれば，腸骨変形を理解しやすい．軟骨無形成症や skeletal ciliopathy でみられる trident ilia は，Y 軟骨部の盃状変形と嘴状突起の結果である．Y 軟骨の成長障害による坐骨切痕短縮も認められる．軟骨無形成症は腸骨翼の低形成を併せもつ．変容性骨異形成症の腸骨翼と臼蓋の横径増大と腸骨体部の陥凹の様相は，halberd pelvis(槍斧様骨盤)と称される．先天性脊椎骨端異形成症における傍体幹部の骨化遅延は，大腿骨頭骨化遅延，強い内反股，恥骨骨化遅延として観察される．

7 ▶その他の骨所見

注目すべき所見は多々存在する．鎖骨頭蓋異形成症の鎖骨低形成と恥骨結合開大，Larsen 症候群の踵骨二重骨化などはその例である．

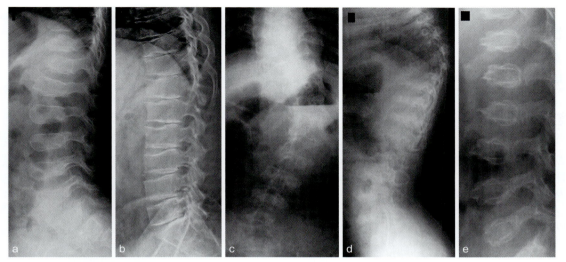

図 7-6　脊椎異形成
a：先天性脊椎骨端異形成症．椎体の西洋梨型変形を認める．
b：X 連鎖遅発性脊椎骨端異形成症．椎体の posterior hump を認める．
c, d：変容性骨異形成症．正面像で椎体外縁が椎弓根をこえて側方に突出する様相は overfaced pedicle とよばれる．
　　　重度扁平椎と側弯を認める．
e：偽性軟骨無形成症．前部の突出を伴う凸レンズ型椎体を認める．

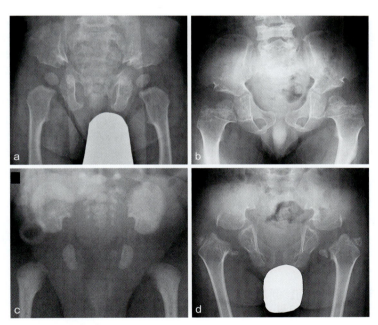

図 7-7　腸骨変形
a：Jeune 症候群．Trident pelvis を認める．
b：変容性骨異形成症．Halberd pelvis を認める．
c：先天性脊椎骨端異形成症，乳児．恥骨の骨化遅延を認める．
d：先天性脊椎骨端異形成症，幼児．内反股と大腿骨頭の骨化遅延を認める．

出生前診断
Prenatal diagnosis

澤井 英明　兵庫医科大学病院 教授（遺伝子医療部）

1 はじめに

妊娠中の胎児に超音波検査で骨格異常がみつかると，先天性骨系統疾患がまず疑われるが，Down症候群などの染色体異常や，単なる胎児発育不全，正常児のバリエーションの範囲ということもある．疾患を有していても胎児の重症度・予後は多様であり，致死性の重症型から，出生後の特別な管理を必要としない軽症型までさまざまである．どのように疾患を絞り込むかについては，画像診断と遺伝子検査が重要である．

2 出生前診断の手法

妊娠中の胎児超音波検査の精度・技術の向上と，通常の妊婦健診で超音波検査の計測項目に大腿骨長の計測が含まれることから，胎児の骨格異常，特に大腿骨の短縮を伴う病態は，早期に異常が疑われるようになった．しかし，超音波検査は画像描出の技術的な手腕が必要で，また診断の確定は相当に困難なため，より正確な診断のために，近年は胎児三次元ヘリカルCT検査が施行されるようになった．CTについては設備・施設と読影能力の問題はあるが，実施自体はそれほど困難ではない．CTの診断精度は際立っている一方で，胎児被曝という大きな課題があり，3〜15 mGy程度の被曝が避けられない（図7-8）．ただし，日本産科婦人科学会のガイドラインにおける妊娠中の許容量100 mGyは十分クリアしている．また妊娠30週前後であれば，催奇形性の心配はない．

骨系統疾患の多くは単一遺伝子疾患であるため，羊水や絨毛を用いた遺伝子検査で変異がみつかれば診断は確定する．診断が確定したあとは，遺伝カウンセリングが不可欠である．骨系統疾患の診断には，画像検査と遺伝子検査の両方の利点と欠点を知ったうえで適切な方法を選択する必要がある（表7-3）．

3 骨系統疾患に対して出生前診断が検討される具体的な状況のストラテジー

1 ▶家系内に特定の遺伝性の骨系統疾患がある場合

家系内に特定の遺伝性の骨系統疾患があり，妊娠初期からまたは妊娠前から，カップルが妊娠初期・中期の出生前診断を希望しているケースである．例えば軟骨無形成症（achondroplasia）（常染色体優性遺伝病：AD）や低ホスファターゼ症（hypophosphatasia）〔多

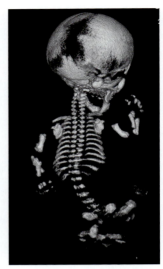

図7-8　タナトフォリック骨異形成症の胎児ヘリカルCT画像
長管骨の短縮，大腿骨の短縮と弯曲，胸郭低形成，相対的巨大頭蓋などの特徴的な所見がみられる．

くは常染色体劣性遺伝病（AR）でADもあり〕，骨形成不全症（osteogenesis imperfecta）（多くはADでARもあり）などがある．こうした場合は出生前診断により，家系内に遺伝性疾患をもつ夫婦が健常な児を得られる可能性，分娩前に確定診断できる可能性がある．特定の遺伝性疾患がある場合は，疾患原因が判明しているかどうかが重要で，判明していない場合には遺伝子診断は不可能である．疾患原因が判明しており，かつそれが遺伝子変異によるものであれば，出生前遺伝子診断を行う可能性はあるが，原則的には家系内の罹患者や保因者の疾患遺伝子の検査がすでに終わっていて，遺伝子変異が確認できている場合に限られる．

妊娠初期から中期までの出生前診断は「遺伝性疾患をもつ夫婦が健常な児を得られる」という点が評価できるが，一方で「画像検査だけでは確定診断ができないことがある」，「遺伝子検査には，対象遺伝性疾患が遺伝子検査で診断可能な疾患であることが必要」，「遺伝子検査には一部の例外を除き，あらかじめ罹患児（または家系内罹患者）と診断対象夫婦の遺伝子解析が終わっていることが必要」，「出生後の採血による遺伝子検査が可能であっても，出生前に羊水や絨毛で同じ遺伝子検査ができるとは限らない」といった課題がある．ただし，ほとんどの遺伝子変異が線維芽細胞増殖因子受容体3（FGFR3）遺伝子の特定部位に集中している軟骨無形成症では，出生前に確定診断することが可能である．

表7-3 画像検査と遺伝子検査の比較

実施の容易さ		画像検査		遺伝子検査
		超音波検査	三次元ヘリカルCT	
実施の容易さ	スクリーニング	容易	適応外	適応外
	精密検査	技術を要する	設備があれば可能	しばしば実施は困難
実施後の結果の解釈		読影力を要する	読影力を要する	変異ありの場合は診断は容易 変異なしの場合に診断の否定はできない
疾患の確定		困難	ある程度可能	変異があれば疾患確定 変異なしの場合に診断の否定はできない
予後の推定		ある程度可能	かなりの程度可能	変異があれば疾患確定 変異なしの場合は参考にならない

2 ▶ 超音波検査で偶発的に胎児の骨格異常がみつかる場合

家系内に特定の遺伝性の骨系統疾患はなく，妊娠してから（多くは妊娠中期以降に）超音波検査で偶発的に胎児の骨格の形態異常がみつかり，骨系統疾患が疑われるケースである．例えば，長管骨の極端な短縮がみつかり，タナトフォリック骨異形成症（thanatophoric dysplasia）が疑われたりするケースである．こうした場合に，出生前診断で胎児の確定診断が可能かどうかは，判断が難しい．超音波検査で胎児の異常がみつかれば，画像検査による精査でどのような疾患が考えられるかの検討を行う．ここである程度疾患が絞り込めれば，それに対して遺伝学的検査が実施可能な場合はあるが，多くは画像検査での疾患絞り込みがきわめて重要である．

胎児診断の意義は，妊娠経過の予測と管理方針の確立，分娩方式の決定である．一般に画像検査による出生前診断の限界は，胎児の形態異常（特に骨格系の異常）は検出できても，それのみでは確定診断は非常に困難ということであるが，胎児三次元ヘリカルCTを超音波検査と併用することで，画像検査の診断精度は格段に向上した．確定診断には遺伝子診断が必要であるが，遺伝子診断の実施には，対象疾患の遺伝子変異が知られていて，かつ一定の部位に変異が集中していることが必要である．これらの条件を満たして遺伝子診断が可能な疾患は，現実的には軟骨無形成症とタナトフォリック骨異形成症などわずかしかない．また遺伝子変異が検出されれば診断は確定するが，検出されなくても否定することはできず，情報が得られないことになる．こうした状況から，以前に比べて遺伝子検査より，画像検査の役割が大きくなってきている．

4 まとめ

出生前診断により，家系内に遺伝性の骨系統疾患がある人でも，健常な児をもつことを期待できるようになった．また，家系内に遺伝性の骨系統疾患がなく，超音波検査で偶然胎児異常がみつかった場合にも，出生前診断により確定診断できる可能性がある．出生前診断の課題としては，人工妊娠中絶につながる可能性や，遺伝子診断では遺伝子を調べるということの倫理的事項は避けて通れない問題であり，また実際に羊水や絨毛で遺伝子検査を実施可能な施設・受託機関は限定されている．

胎児ヘリカルCTの導入により，画像検査の診断精度が格段に向上した現在，超音波検査と胎児ヘリカルCTの組み合わせは，疾患の確定診断には至らなくても，出生後の児の予後の推定・予測に際し，遺伝子診断とならびきわめて重要な情報を得ることが期待できる．

FGFR3軟骨異形成症グループ
FGFR3 chondrodysplasia group

概説
Overview

松下 雅樹 名古屋大学大学院 講師

2015年に改訂された国際分類によると，線維芽細胞増殖因子受容体3（fibroblast growth factor receptor 3；FGFR3）軟骨異形成症グループにはタナトフォリック骨異形成症（thanatophoric dysplasia）1型および2型，重症軟骨無形成症・発達遅滞・黒色表皮腫（severe achondroplasia with developmental delay and acanthosis nigricans；SADDAN），軟骨無形成症（achondroplasia），軟骨低形成症（hypochondroplasia），屈指・高身長・難聴症候群（camptodactyly, tall stature and hearing loss syndrome；CATSHL症候群）に分類されている．これらの疾患には*FGFR3*遺伝子に異常が認められる．一方，*FGFR3*遺伝子に変異が認められない軟骨低形成症に類似する疾患は軟骨低形成症様異形成症（hypochondroplasia-like dysplasia）と分類されている．

　FGFR3は主に成長軟骨板の軟骨細胞に発現し，軟骨細胞の増殖および骨への分化をコントロールしている．軟骨無形成症ではFGFR3が過剰に活性化されているため軟骨細胞の増殖・分化が抑制され，軟骨内骨化が障害されることにより骨伸長が抑制される．一方，CATSHL症候群ではFGFR3は抑制されているため骨伸長が促進される．このようにFGFR3は骨伸長におけるネガティブレギュレーターとして作用する．

　軟骨低形成症は，軟骨無形成症の軽症型である．SADDANは軟骨無形成症の重症型，タナトフォリック骨異形成症は重度の四肢短縮型低身長に加え，肋骨の短縮に起因した胸郭形成不全により呼吸障害を呈するFGFR3軟骨異形成症グループの最も重症の疾患である．

　これらの疾患に対する根本的治療法はない．軟骨無形成症および軟骨低形成症の低身長に対する治療法として内科的には成長ホルモン，外科的には骨延長術が行われている．しかし，骨延長術は長期治療期間や合併症を考慮すると患者の負担が大きく，大後頭孔狭窄と脊柱管狭窄の重篤な合併症に対しては対症療法しか存在しない．近年，これらの疾患において，異常に活性化したFGFR3シグナルを抑制する根本的治療法の開発が進んでいる．

軟骨無形成症

Achondroplasia

松下 雅樹　名古屋大学大学院 講師

【疾患概念】　軟骨無形成症（achondroplasia）は四肢骨の長径成長が障害され低身長（成人身長は120〜130cm）を特徴とする最も頻度の高い（20,000出生に約1人）骨系統疾患で，骨伸長を抑制する線維芽細胞増殖因子受容体3（fibroblast growth factor receptor 3；FGFR3）の恒常的活性化変異により発症する．軟骨無形成症の95％にG380R点変異を認め，常染色体優性遺伝であるが，家族例は少なく孤発例が多い．

【病態】　成長軟骨板における軟骨細胞は増殖および骨へ分化（軟骨内骨化）することで，長管骨は長軸方向に伸長する．FGFR3は主に成長軟骨板の軟骨細胞に発現し，軟骨無形成症ではFGFR3が過剰に活性化されているため軟骨細胞の増殖・分化が抑制され，軟骨内骨化が障害されることにより骨伸長が抑制される．一方，膜性骨化は障害されないため，長管骨は短いが太さは保たれている．

【臨床症状】　軟骨内骨化の障害により長管骨は短縮し四肢短縮型低身長を呈するが，乳児期以降低身長は著明となる．長管骨の短縮による相対的な軟部組織の弛緩や関節の不安定性に加え，前腕では橈尺骨の長軸方向における骨伸長のアンバランスにより橈骨頭はしばしば後方脱臼し，肘関節は伸展制限を認める．下腿では脛骨より腓骨が相対的に長くO脚を認める．手指は中環指間が広がり，母指，示中指，環小指と3つに分かれた三尖手をしばしば認める．腰椎の前弯が増強し，殿部は後方に突出する．また，鼻根部の陥凹，顔面中央部の低形成が認められる一方，主に膜性骨化により成長する頭蓋冠や下顎骨は比較的成長が保たれる結果，前頭部と下顎が突出するという特徴的な顔貌を呈する．

　大後頭孔狭窄により，乳幼児期に水頭症，呼吸障害，痙性麻痺，突然死など重篤な症状を呈することがあるので注意を要する．幼児期，学童期には鼻炎や中耳炎に罹患しやすく，炎症の鎮静化に難渋することがある．成人期以降では脊柱管狭窄による症状を生じやすくなる．

問診で聞くべきこと

　家族歴，運動発達，成長曲線に加え，小児期には成長ホルモンや骨延長治療の希望を確認する．成人期には脊柱管狭窄症に伴う症状を問診する．

必要な検査とその所見

　単純X線検査で診断がつくことが多い（図7-9）．坐骨切痕は狭小化し，臼蓋は水平化する．腰椎正面像で椎弓根間距離の狭小化（椎弓根間距離L4/L1＜1.0），側面像で椎体後方の陥凹が認められる．その他，長管骨は太くて短い，大腿骨頸部の短縮，腓骨が脛骨より長い（腓骨長/脛骨長＞1.1），頭蓋底の短縮といった所見が認められる．

診断のポイント

　臨床所見とX線所見から診断は容易であるが，近年は出生前に診断されることがある．

治療方針

　本症に対する根本的治療法は現在のところ存在しない．乳幼児期には大後頭孔減圧術や水頭症に対するシャント術が必要となることがある．扁桃摘出術や中耳炎に対する耳鼻科的治療もしばしば行われる．わが

軟骨低形成症

Hypochondroplasia

松下 雅樹 名古屋大学大学院 講師

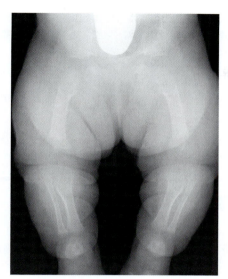

図 7-9 軟骨無形成症（4 か月，女児）の下肢全長単純X線像

坐骨切痕の狭小化，臼蓋の水平化，腸骨翼の方形化を認める．大腿骨近位部は骨透亮像を呈し，腓骨が脛骨より長い．

【疾患概念】　軟骨低形成症（hypochondroplasia）は，軟骨無形成症の軽症型と考えられる疾患である．軟骨無形成症の点変異のほとんどはFGFR3の膜貫通領域に存在するのに対し，軟骨低形成症ではチロシンキナーゼ領域におけるN540K点変異を認めることが多い．その他のチロシンキナーゼ領域や細胞外領域にも軟骨低形成症の点変異は報告されている．未診断の軽症例が存在するものと推測されるため，明確な発症頻度は不明であるが，軟骨無形成症の1/8程度の発症頻度とされている．

【病態】
軟骨無形成症と同様に，FGFR3シグナルの亢進により軟骨内骨化が障害され骨伸長は抑制される．しかし，軟骨無形成症よりもFGFR3シグナルは弱いため，骨の表現型は軟骨無形成症よりも軽症である．

【臨床症状】
軟骨無形成症と同様に，軟骨内骨化の障害により長管骨は短縮し四肢短縮型低身長を呈するが，重症度は軟骨無形成症に近いものから，体質性低身長との鑑別が困難なものまで幅広く，成人身長は130～150 cmほどである．軟骨無形成症で認められる橈骨頭の後方脱臼や三尖手はあまり認めない．O脚，腰椎の過前弯，顔面中央部の低形成も目立たないことが多い．大後頭孔狭窄や水頭症の合併は少ないが，軽度の精神発達遅滞を認めることがある．

問診で聞くべきこと
軟骨無形成症と同様に，家族歴，運動発達，成長曲線に加え，成長ホルモンや骨延長治療の希望を確認する．精神発達についても問診する．

必要な検査とその所見
軟骨内骨化の障害により長管骨は太くて短い．また，坐骨切痕の狭小化，大腿骨頚部の短縮，脛骨より長い腓骨，腰椎椎弓根間距離の狭小化は特徴的な所見である．重症例は軟骨無形成症との鑑別が必要になるが，これらの所見は軟骨無形成症よりも軽度である（図7-10）．特に軽症例はX線所見では体質性低身長との鑑別が難しい場合がある．

診断のポイント
軟骨無形成症よりも軽症であるため，乳児期以降に診断されることが多い．臨床所見とX線所見で診断に難渋する場合は，FGFR3の遺伝子検査が有用である．

国では，内科的治療法として成長ホルモンが投与されているが，FGFR3シグナルを抑制する根本的治療法ではないため，成長ホルモン単独では十分な骨伸長改善効果は得られない．

学童期や思春期に骨延長術が行われている．軟骨無形成症では他疾患に対する骨延長と比較して，骨再生能が比較的良好であるため大量延長（8～10 cm）が可能であるだけでなく，1 cmあたりの骨延長に必要な創外固定器の装着期間は短い．しかし，10 cmの骨延長に必要な創外固定器の装着期間は約1年であり，ピン刺入部の感染はほぼ必発である．また，骨延長に伴い隣接関節は拘縮するため，大量延長を目指すためにはリハビリテーションが必須である．さらに，創外固定器の除去後に骨折を合併することもある．成人期には脊柱管狭窄症に対してしばしば除圧術を要するが，胸腰椎移行部に後弯のある例では，早期より神経症状を呈することが多い．

患者・家族への説明のポイント
骨延長術は有効な治療方法であるが，長期治療期間と合併症が問題であるため，本人の治療に対するモチベーションを十分に確認したうえで行う．

7 骨系統疾患，代謝性骨疾患

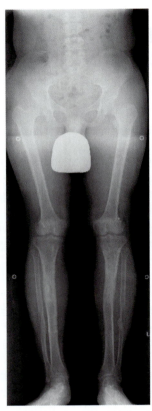

図 7-10 軟骨低形成症（13歳，男児）の両下腿延長後の下肢全長単純X線像

両下腿延長を8cm施行した．大腿骨頚部の短縮や腰椎椎弓根間距離の狭小化を認めるものの骨盤の形態は正常に近い．

治療方針

軟骨無形成症よりも軽症であるため，大後頭孔減圧術や水頭症に対するシャント術，耳鼻科的治療が必要となることは少ない．軟骨無形成症と同様に，わが国では成長ホルモン治療や骨延長術が行われている．軟骨低形成症に対する成長ホルモン治療は比較的有効であることが報告されている．骨延長術は軟骨無形成症ほどの大量延長が困難な場合があるので注意を要する．また，骨延長は治療期間が長期であることとピン刺入部の感染や関節拘縮などの合併症があるため，本人の治療に対するモチベーションを事前に十分に確認する必要がある．下肢の変形が重度の場合は，骨端線抑制術や矯正骨切り術を考慮する．

患者・家族への説明のポイント

軟骨無形成症よりも脳神経外科手術や耳鼻科手術が必要な場合が少ないことや，希望があれば成長ホルモン治療や骨延長術があること，成人期以降に脊柱管狭窄による症状が出現する可能性を説明する．軽度の精神発達遅滞がある場合は，学校生活や就職に配慮が必要となる．

2型コラーゲングループおよび類似疾患
Type 2 collagen group and similar disorder

概説
overview

鬼頭 浩史　あいち小児保健医療総合センター 副センター長〔愛知県大府市〕

【疾患概念】　2型コラーゲン異常症（type 2 collagenopathy）は2型コラーゲン遺伝子（*COL2A1*）に変異が認められ，X線学的に共通した所見を有する一連の疾患群で，周産期致死の重症例から早発性の変形性関節症を呈するのみの軽症例まで多様な臨床表現型を示す．軟骨基質を構成する2型コラーゲンの異常により軟骨内骨化が障害され，四肢，体幹ともに短縮する．関節軟骨や椎間板の基質も侵され，変形性関節（脊椎）症を発症しやすい．硝子体も2型コラーゲンで形成されるため，網膜剥離などの眼症状を伴いやすい．臨床所見としては四肢や体幹の短縮，顔面中央部の低形成，小顎症などを，X線所見としては脊椎や骨端の異形成を共通の特徴とする．

【病型・分類】
2019年の国際分類では10疾患に分類されており，主なものを**表 7-4**に記す．そのうち，先天性脊椎骨端異形成症（spondyloepiphyseal dysplasia congenita；SEDC），Kniest骨異形成症，Stickler症候群1型の3疾患は整形外科的に治療介入を要しやすい．軟骨無発生症2型と軟骨低発生症は周産期致死性の重篤な疾患であり，全身の著しい骨化障害を特徴とする．著しい骨幹端変化を伴う脊椎骨端異形成症はSEDCと臨床所見，X線所見が類似しているが，乳児期以降，骨幹端の不整が著明となる．脊椎末梢異形成症では中手骨の短縮を伴った短指（brachydactyly）が目立つ．

【臨床症状・X線所見】
重症例では四肢および体幹の短縮が著明で，単純X線像にて長管骨骨幹端部の不整（cupping），椎体（特に頚椎）の非骨化，胸郭の著しい低形成を認める．SEDCは体幹短縮型低身長を呈し，樽状の胸郭（barrel chest）や脊柱変形，あひる歩行（waddling gait）を

表 7-4 主な 2 型コラーゲン異常症

主な 2 型コラーゲン異常症	臨床症状（上段）および単純 X 線所見（下段）
軟骨無発生症 2 型 Achondrogenesis type 2（ACG2）	周産期致死性，胎児水腫，四肢および体幹の著明な短縮 椎体の非骨化，長管骨骨幹端の不整
軟骨低発生症 Hypochondrogenesis（HCG）	周産期致死性，ACG2 よりは軽症（呼吸管理で長期生存例もある） 頸椎椎体の非骨化，長管骨骨幹端の不整（ACG2 よりは軽度）
先天性脊椎骨端異形成症 Spondyloepiphyseal dysplasia congenita（SEDC）	体幹短縮型低身長，脊柱変形，樽状の胸郭，環軸椎亜脱臼 恥骨や大腿骨頭の骨化遅延，内反股，西洋梨状の椎体
著しい骨幹端変化を伴う脊椎骨端異形成症 Spondyloepiphyseal dysplasia with marked metaphyseal change（SEMD）	SEDC に類似 乳児期には SEDC に類似，幼児期以降に明らかとなる骨幹端の不整
Kniest 骨異形成症 Kniest dysplasia	顔面の低形成，四肢関節の膨隆，拘縮，脊柱変形 ダンベル状の長管骨，冠状裂を伴った扁平椎，大腿骨頭の骨化遅延
Stickler 症候群 1 型 Stickler syndrome type 1	顔面の低形成，Marfan 様体型，眼科的合併症（白内障，網膜剥離など） 長管骨骨端異形成，骨幹端の幅の拡大
脊椎末梢異形成症 Spondyloperipheral dysplasia	短指症，軽度の低身長 中手骨短縮，長管骨骨端異形成，軽度の扁平椎

認める．環軸椎亜脱臼を伴いやすく，脊髄症状や麻痺を呈することがある．また，内反足をしばしば合併する．X 線学的には大腿骨頭の骨化出現が著明に遅延し，内反股を呈する．Kniest 骨異形成症は低身長のほか，四肢関節の膨隆，可動域制限を認め，単純 X 線像にて長管骨のダンベル状変形や，胸腰椎部での椎体の冠状裂（coronal cleft）などを特徴とする．Stickler 症候群 1 型は顔面の低形成は著明であるが，低身長や骨端の異形成は比較的軽度で，年長児では大関節が膨隆した Marfan 様体型を呈する．いずれの疾患も難聴，眼科的異常（高度近視，網膜剥離など），口蓋裂などを合併しやすい．

診断のポイント

X 線所見が診断のポイントとなる．SEDC では骨化遅延が特徴で，新生児期には恥骨，足根骨（距骨，踵骨）の未骨化，頸椎椎体の骨化遅延，西洋梨状の椎体（後方が前方より低い）などが診断の手がかりとなる．Kniest 骨異形成症では，恥骨や足根骨の骨化遅延を認めないこと，長管骨骨幹端の幅が広がりダンベル状を呈すること，椎体の coronal cleft を認めることなどが SEDC との鑑別点となる．いずれの疾患も大腿骨頭の骨化は著しく遅延し，内反股を呈する．Stickler 症候群 1 型は幼児期以降に診断されることが多く，上述の 2 疾患よりは X 線所見は軽いが，眼科的合併症の頻度は高い．

治療方針

下肢や脊椎の変形に対する治療が必要となる．下肢では変形性関節症の予防が重要であり，O 脚や X 脚，内反股に対しては小児期に 8 プレートによる片側骨端線抑制術が，骨成熟期に残存した変形に対しては骨切り術が適応となる．脊柱変形は進行性で装具治療の有効性は確立されておらず，後方固定術を要することがある．高度の環軸椎亜脱臼に対し，環軸椎あるいは後頭骨頚椎間の後方固定術が考慮される．低身長に対する骨延長術は，骨端が脆弱で将来的に変形性関節症が懸念される本疾患群において適応はない．さまざまな骨格外症状（難聴，視力障害，口蓋裂，歯列不正など）を合併するため，複数の診療科による医学的管理が望ましい．

先天性脊椎骨端異形成症

Spondyloepiphyseal dysplasia congenita（SEDC）

鬼頭 浩史　あいち小児保健医療総合センター 副センター長〔愛知県大府市〕

【疾患概念】　先天性脊椎骨端異形成症（SEDC）は 2 型コラーゲン異常症のなかで最も頻度が高い疾患である．顔面中央部は低形成であり，体幹短縮型低身長，樽状胸郭，腹部膨隆，腰椎前弯の増強，あひる歩行などを呈する．骨端の異形成に起因して関節軟骨は脆弱であり，進行性の四肢・脊柱変形により早発性の変形性関節症，脊椎症を発症する．

【臨床症状・X 線所見】

乳幼児期には四肢の短縮が目立つが，年長児では体幹の短縮が著しくなる．顔面中央部は低形成で，口蓋裂をしばしば合併する．環軸椎の不安定性により，脊

7 骨系統疾患，代謝性骨疾患

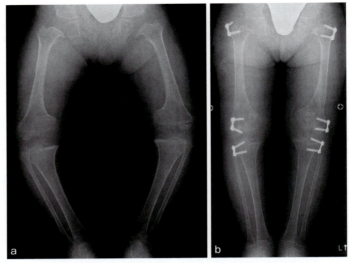

図 7-11　先天性脊椎骨端異形成症女児の両下肢正面単純 X 線像
　a：7 歳時，著明な O 脚と骨端の異形成を認める．
　b：8 歳時，片側骨端線抑制術によりアライメントは改善されたが，大腿骨頭の骨化は認めない．

髄症を発症することがある．高度近視や網膜剥離などの眼科的合併症を高率に認める．著しい内反股のため，あひる歩行となる．早発性の変形性関節症を特に股関節に認めやすい．年長児ではしばしば脊柱の側弯，後弯変形を認める．内反足を合併することもある．

単純 X 線所見としては，一次骨化および二次骨化の遅延が特徴的である．出生時に膝周囲，足根骨（距骨・踵骨），恥骨の骨化を認めないことが多い．大腿骨頭の骨化は学童期になっても認めないことがあり，著明な内反股を呈する（図 7-11a）．乳幼児期の下位腰椎は，椎体は後方が前方よりも低く，西洋梨状と表現される．第 2 頚椎の歯突起は低形成で，環軸椎亜脱臼の原因となる．

診断のポイント

膝周囲，足根骨，恥骨の未骨化，長管骨の短縮，西洋梨状の椎体，著明な内反股など，乳幼児期における X 線所見が診断に有用である．手足の短管骨の短縮が目立たないこともこの疾患の特徴である．その他，樽状胸郭，顔面中央部の低形成，内反足や口蓋裂の合併などが診断の手がかりとなりうる．

治療方針

下肢変形に対する 8 プレートによる片側骨端線抑制術は，低年齢児でも実施可能な侵襲の低い治療法である（図 7-11b）．内反股に対しては，同様に大転子の骨端線を抑制する．本法は O 脚や X 脚には効果的であるが，内反股に関しては効果が不十分なことがある．

骨成熟時に変形が残存した場合には，骨切り術の適応となる．成人期の変形性関節症に対しては，人工関節置換術が試みられる．環軸椎亜脱臼がある場合，環軸椎あるいは後頭骨頚椎間の後方固定術が考慮される．

Kniest 骨異形成症

Kniest dysplasia

鬼頭　浩史　あいち小児保健医療総合センター 副センター長〔愛知県大府市〕

【疾患概念】

2 型コラーゲン異常症のうち，四肢大関節の膨隆と関節拘縮を特徴とする疾患である．四肢および体幹が短縮し，高度な顔貌異常（鼻根部陥凹，眼球突出など）を呈する．口蓋裂，網膜剥離や高度近視，難聴の合併頻度も高い．関節拘縮は進行性で，年長児では脊柱変形も伴いやすく，体幹の短縮が目立つようになる．

【臨床症状・X 線所見】

四肢の短縮は近位肢節で著明である．長管骨は短縮し，骨幹端部の横径が拡大するためダンベル状を呈する．椎体は前後径，左右径ともに増大し，coronal cleft を認めることがある．胸郭は先天性脊椎骨端異形成症（SEDC）と同様，樽状である．大腿骨頭の骨化遅延と内反股も SEDC と類似するが，恥骨や足根骨

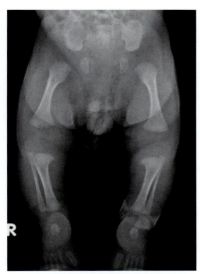

図7-12 Kniest骨異形成症女児の新生児期の両下肢正面単純X線像
短縮したダンベル状の長管骨を認めるが，恥骨や足根骨の骨化遅延はない．

(距骨・踵骨)の骨化遅延が認められないことがSEDCとの鑑別点である(図7-12)．関節は膨隆するとともに拘縮し，早発性の変形性関節症が発症する．脊柱では，扁平椎を伴って後側弯変形が進行する．

診断のポイント

ダンベル状の長管骨が特徴の変容性骨異形成症(metatropic dysplasia)との鑑別が問題となるが，Kniest骨異形成症では樽状，変容性骨異形成症ではベル状の胸郭を示すこと，扁平椎の程度がKniest骨異形成症のほうが軽いこと，椎体にcoronal cleftを認めることなどから鑑別される．SEDCとは椎体の形態(SEDCでは西洋梨状，Kniest骨異形成症では長方形)，上述の骨化遅延の程度(SEDCのほうが重度)などから鑑別可能である．

治療方針

進行性の関節拘縮，関節障害に対する治療が必要とされるが，症例数が少なくエビデンスのある治療法はない．SEDCと同様，下肢アライメント異常は小児期に8プレートなどで矯正するのが望ましい．日常生活動作を維持するための装具療法，機能的な肢位を獲得するための骨切り術などが考慮される．高度近視や網膜剥離，白内障などの眼科病変や難聴は小児期から進行性であり，早期から専門家による介入が必要である．

Stickler症候群

Stickler syndrome

鬼頭 浩史 あいち小児保健医療総合センター 副センター長〔愛知県大府市〕

【疾患概念】 Stickler症候群は進行性近視，網膜剥離，早発性の変形性関節症などを呈する疾患で，2型コラーゲン遺伝子(*COL2A1*)あるいは11型コラーゲン遺伝子(*COL11A1*, *COL11A2*)の異常により発症し，それぞれ1型，2型，3型に分類される．1型は眼症状が，2型と3型は難聴の程度が強く，3型は眼症状を伴わない．顔貌異常(顔面中央部低形成，小下顎，下顎後退，眼間開離など)は特徴的で，Pierre-Robin症候群の臨床像を示すもののうち1/3は本症であるといわれている．

【臨床症状・X線所見】 幼児期には低身長を示すが年齢とともにキャッチアップし，年長児では四肢が長く，関節部が膨隆したMarfan様体型を示す．幼児期には関節弛緩性を認めるが，年長児や成人では関節拘縮が目立つようになり，早発性の変形性関節症を発症する．単純X線所見としては，長管骨では骨幹端部の幅が広いのに対し，骨端は扁平である(図7-13)．脊椎は軽度の扁平椎を呈する．

診断のポイント

低身長や骨端異形成症をはじめとした単純X線上の異常所見は，SEDCやKniest骨異形成症より程度が軽いが，眼科的合併症(高度近視，網膜剥離，硝子体変性，若年性白内障など)や難聴の頻度は高い．耳・脊椎・巨大骨端異形成症(otospondylomegaepiphyseal dysplasia；OSMED)は*COL11A2*の遺伝子変異により発症し，巨大骨頭を伴った外反股，骨端部および骨幹端部の拡大による関節の膨隆などStickler症候群と類似した表現型を呈するが，骨格変化はOSMEDのほうがより顕著である．

治療方針

成長終了時にできるだけ良好な下肢アライメントを獲得できるよう，小児期に8プレートによる片側骨端線抑制術を行う．成人では下肢荷重関節における変形性関節症に対する治療が必要となる．多様な眼症状や難聴が起こりうるため，不可逆的な病態を回避するためにも，早期診断，早期の対応が重要となる．

7 骨系統疾患，代謝性骨疾患

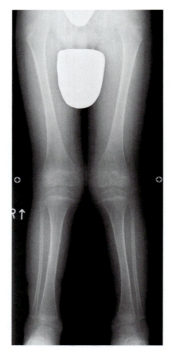

図 7-13　Stickler 症候群男児の 5 歳時の両下肢正面単純 X 線像
長管骨骨幹端部の幅の拡大と X 脚を認める．骨端の異形成は軽度．

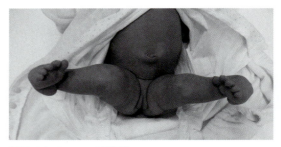

図 7-14　Larsen 症候群
両足の内反足および膝関節脱臼がみられる．

Filamin グループと関連疾患
Filamin group and related disorders

Larsen 症候群
Larsen syndrome

岡田　慶太　東京大学医学部附属病院 助教

【疾患概念】Larsen 症候群とは，多発関節脱臼を主体とする疾患である．原因遺伝子は，細胞骨格の構造と活性を制御する細胞質蛋白質 Filamin B であることが解明されており，常染色体優性遺伝する．発生頻度は 10 万に 1 人程度と考えられている．

【臨床症状】
出生時に股関節，膝関節，肘関節など大関節の脱臼が多く，内反足を伴うこともある（図 7-14）．顔貌は前頭部の突出，鞍鼻を伴う平坦な顔，眼間開離が特徴である．ほとんどの症例で手指末節部がへら状で，特に母指に目立つ．その他に頸椎の局所後弯で幼少期か

ら脊髄症を生じ，早期手術を要することもある．気管喉頭軟化症もまれに合併する．

必要な検査とその所見
単純 X 線検査で脱臼が疑われる関節，頸椎および足部を撮影する．踵骨の二重骨化中心が特徴的だが，出生直後は骨化が未熟でわからないことも多い．頸椎の局所後弯は早期治療の対象となるため必ず確認し，適宜 MRI も行う．

鑑別診断で想起すべき疾患
Desbuquois 症候群，先天性多発性関節拘縮症など．

診断のポイント
出生時に反張膝や先天性内反足がある場合は，他の関節に脱臼がないか評価する．多関節脱臼，特徴的顔貌，手指の短縮があれば診断できる．

治療方針
複数関節の脱臼がみられる場合，膝関節，内反足の治療から開始するが，両者とも保存療法に抵抗性である．ギプス治療で治癒しない場合は観血的治療を行う．股関節脱臼も装具療法から開始するが，足部や膝の変形のために装着困難なこともある．その場合，観血的治療を行う．肘関節脱臼は機能的に困ることが少ないため，治療しないことが多い．頸椎の後弯は脊髄圧迫が強ければ，早期の除圧を行うこともある．

患者説明のポイント
家族には多関節脱臼を伴う疾患で治療が必要だが，精神的発達には問題ないことを説明する．しかしながら，脱臼関節が多い場合は複数回の手術を要し，可動域制限や変形が残る場合が多いことも早い段階で伝えておくべきである．

大きな骨変化を伴う繊毛異常症
Ciliopathies with major skeletal involvement

軟骨外胚葉異形成症
Chondroectodermal dysplasia

関 敦仁　国立成育医療研究センター小児外科系専門診療部 統括部長〔東京都世田谷区〕

【疾患概念】　中胚葉と外胚葉由来の異形成を呈する症候群．前腕・手指・下腿・足趾の短縮を伴う四肢短縮・低身長(骨端軟骨異形成)，多指(趾)症，歯牙や爪の形成不全(外胚葉異形成)，さらに先天性心疾患を有する．1940年にEllisとvan Creveldが報告し，Ellis-van Creveld症候群ともよばれる．10万人に1人の発生とされる．常染色体劣性遺伝で，*EVC*遺伝子や*EVC2*遺伝子の異常による．心疾患や胸郭低形成により，乳児期に死亡することがある．

【臨床症状】
①前腕や手，下腿や足の相対的短縮による四肢短縮型低身長．体幹が長く見えるが，肋骨が短いため胸郭は狭い．
②小指多指症，軸後性多趾症(図7-15a, b)．中手骨以遠の重複を呈する多指となる．
③爪の低形成(図7-15a)．
④進行性外反膝，膝蓋骨脱臼(図7-15d)．
⑤歯牙形成不全，口唇形成異常．
⑥先天性心疾患(約50％の異常，心房中隔欠損など)．
⑦疎な頭髪．

【必要な検査とその所見】
単純X線所見において，①脛骨近位端外側骨端核の形成不全(図7-15c, d)，②膝蓋骨脱臼，③末節骨・中節骨の相対的短縮(図7-15b)，④手根骨癒合，⑤乳児期より脛骨近位端の骨端核異常を認める，⑥成長に伴いX脚と膝蓋骨の脱臼が顕著となる(図7-15c, d)，⑦腓骨が脛骨よりも相対的に短い(同じ四肢短縮型低身長を呈する軟骨無形成症とは逆)などの特徴がみら

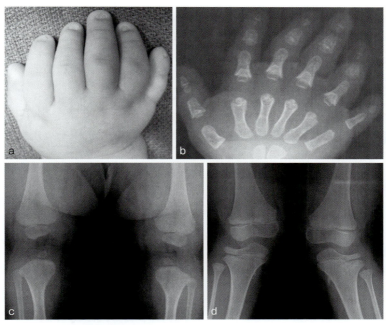

図7-15　軟骨外胚葉異形成症
a：右手小指多指と爪の異常を認める．中手骨から重複する尺側多指を呈し，全指に爪の低形成を認める．
b：右手指単純X線像．基節骨に比して中手骨や末節骨は短い．
c：生後半年の膝単純X線像．脛骨近位骨端核は小さく，内側に偏位している．
d：4歳時の膝単純X線像．脛骨近位外側骨端核の低形成を認める．X脚を呈している．

れる．

■鑑別診断で想起すべき疾患
①呼吸不全性胸郭異形成症：爪や口唇の異常を認めない．
②短肋骨異形成症［多指（趾）症を伴う］：周産期致死性である．

■診断のポイント
先天性心疾患や四肢・爪・歯牙などの臨床所見から本疾患を疑う．遺伝子診断が有用である．

■治療方針
手術の優先度が高い順は①先天性心疾患に対する手術，②多指（趾）症に対する手術，③外反膝や膝蓋骨脱臼に対する手術（骨端軟骨異常に起因するため，外科的治療を行っても成長とともに再発する．複数回の手術を要する）である．また，幼児期からのデンタルケアが重要である．

■患者説明のポイント
心疾患の治療を優先するが，手術が可能になれば手指・足趾の手術を行う．成長に伴いX脚の治療を計画する．複数回の手術が必要となる．

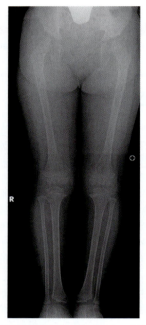

図 7-16　多発性骨端異形成症（6歳，女児）
遺伝子検査未実施例．両大腿骨近位骨端部は球形で小さい．両膝周囲，脛骨遠位に骨端異形成がある．

多発性骨端異形成症および偽性軟骨無形成症グループ
Multiple epiphyseal displasia, Pseudoachondroplasia group

多発性骨端異形成症
Multiple epiphyseal dysplasia

滝川　一晴　静岡県立こども病院 医長〔静岡市葵区〕

■【疾患概念】　原因遺伝子が多様なため表現型も多様である．軟骨基質の微量蛋白質の合成障害により，四肢大関節を中心に管状骨骨端部の異形成が多発する骨系統疾患である．脊椎の変化はない，または軽度である．

■【頻度】
少なくとも1万人に1人の頻度といわれている．

■【病型，分類】
2019年版の骨系統疾患国際分類では，主にグループ10：多発性骨端異形成症および偽性軟骨無形成症グループに分類され，同グループ内だけで5つの遺伝子が報告されている．本疾患は原因遺伝子により表現型が異なる．わが国を含む東アジアでは原因遺伝子としてMATN3が最も多く，次いでCOMPが多い．

■【臨床症状】
主症状は四肢大関節の変形，疼痛，関節可動域制限である．小児期には診断がつかず，成人後に早発性の変形性関節症として診断がつくこともよくある．

■問診で聞くべきこと
家族歴，大関節の疼痛の有無を聴取する．

■必要な検査とその所見
単純X線像で管状骨骨端部の異形成を生じるが，原因遺伝子によりそのX線像は特徴がある（図7-16）．COMPの場合，大腿骨近位骨端部は4～9歳では球形で小さいのが特徴であるが，思春期には扁平化し早期に変形性股関節症に至る．一方，MATN3の場合は小児期に大腿骨近位骨端部は扁平化しているが，思春期にはほぼ正常な骨頭形態となる．

■鑑別診断で想起すべき疾患
偽性軟骨無形成症，脊椎骨端異形成症，甲状腺機能低下症，両側Perthes病などがある．

■診断のポイント
小児期では大腿骨近位や膝周囲の骨端異形成を示す単純X線所見が決め手となる．

■治療方針
小児期に最も手術治療機会が多いのは，膝関節の角

状変形(主に外反膝)である．成人での治療は，変形性関節症の治療に準ずる．

- 予後

下肢の変形性関節症に対する治療を行わないと，早期に歩行能力は低下する．原因遺伝子が COMP の例は MATN3 の例より身長が低く，股関節機能障害や歩行障害を生じやすい．

- 患者説明のポイント

症状がなくても，疾患の特性から定期的な受診が必要であることや，疾患の特徴や予後について本人(保護者)に説明する．

偽性軟骨無形成症

Pseudoachondroplasia

下村 哲史　東京都立小児総合医療センター 前部長〔東京都府中市〕

【疾患概念】　軟骨に特異的な軟骨オリゴマー基質蛋白質(COMP)の遺伝子変異により発症する骨系統疾患．四肢短縮型低身長を呈し，下肢の変形，関節弛緩などを特徴とする．四肢の短縮は大腿，上腕など近位肢節に強く，軟骨無形成症類似の外観を呈する．骨系統以外の合併症は存在しない．

【頻度】　100万人あたり4人とする報告があるが，正確な頻度は不明である．遺伝形式は常染色体優性遺伝であるが，突然変異として発症することが多い．

【臨床症状または病態】　出生時には身長を含めて明らかな異常を認めない．1〜2歳以降に近位肢節短縮型の低身長が急激に進み，最終身長は軽症例でも −3 SD 以下となる．運動に関しては，始歩の遅れ，あひる様歩行などを認めるが，知的発達は問題なく，顔貌の異常も認めない．

関節弛緩性が強いことも加わって，X脚ないしはO脚が小児期に急速に悪化し，関節面の変形から早期に関節症に至っていく．脊椎では，腰椎前弯が強く，側弯，環軸関節亜脱臼などを伴うことがある．

【必要な検査とその所見】　単純X線像で管状骨の短縮と骨幹端の拡大および不整像を認める(図7-17)．骨端核は小さく不整な形状を呈する．幼小児期の椎体は汎発性に扁平で，側面像で前方に舌状突出像を認める．

血液検査で血中COMPの低下を認める．

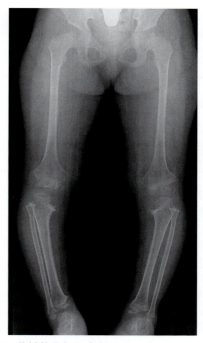

図7-17　偽性軟骨無形成症(8歳，女児)

両下肢正面単純X線像．骨端核は小さく，不整である．骨幹端は拡大しており，脛骨近位骨幹端が変形し，膝関節で内反を生じている．

- 治療方針

小児期に急速に内外反膝変形が悪化していく．このときに，可及的に荷重軸を補正しないと，骨端部の骨脆弱性により関節面の変形が増悪し，関節症へと至っていく．したがって，早期から装具による下肢アライメントの維持を心がけ，増悪傾向にある場合には矯正骨切りを積極的に行い，悪化を防いでいく必要がある．なお，軟骨無形成症などとは異なり上下の関節が不安定なため，骨延長を含む関節内圧を上げるような手術は行うべきではない．

- 患者説明のポイント

軟骨に含まれる COMP と呼ばれる蛋白質の代謝異常で，骨の伸びが制限され低身長となる先天性の疾患であり，関節の変形をきたしやすい．

骨幹端異形成症
Metaphyseal dysplasia

Schmid 型骨幹端異形成症
Metaphyseal dysplasia, Schmid type

鬼頭 浩史 あいち小児保健医療総合センター 副センター長〔愛知県大府市〕

【疾患概念】 成長軟骨帯の肥大軟骨細胞層で発現する 10 型コラーゲンの遺伝子異常（*COL10A1*）によって発症する比較的頻度の高い常染色体優性遺伝疾患で，四肢短縮型低身長と O 脚が特徴的である．組織学的には肥大軟骨細胞層の幅が拡大しているが，*COL10A1* の変異により，肥大軟骨細胞のアポトーシスに異常をきたし，軟骨内骨化による長径成長が障害される．

【臨床症状・X 線所見】
歩行開始後に低身長と O 脚により診断されることが多い．内反股のためあひる歩行（waddling gait）を呈する．単純 X 線所見としては骨端線の幅の拡大，長管骨骨幹端部の不整，骨透亮像と骨硬化像の混在などがみられ，治癒期のくる病に酷似する．大腿骨頸部の短縮と内反股，比較的大きな球形の大腿骨頭などが特徴的である（図 7-18a）．大腿骨，下腿骨は弯曲し，O 脚を呈する．脊椎は一般的には正常とされる．

問診で聞くべきこと
家族歴を有する例も多いため，低身長や O 脚の家族歴を聴取する．くる病との鑑別のため，乳児期の成育歴（母乳，ミルク），偏食やアレルギーの有無も聴取する．

診断のポイント
他の骨幹端異形成症との鑑別において，やや大きな球形の大腿骨頭は本症に特徴的で重要な X 線所見である．くる病との鑑別は臨床所見，X 線所見からは困難なことが多いが，本症では血液生化学検査で Ca，P 代謝に異常を認めないことから鑑別する．

治療方針
小児期の O 脚や内反股に対し，8 プレートを用いた大腿骨および脛骨外側の骨端線抑制術や大転子の骨端線抑制術の有用性が報告されている（図 7-18b）．成長終了時に下肢変形が残存した場合には，各種骨切り術を考慮する．本症では骨格系以外の異常はなく合併症は少ないこと，下肢変形（O 脚と内反股）に対する適切な治療介入により高い ADL が期待できることなどを患者に説明する．

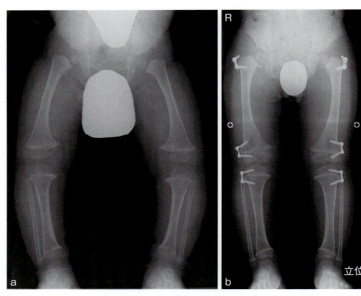

図 7-18　Schmid 型骨幹端異形成症の両下肢正面単純 X 線像
a：2 歳 2 か月時，O 脚と骨幹端の不整，内反股，球状の大腿骨頭を認める．
b：4 歳 8 か月時，片側骨端線抑制術により O 脚は改善した．

McKusick 型軟骨・毛髪低形成症

Cartilage-hair hypoplasia (CHH), McKusick type

岡田 慶太　東京大学医学部附属病院 助教

【疾患概念】　McKusick 型軟骨・毛髪低形成症は，骨幹端異形成症の一型として知られている．原因遺伝子は RNase MRP 複合体の RNA サブユニットをコードする *RMRP* である．遺伝形式は常染色体劣性遺伝をとり，国際分類では metaphyseal dysplasias に属する．

【臨床症状】　低身長，胸郭変形，側弯，疎な毛髪，免疫異常，短指がみられ，Hirschsprung 病，白血病や悪性腫瘍を合併することが多い．免疫不全や貧血を伴うこともあり，早期診断によってこれらの症状の治療を行うことができる．ほとんどの症例で内反膝がみられ，肘の伸展障害もある．知能は正常である．

必要な検査とその所見
単純 X 線で脊椎，全下肢，手を撮影することで特徴的な所見がみられる（図 7-19）．脊椎は腰椎の前弯が強く，成長に伴い側弯症が進行することがある．下肢では骨幹端部の変形，内反膝がみられ，手指は太くて短いのが特徴である．

鑑別診断で想起すべき疾患
骨幹端異形成症はほかに，Jansen 型，Schmid 型，Spahr 型などがあり，鑑別が必要である．鑑別が難しい場合は遺伝子検査を行う．

診断のポイント
臨床症状と単純 X 線所見から，ほとんどの症例では診断がつく．必要に応じて遺伝子検査を行う．

治療方針
基本的には症状に応じて対応する．小児期には O 脚に対し，骨端線抑制術を用いた guided growth を行うことで改善が期待できる．低身長を呈する骨系統疾患に脚延長を行うことがあるが，本疾患は易感染性であるため，行わないほうがよい．全身的な管理も含めて，小児期より小児科や内科と連携してみていかなければならない．

患者説明のポイント
診断が確定した時点で，低身長，内反膝など筋骨格系の特徴とともに，貧血や免疫不全などの合併症を伴うことを説明する．特に水痘や種痘を発症すると，重症化することが知られているため注意を促す．

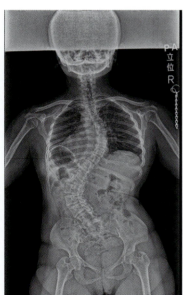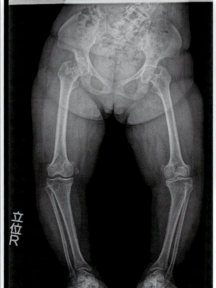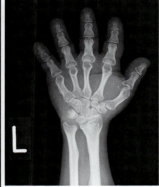

図 7-19　McKusick 型軟骨・毛髪低形成症（成人例）の単純 X 線像

脊椎骨幹端異形成症
Spondylometaphyseal dysplasia

概説

overview

滝川 一晴　静岡県立こども病院 医長〔静岡市葵区〕

【疾患概念】 過去には単純X線像の所見から脊椎骨幹端異形成症（spondylometaphyseal dysplasia；SMD）として1つのグループに分類されていた．しかし，SMD Kozlowski型は，以前からX線像の特徴の類似性が指摘されていた変容性骨異形成症と同一のカルシウムチャネルの一種であるTRPVファミリーの1つをコードするTRPV4のヘテロ接合性変異による疾患群の軽症型であることがわかり，2010年の骨系統疾患国際分類からTRPV4異常症となった（2019年の分類では，グループ8：TRPV4グループ）．Kozlowski型以外のSMDは主に国際分類のグループ12：脊椎骨幹端異形成症にまとめられ，SMD corner fracture型（Sutcliffe型）もこのグループに属している．SMDには多くの個別の報告があり，遺伝的異質性のある疾患群である．本項では，代表的なKozlowski型とcorner fracture型について述べる．

診断のポイント

臨床像と単純X線像の特徴をもとに診断に至る．

治療方針

脊柱変形や下肢変形に対する治療が主体となる．

患者説明のポイント

疾患の特性から定期的な受診が必要であることや，疾患の特徴や予後について本人（保護者）に説明する．

1 Kozlowski 型

SMDのなかで最も頻度が高い．発生頻度は少なくとも100万人に1人といわれている．

【遺伝形式】

常染色体優性遺伝．

身体所見

- 体幹短縮型低身長を呈する．
- 幼児期からのwaddling gait．関節可動域制限，時に外反膝を示す．
- 進行性の脊柱後側弯．時に幼児期から出現するが，主に思春期や成人期に生じる．
- まれに末梢神経障害を合併する．

X線所見

- 汎扁平椎，進行性の脊柱側弯．
- 腸骨基部（basilar portion）は広く短い．臼蓋は広く水平化している．
- 管状骨骨幹端部の不整像，内反股を伴い大腿骨近位で目立つ．
- 中等度の管状骨短縮，手根骨骨化遅延．

鑑別疾患

①変容性骨異形成症：Kozlowski型は変容性骨異形成症と類似の椎体変形を示すが，腸骨と管状骨の変化は軽度である．大腿骨近位部は骨幹端部異形成を示す．

②他の鑑別疾患として pseudo-Morquio disease type II（spondyloepiphyseal dysplasia, Maroteaux type），spondyloenchondrodysplasia, spondylometaphyseal dysplasia, cone-rod dystrophy などが挙げられる．

治療

進行性の脊柱側弯症を生じるが，脊柱変形に対する手術治療の報告はない．

予後

成人身長は通常140 cmを下回る．知的発達や平均余命は正常である．女性は狭骨盤のため，出産時は帝王切開が必要である．

2 Corner fracture 型

近年，骨や軟骨の発育に重要な細胞外基質の1つのfibronectin（FN）をコードするFN1のミスセンス突然変異が同定された．

【遺伝形式】

常染色体優性遺伝．

身体所見

- 中等度の低身長（成人男性身長は140 cmほど）．
- Waddling gait．
- 時に下肢痛，内反膝または外反膝．

X線所見

- 側面像で扁平椎は軽度で上下凸の丸い形（biconvex）を示し，椎体前方が突出していることもある．
- 進行性の内反股を呈し，両側性のことが多い．
- 骨幹端部の異形成に加えて骨幹端部の末梢に flake 様の三角または弧状の fragment（corner fracture）があり，大腿骨近位（図7-20）や遠位，脛骨遠位，橈尺骨遠位で目立つ．Corner fracture と表される骨幹端部の骨性 fragment は余剰骨化中心である．
- 歯突起の骨化不全の報告もある．

鑑別疾患

①先天性脊椎骨端異形成症：この疾患では大腿骨近位骨端核の骨化遅延が著明である．

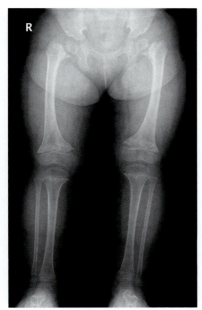

図 7-20 脊椎骨幹端異形成症 corner fracture 型，全下肢正面立位単純 X 線像（4 歳，女児）
下肢長管骨の骨幹端異形成に加えて両内反股および大腿骨近位骨幹端部内側に corner fracture を伴う．

②他の鑑別疾患として，先天性内反股，child abuse，spondyloepimetaphyseal dysplasia, Strudwick type, metaphyseal dysplasia, Jansen type, metaphyseal dysplasia, Schmid type などがある．

治療

進行する内反股には外反骨切り術が行われる．膝関節の角状変形に対して guided growth 法による緩徐変形矯正治療も行われている．

脊椎・骨端（・骨幹端）異形成症
Spondylo-epi (-meta) physeal dysplasia (SED, SEMD)

遅発性脊椎骨端異形成症
Spondyloepiphyseal dysplasia tarda

伊藤 順一　心身障害児総合医療療育センター 副園長・医務部長〔東京都板橋区〕

【疾患概念】　X 連鎖性劣性遺伝形式をとる低身長の

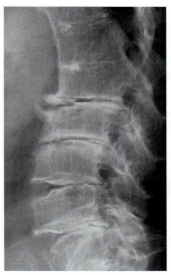

図 7-21 遅発性脊椎骨端異形成症の単純 X 線腰椎側面像（60 歳，男性）
変形性変化，椎間板腔の狭小化，posterior hump がみられる．

症候群として 1939 年に Jacobsen が "hereditary osteochondrodystrophia deformans" として 1 家系を報告し，1971 年に Bannerman らが，Jacobsen の報告例を再調査して X 連鎖性 SED tarda として報告したものが最初の論文である．①X 連鎖性劣性遺伝，②5～14 歳で認識される低身長，③脊椎の低形成による体幹短縮，④単純 X 線画像上 central hump を伴う椎体の扁平化，⑤大腿骨骨頭および頸部の低形成，⑥他の骨には所見が乏しい，の 6 項目を特徴とする疾患として記載されている．2019 年の骨系統疾患国際分類の改訂では，脊椎・骨端（・骨幹端）異形成症（SE(M)D）に分類されている．正確な発生頻度は不明であるが，日本整形外科学会小児整形外科委員会による骨系統疾患全国登録では，1990～2017 年の 27 年間で 17 例報告されている．

【臨床症状または病態】
出生時は異常所見がなく，学童期以降に明らかになる体幹短縮型低身長と，鳩胸変形で樽状の胸郭を特徴とする．腰痛や股関節痛を主訴に初診となることが多い．

問診で聞くべきこと
発育歴，家族歴（関節疾患の罹患を含めて），身長，四肢長などの臨床症状．

必要な検査とその所見
①単純 X 線所見：椎体の後上下縁が隆起（posterior hump）しており，成人期になると終板の骨硬化および椎間腔の狭小化がみられる（図 7-21）．大腿骨近位部

7 骨系統疾患，代謝性骨疾患

は低形成と股関節の変形性変化がみられる．

②**遺伝子診断**：遺伝学的には，X連鎖性劣性遺伝形式をとり，X染色体短腕（Xp 22）に位置する *SEDL* 遺伝子の変異が同定されている．

鑑別診断で想起すべき疾患

SED congenita, multiple epiphyseal dysplasia, chondroplasia, Morquio 病．

診断のポイント

低身長，特徴的な体幹，家族歴，特徴的な単純X線像（脊椎，股関節）．

治療方針・患者説明のポイント

根本的な整形外科的治療はない．保存療法で経過観察できる例もあるが，高度の関節症変化を呈する例では，人工関節置換術が適応となる．

遠位肢異形成症
Acromelic dysplasia

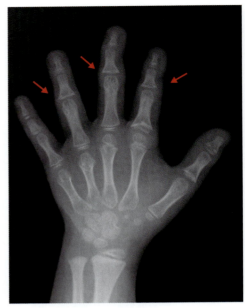

図 7-22 毛髪鼻指節異形成症
中節骨基部に円錐状骨端がみられる（矢印）．

毛髪鼻指節異形成症

Trichorhinophalangeal dysplasia（TRPS）

田中 弘志　心身障害児総合医療療育センター 医長〔東京都板橋区〕

【疾患概念】 特徴的な毛髪，顔貌，手指の中節骨の異常を主徴とする症候群である．Ⅰ～Ⅲ型に分類され，臨床所見も一部異なる．遺伝形式はADとされており，遺伝子座はⅠ型，Ⅲ型では 8q 24.1 に存在する *TRPS1* 遺伝子の異常，Ⅱ型では 8q 24.11-q 24.13 とその遠位にある *EXT1* 遺伝子の欠失した隣接遺伝子症候群といわれている．これまで百数十例の報告があり，日本整形外科学会骨系統疾患登録では 1990～2018 年の 28 年間で 38 例が登録されている．

【臨床症状】 Ⅰ～Ⅲ型の共通の臨床症状は，細く疎な毛髪，洋梨のような鼻，長い人中，短指症である．単純X線所見では，手指の中節骨基部の円錐状骨端（図 7-22）が特徴所見として重要であり，中節骨や中手骨の短縮がみられることもある．Ⅰ型では Perthes 病様変化，変形性股関節症を生じることがある．Ⅱ型（Langer-Giedion 症候群）は共通所見に加え，精神発達遅滞，多発性外骨腫を合併するといわれている．Ⅲ型（Sugio-Kajii 症候群）の臨床像はⅠ型と類似し，短指症などの所見がⅠ型より著明である．

問診で聞くべきこと

股関節痛の有無，多発性外骨腫による骨性隆起の有無など．

鑑別すべき疾患

①骨幹端異形成症 McKusick 型：疎な毛髪，手指の円錐状骨端を伴うが，顔貌異常が異なる．
②Acrodysostosis：短指症を伴うが，毛髪異常が異なる．

診断のポイント

手指の単純X線所見，顔貌異常，遺伝子検査など．

治療方針

基本的には対症療法が中心となる．外骨腫の摘出，Perthes 病様変化や変形性股関節症に対する手術療法などを行うことがある．

合併症と予後

乳幼児期に上気道感染を生じる例もあるが，一般的には予後良好である．

患者説明のポイント

原疾患の根本治療ではなく，対症療法が中心となる．

遠位中間肢異形成症
Acromesomelic dysplasia

概説
overview

高木 岳彦　国立成育医療研究センター 診療部長〔東京都世田谷区〕

【疾患概念】　遠位肢節と中間肢節の短縮が目立つ骨系統疾患で，骨系統疾患のなかでも低身長の程度が著しいグループの1つである．Maroteaux型，Campailla型，Grebe dysplasia，Brahimi型，Osebold-Remondini型などが知られる．多くの型は常染色体劣性遺伝形式を示す．

【臨床症状または病態】
　症例間の表現型の幅は大きく，生下時に四肢短縮と低身長が明らかである場合もあれば，徐々に短指(趾)が目立つことで乳幼児期に診断されることもある．Maroteaux型の場合，生直後の骨格系には顕著な変化は認めないものの，生後2年までに急速な骨伸長障害をきたし，成人の最終身長は5SD以下となるともいわれており，骨系統疾患のなかでも低身長が著しいものの1つとされる．

【必要な検査とその所見】
　単純X線所見では，長管骨，特に前腕の短縮と変形が目立つ．橈骨の弯曲に伴い，橈骨頭の脱臼や遠位橈骨にMadelung様変形を示す場合がある．短管骨の短縮は著しく，早期骨端閉鎖を示す．長頭，前額部突出，軽度の扁平椎などが特徴である．

【鑑別診断で想起すべき疾患】
　同様に低身長をきたす軟骨異形成症(achondroplasia)は近位肢節の短縮を示すのに対して，本症は遠位中間肢節の短縮，特に短指(趾)が目立つのが特徴である．

【診断のポイント】
　著しい四肢短縮と低身長，特に短指(趾)が特徴である．

【治療方針】
　本症に対する特異的な治療法は確立されておらず，低身長に対して対症的に，整形外科的治療法である脚延長術が治療の中心となる．

中間肢・近位肢中間肢異形成症
Mesomelic and rhizo-mesomelic dysplasia

異軟骨骨症(Leri-Weill)
Dyschondrosteosis (Leri-Weill)

関 敦仁　国立成育医療研究センター小児外科系専門診療部 統括部長〔東京都世田谷区〕

【疾患概念】　中間肢（前腕や下腿）短縮型の低身長を呈する疾患で，*SHOX*遺伝子異常に起因する．思春期に低身長と手関節や肘の変形が顕著となる（図7-23）．その頃に運動時痛や運動制限を訴えることがあるが，20歳を過ぎる頃にはやや軽減する．

【臨床症状】
　低身長は思春期以降さらに顕著となる．手関節変形については，橈骨遠位端成長軟骨の掌尺側部が早期に閉鎖することから，橈骨の弯曲が増大し，橈骨遠位端の傾斜角が増大する．また，それにつれて手根骨は掌尺側に亜脱臼を呈し，尺骨頭は背側に突出する（Madelung変形）．肘関節変形は，橈骨全体が尺骨に比して短縮することにより，外反肘を呈する．手関節部の変形による神経症状出現や，高齢者では伸筋腱断裂の報告がある．

【必要な検査とその所見】
　上肢の単純X線・CT：橈骨の弯曲と短縮，橈骨遠位端尺側傾斜角・掌側傾斜角の増大，下腿全長単純X線像で下腿の相対的短縮をみる（図7-23）．
　遺伝子検査：X染色体上の*SHOX*遺伝子解析による微小欠失などを確認する．

【鑑別診断で想起すべき疾患】
　①特発性Madelung変形：前腕から手関節にかけての変形は同様であるが，必ずしも低身長ではない．片側性の場合もある．
　②橈骨骨端線早期閉鎖：外傷や骨髄炎のあとで発生する．
　③Turner症候群：45, Xを代表とする性染色体異常症．
　④Langer症候群：SHOX異常症の1つ．橈骨と尺骨がともに重度の短縮と変形を呈する．

【診断のポイント】
　①両側Madelung変形や外反肘の存在：単純X線や3DCTが有効である．
　②−3SDから−2SDの低身長：幼少時から低身長を認めるが思春期に顕著となる．

7 骨系統疾患，代謝性骨疾患

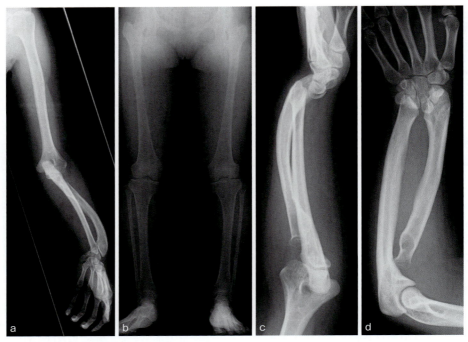

図7-23　異軟骨骨症(Leri-Weill)
a：左上肢単純X線像．前腕の相対的短縮を示す．前腕の弯曲変形が強い．
b：両下肢単純X線像．下腿の相対的短縮を示す．
c：左前腕単純X線像（回外0°肘正面）．橈骨の弯曲が著明で，橈骨手根関節亜脱臼を示す．
d：左前腕単純X線像（同・肘側面）．橈骨の短縮，遠位端傾斜角増大，腕橈関節対向不良あり．

専門病院へのコンサルテーション

手関節や肘関節部の動揺性，運動時痛，運動制限の訴えがあれば紹介受診を勧める．低身長については，成長期であれば小児科(内分泌)を紹介する．

治療方針

上肢については，手関節部の運動時痛や日常動作に影響する可動域制限がなければ経過観察でよいが，外観を気にして受診する例もある．手関節や肘関節の運動時痛・運動制限・不安定性を訴える場合は，外科的治療の適応である．低身長については，成長ホルモンを使用する場合がある．

患者説明のポイント

手関節部の痛みや運動制限は思春期に悪化しやすいが，20歳を過ぎた頃から徐々に軽減することが知られている．しかし，不具合の程度が強い場合は手術により改善を図るとよい．

弯曲肢異形成症および関連疾患
Campomelic dysplasia and related disorders

概説
Overview

小林 大介　兵庫県立こども病院 部長(リハビリテーション科・整形外科)〔神戸市中央区〕

【疾患概念】弯曲肢異形成症は，2015年の骨系統疾患国際分類の中でcampomelic dysplasia and related disorders(CD)として分類されている．非常にまれな疾患であり本来致死性とされていたが，近年では新生児期の呼吸管理の向上により長期生存例も決して珍しくはない．

【原因】原因遺伝子は*SRY*(*sex determining region Y*)-*box 9*(*SOX9*)で，2型コラーゲンなどの軟骨特異的遺伝子の転写を誘導し，軟骨細胞への分化に重要な役割を示

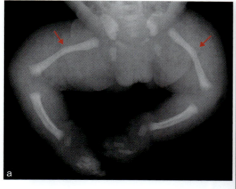
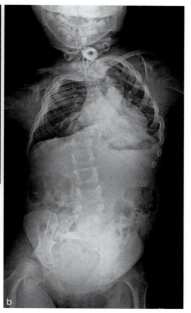

図7-24 弯曲肢異形成症の女児
a：日齢1日の単純X線写真．両大腿骨の弯曲（矢印），左股関節脱臼，恥骨の低形成，両足部の変形が認められる．
b：同患者の8歳時の全脊椎単純X線写真．胸椎部を中心に側弯が進行している．

す．また SOX9 は性分化にも関与している．遺伝形式は常染色体優性遺伝とされているが，ほとんどの症例は健常な両親から生まれてくる．

【臨床症状】

整形外科的な症状として大腿骨や脛骨の弯曲，股関節脱臼，足部の内反変形，進行性の側弯がよく認められる所見である（図7-24）．単純X線写真上は肩甲骨の低形成，恥骨低形成，坐骨の垂直化などが認められる．長管骨の弯曲の頂点では，皮膚の陥凹がしばしば存在する．全身的な症状としては顔貌異常，口蓋裂，呼吸障害を伴う喉頭気管軟化症などがある．

鑑別診断で想起すべき疾患

鑑別を要する疾患として骨形成不全症，低ホスファターゼ症などがあるが，臨床所見から比較的鑑別は容易である．

【治療方針】

まずは新生児科，小児外科医師による呼吸管理が最優先となり，これが本疾患の生命予後を左右する．気管切開や加圧呼吸が多くの症例で必要となる．新生児期，乳児期を乗り越えると生命予後が改善し，立位歩行可能な症例も存在する．整形外科医の関与は全身状態が落ち着いてからとなるが，足部変形，股関節脱臼，側弯はいずれも難治性であり，保存療法はほぼ効果がない．観血的治療をどのタイミングで行うのがよいかは議論の一致をみないが，他科の医師との綿密な意思疎通のうえ，決定されるべきである．

点状軟骨異形成症グループ
Chondrodysplasia punctata (CDP) group

概説

Overview

中村 直行　神奈川県立こども医療センター 整形外科部長・肢体不自由児施設長〔横浜市南区〕

【疾患概念】　骨端核やその周囲軟部組織の点状石灰化像を伴う疾患群を包括した総称のため，症例の異質性が大きい．

【頻度】　文献的には分娩1万に対し0.09．わが国では不明．

【病型・分類】
2015年の骨系統疾患の国際分類では，X染色体優性 Conradi-Hünermann 型点状軟骨異形成症（CDPX 2），X連鎖性劣性末節骨短縮型点状軟骨異形成症（CDPX 1），CHILD 症候群（先天性片側異形成，魚鱗癬，四肢欠損），Keutel 症候群，Greenberg 骨異形成症，近位肢型点状軟骨異形成症（RCDP），脛骨・中手骨型点状軟骨異形成症，Astley-Kendall 骨異形成症を点状軟骨異形成症グループと定義し，CDPX 1 と同様の末節骨短縮型の点状軟骨石灰化を呈する症候群もある．個々の基礎疾患により種々の大きく異なった病

7 骨系統疾患，代謝性骨疾患

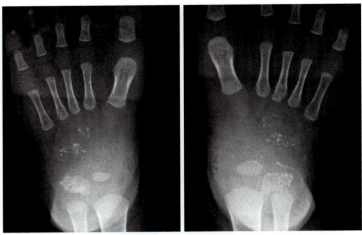

図 7-25　点状軟骨異形成症の足部写真（6 か月，男児）
足根骨部に点状石灰化像が認められる．

態を呈する．ペルオキシソーム病は先天性代謝異常症であるが，同様の画像所見を呈するため，包括されている．

【臨床症状・病態】

鼻骨低形成による鼻根部の平坦と短い鼻，眼瞼斜上，および，低身長はすべての型で共通する．疾患ごとに多様な症状があり，魚鱗癬様皮膚病変，部分脱毛，白内障，四肢非対称，感音性難聴，爪低形成，末節骨低形成，関節変形や関節拘縮，脊椎変形，脊柱管狭窄，環軸椎不安定，呼吸障害，出血傾向，精神発達遅滞，先天性心疾患，先天性腎異常などがみられる．

必要な検査とその所見

遺伝子検査にて，CDPX 2，CDPX 1，RCDP などの確認をする．研究室レベルであればコレステロール合成障害やペルオキシソーム酵素欠損の確認など．ビタミン K 代謝異常が疑われる場合は凝固系検査を行う．

鑑別診断で想起すべき疾患

ワルファリン胎芽症，ビタミン K 欠乏症，SLE 胎芽症，21 トリソミーなどの染色体異常症，アルコール胎芽病，抗痙攣薬胎芽病なども症候性の点状軟骨石灰化を呈することがある．年長児以降は多発性骨端異形成症，脊椎骨端異形成症など．

診断のポイント

単純 X 線画像にて，出生時から乳児期にかけて，骨端軟骨とその周囲軟部組織に点状石灰化像（図 7-25）を呈し，その像は乳児期から幼児期早期に消失し，骨端核は骨端異形成のように出現が遅滞し，変形や形成不全が生じる．脊椎周囲の点状石灰化がみられる．

専門病院へのコンサルテーション

特殊疾患につき，疑われる場合は紹介が妥当である．

治療方針と予後

根治治療は確立しておらず，個々の症例において対症療法が行われる．頸椎椎体の骨化遅延や後弯変形，脊柱管狭窄，環軸椎不安定性が最も重篤で，出生早期から頸髄症を発症し，四肢麻痺，呼吸麻痺を呈することも少なくない．また，成長とともに骨端異形成様となり，早発性の変形性関節症を発症する．さらに CDPX 2 では四肢非対称を呈することがある．それらに対し脊椎手術，関節手術など整形外科的な治療が必要となる．そのほか，白内障治療などを要することもある．

患者説明のポイント

将来的な低身長，脊柱変形，関節拘縮，変形性関節症，白内障などが起こりうることを説明しておく．

リハビリテーションのポイント，関連職種への指示

歩行に向けての発達支援および関節機能も含めたその維持療法に努める．

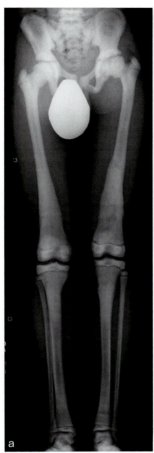
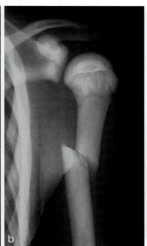
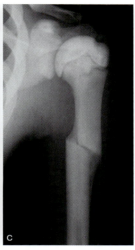

図7-26　大理石骨病（男児）
8歳時に交通事故で左大腿骨骨幹部骨折を受傷し，大理石骨病の診断を受け，手術療法を受けた．その後10歳時に左Perthes病を合併して大腿骨頭が圧潰し，保存療法を行った．14歳時には軽微な外傷で左上腕骨骨幹部骨折を受傷し保存療法（6週間の外固定）を行い骨癒合が得られた．
a：両下肢単純X線正面像（13歳）．長管骨骨髄腔の狭小化・消失を認める．
b：左上腕骨骨幹部骨折受傷時の左上腕骨単純X線正面像（14歳）．
c：受傷後3か月の左上腕骨単純X線正面像．

大理石骨病と関連疾患
Osteopetrosis and related disorders

大理石骨病
Osteopetrosis

西須 孝　千葉こどもとおとなの整形外科 院長〔千葉市緑区〕

【疾患概念】　破骨細胞の機能不全により，全身骨の骨硬化，骨髄腔の狭小化・消失を認める疾患．さまざまな遺伝子異常が本疾患の原因となる．
【臨床症状】
　易骨折性を認め，骨折時の単純X線検査で本疾患と診断される．疲労骨折も起こりやすい．重症例では，頭蓋底の骨肥厚による脳神経症状，骨髄腔の狭小化による汎血球減少がみられる．学童期以降で，Perthes病を発症することがあり，青年期以降では，股関節に軟骨溶解が生じて，可動域制限をきたすことがある．

▶問診で聞くべきこと
　家族歴に加え，難聴，視力障害，骨折の既往の有無について問診する．

▶必要な検査とその所見
　全身骨の単純X線撮影を行って診断を確定する．長管骨骨髄腔の狭小化・消失（図7-26），椎体終板の硬化像が特徴的である．血液検査は必須で，汎血球減少や低カルシウム血症がないか確認する．

▶鑑別診断で想起すべき疾患
　鑑別が難しいのは濃化異骨症で，単純X線所見は酷似するが，濃化異骨症に特徴的な指趾末節骨の骨溶解はみられない．

▶診断のポイント
　全身骨の骨髄腔が極端に狭ければ本疾患を疑い，他疾患を除外診断できれば本疾患と診断できる．

7 骨系統疾患，代謝性骨疾患

専門病院へのコンサルテーション
本疾患に伴う骨折，Perthes病，股関節軟骨溶解症の治療にはある程度の専門知識が必要であるため，専門医に相談することが望ましい．

治療方針
臍帯血移植などの造血幹細胞移植を行って成功すると，全身骨の単純X線所見が数年間で劇的に正常化し，汎血球減少も改善するが，造血幹細胞移植には重大な合併症を起こすリスクもあるため，著明な汎血球減少など，生命をおびやかす状態でなければ，積極的には行われていない．

骨折治療について：健常者において保存療法の適応となる骨折に対しては，まず保存療法を行う（図7-26）．手術療法が必要と判断されたときには，原則としてプレート固定を行う．スクリュー挿入のためドリリングを行う際は，硬く厚い皮質骨を穿孔していく過程で高熱が発生し，骨壊死や感染を引き起こすリスクが高いので，冷水をかけて局所を冷やしながら，切れ味のよい新品のドリルで少しずつ穿孔していくことがきわめて重要である．手術に際しては，新品のドリルを多数用意しておく必要がある．また，術中ノミを用いると皮質骨が粉々に割れてしまうことがあるので，注意が必要である．

患者説明のポイント
骨折が起こりやすく，手術治療が必要なときはさまざまな注意が必要なこと，骨髄が機能せず極端な貧血になったときは，内科的治療が必要になること，Perthes病になりやすいので股関節に痛みが出たら早めに整形外科を受診すること，などについて十分説明しておく．

リハビリテーションのポイント，関連職種への指示
易骨折性があるので転倒に注意し，可動域訓練は愛護的に行う．

濃化異骨症

Pyknodysostosis (Pycnodysostosis)

西須 孝　千葉こどもとおとなの整形外科 院長〔千葉市緑区〕

【疾患概念】　破骨細胞から分泌されるカテプシンKの遺伝子異常により骨吸収が障害され，全身性に骨髄腔の狭小化を認める疾患．先端骨溶解，特徴的顔貌（前頭部突出，下顎低形成，鳥の嘴用の鼻），低身長，歯列異常などがみられる．

【臨床症状】
易骨折性，難治性偽関節などがみられる．

問診で聞くべきこと
家族歴，骨折の既往，歯科で異常を指摘されたことがあるか，などについて問診する．

必要な検査とその所見
全身骨の単純X線撮影において，骨硬化，骨髄腔の狭小化がみられる．手指・足趾の単純X線検査では先端骨溶解（指趾末節骨遠位部の骨溶解）がみられる（図7-27）．

鑑別診断で想起すべき疾患
全身性の骨硬化，骨髄腔の狭小化，易骨折性がみられる点で大理石骨病と類似している．また，指趾末節骨遠位部の骨溶解と易骨折性がみられる点で，Hajdu-Cheney症候群と類似している．

診断のポイント
特徴的顔貌が本症の特徴の1つとされており，確かに本症患者の顔貌は類似しているが，一般にもみられる顔貌なので，診断の決め手とはならない．全身性の骨硬化，骨髄腔の狭小化に加え，指趾末節骨遠位部の骨溶解がみられたら本症と診断する．

専門病院へのコンサルテーション
骨折，疲労骨折が生じたら，専門病院へ紹介することが望ましい．

治療方針
大腿骨，脛骨などの骨折に対しては，積極的に手術療法を考慮し，原則としてプレート固定を行う．スクリュー挿入のためドリリングを行う際は，硬く厚い皮質骨を穿孔していく過程で高熱が発生し，骨壊死や感染を引き起こすリスクが高いので，冷水をかけて局所を冷やしながら，切れ味のよい新品のドリルで少しずつ穿孔していくことが重要である．その他の骨折に対しては，健常者同様の治療を行い，難治性と判断された時点で手術療法を行う．

疲労骨折に対しては，体外衝撃波治療などの積極的治療を試みてもよいが，長管骨の弯曲変形が根本的原因である場合には矯正骨切り術を考慮する．

患者説明のポイント
難治性の疲労骨折，骨折が起こりやすく，手術療法が必要になることが多いことについて説明しておく．

リハビリテーションのポイント，関連職種への指示
易骨折性があるので転倒に注意し，可動域訓練は愛護的に行う．

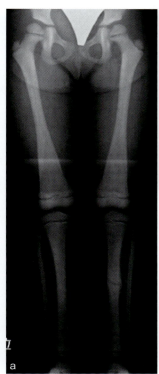
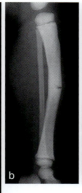
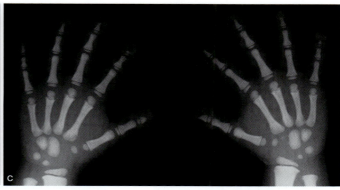

図 7-27　濃化異骨症（4 歳，女児）
4 歳時に階段から転落して左脛骨骨幹部骨折を受傷し，全身の単純 X 線所見から濃化異骨症の診断を受けた．脛骨骨折に対しては保存療法が行われたが難治性で，骨癒合後も疲労骨折を繰り返した．
a：両下肢単純 X 線正面像．長管骨骨髄腔の狭小化を認めた．
b：左下腿骨側面像．脛骨の屈曲変形を伴う骨幹部骨折を認めた．
c：両手単純 X 線正面像．両母指，右小指，左示指末節骨先端部の骨溶解像を認めた．

流蝋骨症

Melorheostosis

魚谷 弘二　岡山大学病院 医員

【疾患概念】　流蝋骨症（melorheostosis）は，1922 年に Leri と Joanny により提唱された良性の硬化性の骨異形成病変である．

【頻度】
100 万人あたり 0.9 人の発生率である．

【臨床症状または病態】
①慢性的な骨痛，関節痛，骨の腫大．
②局所的な骨変形と関節変形，時に過延長や短縮．
③変形に伴う神経の絞扼症状．
④病変部位に一致する皮膚の強皮症様などの変化や腱・靱帯・関節包といった軟部組織の変化による関節拘縮．
以上が典型的な症状であるが，全く症状のない例もある．

原因としては，胎児期の中胚葉障害や血管障害，感染などに起因する炎症性変化などが報告されている．*LEMD3* 遺伝子の機能喪失異変により起こる常染色体優性遺伝性骨斑紋症のなかで，本症と骨斑紋症を併せもつ症例が報告されているが，本症を引き起こす遺伝子異常の存在はいまだ明らかではない．性差はなく，遺伝性も認められていないとされる．若年から成人の広い範囲で認められるが，成人前に診断されることが多い．好発部位は，上肢（22％），下肢（70％），上肢下肢（4％），骨格（4％）とされる．

【必要な検査とその所見】
①単純 X 線：特徴は長管骨長軸に沿って蝋を流したような皮質骨の骨硬化病変であり，波状を示す（dripping candle wax）といわれるが（図 7-28a），この典型的な像を示すのは全体の 1/3 の症例とされる．通常は骨の片側に限局し，正常骨と病変部の境界は明瞭であるが，時にこの境界は海綿骨内に至ることもある．

発生範囲により，単一の骨のみに起こる単骨型（monostotic form），単一肢のみに起こる単肢型（monomelic form），多数の骨に起こる多骨型（polyostotic form）に分類される．その他，骨腫様変化（30％），蝋燭様変化（22％），骨化性筋炎様変化（4％），骨線条症（線状オステオパシー）様変化（26％），混合型（18％）といった特徴的な所見による 5 分類も報告されている．

②単純 MRI：骨皮質および周囲の骨髄内と軟部組織に T1，T2 強調像で低信号を呈する（図 7-28b-e）．

7 骨系統疾患，代謝性骨疾患

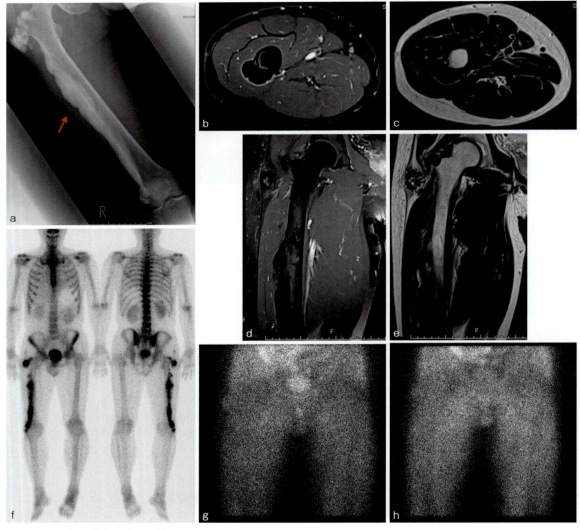

図 7-28　流蝋骨症（43 歳，男性）
15 年前からの右下肢痛．2 年前から増悪したため近医を受診し，MRI で大腿骨腫瘍を疑われた．
a：単純 X 線正面像〔蝋燭様変化（dripping candle wax），矢印〕
b-e：MRI T1 強調像（b, d），T2 強調像（c, e），大腿骨大転子部から大腿骨外側の骨皮質および一部骨髄内と軟部組織に T1，T2 強調像で低信号を呈する腫瘤がみられ，流蝋骨症に特徴的な像である．
f：骨シンチグラフィー．右大腿骨に異常集積を認める．
g, h：タリウムシンチグラフィー．明らかな異常集積を認めない．
（魚谷弘二：メロレオストーシス（流蝋骨症）．尾﨑敏文，他（編）：その X 線正常ですか？骨腫瘍の画像診断─疑う目を養う・鍛える．p181，メジカルビュー社，2015 より改変）

鑑別診断で想起すべき疾患

　傍骨性骨肉腫をはじめとする骨硬化像を示す骨腫瘍，骨化性筋炎，大理石骨病，骨斑紋症，濃化異骨症，骨線条症（線状オステオパシー，Voorhoeve 病），Camurati-Engelmann 病，Ribbing 病，肥厚性皮膚骨膜症など．

診断のポイント

　通常，成人では疼痛や関節可動域制限を主訴に来院する．進行性の変形，周囲軟部組織の石灰化を認めることもある．小児では脚長差や変形，関節拘縮が画像上の所見よりも早期に認められる．典型像であれば診断に苦慮しないが，画像上，上記鑑別診断との検討を

要することがある．

治療方針
基本的には症状に対する対症療法が中心となるが，変形や拘縮に伴う運動機能障害を伴う場合には手術療法の適応となることがある．

治療
1▶保存療法
疼痛・関節機能障害：消炎鎮痛薬や理学療法などの対症療法，ビスホスホネート製剤やデノスマブが有効な症例もある．
2▶手術療法
変形や脚長差に対しては骨延長術，関節拘縮に対しては拘縮解離術などが施行されるが，術後は再発することが多く，複数回の手術を要する．

合併症と予後
手術療法を繰り返し要することがある．非常にまれに骨肉腫への悪性転化を起こすことがある．

患者説明のポイント
現在のところ原因がはっきりしていないまれな疾患であること，症状のない症例もあること，疼痛や可動域制限などにはまず対症療法で治療するが，時に手術を要する場合があること，術後も再発，再燃することがあり，繰り返し治療を要する場合があることなどを説明する．

骨斑紋症

Osteopoikilosis

魚谷 弘二　岡山大学病院 医員

【疾患概念】　散発性もしくは常染色体優性遺伝形式の，骨硬化性の骨系統疾患である．Stieda(1905年)，Albers-Schönberg(1915年)により報告され，1916年Ledoux-Lebardによりosteopoicilieと命名された．

【頻度】
211,000例の単純X線写真を無作為に調査し12例に認めた(0.057%)とする報告や，50,000人に1人(0.002%)とする報告がある．

【臨床症状または病態】
(1)症状
①通常は無症状で，外傷などを契機に撮影された単純X線写真で偶発的に発見される．
②20%の症例で軽度の関節痛や関節腫脹を認めるとされる．軽度の関節拘縮を生じることもある．

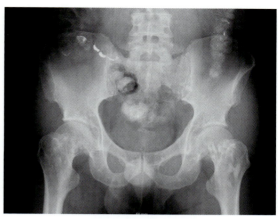

図7-29　骨斑紋症の骨盤単純X線像
骨盤および大腿骨近位部に左右対称で境界明瞭な散在性の骨硬化斑を認める(東京大学病院整形外科　岡田慶太先生のご厚意による)．

③10～15%に皮膚病変を伴う．結合織母斑である播種性結節性皮膚線維腫症を合併することがあり，この場合，Buschke-Ollendorff症候群とよばれる．
④流蝋骨症(melorheostosis)を伴う家系もある．
(2)病態
TGF-β伝達経路における核膜内膜蛋白であるMAN1をコードする*LEMD3*の機能喪失性遺伝子変異により本症が起こることが，2004年にHellemansらにより示されている．

必要な検査とその所見
特異的な身体所見や血清学的異常はない．
①単純X線(図7-29)：長管骨の骨端部や骨幹端部，骨盤，肩甲骨，手根骨，足根骨などに主に認められる集簇する多数の大小不同の骨硬化斑．通常数mm～数cmの境界明瞭な円状もしくは楕円状を示す．分布は通常左右対称性で，時に骨化線状となり骨幹端を縦走する．通常2～3歳頃にはすでに生じていて，急に増大することはない．また，頭蓋骨や脊椎などの管状骨に生じることはまれである．
②MRI：T1，T2強調像ともに小さなlow intensity areaとして認められる．
③骨シンチグラフィー：通常は正常像であるが，時に軽度の集積を認めることがある．

鑑別診断で想起すべき疾患
骨増殖性の転移性骨腫瘍，肥満細胞症(mastocytosis)，結節性硬化症(tuberous sclerosis)．

診断のポイント
通常典型的な単純X線像から診断される．転移性骨腫瘍との鑑別が必要となるが，通常，境界明瞭であ

7 骨系統疾患，代謝性骨疾患

ることや左右対称性などの特徴が鑑別点となる．皮膚病変に関しては同一家系内でも発現型が異なる．

専門病院へのコンサルテーション

転移性骨腫瘍との鑑別が重要であり，判断に迷うようであればコンサルテーションを行う．

治療方針

症状はなく，治療の対象となることは通常ない．疼痛があればNSAIDsなどによる対症療法を行う．症状に応じて適宜フォローアップを行う．

患者説明のポイント

通常，家族性の良性の骨疾患であることを説明する．

他の骨硬化性骨疾患
Other sclerosing bone disorders

骨幹異形成症（Camurati-Engelmann病）

Diaphyseal dysplasia (Camurati-Engelmann disease)

北野 元裕　国立病院機構大阪医療センター 医長〔大阪市中央区〕

【疾患概念】 頭蓋骨や大腿骨，上腕骨などの長管骨において過剰な膜性骨化が生じ，骨皮質肥厚や骨幹部の紡錘状肥大を呈する非常にまれな常染色体優性遺伝形式の骨系統疾患で，国内での調査では50人程度の患者が確認されている．1922年にCamuratiが，1929年にEngelmannが症例報告した疾患で，2000年には19番染色体長腕に存在するtransforming growth factor-β1遺伝子（*TGFB1*）のミスセンス変異が本症の原因と報告された．

【病態】

骨芽細胞の分化・増殖を制御する遺伝子である*TGFB1*は骨基質内に多く蓄積されており，その変異により主に長管骨の膜性骨化が過剰に亢進することで四肢の骨痛が生じる．幼児期では筋肉痛様の四肢の疼痛，筋力低下や易疲労性が主な症状であるが，思春期から成人にかけては長管骨の骨幹部に骨痛が出現する．重症例では成人後に頭蓋骨の骨硬化のため神経孔狭窄を生じ，難聴やめまいなどの脳神経麻痺症状が生じる．

診断のポイント

幼児期に発症する四肢の疼痛，筋力低下，易疲労性と，それらに伴う歩容異常が主な症状である．食思不

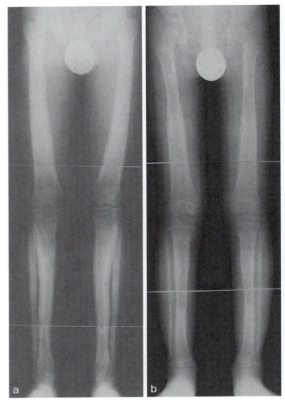

図7-30　Camurati-Engelmann病の家系内発症
a：父（36歳），b：子（5歳）．

振が続くことがあり，痩身であることも多い．家系内に同様の症状を有する者がいないか問診も重要である．思春期以降では非外傷性の骨幹部痛に加え，難聴やめまいなどの脳神経麻痺症状がないか診察する．単純X線検査では左右対称性にみられる長管骨骨幹部の骨硬化と，時に紡錘状にもなる著明な横径肥大が特徴的である（図7-30）．骨シンチグラフィーで著明な高集積が長管骨にみられる．診断確定には*TGFB1*遺伝子変異の検索を行う．

治療方針

確立された治療法はない．幼児期の疼痛に対する鎮痛薬投与は無効で，症状に応じた活動制限と適度な運動による筋力の維持を行う．思春期以降の骨痛に対してはステロイド（プレドニゾロン）の経口投与が有効であるが，投与量や投与期間については年齢や症状に応じて判断する．

皮膚骨膜肥厚症

Pachydermoperiostosis

内川 伸一　三島東海病院〔静岡県三島市〕

【疾患概念】　1868年にFriedreichにより提唱された遺伝性疾患で，肥大性骨関節症のうち約5%を占めるとされる原発性肥大性骨関節症を指す．

【頻度】
発生頻度は1万人中16人．性差は7：1で男性に多く，思春期発症が多い．

【臨床症状または病態】
手足の太鼓ばち指，長管骨の骨膜性骨肥厚，皮膚肥厚を3徴とする．また脂漏症，多汗症を合併することが多く，脳回転状頭皮，手足の肥大，関節痛，関節腫脹，眼瞼下垂，低カリウム血症，リンパ浮腫，非特異性多発性小腸潰瘍がみられることもある．病態としてPGE2の輸送蛋白質に関連する遺伝子である*SLCO2A1*や，PGE2代謝酵素に関連する遺伝子である*HPGD*の変異により，血中および尿中のPGE2濃度が上昇することが原因と考えられている．

問診で聞くべきこと
家族歴および心疾患，肺疾患などの既往の有無を聴取する．

診断のポイント
単純X線像で長管骨に左右対称な骨膜性骨肥厚を認め，膝関節や足関節に関節痛を伴う場合は本症を疑うべきである．末端肥大症や二次性肥大性骨関節症と間違われやすいが，下垂体腺腫，ホルモン異常，心疾患，肺疾患，悪性腫瘍などの既往がないことで鑑別する．単純X線で対称性に類似の像を呈するCaffey病，ビタミンA過剰症，骨形成不全症5型，Camurati-Engelmann病などとは臨床症状から鑑別する．また皮膚科医にも精査を依頼することが重要である．

治療方針
治療法は対症療法のみである．関節痛や腫脹の改善目的にステロイド，NSAIDs，コルヒチンなどの薬剤が用いられるが，近年はPGE2の生成を抑制する目的で，選択的COX-2阻害薬なども試みられている．顔面皮膚肥厚，眼瞼下垂や脳回転状頭皮には形成外科的手術が行われる．

患者説明のポイント
成人期になっても症状の進行を認めることがあるため，定期的通院を指示する．

骨形成不全症と骨密度低下を示すグループ

Osteogenesis imperfecta and decreased bone density group

骨形成不全症

Osteogenesis imperfecta

芳賀 信彦　国立障害者リハビリテーションセンター自立支援局長〔埼玉県所沢市〕

【疾患概念】　骨形成不全症は骨脆弱性と易骨折性を示す骨系統疾患の1つであり，国際分類では「骨形成不全症と骨密度低下を示すグループ」に含まれている．骨脆弱性と易骨折性は運動器系の多様な症状につながり，移動機能を中心とした日常生活活動が障害される．骨脆弱性の重症度には広い幅があり，生涯に数度しか骨折せず日常生活を普通に送るものから，新生児期から骨折を繰り返し立位・歩行に至らないものまである．

【頻度】
統計により異なるが，2万〜4万出生に1人の発生率とされている．出生後早期の死亡例を含めると，頻度はより高いと考えられる．

【病型・分類】
2019年版の骨系統疾患国際分類では，表現型に基づくSillence分類の1〜4型に5型を加えて骨形成不全症を分類している（表7-5）．1型は永続的な青色強膜を示し，骨変形の進行が少なく比較的軽症とされている．2型は最重症で周産期致死であることが多い．3型は乳児期を超えて生存するなかでは最も重症の型で，歩行を獲得することは少なく，呼吸器合併症などで30歳代までに死亡することもある．小児期は青色強膜を示すが成長とともに青色が目立たなくなる．4型の重症度は中等度で，強膜は一般的に正常（白色）である．5型は前腕骨の骨間膜石灰化と骨折後などの過形成仮骨を伴う特殊な型である．

1型と5型は常染色体優性遺伝，2〜4型は常染色体優性または劣性遺伝形式をとる．1〜4型では1型コラーゲン遺伝子（*COL1A1*，*COL1A2*）の変異が知られるが，2〜4型ではほかにも多くの原因遺伝子が知られている．3〜5型では*IFITM5*（*interferon-induced transmembrane protein 5*）のヘテロ変異が見出されている．

【臨床症状または病態】
骨脆弱性と易骨折性が主たる臨床症状である．1型コラーゲン遺伝子の変異による骨形成不全症では，2

7 骨系統疾患，代謝性骨疾患

表 7-5　骨系統疾患国際分類における骨形成不全症の分類

Type	疾患名	遺伝形式	遺伝子	注釈
1 型	骨形成不全症，非変形型	常染色体優性	COL1A1, COL1A2	永続的な青色強膜を有する型
2 型	骨形成不全症，周産期重症型	常染色体優性・劣性	COL1A1, COL1A2, CRTAP, LEPRE1, PPIB	
3 型	骨形成不全症，変形進行型	常染色体優性・劣性	COL1A1, COL1A2, IFITM5, SERPINF1, CRTAP, LEPRE1, PPIB, SERPINH1, FKBP10, TMEM38B, BMP1, WNT1, CREB3L1, SPARC, TENT5A	
4 型	骨形成不全症，中等症型	常染色体優性・劣性	COL1A1, COL1A2, WNT1, IFITM5, CRTAP, PPIB, FKBP10, SP7	強膜は一般的に正常
5 型	骨間膜石灰化・過形成仮骨を伴う骨形成不全症	常染色体優性	IFITM5	

本の α1 線維と 1 本の α2 線維が 3 重らせん構造を構成する 1 型コラーゲンの量的・質的な異常を生じ，骨強度が低下する．骨脆弱性と易骨折性により四肢や脊柱の変形，体幹短縮型の低身長を呈する．関節痛や背部痛のほか，臨床的に明らかでない微細な骨折によると思われる骨痛を訴える場合もある．骨折や骨痛による固定や荷重制限は，さらに骨萎縮の進行を助長し，悪循環を形成する．骨折の頻度は思春期以降に低下するが，女性では閉経後に頻度が上昇する．結合組織の異常のため関節弛緩性を示し，四肢・脊柱の変形と相まって関節症の進行につながる．一部の患者では運動器以外の症状として，青色強膜，歯牙形成不全，難聴，大動脈弁逆流などの心大血管病変を呈する．体幹の短縮や脊柱変形が強い場合には，拘束性呼吸障害につながることがある．

問診で聞くべきこと

診断のために，家族歴として骨折歴のほか，青色強膜や難聴の有無を聴取する．既往歴としては骨折歴のほか，運動発達や聴力障害，歯科的管理の状況も確認しておく．

必要な検査とその所見

(1) 単純 X 線

全身の骨で骨萎縮を示すが，本疾患では膜性骨化が障害されるので，長管骨は骨幹部を中心に横径が小さく，骨皮質が薄い（図 7-31）．3 型では乳児期に長管骨幹部の横径が太く骨皮質が薄い状態から，徐々に骨幹部の横径が小さくなっていく．また骨幹端部と骨端部にポップコーン様の石灰化を認める．5 型では前腕骨の骨間膜に石灰化を認め，前腕の回旋が制限される．いずれの病型でも長管骨の長さは比較的保たれるが，繰り返す骨折や変形で短くなることも多い．脊椎は椎体の高さが減少するため，体幹短縮となる．頭蓋骨の骨化は障害され，頭蓋冠に Wormian bone とよばれ

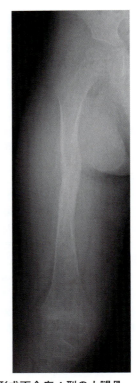

図 7-31　骨形成不全症 4 型の大腿骨
骨幹部には骨折後の変化があるが，全体に骨萎縮があり，骨幹部の横径は減少し骨皮質が薄い．

るモザイク状の変化を示し，重症型では頭蓋冠の骨化がみられないこともある．

(2) 血液検査・遺伝子検査

臨床所見，X 線所見からのみで診断に苦慮する場合などに，血液検査や遺伝子検査が行われる．

鑑別診断で想起すべき疾患

易骨折性を示す骨系統疾患は多いが，骨密度が低下するものとして若年性特発性骨粗鬆症，Bruck症候群，Cole-Carpenter骨異形成症などがある．低ホスファターゼ症は骨の低石灰化，くる病様変化を呈するため，特に新生児期に鑑別が必要で，血清ALP値の低値が特徴的である．虐待による多発骨折との鑑別は慎重に行う必要がある．

診断のポイント

①骨折を繰り返す小児では，本疾患をまず疑う．
②関節弛緩，青色強膜，歯牙形成不全などの臨床所見を参考にする．
③単純X線所見では特徴的な所見を示すため，頭蓋骨を含め一度は全身を撮影する．

専門病院へのコンサルテーション

骨折の初期治療は通常の小児と大きく変わらず，保存療法が第一選択となる．重症と考える場合，骨折を繰り返す場合には，薬物療法，手術療法を検討するために専門病院へコンサルトするのがよい．

治療方針

1▶保存療法

新鮮骨折に対しては，ギプス固定などの保存療法が第一選択になる．固定期間が長くなると骨萎縮から再骨折のリスクが高くなるので，固定期間は最小限とし，可能な範囲で荷重などを早期から許可していく．四肢の骨折を繰り返すが変形があまり強くなければ，装具療法を行うことがある．脊柱変形に対する装具療法は，胸郭変形を引き起こすリスクがあるとされ，慎重に判断すべきである．移動機能の向上を目指したリハビリテーションは重要であるが，骨折の発生には常に注意が必要であり，水中での訓練などが推奨される．

2▶手術療法

四肢の骨折を繰り返し変形が生じている場合，骨切りによる変形矯正と髄内釘固定が選択肢となる．骨切りは複数部位で行う必要があることが多く，髄内釘には内筒と外筒から構成される伸長可能なものを用いることがある．小児患者では骨切り術後の骨癒合は順調であることが多いが，ビスホスホネート治療を受けている場合や成人患者では，骨癒合が遷延することがあり注意を要する．脊柱変形に対して手術が行われるが，手術適応は確立していない．成長途中ではgrowing rodなどを用いた手術，成長終了後は通常のinstrumentationによる手術を行うが，骨脆弱性に十分配慮し慎重に行う．成人の変形性関節症に対する人工関節置換術の報告もあるが，骨脆弱性，関節弛緩性に配慮する必要があり，確立された治療法ではない．

3▶薬物療法

小児の骨形成不全症では，パミドロン酸二ナトリウムが保険適応になっており，年齢と体重により定められた用量と間隔で，3日間連続で点滴静注する．3歳以上では1.0 mg/kgを1日1回4時間以上かけて3日間連続で点滴静注し，4か月間隔で投与を繰り返す．この治療法では，骨密度の上昇，骨折頻度の低下，運動機能の上昇，慢性痛や疲労感の減少といった効果が報告されている．乳幼児期からのパミドロン酸二ナトリウム投与により，側弯変形の進行が抑制されるとの報告がある．成人でもビスホスホネート製剤を含む各種の骨粗鬆症薬が試みられている．

4▶幹細胞移植

重症骨形成不全症の幼児に対する同胞からの同種骨髄移植で，身長と全身骨密度が増加したとの報告に続き，ヒト胎児肝臓より抽出し分離した間葉系細胞を胎児の臍静脈に投与し，全身の骨密度が増加したとの報告が海外からあるが，現時点では十分に確立した治療法ではない．

若年性特発性骨粗鬆症

Idiopathic juvenile osteoporosis

藤澤　佑介　東京大学医学部附属病院(小児科)

【疾患概念】　若年性特発性骨粗鬆症(idiopathic juvenile osteoporosis；IJO)は思春期前の健康な小児に発症するまれな疾患であり，Dentらによって1965年に初めて報告された．全身性の骨密度低下により，椎体や長管骨の病的骨折をきたす．思春期発来後数年の回復期を経て自然に軽快するself-limitingな経過を特徴とするが，一部には脊椎側弯や胸郭の変形などの永続的な後遺症を残す例もあり，成人期にも易骨折性をきたした報告もある．

若年性特発性骨粗鬆症の病因は明らかになっていない．血清Ca，P，ALPは通常正常であるが，Caのin-outバランスが発病初期には負に，回復期には正になっているという報告や，1,25-$(OH)_2$Dの低下との関連性の報告，カルシトニンの低下が関与しているという報告などがある．臨床経過と思春期との関連からはゴナドトロピンやエストロゲン，テストステロンをはじめとしたホルモン分泌の変化が発症に関与していることが示唆されるが，疾患と特定のホルモンとの関連については不明である．

易骨折性をきたす若年性特発性骨粗鬆症の患者に対して，ビスホスホネートによる治療が有効であるとの

報告が複数なされている．性ホルモンやカルシトニンなどのその他の治療については，いずれも確たる有用性は報告されていない．Baroncelli らは若年性特発性骨粗鬆症の患者9人を対象にパミドロン酸二ナトリウム（pamidronate）の治療効果を検討するRCTを行い，pamidronate による治療群と非治療群とを比較して，治療群において有意に骨密度の上昇と骨折率の低下を認め，回復期の開始を早めたことを報告している．

臨床症状
四肢の痛みや背部痛を認め，重症例では痛みや近位筋の筋力低下により歩行困難を認める．骨強度が低下しており，軽微な外力によって骨折を生じる．脊椎の魚椎変形・圧迫骨折，長管骨では四肢骨幹端付近の骨折を認める．急性期には椎体骨折や側弯などにより成長障害を認めることがあるが，多くは症状の改善とともに正常化する．

問診で聞くべきこと
骨折の既往やその受傷機転などについて詳細に確認する．本疾患の診断は除外診断によってなされるため，骨形成不全症をはじめとする遺伝性疾患を疑う家族歴がないかどうかを聴取する．また発熱，急激な体重の変化，動悸，発汗，多飲多尿，下痢などの内分泌疾患や慢性疾患，悪性疾患を示唆するような症状について聴取する．その他，普段のADLや内服薬の有無についても確認する．小児の骨折では常に虐待の可能性も念頭におく．

必要な検査とその所見
①単純X線：胸椎，腰椎2方向（前後，左右），股関節正面を基本に撮影し，加えて疼痛部位の撮影を行い，骨折の有無，骨粗鬆症化を診断する．本症では脊椎椎体や長管骨での骨折および骨量減少を認める．

②骨量測定：DXAなどによる骨塩定量を行い，本症では低骨塩量（低骨密度）を示す．小児では骨密度は年齢，体格を考慮した基準値と比較して評価する．

③血液検査：本症では特異的な異常は認めない．骨代謝マーカーでは骨吸収マーカーが高値を示す．

④その他：骨生検による組織形態学的測定では，骨形成および骨吸収の状態を静的および動的な指標により評価することが可能であるが，侵襲性が高いため実際的ではない．Bacchetta らは骨生検を用いた測定と quantitative computed tomography（QCT）での解析結果には相関がみられると報告しており，患者の診断やフォローアップにおいて QCT が有用である可能性がある．

鑑別診断で想起すべき疾患
骨形成不全症では長管骨骨幹部に骨折を認めることが多い．易骨折性の家族歴に加え，青色強膜，歯の異常，難聴などの有無に注意する．Marfan 症候群，Ehlers-Danlos 症候群では水晶体亜脱臼，心血管系の異常，関節の過伸展などが重要である．必要に応じて遺伝子検査を行う．副甲状腺機能亢進症，甲状腺機能亢進症，糖尿病，Cushing 症候群などの内分泌疾患でも易骨折性をきたすことがあるため，身体所見や血液検査などでこれらを示唆する異常がないか確認する．その他，慢性腎臓病，炎症性腸疾患などの慢性疾患や悪性腫瘍，ステロイド薬の長期使用，不動，神経性食思不振症，虐待なども，病歴や身体所見などから鑑別する．

診断のポイント
①思春期前の小児において，明らかな外傷歴がない，もしくは軽微な外傷にもかかわらず骨折の既往があること．

②単純X線で椎体の魚椎変形や圧迫骨折，長管骨骨幹端近傍の骨折を認めること．またDXAなどで骨密度の低下を認めること．

③各種検査で内分泌疾患や慢性疾患を疑う所見を認めないこと．

④骨形成不全症をはじめとした遺伝性疾患を疑うような身体所見や家族歴がないこと．

⑤思春期発来後に数年の経過で自然軽快すること．

専門病院へのコンサルテーション
ビスホスホネートによる治療を行う場合には，骨形成不全症などの小児骨粗鬆症に対するビスホスホネート治療の経験が豊富な施設に紹介することが望ましい．

治療方針
若年性特発性骨粗鬆症は，思春期発来後に自然に軽快する self-limiting な疾患であり，基本は保存療法を行う．骨の状態を評価し，適切な装具の選択，リハビリテーションを行う．神経障害をきたしている例や偽関節例では手術療法の検討が必要である．ビスホスホネートによる治療を開始するかどうかは，骨密度や骨折の頻度などの重症度や，年齢，本人・家族の意向などを踏まえて総合的に判断すべきと考えられる．投与を開始する場合，骨形成不全症の診療ガイドラインに準じて pamidronate を年齢に応じた投与量（2歳未満では 0.5 mg/kg/日×3日間を2か月ごと，2歳以上3歳未満では 0.75 mg/kg/日×3日間を3か月ごと，3歳以上では 1.0 mg/kg/日×3日間を4か月ごと，いずれも1日の用量は 60 mg を超えない）で開始し，骨密度が正常化するかもしくは思春期が発来するまで投与を継続し，その後も寛解が維持されるか経過を観察する．治療の開始時期や期間，治療目標については一定の見解はないが，治療終了後に再発した報告もあり，骨密度が正常化し寛解が得られるまで治療を継続する

べきという報告が多い．思春期発来後も症状が持続するようであれば，他の疾患を念頭に精査を行う．

異常骨石灰化グループ
Abnormal mineralization group

低ホスファターゼ症
Hypophosphatasia

坂本 優子　順天堂大学医学部附属練馬病院 准教授

【疾患概念】　組織非特異型アルカリホスファターゼ（TNSALP）の欠損により引き起こされる，遺伝性骨疾患である．単純X線検査で骨の低石灰化やくる病様所見を呈するにもかかわらず，血清ALP値の低下を認めることが本疾患の特徴である．

【臨床病型別の症状】
　生命予後の悪い「周産期重症型」や「乳児型」（呼吸障害・痙攣・くる病様変化），胎児期から長管骨の弯曲などがみられるが生命予後良好な「周産期良性型」，低身長や骨痛が主な症状のため未診断例も多いと考えられている「小児型」や「成人型」，乳歯の4歳未満の脱落や歯周疾患のみがみられる「歯限局型」と，症状は多様である（図7-32）．

▶診断基準
(1) 主症状
　①骨石灰化障害：単純X線所見として骨の低石灰化，長管骨の変形，くる病様の骨幹端不整像．
　②乳歯の早期脱落（4歳未満の脱落）．
(2) 主検査所見
　ALP低値（成長期の小児：300 IU/L 未満）．
(3) 参考症状
　①ビタミンB_6依存性痙攣．
　②四肢短縮，変形．
(4) 参考検査所見
　①尿中ホスホエタノールアミンの上昇（尿中アミノ酸分析の項目にある）．
　②血清ピロリン酸値の上昇．
　③乳児における高カルシウム血症．
(5) 遺伝学的検査
　①確定診断，病型診断のために*TNSALP*遺伝子検

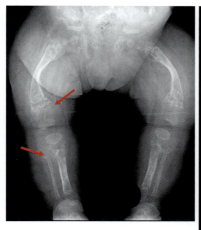
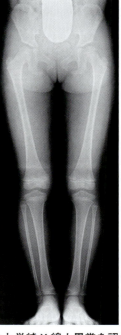

図7-32　典型的な周産期重症型例（左）と単純X線上異常を認めない小児型例（右）

（左図は Whyte MP, et al: Enzyme-replacement therapy in life-threatening hypophosphatasia. New Engl J Med 366: 904-913, 2012 の Supplementary Material 内 S5 より）

7 骨系統疾患，代謝性骨疾患

査を行うことが望ましい．

(6) 参考所見
　①家族歴．
　②両親の血清 ALP 値の低下（妊婦においては，胎盤由来の ALP のため ALP 値が上昇するので注意）．

(7) 確定診断
　主症状1つ以上と血清 ALP 値低値があれば本症を疑い，遺伝子検査（保険適応）を行い確定診断する．

治療法

リコンビナント ALP 酵素補充薬アスホターゼアルファの投与．

治療上の注意

ビスホスホネートは，低ホスファターゼ症患者への投与後に骨症状が悪化し，非定型大腿骨骨折が起こったとの症例報告が複数存在するため，投与は避けるべきである．

患者説明のポイント

病型によって生命予後や QOL 予後が大きく異なる．無症状の保因者への説明を含めて，遺伝カウンセリングなど専門医に協力を仰ぐことを勧める．

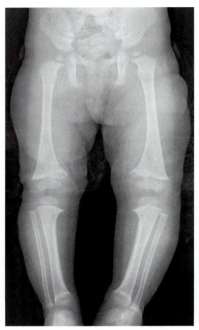

図 7-33　低リン血症性くる病

低リン血症性くる病

Hypophosphatemic rickets

坂本　優子　順天堂大学医学部附属練馬病院 准教授

【疾患概念】　小児期に，成長軟骨板や類骨にカルシウム・リンの沈着障害が生じる「くる病」のうち，腎尿細管におけるリン再吸収の異常により，尿中リン排泄が増加し，血清リン濃度が低下することを原因とするもの．遺伝性の 90% 以上は，*PHEX* 遺伝子異常による X 連鎖性低リン血症性くる病（XLH）である．非遺伝性のものは，FGF 23（fibroblast growth factor 23）産生腫瘍による腫瘍性骨軟化症（TIO）や薬剤による尿細管機能異常である．

【症状】　ほかのくる病と違いはないが，年長児になってから X 脚などの下肢変形や弯曲をきたすことは，ビタミン D 欠乏性くる病では少ない．成人の無治療例や治療中断例では，腱付着部の石灰化や関節変形，疲労骨折様の偽骨折や骨痛を認める．中年以降に，後縦靱帯骨化症を合併することが多い．

問診で聞くべきこと

低身長・下肢変形などの家族歴の有無．ビタミン D 欠乏性くる病との鑑別のため，日光曝露不足や極端な偏食・アレルギーがないかどうか尋ねる．

診断のポイント

単純 X 線ではそのほかの「くる病」と鑑別できない（図 7-33）．血液検査項目では，どのくる病でも ALP は異常高値（1,000 IU/L 以上）となるが，ビタミン D 欠乏性くる病と異なり，1歳から小児期ではリン 4.0 mg/dL 未満，intact PTH 正常もしくは軽度上昇を示す．保険適応となった FGF 23 測定ではビタミン D 欠乏性くる病と異なり 30〜40 pg/mL 以上の高値になる．ただし，25(OH)D の摂取量が少なければ低値となることもある．

治療方針

比較的大量の活性型ビタミン D と経口リン酸製剤（ホスリボン®）が投与されてきたが，2019 年 9 月から本疾患のうち FGF 23 関連のもの（XLH や TIO）は抗 FGF 23 抗体ブロスマブが使用できるようになった．治療は，小児内分泌専門家の手に委ねることが望ましい．治療が適切に行われても生じてしまう下肢変形や偽骨折に対しては，外科的治療が必要なこともある．

表 7-6　ムコ多糖症各型の臨床症状

	精神運動発達遅滞	角膜混濁	骨変形	関節症状	特徴的顔貌	肝脾腫	臍・鼠径ヘルニア	その他の合併症
ムコ多糖症Ⅰ型（Hurler 症候群）	(−)～(#)	(#)	(+)～(#)	(#)	(+)～(#)	(#)	(#)	中耳炎，心弁膜症，睡眠時無呼吸，脳室拡大
ムコ多糖症Ⅱ型（Hunter 症候群）	(−)～(#)	(−)	(+)～(#)	(#)	(+)～(#)	(#)	(#)	中耳炎，心弁膜症，睡眠時無呼吸，脳室拡大
ムコ多糖症Ⅲ型（Sanfilippo 症候群）	(#)	(−)	(−)～(+)	(−)～(+)	(+)	(+)	(+)	痙攣発作，睡眠障害，脳室拡大
ムコ多糖症Ⅳ型（Morquio 症候群）	(−)	(#)	(#)	(#)	(+)～(+)	(+)	(+)	難聴，睡眠時無呼吸
ムコ多糖症Ⅵ型（Maroteaux-Lamy 症候群）	(−)	(#)	(#)	(#)	(+)～(#)	(#)	(#)	中耳炎，心弁膜症，睡眠時無呼吸

（−）：症状を呈さない，（+）～（#）：症状が軽度～重度

骨変化を伴うリソソーム蓄積症（多発性異骨症グループ）

Lysosomal storage disease with skeletal involvement (Dysostosis multiplex group)

ムコ多糖症

Mucopolysaccharidoses

小須賀 基通　国立成育医療研究センター 診療部長（遺伝診療科）〔東京都世田谷区〕

【疾患概念】　細胞内小器官の1つであるリソソームには 50 種類以上の加水分解酵素が存在し，細胞内のさまざまな物質を分解して細胞の恒常性を維持する働きがある．ムコ多糖症は，リソソーム内でムコ多糖の分解にかかわる酵素の異常を原因とする，先天代謝異常症である．ムコ多糖はアミノ糖とウロン酸から構成される多糖体であり，デルマタン硫酸（DS），ヘパラン硫酸（HS），ケラタン硫酸（KS），コンドロイチン硫酸（CS），ヒアルロン酸などに分類される．これらのムコ多糖は生体内では全臓器に広く分布しており，特に結合組織，軟骨，神経組織などに多く存在する．ムコ多糖症ではこれらの組織に未分解のムコ多糖が過剰蓄積することにより臓器障害が引き起こされる．DSの過剰蓄積は，骨・関節・心弁膜症状，HS は中枢神経症状，KS は軟骨異常と関連する傾向がみられる．

【病態】　ムコ多糖症は欠損酵素と代謝経路により 7 型に分類されており，それぞれの病型において蓄積するムコ多糖の種類や障害される組織および臓器が違ってくるため，臨床像や予後は異なっている（表 7-6）．また同一の病型の患者間でも，残存する酵素活性の違いにより，症状の出現時期や進行速度などの重症度には個人差が生じる．世界的にはムコ多糖症の発症頻度は，出生 10 万人に 1 人程度と報告されている．わが国での頻度は出生 30 万～40 万人に 1 人とされ，患者数は 300 人前後である．ムコ多糖症患者全体のうち約 6 割がⅡ型（Hunter 症候群）である．ムコ多糖症は遺伝性疾患であり，Ⅱ型は X 連鎖性劣性遺伝，他は常染色体劣性遺伝である．

①Ⅰ型（Hurler 症候群）とⅡ型はともに DS と HS の過剰蓄積が生じ，比較的類似した病態をとり，低身長，特徴的な顔貌，関節拘縮，骨変形，肝脾腫，心弁膜症，臍・鼠径ヘルニア，反復性中耳炎，精神運動発達遅滞などが認められる．Ⅰ型では角膜混濁も認める．重症例では急速に進行する中枢神経症状，呼吸障害，骨変形，心弁膜症を呈して，10 歳前後で死に至るが，軽症例では精神運動発達遅滞を呈さず，緩徐に進行する軽度の関節拘縮，骨変形や心弁膜症を呈するのみである．

②Ⅲ型（Sanfilippo 症候群）は関節拘縮，骨変形，肝脾腫などは軽微で目立たず，HS の蓄積による重度の進行性精神運動発達遅滞が特徴である．幼児から学童期より神経退行が始まり，10～20 歳代で寝たきり，呼吸不全となり死亡する．

③Ⅳ型（Morquio 症候群）は KS の蓄積がみられ，重度の骨変形（鳩胸，外反膝，側弯，後弯など）が主症状である．角膜混濁もみられる．精神運動発達遅滞は認

めない．椎骨変形による脊髄圧迫や頚椎脱臼が生命予後を左右する．

④Ⅵ型（Maroteaux-Lamy症候群）はⅠ型に類似し，骨変形，関節拘縮，角膜混濁，肝脾腫，心弁膜症などを認めるが，精神運動発達遅滞を認めない．

⑤Ⅶ型（Sly病）とⅨ型はきわめてまれである．

必要な検査とその所見

①**単純X線**：単純X線所見でdysostosis multiplex（多発性異骨症）とよばれる以下のような本症特有の骨変化がみられる〔分厚い頭蓋冠，オール状肋骨，下位胸・腰椎体の変形（楔状変形，下縁突出），脊椎後弯，大腿骨頭の低形成，外反股，不整形の腸骨翼，長管骨骨端部の変形・低形成，指趾骨の弾丸状変形，中手骨近位端の狭細化など〕．これらの骨変化が同時にみられた場合は本症を疑う．

②**尿中ムコ多糖分析**：患者では尿中にムコ多糖（ウロン酸）が過剰排泄しており，正常の数倍から十倍以上に増加している．また本来，尿中に排泄されるムコ多糖の約8割がCSであるのに対し，ムコ多糖症患者ではCSの割合が低下し，DS，HS，KSなどの割合が増加している．

③**酵素活性測定**：臨床症状と尿中ムコ多糖分析から，ムコ多糖症が疑われた場合，確定診断のためにリソソーム酵素活性を測定する．患者では低値もしくは測定感度以下となる．一般の血液検査や尿検査では異常値を呈さない．

④**遺伝子検査**：ムコ多糖症のリソソーム酵素蛋白の遺伝子異常を証明することでも診断可能である．特に保因者診断や出生前診断には遺伝子検査が必要である．

診断のポイント

①本症は進行性・全身性の疾患であり，徐々に多発的な症状が出現し進行していく．新生児期には広範な蒙古斑と臍・鼠径ヘルニア以外は目立った症状がない．幼児期以降に特徴的な顔貌，精神運動発達遅滞，関節拘縮，骨変形，反復性中耳炎，肝脾腫（腹部膨満）などの症状が複数同時にみられた場合は本症を疑う．

②軽症のⅠ，Ⅱ型とⅣ，Ⅵ型は知的障害を呈さず，低身長，関節拘縮，骨変形や軽度の弁膜症のみを主訴とするため，学童期や成人期まで診断されないこともある．

③本症に合併する関節・骨症状は特徴的である．幼児期から遠位指節間関節（DIP）の関節拘縮がみられ，いわゆる鷲手となる．自発痛，圧痛，熱感は伴わない．成長に伴い，肘・肩・膝・股関節の関節可動域の制限，椎体変形による亀背や突背による姿勢異常がみられる．軽症型では頚椎変形による脊髄圧迫症状や手根管症候群もみられる．易骨折性はない．

専門病院へのコンサルテーション

本症は症状が多岐にわたるので，小児科，耳鼻咽喉科，眼科，整形外科，心臓血管外科，リハビリテーション科などの関連各科が連携して，合併症の精査および治療を行う．全身麻酔の際，開口障害や上気道狭窄による挿管・抜管困難や挿管の操作による頚髄損傷などの可能性があるため，手術時には麻酔科医と事前の術式検討，合併症の情報共有が重要である．

治療方針

1 ▶ 対症療法

慢性中耳炎や難聴には鼓膜チューブ挿入や補聴器装着が行われる．重度の睡眠時無呼吸発作に対しては扁桃・アデノイド切除や経鼻的持続陽圧呼吸療法（continuous positive airway pressure；CPAP）が適応となる．水頭症には脳室腹腔シャントが，進行した心弁膜症には弁置換術などの外科的治療が行われる．脊椎形成不全・変形による脊髄圧迫症状や手根管症候群には，整形外科による手術療法が必要となる．関節拘縮にはリハビリテーションが主体となる．手術の適応に関しては，全身麻酔が可能で知的障害がないもしくは軽度であり，手術によりQOLや生命予後の十分な改善が得られるかの検討が必要である．

2 ▶ 造血幹細胞移植

造血幹細胞移植により，Ⅰ型，Ⅱ型およびⅥ型では尿中ムコ多糖排泄の正常化，肝脾腫の縮小，関節拘縮の改善，心弁膜症の進行抑制，粘膜の肥厚や気道感染の改善，伝導性難聴の改善などを認める．しかし骨変形やIQ/DQの改善，精神運動発達遅滞の進行を防ぐことは困難である．Ⅲ型とⅣ型では効果はほとんど認められていない．生着不全・移植片対宿主病などのリスクがあるため，造血幹細胞移植の適応は病型，年齢，重症度などを考慮して専門医と相談して決定することが望ましい．

3 ▶ 酵素補充療法

酵素補充療法は，遺伝子組換え技術により合成された酵素製剤を点滴静注により定期的に投与し，欠損している酵素を補充する治療法である．現在，ムコ多糖症に対する酵素製剤は，Ⅰ型にラロニダーゼ（アウドラザイム®），Ⅱ型にイデュルスルファーゼ（エラプレース®），ⅣA型にエロスルファーゼ アルファ（ビミジム®），Ⅵ型にガルスルファーゼ（ナグラザイム®）が承認されている．酵素補充療法により，呼吸機能の改善，肝臓・脾臓サイズの正常化，皮膚・関節拘縮の軽減などの効果が認められるが，血流が豊富でない角膜・骨や血液脳関門が存在する中枢神経系への治療効果は芳しくなく，また進行した症状の改善も期待できない．点滴静注による投与のため，手技は簡便であり

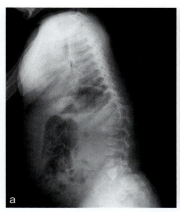
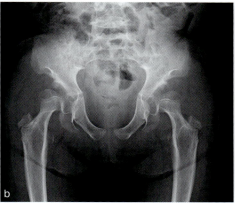
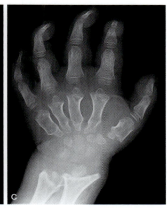

図7-34　ムコ脂質症やムコ多糖症Ⅰ型にみられる単純X線所見（dysostosis multiplex）
a：オール状肋骨，下位胸・腰椎体の楔状変形・下縁突出，脊椎後弯がみられる．
b：大腿骨頭の低形成，外反股，不整形の腸骨翼，長管骨骨端部の変形・低形成がみられる．
c：指趾骨の弾丸状変形，中手骨近位端の狭細化，橈骨・尺骨遠位端の変形がみられる．

比較的安全であるが，週1回の点滴静注を一生涯必要とし，投与時にアレルギー反応を認めることがある．

ムコ脂質症

Mucolipidosis

小須賀 基通　国立成育医療研究センター 診療部長（遺伝診療科）〔東京都世田谷区〕

【疾患概念】　ムコ脂質症は，ムコ多糖代謝異常症（ムコ多糖症）と糖脂質代謝異常症（スフィンゴリピドーシス）の双方の症状を呈する先天代謝異常症として命名された．ムコ脂質症Ⅱ型（ML2）およびⅢ型（ML3）の原因は，細胞内で生成されたリソソーム酵素に糖鎖修飾を行う，N-アセチルグルコサミン-1-リン酸基転移酵素の活性欠損もしくは低下である．糖鎖修飾をされないリソソーム酵素は，リソソーム内に取り込まれることができないため，結果的にリソソーム内ではほとんどのリソソーム酵素が欠乏した状態となり，未分解の糖脂質や糖蛋白が過剰蓄積する．従来は臨床症状から重症型をMLⅡ，軽症型をMLⅢと分類していたが，近年，原因遺伝子の解明により，重症度と遺伝子変異を組み合わせて命名することが提唱されている．またMLⅡは培養線維芽細胞の細胞質に多数の封入体（inclusion body）が認められたことから，inclusion-cell diseaseすなわちI-Cell（アイセル）病ともよばれる．

【病態】　MLⅡは，乳児期からムコ多糖症Ⅰ型に類似した特徴的な顔貌，低身長，関節拘縮，角膜混濁，心弁膜症，精神運動発達遅滞，肝脾腫，特異的な単純X線所見（多発性骨形成不全）などを認め，循環器・呼吸器の合併症により10歳以前に死亡する．軽症型はMLⅢと診断され，発症年齢や病状の進行はMLⅡより緩徐であり，成人期まで生存する例もある．しかしながらムコ脂質症の臨床像は，軽症型から重症型まで連続した臨床型スペクトラムをとるため，厳密な分類は困難である．

必要な検査とその所見

①単純X線：ムコ多糖症のdysostosis multiplexとよばれるX線所見によく似た骨変化がみられる（図7-34）．

②臨床検査：尿中ムコ多糖（ウロン酸）定量値は正常か軽度上昇であり，ムコ多糖症と異なり，明らかな過剰排泄や定性の異常は示さない．

③酵素活性測定：血清もしくは血漿とリンパ球における，数種類のリソソーム酵素活性の測定を行う．血清や血漿中のリソソーム酵素活性値は基準値の数倍から数十倍に増加するが，リンパ球中では酵素活性値は軽度の上昇もしくは正常である．培養線維芽細胞の上清と線維芽細胞中のリソソーム酵素活性値でも，同様の結果が得られる．

④遺伝子検査：ムコ脂質症の責任遺伝子である，*GNPTAB*遺伝子の変異を証明することでも診断可能である．病型判定，保因者診断や出生前診断には遺伝子検査が必要である．

診断のポイント

臨床症状からムコ多糖症が疑われるが，尿中ムコ多糖定量値が増加しておらず，ムコ多糖症が否定的な場合は本症を疑う．

7 骨系統疾患，代謝性骨疾患

専門病院へのコンサルテーション

ムコ多糖症と同じく本症は症状が多岐にわたるため，小児科，耳鼻咽喉科，眼科，整形外科，心臓血管外科，リハビリテーション科などの関連各科が連携して，合併症に対する精査および治療を行う．

治療方針

本症に対する根治的治療法はなく，対症療法のみである．慢性中耳炎や難聴には，鼓膜チューブ挿入や補聴器装着が行われる．重度の睡眠時無呼吸発作に対しては，扁桃・アデノイド切除や経鼻的持続陽圧呼吸療法（continuous positive airway pressure；CPAP）が適応となる．進行した心弁膜症には弁置換術などの手術療法が行われる．脊椎形成不全や変形による脊髄圧迫症状，手根管症候群には整形外科的手術が必要となる．水頭症には脳室腹腔シャントが行われる．

骨格成分の発生異常グループ
Disorganized development of skeletal components group

多発性軟骨性外骨腫症
Multiple cartilaginous exostoses

滝川 一晴　静岡県立こども病院 医長〔静岡市葵区〕

【疾患概念】 四肢長管骨や短管骨の骨幹端部に，軟骨帽を伴う外骨腫（組織学的には骨軟骨腫）が多発する疾患である．鎖骨や肋骨，腸骨にも外骨腫は生じやすい．常染色体優性遺伝形式をとるが，孤発例も多い．ヘパラン硫酸の合成酵素である *exostosin*（*EXT*）が原因遺伝子として同定されている．

【頻度】

少なくとも5万人に1人の発生頻度といわれている．

【病型・分類】

男性が女性より重症な表現型を示すことが多い．また，単純X線により橈尺骨遠位の外骨腫と短縮の有無で重症度を評価する谷口分類（Ⅰ群：前腕非罹患，Ⅱ群：外骨腫は前腕遠位に存在するが変形・成長障害はないもの，Ⅲ群：前腕遠位に外骨腫が存在し，かつ変形・成長障害があるもの）が有用である．発症年齢，病変箇所，身長について3群間に有意差がある（Ⅰ群が軽症型，Ⅲ群が重症型）ことが報告されている．

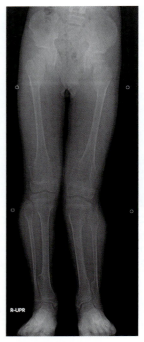

図 7-35　多発性軟骨性外骨腫症（谷口分類Ⅲ群．13歳，男性）

両大腿骨，脛腓骨の骨幹端部に多発する外骨腫と著明な左外反膝および足関節外反を認める．

【臨床症状】

幼少期に腫瘤で発症する．腫瘤は性別や部位により異なるが，成長終了まで増大傾向を示す．主な症状は，腫瘤，関節可動域制限，変形，疼痛，末梢神経麻痺である．前腕，下腿は2本の骨があり，two bone problems といわれ，外反手，外反膝，足関節外反を生じやすい（図 7-35）．

問診で聞くべきこと

孤発例も多いが，常染色体優性遺伝の疾患であるため，家族歴を必ず聴取する．上記の症状や部位について確認する．

必要な検査とその所見

上記のように橈尺骨遠位の外骨腫と変形の有無を確認することが重要なため，手関節正面の単純X線撮影を行う．膝周囲は好発部位であり，また下肢の malalignment も生じやすいため，全下肢正面立位X線像も評価する．

鑑別で想起すべき疾患

①Metachondromatosis：外骨腫と内軟骨腫が両方存在する疾患．外骨腫は多発性軟骨性外骨腫症と異なり骨端方向に大きくなりやすいのが特徴である．

②毛髪鼻指節異形成症2型（Langer-Giedion 症候

群）：多発性外骨腫に加えて，細く粗な毛髪，外側が薄い眉毛，洋梨様の鼻，短指（趾）症，哺乳・摂食障害，精神発達遅滞，聴力障害などの特徴がある．

診断のポイント
上記の疾患を除外し，単純X線で四肢長管骨，短管骨の複数箇所に外骨腫が存在すれば診断できる．

専門病院へのコンサルテーション
年齢に応じて適切な時期に手術治療を行うことが重要なため，診断がついた（疑いを含む）時点で専門家に紹介することが望ましい．

治療方針
外骨腫が多発する疾患のため，すべての外骨腫を切除することは現実的でなく，腫瘍そのものが気になる場合や疼痛，関節可動域制限，変形，腫瘍の圧迫により末梢神経麻痺症状を生じた際などに手術治療を行う．

治療法
①切除術：腫瘍そのものが気になる場合や疼痛を生じている場合は，原因となっている部位の外骨腫切除を行う．
②外反手：尺骨延長術（と橈骨遠位矯正骨切り術）の適応がある．
③外反膝，足関節外反：程度が強い例では percutaneous epiphysiodesis with transphyseal screw (PETS) などを用いた部分骨端線閉鎖術による矯正が適応となる．
④末梢神経麻痺：神経を圧迫している外骨腫の切除と神経剥離術を行う．
⑤翼状肩甲：肩甲骨の外骨腫切除術を行う．

合併症と予後
主に成人以降に悪性化することがある．成人以降の腫瘍増大傾向は悪性化の可能性を考える．悪性化は2％未満の症例で生じる．股関節周囲の外骨腫が悪性化しやすいことが知られている．
強い足関節外反変形（約15°以上）は，40歳代以降の変形性足関節症発症の危険因子となることが報告されている．

患者説明のポイント
骨成熟前では性別や年齢により症状は異なり，さらに変化しうることから経年的な診察が必要であることを説明する．主に成人以降の悪性化の可能性についても説明する必要がある．

リハビリテーションのポイント
膝関節周囲の外骨腫切除術後には，膝関節可動域訓練や歩行訓練が必要なことが多い．膝関節可動域の術後拡大は関節形態などから困難なことが多い．

内軟骨腫症，Ollier病

Enchondromatosis, Ollier disease

滝川　一晴　静岡県立こども病院 医長〔静岡市葵区〕

【疾患概念】　四肢長管骨や短管骨の骨幹端部を中心に内軟骨腫（組織学的には骨軟骨腫）が多発する骨系統疾患である．遺伝性はなく散発性である．Ollier病は片側性に多発する内軟骨腫症に対して使用されている用語で，内軟骨腫症と異なる特別な疾患概念ではない．

【頻度】
はっきりしていない．

【臨床症状または病態】
手や足の腫脹，罹患下肢の変形・短縮を生じる．骨脆弱性に起因する病的骨折を生じることもある．内軟骨腫症に多発性血管腫を伴う状態を Maffucci 症候群という（図7-36）．

問診で聞くべきこと
手足の腫脹部位，下肢変形の有無について確認する．また，血管腫の有無についても聴取する．

必要な検査とその所見
単純X線では，管状骨骨幹端部に皮質骨の菲薄化

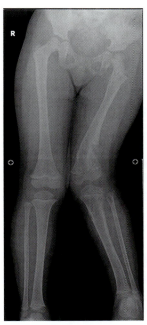

図7-36　Maffucci 症候群（5歳，男児）
左大腿骨近位・遠位，脛・腓骨近位骨幹端部などに多発する内軟骨腫と著明な左外反膝変形および左下肢短縮を認める．前胸部や左手皮下に血管腫を合併している．

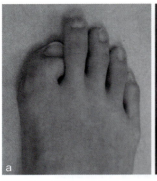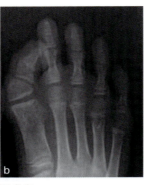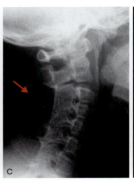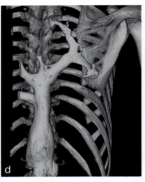

図 7-37　進行性骨化性線維異形成症
生下時より母趾の短縮と外反変形を示し（a：12歳，男児），基節骨および中足骨の変形がある（b）．頸椎は早期に癒合し（c：12歳，女児），進行する異所性骨化による骨性架橋が発生する（d：12歳，男児）．

や時に膨隆を伴う線状や円錐状，楕円状の骨透亮像が多発する．下肢の変形・短縮を生じることもある．上記のように，病変が片側に偏っていることもある．

鑑別で想起すべき疾患
多発性軟骨性外骨腫症，metachondromatosis．

診断のポイント
単純X線像で多発する内軟骨腫像から診断する．

専門病院へのコンサルテーション
特に下肢変形・短縮に対する手術治療は，年齢に応じて適切な時期に介入することが重要なため，診断がついた（疑いを含む）時点で専門家に紹介することが望ましい．

治療方針
病巣掻爬，骨移植術の適応となることはなく，重度の手や足の変形には腫瘍の部分切除を考慮することもある．下肢の変形・短縮に対する治療が主体となる．複数回の手術を必要とすることが多い．

合併症と予後
通常，骨成熟以降に新たな病変は生じない．新たな病変の出現や病変の増大傾向は，悪性化の可能性を考える．悪性化は高率であり，Maffucci症候群では悪性頭蓋内腫瘍を含む骨内・骨外腫瘍の合併率は30%に達する．

患者説明のポイント
悪性化に対する注意が必要であり，定期的な整形外科診療の必要性について十分に説明する．下肢変形・短縮に対する手術治療は複数回必要なことも多く，治療期間も長期化することを説明する．

進行性骨化性線維異形成症

Fibrodysplasia ossificans progressiva (FOP)

中島　康晴　九州大学大学院 教授

【疾患概念】　FOPは小児期より全身の筋肉やその周囲の膜，腱，靱帯などに異所性骨化を起こす遺伝性疾患である．2006年に *ACVR1*（*ALK2*）の変異であることが判明した．常染色体優性遺伝であるが，孤発例が多い．

【臨床症状】
①生下時より母趾の短縮と外反母趾がみられることが多い．
②異所性骨化は2～5歳頃より顕在化し，初発部位は頸部，背部，肩甲部であることが多く，徐々に体幹部より四肢に広がる．
③明らかな誘因がない場合もあるが，外傷，筋肉注射，手術などを契機にflare-upとよばれる熱感や腫脹をきたし，一部は治癒せずに異所性骨化に進行する．
④いったん発生した骨化は不可逆であり，全身の関節可動域制限や開口障害は徐々に進行する．

診断のポイント
生下時より存在する母趾短縮・外反母趾が，早期診断に最も重要な所見である（図7-37a）．幼児期に繰り返す頸部～背部の腫脹，頸部の可動域制限があれば本症を疑う．遺伝子検査にて *ACVR1* の変異が同定されれば確定診断となる．

検査所見
①画像所見：母趾は短い基節骨をもち，中足骨の変形を伴って短縮と外反母趾を呈する．母指も中手骨の短縮をみることが多い（図7-37b）．

②頚椎は比較的早期に骨性癒合を呈し(図7-37c)，胸・腰椎は遅れて椎体間癒合や異所性骨化による骨性架橋を示す(図7-37d).

③遺伝子検査にて骨形成蛋白質BMP-1受容体である*ACVR1*の617G＞Aが最も多い変異である.

専門病院へのコンサルテーション

本症は継続的に経過を観察する必要があり，専門医へ紹介すべきである．本症は厚生労働省難治性疾患克服研究事業の対象である．詳細は進行性骨化性線維異形成症(FOP)に関する調査研究班ウェブサイトを参照いただきたい(http://fop.umin.jp/).

治療方針

現時点で有効な治療法はない．重要なことは可及的早期に診断し，生検などの医療行為による異所性骨化を予防することである．

Marfan症候群

Marfan syndrome

谷口 優樹　東京大学大学院 特任准教授(次世代運動器イメージング学講座)

【疾患概念】　Marfan症候群は，細胞外マトリックスの構成成分の1つである*FBN1*遺伝子変異により生じる常染色体優性遺伝の疾患であり，大動脈基部の拡張や大動脈解離，水晶体脱臼，そして特徴的な筋骨格系の表現型を呈する疾患である．5,000人に1人程度の頻度でみられ，25%程度の症例は孤発例とされる．

診断のポイント

①改訂Ghent基準(2010)に従い，診断を行う．本診断基準では大動脈基部拡大，水晶体偏位の有無，家族歴そして*FBN1*変異の有無に重点がおかれている．その他の特徴的な身体徴候に関しては全身スコアとして合算し，7点以上の場合にも判定根拠とする．

②高身長や細長い手足のほかにも，鳩胸や漏斗胸などの胸郭変形，気胸の既往，外反扁平足，眼裂狭小や下顎の後退，長頭などの特徴的な顔貌，皮膚線条，後弯を伴う脊柱側弯症，腰椎MRIでの硬膜拡張などはMarfan症候群を疑う重要な徴候であり，整形外科医

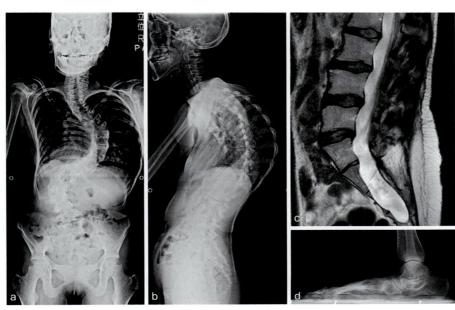

図7-38　Marfan症候群
a，b：14歳，女児．全脊椎単純X線像．強い胸椎後弯を伴う側弯症がみられる．
c：27歳，女性．腰椎単純MRI．仙骨の菲薄化を伴う強い硬膜拡張がみられる．
d：25歳，女性．立位足部側面単純X線像．縦のアーチが消失し，強い扁平足を呈している．

は見逃さないように気をつけなければならない(図7-38).

治療方針

　Marfan症候群を疑った場合には,専門施設や循環器内科への紹介を考慮する.整形外科での治療対象となりうるのは,主に脊柱変形,足部変形,骨粗鬆症である.

　①脊柱変形：軟部組織の弛緩性により変形の進行も速い傾向があり,特発性側弯症よりも早期の治療介入を検討する.Cobb角20°以上の側弯変形が骨成熟前にみられたら装具療法を開始するが,Marfan症候群での装具療法の成績は特発性側弯症の場合よりも不良であると報告されており,最終的に手術療法を要することも少なくない.

　②足部変形：時に非常に強い外反扁平足を呈し,頑強な足部痛の原因となることがある.また足部の外反に伴った膝関節のX脚変形に起因する膝痛をきたすこともある.幼少期よりみられることも多く,早期に足底板を作成し治療介入する.

　③骨粗鬆症：本疾患では高率に骨粗鬆症を呈する.

Marfan症候群の骨粗鬆症治療におけるエビデンスは乏しく,通常の骨粗鬆症に準じた治療を行う.50歳以降の症例では骨密度の評価は必須である.

遺伝性炎症性/リウマチ様骨関節症

Genetic inflammatory/rheumatoid-like osteoarthropathies

進行性偽性リウマチ様骨異形成症

Progressive pseudorheumatoid dysplasia (PPRD)

平良　勝章　埼玉県立小児医療センター　科長〔さいたま市中央区〕

【疾患概念】　進行性の全身の関節拘縮を生じる骨系統疾患の1つである.出生時の異常はなく,発育発達も問題ないが,幼児期から学童期に症状が出現する.

トピックス　進行性骨化性線維異形成症の治療：iPS細胞を用いた創薬研究

　進行性骨化性線維異形成症(fibrodysplasia ossificans progressiva；FOP)は,筋,腱,靱帯といった線維性結合組織内に異所性骨が出現する,非常にまれな遺伝性疾患である.外傷,外科的侵襲,感染などの炎症を惹起するエピソードにより骨化が劇的に進行する,フレアアップと称される現象を特徴とする.2006年に原因変異が,骨形成因子(bone morphogenic protein；BMP)のⅠ型受容体の1つである*ACVR1*(*activin receptor type-1*)遺伝子の経配偶子性点突然変異であることが判明したが,詳細な発症機構は不明であり,有効な治療薬は存在していない.

　このような希少難治性疾患に対して,患者体細胞から樹立した多能性幹細胞であるiPS(induced pluripotent stem)細胞を用いて病態を *in vitro* で再現し,ドラッグスクリーニングを行い,治療薬の開発を目指す研究がさまざまな領域で行われている.そこで筆者らはFOP患者よりiPS細胞を樹立し,異所性骨化過程の重要な段階である,未分化間葉系細胞から軟骨細胞への分化を亢進する因子の探索を行った.その結果,BMPではなくアクチビンAがFOP由来細胞特異的に軟骨分化を促進し,かつFOPモデルマウスを用いた *in vivo* 実験においても異所性骨を形成することが判明した.アクチビンAはTGFβシグナルを伝導する因子であるが,変異ACVR1受容体と結合するとBMPシグナルも同時に伝導して軟骨分化を促進することが判明した.その分子機構を解析したところ,アクチビンAによってmTOR(mechanistic target of rapamycin)蛋白複合体が活性されること,そしてmTOR阻害薬がアクチビンAによる軟骨分化促進および異所性骨形成を阻害することが判明した.mTOR阻害薬の1つであるシロリムスは,すでに欧米では免疫抑制薬として広く使用されており,わが国においても他の疾患に対して使用が認められている薬剤であることから,筆者らはシロリムスのFOPに対する安全性と有効性を検証する医師主導治験を計画申請し,2017年より多施設共同治験を開始した.他の整形外科関連の難治性疾患に対しても,iPS細胞を活用したアプローチから創薬研究が進められていくことが期待される.

戸口田　淳也〔京都大学ウイルス・再生医科学研究所　教授〕

手指の小関節から上下肢の大関節，脊椎に疼痛を伴う腫脹や変形がみられ，徐々に関節可動域制限が生じる．常染色体劣性遺伝の形式で，WISP 3（WNT-1-inducible signaling pathway protein 3）の遺伝子変異が判明している．6q22 上の *CCN 6*（*cellular communication network factor 6*）の突然変異である．

問診で聞くべきこと
家族歴については詳細に聴取する必要がある．

必要な検査とその所見
若年性特発性関節炎に臨床像が類似しているため，炎症反応，リウマトイド因子，MMP-3 などの血液検査が必要になる．PPRD ではこれらは陰性である．
PPRD は若年性特発性関節炎と異なり滑膜炎の所見は乏しいので，MRI で滑膜炎の有無を調べる．

診断のポイント（鑑別診断）
PPRD では脊椎の変形が生じるので若年性特発性関節炎とは鑑別可能となる．全脊椎の単純 X 線撮影は必須であり，汎発性扁平椎がみられる．そのほかには近位指節間（PIP）関節，股関節の関節裂隙の狭小化，手根骨間関節の狭小化，変形もみられる．
脊椎骨端異形成症との鑑別も重要であるが，PPRD の軽症例との鑑別は困難なこともある．単純 X 線上で四肢骨端部の異形成を認めること，末梢の骨変化が少ないことより PPRD と鑑別する．

治療方針
1 ▶ 保存療法
ステロイドや抗リウマチ薬などの内科的治療は無効である．疼痛に応じての鎮痛薬の投与が中心であり，リハビリテーションで関節拘縮の進行予防に努める．

2 ▶ 手術療法
早期の変形性関節症に対しては人工関節置換術も行われている．

合併症と予後
関節変形，可動域制限は進行性で次第に全身の関節の拘縮が生じる．生命予後は比較的良好である．

患者説明のポイント
将来的には軽度から重度の体幹短縮型の低身長となる．

鎖骨頭蓋異形成症と類縁疾患群
Cleidocranial dysplasia and related disorders

鎖骨頭蓋異形成症
Cleidocranial dysplasia

瀬川 裕子　東京医科歯科大学 助教

【疾患概念】　鎖骨頭蓋異形成症（cleidocranial dysplasia）は，主に鎖骨・頭蓋骨・歯の形成に異常をきたす，常染色体優性遺伝の疾患である．鎖骨の低形成や欠損，頭蓋骨の頭蓋縫合閉鎖遅延や大泉門開大，特徴的顔貌，歯牙萌出遅延や過剰歯などの歯科的合併症が特徴的である．そのほか，低身長，骨粗鬆症，側弯症，扁平足，外反膝，短指症，狭骨盤，聴力障害や中耳炎・副鼻腔炎などの耳鼻科的合併症も認める．鎖骨が低形成のため左右の肩を極端に寄せることができる．特徴的な顔貌は，頭蓋骨の横径拡大（逆西洋梨形の頭蓋），前頭部突出，眼間開離，平坦な鼻梁，上顎骨の低形成などによる．転写因子である *RUNX2* の変異が原因であるが，約 30% の症例では異常を認めない．

【頻度】　100 万人に 1 人程度である．

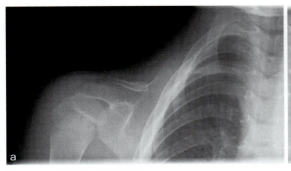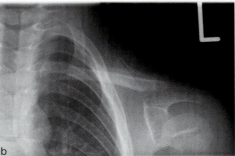

図 7-39　鎖骨低形成（7 歳）
a：右鎖骨単純 X 線正面像，b：左鎖骨単純 X 線正面像．両側に鎖骨低形成を認める．肩関節前方挙上は両側とも制限なく可能である．

単純X線所見

頭蓋骨には頭蓋縫合閉鎖遅延，大泉門の開大，wormian boneなどを認め，鎖骨には欠損や形成不全がみられる（図7-39）．そのほか，恥骨の骨化遅延や恥骨結合の開大，大腿骨や脛骨における大きな骨端核，手足の中手（足）骨近位のpseudoepiphysis，末節骨低形成，大きな骨端核などの所見がみられる．

診断のポイント

歯科や耳鼻科疾患の既往歴，両肩を極端に寄せられること，特徴的な顔貌などが診断のポイントである．

治療方針

骨形成異常は通常日常生活で支障とならず，鎖骨も1/3程度残存していれば予後はよい．鎖骨の低形成により，幼少期には肩関節前方挙上の際に体幹を反らせて手を挙げる動作がみられるが，成長とともに機能は改善することが多い．重要なのは歯科的ならびに耳鼻科的合併症に対する治療であり，整形外科で本疾患を診断した場合には，歯科，耳鼻科への紹介が必須である．頭蓋縫合閉鎖不全や大泉門開存の程度により，ヘルメットによる頭部保護を検討することがあるので，脳神経外科にもコンサルトする．女性では狭骨盤のため，分娩に際して帝王切開が検討される．骨粗鬆症について評価と予防を行うことも重要である．

頭蓋骨癒合症候群
Craniosynostosis syndromes

Apert症候群

Apert syndrome

高木 岳彦　国立成育医療研究センター 診療部長〔東京都世田谷区〕

【疾患概念】　頭蓋縫合早期癒合による尖頭と，高度な手足の合指（趾）症を主症状とする，尖頭合指症（acrocephalosyndactyly）に分類され，10番染色体に位置する*FGFR2*遺伝子の異常により発生する．頭蓋縫合早期癒合，眼球突出，特異顔貌などが特徴で，同じ尖頭合指症に分類される，Pfeiffer症候群やCrouzon症候群などでもそれらの特徴を認めるが，特に対称的で高度な手足の骨性合指（趾）症を認める．

【頻度】　常染色体優性遺伝形式をとる遺伝性の疾患であるが，そのほとんどが*FGFR2*遺伝子の突然変異による孤発例である．発生頻度は報告により100万出生に6～15.5人とされている．

【臨床症状または病態】

頭蓋縫合の早期癒合により，頭の前後径が短く上方に長くなる尖頭や，眼球突出などにより特徴的な顔貌を呈する．手足では骨性合指（趾）症，指（趾）節癒合症が主症状であるが，特に末節骨が先端で骨性に癒合し爪も癒合する症例も多く，手はバラのつぼみ状の外観（rosebud appearance）を呈する．

必要な検査とその所見

単純X線画像により頭蓋骨前後径の短縮，頭蓋縫合早期癒合，骨性合指（趾）を認める．

診断のポイント

上記のような特徴的な頭蓋形態・顔貌と高度の骨性合指（趾）症を認め，それが診断のポイントとなる．

治療方針

頭蓋縫合早期癒合に伴う脳の発達への影響を避けるため，頭蓋形成術などがまず優先される．手足の合指（趾）症に対しては，その後1歳以降に整容面，つまみ動作の獲得のための機能面の改善を目的に，分離術が施行される．

手術療法

整形外科（手外科）が担当するのは手足の合指（趾）症に対してであるが，母指示指間（第1指間）の形成を優先して分離を行う．すべての指間形成を行う場合は，通常の合指症の治療方針に従い，母指示指間と中指環指間，次いで示指中指間と環指小指間と分けて行うことが多い．足趾についても同様である．指節癒合を伴っているため，指節関節部を頂点とするジグザグ皮切ではなく，指間部の直線皮切で分離して通常は問題ない．

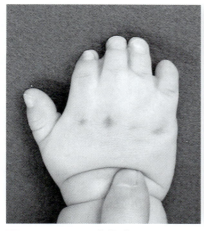
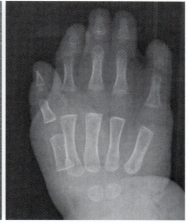

図 7-40　Poland 症候群
示指から小指まで，皮膚性合指の状態で，指は短いが爪は存在する．単純 X 線では，中節骨の短縮が著明である．

短指症（骨外形態異常を伴う/伴わない）

Brachydactylies (with or without extraskeletal manifestations)

Poland 症候群

Poland syndrome

堀井　恵美子　関西医科大学 理事長特命教授

【疾患概念】　1841 年に Poland が報告した，合短指症に同側の大胸筋低形成を合併する先天異常．片側罹患であり，遺伝性疾患ではないとされている．

【病態・臨床症状】
　上肢の合短指症は先天異常分類では横軸形成障害に分類され，その程度は，指が短く皮膚性合指症を呈する症例から（図 7-40），一部欠損を認める症例までさまざまである．大胸筋の低形成の程度もさまざまで，乳児期には明らかでないこともあれば，高度欠損で，出生時より胸部が非対称の場合もある．

▶問診で聞くべきこと
　家族歴の有無，小児科的合併症の有無．

▶必要な検査とその所見
　単純 X 線にて上肢の骨の異常を健側と比較検討する．

▶診断のポイント（鑑別診断）
　手指の低形成の程度はさまざまである．合指症を呈する疾患は，絞扼輪症候群，指列誘導障害などがあり，指が短いという点からは短指症との鑑別も必要である．発生過程が異なるので，診断にあたっては四肢全体の異常の有無について，細かい評価が必要である．

▶専門病院へのコンサルテーション
　治療開始の有無にかかわらず，疾患に対する家族の理解を得るためにも，早期に専門医に紹介すべきである．

【治療方針】
1 ▶ 保存療法
　大胸筋の低形成は機能的な問題を生ずることは少ない．整容面から，特に女児では思春期以降胸郭の非対称が目立つことがあり，補正下着などを考慮することもある．上肢の高度欠損に対しては，小児でも筋電義手の適応もありうる．

2 ▶ 手術療法
　手指に関してはその状態に応じて，手術療法を考える．合短指に対しては，1 歳頃に指の分離・指間形成・植皮術が適応となる．把持機能障害を生ずるような高度の短指あるいは欠損に対しては，骨延長術，趾骨移植，趾移植術などが適応となることもある．骨延長術では治療期間が長期にわたること，趾移植では，足への影響なども考慮することが必要である．片側罹患であるので，どこまで治療介入するかは慎重な判断が必要である．

▶リハビリテーションのポイント
　リハビリテーション介入の必要性は低い．

患者説明のポイント

片側罹患であり，日常生活に必要な作業・学童生活はほとんど制限なく行えることを家族に理解してもらうことが必要である．また，整容的な面に対する配慮も必要である．

代謝性骨疾患，その他
Metabolic bone disease

骨軟化症，くる病
Osteomalacia, Rickets

坂本 優子 順天堂大学医学部附属練馬病院 准教授

【疾患概念】
くる病と骨軟化症は，両者とも骨石灰化障害を特徴とする疾患であり，成長軟骨板閉鎖以前に発症するものがくる病とよばれている．両者とも栄養障害が主な原因であるが，低リン血症をきたす遺伝性疾患や腫瘍なども原因となる（「低リン血症性くる病」の項➡272頁参照）．本項では，主に栄養障害（ビタミンD欠乏）による骨軟化症とくる病について述べる．

【臨床症状】
1～2歳頃はO脚を主訴に来院する，いわゆる生理的O脚症例に混ざっていることが多い．それ以降，成長軟骨板が閉じるまでのくる病の時期は，X脚を含む下肢変形や低身長が主な症状となることが多い．成人の骨軟化症は，筋力低下や骨痛が主な症状となるが特異的な症状はなく，成人は骨粗鬆症の診断を受けた症例のなかに隠れているので，鑑別として常に念頭におく必要がある．

問診で聞くべきこと
栄養不足が原因のくる病や骨軟化症は，ビタミンDやカルシウム不足を疑う生活習慣（紫外線にあたっていない・魚を食べない・アレルギー・乳製品非摂取など），乳幼児の場合はいわゆる母乳栄養もリスクとなる．遺伝性との鑑別には，低身長や下肢変形などの家族歴がないか，本人が低身長の場合は過去の身長変化，小児期の既往についての問診も大切である．

診断のポイント
くる病は，単純X線（以下，X線）による特徴的所見によって診断する．Cupping（骨幹端がカップ状に中央がへこむ）やsplaying（骨幹端が横に広くなる），fraying（骨幹端がけばだつ，でこぼこする）などである（「低リン血症性くる病」の項➡272頁参照）．くる病の種類や重症度を判定するためには，血液検査が必要である．どのくる病でもALPは異常高値（1,000 IU/L以上）となり，一番頻度の高いビタミンD欠乏性くる病の診断基準が，intact PTHが異常高値，25(OH)Dが20 ng/mL未満が加わる．X線では異常がはっきりしなくても，血液検査上ビタミンD欠乏性くる病の診断基準を満たす症例があったり，のちにX線所見がはっきりしたりする症例がある．いわゆる生理的O脚と明確な区別がつきにくい場合もあるため，疑いがあれば採血を勧める．一方，骨軟化症はLooser zone以外にX線上の特徴はなく，本来は組織的診断であるが，臨床上は採血で診断する．まず，骨型ALP異常高値が確認されたら，くる病・骨軟化症の診断マニュアルのフローチャート（図7-41）に従って，栄養（ビタミンD）欠乏が原因のものを鑑別する．25(OH)DやFGF 23測定が近年相次いで保険収載された．チャートにはないが，臨床的にはビタミンDやカルシウム不足により二次性副甲状腺機能亢進症に陥っている場合も，骨軟化症をきたしていると診断してよいであろう．

治療方針
くる病はビタミンD欠乏性くる病なら活性型ビタミンDで，FGF 23関連低リン血症性くる病ならブロスマブで，など治療法が異なる．薬物療法は，小児内分泌専門の医師に任せたほうがよいであろう．骨軟化症は骨粗鬆症患者に紛れているため，確実に診断したのちに，栄養障害を原因とする場合は，ビタミンD欠乏をサプリメントや活性型ビタミンD製剤で補ったうえで骨粗鬆症治療をする必要があるが，活性型ビタミンDにカルシウムのサプリメントを併用すると，腎障害を起こす場合もあるので注意が必要である．低リン血症，PTH高値の場合は，腎臓内科・内分泌内科と連携しながらの治療を勧める．

慢性腎臓病・透析に併発する運動器疾患（腎性骨ジストロフィー）
Musculoskeletal disorder accompanied with chronic kidney disease and dialysis (renal osteodystrophy)

加藤 義治 河野臨牀医学研究所附属第三北品川病院 名誉院長〔東京都品川区〕

【疾患概念】
腎性骨ジストロフィー（renal osteodystrophy；ROD）は慢性腎臓病（chronic kidney disease；CKD）・透析患者に対して骨生検を行い，その骨

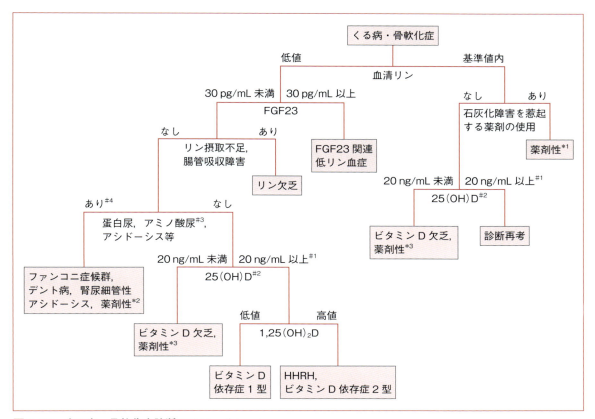

図 7-41　くる病・骨軟化症診断のフローチャート
HHRH：hereditary hypophosphatemic rickets with hypercalciuria
＊1：アルミニウム，エチドロネートなど．　＊2：イホスファミド，アデホビルピボキシル，バルプロ酸など．　＊3：ジフェニルヒダントイン，リファンピシンなど．
#1：小児では，より高値であってもくる病の原因となることがある．　#2：保険適用外検査．　#3：ビタミンD代謝物作用障害でも認められる場合がある．　#4：血清リン値：1歳未満 4.5 mg/dL 未満，1歳以上小児期まで 4.0 mg/dL 未満，思春期以降成人まで 3.5 mg/dL 未満．
（日本内分泌学会，他：くる病・骨軟化症の診断マニュアル．日内分泌会誌(suppl)：1-11，2015 より一部改変）

病変を線維性骨炎，骨軟化症，無形成骨さらに境界の混合型に分類した病理所見である．現在では，この骨ミネラル代謝異常は血管石灰化などにより患者のQOL，生命予後に多大な影響を及ぼす「慢性腎臓病に伴う骨ミネラル代謝異常〔CKD-mineral bone disorder（MBD）〕」として認識され，ROD は腎性骨症あるいは CKD-MBD の骨病理所見として位置づけられているに過ぎない．しかし CKD-MBD 最重症の透析患者では ROD のみならずさまざまな運動器疾患が生じる．本項では，これらの疾患を中心に述べる．

【病態】
　CKD-MBD（特に透析）に由来する運動器疾患の病態としては，①慢性腎臓病末期で生じるビタミンDの活性化障害および高カルシウム血症，低リン血症によって引き起こされる全身性骨異常と，②透析で除去できないアミロイド（β2-microglobulin；β2-MG）が運動器の滑膜，靱帯，関節包などに付着し，局所に炎症性・増殖性病変を引き起こす局所病態（透析アミロイドーシス）がある．前者の代表的疾患が二次性副甲状腺機能亢進症の骨異常，くる病・骨軟化症，異所性骨化であり，後者は透析脊椎症〔頸椎症性脊髄症，腰部脊柱管狭窄症，破壊性脊椎関節症（destructive spondyloarthropathy；DSA）〕，アミロイド関節症（肩，膝，股関節など），絞扼性神経障害などである．特に後者では病変が骨・軟骨にまで及ぶと圧潰・脱臼・骨折などの骨破壊性変化が顕著となる．この際，骨形成が骨吸収を上回れば骨癒合へ，骨吸収が骨形成を上回ればさらなる骨破壊へと進行する．

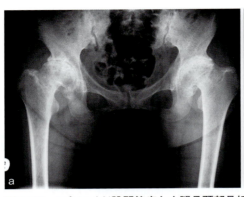 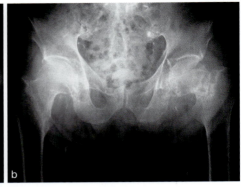

図 7-42 アミロイド股関節症と大腿骨頚部骨折
a：アミロイド股関節症．b：巨大骨嚢胞が原因で生じた大腿骨頚部骨折（左側）．

【臨床症状】
(1) 慢性腎臓病末期の骨ミネラル代謝異常で生じる運動器疾患の臨床症状

①二次性副甲状腺機能亢進症の臨床症状：低カルシウム血症，高リン血症を代償するために副甲状腺ホルモン（PTH）が上昇し，骨では皮質骨の多孔化，骨質の劣化などにより骨粗鬆症，骨脆弱化が起こり，大腿骨近位部骨折を代表とする脆弱性骨折が起こりやすいといわれる．

②くる病・骨軟化症の臨床症状：ビタミン D の活性化障害，透析液中のアルミニウム，内服薬のアルミニウムゲルによる骨石灰化障害が原因であったが，透析管理が進歩した現在ではほとんどみられない．

(2) 透析アミロイドーシスによる運動器疾患の臨床症状

①透析脊椎症の臨床症状と診断ポイント：本症の頚椎症性脊髄症では手指関節拘縮，絞扼性神経障害の合併に注意する．時に靱帯，硬膜に異所性石灰化が起こる場合もある．上位頚椎では偽腫瘍，環軸関節亜脱臼，DSA により致死的になる場合もある．本症の腰部脊柱管狭窄症では単純 X 線上，脊椎症性の変化がなく脊柱靱帯の肥厚のみで狭窄が生じる場合がある．DSA では脊柱前方・中央・後方すべての支柱に破壊が及び，激烈な疼痛，麻痺が生じる．

②アミロイド関節炎・関節症の臨床症状と診断ポイント：一般に肩，膝，股関節の罹患が多く，当初の透析時のみの疼痛が突然激痛となり，急速かつ重篤な関節破壊が生じる（図 7-42a）．下肢の大関節が侵されると立位・歩行が困難となり ADL，QOL は著しく障害される．長期透析患者（10 年以上）では大腿骨頚部から骨頭にかけて巨大な骨嚢胞が形成され，大腿骨頚部骨折が起こる場合もある（図 7-42b）．

③絞扼性神経障害の臨床症状と診断ポイント：手根管症候群，肘部管症候群，足根管症候群などがある．

長期透析患者（20 年以上）では手根管症候群が高率に発生するが，手指のしびれ感，筋力低下・筋萎縮は緩徐に進行性するため重症化しやすい．

治療方針

1 ▶ 保存療法

透析アミロイドーシスでは透析膜の改善，エンドトキシンの除去などの予防が大切である．初期で症状が軽度な場合には NSAIDs，ステロイド注射，リハビリテーションとして関節可動域訓練，筋力訓練を行う．

2 ▶ 手術療法

保存療法を行っても疼痛が持続し，神経麻痺や DSA が出現した場合には手術が選択される．人工関節，脊椎インストゥルメンテーションが使用される場合が多く，患者の ADL，QOL は劇的に改善し，満足度も高い反面，感染，インプラントの弛みなどの手術合併症も少なくない．手術に際しては，周術期および術後早期での死亡，高率な術後感染，多発する全身合併症（消化性潰瘍，感染，肺炎，せん妄など）などを起こさないように，きめ細かい全身管理が必要である．

骨 Paget 病

Paget's disease of bone (PDB)

前田 和洋　東京慈恵会医科大学 講師

【疾患概念】1873 年の Czerny の報告が嚆矢とされているが，1877 年に Paget が詳細な 5 例の報告を行って以来，骨 Paget 病（PDB）とよばれている．罹患部位で骨吸収が亢進し，それに続く過剰な骨形成により，局所で骨リモデリングの異常が生じる疾患である．そ

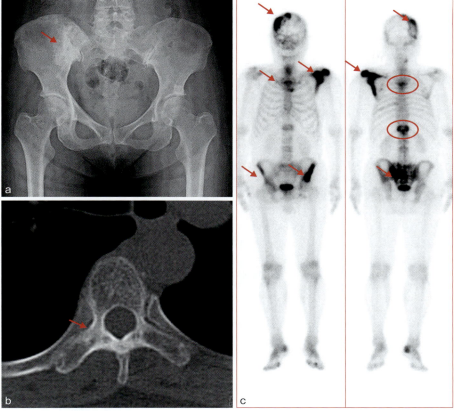

図 7-43　骨 Paget 病
a：単純 X 線像では骨透明像と硬化像の混在を認める（矢印）．
b：CT 像水平断で腰椎後方成分に病変を認める（矢印）．
c：骨シンチグラフィーで病変部に強い集積を認める（矢印）．椎骨病変部は Mickey Mouse sign を呈する（丸印）．

の結果，罹患した骨の微細構造に変化が生じ，形態的に変形・腫大，機能的に骨強度の低下をもたらす．臨床的に病的骨折，局所の疼痛，頭痛および難聴が問題となる．その主たる原因は，破骨細胞の分化や機能の亢進による．

【頻度】
わが国の有病率は人口 100 万人に対し 2.8 人であり，欧米人と比較して少ない．好発年齢は 45 歳以上，好発部位は腰仙椎，大腿骨，頭蓋骨および骨盤の順に多い．

【病因】
孤発例ではウイルス感染説などが考えられているが，詳細は不明である．家族例では RANK の機能獲得型変異（OMIM 602080）が認められ，若年で発症する PDB の原因としては OPG の機能喪失型変異（OMIM 239000）が示されている．

診断のポイント

2006 年に日本骨粗鬆症学会より「骨 Paget 病の診断と治療ガイドライン」が報告されている．特徴的な単純 X 線所見，高 ALP 血症および骨シンチグラフィーによる集積が揃うと確定診断となる．転移性骨腫瘍は必ず否定しておく．

①単純 X 線像や CT 像では骨透明像と硬化像の混在や骨皮質の肥厚を認める（図 7-43a）．また，椎骨の病変の局在は後方成分に多い（図 7-43b）．線維性骨異形成が鑑別疾患として挙がるが，血液生化学的検査で鑑別可能である．

②血液生化学的検査では ALP が高値を示す．また，経過中の ALP の急激な上昇は悪性転化を示唆する．高骨代謝回転を呈するため骨吸収マーカー，骨形成マーカーはともに上昇する．Ca や P は正常である．

③骨シンチグラフィー(図7-43c)では病変部に強い集積を認める．椎骨への集積はMickey Mouse signとして知られている．

治療方針

わが国で認可されている治療薬は，カルシトニン，エチドロネートおよびリセドロネート(RIS)がある．日本人PDB例を対象とした研究でRIS 17.5 mg/日の56日間連続経口投与の有効性が示されている．半数以上の症例で奏効し，治療効果の評価にP1NPの測定が有用であることが報告されている．また，不応例の特徴として頭蓋病変を有する，血清Ca高値，および先行するビスホスホネート製剤による治療歴が示されている．カルシトニンは，1回40 IUを1日1回筋注で使用する．頭蓋病変が強く，口腔内に顎骨が露出した症例で使用経験があるが，RISのほうが著効する印象がある．また，わが国では認可されていないが，PDBに対してデノスマブが有効であったという海外の報告がある．

患者説明のポイント

病的骨折の発生や約1％に悪性腫瘍が続発することがあり，定期的な経過観察が必要であることを説明する．

骨粗鬆症

Osteoporosis

齋藤 琢 東京大学大学院 准教授

【疾患概念】
骨粗鬆症は，低骨量と骨組織の微細構造の異常を特徴とし，骨の脆弱性が増大し，骨折の危険性が増大する疾患と定義される．骨折は骨粗鬆症の結果として生じる合併症の1つである．

【臨床症状】
骨量減少自体は無症状で進行するため，症状をきたすのは通常は骨折が生じたあとになる．いったん骨折が発生すれば急性に激烈な痛みが生じるため見逃すことは少ないが，転位が少ない場合や認知症などコミュニケーションに支障がある場合は注意深い身体診察，画像検査を要する．椎体骨折は無症候性に進行することも多いが，後弯変形をきたすと慢性腰背部痛をきたしうる．

問診で聞くべきこと

年齢，性別，身長，体重などの基本情報のほか，痛みなど症状の有無，骨粗鬆症や骨折の治療歴，ほかの疾患の有無，糖質コルチコイドなどを含む服薬内容の確認，ADL，食事内容や嗜好品，喫煙，アルコール，女性であれば月経の状態や閉経時期，両親の大腿骨近位部骨折歴などを聴取する．

必要な検査とその所見

(1) 骨密度測定

Dual-energy X-ray absorptiometry (DXA)を用いて，腰椎と大腿骨近位部(左右どちらか)の両方を測定する．骨強度は骨密度だけで規定されるものではないが，低骨密度と新規骨折発生との相関は高く，骨折リスクおよび治療効果の判定には有用である．前腕用のDXAも汎用されているが，患者によっては部位ごとの骨密度が大きく異なることもあり，注意が必要である．

(2) 脊椎単純X線，MRI

「骨粗鬆症の予防と治療ガイドライン2015年版」では，続発性骨粗鬆症が否定され，大腿骨近位部または椎体に脆弱性骨折がみられた場合は，治療を開始することを推奨している(図7-44)．椎体骨折は無症候性のことも多いため，胸椎・腰椎単純X線写真も撮影する．椎体骨折がみられた場合，その受傷時期の推定や，病的骨折との鑑別にMRIが有用である．受傷時期は，問診，痛みの推移から容易に推定できることも多いが，頻回に転倒を繰り返している，あるいは病歴を正確に聞き出せない場合，T1強調像，Short TI inversion recovery (STIR)による輝度変化によって新規骨折か陳旧性骨折かを推定する．椎体骨折を有する患者に，感染，転移性腫瘍など，危険な疾患が紛れていることは珍しくなく，診断時はこれらを常に念頭におく．

(3) 血液検査

骨形成マーカーとしては骨型アルカリホスファターゼ(BAP)，I型プロコラーゲン-N-プロペプチド(P1NP)が，骨吸収マーカーとしては酒石酸抵抗性酸ホスファターゼ-5b (TRACP-5b)が汎用されている．これらは，骨吸収抑制薬，骨形成促進薬を選択する際の判断材料としても有用で，効果判定にも用いられる．骨代謝に重要なビタミンとしてビタミンK，ビタミンDが知られており，ビタミンKの充足度は低カルボキシル化オステオカルシン(ucOC)で，ビタミンDの充足度は25(OH)Dで判定する．$1,25(OH)_2D_3$は生理活性は高いものの半減期は短く，ビタミンDの充足度を反映しない．腎機能低下は骨粗鬆症のリスクであり，その程度によって選択できる治療薬も限られてくるため，腎機能評価項目も必ず含める．ビタミンD欠乏などによる続発性副甲状腺機能亢進症が疑われる場合にはintact PTHも測定する．副甲状腺機能亢進症，ビタミンD欠乏性骨軟化症，低リン血症性骨軟化症などの多くは，アルカリホスファターゼ(ALP)，血

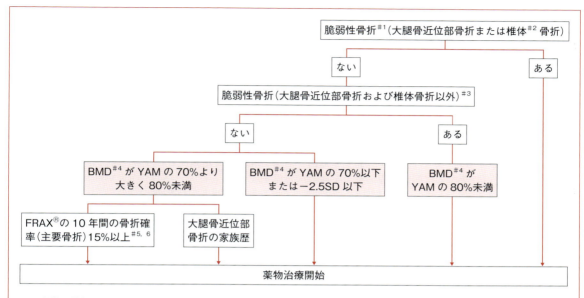

図7-44 原発性骨粗鬆症の薬物治療開始基準
YAM：young adult mean
〔骨粗鬆症の予防と治療ガイドライン作成委員会（編）：骨粗鬆症の予防と治療ガイドライン2015年版．p63，ライフサイエンス出版，2015 より〕

中カルシウム，リン濃度の測定によって検出することができる．カルシウムの補正のために必要なアルブミンも含めたこれら4項目を骨粗鬆症の診断時に測定する．

治療薬投与開始後は骨密度測定や骨代謝マーカーの測定によって効果判定を行うが，テリパラチド，ロモソズマブ，デノスマブ，活性型ビタミンD製剤の投与によってしばしば血中カルシウム濃度の変動がみられるため，定期的に測定する．特に活性型ビタミンD製剤は高カルシウム血症をきたして薬剤性腎不全を生じるリスクがある．

診断のポイント

初回診断時には続発性骨粗鬆症を見逃さないことが何より重要である．初回の血液検査で明らかな異常を示さない場合でも，治療薬に対して非典型的な応答を示す場合や，症状の推移が思わしくない場合は，随時検査を行うとともに，各領域の専門医もしくは骨代謝に詳しい医師にコンサルトする．

専門病院へのコンサルテーション

続発性骨粗鬆症や骨脆弱性をきたしうる疾患は数多くあるが，そのなかでもビタミンD欠乏性骨軟化症，副甲状腺機能亢進症，甲状腺機能亢進症，Cushing症候群，性腺機能不全はそれぞれの疾患の治療が骨粗鬆症の改善に直結することから，疑わしい場合は遅滞なく内分泌内科や産婦人科の専門医にコンサルトする．椎体骨折については転移性骨腫瘍，多発性骨髄腫の可能性を念頭におく．ビタミンD依存性，ビタミンD抵抗性骨軟化症，原発性低リン血症性くる病，低ホス

ファターゼ症，骨形成不全症などの遺伝性疾患の可能性も忘れてはならない．ステロイドや，前立腺癌，乳癌などに対するホルモン療法など，薬剤治療がもたらす骨粗鬆症もそれぞれの主治医と連絡を取り合って適切に対処すべきであり，内服薬や既往症の確認も忘れずに行う．

治療方針

原発性骨粗鬆症であることが確認されれば，適切な食事，運動の指導に加え，ガイドラインが推奨する治療開始基準（図7-44）を参考に薬物治療の要否を検討する．

治療法

現在主に用いられる骨粗鬆症治療薬について簡単に触れる．

(1) ビスホスホネート（BP）

BPはピロリン酸の誘導体であり，体内に取り込まれるとすみやかに骨組織に取り込まれる．骨吸収する際にBPが破骨細胞内に取り込まれるとアポトーシスが誘導され，骨吸収が抑制される．内服製剤では毎日，週1回，月1回，静脈内投与製剤では月1回，年1回のタイプがある．骨吸収が亢進している患者の第一選択薬として広く使用されている．長期投与で骨量増加効果は鈍化するが，中断しても急激な骨量減少を招くことは少ない．

(2) デノスマブ

デノスマブは，破骨細胞の発生・分化・維持に不可欠なRANKLに対する抗体医薬であり，破骨細胞数を減らし，骨吸収を抑制する．半年に1回の皮下注射であり，10年以上の長期使用でも腰椎，大腿骨近位部とも骨量増加が続く一方，中断すると急激な骨量減少をきたす．

(3) テリパラチド（PTH組換え製剤）

PTHのN末端1-34アミノ酸配列と同等のペプチド医薬である．毎日の自己皮下注射，週1回の皮下注射の2種類の製剤があり，いずれも使用期間は2年間までに限定されている．毎日の自己皮下注射製剤は，骨芽細胞の分化を強力に促進するとともに，破骨細胞の分化も促進するため，骨代謝回転が増加する．週1回の皮下注射製剤は，毎日製剤と比べると破骨細胞の増加は限定的である．テリパラチド終了後にはBPやデノスマブなど骨吸収抑制薬の使用が推奨される．

(4) ロモソズマブ

古典的Wntシグナルは骨芽細胞の発生，分化を強力に促進するが，sclerostinは骨特異的に古典的Wntシグナルを抑制する分泌蛋白質であることから，sclerostinに対する抗体医薬ロモソズマブが開発された．月1回の皮下注射製剤であり，使用期限は1クール12回（1年間）までである．ロモソズマブは骨芽細胞の分化を強力に促進する一方，破骨細胞の分化は抑制するため，強力な骨量増加効果を示す．ロモソズマブ終了後にはBPやデノスマブなど骨吸収抑制薬の使用が推奨される．

(5) 選択的エストロゲン受容体作動薬（SERM）

SERMは骨においてはエストロゲン様作用を発揮するが，乳房や子宮では抗エストロゲン作用を発揮する．閉経後骨粗鬆症患者の第一選択薬として広く使用されている．

(6) 活性型ビタミンD製剤

1位の水酸化を受けることなく，強力にビタミンD受容体と結合し作用を発揮する製剤を活性型ビタミンD製剤とよぶ．消化管からのカルシウム，リンの吸収促進作用のほか，骨吸収抑制作用など複数の機序によって骨量増加をもたらすものもある．

治療における注意点

多くの高齢者がビタミンD不足もしくは欠乏の状態であり，いずれの治療薬においても効果を十分に発揮させるためにはこれを改善することが望ましい．天然型ビタミンDのサプリメントの服用，もしくは活性型ビタミンD製剤の併用を考慮する．BP，デノスマブの長期使用時は顎骨壊死や非定型大腿骨骨折の合併に注意する．デノスマブ，ロモソズマブ使用時は低カルシウム血症，テリパラチド，活性型ビタミンD製剤使用時は高カルシウム血症に注意する．

患者説明のポイント

骨粗鬆症治療は長期に及ぶことが多いが，骨折を伴わなければ骨粗鬆症自体は無症状であるため，適切な治療の継続には患者の理解と治療への意欲，そして患者・医師間の信頼関係が不可欠である．検査結果をわかりやすく説明し，骨粗鬆症の程度や骨代謝の状態，骨折リスクを伝えたうえで治療薬の特徴と副作用を理解してもらい，経過も丁寧に伝えるよう心がける．注射薬には高額なものもあるため，治療方針を決めるうえで費用についても伝えておく必要がある．

McCune-Albright 症候群

McCune-Albright syndrome

田村　太資　大阪母子医療センター 主任部長（リハビリテーション科）〔大阪府和泉市〕

【疾患概念】　McCune-Albright症候群は，皮膚カフェオレ斑，線維性骨異形成症，内分泌疾患を3主徴

とする症候群である．徐々に臨床症状が現れる場合があり，診断時に3主徴がすべて揃わないこともある．10歳以下に発症するが，皮膚カフェオレ斑は出生時より認めることより，早期に診断される場合もある．発生頻度は10万～100万人に1人とされ，男児より女児に多く認められる．

診断のポイント

整形外科へは線維性骨異形成症に伴う骨折，変形を主訴に受診となる．単純X線にて「羊飼いの杖変形」に代表される長管骨変形と，骨内のすりガラス様陰影を認める．皮膚カフェオレ斑は，辺縁不整で分節状に存在して，通常片側性で正中線をまたがないことが特徴とされる．この2徴を確認後，小児科医あるいは内分泌科医に内分泌疾患についてコンサルトする．

治療方針

皮膚カフェオレ斑は，皮膚科的治療は困難である．内分泌異常については多岐にわたるため，専門医による治療が望ましい．整形外科においては骨病変に対する治療が主となる．

保存療法

病的骨折予防を目的に，カルシウム製剤とビタミンDを併用したビスホスホネート製剤による薬物療法が行われている．骨痛に対して有用である一方，骨折頻度減少については明らかな見解がない．

手術療法

骨折を生じた場合は変形矯正を兼ねた手術を検討する．プレートを使用する場合は病変部をまたいで健常部で固定できるようにする．病変部が大きい場合は髄内釘あるいは創外固定など，厳密なアライメント矯正可能な治療法を考慮する．わずかでも変形が遺残すれば続発する骨折，変形の原因となる．脚長不等に対しては健側の短縮・成長抑制を検討する．

予後

一般に生命予後は良好であるが，合併する疾患の重症度により異なる．線維性骨異形成症は30歳代後半までに自然に進行が停止する症例が多いが，疼痛，繰り返す骨折などによりADLが障害される例もある．

疼痛医学

基礎神経科学から診断・治療法まで，疼痛医学を縦断的に解説する本邦初のテキスト

監修
- 田口敏彦　山口労災病院・院長／山口大学・名誉教授
- 飯田宏樹　岐阜大学大学院医学系研究科 麻酔・疼痛制御学・教授
- 牛田享宏　愛知医科大学医学部学際的痛みセンター・教授

編集
- 野口光一　兵庫医科大学・学長
- 矢吹省司　福島県立医科大学医学部整形外科学講座 疼痛医学講座・教授
- 上園晶一　東京慈恵会医科大学医学部麻酔科学講座・教授
- 山口重樹　獨協医科大学医学部麻酔科学講座・主任教授
- 池内昌彦　高知大学医学部整形外科・教授

●B5　頁400　2020年
定価：6,600円（本体6,000円＋税10％）
[ISBN978-4-260-04083-9]

生活の質に大きくかかわる痛みを，そのメカニズムや診断・治療法まで，包括的に解説する本邦初のテキスト。本書は基礎神経科学の進歩から解明されつつある疼痛のメカニズムと，メカニズムに基づく診断・治療法を，体系だってわかりやすくまとめている。医学生だけでなく，疼痛に悩む患者さんとかかわる理学療法士・作業療法士・看護師・臨床心理士などすべての医療職に役立つ1冊。

Contents

第I編　総論：痛みの多元性
1. 痛みの定義
2. 痛みと社会

第II編　基礎科学
1. 痛みの神経解剖および神経生理学
2. 運動器の痛みのメカニズム
3. 痛みの脳科学と疼痛行動の心理学

第III編　臨床病態
1. 臨床でよくみられる疼痛の病態
2. 特定の痛みの問題

第IV編　痛みの評価と治療
1. 評価
2. 治療

医学書院
〒113-8719　東京都文京区本郷1-28-23　[WEBサイト]https://www.igaku-shoin.co.jp
[販売・PR部]TEL:03-3817-5650　FAX:03-3815-7804　E-mail:sd@igaku-shoin.co.jp

8 筋・神経疾患

筋・神経疾患の臨床診断	294
整形外科医に必要な筋・神経疾患の検査法	297
進行性筋ジストロフィー	301
多発性筋炎	302
多発ニューロパシー	303
Charcot-Marie-Tooth病	304
先天性無痛無汗症	304
神経痛性筋萎縮[症]	305
糖尿病神経障害(糖尿病性ニューロパシー)	305
帯状疱疹後神経痛	307
周期性四肢麻痺	308
脳性麻痺の療育	309
脳性麻痺の手術療法	311
重複障害児の療育管理指導	313
異所[性]骨化	314

筋・神経疾患の臨床診断

Clinical diagnosis of neuromuscular diseases

安藤 哲朗　亀田総合病院 部長（脳神経内科）〔千葉県鴨川市〕

　この項では筋・神経疾患の臨床診断の原則と実際のポイントを概説し，整形外科疾患と特に間違われやすい神経・筋疾患についても簡単に記述する．

1 問診と神経学的診察のポイント

1 ▶ 神経学的診察は患者が診察室に入ってくるときから始まる

　患者が診察室に入ってくるときの様子をしっかり観察すると，多くの情報が得られる．表情はどうか，動作は機敏か緩慢か，歩き方はどうかなどを見る．経験を積むと，パーキンソン症候群は入室して椅子に座るまでの間にほとんど診断をつけることが可能である．また衣服を脱ぐ動作の観察も重要である．ボタンをはずす動作がうまくできるかを見れば，手指の筋力低下や巧緻運動障害がわかる．シャツを脱ぐときに肩が上がるかどうかで，上肢近位部の筋力低下がわかる．詐病やヒステリーにおいては，そのような動作と筋力テストとの間に乖離がみられる．

2 ▶ 病歴聴取中も話を聞きながら観察を続ける

　最初の3分程度は患者に自由に話してもらう．病歴聴取は情報を得ると同時に信頼関係構築のプロセスでもあるので，うなずきなどで患者の思いを受け入れていることを示す．病歴聴取中も，カルテを記載しながら患者の観察を続ける必要がある．話し方からは構音障害や失調，表情からは病状の重篤さがわかり，全身の観察により会話中に出現する不随意運動の有無がわかる．

3 ▶ 部位診断と質的診断の2方向からアプローチする

　部位診断は，脳，脊髄，末梢神経，筋肉のどの部位に病変が存在するかを診断するもので，神経学的診察による運動・感覚障害の分布，反射の評価などの分析が重要である．病変が局所的なものか，系統的なものか，あるいは散在性のものかを判断する．そのためには，主訴以外の患者自身も気づいていない部位の所見にも注意する．顔面筋の筋力低下や構音障害の有無は特に重要である．部位診断は通常は病変が1つという一元論仮説に基づくが，高齢者の場合には複数の病態が併存している場合が少なくない．例えば，脳梗塞に頸椎症が併発していたり，Parkinson病に腰椎症が併発していたりすることがある．

　質的診断は，その障害部位にどのような病変（血管障害，炎症，変性疾患，圧迫疾患など）があるかを診断する．質的診断に重要なのは，発症の経過である．発症が突然か急性か潜行性か，その後の経過が進行性か固定性か改善性か，などを問診で詳細に聞き出す必要がある．図8-1に病変の質による一般的な経過を示す．また，障害部位が推定できていれば，その部位に起こりやすい病変があるので，質的診断をある程度絞り込むことができる．

　部位診断と質的診断で疑われる疾患を絞り込んだうえで，適切な補助検査を選択する．

4 ▶ 感覚障害の診かた

　感覚障害は，表在感覚（温痛覚，触覚）と深部感覚（振動覚，位置覚）のそれぞれを調べて記載する．前脊髄動脈症候群や脊髄半側障害症候群（Brown-Séquard症候群），脊髄空洞症においては，解離性感覚障害（温痛覚が障害され触覚と深部感覚が保存される）が特徴的である．もし顔面に感覚障害がある場合は，脊髄疾患だけでは説明できない．多発ニューロパシーは手袋靴下型の感覚障害が起こり，四肢の腱反射が低下しているのが特徴である．上位頸髄レベルの脊髄疾患でも，手袋靴下型の感覚障害が起きることがあるが，その場合は腱反射が亢進している．

　糖尿病性多発ニューロパシーは，通常は手のしびれは伴わず，靴下型の分布になる．もし糖尿病患者が手のしびれを訴えている場合は，頸椎疾患や手根管症候群の合併を考慮する必要がある．

5 ▶ 反射の診かた

　腱反射は十分に筋緊張をとり，調べる筋肉の長さが中間くらいになる肢位で（通常は関節が90°前後になる姿勢），腱を正確に叩く．腱反射は，1, 2（アキレス腱反射；S1, 2），3, 4（膝蓋腱反射；L3, 4），5, 6（上腕二頭筋反射；C5, 6），7（上腕三頭筋反射；C7），8, T1（手指屈筋反射；C8, T1）とすると記憶しやすい．

　障害髄節では腱反射が低下しており，それ以下のレベルでは亢進するのが原則である．

　Babinski徴候は，陽性（母趾が背屈）であれば錐体路障害の存在が示唆される重要な病的徴候である．

6 ▶ 筋力・筋萎縮の診かた

　筋力は抗重力肢位で調べれば，軽微な筋力低下を見逃しにくい．また各髄節の代表的な筋肉について，普段から筋力検査に慣れて，正常の筋力の感じをつかんでおく必要がある．病的な筋萎縮は，必ず筋力低下を伴う．もし筋力低下がなければ，それは単なる痩せであり，病的な筋萎縮ではない．筋萎縮を観察するときには線維束収縮（fasciculation）の有無についても観察する．線維束収縮が認められれば，下位運動ニューロンの障害の可能性が高い．

　筋力低下の分布が，近位筋優位なのか，遠位筋優位

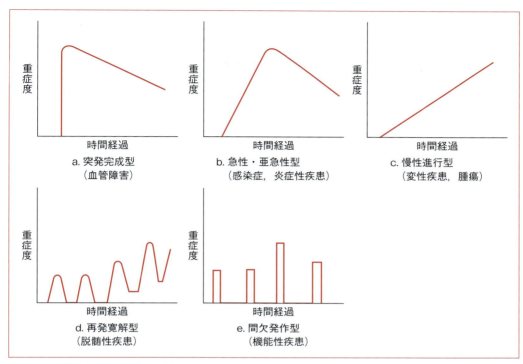

図 8-1　病態と発症・経過のパターン

なのか，髄節性なのか，あるいはびまん性なのかの見極めが重要である．ミオパシーでは，近位筋優位になることが多いが，特異な分布をとる場合もある．例えば筋強直性ジストロフィーでは遠位優位の筋力低下となり，多くは握力の低下とミオトニー現象（手を握ると開きにくい）から発症する．顔面肩甲上腕型筋ジストロフィーは，顔面筋の罹患と，特徴的な翼状肩甲と上腕筋の筋力低下があり，しばしば左右非対称に障害されている．封入体筋炎は，高齢者に発症して，深指屈筋と大腿四頭筋に筋力低下を高度に認める．これらの疾患は経験を積むと，初見ですぐに診断ができることが多い．

筋萎縮性側索硬化症は，上肢から始まる場合と，下肢から始まる場合，球麻痺から始まる場合があり，いずれもその後全身に広がっていく．症候に左右差があることが多く，初期には一側の上肢または下肢のみの障害のことがあり，頚椎症や腰椎症との鑑別が難しいことがある．筋萎縮・筋力低下の分布が髄節性でないことが，初期診断に重要である．

7 ▶ 筋トーヌスの診かた

手関節，膝関節，足関節などを受動的に動かして，筋トーヌスを観察する．筋強剛があると，動かしている間持続的に抵抗を感じる．常に同様の程度に抵抗を感じるものを鉛管様強剛とよび，歯車を回転させるときのようにカクンカクンと強剛を感じるものを歯車様強剛とよぶ．歯車様強剛は Parkinson 病に特徴的である．

痙縮の場合には，急激な受動運動に対してはじめは抵抗を示すが，あるところで急に抵抗が減ることがある．これを折りたたみ現象という．

8 ▶ 歩行障害の診かた

代表的な歩行障害のパターンを表 8-1 に示す．座位や臥位で把握した神経学的所見と歩容を併せて検討する．

2 整形外科疾患と間違われやすい神経・筋疾患

1 ▶ 末梢神経障害，脊椎症と頭蓋内疾患

頭蓋内疾患においても，時に髄節性障害や末梢神経障害に類似した症候を呈する場合がある．例えば大脳皮質の小梗塞や脳幹のラクナにて，上肢の末梢優位の単麻痺を起こす場合がある．その場合は頭部 CT では鑑別は困難であり，急性期の頭部 MRI 拡散強調像が有用である．また大脳鎌に接する部位の病変（parasagittal meningioma や前大脳動脈領域の脳梗塞）では下肢のみの障害を呈して，胸髄レベルの脊髄障害との

表 8-1 歩行障害のパターン

痙性片麻痺歩行 (例)脳血管障害後遺症	一側の上下肢の関節が十分に動かず，下肢は伸展し，つま先は下垂している．麻痺側の下肢を前に出すときは，外側に股関節を中心に伸展した下肢が半円を描くように歩く(草刈り歩行)．つま先は地面を引きずる
痙性対麻痺歩行 (例)遺伝性痙性対麻痺 　　 脳性小児麻痺	両下肢ともに膝を伸ばしたまま床から足をあまり上げず，内反尖足位でつま先を床をこするように歩く(尖足歩行)．骨盤を振り回すように歩く(あひる歩行)．両下肢をはさみのように組み合わせて歩く(はさみ脚歩行)こともある
パーキンソン歩行 (例)Parkinson病	Parkinson病の初期には，一側の手の振りが乏しくなり，その側の足を床に擦るように歩く．進行すると前屈み姿勢となり，小刻みとなる．左右のスタンスは広がらない．第一歩が出しにくくなる(すくみ足歩行)
小脳失調性歩行 (例)脊髄小脳変性症	左右のスタンスを広げて，酔っ払いのように動揺して歩く(酩酊歩行)．初期には方向転換のときのみ動揺を認める．継ぎ足歩行が困難である．歩容は閉眼しても増悪しない
深部感覚障害性歩行 (例)脊髄癆	左右のスタンスを広げて，脚を大きく踏み出し，足の感覚が障害されているため，踵で強く床をたたくようにおろして，不安定に歩行する．歩容は閉眼で著しく増悪する
動揺性歩行 (例)進行性筋ジストロフィー	腰帯筋の筋力低下のため骨盤の固定が不十分で，1歩ごとに上半身と骨盤を左右に振って歩く
鶏歩 (例)多発ニューロパシー 　　 腓骨神経麻痺	垂れ足を代償するように足を異常に高くもち上げて，つま先を投げ出すように歩く．一側性の障害であれば，左右差が目立つ
ヒステリー性歩行 (例)ヒステリー	歩容が変化し，理屈に合わない．例えば歩行中に急に膝折れして倒れ込み，全く立ち上がれなくなる．他者から見られていないと，普通に歩ける．ベッド上の筋力と歩容との乖離を認める
間欠跛行 (例)腰部脊柱管狭窄 　　 下肢の動脈硬化症	歩行を続けるとしびれや痛みが増悪してそれ以上歩けなくなるが，短時間休息すると改善してまた歩けるようになる．腰部脊柱管狭窄による間欠跛行の特徴は，立位をとっていても出現する．また，腰部前屈位では間欠跛行が出現しないので，自転車はどこまでもこげるなどがある

鑑別が問題となる場合がある．

視床などの小梗塞で起こる手掌・口症候群(cheiro-oral syndrome)では，時に手のしびれが橈側のみで，C6髄節の障害に類似していることがある．その場合には口周辺の感覚障害の有無が重要で，頚椎症では起きない顔面の障害があれば，頭蓋内病変と診断できる．

鑑別診断には，その障害が髄節性の分布あるいは末梢神経性の分布に厳密に一致しているかどうかが重要である．また突然発症の場合には，脳血管障害の可能性がないかどうかを検討する必要がある．

2 ▶ 脊椎疾患と筋萎縮性側索硬化症

筋萎縮性側索硬化症(amyotrophic lateral sclerosis；ALS)は，運動神経を系統的に障害する変性疾患であり，いずれかの部位の筋萎縮または痙性麻痺，構音障害から始まり，徐々に全身に運動障害が広がり，平均3〜5年で呼吸筋麻痺を呈する．中高年者で一側上肢の筋萎縮から発症する場合には，併存する変形性頚椎症による症候としばしば誤診される．頚椎症との鑑別点は，ALSでは頚部屈筋の筋力低下が起きやすいこと，上肢筋萎縮に髄節性がなく，基本的にびまん性であること，頚椎症では障害されにくいT1髄節の短母指外転筋の障害がみられやすいこと，広範囲な線維束収縮が認められることなどである．普段から頚椎症の画像所見と症候を対比する習慣があると，圧迫のレベルや程度と神経症候との乖離に早期に気づくことができる．ALSでは頚椎症が合併していても，手術をすべきではない．

ALSで一側下肢の筋萎縮から発症する場合，あるいは痙性麻痺で発症する場合にも脊髄疾患との鑑別が問題になる．いずれの場合もALSは常に進行性なので経過をみていると診断が確定する．

3 ▶ 脊柱弯曲症とParkinson病

動作緩慢，筋強剛，安静時振戦，歩行障害などが，Parkinson病の主要症候である．多くは一側から発症して，その後徐々に進行して両側性の障害となる．Parkinson病では進行すると，立位・歩行時に体幹が前屈位をとることが多くなり，時に極端な腰曲がりや首下がりが起きることがある．また時には側方への体幹屈曲が起きることがある．

Parkinson病による脊椎弯曲と，脊椎そのものの異常を鑑別するポイントは，Parkinson病の場合は臥位では弯曲が是正される点である．

4 ▶ 腰部脊柱管狭窄と脊髄硬膜動静脈瘻

脊髄硬膜動静脈瘻は，脊髄硬膜の部位で動脈と静脈の間に瘻孔ができて，高い動脈圧が脊髄静脈にかかり，脊髄に静脈うっ滞が起こって進行性の脊髄症を起こす病態である．下位胸髄以下に起こることが多く，両下肢のしびれ，運動麻痺，排尿障害を起こす．間欠跛行

> トピックス　サルコペニアとフレイル

　サルコペニア（sarcopenia）は，ギリシャ語で筋肉を表す sarx と喪失を意味する penia を組み合わせた造語であり，1989 年に Rosenberg によって提唱された概念である．当初は，加齢とともに変化する筋量のみに注目した定義であった（Baumgartner ら，1998 年）が，近年は筋量減少に伴う筋力や身体機能低下の意義が強調されるようになり，さまざまな定義と診断基準が提案されている．

　2010 年に European Working Group on Sarcopenia in Older People（EWGSOP）からサルコペニア診断のための骨格筋量指数による筋量，握力による筋力，簡易身体能力バッテリー（SPPB）あるいは歩行速度による身体機能のカットポイントが発表されたのに続いて，2014 年にアジアの疫学データを基にした Asian Working Group for Sarcopenia（AWGS）基準が発表された．2018 年には EWGSOP の診断基準が改訂され，筋量に骨格筋量が，筋力に椅子立ち上がりが，身体機能に TUG（timed up and go）・400 m 歩行テストが追加され，これらのカットポイントが用いられるようになり，サルコペニア診断のアルゴリズムも変更された．2017 年には日本サルコペニア・フレイル学会から「サルコペニア診療ガイドライン 2017 年版」が発行され，サルコペニア予防のためには，適切な栄養摂取，運動習慣，豊富な身体活動を推奨し，サルコペニア治療のためには運動や栄養による単独介入より運動介入と栄養補充を組み合わせる複合介入がより有効であると強調している．

　一方，フレイルは，加齢に伴う予備能力の低下のためストレスに対する回復力が低下した状態を表す frailty の日本語訳として，日本老年医学会が 2014 年 5 月に提唱した用語である．フレイルは，要介護状態に至る前段階として位置づけられているが，身体的脆弱性のみならず精神・心理的・社会的脆弱性などの多面的な問題を抱えやすく，自立障害や死亡を含む健康障害を招きやすいハイリスク状態を意味する．2001 年に Fried らは，「筋力低下，歩行速度低下，活動量減少，易疲労，体重減少」の 5 項目中，3 項目以上に該当した場合をフレイルと定義している．2017 年に van Oostrom らは，フレイルの多面的概念モデルを提案し，身体的・社会的・心理的・認知的フレイルに分類している．「フレイル診療ガイド 2018 年版」では，フレイルは食事・栄養，運動と関係があり，フレイル予防のためには運動と栄養補充の併用がより有効であるとしている．最近では，フレイル発症・進行を予防するためには，多成分栄養およびレジスタンス運動・バランス・機能的トレーニングの組み合わせがよいと推奨し，運動と栄養による適切指導を受けるとフレイル状態の人のうち 50% 以上が正常状態へと改善する．

金 憲経〔東京都健康長寿医療センター研究所自立促進と精神保健研究チーム 研究部長（東京都板橋区）〕

整形外科医に必要な筋・神経疾患の検査法

Clinical diagnosis of neuromuscular diseases for orthopaedic surgeons

石山 昭彦　国立精神・神経医療研究センター病院 医長（小児神経科）〔東京都小平市〕

【概説】　整形外科診療で診る可能性のある神経筋疾患（脊髄前角，末梢神経，神経筋接合部，筋を病巣とする疾患群）に関する検査法について概説する．神経筋疾患の診断では臨床経過と診察による評価に加え，血液検査，電気生理学的検査，骨格筋画像検査といった非侵襲的な検査で鑑別診断を絞り込む．そのうえで，遺伝子検査または筋生検での病理診断により確定診断を行う．

1 血液検査

　血液検査で最も重要な項目は筋逸脱酵素で，代表的な項目がクレアチンキナーゼ（creatine kinase；CK）である．特に筋ジストロフィーや筋炎で高値を示す．それ以外にも先天性ミオパシーやミトコンドリア病でも高値を示すこともあるが，その程度は前者に比して軽度のことが多い．CK 高値の程度は疾患により異なる傾向があり，例えば Duchenne 型筋ジストロフィー

では，診断，診療を受ける年齢の乳幼児期では 10,000 U/L 以上，Becker 型筋ジストロフィーでは数百〜数千 U/L 程度，顔面肩甲上腕型筋ジストロフィーでは数百 U/L のことが多い．

CK 高値を示す場合には，AST，ALT，LDH，アルドラーゼも同時に高値を示すが，CK を測定しなかったことにより，当初は肝障害と評価されている場合もある．また，運動ニューロンの疾患でも CK 値は軽度高値を示す場合があり，さらには感染症，激しい運動，筋肉注射後，痙攣発作後，打撲などによっても CK 値は高値を示す場合があるので，CK 値のみで筋疾患と決めつけない．CK 値以外の検査では，筋炎を疑う際は自己抗体などの膠原病関連の項目を，代謝性・内分泌性ミオパシーを疑う場合には，それぞれに対応した血液検査を行う．なかでも乳酸，ピルビン酸の高値はミトコンドリア病の鑑別に有効である．

2 電気生理学的検査

【概要】
電気生理学的検査には神経伝導検査と針筋電図がある．神経伝導検査では，疾患が神経原性か否か，さらにはその病態が脱髄性か軸索変性かの判別ができる．また，どの末梢神経の部位に障害があるのかが判断できる．針筋電図では筋から発生する活動電位を記録し，疾患が筋原性か神経原性かの判断や，神経障害部位を同定することができる．

【適応】
筋力低下や筋萎縮などの運動症状，痛み，しびれなどの感覚症状を認めて神経筋疾患が疑われ，その病変が筋，神経筋接合部，末梢神経，脊髄前角のどの部位にあるのかを見出すことが必要な例に適応となる．

実施手順
神経伝導検査のうち，運動神経伝導検査は運動神経に電気刺激を行い，誘発筋電図 M 波を記録する．運動神経伝導速度，終末潜時，持続時間，複合筋活動電位振幅などを評価する．感覚神経伝導検査では感覚神経に電気刺激を行い，感覚神経伝導速度，神経活動電位振幅を評価する．逆行法（刺激部位から遠位部の神経を評価）と順行法（刺激部位から近位部の神経を評価）がある．

針筋電図は針電極を筋に刺入し，筋線維の活動電位を測定する検査である．安静時，収縮時の記録をできるだけ複数の筋，特に筋力低下を認める筋で行う．針筋電図は，末梢神経疾患，脊髄性筋萎縮症といった非筋疾患と筋疾患との鑑別に有用な検査である．筋強直性疾患でのミオトニー放電，筋炎での線維自発電位・陽性鋭波といった安静時放電は診断的な意味を有する．

実施のポイント
針筋電図は針刺入による痛みを伴う検査でもあるため，手際よく実施するよう心がける．

3 骨格筋画像検査，末梢神経画像検査

【概要】
骨格筋では CT，MRI を用いた画像診断により，多数の筋の障害の分布や経時変化を観察できる．また末梢神経では MRI により末梢神経の走行を追うことが可能で，障害部位などを特定することができる．

【適応】
筋萎縮や筋力低下などの運動症状を認め神経筋疾患が疑われる場合に，診断の補助的な役割として行われる．疾患の経時変化の評価にも有用である．

実施手順
全身の骨格筋の筋量，筋変性の評価として，CT は臨床的な応用が古くから行われている．条件設定が比較的容易であり，汎用性が高いのが利点である．撮像部位は施設により異なるが，頸部（甲状腺の高さ），肩（三角筋の高さ），腹部（第 3 腰椎の高さ），殿部（恥骨結合の 2〜3 cm 上方），大腿（大腿中央部），下腿（下腿最大径部）が撮像部位に含まれることが望ましいと思われる．CT の欠点としては，被曝がある点，炎症性変化に対する感度が低いことが挙げられる．MRI は分解能がよいため個々の筋の同定が容易で，炎症・浮腫性変化を同定できる．骨格変形の強い例などで長時間の臥床が困難な場合に撮影ができないのが欠点ではある．T 1 強調像，T 2 強調像，STIR などの脂肪抑制像などが用いられる．

末梢神経の MRI による評価は MR neurography（MRN）とよばれ，3D 撮像による評価も可能であり，末梢神経，特に腕神経叢や腰神経叢などの神経走行の確認および神経障害の部位の特定や，神経腫大の確認にも有用である．

4 筋生検

【概要】
骨格筋を外科的に生検し，病理学的，生化学的評価などにより診断を行う．

【適応】
筋力低下や筋萎縮などの運動症状を認め，血液検査，電気生理学的検査，骨格筋画像検査などにより筋疾患が疑われ，確定診断を行う必要がある場合に行われる．後述する遺伝子診断で変異が同定された例では筋生検は行わない．

実施手順

全身麻酔で行われるが，成人の場合には局所麻酔下で実施することもある．筋の採取時には筋に過剰な力が加わらないように注意を払う．採取した筋は電子顕微鏡用，光学顕微鏡用，細胞培養用に分けて保存する．最も重要なものは光学顕微鏡用サンプルであるが，液体窒素で十分に冷やしたイソペンタンを用いて瞬間的に凍結固定を行う．凍結したままクリオスタットを用いて切片を作製し，各種染色による病理学的評価を行う．筋線維の壊死，再生，筋線維径の異常，細胞内構築の異常，間質組織の異常などを評価する．さらに免疫組織化学染色を行うことにより，病因となる蛋白質欠損の評価を行うことが可能である（図8-2）．

実施上のポイント

筋疾患の多くは筋生検により確定診断が可能だが，侵襲的な検査であるため，その適応は慎重に判断する必要がある．筋生検は採取，凍結固定のすべての工程において，丁寧な扱いが求められる．固定不良，サンプル量の不足，乱雑に扱うことによる筋のダメージにより評価不能な検体となってしまう場合があること，障害の非常に強い部位の筋からの採取により評価可能な筋がほとんど含まれない場合もある．

5 末梢神経生検

【概要】

末梢神経を外科的に生検し，病理学的，生化学的評価などを行い，診断を行う．

【適応】

筋力低下や筋萎縮などの運動症状，痛み，しびれなどの感覚症状を認め，血液検査，電気生理学的検査，画像検査などの検査で末梢神経疾患が疑われ，その確定診断を行う場合に用いられる．末梢神経障害の有無，さらには脱髄性か軸索変性かを見出すことができる．Charcot-Marie-Tooth病などの遺伝子変異に由来する疾患で，遺伝子診断により診断が可能な例では生検は実施しない．

実施手順

事前に神経伝導検査，針筋電図を行い，末梢神経に病巣があることを確認し，生検の適応を判断する．純粋な感覚神経である腓腹神経を採取することが多い．筋生検同様に全身麻酔で行われるが，成人の場合には

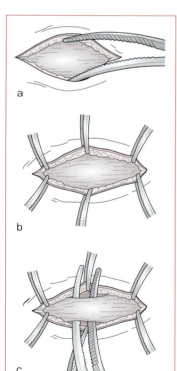

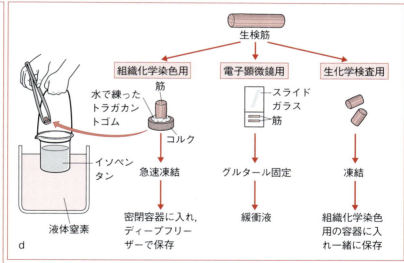

図8-2 筋生検（a-c）と筋検体の処理手順（d）

a：皮膚に切開を加え，ペアンや筋鉤などで鈍的に剥離し筋膜を露出する．
b：筋膜に切開を加え，左右3か所をペアンで把持し筋を露出する．
c：生検に必要な筋組織をなるべく長く剥離し近位端と遠位端を交互に切離する．
d：筋検体の処理．組織化学染色用では凍結固定を行う．紐をつけたビーカーにイソペンタンを入れ，液体窒素のなかに静かにつける．イソペンタンはビーカーの底部に白い結晶ができるまで十分に冷却する．長鑷子でコルク片に乗せた筋組織を図のようにもち，円を描くように回しながらイソペンタン内に一気に入れる．イソペンタン内でも細かく回しながら冷却するのが，人工産物の少ないよい固定を得るコツである．

局所麻酔下で実施することもある．

腓腹神経の場合，まず外顆の後上方を約2cm切開し，皮膚を広げて鈍的に剥離して腓腹神経を十分に露出してから約2cmの長さを目安に採取する．腓腹神経の奥に存在する短腓骨筋を同時に採取すると，神経と筋を同時に評価することが可能である．採取した神経はいくつかに分け，筋生検に準じた方法で凍結標本，グルタルアルデヒド溶液固定，ホルマリン固定などを行う．グルタルアルデヒド溶液で固定した神経の一部は溶きほぐし，線維法とよばれる方法で実体顕微鏡下にて1本ずつ分離して節性脱髄などを評価する．

実施上のポイント

末梢神経は非常に脆弱なため，採取にあたりできるだけ触らない，張力を加えないなど愛護的に組織を取り扱う必要がある．

6 遺伝子検査

【概要】

神経筋疾患の多くは遺伝子変異に由来する疾患であり，それを同定することで確定診断を得る検査法である．

【適応】

遺伝子変異に由来する神経筋疾患が疑われる場合に適応となる．遺伝子診断はDuchenne型筋ジストロフィー，Becker型筋ジストロフィー，筋強直性ジストロフィー，福山型先天性筋ジストロフィー，脊髄性筋萎縮症などの遺伝子検査が保険適応になっている．また，遺伝性の末梢神経障害であるCharcot-Marie-

---

トピックス　筋分化の基礎

脊椎動物の胚発生研究により，将来筋組織を形成する細胞の分化過程が明らかになった．まず体の形がつくられる初期の段階において神経管の左右にある中胚葉由来の体節から骨格筋の元になる「筋前駆細胞」が出現する．筋前駆細胞は，成長因子の刺激を受けて活発に増殖する「筋芽細胞」へと分化し，脊柱周囲の筋肉や背側の筋肉を形成する．一方，遊走した筋前駆細胞は分裂を繰り返しながら四肢と腹部に行き渡り，将来筋肉へと分化する．一定の細胞数に到達した筋芽細胞同士は，融合して細長い「筋管細胞」に変貌し，束ねられた筋線維を形成することによって各部位の筋収縮装置をつくり出す．筋前駆細胞の一部は筋線維の周囲にとどまり，細胞周期を停止する．これらの細胞は「サテライト細胞」とよばれ，生後の筋再生能を担う．サテライト細胞は損傷シグナルを受けた場合に細胞分裂を開始し，筋芽細胞に分化後，増殖を繰り返し，発生期と同様の分化系をたどることにより筋再生を成立させる．

筋分化を試験管内で再現する細胞培養法の確立と，遺伝子導入・遺伝子欠損技術の発展により，骨格筋分化を制御する遺伝子が同定された．各分化ステージには異なる遺伝子が関与しており，特に転写因子として機能する遺伝子が筋細胞の性質を規定する．ここでは代表的な5つの筋分化制御転写因子（Pax 3，Pax 7，Myf 5，MyoD，Myogenin）について概説する．Pax 3/Pax 7は重複した機能をもち，中胚葉から筋前駆細胞への分化を制御する．また，それぞれの機能としてPax 3は四肢筋の形成に，Pax 7は生後のサテライト細胞の維持に必須である．Myf 5とMyoDは，筋前駆細胞およびサテライト細胞から筋芽細胞への分化や，筋芽細胞の増殖に重要な役割を果たす．両遺伝子を欠損したマウスでは骨格筋線維および筋芽細胞が完全に失われる．Myogeninは，筋成熟の段階に関与しており，筋芽細胞から筋管細胞への分化と正常な筋管細胞の維持に寄与する．

上記の転写因子は，ゲノムDNAに直接結合し，下流遺伝子の活性化を介して筋細胞の遺伝子ネットワークを構築する司令塔のような役割を果たす．そのため，これらの転写因子を筋以外の培養細胞に強制発現させることにより，筋芽細胞や筋管細胞を直接誘導することができる．特にPax 3を用いた筋前駆細胞への誘導とMyoDを用いた筋管細胞への誘導は，iPS細胞の分化誘導技術にも応用され，筋疾患に対する再生医療や創薬研究への貢献が期待されている．ただし転写因子による誘導法は，迅速かつ分化効率が高い一方で，初期発生過程を経由しないため本来の筋細胞とは異なる性質の筋細胞が作出される問題点もある．分化能や成熟性，移植後の安全性を向上させるためにも，異所的に発現させた転写因子の作用機序を解明する必要がある．また将来的には，運動神経や毛細血管との細胞間相互作用を含めた解析が進み，骨格筋分化の統合的理解がなされたうえで再生治療に活かされることが望まれる．

秋山　智彦〔慶應義塾大学　専任講師（坂口光洋記念講座システム医学）〕

Tooth 病の *PMP22* の FISH 解析も，保険適応で検査可能である．保険適応でない疾患のなかには研究解析の一環として遺伝子診断が可能な疾患もある．

実施手順

遺伝子診断の有益性とその限界とともに，両親，兄弟の保因者の可能性や両親が発症前の状態である可能性などを検査前に正確に説明し，問題点について理解や同意を得ておく必要がある．事前の説明，結果の説明，診断後のフォローを行うことができる体制の下で遺伝子診断を行うことが望ましい．研究解析の一環で行われる解析の場合，施設や研究者の意向により採血条件が異なる場合があるので，事前の確認を必要とする．

実施上のポイント

遺伝子解析技術の進歩により多くの遺伝子変異が同定されてきており，遺伝子診断により確定診断が得られる例が増えてきている．本人の診断に加えて，家族，親族の診断や保因者の可能性がわかる（わかってしまう）可能性がある点が，他の検査と異なる特徴でもある．遺伝子解析前には，遺伝学と該当する疾患に精通した医師による検査前カウンセリングも重要となる．

進行性筋ジストロフィー

Progressive muscular dystrophy

石山 昭彦　国立精神・神経医療研究センター病院 医長（小児神経科）〔東京都小平市〕

【疾患概念】　筋ジストロフィーは筋線維の壊死を主病変とし，進行性の筋力低下をみる遺伝性疾患である．筋線維の壊死とそれに伴う再生が慢性的に行われる過程で線維化や脂肪変性が出現し，筋量が減少することにより徐々に筋力低下が進行する．運動機能障害を主な症状とするが，関節拘縮，呼吸機能障害，心機能障害，嚥下障害，消化管症状，骨代謝異常，内分泌異常，中枢神経障害などの合併を認めることも多い．

筋ジストロフィーの病型として，Duchenne 型/Becker 型筋ジストロフィー，先天性，肢帯型，顔面肩甲上腕型，Emery-Dreifuss 型，筋強直性，眼咽頭型などに分類される．

【代表的な疾患】

⑴Duchenne 型筋ジストロフィー（DMD）

DMD は X 連鎖性劣性遺伝形式をとり，原則として男性に発症する．ジストロフィン遺伝子変異により，筋線維膜直下のジストロフィン蛋白質の欠損をきたすことにより生じる．2 歳以降に転びやすい，走れないなどで気づかれるが，発症前に感冒などで行った検査で高クレアチンキナーゼ（CK）血症が判明して診断に至る例も多い．5 歳頃に運動能力のピークを迎え，以降，緩徐に運動症状が進行し，10 歳頃に歩行不能となる．また全身合併症として，10 歳以降に呼吸不全，心筋症を認めるようになるが，出現時期や経過には個人差がある．側弯症の合併も多く，脊柱固定術の適応となる例もある．ジストロフィン遺伝子変異を有する女性を保因者とよび，その多くは無症状であるものの，筋痛，筋力低下や心筋症を発症する例もある．

⑵Becker 型筋ジストロフィー（BMD）

DMD に臨床症状は類似する一方で，発症時期がより遅く 15 歳を過ぎても歩行可能であるが，運動症状，重症度には症例ごとに幅がある．起立，歩行，階段昇降に支障をきたすことが初発症状のことが多い．BMD では歩行可能な時期であっても，心筋症を発症する例がある．BMD の病因もジストロフィン遺伝子変異によるが，BMD ではジストロフィン蛋白質の量的質的異常を示す．

⑶先天性筋ジストロフィー（CMD）

わが国では CMD のうち，福山型先天性筋ジストロフィーが約 60% を占める．次いで Ullrich 型やメロシン欠損型などが存在する．福山型は重度の知的障害，てんかんなど中枢神経症状を合併する日本人特有の病型である．乳児期に精神運動発達遅滞で気づかれ，座位は獲得可能な例が多いが，歩行は獲得できない例が大半である．全身の筋力低下，筋緊張低下，顔面筋罹患，早期からの手指，股，膝，足関節拘縮が特徴である．脳 MRI では多小脳回，小脳内小嚢胞，白質髄鞘化の遅延を認める．学齢期以降に運動機能低下が進行し，10 歳以降で心筋症や呼吸不全，嚥下障害，消化管機能障害などを呈する．平均寿命は 15 歳程度とされていたが，医療の向上により延長している．血清 CK 値は数千程度のことが多い．*Fukutin* 遺伝子が福山型の責任遺伝子であり，福山型患者の約 90% で，3'非翻訳領域内における 3 kb レトロトランスポゾン挿入変異をホモ接合体で有している．

⑷肢帯型筋ジストロフィー（LGMD）

発症年齢は幼児期から成人の 50 歳代までと幅があり，症状の進行も症例，病型ごとに個人差が大きい．また無症候性高 CK 血症の原因であることもあり，偶発的に検査で高 CK 血症が判明し診断に至る例もある．近位筋，特に下肢帯の筋力低下による歩行異常，転びやすい，階段昇降困難などが初発症状でみられる．多くは常染色体劣性遺伝形式をとるが，優性遺伝形式もあり，優性遺伝形式は LGMD 1，劣性遺伝形式は LGMD 2 と分類され，遺伝子座をもとに分類が行わ

れており，近年では新しい病因遺伝子，病型が次々と報告されている．

(5) 顔面肩甲上腕型筋ジストロフィー（FSHD）

発症年齢は幼児期から壮年期までと幅があり，成人例では軽い顔面筋罹患程度で，本人の自覚症状がほとんどない場合もある．典型例では，顔面筋罹患と上肢挙上困難が初発症状であることが多い．上肢を十分に外転できず，僧帽筋が膨隆する．肩甲帯筋の筋萎縮が著明で翼状肩甲を呈する．経過とともに下肢帯や下肢に障害が及ぶ．筋力低下，筋萎縮の分布が左右非対称となることがしばしばある．呼吸障害，心筋障害は他の筋ジストロフィーに比べると合併頻度は低いが，定期評価は必要である．小児発症例では，難聴，知的障害を認める場合もある．血清CK値は高値～正常を示す．常染色体優性遺伝形式をとり，4q35領域の3.3kbの繰り返し配列の欠失が認められることが本症の病因である．

(6) Emery-Dreifuss 型筋ジストロフィー（EDMD）

本症では筋力低下が軽度である時期からすでに，肘，手，足関節に拘縮がみられる．また脊柱の可動域制限も認めることが多い．心筋症の合併が多く，心房機能不全，AV block といった所見を呈するようになる．心電図は初期には P 波の不明瞭化，PR 延長，AV block を呈し，突然死のリスクを有する疾患である．血清 CK 値は正常の 10 倍程度までの上昇を示す．EDMD には X 連鎖性劣性遺伝形式で Xq28 に存在するエメリンの変異による病型と，常染色体優性遺伝形式をとる lamin A/C という核膜の蛋白質をコードする遺伝子の変異による病型がある．

(7) 筋強直性ジストロフィー（DM）

病型として1型（DM1）と2型（DM2）が存在するが，わが国ではほとんどがDM1である．DM1は発症時期の違いにより成人型，小児型，先天型に分類される．先天型では新生児期から重度の筋力低下，筋緊張低下，顔面筋罹患を認め，呼吸障害を伴い人工呼吸管理が必要な例や生後まもなく死亡する例も少なくない．嚥下障害，股関節脱臼，関節拘縮，横隔膜麻痺などを伴う例も多い．経過とともに改善を認め，歩行が可能となる例もある．知的障害は全例でみられ，成人期以降になると成人型の症状を認める．小児型は幼児期以降に精神発達遅滞で発症し，知的障害に加えて特徴的な顔貌を認める．成人型では四肢遠位筋優位の筋力低下やミオトニーのほかに多臓器障害を認め，心伝導障害，心筋障害などの心病変，慢性呼吸不全，嚥下障害，認知機能障害などの中枢神経異常，白内障，耐糖能異常，悪性腫瘍などの合併を示す．軽症の場合には白内障，耐糖能異常のみを示す場合もある．

本症は常染色体優性遺伝形式をとり責任遺伝子は *myotonin-protein kinase* で，3′側非翻訳領域にある CTG 繰り返し配列が増加するトリプレットリピート病の1つである．健常人では，この CTG 繰り返し配列は 30 回未満であるが，患者では 50～2,000 回程度に延長している．この繰り返しの数と臨床症状は相関し，成人型＜小児型＜先天型と繰り返し数の延長傾向を認める．世代を経るに従い繰り返しの数が増加し，症状は重くなる傾向にある．

(8) 眼咽頭型筋ジストロフィー（OPMD）

45歳以降に発症する．眼瞼下垂，嚥下障害を主徴として緩徐に進行し，比較的軽度の四肢・体幹の筋力低下を伴う．そのほか，舌の萎縮，発声障害，上方視制限などを認める．病状の進行につれて，栄養障害，誤嚥性肺炎や窒息のリスクが増大する．責任遺伝子は *PABPN1* で，mRNA の poly（A）付加量の調節，poly（A）部位の選択や，mRNA の核内から細胞質への輸送などの役割を示す．ほとんどが常染色体優性遺伝形式をとるが，常染色体劣性遺伝形式の例もある．

治療方針

筋力，運動能力に対する有効性が示されている薬物療法はDMDへのステロイド療法のみであるが，DMDでは，遺伝子治療のエクソンスキッピングがわが国においても実用化されつつあり，2020年5月には，エクソン53スキッピングの治療として，ビルテプソ®が承認されている．心筋症に対しては，β遮断薬やACE阻害薬の投薬を検討する．関節可動域の制限が認められるようになれば，その進行をできるだけ抑えるため，理学療法を開始する．側弯症を認める病型も多く，症例により手術療法も検討する．定期的な呼吸機能評価を行い，適切な時期に呼吸リハビリテーション，非侵襲的陽圧換気療法の導入を行う．

予後

筋力低下，運動機能障害は ADL，QOL に大きな影響を与えるが，呼吸不全，心機能障害，嚥下障害が主に生命予後に影響する．定期的な機能評価，合併症検索と適切な介入が重要である．

多発性筋炎

Polymyositis

住田 孝之　筑波大学名誉教授（膠原病リウマチアレルギー内科学）

【疾患概念・臨床症状】　多発性筋炎は，自己免疫性筋障害によって進行性に体幹，四肢近位筋群，咽頭筋の

筋力低下や筋痛をきたす疾患である．発熱，全身倦怠感，易疲労感，体重減少，多関節痛を認める場合がある．皮膚筋炎ではこれらの徴候に加えて顔面，手指関節伸側などに特徴的皮疹を伴う．間質性肺炎による咳嗽や進行性に呼吸障害をきたしうる．

問診で聞くべきこと

筋症状の分布や全身症状の有無，間質性肺炎を念頭に呼吸器症状について聴取する．

必要な検査

①血液検査：クレアチンキナーゼ（CK）など筋原性酵素，筋炎関連自己抗体など．
②画像検査：筋MRI（筋炎の評価），胸部単純X線・CT（間質性肺炎の評価）．

診断のポイント

厚生労働省特定疾患自己免疫疾患調査研究班による多発性筋炎・皮膚筋炎の診断基準（2015年）をもとに診断する．基本的には専門医による診断・治療が望ましく，疑われた場合は膠原病・リウマチ医，または神経内科医に紹介すべきである．

治療方針

治療の中心は高用量ステロイドであり，病状に応じてステロイドパルス療法や免疫抑制薬を併用する．病状のコントロールが得られたら，ステロイドを漸減し，少量のステロイドなどによる寛解維持を目指す．

合併症と予後

筋炎自体はステロイド減量により再発しやすく，長期的な治療を要する．病状がコントロールされても筋力低下が残存してしまう症例も多い．約50％の症例で間質性肺炎を，初発患者のうち10％前後の症例で悪性腫瘍を合併し，生命予後に影響するため注意を要する．

患者説明のポイント

専門医による適切な診断，治療が必要な疾患であること，指定難病であり，医療費助成の対象であることなどを説明する必要がある．

リハビリテーションのポイント

治療急性期のリハビリテーションは負荷などに注意が必要だが，病状安定後のリハビリテーションは，筋力回復のため実施することが勧められる．

多発ニューロパシー

Polyneuropathy

石山　昭彦　国立精神・神経医療研究センター病院 医長（小児神経科）〔東京都小平市〕

【疾患概念】　①血管炎（膠原病関連），②炎症性脱髄性疾患，③中毒，④栄養障害，⑤悪性腫瘍，⑥糖尿病などにより生じた末梢神経障害である．

【病態】　上記①〜⑥のような原疾患の病態により発症するが，四肢遠位部優位の対称性の手袋靴下型の障害分布（②〜⑥の大半の例）や，複数の単神経障害からなる左右非対称性の多発性単ニューロパシーの場合もある（①と②の一部）．

【臨床症状】　四肢遠位部優位の筋力低下や感覚障害を認める．

問診で聞くべきこと

内科疾患の既往歴の確認，運動・感覚症状の発症の仕方のほか，食生活，化学物質や薬物摂取の有無を確認する．

必要な検査とその所見

神経伝導検査で神経伝導速度の低下や複合筋活動電位，感覚電位の低下を確認する．

診断のポイント

全身性ニューロパシーが確認されたら内科的原疾患の鑑別を考える．

(1) 血管炎性ニューロパシー

結節性動脈周囲炎など各種膠原病は，血管炎による虚血性神経障害を高率に合併し，障害神経支配領域の運動感覚麻痺を急激に発症する．アレルギー性肉芽腫血管炎は喘息などが先行し，著明な好酸球増加を伴う．ステロイドが有効である．

(2) 炎症性脱髄性ニューロパシー

①Guillain-Barré症候群：感冒や胃腸炎に続き四肢の麻痺，しびれが急速に発現する疾患である．免疫グロブリン療法，血漿交換などが有効である．

②慢性炎症性脱髄性多発ニューロパシー：2か月以上の経過で緩徐に進行する脱髄性ニューロパシーの総称で，四肢筋力低下を主症状とする．診断には脱髄の証明が必要である．ステロイド，免疫グロブリン療法，血漿交換などに反応を示す．

(3) 中毒性ニューロパシー

末梢神経障害を起こす化学薬品は多岐にわたる．医薬品では化学療法薬が最も多い．貝毒や毒キノコ中毒も末梢神経障害を呈する．

⑷栄養障害性ニューロパシー

偏食とアルコール摂取によるビタミンB群やニコチン酸などの複合的欠乏による．ビタミンB_{12}欠乏は胃切除者に生じることがあり，錐体路徴候を伴う．

⑸腫瘍随伴性ニューロパシー

男性では肺小細胞癌，女性では卵巣癌に伴う亜急性感覚神経障害が多い．

⑹糖尿病性ニューロパシー

別項参照 ➡ 305頁．

治療方針

原疾患に対する治療を開始し，疼痛，しびれなどに対しては対症療法を行う．内科的な原疾患には治療可能な疾患も含まれるため，原疾患の検索が重要となる．

合併症と予後

治療開始の遅れは重症化に直結する．機能予後は軸索変性の程度による．

Charcot-Marie-Tooth 病

Charcot-Marie-Tooth disease

石山 昭彦　国立精神・神経医療研究センター病院 医長（小児神経科）〔東京都小平市〕

【疾患概念】Charcot-Marie-Tooth 病（CMT）は遺伝性ニューロパシーの代表的な疾患で，一般に下肢遠位優位の筋萎縮や感覚障害を呈する．CMT は臨床症状，神経伝導検査から脱髄型，軸索型に大別され，遺伝形式を加えて病型の分類がなされる．

【病態】
末梢神経にかかわる遺伝子として，現在，70種以上の原因遺伝子が特定されているが，CMT の約半数の例は *PMP22* 遺伝子重複による CMT1A である．同一の遺伝子の異常であっても，遺伝性運動性ニューロパシーなどの異なる臨床型を示す場合もある．

【臨床症状】
凹足，逆シャンペンボトル様の筋萎縮，手内筋萎縮，足趾骨間筋萎縮，足関節変形，歩行・走行困難，鶏歩，下肢優位の手袋靴下型の感覚障害，腱反射の消失，手指振戦，筋痙攣，疼痛，下肢皮膚温低下，チアノーゼなどを認める．CMT1A などの脱髄型では，末梢神経の肥厚を認めることがある．症状は基本的に左右対称性である．まれに四肢近位部が優位に障害される場合もある．

問診で聞くべきこと

小児期の発達歴や学童期の体育・運動の様子についても確認する．また，家族性にみられることもあるので，類症の家族歴がないかの確認も必要である．

必要な検査とその所見

神経伝導検査は必須で，脱髄型では正中神経の運動神経伝導速度は38 m/s以下を示し，複合筋活動電位は正常〜軽度低下を示す．軸索型では運動神経伝導速度は正常〜軽度低下であるが，複合筋活動電位は明らかに低下を示す．いずれにも分けられない中間型CMTもある．なお脱髄が高度な場合，活動電位が導出できない場合もある．遺伝性ニューロパシー，特にCMTを疑った場合は，保険適応である *PMP22* のFISH検査を行う．ほかの遺伝子解析は大学などの研究機関で，研究解析の一環として可能ではある．

治療方針

CMTの治療は，進行予防や疼痛緩和などを含めたリハビリテーションでの対症療法が主となる．アキレス腱延長術，腱移行術，骨切り術などの手術療法も症状に応じて検討される．

合併症と予後

腰痛，便秘，足関節拘縮などが多く，時に股関節臼蓋形成不全，声帯麻痺，自律神経障害，視力障害，錐体路障害，錐体外路障害などの合併がみられる．CMT 患者の約2割は車椅子を必要とし，重症例では人工呼吸器を必要とする場合もある．

先天性無痛無汗症

Congenital insensitivity to pain with anhidrosis

久保田 雅也　島田療育センター 院長（東京都多摩市）

【疾患概念】先天性無痛無汗症（congenital insensitivity to pain with anhidrosis；CIPA）は，遺伝性感覚自律神経性ニューロパシー（hereditary sensory and autonomic neuropathy）4型（HSAN-4）に分類され，温痛覚欠如，発汗障害，知的障害を特徴とする常染色体劣性遺伝の疾患である．

【病態】
責任遺伝子は，1番染色体に位置するチロシンキナーゼ型神経成長因子受容体遺伝子 *NTRK1*（*neurotrophic tyrosine kinase receptor type 1*）であることが見出され，発生学的に神経堤から末梢神経への分化異常が生じ，無髄神経（体性C線維と自律性C線維）と小径有髄線維 Aδ の選択的欠損のため温痛覚および発汗障害が起こる．国内に130〜210人の患者が想定されている．

診断のポイント

乳幼児期から反復する原因不明の発熱(体温調節障害)を認め，乳歯萌芽以降の口腔内粘膜および舌や指の咬傷，熱傷や骨折などの外傷を繰り返すことで本症が疑われる．その他，角膜損傷や，下肢の関節の反復性骨折や脱臼，骨壊死によって関節破壊(Charcot関節)を認める．化膿性骨髄炎や関節炎，蜂窩織炎などの感染症の合併も多い．その他，小児発熱による急性脳炎，睡眠障害や周期性嘔吐症，知的障害や自閉症スペクトラムなどの合併もあり，自傷行為や多動を認めることも多い．特異的な検査はなく，臨床症状と発汗テストでの発汗減少で診断可能である．遺伝子検査は商業ベースでは行われていない．

鑑別診断

無痛症，無汗症，低(無)汗性外胚葉形成不全症，末梢神経障害による無痛無汗などが挙げられる．

治療方針

根本的な治療はなく，合併症の早期発見と治療，予防に努める．関節破壊に対する装具療法，舌・口腔粘膜外傷予防目的の歯牙への保護プレート使用，体温上昇予防目的のクールベスト装着などがある．自閉症スペクトラムに対する療育的対応も重要である．

リハビリテーションのポイント

骨折や捻挫をきたしても，患児は痛みを訴えないまま悪化する．さらに損傷した箇所をかばいながら動き続けることにより，隣接部位に新たな損傷を引き起こすという悪循環を繰り返す．早期発見が何よりも重要なポイントである．

神経痛性筋萎縮［症］

Neuralgic amyotrophy

園生 雅弘　帝京大学 主任教授(神経内科学講座)

【疾患概念】　神経痛性筋萎縮症(neuralgic amyotrophy；NA)は，1948年にParsonageとTurnerが初めて提唱した疾患概念であり，肩～上腕の急性の激痛に引き続いて，上肢筋萎縮・筋力低下をきたす疾患である．先行感染やワクチン接種が誘因となることからは自己免疫機序が想定されるが，激しい運動後など機械的誘因を思わせる例もある．かつて腕神経叢障害と考えられたが，最近では多発性単ニューロパシーと考えられている．

問診で聞くべきこと

突然発症の激痛に加えて，夜間痛，肘を曲げて肩関節を内転内旋して痛みを我慢するflexion-adduction signなどを呈する．

診断のポイント

①頚椎症性筋萎縮症(cervical spondylotic amyotrophy；CSA)との鑑別が重要だが，筋力低下分布の詳細な検討が鑑別に役立つ．CSAではC5/6(近位型)あるいはC8中心(遠位型)の正確な髄節性の分布を示すが，NAでは髄節性ではなく多発性単ニューロパシーの分布を示す．腋窩・肩甲上・長胸神経支配筋などの近位筋障害例が典型とされるが，わが国ではむしろ，後骨間・前骨間・橈骨・正中神経支配筋(特に円回内筋と橈側手根屈筋)などの遠位筋障害例が多い．また，わが国ではNAよりもCSAのほうが圧倒的に多い．

②針筋電図検査は，臨床症候を補完して障害分布を明らかにできるほか，回復期に低振幅の新生運動単位電位が観察されれば，再生による良好な回復が期待できる．

③神経超音波で砂時計様のくびれが描出されると診断に役立つ．

治療方針

1 ▶ 保存療法

急性期は強い痛みを呈するので，場合によってオピオイドも含む鎮痛薬を強力に用いる．急性期に副腎皮質ステロイドパルス療法，免疫グロブリン静注などの免疫治療も行われることがあるが，エビデンスは乏しい．

2 ▶ 手術療法

かなりの例では，神経再生が生じて良好に回復するので，少なくとも発症1年程度は経過を観察する．回復が全くみられない例では，神経束間剥離術または部分切除と神経移植・人工神経接続が考慮される．

糖尿病神経障害(糖尿病性ニューロパシー)

Diabetic neuropathy

馬場 正之　青森県立中央病院 医療顧問(脳神経内科)〔青森市〕

【疾患概念】　糖尿病の慢性高血糖を基盤に発症する末梢神経障害である．

【病型・分類】　障害分布は遠位優位対称性と非対称性の2病型がある(表8-2)．

表 8-2　糖尿病神経障害の臨床的分類

1. 遠位優位対称性神経障害
    慢性多発神経障害
    急性有痛性（治療後）神経障害
2. 非対称性神経障害
    急性脳神経障害：外眼筋麻痺ほか
    急性脊髄神経根障害：頚髄・胸髄・腰仙髄部

【頻度】

慢性多発神経障害は糖尿病患者に必発で，わが国の患者数は数百万人に達する．一方，非対称性神経障害は糖尿病患者の数％にしか発症しないまれな病型である．

【病態】

発症には代謝障害，微小血管障害，炎症など多因子がかかわる．多発神経障害は長さ依存性の感覚・運動・自律神経線維の変性脱落で，2型糖尿病では食後高血糖期から，1型糖尿病では発症後5年頃から始まる．高血糖以外の進行促進因子に高血圧，喫煙，肥満，脂質異常症がある．急性脊髄神経根障害は血管炎を基盤に生じる．

【臨床症状】

(1) 慢性多発神経障害

①無症候性（前臨床期）神経障害：無症状・無徴候だが，神経伝導検査などの臨床検査に異常がある場合で，全糖尿病者の60〜70％に潜在的にみられる．

②有痛性神経障害：足部陽性感覚症状（しびれ感）や疼痛を呈する場合で，糖尿病患者の10〜20％が属する．急性有痛性神経障害は急速血糖是正後に発症する．

③無痛性神経障害：無症状だが，感覚・自律・運動神経障害徴候により診断される．全糖尿病者の20〜30％が属し，障害の程度は軽度から重度まで幅広い．下肢切断はこの病型に集中的にみられる．

(2) 急性神経根障害

腰仙髄部に多く，激痛に続き節性感覚運動障害を呈する病型．下肢筋萎縮を後遺する．

問診で聞くべきこと

足部しびれ感，立ちくらみ，排尿障害，顔面や前胸部の発汗亢進，便秘や下痢，勃起障害の有無を聞く．

必要な検査とその所見

神経学的検査は必須である．神経伝導検査での腓腹神経感覚電位の振幅低下は神経変性進行を，脛骨神経刺激による足底筋複合筋電位の振幅低下は足病変の高リスクを示す．心電図RR間隔の変動減少や起立性低血圧は，自律神経障害の指標になる．

診断のポイント

①慢性病型では腰部脊柱管狭窄症や慢性炎症性脱髄性神経炎を鑑別する．下記足部徴候から進行度が推定できる．手指のしびれは手根管症候群による場合が多い．

・初期徴候：足皮膚乾燥・角化・ひび割れ・爪変化，アキレス腱反射低下・消失，内踝・拇趾部振動覚軽度低下，短趾伸筋萎縮など．

・進行期徴候：足皮膚色調変化・皮膚潰瘍，失神，下腿筋萎縮，起立・歩行障害，排尿障害など．

②急性病型ではGuillain-Barré症候群，血管炎性神経障害，脊髄炎の鑑別が必須．

専門病院へのコンサルテーション

症候の左右差・上肢優位・運動優位，急速進行があれば神経専門医に頼診する．足皮膚色調変化や皮膚潰瘍，壊疽は皮膚・循環器・血管外科専門医に頼診する．

治療方針

血糖是正は月平均1％低下を目安に，HbA1c値7％未満が目標．低血糖は絶対に避ける．高血圧，肥満，脂質異常を是正し，禁煙を徹底する．補助薬にアルドース還元酵素阻害薬とビタミンB_{12}製剤がある．急性神経根障害では免疫グロブリン大量静注療法を行う．有痛性神経障害の疼痛治療は，ガバペンチノイドと選択的セロトニン・ノルアドレナリン再取り込み阻害薬が第一選択である．最近上市されたミロガバリンは$\alpha 2\delta$チャネル受容体からの解離半減期が長く，プレガバリン無効例でも有効な場合がある．

合併症と予後

下肢切断後3年生存率は50％．重度障害者では脳卒中や心血管イベント発生率が高まり，突然死発生率が神経障害のない患者の20倍に達する．

患者説明のポイント

軽度障害者では血糖，血圧，脂質レベル，禁煙に留意すれば重症化の心配がないことを伝える．進行患者では毎夕の足皮膚チェックを指導し，足病変と心・脳血管イベント徴候に注意を促す．

リハビリテーションのポイント，関連職種への指示

下肢遠位筋が潜行性に萎縮するので，下肢筋力低下防止のリハビリテーションを指導する．足部の清潔維持と足に合う靴の選別を指導する．

帯状疱疹後神経痛

Post-herpetic neuralgia

柴田 政彦　奈良学園大学保健医療学部 教授（リハビリテーション学科）

【疾患概念】

帯状疱疹は，水痘・帯状疱疹ウイルス（varicella-zoster virus；VZV）の初感染後，脊髄後根神経節に潜伏感染しているVZVが再活性化することにより発症する．85歳までの約半数，80歳までに3人に1人が帯状疱疹に罹患すると推定されている．発症から3か月以上持続する疼痛，いわゆる帯状疱疹後神経痛（post-herpetic neuralgia；PHN）が10〜20%に認められ，加齢，免疫不全を有する者では，帯状疱疹の発症および重症化のリスクが高まる．国内で実施された大規模疫学調査として，宮崎スタディ（1997〜2011年）およびSHEZスタディ（2009〜2012年）がある．これらによると年間の帯状疱疹の罹患率は4.38〜19.9/千人・年で，年齢とともに上昇する．帯状疱疹罹患患者の19.7%がPHNを発症し，年齢別では80歳代で32.9%，60歳代で13.6%である．PHNの罹患率は全体で2.1（男性1.7，女性2.4）/千人・年であり，男女に有意差はない．再発率は1〜6%の範囲の報告がある．

【臨床症状】

皮疹出現の2〜7日前に，のちに皮疹が出現する部位に痛み，知覚異常，かゆみが出現する（70〜80%）．痛みはピリピリ，ズキズキと表現されることが多く，触れるだけで痛みを生ずる，アロディニアとよばれる症状を伴うこともある．皮疹が出現する前は，頭痛，胸痛，腹痛を内臓疾患による痛みと考えて内科受診する患者や，四肢の痛みを運動器由来と考えて整形外科を受診する患者もいるので注意が必要である．発熱，倦怠感などの全身症状を伴う．皮疹は皮膚知覚神経支配領域に一致して分布する．通常例では数日すると水疱は膿疱化し，7〜10日後には痂皮を形成し，約3週間で治癒する．細胞性免疫能が低下した患者では治癒が遅れ，大きく深い皮膚潰瘍を形成する．痛みの程度は，ほとんど自覚しない場合からきわめて強い場合までさまざまである．

治療

1▶薬物療法

帯状疱疹発症1か月以内の急性期の鎮痛は，侵害受容性疼痛に対する疼痛管理が主であり，痛みの強さに応じてNSAIDs，オピオイドを適宜用いる．高齢者の重症例で，在宅での管理が困難な場合には入院治療も検討する．腎機能障害などの合併症のためにNSAIDsを使いにくい場合にはアセトアミノフェンを用いる．2か月以降の慢性期の鎮痛は，神経障害性疼痛管理の原則に準じてプレガバリン，ミロガバリンを用いる．種々のガイドラインでは，三環系抗うつ薬やセロトニン・ノルアドレナリン再取り込み阻害薬も推奨されている．ただし，罹患患者には高齢者が多く，三環系抗うつ薬，NSAIDsの長期使用も勧められないなど使用可能な薬剤は限られる．

2▶神経ブロック

たとえ一次的でも，神経ブロックによる痛みの緩和は患者の満足度が高い場合が多いので，積極的に用いる医師も多い．近年，超音波ガイド下ブロックの導入によって，神経ブロックの効果が確実になり，安全性も高まってきた．

3▶その他

高齢者，重症例などPHNへの移行が予想される患者に対しては，痛みが残存する可能性を説明したうえで，早い段階から痛みは続いても危険を示す徴候ではないこと，罹患前の生活に復すること，痛みに注意が集中しないことを繰り返し指導することが重要である．

帯状疱疹後神経痛の予防

⑴抗ウイルス薬

アシクロビル，バラシクロビル，ファムシクロビルなどの抗ウイルス薬の投与により，皮膚病変の治癒の促進，疼痛期間の短縮と重症度の軽減，PHNの発症頻度を減少させる効果が認められる．抗ウイルス薬は皮疹出現後3日以内に投与がなされることが望ましく，投与期間は7日間である．

⑵ワクチン

2016年3月に，水痘ワクチンの効能に50歳以上の者に対する帯状疱疹予防が追加され，国内で帯状疱疹ワクチンとして接種できるようになった．帯状疱疹ワクチン接種の目的は帯状疱疹の発症率を低減させ，重症化を予防することであり，帯状疱疹の発症阻止効果は約50〜70%程度，PHNの予防効果は接種後約3年で約66%，接種後7〜11年で約35%と報告されている．

2020年1月にわが国においても不活化ワクチンが発売され，帯状疱疹に対する予防効果は50歳以上では97.2%，70歳以上では89.8%，またPHNに対する予防効果も88.8%と報告されている．

8 筋・神経疾患

周期性四肢麻痺
Periodic paralysis

久保田 智哉　大阪大学大学院 准教授（臨床神経生理学）

【疾患概念】　骨格筋に発現するイオンチャネルの機能異常によるチャネル病の1つで，麻痺発作を主症状とする．

【頻度】
　大規模な疫学データはない．臨床現場で遭遇する頻度が高いのは，甲状腺機能亢進症が合併する甲状腺中毒性周期性四肢麻痺（TPP）である．遺伝性はまれだが，軽症潜在例がいると考えられる．

【病型・分類】
　臨床的には，麻痺発作時の血清カリウム（K）値により，低K性と高K性とに分類される．病因による分類では，遺伝性と二次性とがある．遺伝性は，遺伝性高K性（HyperPP），遺伝性低K性（HypoPP）とAndersen-Tawil症候群（ATS）に分類され，いずれも常染色体優性遺伝である．二次性では低K性が多く，TPPが最多で若年男性に多い．その他，アルコール多飲，内分泌異常（原発性アルドステロン症，Addison病，Cushing病など），腎尿細管機能異常（Bartter症候群，Gitelman症候群など），薬剤（甘草・利尿薬など）によるものなどがある．

【臨床症状または病態】
　麻痺の程度は，筋力低下から完全弛緩性までさまざまで，下肢に強く，呼吸嚥下障害は出現しにくい．感覚障害や膀胱直腸障害はない．HypoPPの麻痺発作は，思春期に初発し，数時間から数日持続することもある．典型的な発作は，「前日の激しい運動や食べ過ぎで，翌朝体が動かない」ことである．HyperPPの麻痺発作は10歳以下で初発し，短時間で自然軽快することが多い．発作間欠期には，眼瞼に軽いミオトニーを合併し，寒い日などに目が開けにくいことがある．典型的な麻痺発作は，「朝食前に生じ15分から1

トピックス　レストレスレッグス症候群

　レストレスレッグス症候群（むずむず脚症候群，restless legs syndrome；RLS）は，夕方～夜間に，下肢を主体に動かしたい強い欲求にかられる感覚運動障害である．患者はむずむず感，蟻走感，灼熱感，痛みなどによって，就床後にじっとしていられないので眠れないと訴える．入眠困難，睡眠維持困難を呈し，睡眠障害国際分類第3版の睡眠関連運動障害群に分類される．
　欧米の有病率は5～10％であり，加齢とともに増加する．性差は，女性で約2倍多い．7～80％に，周期性四肢運動（periodic limb movement；PLM）が合併する．特発性と二次性に分類される．特発性は，家族集積性を示す場合があり，常染色体優性遺伝の可能性が指摘されている．二次性の原因疾患は，①慢性腎不全，②鉄欠乏性貧血，③妊娠，④Parkinson病，⑤関節リウマチ，⑥薬物・物質（抗精神病薬・抗うつ薬・抗ヒスタミン薬・カフェイン）などである．病態について，中枢神経系のドパミン機能不全や鉄代謝障害が考えられている．
　診断は，主観的評価によってなされる．①異常感覚のために脚を動かしたいという強い欲求，②安静時に症状が発現・悪化，③体を動かすことで改善，④夕方～夜間に発現・悪化，の必須基準をすべて満たすこととで確定する．診断補助所見には，①家族歴，②ドパミン作動薬の治療反応性，③PLMの並存がある．鑑別疾患（RLS mimics）には，抗精神病薬によるアカシジア，多発性神経障害，夜間こむら返り，下肢血管障害，気分障害などが挙げられる．
　治療として，二次性では原因疾患の治療や原因薬物の除去が優先される．鉄剤の補充は，血中フェリチン値＜50 ng/mLで推奨される．軽症例への非薬物療法には，①睡眠衛生指導（規則的な睡眠習慣，リラクゼーション），②行動療法（就床前の軽い運動，マッサージ，冷たいシャワー），③退屈な静座時には家事や趣味に集中して症状から意識をそらす，などがある．中等～重症例では，薬物療法を施行する．わが国での適応薬は，非麦角系ドパミン作動薬のプラミペキソール（ビ・シフロール®），ロチゴチン（ニュープロ®パッチ）とα2δリガンドのガバペンチン エナカルビル（レグナイト®），がある．ドパミン作動薬は，高用量の長期使用で症状の増強（augmentation）を起こすことがあり，その際は減量や切り替えを要する．

山寺 亘〔東京慈恵会医科大学葛飾医療センター 診療部長（精神神経科）〕

時間ほど持続したのち消失」する．ATS は，四肢麻痺発作，心電図異常，小奇形（小顎，眼間開離，第5指弯曲など）を3徴とするが，不全型も多い．10歳前後に，失神や心電図検診，麻痺発作で発見される．麻痺発作は低K性が多いが，正・高K性もある．TPPの症状はHypoPPと類似する．

問診で聞くべきこと

発症年齢，発作の誘因，家族歴の有無，甘草や利尿薬などの服用歴を聴取する．

必要な検査とその所見

(1) 血液検査

発作極期の血清K値は重要である．高CK血症を呈することがある．TPPの鑑別として，甲状腺機能を評価する．二次性低K血症の鑑別には酸塩基平衡，レニン・アルドステロン，Mg，Caを，二次性高K血症の鑑別には腎機能評価，コルチゾールやアルドステロンを測定する．

(2) 生理学的検査

ATSでは心電図が重要で，心室性不整脈や増高U波の頻度が高い．HyperPPでは，針筋電図にてミオトニー放電がみられることがある．Exercise test は，麻痺の再現をとらえる筋電図検査である．

(3) 遺伝解析

遺伝性の確定診断は，一部の研究機関で施行できる．

鑑別診断で想起すべき疾患

Guillain-Barré 症候群や，脊髄・脊椎疾患による四肢筋力低下，筋炎などがある．感覚障害や膀胱直腸障害の有無，筋力回復の有無で鑑別できる．

診断のポイント

実際には，発作極期での血液検査施行は困難であり，血清K値のみを根拠にした診断は避ける．HypoPPでも正・高K血症を示すことがあり，病歴や発作持続時間などを考慮して診断する．

専門病院へのコンサルテーション

発作急性期での必要性は低い．発作回復後に，診断目的で脳神経内科に紹介する．ATSは，循環器内科への紹介が重要である．

治療方針

1 ▶ 発作急性期における治療

血清K値と心電図をモニターしながら，循環動態の安定をはかる．低K性では，非徐放性K製剤を経口内服させる．内服できないときには，経静脈投与を行うが，筋力回復や血清K値上昇の兆しがみられれば，リバウンドの高K血症を避けるため，すぐに投与を中止する．高K性の発作は短時間で軽快することが多いため，心電図をモニターしながら経過観察する．

2 ▶ 発作間欠期の予防治療

発作の誘因を避けることが重要である．二次性は原疾患の治療を行う．HypoPPでは，暴飲暴食や激しい運動を避ける．アセタゾラミド，徐放性K製剤，抗アルドステロン薬などが予防薬として使用されることがある．HyperPPでは，寒冷を避けること，長時間の安静座位を避けて体を動かすこと，こまめな炭水化物摂取が発作予防になる．アセタゾラミド，利尿薬が予防薬として使用されることがある．ミオトニーが強い場合にメキシレチンを使用する．

合併症と予後

中年以降は発作が軽減する．慢性のミオパシーを併発する例がある．ATSの不整脈のなかには致死性のものもある．

患者説明のポイント

予防には，麻痺発作の誘因となる生活習慣を避けることが重要である．発作時は，血清K値とそれによる心伝導への影響に要注意である．

脳性麻痺の療育

Rehabilitation management of cerebral palsy

中村 純人　東京都立北療育医療センター 科長，訓練科長〔東京都北区〕

【疾患概念】 脳性麻痺は「受胎から新生児期（生後4週間以内）までの間に生じた脳の非進行性病変に基づく，永続的なしかし変化しうる運動および姿勢の異常である．その症状は満2歳までに発現する．進行性疾患や一過性運動障害または将来正常化するであろうと思われる運動発達遅延は除外する」と1968年に厚生省脳性麻痺研究班で定義されており，現在でもわが国では最も汎用されている．その発生頻度は諸外国の報告では1,000出生あたり2前後（軽症例を含む），わが国でも公益財団法人日本医療機能評価機構の「脳性麻痺児の実態把握に関する疫学調査プロジェクトチーム」による2009〜2013年の鳥取，徳島，栃木3県での総出生数と脳性麻痺数の調査で1,000出生あたり1.7と報告されている．在胎週数が短く出生体重が小さいほど脳性麻痺の発生率は高く，リスク因子は新生児仮死，脳室周囲白質軟化症，低酸素性虚血性脳症が代表的なもので，他に頭蓋内出血，脳奇形などがある．

「療育」とは東京大学整形外科学教室二代目教授で日本初の肢体不自由児施設である整肢療護園を創設した高木憲次が提唱した概念で，現在一般には心身に障害をもつ児童に対して，医療と教育・保育が協力して

8 筋・神経疾患

成長を促すための支援をすることと考えられている．しかし，療育の現場においては古くから医療と教育・保育にとどまらず，看護，心理，薬学，栄養学，工学，社会福祉，そして行政や司法まで多くの分野が児の発達のために協力してかかわっており，学際的アプローチの元祖ともいえるものである．また，療育がわが国におけるリハビリテーション医学の源流の1つであることも忘れてはならない．

病型と分類

筋緊張と不随意運動の状態から痙直型，アテトーゼ型，失調型，混合型，低緊張型，固縮型と分類し，麻痺領域から四肢麻痺（両上下肢と体幹の麻痺），両麻痺（両下肢と体幹＞両上肢の麻痺），片麻痺（片側の上肢＞下肢の麻痺），両側片麻痺（両上肢≧体幹と両下肢の麻痺），三肢麻痺，対麻痺，単麻痺と分類する．脳性麻痺児者の麻痺型と麻痺領域は，この分類に従って痙直型両麻痺，混合型四肢麻痺などと表現する．

診断のポイント

(1) 各種尺度（評価法）

障害部位，粗大運動能力，知的障害やてんかん，胃食道逆流，摂食嚥下障害などの合併症を含めて障害の全体像を的確に評価することが必要であり，評価を行う際には信頼性と妥当性が担保された尺度（評価法）を用いることも重要である．なお，尺度を使用する際には，成長による運動能力の変化，手術・リハビリテーションなど治療的介入の効果判定など，経時的変化がとらえられる評価的尺度を使用すべきなのか，重症度を分類するための判別的尺度を使用すべきなのかをよく理解し，場面に応じて使い分ける必要がある．

整形外科やリハビリテーション科の日常診療において，脳性麻痺児者の評価を行うために広く用いられている尺度には以下のものがある．

①粗大運動能力尺度（gross motor function measure；GMFM）：脳性麻痺児の粗大運動能力の経時的な変化と医療的介入の効果をみるために1988年に考案された88項目からなる評価的尺度で，2000年には日本語版マニュアルが出版，2001年には66項目に項目を絞ったGMFM-66も発表された．わが国では，これを基準尺度とした27項目からなる脳性麻痺簡易運動テスト（simple motor test for cerebral palsy；SMTCP）も2002年に開発され，使用されている．

②粗大運動能力分類システム（gross motor function classification system；GMFCS）：18歳までの脳性麻痺児の粗大運動能力を評価し，その障害程度を5段階に分類するために1997年に開発された判別的尺度である．時間的安定性があることを利用して運動能力の予後予測にも応用可能である．

③Quality of upper extremity skills test（QUEST）：18か月～8歳の脳性麻痺児の上肢機能の経時的変化や医療的介入の効果をみることができる評価的尺度である．

④脳性まひ児の手指操作能力分類システム（manual ability classification system；MACS）：4～18歳の脳性麻痺児の手指操作能力を5段階に評価するために2006年に発表された判別的尺度である．

(2) 画像診断

整形外科での通常診療時の画像診断としては，側弯症や股関節亜脱臼，寛骨臼形成不全，変形性関節症，頸椎変形などの早期発見や評価のための単純X線撮影が必須である．脳病変に関しては，MRIやCTによる診断が有益である．脳室周囲白質軟化症（periventricular leukomalacia；PVL）は脳性麻痺の代表的な病変であり，痙性麻痺や視空間認知障害と関連があるといわれている．ほかにも脳梗塞や脳室拡大，脳奇形の有無などを小児神経内科医と連携して把握し，診断や予後予測などを行っていくことが必要である．

治療方針

1▶リハビリテーション（理学療法，作業療法，言語聴覚療法）

脳性麻痺と診断される乳幼児期からリハビリテーションが開始される．運動機能障害に対し，わが国では神経発達学的治療法（neuro developmental treatment；NDT），Vojta法，上田法，感覚統合療法などが行われており，臨床現場ではその効果が認知されているが，「脳性麻痺リハビリテーションガイドライン第2版」（以下，ガイドライン）によると，いまだその有効性を証明する十分な科学的根拠はないとされている．日常生活活動能力向上を目的としたCI療法（constraint-induced movement therapy）を含む上肢機能訓練，摂食・嚥下機能の評価や訓練なども広く行われている．また，ロボットを利用したリハビリテーションも一部の症例で効果が示されており，今後のデータ蓄積が期待される．

なお，リハビリテーションの導入や効果判定に関しては，幼小児期からの運動発達を熟知した医師による適切な評価と予後予測に基づいた処方が重要である．

2▶装具療法

装具療法はリハビリテーションと併せて行われている．最も多く処方されるのは下肢装具で，その目的は拘縮予防，姿勢改善，立位・歩行能力の向上などである．歩行補助のための杖や歩行器，介助座位姿勢安定化のための座位保持装置，介助立位姿勢を安定化させるための立位保持具，脊柱変形に対する体幹装具などの処方も一般的に行われる．なお，補装具の処方にあたっては，健康保険の制度を利用する治療用装具なの

か，児童福祉法や身体障害者福祉法の制度を利用する補装具なのかを判定し，利用者間の公平性も鑑みたうえで適切な処方を行うことが重要である．

3 ▶ ボツリヌス毒素療法

わが国ではA型ボツリヌス毒素製剤が2001年に痙性斜頸，2009年に2歳以上の小児脳性麻痺患者における下肢痙縮に伴う尖足，2010年に上肢痙縮・下肢痙縮に保険適応され，脳性麻痺への投与が広く行われるようになった．また，2013年にはB型ボツリヌス毒素製剤も痙性斜頸に保険適応されている．

4 ▶ 髄腔内バクロフェン療法(intrathecal baclofen therapy；ITB)

後弓反張姿勢を呈するような，ほかの治療ではコントロール不可能な重度の痙性を有する脳性麻痺児者に対し，GABA受容体アゴニストであるバクロフェンを埋込み式ポンプで直接髄腔内に投与するITB療法が2006年に承認され，2007年からは小児への適応も認められている．劇的な効果を示す症例があり，治療の選択肢として考慮すべきであるが，ポンプのトラブルによる離脱症状や過量投与などで緊急処置を要する場合があるため，治療には経験豊富な医師があたることが望ましい．

5 ▶ 選択的脊髄後根切断術(selective dorsal rhizotomy；SDR)

痙縮を軽減させるために脊髄神経後根を馬尾レベルで部分的に切断する手術であり，ガイドラインによると「対象の選択と目的を慎重に考慮すれば，選択的後根切断術は勧められる」と記載されている．

二次障害

(1)頸椎症性脊髄症

アテトーゼ型脳性麻痺の成人期以降に多いが，若年者でも発生する危険があるため，頸椎についての定期的な評価が重要である．症状が出現し手術を行わない場合には急速に進行することも多いため，患者本人や家族には定期検診の重要性を説明したうえで，異常所見や症状が出現した場合には症状の改善や増悪防止のための手術を念頭に，脊椎外科医へコンサルテーションを行うことが望ましい．

(2)変形性股関節症

成人期以降に多いが，痙直型脳性麻痺の股関節亜脱臼を未治療で放置した場合などでは若年者でも発生する危険のある疾患である．痙縮と股関節亜脱臼のある症例に対して幼小児期に股関節周囲筋解離術を行うことで，亜脱臼を改善させ，成人期の変形性股関節症発生のリスクを軽減させることができるため，早期の整形外科的介入が大切である．

すでに変形性股関節症になっている成人脳性麻痺者に対しては，生活の質の維持のため，手術適応についての検討や疼痛管理も必要となる．

▶ 患者説明のポイント

脳性麻痺は麻痺型や麻痺領域，合併症の有無や程度，種類などによってさまざまな症状，障害をきたす症候群であり，乳幼児期，児童期，青年期，そして成人期から老年期に至るまで，定期的な評価と適切な時期での治療的介入が必要になることを説明していくことが重要である．整形外科単独での評価と介入には限界があることを理解し，小児科，リハビリテーション科，脳神経外科，内科，外科，耳鼻咽喉科，眼科，歯科などへの定期通院推奨や，脳性麻痺児者を取り巻く多分野との連携も積極的に行うべきである．

障害の程度によっては車椅子や座位保持装置，補装具などの福祉用具や各種社会資源の利用が必要となる場合も多いため，脳性麻痺児者およびその家族に対し，リハビリテーションスタッフや福祉職，行政との連携継続の重要性も説明していくべきであろう．

脳性麻痺の手術療法

Operative treatment of cerebral palsy

中村 純人　東京都立北療育医療センター 科長，訓練科長〔東京都北区〕

【概念】　脳性麻痺に対する整形外科手術は，幼小児期に行われることが多い筋解離術や骨切り術，成人期以降に行われることが多い頸髄症や変形性股関節症などの二次障害に対する手術が代表的なものであるが，近年，小児期から脊柱側弯に対する固定術なども行われ，成果が発表されるようになっている．本項では，脳性麻痺の麻痺型で最も多く，手術対象としても多い痙縮型を中心に述べる．痙縮に対する治療を全身的，局所的，可逆的，不可逆的の2軸4象限に分けると，整形外科手術は局所的(一部全身的)で不可逆的な治療に分類される(図8-3)．

▶ 診断のポイント

関節可動域，単純X線所見など整形外科医が脳性麻痺児者の診療で日常的に評価している項目に加え，年齢，麻痺型と麻痺領域，粗大運動能力，知的障害やてんかん，胃食道逆流，摂食嚥下障害などの合併症，疼痛，介助の困難さなど，障害およびその周辺の全体をみることと，将来獲得しうる能力や二次障害などの予後予測も行いながら治療計画を立てることが重要である．

8 筋・神経疾患

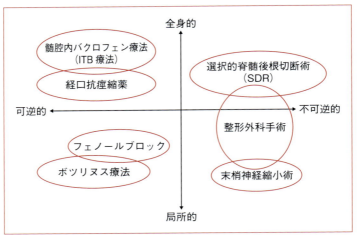

図 8-3　各種痙縮治療の位置づけ
〔Ward AB: A summary of spasticity management—a treatment algorithm. Eur J Neurol 9(Suppl 1): 48-52, 2002 より一部改変〕

治療方針

脳性麻痺児者の痙縮に対して整形外科手術を行う前に，先に示した薬物療法や脳神経外科手術など他の治療法(➡309頁)についても十分に検討し，必要な場合には先行，同時並行したうえで手術は行われるべきである．手術を計画する際には小児科や内科，麻酔科などと連携して全身状態の評価を行い，術前の粗大運動能力評価や術後のリハビリテーションについてはPT，OT，STとの連携が必須である．

手術の目的は
①四肢，体幹変形を改善させることによる姿勢と粗大運動能力の向上，疼痛の軽減，生活の質の向上．
②更衣，排泄時などの介助量軽減．
③二次障害の予防．
などが主なものである．

1 ▶ 下肢手術

「脳性麻痺リハビリテーションガイドライン第2版」(以下，ガイドライン)によると，歩行改善のための一期的多部位手術，歩行例での腱延長や腱移行，骨切り，外反扁平足の骨手術がグレードBで推奨されている．手術を行う時期に関しては，股関節脱臼や亜脱臼の改善，粗大運動能力の向上を目的とした筋解離手術を就学前に行うと成績がよいことが報告されている．

具体的手術法については成書に譲るが，特に腱延長手術を行う際に，抗重力筋である単関節筋と推進力を生むが異常姿勢の原因ともなりうる多関節筋についての知識をもつことが重要で，単関節筋を可能な限り温存し多関節筋を選択的に切離，延長することが基本となる．代表的な陥りやすいピットフォールとして，脳性麻痺児の痙性尖足の治療として足関節部での腱延長術のみを行った場合，期待した姿勢・歩容の改善が得られないばかりか，見逃されていた股関節と膝関節の痙縮や筋力低下による姿勢・歩容の異常が顕在化することが挙げられる．このため，痙縮と運動・姿勢に関する適切な術前評価を行うことと，手術を行う際には優先順位を近位から遠位とする原則を守ることが重要である．

2 ▶ 上肢手術

上肢機能は運動障害や可動域制限のみでなく知的障害の有無や程度にも大きく左右されるため，障害の全体像を把握したうえで治療を行うことが重要である．ガイドラインでは，「肩，肘，前腕，手関節などにおける腱延長や腱移行，前腕骨の矯正骨切り術，手関節固定術などの組み合わせによる多部位手術によって上肢機能が改善する」と一期的多部位手術がグレードBで推奨されている．

下肢手術と同じく手術部位は近位を優先的に行うべきで，実臨床において上腕近位部での広背筋，大円筋，上腕三頭筋，上腕二頭筋の腱延長のみでも，上肢と体幹全体の筋緊張低下や機能改善が得られることを経験するため，今後は術前後の上肢機能や介助量について適切な尺度を用いたデータ蓄積と分析が期待される．

3 ▶ 側弯症手術

脊椎外科の発展により，従来は手術の対象となりにくかった重症心身障害児者を含む脳性麻痺の側弯症に対しても，手術が行われ成果が示されるようになった．

ガイドラインでも「脳性麻痺の側弯症に対するインストゥルメンテーションによる脊椎固定術は，脊柱変形を改善するので勧められる」とグレードBで推奨されている．なお，治療にあたっては，脊椎外科の専門的知識と技術のみでなく合併症を含めた全身管理が重要であるため，手術は経験豊富な脊椎外科医が，合併症を含めた脳性麻痺の全身管理可能な医療機関で行うことが望ましい．

患者説明のポイント

脳性麻痺児者への整形外科手術は古くから行われてきた実績のある治療で，ボツリヌス毒素療法，髄腔内バクロフェン療法，選択的脊髄後根切断術など新しい治療が出現した現代においても，脳性麻痺の治療のなかで重要な位置を占めている．

手術と術後の集中的なリハビリテーションを併用することによって，通常ではみられないGMFCSレベルが変わるほど大きな粗大運動能力向上が得られることもあるため，脳性麻痺の治療に携わる整形外科医は，適切な時期での的確な手術を逃さぬよう，粗大運動能力や二次障害発生の予後予測を行い，小児科やリハビリテーション科と十分な連携を行いつつ乳幼児期からかかわっていくことが必要である．

					(IQ)
21	22	23	24	25	80
20	13	14	15	16	70
19	12	7	8	9	50
18	11	6	3	4	35
17	10	5	2	1	20
走れる	歩ける	歩行障害	座れる	寝たきり	0

図8-4 大島の分類

表8-3 超重症児(者)・準超重症児(者)の判定基準

以下の各項目に規定する状態が6か月以上継続する場合に，それぞれのスコアを合算する
1. 運動機能：座位まで
2. 判定スコア(スコア)
  (1) レスピレーター管理＝10
  (2) 気管内挿管・気管切開＝8
  (3) 鼻咽頭エアウェイ＝5
  (4) O₂吸入またはSpO₂90%以下の状態が10%以上＝5
  (5) 1回/時間以上の頻回の吸引＝8
      6回/日以上の頻回の吸引＝3
  (6) ネブライザー6回以上/日または継続使用＝3
  (7) IVH(中心静脈栄養)＝10
  (8) 経口摂取(全介助)＝3
      経管(経鼻・胃瘻含む)＝5
  (9) 腸瘻・腸管栄養＝8
      持続注入ポンプ使用(腸瘻・腸管栄養時)＝3
  (10) 手術・服薬にても改善しない過緊張で，発汗による更衣と姿勢修正を3回以上/日＝3
  (11) 継続する透析(腹膜潅流を含む)＝10
  (12) 定期導尿(3回/日以上)＝5
  (13) 人工肛門＝5
  (14) 体位交換 6回/日以上＝3

重複障害児の療育管理指導

Rehabilitation and management of children with severe motor and intellectual disabilities

中村 純人 東京都立北療育医療センター 科長，訓練科長〔東京都北区〕

【疾患概念】 わが国には重複障害児に関する明確な定義は存在しないが，一般には学校教育法で規定される障害(視覚障害，聴覚障害，知的障害，肢体不自由，病弱)や，厚生行政上の障害(視覚障害，聴覚障害または平衡機能障害，音声・言語障害または咀嚼機能障害，肢体不自由，内部障害，知的障害，精神障害)のうち，2つ以上を併せもつ場合を指すことが多い．このなかで，整形外科医がかかわる機会が多いのは，いわゆる重症心身障害児(重度の身体障害と重度の知的障害の重複)であるため，本項では主に重症心身障害児について述べる．

【病型・分類】

重症心身障害は医学的診断名ではなく，元東京都府中療育センター院長の大島一良により施設入所基準として考案された分類(図8-4)で，1，2，3，4の範囲に入るものが該当するとされている．社会福祉法人全国重症心身障害児(者)を守る会によると，わが国にはおよそ43,000人の重症心身障害児(者)がいると推定されている．

これも医学的診断名ではないが，重症心身障害児者などの医療的介入の評価として，「超重症児(者)・準超重症児(者)の判定基準」があり，運動機能が座位まで，かつ，判定スコア合計25点以上が超重症児(者)，10点以上25点未満が準超重症児(者)と定義され，それぞれ診療報酬上の加算要件となっている(表8-3)．

【臨床症状】

重症心身障害児では自力移動不可，座位保持困難といった運動・姿勢の障害と意思疎通が困難といった知的障害をもつが，整形外科的には上下肢の関節拘縮，脊柱変形，股関節脱臼・亜脱臼などがよくみられる．Wind-swept deformityや胸郭変形が生ずると，呼吸

機能障害や摂食嚥下障害の増悪や，他の合併症と合わせて児の健康に悪影響が及ぶこともある．

また，多くの重症心身障害児に，不動や低栄養，骨代謝に影響する抗てんかん薬や胃酸分泌抑制薬投与などが原因と考えられる骨粗鬆症が存在し，脆弱性骨折の原因となっている．骨折を契機に全身状態の悪化が起こりうること，骨折治癒後の残存変形は日常生活活動能力や生活の質の低下をきたしうることにも注意が必要である．

治療方針

粗大運動能力の向上，抗重力姿勢の安定化，関節拘縮や脊柱変形予防のみでなく，呼吸機能の改善や摂食嚥下機能の発達のためにも，乳幼児期からリハビリテーションを開始することが重要である．身体障害者福祉法第15条に基づく指定医によって障害が永続するであろうと判断された場合には，福祉制度を利用するために身体障害者手帳を作成したうえで，座位保持装置，立位保持具などの補装具を製作して日常生活のなかで抗重力姿勢をとらせることや，安全な移動のため車椅子を製作することなども積極的に行うべきである．また，介助量の軽減や将来の変形増悪防止を目的とした整形外科手術も症例によっては検討する余地がある．側弯症などの脊柱変形に対しては，変形の進行防止のみでなく，健康維持の観点からも装具療法や手術療法を検討することが重要で，熟練した脊椎外科医との連携も不可欠である．

骨粗鬆症に関しては，医療や福祉の進歩によって高齢の重症心身障害者が年々増加している現在，peak bone mass を高めることを目指した小児期からの運動や栄養指導などの取り組みにとどまらず，骨粗鬆症治療薬の投与，骨代謝への影響を考慮した抗てんかん薬の選択など，療育の原点に立ち返った専門領域を超えた取り組みも重要となっている．

患者説明のポイント

重症心身障害児は運動機能障害と知的障害のみでなく，てんかんや呼吸機能障害，摂食嚥下障害などの合併症が多く，小児科医による健康管理と指導が必須であるが，健康維持のためには関節拘縮や脊柱変形，骨粗鬆症への対応など整形外科医とのかかわりも非常に重要である．目に見える障害や合併症のみでなく，周辺環境にまで目を配りながらの診察と患者指導が望まれる．

異所[性]骨化

Heterotopic bone formation

矢吹 さゆみ　東京都立北療育医療センター 医長〔東京都北区〕

【疾患概念】
異所性骨化とは，正常骨格以外の部分に成熟骨組織が形成された状態をいう．骨梁構造を認める点が石灰化との違いである．原因は不明であるが，発生契機は，外傷，術後，脳・脊髄障害後，熱傷，透析などがある．

【頻度】
報告者により異なるが，上述の契機に伴い約20〜30％に発生するとされる．好発部位は骨盤，股関節，膝，肩，肘関節である．

【臨床症状と所見】
急性期は局所の腫脹，熱感，疼痛，発赤がみられる．亜急性期は局所の腫瘤と関節可動域制限がみられる．慢性期は腫瘤と関節可動域制限の増強がみられる．

鑑別診断で想起すべき疾患
感染，血栓，塞栓症，石灰化，骨・軟部腫瘍，複合性局所疼痛症候群，進行性骨化性線維異形成症（➡278頁）がある．

必要な検査
血液検査では，ALP・CPK上昇，赤血球沈降速度亢進がみられる．なかでもALPは臨床症状が現れる前から上昇し，約10週間で最高値に達する報告がある．単純X線は初期には異常陰影はなく，3〜4週間後に淡い石灰化様陰影のみが確認される．以降は雲状などの不定形な骨陰影が出現する．単純X線で異常所見が現れない早期には骨シンチグラフィーが有用である．

保存療法・手術・薬物療法

保存療法としては，骨化がみられた場合，もしくは疑われた場合は可動域訓練を中止し，局所の炎症が収まり次第，愛護的な訓練を行う必要がある．手術は，発生後6か月以内に行うと再発しやすいため，骨化の成熟する発生後9〜12か月以降がよいとされる．薬物療法はインドメタシン，エチドロン酸二ナトリウム内服の有用性が報告されている．海外では罹患関節周囲への放射線照射による発生予防に関する報告もある．

合併症と予後
保存療法でも疼痛の消失，骨化の縮小は期待できる．また，適切な時期に愛護的な操作の下で骨切除，授動術を行えば，ある程度の可動域制限が残存しても多くは

症状の改善が見込める．一方で骨切除術後の再発の報告もある．

リハビリテーションのポイント，関連職種への指示

早期のリハビリテーションは異所性骨化の予防にはなるが，術後は特に愛護的な可動域訓練が必要であること，患者の痛みの訴えや局所の炎症所見が現れたら医師への報告が重要であることを伝える．

私のノートから/My Suggestion 　筋肉と痛み

原因不明を意味する冠詞「非特異的」の付された疼痛が筋骨格系の痛みの大半を占める．それを学会が「線維筋痛症」や「神経障害性疼痛」で覆わんとし，はたまた「生物・心理・社会的疼痛症候群」なる曖昧な概念が広まりつつある．

私は大学を定年退職後に「非特異的疼痛」の謎を解くべく臨床研究を始めた．以来15年間に下記の事実が捉えられた．①力を入れていない状態で，横紋筋が硬く触れる緊張亢進の場合(筋硬)と柔らかい場合がある．②有痛では必ず筋硬である(筋硬症)．③筋硬では圧痛・圧搾痛が陽性である．④筋硬をelastographyで評価できる．⑤各筋にデルマトームと異なる関連皮膚領域があり，筋硬で痛覚過敏となる．すなわち，痛み閾値が低下する．⑥筋緊張制御の反射機構がある．刺激(input)には，筋自体，骨膜・腱・靱帯などの深部組織と関連皮膚領域からの3つがあり，それぞれ条件の違いによって筋硬が陽性化あるいは陰性化する．例えば，筋の加速的収縮，ストレッチのいずれも2回で陽性，3回で陰性となる．緩徐等速運動で陰性化する．皮膚の擦り30秒未満で陽性，手当て(ソフトタッチ)3秒以上で陰性になる．⑦群として同期的に反応する筋(現在まで39筋を確認)と個別に反応する筋(42筋を確認：ただし，後頭前頭筋と上部眼輪筋は同期)に分けられる．⑧筋への局所麻酔薬注射が反射を抑制する．

以下を試みられたし．急性期五十肩(責任筋：広背筋)とぎっくり腰(外腹斜筋)が薄筋の3回ストレッチで解消する．むちうち症の頚椎回旋制限(胸鎖乳突筋SM頭)に耳朶の手当て5秒間(念のため)が有効である．Pinprickに対する痛覚過敏のほかに神経学的異常のない足底のしびれ(多くがヒラメ筋と短腓骨筋)が第2，第4趾の手当て5秒間で軽減する．

日本整形外科学会用語集に初版から筋硬症myogelosisが載っている．臨床・基礎研究が広まり，深まって，近い将来に筋硬症が教科書に取り上げられるよう期待したい．

国分 正一（東北大学 名誉教授/仙台西多賀病院脊椎脊髄疾患研究センター センター長〔仙台市太白区〕）

救急外来，ここだけの話

第一線の医師はどのように考えて診療しているのか？

編集　坂本 壮　総合病院国保旭中央病院　救命救急科
　　　田中 竜馬　International LDS Hospital 呼吸器内科・集中治療科

救急外来（ER）の分野で議論のあるトピックを取り上げ、「第一線の医師はどのように考えて診療しているのか（＝ぶっちゃけ、どうしているのか）」を解説。関連するエビデンスを豊富に紹介しながら丁寧に論を進めていくスタイルで、救急医療が専門ではない若手医師も本書を読めば"Controversial"な状況に強くなる！
大好評の『集中治療、ここだけの話』に続く、シリーズ第2作。

CONTENTS
- 1章　総論
- 2章　循環
- 3章　呼吸
- 4章　腎
- 5章　感染症
- 6章　内分泌
- 7章　神経
- 8章　消化器
- 9章　血液
- 10章　精神
- 11章　終末期
- 12章　外傷
- 13章　マイナー
- 14章　その他

エキスパートはどのように考えて診療しているのか？
救急外来（ER）の分野で議論のあるトピックを取り上げ，関連のエビデンスを多数紹介しながら丁寧に解説．

推薦　志賀 隆先生（国際医療福祉大学救急科）
追体験！まるでベテラン救急医の匠の判断や知識をベッドサイドで教えてもらっているようだ．

書籍の詳細はこちらから

●B5　2021年　頁480　定価：5,720円（本体5,200円＋税）
[ISBN978-4-260-04638-1]

医学書院

〒113-8719　東京都文京区本郷1-28-23　[WEBサイト]https://www.igaku-shoin.co.jp
[販売・PR部]TEL:03-3817-5650　FAX:03-3815-7804　E-mail:sd@igaku-shoin.co.jp

9 末梢循環障害，壊死性疾患

主幹動脈損傷	318
急性動脈閉塞	319
閉塞性血栓血管炎（Buerger 病）	320
閉塞性動脈硬化症	321
循環障害肢切断の適応	323
Raynaud 病，Raynaud 症候群	324
振動障害	325
下肢静脈瘤	326
静脈血栓塞栓症	327
リンパ浮腫	328
下腿潰瘍，うっ滞性潰瘍	329
褥瘡	331

主幹動脈損傷

Damage of major arteries of the extremities

保科 克行　東京大学 准教授（血管外科）

【疾患概念】　通常主幹動脈といえば大動脈からの一次分枝のことを指すが，ここでは整形外科領域の末梢循環における主幹動脈として，四肢の動脈を中心に述べる．これらの動脈の損傷は，外的衝撃や手術操作によるものを念頭におく．いわゆる救急外傷においては，①鈍的衝撃による血管破綻（解離・閉塞），②弾痕などによる血管損傷，③骨折に伴う血管損傷，④刺傷による血管損傷などに分けられる．手術操作では，血管の牽引などによる解離は①に，鋭利な刃物などによる術中出血は④にあたる．③に関して，動脈損傷を伴いやすい整形外科的損傷を表9-1に挙げる．民間の（非軍事）動脈損傷の割合に関しては図9-1のような報告がある．

【臨床症状】
　動脈損傷は hard sign（確実）としての，拍動性出血・thrill の触知・損傷部位より末梢の拍動消失・血腫の膨大，そして soft sign（疑い）として，出血を示唆するデータ（Hb の低下など）・神経学的異常・対側に比して拍動微弱・近傍の骨損傷や刺傷などをもって診断する．損傷の結果として虚血となるが，上肢と下肢では虚血による症状が異なる．筋肉量の少なさと側副路の多さで上肢は下肢に比べて虚血耐性があるとされている．虚血によって起こる症状は，冷感・間欠性跛行（上肢でも跛行という）・安静時痛・壊死である．

必要な検査とその所見

　昨今は造影 CT の画質もよく，またわが国では設備の整った施設が多いため，まず CT での評価を行う．骨折や血腫などで血管の同定が困難な場合，血管造影を行う．もちろんこれらは患者の vital が安定しているときに限る．血管造影を行う際には，診断と同時に損傷部位への塞栓・止血を念頭におく．

治療方針

　いずれも一刻も早い止血および血行再建が必要であり，血管の解剖と再建の知識が必要である．止血に関しては，もし損傷部位の primary repair が不可能な場合，上記のように塞栓または結紮を行わなくてはならない．その場合重要なのは"この血管を塞栓・結紮したときのリスク"である．以下に上下肢の動脈について述べる．

　①鎖骨下動脈：側副路が多く単独での塞栓は可能だが，側副路が損傷を受けがちな外傷の場合，上肢壊死

表9-1　動脈損傷を伴いやすい整形外科的損傷

整形外科的損傷	動脈損傷
上腕骨顆上骨折	上腕動脈
鎖骨骨折	鎖骨下動脈
肩関節脱臼	腋窩動脈
肘関節脱臼	上腕動脈
大腿骨遠位部骨折	浅大腿動脈・膝窩動脈
膝関節後方変位	膝窩動脈
脛骨近位部骨折	遠位膝窩動脈

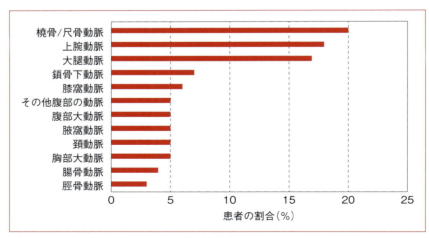

図9-1　市民の動脈損傷のタイプ別相対頻度
（Haimovici H: Vascular Emergencies. p255, Appleton-Century-Crofts, New York, 1982 より改変）

が30％程度に起こるともいわれ再建が必要である．

②腋窩動脈：肩甲帯の側副路が豊富で，上肢壊死は約10％との報告もある．しかし同動脈はアクセスも容易で径も太く，可能であれば再建が望ましい．

③上腕動脈：上肢壊死のリスクは30〜50％あり，再建は必須である．

④橈骨・尺骨動脈：両側とも閉塞すれば手の壊死は40％程度のリスクがあるが，片側では問題ないことが多い．

⑤腸骨動脈：内腸骨動脈は閉塞しても問題ないことが多いが，総腸骨・外腸骨動脈の閉塞は約50％で下肢の切断を要するため再建が必要である．

⑥大腿動脈：総大腿動脈では下肢の壊死は約80％のリスクで，浅大腿動脈では50％，大腿深動脈はもともと側副路としてとらえられることが多く再建の優先順位は低い．

⑦膝窩動脈：70％以上の下肢切断リスクがあり，再建必須である．

⑧脛骨動脈：後脛骨動脈では14％程度，前脛骨動脈では10％程度のリスク，両方ともでは65％と下肢切断率は増加する．どちらかへの血行再建はしておきたい．

手術療法

血行再建にはバイパス術と血管内治療がある．塞栓や結紮で止血がなされたあとはバイパス術が行われる．バイパス術では損傷されていない動脈から，損傷部を越えて末梢動脈へとバイパスを行う．外傷で汚染されている，または感染がある場合は自家静脈を使用する．手術時の損傷など汚染度が低ければ，人工血管でもよい．ヘパリンコーティングされているものは開存率も高いので昨今は頻用されている．

血管内治療は，動脈損傷が壁の一部であった場合に適応となる．すなわちステントグラフトであれば損傷部を含めて血管内に内挿することでカバーし，かつ止血も行うことができる．低侵襲でもあり症例によっては奏効する．ただし，内挿部の解剖が屈曲による応力が加わりやすい関節付近や，分枝が多い場所では禁忌であり事前のプラニングが重要となる．

患者説明のポイント

動脈損傷の診断・治療は一刻を争うため，詳細な説明は困難であることが多い．まずは止血をして救命をする，ということを話す．次に救肢のために何ができるか，について上記のような選択肢があることを説明する．緊急手術となるので，その選択は術中判断になることが多く，患者側に選択する余地はあまりない．そのため手術においては，処置の優先順位を理論立てて考え，のちに理論立てて説明できるような治療プロセスを経ることが重要と考える．

急性動脈閉塞

Acute arterial occlusion

高山 利夫　東京大学医学部附属病院 講師（血管外科）

【疾患概念】　急性動脈閉塞とは，何らかの原因で動脈が急激に閉塞しその灌流域の臓器や組織に虚血性傷害をきたす病態であるため，原理的には全身のあらゆる部位で起こりうるが，本項では一般整形外科医が遭遇する可能性が高いであろう，四肢の動脈閉塞に限って述べることとする．左房内血栓など閉塞源が遠隔部にある場合を塞栓症，病変部にもともとあった慢性狭窄病変が局所で血栓閉塞した場合を血栓症とよび，それぞれ異なる病態と考えられるが，現実には両者の区別が明確でないことも多い．いずれにせよ大切断を避けるためにはすみやかな診断と治療が不可欠であり，四肢末端に冷感を伴う急激な疼痛を訴える患者を診療した際には，常に念頭におくべき疾患である．

問診で聞くべきこと

疼痛（pain）・蒼白（pallor）・脈拍消失（pulselessness）・感覚鈍麻（paresthesia）・運動麻痺（paralysis）が，急性動脈閉塞の主要5症状（5P）である．発症後経過時間が患肢の予後を規定するため，疼痛発現時刻をまず確認する．既往に高血圧・糖尿病・脂質異常症・喫煙などの動脈硬化リスクファクターが存在する場合は血栓症の可能性が高く，心房細動などの不整脈が存在する場合は塞栓症の可能性が高い．閉塞発症以前に局所の動脈病変が存在していなかったぶん，塞栓症のほうが激烈な症状を呈することが多い．

必要な検査とその所見

問診より急性動脈閉塞を疑った場合は，直ちに四肢の動脈拍動を触診する．上肢においては肘窩で上腕動脈拍動，手関節部で橈骨動脈と尺骨動脈拍動の有無を確認し，下肢においては鼠径部で大腿動脈拍動，膝窩部で膝窩動脈拍動，足関節部で後脛骨動脈拍動，足背部で足背動脈拍動の有無を確認する．拍動触知が不明瞭な場合はドプラ聴診器も併用する．カラードプラ機能を備えた体表超音波検査も，簡便性と迅速性の観点から非常に有用であり，手慣れた検者が行えば閉塞部位や範囲の同定から塞栓子の質的診断まで可能である．腎機能に問題がない場合は，胸部大動脈から足部にかけて広範囲に造影CTを撮像し，塞栓源となりうる左房内血栓・大動脈血栓の有無や患肢の閉塞部位を確認する．

9 末梢循環障害，壊死性疾患

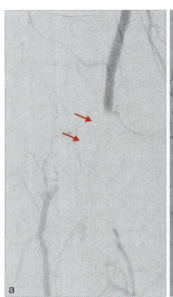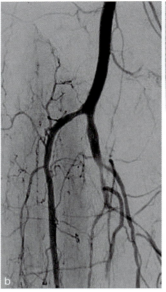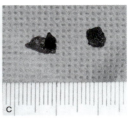

図 9-2 膝窩動脈塞栓症
a：閉塞した膝窩動脈(矢印)．b：再開通した膝窩動脈．c：除去された塞栓子．

診断のポイント

患肢において動脈拍動の消失と著明な冷感が確認できれば，それだけで確定診断としてよい．造影 CT は得られる情報量も多く非常に有用な検査ではあるが，虚血組織が不可逆変化をきたし始めるのは発症後 6 時間とされており，このゴールデンタイムを逸することなくすみやかに治療を開始する必要があるため，検査のために治療が後回しになることがあってはならない．

治療方針

活動性出血などの禁忌がなければまずヘパリン 5,000 単位程度を静注し，二次血栓の伸張を予防する．ゴールデンタイム内に血行再建に成功すれば四肢大切断を回避できる可能性が高いので，すみやかに血管外科医にコンサルテーションを行う．血行再建の手法としては，直達的に動脈を露出しフォガティーカテーテルによる血栓除去を行う方法や，経カテーテル的に血栓吸引/血栓溶解・バルーン血管形成・ステント留置などを行う血管内治療，直達手術と血管内治療を組み合わせたハイブリッド治療などがある．閉塞部位が末梢に位置する場合ほど血行再建に難渋することが多く，動脈造影も併用しつつ血栓除去を行う必要がある(図 9-2)．

一方で，発症後 24 時間以上経過しているなどゴールデンタイムを大きく逸脱し，受診時すでに感覚消失や四肢末端硬直，皮膚の広範な水疱壊死などをきたしている場合は，無理に血行再建を行うことで虚血再灌流障害(筋腎代謝症候群)をきたし，急性腎不全や高カリウム血症による心停止といった重篤な事態を引き起こすため，救命目的に大切断が不可避となる．高齢の寝たきり患者などで，往々にしてこのようなケースが多い．

閉塞性血栓血管炎（Buerger 病）

Thromboangiitis obliterans (TAO), Buerger disease

高山 利夫　東京大学医学部附属病院 講師(血管外科)

【疾患概念】　濃厚な喫煙歴以外に既往のない 40 歳代前後の若年男性が，手指や足趾に冷感を伴う疼痛を訴えて来院した際に，まず疑うべき疾患である．一般的には動脈疾患という印象がもたれているが，実際には中小径の静脈に対しても非動脈硬化性分節的炎症性病変をきたす．しかし患者の受診行動につながるのは主に動脈病変の存在であり，進行に応じて四肢末端部の冷感から安静時痛，そして潰瘍形成・壊死，指趾欠損と進行する．一方で末梢側からの進行が特徴的であるため，四肢大切断まで至ることは少ない．喫煙人口の減少とともに近年罹患者数は減少傾向にあるが，早期

発見・早期治療が重症化の予防に最も重要であるため，日常診療を行ううえで忘れてはならない疾患の1つである．

問診で聞くべきこと

何よりも喫煙歴の聴取が重要である．罹患者の平均喫煙期間が23年間だったという報告もある．身体所見では冷感や疼痛といった動脈系症状以外に，四肢表在静脈の血栓性静脈炎（遊走性静脈炎）の確認も行う．

必要な検査とその所見

①四肢脈拍触知：末梢動脈から侵されやすいという特性上，上肢では橈骨動脈や尺骨動脈，下肢では足背動脈や後脛骨動脈拍動が消失している一方で，より中枢側の動脈拍動は保たれている場合が多い．

②血液検査：本疾患に特異的なマーカーはないが，炎症の程度を反映して白血球・赤血球沈降速度・CRPの上昇がみられることがある．膠原病除外のために，各種自己抗体などの測定も必要である．

③足関節上腕血圧比（ankle-brachial pressure index；ABI）：下肢病変において足関節レベル以上の動脈に病変が存在する場合は低値となるが，より末梢に限局した状態では正常値を示すことも多い．

④皮膚灌流圧測定（skin perfusion pressure；SPP）：潰瘍や壊死の存在する指趾でも測定可能であり，ABIではとらえられないより末梢病変の虚血に対しても有用な判断材料となる．一般的には40 mmHgよりも低値であった場合に有意な虚血が存在すると診断する．

⑤CT/MR血管造影検査：四肢末端部の「弦巻状側副血行路」の発達が特徴的な所見である．

診断のポイント

診断基準は，表9-2の条件の「(1)〜(5)をすべて満たし，鑑別診断で他疾患がすべて除外できること」もしくは，「(1)・(5)と，(3)と(4)のいずれかの計3項目以上を満たし，鑑別診断で他疾患がすべて除外できること」である．主要な鑑別疾患は，閉塞性動脈硬化症，外傷性動脈血栓症，膝窩動脈捕捉症候群，膝窩動脈外膜嚢腫，膠原病，血管Behçet病，胸郭出口症候群，心房細動（に伴う血栓塞栓症）などがある．女性患者や喫煙歴が明らかでない患者では，より厳密な鑑別が重要となる．

治療方針

まず行うべきは厳格な禁煙指導である．近年わが国でも入手可能となった加熱式タバコとの関連は不明であるが，いわゆる紙巻きタバコの喫煙のみならず葉巻タバコや噛みタバコ・嗅ぎタバコ使用者にも発症リスクが高まることが知られており，ニコチンが含まれている以上は加熱式タバコも許可すべきではないだろう．

表9-2 Buerger病診断基準

(1) 50歳未満の発症
(2) 喫煙歴を有する（間接喫煙を含む）
(3) 膝窩動脈以下の閉塞がある
(4) 上肢の動脈閉塞がある，または遊走性静脈炎の既往がある
(5) 高血圧症，高脂血症，糖尿病を合併しない

〔難病情報センターウェブサイト（nanbyou.or.jp）より〕

冷感やしびれ程度の症状であれば，抗血小板薬や血管拡張薬の内服で改善を期待できることもあるが，安静時痛や指趾の潰瘍・壊死形成をきたした場合は血行再建手術の適応となる．動脈病変の位置や範囲により血管内治療・バイパス手術・両者を組み合わせたハイブリッド手術などが選択されるが，高度に専門的な判断となるため，血管外科医への紹介をためらうべきではない．末梢動脈の荒廃などで血行再建の適応がない場合には，かつては腰部交感神経節切除が行われていたが，現在は神経節ブロックなどによるペインコントロール手技により代替されていることが多い．

厚生労働省指定難病の1つであり，診断基準を満たせば医療費助成の対象となる．詳細は難病情報センターのウェブサイトを参照のこと．

閉塞性動脈硬化症

Arteriosclerosis obliterans (ASO)

伊佐治 寿彦 杏林大学 講師（心臓血管外科）

【疾患概念】 動脈硬化により慢性的な動脈内腔の狭窄や閉塞をきたし，下肢を主体とした四肢に虚血症状を呈する疾患である．近年より広義な疾患概念である末梢動脈閉塞症（peripheral arterial disease；PAD）の名称を用いる機会が増えたが，これには数％の膠原病や閉塞性血栓血管炎（Buerger病）による四肢虚血も含まれている．

【臨床症状】 大動脈・腸骨動脈，大腿動脈・膝窩動脈，下腿の3動脈に至る下肢動脈に狭窄や閉塞を認めた場合，さまざまな下肢の虚血症状を呈する．重症度を示すFontaine分類はよく知られており，冷感・しびれ，間欠性跛行，安静時疼痛，潰瘍・壊死などの臨床症状がみられるが，必ずしもこの順に症状が増悪するわけではなく，下腿動脈に病変を有する場合により重症化しやすい．また，動脈閉塞による虚血が側副路により代償され，無症候であることも少なくない．男性，加齢，喫煙に加えて高血圧や糖尿病，脂質異常症がリスク因

9 末梢循環障害，壊死性疾患

子となることはほかの動脈硬化性疾患と同様であり，虚血性心疾患や脳血管障害，慢性腎臓病などを合併することが多い．

問診で聞くべきこと

前述した背景疾患と動脈硬化性疾患の既往の有無，さらに四肢の虚血症状を聴取する．間欠性跛行例では，跛行が出現する部位と出現するまでの歩行距離・時間，さらに休息するまでの最大歩行距離のほか，腰部脊柱管狭窄症による神経圧迫症状との鑑別のため，前屈姿勢で症状が改善するか，また立位のみで疼痛が出現するかを聴取する．安静時疼痛例では，下肢を下垂できない就寝中に症状が悪化するか否かを聴取する．

必要な検査とその所見

(1) 身体所見

視診により肢端の萎縮，爪の発育不良，発毛の左右差，皮膚の色調変化，筋肉群の萎縮の有無を観察する．虚血が高度になると蒼白からチアノーゼを呈し，静脈のうっ滞や虚脱，浮腫などもみられる．触診では肢端の皮膚温低下や動脈拍動（鼠径・膝窩・足関節内果後方・足背）の左右差や減弱・消失，閉塞性病変部のthrillを確認する．虚血性潰瘍・壊死を伴う例は虚血創の範囲・深度，骨髄炎を含む感染の有無を評価する．

(2) 機能検査

肢虚血の有無および重症度の評価には，ankle-brachial pressure index (ABI) が最も有用かつ簡便である．ドプラ血流計を用いて，上肢に対する足関節部の動脈収縮期血圧の比をとる．安静時に0.9以下の場合は閉塞性病変の存在を疑う．高度石灰化を伴う閉塞性病変ではABIが高値を示し，その際は足趾血圧でtoe-brachial pressure index (TBI) を計測する．間欠性跛行例では，トレッドミル歩行により低下したABIが回復するまでの時間を測定し重症度評価を行う．潰瘍・壊死を伴う重症虚血肢では，皮膚灌流圧や経皮的組織酸素分圧，サーモグラフィーなどを用いて皮膚血流を評価する．

(3) 画像診断

上記検査でASOを強く疑い血行再建術を考慮する際は，CTAやMRAで病変の部位や狭窄度，石灰化を評価する．末梢病変や側副血路など詳細な評価が必要な場合は直接的動脈撮影を行う．Duplex scanを併用した超音波検査ではプラークの性状評価や血管径，血流速度の測定が可能である．

鑑別診断で想起すべき疾患

腰部脊柱管狭窄症，コンパートメント症候群，慢性静脈不全症，動脈塞栓症，糖尿病性壊疽．

診断のポイント

間欠性跛行などの下肢痛を訴える例で，特に喫煙歴などのリスク因子を有する場合は，整形外科的疾患を積極的に疑う場合でも，一度は足関節の動脈拍動の有無やABIを確認すべきである．

治療方針

ASOに対する治療は，動脈硬化に対するリスク因

トピックス　血管の再生医療

末梢循環障害に対する血管再生療法としては，①骨髄細胞移植術，②末梢血単核球移植術，③遺伝子治療（HGFプラスミド）に大別される．これまで骨髄細胞移植術や末梢血単核球移植術が広く実施されてきており，一定の効果は得られるものの，十分な治療効果が得られず，血行再建術（バイパス術や血管内治療）を実施する機会を逃す症例も散見されている．治療法の概要は，①骨髄細胞移植術は，骨髄穿刺により採取した骨髄液から血管内皮前駆細胞を離して下肢に筋注することで血管再生を促進する，②末梢血単核球移植術は，同成分を分離したのちに同様に下肢に筋注することで血管再生を促進する治療法である．治療効果としては骨髄細胞移植術のほうが高いとされているが，末梢血単核球移植術においても採取前の顆粒球コロニー形成刺激因子製剤（G-CSF製剤）投与により，最終プロダクトでCD34陽性細胞数を増加させることで治療効果を高めている．③遺伝子治療としてはコラテジェン®（HGFプラスミド）が保険適応となっており，今後，広く導入されることが予想される．

血管再生療法は，従来の血行再建術（バイパス術や血管内治療）と比較すると血流改善効果としては一定の限界があるので，本治療法の適応に際しては，下肢虚血重症度の適切な評価と綿密な画像診断を基に，他の治療法と比較検討することが重要である．また本治療を実施したあとに，治療効果判定を密に実施し，無効な場合には，血行再建術やアフェレーシスも含めて再検討することが望まれる．

井上　芳徳〔てとあしの血管クリニック東京　院長（東京都千代田区）〕

子の治療と生活習慣の改善が基本である．特に禁煙は治療的介入のうえで大前提となる．無症候性 ASO には血行再建術の適応はない．間欠性跛行例には，初期治療として監視下または在宅運動療法と抗血小板薬による薬物療法を開始する．跛行距離が 100 m 以下で日常生活が阻害される重症例や，安静時疼痛例は，血行再建術の適応である．虚血性潰瘍・壊死を伴う例は，肢切断の回避を目的にすみやかな血行再建が求められる．全身の動脈硬化性疾患や閉塞性動脈病変，虚血肢の状態を総合的に評価し，血管内治療や外科的直達手術を含めた集学的治療を行う．

循環障害肢切断の適応

Decision making of amputation for ischemic limb

赤井 隆文 国保旭中央病院 主任医長（血管外科）〔千葉県旭市〕

【疾患概念】 循環障害肢をきたす疾患としては閉塞性動脈硬化症（ASO）が最も頻度が高く，その他閉塞性血栓血管炎（Buerger 病）や急性動脈閉塞症，強皮症などの膠原病に伴う血管炎をベースとした循環障害や，糖尿病性壊疽などが挙げられる．下肢の虚血をきたしている病態は，下肢末梢動脈疾患（peripheral arterial disease；PAD）とよばれる．また広義の循環障害としては，深部静脈血栓症や下肢静脈瘤，まれな疾患では動静脈瘻などに伴ううっ滞性潰瘍・壊死も挙げられるが，切断の適応になることはまれである．

【病態】 ASO などの詳細については，本章の他項を参照いただきたい．切断の適応となるものは，潰瘍・壊死をきたした病態である．PAD が重症化した病態を重症虚血肢とよぶが，近年では包括的高度慢性下肢虚血（chronic limb threatening ischemia；CLTI）という概念が用いられる．CLTI には糖尿病による神経障害性潰瘍も含まれ，注意を要する．PAD の症状として，間欠性跛行，安静時痛，潰瘍・壊死が挙げられるが，糖尿病の合併症例では，間欠性跛行・安静時痛を経ずに潰瘍・壊死を発症する患者が多い．

【必要な検査】 循環障害の有無を判別するのに最も重要な診察は，動脈触知である．大腿動脈・膝窩動脈・足背動脈・後脛骨動脈の触知を行う．客観的な検査として足関節上腕血圧比（ankle-brachial pressure index；ABI）が簡便であるが，血管が高度石灰化をきたしている際には高値を示すため注意が必要である．足趾上腕血圧比（toe-brachial pressure index；TBI）も，足関節以遠の末梢病変の評価に有用である．皮膚組織の微小循環血流を評価する方法として，経皮的酸素分圧（TcPO$_2$）や皮膚灌流圧（skin perfusion pressure；SPP）が挙げられ，検査方法は施設に応じて選択する．画像診断法としては CT angiography，MR angiography，血管エコー，血管造影が挙げられる．

【診断のポイント】 下肢虚血の診断基準として Fontaine 分類および Rutherford 分類が知られている．潰瘍・壊死の PAD 症例では，足関節血圧が 60 mmHg 未満，足関節脈波がほぼ平坦，もしくは趾血圧が 40 mmHg 未満であると定義されている．各学会により基準はやや異なるが，おおむねこの基準を満たさない潰瘍・壊死は，PAD とは異なる病態を考えなければならない．また近年では，複雑な足病変の評価のため，局所所見・感染の分類も加えた WIfI 分類（表 9-3）が用いられる．

【治療方針】 整形外科外来において，診察所見や ABI の結果により PAD による下肢虚血が疑われた場合，血行再建の適応を考慮すべく，血管外科医や循環器内科などの専門医への紹介が必要となる．PAD による潰瘍・壊死に対し，血行再建なしに足部での切断を行えば，断端治癒不全により major amputation（大切断）が避けられない状況となるばかりか，血行再建そのものが困難となる場合があることを肝に銘じておく必要がある．

血行再建後に切断が必要となる場合には，TcPO$_2$ や SPP の値を参考に切断部位を決定する．切断の時期は全身状態，局所の所見により決定することになるが，血行再建後は手術の影響や血流改善に伴う浮腫をきたしていることが多く，症例に応じて適切な時期での切断を検討する必要がある．

血行再建による血流改善が不十分な場合や血行再建が不成功・不能であった場合には，大切断の適応となることが多い．救肢にとらわれ局所の保存的加療に邁進し，廃用・拘縮の進行や全身状態を悪化させることは避けるべきである．膝上での切断は膝下の切断に比し機能予後や生命予後が悪いが，血流・局所所見などからその切断部位を適切に判断することとなる．

【リハビリテーションのポイント】 虚血肢においては疼痛などの影響で筋力低下，関節拘縮をきたしていることが多い．しかし最終的に大切断を余儀なくされた場合でも，術後の歩行能力の再獲得といった機能予後の観点から，術前からの廃用症候群の予防，関節拘縮予防が肝要である．

表 9-3　WIfI 分類

	grade			
W（Wound）	0	潰瘍なし		
	1	足に壊死を伴わない浅い潰瘍		
	2	足趾に限局した壊死を伴う／伴わない骨，関節，または腱が露出した深い潰瘍		
	3	広範な深い潰瘍や踵の潰瘍±踵骨への進展±広範な壊死		
I（Ischemia）		ABI	足関節血圧（mmHg）	足趾血圧もしくは $TcPO_2$
	0	≧0.80	>100	≧60
	1	0.60〜0.79	70〜100	40〜59
	2	0.40〜0.59	50〜70	30〜39
	3	≦0.39	<50	<30
fI (foot infection)	0	感染徴候なし		
	1	皮膚および皮下組織に限局した感染		
	2	皮膚／皮下組織より深層だが限局した感染		
	3	全身性炎症反応症候群（SIRS）		

W2 I3 fI2 などと記載し，それにより下肢切断リスクを評価する．
SIRS：systemic inflammatory response syndrome
（Mills JL Sr, et al: The Society for Vascular Surgery Lower Extremity Threatened Limb Classification System: risk stratification based on wound, ischemia, and foot infection（WIfI）. J Vasc Surg 59: 220-234. e1-2, 2014 より）

Raynaud 病，Raynaud 症候群

Raynaud's disease, Raynaud's syndrome

桑名　正隆　　日本医科大学大学院 教授（アレルギー膠原病内科学分野）

【疾患概念】　Raynaud 現象は，寒冷曝露や精神的緊張により誘発される手指の3相性の色調変化のことで，典型的には白（虚血）→紫（チアノーゼ）→赤（再疎通）の変化を示す．臨床的には，2相以上の色調変化があれば Raynaud 現象とみなす．中手指節関節より遠位に明確な境界として出現することが多く，特に中央の3本の指で頻度が高い．血管攣縮の持続は15分以内のことがほとんどで，同時に冷えや痛みを自覚する場合がある．時に足趾，耳介，鼻でも観察される．出現頻度，持続時間ともに冬季に悪化するが，夏季でも空調の効いた部屋や冷蔵庫に手を入れた際など，温度変化により誘発される．Raynaud 現象を呈する疾患群を Raynaud 症候群とよび，基礎疾患を伴う場合は二次性，原因が明らかでない原発性を Raynaud 病とよぶ．

【頻度】　一般集団でみられる Raynaud 現象の頻度は 3〜5% とされている．そのうち 90% 以上は原発性である．

【病型・分類】
①原発性（Raynaud 病）：40 歳以下の女性に多い．振動工具やピアノ，タイピングなど，反復してキーを打つ楽器や道具を頻繁に使用している人で頻度が高い．手指壊疽など，重篤な虚血に至ることはない．

②二次性：全年齢層でみられ，基礎疾患として膠原病（全身性強皮症，混合性結合組織病，全身性エリテマトーデスなど），閉塞性動脈疾患（閉塞性動脈硬化症，Buerger 病など），末梢神経障害（手根管症候群，胸郭出口症候群，変形性頚椎症，末梢神経炎など），血液疾患（原発性マクログロブリン血症，多血症など），甲状腺機能低下症，薬剤性（β遮断薬など），重金属中毒（ヒ素，鉛など）がある．特に膠原病や閉塞性動脈疾患を基礎とする場合は虚血の程度が強く，手指潰瘍，壊疽を伴う場合がある．

【病態】
Raynaud 現象は，四肢末端の小動脈の攣縮による一過性の虚血により誘発される機能性変化である．動脈のトーヌスは自律神経で支配されており，交感神経優位になると平滑筋が収縮する．この反射が亢進すると過度の攣縮をきたす．一方，交感神経に異常がなくても，動脈の内腔狭窄や血液過粘稠が存在すると Raynaud 現象をきたす．

●問診で聞くべきこと
色調変化をきたす誘因，部位，持続時間などを詳細に聴取するとともに，職業（振動工具，ピアノ，タイピ

ング，重金属），基礎疾患となる膠原病，閉塞性動脈疾患，末梢神経障害，血液疾患症状やリスクも確認する．また，喫煙や服用薬剤についての確認も必要である．

- 診断のポイント

色調変化を問診で確認することは困難なため，色調変化が起こったときにスマートフォンなどで写真として記録するよう指示する．

- 専門病院へのコンサルテーション

二次性の場合，特に膠原病や，閉塞性動脈疾患，血液疾患を疑う場合はすみやかに専門施設に紹介する．膠原病のなかでは全身性強皮症が多く，虚血の程度が強い．全身性強皮症では手指腫脹，手指硬化，爪上皮出血点，指尖陥凹性瘢痕を伴い，血液検査で抗核抗体が陽性になることが多い．

- 治療方針

二次性の場合は基礎疾患の治療が優先される．Raynaud病ではまず保存療法を行い，改善が乏しければ薬物療法，手術療法を検討する．

1 ▶ 保存療法

保温など寒冷刺激の回避，禁煙などにより誘因を避けるように指導する．バイオフィードバックまたはカウンセリングが有効な場合もある．

2 ▶ 薬物療法

長時間作用型のジヒドロピリジン系カルシウム拮抗薬が有効であり，メタ解析では発作回数や持続時間を30％程度軽減することが示されている．

3 ▶ 手術療法

上記治療が効を奏さず，かつ生活の質の障害が強い場合は，局所の交感神経ブロックまたは切除術が適応となる．交感神経切除術はしばしば症状を消失させるが，1～2年以内に再発することがある．また，ボツリヌス毒素局所注入の高い有効性と安全性が示されている．

- 患者説明のポイント

Raynaud病では，通常は重篤な虚血に至ることはないことを説明する．一方，二次性の原因となる基礎疾患の評価が必要なことも説明しておく．

振動障害

Hand-arm vibration syndrome

木戸 健司　愛媛労災病院 副院長〔愛媛県新居浜市〕

【疾患概念】　長期間にわたる振動工具（チェーンソー，刈払機，削岩機など）による振動曝露によって生じる職業病である．末梢循環障害，末梢神経障害，運動器障害の3つが独立して，あるいは併存して生じる．

【頻度】

新規認定患者は1978年には2,500人を超えたが，以後徐々に減少し，最近は年間300人前後で推移している．1970年代には林業従事者が多かったが，近年では建設業者の割合が高い．

【病態】

発症メカニズムは（脳，脊髄を含めた）全身障害説が提唱されたこともあるが，現在は局所障害説が支持されている．末梢循環障害に関しては末梢動脈の器質的変化（中膜，内膜の肥厚）や機能的変化（交感神経活動の亢進）が，末梢神経障害に関しては神経の脱髄性変化や皮膚の感覚受容器の損傷が挙げられる．

- 問診で聞くべきこと

振動工具の使用状況〔工具の種類，工具の取扱時間（取扱年数，1年あたりの日数，1日あたりの時間）〕を聞きとる．Raynaud現象（vibration induced white finger；VWF）出現の有無，およびその発生状況（出現部位，時期，頻度，持続時間など）を詳細に聞きとる．健診，診察の場でRaynaud現象が出現することはまれであるため，出現時の写真（本人の顔とともに撮影することが望ましい）で確認する．

- 必要な検査とその所見

末梢循環障害，末梢神経障害，運動器障害の3障害について評価する．

(1) 末梢循環障害

①安静時および冷水負荷時の皮膚温，爪圧迫試験，指尖容積脈波．

②Finger systolic blood pressure ％（FSBP％）：安静時および冷却時の指動脈圧を計測するもので，これが0％であるときにはRaynaud現象ありと判断できる．

(2) 末梢神経障害

①安静時および冷水負荷時の痛覚，振動覚．

②神経伝導速度検査，電流知覚閾値検査．

(3) 運動器障害

①維持握力，つまみ力，タッピング数．

- 鑑別診断で想起すべき疾患

末梢循環障害に関してはRaynaud現象を生じうる他疾患（膠原病，原発性Raynaud病など），末梢神経障害に関しては頸部脊髄（神経根）症，糖尿病性神経障害などとの鑑別が重要である．

- 診断のポイント

労働災害認定に関しては基発307号〔1977（昭和52）年5月28日〕に基づいて行われ，以下の1および2の条件を満たす必要がある．

9 末梢循環障害，壊死性疾患

1. 振動業務に相当期間従事した後に発生した疾病であること．
2. 次に掲げる要件のいずれかに該当する疾病であること．

(1) 手指，前腕などにしびれ，痛み，冷え，こわばりなどの自覚症状が持続的または間欠的に現れ，かつ次のイからハまでに掲げる障害のすべてが認められるか，またはそのいずれかが著明に認められる疾病であること．

　イ：手指，前腕などの末梢循環障害．
　ロ：手指，前腕などの末梢神経障害．
　ハ：手指，前腕などの骨，関節，筋肉，腱などの異常による運動機能障害．

(2) Raynaud 現象の発現が認められた疾病であること．

専門病院へのコンサルテーション

3 障害に係る検査においては検査結果が室温によって大きく左右されるため，検査を行う部屋の室温管理が重要である．指針では 20～23℃ と規定されており，最終的な労働災害認定においては，この室温を保てる検査室（恒温室）を有する専門病院で検査が行われることが望ましい．

健康管理区分

健康管理区分は A～C の 3 段階に分けられる．

① 管理区分 A：自覚症状，他覚所見もない状態で，検査結果もおおむね正常の範囲にあり，自覚症状も振動障害の主要な症状である冷え，しびれ，Raynaud 現象，痛みなどがない段階である．

② 管理区分 B：他覚所見で正常範囲を明らかに超え，または下回るものがいくつか認められ，自覚症状でも振動の影響ともみられる冷え，しびれ，痛みが認められる．

③ 管理区分 C：自他覚所見，検査結果から振動による影響が明らかであって，循環機能，神経機能，あるいは運動機能の障害が治療を要する段階で Raynaud 現象の発現が認められる．

管理区分 A は振動作業を従来通り続けてよい状態であり，管理区分 B は振動工具の使用を制限すべき状態である．管理区分 C は振動工具の使用を中止し，治療を受けるべき状態である．

治療方針

理学療法，薬物療法が行われるが，根治的治療法はなく，進行した症状は回復困難であるため，振動に曝さないこと（振動工具の使用中止，バイク運転の禁止），寒冷時の防寒，保温や禁煙が基本となる．

治療法

① 理学療法：ホットパック，パラフィン浴．

② 薬物療法：末梢循環障害に対しては血管拡張薬，末梢神経障害に対してはビタミン剤，消炎鎮痛薬を用いる．

下肢静脈瘤

Varicose vein

山本　晃太　宮内庁皇嗣職 侍医

【疾患概念】　静脈弁の機能不全や血栓などにより静脈圧が高まり静脈が拡張した状態をいう．生命および下肢の予後は良好であるが，外見および付随症状によって QOL が著しく低下しかねない疾患である．

【頻度】
一般成人において 5～30％．

【臨床症状】
① 皮膚の外見変化：種々の静脈拡張，色素沈着，うっ滞性潰瘍，血栓性静脈炎．
② うっ滞による症状：浮腫，だるさ，筋痙攣（こむら返り）．

問診で聞くべきこと

外見変化に先行する症状があったかを聞く．

必要な検査とその所見

種々の理学検査や画像検査があるなかで血管エコーが簡便かつ低侵襲であり，治療方針を立てやすい．静脈逆流の確認および併存する深部静脈血栓の有無を確認する．

鑑別診断で想起すべき疾患

浮腫をきたす全身性疾患，潰瘍をきたす虚血や腫瘍．

診断のポイント

治療方針にかかわるため一次性か二次性かの区別が重要となる．弁不全など静脈そのものに起因するものを一次性静脈瘤とよび，血栓・妊娠・腫瘍などの静脈還流障害に起因するものを二次性静脈瘤とよぶ．

専門病院へのコンサルテーション

二次性の場合は血管外科もしくは循環器内科と相談し，血栓などに対する治療が必要になる．そのほかは整形外科治療後でも可能である．

治療方針

内服による薬物療法はないが，まずは保存療法からはじめ手術療法に移行する．

保存療法

うっ滞を予防する圧迫療法（弾性ストッキング着用など）や下肢挙上などの理学療法が中心となる．症状

の改善や外見の増悪の予防が目的であり，理学療法で外見的に治癒することはまれである．

手術療法

伏在静脈の本幹を治療する方法としては高位結紮・ストリッピング(抜去)術もあるが，昨今はレーザーもしくはラジオ波による血管内焼灼術が主流となっている．また側枝を治療する方法としては静脈抜去や硬化療法がある．

合併症と予後

一次性は基本的には予後良好である．

患者説明のポイント

静脈瘤自体は生命および下肢の予後はよく，治療は急がないということ．

静脈血栓塞栓症

Venous thromboembolism (VTE)

山本 晃太　宮内庁皇嗣職 侍医

【疾患概念】

Virchow が提示した内皮障害・凝固亢進・血流うっ滞を成因として，体幹もしくは四肢の深筋膜より深くに存在する深部静脈に生じた血栓を深部静脈血栓症(DVT)という．その血栓が遊離し，肺動脈を塞栓することによって，肺血栓塞栓症(pulmonary thromboembolism；PTE)が生じる．DVT と PTE は一連の病態であり，これら2つを合わせた概念を静脈血栓塞栓症(venous thromboembolism；VTE)とよぶ．本項では整形外科医が遭遇しやすい下肢を中心とした急性 DVT について述べる．

【頻度】

DVT の頻度は 0.1〜4.6% とされており，欧米に多いとされていたもののわが国でも増加傾向にある．また検査の感度の向上により，無症状のものも多く認められるようになっている．

【臨床症状または病態】

大部分が骨盤を含めた下肢に発生するため下肢症状が多く，また腸骨動静脈の解剖学的特徴から左側が多くなっている．膝関節を境界にして中枢型と末梢型に分類され，中枢型のほうが腫脹・疼痛・色調変化などの局所症状をきたしやすい．また中枢型のほうが後述する合併症も併発しやすいため治療の適応となりやすい．静脈の高度還流障害により動脈還流障害が生じて局所が重症化すると，有痛性白股腫・有痛性青股腫・静脈性壊死をきたすこともある．

問診で聞くべきこと

DVT や活動性のがんの既往などを聞き，リスク評価(Wells スコアなど)を行うが，整形外科領域の下肢手術は中等度以上のリスクになっているものが多い．

必要な検査とその所見

血液検査にてまず D ダイマーを測定する．基準値以内であれば急性期の血栓はないとみなされ除外できるが，高値であれば画像診断を行う．一般的にはまず低侵襲の超音波検査を行い，中枢型血栓が存在すれば全身の造影 CT を行って血栓の全体的評価とともに肺動脈内血栓の有無を確認する．なお，血栓を認めた際には，原因診断として血液検査による血栓傾向のチェックや画像による悪性疾患の有無も確認すべきである．

鑑別診断で想起すべき疾患

画像診断ではば確定できるが，浮腫をきたす全身性疾患，疼痛・腫脹をきたす蜂窩織炎などによる炎症が鑑別に挙げられる．

診断のポイント

血栓の有無はもちろんであるが，それ以上に血栓の範囲(中枢型・末梢型)，性状(エコー上の輝度による急性期・慢性期の区別など)や付随症状の有無で治療方針が大きく変わってくる．

専門病院へのコンサルテーション

血栓を認めた際には血管外科もしくは循環器内科にコンサルトする．

治療方針

理学療法を主体とした保存療法および抗凝固療法主体の薬物療法が中心となるが，それぞれの状況や併存疾患の方針によって，下大静脈フィルター挿入や外科的血栓摘除術の適応となる場合がある．治療の最大の目的は致命的な PTE の予防であり，そのほかに局所症状の改善や血栓後症候群(post-thrombotic syndrome；PTS)の予防がある．

保存療法

基本的には後述するその他の療法と併用すべきである．弾性ストッキングや弾性包帯を使用した圧迫療法および腓腹筋を使用する歩行などの運動療法で新鮮血栓の形成を予防して，患者自身の線溶系による症状の改善を目的とする．

薬物療法

経口抗凝固薬〔ワルファリンや直接作用型経口抗凝固薬(DOAC)〕を中心とするが，急性期 DVT にはその作用が有効になるまで非経口抗凝固薬(ヘパリンやフォンダパリヌクスなど)で橋渡しをする．

フィルター挿入

一般的な適応は以下の①②のいずれかに該当する場合である．ただしフィルター留置による合併症も多く，不要になれば早期の抜去を考慮する．

①急性期（発症から2週以内）の中枢型血栓があり全身麻酔手術が待機できない場合．

②抗凝固薬を使用中にもかかわらず，もしくは抗凝固療法ができずDVTやPTEを繰り返す場合．

手術療法

血栓摘除の絶対的適応は上記の動脈還流障害であり，緊急を要する．

合併症と予後

薬物療法は最低3か月継続する．たとえ血栓傾向がなかったとしても，中断後には再発やPTSが発症する可能性が一般より高いことの認識が必要である．そのためしばらくは局所評価およびDダイマーのフォローなどが勧められる．

患者説明のポイント

患者は局所のことを気にするが，致命的になりうる全身疾患の一側面であることを理解してもらう．

リンパ浮腫

Lymphedema

山下 修二　東京大学医学部附属病院 特任講師（形成外科）

【疾患概念】　リンパ浮腫は，リンパ輸送能の低下により，組織間隙に高濃度の蛋白性間質液が貯留した状態である．わが国では，悪性腫瘍の治療に伴うリンパ節郭清や放射線照射に続発する四肢リンパ浮腫が最も多く，乳癌術後の約10%，子宮癌術後の約25%に発症するといわれている．

【病型・分類】　リンパ浮腫は，リンパ輸送能の低下の原因により，それぞれ先天的なリンパ管の発達障害による一次性リンパ浮腫と，医原性リンパ浮腫（リンパ節郭清，放射線照射），外傷，関節リウマチ，感染症などに続発する二次性リンパ浮腫に分類される．リンパ浮腫の病期分類は，国際リンパ学会（International Society of Lymphology；ISL）による分類が広く普及している．

0期：リンパ液輸送が障害されているが，浮腫が明らかでない潜在性または無症候性の病態．

I期：比較的蛋白成分が多い組織間液が貯留しているが，まだ初期であり，四肢を挙げることにより治まる．圧痕がみられることもある．

II期：四肢の挙上だけではほとんど組織の腫脹が改善しなくなり，圧痕がはっきりする．

II期後期：組織の線維化がみられ，圧痕がみられなくなる．

III期：圧痕がみられないリンパ液うっ滞性象皮病のほか，アカントーシス（表皮肥厚），脂肪沈着などの皮膚変化がみられるようになる．

【臨床症状】　リンパ循環が障害された上肢や下肢に浮腫を認めるものがほとんどである．そのほか，顔面や外陰部に浮腫を認めることがあるがまれである．進行すると皮膚の過角化，疣贅，リンパ小胞，リンパ漏が認められるようになる．また，局所の細胞性免疫が低下しているため，患肢の蜂窩織炎を発症することがある．

問診で聞くべきこと

リンパ浮腫の原因となる疾患がないか問診する．悪性腫瘍の治療歴がある場合は，リンパ節郭清と放射線照射の有無について問診する．また，浮腫の発症時期，弾性着衣（弾性ストッキング，スリーブ）による圧迫療法の開始時期や蜂窩織炎の既往について問診する．

診断のポイント

鑑別が必要な疾患として深部静脈血栓症（DVT），心機能障害，肝機能障害，腎機能障害，低蛋白血症，甲状腺機能低下，ステロイドの内服による薬剤性浮腫などが挙げられる．鑑別疾患を除外したうえで，悪性腫瘍の手術既往など明らかな原因があれば二次性リンパ浮腫であり，明らかな原因がない場合は一次性リンパ浮腫である．リンパシンチグラフィーやリンパ管蛍光造影法により，リンパ還流障害の有無を評価し診断を確定する．

専門病院へのコンサルテーション

DVTなどの鑑別すべき疾患が除外できたら専門病院へ紹介する．

治療方針

保存療法と外科治療を併用し浮腫をコントロールする．外科治療の早期介入が望ましい．保存療法では，弾性着衣や弾性包帯による圧迫療法やリンパドレナージを行う．外科治療は，リンパ循環の改善を目的にリンパ管静脈吻合術やリンパ移植術を行う．

患者説明のポイント

リンパ浮腫は慢性かつ進行性疾患であることを理解してもらう．治療の目的は，リンパ循環を改善し浮腫の進行を抑制することであることを説明する．また，患肢は蜂窩織炎に罹患しやすい状態にあり，蜂窩織炎を発症するたびに症状は悪化することも説明する．

リハビリテーションのポイント，関連職種への指示

リンパ浮腫は，リンパ浮腫指導管理料やリンパ浮腫複合的治療料が算定できるようになり，治療への意識が高まり集学的治療が普及してきている．運動療法は，筋ポンプによるリンパ循環を促進するため，積極的に行うことが望まれる．専任の医師，看護師，理学療法士または作業療法士による用手的リンパドレナージ，圧迫療法，圧迫下での運動，スキンケア，体重管理について指導する．

下腿潰瘍，うっ滞性潰瘍

Leg ulcers, Venous stasis ulcers

山下 修二　東京大学医学部附属病院 特任講師（形成外科）

【疾患概念】

下腿に生じる難治性潰瘍は，主に虚血性潰瘍と静脈性潰瘍に分類される．虚血性潰瘍は，末梢動脈疾患（peripheral arterial disease；PAD）による血流障害が原因で生じる．なかでも，Fontaine分類ⅢとⅣやRutherford分類4～6群に相当する重症虚血肢（critical limb ischemia；CLI）は安静時疼痛や潰瘍・壊疽を伴うPADの終末像である．静脈性潰瘍は，表在静脈と深部静脈，そしてそれらの静脈の間に介在する交通枝である穿通枝のいずれか，もしくは複数の弁不全による静脈高血圧が原因で生じる．

【臨床症状】

虚血性潰瘍は，糖尿病，高血圧，脂質異常症，甲状腺機能低下など動脈硬化疾患を併発していることが多く，潰瘍が生じるところまで進行すると安静時疼痛を認め，治療が遅れると重症化し下肢切断を余儀なくされる．静脈性潰瘍は，下腿に限局した浮腫，皮膚炎，色素沈着，脂肪皮膚硬化症を伴い，疼痛，瘙痒感，こむら返りなどの自覚症状を認める．進行すると下腿1/3に難治性の潰瘍を生じるようになる．

問診で聞くべきこと

臨床症状として，安静時疼痛や跛行の有無を確認する．また，糖尿病，高血圧，脂質異常症，透析，膠原病，ステロイドの投薬，喫煙の有無を問診する．

必要な検査とその所見

虚血性潰瘍では，以下のスクリーニング検査で異常値を示せば，血管造影，CTA，MRAなどの精査が必要である．ABI（ankle-brachial pressure index）：正常値0.9～1.3，TBI（toe-brachial pressure index）：正常値0.5～0.7，TcPO$_2$（transcutaneous pressure of oxygen）：30 mmHg未満は重症，SPP（skin perfusion pressure）：30 mmHg以下では創傷治癒は見込めない．静脈性潰瘍では，duplex scan法や脈波法（plethysmography）を行い静脈の逆流を評価する．

診断のポイント

潰瘍を生じている進行例では，ほとんどの場合，臨床所見と併存疾患で診断が可能である．虚血性潰瘍も静脈性潰瘍も，臨床症状と併せて比較的簡便に行える検査である，ABI，TBI，TcPO$_2$，SPP，duplex scan法によるスクリーニングを行うことで診断できる．

専門病院へのコンサルテーション

スクリーニング検査で異常値を示している場合や，すでに潰瘍を形成している場合は，すみやかに専門病院へ紹介する．

治療方針

創傷の治療とともに潰瘍形成に至った原因疾患の治療を進めることで，潰瘍の治癒は促進される．

虚血性潰瘍では，まず血管内治療（endovascular therapy；EVT）またはバイパス術による血行再建を検討する．その後，デブリドマン，抗菌薬，陰圧閉鎖療法などを適宜行い，創面環境調整（wound bed preparation；WBP）が整った段階で，植皮，局所皮弁，遊離皮弁による創閉鎖を検討する．感染が制御できない大きな創がある場合は，下肢切断が必要になることがある．

静脈性潰瘍では，弾性ストッキング，弾性包帯，間欠的空気圧迫法などの圧迫療法を行う．圧迫療法は潰瘍治癒後も継続することで再発抑制に寄与することがわかっている．また，重症例では，表在静脈に対する抜去切除術（ストリッピング手術）や高位結紮術，血管内焼灼術，硬化療法，内視鏡的筋膜下穿通枝切離術（SEPS）などを行い，静脈還流の改善をはかる．潰瘍に対しては，適宜創部の状態に合わせてデブリドマン，陰圧閉鎖療法，外用薬，創傷被覆材を使用してWBPを行い，欠損が大きい場合には最終的に植皮，局所皮弁，遊離皮弁により創閉鎖を行う．

患者説明のポイント

潰瘍の原因と考えられる併存疾患の治療が重要であることや，治療経過中に併存疾患による急変の可能性があることについて十分に理解してもらう．再発を繰り返しやすく，感染を制御できないような場合は下肢切断に至る場合もあることを説明する．

リハビリテーションのポイント，関連職種への指示

潰瘍の治療経過中は，患部を安静にする必要があるため，廃用症候群にならないように適度なリハビリテーションを行う．潰瘍治癒後も，装具の装着訓練や適切な荷重と歩行指導を行い，再発防止に努める．

トピックス　マゴットセラピー（医療用無菌ウジ治療）

Lucilia sericata の 2 齢幼虫（マゴット）を使用し，創部にマゴットを付着させて，逃げないようにストッキングで覆う（図9-3）．この処置を3～4日に1回，2回/週の頻度で実施し，デブリドメント効果を認めるまで施行する．判定基準としては，①効果あり：潰瘍の縮小，二期的創閉鎖術が実施可能，②効果なし：変化なし，増悪，切断術を施行として実施している．過去に東京医科歯科大学血管外科において，マゴットセラピーを足部潰瘍症例（16例）に実施したところ，治療効果あり：10例〔内訳は，潰瘍面の縮小：6例，二期的創閉鎖術（植皮，皮弁）：3例，壊死組織除去効果：1例〕，治療効果なし：6例（内訳は，変化なし：2例，潰瘍の増悪：1例，肢切断：3例）であった．治療効果が認められた症例では血行再建術を施行しており，ほとんどの症例が足関節上腕血圧比≧0.6，もしくは足部での経皮的酸素分圧≧30 mmHg であった．

本治療法の長所，短所としては，下記の通りである．長所としては，①分泌液による壊死組織除去，②感染制御：創面のアルカリ化，③肉芽増生効果：サイトカインによる血管新生，線維芽細胞刺激が挙げられている．短所としては，①局所に住みつく（myiasis），②局所の違和感，③治療抵抗性（虚血症状の強い症例では効果が得られにくい）が挙げられている．

足部潰瘍の症例では虚血重症度を正確に評価して，虚血による潰瘍の場合には何らかの血行再建術（バイパス術や血管内治療）を実施して足部虚血を改善したのちに，本治療法を細かな部位のデブリドマンとして用いることで，創治癒を促進させることが期待できる．

井上　芳徳〔てとあしの血管クリニック東京　院長（東京都千代田区）〕

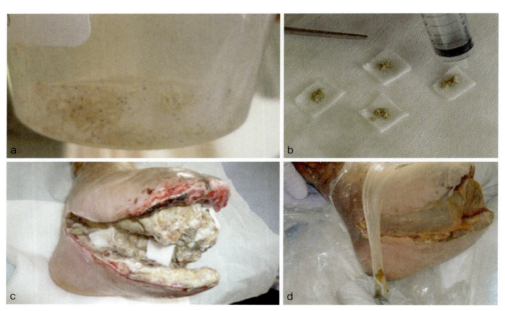

図 9-3　マゴットセラピー
a：浮遊液中のマゴット，b：脱脂綿に一定数のマゴットを置く，c：脱脂綿とともにマゴットを創部に貼付，d：ストッキングで被覆．

褥瘡

Pressure ulcers

山下 修二　東京大学医学部附属病院 特任講師(形成外科)

【疾患概念】
褥瘡は、「身体に加わった外力は骨と皮膚表層の間の軟部組織の血流を低下、あるいは停止させる。この状況が一定時間持続されると組織は不可逆的な阻血性障害に陥り褥瘡になる」と定義されている。また、さまざまな要因が関連して発生するため、創傷の治療だけではなく発生要因を改善することも重要である。最近では、ギプス、間欠的空気圧迫装置や酸素マスクなどの医療関連機器の圧迫で生じる、医療機器関連圧迫創傷も広義の褥瘡として扱われるようになっている。

【病型・分類】
DESIGN-R®は、日本褥瘡学会が提唱する評価法であり、個別の褥瘡を経時的に評価できるだけでなく、患者間の褥瘡の重症度を比較することができ、わが国では広く普及している。また、個々の褥瘡の治癒を保証するものではないが、日本褥瘡学会学術教育委員会では、DESIGN-R®の合計点による褥瘡の治癒予測を以下のように提示しており、このDESIGN-R®による重症度判定は、治療・管理方針を決定するうえで重要な指標となる。

①DESIGN-R®の合計点数が9点以下であれば約8割の褥瘡が1か月未満に治癒する。
②DESIGN-R®の合計点数が18点以下であれば約6割が3か月未満に治癒する。
③DESIGN-R®の合計点数が19点以上であれば約8割が3か月で治癒しない。

【臨床症状】
褥瘡は、外力(圧力+ずれ力)による阻血性障害、再灌流障害、リンパ系機能障害、機械的変形の4種類の機序が複合的に関与して生じる。好発部位は、仙骨部、尾骨部、坐骨部、腸骨部、大転子部、踵部、脊椎部、肩甲骨部、後頭部、耳介部などであるが、外力が加わることでどこでも生じうるということに注意したい。

褥瘡の深達度分類として最も普及している、NPUAP/EPUAP*合同ガイドラインによる褥瘡の分類は、臨床症状を理解するうえで重要である。

ステージⅠ：通常骨突出部に限局する領域に消退しない発赤を伴う損傷のない皮膚。
ステージⅡ：スラフを伴わない、創底が薄赤色の浅い潰瘍として現れる真皮の部分欠損。
ステージⅢ：全層組織欠損。皮下脂肪は確認できるが、骨、腱、筋肉は露出していない。組織欠損の深度がわからなくなるほどではないが、スラフが付着していることがある。ポケットや瘻孔が存在することもある。
ステージⅣ：骨、腱、筋肉の露出を伴う全層組織欠損。スラフまたは黒色壊死組織が付着していることがある。ポケットや瘻孔を伴うことが多い。
Suspected DTI(deep tissue injury)：圧力や剪断力によって生じた皮下軟部組織の損傷に起因する、限局性の紫色または栗色の皮膚変色または血疱。
分類不能：創底にスラフ(黄色、黄褐色、灰色、緑色または茶色)やエスカー(黄褐色、茶色または黒色)が付着し、潰瘍の実際の深さが全くわからなくなっている全層組織欠損。

*NPUAP：National Pressure Ulcer Advisory Panel(米国褥瘡諮問委員会)、EPUAP：European Pressure Ulcer Advisory Panel(欧州褥瘡諮問委員会)

問診で聞くべきこと
褥瘡が発生した背景について問診する。褥瘡は、全身的要因(寝たきり、脊髄損傷、栄養状態、浮腫など)、局所的要因(骨突出、皮膚の脆弱性、ずれなど)、社会的要因(家族、福祉などのサポートの有無など)など複数の要因が関連し発生する。そのため、褥瘡の局所のみを治療したとしても再発を繰り返すことが多いため、褥瘡が発生した要因に対し適切に対応することが重要である。

専門病院へのコンサルテーション
敗血症、壊死性筋膜炎、ガス壊疽など感染のコントロールのために外科的デブリドマンが必要な場合や、手術による創閉鎖を検討する場合はすみやかに専門施設へ紹介する。

治療方針
日本褥瘡学会の「褥瘡予防・管理ガイドライン」では、栄養療法、基礎疾患の管理、抗菌薬全身投与、外用薬、ドレッシング材、物理療法などの保存療法を行うことを推奨している。また、創傷治癒の観点から、患者の栄養状態を適切に評価し栄養サポートチーム(nutritional support team；NST)と連携し管理することは大切である。外科治療は、保存療法に反応しない褥瘡に対して行う。また、感染や炎症を伴う褥瘡の治療は、抗菌薬の全身投与、抗菌外用薬、ドレッシング材による保存療法を行うが、感染の制御が困難な場合は積極的な外科的デブリドマンを考慮する。

治療法
褥瘡に対する外用薬の選択については、患者の創部が創傷治癒過程のどの段階にあるのかを把握し、適切

な外用薬を使用することが重要である．TIMEコンセプトに基づき，それぞれ壊死組織の除去，感染・炎症の制御，浸出液のコントロール，肉芽形成・上皮化促進を目的に外用薬を使用する．

壊死組織を除去する外用薬は，スルファジアジン銀（ゲーベン®クリーム），ブロメラインを使用する．感染・炎症を伴う場合の外用薬は，カデキソマー・ヨウ素（カデックス®軟膏），スルファジアジン銀，ポビドンヨード・シュガー（ユーパスタ®）などを使用する．浸出液が多い場合の外用薬は，ポビドンヨード・シュガーやカデキソマー・ヨウ素などを使用する．肉芽形成と上皮化促進を目的とした外用薬として，トラフェルミン（フィブラスト®スプレー），ポビドンヨード・シュガー，アルプロスタジル アルファデクス（プロスタンディン®軟膏），ブクラデシンナトリウム（アクトシン®軟膏）などを使用する．

ドレッシング材は，主に創面の観察が必要な急性期の褥瘡や，深さが真皮までにとどまる浅い褥瘡に対して使用する．急性期の褥瘡では，適度な浸潤環境を保持し創面を保護しながら毎日創部の観察を行うため，ポリウレタンフィルムを使用する．浅い褥瘡では，親水性ポリマーが滲出液によりゲル状に変化し創面の浸潤環境を保持するハイドロコロイドや，過剰な滲出液を吸収し適度な浸潤を保持するポリウレタンフォームを使用する．

ポケットがある場合は，ポケット切開を優先し，外用薬，ドレッシング材，陰圧閉鎖療法などが効果的に使用できる状態にする．

外科的デブリドマンは，壊死組織を伴う感染・炎症を有する褥瘡に有効である．

陰圧閉鎖療法には，創部の血流上昇と収縮，感染のコントロールなどの働きがあり，創傷治癒を促進することが知られており，外科的デブリドマン後に使用することで効果的に創面環境調整（wound bed preparation；WBP）を行うことができる．

手術による創閉鎖は，筋皮弁，穿通枝皮弁，局所皮弁，植皮などを用いて，外用薬，外科的デブリドマン，陰圧閉鎖療法などによるWBPのあとで行う．最も発生頻度の高い仙骨部褥瘡の再建に用いられる代表的な皮弁には，大殿筋皮弁や大殿筋穿通枝皮弁などがある．

患者説明のポイント

患者や家族に対し，褥瘡予防や褥瘡悪化を防ぐための知識や方法を指導することは，褥瘡発生リスクを抑制する意味でも大変重要なことである．体位変換の方法，予防具の種類や使用方法に関する指導・教育を行う．褥瘡の病態，危険因子，褥瘡評価，褥瘡治癒の原則，栄養管理方法，スキンケアと皮膚観察方法，排泄管理方法に関する内容の指導・教育を行う．

リハビリテーションのポイント，関連職種への指示

患者の状態，ADL，関節可動域や拘縮の程度に応じてポジショニングやシーティングプランを計画する．ウレタンマットレス，高機能マットレス，エアマットレスなど体圧分散寝具を患者のADLに応じて選択し，褥瘡の発生と悪化を抑制する．便・尿失禁や創周囲の浸軟は，創傷治癒を遅らせる原因となるため，皮膚・排泄ケア認定看護師の協力のもと，適切な陰部洗浄，洗浄剤と皮膚保護剤により，褥瘡の発生と悪化を抑制する．低栄養状態は褥瘡発生の危険因子である．低栄養を認めたらNSTが介入し，栄養状態のアセスメントと栄養療法の計画を行う．

こんなときどうする!?
整形外科 術後リハビリテーションのすすめかた

フルカラーで充実の500ページ超！

監修＝山村　恵　　札幌円山整形外科病院 理事長
　　　竹林庸雄　　札幌円山整形外科病院 院長
編集＝三木貴弘　　札幌円山整形外科病院リハビリテーション科 主任
編集協力＝渡邊勇太　札幌円山整形外科病院リハビリテーション科 主任

術後リハで起こるどんなイレギュラーにも慌てない！

 椎椎間板ヘルニア、変形性股関節症、橈骨遠位端骨折……本書は、整形外科領域のリハビリテーションを担当する療法士に馴染み深い代表的な疾患について、**術後リハビリテーション**に焦点を当てて、時系列に沿いながら多角的に解説する。
また、多くの療法士が持つ悩みを熟知した経験豊富な執筆陣により、臨床で誰もが一度は遭遇するであろう"**こんなときどうする!?**"をピックアップし、具体的な解決策を提示する。

CONTENTS

共通
術後リハビリテーションに必要な
情報収集/評価、画像・麻酔・検査値・疼痛・
組織（骨,靱帯）の修復過程の知識

各論
1章	脊柱	腰部脊柱管狭窄症／腰椎椎間板ヘルニア／頸椎症性脊髄症（頸髄症）
2章	股関節	変形性股関節症／大腿骨近位部骨折
3章	膝関節	変形性膝関節症／膝前十字靭帯損傷
4章	足関節	果部骨折／アキレス腱断裂
5章	肩関節	腱板断裂／上腕骨近位端骨折
6章	前腕	橈骨遠位端骨折／上腕骨顆上骨折
7章	手指	腱損傷

●B5　頁528　2021年
定価：7,480円（本体6,800円＋税10%）
[ISBN978-4-260-04336-6]

医学書院　〒113-8719　東京都文京区本郷1-28-23　[WEBサイト]https://www.igaku-shoin.co.jp
[販売・PR部]TEL:03-3817-5650　FAX:03-3815-7804　E-mail:sd@igaku-shoin.co.jp

おかげさまで、装着型サイボーグ HAL® は導入実績世界 18ヵ国

単関節タイプ

HAL 医療用単関節タイプ
能動型展伸・屈伸回転運動装置
管理医療機器、特定保守管理医療機器
認証番号：302AIBZX00017000

関節の集中的な動きに特化したプログラム

肘・膝・足首などの関節部位の集中的なリハビリテーションをサポートし運動量を増加させます。

屈伸展 （肘）（膝）

足関節底背屈　目的動作　背屈／底屈

病院・クリニックで利用されています。

術後の早期離床・早期歩行訓練の強い味方
コンパクトでベッドサイドでも始められ、随意での屈伸展は患者様の不安感を取り除いてくれます。

腰部負荷低減で高齢の患者様にも
体幹筋・股関節周囲筋の筋力強化訓練に。筋負荷をほぼ伴わずに実施できるので体力が心配なご高齢の患者様でも安心です。

腰タイプ

ご注意：HAL 腰タイプは、医療機器ではありません。

体幹動作に特化したプログラム

基本動作を行うことで体幹・下肢の動作をアシストし、座位の確保や歩行機能、排泄機能の改善を促します。

簡便な装着準備　ベルト4点固定式

― 単純な基本動作 ―
① 骨盤　前後傾
② 体幹　前後屈運動
③ 立ち座り
④ スクワット

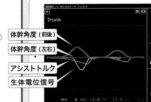

- カメラビュー
- トライアルタイム
- トルク設定
- 3Dモデル姿勢表示
- 体幹角度（前後）
- 体幹角度（左右）
- アシストトルク
- 生体電位信号

身体情報の可視化
ビジュアルフィードバックにより、効果的なプログラムを実現。

※ 歩行運動にも対応可能な下肢タイプもございます。

治療効果の維持には継続が重要
通院中・退院後もご自宅で

1日でも早い社会復帰を！

動きが滑らかになってきた感じ。

自宅で HAL 🔍

医療機器の確かな信頼と技術を継承しさらに使いやすく、より身近な2タイプは個人利用の時代へ

HAL® 自立支援用	自宅で利用	ロボケアセンターで利用
単関節タイプ	〇	〇
腰タイプ	〇	〇
下肢タイプ		〇

※ 自立支援用モデルは、医療機器ではありません。

■ お気軽にお問い合わせください。

CYBERDYNE サイバーダイン株式会社

📞 **029-869-8448** (営業部直通)

〒305-0818
茨城県つくば市学園南二丁目2番地1
HP: https://www.cyberdyne.jp

■ メールでの資料請求など
E-mail: ag-sales@cyberdyne.jp

10 運動器リハビリテーション

- 運動器リハビリテーションの考え方 …… 334
- 運動器疾患患者の機能評価 …… 335
- 高齢者のリスク管理と運動処方 …… 336
- 高齢者の移動能力評価 …… 337
- 関節可動域テスト，徒手筋力テスト …… 338
- 筋力増強訓練，ストレッチング …… 339
- ADL訓練 …… 340
- 関節拘縮に対する運動療法 …… 342
- 温熱・冷熱療法の考え方と処方 …… 343
- 骨折・脱臼のリハビリテーション …… 344
- 運動器不安定症 …… 345
- 転倒予防 …… 347
- 片麻痺（脳血管障害）患者のリハビリテーション治療 …… 348
- 神経・筋疾患患者のリハビリテーション治療 …… 349
- 上肢装具 …… 351
- 下肢装具 …… 352
- 頚椎・体幹装具 …… 354
- 靴型装具 …… 355
- 義手の処方と装着訓練 …… 356
- 義足の処方と装着訓練 …… 358
- 車椅子，歩行補助具 …… 360
- 運動器リハビリテーション実施計画の立て方 …… 361
- 補装具の公的支給と手続き …… 363
- 労災補償の手続き …… 364
- 身体障害者診断書の記入の仕方 …… 365
- 在宅生活支援の社会資源 …… 366
- 介護保険の仕組み …… 367
- 介護保険における主治医意見書 …… 368
- 障害年金診断書の記入の仕方 …… 371
- 脳卒中患者と介護保険 …… 372
- 脳卒中患者の在宅生活支援 …… 373

運動器リハビリテーションの考え方

Principles of musculoskeletal rehabilitation

千田 益生　岡山大学病院 教授（総合リハビリテーション部）

1 運動器疾患と健康寿命

　運動器とは，骨・関節・筋肉・神経などの体を支持したり動かしたりする組織・器官の総称である．運動器疾患とは，運動器の疾患，例えば，骨折，変形性関節症，腰痛，肩こり，骨粗鬆症，スポーツ障害といった疾患を意味する．健康寿命とは，健康上の問題で日常生活が制限されずに暮らせる期間である．2016年における健康寿命は，男性72.14歳，女性74.79歳であった．平均寿命が男性80.98歳，女性87.14歳ということを考えると，男性で8.84年間，女性で12.35年間が，要介護・要支援状態であったといえる．2019年の平均寿命は，男性81.41歳，女性87.45歳とより延長している．2020年版の高齢社会白書によると，介護が必要になった原因は，認知症が18.7%と最も多く，次いで脳血管疾患15.1%とあるが，運動器疾患である骨折・転倒12.5%および関節疾患10.2%を合わせると22.7%になり，認知症より多いことがわかる．2016年度の要介護者数は633万人と介護保険制度の開始から17年間で2.9倍になっており，厚生労働省は，2040年までに2016年に比べて男女とも健康寿命を3年以上延ばすことを目標にしている．健康寿命を延伸するためには運動器疾患を予防・治療することが最も重要である．

2 運動器リハビリテーションとは

　運動器疾患をコントロールし，二次障害を予防し，心身機能の回復・改善を目指し，生活における活動性を高めるリハビリテーション医療が，運動器リハビリテーションである．運動器リハビリテーションは，運動器疾患の診断，機能評価を行い，それらに基づいてリハビリテーション処方，そしてリハビリテーション治療を施行する過程全体を意味する．また運動器疾患に罹患する危険性を予見し，予防を行うことも運動器リハビリテーションの一環である．

3 運動器リハビリテーションの進め方

　運動器リハビリテーションは，まず診断そして機能評価を行い，それらを基にして，リハビリテーション処方・治療を行う．治療を行って思うような結果が得

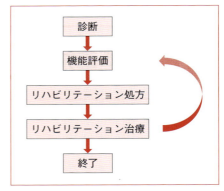

図10-1　運動器リハビリテーションの進め方

られなかった場合は，再び診断・機能評価を行う（図10-1）．

1 ▶ 診断

　運動器疾患の診断とは，症状の原因となっている心身機能に影響する病理学的変化とを同定することである．問診，視診，臨床所見，検査所見などを組み合わせて総合的に疾患の診断を行う．

2 ▶ 機能評価

(1) 機能障害の評価

　臓器の機能障害（関節可動域，筋力，体力など）の評価，また切断や変形の評価などを行う．

(2) 基本動作の評価

　心肺機能の評価，移動能力（起き上がり，座位，端座位，立位，歩行，階段昇降など）の評価，上肢機能の評価などを行う．

(3) 基本的ADL（日常生活動作）の遂行状態の評価

　基本的ADLとは，食事，排泄，身辺整理，着替え，平地歩行，ベッドからの移乗，入浴，階段昇降など日常生活において，ほとんどの人が普通に行える動作である．Barthel Index，FIMなどで評価する．

(4) 手段的ADLの評価

　手段的ADLとは，炊事，掃除，洗濯，外出，買い物など，日常生活の基本的な動作のなかでも，より高度な運動や記憶力を必要とする動作をいう．老研式活動能力指標などを用いて評価する．

(5) QOLの評価

　QOLとは1人ひとりの人生の内容の質や社会的に見た生活の質である．包括的QOL尺度（SF-36など）および疾患特異的QOL尺度で評価する．

3 ▶ 運動器リハビリテーションの処方

　運動器疾患の診断，機能評価をもとに，治療目標を立て，リスクを評価し，理学療法，作業療法，装具療法の処方を行う．運動器リハビリテーションにおける

治療では，①原疾患のコントロール，②併存症によるリスクの管理，③二次障害の予防および治療，④機能の回復・向上，⑤社会資源を利用した社会的活動性の向上が重要であり，処方時にはそれらをよく考慮する．特に運動器疾患を有する高齢者では，糖尿病，高血圧などの多くの併存症があり注意を要する．

4 ▶ 運動器リハビリテーションの治療

(1) 理学療法

関節可動域訓練，筋力増強訓練，起き上がりから歩行訓練，フィットネストレーニングなどを行う．物理療法を加えて行うと有効な場合がある．運動強度やリスクについて，熟知しておく必要がある．

(2) 作業療法

ADL の自立に向けての訓練を行う．ADL 評価に基づき，できない事項を抽出し，ADL 向上を目指す．

(3) 装具療法

必要に応じて適切な装具を処方し，実際に訓練場面で使用する．問題点を検証しながら最適な状態に調整していく．

運動器疾患患者の機能評価

Outcome measure of musculoskeletal disorders

千田 益生　岡山大学病院 教授（総合リハビリテーション部）

運動器リハビリテーションは，病気の診断，心身機能，動作，日常生活動作，社会参加の状態を把握することに始まる．病気の診断は，症状の原因と病理学的変化を同定することである．心身機能，動作，日常生活動作，社会参加の状態の評価が，機能評価である．心身機能とは，運動器に関しては神経機能，関節可動域，筋力，柔軟性などを指す．運動器疾患患者の機能評価には，①機能障害の評価，②基本動作の評価，③基本的 ADL（日常生活動作）の遂行状態の評価，④手段的 ADL の評価，⑤QOL の評価などがある．

1 機能障害の評価

1 ▶ 臓器の機能障害（神経機能，関節可動域，筋力など）の評価

神経機能の評価として，麻痺や感覚障害の有無を評価する．腱反射は客観的指標になる．疼痛に関しては VAS（visual analogue scale）などを用いて測定する．関節可動域は自動運動および他動運動によって測定し，拘縮や疼痛の有無を評価する．筋力は，徒手筋力検査（manual muscle testing；MMT）や握力などの定量的評価法で測定する．

2 ▶ 切断

切断の部位，断端の状態，近接関節の状態などを評価する．

3 ▶ 変形

脊柱では側弯や円背などの有無，翼状肩甲や内反肘，外反肘の有無，指では白鳥のくび変形やボタン穴変形など，膝では O 脚，X 脚，足では尖足，内反変形，外反母趾などを評価する．

2 基本動作の評価

1 ▶ 心肺機能の評価

心機能，肺機能について評価する．リハビリテーション中止基準については，アンダーソン・土肥の基準や日本リハビリテーション医学会によるガイドラインがある．

2 ▶ 移動能力（起き上がり，座位，端座位，立位，歩行，階段昇降など）の評価

患者自身で，起き上がり，端座位になり，立位をとり，歩行することができるかなど，患者の移動能力を確認する．下肢の手術後などは，体重負荷の制限などを把握する．歩行が自立している場合には，timed up and go test や 10 m 歩行時間の測定を行って，移動能力を定量的に評価する．片脚起立時間の測定，重心動揺性の評価，ロコモ度テストの立ち上がりテストや 2 ステップテストなども有効である．

3 ▶ 上肢機能の評価

上肢には物に手を伸ばす，つまむ，つかむ，離す，置く，押すなどの働きがあり，数多くの評価法がある．Fugl-Meyer test，action research arm test，box and block test などが有名である．わが国では簡易上肢機能検査（STEF）や，質問紙法による評価である上肢障害評価表（DASH）もよく用いられている．

3 基本的 ADL（日常生活動作）の遂行状態の評価

基本的 ADL とは，食事，排泄，身辺整理，着替え，平地歩行，ベッドからの移乗，入浴，階段昇降など，日常生活において，ほとんどの人が普通に行える動作である．Barthel Index，FIM などで評価する．

1 ▶ Barthel Index

食事，移乗，整容，トイレ，入浴，平地歩行，階段昇降，更衣，尿便失禁の有無の 10 項目の動作を自立か，要介助かを基準に 100 点満点で評価する．

2 ▶ FIM（functional independence measure）

食事や移動などの運動 ADL 13 項目と，認知 ADL 5 項目からなる．126 点満点で，最低は 18 点である．1 点が介護時間 1.6 分と設定されていて，110 点で介護

時間は0分である．介護負担度の評価が可能であり，リハビリテーション医療の分野でよく用いられている．

4 ▶ 手段的ADLの評価

手段的ADLとは，炊事，掃除，洗濯，外出，買い物など，日常生活の基本的な動作のなかでも，より高度な運動や記憶力を必要とする動作をいう．

1 ▶ 老研式活動能力指標

外出，買い物，食事の支度，金銭管理などの手段的ADLの13項目について"できるか""しているか"を評価するものであり，すべてをしていれば13点である．高齢者の活動性評価に用いられる．

5 ▶ QOLの評価

QOLとは，1人ひとりの人生の内容の質や社会的に見た生活の質である．質問表により測定される．

1 ▶ 包括的QOL評価

どのような疾患の患者にも用いることができる評価尺度としてSF-36が代表である．SF-36は，身体機能，日常役割機能(身体)，日常役割機能(精神)，全体的健康感，社会生活機能，身体の痛み，活力，心の健康の8領域に関する36問で構成されている．日本人の国民標準値がある．

2 ▶ 疾患特異的QOL評価

特定の疾患の患者を対象としたQOL評価尺度として，関節リウマチではAIMS 2，変形性膝関節症にはWOMAC，JKOM，腰痛にはRDQ，ロコモティブシンドロームにはロコモ25がある．

高齢者のリスク管理と運動処方

Risk management and exercise prescription for elderly patients with musculoskeletal disorders

矢吹 省司　福島県立医科大学保健科学部 学部長

1 高齢者が抱えるリスクとリスク管理

高齢者の特徴として，さまざまな身体機能の低下と併存疾患の存在がある．併存疾患としては，重篤な併存疾患と高頻度な併存疾患がある．重篤な併存疾患としては，心不全，心臓弁膜症，脳血管障害，肺塞栓，肺炎などがある．頻度の高い併存疾患としては，高血圧，糖尿病，慢性腎不全，認知症，不整脈，尿路感染，変形性関節症による関節の痛み，骨粗鬆症に伴う脆弱性骨折などがある．高齢者では，上記の併存疾患を複数有していることが少なくないため，運動器リハビリテーション治療によって起こりうる有害事象(リスク)を把握して，リスク管理を行う必要がある．

1 ▶ 運動器リハビリテーションに関連する有害事象

有害事象が発生してしまった場合，患者，医療機関双方にさまざまな損失が発生する．具体的には，機能予後の悪化，治療満足度の低下，医療機関に対する不信感，在院日数の長期化，医療コストの増大などが発生しうる．有害事象としては，合併症，事故，院内感染がある．

(1) 合併症

肺塞栓，虚血性心疾患，大動脈解離，大動脈瘤破裂，喘息重積発作，脳卒中，低血糖．

(2) 事故

転倒・転落，窒息，チューブ抜去，患者取り違えなど．

(3) 院内感染

患者から職員，または職員から患者への感染．

2 ▶ リスク管理

有害事象発生の予防と発生時の適切な対応による影響の軽減が重要である．そのためには有用なシステムが必要である．

① 予防システム：ハイリスク患者のスクリーニングとハイリスク患者に対する予防策の実施．

② 影響軽減システム：院内緊急コール体制の整備，救急カートの整備，対応マニュアルの整備．

日本リハビリテーション医学会では，『リハビリテーション医療における安全管理・推進のためのガイドライン第2版』(リハビリテーション医療における安全管理推進のためのガイドライン策定委員会編，診断と治療社，2018)を刊行してリスク管理の重要性を強調している．運動器リハビリテーションの有用性は認識されているが，なかには低栄養や併存疾患のために，リハビリテーション治療を実施しないほうがよい患者も存在する．以下にその基準を記す．

(1) 積極的なリハビリテーション治療を実施しない場合

安静時脈拍40/分以下または120/分以上，安静時収縮期血圧70 mmHg以下または200 mmHg以上，安静時拡張期血圧120 mmHg以上，労作性狭心症の場合，心房細動のある患者で著しい徐脈または頻脈がある場合，心筋梗塞発症直後で循環動態が不良な場合，著しい不整脈がある場合，リハビリテーション実施前にすでに動悸・息切れ・胸痛のある場合，座位でめまい・冷や汗・嘔気などがある場合，安静時体温38℃以上，安静時酸素飽和濃度90%以下．

(2) 途中でリハビリテーション治療を中止する場合

中等度以上の呼吸困難・めまい・嘔気・狭心痛・頭痛・強い疲労感などが出現した場合，脈拍が140/分を

超えた場合，運動時収縮期血圧が 40 mmHg 以上または拡張期血圧が 20 mmHg 以上上昇した場合，頻呼吸（30 回/分以上）または息切れが出現した場合，運動により不整脈が増加した場合，意識障害の悪化．

(3) いったんリハビリテーション治療を中止し，回復を待って再開する場合

脈拍数が運動前の 30％ を超えた場合，ただし 2 分間の安静で 10％ 以下に戻らないときは以降のリハビリテーションを中止するかまたはきわめて軽労作のものに切り替える，脈拍が 120/分を超えた場合，1 分間 10 回以上の期外収縮が出現した場合，軽い動悸・息切れが出現した場合．

(4) 注意が必要な場合

血尿の出現，喀痰量が増加している場合，体重が増加している場合，倦怠感がある場合，食欲不振時・空腹時，下肢の浮腫が増加している場合．

転倒は，頻度の高い事故であり，運動器リハビリテーション治療中にも起こりうる．そのため，転倒を予測する因子を知っておくことはリスク管理として重要である．危険因子とその相対危険度を以下に示す．

・転倒の既往（1.9～6.6）
・バランス障害（1.2～2.4）
・筋力低下（2.2～2.6）
・視力障害（1.5～2.3）
・内服（5 種類以上あるいは精神安定薬）（1.12～2.4）
・歩行障害（1.2～2.2）
・うつ（1.5～2.8）

2 高齢者に対する運動器リハビリテーション処方

高齢者では，疾患ごとのリハビリテーション治療だけでは十分な効果を得られないことがある．さまざまな原因疾患の状態や患者の病態，併存疾患の状態を把握し，身体機能や精神機能を評価したうえで障害の原因を同定し，それらの解決のためにリハビリテーションプログラムを作成する必要がある．さらに，高齢者を社会復帰させるためには，社会資源の利用方法の把握なども重要である．

リハビリテーションプログラムの作成にあたっては，予後予測が必須である．しかし，高齢者では，必ずしも容易ではない．その原因としては，高齢者の身体機能の個人差が大きいこと，予後に影響する因子が多数あることが挙げられる．高齢患者の全身状態，障害の原因となっている疾患の重症度，併存疾患の状態，および術前の ADL などである．リハビリテーション処方としては，ADL の向上を目指す内容とするか，または機能の維持を目指す内容とするかによって，処方内容や強度が異なる．

1 ▶ 運動処方の内容

関節可動域訓練，筋力強化運動，歩行練習が中心となる．高齢者の場合，患側だけでなく非患側の機能も低下している場合が多いので，歩行練習の際には歩行補助具を使用する必要がある．ADL の維持・向上のためには理学療法だけでなく，作業療法も適宜加える必要がある．高齢者が有するリスクを，医師のみでなく他のメディカルスタッフとも共有しておくことが，リスク管理の基本である．

高齢者の移動能力評価

Assessment of locomotion ability of elderly persons

矢吹 省司　福島県立医科大学保健科学部 学部長

1 高齢者の特徴

人間の身体機能や精神機能は出生後から向上し，20～30 歳程度でピークを迎える．その後は次第に低下していく．運動器リハビリテーションに関して重要なものとしては，筋肉量減少，筋力低下などの身体機能の低下がある．移動能力の維持・向上のために行う運動器リハビリテーションにおいて，高齢者では以下に示す変化が影響する可能性がある．これらの変化にも注意する必要がある．

・運動器系：筋萎縮・筋力低下，骨萎縮，関節変性．
・神経系：脳萎縮，不眠，記憶力低下，注意力低下，思考力低下．
・感覚系：視力低下，聴力低下．
・循環器系：心拍出量低下，不整脈増加，動脈硬化．
・呼吸器系：肺コンプライアンスの低下，残気量の増加，痰排出力低下．

2 移動能力評価

移動能力の評価法はさまざま存在するが，ここでは以下の 3 つについて記載する．

1 ▶ 6 分間歩行テスト

自分のペースで 6 分間に歩くことができる最大距離を測定する検査である．文部科学省の体力テストにおいても高齢者の全身持久力を評価する指標として採用されている．高齢日本人の平均歩行距離は 500～550 m である．6 分間歩行テストで 400 m 以下になると外出に制限が生じ，200 m 以下では生活範囲がきわめて限られる．

2 ▶ Timed up-and-go test(TUGT)

椅子に座った姿勢から立ち上がり3m先の目印点で折り返し，再び椅子に座るまでの時間を測定する検査である．危険のない範囲でできるだけ速く歩くように指示する．所要時間は加齢とともに遅くなり，70歳では平均9秒程度，80歳では11秒を超すと報告されている．10秒未満のものは自立歩行，11〜19秒では移動がほぼ自立，20〜29秒では歩行が不安定，そして30秒以上は歩行障害ありと評価される．運動器不安定症と診断される11秒というカットオフ値は，早期発見の観点からは妥当な値である．

3 ▶ ロコモ度テスト

日本整形外科学会では，立ち上がりテスト，2ステップテスト，およびロコモ25の値からロコモティブシンドロームを判定するロコモ度テストを提唱している．3つのテストの結果により，該当なし，またはロコモ度1〜3に分類される．

(1) 立ち上がりテスト

台は40cm，30cm，20cm，10cmの4種類の高さがあり，両脚または片脚で行う．方法は，①まず40cmの台に両腕を組んで座る．両脚は肩幅くらいに広げ，床に対して脛がおよそ70°(40cmの台の場合)になるようにして，反動をつけずに両脚で立ち上がり，そのまま3秒間保持する．②40cmの台から両脚で立ち上がれたら，片脚でテストを行う．①と同様の基本姿勢をとり，左右どちらかの脚を上げ(上げたほうの脚の膝は軽く曲げる)，反動をつけずに立ち上がり，そのまま3秒間保持する．③②ができた場合は同様に10cmずつ低い台に移り，片脚ずつテストして左右とも片脚で立ち上がれた一番低い台がテスト結果となる．②ができなかった場合，両脚での立ち上がりテストを30cmから行い，両脚で立ち上がれた一番低い台がテスト結果となる．

(2) 2ステップテスト

方法は，①スタートラインを決め，両足のつま先を合わせる．②できる限り大股で2歩歩き，両足を揃える(バランスを崩した場合は失敗)．③2歩分の歩幅を計測する．④2回行ってよかったほうの記録を採用する．⑤以下の計算式で2ステップ値を算出する．2ステップ値＝2歩幅(cm)÷身長(cm)．下肢の筋力，バランス能力，柔軟性を含めた歩行能力を評価できる．

(3) ロコモ25

過去1カ月の身体の痛みや，生活状況について25項目の設問があり，それぞれ5段階の回答(0〜4点)の合計点を算出する．

(4) ロコモ度判定

①ロコモ度1：立ち上がりテストでは片脚で40cmの台から立ち上がれないが両脚で20cmの台から立ち上がれる，2ステップ値が1.1以上1.3未満，ロコモ25が7点以上16点未満．これら3つのうち1つでも該当すればロコモ度1と判定され，移動能力の低下が始まっている状態と判断される．

②ロコモ度2：立ち上がりテストでは両脚で20cmの台から立ち上がれないが30cmの台から立ち上がれる，2ステップ値が0.9以上1.1未満，ロコモ25が16点以上24点未満．これら3つのうち1つでも該当すればロコモ度2と判定され，移動機能の低下が進行している状態と判断される．

③ロコモ度3：立ち上がりテストでは両脚で30cmの台から立ち上がることができない，2ステップ値が0.9未満，ロコモ25が24点以上．これら3つのうち1つでも該当すればロコモ度3と判定され，社会生活に支障をきたしている状態と判断される．

関節可動域テスト，徒手筋力テスト
Range of motion (ROM) testing, Manual muscle testing (MMT)

緒方 直史 帝京大学 教授(リハビリテーション医学講座)

1 関節可動域テスト

【概要】

関節可動域テストは，各関節が運動を行う際の生理的な運動範囲を計測する検査法で，各運動において関節可動域の制限があるかを調べることで関節機能を評価する．各関節のそれぞれの運動について健常人の可動域として参考可動域が定められており，関節機能に障害がある場合，関節可動域テストにて可動域制限の程度を判定する．自動あるいは他動による関節運動を計測するが，原則は他動運動での可動域を計測する．関節には球関節，鞍関節，蝶番関節などさまざまな種類があり，関節の動きの自由度は関節ごとに異なり，肩関節のように三次元的な運動が可能な関節がある一方で，膝関節など屈曲と伸展のみ可能な関節がある．関節可動域に制限がある場合，関節拘縮(joint contracture)と関節強直(ankylosis)があり，前者は関節包外(関節外の靱帯，筋腱，皮膚・皮下組織など)に起因し，可動域は低下するが保たれていることが多い．一方で後者は関節包内(線維性強直，骨性強直など)に起因し，可動域が消失していることが多い．

【実施手順】

両足部の長軸を平行にした自然起立位での肢位が基本肢位(neutral zero starting position)で，解剖学的肢

表10-1 徒手筋力テスト（Danielsらによる）

5	Normal（N）	強い抵抗に抗して関節可動域いっぱいに動かすことができる
4	Good（G）	いくらかの抵抗を加えても関節可動域いっぱいに動かすことができる
3	Fair（F）	重力に抗して関節可動域いっぱいに動かすことができる
2	Poor（P）	重力を除いた肢位では関節可動域いっぱいに動かすことができる
1	Trace（T）	関節は動かないが筋収縮は認める
0	Zero（0）	筋収縮が全く認められない

3＋：関節可動域いっぱいに動かした位置で多少の抵抗を加えてもその肢位を維持できる
2−：重力を除いた肢位で関節を動かすことはできるが関節可動域いっぱいに動かすことはできない

位とおおむね一致する．この基本肢位を0°として表示する．ただし，肩関節，股関節の一部の運動，前腕の回外・回内については異なる基本肢位を用いる．関節可動域は，十分な長さの柄がついている角度計（ゴニオメーター）を使用し，通常は5°刻みで計測する．関節ごとに外見上わかりやすい部位を選んで基本軸と移動軸が設定されており，基本軸と移動軸の交点を角度計の中心に合わせて計測する．

▶実施上のポイントと注意事項

　各関節の運動方向と名称を正確に理解するだけでなく，関節の基本軸と移動軸は股関節のように運動方向によって異なっている関節もあり，基本となる軸を十分に理解することも重要である．また，足関節など多関節筋がある場合は，原則としてその影響を除いた肢位（膝関節を屈曲した肢位）で測定する．また，足関節においては，これまで底屈（屈曲）・背屈（伸展）としていたが，底屈と背屈に統一され，また回外・回内も3つの基本面（水平面，矢状面，冠状面）における複合運動と新たに定義された．計測に際して疼痛などが測定値に影響を与える場合など，関節可動域に影響を与える事項があれば，適宜「痛みによる」などと測定値とともに併記する．

2 徒手筋力テスト

【概要】

　徒手筋力テストは，上肢・下肢・体幹の筋群または特定の筋力を徒手のみによって判定する評価法で，Danielsらによって提唱された方法で行う．筋肉を等尺性に収縮させて，徒手抵抗を加え，筋の収縮保持能力によって段階づけし判定する．評価の基準は表10-1に示す通り，0〜5までの6段階で評価する．徒手筋力については順序尺度であり，単純に比較することや筋力の増減を判定することはできない．

▶実施手順

　被検者が動かしうる最終点またはその筋が最も筋力を発揮できる1点で，被検者が行う運動に対して徒手で抵抗をかける．重力に抗することができる筋力を評価する際は立位をとることも多く，また重力を除して検査する場合は，腹臥位や仰臥位をとって評価をすることも多く，それぞれの筋に応じた被検者の肢位を知っておく必要がある．また，動作を忠実に遂行しようとして，無意識に他の筋の働きを利用して代償動作を行うことがあるので，代償動作が起こりやすい運動を理解しておくことも重要である．

▶実施上のポイント

　徒手筋力テストの0は，原則として筋電図上で筋活動の有無を判定するもので，徒手のみでは判定できない．また，各段階でプラスやマイナスをつけて細分化することがあるが，検者間のばらつきや主観に影響されるので基本的には好ましくない．ただし，2と3については3＋あるいは2−の段階づけは認められている．3＋は重力に抗して全可動域にわたり動かすことができ，最終域での軽い抵抗に抗して肢位を保持できるが，4の抵抗には抗しきれない筋力である．また2−は，重力を除して可動域すべては動かせないが可動域の一部を動かしうる筋力となる．腓腹筋など筋力が強い筋では，爪先立ちができる回数などをもとに段階づけをする．また拘縮や痛みにより正確に検査できない場合はそのことを記載する．一方で，これまでは年齢を考慮して筋力を判定していたが考慮しないことになり，多くの高齢者は4に相当してしまうことがある．

筋力増強訓練，ストレッチング

Muscle strengthening exercise, Stretching

緒方 直史　帝京大学 教授（リハビリテーション医学講座）

1 筋力増強訓練

【概要】

　失われた機能の回復と再教育，あるいは機能障害の発生を予防するために行われる運動療法の1つであり，神経・筋に異常がない場合に行われる訓練と，神経・筋の異常により筋力低下がある場合に行われる訓練がある．

　筋収縮は関節運動の様式によって分類され，関節運

動を伴わない等尺性収縮(isometric contraction)，関節運動を伴い筋の張力は一定で収縮させる等張性収縮(isotonic contraction)，関節運動を伴い角速度が一定である一方で張力が変動性である等運動性収縮(isokinetic contraction)があり，それぞれの分類に基づいた訓練が行われるが，これらの運動を適宜組み合わせることで，効率よく筋力強化を行うことができる．

筋力増強訓練では，徒手筋力テスト(manual muscle testing；MMT)が4か5の場合には抵抗運動(resistive exercise)を行う．抵抗運動で広く用いられるDeLormeの漸増抵抗運動は，10回繰り返して全可動域に収縮できる最大負荷量〔10 RM (repetition maximum)〕を決め，その1/10から10回ずつ10/10まで運動を行うことで筋力を強化する．この方法は等張性運動となる．また，等張性運動には求心性収縮と遠心性収縮があり，遠心性収縮を行うほうが筋力増強には効果的である．MMTが3の場合は抵抗運動ができないので，自動運動(active exercise)を行い，一方，MMTが1か2の場合は自動介助運動(active assistive exercise)を行う．MMTが0か1の場合は，他動運動(passive exercise)あるいは筋再教育(muscle reeducation)を行うのが原則となる．

実施上のポイント

等尺性訓練は効率よく筋力増強が可能で，関節障害のある場合に有用である．ただし，筋の収縮張力に比例して活動筋の筋血液流量は高まるが，ある閾値を超えると逆に筋内圧が高まり，血圧がさらに上昇するため，高血圧患者や心疾患を合併する患者に対しては適切なリスク管理が必要となる．筋力増強には等運動性訓練が有用であるが，人為的制御が必要であることから専門の機械が必要となる．基本的に等張性訓練は持久力，等尺性訓練は瞬発力，等運動性訓練は持久力と瞬発力の向上に有用とされる．筋力訓練を行うことで，筋肉内蛋白質の分解・合成のうち合成が促進されることで筋力が向上するが，末梢性運動麻痺や筋炎などの筋疾患の患者に過負荷をかけた筋力強化を行うと，蛋白質分解が蛋白質合成を上回り，逆に筋力低下をきたしてしまうので注意を要する

2 ストレッチング

【概要】

ストレッチングとは意図的に筋や関節を伸ばす運動で，体の柔軟性を高めるのに効果的であり，また運動前後でのパフォーマンス向上や怪我防止としても活用される．静的ストレッチング(static stretching)，動的ストレッチング(dynamic stretching)，PNF(proprioceptive neuromuscular facilitation，固有受容性神経筋促通法)ストレッチングなどがある．静的ストレッチングとは反動を利用せずに筋肉をゆっくりと伸ばし，通常の可動域を超えて筋肉を伸張しようとするストレッチングである．伸張する時間については10～20秒程度を適当とすることが多い．動的ストレッチングは，関節の運動と一緒に筋肉の伸張・収縮を繰り返しながら，反動を利用してゆっくりと筋肉を伸ばしていくストレッチングである．また，PNFストレッチングは，ストレッチングを行う部位の筋肉を最大筋力に近いレベルで数秒間力を発揮させ，2秒間脱力してからストレッチングを行う方法である．

実施上のポイント

静的ストレッチングでは，伸張反射を防ぐために筋肉をはじめにゆっくり伸ばすことが重要である．筋肉が瞬間的に引き伸ばされると，筋紡錘から脊髄へ信号が送られ，筋肉が反射的に収縮する伸張反射が起きるが，静的ストレッチングにおいては逆効果となるためゆっくり行う．静的ストレッチングは，運動前の実施による，けが防止やパフォーマンスの向上については見解が分かれているが，運動後に行うことは効果があるといわれている．一方，動的ストレッチングは，肉体的なウォームアップをはかりながら行うものであるため，運動前のけがの予防，パフォーマンス向上に有効であるといわれている．また，PNFストレッチングは短時間で筋緊張の低下や関節可動域の増大などの高い効果が得られ，特に関節可動域訓練に応用されている．

痙性麻痺患者に対してもストレッチングは有用で広く行われている．主に持続的な伸張を行い，筋緊張を軽減させることで，筋緊張の高まった状態に抑制的に働き，筋の伸張が可能となる．関節可動域改善や随意運動の回復に用いられ，ボツリヌス毒素の注射により筋緊張を低下させたうえで行うことでより効果が得られる．

ADL 訓練

Training for ADL improvement

津田 英一　弘前大学大学院 教授(リハビリテーション医学)

【概説】　Activities of daily living(ADL)とは日常生活動作(活動)と訳され，独立して生活するために各人共通の毎日繰り返される基本的な動作(活動)を意味する．具体的には食事，整容，更衣，排泄，入浴などを指すことが多い．ADL障害とは日常生活上のさまざまな能力低下であり，その背景には原疾患による症状

およびそれに起因する機能障害が存在する．さらにADL障害の内容や程度は生活習慣や住環境による影響を受ける．したがってADL制限に対する医学的アプローチでは，原疾患の治療，機能障害への治療，さらに実生活に適応するためのADL訓練が必要である．

【適応】

整形外科領域でADL訓練の適応となる患者は，運動器の機能障害（変形，可動域制限，支持性不良，運動障害，感覚障害など）によりADL制限が生じているすべての患者である．ただし原疾患や合併症のためリハビリテーション中止基準（リハビリテーション医療における安全管理・推進のためのガイドライン）に該当する場合には，原則としてADL訓練は行わない．

実施上の原則

ADL訓練を開始するにあたっては，まず機能障害およびADLの評価を行い，具体的な目標とそれに必要なADL訓練の内容を決定し，定期的に改善度・達成度を評価し訓練内容を再考する．ADLの評価方法は多数報告されているが，なかでもBarthel indexとfunctional independence measure（FIM）が広く用いられている．急性期のADL訓練では「できるADL」の評価としてBarthel indexが，回復期から生活期のADL訓練では外的要因の影響も考慮し「しているADL」を評価するFIMが適している．整形外科疾患では原疾患の治療により機能障害を残さず，簡単なADL訓練により日常生活への復帰が可能な場合も少なくない．逆に機能障害が残存した者に対しては，その回復過程に応じてADL訓練の内容も変えていく必要がある．多くのADLでは複数部位の運動連鎖が円滑に行われることが重要であり，個々の関節可動域，支持性，筋力といった基本的機能の獲得とともに，協調運動，巧緻運動などの改善も必要である．

ADL訓練の実際

1 ▶ 食事動作

食事は生命維持に必須な栄養補給手段として最も重要であり，経口摂取が可能な患者では食事動作の獲得により栄養補給が自立できる．一般的な食事動作には，座位の安定，肩関節挙上・肘関節伸展屈曲・前腕回内外の自動運動が必要である．さらに日本式の食事では箸を使用するための手指の巧緻運動，対側手指による食器の把持動作も欠かせない．適切なポジションを確保し上肢操作を安定させるために，体幹訓練，座位保持訓練を行う．リーチ動作についてはワイピング，サンディングといった単一平面での機能的作業療法訓練から開始する．より正確な動作の獲得にはペグボードなどを利用し，配置や向きを工夫して食物へ手を伸ばす，食物を口に運ぶ動作を反復訓練する．食事道具の把持には，全く把持不能から正常パターンでの把持可能までさまざまな状態があるため，食事道具の形状や重さにも能力に応じた工夫を行い，訓練に使用する．

2 ▶ 整容動作

整容動作には洗面，歯磨き，整髪，ひげ剃り，爪切りなどがある．生命維持に必須の動作ではないが，整容動作の制限が生じると衛生状態が保てなくなり，合併症発生のリスクは高くなる．また生活期においては積極的な社会参加を促すためにも獲得したい動作である．一般的には立位あるいは座位で行う動作であるため，上肢操作を正確に行うためには食事動作と同様，体幹の安定が必要である．さらに洗面，整髪では，食事動作に比較して，さらに高い位置へのリーチ動作が必要となる．特に後頭部への整髪動作では肩関節外転・外旋位での上肢保持を要するため，より広い肩関節可動域の獲得と，肩甲帯を含めた周囲筋筋力増強が必要である．ブラシや髭剃りの把持に必要な手指の筋力増強には，リハビリボールやセラピーパテが便利である．

3 ▶ 更衣動作

衣服を着ることにより，幅広い環境下でより快適に身体活動を行うこと，社会生活により円滑に参加することが可能となる．上下衣の着衣・脱衣動作はADLのなかでも複雑で，全身運動が要求され仕事量も大きい．通常の更衣動作では運動器に要求される機能も高く，起立位で下衣の着用を行うためには，体幹および下肢抗重力筋はMMT 3以上，上肢屈筋群はMMT 4以上の筋力が，さらに下肢関節の屈曲可動域は全可動域の50%以上が必要とされている．また上肢の関節可動域に関しては，かぶり上衣の場合，肩関節は屈曲方向に大きな可動域が必要であるが，前開き上衣の場合は，むしろ伸展方向に最大域に近い可動域が必要となる．さらにボタンかけやひも結びが必要な衣服では手指の巧緻性も要求される．物品運びなどの機能的作業療法では，広い範囲でのリーチ動作を獲得できるよう工夫する．実際の衣服を使った訓練では，形状，サイズ，素材などにも配慮し，難易度の低いものから開始する．

4 ▶ 排泄動作

排泄は日常生活に必須の行為であり，その自立は人としての尊厳を持ち社会参加を促すうえでも重要である．排泄動作はトイレまでの移動動作，便器への移乗動作，更衣動作からなる複合動作である．下肢に機能障害がない場合は立位保持も容易なため，下衣の上げ下ろしに必要な上肢の筋力と関節可動域の獲得により自立できる．これに対して下肢機能障害のため立位保

持に上肢による支持が必要な場合，下衣の上げ下ろしを片手で行わなくてはならないため，難易度は上がる．立位での更衣動作に準じた訓練が必要となる．

5 ▶ 入浴動作

入浴動作には脱衣所での更衣動作，浴室までの移動動作が付随し，浴室内では浴槽への出入り，浴槽内での起居動作，洗い場での洗体・洗髪動作など多くの動作が行われる．そのため ADL のなかでも仕事量が大きく最も自立度が低い．濡れた床面は滑りやすく，浴槽への出入りは片脚立位を強いられるためバランスを崩しやすく，転倒の危険性も高い．入浴後の着衣動作では，入浴による疲労に加え，湿った肌への衣服の張り付きにより，通常時に比較して長時間を要する．体幹・上下肢の筋力増強訓練，関節可動域訓練に加え，姿勢保持に必要なバランス訓練・柔軟性訓練，運動耐容能の改善に向けた有酸素運動も有効である．

実施上のポイント

運動器の障害に対しては単調な筋力増強訓練，関節可動域訓練に終始することなく，機能的作業療法などを取り入れて各 ADL に必要な基本的な姿勢，肢位の獲得を目指す．実際の場面を想定した訓練では，個々の機能障害に応じて ADL 自立の妨げとなっているポイントを明確にし，重点的に反復して訓練を行う．高次脳機能障害を合併する場合は，十分な運動器機能を有していても，注意機能障害や遂行機能障害のために ADL の自立が困難な場合がある．永続する障害に対しては住環境の整備や自助具の使用により，自立に必要な動作の難易度を下げる対応が必要である．

関節拘縮に対する運動療法
Physical therapy for articular contracture

津田 英一 弘前大学大学院 教授（リハビリテーション医学）

【概説】 関節可動域の減少はその原因となる組織により大きく2つに分けられる．1つは筋，腱，靱帯，関節包，皮下組織，皮膚などの軟部組織の伸張性低下や短縮によって生じる関節拘縮であり，もう1つは関節自体を構成する骨や軟骨が骨性あるいは結合組織を介して病的に癒合して生じる関節強直である．関節拘縮に対しては関節可動域訓練を中心とした運動療法が適応となる．一方，関節強直に対しては隣接関節の可動域拡大による代償効果を期待して運動療法が行われることはあるが，癒合した関節自体の可動域改善には手術療法が必要である．

【適応】

関節拘縮を生じたすべての関節に運動療法の適応がある．関節拘縮の主な原因としては，脳・脊髄・末梢神経疾患による運動機能障害，全身状態不良による不動，四肢外傷後や術後の固定などがある．前二者では関節拘縮が生じる前に予防として早期から運動療法を開始することが望ましい．一方，炎症反応が強い外傷後急性期，化膿性関節炎や血栓が不安定な深部静脈血栓症急性期への適応には慎重な判断が必要である．

実施上の原則

不動化による関節拘縮が生じる過程において，初期の責任病巣は筋とされている．筋周膜，筋内膜の肥厚や筋内のコラーゲン含有量増加が生じ，筋の線維化により伸張性が低下するとされている．したがってこの時期には筋の伸張性改善に主眼を置いた徒手伸張訓練や持続伸張訓練，ストレッチが可動域訓練として有効である．この時期を過ぎると関節包にもコラーゲン線維の増生，密化が生じ，関節包の伸張性低下により生理的な関節弛緩性が減少し，いわゆる関節の遊びが失われた状態となる．この状態で通常の関節可動域訓練を無理に行うと，最終可動域で伸張性が減少した関節包が緊張し，てこの原理により関節軟骨には過剰な圧迫力が加わることとなる．したがってこの時期には，関節の生理的弛緩性を回復させる関節モビライゼーションの追加が必要となる．

各種手技

1 ▶ 徒手伸張訓練

理学療法士あるいは作業療法士が行う他動的伸張訓練と，患者が自らの力で行う自動的伸張訓練があり，関節拘縮の治療としては前者が一般的である．いずれの方法でも可動域の最終限界にて拡大方向に矯正力を加え，短縮した組織を伸張する．他動的伸張訓練では療法士は対象となる関節の遠位側を保持し，拘縮の性状を抵抗力で感じながら方向・速度・強度を調整して矯正力を加え，短時間（10〜15秒）維持する．責任病巣に一定時間の伸張力が加わることで，①応力緩和効果（伸張量を一定に維持することにより必要な応力が時間経過とともに漸減する），②クリープ現象（伸張力を一定に維持することで組織の伸張が時間経過とともに漸増する），③履歴現象（伸張力を除去しても組織の伸張変形は完全には戻らず一部が残存する）により治療効果が得られる．伸張力を加える時間は短時間と制約があるが，習熟した療法士により症例ごとに最適な条件で実施されることで最大限の効果が得られる．

2 ▶ 持続伸張訓練

起立台や斜台では患者の自重を，それ以外の方法では重錘などを用いて行う．前者では台の角度を，後者

では重量を調整することで，適切な負荷の矯正力を長時間加えることが可能である．

3 ▶ 装具・固定器具を用いる方法

ナックルベンダーやターンバックル装具のように矯正作用力を備えた装具では，装着により短縮した組織に持続的な伸張効果が得られる．3〜5日ごとに矯正肢位を強めてギプス固定を行う方法や，創外固定器により関節角度を調整する方法でも持続的な伸張効果が期待できる．

4 ▶ ストレッチ

関節拘縮の主な責任病巣が筋である場合，ストレッチも有効な治療法である．ストレッチには静的ストレッチ，動的ストレッチ，相反性神経支配を利用したストレッチがあるが，関節拘縮には最も安全に行える静的ストレッチが推奨される．筋長に急激な変形が生じると筋紡錘が感知し伸張反射によって筋収縮が誘発される．したがって静的ストレッチでは，伸張反射が生じない緩徐な速度で対象となる筋を伸張させ，それを一定時間（15〜30秒）維持する．静的ストレッチでは脊髄神経機構の抑制性反射により疼痛閾値が上昇すること，局所の血液循環促進により筋の粘性が低下し弾性が増加することで伸張性が向上する．

5 ▶ 関節モビライゼーション

前述のように，関節の生理的弛緩性が失われた状態には，関節モビライゼーションが適応となる．関節モビライゼーションには関節裂隙が開大するように長軸方向に力を加える牽引と，不良な位置関係を矯正するために関節面に平行に力を加えるすべりがある．関節拘縮に対しては，まず安静肢位で牽引を行い関節面に過度の接触圧が加わるのを予防し，次いで安静肢位でのすべり，最終可動域でのすべりを行う．

実施上のポイント・注意事項

関節拘縮に対する可動域訓練を行ううえで，最も障害となるのは防御性の筋収縮である．疼痛を伴って抵抗性に筋収縮を生じる場合には，十分な疼痛コントロールを行うことが必要である．薬物療法や，超音波，マイクロ波などの温熱療法，低周波療法などの物理療法を併用し，疼痛閾値を上げて筋の十分な弛緩が得られるようにする．中枢神経疾患などにより筋の痙縮が可動域訓練の障害になる場合は，ボツリヌス毒素治療の併用が有効である．いずれの手技においても過大な矯正力は軟部組織の損傷による異所性骨化，関節軟骨損傷，骨粗鬆症下の脆弱性骨折を生じる原因となるため，最大限の注意が必要である．

温熱・冷熱療法の考え方と処方

Thermotherapy, Cryotherapy

城戸 顕 奈良県立医科大学 教授（リハビリテーション医学講座）

温熱・冷熱療法は，温度刺激に対する生体応答を利用する物理療法である．温度刺激による生体機能の活性化は，特に運動器疾患に対する低侵襲な保存療法として幅広く用いられ，単独または運動療法，薬物療法と組み合わせて行われる．主たる目的は疼痛コントロールである．

1 温熱療法

温熱刺激はその深達度により表在性温熱と深部温熱に分けられる．また温熱の伝播様式により伝導熱，転換熱，輻射熱などに分類される．伝導熱はホットパックやパラフィン浴のように，生体に直接接してその熱を伝える．転換熱は生体内に入って熱に転換される様式で，極超短波や超音波などがある．また輻射熱を用いた治療には赤外線がある．温熱刺激により生体は，①軟部組織（筋，腱，関節包など）の伸張性増大，②痙縮の軽減，③疼痛閾値の上昇による疼痛の軽減，④局所血流の増加，⑤局所の組織代謝の促進などの効果を示す．温熱療法の適応には，筋骨格の疼痛，関節拘縮，筋痙縮，心身のリラクゼーション，運動療法の前処置などが挙げられる．

温熱療法の禁忌を以下に挙げる．①意識障害のある患者，②感覚障害のある部位への治療，③局所の循環障害のある部位への治療（熱傷，相対的虚血による局所壊死などの危険性がある），④外傷，関節炎などの急性炎症，⑤悪性腫瘍のある部位（腫瘍増殖・進展を促す可能性がある）．

以下に代表的な温熱療法について述べる．

(1) ホットパック

シリカゲルなどを木綿袋などに入れたものがホットパックである．これを80〜85℃の恒温槽にて温めたのち，タオルなどで包んで患部に当て治療する．表在性の伝導熱を用いる．

(2) パラフィン浴

パラフィンを用いた温熱療法である．50〜55℃のパラフィン浴槽に患部をつける浴浸法と，パラフィンを局所に塗布する塗布法がある．浴浸法は主として上肢の遠位に用いる．パラフィンの熱伝導率は水の0.42倍のため熱さを感じにくく熱傷の危険性が低い．表在性の伝導熱を用いる．局所に創や皮膚疾患を有する場合は禁忌である．

(3) 極超短波（マイクロウェーブ）

マイクロ波に属する波長を用いた温熱療法である．医療用には主として 2,450 MHz が割り当てられている．2〜3 cm の深達度の転換熱を用いる．ペースメーカー，体内金属挿入部位（人工関節），眼球，脳脊髄，性腺，成長期の骨端などには禁忌である．

(4) 超音波

0.8〜1.5 Hz の波長を用いた温熱療法である．転換熱を利用する．振動による微小循環改善作用も有する．体内に金属があっても使用できる．眼球，脳脊髄，性腺，成長期の骨端などには禁忌である．骨芽細胞の活性化による骨癒合促進作用を利用する骨折治療専用機器も普及している．

(5) 赤外線

近赤外線（0.7〜1.4 μm）または遠赤外線（3〜12 μm）の輻射熱を用いた温熱療法である．深達度は近赤外線で 5〜10 mm，遠赤外線は 1 mm 程度で真皮層を超えない．深部体内に金属があっても使用できる．

2 冷熱療法

寒冷療法ともよばれる．寒冷刺激による①末梢血管収縮とこれに引き続く血管拡張，②局所代謝抑制，③疼痛閾値の上昇（神経線維の機能抑制および内因性モルヒネ様物質の関与），④筋紡錘機能抑制による痙縮抑制などの効果を利用する．冷熱療法の適応には，①外傷による急性炎症・浮腫，②筋骨格の疼痛，③筋緊張亢進などがある．

冷熱療法の禁忌を以下に挙げる．①開放性外傷，② Raynaud 現象，③感覚障害のある部位への治療，④循環障害のある部位への治療，⑤心疾患，重症高血圧など．

氷をタオルで巻くほか，コールドパックやクリッカー（食塩と氷片を混入する容器）を用いたマッサージ，揮発性冷却剤を用いたスプレーなどが用いられる．

骨折・脱臼のリハビリテーション

Rehabilitation for fractures and dislocations

城戸 顕　奈良県立医科大学 教授（リハビリテーション医学講座）

骨折は何らかの原因で骨の生理的連続性が失われた状態，また脱臼は関節が生理的な範囲を越えて運動を強制され，関節面相互の適合性が失われたものと定義しうる．多くの場合，骨折または脱臼により受傷部には力学的に不安定な状態が生ずる．徒手整復操作により安定化しうると見込まれる場合は保存療法が選択される．一方，徒手操作のみでは安定化し得ない場合は手術治療の適応といえる．

骨折・脱臼は純粋に力学的な過程であるが，同時に受傷直後からの出血，腫脹，浮腫を伴う生物学的反応を引き起こす．保存療法，手術治療のいずれを選択した場合でも局所ないしは全身的な安静が重要な役割を果たす．

1 安静の段階と種類

全身的な安静には入院，自宅臥床，休業，休学といった段階がある．安静の種類としては，特定の動作の禁止，体幹や四肢のギプス固定，シーネや装具による局所の固定などがある．床上ではベッドアップ角度，端座位・起立・歩行の可否，（歩行器，松葉杖を用いた）起立時は免荷制限により安静の段階のコントロールを行う．骨折・脱臼の治癒過程において安静の段階と種類を適切にコントロールすることが，骨折・脱臼のリハビリテーション治療の本質といえる．

2 急性期からのリハビリテーション治療

廃用を最小限にとどめるため，たとえ安静臥床が必要な場合であっても患部以外の関節や可動域の運動は床上にて積極的に行う．また損傷関節をギプス包帯などで固定している場合では，受傷関節の等尺性訓練や（固定されていない）隣接関節の積極的な可動域訓練を行う．

3 注意すべき基礎疾患・併存疾患

1 ▶ 骨系統疾患，腫瘍性疾患

全身の骨に骨脆弱性をきたしうる骨系統疾患，原発性または転移性骨腫瘍による病的骨折などでは，通常の骨折治癒過程をたどらずまた他部位の多発骨折を呈することがある．

2 ▶ 認知機能障害

認知機能障害の重症度によっては安静指示や荷重制限の理解が困難であり，また指示動作・訓練実施に支障をきたす．

3 ▶ 脳血管疾患，神経筋疾患

既存の麻痺や進行性の運動・感覚障害，易転倒性は骨折・脱臼の原因となることも多い．リハビリテーション実施には原病の病勢評価が必須である．

4 ▶ フレイル，サルコペニア

加齢による筋力，筋量，身体機能の低下を呈する疾患群である．栄養療法を併用した運動療法が有効であると考えられている．

表 10-2 整形外科関連の回復期リハビリテーション病棟の対象疾患と入院条件（2020 年度診療報酬改定）

	算定上限数
頭部外傷を伴う多部位外傷の発症または手術後	180 日以内
大腿骨，骨盤，脊椎，股関節もしくは膝関節の骨折または二肢以上の多発骨折の発症後または手術後の状態	90 日以内
大腿骨，骨盤，脊椎，股関節または膝関節の神経，筋または靱帯損傷後の状態	60 日以内
股関節または膝関節の置換術後の状態	90 日以内

4 注意すべき合併症

1 ▶ 末梢循環障害，末梢神経障害

発症直後やギプス包帯固定時，術直後には末梢の運動・感覚障害，循環状態（皮膚色）に注意する．発症が疑われるときは早急な除圧，ギプス除去を検討する．

2 ▶ 深部静脈血栓症（deep vein thrombosis；DVT）

静脈血栓症の既往，骨盤・股関節周囲の骨折，下肢ギプス固定，長期臥床，麻痺などが危険因子である．腫脹，皮膚色の暗赤色化，自発痛，Homans 徴候に注意する．弾性ストッキング，フットポンプなどで予防し，超音波検査・造影 CT による血栓描出で診断する．抗凝固療法，血栓溶解療法などが行われる．

3 ▶ 局所感染

開放創や術後の発症に注意する．

4 ▶ 複合性局所疼痛症候群（complex regional pain syndrome；CRPS）

外傷をきっかけとする難治性かつ慢性の神経障害性疼痛であり早期診断が望ましい．

5 ▶ 異所性骨化

可動域訓練などで過度の外力が加わった筋に生じうる．局所安静と愛護的なリハビリテーション治療を行う．

6 ▶ 成長障害

小児の骨端線損傷では変形癒合，成長障害を生じうる．初療時の成長障害に関するインフォームド・コンセントが重要である．

5 地域連携

表 10-2 に整形外科関連の回復期リハビリテーション病棟の対象疾患と入院条件を示す．また地域包括ケア病棟は急性期治療後，在宅や施設（在宅に準ずる）への復帰に向けての入院が必要な患者を対象とし算定上限は 60 日と定められている．急性期病院から回復期病棟，地域包括ケア病棟，在宅へのシームレスな地域連携が望ましい．

運動器不安定症

Musculoskeletal ambulation disability symptom complex（MADS）

大井 直往 福島県立医科大学 教授（リハビリテーション医学）

【疾患概念】 運動器不安定症は，「高齢化に伴って運動機能低下をきたす運動器疾患により，バランス能力および移動歩行能力の低下が生じ，閉じこもり，転倒リスクが高まった状態」と定義される．主に筋力低下，柔軟性低下，骨密度低下，関節軟骨の摩耗，姿勢変化，バランス能力低下などの機能障害を介して活動に障害（能力低下）をきたす状態である．

本疾患は 2006 年の診療報酬改定にて新しく記述された．また，2000 年に介護保険制度が開始されたが，2019 年の国民生活基礎調査によると，要介護となった原因は関節疾患，転倒・骨折の運動器の障害が全体の 2 割を超えている．運動器の障害によって要介護状態になることを防ぐために，運動器，特に体幹・下肢機能の著しい低下を疾患として記載することにより，その病態を医療として治療できるようにしたものである．同時にこれ以上重篤になり，寝たきり状態になることを防ぐという意味でも，この疾患を診断し治療することは重要である．

【頻度】

高齢になるにつれ，本疾患の罹患者は増加すると考えられる．何歳で何％の人が本疾患に該当するかははっきりわかっていないが，日常診療において，要介護者で 15 秒間の開眼片脚起立が困難な高齢者は数多くいるという印象である．

診断のポイント

1 ▶ 運動器不安定症の診断基準

後述の，高齢化に伴って運動機能低下をきたす 11 の運動器疾患または状態の既往があるか，または罹患している者で，日常生活自立度ならびに運動機能が以下の機能評価基準に該当する者．

(1) 機能評価基準

① 日常生活自立度判定基準ランク[注]：J または A（ほぼ要支援と要介護 1，2）に相当．

② 運動機能：開眼片脚起立時間：15 秒未満または 3 m timed up-and-go test（TUG）：11 秒以上．

(2) 高齢化に伴って運動機能低下をきたす，11 の運動器疾患または状態

・脊椎圧迫骨折，各種脊柱変形（亀背，高度腰椎後弯・

10 運動器リハビリテーション

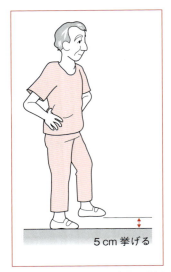

図10-2　開眼片脚起立時間の測定法
（厚生労働省の原図を基に作成）

側弯など）
・下肢骨折（大腿骨頸部骨折など）
・骨粗鬆症
・変形性関節症（股関節，膝関節など）
・腰部脊柱管狭窄症
・脊髄障害（頸部脊髄症，脊髄損傷など）
・神経・筋疾患
・関節リウマチおよび各種関節炎
・下肢切断後
・長期臥床後の運動器廃用
・高頻度転倒者
注：日常生活自立度ランクJ：生活自立（独力で外出できる），A：準寝たきり（介助なしには外出できない）．

(3)運動機能検査
①開眼片脚起立時間（図10-2）：片脚を床から5cmほど挙げ，立っていられる時間を測定する．身体が大きく揺れて倒れそうになるか，挙げた脚が床に接地するまでの時間を測定する．1〜2回練習させてから左右それぞれ2回ずつ測定を行い，最もよい記録を選ぶ．転倒しないように注意する．
　測定時間から転倒リスクおよび生活機能低下を予測する．15秒できればほぼ自立した生活が可能で，5秒できれば屋内あるいは施設内の自立した生活が可能と推測できる．
②3m TUG（「立って歩け」時間計測）：肘掛椅子に座った姿勢から立ち上がり，3m先の目印点で折り返し，再び椅子に座るまでの時間を測定する．危険のない範囲でできるだけ速く歩くように指示する．転倒へ

の配慮が必要である．高齢者のバランス機能測定を目的として開発された．実用歩行能力の評価にも用いられる．

治療方針

(1)背景にある下肢や脊椎などの原因疾患に対する治療と，併存している運動器疾患や呼吸器疾患，循環器疾患などのアセスメントを行う．特に疼痛の軽減は，次に続く運動器リハビリテーションを行ううえで，最も大切なものであり，薬物・装具療法などを行うことが該当する．運動負荷時の事故が発生しないようにすることも大切である．
(2)運動器リハビリテーションにより歩行・移動能力の改善をはかる．
　①ダイナミックフラミンゴ療法：阪本（1993）が考案．1分間の片脚起立を左右下肢で行い，日に3回実施する．不安定な場合は何かにつかまって片脚で立つ姿勢をするという簡便なものである．大腿骨頸部の骨密度改善や転倒予防に効果があるという結果が出ている．
　②体幹・下肢筋力増強運動：有酸素運動や無酸素運動を組み合わせて行う．高齢者には有酸素運動としてはウォーキングが適当である．そのスピードは，心肺系の併存症がなければ1分間に100歩程度の速歩が勧められるが，対象者の身体状況に応じてスピードを遅くすることも必要である．また高齢者が行う無酸素運動としては，セラバンド体操など初期の負荷が軽く，より伸長するとともに負荷が強くなる運動方法が安全で適当といえる．
　③バランス改善運動：前述の開眼片脚起立は，そのままでバランスの改善に有効である．
　④ストレッチ体操：筋肉を伸長することにより筋温を上げ，柔軟性を高めることによって運動時の外傷を防ぐことができる．筋の緊張が低下することにより，疼痛の改善効果も認められる．
　⑤いきいき百歳体操やシルバーリハビリ体操などの地域における集団体操プログラムへの参加は，個別体操の効果であるバランス能力や柔軟性の改善だけでなく，コミュニティへの参加という側面からも体力増強と健康維持に，より適当であると考える．特に同じ仲間の高齢者が指導者になることで，役割を担ったり助け合いなど互助活動が起こるため，地域包括ケアシステムがより機能し，街ぐるみで運動器不安定症の進行を防止できると思われる．

転倒予防

Prevention of falls

大井 直往　福島県立医科大学 教授（リハビリテーション医学）

1 転倒予防の意義

　ヒトの発達は，まず母親から臥床の状態で生まれ，徐々に重力に抗する形で頚が据わり，床上での座位が保てるようになり，やがてつかまり立ちから歩行に至る．これは，重力に抗するための筋力の増加およびバランス能力の発達や骨の成長などによるところである．それが50歳を過ぎてから，椎間板の変性，骨粗鬆症，サルコペニア，バランス能力の低下，関節軟骨の摩耗，運動時の疼痛などが生じ，重力への抵抗が徐々に困難になり，やがて屋内など平面のみの移動，車椅子での座ったままの生活，臥床がちから寝たきりになって死に至る．転倒は，高齢になり体の退行変性が進行していく過程で，重力に抵抗し二足歩行をすることが困難になるために起こるイベントだと言える．

　転倒で最も問題になるのは，骨折の発生である．特に椎体骨折や大腿骨近位部骨折，橈骨遠位端骨折，上腕骨近位部骨折など骨粗鬆症に起因する骨折の発生は，もともと可能だった社会参加やADLが受傷後に困難となる要因となる．主として椎体骨折は尻もちによって起こり，後者の3つは側方に転倒することで起こる．転倒時における体の防御反応の仕方で，床面からの力を大転子で受けるか手で受けるか肩で受けるかにより，後者の3か所のうち，どれかが発生すると考えられる．骨折以外にも，前方に倒れ前額部をぶつけて，頚椎を後屈強制されることによって中心性脊髄損傷が発生したり，捻挫や打撲でも，高齢者が治療中に安静を強いられることによって廃用症候群が発生したりする．要介護状態になるのを防ぐ，すなわち健康寿命を延ばすには，転倒を予防することが重要といえる．また医療経済的にも，医療費支出を増やす社会問題でもある．

2 転倒予防の適応

　転倒を予測するツールは多数作成されているが，ここでは日本リハビリテーション医学会のガイドライン（初版）のものを紹介する．特に病院や施設への入所時に，このスコアで転倒のしやすさを評価し，これに基づいて対応方法を決定する．しばらくの期間これを実践したのちに，個別に転倒の評価をもう一度行い，新たな対応方法を考えるようにするとよい．

1 ▶ 転倒・転落アセスメントスコア
①転倒したことがある（入院前または入院後）(3点)
②歩行に介助または補助具が必要である(2点)
③判断力が低下している（記憶・理解・注意力低下，せん妄，不穏）(2点)
④日常生活に影響する視力障害がある(1点)
⑤頻尿・尿失禁がある，または排尿動作に介助が必要である(1点)
⑥薬（睡眠薬，精神安定薬，降圧・利尿薬）を服用している(1点)

以上より合計得点を計算する．
7〜10点：よく起こす，4〜6点：起こしやすい，0〜3点：起こす可能性がある〔日本リハビリテーション医学会診療ガイドライン委員会（編）：リハビリテーション医療における安全管理・推進のためのガイドライン．医歯薬出版，2006〕．

3 高齢者のバランス機能検査

　バランス機能が保たれることにより，さまざまな姿勢においても随意運動が安定して行われ，不意の外乱に対してもバランスが維持され，移動動作，ADLが安定して効率的に遂行される．多くのバランス機能検査法が開発されているが，バランス機能検査法が何を測定するか，厳密に決まっているわけではない．片脚起立，継ぎ足歩行など要素的動作の遂行状態を評価する方法や，椅子から立ち上がる，歩行する，向きを変える，椅子に座るなど一連の動作課題を与えたときの状態を観察して評価する方法などがある．代表的なものとしてfunctional reach test（機能的上肢到達検査），timed up-and-go test（「立って歩け」時間計測），開眼片脚起立時間などがある．

4 転倒予防の種類

　転倒の予防は，転倒そのものが起こらないようにすることと，転倒が起こってしまっても重大な障害を起こさないようにすること，の2本立てで考える．

1 ▶ 転倒そのものが起こらないようにする
(1)自己の転倒要因への対応
・筋力増強，耐久力向上，バランス能力改善，柔軟性の改善による起立・二足歩行能力および歩行耐久性の維持改善．
・外傷や疾患時における安全を確保したうえでの早期離床．
・注意能力や周囲の状況の予測などの認知機能の改善．
・麻痺や体力低下など身体に障害がある場合にそれを自覚する能力の改善．
・関節痛や筋疲労など痛みへの対応．
・使用している薬物（特にベンゾジアゼピン系睡眠薬）

への対応など．

(2) 環境要因への対応
・つまずきの原因となる生活環境での段差の解消．
・動線の途中にある物品の配置など生活上の安全への配慮．
・立ち上がる場所や段差，トイレに手すり（壁への据えつけ型や床上の置き型）を設置する．
・動きやすい衣服への配慮（厚着を避けるなど）．
・夜間など視覚の問題に対する配慮．
・聴覚障害に対する配慮．
・声かけを後方から行わないなど二重課題に対する配慮．
・必要なときに周囲からの見守りがある．
・認知症高齢者に対し心理的な配慮，認知機能への対応を行い，環境に起因したBPSDが起こらないよう注意するなど．

2 ▶ 転倒が起こっても骨折が起こらないようにする
・薬物などで骨密度を増加させる．
・ヒッププロテクターなど装具の使用．
・転んでも骨折しないような床面の工夫など．

5 具体的な転倒予防実施上の原則

1 ▶ 転倒・転落リスク（アセスメントスコア）に基づく対応

(1) 危険度1：0〜3点
・端座位時の台の高さを足が床に着く高さにする．
・特に車椅子のブレーキ不良の有無を点検する．
・注意を促す声かけを多くする．

(2) 危険度2：4〜6点
・患者の行動から目を離さない．
・患者のニーズが危険行動と関連しないかを見出すようにする．
・1つの動作を患者が身につけてから次の動作を指導する．
・患者の見落としや不注意を過度に評価しない．

(3) 危険度3：7〜10点
・できる限りマンツーマンで対応する．あるいは常に傍らにいる．
・特に障害物などの環境危険因子を排除する．
・安全ベルトやヘッドギアを使用する（家族の了解のもとに）．

〔日本リハビリテーション医学会診療ガイドライン委員会（編）：リハビリテーション医療における安全管理・推進のためのガイドライン．医歯薬出版，2006〕．

片麻痺（脳血管障害）患者のリハビリテーション治療

Stroke rehabilitation

藤原　俊之　順天堂大学 教授（リハビリテーション医学）

1 脳血管障害リハビリテーション治療の進め方

　脳血管障害リハビリテーション治療は時期により急性期，回復期，生活期（維持期）に分類される．

　急性期リハビリテーション治療のポイントは，十分なリスク管理のもとにできるだけ発症早期から積極的なリハビリテーション治療を行うことである．特に早期からの座位獲得，嚥下評価に基づく栄養手段の決定と摂食・嚥下訓練が重要である．

　回復期においては機能障害，日常生活動作（activities of daily living；ADL）を用いた予後予測に基づくゴールの設定を行い，適切なリハビリテーション治療プログラムの立案ならびに期間の設定を行い，理学療法，作業療法，言語療法のリハビリテーション処方を行う．歩行障害に対しては適切な下肢装具を処方し，装具療法を行うことも重要である．

　生活期（維持期）のリハビリテーション治療では，回復期に獲得された筋力，体力，歩行能力，ADLの維持向上や参加促進，quality of life（QOL）の改善を目的に介護保険を利用して訪問・外来リハビリテーションを行う．

2 評価

　リハビリテーション治療を行うにあたり，脳卒中の病態，機能障害，活動制限（能力低下），ADL，社会的不利（参加制約）を評価する．信頼性・妥当性が検証されており，「脳卒中治療ガイドライン」で推奨されている評価尺度を**表10-3**に示す．

3 急性期リハビリテーション治療

　Japan Coma Scale 1桁で，運動の禁忌となる疾患や神経症候の増悪がなければ，座位訓練，立位訓練などの離床訓練を進めることがガイドラインで勧められている．ADLの獲得ならびに積極的なリハビリテーションの施行には座位保持能力が必要であり，早期からの座位訓練は重要である．30分以上の車椅子座位が可能となると訓練室での訓練が可能となる．

　また栄養手段の決定も急性期において重要であり，反復唾液嚥下テスト（repetitive saliva swallowing

表 10-3 脳卒中評価法

1. 総合評価	Fugl-Meyer assessment 脳卒中重症度スケール（JSS） Stroke Impairment Assessment Set（SIAS） National Institutes of Health Stroke Scale（NIHSS）
2. 運動麻痺評価	Brunnstrom stage
3. 筋緊張評価	modified Ashworth scale（MAS）
4. ADL評価	Functional Independence Measure（FIM） Barthel index

〔日本脳卒中学会 脳卒中ガイドライン委員会（編）：脳卒中治療ガイドライン 2015［追補 2019 対応］．p280，協和企画，2019 を元に作成〕

test；RSST）などベッドサイドでのスクリーニング検査による評価のあと，必要に応じて，嚥下造影検査，嚥下内視鏡検査を行う．嚥下障害が重度で誤嚥性肺炎のリスクが高い場合は間接嚥下訓練より開始し，経口での摂取が可能となったら，食形態を選びながら，直接嚥下訓練を行う．

ADL では，まずはセルフケア項目（食事，整容，更衣，排泄）や移乗の獲得を目指す．

4 歩行障害に対するリハビリテーション治療

歩行障害に対する装具療法は重要である．下肢装具の目的は立脚期の支持性と遊脚期での足部クリアランスの改善である．短下肢装具（ankle foot orthosis；AFO）は足関節の背屈制動により膝の支持性を増加させる．また底屈制動により足関節の遊脚期における底屈を抑制し，遊脚期におけるクリアランスを改善させる．中等度以上の下肢の麻痺では下肢装具が必要となり，AFO が用いられる．

重度麻痺患者で膝の支持性も得られないような例では，平行棒内での立位訓練や長下肢装具を使用しての歩行訓練を開始する．膝の支持性がある例では，AFO と介助により平行棒内での歩行訓練を行い，歩行能力の改善に伴い，杖と装具を使用しての歩行訓練へ進んでいく．また歩行に関連した下肢体幹の訓練量を増やすためには，ペダリング訓練も有効である．痙縮による内反尖足・足趾屈曲に対してはボツリヌス治療を行う．

5 上肢運動機能に対するリハビリテーション治療

発症後1か月までに手指の運動を認めない例や，発症後3か月までに手指の分離運動が出現しない例では，実用手の獲得が困難なことが多い．実用手の獲得が困難な場合には，利き手交換などによる代償動作の獲得が必要になる．しかしながら，上肢運動機能の回復には，補助的機能レベルの手であってもできるだけ日常生活で使用させることが重要であり，上肢機能に応じた，麻痺手の日常生活における使用の指導が重要である．中等度の麻痺患者では随意運動時の総指伸筋への電気刺激が有効であり，手関節装具や短対立装具の使用が有効である．また，痙縮が ADL や上肢運動を阻害している場合や，痛みの原因となっている場合はボツリヌス治療を行う．

神経・筋疾患患者のリハビリテーション治療

Rehabilitation for neuromuscular diseases

藤原 俊之 順天堂大学 教授（リハビリテーション医学）

神経・筋疾患のリハビリテーション治療はその病態別に① Parkinson 病，脊髄小脳変性症などの中枢神経変性疾患，② amyotrophic lateral sclerosis（ALS），post-polio syndrome（PPS）などの運動ニューロン疾患，③ Guillain-Barré 症候群，慢性脱髄性多発ニューロパシーなどの多発ニューロパシー（polyneuropathy），④筋ジストロフィー，筋炎などの筋疾患の4つに大別される．

1 中枢神経変性疾患

1 ▶ Parkinson 病

中脳黒質のドパミン作動性神経の変性により起こり，進行性である．振戦，固縮，寡動・動作緩慢を特徴とする．運動障害としてのすくみ足や姿勢調節障害・姿勢異常によるバランス障害が ADL を阻害する．
(1) 評価

Hoehn＆Yahr 分類，MDS-UPDRS が用いられる．

トピックス　運動器疾患と機能的電気刺激

　脊髄損傷などの中枢神経障害による運動麻痺では，末梢運動神経とその支配筋に正常な電気生理的興奮性が残存していることが多い．このような麻痺では，大脳皮質運動野からの随意的運動命令が末梢に伝達されず，随意的筋収縮ができない状態である．したがって，中枢神経からの興奮性インパルスの代わりに，電気刺激を末梢運動神経に直接加えて麻痺筋を収縮させることが理論的に可能である．機能的電気刺激（functional electrical stimulation；FES）は，この原理に基づきプログラムされた動作刺激を複数の刺激電極を介して麻痺肢に与えることで，合目的動作の再建を行う医用工学的治療法である．一般的な電気刺激治療との違いは，麻痺筋に対する筋萎縮・筋力回復や痙性改善などの治療的効果だけにとどまらず，障害または喪失した生体運動機能の補完・再建が可能になることである．FESで使用する電極は，表面電極，経皮的埋め込み電極，完全埋め込み電極の3種類あるが，現在わが国で薬事承認を取得しているのは表面電極システムである．

　FESは，主に脊髄損傷や脳卒中など中枢神経障害による四肢麻痺，対麻痺，片麻痺などに適応がある．具体例では，脊髄損傷四肢麻痺上肢（特に手指）のグリップやピンチなどの把持動作，対麻痺下肢の起立歩行動作などの実用的再建，痙性や失調歩行における制御などが可能である．適応上の留意点としては，末梢運動神経障害を伴う麻痺に対しては，その効果が限定されることである．脊髄損傷で馬尾損傷を伴っている場合や，損傷高位での前角細胞損傷が生じているときには，混在する末梢神経麻痺のため目的とするFES動作再建が困難な場合があり，適応を慎重に見極める必要がある．

　麻痺肢に対するFES治療は，上肢を中心に十分な実用レベルに達している．近年，脊髄再生治療やリハビリテーションロボットなどの分野の先進治療が飛躍的に進歩しており，これらとFESを融合して治療を進めることにより，将来より進んだ運動機能再建医療を行うことが可能になるであろう．

島田　洋一〔秋田県立療育機構 理事長（秋田市）〕

運動機能の評価には timed up and go（TUG）test，10 m 歩行速度やバランス機能の評価として Berg balance scale（BBS），Mini-BESTest が用いられる．
(2)リハビリテーション治療
　関節可動域訓練，筋力増強訓練，バランス訓練，歩行訓練などの基本的リハビリテーション治療を行う．Parkinson病者の姿勢異常としては胸椎下部からの後弯（camptocormia），骨盤後傾，股関節屈曲，膝関節屈曲，頸部前屈（drop head）を認めやすい．姿勢異常と姿勢調節障害，関節の固縮によりバランス障害をきたす．また脊椎後弯，頸部前屈により誤嚥をきたしやすくなり，また腹筋群の筋力低下により咳嗽力の低下を認め，進行例では誤嚥性肺炎をきたしやすくなるので，体幹の可動域訓練や筋力訓練などは早期からホームプログラムで行うようにする．バランス障害とともにすくみ足（frozen gait）は，転倒の大きなリスクとなる．すくみ足に対しては聴覚刺激や視覚刺激などの外的キューは代償的な効果はあるが，刺激なしの状態での歩行を改善させるには至らない．すくみ足の治療に脊髄レベルでの相反性の下肢運動を促すために，トレッドミル歩行やペダリング運動なども用いられる．

2▶脊髄小脳変性症
　主として運動失調を呈する進行性の中枢神経変性疾患．孤発性と遺伝性があり，孤発性では多系統萎縮症（multiple system atrophy；MSA）と皮質性小脳萎縮症（cortical cerebellar atrophy；CCA）があり，MSAは小脳性運動失調を主体とするMSA-Cと，パーキンソニズムを主体とするMSA-Pがある．
(1)評価
　小脳失調の評価として International Cooperative Ataxia Rating Scale（ICARS）や scale for the assessment and rating of ataxia（SARA）がある．
(2)リハビリテーション治療
　進行性の病態に合わせて，残存能力に鑑みて歩行補助具，車椅子，ADLの指導を行う．小脳性失調では主動筋と拮抗筋の同時収縮が困難であり，拮抗筋との同時収縮を促すトレーニングや繰り返しの運動学習による小脳可塑性誘導を行う．進行性の疾患ではあるが，短期的な集中リハビリテーションにより短期的な歩行の改善が可能であり，歩行訓練，立ち上がり訓練，バランス訓練，筋力増強訓練などを行う．重錘負荷により振戦の減少を認め，代償手段として用いられるが，訓練としての長期的な効果は不明である．

2 運動ニューロン疾患

ALSもPSSもどちらも運動ニューロンの障害で前角細胞の変性が起こる．

ALSは上位運動ニューロンの障害を伴い，運動障害に加えて球麻痺，および呼吸筋麻痺が生ずる．感覚障害を伴わない，四肢の進行する筋力低下が特徴．病態の把握には針筋電図が有用である．

1 ▶ リハビリテーション治療

患者・家族のQOLを考えて，進行に合わせたADLの維持を行う．過度の筋力訓練はover work weaknessをきたすので注意が必要である．手内筋の筋力低下に対しては，短対立装具を用いることによりしばらく手指機能を維持することが可能である．下肢の尖足に対しても，歩行機能の維持のために装具や杖などの処方が有効である．進行例においてもコミュニケーションエイドやスイッチ入力の改良，人工呼吸器管理などによるADLの維持が行われる．

3 Polyneuropathy

病態の把握には神経伝導検査ならびに針筋電図が有用である．病態としては脱髄型と軸索型がある．一般的に脱髄型は予後が良好で，軸索型は予後不良である．軸索変性による脱神経筋に対する電気刺激は，残存前角細胞への負荷を増加させ，また側芽を阻害する可能性があるので勧められない．

4 筋疾患

多発筋炎や筋ジストロフィーがある．Duchenne型筋ジストロフィーは先天性の進行する筋疾患であり，病期に合わせたADL，QOLの維持をはかることが重要である．進行による呼吸筋を含む筋力低下，脊柱変形（側弯，後弯）により呼吸障害が起こり，人工呼吸器の使用が必要となる．呼吸訓練・管理と同時に脊柱変形の予防・管理が重要であり，適切な装具，車椅子ならびに座位保持の処方が必要である．

上肢装具

Upper limb orthosis

森崎 裕　東京大学医学部附属病院 講師

1 上肢装具総論

上肢装具の役割としては，治療のための安静，治療としての拘縮除去，機能的肢位の保持，リハビリテーションのサポートなどの役割がある．以下部位ごとに簡単ではあるが概説する．

1 ▶ 肩装具

肩装具は肩関節の動きを制御するもので，関節の保持，固定を行う装具が多く，代表的には外転装具やアームスリング（腕吊り）がある．

肩外転装具は腱板断裂，肩関節術後，腕神経叢麻痺などが適応となる．肩関節の外転位保持を目的とする．疾患や病態により，肩の外転角度はもちろん，上腕および前腕の位置が異なる．装着時のポイントとしては，腋窩や肘内側部の圧迫による神経障害，仙骨部や腸骨稜部の褥瘡形成などに注意する．

アームスリング・上肢懸垂用肩関節装具は脳卒中片麻痺の肩関節亜脱臼などが適応となる．三角巾のようにシンプルなものから，上腕カフと前腕カフの2つのカフがスリングにより連結されたものなどがある．シンプルなものは，肘関節の拘縮に注意が必要である．スリングで上腕-前腕のカフが連結されたものは，肩関節や肘関節は固定されずに，上腕骨頭の引き上げ効果が得られ，装着したまま可動域訓練も行うことができるのが特徴であり，装具固定による二次的な可動域制限を防ぐことができる．

肩甲骨保持装具は，前鋸筋麻痺による肩甲骨の下垂・内転や，胸郭出口症候群に用いられる．

2 ▶ 肘装具

肘装具は，治療のための安静や固定，拘縮除去，さらには支持性の保持のために作製される．

安静や固定のための装具は，骨折後，あるいは関節リウマチによる関節炎などの症例に用いられる．

拘縮に対する可動域改善が目的の装具としては，代表的なものとしてターンバックル式装具やタウメル継手付き装具がある．弱い力で時間をかけて矯正するのがポイントである．

支持性の保持のための装具としては，支柱付きの装具が用いられる．側副靱帯修復後，脱臼骨折後などで内外反ストレスを軽減したい際などに用いる．ダイヤルロック肘継手付き装具を用いると，伸展を−30°まで制限するなどの角度制限をかけることが可能である．

肘装具全般のポイントとして，術後や受傷早期などで腫脹が強い段階での装着は，皮膚の圧迫のみならず，循環障害，神経障害をきたしうるため，装着後に適宜確認をすることが大切である．また，腫脹が消退すると支持性・固定性が低下してしまうため，調整が必要となる場合が多いことにも注意する．

3 ▶ 手関節装具

手関節装具も関節の運動補助，拘縮の改善，固定，保持などを目的とする．前腕から手関節，さらには指

までかかる種類もある．頻回に用いられるのはコックアップスプリント（手関節背屈装具）であり，手関節を機能的肢位である軽度背屈位に固定，保持することで，骨折後や手根管症候群，腱鞘炎などへの安静目的のみでなく，橈骨神経麻痺による下垂手に対しても処方される．

4 ▶ 対立装具

対立装具は，母指を対立位に保持するために用いる装具である．重度手根管症候群など低位の正中神経麻痺による対立障害の際は短対立装具，高位正中神経麻痺の際は長対立装具が用いられる．手内筋麻痺合併により中手指節（metacarpophalangeal；MP）関節屈曲が困難な際は，虫様筋バーなどを追加して保持しやすいように指 MP 関節を屈曲位に保つ．

5 ▶ 手装具

MP 関節伸展拘縮の矯正，あるいは MP 関節過伸展に対して機能的屈曲位保持といった目的の際に用いるナックルベンダー，逆に MP 関節屈曲拘縮の矯正，あるいは下垂指に対する MP 関節伸展位保持のために用いる逆ナックルベンダー，スパイダースプリントなどがある．

6 ▶ 指装具

指装具は指節間（interphalangeal；IP）関節の動きを制御するもので，安静・固定，拘縮の改善，運動の補助などの役目を有する．代表的なものを列記すると，マレットフィンガーに対するマレット装具，近位指節間（proximal interphalangeal；PIP）関節の運動補助のためのカペナスプリント，指用小型ナックルベンダー，拘縮に対して用いるジョイントジャックなどが挙げられる．

下肢装具
Lower extremity orthosis

佐浦 隆一　大阪医科薬科大学 教授（リハビリテーション医学教室）

【概要】　装具は「上肢若しくは下肢の全部若しくは一

トピックス　ロボットスーツ HAL®

HAL（Hybrid Assistive Limb）は，筑波大学システム情報系で開発された外骨格型の装着型動作支援ロボットである．ロボットスーツ HAL と通称され，皮膚表面の生体電位信号や体幹傾斜，関節角度，足圧などを各種センサーで検出しながら，関節の外側部に設置されたパワーユニット（アクチュエータ）で関節の動きを補助することで装着者の動作支援を行う．リハビリテーション医療・介護分野で用いられるロボットは，①リハ支援ロボット（運動練習を支援するロボットで主に病院や施設内で用いられる），②生活支援ロボット（生活動作を支援するロボットで主に家庭内や生活場面で用いられる）の2つに大別され，HAL は①に分類される．

脳卒中による片麻痺，脊髄障害による四肢麻痺や対麻痺，神経筋疾患による下肢筋力低下のほか，脳性麻痺，腕神経叢損傷，人工膝関節置換術後など多様な疾患に対し，両脚用，単脚用，単関節用，腰用などのHAL を症状や目的に応じて使い分ける．HAL がこれらの疾患のリハビリテーションに有効であるとする論文はこれまで数多く発表されているが，なぜ効果があるのか，というメカニズムに関してはいまだ明らかになっていない．iBF（interactive Bio-Feedback）仮説とは「動作意思を反映した生体電位信号によって動作補助を行うロボットスーツ HAL を用いると，HAL の介在により，HAL とヒトの中枢系と末梢系の間で人体内外を経由してインタラクティブなバイオフィードバックが促され，高齢化に伴い増加してくる脳・神経・筋系の疾患患者の中枢系と末梢系の機能改善が促進される」というものであり，HAL を学習装置としてとらえている．実際，HAL 使用により中枢性麻痺では主動筋と拮抗筋の共収縮が緩和され，痙縮が軽減し，分離運動がしやすくなるが，その効果は永続的なものではないため，数週〜数か月のサイクルで繰り返し使用する必要があると思われる．また HAL を装着しさえすればよい効果が得られるわけでなく，障害の重症度や病期に応じてトルクやバランスなどの設定・調整を行い，過不足ない「課題レベル」の設定を心がける必要がある．

既存のリハビリテーションに HAL を組み込むことでよりよい結果が期待できるが，HAL を「学習装置」と認識して，患者ごとの適切な設定，頻度で用いることが重要である．

羽田 康司〔筑波大学 教授（リハビリテーション医学）〕

部又は体幹の機能に障害のある者に装着して，当該機能を回復させ，若しくはその低下を抑制し，又は当該機能を補完するための器具器械をいう」と法的に定義されている．

装具療法の目的は，①固定・制動，②免荷・支持，③矯正，④喪失機能の補完・代償，⑤組織保護であり，実際には複数の目的を兼ねる．

装具は法制度により治療用装具と更生用装具に分けられる．また，目的や機能によっても分類され，歩行運動処置（J118-4）で使用されるロボットスーツや機能的電気刺激装置を内蔵した先進的な理学診療用器具も広義の治療用装具・装具療法に含まれる．

装具療法はすべての運動器疾患において適応とされる．

1 種類，適応など

1 ▶ 短下肢装具（ankle foot orthosis ; AFO）

足継手による足部・足関節の運動制御（固定，制動）のほか，足関節角度の設定により歩行立脚期のロッカー機能（踵，足関節，前足部）を利用して膝関節の動きも制御できる．痙性・弛緩性麻痺の運動制御や支持・足部の保持，内反・尖足の矯正・支持，足関節不安定に対する固定・制動など，治療目的と障害の程度に応じて支持部（金属製支柱，プラスチック製）と足継手（固定，制限，制動，補助）を決定し処方する．下腿の免荷目的にはPTB（patellar tendon bearing，膝蓋腱支持式免荷）装具も有用である．

2 ▶ 長下肢装具（knee ankle foot orthosis ; KAFO）

脳血管障害・脊髄損傷・ポリオ・ポリオ後症候群などの重度下肢麻痺の立位保持・歩行機能の補完，進行性筋ジストロフィーなどでの強い膝関節拘縮の矯正と立位保持目的などで処方される．下肢骨折の免荷目的では坐骨を支持部として処方する．大腿部は両側金属支柱が多いが，下腿部は目的や麻痺・変形の程度，生活様式，機能予後などにより両側金属支柱かプラスチック製靴べらタイプが選択される．

脳血管障害のリハビリテーション治療では，発症早期からKAFOを装着して立位・歩行訓練を開始することが推奨されているが，その後も歩行能力に応じて近位をカットダウンしてAFOとして使用できる．

3 ▶ 股関節装具（hip orthosis ; HO）

乳児の発育性股関節形成不全（developmental dysplasia of the hip ; DDH）に対するリーメンビューゲル装具，脳性麻痺股関節に対する外転保持装具，小児Perthes病に対するSPOC装具，人工股関節置換術後脱臼などに対する股関節制動装具などがある．また，転倒時の大腿骨頸部骨折の予防目的で，ヒッププロテクターが処方される場合も少なくない．

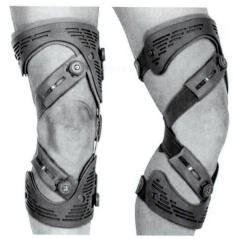

図10-3　アンローダー膝装具（アンローダーワン®/オズール：パシフィックサプライ）

4 ▶ 膝装具（knee orthosis ; KO）

反張膝や変形性膝関節症（膝OA）の内反膝・外反膝，靱帯損傷による膝関節不安定性などに処方される．軟性装具と硬性装具があり，症状や矯正力・制動力の強弱や方向で決定する．反張膝にはCBブレース（CB-BaCknee）®，重度膝OAにはアンローダー膝装具（図10-3）が有用なことが多い．大腿四頭筋筋力低下による膝折れには後方オフセット膝継手を使用し，屈曲拘縮改善目的に膝継手にバネやターンバックル機構などを付加することもある．

5 ▶ 足底装具（foot orthosis ; FO）

足関節や足部だけでなく，下肢全体も制御可能である．内反足・外反足あるいは内反膝・外反膝には外側ウェッジ・内側ウェッジ，扁平足には縦・横アーチサポート，開張足にはメタタルザルパッド，下肢長差は補高を行う．また，外反母趾用装具（軟性，硬性）もある．

2 下肢装具処方の注意事項

下肢装具は，整形外科医・リハビリテーション科医が理学療法士や義肢装具士と情報を共有し，日常生活で装着しやすく治療効果が得られ，長時間の装着が不快でない装具を提案し，サンプルの試用を経て，患者が作製に同意してから処方する．また，整形外科医・リハビリテーション科医は完成した装具の適合判定を適正・適切に行い，患者の満足が得られるまで義肢装具士に修正を指示すると同時に，装具の誤用がないかを確認しなければならない．

頚椎・体幹装具

Spinal orthosis

加藤 真介　徳島赤十字ひのみね総合療育センター 園長〔徳島県小松島市〕

【概説】　頚椎・体幹装具は，脊柱運動の抑止・安定化や脊柱アライメントの維持・矯正が主な働きで，疼痛の軽減，活動性の向上が主な目的である．運動制限は3点支持の原理によるが，ほとんどは体表面を通じての作用である．コントロールしうる運動は前後屈・側屈が中心で，回旋制限は不十分であり，荷重の軽減効果はきわめて限定的である．作用する範囲（頚椎，頚胸椎，胸腰仙椎，腰仙椎）と材質（軟性，半硬性，硬性）により大別され，名称は，日本義肢装具学会用語集，厚生労働省告示，日本工業規格，ISOによる機能分類などが用いられている．

1 頚椎装具・頚胸椎装具（図10-4）

1▶頚椎カラー

スポンジやプラスチックで，頚部屈曲・伸展をわずかに制限する．固定性は弱く，免荷効果もほとんどなく，安静目的で処方されることが多い．

2▶フィラデルフィアカラー

下顎部と後頭部を支える形状であり，頚椎カラーよりは運動抑止効果はやや強い．

3▶頚胸椎装具

顎受けと胸郭を，モールドしたプラスチックまたは支柱で連結したものであるが，フィラデルフィアカラーより固定性が著明に増加するわけではない．

4▶SOMI(sternooccipital mandibular immobilizer)装具

頚胸椎装具の1種であるが，頚部後方の支柱がなく，通気性に優れ，仰臥位での装着が可能である．

5▶Halo式装具

Halo ringとベストをロッドで連結する装具である．Ringは頭蓋骨に直接固定され，下顎の動きなどによる影響を受けないため，他の装具に比べると上位頚椎を中心に強い制動がかかる．中下位頚椎では，装具装着下での両側椎間関節脱臼の再脱臼などが起こる可能性もあり，制動力は限定的である．ピン刺入部の感染・弛みに注意が必要であり，長期に及ぶ場合は頭蓋骨穿破や硬膜外血腫の危険がある．

2 胸腰仙椎装具（TLSO），腰仙椎装具（LSO）（図10-5）

運動制限を行う方向に2点，反対方向に1点での3点固定の原則により，モールド式では多方向の3点固定効果が得られ制動効果が高くなる．骨盤部の適切な支持が基本であり，胸郭を支持すれば回旋制限効果が得られる．胸郭は，肩甲骨下角より2〜3 cm下方を上縁とする胸椎バンドで胸椎を制御するか，肩甲骨遠位1/3の高さで肩甲骨を介して制御する．前方支持要素として，メッシュ状のコルセットが用いられることがある．腹腔内圧を上げると椎間板への負荷が軽減するとの理論があるが，十分実証されているものではない．

1▶軟性（胸）腰仙椎装具

腹腔内圧上昇と軽度の運動制限を目的とした綿布またはメッシュ素材を主材とする装具である．長さは目的によって決め，必要に応じてプラスチックや金属の支柱を部分的に使い強度と剛性を高める．ダーメンコルセットという俗称もある．

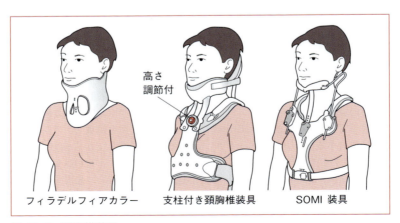

図10-4　頚胸椎装具

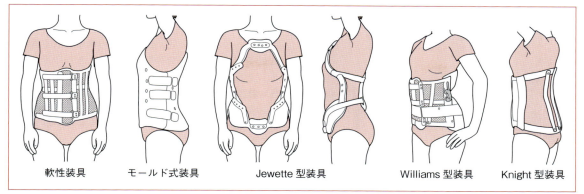

軟性装具　モールド式装具　Jewette 型装具　Williams 型装具　Knight 型装具

図 10-5　胸腰仙椎装具

2 ▶ モールド式(胸)腰仙椎装具

　プラスチック素材で成形された硬性装具であり，ギプス採型して作製する．全面で接触するため，仮合わせをするなどして適合をよく確認する必要があるが，制動効果は期待できる．放熱されにくいという欠点がある．

3 ▶ フレーム型(胸)腰仙椎装具

　採型して作製される硬性装具で，金属枠で構成される．通気性はよく，脱着は比較的容易である．

4 ▶ Jewett 型装具

　前面は胸骨パッドと恥骨パッド，後面は背部パッドの3点支持により伸展位を維持する．既製品があり，骨粗鬆症性脊椎椎体骨折などの場合，採型なしに早期に装用できる利点がある．

5 ▶ Williams 型装具

　腰部脊柱管狭窄症に用いられ，腰椎前弯を抑制する．間欠跛行距離の延長効果が報告されているが，コンプライアンスなどの問題から，あまり使用されていない．

6 ▶ Knight 型腰仙椎装具，半硬性装具

　前方が軟性，後方が金属(Knight 型)またはモールドプラスチック(半硬性)からなり，屈曲・伸展・側屈制限と腰椎前弯の減少を目的として用いる．

靴型装具

Orthopedic shoes

佐浦　隆一　大阪医科薬科大学 教授(リハビリテーション医学教室)

【概要】　足部変形の予防や矯正位保持，適切な圧力分散(除圧)による病的組織(潰瘍や鶏眼・胼胝など)の保護・治癒促進，足部のロッカー機能の代償など，足部に原因がある下肢障害の治療目的に作製される靴を靴型装具という．

1 靴型装具の種類と構造

　患足用と健足用があり右左一側が1単位，腰革の高さにより短靴(果部より低い)，チャッカ靴(果部まで)，半長靴(果部を覆う)，長靴(下腿2/3まで掛かる)に区分される．整形靴は標準木型に皮革，フェルトなどを張って補正して作られた靴，特殊靴は形態や病態に応じて特別に木型を起こして作られた靴である．

　靴は本底(アウトソール：地面に接する外側部分)，中底(インソール：足底に接する内側部分)，甲革(アッパー：足甲を覆う足底以外の部分)から構成されるが，踵を収める腰革(クォーター)と月型芯(カウンター)は踵を正中位に保持するための重要な構造である．

　靴型装具は足部に合うように作製されるが，病態や変形に応じて中足骨/舟状骨パッド，内/外側ウェッジ，補高，ロッカーバー，中足骨バー，蝶型踏み返し，シャンク(踏まず芯)，フィラー(中物)，内/外側フレアヒール，Thomas(トーマス)ヒール，くり抜きインソール/踵などを利用して補正や加工が行われる．

2 処方の目的と靴型装具の仕様

1 ▶ 脚長差の補正：靴底を高く(厚く)する

　靴底全体の補高では耐久性のある軽量な材料を選び，踏み返しやすくするために木履様に足底前方を削いでトゥピッチを大きくする．補高量が少なければインソールで対応できるが，前足部や先芯(トゥ・ボックス)の余裕を保ちつつ踵が浮かないように腰革の高さを確認して処方する．

2 ▶ 内外反の矯正(図 10-6)

　靴底に対向する傾きをつける(ウェッジ)．軽度であ

10 運動器リハビリテーション

図 10-6 Charcot-Marie-Tooth 病の 20 代女性（感覚障害と下垂足）のための靴型装具（長靴）

靴内部は通気性とクッション性のある材料を選択した．カウンターを足先および足関節上方へ延長し，足関節の固定性を高めるために足関節ベルトを追加した．アウトソールは外倒れ防止目的のフレアヒール，衝撃吸収のためのSACH ヒールとした．トゥピッチを確保し，容易な踏み返しとスムーズな体重移動を可能にした．
（P.O コンセプト荒木順司氏提供）

ればインソールで矯正可能であるが，カウンターを固くして踵骨が傾かないようにすることが重要である．靴全体が傾いてしまう場合には靴底にフレアヒールをつける．重度の足部変形では，半長靴か長靴の内/外側に芯を入れて，足関節を含めて足部全体を矯正・制動する．

3 ▶ 外反母趾（開張足，扁平足）の矯正

開張足の程度に応じて既製靴（インソールだけ）/短靴/チャッカ靴を選ぶ．前足部の幅を広げ第1中足骨頭内側のバニオン（腱膜瘤）を除圧し中足部はアッパーを締めて開張予防と足部の安定化を図る．インソールに中足骨頭部底側の圧軽減も兼ねた中足骨パッド・バーを追加し，横アーチ機能を補助する．扁平足には，舟状骨前方で中足部を支持する縦方向のアーチサポート，内側ロングカウンター，内側ウェッジソール，Thomas（トーマス）ヒールなども考慮する．

4 ▶ 圧の分散と免荷

静的荷重（立位）時の除圧はインソールに柔らかい素材を選択する．部分的な除圧のためには当該部分の周囲を持ち上げ，圧を分散しながら中央に柔らかいパッドをあてる．動的荷重（歩行時の立脚相）時の圧分散を

目的に，靴底の材質や形状を工夫して足底への衝撃の軽減や接地位置の変更を検討する．アウトソールをロッカー形状にすると，踵接地時の衝撃の前方移動と足趾離地時の接地部分の後方移動により，中足骨頭接地圧を軽減できる．

5 ▶ 糖尿病足そのほかの末梢性神経障害

運動麻痺による足部変形や歩容異常に，感覚障害が伴うと潰瘍が生じる．トータルコンタクトを基本とし，縫い目のないライナーや抗菌材料を利用する．アライメント保持のためのシャンクやカウンターの延長，胼胝部の圧分散に適し，かつ外的刺激や異物から足部を保護できるインソールの材質と形状，歩行時の円滑な重心移動のためのロッカー形状のアウトソールなどを選択する．

6 ▶ 先天性内反足

術後の矯正位保持には Denis Browne 装具が用いられるが，日常では変形や矯正の程度に応じて半長靴に内外側カウンター延長，足関節ベルト，外側ウェッジソールや逆 Thomas ヒール，外側フレアヒールなどを追加して処方する．また，足関節の可動性によりカットオフ・SACH ヒール，前足部のロッカー形状ソールなどを追加する．

7 ▶ 関節リウマチ

外科開き，アッパー内/外側のファスナーなど開口部が大きくて着脱しやすくトゥボックスに余裕のある軽い短靴/半長靴を，潰瘍，足趾・足部変形，下肢アライメントを考慮して処方する．

3 靴型装具の適合判定時の注意事項

適合判定時の注意事項は，①処方箋どおりの作製・仕上がり，②歩容の変化（改善），③装着状態（着脱の容易さ，履き心地，圧迫や疼痛の有無，本人の受け入れ）などである．整形靴と特殊靴は価格が異なるので，適応を吟味して処方する．既製靴の加工や中敷きを入れただけの靴は靴型装具ではない．靴型装具は処方箋に基づいて作製されるもので，作製した靴の保険償還を目的に，後付けで処方箋や意見書を作成することは厳に慎んでいただきたい．

義手の処方と装着訓練

Prosthetic prescription and training for upper-limb amputees

田中 清和 日本赤十字社医療センター 副部長（リハビリテーション科）〔東京都渋谷区〕

上肢切断者に対する義手の役割は，外観とごく一部

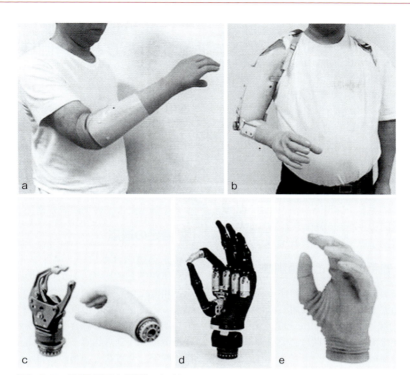

図 10-7 筋電義手と電動ハンド
a：前腕筋電義手，b：上腕筋電義手（ハイブリッド型；肘継手は能動式），c：マイオボック〔オットーボック・ジャパン㈱〕，d：i-limb〔パシフィックサプライ㈱〕，e：ミケランジェロハンド〔オットーボック・ジャパン㈱〕.
（田中洋平：義手処方の実際. Jpn J Rehabil Med 55: 388-393, 2018 より一部改変）

の上肢・手指機能の代償であったが，近年手先具としての筋電義手の開発が進み，多機能の動作が可能となったものが実用化されている．処方する医師は義手についての専門的な知識を有する必要がある．義手の処方と装着訓練について，成人と小児に分けて治療指針を述べる．

1 義手の種類

1 ▶ 装飾用義手

機能よりも外観を重視した義手．手指関節可動性のあるパッシブハンドを用いれば，指の形を自由に変えることができる．

2 ▶ 能動義手

対側上肢帯・体幹の動きでケーブルを介して継手（関節）や手先具を操作する構造の義手．

3 ▶ 筋電義手（図 10-7）

筋電位を用いて電動ハンドを操作することができる義手．近年，手指の複雑な動きを再現できる機能を有した電動ハンドが開発・実用化されている．欧米先進国と比べると，日本では公的支給制度の違いもあり普及率は低い．

4 ▶ 作業用義手

機能を重視して種々の作業に適するように工夫された義手．能動・筋電義手で手先具が工夫されたものが一般的である．

2 成人に対する義手の処方と装着訓練

1 ▶ 切断レベルに応じた義手の処方

指切断では主に装飾用手指義手が処方され，前腕・上腕切断では装飾用・能動・筋電義手がそれぞれ処方される．腋窩レベルより近位の上腕切断や肩離断では装飾用・能動肩義手が処方される．

2 ▶ 切断者のニーズ・支給制度・能力などに応じた義手の処方

前腕・上腕切断や肩離断では，医師・義肢装具士・作業療法士などで十分に検討して切断者に適応となる義手の種類を決定し，処方する必要がある．

3 ▶ 前腕・上腕義手の装着訓練

入院による集中的な訓練が望ましい．まず切断端の機能訓練とともに，義手についての説明を行い切断者

のニーズを把握し，処方する義手の種類を決定する．次いで断端に装着するソケットを製作して着脱訓練を行い，必要に応じて修正する．初めて製作する訓練用義手（仮義手）は主に能動義手であり，手先具の開閉など操作訓練を行って義手を調整し，つまみ動作やADL・応用動作訓練へと進む．上腕切断では肘継手をコントロールできるような訓練が必要である．仮義手を使用しての生活・社会復帰を行ったのちに本義手を製作する．筋電義手では，断端の筋電信号の検出と分離訓練が必要であり，分離が獲得できてから筋電義手製作・操作訓練を行う．わが国では，上腕筋電義手は肘継手は能動で，手先具を筋電ハンドとするハイブリッド型筋電義手（図10-7b）が製作される．世界的には電動肘継手や電動手継手も市販されている．

3 小児に対する義手の処方と装着訓練

小児切断，特に先天性前腕欠損児に対する義手の処方については，乳幼児期から義手を使用しての両手動作を伴う運動や知的発達を促す目的で必要と考える．成長発達とともに変化するその時期に必要な獲得動作に対応できる義手の選択が望ましいと考えられ，装飾用・能動・筋電義手をどのタイミングで処方するかについては議論の余地がある．

装着訓練は，外来通院で親の協力を得て根気よく遊びのなかで行うことが重要である．まず乳児期には機能的な装飾用義手として，ソケットを製作して適合させたのち，先端にさまざまな手先具を装着して両手で這い這いしたり，太鼓を叩いたりして使用させることから始める．幼児期では体操で手をついたり，乗り物のハンドルを把持したり，鉄棒などの動作も手先具を変更すれば可能となる．次の段階として能動義手の装着訓練を行って使用することで，手先具で物をつまんだり把持したりして両手の使用が必要な動作を獲得することができる．筋電義手は外観もよく，両親のわが子に対する思いから，早期に適応させたい希望が強い場合が多い．成人と同様に能動義手の装着訓練を行ってから筋電義手に移行する考えが一般的であったが，欧米では乳幼児期から積極的に筋電義手装着訓練を行うシステムを確立した施設が存在し，公的支給制度の問題はあるがわが国でも少数の施設で行われている．

義足の処方と装着訓練

Prosthetic prescription and training for lower-limb amputees

田中 洋平 JR東京総合病院 主任医長（リハビリテーション科）〔東京都渋谷区〕

【概要】 下肢切断の原因は，血管原性（閉塞性動脈硬化症などの血管障害によるもの，糖尿病を含む），外傷，悪性腫瘍に分けられる．昨今では血管原性によるものが最も多い．高齢者の割合も増えており，過去と比較すると低活動な下肢切断者が増加している．

1 義足の適応

義足の適応は幅広い．屋外を元気に歩きたい人から，車椅子とベッド・トイレ間の移乗のときだけ義足を活用したい人まで適応になる．歩けるかどうかだけでなく，義足が生活の役に立つかどうかで考える．一方，切断術後の創部癒合不全，リハビリテーションへの意欲低下，全身状態不安定，重度の認知症や高次脳機能障害，全盲などの場合は義足の適応にならない．

下腿切断，大腿切断だけでなく，股関節離断や片側骨盤離断も義足の適応となる．大腿義足や股義足は義足の製作技術やリハビリテーションそのものも高度になるため，これらの症例を多く経験している施設でリハビリテーションを行ったほうがよい．

2 義足処方を見据えた切断術

義足を処方することで下肢の機能を再建する．そのために義足装着に適した断端にするという視点で切断術を実施する．切断レベルは断端の創部が癒合する高位でできるだけ長く，という原則はあるものの，長すぎる断端は義足の機能を阻害するため注意すべきである．

Lisfranc切断やChopart切断などの足部切断は尖足・内反変形を生じる．また，Syme切断では断端と地面までの距離がわずかであるため，機能的な足部パーツを選択できなくなる．歩行の再建を重視するなら，これらの切断術は避けたほうがよい．

下腿切断では脛骨近位1/3から中央1/2の間で切断できれば義足の装着に有利である．長すぎる断端は選択できる義足パーツに制限を生じるため，避けたほうがよい．大腿切断より下腿切断のほうが明らかに機能的に優れているため，脛骨粗面を残すことができれば下腿切断を選択し，残せないようであれば大腿切断を選択する．皮弁は海外では後方皮弁が一般的である．血流に優れた後方の皮膚を残したほうが創部の癒合不全を生じにくいためである．脛骨切断面の前面は，義

足を装着したときに皮膚損傷を起こしやすいため，必ず面取りを行う．

大腿切断では大腿骨の中央1/2から遠位1/3の間で切断すると義足の装着に有利である．長すぎる断端は使用できるパーツに制限を生じるため，義足の装着には不利である．短すぎる断端も股関節の屈曲外転拘縮のリスクが高まること，義足に力を伝えるレバーアームが短くなることから義足の装着には不利である．

義足装着時の皮膚トラブルを減らすため，下腿切断，大腿切断いずれの場合でも切断した筋肉は拮抗筋同士を縫合し(筋形成術)，切断した骨を十分覆うようにする．

3 義足の装着訓練とリハビリテーション

急性期では切断術後の創瘉合を待ちつつ，断端に対しては弾性包帯を用いたソフトドレッシングを開始する．弾性包帯(もしくはスタンプシュリンカー)は創部の癒合を阻害しない程度のきつさで，断端の腫脹を軽減できるよう遠位から近位に向かって巻き上げる．切断部位の近位関節(下腿切断なら膝関節，大腿切断なら股関節)は拘縮をきたしやすいため，関節可動域訓練を積極的に行う．健側下肢の筋力強化も重要である．

術創部の癒合後，転院し，回復期リハビリテーションへと移行する．この段階ではまだ入院してリハビリテーションを継続することが望ましい．その理由はこの段階での目標が，患者の身体機能向上，断端の成熟促進とそれに伴うこまめな義足調整，義足の自己管理方法習得(患者教育)の3つだからであり，これらを達成するためには通院より入院が有利だからである．断端の成熟とは断端が痩せていくことであり，切断術後間もない時期の変化が最も大きく，術後1年から1年半かけて徐々に進む．切断直後の時期に仮義足(訓練用仮義足)を処方してしまうと，すぐにその義足が合わなくなるため，早すぎるタイミングで仮義足を完成させてしまうのは避けた方がよい．入院中は基礎的な関節可動域訓練や筋力強化訓練に加えて，義足装着下での歩行訓練を平行棒内歩行から段階的に平行棒外，屋外歩行へと進めていく．坂道，階段，不整地での歩行，必要に応じて人混みの中での歩行や電車の乗り降りなども練習する．入院期間はおおよそ下腿義足で2〜3か月，大腿義足で3〜4か月である．入院の後半で仮義足を処方して退院となる．

退院後，義足はいつか必ず合わなくなるため，定期的に医師や義肢装具士がチェックすることが望ましい．チェックすべきポイントは断端とソケットとの適

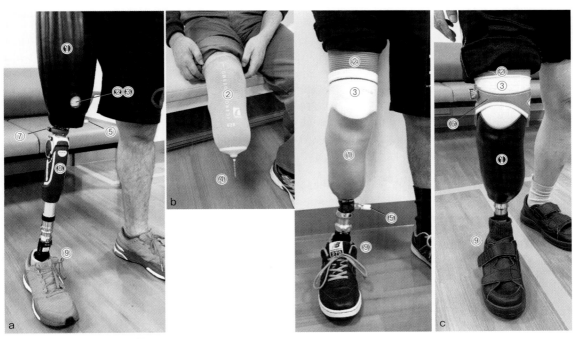

図 10-8　大腿義足と下腿義足
a：大腿義足(ピン/ロック式懸垂)，b：下腿義足(ピン/ロック式懸垂)，c：下腿義足(カフベルト式懸垂)．
①ソケット，②シリコーンライナー，③断端袋，④ピン，⑤シャトルロック，⑥カフベルト，⑦ターンテーブル，⑧膝継手，⑨足部．

合（フィッティング），義足のアライメントの2点である．義肢装具士とともに医師は断端の傷の有無を確認し，ソケットの適合状況と，立位，歩行時の義足のアライメントをチェックする．修正で対応困難な場合は義足の作り直しを検討する．

4 義足の処方

医師が義足を処方するうえで押さえておきたいポイントは懸垂方法，荷重支持方法，パーツ選択の考え方の3つである．

義足の基本的な構成を図10-8に示す．

下腿義足の場合，懸垂方法のほとんどがピン/ロック式かカフベルト式である．ピン/ロック式は装着が簡便で多くの患者に好まれるが，血管原性切断の低活動者ではピンの適切な取り扱いが難しく，カフベルト式を選択したほうがよい場合もある．どちらの懸垂方法でも断端保護のためシリコーンライナーを装着する．義足のパーツは装着者の活動レベル（高活動なのか低活動なのか）により選択するものが変わってくる．細かいパーツの種類は義肢装具士と相談して決めればよいが，活動レベルは見誤らないように気をつける．

大腿義足のソケットの形状は四辺形もしくはIRC（坐骨収納型）にすることが多い．切断術後1本目になる仮義足では，断端のボリューム変化が大きいため，四辺形を選択したほうが無難である．懸垂方法はピン/ロック式を選択することが多いが，症例により吸着式や差し込み式を選択する場合もある．膝継手の上にはターンテーブルを入れ，下腿を内外旋できるようにする．これは義足に靴を履かせるときに重宝する．膝継手や足部パーツは活動レベルに応じたものを選択する．近年ではコンピューター制御の膝継手の性能向上が著しい．膝折れして転倒するリスクを減らし，快適に歩行することを可能にしてくれるが，価格が高額なため現状では一部の切断者しか手に入れることができない．

車椅子，歩行補助具

Wheelchair, Walking aids

加藤 真介 徳島赤十字ひのみね総合療育センター 園長〔徳島県小松島市〕

1 車椅子（図10-9）

車椅子は駆動方法によって，手動（自走式と手押し型）と電動に分けられる．それぞれに，バックサポート（背もたれ）のみの傾きを変えるリクライニング機能，シートとバックサポートの角度を変えずに一緒に傾きを変えるティルト機能，およびこの両者を併せ持つリクライニング・ティルト機能をもつタイプもある．

手動車椅子は，全体の枠組みとしてのフレームに，シート（座面），バックサポート，アームサポート，フット・レッグサポートが基本構造で，これに大径の駆動輪（主輪）と方向転換用のキャスターが付いている．自走式では駆動輪にハンドリム，ブレーキが取り付けられている．手動で駆動しない場合は主輪は小さくし，手押しハンドル部にブレーキが付いている．駆動輪のタイヤは，チューブ（空気）入りが一般的であるが，ノーパンクタイヤが用いられることもある．近年のノーパンクタイヤは，チューブ入りに比べてやや重いが，乗り心地は改善されている．キャスターは，屋外での頻回な使用が想定される場合は大きめのものを用いる．転倒の危険性がある場合には，車軸調整や転倒防止装置処方を行う．

シートとバックサポートは布状のスリング式のほかにソリッド式や張り調整式などもある．クッションは平面式以外にも，曲面形状のもの，モールド式などがある．素材はウレタンフォーム以外にも，ゲル素材を用いたフローテーションパッドや，素材を組み合わせたものもある．褥瘡の危険性が高い場合には特殊空気室構造のクッション（ROHO®クッション）などを用いるが，座位が不安定になりやすい．アームサポートは，側方移乗が必要な場合は，脱着式・跳ね上げ式などが有用である．体幹が安定している場合のスポーツ用などでは，タイヤのサイドガードのみとし，アームサポートは付けない．フット・レッグサポートは，脱着式・開き式など可動性を持たせる場合があり，片麻痺患者で下肢駆動を行う場合には，装着しないこともある．

電動車椅子は，モーターで後輪を左右独立して駆動し，前輪は操舵専用のモーターで方向を変え，アームサポートの先端に電源スイッチやジョイスティックなどの操縦装置が付くのが基本構造である．通常の手動車椅子にユニットを取り付けた簡易電動型は，軽さ・折り畳みやすさなどの長所があるが，バッテリー容量・走行機能では，通常型に劣る．通常の電動車椅子は，電動リクライニング・ティルトが可能なもの，回転半径が小さいものなどもある．JIS規定では最高速度は，低速用で4.5 km/時以下，中速用で6.0 km/時以下に設定されている．

車椅子を処方するにあたっては，駆動能力・座位保持・移乗能力・生活環境・介助力などを考慮する．シート幅は殿部幅＋20 mmを基本とし，シート前方の高さは下腿長＋50〜80 mmとし，後方はこれより20〜40 mm低くし，大腿上面が水平となるように設定す

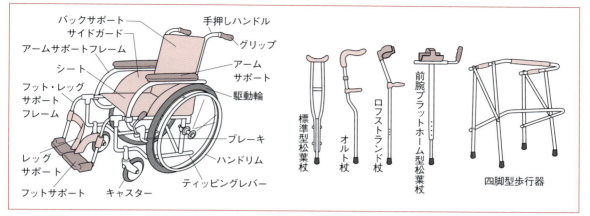

図10-9 手動車椅子の構造と各種歩行補助具

る．奥行きは，バックサポートが殿部につく状態で，膝窩部とシート間は20〜50 mmとする．

2 歩行補助具（図10-9）

杖（cane），松葉杖（crutch），歩行補助具，歩行器が主に使われる．杖は手1点のみで保持し，松葉杖は握り以外に身体と接する部分があるものを言う．1本のみ使用する場合には，健側に突くことを基本とする．

杖の長さは，杖先をつま先の前外側15〜20 cmのところに置いた際に，肘が20〜30°屈曲する程度とする．T字杖が一般的に用いられるが，支持面が安定している四脚杖が選択される場合もある．

松葉杖の長さは，腋窩前縁から靴底までの長さに5 cmを加えた長さが1つの目安となる．ロフストランド杖がよく用いられるが，いわゆる松葉杖に比べると安定性に劣る．肘関節の屈曲拘縮がある場合などは前腕プラットホーム型が用いられる場合がある．

歩行器は，杖，松葉杖に比べて安定性が高く，折り畳みが可能であるが，戸外では使用しにくい．四脚型歩行器の場合，両上肢の機能が良好であること，重心が後方に残らないことが必要となる．

歩行車はフレームの下端にキャスターをつけたもので，三輪型や四輪型がある．フレーム上方の高さは，上肢を体側につけ，肘を90°屈曲した状態での肘までの高さに数cmを足した高さを基準とする．

運動器リハビリテーション実施計画の立て方

Method of management of locomotive organ rehabilitation

志波 直人 久留米大学 教授

1 運動器リハビリテーションの実施にあたって

保険診療で実施する運動器リハビリテーション（以下，リハ）は，基本的動作能力の回復などを目的とする理学療法と，応用的動作能力，社会的適応能力の回復などを目的とした作業療法を実施して，いずれも実用的な日常生活における諸活動の実現を目指すものである．本項では，筆者らの施設で実際に実施する内容について記載する．

リハを実施するにあたっては，リハ開始前に，リハ処方，リハ実施計画書（様式21）を作成し，その要旨を診療録に記載した後に，リハを開始する．通常は，リハ開始後に多職種カンファレンスにおいてリハ総合実施計画書（様式23）を作成する．運動器リハを実施する際，医師はリスクとゴールを明確にし，セラピストが的確にリハを実施できるように心がける（図10-10）．

2 運動器リハ料の対象患者

運動器リハ料を算定する対象患者は，急性発症した運動器疾患またはその手術後の患者〔上・下肢の複合損傷（骨，筋・腱・靱帯，神経，血管のうち3種類以上の複合損傷），脊椎損傷による四肢麻痺（1肢以上），体

10 運動器リハビリテーション

```
医師診察→運動器リハが必要と判断，診療録記載
①リハ処方，診療録保存
②リハ実施計画書（別紙様式21）作成
・本人・家族説明と署名，原本は本人・家族渡し
・スキャンし診療録保存，要点を診療録記載
                    ↓
リハ開始
・毎回のリハ開始時刻と終了時刻を記録
                    ↓
多職種カンファレンス実施
③リハ総合実施計画書作成
・本人・家族説明と署名，原本は本人・家族渡し
・スキャンし診療録保存，要点を診療録記載
・リハ総合計画評価料算定〔施設基準（Ⅰ），（Ⅱ）〕
```

図 10-10 運動器リハビリテーション実施の流れ

幹・上・下肢の外傷・骨折，切断・離断（義肢），運動器の悪性腫瘍など），慢性の運動器疾患により，一定程度以上の運動機能の低下および日常生活能力の低下をきたしている患者（関節の変性疾患，関節の炎症性疾患，熱傷瘢痕による関節拘縮，運動不安定症など）で，医師が個別に運動器リハが必要であると認めるものである．

3 運動器リハ実施計画とリハの開始

運動器リハ開始時，医師によるリハ処方とともに，リハ実施計画書（様式21）が必要となる．当院では，リハ開始時，医師がリハ処方作成とともに，リハ実施計画書を作成して，計画の要点を本人または家族に説明し，その要点を診療録に記載して，実施計画書は同意と署名を得たうえでスキャンして診療録（電子カルテ）に保存，原本は患者へ手渡している．

運動器リハの開始後は，医師は定期的な機能検査などをもとに，その効果判定を行う必要がある．また，原則としてリハの開始時およびその後，3か月に1回以上，患者に対して当該リハ実施計画の内容を説明し，診療録にその要点を記載する．

リハの実施にあたっては，すべての患者の毎回の機能訓練の内容の要点および実施時刻（開始時刻と終了時刻：セラピストの院内の移動時間などは除く実質的な治療時間）を記録する．

4 リハ実施計画書作成で必要な項目

実施計画で必要な内容は，①基本的患者情報のほか，②診断名：左右があれば左右を明記，③手術名と内容：左右があれば左右を明記，④制限（荷重，関節可動域，ADL，体内金属による物理療法禁忌），⑤既往歴，併存症，⑥入院前ADL，⑦就労の有無と内容，⑧本人や家族の希望などを記載する．また，運動器リハでは，特に⑨疼痛の有無，程度（visual analogue scale；VAS，numerical rating scale；NRS）の記載が必要となることもあるので留意する．また，訓練内容と目的に加えて，留意事項の記載が必須になっている．

5 リハ総合実施計画書の作成と同評価料の算定

リハ開始後，医師，看護師，理学療法士，作業療法士，言語聴覚士，管理栄養士などの多職種によるリハカンファレンスを開催し，リハ総合実施計画書（様式23）を作成して，その日時を明記したうえでリハ総合計画評価料（以下評価料）を算定することができる．そのため，通常，評価料の算定日時は，リハ開始日よりも数日遅れることになる．

運動器リハにおいては，運動器リハ料（Ⅰ），（Ⅱ）の施設基準を満たす施設で算定が可能である．評価料は，定期的に多職種カンファレンスを実施して当該計画書を作成することにより，患者1人につき1月に1回算定することができる．

なお，2018（平成30）年度の診療報酬改定により，介護保険のリハ事業所への移行が見込まれる患者においては，評価料が20％引き下げられている．

6 リハ総合実施計画書の記入方法

原因疾患，合併疾患，さらには介護保険意見書で用いられている日常生活自立度，認知症高齢者の日常生活自立度判定基準を記載する．国際生活機能分類（International Classification of Functioning, Disability and Health；ICF）に沿った心身機能・構造，活動，参加に加え，心理，環境，第三者の不利も記載する．また，新たに活動と参加の間に，栄養に関する項目も追加されている．基本方針，リスク・疾病管理，終了の目安・時期，本人の希望，家族の希望，外泊訓練の計画を記載する．さらに，参加（目標），活動（実行状況），心身機能・構造，心理，環境，第三者の不利について，目標（到達時期）と具体的アプローチを記載して退院後や終了後の計画を書いて，本人・家族のサインをもらい，原本は本人・家族に渡して，スキャンして診療録に保存，要点を診療録に記載する．

7 2020年度診療報酬改定

2020年度の診療報酬改定により，「リハ実施計画書」の内容が変更され「別紙様式21」に栄養に関する記載が新たに追記された．「別紙様式23」についてもこれ

までの「総合実施計画書」ではなく様式21と同様「実施計画書」となり、栄養に関する記載箇所が変更された(https://www.mhlw.go.jp/content/12400000/000626841.pdf)．

また，リハ実施計画書の位置づけを明確化し，リハ開始後，原則7日以内，遅くとも14日以内に実施計画書を作成することとされ，医師の具体的な指示(①禁忌事項，②必要量：単位数，頻度，予定期間など，③内容：関節可動域訓練，筋力増強訓練，歩行訓練など)の下で行われる場合に限り，リハ料が算定できるとされた．これに合わせて日本運動器科学会のウェブサイトにおける運動器リハ総合実施計画書の内容も変更されている(http://www.jsmr.org/documents/jsmr_Implementation_plan.pdf)．

さらに，2020年11月24日の疑義解釈により，リハ実施計画書は，リハ総合計画評価のリハ総合実施計画書で兼ねることが可能となった．すなわち，初回のリハ開始後7日以内，遅くとも14日以内にリハ総合計画評価料に係る「リハ総合実施計画書」を作成した場合には，上記の「リハ実施計画書」の作成は不要であることが明確にされた．

補装具の公的支給と手続き
Supply system of prosthetic and orthotic appliances

田中　洋平　　JR東京総合病院 主任医長(リハビリテーション科)〔東京都渋谷区〕

【概要】　義肢・装具の処方と支給の流れは，医師が医療保険で処方する仮義肢・治療用装具と，身体障害者手帳を利用してユーザーが区市町村から支給を受ける本義肢・更生用(生活用)装具の2つの場合に分けられる．

1 仮義肢・治療用装具

疾病の治療過程において用いられる義肢や装具のことで，各種医療保険において製作が認められている．既製品の場合もある．

例えば膝関節の手術後に処方される膝装具，外反母趾に処方される足底装具(インソール)，脊椎手術後に処方される体幹装具はいずれも治療用装具に分類される．切断術後のリハビリテーション中に，初めて製作される義肢は仮義肢(訓練用仮義肢)とよぶ．

医師が処方し，義肢装具士が採型もしくは採寸して製作する．医師は仮合わせや完成時にオーダーしたものが適切に作られているかチェックする．

費用はいったん患者が全額負担するが，患者が保険者(例：健康保険組合)に費用を請求することで，例えば病院での窓口負担が3割負担の患者は費用の7割が

図 10-11　義肢・装具の処方と支給の流れ

医師から義肢装具士に義肢・装具のオーダー

義肢装具士による義肢・装具の製作
(①採型，②仮合わせ，③完成)

患者へ義肢・装具の引き渡し
・医師による「意見および装具装着証明書」の作成
・患者から義肢装具士へ費用(全額)の支払い

患者から保険者への費用の還付請求
・このときに意見および装具装着証明書と領収書が必要
・保険者から患者へ費用(自己負担分以外)の還付
　(医療費が3割負担の人は，7割が戻ってくる)

仮義肢・治療用装具処方の流れ

ユーザーが区市町村に補装具(例：本義肢)の申請

身体障害者更生相談所での判定
　(例：東京都心身障害者福祉センター)

区市町村が補装具(例：本義肢)の支給を決定

義肢装具士による補装具(例：本義肢)の製作
(①採型，②仮合わせ，③完成)

ユーザーへ補装具(例：本義肢)の引き渡し
・ユーザーから義肢装具士へ費用の支払い
　(自己負担分のみ)

補装具支給の流れ(例：本義肢)

保険者から支給される(償還払い方式).

2 補装具(本義肢と更生用装具を含む)

　補装具とは,障害者の失われた身体機能を補完または代替し,日常生活または就学・就労に継続して必要なものである.本義肢と更生用装具は補装具の一部であり,視覚障害者の盲人安全つえや聴覚障害者の補聴器も補装具に含まれる.支給に際して専門的な知見を要するため,医師は補装具費支給意見書の記載を求められる場合がある.

　補装具費の支給を受けるには身体障害者手帳が必要である.原則1個の支給であるが,装飾義手と能動義手のように用途が異なるものであれば2個まで支給が認められる.

　本義肢とは,仮義肢後に製作される2本目以降の義肢のことを指す.障害者総合支援法に基づき,図10-11のような流れで支給される.

　費用負担は仮義肢や治療用装具のときとは異なり,ユーザーが自己負担分のみを義肢装具士に支払う(代理受領方式).原則1割負担だが,負担上限は37,200円である.所得により負担なしの場合や全額自己負担の場合がある.

労災補償の手続き

Procedure of the compensation in the workmen's accident

田中　清和　日本赤十字社医療センター　副部長(リハビリテーション科)〔東京都渋谷区〕

　労働者が業務・通勤によって被った負傷や疾病,死亡に対して補償する制度が労災保険である.労災保険給付と社会復帰促進等事業とがある.

1 労災保険給付

　労災保険給付の種類は,業務災害の場合に(補償)の文字を加え,①療養(補償)給付,②休業(補償)給付,③傷病(補償)年金,④障害(補償)給付,⑤その他〔介護(補償)給付や遺族(補償)給付など〕がある.保険給付を受けるためには,被災労働者やその遺族などが所定の保険給付請求書を所属事業所の所在地を管轄する労働基準監督署長に提出しなければならない(一部は病院・診療所や薬局などを経て).

2 社会復帰促進等事業

　被災労働者の円滑な社会復帰の促進などを目的とした事業であり,①義肢などの補装具購入(修理)に要し

表10-4　支給種目

1-1	義肢
1-2	筋電電動義手
2	上肢装具及び下肢装具
3	体幹装具
4	座位保持装置
5	盲人安全つえ
6	義眼
7	眼鏡(コンタクトレンズを含む)
8	点字器
9	補聴器
10	人工喉頭
11	車椅子
12	電動車椅子
13	歩行車
14	収尿器
15	ストマ用装具
16	歩行補助つえ
17	かつら
18	浣腸器付排便剤
19	床ずれ防止用敷ふとん
20	介助用リフター(電動式を含む)
21	フローテーションパッド(車椅子・電動車椅子用)
22	ギャッチベッド
23	重度障害者用意思伝達装置

た費用を支給する制度,②アフターケア制度などがある.

1 ▶ 義肢等補装具費支給制度

　一定の身体欠損障害または機能障害が残った人に対して,義肢や車椅子などの補装具の購入(支給)に要した費用を支給する制度である.支給種目を表10-4に示す.申請は被災労働者が「義肢等補装具購入・修理費用支給申請書」を都道府県労働局長に提出する.義肢は1障害部位につき2本の支給が基本である.筋電電動義手(筋電義手)の場合は1本の支給であり,手関節以上の片側上肢切断者に対しては装着訓練や試用装着期間における指導,適合判定実施医療機関において訓練を修了し,継続して使用することが可能な人が対象となる.

2 ▶ アフターケア

　被災した労働者の労働能力の維持・回復をはかり,円滑な社会生活復帰を援助するもので,傷病が「治癒」(症状固定)後においても後遺症状が変化したり,後遺障害に付随する疾病を発症させるおそれがあるため予防その他保健上の措置として診察,保健指導,保健のための薬剤の支給などを実施している制度である.被災労働者からの申請に基づき都道府県労働局長が交付する「健康管理手帳」を提示することにより無料で受けることができる.対象傷病としては脊髄損傷,頭頸部外傷症候群など,大腿骨頸部骨折および股関節脱臼・脱臼骨折,人工関節・人工骨頭置換,慢性化膿性骨髄炎,外傷による末梢神経損傷などがある.

身体障害者診断書の記入の仕方
Diagnostic points for physically disabled person's certificate

芳賀 信彦 国立障害者リハビリテーションセンター自立支援局長〔埼玉県所沢市〕

【概説】 身体障害者手帳は，身体障害者福祉法に基づき，定められた障害程度に該当すると認定された者に対して交付されるもので，これにより各種の福祉サービスを受けることができる．手帳の交付対象となる障害は，視覚障害，聴覚または平衡機能の障害，肢体不自由などのカテゴリーに分かれる．身体障害者手帳の交付申請に要する診断書・意見書を作成するのは，身体障害者福祉法第15条に基づき指定された医師であり，整形外科医（主として標榜する診療科が整形外科）は肢体不自由を担当することができる．診断書・意見書に書かれた指定医の意見を参考に等級が判定され，都道府県知事が手帳を発行する．

1 診断書の記入法

肢体不自由の診断書・意見書には，「肢体不自由用」と「脳原性運動機能障害用」の2種類がある．いずれにも，障害名，原因となった疾病・外傷名，その発生年月日，参考となる経過・現症，総合所見，身体障害者福祉法別表に掲げる障害に該当するか否かと等級についての参考意見を記入する欄がある．「障害名」には，左上下肢機能障害（左片麻痺），体幹機能障害，右下肢機能障害（股関節），左下腿切断，のように簡潔に記入する．「参考となる経過・現症」には「障害固定又は障害確定（推定）」を記入する欄があり，病状の進行やリハビリテーションによる回復がある程度見込めなくなった日を記入する．目安としては障害の発生から3～6か月後である．四肢切断術など障害の状況が変化しない場合には，手術日を記載してよい．「総合所見」には将来再認定に関する記載欄があり，成長や病状の進行などにより障害程度が変化すると考えられる場合は，「将来再認定 要」として，軽度化か重度化か，また再認定の時期を選択する．

「脳原性運動機能障害用」は，乳幼児期以前に発現した非進行性の脳病変によってもたらされた姿勢および運動の異常，すなわち脳性麻痺などを判定するためのものであり，生活関連動作を主体に上肢の機能障害と移動機能障害に分けて記入する．

一般的に作成する機会が多いのは「肢体不自由用」で，神経学的所見その他の機能障害（形態異常），動作・活動，歩行能力および起立位の状況，関節可動域と筋力テストの記入欄があり，これらのうち障害に該当する部分を記入する．

表 10-5 等級別の指数と合計指数による等級

障害等級	等級別指数	合計指数による等級
1級	18	18以上
2級	11	11～17
3級	7	7～10
4級	4	4～6
5級	2	2～3
6級	1	1
7級	0.5	

2 障害程度等級の考え方

手帳の交付対象となる障害には，身体障害者障害程度等級表（身体障害者福祉法施行規則別表第5号）により，1級から7級までの区分が設けられている．ただし7級の障害が1つのみでは手帳の対象にはならない．

「脳原性運動機能障害用」を用いる場合は，両上肢機能障害ではひも結びテスト，一上肢機能障害では5動作の能力テスト，移動機能障害では立ち上がりや歩行の評価により等級が決まる．「肢体不自由用」では，上肢不自由，下肢不自由，体幹不自由のそれぞれに等級の基準が細かく決められている．整形外科関係で注意が必要なのは，人工関節置換術を受けた場合である．2013（平成25）年度までは人工股関節・膝関節は一律4級，人工足関節は一律5級であったが，2014（平成26）年度より，術後の経過が安定した時点での関節可動域などに応じて認定することになっている．

2つ以上の障害が重複する場合には，重複する障害の合計指数に応じて認定する（表10-5）．例えば右上肢の障害が4級，右下肢の障害が3級とすると，それぞれの指数は4と7で合計指数は11となり，11～17の範囲に入るので障害等級は2級となる．体幹と下肢の障害もこの方法で合算可能であるが，例えば神経麻痺で起立困難なものなどについては，体幹および下肢の機能障害として重複認定すべきでなく，体幹または下肢の単独の障害として認定することになっている．合計指数による認定は，肢体不自由とそれ以外の障害（例えば心臓機能障害）を重複する場合にも当てはまる．

在宅生活支援の社会資源

Social resources for home care

坂野 元彦　和歌山県立医科大学 講師(リハビリテーション医学)

「生活期」は，傷病などの発症や増悪を契機とする「急性期」，機能回復や日常生活の自立を目指す「回復期」の次の段階ととらえられることが多い．しかし，生活期で医療を必要とするのは，複数の疾患を合併している高齢者，疾病には罹患していないがロコモティブシンドロームなどの介護予防活動の対象となる高齢者，生来の障害を持つ小児，神経難病などの進行性疾患の患者，終末期の患者などさまざまである．生活期の患者の多くは在宅で生活しており，患者の尊厳の保持と自立生活の支援を目的とし，可能な限り住み慣れた地域で，自分らしい暮らしを人生の最期まで続けることができるように，社会的支援の重要性が高まっている．地域の包括的な支援・サービス提供体制として，「地域包括ケアシステム」の構築が地方自治体を中心に進められている．疾病を抱えても，自宅などの住み慣れた生活の場で療養し，自分らしい生活を続けられるためには，地域における医療・介護・障害者福祉の関係機関が連携し，包括的かつ継続的な在宅医療・介護の提供を行うことが必要である．

1 医療

身体の機能が低下して通院が困難となっても，「在宅医療」という形で必要な医療を自宅などで受けることができる．在宅医療では，医師の指示のもとそれぞれの専門知識をもつ専門職が連携して，自宅で専門的なサービスを提供する．
・往診：医師(かかりつけ医)が急変の際など臨時に自宅を訪問して診療を行う．
・訪問診療：医師(かかりつけ医)が計画的・定期的に自宅を訪問して診療を行う．
・訪問歯科診療・歯科衛生指導：歯科医師・歯科衛生士が自宅で歯の治療や入れ歯の調整などを通じて，食事を噛んで飲み込めるよう支援を行う．
・訪問リハビリテーション治療：理学療法士・作業療法士・言語聴覚士が自宅で機能訓練，家屋改修や介助方法の指導・助言などを行う．
・訪問看護：看護師などが自宅で医療処置や療養中の世話などを行う．
・訪問薬剤管理：薬剤師が自宅で薬の飲み方や飲み合わせなどの確認・管理・説明などを行う．
・訪問栄養食事指導：管理栄養士が自宅で食事の状況を確認し，生活習慣に適した栄養指導を行う．

2 介護

介護保険法(2000年4月施行)に基づき，身体上または精神上の障害があるために，日常生活における基本的な動作の全部または一部について介護が必要な状態と認定された場合に，要介護状態区分などの支給限度基準額の範囲で，介護保険による各種サービスを受けることができる．このサービスには，利用者が生活する場所に応じて在宅で受けるものと，施設に入所して受けるものがある．詳細については次項に譲る．

3 障害者福祉

障害者自立支援法(2006年4月施行)に基づき，身体障害・知的障害・精神障害(発達障害を含む)をもつ健康保険加入の65歳未満の障害児者は，地方自治体から自立支援のための福祉サービスを受けることができる．障害者を対象としたサービスには，自立支援給付(介護給付，訓練等給付，自立支援医療，補装具)と地域生活支援事業(相談支援，成年後見制度利用支援，福祉ホームなど)がある．障害児を対象としたサービスは，各種障害別に分かれていた障害児施設が，通所による支援と入所による支援の2つに再編され，実施主体が市町村に変更されたことで，さまざまな障害があっても身近な地域で支援が受けられるようになった．

4 保険外サービス(インフォーマルサービス)

地域包括ケアシステムを補完・充実していくためには，介護保険などの社会保険制度や公的サービスに加え，ボランティアや住民主体の活動などである「互助」，市場サービス購入などである「自助」の充実も必要である．特に「自助」においては，本人や家族のニーズを踏まえて，自費による保険外サービスがより拡充され，豊富なサービスの選択肢が提供されることが望ましい．

● 参考文献

厚生労働省ホームページ https://www.mhlw.go.jp/stf/seisakunitsuite/bunya/index.html

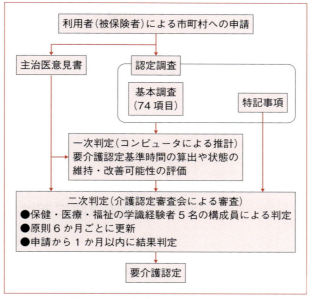

図10-12 要介護認定の申請から認定までのフローチャート
〔厚生労働省:公的介護保険制度の現状と今後の役割(平成30年度版). p18(要介護認定制度について)より改変. https://www.mhlw.go.jp/content/0000213177.pdf〕

介護保険の仕組み

Long-term care insurance system

河﨑 敬　京都府立医科大学 講師(リハビリテーション医学)

　高齢化の進展に伴い，要介護者の増加，介護期間の長期化など介護ニーズが高まる一方で，核家族化の進行，介護する側の高齢化など，要介護者を支えてきた家族の状況も変化してきた．従来の制度による対応には限界があることなどから，1997(平成9)年に介護保険法が成立，2000(平成12)年に施行され，介護保険制度が導入された．介護保険制度の特徴は「高齢者の介護を社会全体で支え合う仕組み」である．

1 介護保険の仕組み

　介護保険サービスは，利用者の居住する場所(在宅，施設など)に応じて提供されている．在宅(居宅)では，訪問介護・看護などの訪問系サービス，通所介護，通所リハビリテーションなどの通所系サービス，短期入所生活介護(ショートステイ)などを提供する短期滞在系サービスがある．施設では，居住系施設入居(有料老人ホームなど)の居住系サービス，介護老人福祉施設(特別養護老人ホーム)，介護老人保健施設，介護療養型医療施設，介護医療院などの入所系サービスがある．申請から認定までの流れを図10-12に示す．介護保険サービスの利用には，利用者からの申請を受けて地方自治体などの保険者が依頼した認定調査員による心身の状況調査(認定調査)と，医師が記載する「主治医意見書」に基づいてコンピュータによる判定を行う(一次判定)．さらに保健・医療・福祉の学識経験者により構成される介護認定審査会が，一次判定の結果や主治医意見書などに基づき審査判定を行う(二次判定)．判定により，申請者は該当なし，要支援1，2と要介護1~5の8段階に分類される．決定した区分に

表10-6 被保険者(加入者)と介護保険サービス受給の対象

1) 第1号被保険者：65歳以上で，原因を問わず，要介護(要支援)状態となった者
2) 第2号被保険者：40歳以上65歳未満で次の特定疾病が原因で要介護(要支援)状態となった者

特定疾病：
①がん(末期)，②関節リウマチ(RA)，③筋萎縮性側索硬化症(ALS)，④後縦靱帯骨化症(OPLL)，⑤骨折を伴う骨粗鬆症，⑥初老期における認知症，⑦進行性核上性麻痺，大脳皮質基底核変性症およびParkinson病，⑧脊髄小脳変性症，⑨脊柱管狭窄症，⑩早老症，⑪多系統萎縮症，⑫糖尿病性神経障害，糖尿病性腎症および糖尿病性網膜症，⑬脳血管疾患，⑭閉塞性動脈硬化症，⑮慢性閉塞性肺疾患，⑯両側の膝関節または股関節に著しい変形を伴う変形性関節症

応じて区分支給限度基準額が存在し，介護支援専門員（ケアマネジャー）が，さまざまなサービスを組み合わせてオーダーメイドのケアプランを作成する．サービスには，福祉用具貸与や家屋改修なども含まれる．

介護保険の加入者（被保険者）は40歳以上で，介護保険サービスの対象となるのは以下の通りである（表10-6）．

1 ▶ 第1号被保険者

65歳以上で，原因を問わずに要介護状態（寝たきり，認知症などで介護が必要な状態）や要支援状態（日常生活に支援が必要な状態）となった際に，介護サービスを受給できる．第1号被保険者数は3,525万人でそのうち要介護（要支援）認定者は645万人である（平成30年度介護保険事業状況報告年報）．

2 ▶ 第2号被保険者

40歳以上65歳未満の医療保険加入者で，老化などが原因とされる16種類の疾病（特定疾病）により，要介護（要支援）状態となった際に受給できる．特定疾病には，整形外科に関連が深い関節リウマチ（rheumatoid arthritis；RA），後縦靱帯骨化症（ossification of posterior longitudinal ligament；OPLL），脊柱管狭窄症，両側の膝関節または股関節に著しい変形を伴う変形性関節症（osteoarthritis；OA），骨折を伴う骨粗鬆症などが含まれている．その一方で脳性麻痺などの先天的障害や外傷性脊髄損傷，頭部外傷などの後天的で事故に起因する障害は対象外である．また，末期がんについては，申請者の心情に配慮するために診断書に"末期"の記載がない場合でも申請を受理できる旨の事務連絡がなされた（平成31年2月19日厚生労働省老健局老人保健課事務連絡）．第2号被保険者数は4,192万人でそのうち要介護（要支援）認定者は13万人である（平成30年度介護保険事業状況報告年報）．

利用者は介護サービス費の原則1割分（一定以上所得者は2割または3割）のほか，支給限度基準額を超えたサービス費用や，施設サービスを利用した場合の食費および居住費を負担する．

2 介護保険制度の財源

介護給付費の財源は公費と保険料で賄われており，その比率は50%ずつである．公費は，国庫負担金25%（20%は定率分，残り5%は地域格差是正目的の調整交付金），都道府県12.5%，市町村12.5%からなり，保険料は第1号保険料23%，第2号保険料27%（平成30年度）からなる．人口構成比により決定されるため，地域によって公的負担先の調整が行われている．保険料は第1号被保険者については原則，年金から天引きされ，第2号被保険者については医療保険者が医療保険の保険料と一括して徴収している．保険料は居住する地域や加入している医療保険によってばらつきがある．

医療保険と介護保険の2つの制度間には，介護保険優先の原則があるが，医療保険が必要なときには当然医療保険が使用できる．また，介護保険では貸与可能な既製品を中心とした，福祉用具の支給システムがあるが，従来のオーダーメイドの補装具の場合，治療用装具であれば医療保険による支給となり，障害者総合支援法による補装具の支給となる．

介護保険における主治医意見書

Personal doctor's evaluation in the long term care insurance

坂野 元彦　和歌山県立医科大学 講師（リハビリテーション医学）

介護保険サービスを利用するためには保険者である市町村から「要介護認定」を受ける必要がある．要介護認定の際に認定申請者の状況などについて「主治医意見書」の形式で医師からの意見が必要になる．以下に実際の意見書用紙（図10-13）を基に，項目の順に記入上のポイントを説明する．

1 傷病に関する意見

1 ▶ 診断名

65歳以上の第1号被保険者については，生活機能低下の直接原因となっている傷病名を記入する．40歳以上65歳未満の第2号被保険者の場合，認められている16項目の特定疾病に該当する必要があり，その疾病名を記入する．生活機能低下を引き起こしている傷病が複数ある場合は，より主体であると考えられる傷病を優先して記入する．4種類以上の傷病がある場合は，「5. 特記すべき事項」の欄に記入する．

2 ▶ 症状としての安定性

現在の全身状態から急激な変化が見込まれない場合は「安定」，急性期や慢性疾患の急性増悪期などで積極的な治療を必要とすることが予想される場合は「不安定」を選択し，具体的な内容を自由記載欄に記入する．

3 ▶ 生活機能低下の直接の原因となっている傷病または特定疾病の経過及び投薬内容を含む治療内容

1 ▶ の診断名の経過および治療内容について，ADL障害とのかかわりを示しながら要点を簡潔に記入する．また，診断の根拠となる画像診断所見などを併せて記入する．投薬内容については，必ず服用しなければならない薬剤，介護上留意すべき薬剤などを整理して記入する．

主治医意見書

記入日　令和　年　月　日

申請者	（ふりがな）	男・女	〒　―
	明・大・昭・平　年　月　日生（　歳）		連絡先　（　）

上記の申請者に関する意見は以下の通りです。
主治医として、本意見書が介護サービス計画作成に利用されることに　□同意する。　□同意しない。
医師氏名
医療機関名　　　　　　　　　　　　　　　　　　　　　電話　　（　　）
医療機関所在地　　　　　　　　　　　　　　　　　　　FAX　　（　　）

（1） 最終診察日	令和　　年　　月　　日
（2） 意見書作成回数	□初回　　□2回目以上
（3） 他科受診の有無	□有　　□無 （有の場合）→□内科　□精神科　□外科　□整形外科　□脳神経外科　□皮膚科　□泌尿器科 □婦人科　□眼科　□耳鼻咽喉科　□リハビリテーション科　□歯科　□その他（　　　）

1．傷病に関する意見

（1）診断名（特定疾病または生活機能低下の直接の原因となっている傷病名については1.に記入）及び発症年月日

1.　　　　　　　　　　　　　　　　　　　発症年月日（昭和・平成・令和　　年　　月　　日頃）
2.　　　　　　　　　　　　　　　　　　　発症年月日（昭和・平成・令和　　年　　月　　日頃）
3.　　　　　　　　　　　　　　　　　　　発症年月日（昭和・平成・令和　　年　　月　　日頃）

（2）症状としての安定性　　　　□安定　　　□不安定　　　□不明
（「不安定」とした場合、具体的な状況を記入）

（3）生活機能低下の直接の原因となっている傷病または特定疾病の経過及び投薬内容を含む治療内容
〔最近（概ね6ヶ月以内）介護に影響のあったもの 及び 特定疾病についてはその診断の根拠等について記入〕

2．特別な医療　（過去14日間以内に受けた医療のすべてにチェック）

処置内容	□点滴の管理　　□中心静脈栄養　　□透析　　□ストーマの処置　　□酸素療法 □レスピレーター　□気管切開の処置　□疼痛の看護　□経管栄養
特別な対応	□モニター測定（血圧、心拍、酸素飽和度等）　□褥瘡の処置
失禁への対応	□カテーテル（コンドームカテーテル、留置カテーテル 等）

3．心身の状態に関する意見

（1）日常生活の自立度等について
・障害高齢者の日常生活自立度（寝たきり度）　□自立　□J1　□J2　□A1　□A2　□B1　□B2　□C1　□C2
・認知症高齢者の日常生活自立度　　　　　　　□自立　□Ⅰ　□Ⅱa　□Ⅱb　□Ⅲa　□Ⅲb　□Ⅳ　□M

（2）認知症の中核症状（認知症以外の疾患で同様の症状を認める場合を含む）
・短期記憶　　　　　　　　　　　　　□問題なし　　□問題あり
・日常の意思決定を行うための認知能力　□自立　□いくらか困難　□見守りが必要　□判断できない
・自分の意思の伝達能力　　　　　　　□伝えられる　□いくらか困難　□具体的要求に限られる　□伝えられない

（3）認知症の行動・心理症状（BPSD）（該当する項目全てチェック：認知症以外の疾患で同様の症状を認める場合を含む）
□無　□有　→　□幻視・幻聴　□妄想　□昼夜逆転　□暴言　□暴行　□介護への抵抗　□徘徊
　　　　　　　□火の不始末　□不潔行為　□異食行動　□性的問題行動　□その他（　　　　　）

（4）その他の精神・神経症状
□無　□有〔症状名：　　　　　　　　　　　専門医受診の有無 □有（　　　　） □無〕

図10-13　主治医意見書

（次頁に続く）

10 運動器リハビリテーション

```
(5) 身体の状態
  利き腕（□右 □左）  身長＝□□□cm 体重＝□□□kg（過去６ヶ月の体重の変化 □増加 □維持 □減少）
  □四肢欠損         （部位：_____）
  □麻痺    □右上肢（程度：□軽 □中 □重）    □左上肢（程度：□軽 □中 □重）
           □右下肢（程度：□軽 □中 □重）    □左下肢（程度：□軽 □中 □重）
           □その他（部位：           程度：□軽 □中 □重）
  □筋力の低下       （部位：_____）  程度：□軽 □中 □重
  □関節の拘縮       （部位：_____）  程度：□軽 □中 □重
  □関節の痛み       （部位：_____）  程度：□軽 □中 □重
  □失調・不随意運動 ・上肢 □右 □左   ・下肢 □右 □左   ・体幹 □右 □左
  □褥瘡            （部位：_____）  程度：□軽 □中 □重
  □その他の皮膚疾患（部位：_____）  程度：□軽 □中 □重
```

4．生活機能とサービスに関する意見

```
(1) 移動
  屋外歩行                        □自立         □介助があればしている    □していない
  車いすの使用                    □用いていない  □主に自分で操作している  □主に他人が操作している
  歩行補助具・装具の使用(複数選択可) □用いていない  □屋外で使用            □屋内で使用
(2) 栄養・食生活
  食事行為             □自立ないし何とか自分で食べられる   □全面介助
  現在の栄養状態       □良好                              □不良
  → 栄養・食生活上の留意点（                                                    ）
(3) 現在あるかまたは今後発生の可能性の高い状態とその対処方針
  □尿失禁  □転倒・骨折  □移動能力の低下  □褥瘡  □心肺機能の低下  □閉じこもり  □意欲低下  □徘徊
  □低栄養  □摂食・嚥下機能低下  □脱水  □易感染性  □がん等による疼痛  □その他（        ）
  → 対処方針（                                                                ）
(4) サービス利用による生活機能の維持・改善の見通し
           □期待できる         □期待できない         □不明
(5) 医学的管理の必要性（特に必要性の高いものには下線を引いて下さい。予防給付により提供されるサービスを含みます。）
  □訪問診療         □訪問看護            □看護職員の訪問による相談・支援  □訪問歯科診療
  □訪問薬剤管理指導 □訪問リハビリテーション □短期入所療養介護              □訪問歯科衛生指導
  □訪問栄養食事指導 □通所リハビリテーション □その他の医療系サービス（       ）
(6) サービス提供時における医学的観点からの留意事項
  ・血圧 □特になし □あり（        ）・移動 □特になし □あり（        ）
  ・摂食 □特になし □あり（        ）・運動 □特になし □あり（        ）
  ・嚥下 □特になし □あり（        ）・その他（                        ）
(7) 感染症の有無（有の場合は具体的に記入して下さい）
           □無  □有（                                  ）  □不明
```

5．特記すべき事項

要介護認定及び介護サービス計画作成時に必要な医学的なご意見等を記載して下さい。なお、専門医等に別途意見を求めた場合はその内容、結果も記載して下さい。（情報提供書や身体障害者申請診断書の写し等を添付して頂いても結構です。）

図 10-13 （続き）

2 特別な医療

記載された12項目のうち，過去14日間に看護職員などが行った診療補助行為について選択する．医師でなければ行えない行為，家族・本人が行える類似の行為は含まれない．

3 心身の状態に関する意見

1 ▶ 日常生活の自立度等について
障害高齢者の日常生活自立度(寝たきり度)，認知症高齢者の日常生活自立度(https://www.mhlw.go.jp/file/06-Seisakujouhou-12300000-Roukenkyoku/0000077382.pdf)を参考に該当する項目を選択する．

2 ▶ 認知症の中核症状
短期記憶については，身近にある3つのものを見せて，いったんそれをしまい，5分後に聞いてみるなどの方法で評価する．日常の意思決定を行うための認知能力については，申請者の毎日の日課における判断能力を評価する．自分の意思(飲食，睡眠，トイレなど)の伝達能力については，会話に限らず筆談・手話などで表現される内容でも差し支えない．

3 ▶ 認知症の行動・心理症状(BPSD)
記載された12項目について該当する項目を選択する．

4 ▶ その他の精神・神経症状
失語，構音障害，せん妄，傾眠傾向，失見当識，失認，失行がある場合は記入する．

5 ▶ 身体の状態
該当する項目を選択する．

4 生活機能とサービスに関する意見

1 ▶ 移動
屋外歩行，車椅子(電動車椅子も含む)の使用，歩行補助具(杖など)・装具の使用について該当する項目を選択する．

2 ▶ 栄養・食生活
良好とは，①過去6か月程度の体重変動がおおむね3%未満，②BMI 18.5以上，③血清アルブミン値が3.5 g/dLを上回るの3項目全てが該当する状態をいう．

3 ▶ 現在あるかまたは今後発生の可能性の高い状態とその対処方針
記載された14項目について，今後約6か月以内に発生する可能性の高いものがあれば選択する．対処方針には緊急時の対応を含めて要点を記入する．

4 ▶ サービス利用による生活機能の維持・改善の見通し
今後3～6か月間に，介護保険によるサービスを利用した場合の生活機能の維持・改善について評価するのであって，傷病の症状としての見通しではないことに注意する．

5 ▶ 医学的管理の必要性
医学的観点から申請者が利用する必要があると考えられる医療系サービスについて選択する．ケアマネジャーが介護サービスを選ぶときの参考となる．

6 ▶ サービス提供時における医学的観点からの留意事項
「血圧」には運動負荷の程度について記入するとよい．「摂食」は食べ物を口に含むまで，「嚥下」は口に含んでから胃に送り込むまでを指す．「移動」は歩行に限らず車椅子への移乗を含める．「運動」は運動負荷を伴うサービスの提供時の留意事項．

7 ▶ 感染症の有無
サービス提供時に二次感染を防ぐ観点から留意すべき事項を記入する．

5 特記すべき事項

認定審査時に必要な介護の手間と介護不足を適切に把握できるよう，介護にかかる手間と頻度，他の項目で記入しきれなかったこと，選択式では表現できないことを具体的に記入する(疾患の予後，介護保険でのサービス内容，継続医療の必要性，直近のBarthel指数・FIMなど)．専門医に意見を求めた場合には，その結果について簡潔に記入する．情報提供書や身体障害者申請診断書などの写しを添付してもよい．

● 参考文献
主治医意見書記入の手引き：厚生労働省通知

障害年金診断書の記入の仕方

Medical pension certificate of the physically disabled person

芳賀 信彦 国立障害者リハビリテーションセンター自立支援局長〔埼玉県所沢市〕

【概説】 障害年金は，病気や外傷により生活や仕事などが制限される場合に受け取ることができ，年金の加入状況により障害基礎年金と障害厚生年金に分かれる．前者は，法令により定められた障害等級表(1級・2級)による障害の状態にあるときに支給される．後者は前者と同じ障害の状態にあるときに障害基礎年金に上乗せして支給されるほか，2級に該当しない軽度の障害では3級の年金が支給される．またさらに軽い障害が残ったときは障害手当金(一時金)が支給され

10 運動器リハビリテーション

る．医師は誰でも診断書を記入できるが，整形外科医が記入することが多いのは「肢体の障害用」である．

【診断書の記入法】

障害基礎年金，障害厚生年金は共通の診断書を用いる．日本年金機構より「記入上の注意」，「記載要領(作成の留意事項)」が公開されているので，それに従い各項目を記入する．身体障害者手帳の診断書・意見書と記入すべき内容は類似しているが，日常生活動作の障害の程度を〇，〇△，△×，×の4段階で判断するなど，いくつか異なる点があるので注意を要する．

脳卒中患者と介護保険

Long-term care insurance for stroke patients

川手 信行　昭和大学 教授(リハビリテーション医学講座)

1 脳卒中患者について

脳卒中は，脳梗塞，脳出血，くも膜下出血など脳血管病変を主とする疾患群の総称であり，片麻痺(痙性麻痺)，感覚障害，構音障害，嚥下障害，高次脳機能障害などの機能障害，歩行障害，日常生活の障害，復職困難などの活動制限および参加制約などさまざまな障害を生じる．リハビリテーション治療は発症直後の他科での専門的治療とほぼ同時に開始される(急性期リ

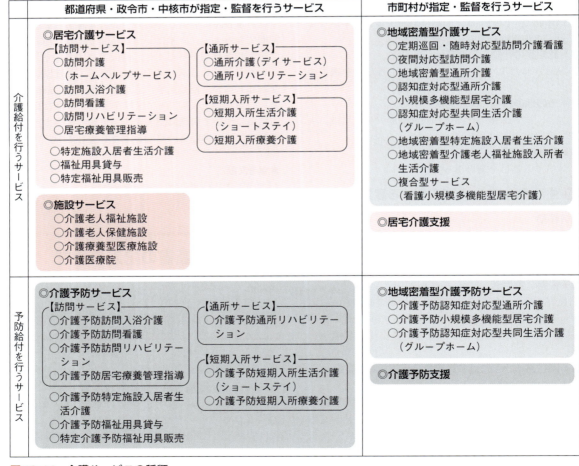

図10-14　介護サービスの種類
(厚生労働省老健局：公的介護保険制度の現状と今後の役割，平成30年度．https://www.mhlw.go.jp/content/0000213177.pdf)

ハビリテーション）．また，機能障害・活動制限が残存し，かつ適応のある症例に対しては，回復期リハビリテーション治療が行われる．いずれの場合も，標準的算定日数や入院期限が定められており，長期的なリハビリテーション治療の継続はできない場合が多い．長期的なリハビリテーション治療が必要な場合や日常生活に介護を要する場合には，介護保険によるサービスを利用する手段もある．

2 脳卒中患者に対する介護保険

　介護保険におけるサービスを受けるためには，要介護認定を受ける必要がある．第1号被保険者（65歳以上）には疾患による規定はないが，第2号被保険者（40歳以上65歳未満）には特定疾患による規定があり，脳卒中は特定疾患に含まれている．介護保険下のサービスは図10-14に示す通りである．例えば，脳卒中患者において，介護保険サービスでリハビリテーションを継続したい場合には，患者の介護度（要支援1，2・要介護1～5）や生活状況に応じて，訪問リハビリテーションや通所リハビリテーション（デイケア）を用いる．介護が主として必要な場合には訪問介護や通所介護（デイサービス）を行う場合もある．要介護認定を受けたのち，介護福祉専門員（ケアマネジャー）と相談のうえサービスを決めていく必要がある．

脳卒中患者の在宅生活支援

Life support of stroke patients in home

川手 信行　昭和大学 教授（リハビリテーション医学講座）

1 脳卒中患者における「生活期」

　脳卒中を発病からの時間軸で分類すると，「急性期」「回復期」「生活期（維持期）」に分類される．発症直後から行われる急性期リハビリテーション，回復期リハビリテーション病棟での集中的なリハビリテーションを経て，入院生活から在宅あるいは施設での生活などに移行する時点から「生活期」が始まる．「急性期」「回復期」の2つの期間が，合わせてもおおむね6か月以内であるのに対して，「生活期」は脳卒中患者にとってもっと長い時間を有する時期である．この時期は，脳卒中の病状は比較的安定した状態であるが，併存疾患や脳卒中再発，合併症発症防止の観点から，引き続き医学的管理が必要である．また，片麻痺や感覚障害，嚥下障害などの機能障害や，患者の起居・移動能力，日常生活動作（ADL）能力などの活動や社会参加は，常に同じ状態が続くわけではなく，生活のなかで変化することを念頭に入れ対応すべきである．例えば，脳卒中の症状の1つに筋痙縮があるが，生活期に増強し，足関節の内反尖足が増悪して，歩行能力が低下する症例はしばしば経験する．

　生活期の脳卒中患者においては，在宅での生活の問

図10-15　地域包括ケアシステム
（厚生労働省：地域包括ケアシステムの実現に実現に向けて．http://www.mhlw.go.jp/stf/seisakunitsuite/bunya/hukushi_kaigo/kaigo_koureisha/chiiki-houkatsu/）

2 脳卒中患者と在宅生活支援

生活期の脳卒中患者の生活支援の目的は，患者の機能を維持・向上し，活動・参加を促すことである．「脳卒中治療ガイドライン2015」においては，患者の筋力，体力，歩行能力を維持・向上させ，社会参加促進，QOLの改善をはかることが強く勧められており，そのために，訪問リハビリテーションや外来リハビリテーション，地域リハビリテーションの実施が強く勧められている（グレードA）．脳卒中患者に対する生活期のリハビリテーションプログラムの考え方は，患者が獲得したい行動や行為をみつけ出し，それらの行動・行為を獲得する目的を理解してもらえるように動機づけを行い，個々の患者の障害の程度に適した訓練プログラムを立て（個別性），定期的なチェックと訓練内容の更新を行い（継続性），在宅にあるものを利用しながら気軽に行える（簡便性）こと，そして，患者自らが主体性をもって，判断し活動するなど患者の主体性を引き出すプログラムの展開が必要である．

また，生活期の在宅支援のためには地域のリハビリテーションスタッフや保健師，介護職，福祉職などの関連職種とも連携しながら，場合によっては，その一員となって活動していくことが必要である．そのため厚生労働省は2025年を目途に，重度な要介護状態となっても住み慣れた地域で自分らしい暮らしを人生の最後まで続けることができるよう，住まい・医療・介護・予防・生活支援が一体的に提供される地域包括ケアシステム（図10-15）の構築を目指している．これはおおむね30分以内に必要なサービスが提供される日常生活圏域（具体的には中学校区）を想定し，地域包括支援センターが中心となって，病院・介護保険施設・地域コミュニティが連携して生活期の脳卒中患者を含む地域在住の障害者・高齢者を支えていくシステムである．

題や地域サービス体制などの問題，就学・就労の問題など地域社会とのつながりのなかでの問題が生じてくる時期である．脳卒中患者およびその家族が，住み慣れたところで，一生安全にいきいきとした生活が送れるよう，医療や保健，福祉および生活にかかわる人々や機関・組織が，リハビリテーションの立場から協力し合って，地域連携を含めた包括的な対応が必要である．

私のノートから/My Suggestion ▶ 開業後の運動器リハビリテーション

多くの整形外科医は卒業後，大学あるいは一線病院で手術を中心とした治療にあたる．しかし整形外科医の約70%は最終的に開業する．また整形外科疾患の90%は保存療法で治療されている．開業しても手術治療を継続する整形外科医は少なく，ほとんどは開業と同時に保存療法主体の治療を行うことになる．私自身もそうであったが，いざ開業して患者に保存療法の処方を出すときになって，具体的な指示がほとんどできないことに気づく．診療所での運動器リハビリテーション（以下，リハ）対象は変形性膝関節症，腰部脊柱管狭窄症などの変性疾患が大部分を占めるが，勤務医のときのように「リハをお願いします」というだけでは済まされない．基本的に理学療法士・作業療法士は医師の指示に基づいてリハを行うことになっているので医師からの具体的なリハ指示が必要となる．私の場合，開業当初は松葉杖のつき方から等尺性，等張性，等速運動の方法に至るまで全く初歩からの勉強が必要であったし，牽引療法は頸・腰それぞれどのような疾患に何kgで牽引するのが妥当であるのか，また数ある物理療法機器を疾患あるいは症状によってどのように使い分けるのか，全然わからなかった．また残念ながら，勉強しようにもそれらについて詳しく記載した成書もなかった．運動療法の有効性を示すエビデンスもなかったため，開業後日本臨床整形外科学会，日本運動器科学会共同で変形性膝関節症に対する大腿四頭筋訓練の効果に関するRCTを行い，その効果を証明した．腰椎牽引療法についても至適牽引力の調査を行い体重の最大50%までは安全であることがわかった．

これから開業を目指す先生は開業前に是非リハ，物理療法の知識を身につけておいてもらいたい．さもないと器械メーカーの言いなりに高価な物理療法機器を購入させられたり，せっかく雇用した理学療法士・作業療法士にバカにされかねない．

藤野 圭司（藤野整形外科医院 院長〔浜松市中区〕）

私のノートから/My Suggestion 　産業医からみる復職時の診断書

　My Suggestionのテーマは整形外科医引退後の高齢産業医からのお願いである．

　個人差が大きいとは思うが，還暦を過ぎた頃からエアードリル使用後に手の震えが気になってきた．幸いにして麻酔科医からのダメ出しを受けることもなく，63歳で横浜の病院管理者になったので，ちょうどよい機会だとメスを置いた．病院で脊椎外来だけは続けたものの，手術室には管理者として視察に行くだけになった．古希となり病院を退職して4月から顧問になったが，特に決まった役割もなく，以前よりかかわっていた個室患者の対応や健診センターの人員不足を補っていた．8月に友人から産業医がいないので紹介してくれと相談されたが，紹介できる産業医を知らなかったし，自分に健康管理の知識がそこそこ身についていたので，脊椎外科医時代を懐かしむだけの晩年を避け，産業医としての将来を選択した．産業医資格を獲得するために必要な50単位の取得のために，北見から那覇まで全国の医師会産業医講習会に出席して資格を獲得した．

　その年の12月に顧問を退き現在の職場に着任したが，まずは産業医として未熟であることを痛感した．新たな知識の吸収は難しいと実感しつつ保健師にも教えを乞い，何とか独り立ちができるようになった．大きな工場なので，通勤中の事故やスポーツ外傷が驚くほど多く，回復して職場復帰をする際には主治医の診断書を企業から要求される．しかし，あまりにも簡単な診断書であると，疾患は軽快しても職種によっては就労不能なこともあり，患者に迷惑がかかることがある．そのような場合に，整形外科専門医の産業医であれば，時には企業に追加の診断書を提出してスムーズな復職を導くことができる．

　最後になるが，整形外科外来で復職に関する診断書を患者から要求された際には，10秒程度でもよいので仕事内容の聴取をしたあとに診断書を書くようにお願いしたい．

四宮　謙一（東京医科歯科大学 名誉教授／国立印刷局東京工場診療所 管理者〔東京都北区〕）

肩学
臨床の「なぜ」とその追究

井樋 栄二
東北大学大学院医学系研究科整形外科分野　教授

臨床における疑問にとことん向き合ってきた肩関節の第一人者がまとめた診療の極意。

肩関節の領域において第一人者である著者が、これまでの臨床経験をもとに、その診療のエッセンスや研究の成果をまとめた。腱板断裂や肩関節不安定症、凍結肩などのありふれた疾患について、日常診療から生じた「なぜ」という疑問にとことん向き合い、こだわってきた経験値が凝縮された究極の一冊。

目次
- はじめに
- 第1章　肩関節の診察
- 第2章　肩関節の主な疾患
  - A　腱板断裂
  - B　肩関節不安定症
  - C　凍結肩
  - D　上腕二頭筋長頭腱炎, 断裂
  - E　投球障害肩
- 第3章　手術に関する生体力学研究
- 第4章　珍しい症例
- 若手への助言

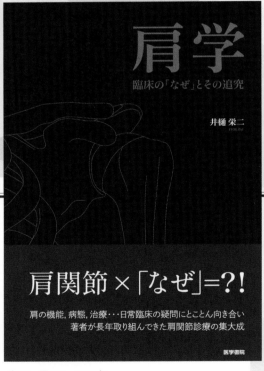

肩関節×「なぜ」=?!
肩の機能, 病態, 治療…日常臨床の疑問にとことん向き合い
著者が長年取り組んできた肩関節診療の集大成

●B5　頁208　2021年
定価:9,900円（本体9,000円＋税10%）
[ISBN978-4-260-04354-0]

医学書院
〒113-8719　東京都文京区本郷1-28-23　[WEBサイト]https://www.igaku-shoin.co.jp
[販売・PR部]TEL:03-3817-5650　FAX:03-3815-7804　E-mail:sd@igaku-shoin.co.jp

11 肩甲帯の疾患

肩関節の機能解剖	378	肩関節の人工関節手術	400
肩関節の診察法	379	肩甲帯の先天異常	401
肩の痛みのコントロール	381	肩こりの治療	402
肩関節疾患のX線診断	383	腕神経叢損傷，分娩麻痺	405
肩関節疾患のMRI診断	385	胸郭出口症候群	408
肩疾患の超音波診断	386	石灰沈着性腱板炎・滑液包炎	410
肩関節のバイオメカニクス	387	肩鎖関節部の疾患と外傷	411
肩腱板断裂の病態と診断	389	肩甲骨骨折	413
肩腱板断裂の治療	390	鎖骨骨折	414
肩関節の鏡視診断と鏡視下手術	391	肩のリハビリテーション	416
胸鎖関節部の疾患と外傷	393	五十肩（凍結肩）	418
外傷性肩関節脱臼	394	投球障害肩	419
非外傷性肩関節不安定症	395	投球障害肩の手術療法	421
肩関節上方唇損傷（SLAP損傷）	396	変形性肩関節症	422
上腕二頭筋腱の障害	398	リウマチ肩	423

11 肩甲帯の疾患

肩関節の機能解剖
Functional anatomy of the shoulder

今井 晋二　滋賀医科大学 教授

1 肩甲上腕関節と関節包靱帯

　肩甲上腕関節自体は上腕骨頭と肩甲骨関節が関節面を構成しているが，広範囲に関節面を臼蓋が覆っている股関節と異なり，上腕骨頭関節面の面積と関節窩関節面の比は，4：1に過ぎない．骨性支持が少ないことは，人体の関節のなかで最大の可動域を可能にする一方で，強固な安定性を欠き，最も脱臼しやすい関節であることに直結する．関節窩の骨性陥凹は浅く，関節窩辺縁に付着している関節唇がこれを補うことで，骨性陥凹の2倍の深さを得ている．関節窩陥凹は上下方向に深く，前後方向に浅い．当然，前後方向への制動力が弱く，肩関節脱臼の9割以上が前方への脱臼であることに関与している．
　関節窩前後径の骨欠損が25％以上になると，何らかの方法で骨欠損を回復しなければ，後に述べる軟部組織のみの支持機構再建では，脱臼の防止は困難である．腸骨から骨移植する方法以外に，烏口突起の先端部分を関節窩前方の骨欠損部に移行する，烏口突起移行術が行われる．烏口突起移行術には，切離した烏口突起の向きと骨片の長さの違いでBristow法とLatarjet法があるが，どちらにも近年では内視鏡手術が試みられている．
　関節の安定化に寄与する軟部機構としては，まず上方，前方，下方の関節包が挙げられる．すなわち，肩甲上腕関節の関節包は，関節上腕靱帯を構成し，関節の安定化に寄与している．上方から順に上関節上腕靱帯（superior glenohumeral ligament；SGHL），中関節上腕靱帯（middle glenohumeral ligament；MGHL），下関節上腕靱帯（inferior glenohumeral ligament；IGHL）があり，前方への関節安定化機構として働くが，それぞれ最も緊張が高くなる肢位が異なる．すなわち，SGHLは肩関節下垂位で，MGHLは45°外転位で，IGHLは90°外転位で関節安定化作用を発揮すると考えられている．反復性肩関節脱臼の病態で最も知られているものが，関節上腕靱帯-関節唇複合体の破綻であり，Bankart損傷として知られている（図11-1）．反復性肩関節脱臼の治療の基本は，関節の安定化に寄与する軟部機構の再建，すなわち関節上腕靱帯-関節唇複合体の修復であり，別名Bankart修復術とも呼ばれている．
　関節包靱帯の緊張が高まる肢位以外の肢位では，関節内圧が関節の安定化に寄与している．正常の肩甲上腕関節は，関節包により閉鎖腔を形成しており，通常の立位上肢下垂位では，−40 cmHgの陰圧で上肢全体の重さ，約3 kgと均衡している．当然ながら上肢が下方へ牽引されると，関節内圧の負の値が大きくなり，上腕骨頭が肩甲関節窩に押し付けられる力は大きくなり，下方牽引力と拮抗する．
　関節造影検査による穿刺で関節内陰圧が一時的に消失すると，関節内陰圧が回復するまでの数日間，関節が脱臼しやすくなるのはこのためである．また，高齢者の無症候性腱板断裂では，当人は気付いていなくても関節包は破断しており，関節内陰圧は消失している．このため，軽微な外傷でも脱臼しやすい状態にあると言える．

2 腱板と肩甲上腕関節機能

　肩甲上腕関節包の外側には，上方から前方，下方から後方の順に棘上筋，肩甲下筋，小円筋，棘下筋が関節周囲に配列され，上腕骨頭を肩甲骨関節窩に押し付けることで関節を安定化させている．骨頭が関節窩に

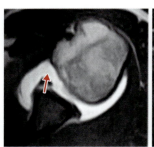
前方関節唇の剥離

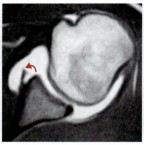
関節唇と連続する骨膜の剥離

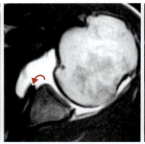
関節唇の内側転位と肩甲骨頚部への癒合

前方関節唇の消失

図 11-1　関節上腕靱帯-関節唇複合体の破綻

押し付けられる力と関節窩接線方向へ脱臼させる力の比を安定化率といい，上下方向への脱臼では50％あるのに対して，前後方向へは30％である．すなわち，10 kg で骨頭が関節窩に押し付けられていると上下方向へは5 kg の介達力で脱臼するが，前後方向では3 kg で脱臼してしまう．

4つの腱板構成筋以外に，肩甲骨から起こって上腕骨に付着する三角筋，大円筋，烏口腕筋，上腕二頭筋，上腕三頭筋，それと胸郭前方から起こって上腕骨に付着する大胸筋も肩関節の肢位によっては上腕骨頭を関節窩に押し付ける作用に働く．肩甲上腕関節の動きでは，これらの筋肉が協調的に作動し，一定の動作を出力している．まず，外転動作の出力源は三角筋が主体であり，棘上筋と肩甲下筋の寄与は約20％にすぎない．しかし，内旋動作では肩甲下筋の寄与が約50％，外旋動作では棘下筋と小円筋の寄与は80％にもなる．

腱板に関する病的意義として，最もよく知られているものが腱板断裂である．筋出力の低下は当然，挙上困難や可動域制限の原因になるが，前述のごとく腱板以外に多くの筋肉が，上腕骨頭を関節窩に押し付ける作用に働く．腱板断裂が無痛性ならばたとえ棘上筋と棘下筋が断裂していでも，屈曲および外転の維持されていることが多くあるが，これは棘上筋と棘下筋以外の筋肉が，代償しているからにほかならない．しかし，腱板断裂のもう1つの病的意義として断裂に伴う疼痛があり，保存療法に抵抗するときには当然，腱板修復術の適応になる．

3 肩甲骨，肩甲帯周囲筋と胸郭

肩甲骨は胸郭に対して，胸郭から起こって肩甲骨に付着する筋群により固定される．これらの筋肉以外に肩甲骨を胸郭に固定する骨格構造は肩鎖関節のみで，ほぼ筋肉により固定されていると言ってよい．胸郭から起こって肩甲骨に付着する筋は僧帽筋，大・小菱形筋，肩甲挙筋，前鋸筋，小円筋であるが，胸郭から起こって上腕骨に付着する筋も肩甲帯の胸郭への固定に参加する．胸郭から起こって上腕骨に付着する筋は，広背筋と大円筋である．

これら肩甲帯周囲筋の機能不全は，肩挙上困難の原因になる．多くは，挙上を企図した際に，胸郭から肩甲骨が浮上し翼状肩甲と呼ばれる．僧帽筋は副神経支配であり，副神経は頸部三角の表層を走行しているので，タックルなどの頸部への直接損傷以外に，頸部リンパ節郭清などの医原性合併が多い．前鋸筋は長胸神経支配であり，リュックサックのベルトによる絞扼で発生するリュックサック麻痺が有名であるが，転落やコリジョンスポーツでも起こる．

肩関節の診察法

Physical examination of the shoulder joint

今井 晋二　滋賀医科大学 教授

1 概説

肩関節は肩甲骨と上腕骨で構成される関節であるが，その周囲には肩鎖関節，肩甲胸郭関節がその運動に参加している．したがって肩の機能障害があれば，これら3つの関節のうちどの機能が最も障害されているのかを見極める．このうち，肩甲上腕関節の機能障害が最も多いが，関節軟骨や関節包など関節自体の疾患であるか，腱板など周囲筋の疾患か，三角筋を代表とする肩甲帯周囲筋への末梢神経障害かも見極める．末梢神経障害では，頸椎由来か，末梢神経由来かを見極める必要がある．情報の収集漏れがないように留意しつつ，問診，視診，触診と診察を進める．

2 問診

肩の症状は，大きく疼痛に由来する症状か，機能障害や運動障害に由来する症候かに分けられる．そして，それらは同時に出現することも多くある．疼痛については，その部位，その誘発や程度，出現時間も診断に必要な情報である．疼痛性の運動障害で夜間の痛みが強い場合は腱板断裂や肩関節周囲炎が疑われる．疼痛のない挙上困難では，Keegan 型頸椎症や広範囲腱板断裂が疑われる．問診は診断の手がかりの first line の情報であり，聞き落しのないように網羅的に聴取する必要がある．

症状の発生時期，何らかの原因の有無，症状の部位と程度を詳細に聞き取る．外傷歴，スポーツ歴に加えて利き手側か否かの聴取も重要である．症状が日常生活動作，職業関連動作，睡眠などの時間帯で誘発もしくは緩解するかも尋ねる．関節リウマチ，透析，石灰沈着性関節症など全身の骨関節疾患の既往歴，頸椎疾患や末梢神経障害の既往例も重要である．

3 視診

視診は，患者が診察室に入るときから始まる．疼痛回避性に肩や上肢をかばう様子があれば，脱臼や骨折などの激しい疼痛を伴う外傷を疑う．患者に上衣の上着と下着を脱衣してもらうとき，疼痛回避があるか，関節拘縮などの可動域低下があるのか，広範囲断裂などの肩挙上困難があるのか，神経麻痺に伴う肘や手指の運動障害を合併しているのか，視診から情報が得られる．肩自体の視診では，腫脹・発赤・変形・筋萎縮・

肢位異常の有無と部位を調べる．

1 ▶ 鎖骨部の異常

鎖骨の視診では左右を比べると一目瞭然のことが多い．肩鎖関節近傍の腫脹では，胸鎖乳突筋の打撲や挫傷，掌蹠膿疱症や脊椎関節炎に伴う胸鎖関節炎を疑う．鎖骨中央部の変形では骨折が疑われ，小児では先天性鎖骨偽関節症や鎖骨頭蓋異形成症などを念頭に置く．鎖骨遠位部の変形では，陳旧性肩鎖関節脱臼や変形性肩鎖関節症を，同部の腫脹や発赤では，外傷性肩鎖関節脱臼や鎖骨遠位端骨折を疑う．

2 ▶ 肩前面の腫脹

肩前面の腫脹では，打撲や骨折による腫脹以外では，肩峰下滑液包の水腫・血腫に留意する．明らかに波動があるときは，穿刺によりその性状を確認する．腱板断裂による滑膜炎による水腫や腱板関節症に伴う血腫，関節リウマチによる水腫や米粒体貯留，化膿性関節炎による膿汁貯留などが考えられる．肩前面の腫脹に二頭筋筋腹の消失（ポパイ徴候）を認めれば，腱板断裂に合併した上腕二頭筋長頭断裂を疑う．

3 ▶ 肩甲骨の位置異常

凍結肩では最大挙上時に肩がいかったように見える．比較的まれな疾患では，翼状肩甲があれば僧帽筋麻痺や前鋸筋麻痺を考える．動揺肩では，円背に加え肩甲骨の下方傾斜を認めることが多い．小児では先天性肩甲骨高位や上腕骨内反症を念頭に置く．

4 ▶ 肩甲帯周囲筋の萎縮

筋萎縮は，神経麻痺，腱断裂，廃用性萎縮が原因となる．棘上筋と棘下筋の萎縮があれば退行性腱板断裂を疑う．三角筋の萎縮では，Keegan 型頚椎症性神経根症などの C5 麻痺に出現するが，陳旧性の腱板断裂に合併した廃用萎縮もあり得るので鑑別を要する．僧帽筋の萎縮では，リンパ節郭清に合併した医原性麻痺に留意する．

4 触診

肩の触診では，まず圧痛部位を探索し，次に痛みの誘発テストを行う．各疾患に応じて多くの誘発テストがあるので，鑑別診断に有用である．次に可動域を測定し，その後，徒手筋力測定を行う．最後に関節の不安定性があれば，不安定性の評価をする．

1 ▶ 圧痛部位の探索

肩関節前面では，大結節，結節間溝，小結節を触れる．結節間溝の圧痛では，上腕二頭筋長頭腱鞘炎を疑う．一方，棘上筋断裂，肩甲下筋断裂でそれぞれ大結節，小結節に圧痛のあることもあるが，これらの腱板断裂では，上腕近位部外側のいわゆる"パッチエリア"あたりに痛みを訴えることが多い．

2 ▶ 誘発テスト

肩甲骨を上から抑え，他動的に上肢を挙上させ，90°外転あたりで疼痛が誘発される Neer テストは，肩峰下インピンジメント症候群で陽性になる．自動挙上で大結節が肩峰下面を通過するとき，おおむね肩外転 60〜120°あたりで痛みが，誘発される有痛弧徴候（painful arc sign）は，腱板断裂で陽性になる．また，関節内か肩峰下滑液包へ局所麻酔薬を注入し，誘発された疼痛が消失するかを見極めるキシロカインテストも有用である．肘関節伸展・前腕回外位で肩挙上させ，結節間溝の疼痛が誘発される Speed テスト，肘関節 90°屈曲位，前腕内旋位から抵抗に逆らって外旋させると結節間溝の疼痛が誘発される Yergason テストは，ともに上腕二頭筋長頭腱鞘炎を疑う．肩関節 90°屈曲，10°水平内転位で抵抗に逆らって挙上させる O'Brien テスト，肩外転位で軸圧をかけながら内外旋させ，疼痛やクリックを誘発する Crank テストは，上関節唇損傷で陽性になる．

3 ▶ 可動器の測定

屈曲，外転，伸展，下垂位（1st）内旋・外旋の基本的 5 方向に加え，90°外転位（2nd）内旋・外旋も必要に応じて測定する．90°外転位（2nd）内旋・外旋は投球障害の評価に重要である．

4 ▶ 肩関節の不安定性

肩関節の前方，後方，下方への不安定性・関節弛緩を評価する．下方牽引で肩峰下に陥凹が生じる sulcus sign や，前後方向への不安定性（load and shift テスト）は，動揺肩に陽性である．この場合，全身の関節の弛緩を Carter の 5 徴候で，上肢では肘，手，指で，下肢では膝と足で評価する．また，肩関節 90°外転位で外旋強制させ，脱臼感を誘発させる anterior apprehension テストは，反復性肩関節脱臼に陽性である．

5 肩挙上困難の診察法

肩関節の主要症状と言っても過言でない，「肩挙上困難」の原因を網羅的にまとめた（図 11-2）．

①中枢性神経性：神経原性の挙上困難では，脳卒中後片麻痺に合併するいわゆる"hemiplegic shoulder"があり，麻痺による関節弛緩以外に，拘縮や強調的運動ができないための impingement 徴候，さらに視床手などのように中枢性の疼痛が加わり，治療に難渋することがある．前述の診察法を駆使して，患者の訴えに何が原因となっているか探索する．

②末梢神経性：末梢神経性では，腕神経叢レベルでの損傷か，さらに末梢での神経障害かを念頭に診断を進める．脱臼や上腕骨近位部骨折に合併して腕神経叢レベルや末梢神経レベルで神経損傷されることも決して

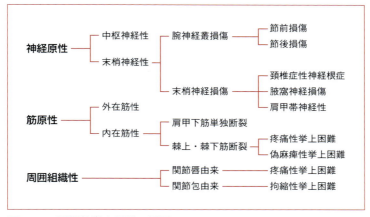

図11-2 肩関節挙上困難の原因

少なくない．事実，脱臼の約8%に腋窩神経麻痺がある．腋窩神経単独では，典型的には挙上不可となり，腱板大・広範囲断裂としばしば鑑別に難渋する．両側上肢を伸展させると，腋窩神経麻痺では，三角筋後方成分も麻痺しているため，患側の伸展が健側に比べて有意に下がるswallow sign陽性となる．
③腕神経叢損傷：転落やバイク事故などで，直接打撲や頚部伸展強制され発症する．多くの場合，他の部位の麻痺を伴うので診断自体は容易であるが，予後判定や手術療法の必要性については，難渋することが多い．長胸神経麻痺による前鋸筋不全，肩甲上神経麻痺による棘上・棘下筋麻痺は臥位でも診察できるので非常に有用である．
④節前損傷：長胸神経はC4〜6の神経根が椎間孔を出て最初に分枝して構成する神経であり，これが損傷されていると節前損傷の可能性が高い．典型的には翼状肩甲を再現するまでもなく，臥位で肩後面を床から持ち上げることができなければ前鋸筋麻痺で節前損傷を強く疑う．
⑤節後損傷：肩甲上神経は，長胸神経の後にC5, 6神経根から分枝する．ここで損傷していると肩挙上以外に肩外旋筋力が低下する．下垂位でも筋力低下を証明できれば，損傷レベルは鎖骨上で上神経幹での障害と診断できる．次に大切なのは，橈骨神経障害による下垂手であり，肩挙上困難に加え下垂手があれば，損傷レベルは鎖骨下損傷以下であり，後神経束損傷による腋窩神経麻痺と橈骨神経麻痺と診断できる．
⑥筋原性では，外在筋と内在筋に分けられ，外在筋すなわち三角筋の不全による挙上困難は前述の腋窩神経に由来するものが圧倒的に多いが，三角筋拘縮症など三角筋自体に原因のある疾患がある．三角筋拘縮症では，同部への注射歴，患側の手掌が健側の肩に届くかどうか，指しか届かないまたは全く届かないときは重度である．また，患側の手掌が届く場合は，その手のひらで肩を握ったまま肘が身体に付くかどうか，肘が身体に付かないときは中程度の拘縮である．
⑦内在筋とはいわゆる腱板であり，時に棘上・棘下筋断裂による場合は，疼痛性なら前述の有痛弧(painful arc)徴候やimpingement徴候が陽性となり，無痛性広範囲断裂で挙上60°以下のpseudoparalysisでは，前述の神経原性挙上困難との鑑別に留意する．
⑧周囲組織性では，関節唇損傷があり，外傷に伴う大きな損傷では安静時でも痛みのため，挙上困難なことがある．繰り返すオーバーヘッド動作によるスポーツ障害では，オーバーヘッド動作もしくはフォロースルー時のみに疼痛が再現される．関節包の障害では，典型的に肩関節周囲炎であるが，炎症期・拘縮期・緩解(回復)期の3期に分けられ，疼痛主体の時期から拘縮主体の時期に移行することに留意を要する．

肩の痛みのコントロール

Pain control for the shoulder pain

後藤 英之　至学館大学健康科学部 教授(健康スポーツ科学科)

【概説】　肩関節(肩甲骨上腕関節)の痛みには，大きく2つの病態がある．1つは炎症や神経障害などによる，安静時痛あるいは夜間痛である．もう1つは腱板断裂や凍結肩に代表される，関節拘縮に伴う運動時痛である．よって，疼痛が安静時痛なのか，運動時痛なのか，あるいはその両者を伴うのか把握する必要がある．ま

た痛みの発生部位，圧痛の有無について触診を併用しながら評価し，運動時痛であれば，外転挙上時や，内旋時の痛みなのか，インピンジメント徴候があるかどうか，最終可動域での痛みの有無について詳細に観察・評価し，疼痛の誘因を判断する．そして原因に応じた，適切な疼痛コントロール法を選択することで，確実な除痛を得ることができる．しかし，急性期には疼痛の原因が明確であっても，症状が慢性化すると肩周囲組織の機能障害をきたす結果，その病態が複雑化し，症状の多様化，治療経過による変化が生じる．そこで，治療にあたっては常に痛みの性状の変化に着目し，単一の治療方法に固執しないことが重要である．

1 意義

肩関節は人体において最も大きな可動範囲を持ち，あらゆる動作においてかかわりを持つ．そこで，肩関節の疼痛をコントロールすることは肩本来の機能回復を促し，ADL障害の早期の改善につながる．特に夜間痛に代表される安静時痛を取り除くことは，睡眠障害の改善，疲労回復につながるとともに早期の運動療法を可能とし，重度の関節拘縮への進行を予防することにつながる．また，画像上，腱板断裂，肩関節唇などの損傷があっても疼痛が軽減，改善することで手術治療を回避することができ，保存的治療において重要な役割を果たす．このように肩の疼痛のコントロールは，中高齢の変性疾患を基盤とする肩関節疾患のみならず，若いスポーツ選手の治療においても有効な治療手段となる．さらに，整形外科手術後の疼痛コントロールも重要である．下肢や体幹と比べて肩関節周囲の術後疼痛は強く感じられることが多く，確実な除痛は，患部の安静を確保し，早期の理学療法を可能とする．

2 適応

肩の疼痛の要因はさまざまであり，肩関節内の滑膜炎，肩峰下滑液包炎などの滑液包炎，上腕二頭筋長頭腱炎，腱板断裂部の摩擦や炎症による痛み，石灰化腱炎による炎症の痛み，関節拘縮による最終可動域での痛み，神経絞扼に伴う痛みなど病態が異なるので画一的な治療方法はなく，それぞれの病態を適確に評価・診断の下に疼痛コントロールを行うべきである．

3 種類

1 ▶ 生活指導

肩の拘縮を悪化させないためには適度な運動が必要であるが，急性期には運動を制限してさらなる痛みを誘発しないことが大切である．夜間痛に対しては保温が有効である．また就寝時の上肢の位置を工夫することも重要で，肩関節が伸展位にならないようにする．また，睡眠時に患側の肩が下になると疼痛を誘発するので，肘や肩の下などにクッションを当てるとよい．

2 ▶ 薬物療法

消炎鎮痛薬の投与は有効である．外用薬（湿布，塗布薬）による投与が簡便であるが，皮膚の障害の問題や深部の疼痛で無効の場合には，内服治療を選択する．内服薬では，NSAIDsのほか，アセトアミノフェンが選択される．夜間痛が強い場合には，トラマドール，プレガバリンなども投与される場合があるが，適応は慎重にすべきである．また，凍結肩に対してステロイドの経口投与が有効であったとの報告がある．

3 ▶ 注射治療

局所注射療法も有効な治療である．それぞれの病態に応じて，肩甲上腕関節注射，肩峰下滑液包注射，上腕二頭筋長頭腱腱鞘内注射，肩甲上神経への神経ブロックなどが一般に実施される．そのほか，病態によっては筋・腱・関節包の滑走改善や除痛のためのfascia（筋膜）への注射治療なども行われる．使用する薬剤は，局所麻酔薬，ステロイド剤，ヒアルロン酸などの投与が行われる．頻度は1～2週間に1回程度に行われる．これらの部位への確実な注射のために，近年では超音波ガイド下注射による有効性が報告されている．

4 ▶ 術後の疼痛コントロール

術後の肩の疼痛は手術侵襲による侵害性の疼痛が主であり，経過によって改善することが期待できるものの，患部の安静のため，患肢の固定や装具の使用などにより，安楽肢位が取りづらく，運動の制限があるなどの制約がある．また，肩周囲の疼痛は強く感じることが多いため，確実な除痛が要求される．先述したような，姿勢の工夫や，消炎鎮痛薬の内服投与のほか，神経ブロックによる除痛が積極的に使用されるようになっている．肩周囲の知覚神経支配はC5～8根領域となるので，頸部での腕神経叢ブロックが有効である．近年では超音波ガイド下に神経ブロックを行うことで，より確実かつ安全に実施されるようになった．薬剤としてはロピバカインなどの長時間作用型の局所麻酔薬が使用される．また，より長時間の除痛作用を期待し，早期の運動療法を可能とする目的で，持続的カテーテル留置による神経ブロック療法が行われる．

4 実施上の原則

肩の疼痛は，下肢や末梢部の疼痛と違い，患者にとって強い痛みとして感じられることが多い．肩関節の機能上安静にすることが困難で，また不動による機能障害の程度によっては，病態が改善しても，関節拘縮や筋力低下による機能低下が，後の病状の回復に大きな

影響を及ぼす．よって，適確な診断に基づく確実な除痛が重要である．そのためには，肩関節疾患病態を適確に判断するために，診断学を熟知し，種々の薬剤を選択するための知識と正確な注射治療の技術を高める必要がある．

肩関節疾患の X 線診断

X-ray diagnosis of the shoulder disease

谷口 昇　鹿児島大学大学院 教授

【概要】　肩を診察するうえで，画像診断はあくまで補助診断であり，画像所見のみで即手術適応とはならない．しかしながら，正しい画像評価は，より正確な診断をするうえで非常に有力なツールとなる．肩は複雑な解剖学的形態を有しており，肩甲骨はほぼ 45°前傾しているので，肩甲上腕関節は決して胸郭の側面と平行ではなく，関節窩も前傾している．そのため，従来の AP 像で内外旋位という撮影法では，外傷や肩の病態を検出するうえで不十分であり，True-AP 像と軸写，そして Scapula-Y 像と 3 方向からの撮影法を組み合わせることにより，最大限の情報を得ることができる．これらの撮影法は，外傷だけでなく他の肩関節慢性疾患に対しても有効である．

1　基本的な撮影法

1 ▶ True-AP 像

入射角は外側方向に 45°傾ける．臥位でも仰臥位でもよいが，臥位では骨頭は上方偏位する傾向にあるので，肩峰骨頭間距離を測定するときは立位撮影が基本である．肩甲棘に沿って線を引き，その線に平行にカセットを置いて，それに対して直角になるよう入射角を決定してもよい．この撮影法により，上腕骨頭の干渉が除去され，関節窩の形状が正確に捉えられる．したがって，上腕骨頭が関節窩と重なるようなら，上腕骨頭が前後に脱臼していることを意味する．

2 ▶ 軸写

70～90°外転位で，カセットを肩の上に置き，上方に向けて入射する．肩甲上腕関節を評価するうえで特に有用であり，関節裂隙の狭小化は軟骨喪失を示す．脱臼はもちろんのこと，骨頭の扁平化や関節窩縁前後の骨折も描出される．また，烏口突起や肩峰，肩鎖関節の空間的位置関係も把握できる．

3 ▶ Scapula-Y 像

外傷後の三角巾使用による内旋位固定でも撮影できるため，軸写撮影が不可能な場合にも代用可能である．

ここでも肩甲棘に沿って線を引き，その線に垂直に肩の前外側部にカセットを置いて，背部から肩甲棘に平行に X 線を照射すると正確に撮影できる．文字どおり肩甲骨は Y 字の形に描出され，前部が烏口突起，後部が肩甲棘で下方部分が肩甲骨体部，それらが交差する中央部分が関節窩である．通常上腕骨頭と関節窩は重なってみえるのが，前方脱臼があれば骨頭が関節窩より前に，後方脱臼があれば骨頭は後方に位置する．同時に大結節骨折も検出可能である．

2　外傷

骨折については，"Trauma series"の撮影が推奨される．すなわち，正面(True-AP)像の内旋位と外旋位と軸射である．もし軸写が困難であれば，Scapula-Y 像か，単純 CT を撮影する．

1 ▶ 肩甲骨

上記撮影法により，肩甲骨体部，肩甲棘，頚部の骨折が描出される．烏口突起骨折や肩峰骨折に対しては軸写が有効であるが，肩峰骨折については Os acromiale との区別が困難な場合もある．

2 ▶ 肩関節前方脱臼

しばしば関節窩縁前方の骨折を伴うが，前下方の病変は通常の軸写では描出困難であり，West point axillary lateral view と apical oblique view が推奨される．前者は，伏臥位で肩外転 90°，肘は屈曲 90°の下垂位とし，カセットを上腕～肩の下に置く．入射角は前下方の関節窩縁に対して接線方向となるため，同部位の軟部組織石灰化や剥離骨片を検出できる．後者は，肩甲上腕関節を斜めに投影する方法であり，基本 True-AP で入射角を尾側へ向かって 45°傾ける撮影法のため，三角巾をしたままでも撮影可能である．前下方と後上方の関節窩縁の石灰化や骨折が描出されるほか，後外側と前方の上腕骨圧迫骨折も診断できる．前方脱臼に伴う上腕骨頭後外側の圧迫骨折は Hill-Sachs lesion と呼ばれるが，この検出には Striker view が有効である．これは仰臥位で手掌を頭頂部，手指でその後方を掴む肢位で，カセットを肩後方に置き，頭側に 10°傾けて入射する撮影法であり，骨折部は骨頭後上方部位の notch として描出される．

3 ▶ 鎖骨と肩鎖・胸鎖関節

鎖骨は AP 像で，頭側ならびに尾側に各々 30°傾けて撮影することにより，骨折部あるいはその癒合程度を検出可能である．鎖骨遠位端ならびに肩鎖関節部に関しては，通常の AP 撮影では肩甲棘と重なるため，入射角を 10°頭側に傾けて撮影する (Zanca view)．照射量も通常の AP 像の 50%まで減量することにより，肩鎖関節部の骨折や関節症変化が鮮明に描出される．肩鎖関節脱臼が身体所見では疑われるが，通常の

11 肩甲帯の疾患

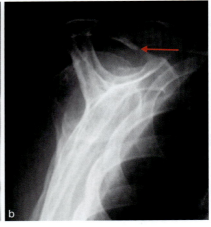

図 11-3　腱板断裂の X 線所見
a：腱板断裂に伴う肩峰骨棘（→）と大結節の不整像（▶）（True-AP 像）
b：烏口肩峰靱帯に沿って形成された肩峰骨棘（Scapula-Y 像）

X 線撮影でははっきりしない場合，5〜10 kg の重りを患者の手関節に吊るして，両肩を撮影するストレス撮影も検討してよい．この際，重りを掴んでもらうと，筋収縮の影響で偽陰性となる場合があるので注意する．上記のストレス撮影で烏口鎖骨間距離が同じ，もしくは左右差が 25％ 以下であれば，肩鎖関節脱臼の程度は Rockwood 分類Ⅲ型以上には分類されないことになる．胸鎖関節前方の強い腫脹は，比較的軽症である胸鎖関節の前方脱臼のほか，鎖骨内側部の骨折や，より重症である胸鎖関節の後方脱臼の可能性も含んでおり，この診断には serendipity view が推奨される．これは仰臥位でカセットを肩から頚部にかけて背部に置き，入射角は頭側へ向かって 40° 傾けて胸骨を中心に照射する撮影法であり，鎖骨の内側端を健側と比較して，高位であれば前方脱臼，低位であれば後方脱臼と診断する．

3 肩甲上腕関節の変形

True-AP 像と軸写により，肩甲上腕関節の軟骨喪失に伴う関節裂隙狭小化が，また内外旋位の AP 像により骨棘や骨頭変形が描出される．関節窩の後方欠損ならびに骨頭の後方亜脱臼は，軸写ならびに前述 apical oblique view で検出できる．上腕骨骨幹部の骨透亮像や上腕骨頭の上方偏位は内外旋位の AP 像で，また glenoid wear や上腕骨頭の前後偏位は軸写で検出可能である．関節窩びらんや骨欠損は，中央部や後方などさまざまな部位に起こりうるが，両肩の関節窩下方から烏口突起までの限局した範囲の CT 画像でも，関節窩の形態や傾きに関する情報は十分得られる．

関節窩は肩甲棘に対して正常でも 0〜7° 後傾しているが，後方関節窩びらんがあるとさらに後傾が増す．そのため，人工肩関節全置換術の術前に CT を撮影しておくことは，コンポーネント設置のずれや後方の glenoid wear に続発した合併症を防ぐのに役立つ．外旋可動域が 0° 以下，前方関節窩に再建術の既往，後方関節窩の欠損に伴う骨頭の後方亜脱臼などが認められる場合，3D-CT 画像まで作成して関節窩の正確な傾斜角や表面状態について評価しておくとよい．

4 腱板損傷

AP 像，軸写，Scapula-Y 像が基本である．インピンジメント症候群は，成人の肩痛および機能低下の原因となるが，これが進行すると，肩峰下骨棘と烏口肩峰靱帯の骨化，肩峰形状の異常がみられる．腱板損傷は変性とオーバーユース，または過度のインピンジメント症候群との関連が深いとされているので，烏口肩峰アーチの形状を確認しておくことは重要である．

内外旋位を含めた AP 像により，石灰沈着性腱板炎や骨頭の上方偏位，大結節の囊胞化や骨硬化像，肩鎖関節の変形などが検出される．また，肩峰前方の骨硬化像や肩峰骨頭間距離の狭小化にも注意する．撮影法に関しては，立位で 30° 尾側方向に傾けて入射すると，肩峰下骨棘や烏口肩峰靱帯の骨化が鮮明に描出される（図 11-3）．Scapula-Y 像でも，尾側方向に 10° 傾けて撮影するのが基本である．もし肩峰前下部や肩鎖関節の変形が顕著であれば，棘上筋の筋腱移行部と烏口肩峰アーチ間のインピンジメントが疑われる．

肩関節疾患の MRI 診断

MRI diagnosis of the shoulder disease

谷口 昇　鹿児島大学大学院 教授

【概要】MRIは外傷においては，大結節の不顕性骨折と外傷後の腱板の病態を描出するほか，骨折後の阻血性壊死の診断にも役立つ．加えて，腱板損傷や肩関節不安定症での軟部組織の評価にも威力を発揮する．

1　腱板損傷の診断

腱板損傷の部位を特定するうえで，非侵襲的なMRI検査は広く用いられ，腱板付着部の状況や筋腹部の性状を知ることができる．腱板損傷では腱板は肥厚して内部は不均一であり，FSE法を用いたPD (proton-density) 強調像・脂肪抑制PD強調像では増強した信号像として検出される．完全断裂の診断は比較的容易で，T2強調像で滑液が貯留した非連続性の部位で表される．一方，1cm以下の小断裂や腱炎・腱症，不全断裂などを鑑別するのは一般に困難である．小断裂や不全断裂では，脂肪抑制T2強調像・脂肪抑制PD強調像で，一部連続性の途絶と関節液貯留が認められる．不全断裂には，関節面，滑液包面，腱内断裂が含まれるが，このうち関節面不全断裂では外転外旋位での撮影により，より鮮明に病変部が検出される．一方で腱炎・腱症では腱の連続性が保たれ，関節液貯留を認めないが腱内は高信号を呈する (図11-4)．

T1強調像・PD強調像では，腱や靱帯の長軸が主磁場に対して約55°の角度になった場合，"magic angle effect"というMRI特有のアーチファクトが生じることがある．これは棘上筋腱付着部で認めやすく，損傷と紛らわしい所見を認めることもあるため，T2強調像の画像と総合的に判断するのが望ましい．

MRIは腱板断裂の筋性部の評価にも有用であり，これには脂肪抑制PD強調像やT2強調像が用いられる．断裂腱板の筋萎縮は，斜矢状断での筋断面積の縮小により判別できる．一方，筋内脂肪浸潤については，筋性部内に高信号の線状陰影がみられるほか，斜冠状断のT1強調やPD強調像においては，周囲の筋線維に比べて高信号に描出される傾向がある．

筋力低下や筋萎縮を呈する若年者は，腱板損傷でなく，ガングリオンによる肩甲上神経圧迫による影響も考えられる．これは隣接した関節唇断裂に付随したものが多く，傍関節唇囊腫と呼ばれるが，MRIによって容易に検出できる．

MRIによる腱板手術後のcuff integrityについては，正確な診断は困難である．なぜなら，肩峰下除圧術の際に使用したドリルバーやシェーバーの影響で軟部組織に遺残した少量の金属が，信号変化を及ぼし，腱板付着部の描出を妨げ，感染をも想起させる粗雑な画像として描出されるからであり，その評価には慎重を要する．

腱板断端が関節窩上にあるような大きな再断裂は，MRIで明確に捉えられるが，そうでない場合，あるいはスーチャーアンカーの脱転など，他の術後合併症を検出する場合は，MR関節造影が感度に優れている．

2　肩関節不安定症の診断

MRI撮影は，前方および後方不安定症に関する関節唇ならびに関節包損傷の検出に有効であるが，可能であればMR関節造影まで行ったほうが，より正確な

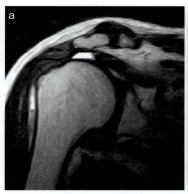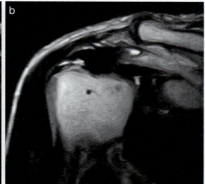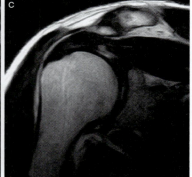

図 11-4　腱板断裂と腱板損傷（T2強調像）
a：完全断裂
b：滑液包面不全断裂
c：腱炎または腱症

病変部の診断に繋がる．関節内に生理食塩水で希釈したガドリニウム造影剤を注入するMR関節造影は，腱板断裂や上腕二頭筋長頭腱損傷，骨軟骨損傷とそれに関連した関節唇や肩甲上腕関節靱帯の病変部をより鮮明に描出する．

前方関節唇損傷の検出には，外転外旋位での撮影が有効であるが，もともと前方関節唇の信号変化，形状，サイズには解剖学的個人差があるため，正常と異常の鑑別は難しい．関節唇の明らかな断裂や剥離のみを有意な所見ととるべきであるが，その際，MR関節造影がCT関節造影より優れており，これは術後の修復部位の評価においても同様である．

上方関節唇損傷は，斜冠状断の脂肪抑制PD強調像において，線状高信号像を伴った関節唇が5mm程度上方に偏位している場合に有意な所見と判断する．

肩疾患の超音波診断

Ultrasonographic diagnosis for the shoulder pathology

後藤 英之　至学館大学健康科学部 教授（健康スポーツ科学科）

【概説】　肩関節は腱，筋肉，関節包などの軟部組織に病変を生じることが多く，外傷を除けば骨，関節に病変を生じることはきわめて少ない．このような肩の軟部組織の病態を単純X線撮影で把握するのは困難である．単純X線撮影で診断可能な疾患は，石灰化腱炎，外傷に伴う骨折，脱臼，まれな疾患である変形性肩関節症などである．MRIは軟部組織および骨関節を正確に診断できる利点があるが，すべての肩疾患患者に実施することは不可能であり，医療経済的にも問題である．超音波検査の診断精度は飛躍的に向上しMRIに匹敵するものとなっており，局所の評価，動的評価，血流評価，弾性評価が可能であることも利点である．骨の被覆による影響や，深部組織評価の困難さ，機器や撮像技術による診断精度の差などの問題があるが，肩疾患の多くの軟部組織と骨，関節の微細変化の評価が可能であり，肩疾患の画像診断の第1選択となりうる．対象となる疾患は多岐にわたり，例を挙げると腱板断裂，肩峰下滑液包炎，上腕二頭筋長頭腱炎，上腕骨近位骨端線損傷，関節唇損傷，変形性肩関節症，肩鎖関節脱臼，肩関節周囲軟部腫瘍，肩甲骨周囲のガングリオンなどが挙げられる．また，動態評価を行うことで，関節周囲組織の滑走の確認，轢音やひっかかり現象の可視化が可能となる．またカラーDopplerやパワーDopplerモードの使用によって血流評価を行うことで炎症の程度，損傷の修復状態の評価が可能となる．さらに超音波ガイド下注射を行えば，より確実な治療と注射の効果判定による病態の把握も可能である．

1 適応

肩関節の超音波検査で観察する組織は，腱板，上腕二頭筋長頭腱，関節唇，関節包，上腕骨頭および上腕骨近位骨端線，肩鎖関節，肩甲上神経，腋窩神経，三角筋，僧帽筋，肩甲挙筋，菱形筋などである．

2 種類

1 ▶ 撮像方法

体位は座位とし肩関節伸展，外旋位とする（座った椅子の後ろの縁を持ってもらうとよい）．

(1)前方走査

結節間溝を目印に上腕二頭筋長頭腱短軸像を描出する．次に小結節が台形になる部位を探し，ここで上腕を外旋し，肩甲下筋腱長軸像を描出する．

次に，探触子（プローブ）を90°回転させ，上腕二頭筋長頭腱長軸像および肩甲下筋腱短軸像を描出する（プローブを内側へ傾けると，超音波ビームが腱に垂直に当たり鮮明になる）．

(2)上方走査

プローブの方向を頚部後方に向ける意識でプローブを上方に移動し，棘上筋腱前方の長軸像を描出する（図11-5a）．さらにプローブを90°回転させ，棘上筋から棘下筋の短軸像を描出する（図11-5b）．

(3)後方走査

肩関節後方から肩甲棘に平行にプローブをあて，関節裂隙および棘下筋腱，小円筋の長軸像，後方関節唇の観察を行う．

(4)腱板断裂の超音波像

腱板断裂では，断裂による境界面の陥凹や実質部の低エコー像，付着部の骨の不整像などが認められる（図11-5c, d）．

3 実施上の原則

肩関節の超音波検査ではプローブの操作に慣れる必要がある．肩周囲組織は球面であり，撮像部位を移動する際に常にプローブの傾きを調整する必要がある．運動器超音波検査全般にいえることであるが，常に骨の輪郭を鮮明に描出するように心がけることで再現性の高い画像を得ることができるようになる．さらに，注射によるインターベンションを行う場合には，非利き手側での操作に習熟する必要がある．さらに，肩峰や鎖骨，烏口突起，鎖骨などによって遮られる組織があるため，姿勢の工夫をする必要がある．超音波機器

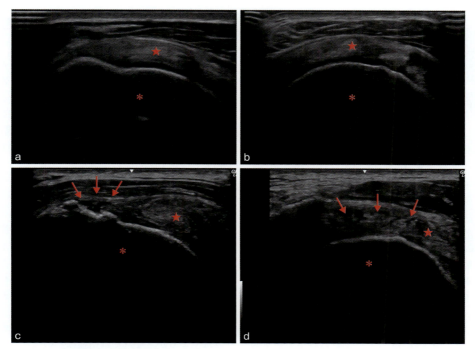

図 11-5　肩関節超音波断層像（上方走査）
a：正常棘上筋腱長軸像
b：正常棘上筋腱短軸像
c：棘上筋腱断裂長軸像，大結節部が不整となり，境界面の陥凹と低エコー領域を認める（矢印）
d：棘上筋腱断裂短軸像，境界面の陥凹と腱実質部に不均一な低エコー領域を認める（矢印）
＊：上腕骨頭，★：棘上筋腱.

の規格としては，高分解能の 10 MHz 帯以上の高周波帯のリニアープローブが表層の組織を描出するのに適している．

肩関節のバイオメカニクス

Biomechanics of the shoulder

菅本　一臣　大阪大学大学院 教授（運動器バイオマテリアル学講座）

　肩関節の特徴として1つ目は動かされる回数が最も多いこと，2つ目には可動域が最も大きいこと，3つ目には骨の安定性が悪いことが挙げられる．さらに上肢が肩甲骨を介して常に吊り下げられた状態にあることも特徴として挙げられる（懸垂関節）．

　これらの特徴を理解しながらその一方で肩関節の動きのメカニズムを理解することが病態の理解や治療を考えるうえで重要である．

1 肩鎖関節の3次元動態

　これまで肩鎖関節はほとんど動きのない関節であると考えられてきた．しかしその動きは必ずしも少なくないことが明らかとなった．上肢挙上では鎖骨は肩甲骨に対して肩甲骨部と烏口突起基部を結ぶ直線を回転軸として平均で約35°前後方へ回旋する（図 11-6）．

2 烏口鎖骨靱帯の意義

　肩鎖関節部での動きを安定して行わせるために烏口鎖骨靱帯がある．烏口鎖骨靱帯は菱形靱帯と円錐靱帯の2つで構成されているが，それらは肩鎖関節の動きを可能にする重要な構造である．

3 上肢外転挙上における肩甲上腕関節および肩甲胸郭関節の3次元動態

　上肢を外転挙上させる際に，上腕骨と肩甲骨は常に一定の割合で外転していくことが Inman らの解析で明らかにされている．肩甲上腕関節は絶えず上肢外転角度の2/3を担い，一方肩甲胸郭関節は上肢外転角度

11 肩甲帯の疾患

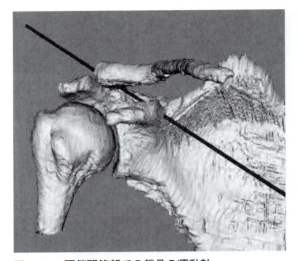

図 11-6　肩鎖関節部での鎖骨の運動軸
上肢の挙上の際に鎖骨は肩甲骨に対して図の中に示す軸周りに回転する.

の 1/3 を担いながら動いていく．これは肩甲上腕リズムと名付けられているが，肩関節の基本的な動きとして理解する必要がある．

　上肢外転挙上の際のそれら以外の 3 次元的な動きも近年明らかにされているが，肩甲骨には後傾，内転，挙上が同時に生じている．

4 上肢外転挙上における肩甲上腕関節での関節動態

　さらに上肢外転挙上時，関節窩上を上腕骨頭がどのように動くのだろうか？　図 11-7 は上腕骨頭を基準に関節窩の移動する軌跡を示したものである．上腕骨頭の下縁をスタートして，骨頭の後縁をたどるようにして上方へ移動していき，最終的には結節間溝に至る．決して関節窩が骨頭の下縁から結節間溝までを骨頭の中央を移動していくのではない．

5 関節包靱帯の意義

　肩関節を構成する上腕骨頭と関節窩は他の関節と比べて骨性の安定性が著しく悪い．関節窩の関節面は上腕骨頭関節面の約 1/3 しかない．最も可動域の大きな肩関節において骨性の安定性を補うものとして関節包などの軟部組織，そのなかでも特に関節包靱帯が肩関節の動きのなかで安定性を確保することに役立っている（肩関節における動的安定化機構）．

　関節包靱帯は上部，中部，下部臼蓋上腕靱帯で構成されているが，それぞれ臼蓋前方の上部から下部あたりを起点として上腕骨頸部に付着している（図 11-8）．下部臼蓋上腕靱帯は上肢が挙上した状態での関節の安定性を担っている一方，中部臼蓋上腕靱帯は外転 60〜90°あたりで関節の安定性を担っている．このように関節の肢位によって安定性を担う靱帯が異なることを理解する必要がある．

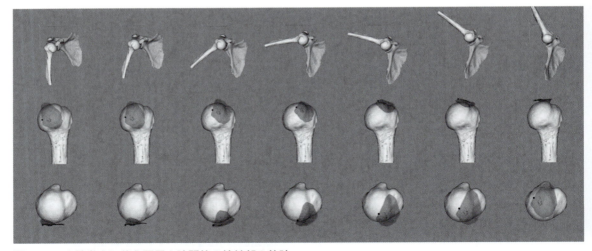

図 11-7　上肢挙上に伴う肩甲上腕関節の接触部の軌跡
上腕骨頭の下縁を始まりに，骨頭の後縁をたどるようにして上方へ移動していき，最終的には結節間溝に至る．

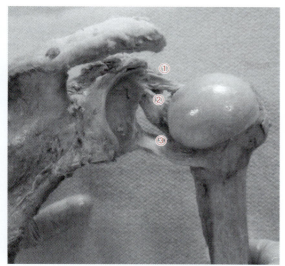

図11-8　上部，中部，下部臼蓋上腕靱帯
臼蓋上腕靱帯は上部①，中部②と下部③で構成されている．

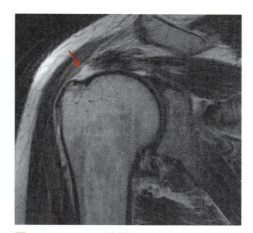

図11-9　MRI T2強調像
断裂部（矢印）に水が貯留しており，高輝度を呈している．

肩腱板断裂の病態と診断

Rotator cuff tear of the shoulder：pathology and diagnosis

山本 宣幸　東北大学大学院 准教授

【疾患概念】　肩痛の原因として凍結肩とならび頻度の高い疾患で多くは保存治療で症状は改善する．50歳以上にみられ変性断裂が多く，他に外傷性断裂もある．棘上筋もしくは棘下筋の腱断裂がほとんどである．

【頻度】

一般住民を対象にした検診（超音波検査）では50代で11％，60代で15％，70代で27％，80代で37％に腱板断裂がみられ，全体では22％に腱板断裂を認めた．過去5年間で，当院の肩外来に肩痛で来院した患者の診断名で最も多いのは，腱板断裂であった．このように腱板断裂は，日常診療で多く遭遇する疾患の1つである．

【臨床症状】

肩痛を主訴に来院する患者が最も多い．運動時痛のほかに夜間痛を訴える患者もいる．多くの腱板断裂患者は上腕外側部の痛みを訴える．時に肩全体，もしくは上腕から前腕まで痛みがある患者もいる．日中痛みが全くなく，夜間痛のみある患者もいる．凍結肩とよく似た症状を呈する．特に拘縮を合併した腱板断裂では，臨床症状のみで両者を鑑別するのは難しい．また，挙上困難や筋力低下を主訴に来院する患者もいる．

▶ **問診で聞くべきこと**

誘因の有無（外傷を契機に発症したのかどうか），痛みの程度（夜間痛があるかどうか），機能障害（挙上困難や筋力低下）がないか聞く．喫煙は腱板断裂発生の危険因子として知られているため，喫煙の有無も聞く．その他，利き手，仕事（肩を使う仕事かどうか），スポーツの有無などを問診する．

▶ **必要な検査とその所見**

完全断裂であれば，超音波検査でもMRI検査（図11-9）でも診断は容易である．超音波検査は非侵襲的で検査時間も短く，患者負担も少ないという利点があるが，関節面の不全断裂の診断精度がやや劣るという欠点がある．断裂部には水がたまるので，超音波検査では低エコー像として，MRI検査ではT2強調像で高輝度として描出される．腱板断裂は断裂形態により，完全断裂と不全断裂に分けられ，不全断裂はさらに滑液包側断裂，関節面断裂，腱内断裂に分けられる．断裂部を同定したら，どの腱が断裂しているか確かめる．手術の際に必要な情報（筋萎縮や脂肪変性の程度）には，MRI検査が必要である．

▶ **鑑別診断で想起すべき疾患**

臨床症状は凍結肩とよく似た症状を呈するため，鑑別診断には画像検査が必須である．そのほかに石灰性腱板炎，変形性肩関節症なども鑑別する．

▶ **診断のポイント**

上半身を裸にし，肩甲帯を背中から観察する．断裂が慢性化すると，腱板筋の筋腹に筋萎縮がみられる．

挙上時に翼状肩甲がみられることも多い．腱板の上腕骨付着部を触診すると，断裂が陥凹として触れることができる．インピンジメント徴候（Neer sign やHawkins sign）や有痛弧もよくみられる所見である．次に，どの腱が断裂しているのかを推測する．棘上筋テスト，棘下筋テスト，lift offテストなどが断裂腱を同定するよく知られたテストである．痛みよりも筋力低下のほうが，診断精度が高い．身体所見である程度断裂腱の推測を行い，超音波検査やMRI検査では身体所見と一致した画像所見があるか確認する．断裂があっても，必ずしも症状に関係していない場合があるので注意が必要である．画像上，断裂腱を同定したらどの程度の大きさか，筋萎縮や脂肪変性がないかをみる．1 cm以下の断裂は小断裂，1〜3 cmは中断裂，3〜5 cmは大断裂，5 cm以上は広範囲断裂と分類される．外傷断裂では筋萎縮はないか軽度である．

合併症と予後

ひとたび断裂が生じると自然治癒することはない．むしろ約半数の断裂患者で断裂の拡大が起きることがわかっている．断裂が慢性化すると断裂腱の筋萎縮が生じる．さらに経過すると脂肪変性も生じる．脂肪変性が生じてしまった腱板断裂は修復しても機能回復が悪い．

患者説明のポイント

痛みの生じる動作（外転90°前後や外転内旋動作）は避けるようにする．痛みの出ない範囲で肩関節を動かすことは構わない，と説明する．喫煙している患者に対しては，禁煙を指導する．

肩腱板断裂の治療

Treatments of rotator cuff tear

内山 善康　東海大学 教授

治療方針

腱板断裂には症候性（痛みや可動域制限）と無症候性が存在し，症候性の患者が治療の対象となる．保存療法によって効果がみられない症例が手術適応となるが，若年者（50歳以下）の腱板断裂では断裂の進行を考慮し，軽微な症状であっても積極的に手術治療が勧められる．また保存治療に効果を示さない安静時痛や夜間痛が強い症例では，早期に手術治療を選択する場合もある．腱板断裂が放置された場合，断裂サイズは大きくなり，腱板断裂後変形性関節症へと進行する．

1 ▶ 保存療法

疼痛に対して非ステロイド性抗炎症薬（NSAIDs）やアセトアミノフェンの内服・外用薬投与や，肩峰下滑液包もしくは肩関節腔内への副腎皮質ホルモン，ヒアルロン酸の注射を行う．また神経障害性疼痛の関与が疑われた場合には，神経障害性疼痛治療薬を使用する．さらに肩甲帯部および腱板筋群の運動療法を行う．

約3〜5か月の保存療法を行うことで多くの症例は症状の改善がみられるが，改善が十分でない患者は手術治療が必要となる．

2 ▶ 手術療法

痛みの原因（肩峰下滑液包内での衝突現象）と考えられる肩峰下骨棘や軟部組織（烏口肩峰靱帯）の肥厚の切除と滑膜包炎に伴う滑膜の切除を行う（滑膜切除）．さらに一次縫合可能であれば断裂した腱板の修復を行うが，手術法として関節鏡視下手術や直視下手術が行われており，またその中間型である関節鏡視補助下での直視下小皮切腱板修復術も行われている．最近では関節鏡視下手術が一般的になりつつある．

一次縫合が不能な腱板断裂の場合，さまざまな手術法（鏡視下デブリドマン，腱板部分修復術，上方関節包再建術，パッチグラフト腱板修復術，腱移行術，反転型人工肩関節置換術，小径骨頭置換腱板修復術など）が報告されており，標準化された手術法はない．本邦では肩挙上不能の70歳以上の高齢者であれば，反転型人工肩関節の使用基準を満たすため選択肢の1つとなる．

合併症と予後

腱板断裂は進行性の変性疾患であり，一度断裂が生じれば徐々に断裂サイズは大きくなり進行していく．さらに肩峰下面と上腕骨頭の衝突による外因性因子と，滑膜や断裂腱板から放出される内因性因子により骨頭軟骨に変性が生じることで，徐々に不可逆性の腱板断裂後変形性関節症へと進行していく．変形が進行していけば上腕骨頭の上方化や関節窩側への陥入が生じる．この進行程度はHamada分類によるグレード分類が使用されている．

患者説明のポイント

保存治療の効果がない場合，手術治療が必要であることを十分に説明しておく．一般的に7割程度は保存治療で疼痛は軽減すると言われている．腱板断裂が大きくなると一次修復できなくなり，腱板断裂後変形性関節症になる可能性も説明しておく必要がある．年齢と性別を考慮し，今後どのように肩関節を使用していきたいかで治療法を選択することが重要である．

リハビリテーションのポイント，関連職種への指示

温熱療法や投薬にて除痛を図りながらリハビリテーションを行うことが重要である．腱板断裂では肩甲上

腕関節リズムが悪化している患者が多く，肩甲骨の体幹への設置や肩甲骨面での上腕関節動作の獲得が必要である．損傷腱板以外の機能向上と柔軟性の獲得，上腕関節の安定性が得られれば可動性は向上する．また毎日，自宅にて訓練ができるように指導することも重要である．

肩関節の鏡視診断と鏡視下手術

Arthroscopic diagnosis and surgery of the shoulder joint

菅谷 啓之　東京スポーツ＆整形外科クリニック 院長〔東京都豊島区〕

1 肩関節鏡の歴史

　関節鏡は 1959 年に東京逓信病院の渡辺正毅先生が 21 号関節鏡という世界で初めて市販された関節鏡を開発したことに端を発する．1964 年の東京オリンピックでカナダチームの帯同医師として来日した RW. Jackson 先生が渡辺先生の元を訪れ指導を受け，彼がその技術を北米に持ち帰り，1970 年以降膝関節を中心に北米で関節鏡が大きく普及した．その後，米国の Steve Snyder や James Esch らが，1980 年代の初めに細々と肩関節鏡を開始し，1983 年に第 1 回 San Diego Shoulder Symposium を開催した．後に Steve Burkhart や Buddy Savoie などもコアメンバーに加わり現在に至る．このシンポジウムでは毎年講演内容をビデオで販売していたが，筆者は 1990 年代後半からこのビデオで肩関節鏡を独学で学習した．

　一方，わが国では 1980 年代の後半に，当時大阪厚生年金病院の米田稔先生が日本に肩関節鏡を導入し，大阪大学系や札幌医科大学系の弟子筋の先生方を指導し，徐々に普及していった．また同時に，福岡大学，昭和大学藤が丘病院，東北大学などでも行われるようになっていった．筆者も 1990 年代中盤に肩関節鏡を開始し，1990 年代後半からは積極的に反復性肩関節脱臼や腱板断裂に対して行うようになった．

2 診断的関節鏡

　肩関節鏡は導入当初は診断のツールとして考えられており，本邦導入当初の 1990 年代中盤までは，肩甲上腕関節の内腔を観察した報告などが学会などでも取り上げられていた．しかし，全身麻酔をかけて関節鏡を肩関節内に挿入し，診断だけで終わるのはあまりにも侵襲が大きいため，現在では通常，診断的関節鏡と手術は同時に行われる．膝関節より遅れて導入された肩関節鏡であるが，膝関節より自由度が大きいために reconstructive surgery，すなわち再建手術は，手技的には経験と熟練を要するものの，膝関節より大きく発展して他関節の関節鏡視下再建手術に多大な影響を与えている．例えば，スーチャーアンカーを用いて剥離脱転した関節唇などを関節窩に縫着したり，断裂した腱板を大結節に縫着する手術が広く行われている．

3 肩甲上腕関節における関節鏡手術

　反復性肩関節脱臼や関節唇損傷，高度な関節拘縮に対する鏡視下授動術などが行われる．反復性肩関節脱臼では，関節鏡導入前はいわゆる Bankart 病変と Hill-Sachs 病変がその病態であるとされるも，病態にかかわらず烏口突起の移行（Bristow 法），Bankart 病変の修復と関節包の縫縮（直視下 Bankart 法＋capsular shift），肩甲下筋腱の短縮（Putti-Platt 法），共同筋腱を肩甲下筋の下に回す Boytchev 法などの非解剖学的な手術が多く行われていたが，関節鏡を導入すると単なる Bankart 病変と Hill-Sachs 病変だけでなく，詳細な病態が観察できるようになり，現在では病態に応じた鏡視下手術が主として行われるようになってきている（図 11-10）．高度な肩関節拘縮で，理学療法に反応しない場合は関節鏡視下関節包全周切離術が行われる．これは関節鏡導入当初の 2000 年前後までは手技的に熟練を要するとされていたが，現在では肩関節鏡視に熟練した専門医であれば 30 分以内に終了する一般的な手術となった．

4 肩峰下滑液包における関節鏡手術

　腱板断裂に対する腱板修復術が代表的な手術である．腱板断裂は，手術を要する肩関節疾患のなかで最も頻度の高いものである．ただ，炎症性疼痛のコントロールと肩甲胸郭機能不全に対する理学療法が良く奏効するため，外来を受診する腱板断裂患者のうち手術を要するものは半分以下である．実際，無症候性の腱板断裂は高齢になるほど多くなるため，外来では画像診断のみならず，愁訴を詳細に聴取し理学所見を評価することが肝要である．診断的関節鏡としては腱板断端の正常や可動性を評価するが，術前 MRI における断裂形態や腱板筋萎縮の状態を評価しておくことが重要である．手術は，スーチャーアンカーを用いて腱板断端を大結節に縫着するスーチャーブリッジ法が現在主流となっている（図 11-11）．

5 その他の関節鏡手術

　肩鎖関節に対する鎖骨遠位端切除術，肩鎖関節脱臼に対する関節鏡視下再建術，上腕骨大結節単純骨折に対する鏡視下骨接合術，snapping scapula に対する

11 肩甲帯の疾患

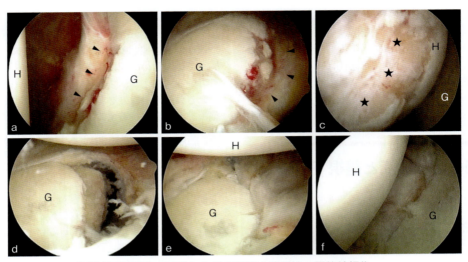

図 11-10　反復性肩関節脱臼（左肩）における肩甲上腕関節の関節鏡視像

a：後方鏡視像における Bankart 病変（矢印）．
b：前方鏡視像における Bankart 病変（矢印）．
c：Hill-Sachs 病変（★）の後方鏡視像．
d：Bankart 病変剥離後の前方鏡視像．
e：スーチャーアンカーを用いて再縫着後の前方鏡視像．
f：同後方鏡視像．
G：関節窩，H：上腕骨頭．

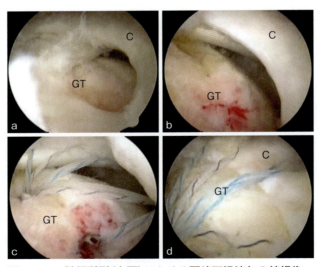

図 11-11　腱板断裂（左肩）における肩峰下滑液包の鏡視像

a：断裂部の鏡視像．
b：デブリドマン後の断裂部．
c：大結節（GT）にスーチャーアンカーを挿入し，腱板断端に縫合糸を装着後の鏡視像．
d：スーチャーブリッジング法で大結節外側壁にブリッジングアンカーを挿入して修復を終了した．
C：腱板断端．GT：大結節．

肩甲胸郭関節除圧術などがあるが，詳細は各論に譲る．

胸鎖関節部の疾患と外傷
Pathology and injury in the sternoclavicular joint

三幡 輝久　大阪医科薬科大学 准教授

【疾患の概念】　胸鎖関節とは胸骨と鎖骨の連結部であり，肩鎖関節と肩甲上腕関節とともに肩関節を形成する．胸鎖関節は他の関節に比べてそれほど大きな可動域を有しないが，胸鎖関節の動きが少しでも制限されると肩関節の可動域が大きく減少するため，日常生活や仕事，スポーツに支障をきたすことが少なくない．

【病態】
(1) 胸鎖関節脱臼

胸鎖関節は関節包，胸鎖靱帯，鎖骨間靱帯，関節円板靱帯および肋鎖靱帯によって強固に制動されているため，脱臼することはまれである．しかし交通外傷やコンタクトスポーツなどにより，かなり大きな負荷が加わると脱臼することがある．loose shoulder の患者においては，外傷なく脱臼することがある．

(2) 鎖骨近位端骨折，胸骨骨折

転倒などにより胸鎖関節に大きな負荷が加わったときに起きる骨折である．

(3) 胸鎖関節炎

掌蹠膿疱症や感染などにより起こる．

(4) 変形性胸鎖関節症

加齢性変化によって起こることが多い．

問診で聞くべきこと
外傷の有無，痛みの部位，既往症と合併症．

必要な検査とその所見
(1) 単純X線

ほとんどの骨折は診断可能であるが，胸鎖関節脱臼の評価は容易ではない．

(2) CT

胸鎖関節におけるほとんどすべての病態を評価できる有用な検査である．さらに多くの情報を得るためには三次元構築することが望ましい．胸鎖関節脱臼であれば脱臼の方向（前方脱臼あるいは後方脱臼）まで評価できるが，下垂位では脱臼が整復されていることもあり，脱臼肢位を確認したうえで撮影することが望ましい．

(3) MRI

胸鎖関節に炎症を認める場合には，T2強調像において関節内に高輝度変化を認める．

(4) 血液検査

感染が疑われる場合には必ず行う．

診断のポイント
① まずは単純X線により骨折の有無を確認する．外傷後に圧痛を認める部位には骨折線を認めることが少なくない．骨折線が認められない場合には，CTやMRIにより他の病態を評価する．

② 10〜20代の患者で，肩を挙上させるときに軋轢音とともに胸鎖関節部の激痛を訴える場合や，胸鎖関節部の痛みのために肩を挙上することができない場合には，胸鎖関節脱臼が疑わしく，単純X線だけでなくCTを撮影し，脱臼の有無を確認する（左右の胸鎖関節を比較する）．

③ 中高年の患者で皮膚疾患を認める場合には掌蹠膿疱症による胸鎖関節炎の可能性があり，CTやMRIで胸鎖関節の変形や炎症の程度を評価する．皮膚科にかかっていない場合には受診を勧める．また全身状態が良くない場合には感染による関節炎の可能性もあり，血液検査や病巣部の穿刺なども考慮する．局所に強い炎症所見はなく，CTにより関節症性変化を認める場合には，変形性関節症による症状の可能性が高い．

治療方針
1 ▶ 胸鎖関節脱臼

前方脱臼の場合には，装具やクラビクルバンドによる固定を行うことで整復位が保持できれば，数か月間の保存的治療を試みる．数か月経過しても脱臼を繰り返す場合には手術を行う．後方脱臼の場合には，隣接する大血管・縦隔・胸腔損傷の可能性があるため，手術による整復を早急に行う必要がある．長掌筋腱を用いた靱帯再建術を行うことにより，術後に大きな合併症が起きることなく良好な治療成績が得られる．

2 ▶ 鎖骨近位端骨折，胸骨骨折

ほとんど転位のない鎖骨近位端骨折や胸骨骨折においては，保存的治療で治癒することが多い．転位が大きい鎖骨近位端骨折においては，観血的骨接合術を行う．

3 ▶ 胸鎖関節炎

掌蹠膿疱症や感染による胸鎖関節炎に対しては，まずは薬物治療を行い，改善がなければ病巣掻爬を考慮する．

4 ▶ 変形性胸鎖関節症

ほとんどの場合は抗炎症薬の投与と理学療法により症状は改善するが，改善がない場合には手術治療（鎖骨近位端切除術）も考慮する．

合併症と予後
手術治療を行う場合には，大血管が隣接するために鎖骨と胸骨の深層を丁寧に剥離したうえで，靱帯再建

術や骨接合術を行う．それにより大血管損傷の危険性はかなり減少する．胸部外科と連携したうえで手術治療を行うことが望ましい．

　胸鎖関節炎や変形性胸鎖関節症による胸鎖関節の変形が残存する場合には，痛みが軽減しても肩関節の可動域制限が残ることがある．

外傷性肩関節脱臼
Traumatic dislocation of the shoulder

井樋 栄二　東北大学 名誉教授/東北労災病院 副院長〔仙台市青葉区〕

【疾患概念】　肩関節は人体のすべての関節のなかで最も脱臼しやすい関節として知られている．脱臼はすべての方向に起こり，骨頭の脱臼する方向によって前方脱臼，後方脱臼，下方脱臼，上方脱臼に分けられる．このうち前方脱臼が98%と圧倒的に多く，残る2%が後方脱臼である．下方脱臼（直立脱臼ともいう）は上肢挙上位で骨頭が関節窩の下方へ脱臼する病態，上方脱臼は肩峰，鎖骨，烏口突起などの骨折を伴う高度外傷による脱臼であり，いずれもまれな脱臼である．前方脱臼では前下関節上腕靱帯が損傷し，多くは関節窩から剥離するBankart損傷の形態をとる．後方脱臼では後下関節上腕靱帯が損傷する．前方脱臼に伴い関節窩前縁の骨欠損や上腕骨頭の陥没骨折（Hill-Sachs損傷）を起こすことが多い．骨欠損の大きさが危険域に入ると軟部組織の修復だけでは安定性が得られず，骨欠損に対する処置が必要になる．

【頻度】

　外傷性肩関節脱臼の発症頻度は年間10万人あたり11～27人と報告されている．

■問診で聞くべきこと

　受傷時の状況，脱臼の既往がないか，上肢の知覚鈍麻，麻痺など合併損傷の有無に気をつける．

■必要な検査とその所見

　脱臼の有無と脱臼の方向，合併損傷としての骨折の有無を確認するために単純X線を撮影する．通常外転できないので，正面像と肩甲骨Y像の2枚を撮る．通常の外傷性初回脱臼であれば，関節窩骨折はあったとしても小さく，単純X線ではわからないことが多い．単純X線でわかるような骨片が見られた場合にはCT検査を行って関節窩骨折として治療する必要がある．Hill-Sachs損傷は脱臼している時間に比例して大きくなる．特にてんかん発作で脱臼した場合には脱臼位で筋収縮が持続するためHill-Sachs損傷が大きくなることが多い．

■診断のポイント

(1)脱臼の方向の確認：整復操作を安全かつ確実に行うために脱臼の方向と骨折の有無を単純X線で確認しておく．
(2)合併損傷の有無の確認：大結節骨折，関節窩骨折，肩峰骨折などの合併損傷を確認する．また，身体所見として神経損傷の有無を整復操作前後で確認しておく．高齢者では腱板断裂を合併することがある．整復後に痛みが続く場合には腱板断裂を疑い，超音波やMRIで確認する．

■治療方針

1▶整復操作

　整復操作をする前に手指の運動，肘の運動，肩周囲の筋収縮の有無と知覚鈍麻を確認し，神経損傷の合併を確認することが大切である．整復操作にはさまざまな方法があり操作間の優劣はない．挙上法，Hippocrates法，Stimson法などがよく行われる．

2▶整復後の治療

　除痛の目的で三角巾固定などがこれまでは広く行われてきた．初回脱臼後の保存療法として外旋位固定法が2007年に報告され，それ以来いくつかの無作為化比較試験が行われてきた．最新の統合解析では，外旋位固定は内旋位固定よりも再脱臼の相対危険度を44%下げると報告されている．固定は3週間行い，その後，固定を外し徐々に自動運動を開始する．3か月で筋力，可動域ともに戻っていればスポーツを許可する．この固定方法がより普及することが望まれる．

　一方で，初回脱臼後に高頻度に起こる再脱臼が肩関節脱臼の大きな問題である．特に若年者であるほど再脱臼率が高い．また，コンタクトスポーツを行っているような高リスク患者では再脱臼率がきわめて高いため，初回脱臼後に手術を行うという考えも出てきている．ただ，初回脱臼後の全患者に手術を行うと，50～80%の患者に不要な手術が行われるとして警鐘を鳴らす統合解析結果が出ている．初回脱臼後の手術は，大きな骨欠損を伴う場合を除き，患者にあらゆる選択肢を説明したうえで患者が強く希望する場合に限定すべきである．

　筆者の治療方針は，高リスク患者でスポーツシーズン中の受傷であれば，脱臼防止装具をつけてスポーツ復帰を許可，シーズン終了後に不安定性が残遺していれば手術を勧める．オフシーズンでの受傷，あるいはスポーツをやらない患者の場合には保存療法の適応であり，外旋位固定を勧める．いずれにしても患者によく説明し，納得のうえで治療法を選択してもらうことが大切である．

非外傷性肩関節不安定症

Atraumatic shoulder instability

井樋 栄二　東北大学 名誉教授/東北労災病院 副院長
〔仙台市青葉区〕

【疾患概念】　肩関節は球関節であり，丸く大きな上腕骨頭が小さな受け皿である肩甲骨関節窩の上に乗っている．上腕骨頭に対して関節窩の面積は約1/4に過ぎず，骨性の支持が少ない関節である．その結果，肩関節の安定性は軟部組織，特に関節包に依存する割合が大きい．関節包は関節の動きとも密接に関係している．肩関節が 90° 外転・最大外旋・最大水平伸展のような最終可動域までくると関節包が緊張し，安定化機構として働く．しかし，下垂位のような中間可動域では関節包は弛緩しているため，骨頭を関節窩に引きつけておくことはできず，筋肉が弛緩していれば骨頭は関節窩の上を前後・上下方向に動くことができる．この動きを動揺性と呼んでいる．動揺性には正常値がなく，人によっては亜脱臼や脱臼を自発的に誘発することができる場合もあるが，臨床症状がない限りそれは生理的な状態であり治療の対象にならない．動揺性が大きく，その結果として痛みなどの臨床症状を伴うようになると，これを不安定症と呼ぶ．これは病的状態であり治療の対象となる．非外傷性不安定症にはいくつかの種類があるが，臨床上，最も高頻度に見られるのは動揺性肩関節(多方向不安定症)と習慣性肩関節後方不安定症である．

なお，「脱臼」「亜脱臼」という用語であるが，上腕骨頭と関節窩の適合が完全に失われた状態を「脱臼」，関節面の一部が接触している状態を「亜脱臼」と定義するが，両者を正確に鑑別するためにはその時点でX線などを撮る必要があり現実的ではない．そのため，臨床的には自己整復できないものを「脱臼」，自己整復できるものを「亜脱臼」と呼んで区別している．しかし，脱臼していても自己整復できる場合も多々あり，両者を正確に鑑別することは困難である．一方，脱臼でも亜脱臼でも治療法の選択には影響しないことから，最近では病名としては「不安定症」という用語でひとまとめにすることが多くなっている．本項でも「不安定症」を病名として用いている．

【病態】　動揺性肩関節(多方向不安定症)は中間可動域での安定化機構の破綻により発症する．関節腔の容積が拡張し，関節包は菲薄化，関節内圧(陰圧)を維持できないため，下垂位で上腕骨頭が下方へ偏位する．肩甲骨の上方回旋の遅れ，内旋筋力低下，骨頭求心性の低

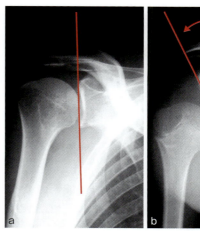

図 11-12　筋肉の機能不全による肩甲骨の下方回旋
正常肩(a)では肩甲骨関節窩はほぼ垂直に立っているが，動揺性肩関節(多方向不安定症)(b)では肩甲骨が下方回旋し(矢印)骨頭が下方に偏位している．

下など筋力の低下，不均衡による症状もみられる(図 11-12)．さらには関節窩の形成不全や後傾増加があると挙上位で骨頭が後下方へ亜脱臼する．これらの病態に応じた治療が必要となる．

習慣性肩関節後方不安定症は，位置性肩関節後方不安定症とも言われており，特定の肢位をとったときに後方への脱臼・亜脱臼が出現する．具体的には上肢を 90° 前方挙上(肩屈曲)したときに骨頭が後方へ偏位(脱臼・亜脱臼)し，水平伸展するとカクッという整復音を伴って整復される．無症状のこともあるが，痛みを伴う場合には治療の対象となる．

▶問診で聞くべきこと

発症がいつか，外傷などの契機がなかったか(外傷性との鑑別)，どのような肢位で症状が強いか(不安定性の方向)，特定の肢位で不安定性が出るか(習慣性の有無)などを聴取する．

▶必要な検査とその所見

身体所見として，関節動揺性の大きさ，下垂位での sulcus sign の有無(下方動揺性の程度)とそれに伴う症状の有無，肩甲骨の位置，特に安静下垂位での肩甲骨下方回旋の有無，前方挙上時の後方脱臼・亜脱臼の有無と水平伸展時の整復の有無などを確認する．

単純 X 線像では，下垂位で骨頭の下方偏位，肩甲骨の下方回旋がみられる．挙上位では骨頭が外下方へ偏位(slipping 陽性)する場合には関節窩の形成不全が疑われるので，CT を行う．

▶診断のポイント

①特に誘因なく発症することが多いが，ときに軽微な外傷で発症することもある．動揺性の大きな肩であっ

ても明らかな外傷に伴って外傷性脱臼を起こすことがあるので注意を要する．動揺性肩関節では中間可動域での痛みや不安感を訴えるのに対して，外傷性脱臼では最終可動域で不安感があるので鑑別可能である．
②習慣性肩関節後方不安定症では，90°屈曲したときに後方へ脱臼・亜脱臼を起こし，そのまま水平伸展すると自然に整復されることから診断は容易である．

治療方針

多方向性不安定症の多くは筋肉の機能不全を有するため，筋肉の働きを元に戻す運動療法が有効である．また，肩甲骨の下方回旋を防止するための装具などの併用も勧められる．運動療法を続けることで，肩甲骨の下方回旋が抑制されると，下垂位での骨頭の下方偏位も消失し，また挙上動作時の肩甲骨の上方回旋の遅れも改善する．それに伴って痛みや不安感などの臨床症状も軽減してくる．運動療法を3～6か月行っても十分な効果が得られない場合，手術療法を考える．手術療法は病態に応じて，関節包拡張に対しては関節包縫縮術，肩甲骨の上方回旋不足に対しては大胸筋移行術，関節窩形成不全や後傾増大など骨性要素の改善には関節窩頚部骨切り術を行う．

習慣性肩関節後方不安定症も筋肉の機能不全による場合があり，この場合には運動療法が有効である．しかし，運動療法が無効な場合には後方の関節包弛緩に対しては後方関節包縫縮術，関節窩後傾の増大に対しては肩甲骨頚部骨切り術が行われる．

肩関節上方唇損傷（SLAP 損傷）

Labrum injury of the shoulder

岩堀 裕介　あさひ病院スポーツ医学・関節センターセンター長〔愛知県春日井市〕

疾患概念
上方関節唇損傷は，Andrews らが投球競技者の関節鏡所見として初めて報告したが，後にSnyder が外傷による上方関節唇損傷を SLAP 損傷（superior labrum anterior superior lesion）と命名して以来，その名称として SLAP 損傷を使用するのが一般的になっている．上方関節唇のみの障害の場合と，上腕二頭筋長頭腱（long head of biceps；LHB）との複合体（BLC）の障害，さらには前上方部関節唇に付着する上関節上腕靱帯（superior glenohumeral ligament；SGHL）や中関節上腕靱帯（middle glenohumeral ligament；MGHL）の機能障害の場合がある．

発生機序としては，外傷性とオーバーユースにより生じるものに大別される．外傷性としては肩関節外転位で転倒して手を着く際の突き上げ，重量物の挙上，急激または不意な牽引，肩関節（亜）脱臼などにより生じる．オーバーユースによるものは投球障害に代表され，上肢をオーバーヘッドで繰り返し使用することにより生じる．具体的には Andrews らは，投球の減速期における上腕二頭筋の牽引により生じると報告した．Walch らや Jobe らは，コッキング後期の外転外旋時に腱板関節面と上方関節唇が骨頭と関節窩の間に挟まれる，postero-superior impingement または internal impingement をその要因として報告した．また，下関節上腕靱帯（inferior glenohumeral ligament；IGHL）や SGHL・MGHL の機能不全による潜在的前方不安定症，後方タイトネスによる外転外旋時の上方関節唇の peel back phenomenon の関与の報告もある．Habermeyer らは，テニスや投球のフォロースルー期に水平内転・内旋する際，antero-superior internal impingement を生じ前上方関節唇損傷とLHB の亜脱臼を生じることを報告している．以上のように投球による SLAP 損傷の発生機序に関しては多数の報告があり，いまだ統一見解は得られていないが，症例によって異なる要因が単独または複合してSLAP 損傷を生じていると思われる．

損傷形態の分類は Snyder の分類が代表的で，遊離縁が摩損したタイプⅠ，LHB 起始部の深層まで剥離浮上したタイプⅡ，関節唇遊離縁のバケツ柄断裂を生じたタイプⅢ，LHB 実質部損傷を合併したタイプⅣの 4 型に分類した（図 11-13）．また Morgan らは，タイプⅡを前方型，後方型，混合型の 3 つのサブタイプに分類し，投球障害では internal impingement による後方型が多いと報告している．

【臨床症状】
損傷した上方関節唇の関節間への介在により，肩関節高挙時，外転外旋時，水平内転・内旋時の肩上方や深部の疼痛・ひっかかり感・詰まるような感じを生じる．上方関節唇に付着する LHB や SGHL・MGHL の機能不全により，ボールリリース時，重量物挙上時，外転外旋時の疼痛・不安感を生じる．

問診で聴くべきこと
発症時の外傷の有無，非外傷性の場合には肩に負荷の加わるスポーツ活動や作業労働の有無を聴取する．

必要な検査とその所見
(1)徒手疼痛誘発テスト

徒手疼痛誘発テストとしては compression rotation test, active compression test (O'Brien test), crank test, pain provocation test（三森テスト），anterior slide test (Kibler test), relocation test など多数報告されているが，筆者は前 2 者を愛用している．上方関

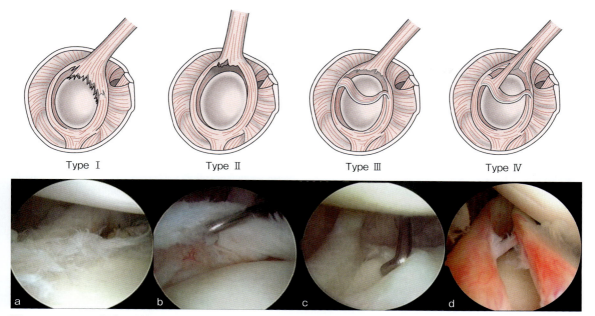

図11-13 SLAP損傷　鏡視下形態分類（Snyder SJ, 1990）と実際の鏡視所見
a：type Ⅰ：遊離縁が摩損したもの.
b：type Ⅱ：BLC付着部の深くまで剥離浮上したもの.
c：type Ⅲ：上方関節唇の遊離縁のバケツ柄断裂したもの.
d：type Ⅳ：LHBの実質部損傷を合併したもの.

節唇を挟み込んだり，引き剥がすストレスを加えたり，LHBによる牽引負荷を加えるテストである．しかし，SLAP損傷例では腱板損傷などほかの病変を合併することが多く，上記のテストはそうした合併病変でもしばしば陽性（偽陽性）になるため，徒手テストのみでSLAP損傷を診断するのは困難と言える．

(2)画像所見

　MRIまたはMRI arthrography（MRA）が上方関節唇損傷部の描出に有用である．外転外旋位（ABER位）の横断像では，internal impingementやpeel back phenomenonの所見が確認できる．

鑑別診断で想起すべき疾患

　肩の上方部に疼痛やひっかかり感を生じる腱板断裂，肩峰下インピンジメント症候群，上腕二頭筋長頭腱腱鞘炎・亜脱臼，胸郭出口症候群，肩関節近傍末梢神経障害（四辺形間隙症候群，肩甲上神経障害）などとの鑑別診断が必要となる．

診断のポイント

　特異性の高い単一の診断法はなく，上記の徒手疼痛誘発テスト，画像所見，関節内ブロックによる疼痛の消失にて総合的に判断する．SLAP損傷の疼痛誘発テストは，腱板病変や神経障害でも陽性になることがあること，MRIやMRA上SLAP損傷の所見を認めても無症候であったり，保存療法により無症候性に移行することがあることに留意する必要がある．

専門病院へのコンサルテーション

　外傷性の場合，保存療法に抵抗する場合には，肩関節外科医のいる医療機関へ紹介する．

治療方針

　外傷性か否かとSLAP損傷のタイプによって治療方針が異なる．外傷によるSLAP損傷の場合は，タイプⅡ以上になる場合が多く，関節唇の介在の解除やLHB基部の安定化を，主病変である前方不安定症の損傷部位の修復とともに手術療法で対処する必要がある．投球障害などの非外傷性のSLAP損傷の場合は，安静・薬物療法・注射療法・理学療法といった保存療法により無症候性になることが多いため，まず保存療法が優先されるが，剥離範囲が広く深いタイプⅡや，タイプⅢ，タイプⅣは関節唇の介在やLHBの機能不全が強く手術療法が必要である．

　保存療法は関節内注射，理学療法が主体となる．ステロイド剤やヒアルロン酸製剤の関節内注射により，関節内の炎症を軽減して除痛をはかる．投球障害例では，上腕骨頭の求心性の不良がSLAP損傷の要因の1つである．求心性不良に関連する後方タイトネス，腱

板機能不全，肩甲胸郭関節機能不全に対するコンディショニングを行う．肩甲上腕関節主体で腕振りを行う投球フォームを，肩甲胸郭関節主体で腕が振られる投球フォームへ動作指導を行う．

手術療法は，肩関節鏡視下手術を行い，タイプⅠでは介在部のデブリドマン，タイプⅡでは suture anchor を用いた関節唇修復術，タイプⅢではバケツ柄部の切除，タイプⅣでは腱と関節唇の修復術を適応する．タイプⅣで LHB の修復が不能な場合には LHB 固定を行う．

患者説明のポイント

オーバーヘッドスポーツによる SLAP 損傷は，肩甲上腕関節に過度な力学的負荷を加えるコンディション不良や動作不良により結果的に生じた損傷であり，その要因を除去すれば無症候になりうるし，しなければ局所に対する治療効果は一時的なものに過ぎない．そのため，局所療法に併せて不良なコンディションや動作に対するアプローチが重要であることを説明する．

上腕二頭筋腱の障害
Disorder of the biceps tendon

西中 直也　昭和大学大学院保健医療学研究科 教授

【疾患概念】
上腕二頭筋腱は長頭（以下長頭腱）と短頭の2つの筋頭からなり，長頭腱の障害が臨床上問題となる．長頭腱の機能は大きく2つあると考えられており，上腕骨頭の depressor 機能と肩甲上腕関節の安定化機能である．長頭腱は関節窩上縁の関節上結節および上方関節唇から起始し，関節内，結節間溝を通過し橈骨結節粗面に停止する．Biceps pulley とよばれる滑車部の複合体がその支持性に寄与し，その構造は前方で烏口上腕靱帯，上関節上腕靱帯，肩甲下筋腱，後方で棘上筋腱からなる（図 11-14）．これらの支持組織が変性や外傷により破綻すると，長頭腱に結節間溝レベルでさまざまな病態が発生すると考えられる．病態として腱の炎症，変性，断裂，脱臼を引き起こす．本項では比較的頻度の高い長頭腱炎，長頭腱断裂，長頭腱脱臼について解説する．

1 上腕二頭筋長頭腱炎 tendinitis (tenosynovitis) of the long head of the biceps

【臨床症状・病態】
結節間溝での機械的刺激が原因で炎症が生じる．患者の多くが肩前面の痛みを主訴に来院する．挙上位での繰り返しの作業やオーバーヘッドスポーツで生じることが多い．炎症，変性が過度に進行すると，pulley 部で生理的な動きが損なわれることもある．

問診で聞くべきこと
年齢，利き手，職業，趣味（スポーツ歴含む）．

必要な検査とその所見
結節間溝部の圧痛と挙上時の痛みと，これらによる上腕二頭筋の筋力低下を認める．徒手検査法として，Yergason test（肘関節 90°屈曲位で前腕を回外させると結節間溝部に疼痛を訴える）と Speed test（肘関節伸展位で肩を前方挙上させると結節間溝部に疼痛を訴える）が陽性となる．

(1)画像診断
超音波検査および MRI 検査：長頭腱の腫大や腱周囲の水腫が認められる．

治療方針

1 ▶ 保存治療

局所の安静と消炎鎮痛薬の投与が治療の中心である．これらに抵抗する場合や疼痛が強い場合は局所麻酔薬とステロイド薬の腱鞘内注射を行う．ただし，ステロイドにより，腱の脆弱性が生じ腱断裂に至るリスクがあり，投与は数回に留める必要がある．

2 ▶ 手術治療

保存治療で疼痛が軽快しない場合は腱切離術や腱固定術が考慮されるが，炎症レベルではまれである．明らかに pulley の解剖学的破綻が原因であれば，これを鏡視下に修復することもある．また，癒着や肥厚による滑走障害（hourglass 現象）があれば，腱切離術か腱固定術がなされることで劇的に症状が改善する．

リハビリテーションのポイント
局所に対する物理療法とともに，長頭腱にかかるメカニカルストレスの原因を考えつつ，肩甲帯・胸郭の機能訓練を含めたリハビリテーションを行う．肩甲帯全体としての機能が改善すると，同部への刺激が減るからである．

2 上腕二頭筋長頭腱断裂 rupture of the long head of the biceps tendon

【臨床症状・病態】
上腕二頭筋腱の断裂はほとんどが長頭腱に起こり，解剖学的に負荷のかかりやすい結節間溝近位部での断裂が多い．中高年のスポーツ愛好家や，上肢に負荷のかかる肉体労働従事者に多く発生する．若年者で断裂した場合は突然の断裂感と雑音，疼痛を感じることもあるが，多くは変性を基盤とし，軽微な外力が要因のものは，自覚症状がないことが多い．高齢者では腱板

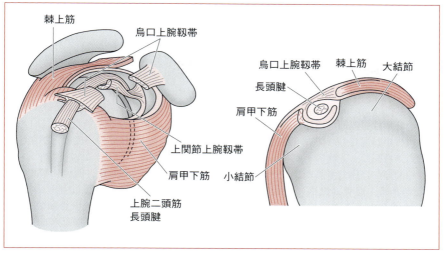

図 11-14　Biceps pulley による支持機構
上腕二頭筋長頭腱は烏口上腕靱帯，上関節上腕靱帯，肩甲下筋腱，後方で棘上筋腱からなる biceps pulley により支持されている．断裂や脱臼ではこれら組織も同時に損傷している．

断裂を伴うことが多く，精査を必要とする．

問診で聞くべきこと
外傷歴，年齢，利き手，職業，趣味（スポーツ歴含む）．

必要な検査とその所見
断裂直後は，断裂部遠位の筋腹に沿って皮下出血を認める．断裂断端が末梢に移動すると二頭筋筋腹が盛り上がる，ポパイサインが陽性となる．
(1)画像診断
超音波検査および MRI 検査：結節間溝部での長頭腱の欠損像が認められる．

治療方針

1 ▶ 保存治療
断裂直後は疼痛のため，筋力の低下が生じる．しかし，急性期が経過し疼痛が改善すると多くの症例で ADL に支障が出るほどの筋力低下は呈さない．したがって，放置でも問題ない．

2 ▶ 手術治療
肘屈曲および前腕回外筋力の低下が，職場復帰およびスポーツ復帰の支障となる肉体労働従事者やスポーツ愛好家では，腱固定術が選択される．実際に腱切離術と腱固定術後の筋力を比較すると，20% 程度の肘屈曲力の低下が認められたとの報告もある．また，整容的な面を許容できなければ手術適応である．本来の起始部である関節窩上縁レベルでの縫合は不可能で，結節間溝よりやや遠位での腱固定術が行われる．近年は関節鏡下でインターフェレンススクリューやスーチャーアンカーを用いて固定されている．

3　上腕二頭筋長頭腱脱臼 dislocation of the long head of the biceps tendon

【臨床症状・病態】
前述した pulley の破綻が長頭腱の脱臼の要因となる．特に肩甲下筋腱断裂を合併し内側に脱臼することが多い．

問診で聞くべきこと
外傷歴，年齢，利き手，職業，趣味（スポーツ歴含む）．

必要な検査とその所見
肩甲下筋腱断裂を伴うことが多く，この場合肩関節内旋筋力が低下する．また肩甲下筋断裂で認められる belly press test, lift off test が陽性となる．
(1)画像診断
超音波検査および MRI 検査：結節間溝内の長頭腱の欠損像と脱臼位にある長頭腱の確認．

治療方針

1 ▶ 保存治療
肩甲下筋腱断裂を伴うものが多いため結果的に保存治療に抵抗性であり，手術加療の適応となる．

2 ▶ 手術治療
肩甲下筋を含む pulley の損傷部を，関節鏡下にスーチャーアンカーを用いて修復するとともに，脱臼を整復する．しかし，完全に整復位保持することが困難なうえに，長頭腱自体が強く損傷していることが多く，切離術や固定術が選択される．

肩関節の人工関節手術
Shoulder joint replacement

柴田 陽三　福岡大学筑紫病院 病院長

【人工肩関節手術の概念】　人工肩関節置換術は，保存療法が功を奏さない変形性肩関節症に施行される．この人工肩関節には，腱板が温存されている肩関節に施行される解剖学的人工肩関節と，修復不能な広範囲腱板断裂や腱板断裂性関節症に施行されるリバース型人工肩関節の2種類がある．前者は腱板の機能によって人工関節の求心性が保たれるため非拘束型とよばれ，後者は腱板の代わりに，人工関節の回転中心を下方に下げることで生じる三角筋の過緊張状態によって，上腕骨ソケットを肩甲骨側骨頭に密着させて関節安定性を得るようになっている．回転中心が一定で，関節安定性に三角筋の常時の緊張を要するために，半拘束型とよばれる．

【肩関節症の病態】
(1)変形性肩関節症
　骨棘形成，骨硬化像，関節変形という増殖性変化と破壊性変化が混在している．誘因なく発症してくる一次性のものと，骨折などの外傷後に発症してくる二次性のものがある．後者は外傷による関節内外の瘢痕により手術の難易度が高い．
(2)リウマチ性肩関節症
　本疾患の病態は滑膜炎で，発症初期から疼痛のために肩の運動制限を呈する．運動負荷が加わらないため通常，骨萎縮傾向を示す．骨増殖性変化は認めない．
(3)修復不能な広範囲腱板断裂や腱板断裂性関節症
　関節窩周辺と滑液包側で腱板の剥離操作を行っても，断端をフットプリントに縫着できないものを，修復不能な広範囲腱板断裂とよび，これに関節症性変化を伴うものを腱板断裂性関節症とよぶ．

問診で聞くべきこと
(1)痛みの性質
　安静時痛，運動時痛，夜間痛のどの痛みあるのか？あるいはその組み合わせ，もしくはそのすべてがあるのかを尋ねる．安静時痛や夜間痛は，滑膜炎の存在を示唆する．安静時痛がなく，運動時痛を訴える場合は，腱板断裂に伴う求心性の障害によって生じるインピンジメントや，関節症性変化によって生じる関節適合性障害による痛みと推察する．
(2)日常生活で支障の出る動作
　洗髪，からだ洗い，シャツの裾が入れられるか，患側を下にして寝ることができるか，駐車場の駐車券が取れるか，自動車の後部座席のものが取れるか尋ねる．

必要な検査とその所見
(1)単純X線写真
　真の前後像，軸射像，肩甲骨Y撮影，結節間溝撮影の4方向を撮影する．前後像1枚では変形の有無，関節適合性の評価が困難である．
(2)MRI
　腱板断裂の有無，腱板断裂があった場合は修復の可否を判断する．修復不能な指標として直径5cmを超える断裂径，腱板筋の高度の脂肪変性が挙げられる．
(3)CT
　軸位断，斜位冠状断，斜位矢状断に加えて必ず3D-CTを撮影する．その際，上腕骨頭，肩甲関節窩，肩鎖関節を含んだものと，上腕骨頭のみをとり除いた3D画像を作成する．設置可能な適正なインプラントサイズの決定に使用する．特に関節窩はすり減っていたり，それにより関節面の傾斜が増大していたりする場合があり，コンポーネント設置の可否の判断に必須である．
(4)頚椎症の除外診断
　頚椎症が原因で肩周辺痛，挙上障害が生じていることがあるので，上肢の腱反射，上腕二頭筋の筋力が正常であることを確認しておく．

手術適応
　消炎鎮痛薬の内服，外用剤，関節内注射，理学療法によって上記(問診で聞くべきこと)の改善が得られない症例には手術の是非を検討する．リバース型人工肩関節置換術(図11-15)の適応は，日本整形外科学会のガイドラインに従う．

合併症
　脱臼，感染，インプラント周辺骨折，血腫，神経麻痺がある．その発生頻度はリバース型人工肩関節(脱臼；1.7〜14％，感染；0〜10％)のほうが高い．

リハビリテーションのポイント，関連職種への指示
(1)解剖学的人工肩関節
　肩甲下筋腱をいったん切離してインプラントが設置される．このため再縫合された肩甲下筋腱に緊張が加わらない他動可動域を，術中にチェックしておく．術後出血が治まったと思われる3〜4日後から，上記可動域の範囲内で仰臥位他動可動域訓練を開始する．自動挙上は，肩甲下筋腱の癒合傾向が起きていると思われる，術後6週以降から開始する．3か月経過後から，徐々に腱板強化訓練を開始する．
(2)リバース型人工肩関節
　本人工関節は半拘束型とよばれ回転中心は一定である．修復不能な広範囲腱板断裂症例に施行されているため，過度の内外旋，屈曲伸展動作によって脱臼を生じることがある．このような理由から，リハビリテー

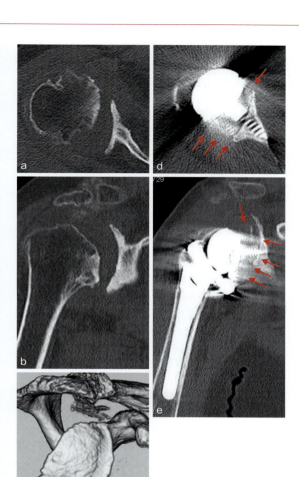

図11-15 リバース型人工肩関節の手術前後のCT

a〜c：術前CT；関節窩のコンポーネントの設置が不能と思われる関節窩の著しいボーンストックの減少を示す．特に関節窩後方の減少が著しく，関節窩の後傾を認める．

d, e：術後CT；切除した骨頭を関節窩に移植して後傾を補正している．↑：移植骨

ションは自宅での自己訓練を勧めることが多い．滑車運動とテーブルの前に座って，患側の手をテーブルに置き，ゆっくりとその手をテーブル上で前方に滑らせて，体をテーブルに付けるようなイメージで，肩関節の前方挙上の可動域を獲得する方法などを行う．肩甲下筋腱を再縫合した症例での自動挙上開始時期は，解剖学的人工肩関節後と同様である．

病棟での着替え，清拭では，縫合した腱板に過緊張が加わらない肢位で行う．患者では，肘下にベッドサイドテーブルを置いて肩の姿勢が変わらないようにする．解剖学的人工肩関節置換術後の他動訓練では，上記手術中の縫合腱板に緊張の加わらない肢位，リバース型人工肩関節置換術後では過度な他動可動域訓練が脱臼を生じるとの情報伝達が必須である．

肩甲帯の先天異常

Congenital disorders of the shoulder girdle

池上 博泰　東邦大学 教授

【疾患概念】肩甲帯の先天異常には，Sprengel変形（肩甲骨高位症），鎖骨・頭蓋骨異形成症，先天性鎖骨偽関節，先天性大胸筋欠損症などが該当する．これらの異常は肩甲帯のみの場合もあるが，それぞれに特徴のある他の異常を合併している例も多い．具体的には，Sprengel変形には頚椎変形（Klippel-Feil症候群），心臓と手の先天異常（Holt-Oram症候群），先天性食道閉鎖などが，鎖骨・頭蓋骨異形成症には頭蓋骨・椎骨・骨盤などの骨化不全などが，先天性胸筋欠損症には同側上肢の形成異常（Poland症候群）が合併していることも多い．

【頻度】肩甲帯の先天異常に関する発生頻度の報告は文献によってさまざまであるが，非常にまれな先天異常である．このまれな肩甲帯の先天異常のなかでは，Sprengel変形が最もよくみられ，男女比は1：2〜3と女性に多く，左側にやや多く，両側例は約10％である．

【病型・分類】Sprengel変形では，外観上の変形程度をCavendishの分類によって判定する．

Cavendish分類のgrade Iはきわめて軽度の変形で服を着ているとわからない程度，grade IIは肩関節の高さはほとんど変わらないが服を着ていても肩甲骨の変形がわかる程度，grade IIIは患側肩関節が健側よりも2〜5cm高く変形の強い程度，grade IVは患側肩関節が5cm以上高く肩甲骨上角は後頭部に接近する程度である．

【病態】Sprengel変形は，胎児期に肩甲骨が脊椎から分化しきれなかった分化障害の結果として，肩甲骨高位と肩甲胸郭関節の拘縮がみられる病態で，頚椎と肩甲骨の間に肩甲脊椎骨とよばれる過剰骨が存在することが多い．頚椎の変形（癒合椎や脊椎破裂など）を伴うKlippel-Feil症候群との合併が多い．心臓と手の先天異常を伴うHolt-Oram症候群では染色体12q24に存

在するTBX5に変異が生じることによって起きる．先天性筋欠損や先天性鎖骨欠損は胎児期の形成障害（発育停止）によってもたらされる．先天性筋欠損では，胸筋の欠損がみられるPoland症候群の頻度が最も高く，ほかに僧帽筋欠損症などがある．先天性鎖骨欠損は，鎖骨頭蓋異形成症などの骨系統疾患の一症状としてみられるものが多い．

【臨床症状】

Sprengel変形では，肩甲骨高位と翼状頚がみられ，患側上肢の挙上制限がある．胸筋の欠損では前胸部の非対称性が整容的問題となるが，多くの例で機能障害はみられない．僧帽筋の欠損では，年齢が上がるにつれて上肢の挙上制限などの機能障害が悪化することがある．一方，鎖骨の部分欠損では幼児期に上肢の挙上制限がみられるが，年齢が上がるにつれて改善することが多い．先天性鎖骨偽関節症では，偽関節部の骨軟骨性隆起が外観上の問題となるが，機能障害はまれである．

【問診で聞くべきこと】

家族歴，異常に気づいた年齢，心雑音の有無を指摘されているかどうか，機能障害の経過（悪化傾向か改善傾向か）について問診する．開腹・開胸手術の既往も確認が必要である．

【必要な検査とその所見】

骨形態異常，過剰骨，骨欠損は単純X線検査で評価する．Sprengel変形では，肩甲脊椎骨の有無は必ず確認をして，3D-CTやMRIで患側肩甲骨周囲の筋肉の低形成の有無も評価する．筋欠損は，診察によっておおむね診断した後にMRI検査を行って確定診断をする．

【鑑別診断で想起すべき疾患】

Sprengel変形と鑑別が必要なのは，肩甲骨外骨腫による肩甲骨高位，開胸手術後の肩甲骨高位（前鋸筋の拘縮による），側弯症による肩甲骨高位などである．進行性の上肢の挙上制限が主訴の場合は，顔面肩甲上腕型筋ジストロフィーや進行性骨化性線維異形成症と鑑別する必要がある．

【診断のポイント】

①Sprengel変形では背部からの視診で肩甲骨高位と翼状頚の有無を確認する．
②Sprengel変形では肩甲胸郭関節の拘縮のため，患側上肢の挙上障害（自他動とも）を確認する．
③筋欠損は片側例では視診で容易である．
④両側欠損の場合には個々の筋肉に力を入れさせて診察する．

【治療方針】

Sprengel変形で整容的あるいは機能的改善が求められた場合は2～5歳頃に手術を行う．筋欠損や鎖骨形成不全では，機能障害はないことが多いが整容的改善の希望があれば手術を行う．

【治療法】

Sprengel変形に対する手術にはさまざまな術式がある．肩甲脊椎骨を切除するだけの方法から，筋移行術や肩甲骨骨切り術を追加して肩甲骨をできるだけ引き下げる方法まである．機能的改善のためにも肩甲胸郭関節の可動性を得ることが重要である．手術時年齢が低いほど手術成績は良好となるが，手術の難易度は高くなる．片側性の筋欠損や低形成に対しては，広背筋移行術が行われる．

【合併症と予後】

Sprengel変形の手術で肩甲骨を引き下げた場合には，同時に引き下がる鎖骨によって腕神経叢麻痺が生じることがある．このため，鎖骨の粉砕術や骨切り（2か所）を同時に行う．肩甲骨周囲の筋肉の低形成の程度によっては，手術によって引き下げた肩甲骨が年齢が上がるにつれて再度高位になり，再手術を要することもある．

【リハビリテーションのポイント，関連職種への指示】

手術は幼児期に行われることが多く，通常の学校生活・家庭生活に早期に復帰させることが，結果的には十分なリハビリテーションとなる．学童期以降で手術を行った場合は，術後一定の安静期間をとった後に，自動的・他動的に肩甲胸郭関節を積極的に動かすことが推奨される．

小児に対する肩甲帯の手術後は，胸郭の運動障害による無気肺のリスクがある．座位・歩行を早期から許可し，必要に応じて呼吸器リハビリテーションを行う．

肩こりの治療

Treatment of stiff neck and shoulder

中川 照彦　同愛記念病院 副院長〔東京都墨田区〕

【疾患概念】

肩こりは項部から僧帽筋上部線維周囲にかけての痛みや張り，重苦しさを主訴とする疾患である．肩甲骨の内側や上角にも痛みを訴えることも多い．その原因としては主に僧帽筋上部線維の筋肉の過緊張や血行不良によって生じる筋の硬化であり，もんだり，叩いたりすると症状が和らぐ．欧米人には少なく，筋肉の質と量が日本人と欧米人では異なることが要因として考えられる．

トピックス　リバース型人工肩関節置換術（Reverse Total Shoulder Arthroplasty）

リバース型人工肩関節とは

肩甲上腕関節は，股関節と同様な球関節でありながら骨頭に対してかなり小さい関節窩のために求心位が取りにくいため，腱板筋群が機能することで求心性が取れ，三角筋が作用して上肢が挙上可能となる．しかしながら，高齢者で一次修復不能な腱板広範囲断裂により上肢の自力挙上が困難な偽性麻痺の症例をよく経験する．従来，このような腱板広範囲断裂や cuff tear arthropathy は治療に難渋する場合が多かったが，これらの疾患に対する効果的治療法としてリバース型人工肩関節が，2014年4月わが国に導入された．現行のリバース型人工肩関節は，1986年 Paul Grammont により開発された semi-constrained タイプの人工肩関節であり，腱板広範囲断裂では上方に移動してしまった肩甲上腕関節の回旋中心を，内側かつ下方に移動させる術式である（図11-16，17）．回旋中心の内方化により，上肢挙上時の関節窩コンポーネントにかか

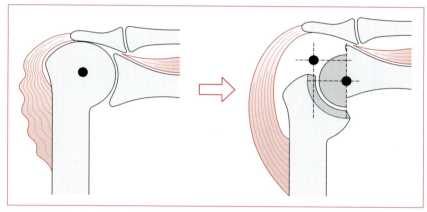

図11-16　腱板広範囲断裂とリバース型人工肩関節
a：典型的な腱板広範囲断裂．上腕骨頭は上昇して肩峰に接するようになり，回旋中心（●）は上方に移動している．
b：リバース型人工肩関節．回旋中心は内側の関節窩上に移動し，かつ大幅に下方移動し三角筋が有効に働くようになっている．

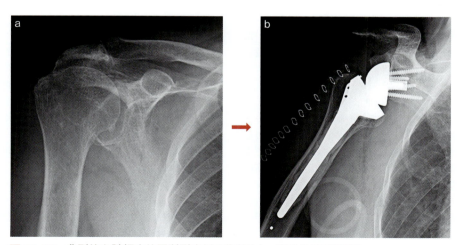

図11-17　典型的な腱板広範囲断裂症例の術前(a)，術後(b) X線写真

11 肩甲帯の疾患

る剪断力が軽減されルースニングが起こりにくくなると同時に，下方化により三角筋の作用が増大し，効果的に上肢を挙上することができるようになる．

適応疾患

原則として腱板機能の再建が不可能な症例に行われる術式であり，日本整形外科学会のガイドラインによれば，欧米での10年20年成績におけるサバイバル率を考慮して，一次修復不能な腱板広範囲断裂で初回手術に行う場合には原則70歳以上の高齢者が適応となる．しかしながら，腱板手術の術後再断裂例において修復術不可能の場合には70歳未満にも使用可能とされている．また，結節の骨癒合が期待できない高齢者の上腕骨近位端4パート骨折も良い適応である．また，骨折続発症，リウマチ肩，アナトミカル型人工肩関節のrevision，関節窩骨欠損が大きい一次性変形性肩関節症，腫瘍など，ほかに有効な方法がない疾患に関しては，当然ながら年齢よりも病態が重視されるため，十分なインフォームドコンセントの後，双方納得のうえでの使用が検討される．

菅谷 啓之〔東京スポーツ＆整形外科クリニック 院長〔東京都豊島区〕〕

【頻度】

2016年度の厚生労働省の有訴者数の調査では，肩こりは男性では腰痛に次いで2位で人口1,000人に対し57.0人，女性では1位で117.5人である．

【臨床症状と病態】

症状は僧帽筋部の痛みであることが多く，僧帽筋の筋腹が硬くなる．立位や座位で僧帽筋の上部線維は重い頭（約5kg）を支えている．頚部が15°前屈すると，僧帽筋への負荷は12kgに，30°前屈すると18kgになり，前屈角度が増すと僧帽筋に大きな負荷がかかる．また僧帽筋の上・中部線維は両上肢の重さ（約10kg）を支えている．腕の肢位によって筋肉にかかる負担は大きくなる．好発年齢は40～50歳代の中高年であるが，最近では小中学生でも起きる．前かがみの悪い姿勢での長時間のゲームやスマートフォンの使用により肩こりが生じやすい．重いランドセルや鞄の持ち歩きも原因の1つになっている．

【問診で聞くべきこと】

いつから肩こりが起こったのか，誘因となるような腕や肩の繰り返す動作や重量物の移動などを行ったか，眼精疲労があるか，パソコンでの作業時間が長いかなどを聞く．

【必要な検査とその所見】

(1)単純X線検査：頚椎2方向

①頚椎のアライメントをみる．側面像でストレートネック，後弯，S字状変形，正面像では側弯の有無をみる．アライメント異常があると，頭の重さを骨で支えるのに支障をきたし，僧帽筋などの頚部周囲の筋に負担がかかり肩こりが生じやすい．

②側面像で椎間板裂隙の狭小化や後方骨棘がみられる場合は，頚髄後根神経の圧迫により項部から肩甲骨周囲に痛みが出ることがあり，肩こりにつながる．椎間板変性による僧帽筋周囲への放散痛も肩こりの原因になる．

③側面像で項靱帯のBarsony骨化の有無や大きさをみる．Barsony骨化がみられる例では，項部の筋肉にも線維化が起こり硬くなるため肩こりが生じやすい．

④側面像で第2胸椎の椎体が描出されている場合は，首が長く，なで肩の女性であることが多く，肩こりが生じやすい．胸郭出口症候群も疑いRoos testなどを行う．

⑤正面像では肺尖部にも注目し，肺尖部の癌を示唆するような陰影がないかもチェックする．

(2)エコー検査

主に僧帽筋の厚みや筋肉の伸縮性，線維性結合組織の肥厚の有無をみる．Doppler法にて筋肉の血流をみる．

(3)MRI

筋肉に著明な硬結があり限局している場合は，軟部腫瘍との鑑別で撮像することがある．

診断のポイント

①問診票の人形図に痛みの部位を○で囲ってもらう．これにより肩こりか，肩関節の疾患かがおおよそ判別できる．多くは両側の僧帽筋上部線維や項部に○印がつけられている．一方，肩関節疾患では肩から上腕にかけて○印がついていることが多い．

②僧帽筋部の触診により筋腹の硬さと硬くなった範囲を同定する．

③僧帽筋の硬結部や肩甲骨内側および上角に圧痛があるかをみる．

治療方針

保存療法が原則である．これまで筆者は肩こりに対して手術を行った経験はない．

1 ▶ 薬物療法
①湿布剤，塗布剤：肩こりにはまずは湿布が最も無難な選択である．湿布で皮膚がかぶれる患者では，塗布剤を処方する．
②内服剤：NSAIDsや筋弛緩薬，高齢者ではアセトアミノフェンの内服投与があるが，内服剤までは必要ないという患者が多い．

2 ▶ トリガーポイント注射
　僧帽筋の圧痛のある部位や筋肉が硬くなりこっている部位に注射する．23 G以下の細い針を用いる．薬剤は1％リドカイン5 mL＋ネオビタカイン®注5 mLまたはノイロトロピン®3 mLを使用している．これらの薬剤を2〜4か所に注射することが多い（図11-18）．この注射は痛みの悪循環を緩和することが目的である．

3 ▶ マッサージ，温熱療法
①医師によるクイックマッサージ：僧帽筋の筋肉が硬くなったこりのある部分を中心に筋肉を1〜2分間もみほぐす．
②コメディカルによるマッサージや温熱療法など．

4 ▶ エコーガイド下での筋膜リリース（ハイドロリリース）
　エコーで注射針の針先を確認しながら，僧帽筋の筋膜周囲に生理食塩水や局所麻酔薬を注入し，筋間の癒着の剥離や神経周囲の剥離を行う．

5 ▶ 運動療法の指導
　運動療法により硬くこわばった筋肉をストレッチし，さらに筋肉を働かせることで，筋肉の血行改善を促す．
　エアー水泳体操：座位でも立位でもよい．クロール，背泳，平泳ぎの3種類の上肢の動きを行う体操である．クロール動作では後方に腕を回転させてから，前鋸筋を使い前方に腕と肩甲骨をもっていく．僧帽筋のストレッチになる．背泳動作では腕を後方に回すことにより大胸筋のストレッチになる．平泳ぎ動作では両腕を前方に肩甲骨とともに押し出してから，肘を曲げながら水平伸展し両肩甲骨を接近させる．肩甲骨周囲筋のストレッチになる．

患者説明のポイント
①肩甲骨周囲の筋肉が硬くなっているので，筋肉のストレッチがいかに大切かを説明する．
②パソコンやスマートフォンを長時間，前かがみの姿勢で操作していると，筋肉への負担がかかるだけでなく筋肉への血行も悪くなるので，少なくとも1時間に1回は肩甲骨回りの運動をすることを勧める．
③ストレスを避けるようにとは決して言わない．人間は生きている間は誰でもストレス続きである．ストレスがない生活を試みること自体がストレスになる．

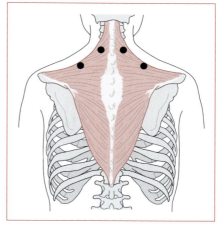

図11-18　トリガーポイント注射を打つ部位
注射部位に関して頻度が高い4つの部位を●印で示す．

④血行を良くする食べ物としてはアーモンドを勧めている．アーモンドには血行促進作用があるビタミンEが大量に含まれている．1日10粒でよい．
⑤入浴してよく温めることを勧める．患者から「どこそこの温泉に行く予定です」と言われたら，「その温泉，肩こりに最高です」と言って励ます．

腕神経叢損傷，分娩麻痺

Brachial plexus injury, Obstetrical brachial plexus injury

池上　博泰　東邦大学 教授

1 腕神経叢損傷

【疾患概念】
　腕神経叢とは脊髄神経から分岐し，肩甲帯，上腕，前腕，手へつながる神経叢の名称で，第5，6，7，8頸神経根（C5〜C8）と第1胸神経根（T1）から構成される（図11-19）．腕神経叢損傷とは，この腕神経叢がさまざまな原因により損傷を受ける末梢神経損傷のことである．バイク事故を典型とし，高所転落など高エネルギー外傷が原因となることが多いが，単純な転倒や圧迫など低エネルギー外傷によることもある．特に，高齢者では低エネルギー外傷による損傷の割合が多く，高齢社会での発症は増加している．

11 肩甲帯の疾患

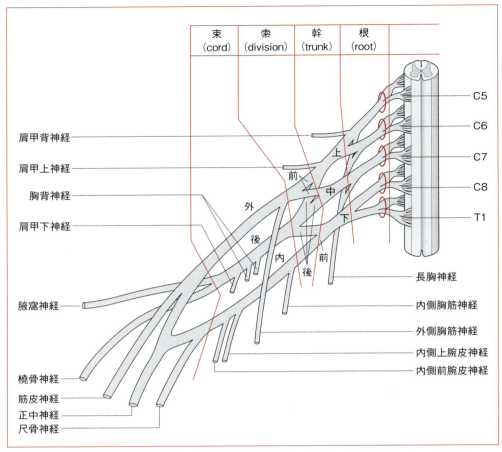

図 11-19　腕神経叢

【病型・分類】
　末梢神経損傷なので, neurapraxia (一過性神経伝導障害), axonotmesis (軸索断裂), neurotmesis (神経断裂) に分類される. 神経断裂である neurotmesis は後根神経節より遠位か近位かで, 節後損傷と節前損傷 (引き抜き損傷) に分類される. 引き抜き損傷の場合は, 全型, 上位型, 下位型に分けられる. 引き抜き損傷や神経断裂など自然回復不能な損傷は高エネルギー外傷によることが多く, 有連続損傷で自然回復可能なものは低エネルギー外傷によることが多い.

【臨床症状】
　節前損傷 (引き抜き損傷) は, 全型では肩甲帯から上肢全体が完全麻痺となり, 上位型ではC5-6型, C5-7型, C5-8型に分けられ, 下位型ではC8-T1型があり, それぞれの支配筋に麻痺が認められる. 節後損傷としては, 後束障害 (橈骨神経と腋窩神経の麻痺), 外束障害 (筋皮神経と正中神経の一部に麻痺), 内束障害があり, また, 肩甲上神経, 腋窩神経の単独損傷, もしくは合併損傷などもある. 損傷された神経根レベル, 神経束レベルに応じた種々の麻痺が生じる.

▶問診で聞くべきこと
　バイク事故などの高エネルギー外傷が推測される場合は, その受傷機転 (単独事故なのか車, ガードレール, 電柱などに衝突したかなど) を聴取する. 切創による損傷では鋭的か鈍的かの聴取, ナイフやガラスの深度や方向の聴取が重要である. 意識障害や手術中の不良肢位による損傷では, 睡眠薬服用の有無, 飲酒の有無, 肢位や体位と圧迫時間について聴取する. 転倒による肩関節脱臼骨折などの低エネルギー外傷でも, 高齢者の場合にはこの腕神経叢損傷を疑って問診することが重要である. また治療方針決定には受傷から (麻痺が出てから) の期間が重要なため, このことについても聴取する.

▶必要な検査とその所見
(1) 身体所見
　肩甲帯を含めて上肢全体の運動と感覚について詳細

に所見をとり記録することが重要である．徒手筋力テストと感覚検査と Tinel 徴候の有無と部位である．損傷レベルと損傷程度の診断には麻痺神経の回復過程を把握することが必要となるため，詳細に記録し経時的変化に着目する．

(2)画像検査

頚椎，胸部，肩関節，上腕の単純 X 線像により，合併する骨折や脱臼を診断する．また，頚椎横突起骨折や胸部 X 線像での横隔膜麻痺（挙上した横隔膜）は節前損傷（引き抜き損傷）を疑う所見であり，第 1，2 肋骨骨折では腕神経叢損傷の合併を疑う．節前損傷（引き抜き損傷）を疑う場合は，脊髄造影とミエロ CT で神経根像を比較し，偽性髄膜瘤の評価を行う．頚椎と腕神経叢の MRI 特に拡散強調像は有用であり，頚髄損傷，神経根の異常，偽性髄膜瘤，神経腫，腕神経叢の信号変化による浮腫や炎症を評価することができる．

(3)電気生理学的検査

筋電図検査と神経伝導速度検査を行う．筋電図検査は脱神経所見が得られる受傷後 4 週以降に行い，麻痺筋の範囲と程度を評価する．さらに受傷 3 か月前後に 2 回目の筋電図検査を行い前回の筋電図結果と比較することによって，麻痺筋の神経回復の有無を電気生理学的に評価することが，神経損傷の程度の把握と治療方針の決定に重要である．

診断のポイント

・上肢各筋の筋力，感覚障害の領域など神経学的所見から損傷神経，神経根およびその高位を診断する．
・Horner 徴候，鎖骨下動脈損傷などを合併している場合には，節前損傷（引き抜き損傷）が疑われる．
・針筋電図で完全麻痺の有無を，感覚神経活動電位検査で節前損傷（引き抜き損傷）の有無を診断する．
・頭部 MRI，脊髄造影 CT により，節前損傷（引き抜き損傷）の有無を診断する．
・確定診断は腕神経叢展開術＋術中電気生理学的検査によって行う．

専門病院へのコンサルテーション

神経の手術には時間的制約があり早期に病態に応じた適切な治療が必要となるため，診断がついたらすみやかに専門医に紹介する．損傷形態，年齢，職業，受傷からの期間に応じて，神経移植，神経移行のみならず筋肉移植，腱移行，腱固定，関節固定などの治療法が必要で，これらを段階的に計画を立てて施行可能な施設が望ましい．

治療方針

受傷機転が軽微な圧迫麻痺などで経時的に回復が認められる場合は，有連続損傷と判断できるため，経過観察を行う．受傷 3〜6 か月程度の時点で電気生理学的にも回復が得られない損傷に対して手術療法を行う．

手術療法

回復が得られない損傷に対しては，①損傷部位を展開し，診断を確定，②神経修復術（神経縫合術・神経移植術）が可能であれば実施，③各種機能再建術を症例によっては実施する．機能再建術としては，神経移行術（ドナー神経として肋間神経，尺骨神経，副神経など），筋腱移行術，関節固定術，遊離筋肉移植術などがあり，それらを組み合わせて上肢の機能改善をはかる．

患者の年齢，職業と腕神経叢損傷の高位，程度，受傷からの期間および修復部位から目的筋肉までの予想される再生距離などを考慮して手術術式を選択する．原則として，節後損傷には神経移植，節前損傷（引き抜き損傷）には外科的修復が不能なため神経移行や各種機能再建術を行う．ただ，節後損傷であっても，牽引による腕神経叢全体の損傷が加わっている場合や目的筋肉までの再生距離が長くなる場合などは，神経移植の成績が必ずしも良好ではないので神経移行術を選択することもある．

患者説明のポイント

節前損傷（引き抜き損傷）では，損傷前レベルまでの機能獲得は困難なため，患者は障害の受容という過程も経験することになる．健側上肢のみでほとんどの日常生活が可能なため，年齢，職業（あるいは将来つきたい職業），治療にあてることのできる期間を十分に患者と意思疎通をして，どこまでの機能回復を目指すかを相談する．

リハビリテーションのポイント

筋力強化や関節可動域訓練，患肢によっては利き手交換などのリハビリテーションも必須である．また，神経因性疼痛に対する薬物療法，機能障害に対する精神的・社会的ケアも必要となる場合が多い．

2 分娩麻痺

【疾患概念】

分娩麻痺は，分娩時に発生する腕神経叢損傷である．4,000 g 以上の巨大児に発生しやすく頭部または肩甲帯が産道の狭窄部にひっかかり，娩出時に頭部と肩関節の間が引き延ばされることによって起こる牽引損傷である．

【病型・分類】

おおむね 1 か月経過した時点の臨床症状によって上位型麻痺（Erb 麻痺），全型麻痺，下位型麻痺（Klumpke 麻痺）に分類される．典型的な症状は以下のようであるが，実際には損傷の程度，自然回復の混在によって多様である．

【臨床症状】

(1) 上位型麻痺（Erb 麻痺）

　C5，C6，時にこれらに加えて C7 神経根に損傷を受けた場合に生じる麻痺である．肩の外転・外旋，肘の屈曲が主に障害され，手関節の背屈が可能であれば，C7 神経根は損傷を免れている．

(2) 全型麻痺

　上位型麻痺に加えて C8，T1 神経根にまで損傷が及んだ場合に生じる．上肢全体が完全麻痺となるが，T1 神経根が損傷を免れている場合は手指の屈曲のみ可能で他が完全麻痺となる．

(3) 下位型麻痺（Klumpke 麻痺）

　生下時より下位型を呈する麻痺は非常にまれで，多くは全型麻痺で上位神経根が回復し下位神経根に麻痺が残存している病態である．

診断のポイント

- 詳細な筋力，感覚検査はできないので，患肢の注意深い観察，対側の運動との比較などを行い麻痺の有無を診断する．
- 新生児で上肢の動きが悪ければ分娩麻痺を疑う．
- 巨大児，骨盤位分娩は危険因子である．
- 特定の肢位（waiter's tip position など）を観察することで，神経損傷の高位を推測できる．
- 鑑別すべき疾患として，鎖骨骨折や上腕骨骨折などの分娩骨折，脳性麻痺などが挙げられる．

治療方針

　多くの症例で麻痺の回復がみられるが，最終的に機能障害を残す症例も少なくない．遺残障害としては単なる筋力低下や関節運動制限だけではなく，複数の筋肉が同時に収縮してしまう過誤神経支配や骨関節の変形などがある．

　生後1か月を過ぎても全く上肢を動かさなければ3か月くらいに神経の手術を考慮する．手指の動きがあり，肩関節や肘関節の動きのみ障害されている場合は3か月を過ぎても回復を期待して経過観察を行い，回復が認められない場合は，6か月で神経の手術も考慮する．手術では，損傷部位や程度を確認して，神経移植術や神経移行術を行う．

　幼児期を通して，回復してきた機能に対する運動訓練を継続して，関節拘縮などがあれば，より積極的にリハビリテーションを行い，その効果が不十分であれば関節拘縮に対する手術も考慮する．神経手術の有無にかかわらず，機能障害が残存している場合には，二次再建手術を幼児期・学童期に行うことで，機能改善が得られる場合もある．

胸郭出口症候群

Thoracic outlet syndrome

岩堀　裕介　あさひ病院スポーツ医学・関節センター センター長〔愛知県春日井市〕

【疾患概念】

　胸郭出口症候群（thoracic outlet syndrome；TOS）は，主に斜角筋三角部，肋鎖間隙，小胸筋腱下部において腕神経叢や鎖骨下動・静脈が圧迫・牽引ストレスを受け，頸部から上肢の疼痛，しびれなどの症状を生じる疾患群である．この TOS という名称は，それまでに報告されていた頸肋症候群，前斜角筋症候群，肋鎖症候群，過外転症候群の総称として，1956 年に Peet らが命名した．TOS は症状が多彩で診断基準も曖昧なことや，併存病変の影に隠れて見逃されている場合が少なくない．発症要因は，非外傷性，外傷性，その中間である微小外傷の繰り返しや持続がある．非外傷性は，頸肋・第 1-2 肋骨癒合症などの胸郭形態異常や，異常線維束・最小斜角筋などの先天性解剖学的異常や破格，腫瘍，なで肩や姿勢不良などにより生じる．外傷性は胸郭出口への直達外力，鎖骨骨折，むち打ち損傷などがある．微小外傷の繰り返し・持続にはオーバーヘッドスポーツ，上肢のウエイトトレーニング，肉体労働，リュックサックなどがある．病型としては，血管性（動脈性，静脈性），神経性（true，disputed），混合性があるが，大部分が disputed type の神経性 TOS か混合型であり，血管性は少なく true type の神経性 TOS はまれである．静脈性 TOS のうち血栓によるものは Paget-Schroetter 症候群とよばれる．神経性 TOS はその要因によりさらに圧迫型，牽引型，混合型に分類され，圧迫型は筋肉質の男性，牽引型はなで肩の女性に多くみられるが，混合型が最も頻度が高いと報告されている．

【臨床症状】

　TOS の自覚症状は上肢のしびれが最も多いが，そのほか頸部・肩甲部・肩から手部の疼痛，頑固な肩こり，上肢の脱力・握力低下なども多い．第 1 肋骨側を走行する C8・T1 神経の障害が強く出る傾向があるため，しびれや知覚障害は上腕内側から前腕内側，そして手部では環小指に生じることが多い．圧迫型 TOS では上肢挙上時，牽引型 TOS では上肢下垂位で重量物を持ったりリュックサックを背負うことにより，症状が出現・増悪する．重量物動脈性 TOS では上肢の蒼白と橈骨動脈拍動の減弱・消失，静脈性 TOS では紅潮・静脈怒張を伴う緊満腫脹，自律神経障害を生じると頭痛・全身倦怠感・めまい・嘔気・不眠，さらにうつ傾向など多彩である．

TOSの確定診断法に関しては現時点では確立されておらず，上肢にしびれ・痛み・脱力といった運動・感覚障害があり，それが頚椎疾患や末梢神経障害では説明がつかないという除外診断と，胸郭出口の斜角筋三角部，肋鎖間隙部，小胸筋腱部のいずれかに圧痛を有し，以下に示すTOS誘発テストが陽性であることを根拠にTOSと診断されている．

　TOS誘発テストは多くあるが代表的なものはAdsonテスト，Morleyテスト，Wrightテスト，Roosテスト，Edenテストである．

問診で聞くべきこと

　いつ頃から症状が出現したのか，発症時の外傷の有無や外傷以外のきっかけ(スポーツ活動，リュックサック使用など)，症状が増悪する状況，家庭・学校・職場環境を聴取する．

必要な検査とその所見

(1)画像所見

　単純X線像・CTにて，頚肋や第1-2肋骨癒合症を代表とする胸郭出口部の形態異常，第1または第2肋骨疲労骨折，鎖骨の水平化(なで肩例)，第1肋骨の肥大，肩甲骨の下方偏位(オーバーヘッドアスリート例)などを確認する．MRIアンギオグラフィー，CTアンギオグラフィーでは，血管性TOSにおいて鎖骨下動脈・静脈の圧迫像や血栓が描出される．腕神経叢造影では，腕神経叢の圧迫・牽引所見が確認できる．近年，エコーを用いた肋鎖間隙部の斜角筋の形態評価やパワーDopplerによる鎖骨下動脈の血流評価が行われるようになっている．

(2)電気生理学的検査

　針筋電図は侵襲のある検査ではあるが，神経性TOSの診断において重要な意義を持ち，明らかな神経脱落症状を認めた場合，手術適応を決定する場合，複合神経障害が疑われた場合には必須である．第8頚椎神経と第1胸椎神経の二次運動ニューロンの軸索変性の所見を認めた場合は，手術適応を検討すべきである．神経伝導速度は末梢神経障害との鑑別や重複・複合障害の診断に有用である．

鑑別診断で想起すべき疾患

　神経性TOSでは，平山病，頚椎疾患，肘部管症候群，手根管症候群，長胸神経障害などの神経障害を生じる疾患やヒステリー性麻痺との鑑別が重要となる．神経性TOSでは上述したようにC8・T1神経が優位に障害されるため，しびれや知覚障害は上腕内側から前腕内側，そして手部では環小指に生じることが多く，肘部管の圧痛・Tinel様徴候を認め，elbow flexion testも陽性となるため肘部管症候群との鑑別が特に重要で，重複障害の可能性もあり鑑別診断には電気生理学的検査が必須となる．

動脈性TOSでは，Raynaud現象を生じるRaynaud病や膠原病との鑑別が必要となる．

診断のポイント

　上述した3か所の圧痛とTOS誘発テスト(特に圧迫型ではRoosテストと牽引型ではEdenテストが重要)により，まずこの疾患を疑うことが重要であり，そのうえでほかの疾患の鑑別診断を慎重に行う．

　頚椎疾患や末梢神経障害を合併している重複神経障害や複合神経障害の場合には，その診断は困難となるが，電気生理学的検査(針筋電図や神経伝導速度)，鎖骨下動静脈の造影3D-CT，腕神経叢造影などの所見を総合的に判断する．

　Wrightテスト，Adsonテスト，Edenテストは橈骨動脈の拍動の減弱・消失を確認するが，拍動が減弱・消失しても無症候の例があり注意が必要である．

　Roosテストは原法では挙上時間が3分であるが，実臨床では30秒で十分である．

専門病院へのコンサルテーション

　TOSは診断・治療ともに難しく，臨床経験が求められる疾患であるため，疑われた時点で専門病院にコンサルテーションすることが勧められる．特に静脈性TOSでは，Paget-Schroetter症候群の場合に肺塞栓など生命にかかわる合併症が発生する危険があるため，直ちにコンサルテーションする．母指球や小指球の筋萎縮を伴う場合も，手術適応となるtrue typeの神経性TOSの可能性が高いため，早めのコンサルテーションが求められる．

治療方針

　TOSに対する治療は，保存療法が第1選択であるが，Paget-Schroetter症候群とtrue type神経性TOSは手術療法については早めに手術療法が選択される．保存療法としては①スポーツ活動や労働の休止，②不良姿勢の是正，③肩甲骨装具，④胸郭出口周囲筋(斜角筋，鎖骨下筋，小胸筋)・肩甲骨周囲筋(僧帽筋上部線維，肩甲挙筋)のリラクセーション，⑤肩甲胸郭関節機能訓練，⑥スポーツ動作指導，⑥薬物療法(非ステロイド系消炎鎮痛薬，プロスタグランジンE_1・I_2製剤，ビタミンE製剤，プレガバリンなどの投与)，⑦エコーガイド下トリガーポイントブロック(斜角筋三角部，肋鎖間隙部，小胸筋腱部など)を症例に応じ選択して実施する．Paget-Schroetter症候群では血栓溶解療法，抗凝固療法，経静脈的血栓除去などが行われる．スポーツ選手のTOSは，胸郭出口周囲筋の過緊張や肩甲骨周囲筋・体幹筋の機能不全が主因となっている症例が多いため，適切な理学療法を実施すれば，その反応は良好である．

　以上の保存療法に抵抗する症例に対して手術が適応

されるが、そうした症例の大部分は生来の骨性圧迫因子（頚肋，第1-2肋骨癒合症など）や軟部組織性圧迫因子（異常線維束・靱帯，最小斜角筋，斜角筋の瘢痕化など）を有する例，スポーツ活動や肉体労働により胸郭出口周囲筋の肥大や第1肋骨の肥大・疲労骨折を生じた例，鎖骨骨折など外傷により胸郭出口が狭小化した例である．

手術の進入法としては大きく分けて，鎖骨上進入法と腋窩進入法がある．鎖骨上進入法には，胸鎖乳突筋後方アプローチや鎖骨骨切りアプローチを用いた前斜角筋切離・腕神経叢剥離術がある．これらの方法の利点は，腕神経叢を直接観察し癒着の剥離や圧迫組織の切除ができること，頚肋切除が容易であることがある．欠点としては手術創が目立つこと，第1肋骨切除が比較的困難であること，鎖骨を骨切りした場合は侵襲が大きくなることである．腋窩進入法は，Roos らが報告した経腋窩第1肋骨切除術が一般的である．この術式では腕神経叢や鎖骨下動静脈自体の剥離操作は加えず，第1肋骨を切除することにより前斜角筋と中斜角筋の緊張を解除し，鎖骨との間隙を拡大して，斜角筋三角部と肋鎖間隙部の圧迫因子を除去でき，比較的良好な手術成績を獲得できる．この方法の利点としては比較的低侵襲に第1肋骨が切除可能なことであり，特に女性例では美容的な面でも手術創が目立たないことが挙げられる．一方，欠点は術野が狭くかつ深く，神経・血管や胸膜損傷を生じる危険があり，手技に習熟を要することである．最近では，良好な視野が確保できる関節鏡補助下に行う術式が導入されている．圧迫型のTOSの手術成績は比較的良好であるのに対して，牽引型TOSや交通事故などによる外傷性TOSにおける成績は不良であり，その適応にあたっては慎重な判断が要求される．

患者説明のポイント

TOSは，不良姿勢，生活・職場環境，肉体労働・スポーツ活動によるオーバーユースが関与している場合が多いため，そうした要因に対するアプローチが必要であり，それには患者の病態に関する理解と治療への能動的参加が重要であることを診療開始時から説明する．

石灰沈着性腱板炎・滑液包炎
Calcific tendinitis, bursitis

髙瀨　勝己　東京医科大学 教授（運動機能再建外科学寄附講座）

【疾患概念】　石灰沈着性腱板炎は，腱板周囲（腱板，滑液包，腱鞘滑膜など）に石灰（アパタイト結晶）が沈着することにより肩関節に発症する炎症性疾患であり，疼痛および運動時痛を主訴として日常診療によく遭遇する疾患である．

石灰沈着の発生メカニズムは，いままでに明らかにされていない．一般的に，腱板の加齢および腱板への反復する力学的負荷により引き起こされた，退行変性と血行不良により腱実質細胞が軟骨細胞に分化し，同細胞からアパタイト結晶が形成されると考えられている．この石灰物質が腱板内から肩峰下滑液包内に放出されることにより，滑液包の急性炎症を引き起こす．また，腱板内に石灰沈着が限局した場合では，石灰物質の機械的刺激により，腱板と肩峰下面部との衝突が起こり，肩峰下滑液包炎を引き起こす．

【臨床症状】
臨床症状は程度と経過により3型に分類される．

①急性期：肩関節の激痛が急性発症し，他動的に動かすことも困難な状況となる．他覚的には石灰沈着部と思われる部位に限局した圧痛を認めることができるが，時には同部を中心に発赤，腫脹，熱感を伴う症例もある．アパタイト結晶が腱板内から滑液包内に急速に流出され，滑液包の急性炎症を引き起こす病態と考えられる．

②亜急性期：軽度の肩関節痛を自覚していたが，時に疼痛が増強する．

③慢性期：3～6か月以上軽度の疼痛が持続するが，症状の増悪を伴わない．肩関節運動時に石灰沈着部が肩峰下面部に衝突し，肩峰下滑液包炎を発症する病態と考えられる．

【画像検査】
診断は単純X線検査にて容易に可能である．しかし，一方向のみでは石灰化を見逃す可能性があるため，少なくとも肩関節前後像およびScapula-Y撮影の2方向以上は必要である．X線にて描出される石灰沈着は，大きさや形状はさまざまである．濃淡が均一で境界鮮明なチョーク型，濃淡および境界が不均衡となるタイプ，濃淡および境界がさらに不均衡となり肩峰下滑液包に広がる淡いびまん性陰影を示す型があるが，病状とは必ずしも一致しないとの報告もある．

治療

臨床型により治療方法が異なるが，主として三角巾による安静固定の保存治療が行われる．この際に消炎鎮痛薬（NSAIDs）の内服も検討するが，H_2 ブロッカー（シメチジン）の併用で有効性が増す可能性がある．

1 ▶ 肩峰下滑液包内注射

局所麻酔薬と水溶性ステロイド剤の注射を行う．特に炎症症状の強い急性期あるいは亜急性期に対して有効である．

2 ▶ 石灰沈着物の穿刺吸引

腱板内の石灰沈着を穿刺吸引するため，穿刺部の場所を特定するのにX線透視下にて行う必要がある．石灰沈着物が肩峰下滑液包内に流出することで，腱板滑液包側の緊張が緩和され症状が寛解することが多い．すべての病期に有効である．

3 ▶ 体外衝撃波療法

腱板内石灰沈着消退を目的とする．

上記の保存治療にても除痛が得られない場合は，手術治療が必要となる．手術方法は石灰摘出術であるが，石灰沈着物に自然消退の可能性があるため，必ずしも全摘出にこだわる必要はない．腱板表層部の石灰摘出にとどめ，切開した腱板は縫合したほうがよいとされている．これらの操作は直視下あるいは関節鏡視下のいずれでも行うことは可能である．

リハビリテーションのポイント，関連職種への指示

肩関節に激痛が発生する急性期では，症状が軽減するまでは安静が主目的となる．また，急性発症以前に症状を自覚していない症例では，肩峰下滑液包内注射により症状が劇的に消退し，機能訓練を必要としないことが多い．亜急性期や慢性期では，疼痛の再燃に注意しながら肩関節可動域訓練を行う．

治療経過中の禁止事項に関しては，すべてで情報を共有することが重要である．リハビリテーションは，激痛時は避けるべきであり，疼痛の再燃に注意しながら行う必要がある．

肩鎖関節部の疾患と外傷

Disorders and injuries of the acromioclavicular joint

高瀬　勝己　東京医科大学 教授（運動機能再建外科学寄附講座）

【疾患概念】　肩鎖関節障害には，変形性関節症（以下OA），反復性の微小外力により発生する鎖骨遠位端骨融解症，肩関節外側，特に肩峰外側部を強打する介達外力により発生する外傷性損傷（肩鎖関節脱臼および鎖骨遠位端骨折が代表例）とさまざまな病態がある．特に外傷性損傷はスポーツ活動時での発生が多いが，歩行中での転倒や交通事故でも発症し年齢層も多岐にわたる．

肩鎖関節は肩峰および鎖骨遠位端の両関節面で構成され，肩甲胸郭関節の機能に関与している．また，同関節の支持機構は骨性要素の関与は少なく，静的安定化機構（肩鎖靱帯，烏口鎖骨靱帯：菱形靱帯・円錐靱帯）と動的安定化機構（僧帽筋，三角筋）が安定性に大きな役割を示している．このため，軟部組織の安定化機構の損傷程度に応じて治療方法が選択されることが多い．

【臨床症状】

(1) 身体所見

受傷機序，症状（疼痛）の部位や性質，受傷前の職業やスポーツ活動の聴取は治療方法の決定に重要である．外傷性損傷では，初期は疼痛のため肩関節自動運動が困難となり，肩鎖関節部の腫脹および圧痛を認める．また，外見上では鎖骨遠位端の肩峰に対する上方偏位（鎖骨遠位端の上方突出）やpiano key症状陽性（突出した鎖骨遠位端の下方圧迫をすることで肩鎖関節脱臼の整復が可能であるが，圧迫除去にて容易に再転位をきたす徴候）を示す．一方，鎖骨遠位端骨融解症では肩鎖関節の腫脹および圧痛を認め，肩関節最大屈曲時や水平内転時に運動時痛を認めることは多いが，外見上の変形はほとんどない．OAは肩鎖関節部の骨性突出を認めるが，圧痛，腫脹，運動時痛はほとんど生じない．

画像検査

(1) 単純X線検査（正面および軸位像）にて診断：座位あるいは立位で撮影．

① 正面像

変形性変化の有無を評価（OA）．

鎖骨遠位端の骨透亮像の有無（肩鎖関節は維持：鎖骨遠位端骨融解症）．

鎖骨遠位端骨折の有無および鎖骨中枢骨片の転位状況の把握（鎖骨遠位端骨折）．

鎖骨の肩峰に対する上方偏位の程度を評価．

肩鎖関節亜脱臼：鎖骨下縁が肩峰下縁より上方に偏位し，肩峰上縁より下位に位置した場合．

肩鎖関節脱臼：鎖骨下縁が肩峰上縁より上方に偏位した場合．烏口突起-鎖骨間距離が健側比で125%以上に拡大した場合．

② 軸位像：鎖骨の肩峰に対する後方偏位を評価．

(2) computed tomography（CT 3方向および3D-CT）：骨折の転位方向および程度，鎖骨の肩峰に対する上方および後方偏位の有無と程度，鎖骨遠位端の骨破壊の有無．

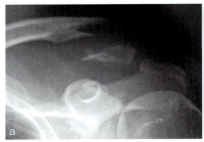

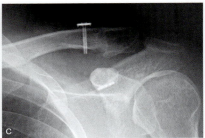

a 術前単純 X 線　　　b 術前 CT　　　c 術後単純 X 線

図 11-20　鎖骨遠位端骨折

(3) MRI：鎖骨遠位端骨透亮像に対する骨腫瘍との鑑別．

治療方針

1 ▶ 鎖骨遠位端骨折（図 11-20a～c）

骨折型に応じて Rockwood らは 5 型に分類している．多くの症例では，三角巾固定などによる患肢への負荷軽減の保存治療にて骨癒合が得られるが，菱形靱帯が末梢骨片に残存し円錐靱帯が断裂することで中枢骨片が不安定となる IIb 型は，保存治療では偽関節になる可能性が高く，手術適応と考えている．骨折治療の原則は強固な内固定であるが，末梢骨片の骨脆弱性や肩鎖関節の一時的な仮固定などによる合併損傷の問題がある．このため，近年では中枢骨片の不安定性をきたす原因が円錐靱帯断裂であることから，円錐靱帯再建術が行われ良好な結果を得ている（図 11-20c）．

2 ▶ 肩鎖関節脱臼

肩鎖関節損傷の損傷程度により治療方針を決定する．重症度は，肩鎖関節前後像より鎖骨の肩峰に対する上方偏位で判断する，Rockwood 分類を一般的には用いる．Type 1 および 2 は上方亜脱臼，type 3 および 5 は上方脱臼，type 4 は後方脱臼，type 6 は下方脱臼に分類される．Type 5 は，type 3 に動的安定化機構である三角筋あるいは僧帽筋が鎖骨より剥離した状態で，烏口突起-鎖骨間距離が健側比 200% 以上の損傷の高度脱臼と診断される．一般的には type 4 以降が手術適応とされるが，type 3 では患者のスポーツあるいは職業などの背景により，手術あるいは保存治療と選択が異なる場合がある．代表的な手術治療には，肩鎖靱帯再建術，烏口鎖骨靱帯再建術，烏口肩峰靱帯移行術，鏡視下烏口鎖骨靱帯再建術が行われている．

3 ▶ 変形性関節症（OA）

肩関節可動域制限あるいは運動時痛，夜間時痛などの ADL 障害をきたす症例がほとんどないため，積極的な治療を行うことが少ない．最大屈曲時痛や水平内転時痛を伴う場合に，まれに鎖骨遠位端切除が行われることがある．

4 ▶ 鎖骨遠位端骨融解症

ウエイトリフティングの選手に多い疾患である．肩関節最大屈曲あるいは水平内転動作が繰り返されることにより，鎖骨遠位端に反復する minor trauma が加わることで発症すると考えられている．最大屈曲や水平内転での運動時痛，局所の腫脹あるいは圧痛を認めるが，患側上肢の安静の保存治療にて骨修復を期待することができる．しかし，肩鎖関節の破綻や早期のスポーツ復帰を期待する場合は，鎖骨遠位端切除が行われることがある．

高齢者への対応

高齢者では腱板損傷を合併する頻度が高率となるため，50 歳以上の外傷あるいは有痛性肩関節障害を有していれば，単純 X 線以外に MRI 検査を検討する必要がある．腱板断裂を示唆する所見があった場合，既存疾患が軽快しても疼痛，可動域，筋力などの ADL 障害が顕著となる場合がある．

患者説明のポイント

本稿で述べた手術適応は一般的な考え方である．スポーツ競技者では，競技種目，競技レベル，復帰時期を考慮し，患者および家族と十分に相談することで，積極的に手術治療を行う必要もある．一方，70 歳以上で活動性が低い患者，あるいは患肢に麻痺がある患者には，保存治療でも ADL 上の機能障害が軽度となる可能性があることを提示すべきである．

リハビリテーションのポイント，関連職種への指示

長期の肩関節外固定は肩関節拘縮の原因になりやすい．このため，可及的早期からの他動による可動域獲得訓練を開始し，自動運動による訓練に移行して患側上肢の負荷へと指導していく．また，肩甲胸郭関節の緊張緩和も重要であり並行して行う．

治療経過中の禁止事項に関しては，すべてで情報を共有することが重要である．リハビリテーションで

は，当該部位だけではなく肩甲胸郭関節の機能不全を防ぐために，適切な治療が必要である．

肩甲骨骨折

Fracture of the scapula

江川 琢也　岡波総合病院 医長〔三重県伊賀市〕

【疾患概念】　肩甲骨は胸郭上での可動性が大きく厚い筋層で囲まれ，大きな外力が直接作用し難いため，骨折が生じることはまれである．このことは裏を返せば，肩甲骨骨折発生時には相当大きな外力が作用したことを意味しており，多数の合併損傷が認められるのが本骨折の特徴である．

【頻度】　全肩甲帯部骨折の約3〜5％，全骨折の0.4〜1％である．

【病型・分類】　解剖学的に体部骨折・頚部骨折・肩峰骨折・肩甲棘骨折・烏口突起骨折・関節窩骨折に分類され，関節窩骨折にはIdeberg分類が頻用されている．

【臨床症状】　骨折部は圧痛を有するが，腫脹は厚い筋層に覆われ判然としないことが多い．頚部骨折や肩峰骨折では肩幅が狭くなり「なで肩」となる．体部骨折では筋肉内出血により腱板の機能が低下し，あたかも腱板断裂時のように上肢の自動挙上ができなくなる．これは"pseudorupture of the rotator cuff"と言われる．

問診で聞くべきこと
患肢の知覚運動障害の有無，呼吸時痛などを問診し，高率に発生する合併損傷を見逃さないように注意する．

必要な検査とその所見
X線検査は，肩関節正面像とスカプラY像を撮影する．X線正面像では肩甲骨は胸郭や鎖骨などと重なり，読影は必ずしも容易ではなく，3D-CTはきわめて有用である．

鑑別診断で想起すべき疾患
"pseudorupture of the rotator cuff"を呈する症例では，腱板断裂との鑑別が必要である．os acromialeは肩峰成長線の遺残で，肩峰骨折との鑑別が必要である．小児の肩甲骨には多数の骨端核・骨端線があり，骨折線と見間違われやすく注意を要する．同部の圧痛や健側との比較により鑑別する．

診断のポイント
重複損傷を念頭に置き，1か所の骨折に目を奪われ他部位の損傷を見逃さないように注意する．初療時は合併損傷などにより臥位でX線撮影されることが多いが，全身状態が安定すれば，立位撮影にて骨折部の不安定性を再評価し治療方針を決定する．肋骨骨折を合併することが多く，遅発性の血気胸にも注意する．

専門病院へのコンサルテーション
肩甲骨関節窩骨折やfloating shoulderなど肩甲帯部の不安定性の強い症例は機能障害が危惧されるため肩関節専門医への紹介が必要である．

治療方針
肩甲帯部は肩甲骨関節窩・烏口突起・烏口鎖骨靱帯・鎖骨遠位部・肩鎖関節・肩峰によりリング状の複合体を形成しており，このリングの上方は鎖骨骨幹部により，下方は肩甲骨体部により支えられており，このリングに2か所以上の破綻が生じると不安定型損傷となり手術を考慮する必要がある〔GossのS.S.S.C.（superior shoulder suspensory complex）理論（図11-21）〕．また，肩甲骨頚部骨折＋鎖骨骨幹部骨折（＋肩峰・肩甲棘骨折）はfloating shoulderとよばれ，肩甲帯部はきわめて不安定となるため手術適応となる．

合併症と予後
本骨折は高率に合併損傷を伴う．特に，同側の肩甲帯部損傷として肋骨骨折（血気胸，肺挫傷），鎖骨骨折，肩鎖関節脱臼，肩関節脱臼，上腕骨近位端骨折，腱板断裂，神経血管損傷などに注意する．本骨折の骨癒合は比較的良好であり保存療法が原則であるが，肩甲帯部拘縮を予防し良好な機能回復を得るためには，漫然とした保存療法に固執することなく，肩甲帯部重複損傷を含め，正確な早期診断，早期治療に努めなければならない．

患者説明のポイント
不安定型骨折は偽関節，続発性関節症，外傷性拘縮の発症が危惧されるため，肩関節専門医受診を勧める．

リハビリテーションのポイント，関連職種への指示
2〜3週間のスリング固定の後，痛みの消退とともに可及的速やかに可動域訓練を開始し，肩甲帯部の拘縮予防に努める．

11 肩甲帯の疾患

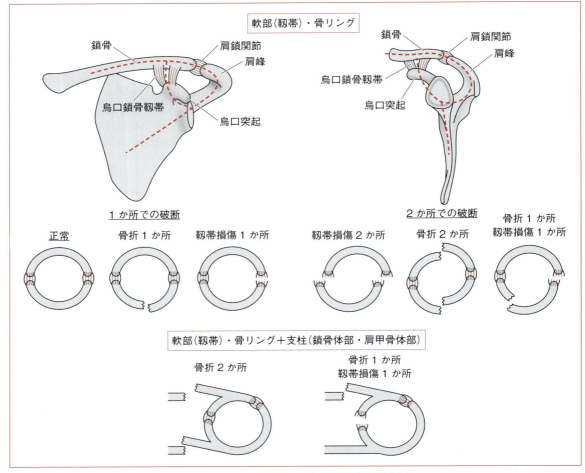

図 11-21　Goss の superior shoulder suspensory complex (S.S.S.C.) の概念図
(Goss TP: J Orthop Trauma 7: 99-106, 1993 より改変)

鎖骨骨折

Clavicle fracture

仲川 喜之　宇陀市立病院 病院長〔奈良県宇陀市〕

【疾患概念】　鎖骨骨折は全骨折の約10％，肩甲帯部骨折の2/3を占め，日常診療で最もよく遭遇する骨折の1つである．他の長管骨骨折と比較して骨癒合が得られやすいことや，変形治癒をきたしても機能障害が少ないことより保存療法が原則とされてきたが，近年，不安定型骨折では高率な偽関節，機能障害発生が報告されており適切な初期治療が重要である．

【分類】
遠位端・骨幹部・近位端骨折に大別され，さらに細分類されている（図11-22）．発生頻度は遠位端約15％，骨幹部約80％，近位端約5％である．

問診で聞くべきこと

受傷機転，疼痛圧痛部位の聴取により容易に鎖骨骨折を疑うことは可能であるが，受傷機転聴取の困難な幼少児では肘内障との鑑別を要する．新生児鎖骨分娩骨折も知っておく必要がある．

必要な検査とその所見

X線は骨折部位を中心に前後像，30°頭側斜位像の2方向撮影を行う．3D-CTは骨折形態の把握に有用である．鎖骨内外側骨端核は青年晩期まで存在し，同部の骨折は骨端線離開の形をとる場合もあり留意しておく．

診断のポイント

転位が大きくなる立位でスリングを除去したX線

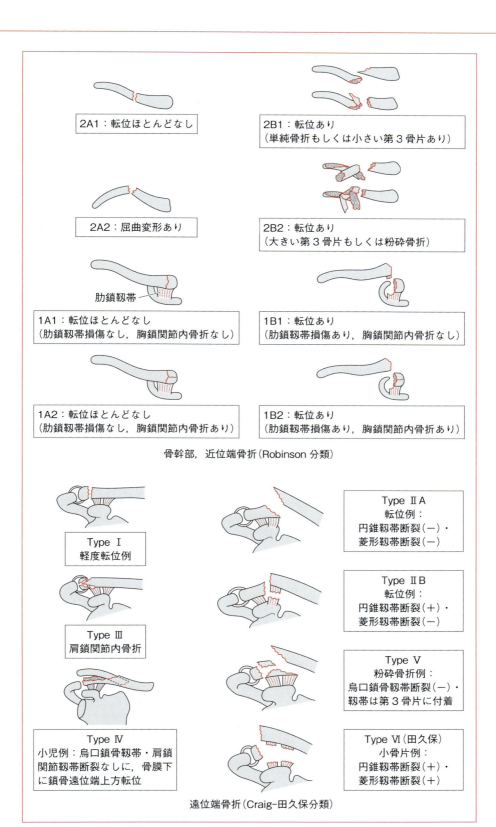

図 11-22 鎖骨骨折の分類

撮影が望まれる．高エネルギー外傷では，肩甲帯部重複損傷，神経損傷，血管損傷に留意する．

治療方針

1 ▶ 鎖骨骨幹部骨折

保存療法が原則であるが，開放骨折，神経血管損傷例は絶対的手術適応である．相対的手術適応として高度転位例（Robinson分類2B1，2，2cm以上の短縮），高齢者，女性，喫煙者，肩甲帯部重複損傷例などが挙げられる．

(1) 保存療法

スリングや鎖骨バンド固定を行い仮骨出現後は積極的に可動域訓練を行う．

(2) 手術療法

髄内釘法とプレート法に大別され成績はほぼ同等であるが，プレート固定では機能回復がやや早い反面，創部瘢痕・知覚障害，インプラント突出，抜釘後再骨折などの問題もあり，最小侵襲プレート固定（minimally invasive plate osteosynthesis；MIPO）法によるプレート固定や閉鎖性髄内釘法が試みられている．

2 ▶ 鎖骨遠位端骨折

安定型骨折（TypeⅠ，Ⅲ，Ⅳ）は保存療法，不安定型骨折（TypeⅡ，Ⅴ，Ⅵ）は手術療法の適応である．

(1) 保存療法

2～3週間スリング固定し，除痛後早期に肩関節運動を開始する．

(2) 手術療法

遠位骨片が大きく，粉砕が少ない例ではtension band固定法や肩鎖関節を跨がないプレート固定法を，遠位骨片が小さい例，遠位骨片が粉砕している例は肩鎖関節を跨ぐプレート固定を選択する．近年，烏口鎖骨靱帯の縫合・再建術も試みられている．

3 ▶ 鎖骨近位端骨折

全例，保存療法を原則とする．TypeBは偽関節となることが多いが，無症候性のことが多くさらなる治療を要することは少ない．

(1) 保存療法

2～3週間スリング固定し，除痛後早期に肩関節運動を開始する．

(2) 手術療法

胸鎖関節を貫く金属材は高率に折損し，縦隔迷入による重篤な合併症を引き起こす危険性があり用いるべきではない．対側の骨皮質を貫通せずスクリュー固定が行えるlocking plateを使用する．

患者説明のポイント

保存療法が基本ではあり，高度粉砕転位例や高齢者では遷延治癒，偽関節となりやすいが，たとえ偽関節となっても無症候性のこともあること，手術に関し骨幹部骨折では髄内釘法とプレート法のメリット，デメリットを説明する．遠位端骨折は肩鎖関節を跨がない固定法と跨ぐ固定法があり，跨ぐ固定法では抜釘まで肩関節の可動域制限が必要であることを説明する．近位端骨折に対する金属固定術後は，治療継続が必須であることを伝える．

リハビリテーションのポイント，関連職種への指示

鎖骨バンド時の上肢血行障害や知覚障害，手術時の創部感染，インプラント皮下突出などに注意するよう指示する．リハビリテーションは術後3～4週は肩関節挙上90°までとし，徐々に可動域を拡大し，肩鎖関節を跨ぐ固定法では，抜釘まで挙上は90°に制限するように指示する．

肩のリハビリテーション

Rehabilitation for the disease of the shoulder

後藤 英之　至学館大学健康科学部 教授（健康スポーツ科学科）

【概説】　肩関節は支持性の少ない不安定な関節であり，筋肉の動的な安定化機構と，全方向性への関節包・靱帯による静的な支持機構のバランスによって安定化されている．また，腱，筋肉，関節包などの軟部組織に病変を生じることが多く，運動制限や滑走の障害から，不安定症までバリエーションに富んだ病態を示す．これらをリハビリテーションなくして治療を行うことは不可能である．治療に当たっては形態的診断のみならず機能障害や病態について把握し，病態に基づくリハビリテーションの計画を立てることが重要である．肩のリハビリテーションの目的は，正常な可動域の獲得と正常な筋力の回復のもとに，協調性を持った運動の獲得にある．

1 適応

肩のリハビリテーションの適応範囲は広く，非外傷性および外傷性疾患，術前・後のリハビリテーション，スポーツ障害などほとんどすべてに適応がある．石灰化腱炎の急性炎症期や外傷や術後の安静固定が必要な時期は，愛護的に行う必要がある．

2 種類

1 ▶ マッサージとリラクゼーション

筋の緊張を取り，血行促進を目的に種々のマッサージ法があり，軽擦法・強擦法のように手掌や手指を用いて，なでたり，押したり，さするもの，揉ねつ法の

ようにつかんで揉む方法，指によって持続的，間欠的に圧迫を加える圧迫法や関節を屈伸させる伸展法がある．いずれも筋緊張を取り鎮静作用や血液循環の促進作用がある．一方，スポーツ現場では，リズミカルに叩く叩打法，細かくふるわせて振動を与える振せん法が用いられることもある．これらは筋の興奮作用を起こすため，積極的な運動療法を行う場合には有効である．リラクゼーションは基本的には自己の上肢，肩甲帯の筋の収縮，弛緩によって頸部，肩甲帯のリラクスを得る方法である．自己のリラクゼーションは筋肉の再教育を促し，理学療法を円滑に進めるうえで重要であり，マッサージ後に指導する．

2 ▶ 運動療法

(1) 可動域訓練

可動域訓練を行う場合には，対角線方向やらせん状の単純な動作から，日常生活動作やスポーツ動作などの複合的な巧緻運動へと段階的に進める．また必要に応じて腕や肩甲帯を保持し，動きを誘導し，重力を排除して肩関節の支持性を得るように努める．回数は1日1～3程度，15～20分を目安とする．種類としては，自動運動，療法士が行う他動運動，等尺性運動を併用した反復運動や矯正運動などを器具や用具を併用して行う．

① 振り子運動：上半身を挙上可能角度に合わせて前傾させ，患肢の力を抜き床に下垂させて，体幹を前後，左右，回旋方向に動かす．

② 滑車訓練：滑車によって重力を排除し，牽引方向を変化させて，患者自身による健側を用いた他動運動，他動介助が可能である．

③ 棒体操：患肢に棒の端を保持させて，棒のもう一端を健側上肢で保持して動かすことで，患肢のみでは不可能な方向への運動を助ける方法でセルフトレーニングとして行われる．

④ 壁面運動，指はしご運動：壁面やはしごに患肢の手や指を当てて，徐々に挙上させる方法である．自動挙上ができない場合でも徐々に動かすことで，挙上類似の運動が可能である．

⑤ 水中機能訓練：水中で浮力を利用して筋緊張を排除しつつ動きを獲得する訓練である．温水で行えば温熱効果も期待できる．水の抵抗を利用して筋力強化を行うことも可能である．

(2) 筋力増強訓練

可動域訓練とともに段階的に行われ，安定性を確保し日常生活やスポーツで必要なスピード筋力や耐久力を身につけるうえでも継続する必要がある．腱板筋力強化について述べる．

腱板筋力強化（カフエクササイズ）：腱板（肩甲下筋，棘上筋，棘下筋，小円筋）の強化は求心性を獲得するために必須である．筋長の短い深部の筋群であるため特異的に強化するのは困難で，軽い負荷で，ある一定の肢位の範囲内で行うことで，効果を上げるよう工夫する．

① 棘上筋の訓練：患肢を上にした側臥位になって，下垂位から約30°の側方挙上を30～50回行う．負荷は0.5～1 kgとする．

② 棘下筋・小円筋の訓練：患肢を上にした側臥位で，肘を90°に屈曲し，中間位から外旋運動を30～50回行う．負荷は0.5～1 kgとする．

③ 肩甲下筋の訓練：前屈位（上半身を床と平行になるくらい）となって，肘を90°に屈曲し中間位から内旋運動を30～50回行う．負荷は0.5～1 kgとする．

または，座位でセラバンド®のようなチューブを用いて，内旋および外旋方向に運動を行う．いずれの場合も肘を体幹から離さないよう注意する．

3 ▶ ストレッチング

ストレッチングでは，肩関節の肢位によって伸張される関節包の部分が異なることを念頭に，伸張したい部位を特定しながらストレッチングを行っていく．まず，ストレッチングを行う前に，筋の防御反応による筋緊張を自動介助運動や自動運動下に和らげる．筋の短縮の改善には，他動的な静的ストレッチングの他に，相反神経支配の利用や最大筋収縮後の筋弛緩などの効果を組み合わせて行う．またそれだけで効果がない場合には，筋の走行に対して直角に筋を押し出すプレスアウトストレッチングを行う．オーバーヘッドスポーツの選手では，肩関節後方の筋群のストレッチング（スリーパーストレッチングやパートナーストレッチング）を行って，肩関節挙上位での内旋制限を改善し，シーズンにわたって可動域を維持するよう指示するとよい．

3 実施上の原則

リハビリテーションによって肩関節の機能障害を改善するためには，その病態を詳細に把握し，病態に基づいた治療方針を計画し実施することが重要である．そのためには，肩関節の機能解剖学，運動学，バイオメカニクスについて理解し総合的に評価するアプローチが不可欠である．そのためには，医師と看護師，リハビリテーションスタッフ，スポーツトレーナーなど患者にかかわるコメディカルが常に情報を共有し，治療方針について検討していることが大切である．

11 肩甲帯の疾患

五十肩（凍結肩）
Adhesive capsulitis (Frozen shoulder)

柴田 陽三　福岡大学筑紫病院 病院長

【疾患概念】　明らかな原因なくして発症する特発性の肩関節拘縮を，五十肩（凍結肩）とよぶ．中年期以降に発症する，疼痛性の肩関節制動症である．発生頻度は人口の2〜5%と言われている．発症初期（急性期）には疼痛のために夜間痛，運動時痛が強いが，真の拘縮は生じていない．慢性期（拘縮期）に至ると，肩甲上腕関節の拘縮が完成し，安静時痛は軽減する．拘縮を起こした肩関節を限界まで動かそうとすると激痛が生じる．肩甲上腕関節に限局した可動域制限で，肩甲骨の動きや体幹の動きによって，肩甲上腕関節の可動域制限をある程度代償している．このため，肩関節の挙上時，肩がいかったような外観を呈する．その後，徐々に疼痛と可動域が改善していくと言われている（緩解期）．肩の自然経過を観察した研究では，発症から約3か月で急速に軽快し，その後，症状の改善は緩徐に進むと言われている．

【病態】
　肩関節の滑膜炎とそれに引き続く関節包の線維化で，その原因は不明である．拘縮期は脊椎の後屈によって代償されるために，屈曲制限は外転制限に比し軽度である．原因不明といいながら，糖尿病（約4〜5倍の発症率），甲状腺疾患，Dupuytren拘縮，喫煙者では発症率が高いと言われている．血清，関節液，滑膜に，細胞間接着因子が上昇するとの報告がある．また滑膜組織でサイトカインが増加すると報告されている．

問診で聞くべきこと
　疼痛の発症時期，痛みの性質（安静時痛，夜間痛，運動時痛），可動域制限の発現時期を尋ねる．発症初期は疼痛が強いものの真の拘縮はなく，痛みを我慢すれば挙上可能なことが多い．拘縮期には安静時痛が軽減し，患者は良くなってきたと感じる場合がある．

必要な検査とその所見
(1)単純X線写真
　真の前後像，軸射像，肩甲骨Y撮影，結節間溝像を撮影する．骨棘の形成や骨頭の上方移動を認めれば，腱板断裂を疑う．
(2)MRI
　腱板断裂を除外診断する．凍結肩では関節内や肩峰下滑液包内に，少量の関節液の貯留を認めることが多い．

診断のポイント
　肩甲上腕関節に限局した，肩関節の可動域制限を認めること．

鑑別診断
　頚椎症，腱板断裂，石灰性腱炎を除外する．ごくまれにPancoast腫瘍で，五十肩と類似する症状を呈することがある．

治療方針

1 ▶ 保存療法
　急性期には三角巾などで患肢を固定し，消炎鎮痛薬の内服，外用剤を使用する．関節内，滑液包内に，ステロイド剤もしくはヒアルロン酸製剤を注射する．安静時痛や軽微な動作での疼痛が治まってきたら，徐々に滑車運動，PTによる徒手矯正を開始する．未治療でも，約3か月で疼痛や可動域制限が軽快すると言われているので，この期間保存療法を施行し，症状の改善がみられない患者には次のステップの治療を検討する．

(1)全身麻酔下もしくは斜角筋ブロック下の肩関節徒手矯正術
　斜角筋ブロック下の徒手矯正は外来でも施行可能である．全身麻酔下の徒手矯正術では糖尿病を有さない患者の15%に，糖尿病患者では35%ほどに再度の徒手矯正を要したとの報告があるものの，低コスト（令和元年診療報酬：非観血的関節授動術1,320点，観血的関節授動術38,890点）であり，再発があり得ることを説明しておけば有効な治療法である．

2 ▶ 手術療法
　全身麻酔と持続斜角筋ブロック下に，関節鏡視下全周性関節包解離術を施行する．関節包の解離後，麻酔下に肩関節の可動域を測定する．斜角筋部に留置したカテーテルより局所麻酔薬を流しながら，手術翌日から他動可動域訓練を開始する．痛みが治まるのに3か月ほどかかるものの，関節症性変化，神経・血管損傷，感染，脱臼，再解離術を要するような拘縮の再発はないと言われている．再発が少ない理由として，関節鏡用高周波電気メスで関節包を蒸散させているので，組織再生による再癒着が生じにくいことが挙げられる．また全周性の関節包の解離により，関節包の緊張の強い部分がなくなり，腱板による骨頭の求心性が有効に働くようになると考えられている．

合併症と予後
　凍結肩の平均7年の自然経過観察の報告で，約50%の症例で痛みや可動域の制限が残っていたとの報告があること，また，発症から3か月ほどで機能と可動域が速やかに回復するとの報告があることから，発症初期の3か月間は保存療法を行うべきである．保存療

法抵抗例には，徒手矯正や関節鏡視下関節包解離術を検討する．鏡視下手術施行時は，電気メスの先端を確認しながら腋窩陥凹部の関節包を解離する．複合性局所疼痛症候群を発症することがあるので，手指の自動屈曲伸展運動を手術翌日から積極的に行わせる．非ステロイド系消炎鎮痛薬で疼痛のコントロールが不十分な場合は，睡眠導入薬やトラマドールなどの慢性疼痛治療薬を処方する．疼痛の訴えが強い症例では，より長期間の使用が可能な頚部硬膜外カテーテルを留置する．

リハビリテーションのポイント，関連職種への指示
(1) 保存療法中ならびに術後の徒手矯正

仰臥位で肩甲骨を療法士の手で固定して，患肢の内外旋，挙上を行わせる．術後の徒手矯正は，術中，関節包解離術後の可動域をゴールとして施行する．大胸筋の緊張が強い症例では挙上運動が困難であるために，大胸筋をつまんでやって筋収縮力を低下させると，挙上が比較的容易になる．

術後は手指の腫脹と可動域制限が生じやすいので，医師からだけでなく，看護師，PT，OT からも常時，手指の自動屈曲伸展動作を行うように患者に指導してもらう．

投球障害肩
Throwing shoulder injury

杉本　勝正　名古屋スポーツクリニック 院長〔名古屋市昭和区〕

【疾患概念】
投球障害肩は投球過多，フォーム不良，局所，全身的要因により肩関節に非生理的な過剰負荷が加わり，投球時に疼痛が生じる症例の総称である．

【病態メカニズム】
発症メカニズムとして，①前方の緩みが関節内外の impingement を生じさせ発症起点となる場合と，②後方関節包や筋肉の硬さ(後方タイトネス)が骨頭を後(前)上方に押し上げるために生じる 2 つのメカニズムが存在する(図 11-23)．①は前上方関節包(腱板疎部)，上，中関節上腕靱帯などの弛緩，前上方関節唇の剥離などにより生じる．②は後方関節包や棘下筋，小円筋，三頭筋長頭などの後方筋群が硬化(後方タイトネス)し前後のバランスが大きく崩れ，骨頭中心が不安定になるために前方の損傷も惹起される．Bennett 骨棘は三頭筋長頭，後方関節包の肩甲骨付着部での牽引により生じる骨棘である．この骨棘は後方関節包，小円筋，棘下筋を刺激し後方要素の硬さを増悪させる．

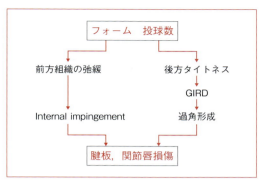

図 11-23　投球障害メカニズム
前方の弛緩，後方のタイトネスから生じる．
GIRD (glenohumeral internal rotation deficit, 肩内旋拘縮)

このように肩関節の前後のバランスが崩れることにより障害へと進展していく．小児期はこれらの要素に加え骨端線や骨端核の障害も加わる．

【代表的肩関節投球障害】
(1) 上腕骨近位骨端線離開(リトルリーグ肩)

上腕骨近位骨端線が投球動作による過度の負荷により損傷，開大する．別名 little leaguer's shoulder と称される．

(2) 肩甲骨内上角炎，下角炎

小児期の肩甲骨周囲の筋肉付着部は軟骨成分が多いため損傷を受けやすく，特に肩甲骨内上角，肩甲棘基部，下角，肩峰後外側角周辺の筋肉付着部に負荷が加わり圧痛や硬結，投球時痛を生じる．

(3) 腱板損傷

肩甲下筋断裂，損傷は頭側関節包面に不全断裂を呈する症例が多い．成長期では同部の付着部周辺の骨端線損傷も存在する．棘上筋腱は前方関節面と，棘下筋間の関節面に損傷をきたしやすい．

(4) 上腕二頭筋長頭腱炎，脱臼，断裂

若年では炎症のみの症例がほとんどである．長頭腱入口部周辺の腱板損傷などで，長頭腱が不安定になり生じる痛みを pulley lesion という．

(5) Impingement 症候群，Internal impingement

Impingement 症候群は，肩峰と烏口肩峰靱帯により構成されている肩峰下面と，肩峰下滑液包，腱板との間の機械的ストレスにより生じる疼痛である．肩峰下滑液包，腱板の腫脹を認め，肩屈曲，外転時に痛みを訴える．

Internal impingement は，外転外旋時に関節窩後上方で，腱板と関節唇が衝突する現象である．骨頭の求心位が得られないときに増悪する(図 11-24)．

11 肩甲帯の疾患

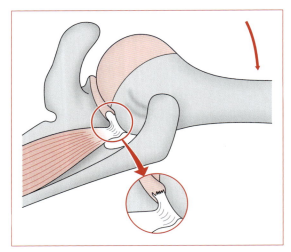

図 11-24　Internal impingement
関節窩後上方で関節唇と腱板が impinge する．
(Jobe FW, et al: Rotator cuff injuries in baseball. Prevention and rehabilitation. Sports Med 6: 378-387, 1980 より)

(6)肩峰下滑液包炎
　Impingement症候群症例などのストレスや腱板滑液包面断裂で見られる．

(7)上方関節唇損傷(SLAP lesion)(図 11-25)
　投球時の過角形成(コッキング時上腕と肩甲骨間の角度が大きくなる)が上腕二頭筋長頭腱の過度な牽引を引き起こし，上方関節唇が損傷する．しかし直接突き上げ外力や亜脱臼肢位での損傷症例が，かなりの頻度で含まれている．前方，後方，前後方型に分類される．

(8)Bennett病変
　投球のフォロースルー期に生じる，後方関節包や三頭筋付着部に出現する骨性隆起だが，剥離骨折や付着部炎を生じている症例がある．有痛性Bennett病変は，直上の棘下筋や小円筋を刺激して硬くする症例が多い(後方タイトネスの一要因)．

(9)棘下筋萎縮
　過角形成や無理な体勢からの投球で出現しやすい．肩甲上神経損傷による症例と，筋損傷から生じる症例が存在する．

診断のポイント

　投球動作時のどのPhaseでどこに症状が出現するかがポイントとなる．投球動作はPhase Ⅰ：Wind-up, Phase Ⅱ：Early cocking, Phase Ⅲ：Late-cocking, Phase Ⅳ：Acceleration, Phase Ⅴ：Deceleration, Phase Ⅵ：Follow-throughの6相に分けられている．
　投球障害は主にPhase Ⅰ～Ⅲまでは前方要素，

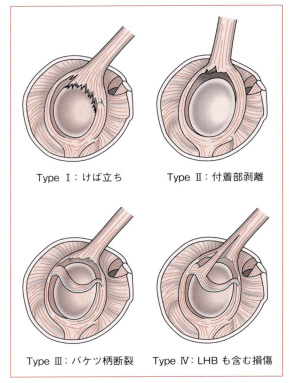

Type Ⅰ：けば立ち　　Type Ⅱ：付着部剥離

Type Ⅲ：バケツ柄断裂　　Type Ⅳ：LHBも含む損傷

図 11-25　上方関節唇損傷
Snyder 分類 type Ⅰ～Ⅳ．
(Snyder SJ, et al: SLAP lesions of the shoulder. Arthroscopy 6: 274-279, 1990 より)

Phase Ⅲ～Ⅴまでは前方，上方，後方要素，Phase Ⅴ～Ⅵは後方要素にストレスが大きくなり，各部位に損傷を生じやすい．

治療方針

　前後左右上下のバランスをとり，骨頭の求心性を高め投球動作時に生じる種々の引っ掛かり，挟み込み，impingementを改善する．

保存療法

1 ▶ 急性期
　安静，投球禁止が原則で，炎症所見が収まるにつれてストレッチにて投球に必要な可動域を獲得する．特に後方タイトネス，肩甲胸郭機能を十分に改善させることが必要である．

2 ▶ 寛解，慢性期
　疼痛が軽快し可動域が獲得できたら，シャドーやネットスローなど軽く投球動作を開始する．この時点で基本的な投球フォームを指導，再確認する必要がある．肩の開きが早い，肘が下がっている，肩がしなり

過ぎ，体の軸がぶれている，など悪いフォームで投げ続けると，肩肘障害を引き起こす大きな要因である．痛みや違和感，不安感などが出現しないように，投球の距離と強さを徐々に上げていく．

手術療法

保存療法にて投球レベルが上がらない症例に行う．各施設の報告では投球障害症例全体の5％以下である．投球障害肩の病態は複合している症例が多いので，数多くの処置（デブリ，縫合，切離など）を同時に行う症例が多い．手術療法の基本は肩関節の前後上下のバランスを再構築し，関節内外の引っ掛かり，挟み込み，衝突（impingement）を取るのが原則である．そのために関節唇，腱板，関節包などに対し切離，修復，縫合を加え，投球動作により求心位が保たれ，疼痛が出現しないようにする．

患者説明とポイント

筆者が手術に際し患者に説明するポイントを述べる．
①投球障害肩の治療の原則は保存療法である．
②どうしても保存療法で結果が得られない症例を手術する．
③手術による復帰率は100％ではない（症例によっては60％程度）．
④術後半年〜1年はリハビリテーションを要する．
⑤術後投球フォームやポジションを変更することがある．

このような項目を説明し同意を得たら手術療法を行う．

投球障害肩の手術療法
Arthroscopic treatment for throwing athletes

鈴木 一秀　麻生総合病院 副院長／スポーツ整形外科部長〔川崎市麻生区〕

【概要】投球障害肩における手術の比率は1〜5％程度であり，ほとんどの症例は腱板機能訓練や肩甲胸郭機能訓練，体幹や股関節など肩関節以外の機能低下部位に対する運動療法および投球フォーム上の問題点に対する保存的加療で復帰可能である．復帰困難例に対して最終手段として，損傷の部位や程度により鏡視下手術が行われているが，適応となる病態はインターナルインピンジメントによる腱板（不全）断裂や後方関節唇損傷，上方関節唇損傷〔SLAP（superior labrum anterior and posterior）lesion〕，腱板疎部損傷〔pulley lesion，MGHL（middle glenohumeral ligament）損傷〕，肩峰下インピンジメント，後方関節包拘縮（Bennett骨棘）などである．

1 適応

一般的には，運動療法を中心とした保存療法を3〜6か月行い機能向上が得られても，解剖学的損傷のため障害以前のレベルへのスポーツ復帰が不可能な場合に手術加療を考慮するが，復帰までの期間および選手の社会的背景を考慮したうえで決定する．唯一，保存療法よりも手術療法を優先させるべき病態は，腱板不全損傷が深く，投球時のみならず日常生活動作でも疼痛を訴える症例であり，機能的問題点の改善に先立ち解剖学的修復を優先させる．

2 実施手順

通常のMRI検査では腱板不全損傷やSLAP lesionなどの診断が困難なため，術前に必ずMRA（MR関節造影）検査を行い，関節内病変の術前評価を行う．それでも腱板疎部損傷であるpulley lesionの診断は容易ではないため，投球時の前方痛や腱板疎部の圧痛の有無を確認しておく必要性がある．また，麻酔下での前方不安定性や可動域制限の左右差などをチェックする．基本的な手術手技はすべて関節鏡視下に行われるが，手技の基本はデブリドマンである．損傷腱板や関節唇の毛羽立ちを電動シェーバーやradiofrequency device（RF装置）を用いて切除する．以下，病態別の手術実施手順を詳述する．

1 ▶ インターナルインピンジメント

肩外転外旋位で腱板関節包側と後上方関節唇とがインピンジすることにより，腱板と関節唇の損傷が起こる．損傷部位のfryingを電動シェーバーやRF装置を用いて切除する（図11-26a）．腱板断裂が深くADLでも疼痛がある症例は鏡視下に修復するが，修復法にはtranstendon repair（図11-26b）と一時的に不全断裂を完全断裂にしてから修復する方法とがある．投手の場合，術後復帰まで12〜18か月かかり，復帰率は75％程度であることを事前に説明する必要性がある．

2 ▶ SLAP lesion

Type ⅠとType Ⅲは鏡視下に損傷部を切除する．Type Ⅳは損傷関節唇の切除と上腕二頭筋長頭腱の損傷部を修復する．Type Ⅱの場合，一般的にはbiceps tendon/labrum complex（BLC）を修復するという意見が多い．前上方部の剥離は，付着するSGHL（superior glenohumeral ligament）やMGHLの機能不全による前上方不安定性の原因になり得るため，スーチャーアンカーを用いて修復する（図11-26c）．

11 肩甲帯の疾患

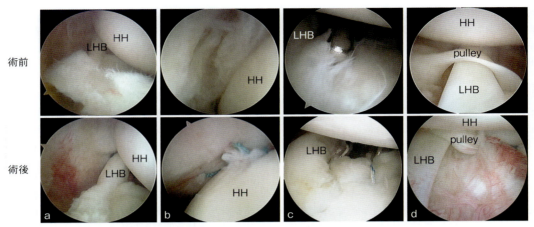

図 11-26 各病態に対する術前後の関節鏡視像
a：インターナルインピンジメントによる腱板関節包側不全断裂と後方関節唇損傷
b：腱板関節包側不全断裂に対する修復術（transtendon 法）
c：Type II SLAP に対する修復術（シェーバーを用いて損傷関節唇を切除後，スーチャーアンカーを用いて修復する）
d：pulley lesion に対する修復術
LHB：上腕二頭筋長頭腱（long head of biceps tendon），HH：上腕骨頭（humeral head）

上方から後上方にかけての関節唇は，健常人でも外転外旋位で動きが大きい部位であるため，この動きを阻害しないような修復法を考える必要がある．

3 ▶ 腱板疎部損傷（pulley lesion，MGHL 損傷）

上腕二頭筋長頭腱（long head of biceps tendon；LHB）の結節間溝入口部における pulley system の破綻や，腱板不全断裂による LHB の不安定症に対しては，pulley の修復（図 11-26d）を行う．修復ができない場合は，腱板疎部縫合（rotator interval closure；RIC）を行う．MGHL の損傷に対しては修復もしくは RIC を行う．

4 ▶ 後方関節包拘縮，Bennett lesion

後方関節包拘縮単独の場合は，関節包をシェーバーや RF 装置を用いて切離および切除する．Bennett lesion の場合は関節包を切離したのち，アブレッダーを使用し骨棘を切除するが，切離した関節包は修復しないのが一般的である．麻酔下に十分に授動して，後方タイトネスが改善されたのを確認する．

3 実施上のポイント・注意事項

復帰までの期間や復帰率を説明したうえで，同意を得て手術を行う．一般的には腱板断裂が深く修復を要する場合，野球の投手での復帰率は決して高くなく，復帰まで術後長期を要することを十分に説明する．その他の病態に関しては，術後 6 か月を復帰目標に後療法を進める．

変形性肩関節症

Osteoarthritis of glenohumeral joint

松橋　智弥　北新病院　上肢人工関節・内視鏡センター〔札幌市東区〕

【疾患概念】 変形性肩関節症は，中高年の肩関節の痛みと動きの制限の数ある原因の 1 つである．肩関節は膝や股関節などの荷重関節に比較し，罹患率はそれほど高くはない．また，欧米に比較しても本邦において一次性肩関節症の罹患率は少ないが，近年増加傾向にある．変形性肩関節症は他の関節と同様に，明確な原因がない一次性関節症と，外傷や疾病に続発する二次性関節症に分類される．二次的変形性肩関節症の原因として，手術後，広範囲腱板断裂，化膿性肩関節炎，上腕骨頭壊死，上腕骨近位端骨折，および神経病性関節症（Charcot 関節）などが挙げられる．特に近年は，高齢化社会に伴い，広範囲腱板断裂に続発する関節症（cuff tear arthropathy）の頻度が増加している．

【臨床症状】

変形性肩関節症の主な症状は，運動時もしくは安静時の疼痛と関節破壊による可動域制限である．肩関節の疼痛は，いわゆる頸部から肩にかけての痛み（これらの多くは頸椎由来の場合が多い）というよりも，腋窩から肩関節の外側に痛みを訴える例が多い．また著

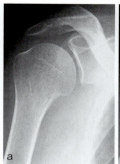

a	b	c	d	e
正常例	一次性変形肩関節症	腱板断裂後関節症	上腕骨頭壊死	神経病性関節症

図11-27　変形性肩関節の単純X線正面像

明な水腫，もしくは血腫を伴うこともある．

画像所見

単純X線では，一次性の変形性肩関節症は上腕骨頭や肩甲骨関節窩の変形や骨棘を認め，関節裂隙の狭小化を認める（図11-27b）．腱板断裂後関節症では，上腕骨頭が上方へ偏位し，肩峰-骨頭間距離が狭くなる．関節症が進行すると骨頭は肩峰と擦れるようになり，上腕骨頭が大腿骨頭のような形状に変化する（図11-27c）．上腕骨頭壊死は進行期では関節面陥凹像が認められる（図11-27d）．神経病性関節症では上腕骨頭が消失していたり，関節内の大小多数の遊離骨片が存在している場合など，疼痛の程度と画像所見が一致していないことが多い（図11-27e）．

治療

一次性の変形性肩関節症や，ステロイドやアルコール性上腕骨頭壊死など，腱板断裂がなく腱板機能が温存されている場合は，人工骨頭挿入術や肩甲上腕関節窩のコンポーネントの設置を追加する従来型の人工関節置換術が適応となる．一方，腱板断裂が大きく修復できない場合にはリバース型人工肩関節置換術が適応となる．しかしながら，長期成績がいまだ不明で再置換術で良好な機能回復が期待できないため，日本整形外科学会のガイドライン上，原則70歳以上で，自動挙上できない偽性麻痺肩が手術適応である．腋窩神経麻痺がある場合は適応外となる．神経病性関節症（Charcot関節）では糖尿病，脊髄空洞症，梅毒などの基礎疾患を先に治療し，人工関節や人工骨頭置換術を行う．

術後後療法

従来型の人工関節置換術の場合は，リハビリテーションでの自動運動は術後1週間から行い，術後2週間で外転枕固定を除去する．肩の内旋筋力訓練は術後6週間から開始する．

リバース型の人工関節置換術は外転枕を4〜6週間で除去するが，腱移行術などの追加処置がない場合は早期から自動運動を許可する．リハビリテーションでは早期に良好な他動可動域の獲得が重要だが，伸展，内転，内旋の複合動作は器械の構造上，脱臼してしまう可能性があり，十分に注意する．

リウマチ肩

Rheumatic shoulder

橋口　宏　米倉脊椎・関節病院 院長〔東京都足立区〕

【疾患概念】　関節リウマチ（RA）は，滑膜炎による全身性の多発関節炎を主とする自己免疫疾患である．炎症が関節滑膜に生じて増殖を起こし，免疫細胞が活性化され，炎症性サイトカインが産生・放出される．血管増生やフィブリノイド変性によって増殖滑膜から肉芽組織・パンヌスが形成され，骨・軟骨の破壊，関節変形や強直をきたす．破骨細胞も活性化されることで骨破壊もより進行する．RAは関節だけでなく，皮膚や眼，血管などの関節外症状，微熱や貧血などの全身症状も引き起こす．肩関節は手指・手関節に次ぎ，膝関節と並ぶ好発部位である．

【臨床症状】　疼痛（安静時，動作時，起床時・夜間など），可動域制限，筋力低下，腫脹・熱感などが認められる．強直例では疼痛を認めず，可動域制限のみが愁訴となる．問診では疼痛の程度，可動域制限や筋力低下に伴う日常生活動作における障害，他の関節症状を聴取する．

診断のポイント

RA肩では，軟骨破壊により関節裂隙狭小化を主と

する一次性関節症様変化をきたす例に加え，骨破壊が上腕骨頭のみならず肩甲骨関節窩にも及び上腕骨頭の中心性偏位をきたす例も認められる．また，慢性炎症による腱板菲薄化も特徴である．菲薄化から断裂に至った例では腱板断裂性肩関節症を呈する．

　診断には，単純X線撮影（正面，スカプラY，軸写）およびCT（横断像，冠状断像，矢状断像の3方向，3D撮影）による関節裂隙狭小化，上腕骨および関節窩の骨破壊・変形，骨囊腫，上腕骨頭偏位などを評価する．MRIではT1およびT2強調像に加えて，脂肪抑制像やSTIR像を撮影する．関節水腫や滑膜増生の程度，米粒体や遊離体の有無，骨髄浮腫，腱板の状態，腱板筋群の脂肪浸潤や萎縮などを評価する．超音波検査は関節水腫の程度や腱板の状態を外来で容易に行えるため有用である．

専門病院へのコンサルテーション

　薬物治療による臨床的寛解が得られていない場合はRA専門医に，手術治療の適応や術式の選択に関しては肩関節専門医にコンサルテーションを行う．

治療方針

　RAに対する薬物療法の効果は非常に高く，関節炎の消退と関節破壊の進行予防を目的とした滑膜切除術の適応はきわめて限定的となった．RA肩に対する手術は，高度の破壊により機能障害を生じている症例，変形が強く整容的問題をきたした症例に対する関節再建術が一般的となっている．

保存療法

　RAコントロールを目的とした薬物治療を適切に行い，疼痛に対しては消炎鎮痛薬投与，ステロイド製剤やヒアルロン酸製剤の肩峰下滑液包内または肩甲上腕関節内注射を行う．可動域・筋力訓練などのリハビリテーションは関節炎の状態を見極め，拘縮などの症状に合わせて行う．

手術療法

　関節再建術では関節破壊や骨質に対する評価のみならず，腱板の質的・機能的評価が重要である．解剖学的人工骨頭および人工肩関節置換術は，インプラントの適正設置により良好な機能再建と疼痛改善，耐用性の獲得が期待できる．腱板が良好に保たれている症例では，肩甲骨関節窩の状態に応じて人工骨頭または人工肩関節を選択することで一定の治療成績が期待できる．しかし，腱板が断裂例や菲薄化例では上腕骨頭の求心性と関節適合性が低下するため，機能的改善は期待できない．

　リバース型人工肩関節置換術は腱板筋群の機能に関わらず，良好な機能回復が獲得できる．肩甲上腕関節を解剖学的に温存することが望めない症例や，断裂・菲薄化による腱板機能の重度障害例に対してよい適応となる．また，高度な関節窩破壊を認める例に対しても，骨移植を併用することでインプラント設置が可能である．ただし，RAに対しては合併症発生が高率であるという報告が多く，十分な注意が必要である．

リハビリテーションのポイント

　RAでは多関節罹患が認められるため，リハビリテーションにおいては肘関節・手関節を含めた上肢全体を評価し，活動性や日常生活動作の改善を目的に行っていくことが重要である．

12 上腕の疾患

上腕の解剖 426
上腕部近位部骨折 427
上腕骨骨幹部骨折 429
上腕骨顆上骨折 430
上腕骨外側顆骨折 431
上腕骨内側顆骨折 432
上腕骨内上顆骨折 433
上腕骨滑車形成不全 434
上腕骨頭の無腐性壊死 434
上腕二頭筋腱・三頭筋腱皮下断裂 435

上腕の解剖
Anatomy of the arm

中川　泰彰　国立病院機構京都医療センター　統括診療部長〔京都市伏見区〕

ここでは，上腕の手術に関係する主な筋肉と神経について解説する．

1 上腕二頭筋

上腕二頭筋は，近位は長頭が肩甲骨関節窩上方に，短頭が烏口突起に付着している．遠位は尺骨近位に付着している．長頭の断裂が多く，このとき，結節間溝に腱が認められないことが多い．遠位での断裂もまれに存在し，自験例での陳旧例では，図12-1 のような画像となる．

2 大胸筋

大胸筋では，上腕および肩関節の手術では，上腕骨側付着部に遭遇することが多い．術野の展開のためには，この付着部でいったん切離し，最後に縫合すると問題ない．

3 上腕三頭筋

上腕三頭筋は，遠位の付着部は肘頭であり，上腕骨遠位の手術では，上腕三頭筋の内外を剥離して上腕骨にアプローチすることが多い．外側には危険な構造物はないが，内側には後述するように尺骨神経があり，注意を要する．

4 腋窩神経（C5, 6）

後神経束から分枝する．上腕骨近位端や肩関節の前方アプローチで，腋窩神経に遭遇することがある．この神経は，三角筋内側面を後方から前方に向かって横走している．したがって，三角筋をスプリットして上腕骨外側を露出するアプローチでは，肩峰から5 cm遠位までは腋窩神経を傷つけることはないが，それ以上スプリットすると傷つける危険性が出現する．

5 筋皮神経（C5, 6）

外側神経束の一部から構成される．筋皮神経は烏口上腕筋を貫き，上腕二頭筋と上腕筋間を遠位外側へと正中神経よりもさらに外側を走行する．烏口上腕筋へ筋枝を出した後，上腕二頭筋へ筋枝を出す．したがって，反復性肩関節脱臼の手術時にBristow法などの烏口突起移行術を行うときに，烏口突起および共同腱を翻転させすぎると，筋皮神経麻痺が起こることがある．

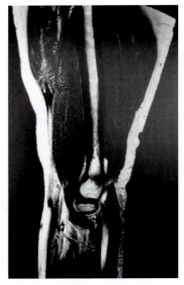

図12-1　上腕二頭筋遠位端の断裂
右上腕の中間部腹側には，腱とみられる低信号構造とその近位側には収縮し，浮腫および脂肪変性を疑う信号変化を呈する上腕二頭筋を認め，遠位側での断裂と考えられる．腱周囲に液貯留がみられず，慢性期に一致する像と考えられる．

自験例で2例経験している．この神経の本幹は上腕二頭筋と上腕筋間を走行し，上腕筋へ筋枝を出す．その後は前腕外側皮神経となる．

6 正中神経（C5～8, Th1）

外側神経束と内側神経束から構成される．上腕の内側で上腕二頭筋や上腕動脈の前方を遠位に向かって走り，肘関節の遠位で，前骨間神経を分枝する．正中神経は上腕では筋枝はない．前骨間神経麻痺のような症状を訴えるときは，前骨間神経の部分での絞扼のこともあれば，その解剖学的な部位よりも近位，すなわち，上腕遠位での正中神経本幹の神経剥離が必要になることもある．同部位で，一部の神経束に神経炎による腫脹あるいはくびれが観察されることがある．これは，後述の橈骨神経の分枝である後骨間神経でも起こりうる．

7 橈骨神経（C5～8）

後神経束からの線維で構成される．橈骨神経は上腕近位で大円筋と上腕三頭筋長頭の間を上腕骨の後方へ向かい，上腕三頭筋へ筋枝を出しながら，遠位へと進む．三角筋停止部や上腕骨三角筋粗部の内側から外側

遠位へと，上腕骨の橈骨神経溝に沿って進んでいく．上腕骨遠位1/3レベルで前方へ回旋し，腕橈骨筋と上腕二頭筋間を遠位へ進む．橈骨神経を同定するのは，この部位が最も確実である．そこから前方へ出て，上腕筋，腕橈骨筋，長・短橈側手根伸筋の順に筋枝を出す．橈骨神経麻痺で最も多いのは，上腕後方で神経が上腕骨と一番接している部位であり，この近辺で上腕骨幹部骨折時の神経麻痺が起こりやすい．

8 尺骨神経（C7，8，Th1）

内側神経束の一部で構成される．尺骨神経は内側索から出て，上腕動脈の後方を進む．Struthersのアーケードを通ってから，上腕の前方から後方へと走行が変わる．尺骨神経は上腕では，筋枝を出さない．尺骨神経は肘関節近くで肘部管に入る．ここは，尺骨神経が骨棘などで圧迫されて麻痺症状を呈することが多い．また，前述したように，上腕骨遠位の後方アプローチで，上腕三頭筋内側を進入するときは，尺骨神経を同定し，術野から避難させておくほうがよい．

上腕部近位部骨折

Proximal humeral fractures

水掫 貴満　南奈良総合医療センター リウマチ・運動器疾患センター長〔奈良県大淀町〕

【疾患概念】　上腕骨近位部骨折は大胸筋付着部より近位の骨折を指し，骨粗鬆症との関連が強く，大腿骨近位部骨折（頸部骨折含む），橈骨遠位部骨折とともに代表的老人骨折の1つといえる．

【頻度】
全骨折の4～5%で，上腕骨骨折全体の45%を占めるが，老年層ではさらに発生頻度は高くなる．

【病型・分類】
(1) Neer分類（図12-2）
骨頭，大結節，小結節，骨幹の4つのsegmentの組み合わせで表現され，簡便かつ骨頭の血流の状態を予測し，治療方針の選択に役立つ包括的分類法である．Segmentが相互に1cm以上離開するか，45°以上の回旋転位をした場合に限り，転位骨片と認識され，それ以外はminimally displaced fractureとして取り扱う．

(2) AO分類
Neer分類同様，転位骨片の数を重視するとともに，関節内・外骨折と区別することで骨頭の血流状態を重要視した分類である．

【発生機序】
転倒による低エネルギー外傷が最も多い．若年者ではスポーツや交通事故が原因となることもある．受傷機転の多くは長軸方向に加わる介達外力であるが，直達外力が作用して本骨折を認めた場合は，肩甲帯部の複合損傷の合併を疑う必要がある．

●問診で聞くべきこと
受傷機転，既往歴（合併疾患），受傷前の活動性，家族構成（介護者の有無）．

●必要な検査とその所見
(1) X線撮影：肩関節内旋位正面像と肩甲骨関節窩に平行に撮影したTrue-AP像の2方向撮影
(2) CT：特に3D-CT像は骨折型を正確に評価するために不可欠な検査である．
(3) MRI：腱板断裂や病的骨折が疑われる症例では施行する．

●診断のポイント
血管・神経損傷の有無を確認する．特に脱臼を伴う場合は腋窩神経麻痺に注意する．骨折部の病型分類を正確に行うことで予後を予測し，患者背景を加味して治療方針を決定する．

●専門病院へのコンサルテーション
・血管・神経損傷を認める症例
・脱臼を伴う骨折（fracture-dislocation），Neer分類で4-part，head splitting骨折，impression骨折

●治療方針
上腕骨近位部骨折は比較的骨癒合しやすく，可能な限り保存治療が望ましい．手術加療を選択する場合は，その利点を妨げることなく，機能的に良好な結果が導かれる治療手段を選択する必要がある．ただし，再現性の高い骨折分類法が現存しておらず，どのような骨折にどの治療が適しているか，いまだ統一見解がないのが現状である．

●保存治療
1 ▶ 患者背景による適応
・治療後の機能回復に対する期待が少なく，麻酔に影響を及ぼす内科的合併症を有する場合
・手術療法後の後療法に関する理解が乏しい場合

2 ▶ 骨折型による適応
・Minimally displaced fracture
・大結節の上方転位が5mm以内
・外科頸骨折では骨折部の接触面積が50%以上

●手術治療
骨片整復と早期運動開始を目的とし，骨片に付着する軟部組織の損傷を極力避け，できる限り少ない異物

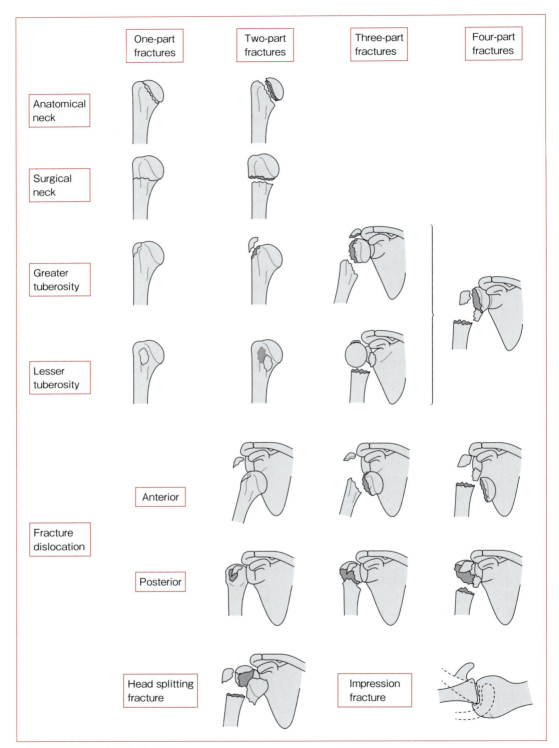

図 12-2 Neer 分類（改変）
（Murray IR, et al: Proximal humeral fractures: Current concepts in classification, treatment and outcomes. J Bone Joint Surg Br 93: 1-11, 2011 より抜粋）

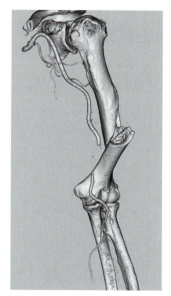

図 12-3　血管造影 CT
骨折部で上腕動脈の閉塞を認める.

で良好な安定性を得ることが要点である.

1 ▶ 骨折型による適応

- Neer 分類のすべての分類で，大結節の上方転位が 5 mm 以上もしくは骨頭頂点より上方に位置する場合
- 外科頚骨折では骨折部の接触面積が 50% 以下
- 脱臼を伴う骨折
- 骨頭内に骨折が及ぶ head splitting 骨折，impression 骨折

　主な術式はピン・スクリュー固定，軟鋼線や糸による締結，順行性横止め髄内釘固定やロッキングプレート，Ender 釘などによる flexible な髄内固定，人工骨頭，リバース型人工肩関節置換術などがある．いずれの手術法も良好な治療成績が報告されているが，約 30% の症例で不具合が生じており，インプラント選択のみならず手術技量と経験が重要となる．

> 患者説明のポイント

　術後成績を左右するのは，受傷時の合併症，治療中・治療後に生じる合併症，後療法であることを理解してもらうように説明する．

上腕骨骨幹部骨折

Humeral shaft fractures

河村　健二　奈良県立医科大学附属病院・玉井進記念四肢外傷センター 准教授

【疾患概念】　上腕骨の中央で皮質骨に囲まれた管状の骨幹部で生じる骨折である．

【頻度】
　長管骨の骨幹部骨折のなかでは脛骨に次いで頻度の高い骨折である．若年者から高齢者まで幅広い年代で生じるが，20〜30 歳と 65 歳以上にピークがある．

【病型・分類】
　AO/OTA 分類や骨折高位による分類が用いられる．

【臨床症状】
　上腕の腫脹，疼痛，変形，肩や肘を動かした際に骨折部で不安定性を認める．

> 問診で聞くべきこと

　受傷機転としてスポーツでの接触や交通事故などによる大きな外力が原因となることが多いが，投球や腕相撲が原因となることもある．手指のしびれ感や冷感，手関節および手指の動かしにくさがないかを確認する．解剖学的に橈骨神経麻痺が合併しやすいが，正中神経麻痺や尺骨神経麻痺もまれに合併することがある．

> 必要な検査とその所見

　まず単純 X 線写真を撮影し骨折型を判定する．第三骨片や長い骨折線を有する場合には治療法の選択のために CT 検査を行ったほうがよい．手指の冷感や色調不調を認める場合には，まず指先にパルスオキシメーターを装着し酸素飽和度を測定する．酸素飽和度の低下を認める場合には，上腕動脈損傷の合併が疑われるので，超音波検査や血管造影 CT 検査を行う（図 12-3）．

> 鑑別疾患で想起すべき疾患

　受傷機転が軽微である場合には，原発性腫瘍や転移性腫瘍による病的骨折を鑑別する．

> 診断のポイント

　単純 X 線写真は上腕骨全長が写るように 2 方向で撮影する．橈骨神経麻痺は手術操作でも生じ得るので，受傷時から麻痺が存在していたかどうかを必ず確認してカルテに記載しておく．

> 専門病院へのコンサルテーション

　治療方針が決まらない場合や神経麻痺の合併を認める場合には，専門病院に紹介する．動脈損傷を疑う場合には，緊急で血管修復手術が可能な専門病院に紹介

する．

治療方針

上腕骨骨幹部骨折は手術療法よりも保存療法のほうが骨癒合までの期間が短く合併症が少ないため，従来は保存療法が主流であった．近年は，横止め髄内釘やロッキングプレートの開発，最小侵襲プレート骨接合術（minimally invasive plate osteosynthesis；MIPO）により，さまざまな骨折型に対して強固な骨接合術が行えるようになったため，早期社会復帰が望まれる成人に対しては手術療法が主流となっている．

保存療法

上腕骨骨幹部の単独骨折で接触面積が大きい螺旋骨折は，ハンギングキャストやファンクショナルブレースによる保存療法のよい適応である．

手術療法

プレート固定は，前方進入法と後方進入法があり，前方進入法は上腕骨近位から中央の骨折，後方進入法は上腕骨中央から遠位の骨折に適応される．近年，骨折部周囲の血行が温存可能な MIPO による上腕骨骨幹部骨折の良好な治療成績が報告されている．髄内釘固定は，通常は骨頭から挿入する順行性髄内釘固定を行うが，骨折が遠位よりの場合には肘頭窩から挿入する逆行性髄内釘固定も可能である．しかし，逆行性髄内釘固定は遠位骨片に医原性骨折を生じる危険性があり，その適応は慎重にならなければならない．

合併症と予後

偽関節，医原性橈骨神経麻痺，術後感染などの合併症が起こり得る．橈骨神経麻痺の自然回復が得られない場合には，神経修復術や腱移行術が適応となる．

患者説明のポイント

保存療法を行う場合には患者の協力が不可欠であること，骨癒合が得られない場合には手術療法に切り替える必要があることを説明しておく．

リハビリテーションのポイント，関連職種への指示

保存療法中も肩や手指の運動療法は積極的に行わせる．手術後は早期に肩，肘，手指の運動療法を開始する．

上腕骨顆上骨折

Supracondylar humerus fractures

清水 隆昌　奈良県立医科大学 学内講師

【疾患概念】　小児の肘周辺の骨折の約 2/3 は上腕骨顆上骨折であるとされ，小児の全骨折の約 3% を占める．好発年齢は 5〜7 歳で，近年はスポーツ活動を行う女児の増加に伴って，発生率に性差はなくなってきている．受傷側は左側，非利き手に多いとされる．

【病態】　上腕骨顆上骨折は，転倒または高所からの転落の際に，肘関節を伸展した状態で手をついて生じることが多く，骨折部の末梢部位が後方に転位する伸展型骨折が大部分（97〜99%）を占める．転位が大きな場合は，鋭い骨折端が周囲の神経血管を損傷しやすく，合併症の原因となる．

【臨床症状】　受傷側の肘関節周囲の痛みや腫脹，外観上の変形があることが多い．小児の上腕骨顆上骨折は合併症が多く，急性期では神経麻痺，循環障害を伴うコンパートメント症候群や Volkmann 拘縮，長期では内反肘などの変形治癒が発生しやすいのが特徴である．成人では比較的高齢者に多くみられ，関節内骨折である通顆骨折となりやすい．神経麻痺や循環障害は少なく，変形治癒や偽関節が主となる．

問診で聞くべきこと

高エネルギー外傷の場合は，強く痛みを訴える肘関節周囲以外の外傷を想定しておくことが望ましい．X 線撮影の前に重要なのが，神経麻痺，循環障害の評価である．小児では，痛みが伴う場合は特に知覚障害などの理学的所見を聴取しにくいが，合併症の出現の時期を正確に評価するために重要となる．

必要な検査とその所見

神経麻痺は正中神経，橈骨神経が多い．尺骨神経麻痺は医原性の損傷以外は比較的まれである．前骨間神経（正中神経の分枝）麻痺は頻度が高いとされ，tears drop sign の評価が有用である．

循環障害の評価として，橈骨動脈の拍動や毛細血管再充満時間（capillary refill time；CRT）をまず評価することが重要である．動脈の拍動を触知困難な場合は，超音波カラー Doppler などが有用である．

神経麻痺や循環障害は，整復後にも発生するため整復後の評価も重要である．特にコンパートメント症候群は短時間で症状が大きく変化するため，早期に症状を把握することが重要となる．

骨折の評価は，肘関節の X 線の正面像と側面像の 2

方向が基本となる．正面像の Baumann 角，側面像の anterior humeral line は骨折を評価する指標として有用である．上腕骨顆上骨折は伸展位型骨折が多く，側面像から得られる情報をできるだけ把握し，正確に評価することが重要である．

診断のポイント

小児で診断がつきにくい場合は，健側との比較が重要である．X線画像では fat pad sign や，超音波，CT，MRI が有用である場合もある．また高所から転落した場合は，肩関節から手関節までの上肢全体を撮影し，顆上骨折以外の骨折の有無を評価しておく．

治療方針

X線側面像の Gartland 分類（Type I～IV）が治療方針の決定に用いられる．

保存療法

Type I（転位が2mm以下）は骨折部が安定しているため，肘関節屈曲90°，前腕中間位で4週間の外固定（ギプス）がよい適応となる．後方の骨皮質が温存されている Type II（転位が2mm以上）は，内側骨皮質の粉砕がなく回旋変形が軽度である場合は，Type I に準じた保存療法が可能である．外固定中に転位が進行する場合は手術療法に変更する．

手術療法

内側骨皮質の粉砕や，回旋変形を有する Type II，後方の骨皮質が損傷され骨膜のみ連続性を有する Type III，骨膜も損傷し末梢骨片が著しい動揺性を有する Type IV は，保存療法では整復位を保持できないため手術療法が適応となる．

手術は麻酔下にまず徒手整復を行う．骨折部に神経や血管，筋肉などの軟部組織が介在している場合があり，無理な徒手整復は神経麻痺，循環障害などの合併症を起こすため禁忌である．特に Type IV は徒手整復が非常に難しい．医原性の合併症を防ぐために前方アプローチで骨折部を展開する骨折観血的手術がよい適応となる．

経皮的鋼線固定術は医原性の尺骨神経麻痺を避けるために，外側から2，3本鋼線刺入する方法が主流である．内側の支持性を高めるためにクロスピンニングを用いる場合は，内側に小切開を加えて尺骨神経を同定するか，外側刺入のみでクロスピンニングを行うなどの工夫が用いられる．鋼線固定が不十分であれば当然再転位を起こすため，両骨片の皮質骨を確実に貫く必要がある．

高齢者の通顆骨折は関節内骨折である．初期に転位が少なくても整復位を保持することが困難なうえ，骨癒合が遷延しやすいことから，プレートやスクリューを用いた骨折観血的手術が勧められる．

専門病院へのコンサルテーション

小児の開放性上腕骨顆上骨折の場合は，神経血管損傷を合併する頻度が高い．明らかな神経血管損傷，コンパートメント症候群を認める場合は，すみやかに専門病院へコンサルトする．

患者説明のポイント

上腕骨遠位部は変形治癒に対する自家矯正力に乏しく，整復位の保持が重要である．いったん保存療法を選択した場合でも，骨折部の転位が進行する場合は，すみやかに手術療法に変更する必要があることを説明する．また急性期は，神経麻痺や循環障害などの合併症が起こりやすく，また短時間で症状が変化する場合もあり必要であれば入院などの措置を講じる．

リハビリテーションのポイント，関連職種への指示

保存療法，手術療法ともに，外固定除去後に自動運動を行うことで，受傷後3か月を経過する頃には良好な可動域を得られることが多い．リハビリテーションは特に必要とされていないが，行う場合は骨化性筋炎を起こさないよう愛護的に行う．

手術待機期間や，術後早期はギプスなどで固定しているため，理学的所見を採取できる部位が，ギプスから出ている手指の指尖部に限られる．注意深く指尖部の知覚障害や運動麻痺，循環障害の有無を看護師と共有し，合併症を早期に防ぐことが非常に重要である．

上腕骨外側顆骨折

Fracture of the lateral humeral condyle

小林　誠　横浜労災病院 運動器外傷センター長〔横浜市港北区〕

【疾患概念】　上腕骨小頭の骨端核が軟骨を跨いだ反対側の上腕骨の薄い骨片を伴って折れる骨折で，5～6歳が好発年齢である．転位が少ないものは数週の外固定で治癒するのであるが，初期転位が小さくても実は不安定で，外固定中に転位が増大して偽関節となる場合がある．偽関節になると，数十年後に外反肘，尺骨神経障害を生じる恐れがある．骨折の不安定性を決めるのは関節面に達する軟骨骨折の有無であるが，これは単純X線写真やCTではよくわからない．したがって「少しでも転位があれば手術する」方針が世の中に広まり，偽関節の発生が激減した．

【分類】　Jacob の分類として，関節軟骨が破断していない

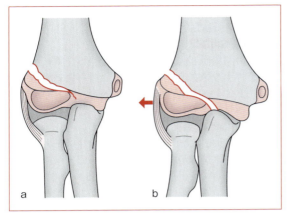

図 12-4　関節軟骨破断の有無

a：関節面の軟骨が破断していない骨折．骨折部の転位が 2 mm を超えることはあるが，上腕骨小頭の外側シフトは生じない．

b：関節面の軟骨が破断した骨折．上腕骨小頭が 1 mm でも外側シフトしていれば軟骨は破断している．最初に外側シフトがなくても，後でシフトする可能性がある．

stage Ⅰ，関節軟骨が破断した stage Ⅱ，外顆がひっくり返った stage Ⅲ の三段階があちこちに書かれている．しかし Jacob の原著で述べられていることは，関節軟骨が破断していなければ(図 12-4a)，外顆の外側シフトが起きず，関節軟骨が破断していれば(図 12-4b)，外顆の外側シフトが起きて偽関節になるので手術が必要だということである．

上腕骨小頭の骨端核が健側と比べて 1 mm でも外側シフトしていれば，関節軟骨は破断しているのである．Weiss らは骨折部の転位が 2 mm を超える 65 例に関節造影を行って，関節面の軟骨が破断していないことを確認している．彼らの研究によれば，関節面の軟骨が破断していない症例では全例で骨折部の転位が 4 mm 未満であり，関節面の軟骨が破断した症例は全例骨折部の転位が 4 mm 以上であったという．

【必要な検査とその所見】

単純 X 線写真は肘関節 2 方向を基本とするが，転位が小さい場合は斜位像で骨折線がわかりやすい．小児の X 線を見慣れていても，小腕骨小頭の微妙な外側シフトがあるかどうか知るために健側の X 線写真も撮影したほうがよい．

関節面の軟骨が破断しているかどうか知るには関節造影を行うか MRI を撮るかのいずれかである．

【診断のポイント】

Weiss らの研究を信じるなら，骨折部に 4 mm 以上の転位があれば不安定だと考えてよい．多くの教科書に書いてある 2 mm 転位を不安定だと考えて手術すると，本当は手術が必要ない症例に手術をしてしまうことになる．

【治療方針】

上腕骨小頭骨片が外側に 1 mm でもシフトしている場合，骨折部の転位が 4 mm 以上ある場合，上腕骨小頭骨片がひっくり返っている場合は手術を行う．骨折部の転位が 2 mm 未満の場合は外固定(患児と保護者のコンプライアンスに応じてシーネまたはキャスト)で 1 週後と 2 週後に X 線撮影を行って転位の増大がないことを確認する．問題は骨折部の転位が 2 mm 以上あるが上腕骨小頭の外側シフトがない場合であり，3 つの対処法がある．方法 1：over-treatment でもよいと思って手術をする．方法 2：MRI で関節面軟骨が破断しているかどうか確認する．破断していなければ外固定で治療する．方法 3：外固定を行って 1 週後，2 週後に X 線撮影を行い外側シフトが生じたら手術治療に切り替える．

【手術療法】

外側進入で関節軟骨を直視して整復し，Kirschner 鋼線 2 本と軟鋼線で固定するのが一般的であるが，軟鋼線の代わりに 2 号の吸収糸を使うと抜釘が楽である．

上腕骨内側顆骨折

Fracture of the medial humeral condyle

山崎 哲也　横浜南共済病院スポーツ整形外科 部長〔横浜市金沢区〕

【疾患概念】　上腕骨内側顆骨折は，上腕骨の滑車の一部あるいは全部と内側上顆全体および内側顆骨幹端(metaphysis)を含む骨折であり，小児で比較的頻度の高い上腕骨内側上顆骨折と異なり，すべての年齢できわめてまれな骨折である．小児の場合，Salter-Harris Ⅳ 型の骨端線離開に相当し，上腕骨滑車核の出現時期(女性で 7〜11 歳，男性で 8〜13 歳)より前に本骨折が生じると，診断は困難なことが多い．

【病態】

Milch は，骨折線の走行により type Ⅰ (simple fracture) と type Ⅱ (fracture dislocation) とに分類している．Type Ⅰ は，滑車中央溝(central groove of the trochlea)から内側骨幹端へ向かい，type Ⅱ は，上腕骨小頭滑車溝(capitulo-trochlear sulcus)から滑車の大部分あるいは全体を含み内側骨幹端へ走る．

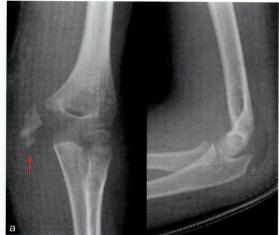
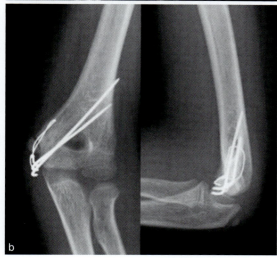

図 12-5 Milch 分類 type I の上腕骨内側顆骨折
a：初診時単純 X 線像
矢印：回転転位した内側顆骨片
b：テンションバンド固定による観血的整復固定術後 X 線像

Type II では，内側顆骨片は滑車切痕（尺骨）の中に残り，上腕骨中枢が外顆骨端核とともに脱臼する形を取りやすい．

必要な検査と診断のポイント

　上腕骨内側骨幹端に骨折線の明らかな症例では，単純 X 線像のみで診断は可能であるが，上腕骨滑車核の出現する以前の症例は，内側骨幹端の骨片がきわめて薄く，また滑車関節面の評価が不能なため，確定診断には関節造影や MRI が必要となる．骨片の回転転位や脱臼骨折を生じていると，尺骨神経の嵌頓が生じている場合もあり神経症状に留意する．

治療方針

　関節面の転位が残存すると関節の変形や可動域制限を生じるため，解剖学的整復が必須であり，保存的治療は，転位の軽微な症例に限られる．観血的整復固定術に際しては，内側アプローチにて骨折部を展開する場合が多いが，成人例においては関節面の正確な整復を直視下に確認するため，肘頭骨切りによる後方進入が用いられることもある．固定方法としては，Kirschner 鋼線のみやテンションバンド固定が一般的であり，成人例やそのほかにおいてはプレート固定も行われている（図 12-5a，b）．

上腕骨内上顆骨折

Fracture of the medial humeral epicondyle

小林　誠　横浜労災病院 運動器外傷センター長〔横浜市港北区〕

【疾患概念】　上腕骨内上顆は apophysis（骨突起）であり，その骨端線は 15 歳ごろ閉鎖する．内上顆は前腕屈筋群の起始であり，屈筋群に牽引されて骨端線離開を起こしたものが内上顆骨折である．数 mm 以上転位があるものを非手術的に治療すると高率に fibrous union となる．その多くは無症状であるが，内上顆には内側側副靱帯が付着しているので，まれに症候性の外反不安定肘となる．どれほどの転位があると不安定肘となるか不明であり，不安定肘の発生頻度も不明である．Gravity stress test で不安定性がなかったら本当に将来大丈夫なのかどうかもわかっていない．

診断のポイント

　肘関節 2 方向の X 線写真で診断がつく．小児の X 線を見慣れていない場合は健側の X 線写真とよく比較する．

治療方針

　内上顆骨片が肘関節内に陥入していて閉鎖的手法では取り出せない場合は，手術が必要である．非利き手側の損傷で，スポーツを好まない小児であれば転位の大きさによらずシーネ固定治療でよい．1 週過ぎて痛みが落ち着いたらシーネを外した入浴を許可して拘縮を予防する．利き手側の損傷で将来スポーツをする可能性があるのなら，保護者と相談のうえで手術治療を選択するのも止むを得ない．Kirschner 鋼線 2 本と軟鋼線で内固定することが多いが，軟鋼線の代わりに 2 号吸収糸を使うと抜釘手術が簡単である．手術しなく

ても困る可能性が低いのに手術するわけだから，感染したり尺骨神経障害を起こしたりしないよう細心の注意を払う．

●患者説明のポイント
肘の変形が目立たなければ保存的に様子をみるが，手に麻痺を生じた場合には手術が必要であることを説明する．

上腕骨滑車形成不全
Hypoplasia of the trochlea of the humerus

佐竹 寛史　山形大学 准教授

【疾患概念】　外傷がなく，上腕骨滑車に形成障害を認める疾患であり，先天性と考えられている．

【頻度】
日本人に発症し，男性に多く，半数は両側性である．家族内発生もある．

【病型・分類】
上腕尺骨関節関節斜走症，上腕骨尺側顆形成不全症，上腕骨滑車壊死，および上腕骨内側上顆形成不全症としても報告されている．

【臨床症状または病態】
肘伸展制限，前腕回内制限があり，多くは内反肘を呈する．肘関節に不安定性を生じている場合もある．回内屈筋群形態異常も認められる．原因は不明で，尺骨神経溝形成不全と変形から尺骨神経麻痺にも注意を要する．

●問診で聞くべきこと
外傷の既往，家族内発生，いつから肘に変形が認められたかを聴取する．

●必要な検査とその所見
単純X線で上腕骨滑車，内側顆，および内側上顆に形成障害を認め，腕尺関節の関節裂隙開大，尺側傾斜が特徴である．尺骨神経溝は低形成で認められないこともある．

●鑑別診断で想起すべき疾患
上腕骨滑車無腐性壊死としてHegemann病がある．

●診断のポイント
外傷がなく，X線で上腕骨滑車に低形成がみられれば診断できる．両側例，家族内発生も本疾患を疑う．

●専門病院へのコンサルテーション
内反肘や尺骨神経麻痺を呈している場合に紹介する．

【治療方針】
低形成の滑車は放置する場合が多いが，内反肘変形に対しては矯正骨切り術も行われる．尺骨神経麻痺に対して尺骨神経皮下前方移動術が行われることが多い．

上腕骨頭の無腐性壊死
Aseptic necrosis of the humeral head

井上 和也　奈良県立医科大学 助教

【疾患概念，病態】　上腕骨頭の無腐性壊死は比較的まれな疾患であり，上腕骨頭への栄養血管が閉塞し骨壊死を生じる疾患である．全骨壊死のなかで約10%であるといわれており，好発年齢は50〜55歳である．原因は特発性と二次性に分けられる．二次性はさらに外傷性と非外傷性に分けられる．外傷性は上腕骨近位端骨折，肩関節脱臼などの後に発生する．非外傷性の原因としてはステロイド性が最も多く，アルコール性，潜函病，鎌状赤血球症，Gaucher病なども挙げられる．ステロイド性は，ステロイド全身投与を受けた患者の約5%に起こるとされており，疼痛などの自覚症状はステロイド投与後6〜18か月で出現するとされている．ステロイド投与を受けた既往のある患者で肩痛を訴える場合には必ず鑑別疾患に挙げなければならない．

【病型分類】
分類は大腿骨頭壊死に対するFicat-Arlet分類をもとにしたCruess分類が頻用される．
Stage I：単純X線では異常を認めない．
Stage II：骨硬化像や骨嚢胞は存在するが，上腕骨頭の圧壊および骨折は認めない．
Stage III：上腕骨頭に微小な圧壊や骨折（crescent sign）を認める．
Stage IV：関節症を伴う広範な圧壊を認める（図12-6）．
Stage V：関節窩側にも関節症を認める．

●診断のポイント
理学所見は非特異的であり，外傷やステロイド投与の既往などから本疾患を疑うが，確定診断には画像検査が必要となり，単純X線画像でCruess分類に従って診断する．しかしStage Iにおいては単純X線画像では異常はないため，本疾患を疑う場合にはMRIを施行すべきである．また，壊死範囲や軟骨の状態の診断にもMRIが有用である．

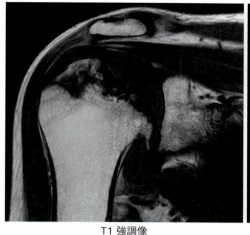
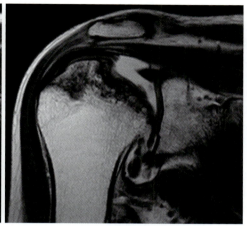

T1 強調像　　　　　　　　　　　　　T2 強調像

図 12-6　Stage Ⅳ のステロイド性骨壊死
上腕骨頭の広範な圧壊が認められる．

治療方針

　Cruess 分類 Stage Ⅰ，Ⅱ においては投薬，安静，リハビリテーションなどの保存療法が選択されるが，疼痛が改善しない場合は手術療法が選択される．Stage Ⅰ，Ⅱ の手術方法としては core decompression が有用とされている．Stage Ⅲ に対しても core decompression は一定の効果は認められるが，Stage Ⅰ，Ⅱ に比較し成績は劣るとされる．Stage Ⅲ，Ⅳ では人工骨頭置換術，Stage Ⅴ に対しては全人工肩関節置換術が適応となる．一方で，特に若年者の Stage Ⅱ，Ⅲ に対しては，肩甲骨下角を胸背動脈から分岐する angular branch とともに上腕骨頚部外側から骨頭軟骨下骨まで挿入する血管柄付き肩甲骨移植術により血流再開が期待できるとする報告が散見され，若年者における上腕骨頭の無腐性壊死では考慮されるべき手術方法である．

上腕二頭筋腱・三頭筋腱皮下断裂

Closed rupture of biceps long head or triceps brachii

船越　忠直　慶友整形外科病院慶友肩関節センター　センター長〔群馬県館林市〕

【疾患概念】　上腕二頭筋および三頭筋は二関節筋であり，肩関節安定性および前者は主に肘屈曲筋，前腕回外筋として，後者は肘伸展筋として働く．退行性の変化に加え，外傷，繰り返すストレスにより腱断裂が生じる．これまでは中高年の重労働者，スポーツ愛好家，ステロイド使用歴などがリスクとされていたが，近年スポーツ愛好家やボディビルダーなどにおいては上腕二頭筋，三頭筋筋力が強くなり若年者でも比較的多く報告されるようになった．疼痛が軽微な場合には自覚症状が少ない場合もあるが，初期発見が遅れると疼痛残存，筋力低下(特に前腕回外，肘伸展力)を残し，治療が困難となることもある．

1　上腕二頭筋腱皮下断裂

【臨床症状または病態】
　上腕二頭筋腱長頭(近位部，肩関節部)は，上腕骨結節間溝にて大きく走行を変えるため損傷されやすい．上腕遠位(肘関節部)での上腕二頭筋腱は，橈骨粗面に付着し大きく走行を変えるが，肘前面の腱膜と強く結合しており，より大きな力に耐えうる構造になっている．
　上腕二頭筋長頭腱は完全断裂すると，上腕部での筋腹の移動(いわゆるポパイサイン)が見られることがある．不全断裂では肩関節痛の原因になり，結節間溝での腱固定術または腱切離術が行われることがある．上腕二頭筋長頭腱切離後も，筋力低下および肩肘関節の機能不全を認めないという報告が多いことから，コスメティックな問題を除けば大きな機能障害はないと考えられている．しかし，欧米を中心に，高齢であってもコスメティックな問題を主訴に，手術加療を行うこともある．遠位上腕二頭筋腱断裂は，重労働者やスポーツ選手においては痛みを残し，完全断裂例では回

外筋力が著明に低下する場合があり，手術加療が選択されることが多い．

診断のポイント

問診にて外傷，ステロイド内服・注射の有無，スポーツ歴などを確認する．視診にて内出血，筋腹の膨隆と萎縮，触診にて圧痛と腱陥凹が重要である．特殊テストとして上腕二頭筋長頭腱障害では，Speed's test，Yergason test，O'Brien active compression test などがあるが偽陽性率も高く，関節鏡所見で初めてわかることも少なくない．遠位上腕二頭筋腱断裂では，肘窩での腱緊張を検者の指で確認する hook test が用いられる．画像所見では単純 X 線，CT 検査による骨折（烏口突起，関節窩，橈骨粗面，肘頭など）の有無，結節間溝の変性，および超音波，MRI 所見にて腱断裂の有無，程度，部位を直接確認できる．上腕二頭筋長頭腱では肩関節鏡所見により，hourglass sign（関節鏡内での上腕二頭筋長頭腱のひっかかり）を認めることもある．

治療方針

上腕二頭筋長頭腱断裂では，高齢者や外見上問題がない場合には，外科的治療を必要としないことが多い．一方で，上腕二頭筋長頭腱断裂には腱板断裂（肩甲下筋腱，棘上筋腱）を伴うことがあり，肩関節の可動時痛（特に内旋，内転）が持続する場合には，MRI などによる評価が必要となる．

遠位上腕二頭筋腱断裂では不全断裂例では保存加療が選択されるが，痛みが持続する場合，重労働，スポーツ選手では手術加療を行う．完全断裂例では早期手術加療が勧められる．遠位上腕二頭筋腱断裂に対する手術は，主に single-incision と dual-incision technique によるさまざまな腱骨停止部固定法がある．

2 上腕三頭筋腱皮下断裂

【臨床症状または病態】

上腕三頭筋腱は近位での損傷はまれである．遠位（肘関節部）での損傷も比較的まれであり，受傷機転として伸張性収縮における肘頭部の外傷によるものが多く，肘頭からの剥離骨折である場合が多い．透析患者による皮下断裂も多く報告されている．

診断のポイント

上腕二頭筋腱断裂と同様に問診，視診，触診，画像所見に注意する．遠位上腕三頭筋腱断裂では，単純 X 線所見にて"flake sign"とよばれる肘頭の剥離が見られることがある．

治療方針

遠位上腕三頭筋腱断裂では，可動域制限，筋力低下がなく重労働，スポーツ例でない場合，筋肉内断裂の場合は保存加療が選択される．しかし肘頭剥離骨折を伴う場合，保存加療が奏効しないことが多く，早期手術加療が勧められる．遠位上腕三頭筋腱断裂では，骨孔法やアンカー法などさまざまな固定法が報告されているが，いずれも十分な外固定と再断裂に注意すべきである．

13 肘関節の疾患

肘関節の機能解剖	438
肘の痛みのとらえ方/診断手順	439
肘頭骨折	440
肘関節脱臼	440
橈骨頭骨折，橈骨頚部骨折	441
先天性橈骨頭脱臼	443
肘内障	443
上腕骨外側上顆炎	444
内反肘，外反肘	444
肘関節の離断性骨軟骨炎	446
肘周辺の異所性骨化（骨化性筋炎）	447
変形性肘関節症	448
リウマチ肘	450
靱帯損傷	452
肘関節不安定症	453

肘関節の機能解剖
Clinical anatomy of the elbow joint

今谷 潤也　岡山済生会総合病院 副院長〔岡山市北区〕

肘関節の支持機構は骨，軟骨からなる骨性構造と，靱帯，筋，腱などからなる軟部組織構造に二分され，これらはお互いに関連しあって機能している．

1 肘関節の骨構造

肘関節（elbow joint）は，上腕骨遠位端と尺骨および橈骨近位端で形成されている．上腕骨遠位端の骨性構造は，tie arch といわれる関節面が lateral column と medial column に挟まるトライアングル構造となっており，前方には橈骨窩と鉤突窩が，後方には肘頭窩がある．腕尺関節はいわゆる蝶番関節で，上腕骨軸に対して関節面部分は 6〜8° 外反，約 5° 内旋している．一方，腕橈関節は橈骨頭と上腕骨小頭とで形成される球状関節である．また，近位橈尺関節は橈骨頭と lesser sigmoid notch とで形成され，橈骨頭は正円ではなく楕円であり，その長軸は lesser sigmoid notch に対して回内・外中間位で直交する．肘関節伸展，前腕回外位で上腕と前腕のなす角を肘外偏角（carrying angle）といい，男性で 6〜11°，女性では 12〜15° 外反している．正常以上に肘外偏角が増加しているものを外反肘，肘外偏角が 0° 未満のものを内反肘とよぶ（図 13-1）．

2 肘関節の靱帯構造

内側側副靱帯（medial collateral ligament；MCL）は上腕骨内側上顆と尺骨を連結し，主に外反ストレスに対抗する靱帯構造であり，前斜走線維（anterior oblique ligament；AOL），後斜走線維（posterior oblique ligament；POL），横走線維（transverse ligament；TL）からなる．なかでも AOL は最も強靱な靱帯構造で，肘関節の primary stabilizer とも称され，内側上顆基部より起始し，鉤状突起内側の sublime tubercle に停止する．この MCL とその表層側にある円回内筋および屈筋群とを総称して，MCL 複合体とよぶ．

一方，外側側副靱帯（lateral collateral ligament；LCL）は，橈側側副靱帯（radial collateral ligament；RCL），輪状靱帯（annular ligament；AL），外側尺側側副靱帯（lateral ulnar collateral ligament；LUCL）の三者で構成される．内側と同様に LCL とその表層側にある肘筋および伸筋群とを総称して LCL 複合体とよび，内反および後外側回旋ストレスに対抗する．

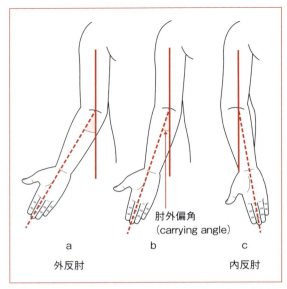

図 13-1　肘外偏角（b：carrying angle）と外反肘（a）・内反肘（c）

3 筋肉

1 ▶ 肘屈筋

主な肘屈筋は上腕筋（C5，6：筋皮神経），上腕二頭筋（C5，6：筋皮神経），腕橈骨筋（C6，7：橈骨神経）である．上腕筋は前腕回旋肢位にかかわらず屈曲に作用し，上腕二頭筋腱は回外作用も併せ持つ．腕橈骨筋は回内外中間位で強力な肘屈曲作用がある．

2 ▶ 肘伸筋

主な伸筋は上腕三頭筋（C5〜8：橈骨神経）であり，肘筋も伸筋であるが作用は小さい．

3 ▶ 前腕回外

回外筋（C5〜7：橈骨神経）および上腕二頭筋（C5，6：筋皮神経）が作用する．

4 ▶ 前腕回内

方形回内筋（C7〜T1：正中神経），次いで円回内筋（C6〜7：正中神経）が作用する．

4 血管・神経

上腕動脈および正中神経は，上腕二頭筋の内側を走行する．前者は肘関節裂隙のやや遠位で，橈骨動脈と尺骨動脈に分枝する．後者は円回内筋の高位で前骨間神経を分枝し，これは円回内筋の浅頭と深頭の間を下行する．一方，橈骨神経は外側筋間中隔を後方から貫通して，腕橈骨筋と上腕筋の間を下行する．これもおおむね肘関節裂隙の高位で，深枝（運動枝）と浅枝（知覚枝）に分枝する．深枝は回外筋の浅層と深層の間を

走行し，前腕背側に出て後骨間神経となる．尺骨神経は内側筋間中隔と上腕三頭筋の間を下行し，内側上顆の後方を回って，尺側手根屈筋上腕頭と尺骨頭の間をさらに下行していく．この尺側手根屈筋の両頭間では，神経の表層側（すなわち"屋根"の部分）にOsborne靱帯（滑車上肘靱帯）および尺側手根屈筋腱膜が存在する．この部を肘部管とよび，尺骨神経の絞扼性神経障害の好発部位である．

肘の痛みのとらえ方/診断手順
Diagnosis of the painful elbow

林 正徳　信州大学 講師

1 はじめに

肘およびその周辺に疼痛を生ずる疾患は主に肘関節を構成する骨，軟骨，靱帯，関節包に起因するものと，筋・腱および腱付着部，神経などの関節外組織に起因するものがある．診断する際には，このことを念頭におきながら問診，視診，触診，徒手検査，画像検査の順に進める．

2 診断手順

1 ▶ 問診

始めに患者の主訴を確認する．疼痛を主訴とする場合は部位や性状，発生の仕方（安静時痛，運動時痛）を聴取する．現病歴では外傷や肘への過度の負荷などの誘因の有無や同症状に対する治療歴の有無について確認する．また年齢や性別，利き手，既往歴などの一般的な事項のほかに職歴，スポーツ歴の聴取も必要である．

2 ▶ 視診

安静時の肢位や腫脹，変形の有無を確認する．びまん性腫脹の場合は骨折や内・外側側副靱帯同時損傷，関節リウマチ，変形性関節症に伴う関節炎などを疑う．また内・外側に限局した腫脹の場合は内・外側単独の側副靱帯損傷が疑われ，肘頭に限局する場合は肘頭滑液包炎を考える．肘関節は前腕回外位，肘関節伸展位における上腕と前腕の長軸がなす角度（carrying angle）が生理的に外反を呈しているが，幼・小児期の上腕骨外顆骨折や上腕骨顆上骨折後の変形治癒や偽関節により外反肘および内反肘を呈していることがある．

3 ▶ 触診

触診は肘に痛みを生ずる疾患を診断するうえで最も重要であり，病変の推定に有用である．

(1) 皮膚温
熱感があり，発赤を伴う場合は化膿性関節炎や局所の感染を疑う．

(2) 圧痛
各部位から推定される疾患（骨折を除く）を以下に列挙する．
① 肘窩：上腕二頭筋遠位腱皮下断裂，橈骨神経管症候群
② 上腕骨外側上顆：上腕骨外側上顆炎
③ 腕橈関節：関節リウマチ，変形性関節症，関節炎，滑膜ひだ障害，弾発肘，外側側副靱帯損傷（後外側回旋不安定症），上腕骨小頭離断性骨軟骨炎
④ 腕尺関節：関節リウマチ，変形性関節症，関節炎
⑤ 上腕骨内側上顆：上腕骨内側上顆炎
⑥ 尺骨神経（肘部管）：肘部管症候群
⑦ 肘頭窩：関節リウマチ，変形性関節症，関節炎

4 ▶ 徒手検査

(1) 可動域検査
屈曲・伸展・前腕回内・回外可動域を測定する．前腕回内・回外運動では上腕の回旋を除いた可動域を評価する必要があるため，肘関節を90°屈曲位として測定する．また，各可動域の終末時の疼痛や運動時の弾発，尺骨神経の脱臼の有無を確認する．

(2) 筋力テスト，感覚評価
肘の疼痛が強い場合には正確な筋力評価は困難なことが多いが，肘部管症候群や他の神経障害が疑われる場合には徒手筋力テストや感覚障害を示す皮膚領域の確認は重要である．

(3) 徒手診断テスト
疾患に対する各種テストがあり診断に有用である．
① 内側側副靱帯損傷：外反ストレステスト，milkingテスト
② 外側側副靱帯損傷（後外側回旋不安定症）：内反ストレステスト，lateral pivot shiftテスト
③ 上腕骨外側上顆炎：Thomsenテスト，中指伸展テスト，chairテスト
④ 上腕骨内側上顆炎：手関節屈曲テスト，前腕回内テスト
⑤ 肘部管症候群：肘部管部でのTinel徴候，肘屈曲テスト

5 ▶ 画像検査

問診や身体所見の結果をふまえて，単純X線，超音波，CT，MRIなどの検査を行う．
① 単純X線：肘関節正面像，側面像に加え，45°屈曲位正面像（上腕骨小頭離断性骨軟骨炎），ストレス撮影（内・外側側副靱帯損傷）を追加する．
② 超音波：内・外側側副靱帯損傷，上腕骨内・外側上顆炎（前腕回内屈筋群・短橈側手根伸筋起始部の変性），

関節リウマチ(滑膜炎)，滑膜ひだ，上腕骨小頭離断性骨軟骨炎(上腕骨小頭不整像)，肘部管症候群(尺骨神経腫大)，上腕二頭筋遠位腱皮下断裂(腱周囲滑液包炎)などの診断に有用である．
③CT：変形性関節症，離断性骨軟骨炎，関節内遊離体の診断に有用である．
④MRI：内・外側側副靱帯損傷，上腕骨内・外側上顆炎(前腕回内屈筋群・短橈側手根伸筋起始部の変性)，関節リウマチ(滑膜炎)，滑膜ひだ，離断性骨軟骨炎，肘部管症候群(尺骨神経腫大)，上腕二頭筋遠位腱皮下断裂(腱周囲滑液包炎)の診断に有用である．

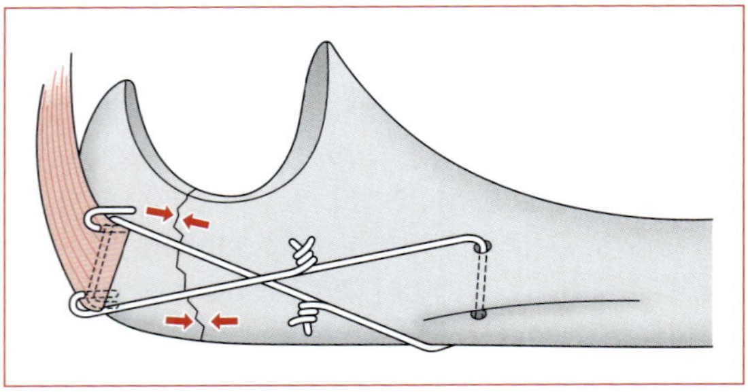

図 13-2　tension band wiring

肘頭骨折

Olecranon fracture

辻 英樹　羊ヶ丘病院 医長〔札幌市厚別区〕

【疾患概念】　一般的に2種の受傷機転，すなわち肘からの転落や肘頭への直達外力，あるいは肘屈曲位での強い上腕三頭筋の収縮によって生じる．より大きな外力が加わった場合は，脱臼骨折を生じる(肘頭脱臼骨折)．

【臨床症状】
　肘関節部の腫脹と圧痛を強く認める．骨折部に転位がある場合は上腕三頭筋筋力が伝わらず肘伸展が不能になる．

問診で聞くべきこと
　受傷機転，受傷肢位を聞き出せれば，診断の補助となる．

必要な検査とその所見
　単純X線側面像を正しく撮影することで骨折の判定は容易である．肘頭骨折の範囲や粉砕，陥没の程度，合併する橈骨頭骨折，鉤状突起骨折の精査にはCT検査が有用である．

治療方針
　骨折部の転位が少なく安定しているもの，受傷時肘関節自動伸展が可能なものは保存治療が，それ以外は手術療法が適応となる．

保存療法
　肘関節45〜90°屈曲位でのギプス固定を行う．術後数日の再X線撮影により骨折部の転位が生じていなければ，2週前後の固定後肘関節自動運動を開始する．特に高齢者では3週以上のギプス固定は関節拘縮を惹起するため行わない．

手術療法
　2本の平行なKirschner鋼線と軟鋼線で締結する，tension band wiring法が一般的に行われる(図13-2)．粉砕骨折や骨折が鉤状突起の遠位に及ぶ(時に脱臼骨折を呈する)症例では，滑車切痕の正確な整復固定を要するため，ロッキングプレート固定の適応となる．近年多くの解剖学的プレートが開発されている．

患者説明のポイント
　尺骨神経不全麻痺を合併することがあること，可動域制限や偽関節，外傷性変形性関節症を生じる可能性を説明する．

リハビリテーションのポイント
　早期の可動域訓練開始が重要であるが，自動運動を主体に行い，暴力的な他動運動は禁忌である．訓練に際しては疼痛コントロールが適切になされていることが望ましく，セラピストはリハビリテーションの進捗状況を積極的に主治医に報告すべきである．

肘関節脱臼

Elbow dislocation

辻 英樹　羊ヶ丘病院 医長〔札幌市厚別区〕

【疾患概念】　通常骨傷のない，あっても軽微な肘関節単純脱臼と，骨折を伴って複合肘関節不安定症(他稿参照)を呈するものまでさまざまである．前者の90%以上が後方脱臼であり，以下単純後方脱臼について述べる．

【臨床症状，病態】
　通常，肘関節過伸展位で手をつき，肘頭が肘頭窩に衝突固定され，さらに肘の伸展を強制されて脱臼する(図13-3)．この場合，内側側副靱帯(medial collat-

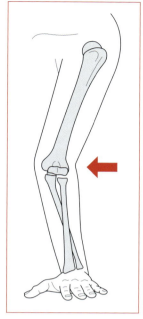

図13-3 肘過伸展損傷による脱臼

eral ligament；MCL）損傷を合併する．また軽度屈曲位で手をつき，肘関節に外反，回外，軸圧の複合外力がかかり，MCLは断裂せず外側側副靱帯（lateral collateral ligament；LCL）複合体が断裂して，後外側脱臼をきたす機序もある．

問診で聞くべきこと

受傷機転，受傷肢位を聞き出せれば，診断の補助となる．

必要な検査とその所見

単純X線像で診断は確定する．また，肘関節以遠の循環障害，神経障害の有無を診察する．

治療方針

脱臼の整復は受傷早期に行う．整復後肘関節30°まで伸展しても再脱臼をきたさず安定していれば保存療法とする．側副靱帯損傷は，近接する前腕伸筋および屈筋付着部損傷を合併し不安定性が強い場合は，修復術の適応となる．ストレス検査，MRI，エコーなどで判断する．

保存療法

約1〜2週間のギプスシーネ固定の後，自動運動を開始する．その際，特に肩屈曲位での上肢自重による肘関節内反，回内ストレスはLCL修復の妨げになるため，その肢位を避けるようにする．

手術療法

陳旧例は観血的整復が必要となる．側副靱帯修復は通常スーチャーアンカーを使用する．

患者説明のポイント

関節拘縮が起こりやすいため，保存療法，手術療法いずれにおいてもリハビリテーションが重要であることを説明する．

リハビリテーションのポイント

関節拘縮を予防するため，外固定は短めとし比較的早期より自動運動を開始する．

橈骨頭骨折，橈骨頚部骨折

Fractures of the head and neck of the radius

西浦 康正　筑波大学附属病院土浦市地域臨床教育センター 教授

【疾患概念】　転倒・転落し，肘伸展位で手をついて受傷する．小児ではほとんど橈骨頚部骨折であり，成人では橈骨頭骨折が多い．

【病態】　外反強制と軸圧によって骨折が生じる．外反力が大きいと，上腕骨内側上顆骨折・尺骨近位端骨折や内側側副靱帯損傷を合併することがあり，Jeffery型損傷とよばれる．Mayo Clinicからの成人橈骨頭骨折333例の報告では，39％に他の部位の骨折あるいは軟部組織損傷を合併し，14％が脱臼に合併していたとしている．橈骨頭骨折，尺骨鉤状突起骨折，内側側副靱帯損傷（あるいは肘関節脱臼）の組み合わせは予後不良になりやすく，terrible triadとよばれる．また，骨間膜損傷が生じ，遠位橈尺関節脱臼を合併する場合があり，Essex-Lopresti損傷とよばれる．

【臨床症状】　外傷後に肘関節痛を訴える．橈骨頭頚部に圧痛を認める．

必要な検査とその所見

単純X線肘関節正・側2方向撮影を行う（図13-4a, b）．手術を行う場合，CT撮影を行えば転位の詳細は一目瞭然である（図13-4c）．

診断のポイント

(1) 橈骨頚部骨折

転位がある場合，骨頭関節面の傾斜角度は橈骨の回旋肢位によって異なるため，斜位撮影を行い最大角度を推測する．この転位は小児の骨折においても自然矯正されないため，15°以上の場合，整復を行う必要がある．

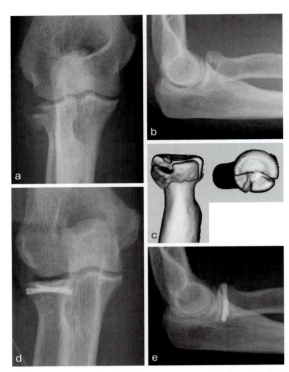

図 13-4 右橈骨頭骨折（Mason-Morrey 分類 II 型）（60歳，女性）

転倒し，手をついて受傷した．
a，b：初診時単純 X 線像：橈骨頭骨折があり，骨片の転位が認められる．
c：3D-CT 像：橈骨頭の約半分が骨折し，比較的大きな骨片と小骨片に割れていることが明瞭である．
d，e：術後単純 X 線像：手術を行い headless screw 2 本で固定した．

(2)橈骨頭骨折

Mason-Morrey 分類（I 型：転位がほとんどない，II 型：骨片の転位あり，III 型：粉砕骨折，IV 型：肘関節脱臼などに合併）が有用である．I 型に対しては保存療法，II〜IV 型に対しては手術を行う．

治療方針

1 ▶ 橈骨頸部骨折

(1)保存療法

骨頭関節面の傾斜角度が 15° 未満の場合，当初 1 週間は上腕から手までの肘屈曲位でのギプスシーネ固定を行い，その後，肘関節 90° 位で肘上から手関節近位までシリンダーキャスト固定（前腕部はギプスをゆるく巻く）に変更し，前腕回旋運動を許可する．2〜3 週間固定の後，ギプスを除去し肘関節屈伸運動を開始する．

(2)手術療法

骨頭関節面の傾斜角度が 15° 以上の場合，全身麻酔下に徒手整復を行うが，なかなか良好な整復は得られないことが多い．X 線透視下に骨折部に太い Kirschner 鋼線または小エレバトリウムを挿入し，外側を近位に持ち上げるように圧迫して整復する．小児では経皮的に Kirschner 鋼線を刺入固定し，3〜4 週間のギプスシーネ固定を行う．成人では経皮的鋼線固定では前腕の回旋が行えないため，骨折部を展開・整復し，橈骨頭表面に内固定材料が出ないように headless screw で固定するか，骨折部の骨欠損部に人工骨ブロックを挿入し骨折部を安定化させる．完全骨折例では骨折部を展開・整復し固定する．

Jeffery 型損傷で，内側上顆骨折あるいは尺骨近位端外反骨折を合併している場合は，合わせて整復固定する．内側側副靱帯損傷を合併している場合，橈骨頭の固定後，著明な外反動揺性を認める場合は修復を行う．

2 ▶ 橈骨頭骨折

(1)保存療法

橈骨頸部骨折の保存療法と同じく，外固定で治療を行う．

(2)手術療法

展開して骨折部を整復し，headless screw や吸収ピンで固定する（図 13-4d，e）．粉砕骨折では軟部組織の付着を温存したほうがよいが，やむをえない場合は一度摘出してから戻して整復する．欠損がある場合は骨移植を行う．Plate を用いる場合は safe zone（回旋しても尺骨の橈骨切痕に接触しない部位）に設置する必要がある．粉砕が強くても，安易に橈骨頭を切除してはならない．粉砕が強く切除せざるを得ない場合は，人工橈骨頭置換術を行う．

合併症

変形治癒，骨片壊死，偽関節，可動域制限（肘関節屈伸，前腕回旋），小児では早期骨端線閉鎖，過成長など．

患者説明のポイント

適切な治療を行えば大部分の予後は良好である．成人では合併損傷とリハビリテーションの成否が予後を左右する．

リハビリテーションのポイント

可動域訓練の開始時期は骨折部の安定性による．転位が軽いか，あるいは術後の整復固定がよく，前腕回旋に対して安定であれば，肘の屈伸を制限し，前腕回旋を早く開始する．肘関節の屈伸運動は 3 週以内に開始したほうがよいが，4 週固定した場合は，可動域制限が生じやすいので，より積極的なリハビリテーションを行う必要がある．

先天性橈骨頭脱臼

Congenital dislocation of the radial head

佐竹 寛史　山形大学 准教授

【疾患概念】　腕橈関節で先天性に橈骨頭が脱臼しているもの．他の先天異常に合併している場合もある．

【頻度】
　まれな疾患であり，幼少期に発見されることは少なく，小中学生になって受診することが多い．

【病型・分類】
　前方脱臼と後方脱臼が多いが，側方脱臼もある．

【臨床症状または病態】
　肘の可動域制限または疼痛を訴える．

問診で聞くべきこと
　外傷，分娩麻痺，家族内発生の有無，両側性かどうかを聴取する．

必要な検査とその所見
　肘関節単純X線2方向で診断するが，形成障害や先天異常の合併例では前腕2方向も確認する．橈骨頭のドーム型変形，上腕骨小頭の形成障害は診断と手術適応を考えるうえで重要であり，場合によっては関節造影，CT，またはMRIで評価する．

鑑別診断で想起すべき疾患
　橈骨頭脱臼に尺骨骨折を合併するMonteggia骨折を鑑別する．

診断のポイント
　両側罹患，他の先天異常の合併，家族内発生，徒手整復不能，橈骨頭・尺骨・上腕骨小頭の形成障害の有無で判断する．

専門病院へのコンサルテーション
　肘関節の運動時痛，可動域制限，外反肘に伴う尺骨神経麻痺を合併している場合には専門医に紹介する．

治療方針
　症状や機能障害がなければ放置するが，若年で発見され，橈骨頭のドーム型変形や上腕骨小頭の形成不全がなければ橈骨短縮，尺骨延長，輪状靱帯再建術などによる観血的整復術を考えてもよい．成人例では橈骨頭切除も行われることがある．

合併症と予後
　整復術後に関節症性変化が生じることがある．また，橈骨頭切除により遠位橈尺関節の不適合が生じ，手関節痛を生じることもあるため，長期間の経過観察を要する．

患者説明のポイント
　将来痛みや可動域制限が生じないように手術で整復する方法があるが，手術により機能障害が強くなる場合があり，保存的に様子をみたほうがよい場合もあることを説明する．

肘内障

Pulled elbow

佐竹 寛史　山形大学 准教授

【疾患概念】　小児における橈骨頭周囲の輪状靱帯や回外筋の嵌頓障害である．親が子の手を引っ張るような牽引による発症は約半数で，さまざまな受傷機転により発症する．

【頻度】
　2歳台が最も多く，正規分布をとり，学童期以降ではほとんどみられない．男女比はなく，やや左に多い．

【病型・分類】
　半数が牽引により生じ，半数は牽引以外の原因で生じる．

【臨床症状または病態】
　前腕は下垂回内位で，患肢を動かそうとしない．局所の腫脹はない．

問診で聞くべきこと
　患児の手を牽引したか，あるいは転倒外傷があったかどうか確認する．

必要な検査とその所見
　明らかに牽引のエピソードがあれば検査は不要であるが，超音波検査で輪状靱帯や回外筋が腕橈関節に嵌頓している所見が確認できる．整復後の観察にも有用である．転倒外傷があれば単純X線検査を行って骨折がないかどうか確認する．

鑑別診断で想起すべき疾患
　明らかな牽引のエピソードがなければ，上腕骨顆上骨折や上腕骨外側顆骨折を想起すべきである．患児が肘を痛がっていても鎖骨骨折をきたしている場合もあるので，注意を要する．

診断のポイント
　上肢牽引後に腕を動かそうとしない場合には肘内障と診断し，治療を開始する．

治療方針
　前腕回内法と回外法があり，いずれにしても前腕を回旋することにより整復される．患児は前腕回内位で来院し，回外ができない状態なので，回外は強要せず，回内法を推奨する．肘の屈曲は必ずしも重要ではなく，手関節を尺屈すると同時に回内を強めて整復轢音

（クリック）を聴取する．整復感が得られない場合にはいったん整復操作を止めて，待合室で患肢を動かすようになるかどうか観察してもらう．

▶患者説明のポイント

未熟な靱帯の引っかかりであり，何度か繰り返すことがあるが，学童期以降では生じなくなることを説明する．

上腕骨外側上顆炎

Lateral epicondylitis

和田　卓郎　済生会小樽病院 病院長〔北海道小樽市〕

【疾患概念】　肘関節外側に疼痛を訴える疾患で，テニス肘ともよばれる．上腕骨外側上顆に起始する前腕伸筋群，なかでも短橈側手根伸筋の腱付着部症（enthesopathy）である．腱付着部の変性，腱線維の断裂，線維芽細胞や毛細血管の増生などが認められる．難治例では滑膜ひだ，関節軟骨変性，輪状靱帯の損傷などの腕橈関節内病変がみられる．長期の慢性疼痛例では中枢感作が関与する．

【臨床症状】
30歳代後半〜50歳代に好発し，男女差はない．テニス，バドミントンなどのラケットスポーツでの発症頻度が高い傾向にある．肘関節外側に疼痛を訴え，強い握り動作，タオルを絞る動作で疼痛が誘発される．

▶問診で聞くべきこと

疼痛部位，疼痛が誘発される動作，肢位を問診する．発症時期，罹病期間，疼痛の推移，安静時痛の有無など疼痛の性状も確認する．弾発現象は滑膜ひだの存在を疑う．

▶必要な検査とその所見

(1)誘発テスト
①wrist extension test（Thomsen test）：肘伸展，前腕回内位で抵抗を加えながら手関節を伸展させると疼痛が誘発される．
②middle finger extension test：肘伸展，前腕回内位で抵抗を加えながら中指を伸展させると疼痛が誘発される．
(2)画像診断
単純X線検査では異常がないことが多いが，上腕骨外側上顆の伸筋腱起始部に石灰化がみられることがある．難治例のMRI検査では，伸筋腱起始部の高輝度変化や軽度の関節内水腫が認められる．

▶鑑別診断で想起すべき疾患

変形性肘関節症，橈骨管症候群．

▶診断のポイント

臨床症状，上腕骨外側上顆に圧痛，誘発試験が陽性で変形性関節症，橈骨管症候群が否定できれば，診断できる．罹病期間，治療歴から難治性か否かを判断する．

▶専門病院へのコンサルテーション

6か月以上の保存治療が無効で，症状の強い難治例は手術治療を考慮し，専門施設に紹介する．

▶治療方針

保存治療で90%の例が治癒する．強い握り動作，前腕回内位での重量物保持を避けるなどの生活指導を行う．前腕伸筋のストレッチングを指導する．テニスバンドを装着させる．薬物治療としてNSAIDsの内服，湿布剤を投与する．疼痛の強い例にはステロイド局所注射を行うが，3回程度までとする．多数回の注射は予後を悪化させる．

これらの治療を3か月以上行っても効果のない例では，保険適用外ではあるが体外衝撃波，多血小板血漿（PRP）局所注射が行われる．6か月以上の保存治療に抵抗し，疼痛の強い難治例には手術治療を行う．変性したECRB（extensor carpi radialis brevis）腱の切除，再縫着を行うNirschl法，変性ECRB腱の切除に加え関節内病変の処置を行う関節鏡視下手術などが行われる．

ガイドラインは保存治療としてストレッチングや温熱療法などの理学療法を強く推奨し，テニスバンド，薬物療法，ステロイド局所注射を弱く推奨している．手術治療として直視下手術，鏡視下手術をいずれも弱く推奨している．

▶患者説明のポイント

保存治療で90%の例が，6か月までに治癒することを説明する．ステロイド局所注射には即効性はあるが，多数回の注射は治癒率を低下させる危険があることも説明する．難治例に対する手術治療の成績は安定している．

内反肘，外反肘

Cubitus varus, Cubitus valgus

和田　卓郎　済生会小樽病院 病院長〔北海道小樽市〕

【疾患概念】　肘関節伸展位，前腕回外位における上腕骨軸と尺骨軸のなす角をcarrying angle（肘外偏角）とよぶ．男性では正常値は10〜14°の外反位，女性は13〜16°の外反位である．Carrying angleが減少し内

反位をとる肘を内反肘(図 13-5)，carrying angle が増加し強い外反位をとる肘を外反肘(図 13-6)とよぶ．

内反肘は，小児の上腕骨顆上骨折後の変形治癒によるものの頻度が高い．実際には内反変形に，過伸展と内旋の 2 つの変形が合併する．整容的な問題と屈曲制限があることが多い．高校生以降の年齢で，二次的に外側尺側側副靱帯の機能不全が生じ，肘関節外側回旋不安定性を訴える例がある．また，遅発性尺骨神経麻痺を発症することもある．

外反肘は，小児の上腕骨外顆骨折後の偽関節によるものが多い．小児期には変形はあるものの無症候性のことが多いが，成人以降に高い頻度で，遅発性尺骨神経麻痺が発生する．また，不安定に伴う変形性肘関節症が発生する．

問診で聞くべきこと

外傷の既往と治療歴を確認する．整容，機能上の問題点を問診する．肘関節の疼痛や不安定感の有無，環・小指のしびれ，握力低下など尺骨神経麻痺に伴う症状の有無を確認する．

診断のポイント

Carrying angle を観察し，健側と比較する．内反肘であれば，単純 X 線で上腕骨顆上骨折変形治癒，滑車形成不全などが認められる．外反肘であれば，上腕骨外顆偽関節，橈骨頭脱臼，橈骨頭骨折(変形治癒)などが認められる．

専門病院へのコンサルテーション

経過観察で変形が改善することはない．診断，治療方針について迷うようであれば，早期に専門病院に紹介する．

治療方針

1 ▶ 上腕骨顆上骨折変形治癒に伴う内反肘

変形の程度が大きく，整容が問題になる例では，上腕骨の矯正骨切り術を行う．内反，過伸展，内旋の 3 変形をすべて矯正するか，内反・過伸展変形のみを矯正するかは議論の分かれるところである．近年，3D-CT データをもとにシミュレーション手術も行われる．

肘関節外側回旋不安定性を発症した例では，矯正骨切術に加え，靱帯再建術を行う．また，遅発性尺骨神経麻痺例では神経移動術が適応である．

2 ▶ 上腕骨外顆骨折偽関節に伴う外反肘

小児例では積極的に偽関節手術を行う．慢性例で外反変形が強い場合は，同時に上腕骨の矯正骨切り術を行う．成人例で偽関節部の疼痛が強い場合にも，偽関節手術を考慮する．偽関節部を固定すると可動域が減少する可能性がある．

遅発性尺骨神経麻痺に対しては，尺骨神経前方移動術を行う．

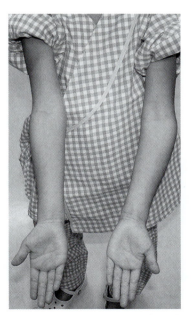

図 13-5　上腕骨顆上骨折変形治癒による左内反肘

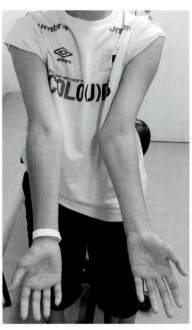

図 13-6　上腕骨外顆骨折偽関節に伴う左外反肘

患者説明のポイント

整容改善を目的とする内反肘に対する矯正骨切り術では，期待される結果に加え，肥厚性瘢痕などの整容上の合併症についても十分に説明する．外顆骨折偽関節に伴う外反肘では，偽関節手術の必要性，放置した場合の遅発性尺骨神経麻痺などのリスクを説明する．

問診で聞くべきこと

疼痛部位，発生時期，疼痛が誘発される動作に加え，スポーツ歴を聴取する．スポーツは種目，継続期間，プレイ頻度，また，野球であればポジション，使用する球（軟球，硬球など），競技レベルも確認するとよい．

必要な検査とその所見

単純 X 線像（図 13-7）で上腕骨小頭陰影の不整や遊離片の有無を確認する．病巣は 45°屈曲位正面 tangential view で描出されやすい．MRI は初期病変を描出可能であり，また，病態把握（骨壊死など）に有用である．CT，特に 3D-CT は病巣部位，大きさの把握に役立つ．超音波検査は非侵襲的に小頭関節軟骨や軟骨下骨の不整を捉えることができる．

鑑別診断で想起すべき疾患

(1) Panner 病

上腕骨小頭骨端核への血行障害により発症する骨端症で，10 歳以下の発症が多い．離断性骨軟骨炎と異なり，小頭骨端核全体に病変が及ぶことが多い．予後良好．

(2) 上腕骨外側上顆炎

基本病態は外側上顆に付着する筋腱付着部炎であり，疼痛・圧痛部位，各種誘発テスト（Thomsen テストなど）で鑑別可能．

肘内側側副靱帯損傷，内側上顆裂離骨折，肘頭疲労骨折などほかの投球障害肘も鑑別疾患に挙げられるが，臨床症状，疼痛部位，画像診断より鑑別は容易である．

肘関節の離断性骨軟骨炎

Osteochondritis dissecans of the elbow

佐藤 和毅　慶應義塾大学医学部スポーツ医学総合センター 教授

【疾患概念】　成長期の上腕骨小頭に生じる骨軟骨障害である．野球選手の発生が多く外側型野球肘に分類されるが，ドッジボールなど投球・投擲動作を繰り返すほかの球技や，器械体操などでも発生する．10 歳代前半の発症が多く，腕橈関節への反復外力が誘因と考えられる．一方で，軟骨下骨折，局所血流障害，遺伝的素因などの関与を示唆する報告もある．

【臨床症状】　初期には無症候であることが多いが，徐々に投球時，特に加速期に肘関節外側部痛を自覚する．進行すると関節可動域制限や遊離骨軟骨片によるロッキング症状を呈する．

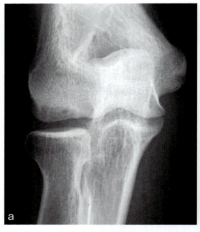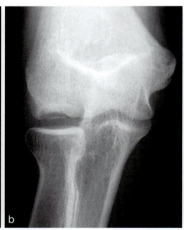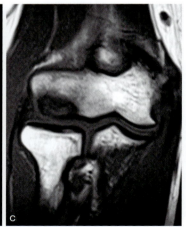

図 13-7　上腕骨小頭離断性骨軟骨炎（肘離断性骨軟骨炎）の画像
a：単純 X 線正面像．小頭に限局性の骨透亮域を認めるが，分離像は確認できない．
b：単純 X 線正面 45°tangential view．小頭中央部に分離片を認める．
c：MRI T1 強調像．上腕骨小頭中央部広範囲に低信号域を認める．

診断のポイント

病態初期より腕橈関節の圧痛，腫脹を有することが多い．問診より本症を想起し，しっかりと視診・触診することが重要である．関節可動域制限，ロッキングも併せてチェックする．臨床症状と単純X線，MRIなどの画像所見より確定診断する．

専門病院へのコンサルテーション

本疾患の治療は専門性を要する．本疾患を疑う場合には，スポーツあるいは肘専門医にコンサルテーションすることが望ましい．

治療方針

病期により治療方針は異なる．初期には保存療法が有効であるが，進行例は観血的治療を行う．

保存療法

病態初期，すなわち単純X線像で小頭に限局性透明巣を認める透亮期や分離期（病巣と周囲骨間に透明帯を認める時期）であれば，投球禁止・局所安静により軟骨・軟骨下骨が修復される可能性が高い．特に，小頭骨端線未閉鎖例は原則的に保存療法を行う．保存療法では，投球，バッティングを含め，肘関節に外反ストレスのかかる動作をすべて禁止する．投球禁止，局所安静の期間は6か月程度を目安とする．

手術療法

病巣が遊離している（遊離期）例や保存療法無効例に対して，観血的治療を行う．観血的治療には病巣部の摘出・掻爬，骨釘移植術，上腕骨外顆楔状骨切り術，骨軟骨移植による関節形成術など，種々の手術法が報告されている．原則として，分離・遊離した骨軟骨片の再生着が期待できるケースではこれを接合する．接合は肘頭から採取した骨釘により行う．骨軟骨片の再接合が不能で欠損部が大きい例に対しては，骨軟骨移植による小頭関節面欠損の再建が行われる．骨軟骨のドナーには，大腿骨外顆関節面非荷重部や肋骨肋軟骨移行部がある．

患者説明のポイント

- 保存療法，手術療法いずれであっても，投球再開には6～12か月以上を要することが多い．
- 初期例は保存療法で良好な治療成績を得ることができる．
- 進行例，特に病変が大きい例，関節症性変化出現例は成績不良である．

リハビリテーションのポイント

体幹・下肢など罹患部以外のコンディショニング，ストレッチなどは早期より行う．治療法により後療法は異なるが，罹患関節の可動域訓練や患肢の筋力トレーニングも，患部に負担がかからなければ早期に始める．投球開始は治癒状況（骨性架橋など）を確認後に，シャドーピッチングから始め，徐々に強度を上げる．一般に，全力投球再開には6か月以上を要する．

肘周辺の異所性骨化（骨化性筋炎）

Ectopic ossification about the elbow

稲垣 克記 昭和大学 教授

【疾患概念】

Heterotopic ossification ともいう．本来，骨が生じない部位に骨形成が起きる．骨化性筋炎（myositis ossificans）とは古来，「大腿部打撲後の筋肉内骨化」として使われていたものが広義に使用されてきた用語である．骨化は筋内以外の関節包，靱帯にも生じるので，現在では一般に「異所性骨化」として広く使用されている．異所性骨化は肘と股関節に好発する．肘周囲は骨化機転が起きやすく肘関節部骨折・脱臼や靱帯損傷の後だけでなく，頭部外傷・頸髄損傷などの中枢神経系の外傷後や熱傷後にも異所性骨化を生じやすい．異所性骨化は肘関節拘縮の原因となる．異所性骨化は石灰化との鑑別を要する．骨化は骨稜構造を有し一般にX線上球形に発育し，線状を呈する石灰化とは異なる．肘関節脱臼後の靱帯内に認める無機質な線状の陰影の多くは石灰化であり，異所性骨化ではない．

【臨床症状と病態】

疼痛，肘関節可動域制限が主な異所性骨化の症状である．肘関節の腫脹，熱感を伴う．一般にこれらの症状の消退と同時に可動域が改善するが，この時点で疼痛を伴う過度の他動運動を行うと骨化形成が増悪する．鑑別すべき疾患に石灰化，深部感染，血栓・塞栓症，複合性局所疼痛症候群（complex regional pain syndrome；CRPS）などがある．

診断のポイントと必要な検査

外傷の既往，関節可動域制限，炎症反応（赤沈とCRP），血清ALPの上昇（24週以内に正常化）などで診断する．進行例では単純X線像（図13-8）が最も診断上重要である．早期に骨シンチを行うこともある．

問診で聞くべきこと

受傷機転とギプス固定期間，前回の手術概要と後療法などの治療経過を問診する．関節可動域制限に対する強い疼痛を伴うROM訓練の既往の有無がポイントとなる．

13 肘関節の疾患

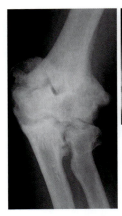

図 13-8 肘関節外傷性脱臼後の異所性骨化（35歳，男性）

柔道中に肘関節脱臼し受傷．その後，過度の他動運動により重度の異所性骨化を形成した．

治療方針

1 ▶ 病期分類

(1) 骨化形成期

　骨化巣発生後6か月．この間の関節授動・骨化切除手術は避ける．

(2) 骨化成熟期

　骨化巣発生後9～12か月．単純X線の経時的変化で，十分に骨化の増殖が鎮静化し成熟してから授動手術を行う．骨化はすべて切除する必要はないが，できる限り十分に切除し術中に十分な可動域を獲得する．
①拘縮予防のためにも外傷後の長期間の固定は避ける．肘関節の腫脹・熱感と単純X線を参考にしながら，自動運動を比較的早期に開始することは重要である．
②完成した骨化巣に対する保存療法として，インドメタシン系NSAIDs，エチドロン酸の薬物療法，温熱療法，装具療法などがある．低用量の放射線照射治療の報告もあるが，わが国における有効性は確認されていない．
③理学療法は自動運動を中心に行うことが重要である．過度の他動運動は骨化巣を刺激し増大させるのでむしろ禁忌である．特に疼痛を伴うROM訓練は骨化機転形成方向に働く．

合併症と予後

　適切な時期（病期）に正しい術式で愛護的操作のもとに骨化切除・授動術を行えば，軽度の可動域制限は残っても，日常生活上支障となるほどの肘拘縮が残ることはまれである．多くは機能的な肘関節可動域が獲得できる．骨化巣の再発に伴う再可動域制限や変形性肘関節症になることがある．

後療法のポイント

　術前同様，術後も過度の他動運動は避け正しいリハビリテーションを続ける．

患者説明のポイント

①手術的にすべての骨化巣を取り除くことは困難である．
②骨化切除よりも肘関節ROMの獲得と神経・血管の温存が最も大切である．
③完全な可動域でなく機能的な可動域の獲得を第1の目的とする．
④手術後3か月は軟部組織の鎮静化と成熟化に時間がかかるので，他動運動を含めた無理なリハビリテーションを慎む．
　などを説明する．

リハビリテーションのポイント，関連職種への指示

　疼痛のない範囲内での適切に調節した角度内での持続他動運動（continuous passive motion；CPM）の利用，ADLにおける患肢の無意識下の積極利用が術後成績向上に不可欠であることを指導する．

変形性肘関節症

Osteoarthritis of the elbow

稲垣 克記　昭和大学 教授

【疾患概念】　変形性肘関節症はスポーツ，ことに投球動作を行う野球〔離断性骨軟骨炎（osteochondritis dissecans；OCD）：一般に野球肘〕，剣道，槍投げなどの選手が10年ほど経過し発症する．職業上，圧縮空気を使用する者などにもみられる．男性に多く，比較的若い年齢層に好発する．これは，肘関節部に加わる軸圧や外反ストレスが反復し，長い間に関節軟骨の変性を起こすとされ，小外傷（衝撃）の繰り返しによる二次性変形性関節症ともいえる．原因が特定できない変形性肘関節症を一次性関節症というが，一般には二次性変形性肘関節症に手術療法が必要となることが多い．

【分類】

(1) 一次性変形性関節症

　原因が特定できない．一般には変形性肘関節症とはこの一次性を指していう．

(2) 二次性変形性関節症

　野球その他の投球動作を要するスポーツ愛好家，離断性骨軟骨炎，骨折など外傷後による．また関節リウマチ（rheumatoid arthritis；RA），結核などによる炎

症性関節炎に伴う続発性変形性関節症もある．これらは比較的若い年齢で発症する．

【臨床像】

①一次性変形性肘関節症は男性に好発し，一般に初発症状は50歳頃であるが20〜65歳とバリエーションがある．一次性の本疾患で有症状となるのは1〜2%である．一次性の60%の症例に，杖や車椅子または職業上の反復する肘使用の既往がある．80〜90%は利き腕に生じ，両側例は25〜65%と報告されている．

②肘の伸展障害で受診することが最も多いが，疼痛と関節可動域制限は概して軽度で機能的可動域（30〜120°）にとどまることが多い．肘伸展終末時痛はほぼ全例に認めるが，屈曲終末時痛を訴えるものは50%程度である．遊離体合併例を除き関節可動域中の運動時に疼痛を訴えることは少ない．

③回内外障害を認めることはまれである．X線上，腕橈関節の変形性関節症はあっても軽度であり，重度になることはない．

問診で聞くべきこと

既往歴，スポーツ歴，職業歴を詳しく聴取する．

必要な検査とその所見

①RAをはじめとする他の炎症性関節炎との鑑別には理学的所見，単純X線，MRI，血液生化学検査，関節液の検査が必要である．結核性肘関節炎は若い年齢に好発し，単純X線側面像において骨幹端，ことに肘頭から鉤状突起にかけての軟骨下骨に骨萎縮像を呈する．結核では反応性の骨硬化がみられないのが特徴である．OCDなど関節遊離体を観察するにはCT，関節造影などが必要になる．

②関節腫脹が強い症例ではMRIだけでなく穿刺を行い，関節液の性状を観察する．一般に変形性肘関節症では滑膜増生や関節水腫はあっても軽度である．

③関節可動域制限，ことに伸展，屈曲制限を伴うことが多いが，回内外制限や強い疼痛・腫脹，熱感を伴うことはまれである．

④尺骨神経麻痺を伴うことが多いので尺骨神経支配域の筋萎縮，環・小指の知覚障害，鷲手変形の合併を診察する．神経の所見があれば神経伝導速度を測定し，肘部における伝導遅延の有無を確認する．

⑤画像上の特徴：肘頭窩と鉤状突起窩周囲および尺骨鉤状突起の骨硬化と骨棘形成を著明に認める．一方，関節裂隙は比較的保たれている．

治療法

1 ▶ 保存療法と手術適応

急性増悪期には安静，消炎薬の使用，関節液の排液を行う．時にはステロイドの関節内注入を行うこともある．関節遊離体を伴えば関節鏡視下に摘出し，同時に骨棘の切除を行う．尺骨神経麻痺を伴っていれば，可動域制限が軽度でも内側アプローチで肘頭と鉤状突起の骨棘を切除する．伸展制限がADL上の障害となることは少ないが，屈曲角度が110°以下になると支障が出るので手術適応となることが多い．術前にCTで，可動域制限の原因となっている骨棘を同定する必要がある．骨棘の正しい位置と大きさ，切除範囲を決定する．

2 ▶ 手術進入法

進入法には後方法，後外側法，前方法，内側法，関節鏡視下手術法がある．後外側法である津下法と，後方法で肘頭窩部骨棘を大きく切除し前方へ孔をあけるOuterbridge-柏木法は，世界に向けてわが国から発信した優れた手術法であり，長期にわたり安定した成績が得られている．中等度から重度の症例に適応となる．筆者は病態に応じて各アプローチを選択している．遊離体を伴い骨棘と可動域（range of motion；ROM）制限が軽度の場合は，関節鏡視下手術を行う．尺骨神経麻痺を伴えば，内側法（または後方法）を中心に前方法を追加し，鉤状突起と鉤状突起窩の骨棘切除を行う．大きな骨棘と重度のROM制限を伴う例は，関節スペースが狭いので鏡視下手術は安易に行うべきではない．

3 ▶ 肘関節鏡視下手術

近年，手術技術の進歩とともに普及した，高度の技術を要する治療法である．最も侵襲の小さい手術法で，早期社会復帰が望める．しかし現時点では軽度の遊離体がある場合を除き，重度の一次性変形性肘関節症に鏡視下手術がきわめて有効であるとはいえない．関節鏡視下手術後の可動域の改善度は最終的に従来法を凌駕していない．

合併症と予後

術中に神経・血管に対する愛護的操作を行い，骨棘を平ノミにて切除し解剖学的位置にまで復元し肘関節の十分な可動域が得られ，創の閉鎖前に止血を丁寧に行えば，一般に予後は良好である．合併症として術中骨折，骨棘再形成，関節再拘縮，異所性骨化，肘不安定症，一過性神経麻痺，上腕三頭筋断裂，CRPSなどが報告されている．

後療法のポイント

肘の異所性骨化に伴う拘縮と同様である．

患者説明のポイント

①尺骨神経麻痺と関節遊離体の合併例では早期手術が必要である．

②解剖学的可動域よりも機能的可動域の獲得が第1の目的である．

③術後のリハビリテーションが重要で，肘関節可動域獲得には時間がかかる．

13 肘関節の疾患

などを説明する．

リハビリテーションのポイント，関連職種への指示

過度のROM訓練は避けることを徹底させる．

リウマチ肘

Rheumatoid arthritis of the elbow

池上 博泰　東邦大学 教授

【疾患概念】　関節リウマチ（rheumatoid arthritis；RA）によって肘関節の滑膜炎が生じ，長期間の罹患によって関節軟骨や関節近傍の骨を破壊して肘関節の変形や不安定性あるいは強直を生じた肘関節で，多くの例で尺骨神経麻痺を伴う．

【病型・分類】

肘関節の単純X線画像によって，SteinbrockerのstageⅠ分類ではstageⅠ〜Ⅳ，Larsenのgrade分類ではgrade 0〜Ⅴに関節の破壊程度が分類されている．

　grade 0（正常）
　gradeⅠ（軽度の異常）：関節周囲の軟部組織の腫脹，関節近傍の骨萎縮，軽度の関節裂隙の狭小化のうち少なくともどれかがみられる
　gradeⅡ（初期変化）：1ないし数個の小さな骨びらんおよび関節裂隙狭小化
　gradeⅢ（中等度の関節破壊）：著明な骨びらんおよび関節裂隙狭小化
　gradeⅣ（高度の関節破壊）：高度の骨びらんおよび関節裂隙消失．元の関節表面は部分的に残る
　gradeⅤ（ムチランス変形）：変形高度で本来の関節表面は消失

これらの分類について関節ごとにstandard filmが用意されており，肘関節についても参照可能である．

【臨床症状】

肘関節の腫脹，熱感，痛み，可動域制限などがみられる．RAの症状である手のこわばり，多関節炎などの症状が先行して現れることが多い．進行例では肘関節の外見的変形のみならず，不安定性や肘関節拘縮，尺骨神経麻痺などが認められる．

【必要な検査とその所見】

RAの疾患活動性を客観的に把握し，薬物療法や手術療法による治療方針を決定するためには，詳細な身体所見をとることと血液検査，画像検査が必要である．

疾患活動性複合指標のうち，DAS28は評価関節を肩，肘，手，中手指，近位指節間，膝関節の28関節に限定しており，日常診療で使いやすい．機能性評価法として，HAQおよびmHAQが用いられるが，上肢機能に特化したDASH scoreも有用である．

(1)血液検査

RAの診断がついていない例では，RA因子，抗CCP抗体，MMP-3を含めた検査を，診断がついている例では病勢の判断の目的で，CRP，末梢血一般の検査が勧められる．

(2)画像検査

単純X線画像が基本となる．滑膜炎の広がり，関節軟骨の破壊程度を調べるためには超音波検査やMRIが有用である．骨の破壊の評価には，CT画像や3D-CTが有用である．

(3)電気生理学的検査

尺骨神経麻痺の症状がある場合や手術を行う際には，術前の尺骨神経の損傷程度を評価するためにも行うべきである．

鑑別診断で想起すべき疾患

RA以外の膠原病による肘関節の変形，結核や非結核性抗酸菌などによる感染症は時に，単純X線画像が似ていることがあるので，注意する．

診断のポイント

・RAが肘関節から発症することは比較的まれではあるが，RAの診断がついていない場合には，常にリウマチ肘の可能性を念頭におくこと．
・発症早期の診断は必ずしも容易ではないので，単純X線画像で所見がなくても，臨床所見によっては超音波検査やMRIを行うことで早期RAとして診断可能な場合もある．
・米国リウマチ学会（ACR）/欧州リウマチ学会（EULAR）による2010年の関節リウマチ分類基準が有用である．身体所見における滑膜炎，炎症反応，リウマトイド因子，抗CCP抗体はその評価項目に含まれる．
・RAの治療中の患者では単純X線画像による関節びらん，関節裂隙狭小化，関節破壊の有無，程度の経時的評価が重要である．

治療方針

RAでは滑膜炎の持続が関節障害に直結するので，全経過を通じて滑膜炎を抑制する必要がある．したがって，抗リウマチ薬を中心とした薬物療法が基本である．しかし，ある程度進行して関節変形が生じたRA肘関節では，たとえRAが臨床的寛解になっていても，肘関節を使うことで（特に下肢に障害があり杖をつくなどの加重肢となっている場合など）その変形や関節破壊が進むことがあるので，注意する必要がある．

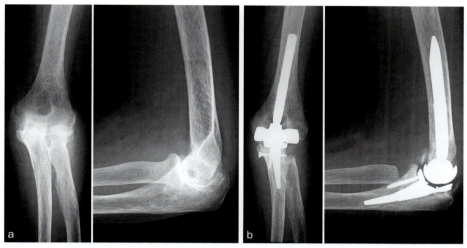

図 13-9　左肘関節リウマチ，術前（a）と人工肘関節全置換術後（b）の単純X線画像

保存療法

肘関節の変形や筋力低下に伴う身体機能低下の予防として，理学療法や肘関節の支柱付きサポーターなどが勧められる．腫脹が強い例には穿刺，ステロイドの注射が行われる．

薬物療法

RAに対する薬物治療の基本は，メトトレキサート（MTX）であり，効果不十分な場合には生物学的製剤やJAK阻害薬を追加投与する．発症早期に診断し，疾患活動性をこれらの薬剤で抑制することで，臨床的寛解が可能となり，RA肘に対して手術療法が適応となる症例は減少している．

手術療法

除痛と炎症の抑制を目的として関節鏡下滑膜切除術，高度に破壊された肘関節を置き換える人工肘関節全置換術（total elbow arthroplasty；TEA）が行われる．

1 ▶ 肘関節滑膜切除術

半年以上の薬物療法が無効で滑膜炎が持続している症例，関節破壊がLarsen gradeⅡまでの早期例に適応となる．従来から行われてきた直視下滑膜切除術と関節鏡視下滑膜切除術がある．前者はほとんどすべての滑膜を切除できる利点はあるが侵襲性などの点から，最近はほとんど関節鏡視下で行われる．進行期症例に対する滑膜切除術では除痛効果を期待できるが，関節破壊の進行は阻止できないといわれている．

2 ▶ TEA（図 13-9）

関節破壊が相当進行しているLarsen gradeⅣ，Ⅴの進行期例に適応となる．TEAには橈骨頭も人工関節に置きかえるタイプと橈骨頭は切除するタイプがあり，多くは切除するタイプである．また上腕骨と尺骨のインプラントが器械的に結合しているlinkedタイプと結合していないun-linkedタイプがある．前者は回転軸が蝶番になっているので（ある程度の遊びはある），内側顆／外側顆の骨破壊が強く不安定性の大きい例も用いることは可能であるが，骨切除量が多いという欠点がある．後者は関節の不適合がそれほど大きくない場合が適応で，骨切除量が少ないという利点がある．そのため初回手術では後者が，再置換術では前者が勧められる．

合併症と予後

TEAの周術期の合併症には感染症，脱臼，肘伸展不全，皮膚壊死，尺骨神経麻痺などがある．晩期合併症にはほかの人工関節と同じく，感染症，弛み，破損などがある．

患者説明のポイント

再置換術はほかの関節以上に難しいので，TEA施行上肢を用いた過度の作業は生涯慎むよう指導する．特に脇を開けて重い物を持ち上げたり，加重肢として手をついて立ち上がったりしないように指導する．

靱帯損傷

Elbow ligament injury

島田 幸造 JCHO 大阪病院 統括診療部長〔大阪市福島区〕

【疾患概念】 肘関節は上腕骨，尺骨，橈骨の３つの骨から構成されるが，その基本構造は蝶番構造をとる腕尺関節の内外両側に側副靱帯があって，安定性の要となっている．内側側副靱帯（medial collateral ligament；MCL）は，元来10～15°の外反を呈する肘関節において重要な安定化機構であり，特にその前方成分である前斜走靱帯（anterior oblique ligament；AOL）が肘の外反ストレスに対して最も重要とされ，これを損傷すると外反不安定性による機能障害が強い．外側側副靱帯（lateral collateral ligament；LCL）は，腕尺関節の肘関節の外側で輪状靱帯（annular ligament；AL）とともに橈骨を包み支えるような複合体（LCL complex）を形成し，内反だけでなく軸圧や回旋方向のストレスに対して抗する役割を担う．なかでも外側尺側側副靱帯（lateral ulnar collateral ligament；LUCL）とよばれる，腕尺関節を外側後方でつなぐ部分の機能が重要で，この靱帯成分の損傷・機能不全は，肘関節を伸展回外したときに後外側回旋不安定症（postero-lateral rotatory instability；PLRI）をきたす．

【分類】 肘関節靱帯損傷には上記のごとく肘の内外側による違いのほかに，急性損傷と慢性損傷，また靱帯単独損傷と骨折などを伴う複合損傷とに分類される．なお，野球選手などに多くみられるスポーツ障害として有名な，慢性のMCL損傷の治療については他項に譲る．

【病態】 MCL損傷は転倒時に地面に着いた手を支点として，あるいはスポーツ競技などで上肢を決められた状態で，肘関節に伸展外反を強制されて受傷する．一方，LCL損傷は肘関節をやや屈曲して手をついた状態で上体が肘を支点として回旋し，関節包が前外側から後方へと円を描くように損傷してゆく病態（Horii's circle）が主たる病態と考えられている．

問診で聞くべきこと

疼痛部位（内側か外側か），外傷の有無や受傷機転（腕をどのような形で受傷したか，手をどうついたか），などが診断上重要である．

必要な検査とその所見

徒手検査による外反動揺性（MCL損傷）や，伸展回外時での橈骨頭の後方における亜脱臼感（LUCL損傷によるPLRI）は，重要な所見である．意識下には痛みのために正確な評価が難しいため，麻酔下で徒手検査を行うことも有用である．単純X線像にて内側・外側上顆の剥離骨片の有無を，関節造影や超音波検査にて先述の外反や後外側不安定性を，画像として客観的に把握できる．超音波やMRI検査では靱帯の断裂像を観察できる．

診断のポイント

急性期か慢性期か，合併損傷も含めて肘関節が安定か不安定か，の診断が重要である．
①肘関節の側副靱帯は関節包靱帯であり，損傷時に自然治癒しうる組織である．したがって急性期に靱帯が解剖学的に良好な位置にあれば，保存療法が可能である．
②急性期でも，靱帯に加えて骨傷や広範な筋損傷などがあると安定な整復位を保つことが困難となり，手術が必要となることが多い．
③陳旧化した不安定症例で整復位を維持できないような例には，手術治療が選択され，靱帯が変性しているような慢性損傷例では，自家腱移植による靱帯再建を行う．

治療方針

肘関節は２週間を超えて外固定すると拘縮をきたす率が高くなる．保存療法で外固定期間が長くなってしまうことが予想されるなら，外科的に強固な修復をして早期運動を目指すべきである．一方，長期間の外固定をせざるを得ないような重度損傷（不安定）・複合損傷例では，たとえ拘縮を作ってもまず関節の骨性の適合を獲得し，２期的に拘縮解離を目指すことも考慮する．

保存療法

いわゆる１度損傷など軽度の不全損傷では，特に外固定をせず，冷湿布や圧迫包帯により痛みの軽減がみられれば，可及的早期に損傷靱帯に負荷をかけないよう慎重に可動域訓練を指導する．

２度以上の中等度から重度損傷では，まずギプスシャーレによる外固定を１～２週間行う．外固定期間中にヒンジブレースや支柱付きサポーターなど側方へのストレスを防御するような可動性の装具を準備し，受傷後２週から装着させて運動訓練を開始する．

最初から整復位が維持できなかったり，保存期間中に整復位がずれてくるような不安定性の強い例は，手術治療の適応となる．

手術治療

①靱帯損傷部に，Locking Kessler法やKrackow法

などで強固に縫合糸をかけ縫合する．上腕骨内側上顆起始部でのMCL損傷では，損傷靱帯を内側上顆に開けた骨孔にpull-out法で直接縫合することも可能である．LUCLなど外側の靱帯損傷では外側上顆の裂離骨片を伴うことが多く，骨片を足場に縫合糸をかけて骨折部にアンカーなどで固定する．
②重度損傷で靱帯実質に十分な強度が期待できない場合や，陳旧例で靱帯が良好に修復できない場合には，自家長掌筋腱や薄筋腱を移植腱として用い，靱帯起始部に骨孔を開けて靱帯再建を行う．

後療法

保存療法・手術療法いずれの場合でも可能な限り外固定は2週間以内に留め，先述のように装具を処方して屈伸運動から開始する．回内外も順次進めていくが，LUCL損傷で回旋不安定性を生じていた場合には，伸展回外をさらに2～3週間程度制限しながら慎重に進める．

リハビリテーションのポイント，関連職種への指示

外傷後の関節拘縮は，肘関節で問題となることが多い．関節面の適合が良好な靱帯損傷では急性期の炎症が治れば，可及的早期に可動域訓練を開始する．その際に患者に痛みを覚えさせるような猛爆矯正は禁忌であり，自動運動を基本として，損傷靱帯にストレスをかけないよう理学療法士や装具のアシスト下に慎重に行う．痛みや腫脹が強い場合には異所性仮骨が形成される場合もあり，無理はさせず非ステロイド性抗炎鎮痛薬を投与する．

肘関節不安定症

Elbow instability

島田 幸造　JCHO 大阪病院 統括診療部長〔大阪市福島区〕

【疾患概念】

肘関節不安定症とは何らかの病態の結果，肘関節の動的バランスが破綻し，関節面が適合性を失って（亜）脱臼を呈する，あるいは呈しやすい状態，を指す．「靱帯損傷」の項で述べたように，肘関節には内外両側に側副靱帯が存在し，これが損傷されるとそれぞれ外反および内反方向に不安定性が生じる．ただ，単純に二次元的に内外側の不安定症が生じるわけではなく，靱帯損傷・機能不全に骨傷や回旋方向の緩さなどが加わって種々の不安定症が生じる．神経麻痺や先天性素因，炎症性疾患の結果なども，肘関節不安定症をきたす原因となりうる．

【病型，分類，病態】

上記のように，種々の病態で肘関節不安定症は起こり得るが，その代表は靱帯損傷など外傷に起因するものであり，結果的に靱帯の機能不全を呈した病態である．

⑴外反不安定症(valgus instability)

内側側副靱帯(medial collateral ligament；MCL)の特に前斜走靱帯(anterior oblique ligament；AOL)の損傷により，肘が外反方向に緩い状態．前腕屈筋・回内筋群の損傷を合併するとさらに不安定症が重症となる．

⑵後外側回旋不安定症(postero-lateral rotatory instability；PLRI)

外側尺側側副靱帯(lateral ulnar collateral ligament；LUCL)の機能不全により，肘関節の伸展回外時に橈骨頭が後方に亜脱臼する後外側不安定症(PLRI)が，米国Mayo Groupにより提唱され広く認識されている．実際には橈骨頭だけではなく，尺骨も同時に外方に開いた形となって，腕尺関節が亜脱臼を呈する．

⑶後内側回旋不安定症(postero-medial rotatory instability；PMRI)

同じく内側側副靱帯(MCL)を支点にしながらも，PLRIとは逆方向に内側後方に向けて回旋して（亜）脱臼する不安定症も存在する．PLRIより頻度は低いと思われ，多くの場合尺骨鉤状突起など前方の骨性要素が損傷して，腕尺関節が内側後方に回旋して（亜）脱臼する．

⑷terrible triad injury

肘関節の脱臼，橈骨頭骨折，尺骨鉤状突起骨折の3つの損傷を合併した場合，特に不安定性が強く整復位の保持が困難で，結果的に肘関節拘縮をきたしやすいことから，治療に難渋する代表的な病態としてこうよばれる．

診断のポイント

理学所見が重要で，ある方向での肘の変形や不安感(apprehension sign)，また「カクン」とずれるような亜脱臼感(snapping, clunking)，（亜）脱臼位から整復が難しい状態(locking)などが典型的．またX線をはじめとする画像診断を駆使して，以下の点を精査する．

⑴骨傷の有無

靱帯など軟部組織のみの機能不全か，骨性の安定化機構まで損傷しているか，CTにて骨折の有無と部位を精査することが重要．尺骨鉤状突起の骨折が特に問題となるが，骨片への内側側副靱帯や前方関節包付着の有無によって不安定性は大きく変わる．

(2) 不安定性の方向

不安定性が外反方向か内反方向かに大別される．さらに前述のように回外運動で脱臼するのか回内運動で脱臼するのか，回旋に伴う動的不安定性の診断が重要で，画像診断ではX線透視下での動態撮影や関節造影が有用である．

(3) 不安定性の程度

通常の診療や単純なX線ストレス撮影で明らかなものから，脱力した状態で明らかになるものまで，不安定性には程度がある．疼痛回避動作が強い場合には麻酔下で明らかになる例もあり，手術の際には必ず確認する．

治療方針

1 ▶ 保存療法

軽症の場合や活動度の低い症例では装具，サポーターなどで肘関節の動きを制動しながら，(亜)脱臼しにくい肢位や動作を理解させ指導する．

2 ▶ 手術療法

病態に応じて，骨接合術や靱帯修復・再建術が選択される．肘関節不安定症は基本的には慢性の病態であって，単純な靱帯修復では成績不良となることが多いため，自家長掌筋腱や薄筋腱を用いて腕尺関節間に靱帯を再建することが勧められる．上腕骨滑車の回転中心（内側上顆下端や外側上顆など）に骨孔を作って，腱移植による靱帯再建術（MCL：Jobe法いわゆるTommy-John手術，LUCL：O'Driscoll法）を行う．

骨傷を伴う場合，その部分に本来の靱帯や安定化機構としての関節包が付着している場合には，骨接合によって靱帯も修復され安定性は改善する．ただし，骨片が転位し靱帯が短縮して陳旧化している場合には，解剖学的位置に骨接合できず，無理に骨接合すると靱帯の付着が関節の本来の回転中心からずれてしまい，結果的に関節の可動制限をきたす．このような場合にも腱移植による靱帯再建を行う．

14 前腕の疾患

前腕の解剖	456
前腕骨骨幹部骨折	457
Monteggia 骨折	458
Galeazzi 骨折	459
橈骨遠位部骨折の分類	460
Colles 骨折	460
Smith 骨折	463
Barton 骨折	463
Madelung 変形	464
Volkmann 拘縮	466
先天性橈尺骨癒合症	467
橈骨神経麻痺	467
正中神経麻痺（手根管症候群，円回内筋症候群，前骨間神経麻痺を含む）	470
尺骨神経麻痺（上肢全体について）	473
肘部管症候群	474
上肢における注射麻痺	474

14 前腕の疾患

前腕の解剖
Anatomy of the forearm

二村 昭元　東京医科歯科大学大学院 運動器機能形態学講座 教授

1 前腕屈側

1 ▶ 浅層の筋群

尺側手根屈筋は，上腕骨頭と尺骨頭を有し，両頭間を尺骨神経が通る．

長掌筋は，屈筋支帯の表層を経て手掌腱膜に至る．長掌筋は 1 割で欠ける．

橈側手根屈筋は，尺側手根屈筋に隣接して上腕骨内側上顆より起始する．

浅指屈筋の起始は上腕頭と橈骨頭に分けられ，両頭間を正中神経が下行する．浅指屈筋を構成する筋束は，浅層と深層に分けられ，浅層は中指と環指への腱に続き，深層は示指と小指の腱へと至る．

円回内筋は上腕骨頭と尺骨頭を有し，両頭間を正中神経が通る．尺骨頭は約 6% に欠損するとされる．

2 ▶ 動脈と神経

上腕動脈は，腕橈関節の前面で橈骨動脈と尺骨動脈に分かれる．橈骨動脈は上腕動脈の走行のほぼ延長線上にある．橈骨神経の浅枝と伴行して腕橈骨筋と円回内筋の停止の層間を通り，前腕遠位部では橈側手根屈筋の外側を走る（図 14-1）．

尺骨動脈は，円回内筋の尺骨頭深層を経て浅指屈筋と深指屈筋の間を尺側へ走り，尺骨神経と伴行して尺側手根屈筋と深指屈筋の間を走行する．手首では尺側手根屈筋尺側手根屈筋と深指屈筋の間で観察できるが，尺側手根屈筋の筋性部に覆われるため，触知する脈拍は強くない．

橈骨神経は上腕遠位で深枝と浅枝に分かれる．浅枝は橈骨動脈と伴行し，腕橈骨筋の深層を走る．前腕遠位で浅枝が腕橈骨筋腱の背側から現れ，皮神経になる．深枝は回外筋貫通後，後骨間神経を分岐する．後骨間神経は骨間膜の背側を長母指伸筋に覆われて走行する．

尺骨神経は尺側手根屈筋の上腕頭と尺骨頭の間を走行し，前腕の中程で尺骨動脈に接する．

正中神経は，円回内筋の上腕骨頭と尺骨頭の間を貫いた後に，浅指屈筋の背側に入り込み，手首の近位で

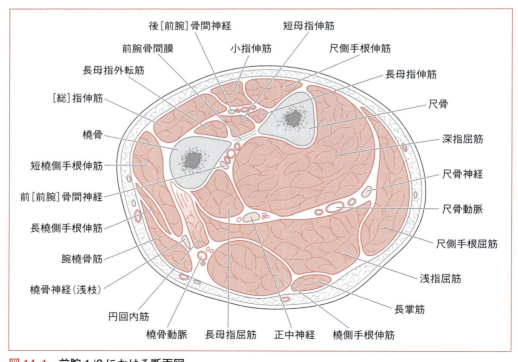

図 14-1　前腕 1/2 における断面図

浅指屈筋の橈側かつ長掌筋と橈側手根屈筋との間に出現する．

3 ▶ 深層の筋群

深指屈筋と長母指屈筋は，前腕の骨と骨間膜より起始している．

浅指屈筋の腱は基節骨の前で二分して，深指屈筋の腱を通した後，中節骨底の掌側面に付着する．深指屈筋の腱は末節骨底に付着する．深指屈筋は正中神経から分岐する前骨間神経と尺骨神経の二重支配を受ける．このとき，環指に至る筋束が二重支配となる場合が多く，それより橈側の筋束は正中神経，尺側の筋束は尺骨神経の支配を受ける．

独立した長母指屈筋は，母指機能が複雑化したヒトの特徴である．橈骨体より起こる筋束のほか，多くの場合，上腕骨内側上顆より起始する細長い筋束があり，Gantzer の筋（深指屈筋の副頭または長母指屈筋の副頭）という．長母指屈筋は正中神経の枝（前骨間神経）を受け，その枝は深指屈筋枝と共通である．

2 前腕伸側（浅層，深層）

前腕の背側は，尺骨後縁から腕橈骨筋尺側縁までで，これらの筋の起始は外側上顆ならびに外側上腕筋間中隔である．

短母指伸筋と長母指外転筋の腱はそれぞれ独立した腱鞘に包まれる場合が 35% の頻度でみられる．多くの哺乳類では両筋が癒合しており，人類でも両筋の癒合は 11% にみられる．

短橈側手根伸筋は長橈側手根伸筋の遠位から起こる．両筋とも長母指外転筋，長母指伸筋，短母指伸筋の深層を通って，第 2 中手骨底に停止する．腕橈骨筋は橈骨の茎状突起に停止する．腕橈骨筋の支配神経は橈骨神経の本幹から，長橈側手根伸筋は橈骨神経の本幹または深枝から，短橈側手根伸筋は，一般に橈骨神経の深枝から起始するとされている．

総指伸筋は手背で示〜小指に行く 4 本の腱に分かれる．指伸筋の第 5 指への腱は約 10% で欠如する．隣接する総指伸筋の腱は腱間結合を介して連絡している．総指伸筋の腱は指背腱膜に移行する．回外筋貫通後の橈骨神経深枝の支配を受ける．

回外筋の起始は，尺骨，上腕骨外側上顆，外側側副靱帯，橈骨の輪状靱帯，停止は橈骨頚部および体部である．回外筋の筋線維は 2 層に分かれ，この間を橈骨神経の深枝が通る．橈骨神経の深枝が回外筋を貫く部位では筋膜が固く靱帯状になっている．

総指伸筋の尺側に位置する小指伸筋と尺側手根伸筋は，総指伸筋と同様に回外筋貫通後の橈骨神経深枝の支配を受ける．

深層の筋は，橈側の長母指外転筋と短母指伸筋，尺側の長母指伸筋と示指伸筋の 2 群に分けられる．示指伸筋と長母指伸筋は下等の哺乳類では癒合しており，母指と示指以外の指にも腱を送っている．これらの筋も回外筋貫通後の橈骨神経の深枝に支配されている．

伸筋支帯は前腕筋膜が遠位部で肥厚したもので，この内面より中隔が出て，以下のような伸筋腱のトンネルを作っている．第Ⅰ管（最橈側）：短母指伸筋，長母指外転筋．第Ⅱ管：長・短橈側手根伸筋．第Ⅲ管：長母指伸筋．第Ⅳ管：総指伸筋（浅層）と示指伸筋（深層）．第Ⅴ管：小指伸筋．第Ⅵ管（最尺側）：尺側手根伸筋．

前腕骨骨幹部骨折

Diaphyseal fracture of the radius and ulna

江尻 荘一　いわき市医療センター手外科・四肢機能再建学講座 教授〔福島県いわき市〕

【疾患概念】

前腕の回内外運動時には，比較的直線状の尺骨を軸として外側凸の生理的弯曲を有する橈骨がその周囲を回旋する．骨折による変形は，前腕の回内外や隣接関節の運動制限を生じるため，正確なアライメントの修復が原則である．

診断のポイント

本症が疑われたら，単純 X 線前腕 2 方向撮影で骨折型を評価する．分類は AO 分類を用いる（図 14-2）．Monteggia 脱臼骨折や Galeazzi 脱臼骨折の見逃しを避けるため，必ず肘関節と手関節を含めて撮影する．小児では，若木骨折や急性塑性変形を考慮し，健側 X 線写真との比較が推奨される．合併症としてコンパートメント症候群を念頭におき，手指の運動，知覚，血流障害の有無は必ず確認する．

治療方針

成人では，橈骨か尺骨のみの単純骨折で，角状変形 10° 以内，整復位保持が可能な安定型であればギプスによる保存療法が可能である．しかし，腫脹の軽減による再転位，偽関節の危険性，早期のリハビリテーションや社会復帰を考慮すると手術治療が望ましい．小児では，自家矯正力に応じて 10 歳までは角状変形 15〜20° 以下，11 歳以上では 10° 以下が保存療法の目安である．回旋変形は自家矯正しないため手術適応である．

14 前腕の疾患

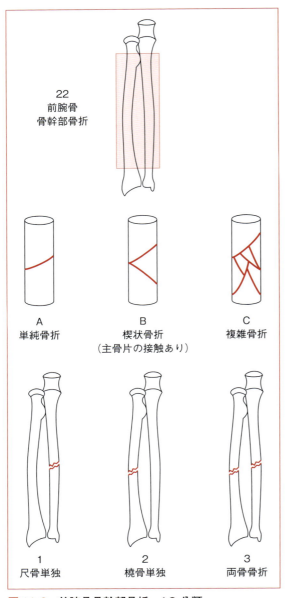

図 14-2　前腕骨骨幹部骨折　AO 分類
前腕骨幹部の局在コードは 22 である．骨折型 (type) は A〜C に，橈尺骨単独か両骨骨折かで 1〜3 の群 (group) に分類する．
ex) 橈骨骨幹部単独の複雑骨折 → 22-C2

からMP関節近位までのギプス固定を行う．後療法は，週1回のX線評価を行い，腫脹軽減に応じて適宜ギプスを更新する．固定期間は，成人や10歳以上では5〜8週，年少児では4〜6週を基本とし，骨癒合状態に応じて適宜調整する．

手術療法

整復不能例や不安定型骨折，橈尺骨両骨骨折，開放骨折が適応である．強固な内固定が必要で，成人では3.5 mm，7穴以上のLCPプレートを使用する．横骨折では絶対的安定性を得るため圧迫プレート法を，斜骨折ではラグスクリューを併用した中和プレート法を，粉砕骨折では架橋プレート法を用いる．同レベルの両骨骨折では，外傷性橈尺骨癒合症の危険性があるため必ず別皮切を用い，可能なら最小侵襲プレート固定 (minimally invasive plate osteosynthesis；MIPO) 法により骨膜や骨間膜の損傷を最小限に留める．術後外固定は不要で，数日以内に自他動可動域訓練を開始する．小児の場合，鋼線を用いたクロスピンニングか髄内固定法を行う．10歳以上の年長児では骨癒合の遷延や自家矯正力の低下のため，成人同様にプレート固定が推奨される．

合併症と予後

最大の合併症は急性期のコンパートメント症候群と，続発するVolkmann阻血性拘縮である．疑われる場合は筋内圧を測定し，躊躇なく筋膜切開を施行する．橈尺骨は細く，周囲の軟部組織が少なく血行が乏しいため，遷延癒合や偽関節を生じやすい．再骨折率が高くプレート抜去は推奨されない．変形治癒により前腕回内外と隣接関節の可動域制限を生じた場合は，矯正骨切り術の適応である．

保存療法

徒手整復はX線透視下で行う．整復順序は，牽引により短縮を，骨折部の直接圧迫により角状変形を，最後に回旋変形を整復する．整復位が得られたら，肘90°屈曲位，前腕回内外中間位，手関節中間位で上腕

Monteggia 骨折

Monteggia fracture

尼子　雅敏　　防衛医科大学校病院リハビリテーション部 教授

【疾患概念】　Monteggia骨折は，尺骨骨折や急性塑性変形 (acute plastic bowing) などに橈骨頭脱臼を合併した外傷である．尺骨の変形に伴って骨間膜で結合された橈骨も変形をきたし，輪状靱帯を損傷して橈骨頭が尺骨の凸状変形方向に脱臼する．

【病型・分類】
脱臼方向によってBado分類が用いられる (図14-3)．

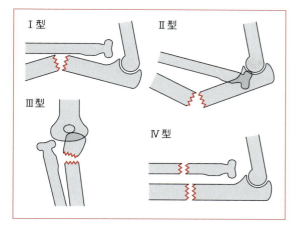

図 14-3 Monteggia 骨折の Bado 分類
Ⅰ型：尺骨前方凸変形と橈骨頭前方脱臼
Ⅱ型：尺骨後方凸変形と橈骨頭後方脱臼
Ⅲ型：尺骨外側方凸変形と橈骨頭外側脱臼
Ⅳ型：尺骨・橈骨骨折と橈骨頭前方脱臼

診断のポイント

　初診時に尺骨骨折は気づくものの，橈骨頭脱臼が見逃されることが多い．尺骨骨折を認めた場合は，必ず正確な単純 X 線肘関節 2 方向を追加し，橈骨頭脱臼の有無を確認する．正常では，橈骨長軸がいかなる撮影肢位でも上腕骨小頭の中心に向かうはずである．中心から外れていれば橈骨頭脱臼を疑う．逆に橈骨頭脱臼に気づいた場合は，明らかな尺骨骨折がなくても急性塑性変形を疑い，単純 X 線前腕全長 2 方向を追加する．前腕側面像で，尺骨背側骨皮質の近位端と遠位端を結んだ線から尺骨彎曲頂点までの距離が 1 mm を超えると，変形ありと診断する．尺骨骨折が肘頭部であることもある（Hume 骨折）．

治療方針

　尺骨骨折を徒手整復することで橈骨頭を整復する．小児では局所または全身麻酔下に，徒手整復が可能であれば外固定で保存療法を行う．一方，成人は保存療法では整復位保持が困難で，手術を要することが多い．整復位保持ができなければ手術的に尺骨骨折の整復，プレート固定することで橈骨頭を整復させる．橈骨頭が整復されない場合は，関節包や輪状靱帯などが整復障害因子となっていることがあるので，腕橈関節を展開して障害因子を除去する．強固な固定と整復位が保持されていれば，術後 2〜3 週以内に自動運動を開始できる．

合併症と予後

　橈骨頭脱臼が見逃されて放置された場合は，尺骨矯正骨切り術や創外固定など橈骨頭の整復に難渋するため，受傷直後の正確な診断・治療が重要である．橈骨頭の脱臼に伴い後骨間神経麻痺が生じることもある．

Galeazzi 骨折

Galeazzi fracture

小野　浩史 西奈良中央病院 手外科センター長〔奈良市〕

【疾患概念】　Galeazzi 骨折とは橈骨骨幹部骨折に遠位橈尺関節（distal radioulnar joint；DRUJ）脱臼の合併である．1934 年 R. Galeazzi が 18 例を報告した．近年では橈骨骨折には遠位端骨折も含めている．

【病態】
　橈骨中央から遠位 1/3 での骨折で，最も多い型は橈骨背側転位に尺骨頭の掌側脱臼であるが，橈骨掌側転位に尺骨頭背側脱臼もある．DRUJ 脱臼には三角線維軟骨複合体（triangular fibrocartilage complex；TFCC）断裂や尺骨茎状突起骨折を伴う．橈骨骨折がより遠位にあるほど DRUJ 不安定性の合併リスクが増す．

【臨床症状】
　前腕・手関節の疼痛，腫脹，変形と異常可動性を認める．

診断のポイント

　前腕全長 2 方向 X 線像で，橈骨の骨折高位および骨折転位方向を確認する．さらに手関節 2 方向 X 線像で DRUJ 脱臼を確認するが，側面像は正確な撮影が必要である．可能であれば DRUJ の CT にて脱臼を評価する．

治療方針

　成人では非観血的治療の成績は不良で，多くは橈骨骨折部の整復プレート固定を行う．その後，必ず DRUJ の整復位安定性を回内外全域にわたり確認する．橈骨が正確に整復されれば，DRUJ も自然と整復されることが多い．DRUJ が安定であれば手術後早期に動かせるが，不安定であれば軽度回外位で 4〜6 週間外固定を行う．尺骨茎状突起骨折が大きい場合はこれを観血的に固定する．DRUJ の整復が困難な場合，尺側手根伸筋腱など軟部組織が整復を阻害しているので除去する．DRUJ が容易に再脱臼する場合は TFCC 縫合を要することもある．
　小児で橈骨骨折の転位がなければ徒手整復が成功することも多く保存的に行う．尺骨頭の掌側脱臼では回

内位，背側脱臼では回外位で上腕からギプス固定を6週間行う．

橈骨遠位部骨折の分類

Classification of fracture of the distal end of radius

坂野 裕昭　平塚共済病院 副院長〔神奈川県平塚市〕

【概説】　橈骨遠位部骨折に対する多くの分類が存在するが，現在頻用されている2分類について解説する．1つは，古くから使用されている冠名分類であり，2つ目が現在最も頻用されているAO分類である．冠名分類は，骨折の大まかな形態的特徴を名称で容易に伝えることができるので，日常診療で頻用される．AO分類はユニバーサルな分類法で，関節外・内骨折の形態的変化を詳細に分類している．

1 冠名骨折分類

1 ▶ Colles 骨折

1814年にAbraham Collesの記載した，遠位骨片が背側に転位した骨折で，現在でも橈骨遠位端骨折の代名詞的に使用されている．橈骨遠位部で最も多い骨折である．

2 ▶ Smith 骨折

1847年にRobert W. Smithが記載した，遠位骨片が掌側に転位する骨折である．

3 ▶ Barton 骨折

1838年にJohn R. Bartonが記載した，冠状面での関節内骨折で，背側縁が骨折して転位するものである．同様の骨折は掌側にも起こるため，背側に生じた骨折を背側Barton骨折，掌側に生じた骨折は掌側Barton骨折(reverse Barton骨折)と言われることが多い．

2 AO分類（図14-4）

1987年にAOグループが全身の骨を部位ごとにコード化し，各々の骨折の形態をType，Group，Sub-groupの3つに分けて，詳細に分類した方法である．橈骨遠位部はコード23であり，関節外骨折をType A，部分関節内骨折をType B，そして完全関節内骨折をType Cとした．各TypeにGroupが3つ，その各GroupにSub-groupが3つあり，A1.1のようにType，Group，Sub-groupの順番に表記される．

①A1は尺骨末端の骨折様式で分類される．Sub-groupは茎状突起の骨折が1，骨幹端骨折が2，骨幹端の多骨片が3とされている．

②A2は橈骨の単純陥入骨折で，骨折線の方向と骨片の転位方向で分類される．Sub-groupは掌背屈転位のない骨折が1，背屈転位の骨折(Colles骨折)が2，掌屈転位の骨折(Smith骨折)が3とされている．

③A3は橈骨の多骨片骨折で，粉砕の程度と骨幹端部の圧迫の程度で分類される．Sub-groupは長軸方向への短縮を伴う陥入骨折が1，楔状骨片を伴う骨折が2，粉砕骨折が3とされている．

④B1は矢状面の部分関節内骨折で，関節内楔状骨片の位置と状態で分類される．Sub-groupは楔状骨片が粉砕されずに外側にある骨折(chauffeur骨折)が1，楔状骨片が粉砕された骨折が2，楔状骨片が内側にある骨折が3とされている．

⑤B2は背側関節縁を含む冠状面での部分関節内骨折(背側Barton骨折)で，関節内骨片の数と背側への転位程度で分類される．Sub-groupは単純骨折が1，外側矢状面骨折を伴う骨折が2，手根部の背側転位を伴う骨折が3とされている．

⑥B3は掌側関節縁を含む冠状面での部分関節内骨折(掌側Barton骨折)で，掌側関節縁骨折の大きさと数で分類される．Sub-groupは小骨片を伴う単純骨折が1，大骨片を伴う単純骨折が2，多骨片骨折が3とされている．

⑦C1は単純な関節内および骨幹端部の骨片を有する完全関節内骨折で，骨折線の方向で分類される．Sub-groupは背内側関節内骨片の1，矢状面関節内骨折線を有する骨折が2，前額面関節内骨折線を有する骨折が3とされている．

⑧C2は単純な関節内骨折と多骨片の骨幹端部骨折を有する完全関節内骨折で，関節内の骨折線の方向と骨幹端部の粉砕程度で分類される．Sub-groupは矢状面の関節内骨折線を有する骨折が1，前額面の関節内骨折線を有する骨折が2，骨折線が骨幹部にまで達する骨折が3とされている．

⑨C3は完全関節内多骨片骨折で，骨幹端部の粉砕の程度で分類される．Sub-groupは骨幹端部の単純骨折が1，骨幹端部多骨片骨折が2，骨折が骨幹部にまで達する骨折が3とされている．

Colles 骨折

Colles fracture

坂野 裕昭　平塚共済病院 副院長〔神奈川県平塚市〕

【疾患概念】　橈骨遠位端骨折で，遠位骨片が背側に転位する骨折である．交通外傷，スポーツなどで受傷す

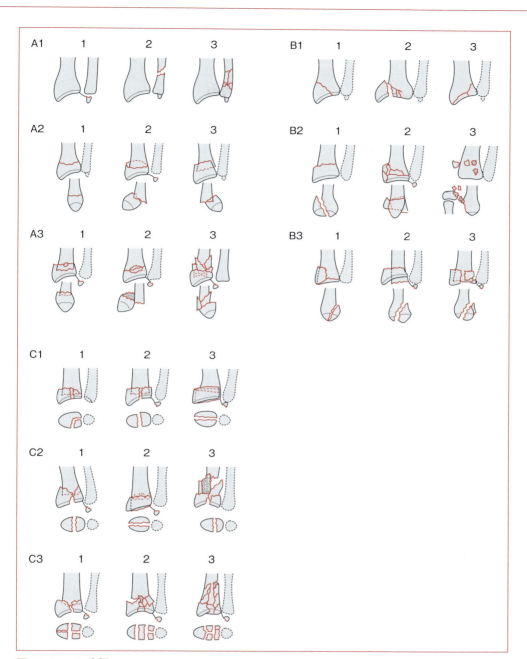

図 14-4 AO 分類
A, B, C の各骨折型に対し Type, Group, Sub-group の順番に表記して分類されている.

14 前腕の疾患

る場合もあるが，大部分は骨粗鬆症を基盤とした骨脆弱性骨折である．近年，粉砕関節内骨折が増加傾向にある．

【頻度】
橈骨遠位端骨折の大部分を占める骨折．

【分類】
橈骨遠位端骨折のユニバーサルな分類法であるAO分類では，関節外骨折はAに，関節内骨折ではCに相当する．

診断のポイント
単純X線側面像で遠位骨片が背側に転位している．ただし，関節内骨折では骨片の粉砕，転位の状態の評価が必要で，CT像での3DとMPR像を確認する．特に，頻度的には少ないが骨折部が関節近傍に生じる遠位縁部骨折に対する治療法選択には必須である．

専門病院へのコンサルテーション
不安定型Colles骨折は手術適応であり，専門施設へのコンサルトが推奨される．特に，遠位骨片掌側の長軸長が7 mm未満の遠位縁部骨折では手術的治療も難易度が高く手外科専門施設へのコンサルトが推奨される．

治療方針
転位を認めるすべての症例に対して愛護的な整復が必要になる．ガイドラインにおいても青壮年においては，整復後のdorsal tilt 10°以上でulnar varianceが健側比2 mmを超える場合や，関節内骨折でgapやstep offが2 mm以上あれば手術適応である（図14-5a，b）．また，高齢者では許容範囲は広くなるが，過度の背屈転位は外観上の変形や回旋制限を残すため活動性が高く健康な高齢者は青壮年と同等に判断する．また，不適切な保存治療は，手指拘縮や複合性局所疼痛症候群（complex regional pain syndrome；CRPS）などの合併症を誘発する可能性があり，判断に悩む症例は手術的治療が優先される．

保存療法
整復は長軸方向に10秒程度持続的に牽引し，中手骨基部を背側より掌側へ押しながら手関節を掌屈する．固定肢位は手関節軽度掌屈位，前腕中間位で，肘関節より手部までのU字型のギプス固定を4週間とする．手指MP関節以遠は十分に可動できるように固定することが重要である．

手術療法
掌側ロッキングプレート固定術がgold standardである．遠位のスクリューとプレートが固定され角状安定性が得られるため，強固な骨片固定が可能である．

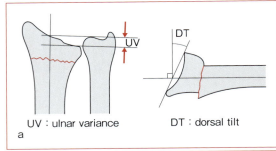
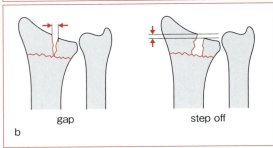

図14-5 骨折の不安定性の評価に使用するパラメーター

a：ulnar varianceは，尺骨遠位端と橈骨遠位の長軸方向の長さの差であり，尺骨が長い場合をプラス表記とする．dorsal tiltは，橈骨長軸に対する関節面の背屈角度であり，背屈転位の度合いを表す．正常ではマイナスとなる．
b：関節面の間隙をgap，段差をstep offと表記する．

関節内骨折に対しては，高精細透視装置や関節鏡を利用することで，良好な整復固定が可能となっている．尺骨茎状突起骨折を合併する場合は，橈骨を内固定した状態で遠位橈尺関節の不安定性が存在する場合に，内固定の適応となる．

患者説明のポイント
不安定な骨折では手術的に加療することが多い骨折である．プレート固定では骨内異物除去術が行われることが多い．

リハビリテーションのポイント，関連職種への指示
治療法にかかわらず，早期より手指，肘，肩関節の自動運動を行い患肢の関節拘縮を防止する．手関節の可動域訓練は保存治療ではギプス除去から，手術治療では骨折部の固定性により術翌日〜1週から開始する．

受傷直後や術直後は患肢挙上とクーリングを行い，手指運動を励行する．術後は正中神経障害や循環障害，腱損傷の有無に注意する．

Smith 骨折

Smith fracture

長田 伝重　獨協医科大学日光医療センター 主任教授

【疾患概念】　Smith 骨折は橈骨遠位端骨折のうち，遠位骨片が掌側に転位した定型的骨折の1つである．

【頻度】
　最も多い骨折は Colles 骨折で，Smith 骨折は比較的低頻度である．

診断のポイント

　手関節の正・側面単純X線検査は必須である．側面像にて遠位骨片の掌屈転位を確認する．骨端線閉鎖前の小児は軟骨成分により骨折判断困難なことが多く，高齢者では2mmほどの尺骨 plus variance を認めることが多いので，健側X線を撮影し比較すると，診断の手助けおよび整復位の指標となる．また，関節内骨折を疑うときにはCTを追加することが大切で，関節内骨片の存在，転位の程度などが詳細に判断できる．

専門病院へのコンサルテーション

　Smith 骨折は大半が手術適応であるので，専門病院へのコンサルテーションが推奨される．

治療方針

　転位のある骨折は徒手整復を試みる．徒手整復ギプス固定後に ulnar variance が健側差で2mmより大きい例や，関節内骨折で step-off あるいは gap が2mmより大きい例は手術適応となる．ガイドラインでは Colles 骨折，Smith 骨折別の記載はないが，手術適応は同様である．側面像で横骨折の場合は整復位の保持が可能であるが，通常多い斜骨折では整復後も骨片の掌屈，掌側転位が発生しやすく，手術治療が必要である．

治療法

1 ▶ 保存療法

　腋窩伝達ブロック下に徒手的あるいは Chinese finger trap による2～3kgの牽引下に整復し，U字ギプスシーネで肘頭から中手指節（metacarpophalangeal；MP）関節近位まで，手関節やや背屈位で固定する．

2 ▶ 手術療法

　関節外骨折では従来の non-locking plate による支えプレート（buttress plate）固定を行う（図14-6）．骨幹端部の掌側皮質が粉砕されている例や，関節内骨折例では掌側ロッキングプレート固定が推奨される．近

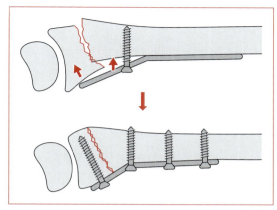

図14-6　Smith 骨折の手術法

年，橈骨関節面掌尺側に小さな骨片を有する場合，掌側ロッキングプレート固定後に本骨片の固定性が失われることによる，手根骨の近位方向への掌側亜脱臼を呈す例が報告されており，注意を要する．

後療法

　いずれの治療方法においても，手指の腫脹，拘縮予防のために患肢の挙上と手指の伸展屈曲運動を積極的に行う．また，手関節を動かすことのできる治療法では手関節運動を行い，早期に良好な手関節機能を得ることを心がける．

Barton 骨折

Barton fracture

長田 伝重　獨協医科大学日光医療センター 主任教授

【疾患概念】　Barton 骨折は，橈骨遠位関節部にかかる部分骨折とともに手根骨が亜脱臼する脱臼骨折で，橈骨遠位端骨折の1つの型である．背側に転位する背側 Barton 骨折と，掌側に転位する掌側 Barton 骨折とがある．

【頻度】
　Colles 骨折，Smith 骨折，Barton 骨折の順番の頻度で，まれな骨折である．

診断のポイント

　単純X線側面像にて遠位関節縁骨片の転位を確認する．また，CTにて部分関節内骨折であることや，骨片転位の程度などが詳細に判断できる．

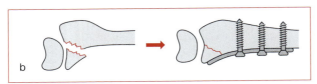

a：背側 Barton 骨折に対する整復法（King 法）

b：掌側 Barton 骨折に対するプレート固定

図 14-7　Barton 骨折の治療法

専門病院へのコンサルテーション

掌側 Barton 骨折は手術適応であるので，専門病院へのコンサルテーションが推奨される．

治療方針

転位のある骨折は徒手整復を試みる．徒手整復ギプス固定後に step-off あるいは gap が 2 mm より大きい例は手術適応となる．ガイドラインでは Barton 骨折の記載はないが，手術適応は同様である．

治療法

1 ▶ 保存療法

背側 Barton 骨折は保存療法が可能な骨折型の 1 つである．徒手的に遠位方向に牽引後に手関節を軽度背屈して，橈骨遠位掌側関節面と掌側橈骨手根靱帯・関節包との窪みに背側に脱臼していた手根骨を整復する（図 14-7a）．前腕から中手指節（metacarpophalangeal；MP）関節近位まで，手関節やや掌屈位でギプスシーネ固定する．

2 ▶ 手術療法

掌側 Barton 骨折は掌側に転位している掌側縁骨片を観血的に整復して，掌側より non-locking plate による支えプレート（buttress plate）固定を行う（図 14-7b）．通常，遠位骨片はスクリュー固定不要である．掌側縁骨片が粉砕されているときは掌側ロッキングプレートを用いて，遠位骨片へのロッキングスクリュー・ピンによる固定が有用である．近年，橈骨関節面掌尺側骨片が小さい場合，掌側ロッキングプレート固定では骨片の固定性が得られずに，骨片の破壊と手根骨の近位方向への掌側亜脱臼を呈する例が報告されており，注意を要する．

後療法

いずれの治療方法においても，手指の腫脹，拘縮予防のために患肢の挙上と手指の伸展屈曲運動を積極的に行う．また，手関節を動かすことのできる治療法では手関節運動を行い，早期に良好な手関節機能を得ることを心がける．

Madelung 変形

Madelung deformity

村瀬 剛　大阪大学 准教授

【疾患概念】　1987 年に Madelung によって最初に報告された．橈骨遠位掌尺側部の成長障害に起因する橈骨遠位の橈・掌屈変形である．この成長障害の正確な原因はまだ不明であるが，橈骨遠位骨端尺側部の病変，および月状骨と橈骨遠位を結ぶ異常な靱帯構造（Vickers 靱帯）の存在に起因すると考えられる．通常両側性であり，女性に多い．単発性にも家族性にも生じる．Leri-Weill 症候群に伴うことがあり，この場合は *SHOX* 遺伝子の突然変異に起因する．典型的には青年期初期に臨床的な変形が明らかになる．

【臨床症状】

橈骨遠位は背側凸の変形をきたし，尺骨頭は背側に

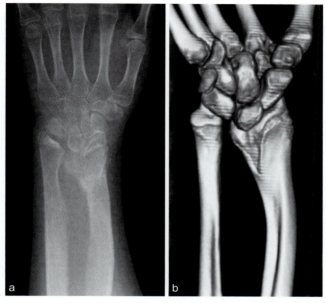

図 14-8　12歳女児，Madelung 変形の単純 X 線手関節正面像(a)と 3D-CT 画像(b)
a：橈骨遠位関節面の尺側傾斜の増大，同関節面尺側部の陥凹，橈骨遠位骨端尺側部は不明瞭となっている．
b：橈骨遠位変形が三次元的に確認できる．

突出する．手関節可動域は尺屈・背屈が減少する．前腕が正常よりも短くなることもある．このような臨床像にもかかわらず，機能障害は比較的軽いことが多い．進行した症例では，疼痛や手関節・前腕可動域障害，握力低下などの機能障害を伴う．

診断のポイント

通常，10歳以降に変形が目立って医療機関を受診する．橈骨遠位の掌屈・尺屈変形と尺骨頭の背側への突出などの臨床所見，単純 X 線手関節正面像における橈骨関節面の尺側傾斜の増大と同関節面尺側部の陥凹，手根骨の掌尺側への移動，側面像における橈骨遠位の掌屈変形，尺骨頭背側脱臼，などの特徴的な所見から診断する（図 14-8a）．MRI では Vickers 靱帯の存在を確認できる．3D-CT は橈骨遠位の変形を立体的に把握するのに役立つ（図 14-8b）．繰り返す手関節への負荷が部分的な骨端閉鎖を起こして，同様の変形を呈することがある．

治療方針

機能障害が軽微であれば定期的な経過観察を行う．日常生活動作を妨げる症状が生じれば手術を考慮する．変形の改善を患者が希望して手術を行うこともある．

成長期であれば橈骨遠位骨端線尺側部の骨性架橋の切除（physiolysis）と脂肪移植，Vickers 靱帯の切除を行うことで自然矯正を期待できる．年長児以降に対しては，さまざまな矯正手術（ドーム状骨切り，楔状骨切り術，3次元骨切り術，創外固定を用いた緩徐矯正，など）が報告されている．

14 前腕の疾患

Volkmann 拘縮
Volkmann contracture

池田 和夫　金沢医療センター 外科系診療部長〔石川県金沢市〕

【疾患概念】　上肢外傷後に発生した拘縮と麻痺を Richard von Volkmann が初めて報告したことから，この名称が用いられている．上腕動脈の損傷で前腕の筋肉が阻血に陥ったり，前腕の筋肉が圧挫による直接損傷を受けたりすることで，前腕のコンパートメント症候群を発生することが原因である．コンパートメント内圧が高くなるため，前腕筋肉内の微小循環が障害され，筋肉は阻血性壊死に陥っていく．したがって，コンパートメント内圧が高まるのであれば，その原因は上腕骨顆上骨折に伴う上腕動脈損傷のみならず，前腕の包帯による緊縛でも，きつ過ぎるギプス固定でも，睡眠薬過剰摂取による前腕の長時間の下敷きでも可能性はある．最近では，小児の上腕骨顆上骨折に伴う上腕動脈損傷への注意喚起の啓蒙が行き届き，ほとんど発生をみなくなっている（図 14-9）．しかし，労働災害や自動車事故などでの前腕への直接圧挫による症例は散見される．

【病態】
　筋肉の壊死，線維化，瘢痕化が広範囲に進めば，拘縮の程度は強くなる．前腕筋肉の阻血は屈側・深部ほど高度になるため，深指屈筋，円回内筋に最も拘縮が強く発生する．そのため手指・手関節の屈曲拘縮と前腕の回内拘縮が生じる．阻血により，正中神経や尺骨神経にも障害が及んで，神経麻痺による鷲手変形を呈するようになる．また手内筋にも阻血が及び，手内筋拘縮を生じることもある．

【臨床症状】
　早期の場合には，前腕コンパートメント症候群の症状であり，橈骨動脈の触知困難・疼痛・腫脹・他動指伸展による激痛がある．完成してしまうと，阻血性壊死・線維化・瘢痕化のために，前腕屈筋群の機能障害が生じる．物の把持が困難になり，また手指の伸展ができないため机に手を着くなどの動作ができない．また正中・尺骨神経麻痺のため鷲手変形〔中手指節（metacarpophalangeal；MP）関節過伸展，近位指間（proximal interphalangeal；PIP）関節屈曲〕となり巧緻運動障害が生じる．また手内筋の阻血性拘縮が強く出ると，内在筋プラスの拘縮（MP 関節屈曲，PIP 関節伸展）をとることもある．いずれにせよ巧緻運動が障害される．壊死が高度であると，患側前腕以下が廃用手となることもある．

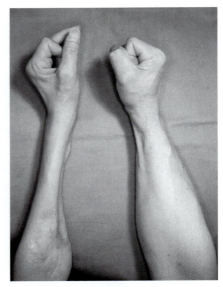

図 14-9　幼少時に完成した Volkmann 拘縮の成人例
前腕に筋腱剥離術の跡があるが，屈筋群の機能は，わずかに示指浅指屈筋の屈曲が残存するのみである．

問診で聞くべきこと
　睡眠薬を大量摂取して長時間寝返りをせずに前腕が下敷きになっていると，前腕筋の阻血性壊死が生じることがあるので，原因を推測するうえで問診は重要である．

必要な検査とその所見
　画像検査は，慢性期になった症例では MRI 検査で筋腹の線維化や脂肪変性による信号変化が認められる．深層や中央部は壊死が高度であり機能が期待できなくても，浅層や中枢の筋肉に正常な信号が残存している場合には，筋腱剥離などが適応になる場合があり，手術適応決定に有用である．

専門病院へのコンサルテーション
　治療は複雑であり，手外科専門医などの経験豊富な医師への紹介が望ましい．特に，筋膜切開が必要な超早期には，可及的速やかに搬送すべきである．

手術療法

1 ▶ 超初期の治療
　Volkmann 拘縮の完成する前の，コンパートメント症候群に対する治療は，原因である緊縛の解除や，上腕動脈の再建が必要である．コンパートメント内圧が高くなれば，筋膜切開を行う．特に，深部の区画内圧が高くなるので，深指屈筋を含む深部区画の開放が重

要である．手内在筋の緊満があれば，こちらの筋膜切開も行う．

2 ▶ 慢性期の治療

Volkmann拘縮が完成した後には残存機能を如何に生かすかがテーマとなる．筋肉に壊死や線維化が生じてはいるものの，一部に正常な筋肉組織の残存があれば，筋腱剥離術を行う．壊死組織は切除し，正中・尺骨神経は神経剥離し，残存筋を確認する．多くは，浅指屈筋が残るので，一部を長母指屈筋腱，もう一部を深指屈筋腱に腱移行をする．手内在筋の線維化があれば，手内在筋腱をMP関節部で切離する．

すべての筋肉が壊死に陥り残存機能がない場合には，指の肢位が正常になるように，切離・剥離を行う．後日，伸筋腱の移行を考えるか，遊離血管柄付き筋肉移植を考える．

患者説明のポイント

軽症例であれば機能回復も見込めるが，全筋肉が壊死に陥るような重症例であれば，廃用手になる可能性があることも説明しておく．

リハビリテーションのポイント

スプリントを用いて屈曲拘縮の解除に努めることが重要である．残存機能を生かすために，ハンドセラピストの訓練が必要である．

先天性橈尺骨癒合症

Congenital radioulnar synostosis

加藤 博之　医療法人社団曙会・流山中央病院手外科・上肢外科センター〔千葉県流山市〕

【疾患概念】　胎生期の上肢分化障害による近位橈尺関節の完全癒合あるいは線維性癒合のために，前腕の回旋障害が生じる．男性に多く，約半数は両側罹患である．家族歴，全身の合併奇形がみられることがある．2～4歳時に，箸，茶碗の持ち方がおかしい，「頂戴の動作ができない」などの訴えで受診することが多い．

【頻度】　小児の上肢先天異常疾患のなかでは比較的多い．

問診で聞くべきこと

患児の具体的な日常生活動作(activities of daily living；ADL)障害．

診断のポイント

前腕を他動的に回内・回外運動し，回旋不能であることを確認する．

橈尺関節の強直角度は回内0～90°(平均回内40°)と個人差がある．

線維性癒合の場合は，回旋運動の制限が認められる．

手関節部での代償性回旋運動があるため，手部を回旋させる診断法は不正確である．肘関節90°屈曲位で，橈骨茎状突起と尺骨頭を挟み前腕遠位部で他動運動させて回旋角度を計測する．

肘関節の伸展は軽度制限される例が多い．

少年期に，突然の肘関節痛と伸展障害で受診する場合は，本症の橈骨頭前方脱臼型が疑われる．

両側の肘関節～手関節を含む正面，側面の2方向X線撮影を行う．

橈骨頭が後方に脱臼する例が約半数であるが，前方脱臼例，脱臼がない例などもある．

治療方針

手術以外の治療方法はない．両手罹患か片側罹患か，利き手罹患か非利き手罹患か，完全強直か部分強直か，強直の前腕回旋角度などを考慮して，手術適応と手術方法を決定する．手術には，前腕の回旋骨切り術と癒合部解離術がある．線維性癒合例，中間位強直例では，ADL障害は少なく手術適応は限られる．

手術療法

回旋骨切り術は，30°以上の回内強直例に適応がある．橈骨骨幹部で骨切りし，軽度回外位に回旋しギプス固定する．

癒合部解離術は，回旋運動の獲得を希望する例に適応がある．橈尺骨の癒合部を解離し，間隙に遊離血管柄付き脂肪弁を移植する．橈骨頭脱臼の程度により橈骨骨切りを要する．約60°の回旋運動が得られる．

両手術とも手術時期は4～8歳頃がよい．

橈骨神経麻痺

Radial nerve palsy

柿木 良介　近畿大学 教授

【疾患概念】　橈骨神経麻痺は，整形外科外来診察でたびたび遭遇する疾患である．骨折，切創などによる橈骨神経への直接損傷，上肢への外力，腫瘍などによる神経への圧迫によって発生する絞扼性神経障害および原因不明の特発性神経障害に分けられる．

橈骨神経の直接損傷は，直ちに神経縫合などの処置が必要になる．絞扼性神経障害を起こす場所としては，上腕骨橈骨神経溝とFrohse's arcadeが最も多い．橈骨神経は，上腕三頭筋に枝を出した後，上腕中央近位で上腕骨橈骨神経溝を上腕骨に接して回旋し上腕外

14 前腕の疾患

図 14-10 特発性後骨間神経麻痺での神経のくびれ（矢印）
このあと神経周膜を切離して，くびれを解除した．

側に出て，腕橈骨筋に枝を出す．そのため上腕中央部に外力が加わると，橈骨神経が上腕骨に強く押しつけられて麻痺を起こす．特に上腕骨を手枕にして熟睡すると，目を覚ましたときに橈骨神経麻痺が完成していることがある（Saturday night palsy とよばれる）．また肘関節橈側前面では，橈骨神経は回外筋の下面に入っていくが，この部分の回外筋腱性部は，Frohse's arcade とよばれている．この部分は肘関節包の直上にあり，ガングリオンなどが発生しやすい場所でもあり，橈骨神経の運動枝である後骨間神経が絞扼を受けやすい部分である．

特発性後骨間神経麻痺は，麻痺の発生前に肩甲帯，上肢にかけて疼痛を自覚することが多く，疼痛が和らいだ頃より突然，後骨間神経麻痺症状を呈する．麻痺発症前，やや風邪気味であったとか，疲労していたなどという患者も多い．近年，特発性後骨間神経麻痺では，肘関節中枢の橈骨神経の一部の神経束に，くびれを伴った変化を認めるという報告が増えてきた（図14-10）．くびれは1つのときから複数個のこともある．神経痛性筋萎縮症の類縁疾患とも考えられていて，何らかの免疫学的炎症が発生の機序に関与していると考えられている．また特発性後骨間神経麻痺では，さまざまな程度の尺骨神経や正中神経麻痺を合併することがある．

【病態と臨床症状】

腕神経叢の後神経束より腋窩神経が分かれた後，橈骨神経を形成する．橈骨神経は，最初に上腕三頭筋枝を分枝する．その後，上腕骨の橈骨神経溝を通って，上腕骨の外側に出て，肘関節の中枢で腕橈骨筋枝，長橈側手根伸筋に枝を出す．肘関節部で，知覚枝である浅枝を出したあと，回外筋に枝を出す．浅枝は，腕橈骨筋下面より橈骨の背側橈側を通り，手部背側の第1指間，母指背側，示指中指の中手指節（metacarpo-phalangeal；MP）関節背側付近までの手背の知覚を支配する．浅枝を出したあとの橈骨神経を後骨間神経とよび，ほぼ運動神経である．後骨間神経の回外筋への入口部が，前述のFrohse's arcadeである．回外筋枝を出したあと，短橈側手根伸筋腱枝を出す．そののち後骨間神経は大きく2つの枝に分かれ，尺側の枝は，総指伸筋枝を出したあと尺側手根伸筋枝，小指伸筋枝を出して終わる．橈側の枝は，長母指外転筋，短母指伸筋に枝を出したあと，長母指伸筋に枝を出し，固有示指伸筋枝に枝を出す．そのあと第4伸筋腱区画を通り手背に細い知覚枝を出して終わる．

橈骨神経麻痺は，その神経障害部位によって症状が異なるが，上腕骨橈骨神経溝での麻痺では，手関節背屈不能，母指から小指までの手指MP関節伸展不能，母指指節間（interphalangeal；IP）関節伸展不能となる．これに上腕三頭筋麻痺が加われば，肘関節伸展力が低下する．尺骨神経に障害がなければ，示指から小指までのMP関節を屈曲位に保持すると近位指節間（proximal interphalangeal；PIP），遠位指節間（distal interphalangeal；DIP）関節の伸展は可能となる．また橈骨神経浅枝も麻痺するため，手部背側の第1指間，母指背側，手背橈側に知覚障害が発生する．

後骨間神経麻痺では，橈骨神経の長橈側手根伸筋枝が作用するため，手関節背屈は可能である．ただし長橈側手根伸筋が，第2中手骨基部に停止するため，手関節背屈を命じると手関節背屈橈屈が起こる．また後骨間神経麻痺では，橈骨神経浅枝を出したあとの神経麻痺であるため，ほぼ知覚障害はない．それ以外の麻痺症状は，橈骨神経麻痺と同じである．

問診で聞くべきこと

(1)麻痺発生前後の状態：いつから麻痺が発生したか．発症の誘因はあったか．上肢を体の下にして眠るようなことはなかったか．麻痺の発生以前に疼痛はなかったか．麻痺の発生したころ，風邪気味や体の疲れはなかったか．

(2)運動障害と知覚障害の部位：橈骨神経以外の筋肉に麻痺はないか．知覚障害は，橈骨神経知覚枝の分布と一致するか．橈骨神経の走行に沿って Tinel 徴候（Tinel's sign）はあるか．

(3)上肢以外に麻痺症状はないか

必要な検査とその所見

(1)神経伝導検査

橈骨神経伝導速度，支配筋の複合筋活動電位の低下，消失を証明する．

(2)麻痺筋の筋電図

麻痺発生後3週間以降に検査する．神経再支配の有無を調べる．

⑶MRI

　後骨間神経麻痺が疑われる場合には，肘関節部分のMRIを行い，Frohse's arcade付近にガングリオンなどの腫瘍がないか調べる．特発性後骨間神経麻痺が疑われる場合には，肘関節周囲の橈骨神経，後骨間神経に沿った部分に，T1強調像で低輝度，T2強調像で高輝度の領域を確認できる場合がある．

⑷超音波検査

　特発性後骨間神経麻痺が疑われる場合は，Tinel徴候のある部分を中心に超音波診断により神経束くびれの検索をする．

診断のポイント

　麻痺発症，その誘因，麻痺筋の分布，知覚障害の領域から診断する．

　鑑別診断として頸椎症や運動ニューロン疾患（motor neuron disease）でも，よく似た症状を呈することがあるが，知覚障害の有無，麻痺筋の局在，Tinel徴候の有無などから，おおむね鑑別ができる．

専門病院へのコンサルテーション

　手術が必要と考えられる場合には，原則日本手外科学会認定手外科専門医のいる専門病院を受診させる．診断に苦慮する場合は，神経内科医，手外科専門医の診断を仰ぐこと．原則神経手術は，発症6か月以内に行うので，コンサルテーションのタイミングを逸することのないように注意する．

治療方針

⑴橈骨神経の開放損傷では，橈骨神経縫合や神経移植が適応になるので，直ちに専門病院で手術を受けさせる．またFrohse's arcadeでのガングリオンの圧迫による後骨間神経麻痺も，直ちに手術適応がある．神経損傷からおおむね受傷後6か月以内であれば神経手術の適応がある．

⑵橈骨神経への非開放性麻痺は，発症から少なくとも3か月は経過観察する．経過観察では，Tinel徴候の位置とその末梢への進行，麻痺筋力の回復，筋電図による神経再支配の有無をみる．経過観察中に麻痺の自然回復も期待できる．

①絞扼性神経障害で，発症後3か月たっても神経回復の見られない場合には，発症後6か月までに神経剥離術を行う．それ以降は，腱移行術が適応となる．高齢者であれば最初から腱移行術を選択する場合もある．

②特発性後骨間神経麻痺の場合は，発症直後であれば，プレドニン10 mg/dayを1週間ほど続けると麻痺が回避できる場合もある．特に強い上肢痛を訴える患者には，疼痛を軽減する効果が期待できる．しかしそれ以上のプレドニン投与はしない．免疫グロブリンの大量療法も効果があるという論文があるが，有効性は確立されていない．Tinel徴候が明らかで超音波でくびれが証明されたときには，神経剥離術の適応があることを患者に伝える．くびれがあっても，麻痺が自然回復する場合もある．自然回復の起こらない場合や神経剥離後の神経回復の不良な場合には，腱移行術が適応になる．

保存療法

　カックアップ装具で手関節背屈位に保持すると，内在筋機能によってPIP，DIP関節の伸展が可能となり，日常生活が楽になる．ビタミンB_{12}の処方を行ってもよい．

手術療法

1 ▶ 受傷後，発症後6か月以内

①神経断裂があれば，直ちに神経縫合，神経移植をする．腫瘍による圧迫があれば，直ちに神経剥離と腫瘍切除を行う．

②絞扼性神経障害で発症後3か月経ってもTinel徴候の末梢への進行が遅く，麻痺筋の回復の悪いものは，神経剥離術の適応である．神経剥離術は遅くとも発症6か月までに行う．

③特発性後骨間神経麻痺で，橈骨神経，後骨間神経の走行に沿ってTinel徴候が認められ，超音波検査で神経のくびれが確認された場合は，神経くびれ部の神経周膜を切離し，くびれを解除する．くびれのはっきりしない場合でもTinel徴候のある付近を神経剥離するとくびれが発見される場合もある．時にくびれ部を切除し神経縫合術を行う場合もある．

　橈骨神経麻痺に正中神経，尺骨神経領域の筋枝を移行する術式もあるが，後述する腱移行術の成績が安定しているため，筆者は行っていない．

2 ▶ 受傷後，発症後6か月以降

　腱移行術としてRiordan，Tsugeらの方法があるが，詳しくは成書に委ねる．

患者説明のポイント

　橈骨神経麻痺は，麻痺直後の日常生活動作（activities of daily living；ADL）障害は大きいが，自然回復も期待される麻痺である．しかし神経手術は比較的負担の少ない手術であるが，発症後6か月までの症例に適応がある．それ以降は腱移行手術が適応になるが，その結果は比較的良好である．

リハビリテーションのポイント

⑴装具

　橈骨神経麻痺にはさまざまな装具があるが，筆者らは，カックアップ装具を使用している．装具で手関節伸展位，MP関節屈曲位に保つと，DIP，PIP関節の伸展が可能となり，ADLの改善が期待できる．

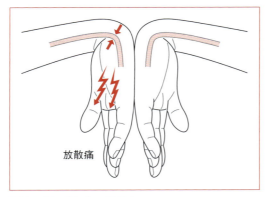

図 14-11　Phalen テスト

(2) 筋の電気刺激

　筋収縮がみられたら，電気的に神経刺激により筋収縮を促し，筋肉内の血液循環の改善を目指す．

正中神経麻痺（手根管症候群，円回内筋症候群，前骨間神経麻痺を含む）

Median nerve palsy

藤原　浩芳　　京都第二赤十字病院 部長〔京都市上京区〕

1 手根管症候群

【疾患概念】

　手関節部において背側の手根骨と屈筋支帯の間に形成される手根管が，腱鞘滑膜炎，占拠性病変，変形などのために相対的に狭小化し，手根管内圧が上昇することにより正中神経が圧迫されて発症する．絞扼性末梢神経障害のなかで最も頻度が高く，中高年の女性に多発する．病因としては特発性のものが多いが，腱鞘炎，手の過度の使用，妊娠時の浮腫，骨折・変形癒合やKienböck病などの骨病変，ガングリオンなどの占拠性病変，長期血液透析によるアミロイドーシスなどがある．

【臨床症状】

　母指から環指にかけてのしびれや疼痛を認める．症状が進行すると母指球筋が萎縮し，母指対立運動（つまみ動作）が困難になる．また，夜間や明け方にしびれが増強する傾向がある．

【問診で聞くべきこと】

　手のしびれの部位，夜間や頻繁に手を使った際にし

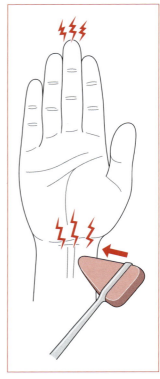

図 14-12　Tinel 様徴候

びれや痛みが増悪するかどうか，病状が進行すると母指球筋萎縮が出現し，つまみ動作がしにくくなるため，日常生活で何が不自由かを問診で聴取する．

【診断のポイント】

(1) 誘発テストおよび徴候

①正中神経圧迫試験：手関節部で正中神経を皮膚の上から持続圧迫すると症状が増悪する．

②手関節伸展試験：手関節背屈で症状が増悪する．

③Phalen テスト：手関節を1分間掌屈位に保つと症状が増悪する（図 14-11）．

④Tinel 様徴候：手関節掌側を叩打すると正中神経領域の手指に放散痛がある（図 14-12）．

⑤perfect O sign：母指対立運動が障害されるため，患者に母指と示指で円を作るよう指示すると，きれいな円を作ることができない（図 14-13）．

(2) 単純 X 線検査

　骨折・変形癒合，骨病変や石灰沈着物の手根管内での存在をチェックする．通常の正面像，側面像のほかに手根管撮影が有用である．

(3) 電気生理学的検査

　客観的診断，治療効果の判定に用いる．特に神経伝導速度の測定が有用である（知覚神経遠位潜時：3.5

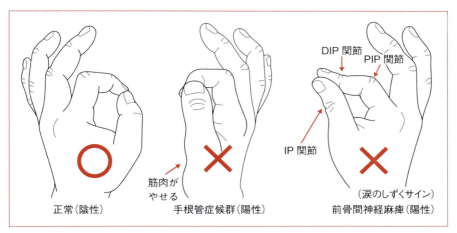

図 14-13　perfect O sign

msec 以上，運動神経遠位潜時：4.5 msec 以上，知覚神経伝導速度：45 m/sec 以下を異常とする）．

治療方針

軽症あるいは中程度の症例では，日常生活動作において手関節の掌背屈を繰り返さないように指導する．装具による固定が有効な場合もある．手根管内ステロイド注射で寛解が得られることが多く，診断的治療としても有用である．保存療法の効果がない例や著明な滑膜炎，腫瘍，ガングリオンなどの占拠性病変による神経圧迫のある症例では手術的に屈筋支帯を切離し，正中神経の圧迫を取り除く．陳旧例で母指球筋の萎縮が著明な症例では，腱移行による母指対立再建を行う．

1▶保存療法

手の過使用を避け，手関節装具（副子）を着用する．薬物療法（経口および外用消炎鎮痛薬，ビタミン B_{12} 製剤など）や手根管内ステロイド注入（手根管内の腱鞘滑膜などの炎症を和らげ手根管内圧を低下させる）も有効である（詳しくは 15 章 手根管症候群 ➡ 498 頁を参照）．

2▶手術療法

(1)観血的手根管開放術

著明な滑膜炎，腫瘍，ガングリオン，などの占拠性病変により神経が圧迫されている症例に対して行われる（図 14-14）．偽神経腫や，癒着がある場合は神経剥離術を追加することがある．またアミロイドーシスや関節リウマチなどで著しい腱鞘滑膜の浮腫，肥厚を認める場合は滑膜切除も追加する．近年，小切開による手根管開放術も報告されている．皮切が小さく掌側手首皮線を横切らないため，肥厚性瘢痕などの合併症が少ない利点を有する．母指球筋の萎縮が著しく，対立

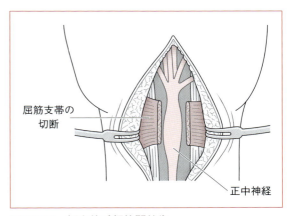

図 14-14　観血的手根管開放術

障害のある症例では，母指対立再建術を併用することがある．

(2)鏡視下手根管開放術

手掌部に皮切を加えないため低侵襲で有痛性瘢痕を生じにくく，早期社会復帰が可能である（図 14-15）．

2 円回内筋症候群

【疾患概念】

手指を良く使用する作業や，前腕回内外反復運動などを誘因とし，正中神経が円回内筋近傍の円回内筋トンネル，上腕二頭筋腱膜，浅指屈筋起始部で絞扼されることにより発症する．

【臨床症状】

前腕近位部の疼痛，倦怠感とともに正中神経領域のしびれや知覚障害を認める．知覚障害は母指球部にも及ぶことが多い．

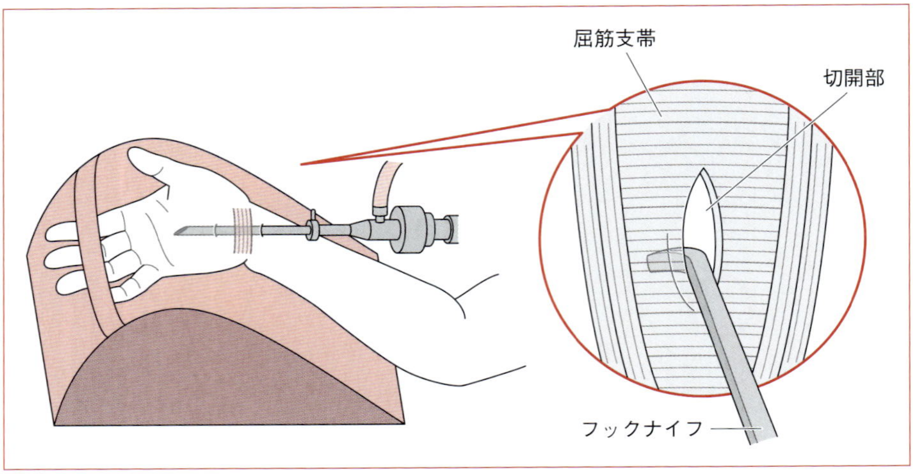

図 14-15　鏡視下手根管開放術

問診で聞くべきこと

手のしびれの部位，外傷の有無，重量物の運搬や，手や前腕の繰り返し動作，特に前腕の回内運動の反復がなかったかどうかを聞いておく．

診断のポイント

(1)誘発テストおよび徴候

円回内筋に一致する前腕屈側部の圧痛は本症候群特有の症状である．

Spinner の誘発テストとして抵抗下に以下の動作で痛みが増強するかを確認する．

①手関節掌屈，前腕回内
②前腕回外，肘屈曲
③中指近位指節間関節屈曲

①は円回内筋，②は上腕二頭筋腱膜，③は浅指屈筋起始部での絞扼をそれぞれ意味する．

(2)鑑別診断

手根管症候群との鑑別が最も重要であり，本症候群では，夜間痛がない，知覚障害が母指球にも及ぶ，手関節部での神経伝導速度が正常である，などの特徴がある．

治療方針

発症の誘因となる動作の禁止，薬物療法(経口および外用消炎鎮痛薬，ビタミン B_{12} 製剤など)局所へのステロイド注射などの保存療法により症状の改善が期待できる．保存療法により治療効果が得られない場合，スポーツ活動や仕事復帰にて再燃を繰り返す場合は，手術にて神経の絞扼を開放する．

3 前骨間神経麻痺

【疾患概念】

外傷，腫瘍などによる圧迫，神経炎，線維性索状物による絞扼などにより，純粋な運動枝である前骨間神経が障害されて発症する．

【臨床症状】

典型的な症例では，知覚障害を伴わない母指指節間(interphalangeal；IP)関節，示指遠位指節間(distal interphalangeal；DIP)関節の屈曲障害および前腕回内筋力の低下を認める．

問診で聞くべきこと

手のしびれの有無，運動麻痺の発症経過は診断のうえで非常に重要である．特に神経炎の場合は，肘周囲の激しい疼痛が数日〜1週間程度続いた後に運動麻痺が出現することが多い．

診断のポイント

(1)perfect O sign(図 14-13)

上記運動障害のため，患者に母指と示指で円を作るよう指示すると，きれいな円を作ることができず涙滴型を呈する(teardrop sign ともいう)．

(2)電気生理学的検査

不全麻痺では上記運動障害が明確に出現しない場合もあり，確定診断には麻痺筋の脱神経電位や正常な正中神経本幹の神経伝導速度を確認することが必要である．

(3)鑑別診断

母指，示指の屈筋腱皮下断裂との鑑別が必要な場合がある．

> 治療方針

　非外傷性の麻痺ではまず保存的に経過観察し，3か月以上改善傾向がなければ神経剥離術を行う．神経炎が原因の場合は前骨間神経にくびれがみられることがある．明らかな外傷による神経損傷が疑われる場合や，腫瘍などによる圧迫があれば早期に神経縫合や除圧を行う．陳旧例や初回手術後1年以上麻痺が改善しない場合は，腱移行術を選択する．

尺骨神経麻痺（上肢全体について）
Ulnar nerve palsy

太田 壮一　関西電力病院 部長〔大阪市福島区〕

【疾患概念】　尺骨神経は，肩関節の前方で腕神経叢の内側神経束より派生し，環指尺側や小指，手部尺側の知覚を担う．また，手外在筋である環小指の深指屈筋や尺側手根屈筋，手内在筋である小指外転筋をはじめとする小指球筋，第3, 4虫様筋，骨間筋を支配している．

　尺骨神経麻痺には，外傷性麻痺と絞扼性麻痺とがある．前者は，上肢の打撲，圧挫，牽引や開放創，肩・肘・手関節の脱臼や骨折に合併して発症する．後者は，肘関節や手関節近傍で，周囲の変形した骨，肥厚変性した靱帯や筋膜などにより，神経が慢性的に圧迫，刺激を受けて生じる．絞扼性麻痺の代表的なものとして，肘部管症候群や尺骨神経管症候群がある．

> 診断のポイント

①環小指にしびれがあり，環指橈側と比較して環指尺側に明らかな知覚障害が見られれば（split sign），尺骨神経障害の可能性がかなり高い．C7/Th1の頸椎椎間板ヘルニアや第8頸髄神経根障害でも環小指に知覚障害を認めるが，この split sign は通常認めない．
②尺骨神経の障害高位は，知覚障害の見られる領域と麻痺筋の分布からある程度推測が可能である．手背尺側は，尺骨神経手背枝が支配しており，同部の知覚障害があれば前腕遠位の手背枝分岐部より遠位での神経障害，特に尺骨神経管症候群が疑われる．肘部管症候群では，環小指，手部尺側に加え，前腕遠位尺側にもしびれや知覚障害を認めることが多い．尺骨神経領域にしびれや知覚障害があり，さらに内側前腕皮神経の支配領域である前腕近位尺側に知覚障害を認める場合には，胸郭出口症候群の可能性がある．
③尺骨神経麻痺の重症例では，手内在筋の多くが麻痺するため，ボタンかけ・箸使い・紐結びなどの巧緻運動が困難となる．外観上，第1背側骨間筋や小指球筋の筋萎縮が明らかとなり，さらに手背に骨間筋萎縮による長軸方向の陥凹が見られることもある．握力やつまみ力が低下し，環小指の鉤爪変形〔中手指節（metacarpophalangeal；MP）関節の伸展，近位指節間（proximal interphalangeal；PIP）関節の屈曲変形〕，Wartenberg徴候（小指伸展位での自動内転障害），Froment徴候（母指内転筋筋力の低下を長母指屈筋筋力で代償する母指示指間でのつまみ方）といった特徴ある所見も出現する．手指の内外転機能をチェックする場合には，MCP関節伸展位とすることが重要である．
④Tinel徴候は，絞扼性神経障害すべてに陽性所見が得られるわけではないが，認められれば障害部位の診断に有用である．
⑤通常，しびれから発症し，緩徐に進行することが多いが，強い疼痛が急激に発症し，その後麻痺が生じた場合は，ガングリオンや神経痛性筋萎縮症（neuralgic amyotrophy）などを想定する．
⑥神経伝導検査で，伝導速度の遅延や振幅の低下が見られれば確定診断に重要な所見となる．
⑦必要に応じて，X線やCT，MRI，超音波検査を追加する．X線やCTでは，神経周囲の骨に骨折や脱臼，変形性関節症変化がないかを確認する．また，MRIや超音波検査では，ガングリオンなどの占拠性病変の有無を確認する．

> 治療方針

1 ▶ 外傷性麻痺

　鋭利なガラスや刃物による損傷の場合には，可能な限り，一期的に端々縫合する．断端の新鮮化により緊張下でしか縫合できない場合，神経移植を行う．肘周囲での損傷の場合，尺骨神経を内側上顆の前方へ移動することにより神経の欠損長を減らすことが可能なことがある．前腕遠位での損傷の場合には，断端の線維束配置を可能な限り合致させて神経上膜周膜縫合を行う．脱臼や骨折，挫創などに合併した麻痺は，外傷の手術時に神経自体の損傷を確認し，剥離や修復を行う．体表面の傷が小さくても，神経損傷を疑う場合には，少し切開創を拡大してでも深部の神経を確認し，神経損傷の有無を確認したほうがよい．

2 ▶ 絞扼性麻痺

　保存療法の無効例，ガングリオンなどの明らかな占拠性病変がある例，再発例は手術適応となる．

肘部管症候群
Cubital tunnel syndrome

太田 壮一　関西電力病院 部長〔大阪市福島区〕

【疾患概念】　上腕骨遠位の尺骨神経溝から尺側手根屈筋の二頭間（尺骨頭と上腕骨頭）にある腱性アーチ（Osborne band）までを狭義の肘部管とよぶ．厳密には，同部における絞扼性尺骨神経障害を肘部管症候群とよぶが，実際には Struthers' arcade における絞扼など肘部管外での絞扼も含まれることが多い．肘関節周囲骨折後の遺残変形や変形性肘関節症に伴って発症することがある．また頻度は低いが，ガングリオンや増生滑膜などの占拠性病変による圧迫や，解剖学的異常（滑車上肘筋，肥大した上腕三頭筋）による圧迫，習慣性尺骨神経脱臼などが発症原因として挙げられる．

【問診で聞くべきこと】
　外傷歴や職歴，スポーツ歴は必ず聴取する．糖尿病，関節リウマチ，頚椎症などの合併の有無も確認しておく．

【診断のポイント】
①病歴，臨床所見，電気生理学的検査をもとに総合的に診断する．
②小指や環指尺側のしびれ感が最も多い症状で，同部の疼痛や冷感を訴えることもある．通常，手部や前腕部尺側にも知覚障害を認める．手背尺側の知覚障害があれば，尺骨神経管障害よりも肘部管症候群の可能性が高い．
③肘関節の可動域や内外反変形の有無を確認した後，内側上顆後方の尺骨神経溝で尺骨神経を触診する．経過が長い場合，腱性アーチの中枢側で偽神経腫を触れることがある．尺骨神経脱臼の有無も肘関節を自動運動させて確認する．
④内側上顆後方の尺骨神経溝における Tinel 様徴候や，肘屈曲テスト（肘関節を最大屈曲位で保持するとしびれが増強する）も診断に有用である．
⑤手内筋の麻痺の進行例では，ボタンかけ・箸使い・紐結びなどが困難となる．Wartenberg 徴候，Froment 徴候，鉤爪変形といった特徴ある所見が見られ，握力やつまみ力も低下する．
⑥X 線は，通常の肘関節2方向に加え，尺骨神経溝撮影も行い，変形性肘関節症変化や肘関節の骨性アライメントを確認する．疼痛の強い症例では，ガングリオンなどを疑い MRI や超音波検査を追加することもある．
⑦神経伝導検査は，臨床所見による診断を確定するために行う．肘部管をはさんだ範囲で伝導速度の遅延が認められれば確定診断できる．

【治療方針】
1 ▶ 保存療法
　発症後間もない，軽度の肘部管症候群では，生活様式の変更や肘関節の屈曲を制限する装具により症状が改善することがある．肘内側を硬い表面に直接置かないようにすることや50°以上屈曲しないように就寝中タオルを使用することなども効果が見られることがある．

2 ▶ 手術療法
　麻痺が進行してからでは良好な回復は期待できないため，早期の手術が望ましい．Osborne band を切離するだけの単純除圧や，内側上顆部分切除術（King 変法），尺骨神経前方移動術などを，症例に応じて行う．また，麻痺が重度の場合，麻痺筋機能を代償する腱移行術を行うこともある．

上肢における注射麻痺
Peripheral nerve injection injury of the upper extremity

池田 和夫　金沢医療センター 外科系診療部長〔石川県金沢市〕

【疾患概念】　注射麻痺の原因は針による物理的損傷によるものと，薬液による化学的損傷の2つに分けられる．前者は採血などのときで，ある一定の割合で発生する．後者は化学療法の薬液漏出などによるもので，これは適切な注射部位の選択や薬剤の改良により減少している．

【病態】
　静脈と末梢神経は並走しており，神経は皮膚上からは見えないので，ある一定の割合で採血や点滴をすれば皮神経を損傷することはありうる．しかし，末梢神経は，針で損傷したとしても1日1mmの速度で再生する．皮神経であればその支配領域はさほど広くはないので，時間はかかるものの回復する．このような場合には医療事故とはならない．ただし，肘などで深く刺して正中神経本幹を損傷したような場合には，指先まで40 cm 近くあるので回復は困難となり，医療事故として扱われる可能性が高くなる．まれに皮神経の損傷であるのに上肢全体の痛みを訴えるような，CRPS（complex regional pain syndrome，複合性局所疼痛症候群）様症状を訴える患者も存在する．そのような場合の対応には慎重を要し，早期に疼痛管理などの介入が必要である．

【臨床症状】

末梢神経本幹を損傷すると運動麻痺もありうるが，多くは皮神経損傷による，しびれや痛みである．「ジンジン」「ビリビリ」といった末梢神経障害性疼痛を訴えることも多い．

必要な検査とその所見

刺入点にある Tinel 徴候がどの領域に放散するのかを確認する．その領域に，実際に感覚鈍麻が生じているのかを，Semmes-Weinstein テスターで確認しておく．経過観察において，回復徴候の確認に重要である．

専門病院へのコンサルテーション

CRPS 様の疼痛を訴えるような場合には，経験のある手外科専門医に委ねたほうがよい．

患者説明のポイント

多くの場合は皮神経損傷なので，重要な本幹は無事で後遺症が残るようなことにはならないこと，今のしびれ，痛みについても時間とともに軽快していくことを説明する．痛み刺激を加えないように，刺入点は保護しておくことを指示する．

学会のオフィシャルテキスト 第2版
進化し続けるパスの最新情報を収載

[現場で使える]

クリニカルパス実践テキスト 第2版

［監修］日本クリニカルパス学会 学術・出版委員会
［編集］今田 光一　若草第一病院スポーツ整形外科部長／医療情報担当部長
　　　　岡本 泰岳　トヨタ記念病院形成外科・部長
　　　　勝尾 信一　福井総合病院・院長
　　　　山中 英治　若草第一病院・院長

まさに"**現場で活かす**"パス実践のノウハウを、詳細かつわかりやすく解説。
クリニカルパス学会主催の過去の教育セミナーから好評だったテーマを中心に、多くの地域・医療機関で**明日から即検討**できる手法をまとめた。また、パスの教育や組織作り、電子パスや連携パスの最新の活用法、そして今後期待される新たなパスの領域も盛り込んだ。現場での秘策や情報は「**匠のコツ**」「**Topics**」として開示。パスに関わる多くの医療者必読書。

目次
1 クリニカルパス導入の意義と本質
2 クリニカルパスの作成
3 クリニカルパスの使用と記録
4 クリニカルパスの見直し
5 クリニカルパス活動と委員会・パス大会
6 電子クリニカルパス
7 地域連携クリニカルパス

●B5　頁184　2021年
　定価：3,850円（本体3,500円＋税10％）
［ISBN978-4-260-04641-1］

医学書院　〒113-8719　東京都文京区本郷1-28-23　［WEBサイト］https://www.igaku-shoin.co.jp
［販売・PR部］TEL：03-3817-5650　FAX：03-3815-7804　E-mail：sd@igaku-shoin.co.jp

15 手関節の疾患

手関節の機能解剖	478
手関節痛のとらえ方/診断手順	479
手関節の画像診断	481
手関節鏡	482
月状骨周囲脱臼，月状骨脱臼	484
舟状骨骨折	485
有鉤骨鉤骨折	487
有頭骨骨折	487
遠位橈尺関節脱臼	489
三角線維軟骨複合体（TFCC）損傷	490
Kienböck 病（月状骨軟化症）	492
Preiser 病	493
リウマチ手関節	494
手根不安定症	495
de Quervain 病（橈骨茎状突起痛）	497
内反手	497
手根管症候群	498
尺骨神経管症候群	499
尺骨突き上げ症候群	500

手関節の機能解剖

Functional anatomy of the wrist

中村 俊康　国際医療福祉大学 教授

1 手関節の機能解剖

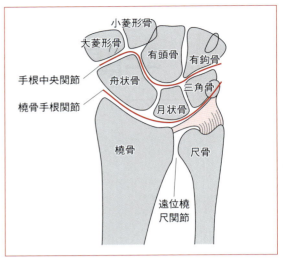

図15-1　手関節
手関節は手根中央関節，橈骨手根関節，遠位橈尺関節の3つの関節から構成される複合関節である．

手関節は橈骨手根関節（radiocarpal joint；RCJ），手根中央関節（midcarpal joint；MCJ），遠位橈尺関節（distal radioulnar joint；DRUJ）の3つの関節から構成される複合関節で，RCJとMCJで主に掌背屈，橈尺屈運動を，DRUJで回内外運動を担っている．ほかに豆状骨と三角骨間の豆状三角関節がある．DRUJと近位橈尺関節が前腕の関節と考えることも可能で，その場合は橈骨手根関節，手根中央関節，豆状三角関節の3つの関節から構成される．手関節専門家の間では手関節の運動は掌背屈，橈尺屈，回内外で，手関節はRCJ，MCJ，DRUJで構成されるとすることが一般的である．

手関節を構成する骨には橈骨，尺骨，近位手根列を構成する舟状骨，月状骨，三角骨，遠位手根列を構成する大菱形骨，小菱形骨，有頭骨，有鉤骨および尺側手根屈筋腱内の種子骨である豆状骨がある（図15-1）．近位手根列と遠位手根列には筋腱の付着がなく，中手骨以遠に腱が付着するため，掌背屈，橈尺屈の際に近位手根列と遠位手根列は介在骨（intercalated bone）として受動的な動きを呈する．遠位手根列の各骨は靱帯により強固に連結され，ほぼ一塊として動くのに対して，近位手根列の各骨間は骨間靱帯〔舟状月状骨間靱帯（scapholunate interosseous ligament；SLIL）と月状三角骨間靱帯（lunotriquetral interosseous ligament；LTIL）〕で連結され，多少の捻れを許容する．後述するように近位手根列の骨間靱帯が断裂すると近位手根列を構成する各骨が異常回転し，手根不安定症を呈する．

手関節の掌屈には主に橈側手根屈筋，尺側手根屈筋および深指屈筋，浅指屈筋が働き，背屈には主に長・短橈側手根伸筋，尺側手根伸筋，総指伸筋が働く．橈屈には橈側手根屈筋と長・短橈側手根伸筋が，尺屈には尺側手根屈筋と尺側手根伸筋が働く．回内外運動は前腕の運動であり，DRUJと近位橈尺関節との共同運動である．回外には上腕二頭筋と回外筋，回内には円回内筋と方形回内筋が主に働く．

近位手根列内の舟状骨−月状骨間と月状骨−三角骨間には背側，近位部，掌側をぐるりと囲む形でSLILとLTILが存在し，手関節の掌背屈，橈尺屈に伴い，同靱帯は多少の変形を生じる．舟状骨は掌屈しやすく，三角骨は背屈しやすい傾向があり，近位手根列内の手根骨間靱帯がバランスをとりつつ，この動きを制御しているため，SLIL損傷を生じると舟状骨は掌屈し，一方，月状骨は月状三角骨間靱帯が保たれているため，背屈していく三角骨に引っ張られて背屈する．月状骨の動きに注目した変形をDISI変形（dorsal intercalated segment instability）という．一方，LTIL損傷を生じると，舟状骨と月状骨は掌屈し，三角骨が単独に背屈していくため，VISI変形（volar intercalated segment instability）を呈する．

舟状骨偽関節においても舟状骨遠位骨片は遠位手根列からの屈曲力や橈側手根屈筋の牽引力によって屈曲し，近位骨片は舟状骨月状骨間靱帯を介して背屈傾向のある月状骨−三角骨と連結しているため背屈していき，舟状月状骨間靱帯損傷と同様にDISI変形を生じる．また，舟状骨遠位が掌屈，近位が背屈すると結果として舟状骨が折れ曲がるhumpback deformityが生じ，次第に掌側の骨皮質が壊れ，変形が不可逆になっていく．

手関節尺側の橈骨，尺骨，月状骨，三角骨に囲まれる領域には三角線維軟骨複合体（triangular fibrocartilage complex；TFCC）とよばれる軟部組織が存在する．TFCCは三角線維軟骨（triangular fibrocartilage；TFCまたはdisc proper）とその周囲の靱帯構造からなる線維軟骨−靱帯複合体である．周囲の靱帯組織には橈尺靱帯 radioulnar ligament〔三角靱帯（triangular ligament）と同じ〕，尺骨月状骨間靱帯，尺骨三角骨間靱帯などがある．立体的にはhammock状の

遠位 component，橈尺間を直接支持する三角靱帯（橈尺靱帯），機能的尺側側副靱帯である尺側手根伸筋腱腱鞘床で構成される（図 15-1）．手関節尺側の支持性，手関節の各方向の運動性，手根骨-尺骨間の荷重伝達・分散・吸収に寄与する．TFCC は橈尺間の主支持機構であるため，同損傷では手関節尺側部痛，回内外可動域制限に加えて，DRUJ 不安定性を生じる．

手関節橈側には橈骨動脈が，尺側には尺骨動脈が存在する．橈骨動脈は一度手関節背側へ抜け，第 1 中手骨と第 2 中手骨の間を抜け，掌側へ戻り，浅掌動脈弓と深掌動脈弓を形成し，尺骨動脈と吻合する．手関節掌側深部には前骨間動脈，手関節背側深部には後骨間動脈が通過する．手関節掌側中央には正中神経が，尺骨動脈と並走する形で尺骨神経が走行する．手関節橈側の第 1 コンパートメント付近では橈骨神経浅枝が，手関節背側には後骨間神経が，前腕骨間膜掌側には前骨間神経が走行するが，いずれも知覚枝である．

手関節痛のとらえ方/診断手順

Apprehension of wrist pain / Criteria of diagnosis

坪川 直人　新潟手の外科研究所病院 院長〔新潟県聖籠町〕

手関節痛は部位（橈側，中央，尺側）と外傷性か非外傷性かに区別される（図 15-2）．

1 橈側部手関節痛

1 ▶ 外傷性

(1) 橈骨遠位端骨折
腫脹疼痛著明，手関節変形を伴う．X 線，CT で骨折状態を確認し保存治療か，手術治療かを選択する．

(2) 舟状骨骨折
嗅ぎタバコ窩（snuff box）に強い圧痛腫脹を認める．診断は X 線，CT で，安定型骨折か不安定型骨折かを診断する．

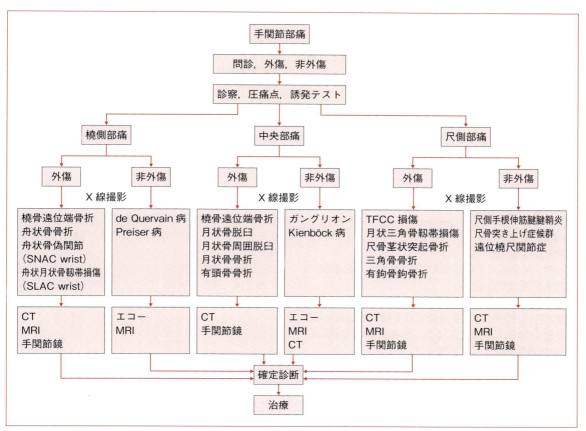

図 15-2　手関節痛の診断

(3)舟状骨偽関節
　長期間経過しており，明らかな外傷を覚えていない場合がある．通常は骨折の見逃し例や，骨接合が上手くいかなかった場合に偽関節となる．Snuff box の圧痛に加え，可動域制限，最大伸展屈曲で疼痛が誘発される．診断は X 線，CT にて偽関節部の hump-back 変形，DISI（dorsal intercalated segment deformity）変形を確認する．また MRI により偽関節部の血流状態の確認が必要である．T1 強調像で低輝度の場合は，血流障害が示唆される．MRI 所見にて手術術式を決定する必要がある．舟状骨偽関節による変形性手関節症は SNAC（scaphoid nonunion advanced collapse）wrist と呼ばれ，橈骨茎状突起部に骨性隆起があり，著明な可動域制限を認める．

(4)舟状月状骨靱帯損傷
　手関節強制伸展下での自動回内時の疼痛がある．舟状骨結節部を母指で圧迫し，手関節を尺屈から撓屈させる scaphoid shift test で疼痛，click を訴える．正面 X 線写真で舟状骨と月状骨間が 3 mm 以上開いている場合は，舟状月状骨解離は明らかであるが，間隙がない場合は手関節鏡で確認する必要がある．SLAC（scapholunate advanced collapse）wrist に進行し，橈骨舟状骨関節に軟骨変性が起こり，変形性関節症に進行する．症状は橈骨茎状突起周囲の腫脹疼痛と可動域制限である．

2 ▶ 非外傷性

(1)de Quervain 腱鞘炎
　手関節背側伸筋腱第 1 区画内の長母指外転筋腱と短母指伸筋腱の狭窄腱鞘炎である．よく使用されている Finkelstein テストでは，母指を小指側に牽引すると疼痛が誘発される．変法は母指を内転し，他の 4 指で握り，手関節を尺屈させ疼痛を誘発する方法である．

2 中央部手関節痛

1 ▶ 外傷性

(1)橈骨遠位端骨折
　橈側手関節部痛と同じであるが，橈骨 Lister 結節部の圧痛が著明である．

(2)月状骨脱臼，月状骨周囲脱臼骨折
　高エネルギー損傷で手関節背屈を矯正され起こる．手関節の腫脹，変形を認める．X 線正面像で Gilula の arch の乱れによって診断する．

2 ▶ 非外傷性

(1)Kienböck 病
　月状骨の圧痛と周囲の腫脹を疑い，X 線写真で月状骨の硬化像と圧潰像を確認する．初期の場合は MRI が有効で，月状骨の T1, T2 強調像で診断可能である．

(2)ガングリオン
　手関節背側ガングリオンが有痛性の場合がある．ガングリオンが大きい場合は診断が容易であるが小さい occult ガングリオンではエコー，MRI で診断する．

3 尺側部手関節痛

1 ▶ 外傷性

(1)三角線維軟骨複合（triangular fibrocartilage complex；TFCC）損傷
　尺骨頭遠位の圧痛（fovea sign），手関節尺屈を強制する ulnocarpal stress test や尺骨頭の piano key test で陽性の場合は，MRI，手関節鏡で診断する．

(2)月状三角骨靱帯損傷
　舟状月状骨靱帯損傷と異なり X 線での変化はない．月状三角骨解離の誘発テスト（compression test, shear test, ballottement test）で診断し，関節鏡で確認する．

(3)尺骨茎状突起骨折
　橈骨遠位端骨折でも合併するが単独でも起こり，疲労骨折の場合もある．茎状突起部の圧痛と X 線，MRI で診断する．

(4)有鉤骨鉤骨折
　野球，ゴルフなどの競技に起こる．圧痛と手根管撮影，CT で診断する．

2 ▶ 非外傷性

(1)尺側手根伸筋腱（extensor carpi ulnaris；ECU 腱）腱鞘炎
　ECU 腱の周囲の腫脹，圧痛，手関節を他動伸展して回外で疼痛誘発する麻生テストなどで診断し MRI で確認する．

(2)尺骨突き上げ症候群
　症状は TFCC 損傷と酷似しているが，X 線写真で尺骨 plus variant で月状骨にも骨変形がある場合がある．MRI で TFCC 変性断裂月状骨尺側近位部の輝度変化を認める．関節鏡による軟骨，TFCC 損傷を確認する．

(3)遠位橈尺関節変形症
　遠位橈尺関節の腫脹，疼痛，関節可動域制限を認める．X 線写真で診断可能である．

手関節の画像診断
Diagnostic imaging of the wrist

坪川 直人　新潟手の外科研究所病院 院長〔新潟県聖籠町〕

1 X線撮影

　手関節疾患の診断には正確な手関節2方向撮影が必要である．正面像は肩関節外転90°，肘屈曲90°，前腕回旋中間位，手関節中間位での後前像，側面像は肩関節外転0°，肘関節90°屈曲，前腕回旋中間位，手関節中間位で撮影を行う．それに加えて回内斜位像，回外斜位像を追加する．診断には健側との比較も重要である．正面像での診断は手根骨のカーブ（Gilula arch）がポイントになる（図15-3）．arch Iでは近位手根骨の舟状骨，月状骨，三角骨の近位，arch IIは近位手根骨の遠位，arch IIIは遠位手根骨，有頭骨，有鉤骨の近位である．それに加えて橈骨関節面を確認する．手根骨 archの乱れは，手根骨骨折，月状骨周囲脱臼骨折，手根不安定症，月状骨壊死のKienböck病，舟状骨壊死のPreiser病やそれらに伴うSLAC（scapholunate advanced collapse）wrist，SNAC（scaphoid nonunion advanced collapse）wristなどの変形性関節症で生じる．橈骨遠位端骨折，前腕骨折による遠位橈尺関節脱臼（Galeazzi脱臼骨折）の診断にも有用である．手関節X線での計測には，正面像で橈骨尺側傾斜角，尺骨のvariance，手根管骨間距離，手根骨の圧潰の程度であるcarpal height ratioなどがある．舟状月状骨解離（Terry-Thomas sign）などに代表される手根骨の解離は手根靱帯の損傷を示し，手根不安定症が確認できる．側面像での計測では，橈骨掌側傾斜角，手根不安定症の診断に使用する舟状月状骨角度，橈骨月状骨角度などがある．また手関節尺屈位正面像では舟状骨骨折線が明瞭に描出される．そのほか有鉤骨鉤骨折に対する特殊撮影として手根管撮影がある．

2 CT（computed axial tomography）

　多列検出器CT（multidetector-row CT；MDCT）により短時間で高画像撮影が可能になった．CTは舟状骨骨折，偽関節の状態や，その他の手根骨骨折の関節面の状態，骨折面の確認などに重要である．橈骨遠位端関節内骨折の関節面の骨折状態にも重要な所見を得ることができるAO分類に利用されている．
　橈骨遠位端骨折変形治癒に対する矯正骨切り術の術前手術計画にも使われるようになった．CTアンギオグラフィーも行われており，鮮明な血管画像が描出さ

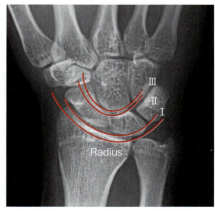

図15-3　Gilulaの arch
I arch：舟状骨-月状骨-三角骨近位関節面
II arch：舟状骨-月状骨-三角骨遠位関節面
III arch：有頭骨-有鉤骨
Radius：橈骨関節面

れ血管閉塞性疾患などで利用されている．また手関節部での腱断裂の状態もCTで確認できるようになり，屈筋腱，伸筋腱皮下断裂の状態が確認できる．

3 MRI（magnetic resonance imaging）

　MRI画像の進歩は目覚ましい．MRIの輝度はT1強調像，T2強調像に加えてT2*や，STIRなどの条件で骨組織，軟部組織の撮影が可能である．骨では骨皮質はT1，T2ともに停止信号，骨髄は高輝度から等輝度である．骨髄内の出血はT1，T2ともに高輝度である．不顕性骨折である橈骨遠位端骨折，舟状骨骨折には最も正確に診断可能である．骨軟部腫瘍の診断に有用である．脂肪腫，血管腫，血腫は高輝度である脂肪抑制画像やガドリニウム（Gd）造影T1画像は腫瘍の診断に重要である．腫瘍は強調され壊死組織は低輝度であり，囊腫は周囲が強調される．Kienböck病，Preiser病などの骨壊死の初期ではX線で所見が現れる前に鋭敏に反応し低輝度になる．またMRIは三角線維軟骨複合体（triangular fibrocartilage complex；TFCC）の診断に重要であり，STIRなどの画像でTFCCは描出され断裂の診断が可能である．de Quervain病や尺側手根伸筋腱腱鞘炎などの腱鞘炎，手関節部の屈筋腱，伸筋腱滑膜炎，リウマチによる手関節炎，化膿性炎症疾患の病巣の広がりを観察できる．尺骨突き上げ症候群などの変形性関節症に対しても利用され骨炎症の部位を特定できる，3D-MRI再構築やMRAも利用されてきている．

4 超音波（echo）

非侵襲検査としてエコーが使用されてきている．ガングリオンなどの軟部腫瘍，腱鞘炎の状態が確認できる．カラー Doppler を利用し，血流の状態，腫瘍と血管の関係なども描出され手術計画に利用されている．エコーを用いた神経ブロック，エコー下関節内注射，腱鞘内注射が安全に行われるようになった．

5 手関節造影（wrist arthrography）

関節造影は X 線写真で撮影できない，関節軟骨，舟状月状骨靱帯，月状三角骨靱帯などの手根骨間靱帯損傷や TFCC 損傷などに使用されてきた．造影剤と空気を手関節内に注射して撮影を行うが，侵襲を伴う手技である．MRI の解像度が飛躍的に向上されてきたために，関節造影の適応は限局される．

6 骨シンチグラフィー（scintigraphy）

骨腫瘍などに用いられてきた放射性同位元素を静注し集積状況をみる骨シンチグラフィーは，手関節炎部位の確認で使用されてきたが，MRI の解像度の向上により使用されなくなってきた．

7 手関節鏡（wrist arthroscopy）

手関節有痛性疾患特に X 線写真で診断できない TFCC 損傷，手根骨間靱帯損傷，手根不安定症には有用な診断手段である．

手関節鏡

Wrist arthroscopy

恵木 丈　北浜えぎ整形外科 院長〔大阪市中央区〕

【概説】　手関節は，8 つの手根骨と多くの小さな靱帯から構成される複雑な関節である．したがって手関節内病変は，CT や MRI などの画像所見では診断できない場合が多いが，手関節鏡を用いることで，それらを補完する診断情報を得ることができ確定診断につながる．また最近は数多くの手関節疾患に対して，低侵襲な鏡視下手術で加療することが可能となった．したがって現代の手関節疾患治療においては必須手技と言える．

手術に際しては，膝関節で用いる関節鏡よりも小径で（1.9〜2.7 mm），短筒（6.5〜11 cm）の 30°斜視鏡を主に使用する．traction tower などの牽引装置と牽引のための finger trap，小関節用のプローブやパンチなどの硬性小物，電動シェーバー（2.0〜3.5 mm 径），RF（radiofrequency）device などが必要である．

1 適応

1 ▶ 診断

従来の画像診断法では診断困難な慢性手関節痛．
手関節内骨折（橈骨遠位端骨折など）における関節内転位の把握．
それらに合併する手根靱帯損傷の有無と重症度診断（Geissler 分類）．
三角線維軟骨複合体（triangular fibrocartilage complex；TFCC）損傷における損傷部位と重症度診断（Palmer 分類 class 1，Atzei 分類など）．
Kienböck 病や尺骨突き上げ症候群における軟骨損傷・変性の重症度診断（Bain 分類，Palmer 分類 class 2）．

2 ▶ 治療

橈骨遠位端骨折に対する鏡視下支援整復固定術（arthroscopic assisted reduction and internal fixation；ARIF）．
橈骨遠位端関節内骨折後変形治癒に対する関節内矯正骨切り術や切除関節形成術（del Pinal 法）．
舟状骨偽関節に対する鏡視下自家骨移植術．
TFCC 損傷に対する鏡視下部分切除術や鏡視下縫合術．
尺骨突き上げ症候群に対する鏡視下 wafer 法．
手関節ガングリオンに対する鏡視下 stalk 切除術．
関節リウマチに対する鏡視下関節滑膜切除術．
SLAC（scapholunate advanced collapse）wrist stage 1 に対する鏡視下橈骨茎状突起切除術など．

2 種類

1 ▶ 橈骨手根関節鏡

伸筋腱区画の間に，関節内へ鏡やプローブなどの手術器具を挿入するためのポータルを設置する．通常，第 3 伸筋腱区画と第 4 伸筋腱区画の間，いわゆる 3-4 ポータルから鏡視を行い，第 6 伸筋腱区画の橈側，いわゆる 6R がワーキングポータルとなり，その尺側，いわゆる 6U ポータルから 21 G 皮内針を刺入し排液する．橈骨関節面，舟状骨，月状骨，三角骨の近位関節面，舟状骨月状骨間（scaphoid-lunate；SL）・月状骨三角骨間（lunate-triquetrum；LT）靱帯の近位部（いわゆる membranous portion）（図 15-4a），TFCC の disc とその周囲（図 15-4b, c），橈骨・尺骨手根 extrinsic 靱帯の評価・治療などに用いる．手関節鏡のなかで最も基本となる手技である．

2 ▶ 手根中央関節鏡

3-4 ポータルの約 1 cm 遠位に MCR（midcarpal-ra-

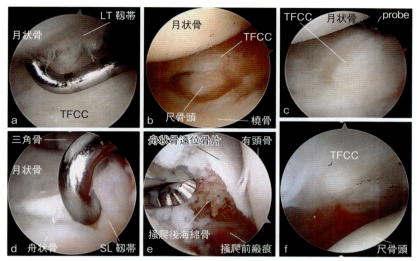

図 15-4 手関節鏡（すべて右手関節）

a：橈骨手根関節鏡．3-4 ポータルから鏡視した月状三角骨間（LT）靱帯損傷．靱帯の摩耗をはじめとした変性が確認できる．プローブは 6R ポータルから挿入している．
b：橈骨手根関節鏡．3-4 ポータルから鏡視した尺骨突き上げ症候群における TFCC disc 損傷．RF などを用いた部分切除後で，尺骨頭が確認できる．TFCC 周囲（peripheral）は，関節安定化にとって重要なので切除しない．
c：橈骨手根関節鏡．3-4 ポータルから鏡視した TFCC 尺骨小窩損傷における hook sign．Prestyloid recess にプローブを挿入し TFCC を上方に引き上げている．損傷があるので，月状骨の近くまで TFCC が移動する．
d：手根中央関節鏡．MCR ポータルから鏡視した舟状月状骨間（SL）靱帯に対するプロービング．靱帯成分が確認できる．プローブは MCU ポータルから挿入している．
e：手根中央関節鏡．MCU ポータルから鏡視した舟状骨偽関節部．MCR ポータルから挿入した小関節用鋭匙で瘢痕を掻爬している．除去部には血行のある海綿骨を認めた．
f：DRUJ 鏡．DRUJ-R から鏡視した尺骨頭と TFCC 近位部．TFCC 尺骨小窩損傷症例のため，尺骨頭と TFCC 間が開大している．TFCC には変性と，内部に靱帯成分とおぼしき部分を認める．

dial）ポータル，4-5 ポータルの約 1 cm 遠位に MCU（midcarpal-ulnar）ポータルを設置し，鏡視とワーキングポータルを適宜スイッチングする．STT（scapho-trapezio-trapezoidal）ポータルを症例によって追加する．排液は三角骨・有鉤骨間に皮内針を刺入する．SL・LT 靱帯の背側部（いわゆる ligamentous portion）（図 15-4d），舟状骨骨折・偽関節の評価・鏡視下骨移植術（図 15-4e），舟状骨，月状骨，三角骨の遠位側関節面の評価に有用である．

3 ▶ 遠位橈尺関節（distal radioulnar joint；DRUJ）鏡

尺骨頭遠位橈側と TFCC 近位側との間隙に DRUJ-R（-radial）ポータル，その約 1 cm 近位に DRUJ-P（-proximal）ポータル，尺骨茎状突起基部橈側，いわゆる尺骨小窩遠位と TFCC 近位側との間隙に DRUJ-U（-ulnar）ポータルが設置できる．DRUJ-R と -U ポータルのコンビネーションは，TFCC 尺骨小窩損傷における診断と鏡視下縫合術においてきわめて有用である（図 15-4f）．

3 実施手順

示指から環指の 3 指うち 2 指に finger trap を装着する．やや尺屈させたければ（手関節橈側が見やすい）示指・中指，橈屈させたければ中指・環指（尺側が見やすい），中間位で牽引させたければ示指・環指がよい．traction tower を用いて約 5 kg の牽引をかけることで関節裂隙を開大させ，手術時の鏡などの挿入を容易に行う準備とする．Lister 結節や橈骨・尺骨茎状突起などのランドマークを触知することで，ポータル設置予定部位を正確に設定する．シリンジに装填した注射

針から生理食塩水を関節内に注入することで，関節内部のdistensionとポータル設置予定部位の確からしさを判定する．スムーズに関節内まで針が進まない場合は，刺入位置や方向を修正する．

ポータル設置位置が確定すれば，メスを用いて約4mmの皮膚切開を加える．皮下をモスキート鉗子などで鈍的に剝離し関節包まで到達した後，そのまま穿破すればポータル作成が完了する．鈍棒を装着した鏡の外筒を関節内に挿入し，鏡に入れ替えることで鏡視を開始する．同様の手技でセカンドポータルを設置する．さらに排液を行うことで視野を確保し，特に橈骨遠位端関節内骨折においては生理食塩水の関節外・皮下への漏出を最小限にする．

その後，靭帯の縫合，骨・軟骨の切除やabrasion，滑膜切除など個々の用途に応じた手術器具，シェーバーやRF deviceの先端を選択することでさまざまな手技に対処する．

4 実施上のポイント

牽引は，橈骨手根関節鏡では約5 kg，手根中央関節鏡と遠位橈尺関節鏡では3 kg程度で関節裂隙は十分に開大する．

橈骨手根関節鏡，手根関節鏡では2.7 mm径関節鏡で遂行可能だが，遠位橈尺関節鏡は不可能である．1.9 mm径関節鏡が遠位橈尺関節鏡には最適だが，小径なので破損が増える．したがって筆者は，その中間の2.3〜2.4 mm径の関節鏡を用いることで，すべての手関節鏡手技に対応している．

5 注意事項

手関節周辺は，腱，血管，神経などが多数存在するので，手関節鏡手術時にはそれらを損傷しないよう留意する．特にポータル設置時のメスの使用は皮膚に限定するべきで，皮下の操作は必ず鈍的に行う．

3-4ポータルでは，長母指伸筋腱（ポータル傍，近位橈側），橈骨神経知覚枝（superficial branch of the radial nerve；SBRN）（距離16 mm），橈骨動脈（同26.3 mm）損傷に注意する．6Rポータルでは，小指伸筋腱（ポータル傍，遠位橈側），尺骨神経背側枝（dorsal branch of the ulnar nerve；DBUN）（同8.2 mm），6UポータルではDBUN（同4.5 mm）損傷に注意する．橈骨茎状突起切除術でよく用いる1-2ポータルは，SBRNと橈骨動脈から3 mmしか離れていない．TFCC損傷で用いるDRUJ-UポータルではDBUN損傷，舟状骨やSL・LT靭帯損傷で用いるMCRポータルではSBRN損傷（16 mm）に注意する．

月状骨周囲脱臼，月状骨脱臼

Perilunate dislocation, Lunate dislocation

松井　雄一郎　北海道大学大学院歯学研究院 准教授

【疾患概念】
月状骨周囲の靭帯損傷や手根骨骨折により月状骨周囲の手根骨が一塊となり，背側あるいは掌側に脱臼するのが月状骨周囲脱臼，月状骨のみが掌側へ脱臼するのが月状骨脱臼である．

【病態】
月状骨周囲脱臼や月状骨脱臼は，高所からの転落やオートバイによる交通事故などにより，手関節へ大きな外力（特に手関節背屈と尺屈強制）が加わることによって生じる．舟状骨骨折や橈骨茎状突起骨折，正中神経麻痺などを合併することもあるため注意が必要である．発生自体は比較的まれであるため見逃されることもあり，治療に難渋する例や，手根不安定症に進行する例が散見されており，早期の正確な診断と靭帯の解剖学的な修復が重要である．

月状骨周囲脱臼は，外力により月状骨周囲の靭帯損傷や手根骨骨折が生じて，月状骨のみが橈骨と正常な位置関係を保ち，月状骨周囲の手根骨が一塊となり背側あるいは掌側に脱臼した状態である．一方，月状骨脱臼は，月状骨のみが掌側に脱臼して，月状骨周囲の手根骨は橈骨と正常な位置関係を保つ．Mayfieldによると，これらは独立した病態ではなく，月状骨周囲脱臼の最終段階として月状骨脱臼があるとしている．

【臨床症状】
手関節の腫脹や疼痛を認める．ただし，月状骨脱臼では腫脹や疼痛が比較的軽度な場合もあり注意を要する．

必要な検査
手関節の単純X線画像（正面，側面）が必須である（図15-5）．手根骨相互の位置関係や骨折の有無などの評価には，CT画像も有用である．

診断のポイント
①単純X線正面画像では，手根骨配列を近位・遠位手根骨の骨皮質を結ぶライン（いわゆるGilula's lines）の乱れを観察する．単純X線側面画像において，月状骨周囲脱臼では月状骨と有頭骨の位置関係，月状骨脱臼では橈骨と月状骨の位置関係を観察する．
②CT画像では，これらの手根骨相互の位置関係や合併する舟状骨骨折，有頭骨骨折，三角骨骨折，橈骨茎状突起骨折などの有無を詳細に評価することが可能である．

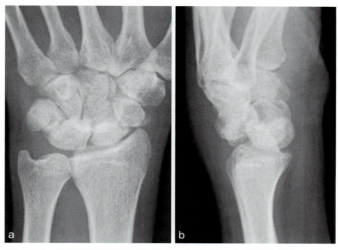

図 15-5 月状骨周囲脱臼(舟状骨・三角骨・有頭骨骨折を合併)
a：単純 X 線正面像，b：単純 X 線側面像．

治療方針

骨折を合併している場合には，骨折部の不安定性が強いため骨接合が必要である．なお，閉鎖性整復と観血的整復のどちらを選択すべきかについて一定の見解は得られていないが，閉鎖性整復を行う場合は頻回な整復操作は避けるべきである．

1 ▶ 閉鎖性徒手整復

手関節を軽度伸展位で牽引し，月状骨の掌側を押しながら手関節を屈曲させる．整復すると有頭骨が月状骨の背側を乗り越えるのが確認できる．この時点で透視下に手根骨間の不安定性を確認する．舟状骨骨折などの合併損傷がなく不安定性が強くない場合，鋼線固定のみを行う報告もあるが，固定除去後に手根不安定症(特に舟状月状骨解離)が発生しやすいため，靱帯修復術などの有効性が指摘されている．

2 ▶ 手術療法(鋼線固定術，靱帯修復術，関節包固定術)

不安定性が強い場合や徒手整復が不能な場合は手術療法を選択する．手関節背側より縦皮切を加える．背側手根間(dorsal intercarpal；DIC)靱帯と背側橈骨手根(dorsal radiocarpal；DRC)靱帯を温存し関節包を切開．最初に徒手整復をしなかった場合は，この時点で手関節を軽度伸展位で牽引し，月状骨の遠位関節面と有頭骨の近位関節面の整復を行う．舟状骨骨折などの骨折合併例は，headless compression screw などを用いて強固に内固定すべきで，これにより骨癒合不全や変形治癒による手根不安定症，舟状骨偽関節に伴う変形性手関節症(scaphoid nonunion advanced collapse wrist；SNAC wrist)を予防できる．

脱臼整復後に舟状月状骨解離が生じた際は，まず掌屈した舟状骨と背屈した月状骨を整復する．舟状月状骨関節面が整復されたことを確認後，舟状月状骨間，舟状有頭骨間を鋼線固定する．舟状月状骨間は通常 2 本以上の鋼線で固定する．断裂した靱帯を新鮮化し，靱帯付着部を decortication し，そこに suture anchor を 2 個ほど挿入し，舟状月状骨間靱帯を修復する．なお，当科では特に不安定性の強い症例や陳旧例に対しては，Szabo らの報告による DIC 靱帯を用いた背側関節包固定術も積極的に併用している．

患者説明のポイント

骨折を合併している場合には治療に難渋する可能性もあり，術後の可動域制限を生じやすい．靱帯修復や関節包固定術を行った場合，long arm splint は 2 週，short arm splint はさらに 4 週行う．術後 6 週で舟状有頭骨間の鋼線を除去し，舟状月状骨間の鋼線は術後 8〜12 週程度で除去することが多い．術後経過が長くかかるため，後療法を十分に説明しておく必要がある．

舟状骨骨折

Scaphoid fracture

森崎 裕　東京大学医学部附属病院 講師

【疾患概念】 手根骨骨折中最多で 60〜70％ を占める．見逃されやすい一方で難治性であり，注意を要する．偽関節は変形性手関節症に至る．

15 手関節の疾患

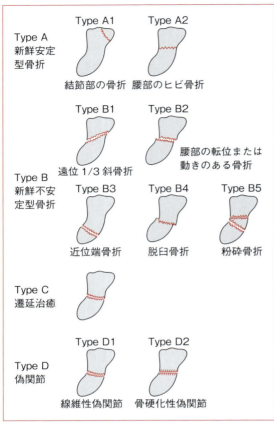

図 15-6　Herbert 分類
(Herbert TJ, et al: Management of the fractured scaphoid using a new bone screw. J Bone Joint Surg 66-B: 114-123, 1984 より)

分類は Herbert 分類があり，骨折部位，転位，新鮮か陳旧かで分類される（図 15-6）．近位部骨折は転位がなくても不安定な Type B である．

【病態】
手関節背屈位での軸圧により生じ，転倒やコンタクトスポーツで相手に打ち付けた際などに受傷する．偽関節例が再受傷で発覚することも多く，問診では以前の手関節外傷歴，手関節捻挫と診断されたことはないかを確認する．

必要な検査とその所見
典型的には手橈側タバコ嗅ぎ窩に腫脹，圧痛がある．舟状骨遠位部骨折では，掌側舟状骨結節部，逆に近位部骨折では，手関節深屈曲位で橈骨 Lister 結節の遠位橈側に圧痛があることがある．

単純 X 線撮影，特に舟状骨撮影（手関節尺屈位での正面像）を行うが，それでも 25% で骨折線が描出されない．そこで，身体所見で疑わしい症例は thumb spica キャスト固定を行い，2 週後に再度撮像し診断するのが古典的な手法である．ただ，近年は CT，MRI へのアクセスが容易であり，直後に CT，MRI を撮像することも多い．CT，MRI のどちらが優れているかは，結論は出ていない．

診断のポイント
初期単純 X 線ではわかりづらいため，とにかく「疑うこと」が肝心である．

専門病院へのコンサルテーション
粉砕型新鮮骨折，陳旧例，偽関節例は，手術難易度が高く，また経過も必ずしも良好でないことから，手外科専門医への紹介が望ましい．

治療方針

1 ▶ 保存療法
Herbert 分類 A1，A2 は保存療法が可能である．受傷後 3 週以内に治療を開始できた場合は，90% 以上の確率で骨癒合が得られるとされる．母指の固定，肘上か肘下固定か，などの結論は得られていない．最低 6 週間の固定が必要といわれ，骨癒合の程度をみて期間を延長する．骨癒合は 8〜10 週で得られることが多いが，なかには 3 か月を超す場合もある．

2 ▶ 手術療法
Herbert 分類 Type B，C，D は手術適応である．Type A2 でも保存療法では 10% 弱偽関節リスクがあることから，相対的な手術適応ともいえる．手術は基本的に headless compression screw を用いた観血的整復内固定術が行われる．転位がほぼないものは経皮的内固定も可能だが，転位があるものは，観血的あるいは関節鏡下に整復が必要である．

遷延治癒，偽関節についての手術は，遊離あるいは血管柄つき骨移植を偽関節手術と同時に行う．

患者説明のポイント
転位がなくても骨癒合が得られないことがあること，また，骨癒合が得られないと早期に変形性関節症に進行することを説明しておく．

リハビリテーションのポイント
保存療法の症例では最低 6 週外固定，固定除去は X 線で骨癒合傾向がみえてからとする．新鮮例の手術例では，Type A2 で経皮的に内固定できたものは 2 週で外固定を除去することもあるが，一般的には 4〜6 週シーネ固定を行う．偽関節手術の場合は 8〜12 週間の外固定を行う．

有鉤骨鉤骨折

Hook of hamate fracture

近藤 真　北海道整形外科記念病院 院長〔札幌市豊平区〕

【疾患概念】　有鉤骨骨折は全手根骨骨折中の約2％とまれな骨折である．受傷機転としては転倒による直達外力，靱帯による剥離骨折のほかに野球，ゴルフなどのバットやクラブをスウィングするスポーツによる鉤骨折が知られている．臨床的に本骨折を疑っても通常のX線写真では骨折部が見えにくく，診断・治療が遅れがちである．有鉤骨骨折には体部骨折と鉤骨折に分類されるが，本項では主としてスポーツによって発生する鉤骨折について解説する．

【受傷機転】
　鉤骨折は野球のバット，ゴルフクラブなどをスウィングする際，グリップエンドが小指球深部の有鉤骨鉤に直達外力として作用することにより発生すると考えられている．野球ではファウルチップや空振り，ゴルフではいわゆるダフリ（duffing）の際に発生することが多い．

【診断】
　患者は手関節尺側痛を訴えることが多いが，臨床所見としては局所の腫脹と限局する圧痛を認める．手関節尺屈位で小指の屈曲に抵抗を加えると痛みが増強するのも特徴的である．画像診断だが，単純X線では手根管撮影が推奨される．しかし，本法でも骨折線が見えないことがあり，現時点ではCTが骨折部の描出に関して最も優れている．

【治療方針】

1 ▶ 保存療法
　ノンアスリートで受傷後1週以内に診断でき，転位がない場合は保存治療（キャスト固定6～8週）でも骨癒合が期待できる．しかし，診断が遅れたり，アスリートの場合は保存治療で骨癒合が得られても，競技復帰すると再骨折の可能性がある（図15-7）．

2 ▶ 手術療法
　近年，小侵襲でのスクリュー固定の報告が散見される．しかし，競技復帰するとしばしば再骨折する．したがってその成績が安定しており，競技復帰にも支障のないことから骨片摘出が選択されることが多い．術後2週外固定の後，可動域訓練を開始し，早ければ術後2～3か月を目安に競技復帰可能である．

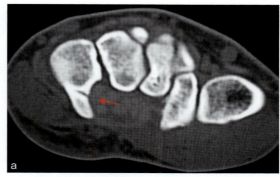

初診時CT（→：骨折部）

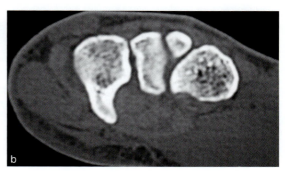

4か月後，骨癒合が得られている

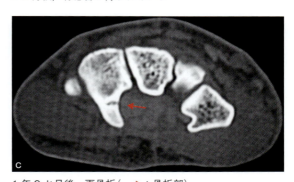

1年9か月後，再骨折（→：骨折部）

図 15-7　アスリートの再骨折例

有頭骨骨折

Capitate fracture

原 章　順天堂大学医学部附属浦安病院 准教授

【疾患概念】　有頭骨は手根骨の中央に位置し，近位の頭部には血管侵入がなく遠位から逆行性に栄養されるため，有頭骨骨折で血流が絶たれると頭部の骨壊死が生ずる可能性がある．

15 手関節の疾患

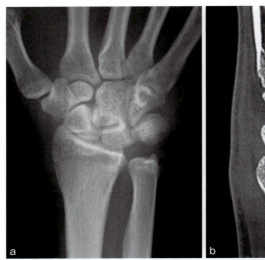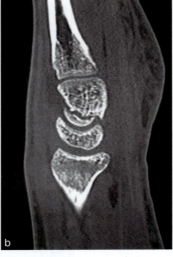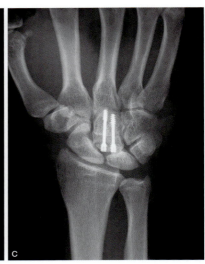

図 15-8　有頭骨骨折手術例（東京労災病院　富田善雅医師よりご提供いただいた）
術前単純 X 線正面像（a）および術前 CT 矢状断（b）では有頭骨近位の骨折を認める．
術後単純 X 線（c）では headless screw 2 本で固定したことがわかる．

【頻度】
すべての手根骨骨折の 1～2％ 程度．

【病型】
約半数は単独骨折である．受傷機転は手掌をついて転倒し手関節が過度に背屈され，有頭骨が橈骨背側縁に衝突し骨折する．
合併する骨折：橈骨骨折，三角骨骨折，有鉤骨骨折，月状骨周囲脱臼など．
Scaphocapitate syndrome（Fenton's syndrome）：非常に珍しいが発表は多い．高エネルギー損傷で，手関節の過伸展により舟状骨骨折が生じ，次に有頭骨が骨折し，有頭骨近位骨片が 90～180° 回転する．

【臨床症状】
手関節背側の腫脹，圧痛．手関節可動域制限などを認める．

問診で聞くべきこと
受傷時の状況から受傷時の手関節の肢位を推測する．

必要な検査
①単純 X 線：手関節 4 方向（正面・側面・両斜位）．
②CT 撮影：詳細な評価のため．

診断のポイント
有頭骨骨折は見逃されやすい．単純 X 線で異常がなくても，手関節の腫脹，疼痛，可動域制限があれば CT 撮影を行うべきである．

治療方針
①転位がなければ，6 週間のギプス固定で骨癒合が得られる．
②転位があれば，特に近位の骨折では正確に整復すべきである．正しい整復こそ有頭骨頭部への血流再開の唯一の条件とされる．手術は背側から進入するが，近位骨片の掌側転位が著しいときは掌側から進入する．整復して headless screw などで内固定する（図 15-8）．近位骨片を摘出すると手根骨高が短縮し，手根虚脱を招くのですべきではない．

合併症
①偽関節では海綿骨移植し headless screw などで内固定を行う．
②近位骨片の壊死により月状有頭骨関節症が生じた場合，部分手根骨間固定術を行う．

患者説明のポイント
偽関節，近位骨片の壊死を生じる可能性を説明する．

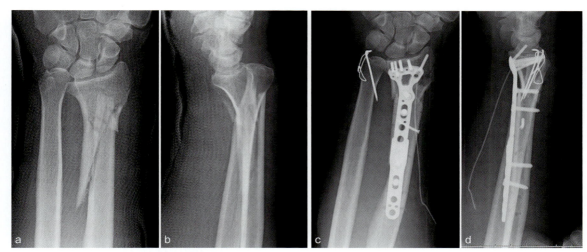

図 15-9 58 歳，男性．左 Galeazzi 脱臼骨折
a：術前 X 線前後像
b：術前 X 線側面像．尺骨頭は背側へ脱臼している．
c：術後 X 線前後像．橈骨の骨接合に尺骨茎状突起骨折を tension band wiring で固定することにより尺骨頭の不安定性は消失した．
d：術後 X 線側面像

遠位橈尺関節脱臼

Dislocation of the distal radioulnar joint

安部 幸雄　山口県済生会下関総合病院 副院長〔山口県下関市〕

【疾患概念】　尺骨頭が橈骨尺側切痕から逸脱した状態．方向により背側，掌側および長軸脱臼に分類される．単独脱臼はまれで，多くは橈骨遠位端骨折や骨幹部骨折に伴い脱臼する（Galeazzi 脱臼骨折，図 15-9）．手関節背屈位で手をつき回内ストレスが加わり橈骨の短縮と尺骨頭が遠位背側に脱臼する形態が多い．

【病態】
脱臼に伴い三角線維軟骨複合体（triangular fibrocartilage complex；TFCC）の断裂を伴う．多くは尺骨小窩での断裂である．

問診で聞くべきこと
腱・神経損傷の合併に注意し，神経は特に尺骨神経障害を合併することがあり，しびれ，手指の運動障害をチェックする．

必要な検査とその所見
Ulnar head ballottement test にて尺骨頭の不安定性を調べる．X 線撮影にて骨折の有無，CT にて脱臼方向，程度を確認する．さらに MRI にて TFCC ほか軟部組織の損傷がないか検索する．

見落としやすい所見，鑑別診断
前腕長軸の脱臼骨折（Essex-Lopresti 脱臼骨折）を見落とさないため，必ず前腕，肘の単純 X 線撮影を確認する．さらに手根骨骨折や月状三角骨間靱帯損傷の有無もチェックする．

診断のポイント
橈骨の骨折に気を取られ脱臼を見逃しやすい．画像診断だけでなく必ず患者の手関節，前腕を触診し，その肢位にも注意する．

専門病院へのコンサルテーション
麻酔下に徒手整復を行うが，本症は高度外傷であり必ず専門医のコンサルテーションを受ける．

治療方針
単独脱臼で，背側脱臼は回外方向へ掌側脱臼は回内方向へ回旋し整復する．整復できれば回内外中間位にて 4〜6 週の外固定を行う．脱臼骨折例では手術を要する．

手術療法
橈骨遠位端，骨幹部の骨折はプレート固定を行う．そのうえで尺骨頭の不安定性をチェックする．不安定性があり尺骨茎状突起骨折を伴っていればまずこれを固定する．骨折のない例あるいは骨接合しても不安定性が残存する例は TFCC 断裂を合併しており，これを修復する必要がある．

> **患者説明のポイント**
> 脱臼骨折は高度外傷で後遺症を残しやすい．早期からリハビリテーションを開始することが重要である．

三角線維軟骨複合体（TFCC）損傷

Triangular fibrocartilage complex (TFCC) injury

安部 幸雄 山口県済生会下関総合病院 副院長〔山口県下関市〕

【疾患概念】 三角線維軟骨複合体（TFCC）は解剖学的に実質部と周辺部に区分でき，前者は手関節尺側において衝撃緩衝体として，後者は遠位橈尺関節（distal radioulnar joint；DRUJ），尺骨手根関節の安定性に寄与する靱帯としての機能を有する．その損傷は手関節尺側部痛やDRUJ不安定症の原因となる．

【病態】
急性損傷と慢性（陳旧性）損傷がある．明らかな外傷ののちに疼痛が生じれば急性損傷と診断できるが，はっきりとしないものもある．慢性例は尺骨突き上げ症候群を伴うことも多い．分類には従来Palmer分類が用いられてきたが，昨今損傷の多様性が明らかとなり種々の分類が提唱されている．その一例であるオリジナル分類を記載する（表15-1）．無神経野である実質部の損傷が疼痛を生じる原因はTFCC全体に生じる歪み，断裂片の挟み込みなどが考えられる．周辺部損傷では程度の差はあれDRUJの不安定性を認める．特に尺骨小窩断裂では尺骨頭の亜脱臼を認めることがある．

> **問診で聞くべきこと**
> 転倒時の手関節強制背屈や強い力での回内外動作を行った後に生じたなどの受傷機転を聴取する．どういう動作，肢位で疼痛が生じるのか，手関節が抜けるような不安定感を感じるか，生活のなかで何がどの程度不自由なのかは治療の必要性を決定するのに重要である．

> **必要な検査とその所見**
> 単純X線撮影では，骨折の有無，DRUJの開大，尺骨のバリアンスと関節症変化の有無などをチェックする．CTではこれらに加え回内外時の尺骨頭の亜脱臼の有無も確認する．MRIはTFCC断裂の診断において感度の高い検査であるが，断裂の部位，性状を把握するには経験を要する．関節造影は損傷部位の確認とともに局所麻酔薬を添加することにより，疼痛の一時的緩和を確認することで診断の一助となる．これら画像所見は，後述の理学所見と同様，健側との対比が重要である．

表15-1 外傷性TFCC損傷のオリジナル分類

1. 実質部損傷
a. 裂状断裂
b. 弁状断裂
c. 冠状断裂
d. 水平断裂
e. 尺骨頭側断裂
2. 周辺部損傷
a. 遠位部断裂（掌側靱帯）
b. 背側部断裂
c. 掌側部断裂
d. 橈側部断裂
e. 尺骨茎状突起剥離断裂
f. 尺骨小窩断裂
g. 遠位橈尺靱帯断裂
3. 合併損傷（double lesion）

（Abe Y, et al: Hand Surg 17: 191-198, 2012／安部幸雄, 他：MB Orthop 31: 40-46, 2018 より）

> **理学所見**
> 手関節掌背屈，回内外時の疼痛を高率に認める．圧痛部位を丹念に検索する．Ulnar snuff box（尺骨頭，尺骨茎状突起，尺側手根屈筋腱，豆状骨に囲まれたsoft spot）の圧痛はfovea signと称され尺骨小窩断裂を示唆させる．握力低下，ulnocarpal stress test（手関節尺屈で軸圧を加えながら回内外を強制する）での疼痛再現や，ulnar head ballottement test（手関節橈側を把持して尺骨頭の掌背側への不安定性をみる）での尺骨頭の不安定性をチェックする．尺骨頭の不安定性に関しては健側と比較することが重要である．

> **鑑別診断で想起すべき疾患**
> 手関節尺側部痛をきたす疾患は多岐にわたる．なかでも尺骨突き上げ症候群，尺側手根伸筋腱（extensor carpi ulnaris；ECU）腱鞘炎との鑑別は非常に重要で時に難しい．さらにDRUJ関節症，月状三角骨（lunotriquetral；LT）間不安定症，尺骨茎状突起骨折・偽関節，豆状三角骨関節症，有鉤骨鉤骨折，Guyon管症候群などがある．

> **診断のポイント**
> 最も重要なのは症状と理学所見である．尺骨頭周囲の圧痛部位を丹念に調べulnar snuff box，尺骨頭背側，掌側に圧痛点があればTFCC損傷を疑う．さらに理学所見が陽性で，画像所見にてTFCC損傷を認めればおおむね診断可能である．手術時に行う手関節鏡は事前に推察した損傷形態を確認する作業と心得る．鏡視像を含めた画像所見には無症候性異常所見が存在することを常に意識しておかなければならない．

トピックス　手関節TFCC損傷に対する診断と治療

難治性手関節尺側部痛の多くは尺側手根伸筋(extensor carpi ulnaris；ECU)腱鞘炎，三角線維軟骨複合体(triangular fibrocartilage complex；TFCC)小窩部断裂，TFCC実質部損傷(尺骨突き上げ症候群を含む)，の3疾患である．おおまかな診断には誘発テストが有用である．

まずcarpal supination test(肘90°屈曲，前腕回外位で患者の手を把持し過回外させたときに激痛が生じれば陽性とする)でECU腱鞘炎を鑑別する．さらにECU腱鞘内へのステロイド薬と局所麻酔薬の注射は治療のみならず確定診断に有用である．ECU腱鞘炎ならば注射後数分後にcarpal supination testが陰性となる．

陰性にならない場合はTFCC損傷を疑う．TFCC損傷の誘発テストではulnocarpal stress test(手関節尺屈位で他動的に軸圧をかけながら回内外すると有痛性クリックを生じる)がよい．ややグリップさせながら回外位で行うと痛みを誘発しやすい．遠位橈尺関節(distal radioulnar joint；DRUJ)不安定性テストを行うと実質部損傷では不安定性は生じないが，小窩部断裂では尺骨が背側へ亜脱臼する方向へ不安定性を認めることが多い．小窩部断裂か実質部損傷かを鑑別するにはMRIより関節造影CTが有用である．造影剤にキシロカインを混ぜDRUJ内を麻酔すると上記の誘発テストが陰性になることを確認する．除痛されない場合はECU腱鞘炎や月状三角骨骨間靱帯損傷などのDRUJ関節外病変を疑う．さらにDRUJ関節造影CTでTFCC小窩付着部に造影剤が貯留する所見があれば小窩部断裂とほぼ確定診断できる(図15-10)．

TFCC損傷の保存治療はステロイドのDRUJ内注射および手関節尺屈防止TFCC装具を約1か月装着する．保存治療で無効な症例が手術適応となる．実質部損傷の手術は基本的に骨幹部で短縮骨切りするMilch法を選択するが，骨癒合期間が約5か月と長く，侵襲が大きい，プレートの刺激症状が出ることがあるなどの欠点を有している．したがって若年者やスポーツをする患者には早期のスポーツ再開が可能で低侵襲な尺骨遠位骨端部での楔状短縮骨切術(北野変法)を選択する．北野変法の骨癒合期間は約2か月と短い．不安定性の強い小窩付着部損傷には，尺骨三角骨靱帯を用いた再建法を行う．尺骨三角骨靱帯は掌側の橈尺靱帯に合流しているため，尺骨三角骨靱帯と掌側橈尺靱帯の連続性を温存したまま，尺骨三角骨靱帯を三角骨側から剥離翻転し尺骨頭に引き込んで緊張させれば，そのまま掌側の橈尺靱帯の緊張として得られ，尺骨を掌側に確実に安定化させられる．

森友　寿夫〔大阪行岡医療大学理学療法学科 教授〕

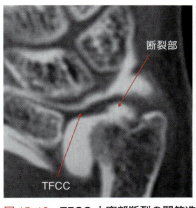
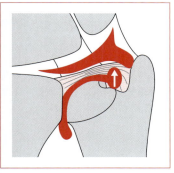

図15-10　TFCC小窩部断裂の関節造影CT
小窩部の造影剤貯留像を示す．

専門病院へのコンサルテーション

本症の適切な診断，手術治療はある程度経験を積んだ専門医でなければ困難である．保存的治療で改善しない，DRUJ の不安定性が高度な症例は早めに専門医へ紹介する．

治療方針

急性外傷で尺骨頭の不安定性が高度でなければリストサポーターによる固定を 4〜8 週行うことで緩解することもある．尺骨頭の不安定性が高度であれば 3〜4 週間のギプス固定を行う．慢性例であっても未治療であれば，まずはサポーターによる制動と患肢の過度の使用，強制背屈や回内外は避けるように指導する．これらの治療によっても疼痛や活動制限が 3 か月以上持続するようであれば手術も考慮する．

手術療法

原則として手関節鏡手術にて行う．各種理学所見を採取し種々の画像診断を行っても，確診的な部位診断は困難であり関節鏡は最終診断の手段ともなる．手関節鏡手技に精通することが重要である．分類に則り実質部損傷は掻爬，周辺部損傷は縫合の適応となる．併存する滑膜も同時に切除する．縫合方法は尺骨小窩以外の周辺部断裂は関節包への縫合(capsular repair)，尺骨小窩断裂は尺骨小窩部へ縫着を行う．Capsular repair には結節縫合やマットレス縫合，尺骨小窩への縫着は骨孔を作成して引き込む方法やアンカーを使用した縫着法などがある．尺骨突き上げの所見(月状骨尺側，三角骨関節面，尺骨頭の軟骨変性など)を認めた場合は尺骨短縮術の併用も考慮する．靱帯としての質が不良であれば靱帯再建術の適応であり，ECU の半裁腱や長掌筋腱を使用した方法が報告されている．

患者説明のポイント

本疾患はスポーツ選手や重労働者などの活動性の高い患者が多い．保存，手術療法に関わらず本格的な復帰には 3〜6 か月を要することを理解してもらう．

Kienböck 病（月状骨軟化症）

Kienböck disease (lunatomalacia)

西塚 隆伸　中日病院名古屋手外科センター 副センター長〔名古屋市中区〕

【疾患概念】　Kienböck 病（キーンベック病）は，手根骨の 1 つである月状骨の無腐性壊死疾患で，1910 年にオーストリアの Robert Kienböck により月状骨軟化症として初めて報告された．ただし，原因については 100 年以上経過した現在も統一された見解がなく，治療法についてもさまざまである．

【頻度】
仕事やスポーツで手関節に負担のかかる青壮年男性に好発し，年齢は 10 代後半〜30 代に多い．ただし近年は，50 代以降の患者に遭遇する機会も増えてきている．

【病態】
月状骨の無腐性壊死により，徐々に硬化，圧潰，分節化，さらには手根骨全体の配列異常や関節症変化をきたす．月状骨が壊死する原因としては月状骨への血流障害が考えられるが，その要因としてはいまだに不明であり，月状骨への流入血管が乏しいという解剖学的要因に加え，繰り返しの微小外力，ulnar minus variance による月状骨への応力集中，手関節炎による関節内圧増加など，さまざまな要因が多元的に関与して発症すると考えられている．

【臨床症状】
患者は手関節痛や可動域制限を訴える．理学所見としては，手関節に腫脹と背側に圧痛を認め，握力や手関節可動域は低下している．

問診で聞くべきこと

手関節に負担のかかる職業・スポーツ・趣味を行っていないか，手関節の外傷歴がないか，痛みがいつからどのように起こり推移しているか，手指のしびれ（手根管症候群）などの随伴症状がないか，などを聴取する．

診断のポイント

手関節中央背側の月状骨付近に，圧痛があるかどうかをまず確認する．手関節単純 X 線の正面，側面像を撮影し，月状骨の硬化，圧潰，分節化があるかどうか確認する．月状骨の病変がわかりにくい場合は，健側と比較したり CT を撮影するのも有用である．単純 X 線で異常が出現しない早期病変の診断には MRI が有用であり，T1・T2 強調像で月状骨全体に低信号を認めれば Kienböck 病を疑う．

本症の Stage 分類には，Lichtman 分類（図 15-11）

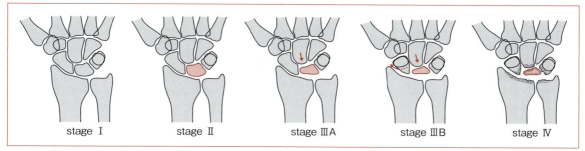

図 15-11 Lichtman 分類
Stage Ⅰ：単純 X 線像で異常なし．MRI の T1 強調像で月状骨に低信号変化を認める．
Stage Ⅱ：単純 X 線像で月状骨の骨硬化を認める．
Stage ⅢA：月状骨の圧潰を認めるが，舟状骨の掌屈を認めない．
Stage ⅢB：月状骨の圧潰に加え，舟状骨の掌屈を認める．
Stage Ⅳ：ⅢB の症状に加え，橈骨手根関節や手根中央関節に関節症変化を認める．

が最も用いられており，治療法選択の際，重要となる．

専門病院へのコンサルテーション
本症を疑った場合は，手外科専門医に紹介することが望ましい．

治療方針
Kienböck 病では，単純 X 線像と臨床症状が必ずしも直結せず，画像上進行した症例であっても症状が軽微であることもある．また，高齢者では，活動性が低いためか疼痛が改善しやすい．すべての症例において，まずは手関節装具などによる保存治療を行う．Lichtman Stage Ⅰ の症例，15 歳未満の若年者，高齢者は保存治療で症状の改善が得られやすい．数か月の保存治療で症状の改善が得られない場合や，画像上病変が進行するような場合は，手術を考慮する．

手術治療
それぞれの治療法のメリット，デメリット，年齢，患者の希望を考慮して決定する．

1 ▶ Lichtman Stage Ⅱ および Lichtman Stage ⅢA
①月状骨への圧力を減少させる目的の月状骨除圧術（橈骨短縮術，橈骨楔状骨切り術，有頭骨短縮術）は比較的よく行われており，骨切りの方法は ulnar variance に応じて決定する．
②月状骨の血流を改善させる目的の血行再建術（血管柄付き骨移植）もよく行われており，これには 4,5 extracompartmental artery（ECA）や 1,2 intercompartmental supraretinacular artery（ICSRA）を血管茎とした橈骨からの有茎骨移植などがある．

2 ▶ Lichtman Stage ⅢB
③月状骨摘出＋代替物置換（長掌筋腱による腱球，血管柄付き豆状骨など）
④手関節部分固定術（舟状骨・大菱形骨・小菱形骨間固定術，橈骨月状骨間固定術など）
⑤近位手根列切除術
などを選択して治療する．

3 ▶ Lichtman Stage Ⅳ
橈骨手根関節や手根中央関節に関節症変化を認める段階であり，
⑥手関節全固定術などの salvage 手術の適応である．

Preiser 病
Preiser disease

西塚 隆伸 中日病院名古屋手外科センター 副センター長〔名古屋市中区〕

【疾患概念】 1910 年に Preiser が，外傷後に生じた舟状骨の無腐性壊死を報告したのが始まりである．しかし，これらの症例の大半は舟状骨骨折後の偽関節であったことから，定義に関する混乱を招いた．近年は，非外傷性の特発性舟状骨壊死を Preiser 病と呼ぶことが多く，厳密には舟状骨骨折後の壊死と特発性の壊死とを区別すべきである．

【頻度】
非常にまれな疾患であり，月状骨の無腐性壊死である Kienböck 病と比べてもかなり頻度は低い．

15 手関節の疾患

【臨床症状】
患者は手関節の橈背側を中心とした痛みを訴える．いわゆる snuffbox に圧痛，時に腫脹を認め，手関節の可動域制限も比較的早期から生じる．

問診で聞くべきこと
まず，仕事や趣味で手関節に繰り返しのストレスが加わっていないかを聞く．また，長期ステロイド治療により血行障害が起きうるため，ステロイド使用歴を聞く．また全身性エリテマトーデス（systemic lupus erythematosus；SLE）などの膠原病で血管病変が起きうるため，既往歴も聞く．舟状骨骨折後の偽関節の除外をすべく，手関節外傷の既往を聞くのも重要である．

診断のポイント
- 手関節の橈背側に圧痛・腫脹を認める．
- 画像検査では手関節単純 X 線検査や CT 検査で，舟状骨の骨硬化，圧潰，さらに進行すると分節化が認められる．
- 早期診断のためには MRI が有効で，T1・T2 強調像において舟状骨は広範囲に低信号を示す．
- 問診で明らかに舟状骨偽関節が疑われる症例は除外する．

専門病院へのコンサルテーション
手外科専門医のいる病院に紹介するのがよい．

治療方針

1 ▶ 保存治療
まずは保存治療を行う．前腕ギプスや手関節固定装具で局所安静とする．

2 ▶ 手術治療
保存治療で痛みの改善がない場合，手術を考える．舟状骨の圧潰が軽い症例では血管柄付き骨移植にて再血流化をはかる．舟状骨の分節化があったり圧潰が強い症例は，橈骨茎状突起切除術，部分手関節固定術，近位手根列切除術などを行う．

リウマチ手関節

Rheumatoid wrist

石川 肇　新潟県立リウマチセンター　院長〔新潟県新発田市〕

【疾患概念】
手関節は手の機能を発揮するうえでの"かなめ"である．関節リウマチ（rheumatoid arthritis；RA）では高頻度に罹患し，疼痛と関節破壊を伴う不安定性を有する場合には，把持機能は大きく障害される．

【頻度】
従来の薬物療法のもとでは，発症後 2 年以内に約 70%，10 年以上で 95% 以上が罹患し，X 線像で約 80% に破壊性病変がみられる．

診断のポイント
持続する手関節部の腫脹と疼痛，可動域（屈伸，回内外）制限，X 線像での破壊性関節病変（骨びらん），アライメント異常（尺骨頭の背側亜脱臼，手根骨の尺側移動，掌側亜脱臼，橈側回転，回外変形），舟状月状骨解離など．

治療方針

1 ▶ 遠位橈尺関節（distal radioulnar joint；DRUJ）に対する手術
尺骨頭の背側亜脱臼により前腕の回旋制限を生じ，しばしば指伸筋腱断裂がみられる．尺骨頭に破壊がない場合は，いったん切離した尺骨頭を温存し，橈骨遠位端尺側に棚を形成する Sauvé-Kapandji（SK）法が行われる（図 15-12a）．尺骨頭破壊例では尺骨頭切除（Darrach 法）が一般的である．

2 ▶ 橈骨手根関節（radiocarpal joint；RCJ）に対する手術
RCJ においてアライメント異常がみられ，手根中央関節（midcarpal joint；MCJ）が残存している場合には，橈骨月状骨間（Chamay 法）あるいは橈骨月状三角骨間の部分固定術が行われる（図 15-12b）．MCJ が癒合・消失している場合には，Clayton 法〔長橈側手根伸筋（extensor carpi radialis longus；ECRL）腱を尺側手根伸筋（extensor carpi ulnaris；ECU）腱停止部に移行〕を行う．
Larsen grade Ⅳ（高度破壊）以上で，RCJ で手根骨が掌・尺側方向へ亜脱臼している例では髄内固定ロッドなどを用いた全固定術が適応となる（図 15-12c）．人工手関節全置換術は，従来，弛みやバランス不均衡などの問題があったが，近年，国産初の DARTS 人工手関節が使われ始めている．

3 ▶ 指伸筋腱断裂に対する手術
小指から始まり橈側指に向かって順次断裂していくことが多い．断裂の原因となった滑膜および骨棘の切除，尺骨骨切り断端の安定化で滑走床を平坦にしたうえで，腱移行術，腱移植術あるいは端側縫合で腱の再建が行われる．

4 ▶ 指屈筋腱に対する手術
手関節部の屈筋腱腱鞘滑膜炎による手根管症候群，指屈曲障害，弾発現象に対しては屈筋腱腱鞘滑膜切除が行われる．指屈筋腱断裂では腱移植術，移行術による腱再建，母指指節間関節固定術が適応となる．

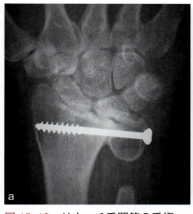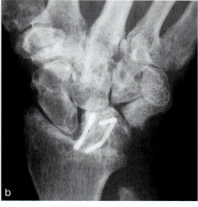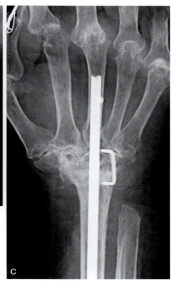

図 15-12　リウマチ手関節の手術
a：Sauvé-Kapandji 法
b：手関節部分固定術（橈骨月状骨間固定，Chamay 法）
c：手関節全固定術：手関節固定ロッド（WFR®）使用

> **患者説明のポイント**
> 後療法には 2～3 か月要することが多い．3 指以上の多数指腱断裂となる前に手術を受けること．断裂後早期に手術が行われたほうが結果が良い．

> **リハビリテーションのポイント，関連職種への指示**
> 指伸筋腱再建術後は，動的副子（dynamic splint）あるいは減張位テーピング（端側縫合を行った場合）による早期運動療法が行われる．指屈筋腱再建術後の後療法は，Kleinert 変法で行われる．

手根不安定症

Carpal instability

森友 寿夫　大阪行岡医療大学理学療法学科 教授

【疾患概念】　手根不安定症とは手根骨の正常な配列を保ったまま負荷に耐えることができない状態と定義される．手根骨における力の伝達と動きに問題が生じるため，手根骨の配列異常や弾発，痛みを発生させ，放置すると関節症変化をきたすことが多い．

【病態】　手根不安定症の分類として，CID（carpal instability dissociative）と，CIND（carpal instability nondissociative）がある．手根列を維持する手根間靱帯あるいは手根骨自体の骨性支持が破綻して生じる手根列内での配列異常を CID と称する．一方，CIND は同じ手根列のなかでは異常がなく，外在性靱帯や橈骨などの手根骨外の骨性の支持の破綻により，橈骨と近位手根列または近位手根列と遠位手根列の間に位置異常を生じている状態である．

具体的には，舟状月状骨間靱帯解離や月状三角骨間靱帯解離，舟状骨偽関節は CID に分類される．一方，手根間靱帯は正常で橈骨手根靱帯の弛緩や橈骨遠位端骨折変形治癒による橈骨と手根骨の相対的配列異常や，先天的な靱帯の弛みのため疼痛を伴った弾発を生じる手根中央関節不安定症は CIND に分類される．

【臨床症状】
手関節の運動時痛，弾発現象，脱臼感を認める．また靱帯や骨の損傷部位に限局した圧痛点を認める．

> **問診で聞くべきこと**
> 外傷後の手関節痛に対しては，受傷時の手関節の肢位，外力の方向を明らかにし，慢性手関節痛については，職業およびスポーツ歴，疼痛を誘発する手関節の肢位やクリックを確認する．全身の関節弛緩の有無も重要である．

> **必要な検査とその所見**
> (1) X 線診断
> 正しい肢位で撮った正側斜位の 4 方向 X 線画像を健側と比較する．正面像では，舟状月状骨間が 3 mm 以上開大していないかを確認し（図 15-13a），carpal height ratio を測定する．舟状骨が異常に掌屈すると舟状骨は短縮してみえ，骨皮質の投影像が cortical ring sign として観察される（図 15-13a）．側面像では，橈骨月状骨間角度（正常では約 10°）を計測する．月状骨が異常に背屈すると DISI（dorsal intercalated segment instability），掌屈すると VISI（volar inter-

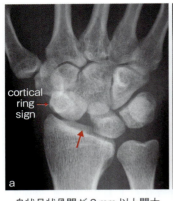
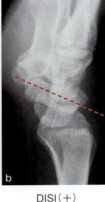

舟状月状骨間が3mm以上開大　　DISI（+）

図15-13　舟状月状骨解離のX線画像
a：正面像，b：側面像．

calated segment instability）と呼ぶ．舟状月状骨間靱帯解離，舟状骨偽関節や橈骨遠位端骨折変形治癒ではDISIとなる（図15-13b）．高度な月状三角骨間靱帯解離ではVISIになることがある．橈骨遠位端骨折変形治癒では橈骨手関節面が背屈するため近位手根列が背屈し，手根中央関節で相殺するように掌屈することで靱帯に弛みが生じ，手根中央関節に不安定性が生じる．

(2) MRI
　解像度の良いMRIでは舟状月状骨間靱帯断裂や月状三角骨間靱帯断裂を観察できることがある．

(3) CT
　手根骨間関節の適合性，手根配列異常の立体的な把握が可能である．矢状面における舟状骨の背側亜脱臼や関節症の有無を確認する．また舟状骨偽関節では，骨折線が舟状月状骨間靱帯背側線維の付着部である舟状骨突起の近位を通るか遠位を通るかを確認する．骨折線が遠位を通るほうが不安定性が強い．

(4) X線透視撮影
　手根中央関節不安定症では尺屈運動の際，近位手根列はしばらく屈曲したままとなり，手関節がある程度尺屈すると突然疼痛を伴った弾発とともに伸展する．

診断のポイント

(1) 誘発試験
　手根不安定症では一定の肢位で疼痛が誘発されるので有力な診断根拠となる．
① Scaphoid shift test：検者は母指で舟状骨結節を掌側から圧迫しながら，患者の手関節を尺屈から橈屈させる．舟状月状骨間靱帯解離があると，舟状骨近位端が背側へ亜脱臼し，疼痛を誘発する．手根中央関節不安定症では，この手技により弾発現象を誘発することができる．

② Ballottement test：検者は母指示指を用いて片手で月状骨，他方の手で三角骨と豆状骨を把持し，掌背側方向にストレスをかける．月状三角骨間靱帯解離があるとクリックや疼痛を誘発する．

専門病院へのコンサルテーション
　手根不安定症の治療は難しいため，診断がつけば専門病院へコンサルテーションするほうがよい．

治療方針

1 ▶ 保存治療
　装具を用い，疼痛を誘発する肢位を避けるように生活させる．手根中央関節不安定症では，握力増強により不安定性を改善できることがある．手根中央関節へのステロイド注射が有効なことがある．

2 ▶ 手術療法
(1) 舟状月状骨間靱帯解離
　関節症がなければ舟状月状骨間靱帯背側線維の再建術を行う．橈側手根屈筋の半裁腱を舟状骨結節から舟状骨突起へ貫通させ，次に月状骨の背側から掌側にかけて貫通させてinterference screwで固定する．関節症があれば，4コーナー固定術などの手関節部分固定術を行う．

(2) 月状三角骨間靱帯解離
　月状三角骨固定術または月状三角骨間靱帯背側線維の再建術を行う．

(3) 舟状骨偽関節
　関節症がなければ舟状骨のハンプバック変形を矯正するべく皮質海綿骨ブロックの骨移植を用いた骨接合術を行う．関節症があれば，遠位骨片切除および橈骨舟状骨月状骨固定術または4コーナー固定術などの手関節部分固定術を行う．

(4) 橈骨遠位端骨折変形治癒
　橈骨の矯正骨切り術を基本とし，舟状月状骨間靱帯解離を合併していれば靱帯再建術を追加する．

(5) 手根中央関節不安定症
　橈骨月状骨関節固定を行う．

患者説明のポイント
　手根不安定症は治療が難しく，多くは手術療法が必要となる．また，関節固定術などが必要となることが多く，痛みをとるためには可動域が減少することを説明する．

de Quervain病（橈骨茎状突起痛）

de Quervain tendinopathy

三浦 俊樹　JR東京総合病院 副院長〔東京都渋谷区〕

【疾患概念】　de Quervain（ドケルバン）病は，長母指外転筋腱と短母指伸筋腱が走行する伸筋腱第1区画に生じる狭窄性腱鞘炎である．

【臨床症状（病態）】
　橈骨茎状突起部に腫脹や，物を把持した際などの疼痛が出現する．
　幅広い年齢層に生じる．有病率に関しては男性0.5%，女性1.3%との報告がある．また，女性では出産，授乳に伴っての発症が知られている．
　伸筋腱第1区画内には長母指外転筋腱と短母指伸筋腱との間に隔壁がある場合があるが，de Quervain病では隔壁の存在が多いことが報告されている．
　腱鞘は肥厚し，病理学的には変性やムコ多糖沈着がみられる．

問診で聞くべきこと
　仕事や趣味での手の使用状況，妊娠・出産の有無を確認する．

必要な検査とその所見
(1) 単純X線
　de Quervain病では通常異常所見はないが，鑑別のため近接する母指手根中手（carpometacarpal；CM）関節症，橈骨舟状骨間の変形性関節症の有無を確認しておく．
(2) 超音波検査
　腱鞘の肥厚の程度，区画内の隔壁の有無を評価できる．

診断のポイント
　圧痛点と誘発テストから診断は比較的容易である．誘発テストではEichhoff（アイヒホッフ）テスト〔いわゆるFinkelstein（フィンケルシュタイン）テスト〕（母指を中に握りこんだ拳を作り，手関節を尺屈するテスト）で疼痛が生じる．

鑑別疾患で想起すべき疾患
　母指CM関節症との鑑別が必要であるが，圧痛の局在により鑑別は可能である．

治療方針

1 ▶ 保存療法
　生活指導，安静，消炎鎮痛薬投与，ステロイド腱鞘内注射が行われる．大部分の患者は保存治療で改善する．出産後のde Quervain病では授乳終了後，自然軽快が期待できる．安静目的には母指から手関節にかけての装具固定を行う．疼痛が強い場合にはステロイド腱鞘内注射を検討する．トリアムシノロンまたはデキサメタゾン10 mgの腱鞘内単回注射により82%の患者に注射後6週で改善効果があり，1年後にも52%が効果持続していたと報告されている．ただし薬剤が皮下に漏れると皮下脂肪萎縮や皮膚の白斑が生じることがある．正確に腱鞘内へ薬液を注入する目的で超音波装置を用いる場合もある．
　治療の優劣に関する質の高い研究は少ないが，メタ解析においてステロイド腱鞘内注射が優れていたと報告されている．

2 ▶ 手術療法
　保存治療無効の場合には手術が考慮される．手術では伸筋腱第1区画の腱鞘切開が行われる．区画内に隔壁が存在する場合，隔壁切離による区画の十分な開放を確認する．手術合併症として，橈骨神経浅枝の損傷，腱脱臼に注意が必要である．手術成績に関して，満足率は88%であったが42%で創痛などが続いていたとする報告や精神疾患や保険の種類が術後成績と関連していたとする報告もある．

リハビリテーションのポイント，関連職種への指示
　患者の生活状況に応じた個別の対応が必要である．手関節の肢位は手関節を中間位とすることや母指を開大しすぎないことで腱鞘部での腱の走行に角度が強くつかないよう指導する．術後には創部痛改善のためのマッサージも有用である．

内反手

Club hand

射場 浩介　札幌医科大学 准教授

【疾患概念】　手関節が橈屈位を呈する先天異常疾患（図15-14）であり，橈側列形成障害（radial deficiency）という．先天異常分類マニュアル（日本手外科学会）で，「Ⅰ．形成障害 B．長軸形成障害 1．橈側列形成障害」に分類される．発生頻度は20,000万出生に1人であり，男性に多く，両側性に多い．四肢，心血管系，泌尿器系，消化器系の異常を合併することや症候群（VATERおよびVACTERL連合，Fanconi貧血，Holt-Oram症候群など）の一症状としてみられる場合が多く，全身の病態把握が重要である．

診断のポイント
　母指を中心とする橈側指，橈骨，肘に異常が出現する可能性があるため，診察時には手関節以外に手指や

15 手関節の疾患

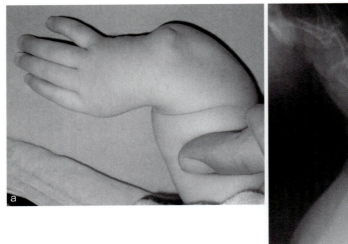
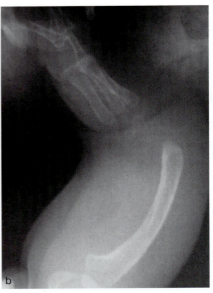

図 15-14　右橈側列形成障害（Bayne と Klug 分類 4 型，Blauth 分類 5 型）
外観で手関節の著明な橈屈偏位（内反手）と母指の欠損を認める（a）．
X 線では橈骨の完全欠損を認める（b）．

肘関節の異常に注意する．手関節橈屈（内反手，図15-14）の原因となる橈骨形成障害は，X 線で橈骨の遠位成長抑制（1 型），低形成（2 型），部分欠損（3 型），全欠損（4 型）の 4 つに分類される（Bayne と Klug 分類）．また，大部分の症例では手関節が掌側に脱臼していることに留意する．母指の形成障害を合併する頻度が高く，母指形成不全の評価も同時に行う必要がある．Blauth 分類（1 型：母指球筋の低形成，2 型：母指球筋低形成＋母指内転拘縮，3 型：第 1 中手骨近位部の部分欠損，4 型：浮遊母指，5 型：母指欠損）を用いた評価法が広く用いられる．

治療方針

生下時より可及的早期に，手関節橈屈変形に対して愛護的な徒手矯正と装具治療を行う．生後 6 か月以降で手関節の不安定性や橈屈偏位の改善，伸筋腱や屈筋腱の滑走距離確保を目的に手関節の安定化術を行う（主に中心化術）．一方，手関節安定化術後に手関節可動域が低下するため，肘関節可動域制限がある症例では手術適応を慎重に検討する．母指形成不全を認める症例では，手関節安定化後に母指対立再建術や示指の母指化手術を行い，握りやつまみ動作の機能獲得を目指す．

手根管症候群

Carpal tunnel syndrome

内山 茂晴　岡谷市民病院 部長/副院長〔長野県岡谷市〕

【疾患概念】　手根管内では正中神経，手指および母指屈筋腱とそれらの周辺にある滑膜が占拠している．手根管症候群は，手根管部で正中神経が何らかの原因により圧迫される，正中神経麻痺である（第 14 章「正中神経麻痺」→ 470 頁においても記載）．

【病態】

特発性と二次性に分けられ，80％は特発性で 80％は両側に発症する．特発性では，加齢，繰り返す動作による滑膜や腱の変性肥厚，それに続く手根管内容積と圧の増大が原因である．二次性では橈骨遠位端骨折などの手関節部外傷，脂肪腫やガングリオンなどの腫瘍，手根管内滑膜の変性肥厚や炎症をきたす全身疾患，すなわち人工透析，関節リウマチ，膠原病，糖尿病，アミロイドーシスなどがある．本邦における有病率は 50 歳以上で約 5%（女 7%，男 2%）である．

【問診で聞くべきこと】

初期には手指のしびれや痛みを訴えることが多く，携帯電話を持って話をする，新聞を両手で持って読むなどの動作，あるいは夜間睡眠時に増悪する．夜間痛

は自然緩解することが多く，麻痺というより正中神経の一過性の虚血によるものである．圧迫が長期に及ぶと神経線維が Waller 変性し，持続性のしびれや母指対立障害による巧緻運動障害が出現する．ばね指が約 20％ に合併する．

必要な検査とその所見

正中神経領域の感覚障害，Tinel 様徴候陽性，Phalen テスト陽性，病期が進行すると母指球萎縮による母指対立運動障害が認められる．検査は手関節部単純 X 線像のほか，神経伝導速度測定が重要であり，運動神経終末潜時（正常 4.5 ms 以下），感覚神経伝導速度（正常 45 m/s 以上）の遅延が認められる．近年画像診断が進歩しており，特に超音波画像診断は簡便であることや侵襲がないことからきわめて有用である．正中神経の横断面積が手根管入口部で増大している（正常の横断面積 6〜10 mm²）．また，手根管内占拠病変の検出にも有効である．MRI も同様であるが，二次性が疑われる場合には病態把握により有効である．

診断のポイント

典型例では症状や身体所見でほぼ診断できるが，神経伝導速度や画像所見を合わせると確実となる．しかしながら現在広く認められている診断基準はない．

専門病院へのコンサルテーション

手根管症候群の診断と治療は典型例であれば必要ない．

治療方針

1 ▶ 保存療法

しびれに伴う疼痛に対しては，滑膜腫脹を軽減し正中神経の血流を回復することにより症状の軽減が期待できる．エビデンスのある治療は，サポーター，装具による手関節の安静，副腎皮質ステロイド薬の手根管内注射である．他の薬剤については現時点では有効性は不明である．

(1)注射例

27 G 針を用い，1％ リドカイン 1 mL ＋トリアムシノロンアセトニド 20 mg を注入する．正中神経損傷を避けるための安全な刺入方法は，近位手首線レベルよりやや近位で長掌筋腱と尺側手根屈筋腱の中間点で，針を垂直あるいはやや遠位に向けてゆっくりと刺入する．手指を屈曲させた状態で刺入し，刺入後伸展させると，薬は手根管内へも拡散する．針が正中神経に接触する確率は約 4％ で，特に母指球の萎縮した例では近位まで正中神経が腫大しているため神経を損傷しないように注意する．

2 ▶ 手術療法

母指球萎縮が認められる場合や，保存療法が奏効しない場合には手術を勧める．手術は局所麻酔下で横手根靱帯を切離し，正中神経の除圧を行う．直視下開放術と鏡視下開放術とがあるが，成績に差はほとんどない．直視下法はすべての症例に適応があるが，2 ポータル鏡視下法は原則として特発性に適応があり，男性の症例にはあまり勧められない．

予後

夜間痛は，装具装着や副腎皮質ステロイド薬注射で緩解を得られることが多いが，最も成績が良いのは手術である．80％ 以上の高い成功率が見込まれるが，病期の進行した例，糖尿病合併例では成績は劣り，透析例では再発する．

患者説明のポイント

保存療法により夜間痛は軽快することが多いが，再発も多い．

病期の進行した例では，手術後しびれの軽減に時間を要し，残存することが多く，母指球筋力も回復しないことが多い．

手術による創痛は数か月持続することが多い．

手術後 1 年以内のばね指の発症が約 30％ ある．

リハビリテーションのポイント，関連職種への指示

手術後は手指の自動運動を奨励する．患肢挙上．

尺骨神経管症候群

Ulnar tunnel syndrome

信田 進吾　東北労災病院 副院長〔仙台市青葉区〕

【疾患概念】　尺骨神経管（Guyon 管）症候群は，尺骨神経が手関節部の豆状骨・有鉤骨間にある Guyon 管で障害されて生じる絞扼性神経障害である．尺骨神経は手関節の近位で手背尺側へ知覚枝を分岐してから Guyon 管に入り，知覚枝（浅枝）と運動枝（深枝）に分かれ，深枝は小指外転筋に枝を出した後に腱性アーチを通過して橈側へ向かい骨間筋，虫様筋などへ向かう．

【頻度】

筆者が過去 10 年間に経験した本症の手術症例は 22 例で，肘部管症候群 320 例の約 1/15 である．

【病型・分類】

麻痺型は津下・山河分類で Ⅰ 型：Guyon 管中枢側で深枝・浅枝ともに障害，Ⅱ 型：浅枝のみの障害，Ⅲ 型：深枝のみの障害，Ⅳ 型：小指外転筋以外の深枝の障害，と分類するが，分類不能例もある．

【臨床症状】

障害部位により多様であり，Ⅰ 型は尺骨神経支配筋の麻痺と環指尺側・小指の掌側の知覚障害，Ⅱ 型は知覚障害のみ，Ⅲ 型と Ⅳ 型は尺骨神経支配筋の麻痺，と

なる．発症原因は占拠性病変（ガングリオン，神経鞘腫など），直接外傷によるものやハンマーの多用など慢性的な外力，動静脈や破格筋による圧迫などである．

問診で聞くべきこと

職業歴，スポーツ歴，外傷歴，慢性的なストレスの有無，基礎疾患の既往歴を聴く．

必要な検査とその所見

画像所見はX線像で手関節・手根骨の変形や骨折の有無を確認し，MRI，超音波でガングリオンなどの占拠性病変を確認する．電気生理学的診断は確定診断のために有用であり，尺骨神経伝導検査を行い遠位潜時の延長と振幅の低下を確認しGuyon管部での尺骨神経伝導障害を診断する．

鑑別診断で想起すべき疾患

①肘部管症候群：知覚障害は環指尺側・小指の掌側と背側に及び，神経伝導検査で肘部管部での伝導遅延を示す．
②頚椎症性神経根症（C8，T1）：知覚障害は前腕内側に及ぶことが多い．
③胸郭出口症候群：Roosテスト陽性で若年女性に多い．

診断のポイント

尺骨神経管部のTinel様徴候，環指尺側・小指の掌側のしびれと他覚的知覚障害，手内在筋萎縮，Froment徴候陽性，小指の鉤爪変形．

専門病院へのコンサルテーション

前述の診断のポイントが該当すれば手外科専門医に紹介する．

治療方針

保存的には尺骨神経管部の圧迫を避け，消炎鎮痛薬やビタミン剤を処方する．手内在筋萎縮，占拠性病変や骨病変があれば手術適応である．中枢側より尺骨神経と尺骨動静脈を展開して末梢へ進み，尺骨神経管の開放と腱性アーチの切離を行い，浅枝，深枝ともに除圧する．絞扼の原因となる病変の処置を行い，術後は1週間程度のギプスシーネ固定を行う．

合併症と予後

術中の神経の牽引による知覚異常があり，知覚障害は早期に改善するが，手内在筋萎縮と筋力の回復には3～6か月を要する．

患者説明のポイント

本症と肘部管症候群，頚椎症の鑑別には補助診断が必要であること，手術を行っても回復には数か月を要すること，を説明する．

尺骨突き上げ症候群

Ulnocarpal abutment syndrome

建部 将広　名古屋大学大学院医学系研究科四肢外傷学寄附講座 准教授

【疾患概念】 尺骨が橈骨に対して相対的に長い状態にあった場合，手関節にかかる荷重の多くが尺骨を介して伝わる状況となる．その結果として，三角線維軟骨複合体（triangular fibrocartilage complex；TFCC）損傷を含め尺側手関節部の障害・疼痛を引き起こす．このような状況を尺骨突き上げ症候群と称する．

問診で聞くべきこと

尺骨突き上げ症候群の診断においては，問診は重要であり，発症のタイミング（外傷性か否か），日常生活での手の使用状況（利き手/職業/趣味/スポーツ活動など）を必ず確認する．

必要な検査とその所見

触診にて疼痛部位の確認を行う．部位については手関節のランドマークを熟知し，解剖学的位置と疼痛部位を確認しつつ行う．遠位橈尺関節（distal radioulnar joint；DRUJ）不安定性の確認やulnocarpal stressテストなど，各種誘発テストを組み合わせて診断を行う．画像診断としては単純X線像・MRI/CT・血液検査・関節造影・関節鏡検査を行う．通常は単純X線像にてulnar varianceをはじめとした手関節のアライメントを確認し，変性所見があれば確認する．手関節の肢位によりulnar varianceは変化することが知られており，前腕中間位での撮影を基本とすべきとされている．MRIでTFCCをはじめとする軟部の状態を確認する．病態が進行すると尺骨頭とそれに対する月状骨尺側に信号変化を生じてくる．CTでは骨性の変形などの異常の有無について確認する．MRIなどで滑膜炎の所見や関節液の貯留などを認める場合は，血液検査にて関節リウマチをはじめとする各種炎症性疾患の確認が必要となる．関節造影・関節鏡検査は侵襲的な検査となるが，特に関節鏡検査については現状手関節痛の最終手段とされている．

診断のポイント，鑑別疾患で想起すべき疾患

尺側手関節痛を生じる疾患はすべて鑑別が必要となる．尺側手根伸筋腱（extensor carpi ulnaris；ECU）腱鞘炎や豆状三角骨関節関節症などは疼痛の部位を確認し，MRIにて該当部位の変化を確認する．外傷性のTFCC損傷は臨床症状としてはほぼ同じである．その治療についてはまだコンセンサスのない状態であるが，各種検査により損傷部位の修復を行うか，アライメントの改善を必要とするかの判断が必要となる．関

節リウマチでは手関節尺側，特にDRUJから炎症が波及するものがあり，血液検査などでの確認を要する．

> 治療方針

1 ▶ 保存療法

尺骨突き上げ症候群の治療は基本的には保存療法を優先すべきであり，軟性装具の着用を3か月を目安に行う．多くは保存療法が奏効する．手関節にかかる負担軽減のため，仕事/スポーツなどの活動性を変更させることもある．また，手関節内のステロイド注射を診断と治療を兼ねて施行する場合には注射する部位（橈骨手根関節/遠位橈尺関節）を考慮して行う．

2 ▶ 手術療法

保存療法無効時には手術加療を考慮する．基本的には解剖学的に尺骨の長い状態を解決するため，尺骨短縮術または尺骨頭部分切除術（Wafer法）が行われている．尺骨短縮術は尺骨骨幹端ないしは骨端で骨長を調整する方法で，軟骨を温存でき，手関節尺側の靱帯の緊張を回復できる反面，遠位橈尺関節のアライメント変化や骨切り部の遷延癒合のリスクがある．尺骨頭部分切除では，骨癒合は不問で遠位橈尺関節の形態を変更しないが，尺骨頭の軟骨は犠牲となる．なお，基本的には手外科専門医が行うべき治療と考えられる．

> 患者説明のポイント

多くは保存療法で改善が得られることが知られており，装具療法を中心に行う．保存療法無効時には手術が選択されるが，その方法は大きく2つあり，その特徴についてよく説明のうえ行う必要がある．

> リハビリテーションのポイント，関連職種への指示

尺骨突き上げ症候群には基本的には術後のリハビリテーションを行うこととなる．術後の固定期間以降に，関節可動域の改善や筋力の回復を目指して，疼痛などを考慮のうえで訓練を進める．

整形外科レジデントマニュアル
第2版

編　集　田中　栄　東京大学大学院医学系研究科整形外科学 教授
編集協力　大島　寧　東京大学大学院医学系研究科整形外科学 准教授
　　　　　齋藤　琢　東京大学大学院医学系研究科整形外科学 准教授
　　　　　武冨 修治　東京大学大学院医学系研究科整形外科学 講師
　　　　　廣瀬　旬　JCHO東京新宿メディカルセンター 整形外科 部長
　　　　　松原 全宏　東京大学医学部附属病院 救急科 講師
　　　　　森崎　裕　東京大学医学部附属病院 医療評価・安全部 講師

●B6変型　頁458　2020年
定価:**4,950円**（本体4,500円＋税10%）
[ISBN978-4-260-04157-7]

整形外科のプロフェッショナルの思考過程をたどる必読書、待望の改訂版

東京大学整形外科で培われてきた経験をもとに、初期・後期研修医の方々に向けて整形外科診療の基本をまとめたマニュアルの改訂版。好評を博した初版の流れを踏襲しつつ、整形外科診療の現況に合わせ、内容をアップデート。総論では整形外科医に必要となる基本事項を、各論では日常診療のポイントやピットフォールを提示。エキスパートがどのように診断し、治療方針を立てているか、本書を通して一連の思考過程を学ぶことができる。

目次

総論
脱臼，骨折整復の基本／ギプス・シーネ・包帯固定・三角巾による初期固定／注射法（関節穿刺，関節内注射，トリガー注射，ブロック注射）＋処方例／救急外来のレッドフラッグ／術前の評価，他科コンサルト，周術期に中止すべき薬剤／インフォームドコンセント／自己血輸血／治療法選択にあたってのガイドライン，文献の使いかた・調べかた／カンファランスでのプレゼンテーション／抗菌薬の使いかた・感染症治療，術後創管理／下肢深部静脈血栓症，肺塞栓症の予防／手術における基本事項／術後疼痛管理／リハビリテーション治療の基本／リスクマネジメント／学会発表（症例報告）の意義とその方法／小児の診かた／整形外科の基本必須事項

各論
第 1章　頚椎
第 2章　胸・腰椎
第 3章　手・手関節
第 4章　肘・前腕
第 5章　肩関節
第 6章　股関節
第 7章　大腿・膝関節
第 8章　足・足関節
第 9章　腫瘍性疾患
第10章　関節炎
第11章　骨粗鬆症
第12章　ロコモティブシンドローム

医学書院　〒113-8719　東京都文京区本郷1-28-23　[WEBサイト]https://www.igaku-shoin.co.jp
[販売・PR部]TEL:03-3817-5650　FAX:03-3815-7804　E-mail:sd@igaku-shoin.co.jp

16 手の疾患

手の解剖 504	合短指症 527
中手骨骨折 505	先天性絞扼輪症候群 528
指基節骨骨折 506	裂手 529
MP関節脱臼 507	屈指症，斜指症 529
PIP関節脱臼骨折 508	先天性風車翼状手 531
槌指（ついし，つちゆび） ... 509	巨指症 531
Bennett骨折，Roland骨折 ... 510	母指形成不全 533
ボタン穴変形 511	Dupuytren拘縮 534
白鳥のくび変形 512	リウマチ手指変形 536
指尖部損傷 513	指屈筋腱化膿性腱鞘炎 537
手袋状剥皮損傷 514	ひょう疽 538
高圧注入損傷 515	爪周囲炎 539
手・指切断傷 515	石灰性(化)腱炎 540
指屈筋腱損傷 517	[太鼓]ばち指 540
指伸筋腱損傷 518	ガングリオン 541
屈筋腱皮下断裂 520	グロムス腫瘍 541
ばね指（手指屈筋腱の狭窄性腱鞘炎）	内軟骨腫 542
.... 521	Maffucci症候群 543
母指MP関節ロッキング，示指MP	傍骨性軟骨腫 544
関節ロッキング 522	限局型腱滑膜巨細胞腫（腱鞘巨細胞
Heberden結節 523	腫） 544
母指CM関節症 524	手・指の循環障害 545
先天性握り母指症 525	痙性麻痺手 545
合指症 526	書痙 546
多指症 526	複合性局所疼痛症候群（CRPS） 547

手の解剖

Anatomy of the hand

二村 昭元　東京医科歯科大学大学院 運動器機能形態学講座 教授

1 手掌

1 ▶ 皮下・浅層

手掌と足底の皮膚には，ほかの部位の皮膚とは異なり，表面に指紋や掌紋という皮膚紋理（dermatoglyphics）がある．表皮の角質層が厚い，毛と脂腺がない，汗腺が豊富，色素が乏しい，知覚性の神経終末に富む，などの特徴を有する．また，疎性の皮下組織が少なく，皮膚の表面に対して垂直に走る結合組織線維（皮膚支帯）により，真皮が下層の腱膜に固く密着して，物を握るときに皮膚がずれないようになっている．

手掌腱膜は長掌筋の停止腱膜で，手掌では4尖に分かれて母指を除く示〜小指の基部に向かって放散する．

短掌筋は手掌腱膜の尺側縁より起こり，小指球の皮下に停止する．小指を強く外転させると，短掌筋の収縮によるシワが小指球上に観察できる．短掌筋はヒトにだけ存在し，一般の霊長類では欠如している．これは握る機能に伴って発達したと考えられている．

2 ▶ 動脈と神経

浅掌動脈弓は主として尺骨動脈によって構成される（図16-1a）．橈骨動脈から浅掌動脈弓への枝は，きわめて細く，多くの場合は母指球の筋を貫いて手掌に達する．しかし，この枝がきわめて細いか欠く例が半数とされ，橈骨動脈と尺骨動脈の吻合による典型的な浅掌動脈弓の形成は14%にすぎない．浅掌動脈弓は，小指尺側に固有掌側指動脈と3〜4本の総掌側指動脈を出す．総掌側指動脈は2本の固有掌側動脈に分かれ，2本の指の対向縁に血液を供給する．

尺骨神経は尺骨動脈に伴行して，豆状骨の橈側に位置する尺骨神経管（Guyon管）を通過する．その後，屈筋支帯の表層に達し，浅枝と深枝に分かれる．浅枝は短掌筋に分枝したのち，第8〜10指縁に対する固有掌側指神経となる．深枝は尺骨動脈の深掌枝とともに小指外転筋と短小指屈筋の間を通り，手掌の深層に達する．

正中神経は，手根管を経て手掌に達するが，屈筋支帯の遠位縁をまわり，母指球筋に分布する反回枝を出す．この反回枝は短母指屈筋の表層を横切り，短母指

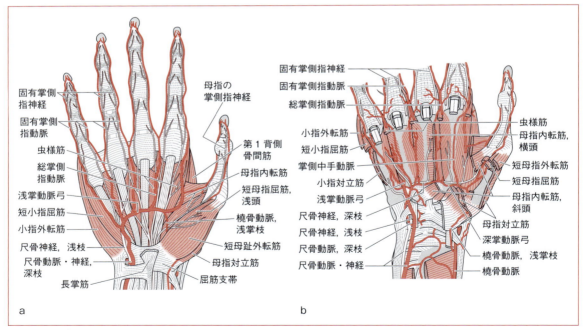

図16-1　手掌の筋，神経，動脈の配置
a：右手の手掌における浅掌動脈弓を示す．手掌腱膜は除去している．
b：aから屈筋腱と母指球筋，小指球筋を除去し，深掌動脈弓を示す．

外転筋の深部に進入する．正中神経は3本の総掌側指神経となり，これらから枝分かれした固有掌側指神経は第1～7指縁に分布する．また，筋の表面から進入して，第1, 2虫様筋を支配する．固有掌側指神経の由来は，正中神経と尺骨神経との間で7:3の割合であるが，手掌の中央部において吻合するのが通例である．

3 ▶ 母指球筋と小指球筋

母指球において，正中神経の反回枝が母指球筋内に進入するところが短母指外転筋と短母指屈筋との境界となる．母指対立筋と短母指屈筋浅頭とは境界を定めがたい．

小指球筋においては，小指外転筋と短小指屈筋の起始の間で尺骨神経の深枝ならびに尺骨動脈の深掌枝が深部に進入する．また，尺骨神経の深枝ならびに尺骨動脈の深掌枝は小指対立筋起始の尺側を通過している．

4 ▶ 深層

虫様筋は深指屈筋に起始し，指背腱膜へと移行する．第1, 2虫様筋は正中神経により支配されるが，第3虫様筋には正中・尺骨神経の両方が分布して，二重支配となることが多い．

短母指屈筋の深頭は母指内転筋の斜頭とともに起始し，長母指屈筋腱の深層を斜めに橈側へ走り，短母指屈筋浅頭とともに母指基節骨底の橈側端に停止する．短母指屈筋の深頭が母指球筋における正中・尺骨神経の分布の境界となり，両神経の支配を受けることが多い．

母指内転筋は，第3中手骨から起こる横頭と，屈筋支帯，第2中手骨底，有頭骨から起始する斜頭の二頭からなり，二頭間から尺骨神経の深枝と深掌動脈弓が入り分布する．

骨間筋は一頭性に起始する掌側骨間筋と，二頭性に起始する背側骨間筋からなり，深横中手靱帯により虫様筋や指神経・動脈から隔てられ，その背側に位置する．尺骨神経の深枝より支配される．

手背で橈骨動脈が第1背側骨間筋の二頭を貫いて掌側に向かい，この動脈が第1中手骨尺側縁と母指内転との間に出てくる．また，尺骨動脈深掌枝は，小指外転筋と短小指屈筋との間から尺骨神経の深枝に伴走して深掌部に潜入し，虫様筋と骨間筋の間のスペース，次いで母指内転筋と骨間筋の間隙を走り，橈骨動脈と吻合して深掌動脈弓を形成する（図 16-1b）．

2 手背

橈側皮静脈，尺側皮静脈を逆行性に手背に追跡すると，手背静脈網や中手頭間静脈まで連続している．

前腕屈側遠位部で同定される，橈骨神経の浅枝および尺骨神経の手背枝は，手背において吻合し，各指縁に分布する割合は5:5である．ここでも足背の場合と同様に，動物の進化に伴って，尺側の神経が橈側に向かって分布領域を拡大する傾向があるという．また固有掌側指神経の指背に赴く枝が指尖のほうへと分枝している．

中手骨骨折

Fractures of the metacarpals

多田 薫　金沢大学 助教

【疾患概念】　中手骨骨折は，骨頭骨折，頚部骨折，骨幹部骨折，基部骨折に分類される．上肢の骨折のなかでも頻度の高い骨折であり，なかでも小指の中手骨頚部骨折の頻度が高い．本項では示指～小指の中手骨骨折について述べる．

【臨床症状】

手背部の疼痛，腫脹，皮下出血を認める．中手骨骨折では内在筋と外在筋の緊張度から近位骨片が伸展し遠位骨片が屈曲するため，背側凸変形を呈する．背側凸変形に伴う中手指節（metacarpophalangeal；MP）関節の過伸展とこれに続く近位指節間（proximal interphalangeal；PIP）関節の伸展制限を生じた状態をpseudoclawingと呼称する．

診断のポイント

単純X線で骨折線を認めることで確定診断できる．特に小指，環指の中手骨基部骨折は見逃されることが多いため，側面像や斜位像でも評価すべきである．また，外傷歴について問診しておく．何かを殴った際に受傷した例は病歴を詐称することがあり，注意を要する．

専門病院へのコンサルテーション

手背の軟部組織欠損を伴うような多発骨折例については，植皮や皮弁による再建を要するため専門病院へのコンサルテーションを行う．

治療方針

1 ▶ 保存療法

多くの骨折例は保存療法の適応であり，石黒らが報告したナックルキャスト（図 16-2）や背側スプリント，バディテーピングなどが用いられている．小指の中手骨頚部骨折については治療方針に関して現在も議論が続いている．30°を超える背側凸変形は手術適応であるとする報告が多いが，近年は70°までの背側凸変形は保存療法で加療できるとする報告や，装具による固定は不要であるとする報告も存在する．

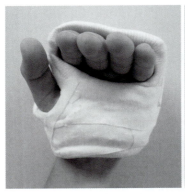
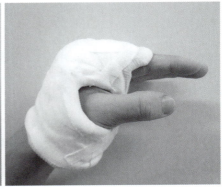

図16-2　ナックルキャスト

保存療法を行う際は，外固定材料や装具によりMP関節を屈曲位とし骨折部の安静を図る．MP関節を屈曲位とする利点として，伸筋腱の緊張や隣接指との接触により骨折部が安定する点，中手骨頭がカム構造を有しており屈曲位では側副靱帯が緊張し関節の安定性が高まる点，指の回旋変形の有無が明瞭となるため，回旋の評価が容易になるという点が挙げられる．

2 ▶ 手術療法

関節内骨折や脱臼骨折例，回旋変形のある例は手術療法の適応となる．骨頭骨折は関節内骨折であり手術療法の適応となることが多い．頚部骨折に関しては整復操作後にも回旋変形が遺残する場合に手術療法の適応となることが多い．一方，頚部骨折の屈曲変形については，一般的に整復後の背側凸変形が示指で15°，中指で20°，環指，小指で30°程度を超える例が手術療法の適応とされている．骨幹部骨折のうち螺旋骨折や長斜骨折に関しては，短縮変形があった場合でも5mm未満であれば機能的な障害を残さなかったとする報告や，回旋変形があった場合でも指の屈曲運動により矯正されるという報告があり，保存療法の適応となる例が多い．一方，不安定な横骨折例や多骨片を伴う骨幹部骨折例は手術療法の適応がある．基部骨折としては小指，環指の中手骨の骨折例が多く，脱臼骨折となっている場合は手術療法の適応である．内固定材料としては鋼線，吸収ピン，ミニスクリュー，プレートなどを用いる．

リハビリテーションのポイント

リハビリテーションに際しては，MP関節の伸展拘縮を生じやすい点に注意を要する．また受傷後3〜4週までは浮腫の管理を徹底し，PIP関節と遠位指節間（distal interphalangeal；DIP）関節が完全に伸展，屈曲できる状態を目標とする．X線写真で骨癒合を確認した後，筋力強化訓練を開始する．

指基節骨骨折

Fractures of the proximal phalanges

副島　修　福岡山王病院 部長〔福岡市早良区〕

【疾患概念】　頻度の高い骨折で，骨折部位で顆部骨折，頚部骨折，骨幹部骨折，基部骨折に分類される．また骨折型は，横骨折，斜骨折，粉砕骨折に分けられる．

【病態】
直達外力，介達外力のいずれによっても生じる．骨間筋，虫様筋，側索および中央索の作用によって掌側凸の転位を呈し，屈筋腱との癒着を生じやすい．また，回旋転位を呈すこともある．

【臨床症状】
手指の疼痛，腫脹，変形を生じる．

問診で聞くべきこと

受傷機転，疼痛の部位，利き手，仕事，趣味について聴取する．スポーツ選手の場合は，そのレベルが治療方針決定に重要となることがある．

必要な検査とその所見

通常の2方向での単純X線像を撮影するが，正確な側面像は得にくく，必要に応じてCTや3D-CT像で骨折の転位を調べる．さらに小児では，骨端線離開や特有の回転性顆上骨折（rotational supracondylar fracture）があり注意を要する．

診断のポイント

X線像とCT像より骨折部位，骨折型，転位の有無と程度を評価する．回旋転位が遺残すると指交差を生じるため，手指屈曲させ指尖部が舟状骨結節へ向かうことを確認する．

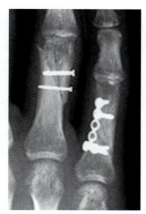

図 16-3 ミニスクリューとミニプレートによる固定

治療方針

転位が軽度であれば中手指節（metacarpophalangeal；MP）関節屈曲位として徒手整復を行い，intrinsic plus 肢位で手関節から背側ギプスシーネ固定，またはギプス固定（knuckle cast）とし，早期より近位指節間（proximal interphalangeal；PIP），遠位指節間（distal interphalangeal；DIP）関節の運動を許可する．徒手整復や整復位保持が困難な際は，次の手術療法へ移行する．

手術療法

透視下に整復が可能であれば，Kirschner 鋼線にて経皮的に固定する．整復が困難な際は背側切開にて伸筋腱を縦割し，骨折部を観血的に整復した後に Kirschner 鋼線，ミニスクリュー，ミニプレートにて固定する（図 16-3）．

合併症と予後

固定や腱癒着による関節拘縮，回旋転位の遺残，経皮的鋼線刺入による疼痛や感染などのピントラブルがある．

患者説明のポイント

ある程度の関節拘縮，疼痛残存と，偽関節や腱癒着による再手術の可能性を説明する．

リハビリテーションのポイント，関連職種への指示

固定肢位は MP 関節屈曲位の intrinsic plus 肢位とし，隣接指を含めて約 3〜4 週間固定する．PIP，DIP 関節の運動は早期より許可する．経皮的鋼線固定の際は，骨癒合を確認して約 5〜6 週間で抜去する．

患肢挙上による腫脹防止と，早期からの手指運動で拘縮予防に努める．

MP 関節脱臼

Dislocation of the MP joints

多田 薫　金沢大学 助教

【疾患概念】 中手指節（metacarpophalangeal；MP）関節の過伸展により基節骨が中手骨頭の背側に転位する背側脱臼と，MP 関節の過屈曲により基節骨が中手骨頭の掌側に転位する掌側脱臼がある．多くは背側脱臼であり掌側脱臼はまれである．

問診で聞くべきこと

受傷機転について聴取しておくべきである．また，陳旧例は徒手整復が困難であることから受傷時期についても確認しておく．

診断のポイント

MP 関節の自動運動が行えず，単純 X 線で関節の適合性が消失していることで確定診断できる．診断には正面像と側面像の 2 方向撮影が基本だが，斜位像のほうが脱臼をとらえやすいこともある．なお，MP 関節の「ロッキング」は脱臼とは異なり関節面の適合性が保たれており，母指の場合は伸展位で固定され，示指〜小指の場合は屈曲位で固定される．

治療方針

1 ▶ 保存療法

新鮮例であれば局所麻酔，あるいは神経ブロック下に徒手整復を試みる．背側脱臼に対しては，手関節と指関節を屈曲位に保持して屈筋腱を緩めた状態で，基節骨を中手骨頭に押しつけながら MP 関節を屈曲させ整復する．上記の方法で徒手整復が困難な例や陳旧例は手術療法の適応となる．掌側脱臼は徒手整復が困難な例が多いとされるため，整復が得られない場合は徒手整復にこだわらず手術療法を計画する．

2 ▶ 手術療法

徒手整復が困難な背側脱臼では中手骨頭背側に乗り上げた掌側板が整復阻害因子となっていることが多いため，背側から進入して整復阻害因子を切除し整復する．掌側脱臼では背側関節包や伸筋腱が整復阻害因子となるため，やはり背側から進入して整復阻害因子を切除し整復する．整復後に関節の不安定性を認める場合は 3 週間程度の外固定を行う．

患者説明のポイント

MP 関節の可動域制限を遺残することがあるため，整復後も適宜通院を行い経過観察する必要があることを伝える．

PIP 関節脱臼骨折

Fracture-dislocation of the PIP joints

矢島　弘嗣　　市立奈良病院 名誉院長〔奈良市〕

【疾患概念】　近位指節間（proximal interphalangeal；PIP）関節脱臼骨折は背側への脱臼が大半で，スポーツにより受傷することが多い．PIP 関節が軽度屈曲位で，指尖部から長軸方向に外力が加わると中節骨基部掌側に三角形の骨折が生じ，その骨折部は通常の位置にとどまり，基節骨が背側に脱臼するというパターンを示す．掌側脱臼骨折は非常にまれである．

診断のポイント

受傷機転と PIP 関節の腫脹，背側への突出，可動制限により本疾患が疑われる．X 線検査でほぼ確定診断がつくが，その際正確な側面像が必須である．関節の陥没や掌側骨片の粉砕を伴う場合は，CT が有用である．過伸展損傷による掌側板骨折とは治療法が異なるために，鑑別しておかなくてはならない．通常この場合は脱臼を伴っていない．

治療方針

掌側骨片の大きさが関節面の 1/3 以下である場合は，原則保存療法の適応である．次に整復位の安定性で治療方針が変わるので，①伸展位で安定している，② 45°の屈曲位で整復が安定している，③ 45°の屈曲位でも再脱臼する，の分類が重要である．さらに陥没骨折があり，関節面の不適合を伴う症例に対しては手術を考慮すべきである．

保存療法

骨片が関節面の 1/3 以下で，かつ軽度屈曲位で整復が安定しているものに対しては，PIP 関節屈曲 45〜60°で背側にシーネをあてて 3〜4 週間固定する．

手術療法

45°の屈曲位でも再脱臼を生じるようなものは，掌側の骨片が小さくても，伸展をブロックするための鋼線を背側から入れる（extension block 法）．骨片が大きい症例では，extension block を行う，あるいはその位置で PIP 関節を仮固定して，骨片をとらえるように掌側から鋼線を刺入して，骨折部を固定する．少し陳旧性になった症例や整復が不安定な症例に対しては，Robertson の 3 方向牽引が以前に行われていたが，最近それに代わる種々の創外固定器が市販されている（図 16-4a，b）．陥没が認められる症例に対しては，直接骨折部を展開して整復後に鋼線固定を行うか，

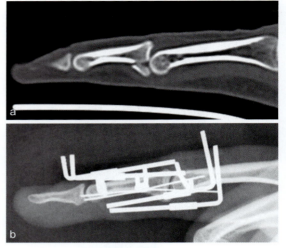

図 16-4　PIP 関節背側脱臼骨折
a：受傷後 CT 側面像
b：指関節牽引創外固定器（エム・イー・システム社）で治療

イメージ下に鋼線を刺入して陥没面を押し出す，あるいは intrafocal 法などのテクニックを用いて治療を行う．

後療法のポイント

4 週以上固定を続けると指の拘縮をきたしやすいので，それまでにリハビリテーションを開始する．ただし固定解除後に無理やり背屈を強制した場合，再脱臼をきたすことがあるので，徐々に伸展させるようにする．骨折部を鋼線で固定している症例では，関節を仮固定している鋼線は 3 週程度で抜釘し，骨折部を固定している鋼線を入れたままの状態で指のリハビリテーションを開始する．

患者説明のポイント

保存療法や extension block 法の適応症例の予後は良好である．陳旧例や関節内に陥没が認められる症例では，将来変形性関節症が生じる危険性があることを説明しておく．治療を行っても少し脱臼が残存しているような症例や，骨折部位の整復が不良な症例では，最終的に関節可動域の制限が残り，その後に変形性関節症に陥る．

槌指（ついし，つちゆび）
Mallet finger

川上 亮一　福島県立医科大学 特任准教授（外傷再建学講座）

【疾患概念】
突き指による受傷機転により，遠位指節間（distal interphalangeal；DIP）関節の伸展機構が損傷を受ける，日常的によくある外傷である．受傷後，放置して陳旧例となって初めて医療機関を受診することも少なくない．治療の目標は，DIP関節伸展機能の再獲得である．

診断のポイント
DIP関節が屈曲位で自動伸展不能な肢位から本症を疑ったら，単純X線DIP関節2方向撮影で骨折の有無を確認する．分類はDoyleの分類がすべての受傷形態を網羅している（図16-5）．

治療方針
伝統的には，骨折骨片がDIP関節面の1/3以上を占めていたり，DIP関節の亜脱臼がある場合には手術治療が推奨されている．手術治療の絶対的適応にコンセンサスはないが，スプリントを使用してもDIP関節の亜脱臼を整復できない場合は，手術療法を考慮すべきである．

保存療法
TypeⅠでは，掌側スプリントが使用されることが多い．6週間のDIP関節伸展位固定が望ましく，固定期間終了後に夜間スプリントを2週間追加する場合もある．スプリント交換の際には，DIP関節が屈曲しないように指先を保持するように指導する．

掌側板が弛く近位指節間（proximal interphalangeal；PIP）関節が過伸展傾向にある患者は，受傷後白鳥のくび（スワンネック）変形を生じることが知られている．PIP関節が過伸展となる患者は，治療初期の3週間，PIP関節30～40°の屈曲位固定を同時に行う．

陳旧例でDIP関節の屈曲拘縮を生じ，他動的に完全伸展できない場合は，受診時からスプリントを使用して，数回の受診でスプリントの角度を変えて0°の伸展位が得られるまで調節する．

TypeⅣAは，小児の骨端線損傷である．非観血的整復を行い，掌側スプリントでDIP関節伸展0°で3～4週間固定する．

手術療法
TypeⅡでは，開放創を皮膚と伸筋腱を同時に縫合

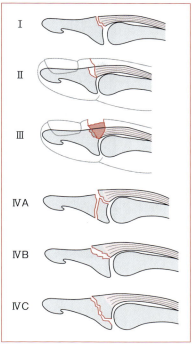

図16-5　Doyle classification
TypeⅠ：閉鎖性損傷，小さな剥離骨片を伴うこともある．
TypeⅡ：開放損傷，DIP関節周囲．
TypeⅢ：開放損傷で皮膚や伸筋腱の欠損を伴う．
TypeⅣA：小児の骨端線損傷例．
TypeⅣB：骨折骨片が関節面の20～50%を含むもの．
TypeⅣC：骨折骨片が関節面の50%以上を含むもの．

する．伸筋腱終末は非常に薄いため，縫合してもDIP関節の外固定が6週間は必要となる．

TypeⅢで伸筋腱の欠損がある場合は，遊離腱移植と局所皮弁や関節固定を考慮する．

TypeⅣBは，小さな剥離骨片がある場合，わが国においては骨片をextension block pinで間接的に整復し，DIP関節の鋼線固定を追加する石黒法が用いられることが多い．

TypeⅣCは，整復した後，骨折部とDIP関節を貫いて鋼線固定を行う．このときDIP関節は伸展0°で，6週間鋼線を留置する．

合併症と予後
保存療法での合併症は，装具の圧挫による皮膚損傷，皮膚炎，装具の破損や装具への不満が報告されている．

手術治療での合併症は，発生頻度順に，爪の変形，感染，皮膚潰瘍，腱断裂，骨折骨片の壊死，白鳥のく

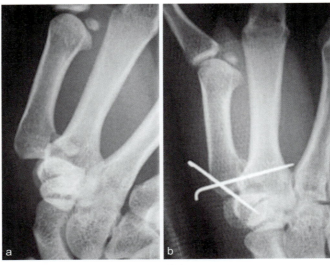

図 16-6 Bennett 骨折の単純 X 線像
a：術前，b：経皮的鋼線刺入固定術後

び変形が報告されている．

　槌指は，治療が奏効すれば，DIP 関節の伸展ラグ 0〜5° 以内で治癒し，予後良好である．逆に 20° 以上の伸展ラグを生じるようであれば，治療方法を見直す必要がある．

Bennett 骨折，Roland 骨折

Bennett fracture, Roland fracture

酒井 昭典　産業医科大学 教授

【疾患概念】　Bennett 骨折は，第 1 中手骨基部尺側の小骨片が原位置に残存し，手根中手（carpometacarpal；CM）関節面の大部分を含む中手骨が近位に脱臼した母指 CM 関節脱臼骨折を指す．長母指外転筋腱が中手骨を牽引するため脱臼する．Roland 骨折は，第 1 中手骨基部が粉砕した母指 CM 関節内骨折を指す．

【臨床症状】
　骨折部に腫脹と圧痛を認め，痛みのため母指の自動運動が障害される．

●問診で聞くべきこと
　受傷機転を聴取する．手のしびれや感覚障害の有無を確認する．

●必要な検査とその所見
　①単純 X 線検査（図 16-6）：骨折を診断できる．

　②CT：Bennett 骨折では必ずしも必要ないが，Roland 骨折では骨片の数や大きさを把握することができて有用である．

●診断のポイント
　患者の症状，受傷機転からこれらの骨折を疑い，単純 X 線像で診断する．

●専門病院へのコンサルテーション
　手術が可能な施設の整形外科専門医あるいは手外科専門医に紹介することが望ましい．
　①治療選択に迷う場合
　②骨片の固定が困難な場合
　③開放骨折

●治療方針
　安定型は転位が小さい骨折で，不安定型は転位や粉砕を伴った骨折である．安定型では外固定による保存治療，不安定型では手術治療が選択される．

●治療法
1 ▶ Bennett 骨折
　X 線透視下に第 1 中手骨を牽引しつつ，母指 CM 関節内に残存した小骨片に合わせるよう整復する．第 1 中手骨と大菱形骨を Kirschner 鋼線で固定する．

2 ▶ Roland 骨折
　母指 CM 関節面を整復し，関節面の転位や段差は 1〜2 mm 未満とする．転位が小さく骨片の数が少なければ，経皮的鋼線刺入固定が可能かもしれない．そうでなければ，観血的に鋼線，スクリュー，プレート

などを用いて整復固定する．術後3～4週間，外固定する．内固定で対応できない高度な粉砕骨折や開放骨折には創外固定を用いる．

> 患者説明のポイント

可動域制限と握力低下が残存する可能性，長期的には変形性関節症になる可能性があることを説明する．

> リハビリテーションのポイント，関連職種への指示

完全な骨癒合が得られる前に可及的早期から可動域訓練を開始する必要があることを患者に説明する．関節可動域と筋力を受傷前のレベルに回復させるようリハビリテーションを行う．

ボタン穴変形

Buttonhole deformity

岩本 卓士　慶應義塾大学 専任講師

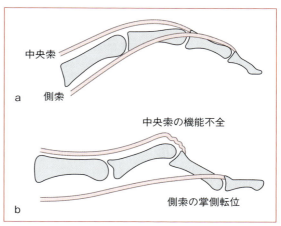

図 16-7　ボタン穴変形の発生機序
a：正常解剖．中央索は PIP 関節の伸展に作用し，側索は PIP 関節および DIP 関節の伸展に作用する．
b：ボタン穴変形．中央索の機能不全により PIP 関節の伸展が不能となり，側索が掌側転位することで PIP 関節屈曲，DIP 関節過伸展に作用することとなる．

【疾患概念】
ボタン穴変形とは手指変形の1つで，近位指節間（proximal interphalangeal；PIP）関節が屈曲位，遠位指節間（distal interphalangeal；DIP）関節が過伸展位を呈する変形である．

【病態】
ボタン穴変形は，複雑な構造をもつ指伸展機構のアンバランスによって生じる．正常解剖ではPIP関節の伸展に働く伸筋腱中央索が，何らかの原因により機能しなくなり，PIP関節が屈曲位を取ることにより変形が始まる．これと同時に，伸筋腱側索はPIP関節の掌側に転位するために，本来はPIP関節およびDIP関節の伸展に作用するべき側索が，PIP関節屈曲，DIP関節過伸展に作用することとなる（図16-7）．2本の側索の間から基節骨頭がボタンの穴から飛び出すようにして変形するため，ボタン穴変形とよばれている．

伸筋腱中央索が機能不全に陥る原因として最も多いものが関節リウマチであるが，外傷による伸筋腱の断裂によっても生じる．関節リウマチでは，PIP関節の滑膜炎が持続することにより伸筋腱中央索が弛緩する．

> 問診で聞くべきこと

関節リウマチの既往について聴取する．また関節リウマチの診断がついていない場合には，他の手指関節にも変形や腫脹が生じていないかを確認する必要がある．外傷による腱断裂が原因の場合には，受傷後早期には変形は生じず，数週間経過して変形が徐々に進行することも多いので，過去の突き指などの外傷歴についても聴取する必要がある．

> 必要な検査とその所見

関節の変形や骨折（伸筋腱の剥離骨折）の有無を確認するために，単純X線撮影は必須である．多関節に腫脹や変形を認める場合には関節リウマチを強く疑い，血液検査（CRP，リウマトイド因子，抗CCP抗体など）を行う必要がある．PIP関節に明らかな腫脹を触知する場合には，超音波検査で活動性の滑膜炎であるかを評価することも有用である．

> 診断のポイント

変形の原因が関節リウマチによるものか外傷性のものかを鑑別することは，きわめて重要である．また変形に対する治療方針を決定するうえで，関節が柔軟で変形を他動的に矯正できるかどうかを徒手的に診察する．

> 治療方針

軽度の変形は，PIP関節を他動的に伸展させるコイルスプリントによる保存的治療が適応になる．外傷性のもので徒手的な矯正が可能な変形は，手術治療を検討する．損傷した中央索の縫合を行い，DIP関節の過伸展が強い場合には，終止腱の延長を含めた伸筋腱バランスの再建が必要となる．

陳旧化した拘縮の強い変形では，手術適応を慎重に判断する．ボタン穴変形ではPIP関節の屈曲は制限されていないことから，高度の変形例であっても握り動作が可能であり日常生活に障害がないことも多い．高度の変形を手術によって矯正することは容易ではな

く，かえって屈曲制限をきたすことにより機能障害を生じることも少なくない．拘縮を伴う変形では，PIP関節の授動術や人工関節置換術に併用して伸筋腱のバランス再建を行うが，再発のリスクも高く，重度の変形では良肢位でのPIP関節固定術が適応となる．

白鳥のくび変形
Swan-neck deformity

岩本 卓士　慶應義塾大学 専任講師

【疾患概念】　白鳥のくび変形とは手指変形の1つで，近位指節間（proximal interphalangeal；PIP）関節が過伸展位，遠位指節間（distal interphalangeal；DIP）関節が屈曲位を取る変形のことである．外見が白鳥のくびに似ていることからよばれ，スワンネック変形とも言われる．

【病態】　白鳥のくび変形は，複雑な構造をもつ指伸展機構のアンバランスによって生じる．原因として最も多いものが関節リウマチであるが，外傷による終止腱の断裂（マレットフィンガー）によっても生じる．このほか手の内在筋の痙性，浅指屈筋腱の断裂など，いくつかの原因によって生じうる．

関節リウマチでは，中手指節間（metacarpophalangeal；MP）関節の滑膜炎が持続することにより伸筋腱が脱臼し，MP関節の伸展不全が生じる．これにより代償的にPIP関節は過伸展し，DIP関節関節は屈曲位となる（図16-8a）．外傷では終止腱の損傷によりDIP関節の伸展が不可能となり，伸展力がPIP関節に集中することから過伸展を生じる（図16-8b）．疾患により原因となる関節が大きく異なることに注意が必要である．

問診で聞くべきこと

関節リウマチの既往について聴取する．また関節リウマチの診断がついていない場合には，他の手指関節にも変形や腫脹が生じていないかを確認する必要がある．外傷による腱断裂が原因の場合には，受傷後早期にはDIP関節の伸展不全のみでPIP関節の過伸展は生じないが，数週間経過してPIP関節の過伸展変形が徐々に進行することが多いので，過去の突き指などの外傷歴についても聴取する必要がある．

必要な検査とその所見

関節の変形や骨折（伸筋腱の剥離骨折）の有無を確認するために，単純X線撮影は必須である．多関節に腫脹や変形を認める場合には，関節リウマチを強く疑

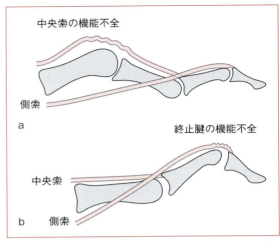

図 16-8　白鳥のくび（スワンネック）変形の発生機序
a：関節リウマチによる白鳥のくび変形．MP関節部での中央索の機能不全が原因となる．
b：外傷による白鳥のくび変形．両側の側索から成る終止腱の機能不全が原因となる．

い，血液検査（CRP，リウマトイド因子，抗CCP抗体など）を行う必要がある．

診断のポイント

変形の原因が関節リウマチによるものか外傷性のものかを鑑別することは，きわめて重要である．先にも述べたように，原因となる疾患により，治療対象となる関節が全く異なることに注意が必要である．

また変形に対する治療方針を決定するうえで，関節が柔軟で変形を他動的に矯正できるかどうかを徒手的に診察する．

治療方針

PIP関節の過伸展はあっても自動屈曲が可能である早期の段階では，PIPの可動域関節の過伸展を防止する装具による保存的治療が有効である．

変形が長期にわたり側索の背側転位が持続すると，PIP関節の自動屈曲が不可能となる．外傷が原因の場合には，腱移植などにより，DIP関節の伸展，PIP関節の過伸展制御の再建を行う．関節リウマチの場合には，MP関節の伸展不全に対して人工関節などでの再建を行い，必要に応じてPIP関節の過伸展制御を併用する．

指尖部損傷
Fingertip injury

土田 芳彦　湘南鎌倉総合病院外傷センター センター長〔神奈川県鎌倉市〕

【疾患概念】　手指末節部の屈筋腱，伸筋腱付着部より末梢の欠損損傷であり，主として労災事故などで生じることが多い．

【病態】
　損傷のレベルと程度でさまざまな病態を呈する．予後を規定するのは，末節骨，爪床，爪母などの爪甲を司る背側損傷の程度と，腹側の軟部組織損傷の程度である．このなかで爪床，爪母は再建が難しく，末節骨や腹側軟部は再建が比較的容易である．このことが予後を決定する．

問診で聞くべきこと
　損傷の病態は肉眼所見で明らかである．問診では治療に影響を与える要因について聴取する．1つは感染の危惧を予想する細菌汚染の程度を，受傷機転などから類推することである．もう1つは年齢，性別，職業などの患者背景などから要望を類推し，患者の希望を尋ねることである．

必要な検査と所見
　単純X線画像は必須であり，理学所見として残存皮膚の血行状態と知覚検査を行う．そして，最も重要な爪床，爪母の温存状態を調査する．

大まかな治療方針
　指尖部損傷には大きく分けて，「保存治療」「各種皮弁治療」「composite graft」「再接合術」の4つが存在する．

専門病院へのコンサルテーション
　指尖部損傷における治療法判断はきわめて困難である．明らかな保存治療の適応以外は，専門病院へ送るべきである．

具体的治療方針
　石川の損傷分類レベル（図16-9）と年齢に応じて，治療再建方法を選択するのがよい．
　切断末梢部に吻合が可能な血管が残存していれば，再接合術施行の可能性があるが，その成功は損傷の度合いよりも術者の技量に強く依存する．軽率に手を出す治療ではない．
　10歳以下の小児には，まずcomposite graftを施行する．もしも，graftが不生着に終わった場合には，成人の方針に移行する．

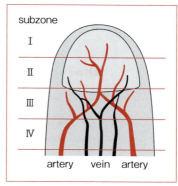

図16-9　石川のsubzone分類

　年長児あるいは成人の石川zone Iの損傷においては，保存治療（occlusive dressing法）で満足すべき指尖部が再建できるのでこれを選択する．
　石川zone IIの損傷に保存治療を施行すると，巻き爪変形が生じるので何らかの皮弁による再建を行う．横切断でも掌側斜め切断でも，20歳代までは母指球皮弁が，ドナーサイトの合併症が少なく良い適応である．30歳以上では手指屈曲拘縮が生じやすいので，横切断の場合には局所動脈皮弁（oblique V-Y前進皮弁など）の良い適応であるが，指腹部の大きな欠損を伴う掌側斜め切断では，逆行性指動脈島状皮弁の良い適応である．
　Zone IIでも爪半月に近い場合には，graft on flap（平瀬法）により背側組織の付加を行うことを考慮する．しかし，付加組織が大きいと部分壊死を生じるので，掌側皮弁で十分に被覆できる範囲にとどめておく．

合併症と予後
　治療として選択する方法によって，また選択した治療が成功したとしても，手指短縮，指尖部変形，爪変形，疼痛，知覚障害などは避けられない．また隣接関節拘縮はしばしば生じる．

患者説明のポイント
　損傷のレベルと程度に大きく左右されるが，手術治療を選択しても決して元には戻らないことを説明しておく．また，皮弁術にはドナー障害を伴うことを説明することは重要である．

リハビリテーションのポイント
　指尖部損傷には常に関節拘縮発生の危険性がある．損傷されていない関節を障害しないように，リハビリテーションに留意する．

手袋状剥皮損傷

Degloving injury

池口 良輔　京都大学医学部附属病院リハビリテーション科 准教授

【疾患概念】 ローラーやプレスの機械に巻き込まれ手を引き抜く際に，手や指の皮膚が手袋状に皮下で剥脱される開放創のことである．指輪が末梢側に引っぱられることにより，指にこの損傷が発生すると，ring injury とよばれる．剥脱された組織は挫滅されており，健常血管を探して血流再建を行っても再開されないことも多く，予後は不良である．

【臨床症状】

開放創を呈し，完全に剥脱している場合は容易に診断可能であるが，不完全な場合は受傷原因から推測する必要がある．

問診で聞くべきこと

受傷形態，機械の種類，受傷時間，喫煙歴，飲酒歴，抗凝固薬服用の有無，糖尿病など内科的疾患の有無などである．

必要な検査とその所見

①単純X線検査：巻き込まれた機械の種類によっては骨折を伴うこともある．前腕遠位に創が及ぶ場合は，肘関節まで損傷される場合があるので，肘関節まで撮影する．
②CT：骨折を合併する場合は，骨折型を把握し骨接合方法決定のために必要であり，単純X線検査では判読できない小骨片を確認できる．

診断のポイント

受傷形態と創の状態から予想する．不完全皮膚剥脱の場合は，初診時に末梢の血流障害について診断する．正確な剥脱範囲と骨関節，神経，腱，血管の合併損傷については術中に判断することになる．

専門病院へのコンサルテーション

剥脱範囲と骨関節，神経，腱，血管の合併損傷によって予後が異なる．これらを修復するにはマイクロサージャリーと皮弁の技術が必要となるので，手外科医へ早期に紹介する．

治療方針

下記の分類（Kay，1989）にもとづいて治療を行い，予後予測がつく．
Class Ⅰ：不完全皮膚剥脱で，剥脱部位より末梢の動脈および静脈の血行は良好
Class Ⅱ：不完全皮膚剥脱で，剥脱部位より末梢の血行は不十分であるが，骨折の合併はない
　A＋V：動脈および静脈の血行再建が必要
　A：動脈の血行再建が必要
　V：静脈の血行再建が必要
Class Ⅲ：不完全皮膚剥脱で，剥脱部位より末梢の血行は不十分であり，骨折の合併がある
　A＋V：動脈および静脈の血行再建が必要
　A：動脈の血行再建が必要
　V：静脈の血行再建が必要
Class Ⅳ：指尖までの完全皮膚剥脱か，皮膚剥脱を伴った完全引き抜き切断

治療法

保存療法の適応はなく，手術療法が適応となる．
Class Ⅰでは，通常の修復を行う．
Class Ⅱでは，損傷血管の修復を行うが，剥脱されている部分の血管は使えないため，健常な血管を探しての長い静脈移植が必要となる．二次的に皮弁が必要になる場合もあり，動静脈両方の血行再建が必要な場合は生着率は低くなる．
Class Ⅲでは，Class Ⅱと同様の血流再建と，他組織と骨関節の修復が必要になる．動静脈両方の血行再建が必要な場合は生着率は低くなり，生着しても二次的に皮弁が必要になる場合が多い．
Class Ⅳでは，再接着を試みるが，剥脱された組織は動脈縫合を行っても血流再開されないことが多く，腹壁皮弁，有茎皮弁，遊離皮弁，軟部組織が残存する部分があれば剥脱組織からの植皮で再建を行う．末節骨を切除しての指の短縮も考慮する．

患者説明のポイント

血流低下が認められれば緊急手術になる可能性，生着しない可能性，複数回の手術が必要になる可能性と，期待するほど機能改善が得られない可能性について説明する．

リハビリテーションのポイント，関連職種への指示

血行再建が行われた場合は，血流を数時間おきに確認して，異常がある場合には主治医に連絡する．拘縮予防のための可動域（range of motion；ROM）訓練の開始時期を血流状態から検討し，損傷組織の程度によりゴールを設定し，リハビリテーションと追加手術の治療計画を立てる．

高圧注入損傷

High pressure injection injury

池口 良輔　京都大学医学部附属病院リハビリテーション科 准教授

【疾患概念】　塗料，グリース，軽油，ガソリンなどが，ペイントガンなどの高圧噴射により，体内へ注入されることに起因する損傷である．注入部の創は，受傷直後は軽微のように見えるが，内部損傷は重度な場合が多い．特に塗料，有機溶剤は非常に有毒で，外科的治療の遅れは切断または死亡につながる．水または空気の注入でも，コンパートメント症候群を引き起こす．

【臨床症状】
　注入直後は無症状であるが，数時間後に腫脹，知覚低下，血流不全を引き起こし，注入された液体に対して強烈な炎症が引き起こされ，激痛を伴うようになる．

▶問診で聞くべきこと
　受傷時間，受傷形態，注入された液体の種類，注入器械の種類を詳細に聴き出す．喫煙歴，飲酒歴，抗凝固薬服用の有無，糖尿病など内科的疾患の有無などについて聴取する．

▶必要な検査とその所見
①単純X線検査：注入された溶剤の広がりが認められる場合もある．
②CT：単純X線検査と同様，溶剤の広がりを把握できる場合がある．また骨折の有無を確認しておく．
③血液検査，胸部X線検査，心電図：塗料や有機溶剤により，全身性の中毒症状によりショック状態になる可能性があるので，全身状態を把握しておく．

▶診断のポイント
　受傷形態の問診と創の視診により，高圧注入損傷の可能性を念頭におくことが重要である．

▶専門病院へのコンサルテーション
　複数回の手術，軟部組織の再建と手指拘縮の解離など，専門的な治療が必要になる場合だけでなく，急性期には全身性の中毒症状によりショック状態になる場合があるので，全身管理のできる，かつ，手外科医の勤務する，より高度の救急病院へ紹介する．

▶治療方針
　保存療法は適応にならない．できるだけ早く，切開，除圧，デブリドマンと原因となる塗料や有機溶剤の除去が必要である．創は一見小さく軽微のように見えるが，内部損傷は重度な場合が多く，汚染が疑わしい部位は躊躇なく開放し，汚染組織はすべてデブリドマンにて除去する．指尖からの注入であっても，注入物質は腱と筋膜腔〔虫様筋腔，中央手掌腔，母指腔，後母指内転筋腔，パロナ腔（大前腕腔）〕に沿って広がるので，前腕まで開放が必要である．創は一次縫合を行わず，開放創とする．二次的創閉鎖が困難であれば，皮弁術が必要になる．経過中に創の状態が悪ければ，追加デブリドマンを数回にわたり計画する．
　上肢の外科的処置と並行して，急性期には全身の中毒症状に対して加療が必要になる．
　手指の拘縮と腱の癒着を惹起するため，それらに対する再建術が必要となるが，予後は不良である．

▶患者説明のポイント
　軽微な外傷のように一見思えるが，深部の損傷は重篤であり，予後は不良で，全身状態の悪化があれば切断になる可能性，複数回の手術が必要になる可能性と機能障害を残す可能性について説明する．

▶リハビリテーションのポイント，関連職種への指示
　術後は safe position にて外固定を行う．手指の血流の確認を行い，異常がある場合には主治医に連絡する．拘縮予防のための可動域（range of motion；ROM）訓練は，創の状態が許せる限り可及的早期に開始する．

手・指切断傷

Finger and hand amputation

本宮 真　帯広厚生病院 部長〔北海道帯広市〕

【疾患概念】　手・指切断は，皮膚・骨・腱・血管・神経が損傷される複合組織損傷である．組織の生着には血管吻合による血流再開が必要であり，同部での再接着を成功させるためには，約1mm程度の血管吻合の技術が必要となる．損傷レベルの分類として，指切断には玉井分類が，指尖部切断には石川分類が用いられる．指尖部再接着の場合，静脈吻合が困難な場合には術後の瀉血療法により生着が期待できるが，遠位指節間（distal interphalangeal；DIP）関節より近位の切断（玉井分類 zone Ⅲ 以上）では，動脈に加えて静脈路の修復が必須である．中節骨基部よりも遠位の切断（玉井分類 zone Ⅲ 以下）で浅指屈筋腱および伸筋腱中央索が損傷されていなければ，近位指節間（proximal interphalangeal；PIP）関節機能の温存が可能であり生着後に良好な機能が期待できる．一方で，PIP関節よりも近位の切断（玉井分類 zone Ⅳ・Ⅴ）では，修復腱の癒着や関節拘縮による可動域制限は必発であり，機能的な指とならないことも多い．
　生着率は57〜90％と報告されているが，切断形態

(鋭利切断，鈍的切断，挫滅切断，引き抜き切断)により異なり，挫滅・引き抜き損傷では生着率が低くなる．

診断のポイント

手・指局所の評価の前に，全身状態および合併損傷に関しての評価を行う．その後，切断指および中枢断端を観察し，組織の損傷程度を確認する．不全切断であれば，指尖の知覚(特に痛覚)の有無および屈筋腱・伸筋腱の連続性を確認し，カルテに記載する．側副血行路で指尖の血流が一見保たれて見える pulseless pink の損傷があり，両側指動脈の損傷があり capillary refilling time が2秒以上の症例では，切断指に準じて動脈修復を行う必要がある．X線検査にて，骨の切断レベルと骨折型の評価を行う．

切断指の保存方法と中枢断端の処置

切断指を生理食塩水で洗浄し汚れを落とす．この際，神経・血管を損傷しないよう愛護的に行う．その後組織が乾燥しないよう，生理食塩水で湿らせたガーゼで切断指をくるみ，ビニール袋に入れて密閉する．切断指の入ったビニール袋を氷の入った袋に入れるか，または冷蔵庫(4℃)にて保管する．切断指を生理食塩水に直接浸すことや，氷と直接接触させることは，切断指の組織障害を生じるため，絶対に行わないようにする．手関節より遠位部の切断では，筋体はほとんど含まないため，冷却した状態であれば24時間程度まで待機が可能である．

近位の切断端は局所麻酔または伝達麻酔をかけた後に，水道水または生理食塩水にて洗浄を行う．出血部を圧迫止血し，ガーゼで覆った状態で待機する．出血の制御のために血管を結紮することは避けるようにする．切断時の状況に応じて，抗菌薬の投与や破傷風の予防処置を行う．

治療法

手指切断の治療には再接着のほかに，肉芽盛り上げによる保存加療や，断端形成術，皮弁形成術がある．保存加療は手術が不要であるが，創治癒に長期を要し，切断以遠の回復を期待できない．断端形成術は早期の創治癒が得られる反面，指長のさらなる短縮をきたす．皮弁形成術は，血管吻合を行わずに周囲の組織を用いて指の長さを保つことが可能であるが，再建サイズに限界があることと，健常部への侵襲が加わることの欠点がある．再接着は，血管吻合を要する長時間の手術が必要になるが，生着すれば指の長さを保つことが可能となる．また，母指切断または全指切断などにおいて，切断指がない場合や再接着が困難な場合には，wrap around flap や足趾移植による再建を検討する．

1 ▶ 再接着の適応

積極的な再接着の適応は，母指切断，多数指切断，小児切断とされているが，現在では患者の希望により再接着を行うことが多い．切断指の挫滅が強く末梢の血流再開が見込めない症例，術後の安静が保てない症例，禁煙できない症例，全身状態が不良な症例，では再接着の適応はなく，他の治療法を検討する．問診および診察を十分に行い，受傷形態・年齢・職業・合併症・患者の希望を総合的に判断して治療方針を決定する．

2 ▶ 再接着の修復手順

完全切断では先に切断指のみを手術室に入室させ，切断指側の準備を行っておくと手術時間の短縮が可能である．挫滅・汚染組織の十分なデブリドマンを行ったのちに，切断指および中枢断端の神経・血管を修復しやすいよう準備しておくことが重要である．骨，腱(屈筋腱・伸筋腱)，神経，血管(動脈・静脈)，皮膚の順に修復を行う．組織の修復を容易にするために十分な骨短縮を行う．Kirschner 鋼線や軟鋼線による骨固定を行ったのちに，屈筋腱と伸筋腱を修復する．指の伸展可動域は2期的な再建にて獲得することが困難なため，伸筋腱の縫合は十分な強度でしっかりと行う．指神経を最低1本修復したのちに，指動脈を吻合し，背側の指静脈の吻合を行う．術後の血管閉塞の多くが静脈閉塞であり，可能であれば複数本の静脈吻合が望ましい．挫滅損傷で広範囲に血管の損傷がある場合には，健常血管を露出し，手掌部または前腕遠位掌側より静脈を採取し血管移植を行う．最後に皮膚縫合を行うが，修復血管を圧迫しないように，かつ吻合血管が被覆できるよう緩めに縫合する．

3 ▶ 再接着の術後管理

術後の血管閉塞は48時間以内に生じることが多い．術後1週間ベッド上で安静にし，術直後は1時間ごと，1週間まで2～4時間ごとに血流を確認する．再接着の成功率を高めるために，血栓溶解薬(ウロキナーゼ)・血管拡張薬(プロスタグランジン)に加えて循環血液量を保つために低分子デキストランの投与を行う．挫滅切断など血栓形成の危険性の高い症例には，抗凝固薬(ヘパリン)の併用を検討する．血栓閉塞を認めた場合には，血行再建手術を行う．

患者説明のポイント

再接着を希望する場合には，禁煙および術後の安静と抗凝固療法が必要であることを了解してもらう．血管吻合後に末梢組織の挫滅のため血行が再開しない可能性があること，術後2週間は再接着後の血管閉塞により組織が壊死に陥る可能性があること，血管閉塞時には臨時手術にて血行再建術を行う可能性があること，術後うっ血に対して瀉血療法(医療用ヒルの使用

など）を行う可能性があること，などを説明する．複数本の再接着や術後に瀉血療法を行う可能性のある症例では，輸血が必要な可能性があり同意書を取得しておく．生着後も長期にわたるリハビリテーションが必要であり，可動域制限や知覚障害などの機能障害が必ず残ることを十分に理解してもらうことが重要である．

▶ リハビリテーションのポイント，関連職種への指示

術後2〜3週頃より軽い運動から開始する．術後6週頃より積極的な自動運動を開始し，関節拘縮に対して装具を用いた矯正を併用していく．再手術による伸展可動域の回復は困難であり，伸展を意識したリハビリテーションが重要である．術後6か月頃に，屈曲制限に対する癒着剥離など，2期的な再建を検討する．

術後は指の血流を定期的に確認するが，再接着の血行以外にも，創からの出血，肝機能障害，補液過剰による浮腫や肺水腫などに注意を払い，異常が疑われる場合にはすぐにドクターコールするように指導する．

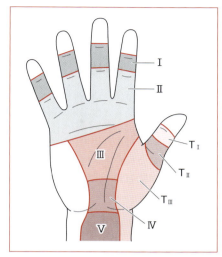

図 16-10　屈筋腱断裂国際分類
第2〜5指
Zone Ⅰ：DIP関節
Zone Ⅱ：no man's land
Zone T_Ⅱ：母指MP関節掌側部
Zone Ⅲ：手掌部
Zone Ⅳ：手根部
Zone Ⅴ：前腕部
母指は T_Ⅰ〜T_Ⅲ に区分する．

指屈筋腱損傷

Laceration of finger flexor tendon

岡田　貴充　社会保険仲原病院〔福岡県糟屋郡〕

【疾患概念】　手指屈筋腱損傷はその損傷部位により治療成績が異なることより，国際分類を用いて損傷部位を分類している．特にZoneⅡは古くから手外科領域の外傷で最も治療が困難なものとして知られていたが，さまざまな手術法・後療法が考案され，その治療成績は安定してきている．ここでは，屈筋腱損傷に対する診断，治療を総論的に述べる．

【病態・分類】
屈筋腱断裂の診断は比較的容易であるが，治療法や治療成績が腱損傷の状況により異なることからその病態の分類が必要である．下記に示す3つの分類を組み合わせて治療法を選択する．

(1)「損傷部位」による分類
一般的に国際分類（図16-10）が用いられる．特にZoneⅡは浅指屈筋腱と深指屈筋腱が並走しているため癒着が生じやすく，成績不良となることが多いため，手術・リハビリテーションに専門的治療が必要とされる．

(2)「損傷時期」による分類
新鮮損傷と陳旧性損傷がある．新鮮損傷に比べ陳旧性損傷では腱周囲の瘢痕や皮膚，関節などの拘縮が生じていることがあり，腱の修復前にこれらの環境を整える必要がある．

(3)「受傷形態」による分類
鋭利な刃物などによる開放性損傷と，開放創がない状態での閉鎖性損傷（皮下断裂）がある．閉鎖性損傷には，ドアなどにはさむことによる圧挫や骨折後などに生じる外傷性のものと，関節リウマチや化膿性滑膜炎などの慢性炎症や変形性関節症などの骨棘による摩耗で生じた非外傷性のものがある．開放性損傷の場合は開放創を伴うため診断は比較的容易であるが，閉鎖性損傷の場合は診断に難渋することがあり，発症時期・合併症状などこまめに病歴を聴取する必要がある．

▶ 問診で聞くべきこと

開放性損傷であれば，開放創を生じた状況（鋭利な物による損傷かどうかなど），その際の手指の肢位（屈曲位か伸展位かなど：腱の近位断端の位置のおおよその推測のため），指先のしびれ・知覚鈍麻の有無（腱と並走する指神経損傷の合併の有無の確認）などを聴取する．閉鎖性損傷であれば，屈曲不能となった際の手指の使用状況（ZoneⅠであればjersey injury とよばれるラグビーのタックルの際などの特徴的な使用状況がある），断裂が想定される部位での関節痛（変形性関節症による骨棘による摩耗），関節リウマチなどの慢性炎症を生じる疾患の既往などを聴取する．また陳旧性

の場合は，開放創があったかどうかなど，こちらから聴取しなければ訴えがない場合もあるので，外傷歴の有無を聴取する．

必要な検査とその所見

(1)単純X線

開放性損傷の場合は，骨傷の有無を確認する．また，閉鎖性損傷の場合は，断裂を想定する部位の骨棘の有無などを確認する．

(2)エコー

腱の描出に優れるため，まず行われるべき検査である．開放性損傷では断裂腱の近位・遠位断端の位置を確認する．

(3)MRI，CT

エコー検査で確定できない場合に補助検査として選択する．閉鎖性損傷では腱損傷の診断確定，損傷部位の同定目的で行うことが多い．MRI検査で断端が不明瞭な場合，3D-CTで腱を描出させると腱の断裂部位，近位・遠位断端が描出されることもある．ただし摩耗によって損傷した場合は腱に連続性がみられることもあり，腱幅の狭小化などを見逃さないようにすることが重要である．

鑑別診断で想起すべき疾患

(1)麻痺性疾患

麻痺により手指が屈曲しない疾患が鑑別となる．特に閉鎖性損傷との鑑別が困難な場合もあるので，双方の疾患を疑い，針筋電図などにより麻痺性疾患を除外することが重要である．

①前骨間神経麻痺：母指の指節間(interphalangeal；IP)関節，示指遠位指節間(distal interphalangeal；DIP)関節が屈曲不能となる．屈曲不能となる前に，肘周辺の疼痛の既往がなかったかを確認する．特に不全麻痺の場合は皮下断裂と間違いやすい．

②神経痛性筋萎縮症(neuralgic amyotrophy)：頚部から肩周囲の疼痛を合併する場合は本疾患も疑う．

診断のポイント

上記麻痺性疾患を除外しつつ，病歴・理学所見・画像所見から診断する．開放性か閉鎖性か，新鮮損傷か陳旧損傷か，損傷部位により治療方針が大きく異なるため，腱損傷の分類を含めた診断を行うことが重要である．

専門病院へのコンサルテーション

腱損傷の治療においては，手術手技と術後リハビリテーションによりその治療成績は大きく異なる．また術者が選択する縫合法により得られる腱断端の強度と，リハビリテーション法がリンクしている．そのため医師とリハビリテーションスタッフの連携は，術直後から治療が終了するまで密に必要であり，そのどちらか一方もしくはそれぞれの連携がそろわない場合は，双方がそろう手外科専門医施設を紹介することが望ましい．

治療方針

腱縫合部の強度な張力をもつ主縫合を行った後，慎重な後療法により腱の癒着と拘縮を回避し，かつ再断裂も防止して，良好な手の機能を得ることが目標となる．

治療法

新鮮損傷であれば，可能な限り解剖学的に修復することが原則である．陳旧例の場合は，瘢痕，皮膚性拘縮・関節拘縮が生じていることがある．術前にこれらを可能な限り除去しておくことが，術後成績の向上に重要である．陳旧性損傷や閉鎖性損傷では，遊離腱移植や腱移行術などによる再建術を考慮する．

1 ▶ 腱縫合法

主縫合法は，断裂部を架橋する縫合糸の数によって2-strand法から10-strand法があり，架橋する本数が多いほど縫合部の強度も高くなるが，その反面，縫合手技が複雑になるのに加え，縫合糸による腱の血行阻害の懸念が大きくなる．6-strand法が施行されることが多い．

リハビリテーションのポイント

後療法には，3週間固定法のほか，Kleinert法およびその変法などの早期自動伸展・他動屈曲療法，それに自動屈曲を加えた早期自動屈曲伸展療法があり，後者ほど，より大きな腱滑走距離が得られ周囲との癒着が回避できる．

臨床成績も後者ほど良好で，早期自動屈曲伸展療法は優れた方法であるが，挫滅の強い症例や小児などの非協力的な患者では困難な場合がある．

指伸筋腱損傷

Laceration of finger extensor tendon

岡田 貴充　社会保険仲原病院〔福岡県糟屋郡〕

【疾患概念】 伸筋腱損傷は屈筋腱損傷と比較して治療は一般的に容易と考えられているが，

①固有指部背側では複雑な伸展機構が存在している．

②屈筋腱と比較して，少ない滑走距離で関節可動域を生むため，わずかな短縮が過伸展変形や屈曲制限の原因となる．

③屈筋腱と比較して，短期間で筋短縮性拘縮が生じる．

④腱自体が薄いため，強固な縫合を施行しにくい．

などの伸筋腱特有の問題もあり，その治療は決して容易ではない．ここでは伸筋腱損傷の診断，治療を総論的に述べる．

【病態・分類】

伸筋腱断裂の診断は比較的容易であるが，治療法や治療成績が腱損傷の状況により異なることから，その病態の分類が必要である．屈筋腱同様，下記の3つの分類を組み合わせて治療法を選択する．伸筋腱は，筋短縮性拘縮が早期に発生し縫合困難となることがあるため，受傷時期の同定が重要である．

①「損傷部位」による分類：一般的に国際分類（図16-11）が用いられる．
②「損傷時期」による分類：新鮮損傷と陳旧性損傷がある．
③「受傷形態」による分類：開放性損傷と開放創がない状態での閉鎖性損傷（皮下断裂）がある．

伸筋腱・閉鎖性損傷のうち，特徴的なものを下記に列挙する．

(1) Zone Ⅰ：腱性槌指
手指を伸展した状態で過屈曲が強制されることで，終止伸筋腱が断裂し槌指変形が生じる．

(2) Zone Ⅲ：中央索断裂 → ボタン穴変形
突き指などで中央索が断裂することがある．受傷直後は変形がなく放置され，変形が生じてきてから受診することも多い．中央索断裂を診断する方法としてElsonテストがある．

(3) Zone Ⅴ：伸筋腱脱臼
中手指節（metacarpophalangeal；MP）関節部で矢状索が断裂し，総指伸筋腱が指を曲げた際に尺側に亜脱臼もしくは脱臼する．

(4) Zone Ⅳ：橈骨遠位端骨折に伴う長母指伸筋腱断裂
橈骨遠位端骨折が発生してしばらくした後，Lister結節周辺で長母指伸筋腱が断裂することがある．

問診で聞くべきこと

聴取すべき内容は屈筋腱損傷に準じるが，伸筋腱損傷では，早期に筋短縮性拘縮が生じ縫合困難となることがあるため，外傷や伸展制限が生じた時期を詳細に聴取する．

必要な検査とその所見

屈筋腱損傷の項に準じる．

鑑別診断で想起すべき疾患

(1) 麻痺性疾患
麻痺により手指が伸展しない疾患が鑑別となる．特に閉鎖性損傷との鑑別が困難な場合もあるので，双方の疾患を疑い針筋電図などにより麻痺性疾患を除外することが重要である．
①後骨間神経麻痺：母指から小指までのMP関節の伸展が不能となる．不全麻痺で，手指の伸展不能がまだ

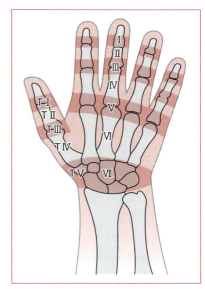

図16-11 伸筋腱断裂国際分類

らに生じた場合に，伸筋腱皮下断裂と間違いやすい．
②神経痛性筋萎縮症（neuralgic amyotrophy）：頸部から肩周囲の疼痛を合併する場合は本疾患も疑う．

診断のポイント

屈筋腱損傷と同様上記麻痺性疾患を除外しつつ，病歴，理学所見，MRI，3D-CT，超音波診断装置（エコー）などの画像所見から診断する．開放性か閉鎖性か，新鮮損傷か陳旧損傷か，損傷部位により治療方針が大きく異なるため，腱損傷の分類を含めた診断を行うことが重要である．

専門病院へのコンサルテーション

伸筋腱損傷においては，手指の伸展メカニズムの複雑さや指背腱膜や支持靱帯の存在などから，特にZoneⅡ～Ⅳの治療が難しい．軽微な切創によるものであれば，一時的に解剖学的修復を試みてよいが，挫滅がひどい場合，手術加療・後療法ともに経験がなければ，手外科専門医への紹介が望ましい．

治療方針

屈筋腱と同様，腱縫合部の強度な張力をもつ縫合を行った後，慎重な後療法により腱の癒着と拘縮を回避し，かつ再断裂も防止し，良好な手の機能を得ることが目標となる．

治療法

1 ▶ 腱縫合法

断裂部の腱実質部が太い場合は，屈筋腱と同様にナイロン糸による2～4-stlandの縫合が可能であるが，

固有指部で腱が薄い場合は水平マットレスや結節縫合で修復する．

リハビリテーションのポイント

屈筋腱と同様，3～4週間の固定療法と早期運動療法があるが，長期の観察ではいずれの後療法を行っても成績の差が少ないとされている．固有指部での伸筋腱損傷においては，より細かいリハビリテーションプログラムが必要であり，詳細は成書を参照されたい．

伸筋腱修復後の後療法で特に注意したいのは，長期の伸展位固定によるMP関節伸展拘縮であり，MP関節を軽度（20°）屈曲位で固定したり，縫合部の緊張に配慮しつつ早期から軽度の屈曲可動域訓練を開始するなどの注意が必要である．

屈筋腱皮下断裂

Subcutaneous flexor tendon rupture

内山 茂晴　岡谷市民病院 部長/副院長〔長野県岡谷市〕

【疾患概念】　皮膚裂傷がなく，手指屈筋腱が断裂した場合を皮下断裂という．

【病態】

皮下断裂の原因としては急激な筋収縮により生じる断裂と，特別な外力がなく通常使用での断裂に大きく分けられる．実臨床では後者が多い．前者では筋腱移行部での断裂あるいは腱停止部での裂離であり，腱実質部の断裂はほとんどない．後者は腱実質部が滑走中に骨棘などと接触すると摩擦が上がり，それを繰り返すことにより断裂に至る．後者は手関節レベルでの病変による断裂が多いが，深指屈筋（flexor digitorum profundus；FDP）腱のほうが浅指屈筋（flexor digitorum superficialis；FDS）腱よりも関節に近いところを滑走するため，より断裂頻度が高い．

【原因】

頻度の高いのは小指FDP腱断裂である．有鉤骨鉤偽関節部との摩擦，偽関節がなくとも有鉤骨基部との摩擦で断裂することがある．ほか豆状三角骨関節症，遠位橈尺関節（distal radioulnar joint；DRUJ）症に伴う骨棘形成が原因となる．

中指，環指FDP腱断裂はDRUJ関節症や，進行期のKienböck病（分節化した骨片が関節外へ突出），橈骨遠位端骨折変形治癒（近位骨片の掌側断端部）を考える．示指FDP腱断裂は，橈骨遠位端骨折変形治癒や進行期のKienböck病を考える．長母指屈筋腱断裂は，橈骨遠位端骨折変形治癒や橈骨遠位端骨折手術後で掌側ロッキングプレート設置位置の不良，舟状骨偽関節を考える．

また，ばね指や屈筋腱腱鞘炎に対して，A1腱鞘内への副腎皮質ステロイド薬注射（特にトリアムシノロンアセトニド）後に屈筋腱断裂が生じることがある．

診断

視診上，安静時の肢位で罹患指は隣接指より伸展位にある．FDS腱のみが断裂しても手指の自動屈曲は可能である．FDP腱が断裂すると遠位指節間（distal interphalangeal；DIP）関節のみが自動屈曲できなくなる．両方の腱が断裂すると中手指節（metacarpophalangeal；MP）関節は曲がっても近位指節間（proximal interphalangeal；PIP），DIP関節は屈曲不能となる．母指は指節間（interphalangeal；IP）関節の自動屈曲が不能となる．他動屈曲は可能である．動的腱固定効果は認められないことが多い．

Sublimis test：例えば中指の場合には示指と環指を伸展位に保持し，中指を自動屈曲させる．正常ではPIP関節を屈曲できるが（陰性），FDS腱断裂ではPIP関節の屈曲は不能である（陽性）．

Profundus test：罹患指のMP関節とPIP関節を伸展位に固定して，DIP関節を自動屈曲させることができれば陰性，屈曲不能であれば陽性である．

手関節部や手指の病変の把握に同部位の単純X線撮影，CTは必須である．

超音波画像やMRIは手指腱鞘内の屈筋腱の存在が確認可能で，断裂レベルの診断に役立つ．

専門医へのコンサルテーション

断裂が疑われれば手外科専門医へすぐに相談すべきである．

治療方針

1 ▶ 保存療法

患者が機能回復を希望しない場合には，除痛などの保存療法を行うのみでよい．

2 ▶ 手術療法

日常生活動作（activities of daily living；ADL）障害があり，患者の希望があれば手術を行う．ただし手術は，腱移植や腱移行が必要なことが多く，原因となる手関節部の骨病変の処置を伴う．手術後は腱縫合部に緊張がかからないように伸展ブロックスプリントを装着し，早期運動療法を行う．装具は少なくとも6週間は装着する．

予後

手関節部の病変で手術とリハビリテーションが適切に行われれば，比較的良好な成績が得られる．癒着が生じて屈曲制限が残れば，術後6か月頃で腱剥離術を行うとよい．

患者説明のポイント
有鉤骨鉤偽関節がなく，小指FDP腱が断裂した場合にはその後に他の腱断裂が生じることはほとんどない．特に高齢者ではADL障害も少ないため，しばらく様子をみて支障があるようであれば手術をする．手術後のリハビリテーションが重要で約3か月かかる．

リハビリテーションのポイント，関連職種への指示
患者自身で早期運動療法ができるように指導をする．伸展ブロックスプリントを常時着用し，手関節や手指がスプリントに対して正しい位置にあるように注意する．

ばね指（手指屈筋腱の狭窄性腱鞘炎）
Snapping finger

面川 庄平　奈良県立医科大学 教授（手の外科学講座）

【疾患概念】　手指の屈筋腱と靱帯性腱鞘（A1プーリー）のサイズミスマッチにより，腱滑動が障害される狭窄性腱鞘炎である．手指を伸展する際に，腫大した屈筋腱が肥厚した腱鞘に引っ掛かり弾発現象を生じるため，ばね指と呼称される．

【病態】　屈筋腱と腱鞘のサイズミスマッチは，過度に手を使用すること（overuse）による腱実質の変性（friction tendinopathy）・腫大，靱帯性腱鞘の血管増生・肥厚に起因する．滑膜性腱鞘は炎症（tenosynovitis）・浮腫を生じ，腱鞘内圧が上昇する．腱実質は弾性（elasticity）が低下し，ときに縦断裂がみられる．

【臨床症状】　中手指節（metacarpophalangeal；MP）関節掌側中央に疼痛を訴え，同部に圧痛と硬結（Notta's node）を認める．指の他動伸展により疼痛が増悪する．検者がMP関節掌側を押さえながら指の自動屈伸をさせると，同部に圧轢音（crepitation）を触知する．ときに近位指節間（proximal interphalangeal；PIP）関節にも疼痛や伸展不全を訴える．

問診で聞くべきこと
ばね指は糖尿病患者で高率に発症し，重症化しやすいので注意が必要である．しばしば多数指に生じ難治性である．また，手指屈筋腱鞘の浮腫を生じ，腱鞘内圧が上昇するという共通の病態を有する手根管症候群との関連が指摘されている（「手根管症候群」の項➡498頁を参照）．手根管症候群の併存も念頭に置いて診療する．

必要な検査と所見
PIP関節の屈曲拘縮や疼痛を訴える場合には，単純X線検査で変形性関節症の有無を確認する．腱滑動障害を確認するために，超音波検査が有用である．屈筋腱実質の腫大，A1プーリーの肥厚が確認できる（図16-12）．

鑑別診断
多数指罹患症例では手のこわばりを訴えるため，関節リウマチとの鑑別を要する．

診断のポイント
指自動伸展時の弾発現象を認めれば診断は容易だが，発症初期にはMP関節掌側の圧痛と同部に指屈伸時の圧轢音を採取する．放置例で重症化すると，PIP関節は屈曲位でロッキング（屈伸不能）をきたす．慢性例では，しばしばPIP関節の伸展不全（屈曲拘縮）を呈する．

治療方針

1 ▶ 保存療法

発症初期では，指の過度使用を避ける生活指導を行い，夜間の指伸展位シーネ固定の着用，消炎鎮痛外用剤の使用を勧める．慢性例や指の可動域制限を認める症例では，ステロイドの腱鞘内注入を行う．トリアムシノロン5 mgと1%リドカイン1 mLを混注する．筆者はステロイド注入を3か月間隔で2回のみ行い，奏効しない場合には手術を勧めている．ステロイド注入による合併症（感染や血糖上昇，皮下組織の萎縮や皮膚の脱色，腱断裂）に十分な説明が必要である．

2 ▶ 手術療法

局所麻酔下で駆血帯を使用する．MP関節掌側で1〜2 cm縦切開（母指では横切開）し，腱鞘直上へ鈍的に進入する．A1プーリーを完全に切離し，指の屈伸を確認する．自動屈伸が完全に行えない場合には，A1プーリー近位のPA（palmar aponeurosis）プーリー，遠位のA2プーリーを順に追加切離する．A2プーリーは近位1/2のみを切離する．これらの追加切離後もPIP関節の伸展が得られず，ばね現象が解除されない場合には，腫大した腱の部分切除を追加する．

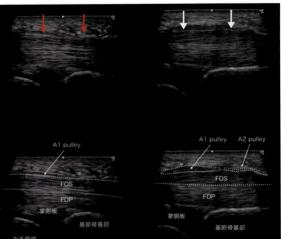

図16-12　健常指とばね指の超音波画像
健常指とばね指の超音波画像を示す．横断像では，ばね指の靱帯性腱鞘（A1プーリー，白矢印）は健常指（色矢印）と比較して肥厚している．矢状断像では，中手骨頭から基節骨基部にかけて，ばね指の腱実質（白矢印）は健常指（色矢印）と比較して腫大しているのがわかる．ばね指では，指の自動屈伸で腱滑動がスムーズでない．

母指MP関節ロッキング，示指MP関節ロッキング

Locking of MP joint of thumb, and index finger

面川 庄平　奈良県立医科大学 教授（手の外科学講座）

【疾患概念】　母指あるいは示指（ときに中指）の中手指節（metacarpophalangeal；MP）関節部が，特定の肢位でロック（固定）されたように動かせなくなる状態を指す．

【病態】

母指ロッキングは，MP関節の過伸展強制による掌側板損傷が誘因となって発生する．掌側板は中枢に位置する脆弱な膜様部で断裂する．掌側板に付着する橈側側副靱帯の副靱帯（accessory ligament）は，過伸展変形により断裂した掌側板とともに末梢に移動する．橈側の副靱帯が中手骨の掌側結節（隆起）を乗りこえると，ロッキングが生じる（図16-13）．

示指ロッキングは指を握りこんだ際に発生する．中手骨頭掌側の骨棘に，橈側の副靱帯が引っかかりロッキングが生じる．

【臨床症状】

母指では過伸展位で，示指（中指）では屈曲位でロッキングが生じる．示指（中指）は伸展位をとることがで

きないが，屈曲は可能である．

▶**問診で聞くべきこと**
外傷の有無と受傷肢位を確認する．

▶**必要な検査と所見**
単純X線撮影で，骨折や脱臼の有無を確認する．X線で骨折を疑う場合にはCT撮影を追加し，側副靱帯の裂離骨折や種子骨骨折を同定する．ロッキングに特徴的なX線所見として，母指では種子骨が遠位尺側に移動しMP関節に嵌頓しているように描写される．示指では回内斜位像により，中手骨頭の橈掌側に位置する骨棘が描出できる．

▶**鑑別診断**
MP関節背側脱臼や尺側側副靱帯損傷（Stener's lesion）が，ロッキング様症状を呈する場合がある．MP関節内の骨軟骨骨折などに続発する関節内遊離体も，ロッキングの原因になりうる．

▶**診断のポイント**
母指と示指（中指）がロッキングする特定の肢位（母指では過伸展，示指中指では屈曲位）を理解する．早期診断が徒手整復成功のカギとなる．

治療方針

1 ▶ 保存療法

まず徒手整復を試みる．局所麻酔を関節内に注入する．母指では，基節骨基部の橈側を押さえてMP関節

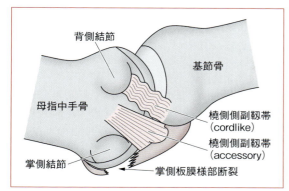

図 16-13 母指ロッキングの病態
母指ロッキングの病態は，橈側側副靱帯の副靱帯が中手骨の掌側結節（隆起）を乗りこえて嵌頓することにより発生する．MP関節の過伸展強制によって，最初に掌側板の膜様部が断裂する．続いて掌側板に付着する橈側の副靱帯が末梢背側に移動して，ロッキングが生じる．

を橈屈位に保ち，基節骨に軸圧と回内方向の回旋力を加えながらMP関節を屈曲させて整復する．示指（中指）でもMP関節を橈屈位に保つが，基節骨に回外方向の回旋を加えながらMP関節を伸展させて整復する．

2 ▶ 手術療法

徒手整復が困難な場合には，無理な整復操作は避けて手術的に整復する．局所静脈麻酔あるいは伝達麻酔下に，MP関節の橈側を縦切開（midlateral approach）で進入する．伸筋腱矢状索を切離して橈側側副靱帯を展開する．中手骨頭の掌側結節（隆起）に嵌頓している副靱帯を縦切し，掌側に移動させてロッキングを解除する．中手骨頭掌側縁の骨棘や，再発の原因となる掌側結節（骨隆起）を切除する．術後はMP関節軽度屈曲位で1～2週外固定したのち，自動介助運動を開始する．

Heberden結節

Heberden nodes

砂川 融　広島大学大学院 教授（上肢機能解析制御科学）

【疾患概念】　加齢に伴う手指遠位指節間（distal interphalangeal；DIP）関節の変形性関節症に伴う関節背側の結節状隆起のことであるが，変形性関節症そのものと同義語として使用されることが多い．原因は不明であるが，50歳以降の女性に見られることが多いため，女性ホルモンとの関連が疑われており，複数指が罹患することが多い．これまで疼痛は自然軽快するからと医療機関を受診しても放置されることが多かったが，近年患者数は増加し難治性の症例も多く，積極的に治療すべきと考えている．

【臨床症状】
誘因なくDIP関節（母指では指節間関節）の疼痛が出現し，進行すると屈曲，まれに側屈変形を生じる．ガングリオン（mucous cyst）を合併することもある．疼痛は断続的で変形が完成すると消失することが多い．

診断

DIP関節の外観（腫脹や変形）や圧痛，可動域（伸展）制限を認める．X線像上関節症性変化があれば診断は確定する．超音波検査ではX線で確認できない程度の骨，軟骨棘や疼痛が強い場合には血管増生が確認できる．

鑑別診断

乾癬性関節炎では皮膚症状，X線像でpencil and cap変形が認められる．DIP関節では関節リウマチの可能性は低い．

治療方針

原因不明なため対症療法しかない．NSAIDsの内服や外用剤を処方し，テーピングや装具での固定を行うが，症状が軽快しない場合は皮内針を使用しステロイド（トリアムシノロン1～2mg）の関節内注射を行う．複数指罹患の場合は同剤40mgの筋注が効果的である．同剤使用にあたり関節内注射では伸筋腱断裂が，全身投与では血糖の上昇を認めることがあるので注意が必要である．薬物療法に反応しない，あるいは破裂を繰り返すmucous cystを合併する場合には手術療法を選択し，可及的に関節内の滑膜や骨・軟骨棘の切除を行う．Cystがある場合でも以上の操作でcystそのものを切除しなくても消失する．側屈変形に伴う機能障害や整容的改善を希望する場合には関節固定術を行う．スクリューを適切に使用すると術後外固定は不要である．

母指 CM 関節症

Osteoarthritis of the CM joint of the thumb

砂川 融　広島大学大学院 教授（上肢機能解析制御科学）

【疾患概念】　加齢に伴う第1中手大菱形骨間（carpometacarpal；CM）関節の変形性関節症のことである．原因は不明であるが，基盤に関節包靱帯の機能不全があり，それに伴う関節の不安定性から変形が進行することが疑われる．

【臨床症状】

患者は「親指の付け根が痛い」と言って来院する．疼痛はペットボトルの開栓や家事といった物をつまんだりつかんだりして母指に力が入ったときや母指を開いたときに出現する．手の橈側中枢部分にある母指CM関節の疼痛や背側への突出を認め，進行すると第1中手骨の屈曲，内転変形（拘縮）を生じる．末期には末梢の中手指節間（metacarpophalangeal；MP）関節の伸展変形が出現する．変形の程度と疼痛の程度は相関しない．

▶診断のポイント

CM関節の外観（腫脹や背側突出）や圧痛，可動域（伸展，外転）制限を認め，握力やつまみ力が低下する．CM関節の不安定性の進行に伴いpiano key sign（背側亜脱臼した第1中手骨基部を背側から押さえると亜脱臼が整復され疼痛が誘発される）が陽性になり，母指に軸圧をかけると疼痛が誘発される（grinding test陽性）．同様に「親指の付け根が痛い」という患者の訴えのなかに腱鞘炎があり，この場合，指そのものの付け根でMP関節掌側にある腱鞘（A1腱鞘）上に腫脹や圧痛を認め，弾発現象（バネ指）も出現することがあり，鑑別は容易である．

> **トピックス**　母指 CM 関節症に対する形成術（直視下，鏡視下）

母指手根中手（carpometacarpal；CM）関節症に対する術式は，直視下，鏡視下を含め実にさまざま存在するが，限られたmeta-analysisの結果では術式間の優劣は明らかではない．関節形成術は関節切除や靱帯再建などを組み合わせたものの総称であり，大菱形骨の処理，用いる移植腱や人工材料などによって多数のバリエーションが存在する．

直視下関節形成術

1986年，BurtonとPellegriniがLRTI（ligament reconstruction with tendon interposition arthroplasty）法を報告して以降，本法が直視下関節形成術の標準的な術式となった．LRTI法にはさまざまなバリエーションが加えられ，大きくは，大菱形骨を全摘出するか部分切除するか，靱帯再建と腱球移植に用いる腱をどれにするか，で決まる．用いる腱には橈側手根屈筋腱，長母指外転筋腱，長橈側手根伸筋腱などがあり，全腱か半採腱かの選択がある．

大菱形骨切除に関して，全摘出では，Eaton分類stage Ⅳのような大菱形骨周囲の関節症に対処できる反面，中手骨の沈み込み，母指中手指節（metacarpophalangeal；MP）関節過伸展，ピンチ力不足のリスクが高まる欠点がある．一方，部分切除では，上で述べた全摘出のリスクは軽減できるが，切除残存部との新たなインピンジメント，残存した大菱形骨関節面での疼痛残存の可能性がある．

鏡視下関節形成術

1996年，Menonが鏡視下大菱形骨部分切除術を報告したのが鏡視下手術の先駆けである．母指CM関節背側で第1コンパートメント尺側の1-U portalから関節鏡視し，橈側の1-R portalからインストゥルメントを挿入し操作するのが基本である．別にthenar portalを導入することで橈骨神経浅枝損傷のリスクをより軽減できる可能性がある．直視下のLTRI法と比べて低侵襲で，関節安定性に寄与する靱帯を温存でき，機能・筋力の回復が早く，大菱形骨全切除術へのサルベージが可能ということが利点である．

大菱形骨部分切除にsuture button suspensionplastyを併用した鏡視下関節形成術が行われている．尺側の骨棘を含めて大菱形骨関節面を部分切除し，外側と背側への亜脱臼を整復し，切除部位の間隙を残しつつ過牽引にならないよう注意しながら，小皮切でMini TightRope®を用いて第1と第2中手骨間を固定する方法である．一般的にはEaton分類stage Ⅲまでに適応がある．

酒井 昭典〔産業医科大学 教授〕

必要な検査とその所見

X線像上第1中手骨の背側亜脱臼や関節症性変化があれば診断は確定する．超音波検査では疼痛が強い場合に血管増生が確認できる．手術療法を選択する場合には，関節変形の程度や広がり，遊離体の有無などを確認するためにCT検査を追加する．

鑑別診断

上述の屈筋腱腱鞘炎がある．関節リウマチが母指CM関節で初発することがあるので疑われる場合には血清学的検査を追加する．

治療方針

原因不明なため対症療法しかない．NSAIDsの内服や外用剤を処方し，母指外転位でのテーピングや装具での固定を行うが，症状が軽快しない場合はステロイド〔トリアムシノロン4mg(0.1mL)〕の関節内注射を行う．亜脱臼や関節裂隙が消失しているので注射が不確実になることがあり，超音波ガイド下に行うと確実性は向上する．薬物療法に反応せず仕事や日常生活に高度に支障がある場合には手術療法を選択する．手術方法は病期により靱帯再建術，各種関節形成術，骨切り術，関節固定術などが選択される．近年はさまざまな関節鏡視下手術が報告されているが，その優位性は不明である．手術療法を行ってもつまみ力や握力の回復，疼痛が軽快するのに時間がかかることがあるので注意が必要である．

専門病院へのコンサルテーション

保存療法では不十分な場合には手外科専門医（日本手外科学会ホームページ参照）に紹介する．

先天性握り母指症

Congenital clasped thumb

高木　岳彦　　国立成育医療研究センター　診療部長〔東京都世田谷区〕

【疾患概念】　母指中手指節（metacarpophalangeal；MP）関節が屈曲，指節間（interphalangeal；IP）関節が伸展された状態で，母指が内転屈曲位をとり，手掌内で母指を握りこむような病態である．母指の伸展機構の欠損をはじめ，母指球筋，第1指間（母指示指間）とそれに伴う軟部組織の軽度の異常が言われている．先天性多発性関節拘縮症，風車翼手，痙性麻痺などに伴う場合も多い．

【病型・分類】　Mihは拘縮のない型をⅠ型，拘縮のある型をⅡ型，さらに先天性多発性関節拘縮症などを伴う型をⅢ型として分類している．

鑑別診断で想起すべき疾患

母指の屈曲変形ということで，ばね指と混同される場合があるが，ばね指はIP関節が屈曲位となる点で異なる．

診断のポイント

母指が内転屈曲位でMP関節が自動伸展せず，母指が手掌の上にある，いわゆるthumb in palmの状態となっている．円筒形あるいは円錐型物体を把持させると，手根中手（carpometacarpal；CM）関節が外転せず，それを代償するかのように母指は回外位をとり，MP関節が屈曲された状態にあるのが特徴である．その把持状態で単純X線写真を撮影して評価することもある．

治療方針

特に合併症を伴わない軽症のものであれば，多くは保存療法で改善するため，1歳半〜2歳程度までは，保存療法で経過をみる場合が多い．合併症を伴う重症のもの，保存療法で奏効しないものについては，手術療法を検討する．

保存療法

生後半年未満であれば，装具を装着するにも母指が小さいため，それまでは他動伸展運動を家族に指導する．その後短対立装具を装着させる．昼間装着を拒む患児には，夜間のみ装着させて，昼間は他動伸展運動を続けてもらい，母指の伸展外転位を保持させる．

手術療法

保存療法に奏効しない場合，手術療法が選択される．第1指間の皮膚の短縮がみられるため，Opposed Z形成や皮弁形成などで形成し，さらに長母指外転筋の停止部を母指の背側に回して，MP関節の尺側に移行させることで，母指を伸展外転回内位とし良好な対立位を保持させる．未治療の年長児においても，この再建は可能である．

合指症

Syndactyly

高木 岳彦　国立成育医療研究センター 診療部長〔東京都世田谷区〕

【疾患概念】　隣接指同士が癒合し，指間部が上昇，狭小化あるいは指尖部まで癒合をみる病態である．妊娠前期の指放線が形成される時期の障害によって発生した，指列誘導異常に伴う合指症，妊娠後期に起こりうるとされる絞扼輪症候群に伴う先端合指症，尖頭合指症（Apert症候群など）などの先天異常疾患に伴う合指症などがあり，各々に基盤となる病態が異なる．

【頻度】
　報告によるが出生2,000人に1人程度とされる．男女比は2：1で男性に多く，10～40％で遺伝性が報告されている．

【病型・分類】
　基盤となる病態により，発生する合指に各々の特徴があるが，形態上は，指間が全く形成されない完全合指と，指間が正常の深さまで形成されない不全合指とに分けられる．また，骨性癒合を伴う骨性合指と，これを伴わない皮膚性合指とに分けられる．これらは治療計画を立てるうえでの参考にもなる．

問診で聞くべきこと
　他の先天異常を合併することが多い疾患である．指列誘導異常による合指症であれば，同様の病態で中央列多指症や裂手症についても起こりうるため，同形態異常が合併していることがある．先天性絞扼輪症候群に伴う先端合指症であれば，他の部位における絞扼輪やリンパ浮腫，切断指の合併の有無を聴取，診察する．また尖頭合指症（Apert症候群など），oculodentodigital dysplasia（ODDD）など特徴的な先天異常に伴う合指症が知られているため，それら先天異常疾患について理解したうえで合併異常の聴取を行う．

必要な検査とその所見
　単純X線写真にて骨性癒合（骨性合指）の有無，癒合部（先端末節骨のみの癒合か，基節骨を含む癒合かなど）について評価を行う．

診断のポイント
　隣接指同士が癒合しているため一目瞭然であるが，僅かな指間上昇を気にする親もいるため，不全合指についても注意深い観察が必要である．また治療戦略を立てるうえで，合併症の有無，骨性合指の評価のみならず，合指部分の可動域を含めた機能評価を行うことが重要である．

治療方針
　Apert症候群など特徴的な先天異常に伴う合指症については，全身的な合併症を伴うことも少なくないため，その治療を優先し，合指症に対しては，整容面かつつまみ動作の獲得など機能面の改善を目的に分離術を検討する．母指示指間（第1指間）の癒合や低形成があれば，その分離，再建を優先する．3指以上癒合，特に完全合指であれば，一度に分離するのは血流障害などが危惧されるため，通常は6か月程度期間をあけて，2回以上に分けて分離手術を行う．例えば，全指癒合であれば，母指示指間と中指環指間，次いで示指中指間と環指小指間と分けて行う．足趾の合趾症についても同様に考える．また骨性合指については分離は技術的に困難であるうえに，分離することで可動域が低下し，機能障害を引き起こす可能性があるため，整容面での分離を望む場合でも血流障害，機能障害などの起こりうる術後合併症について十分説明したうえで，手術に臨むべきである．

多指症

Polydactyly

佐竹 寛史　山形大学 准教授

【疾患概念】　指が過剰に形成される疾患．母指多指症，中央列多指症，小指多指症，および鏡手がある．

【頻度】
　1,000人に1～3人であり，母指多指症は最も頻度が高い手の先天異常である．多指症のなかで母指多指症が90％，その他は数％の頻度で発生する．

【病型・分類】
　母指多指症はWassel分類で7型に分けられるが，3指節母指を別に表記する日本手外科学会分類も用いられる．1，2型が末節型，3，4型が基節型，5，6型が中手型である．小指多指症は発育良好型と痕跡型に分けられる．中央列多指症は指列誘導異常に分類される．

問診で聞くべきこと
　同一家系内発生が母指多指症で5％，小指多指症で20％前後あり，中央列多指症は合指や裂手の遺伝性があるので，親に問診する．

必要な検査とその所見
　単純X線が必須であるが，関節軟骨の状態が予測できない場合や関節強直がある場合には関節造影を行う．超音波により筋肉の変異も確認できる．

鑑別診断で想起すべき疾患

中央列多指症では合指,裂手の有無を確認し,指列誘導異常を想起する.

診断のポイント

多くは単純X線で診断可能であるが,関節軟骨の状態は関節造影や手術所見で診断することもある.

専門病院へのコンサルテーション

浮遊母指であっても茎が太いものや近位分岐例では,術後に変形や機能障害を呈することがあり,多指症はすべて先天異常手治療専門医への紹介が望ましい.

治療方針

母指多指症では2本の母指から1本の機能的で整容的に優れた母指を再建することが重要である.原則として過剰指の片側を切除するが,低形成あるいは機能障害の強い側を切除する.特殊な場合を除いて,縫合線が背側から見えない側正中部を切開する.IP関節の偏位は側副靱帯の縫縮や切除指の伸筋腱を移行し矯正する.短母指外転筋をいったん切離した場合には残存指に再縫着する.関節の偏位は,切除指からの側副靱帯で修復し,軟骨を薄く削る(シェービング)こともある.側副靱帯は薄いため,骨膜もつけて靱帯骨膜弁として使用する.骨軸に偏位があれば矯正骨切りを検討する.中手型では中手骨移動術を行うこともある.内転拘縮があれば指間形成を行う.軽い場合にはZ形成術,重度の場合には切除指からの回転皮弁を使用する.2本とも低形成,あるいは関節の不安定性が強い場合には2本を合わせる(二分併合法).

患者説明のポイント

指の低形成と可動域制限は手術では治せないこと,機能障害や術後偏位が遺残あるいは新たに生じて修正手術が必要となることが10〜20%あること,安静のため鋼線による固定とギプス固定が3〜4週間必要であることを術前に説明する.また,術後は指の成長が終了するまで長期間経過観察が必要である.

合短指症

Symbrachydactyly, transverse deficiencies

佐竹 寛史 山形大学 准教授

【疾患概念】
片側性に発症し,手の骨格低形成,皮膚性合指症,矮手症を特徴とする.指節骨や中手骨の低形成が手を横断するように発現するため,横軸形成障害とも呼ばれる.

【頻度】
狭義の合短指症は1万〜10万人に1人の割合で生じる.

【病型・分類】
合短指症は中節骨の低形成と皮膚性合指症を伴う.中節骨が欠損している場合には基節骨に低形成がみられ,基節骨が欠損している場合でも末節骨が残っているため爪がみられる.重症例では中央列の指節骨が欠損し,母指と小指だけの2指型となり,母指のみの場合は単指型となる.母指も欠損していれば無指型,さらに中手型,手根型,前腕型,肘型,肘上型と上肢近位まで欠損している場合もある(横軸形成障害).

【臨床症状または病態】
指が短く癒合しているため,つまみ動作や把持動作に支障がある.

問診で聞くべきこと

大胸筋が欠損している場合にはPoland症候群,先天性両側顔面麻痺を呈するとMöbius症候群と呼ばれる.

必要な検査とその所見

大胸筋欠損や乳房形成障害のほか,肋骨欠損,肺ヘルニア,右胸心,肩甲骨高位,脊椎奇形,腎奇形などの合併があり,必要に応じて検査を行う.

鑑別診断で想起すべき疾患

横軸形成障害のなかに末梢低形成型がある.合短指症では中節骨に低形成がみられるが,末梢低形成型では末節骨の低形成や欠損を伴い,爪も欠損している場合がある.手の低形成を伴わない短指症,指切断型を呈する絞扼輪症候群との鑑別や,指低形成,矮手症,痕跡指のない合指症や裂手症との鑑別も必要である.両側例はきわめてまれでHanhart症候群と呼ばれる.

診断のポイント

片側性で,中節骨,基節骨,中手骨の順に低形成となり,中節骨や基節骨が欠損しても末節骨が残っていることがある.

専門病院へのコンサルテーション

合短指症はすべて先天異常手治療専門医への紹介が望ましい.

治療方針

合指症に対して指間分離と皮膚移植を行う.低形成のため固有指動脈の分岐変異の可能性があり,指両側の分離は同時に行わず,複数回に分けて行う.母指対立再建が必要な場合は,①示指中指間と環指小指間の分離,②中指環指間の分離と第1指間形成・母指対立再建に分けて行う.3歳頃までに治療を終了することを目標とする.指延長術として骨移植による一期的延長と創外固定器を用いた仮骨延長術があり,1cm以

上延長する場合には後者が適応となる．その他，指節化術，足趾からの自家遊離指節骨移植術，および血管柄付き趾移植術などがある．指の不安定性に対しては固定術を行う．

●患者説明のポイント

遺伝性はなく，片側罹患なので，小学校で縦笛を吹く際には片側用の縦笛を購入できること，矮手の程度は健側と比較して成長によって変化しないことを説明する．

●リハビリテーションのポイント，関連職種への指示

手欠損例では電動義手も考慮する．女児で大胸筋欠損や乳房形成障害を合併している場合には形成外科医への紹介を早期に行う．

先天性絞扼輪症候群

Congenital constriction band syndrome

射場 浩介　札幌医科大学 准教授

【疾患概念】　四肢に環状絞扼から組織欠損に至る一連の病態を生じる症候群である．発生頻度は2,000～10,000出生に1人と比較的多い．先天異常分類マニュアル（日本手外科学会）では「Ⅶ．絞扼輪症候群」に分類される．原因として皮下組織の形成不全，血管破綻，局所壊死による説があるが，胎生早期に生じた羊膜破裂により剥離した索状羊膜が体表に絡みつくことで，さまざまな破壊性病変をきたす羊膜破裂シークエンスの部分症状とする説が有力である．いずれにしても指放線が形成された後に発生する障害と考えられている．

●診断のポイント

臨床所見として①絞扼輪，②リンパ浮腫，③尖端合指（指尖部が癒合し，近位に指間陥凹が存在），④切断が種々の組み合わせで出現する．実際の症例では指基部からの皮膚性合指を多く認める（図16-14）．絞扼輪や切断などの病変部位より近位は，基本的に正常である．合短指症では病変部位より近位においても骨の低形成を認め，鑑別に有用な所見である．一方，指の立体的癒合を呈する場合は形態が複雑となり，病態把握が困難な症例を認める．

●治療方針

絞扼による血行障害や高度浮腫を認める場合は緊急手術や早期手術の対象となるが，基本的に初回手術は1歳前後とする．病変部位より近位は基本的に正常であるため，指分離などの術後には手指機能の改善が期待できる．

絞扼輪に対しては深部の瘢痕を含めて切除を行う．血管の温存が困難な深い全周性の絞扼輪では，半周ごと2回に分けて切除を行う．

リンパ浮腫は絞扼輪切除後も残存する場合が多く，長期の経過観察を要する．尖端合指は単純なものから

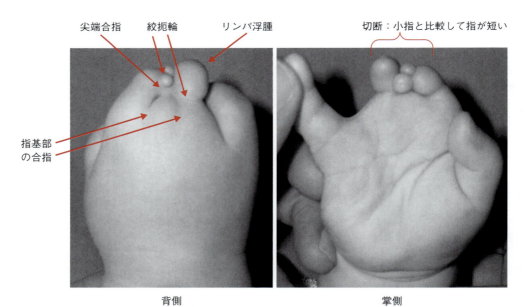

図16-14　右手先天性絞扼輪症候群

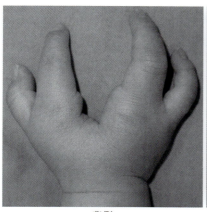 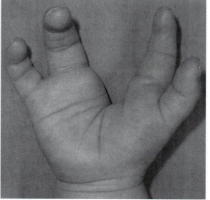

背側　　　　　　　　　　　　掌側

図16-15　裂手
中央指列の欠損によるＶ字状の深い指間陥凹と母指・示指間の狭小化を認める．
中央指列の閉鎖と母指・示指間の指間形成術が必要となる．

立体的に複雑に絡み合ったものがあり，分離には慎重な手術計画が必要となる．手指機能改善目的に指延長や矯正骨切りなどの手術を二期的に行う症例がある．

裂手

Cleft hand

射場 浩介　札幌医科大学 准教授

【疾患概念】　中央列欠指症ともよばれる．発生頻度は 20,000〜90,000 出生に1人で，まれな疾患である．手板中央部の指列誘導の障害により発生し，本邦では合指や中央列多指を裂手と同様の発生機序として同じカテゴリーに分類している．手の先天異常分類マニュアル（日本手外科学会）で「Ⅳ．指列誘導障害　B-3．裂手」に分類される．指欠損を伴わない場合（「A-2．過剰な指間陥凹」）や，合指や多指が合併する（「B-5．複合裂手」）複雑な病態を呈する場合がある．両側例を約50％に認め，遺伝様式では常染色体優性遺伝の頻度が高い．裂足を合併（split hand/foot malformation；SHFM）するものや，先天異常症候群の部分症として発生するものがある．

診断のポイント

中央指列の欠損によるＶ字状の深い指間陥凹が主な病態である（図16-15）．軽症例では指欠損を伴わないものや中指のみの欠損を認める．病態が進行した例では中央3指欠損や母指を含んだ欠損を呈するため，合指短指症や橈側列形成障害との鑑別が必要となる．

治療方針

放置しておくと深い指間陥凹部で物を挟んで，つまむようになる．このような指運動パターンが確立する前に手術をすることが望ましい．そのため，初回手術は1歳前後で中央の深い指間陥凹の閉鎖を行う．また，母指・示指間が狭い症例では指間形成術を追加することで良好な手指機能の獲得が期待できる．示指が欠損した症例に指間閉鎖を行うと把持動作に障害が出る場合があり，手術適応には慎重な検討が必要である．裂手では隣接した中手骨間が開大している場合が多く，腱鞘や伸筋腱成分など軟部組織を用いた矯正や中手骨列の移動や矯正骨切りなどによる矯正を行う．一方，中手骨間を過度に狭くすると屈曲時に指交差が生じるため，握り動作障害が出現する可能性があることに注意する．

屈指症，斜指症

Camptodactyly，Clinodactyly

本宮 真　帯広厚生病院 部長〔北海道帯広市〕

1　屈指症

【疾患概念】

先天性の近位指節間（proximal interphalangeal；PIP）関節の屈曲拘縮であり，先天奇形の分化障害（軟部組織の拘縮に起因する異常）に分類される．小指に

16 手の疾患

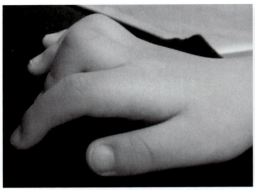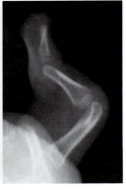

図 16-16　3歳男児，右中指屈指症
装具療法にて治療抵抗性であり手術を行ったところ，両側のFDS腱が伸筋腱帽に停止している異常所見を認めた．

両側性に罹患することが多く，生後すぐに見つかるものと10歳前後に見つかるものに分けられる．掌側皮膚の異常，浅指屈筋腱(flexor digitorum superficialis；FDS)および虫様筋腱の起始・停止の異常，PIP関節部の伸筋腱の形成障害などの異常により進行性の屈曲変形が生じ，二次的に基節骨の変形を生じる．多数指罹患の屈指症は風車翼手と類似した病態と考えられている．

必要な検査とその所見
拘縮の程度が強い症例では，X線検査にて基節骨の変形(基節骨頭の先細りや基節骨頚部掌側の圧痕など)を認める(図16-16)．

治療方針
まずは他動伸展のリハビリテーションおよび伸展装具による保存加療を根気強く行う．軽症例では治癒が期待できるが，X線検査にて基節骨の変形を認める場合や保存加療に抵抗性の場合には手術加療を検討する．

手術療法
皮膚の拘縮解離，屈曲拘縮の原因となっている掌側の軟部組織(FDSや虫様筋の異常部位)の解離，および掌側軟部組織の再建(局所皮弁や全層植皮)を行う．まれに伸展機構に異常を認める場合には，腱移行による伸展再建を行うこともある．

患者説明のポイント
成長期は装具治療を中断すると再発することが多く，しっかりと装具を装着するように指導する．また，手術治療を行っても術後装具療法の継続が必要であり，術後にPIP関節の伸展不全やPIP関節の屈曲拘縮および屈曲制限が残る可能性があることを説明する．

2 斜指症

疾患概念
先天性の指の側屈変形であり，先天奇形の低成長に分類される．正常と異常の境界が不明瞭であり，一般的には10°以上の変形が異常と考えられている．小指の中節骨に変形を生じることが多く，短指症を合併することが多い．他の先天異常との合併率が高く，Down症での罹患率が高い．

必要な検査とその所見
X線検査にて，指節骨の変形(三角状骨，台形状骨)および骨端核の異常(骨端線の縦走行，longitudinal epiphyseal bracket)を認める．

治療方針
骨性の異常が原因であり，装具療法による保存加療は屈曲拘縮を生じている症例を除き，ほとんど効果を認めない．機能障害を認めることは少なく，手術治療は整容的な目的で行われることが多い．

手術療法
変形の凹側より展開し，楔状骨切り(opening wedge)および皮膚形成術(Z形成)を行う．変形が高度で残りの成長期間が十分に残されている6歳未満では骨端核の部分切除および脂肪移植を行い，成長とともに自然矯正を期待する治療(physiolysis)が行われることもある．

先天性風車翼状手

Windblown hand

河村 太介　北海道大学大学院 助教

【疾患概念】　両側の示指から小指の中手指節間（metacarpophalangeal；MP）関節が屈曲，尺側偏位を呈する変形（図16-17）で，風車の翼を思い浮かべさせることから風車翼状手とよばれる．Freeman-Sheldon症候群や遠位関節拘縮症に合併する．

【病態】
　Zancolliらは変形の原因として伸筋腱の形成不全，MP関節での伸筋腱亜脱臼，掌側皮膚・靱帯の短縮を報告している．掌側の靱帯に生じた異常の位置の違いにより，尺側偏位が優位となる症例と，屈曲変形が優位になる症例があると考えられる．

【臨床症状】
　示指から小指のMP関節の自動伸展は制限されているが，他動的には伸展が可能で，自動屈曲は制限されていない．母指の内転屈曲変形も合併しており，母指のMP関節は皮膚性の拘縮を伴い，他動伸展が不能であることが多い．Freeman-Sheldon症候群合併例では，下顎の低形成や小口症を認める．内反足や垂直距骨といった足部の変形を合併することもある．

▸鑑別診断で想起すべき疾患
　先天性多発性関節拘縮症では，手指は軽度屈曲位で伸展拘縮が存在する．

▸診断のポイント
　示指から小指MP関節の自動伸展不能，および母指の内転屈曲拘縮の存在を確認する．

▸専門病院へのコンサルテーション
　生後6か月程度までは握り母指様の手の変形を有する小児がいるため，家族に他動的に指の伸展を行うよう指導し，経過をみる．生後6か月以降に上記の変形を確認した段階で，手外科専門医へのコンサルテーションを考慮する．

▸治療方針

1 ▸ 保存療法
　保存的治療として，装具の作製・装着ができる時期になったら手関節，手指伸展位の装具両方を開始するが，矯正不能である例が多い．

2 ▸ 手術療法
①MP関節掌側の横皮切で拘縮解離を行ったのち，全層植皮を行う．あるいはBrand法に準じて第1指間から母指掌側にかけて，示指橈背側から回転皮弁を行う．母指の変形が不十分な場合には，5歳頃に中手骨

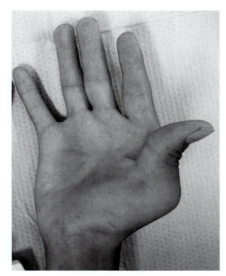

図16-17　先天性風車翼状手

の短縮とMP関節固定術を追加する．
②示指から小指の変形に対して，MP関節，近位指節間（proximal interphalangeal；PIP）関節掌側の横皮切から拘縮を解離し，全層植皮を行う．

▸患者説明のポイント
　年少児に対する手術の成績は良好だが，5～6歳以降の手術では成績が劣る．
　成長期に変形が再発することもあり，術後の装具装着継続や，再手術の可能性を説明する．

巨指症

Macrodactyly

河村 太介　北海道大学大学院 助教

【疾患概念】　先天的に一指もしくは複数指が長さ・太さともに肥大している．骨の一次的な肥大を伴っており，真の巨指症とも表現される．一方，神経線維腫，リンパ管腫，血管腫，片側肥大，迷入筋などの原因疾患に伴って生じる二次的な指の肥大は，偽性巨指症とよばれる．

【病態】
　片側罹患が多く，罹患頻度は示指，中指，母指，環指，小指の順で高いとされる．罹患指では，神経の腫大や皮下脂肪の腫瘍様増殖がみられる．特に罹患指に偏位があるときには凸側の指神経に肥大がみられるため，指神経の異常を巨指症の原因とする考えもあるが，

16 手の疾患

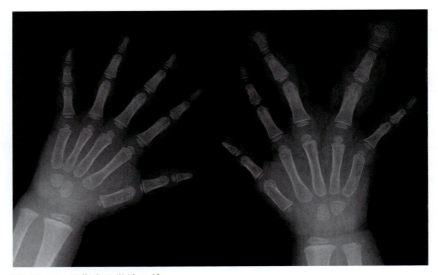

図 16-18　巨指症の単純 X 線
右中指, 環指罹患例. 第 3, 4 中手骨も肥大しており, 患側で中手骨間が開大している.

明らかな原因は不明である. 発生に男女差はみられず, 家族発生の報告もない.

【臨床症状】

生下時から変形があり, 成長とともに肥大の比率が変化しない静止型と, 成長とともに罹患指の肥大がさらに進行していく進行型がある. 進行型では二指以上が罹患し, 手掌や前腕など近位にも肥大を伴うことがある. 軟部組織の肥大により, 指の可動域が障害される.

問診で聞くべきこと

偽性巨指症の原因となる神経線維腫症 (von Recklinghausen 病) など, 鑑別診断に関連する家族歴の有無を確認する.

必要な検査とその所見

単純 X 線で, 静止型では指節骨のみの肥大を認める. 進行型の症例では, 骨の肥大に加え軟部組織の肥大も X 線で確認できる (図 16-18).

鑑別診断で想起すべき疾患

偽性巨指症を呈する神経線維腫, リンパ管腫, 血管腫, 片側肥大, 迷入筋などのほかに, 症候群として, Russell-Silver 症候群, Proteus 症候群, Ollier 病, Maffucci 症候群, Klippel-Trenaunay-Weber 症候群などの可能性がある.

診断のポイント

隣接指, 健側と比較して, 明らかな長さ・太さの違いを伴った肥大がみられたら本疾患を疑う.

専門病院へのコンサルテーション

巨指症の肉眼所見がみられた時点で, 手外科専門医のいる医療機関へのコンサルテーションを検討する.

治療方針

保存的治療の適応はないため, 手術治療により罹患指の縮小化を図る.

同性の親と比較して, 爪や指節骨の大きさが親よりも大きくなる時期を手術時期の目安とする. 初回手術は 2～3 歳以降に行われる.

手術治療

骨短縮の術式には皮膚切開や骨切除部位の違う Barsky 法や津下法がありそれらに準じて行う.

症例に応じて, 以下の術式を組み合わせて行う.

1 ▶ 皮膚・皮下組織の切除

皮膚の血行障害を生じないよう, 必要に応じて止血帯をゆるめ血行を確認しながら手術を進める.

2 ▶ 指神経切除術

一側の肥大した指神経とその神経の支配領域に当たる皮膚を切除する. 片側神経切除後の知覚障害は限定的であり, 機能障害を生じる可能性は低い.

3 ▶ 骨端線閉鎖術

長軸方向の成長を抑制するために行う. メスやノミで骨端線を切除し, 鋼線による固定を行う. 術後の骨長調整ができないため, 親の指節骨の長さを目安に 5～10 歳頃に施行する.

4 ▶ 指切断

進行型で肥大が重度の際に検討する. 手の症例では他の術式による調整を優先するが, 多趾症においては

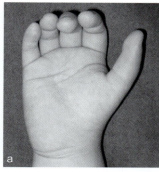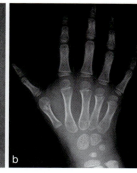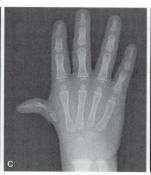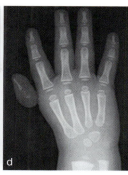

図 16-19　分類別母指形成不全
a：母指球筋の低形成，第 1 指間の狭小化，母指 IP 関節の指間皮線は消失している．
b：type ⅢA　第 1 中手骨は小さいが CM 関節は安定している．
c：type ⅢB　第 1 中手骨は極めて不安定．
d：type Ⅳ　中手骨は欠損し，浮遊母指が存在する．

健側と同じサイズの靴を装用できるようしばしば行われる．

- 患者説明のポイント

症状の程度によっては複数回の手術が必要になること，関節機能の完全な回復は困難であることを説明する．

母指形成不全

Thumb hypoplasia

堀井　恵美子　　関西医科大学 理事長特命教授

【疾患概念】　母指を含めた上肢橈側の形成障害は，橈側列形成障害として，日手会分類（日本手外科学会の先天異常分類）の縦軸形成障害に分類される．母指機能の障害だけでなく，橈骨を含めた肘・手関節の形成障害を合併することが多い．心疾患・脊柱異常などの合併異常がみられることも多い．

【病態・臨床症状】　両側罹患が多い．母指は完全欠損から，軽度の筋低形成まで，その形成不全の程度に応じて分類される（Blauth 分類）（図 16-19）．type Ⅰ は筋腱の軽度の低形成がある症例で，骨の異常はほとんどなく，再建術を必要としない場合が多い．type Ⅱ は第 1 指間の狭小化と母指球筋の低形成があり，対立運動障害が明らかとなる．type Ⅲ では，さらに長母指屈筋・伸筋の低形成による可動域制限，中手指節（metacarpophalangeal；MP）関節の不安定性も顕著となる．この型では手根中手（carpometacarpal；CM）関節の安定性の有無により A/B に分類する．Type Ⅳ では中手骨は欠損するため，いわゆる浮遊母指の形状を呈する．Type Ⅴ では，母指は完全欠損である．

- 問診で聞くべきこと

家族性の症例もみられるので，家族歴の細かい聴取と，全身の合併症の有無を把握する．

- 必要な検査とその所見

X 線にて，両側手および上肢の骨格を評価し，肩関節を含めて上肢の可動域・筋力評価を行う．

- 診断のポイント（鑑別診断）

心疾患・脊椎異常・気管および消化器の異常などを合併する場合，VATER 連合，Holt-Oram 症候群，TAR 症候群などと称され，他科との連携も必要である．

- 専門病院へのコンサルテーション

合併症を含め総合評価をするため，早期に専門医への紹介が必要である．

治療方針と方法

1 ▶ 保存療法

中等度以上の橈骨形成障害を合併する場合は，内反手変形があるので，早期に手関節に対するスプリント矯正を開始する．母指の内転拘縮のある場合もスプリント矯正を開始する．

2 ▶ 手術療法

手関節障害のある症例では，まず，手関節治療から始めるのが一般的である．

母指に関しては，type Ⅱ，ⅢA では，母指の対立位障害と指節間（interphalangeal；IP）関節の可動域制限，MP 関節不安定症に対する手術を行う．対立筋再建は，整容面の改善も考慮して，小指外転筋腱移行

(Huber 法)を行うことが多い．MP 関節の不安定症に対しては，同時に靱帯補強を考えるが，安定性の獲得は容易ではない．靱帯再建を同時に行うことを目的に，環指の浅指屈筋腱を移行腱として使用する方法もある．母指内転拘縮のある場合は，拘縮解離と第1指間形成術を併用することもあるが，整容面も考慮した再建を考えることが重要である．長母指屈筋・伸筋腱の癒着が可動域制限に関与している場合もあり，その場合は腱剥離術が有効である．

 Type ⅢB の治療は議論の分かれるところで，中手骨の状態から母指化術を適応とする場合と，中手骨を骨移植にて再建してさらに二次的に軟部組織を再建する温存手術を行う場合がある．Type Ⅳ，Ⅴは母指化術が適応となる．

リハビリテーションのポイント
示中指間での side pinch で把持動作が確立している場合は，再建母指を使用するような指導が必要となる．腱剥離術を施行した症例では，IP 関節の自動運動の指導が必要である．

患者説明のポイント
治療方法は多彩であり，両側罹患の場合が多いので，患児を総合評価して治療方針を考えることが必要である．橈骨欠損合併例では有効な筋腱が少なく，母指機能の獲得も難渋することが多い．また，再建してもピンチ力などに関しては弱いことも理解していただくことが重要である．

Dupuytren 拘縮

Dupuytren's contracture

池上 博泰　東邦大学 教授

【疾患概念】　手掌腱膜，指靱帯へのコラーゲンの過剰沈着が原因の1つで，良性の線維芽腫症である．病態の進行とともに手指の屈曲拘縮を生じる．中高年男性に好発し，女性での発生はまれである．環指，小指に好発する．足底に足底線維腫，陰茎に Peyronie 病そして指背側の knuckle pad を合併することがある．

【頻度】　人種差があり，北米や北欧の白人男性に多くみられ，日本人の発生頻度は低い．糖尿病は発生の危険因子とされ，加齢とともに発症率は増加する．

【病型・分類】　手掌の索状物や硬結とそれらに伴う中手指節(metacarpophalangeal；MP)関節や近位指節間(proximal interphalangeal；PIP)関節の屈曲拘縮の程度で分類する Meyerding の進行度分類がよく用いられる．

・Meyerding の進行度分類
　Grade 0：屈曲拘縮はなく，小結節があるのみ
　Grade 1：屈曲拘縮を1指のみに認める
　Grade 2：屈曲拘縮が複数指に及ぶが，各指とも屈曲角度の総和が60°以下である
　Grade 3：少なくとも1指に60°以上の屈曲拘縮がある
　Grade 4：全指に屈曲拘縮がある

診断のポイント
・手掌皮下に無痛性の腫瘤，進行すると数珠様・索状に縦走する肥厚・硬結を触れる．
・進行すると手指伸展制限，屈曲拘縮が生じる(図16-20)．
・指が他動的にも伸展できないため，平らなテーブルの上に手掌を下にして手を置いて，上から圧力をかけても手掌をテーブルにぴったりとつけることができない(テーブルトップテスト)．
・PIP 関節背側に疼痛性腫瘤(knuckle pad)がみられることもある．
・MRI は通常不要であるが，単純 X 線で変形性関節症の合併の有無を確認する．

専門医へのコンサルテーション
指の屈曲拘縮が20°以上あり日常生活に支障を生じている場合には，酵素注射療法あるいは手術を考慮して，講習を受けている日本手外科学会認定手外科専門医へ紹介する．該当する医師はデュピュイトラン拘縮研究会のウェブサイト(http://www.dck.jp/)で確認できる．

治療方針
Meyerding の進行度分類の Grade 0 では経過観察のみ行う．屈曲拘縮が20°以上あり，指が伸展できないため，洗顔時に患指が目にぶつかる，合掌や拍手ができない，手袋をはめにくい，などの日常生活に支障を生じている場合に治療を考慮する．ストレッチングなどの保存療法の効果は乏しく，治療には酵素注射療法か手術が選択される．2021年現在，酵素注射療法で用いる薬剤を製造しているエンドベンチャーリミテッド社(本社：アイルランド)から旭化成ファーマ株式会社への供給が停止しているため，日本では酵素注射療法が行えない状態である．

酵素注射療法
2015年にわが国でもコラゲナーゼ(ザイヤフレックス®)による酵素注射療法が承認された．コラゲナーゼ製剤を局所注射し，拘縮索を破断させ，指を伸展させる方法である．コラゲナーゼは *Clostridium histo-*

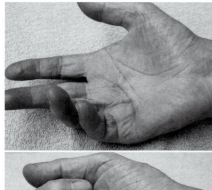
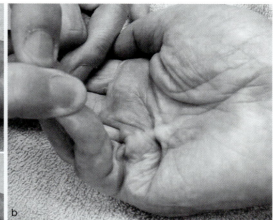
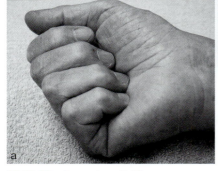

図 16-20　Dupuytren 拘縮
伸展制限はあるが屈曲制限はない（a）．
他動伸展をすると拘縮索（cord）がよりはっきりとわかる（b）．

lyticum 由来の2種類のコラゲナーゼ（AUX-Ⅰ と AUX-Ⅱ）を約1：1の質量比で含有する凍結乾燥注射剤である．本剤を拘縮索に局所注射することで，2種の酵素が異なる部位で拘縮索のコラーゲンを切断し手指の拘縮を改善させる．コラゲナーゼ注射の治療の成否は，適切に拘縮索内に薬液が注射されること，約24時間後の手指伸展処置が適切に行われること，その後の適切な副子固定と後療法にかかっている．本剤の投与は日本手外科学会認定手外科専門医の資格を有し，かつ講習を受けた医師に限って使用が認められている．コラゲナーゼ注射による重篤な有害事象として，頻度は低いながらも屈筋腱断裂や靱帯損傷，アナフィラキシーショックの報告がある．

手術療法

手術治療には注射針などを用いて経皮的に拘縮索を切離する方法（経皮的腱膜切離術）と，十分に病巣を展開して手掌腱膜ごと切除する方法（手掌腱膜切除術）の2種類がある．

経皮的腱膜切離術は主に拘縮が軽度な症例に対して，神経・血管の走行に注意を払い慎重に行う必要がある．

手掌腱膜切除術では手掌から手指の索状硬結の直上に直線状の皮切を加える．近位から遠位に向かい，拘縮の原因になっている central cord と spiral cord を可能な限り一塊として切除する．基節部では神経血管束が cord に圧排されて正中線を越えて蛇行して走行することがあるので神経血管束を確認しながら慎重に行う．また，PIP 関節部では spiral cord と神経血管束が近接しているので，神経血管束を保護しながら慎重に剝離を進める．PIP 関節自体に屈曲拘縮がある場合，関節授動術を行う場合もある．病的組織切除後は十分な止血を行い，皮膚に数か所の Z 延長を加えて皮膚を縫合する．拘縮の高度な例では皮膚が足りなくなる場合も多いが，開放創とする場合と皮膚移植を行う場合がある．

合併症と予後

コラゲナーゼ注射による重篤な有害事象として，屈筋腱断裂や靱帯損傷，アナフィラキシーショックの報告がある．手術治療では，感染，神経血管束損傷，腱鞘切除による屈筋腱の bowstring 現象などがある．治療後の再発率は経時的に高くなり，10年経過すると約半数は再発しているという報告もある．

患者説明のポイント

Dupuytren 拘縮は，良性疾患であり複数の治療法があることを説明する．またそれぞれの治療には利点と欠点があり，専門医による治療が望ましいことといずれの治療でも再発率は高いことも説明する．

16 手の疾患

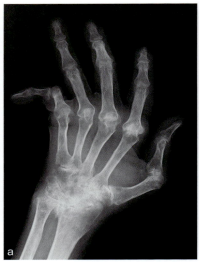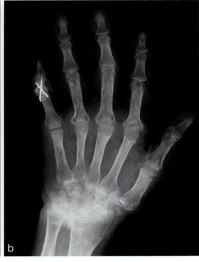

図 16-21　関節リウマチによる手指変形と治療
a：MP 関節に関節破壊と尺側偏位を生じている．また小指 PIP 関節には側方への脱臼を認める．
b：術後単純 X 線写真．MP 関節にはシリコン製の人工指関節を挿入し，小指 PIP 関節には関節固定術を行った．

リハビリテーションのポイント

1週間くらいの外固定後は，創部の治癒および感染の有無に注意しながら積極的に手指可動域訓練を行う．必要に応じて夜間伸展装具を一定期間装着させる．屈曲拘縮を改善することばかりに着目して，手指の屈曲制限（伸展拘縮）を生じないように十分に注意する．

リウマチ手指変形

Deformities of the rheumatoid hand

岩本 卓士　慶應義塾大学 専任講師

【疾患概念】　手指関節は関節リウマチにおける関節炎の好発部位であり，病初期から生じた滑膜炎が持続することにより，多彩な外観上の変形を生じる．代表的な変形には尺側偏位，ボタン穴変形，白鳥のくび（スワンネック）変形がある．

【病態】
関節リウマチによる滑膜炎が持続すると関節が腫脹し，関節周囲の支持組織である関節包，靱帯，腱にゆるみが生じる．さらに重量物の把持，つまみ動作といった機械的負荷が加わることで変形を生じる．多くの変形は，伸筋腱，骨間筋，虫様筋によって構成される指伸展機構のアンバランスによって生じるため，一度生じた変形は放置することで徐々に増悪する傾向がある．関節リウマチの手指変形は軟部組織の損傷に起因しており，画像上の骨関節破壊が生じる以前から始まっていることに注意が必要である．

問診で聞くべきこと

手指変形によって生活上何が困っているかを，患者によく聴取する必要がある．関節リウマチの手指変形は長期の経過で徐々に進行しているため，外見上は高度の変形であっても，患者は上手に対応して手を使用できていることも少なくない．また疼痛は変形の程度と比較すると軽微であるか，全く疼痛がないことも多い．一方で機能的な問題はなくても，手は露出部位であるため，美容上の問題を気にしている患者も多い．これらの主訴を総合的に判断して治療方針を決定する必要がある．
また関節リウマチの内科的治療状況は，治療方針を考えるうえで重要である．手指変形の治療は，薬物療法により疾患活動性が十分にコントロールされている状態であることが望ましい．

必要な検査とその所見

関節破壊の程度を評価するために，単純 X 線撮影は必須である（図 16-21a）．高度な変形であっても，関節形状は維持されている場合もある．関節破壊の状態を詳細に評価するためには，CT も有用である．多関節に腫脹を認める場合には，疾患活動性の評価に血

液検査を行う．

> 診断のポイント

関節リウマチと類似した手指変形を生じる疾患としては，変形性関節症，乾癬性関節炎，全身性エリテマトーデスなどがある．一般的に遠位指節間（distal interphalangeal；DIP）関節は関節リウマチでは侵されにくく，DIP関節に骨増殖性の変形を認める場合には変形性関節症を，骨吸収を伴う変形を認める場合には乾癬性関節炎を考える．全身性エリテマトーデスでは，関節破壊を伴わずに関節が脱臼し変形を生じることが特徴的である．

> 治療方針

原疾患である関節リウマチの薬物療法を十分に行うことは必須である．滑膜炎が多発した状態で手術を行っても，再発のリスクが高い．

軽度の変形では各種装具療法，拘縮予防のリハビリテーションによる保存的治療を行うが，装具による変形進行予防のエビデンスは乏しい．

進行した変形に対しては手術的治療を検討するが，関節の破壊が少ない場合には関節を温存し，高度の関節破壊が生じている場合には人工関節置換術による再建，あるいは関節固定術を行う（図16-21b）．いずれの場合においても，手指変形を治療する場合には解剖学的な構造を十分に理解し，破綻した軟部組織のバランスを再建することが必須である．

代表的な変形として，尺側偏位では中手指節（metacarpophalangeal；MP）関節にて伸筋腱の脱臼，橈側側副靱帯の弛緩，基節骨の掌側脱臼が認められる．手指の屈曲自体は良好に保たれていることが多く，進行すると手指の伸展障害により洗顔，大きな物体把持に支障をきたす．また整容面での問題から手術を希望される場合も多い．手術はMP関節の人工指関節置換術に，伸筋腱の中央化，橈側側副靱帯の縫合を併用して行う．

指屈筋腱化膿性腱鞘炎

Pyogenic tenosynovitis

千馬　誠悦　中通総合病院　診療部長〔秋田市〕

【疾患概念】屈筋腱の滑膜性腱鞘内の化膿性炎症である（図16-22）．滑膜性腱鞘は，母指と小指では末節骨から手掌手関節まで，示指，中指と環指は末節骨から中手指節（metacarpophalangeal；MP）関節の掌側まで及んでいる．滑膜性腱鞘の一部に炎症が生じると

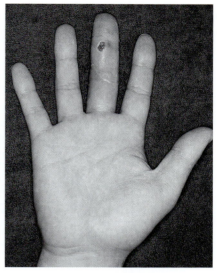

図16-22　右中指の屈筋腱腱鞘滑膜炎（41歳，男性）
使用後のつま楊枝を右中指指腹部に刺入後，3時間で激痛が生じた．前医で切開排膿しても感染が改善しないため，発症後3週で当科を受診したときの所見．

速やかに滑膜性腱鞘内に炎症が波及する．

腱鞘内圧が増加すると屈筋腱の血行障害が生じ，腱の壊死や部分的な欠損（図16-23）も起こりうる．

起炎菌は黄色ブドウ球菌が多いが，抗菌薬の投与後は培養検査で菌が検出されないこともある．

高齢者，初期に適切な治療をせず長期化した症例や，感染が重症化した進行例では，機能予後が不良とされる．

【臨床症状または病態】

Kanavelの4徴候，①手指軽度屈曲位，②手指全体のびまん性の腫脹，③屈筋腱腱鞘に沿った圧痛，④手指他動伸展時の激痛を呈する．適切な治療をしないと，関節拘縮が生じて動かない手指となり，重度の機能障害が残る．

> 問診で聞くべきこと

手指外傷の有無，刺創の既往，糖尿病の合併，ステロイド薬や免疫抑制薬の服用の有無，ばね指の腱鞘内注射の有無，非結核性抗酸菌症も考えて土壌や海産物との接触機会も聞いておく．

> 必要な検査とその所見

瘻孔からの排膿や切開排膿時に培養検査，単純X線検査，超音波検査やMRI検査，血液検査，局所の範囲を越えて感染が拡大している場合は静脈血培養をする．

16 手の疾患

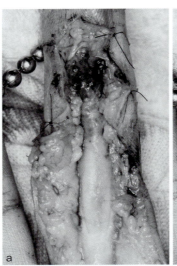
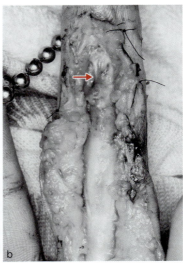

図 16-23　手術所見
a：感染部位の展開．
b：肉芽組織を切除すると屈筋腱の 1/2 が欠損している（色矢印）．

　手術で切除した腱鞘滑膜や肉芽組織を，他疾患との鑑別をする目的で病理検査に提出する．

鑑別診断で想起すべき疾患
　非結核性抗酸菌症，結核，非化膿性腱鞘炎，蜂窩織炎，関節炎，痛風など．

専門病院へのコンサルテーション
　早期に適切な治療をしないと重度の機能障害が生じるため，絶えず本疾患を念頭に置き，疑われたら早めに手外科専門医へ紹介すべきである．

治療方針
　初期や軽症では抗菌薬を投与する．抗菌薬の効果判定前でも，激痛で超音波検査や MRI 検査で膿瘍や液体の貯留が疑われたら，早期に手術するようにしている．漫然とした抗菌薬の投与は避けるべきである．手術は滑膜性腱鞘の範囲をジグザグ皮膚切開で展開して，感染を伴った肉芽組織と滑膜を切除し，洗浄する．ドレーンを留置し，術後 2〜3 日でドレーンを抜去後は，すぐに手指の可動域訓練を開始する．

患者説明のポイント
　見かけ上の創は小さいが，軽くみてはいけない感染症であることを説明する．敗血症，感染が鎮静化しなければ切断もありうること，切断に至らなくても手指拘縮で動かない手指となり，重度の機能障害が残る可能性を話しておく．

リハビリテーションのポイント
　できるだけ早めに手指の自動運動を開始する．さらに作業療法士が関与しながら可動域訓練を始めて，屈筋腱の癒着や関節拘縮を予防することが重要である．また腱の脆弱性による腱断裂を回避しなければならない．

ひょう疽

Felon

千馬　誠悦　　中通総合病院 診療部長〔秋田市〕

【疾患概念】　指腹部の化膿性炎症である．指腹部は末節骨と皮膚の間に丈夫な線維性の隔壁があり，多数のコンパートメントを形成している．コンパートメント内に化膿性炎症が生じると膿瘍が貯留し，内圧が上昇して激しい疼痛が生じる．深部に炎症が波及すると末節骨骨髄炎，化膿性屈筋腱腱鞘滑膜炎へと感染が拡大する．

【臨床症状または病態】
　指腹部に感染による局所の発赤，腫脹，疼痛が生じる．コンパートメント内に膿瘍が貯留して内圧が上昇し激痛となる．

問診で聞くべきこと
　刺し傷が原因となることが多く，手指外傷の有無，刺創の既往を問診する．
　糖尿病の合併，ステロイド薬や免疫抑制薬を服用し

ているかどうかも聞いておく．

必要な検査とその所見
単純X線写真像で末節骨の融解・破壊像とガス像の有無，超音波検査やMRI検査で膿瘍の有無と膿瘍の局在部位を同定する．炎症反応をみるため血液検査，切開排膿時には培養検査を行う．

鑑別診断で想起すべき疾患
真菌症・湿疹・乾癬のような皮膚科疾患，ヘルペスウイルスによる指腹部感染．

専門病院へのコンサルテーション
原因となる細菌によっては感染が重症化することがある．感染が深部に拡大すると骨髄炎になり，難治性となる．また腫脹が強い場合は，血行障害により指尖部が壊死に陥る危険もある．抗菌薬の投与で症状が改善しない場合は，早めに手外科専門医へ紹介すべきである．

治療方針
初期では局所の安静をはかり，抗菌薬を投与する．抗菌薬の投与で感染の鎮静化が得られず，臨床所見や検査所見で膿瘍の貯留が判明すれば切開，排膿，洗浄を行う．膿瘍の直上皮膚を切開するが，切開による創瘢痕痛や指腹部の血行障害を避ける，片側のJ字型切開が勧められている．

患者説明のポイント
抗菌薬で感染の鎮静化が期待できるが，効果がなく検査で膿瘍が明らかになれば，切開排膿する手術が必要となる．指腹部の感染ではあるが，抗菌薬で効果が得られない細菌による感染の可能性，感染の拡大で骨髄炎に進行したり，指尖部皮膚の血行障害や壊死の危険もあることを説明しておく．

リハビリテーションのポイント
急性期の局所の安静期間を過ぎたら，早めに関節拘縮を防ぐための積極的な手指関節の自動運動をさせて，拘縮の予防につとめる．

爪周囲炎
Paronychia

佐野 和史 順天堂大学 先任准教授（形成外科学）

【疾患概念】 手領域で最も頻繁に遭遇する感染性炎症性疾患である．深爪や爪甲周辺のささくれから原因菌が侵入し発症する．時に爪甲遠位側縁の切り残しの陥入やマニキュアや除光液による刺激がきっかけとなる．

病態
側爪郭，近位爪郭，また爪甲下に膿瘍形成を認める．時に深部に至り，ひょう疽や指腹部膿瘍へ波及しうる．

問診で聞くべきこと
糖尿病やステロイド治療歴など重症化をきたしうる易感染疾患の病歴を確認する．単純ヘルペス感染の家族歴，口腔ケアを行う看護師や歯科衛生士などの職業歴の聴取は後述のヘルペス性ひょう疽との鑑別に重要である．爪周囲炎が慢性的に多発する場合は，非小細胞肺癌に対する抗悪性腫瘍薬（ジオトリフ®）の副作用の可能性があるため，投与歴を確認する．

必要な検査
排膿した場合は培養検査により起炎菌を同定する．通常起炎菌は黄色ブドウ球菌だが，最近はMRSA（methicillin-resistant *Staphylococcus aureus*）の場合もある．さらに慢性の経過をたどる場合は抗酸菌や真菌感染の可能性もある．

診断のポイント
爪甲周囲の膿瘍形成を視認し診断するが，単純ヘルペスウイルス感染を原因とするヘルペス性ひょう疽では有痛性の多発小水疱を指尖部に認め，その外観は表在性膿瘍を伴う急性爪周囲炎と酷似する場合があるため注意する．同様の症状を繰り返し，発症初期より上肢のリンパ管炎や腋窩リンパ節の有痛性腫脹を認めるにもかかわらず，局所炎症所見に乏しい印象がある場合は，先述した家族歴や職業歴とともに鑑別疾患として必ず疑う．

治療方針

1 ▶ 保存療法
発症初期で明らかな膿瘍形成を認めない場合は，局所安静と第1世代セフェム系抗菌薬投与を行う．

2 ▶ 手術療法
側爪郭，近位爪郭また爪甲下に膿瘍形成を認める場合は，切開や部分抜爪により排膿し培養検査により起因菌同定を行う．

合併症と予後
経過中に指腹部に強い疼痛や圧痛を認め，指腹部の膿瘍形成が示唆される場合は，指尖部をhockey-stick状に切開し排膿を試みる．

石灰性（化）腱炎
Tendinitis calcarea

佐野 和史　順天堂大学 先任准教授（形成外科学）

【疾患概念】　手関節や指の腱および靱帯付着部に塩基性リン酸カルシウム（BCP）結晶が沈着し，急性炎症を引き起こす．

【病態】
中年期でやや女性に多く，急性の局所疼痛，腫脹，発赤を認める．固有指部の屈筋腱内に発症し弾発現象をきたすこともある．

問診で聞くべきこと
感染性疾患や裂離骨折との鑑別のうえで，先行する局所外傷歴の有無を聴取する．

必要な検査
単純X線撮影で石灰沈着を確認する．手関節周辺の石灰沈着では正側2方向に加えて斜位撮影が局在の確認に有益な場合もある．手術加療で沈着した液状石灰を摘出した場合は，偏光顕微鏡によりピロリン酸カルシウム（calcium pyrophosphate dihydrate；CPPD）結晶とは異なり，複屈折性を示さない結晶が確認できる．

診断のポイント
発症前に打撲など軽微な外傷を認める場合があるが，受傷から遅れて痛みや腫脹が急激に顕在化したり，外傷程度に比較し症状が強い場合は，石灰性（化）腱炎を疑う．単純X線写真において沈着した石灰陰影は，裂離した小骨片とは異なり透過性は一様で辺縁が丸く，注意深い観察により鑑別できる．手関節尺側部の石灰沈着では尺側手根屈筋・伸筋腱へ沈着した関節外病変よりも，三角線維軟骨複合体（triangular fibrocartilage complex；TFCC）にCPPD結晶が沈着した関節内病変（偽痛風）のことが多い．

治療方針

1▶保存療法
まず，局所安静とNSAIDs投与を行う．シメチジン内服が著効する場合もある．改善がなければ，石灰沈着部位に水溶性ステロイドを局注する．石灰性（化）腱炎では，化膿性疾患と異なり，局所炎症所見の周辺拡大傾向は認めないため，化膿性疾患と鑑別し難い場合は，経過推移で確実に化膿性疾患を除外してからステロイド投与を行う．

2▶手術療法
慢性的な疼痛を認める場合や再燃を繰り返す場合は，切開し沈着した液状石灰を可及的に摘出する．

合併症と予後
通常は自他覚症状の消退に伴い，単純X線写真において石灰沈着が縮小または消失する．

[太鼓]ばち指
Digital clubbing

福本 恵三　埼玉慈恵病院埼玉手外科マイクロサージャリー研究所 所長〔埼玉県熊谷市〕

【疾患概念】　指（趾）の末節部が肥大し，後爪郭が隆起して爪甲の弯曲が増大した状態．先端が太く，太鼓のばち状であることから名付けられた．Hippocrates指（爪）とも呼ばれる．肺がんなど重大な疾患の部分症であることが多い．

【臨床症状または病態】
指末節の肥大ともに後爪郭が隆起し，爪甲と後爪郭が形成する角度（Lovibond角：通常160°）が増加し180°となる．また，爪甲は鳥のくちばし状（parrot's beak）変形をきたす．Grade 1：爪床が柔らかく波動，Grade 2：爪甲と後爪郭との角度が増加，Grade 3：爪甲の凸状が際立つ，Grade 4：指尖のばち状変形，Grade 5：爪甲と周囲の皮膚のてかりと縦線状形成，の順に進行する．指，爪甲変形以外に痛みなどの症状はない．さまざまな疾患でばち指が起きるが，最も多いのは肺疾患で，なかでも肺がんが多い．その他チアノーゼを伴う先天性心疾患，肝硬変，Crohn病，潰瘍性大腸炎などがある．また，長管骨骨膜肥厚・有痛性骨関節炎・ばち指を三徴とする肥大性骨関節症の徴候であることもある．原因は不明だが，血小板由来増殖因子（platelet-derived growth factor；PDGF），血管内皮細胞増殖因子（vascular endothelial growth factor；VEGF），低酸素状態が関与すると考えられている．また，チアノーゼを伴う先天性心疾患では，指末梢に血流がうっ滞し，栄養に富む還元ヘモグロビンにより組織の増殖・肥厚が起きるため，ばち指となるとされている．

問診で聞くべきこと
呼吸器疾患をはじめとする既往歴，症状の有無．

専門病院へのコンサルテーション
（呼吸器）内科医へコンサルテーションして，肺疾患などについて精査を行う．

治療方針・治療法
ばち指自体に対する治療は通常行わない．肺がんなどの治療でばち指も改善することがある．

ガングリオン

Ganglion

福本 恵三　埼玉慈恵病院埼玉手外科マイクロサージャリー研究所 所長〔埼玉県熊谷市〕

【疾患概念】　関節包，腱鞘や靱帯から生じる囊腫で，内容は透明でゼリー状の粘液（ムチン）である．

【臨床症状または病態】
　関節あるいは腱鞘上の表面平滑で軟らかい皮下腫瘤で，通常皮膚との癒着はなく，関節包または腱鞘と癒着する．20〜40歳代の女性に多い．手関節背側に最も多く発生し，その他手関節橈掌側，屈筋腱鞘上，指節間関節〔遠位指節間（distal interphalangeal；DIP）関節のものは粘液囊腫とよばれる〕などに多い．神経，骨，筋肉に生じることもある．関節部の違和感や，時に痛みを伴う．発生原因は不明だが，関節包，腱鞘や靱帯のムコイド変性，軽微な外傷とされている．

問診で聞くべきこと
　痛みや違和感など，腫瘤以外の自覚症状の有無と整容面を含めた患者の希望．

診断のポイント
　視診では透光性がある．穿刺でゼリー状の内容を吸引すれば診断が確定するが，手関節橈掌側では橈骨動脈を損傷する可能性があるため注意が必要である．画像診断としてはエコー，MRIが有用である．手関節背側の触知されない小さなもの（オカルトガングリオン）が痛みの原因となることがあるが，その診断にはエコーが特に有用である．

鑑別診断で想起すべき疾患
　脂肪腫，神経鞘腫など軟部組織腫瘍．

治療方針
　ガングリオンと診断されれば，自然に縮小することもあり，特に治療する必要はない．腫瘤に対する整容的要望や，痛みがある場合などが治療対象となる．

治療法
　保存的治療は穿刺による内容物の排出，圧迫が行われるが再発が多い．
　手術的治療では囊胞とともに発生源である関節包や腱鞘の切除が行われるが，囊胞自体を切除する必要はない．手関節背側では舟状-月状骨間靱帯より生じ，その茎が関節包を貫いて囊胞と連続している（図16-24）．切除時には茎が貫く関節包を5mm四方程度茎とともに切除して関節内に達し，舟状-月状骨間靱帯上の小さな囊胞も切除する．手関節部では近年関節鏡視下手術も行われ，良好な成績が報告されている．

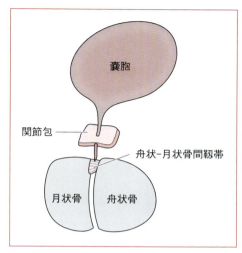

図 16-24　手関節背側ガングリオンの主な発生源

手関節背側ガングリオンは舟状-月状骨間靱帯より生じ，その茎が関節包を貫いて囊胞と連続している．

グロムス腫瘍

Glomus tumor

大江 隆史　NTT東日本関東病院 院長〔東京都品川区〕

【疾患概念】　体温調節にかかわる皮膚の動静脈吻合（グロムス装置）に由来する良性腫瘍である．これは手指や足趾によく発達しているので，この腫瘍も同部に多い．

【病態】
　指の末節の背側に生じることが多く，有痛性である．

問診で聞くべきこと
　自発痛が主訴であるので，それがいつも同一部位に生じるかを聴取する．寒冷曝露で痛みが増悪するとの報告が多いが，近年では指が寒冷曝露されることが少ないせいか，頻度が減っている印象がある．

必要な検査とその意義
①単純X線：指の正確な2方向を撮影する．経過が長期の場合は骨の陥凹（saucerization）を生じ，診断の助けになる．
②MRI：腫瘍が小さいので解像度が高い必要があるが，境界明瞭な腫瘤陰影として描出される（図16-25）．細かい撮影のためには，この腫瘍を疑っていることを

16 手の疾患

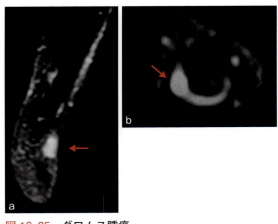

図 16-25　グロムス腫瘍
MRI：矢状断像(a)，水平断像(b)

伝える必要がある．

診断のポイント

　痛みが主訴である．爪に変形が生じているものでは，比較的診断されやすい．青みがかった部分として見えたり，強い光を通すと腫瘍の陰影が見える場合もある．爪の変形がない場合や指腹に生じたものでは，診断まで長期間を要することが多い．腫瘍の部位に一致してきわめて狭い範囲の圧痛があり，ペンの先などで調べる．指の自発痛の原因として想起できれば診断できる．

治療方針

　手術療法のみが有効である．

治療法

　正確な部位診断と爪などに障害の少ない進入法，確実な腫瘍切除が必要なので，手外科の専門医に紹介すべきである．

内軟骨腫
Enchondroma

大江　隆史　NTT 東日本関東病院 院長〔東京都品川区〕

【疾患概念】　病理的には軟骨腫であるが，長管骨の中にできたものは，外骨腫（骨軟骨腫）と対比して，内軟骨腫とよばれる．

【病態】
　単発性のものは，腫瘍による骨の脆弱化と病的骨折

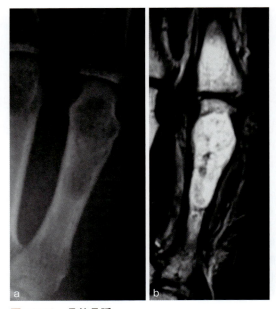

図 16-26　骨軟骨腫
X 線写真(a)と MRI(b)．

が問題となる．多発性のものは，Ollier病とよばれ，変形と成長障害が問題となる．

問診できくべきこと

　発見の原因で最多のものは病的骨折で，2番目は偶然 X 線に写ったことである．骨折では外力の大きさなどを聴取する．

必要な検査とその意義

　X 線像が特徴的である．

診断のポイント

　境界明瞭な骨透亮像があり，皮質骨は一部で菲薄化し，内部に石灰化を伴う（図 16-26）．不全骨折の状態が続いた場合，化骨形成を生じ悪性腫瘍による骨膜反応との鑑別が必要なこともあるが，大抵の場合診断は容易である．

治療方針

　腫瘍の治療と病的骨折の治療の2面から考える．

治療法

　病的骨折を生じている場合は，外固定などで骨折の治癒を待ってから，腫瘍の治療時期や方法を検討してもよい．転位が大きい場合や，骨折と同時に腫瘍の治療を行う希望がある場合は，早期に手術を行う．骨折部などから腫瘍に達し，腫瘍を徹底的に掻爬する．掻爬後に自家骨や人工骨を充填するか，血餅などでもよいかについては議論が分かれる．偶然見つかった場合

では，皮質骨の菲薄化が軽度であれば，経過観察でもよい．

> 治療法と予後

適切に掻爬すれば再発は少ない．

> 患者説明のポイント

経過観察とした場合は病的骨折のリスクを説明する．

Maffucci 症候群

Maffucci syndrome

金谷 文則　富永草野病院 理事長〔新潟県三条市〕

【疾患概念】　多発性の血管性腫瘍（angioma）を伴う内軟骨腫症（enchondromatosis）でまれな遺伝疾患であり，遺伝形式も不明である．性差や人種差もないとされるが，IDH1/IDH2 に mutation がみられることが多い．

【病態】

中胚葉性組織の形成異常と考えられ，知的・精神的な発達は正常である．4～5歳で四肢末梢の青色の病変で気づかれることが多い．皮膚・骨病変は10歳代までゆっくり進行し，10～20歳代でその進行は止まることが多く，低身長を示すこともある．血管病変は静脈性血管奇形（venous malformation）で表在性・深在性ともにあり，また左右非対称性に認められる．暗青色を呈し，圧迫で容易に小さくなり，無症状なことが多いが，血栓形成や静脈石の形成もみられる．内軟骨腫症は全身の骨に生じ，片側性に腫瘍が多発することが多いが，両側性あるいは交差性のこともある．内軟骨腫の90％は手に生じ，他に足，大腿，下腿，肋骨，頭蓋骨などにも生じる（図16-27）．成長期に緩徐に増大して，進行性に骨の膨隆を生じる．内軟骨腫による関節可動域制限，成長障害での脚長不等やアライメント異常，病的骨折・変形が臨床上問題となる．内軟骨腫の約30％は平均40歳の頃に悪性化し，軟骨肉腫（chondrosarcoma）になる．内軟骨腫の悪性化がなければ，その予後は良いとされる．軟骨肉腫のほかに血管肉腫（angiosarcoma）や神経膠腫（glioma）の発生も報告されている．

> 必要な検査と所見

骨軟部病変は定期的な観察が必要である．骨の悪性化の診断には定期的なX線検査，CT，骨scan（Tec），軟部病変に対しては年1回のMRI検査が推奨される．

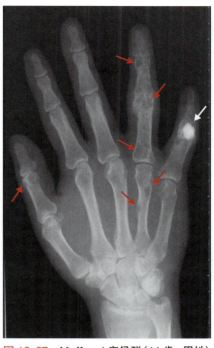

図 16-27　Maffucci 症候群（44歳，男性）
右手に多発性軟骨腫（色の矢印 →）．小指軟骨腫は掻爬後人工骨移植（白色の矢印 ⇒）．

> 診断のポイント

四肢の血管腫に内軟骨腫（骨皮質の膨化，骨透亮像，関節破壊，骨変形）が合併すれば診断は比較的容易である．

> 治療方針

無症状であれば運動制限の必要はなく治療の必要もない．骨病変の増大があれば病理検査を行い，良性の軟骨腫であれば掻爬後に病的骨折を予防するため人工骨を充填する．脚長不等や骨変形に対しては骨延長術により変形を矯正することができる．

> 患者説明のポイント

軟骨肉腫の合併の可能性と定期的な検査の必要性を説明する．

16 手の疾患

傍骨性軟骨腫
Periosteal chondroma, Juxtacortical chondroma, Parosteal chondroma

西田 淳　東京医科大学 教授

【疾患概念】　骨膜下に発生する骨表面の軟骨形成性良性腫瘍である．

【臨床症状と病態】
　発生頻度は，内軟骨腫と傍骨性軟骨腫を併せた軟骨腫（chondromas）中，2%以下とまれな腫瘍である．小児にも成人にも発生し，男性に多い．上腕骨近位部や手指の短管骨に好発する．可動性のない硬い腫瘤を触知し，疼痛を伴うことが少なくない．

診断のポイント
　単純 X 線では，しばしば石灰化を伴う辺縁明瞭な溶骨性病変が，骨皮質を圧排するように存在し，腫瘍直下の皮質骨は肥厚している．病理組織学的には表面は骨膜によって周囲軟部組織と境界されている．病変が骨髄内に浸潤することはない．内軟骨腫と同様に分葉状の硝子軟骨を形成する．細胞密度が高かったり二核細胞がみられたり，核異型を認めることもあるため，過剰診断にならないよう病理医との緊密な連絡が必要である．

治療方針
　手術による摘出が唯一の治療法である．腫瘍を被覆する骨膜を含めて切除する．手発生例の再発率は 15% で，他部位発生例に比し有意に再発率が高いとの報告もあり，病変内切除でもよいが，最終的には病変をすべて取りきる必要がある．

限局型腱滑膜巨細胞腫（腱鞘巨細胞腫）
Tenosynovial giant cell tumor, localized type, Giant cell tumor of tendon sheath, Nodular tenosynovitis

西田 淳　東京医科大学 教授

【疾患概念】　2013 年の WHO 分類では，軟部組織のいわゆる線維組織球系腫瘍の 1 つに分類されている．腱鞘あるいは指節間（interphalangeal；IP）関節と密接に関係して発生することが多い．WHO の正式名称は tenosynovial giant cell tumor, localized type（腱滑膜巨細胞腫，限局型）であるが，日本整形外科学会整形外科学用語集および日本手外科学会用語集にはWHO 分類で同義語として記載されている giant cell tumor of tendon sheath（腱鞘巨細胞腫），nodular tenosynovitis（結節性腱鞘炎）が記載されている．WHO 分類に準じて，今後わが国でも疾患名が変更される可能性がある．手に発生する軟部腫瘍としては最多である．
　Tenosynovial giant cell tumor, diffuse type（同義語：diffuse type tenosynovial giant cell tumor, pigmented villonodular synovitis, pigmented villonodular tenosynovitis）とは臨床像，生物学的態度が異なるとされているが，両疾患とも 1 番染色体の *colony stimulating factor 1*（*CSF1*）gene の転座により CSF1 が過剰に発現し，CSF1 receptor を持った細胞が集簇して腫瘍が形成され発症するとされている．

【臨床症状と病態】
　手の腫瘤としては，ガングリオンに次いで多い．30～50 歳に好発し，女性に多い．母指，示指，中指に好発するとされる．病変は硬く分葉状を呈し，可動性が不良で，疼痛や圧痛は認めないことが多い．緩徐に増大し，患者は数年来腫瘤を自覚していることが多い．

診断のポイント
(1) 単純 X 線像
　10～20% の例では腫瘍の圧迫による，骨皮質の圧痕像を認める．
(2) MRI 像
　T1，T2 強調像でともに低信号を呈する例が多く，ガドリニウムで造影される例が多い．T2 強調像はヘモジデリンの量を反映して高～低信号領域が混在する例もある．

治療方針
　機能を考えながら可能な限り少量の正常組織を腫瘍表面に付けて切除する．確実な切除と，神経血管温存のため，ルーペ下の切除が推奨される．

患者説明のポイント
　増大傾向を有するので早期に手術を受けたほうがよいこと，再発率は 9～44% であること，関節内，関節近傍発生例では再発率が高いことを説明する．

リハビリテーションのポイント，関連職種への指示
　早期手術の必要性，再発の危険性を患者が十分理解できるようにする．

手・指の循環障害

Circulatory disturbances of the hand

平瀬　雄一　四谷メディカルキューブ手の外科・マイクロサージャリーセンター センター長〔東京都千代田区〕

【疾患概念】　手・指の循環障害には，外傷を契機とした急性の動静脈血行障害と，慢性的な末梢動脈血行障害によるものに大別される．いずれも手指の冷感・蒼白・しびれ・痛みを伴い，進行すると皮膚潰瘍あるいは壊死に至る．しかし，その治療方針は全く異なる．

1 病型

1▶外傷による手指の循環障害
⑴血管損傷を伴うもの

診断のポイント

　血管損傷が疑われる場合は直ちに血行再建を行う．必要であれば術前あるいは術中に血管造影を行って損傷部位を確認する．

治療方針

　損傷している血管を新鮮化して，再吻合を行う．欠損があれば，静脈移植を行う．術後は抗凝固薬の投与を行う．

⑵前腕部コンパートメント症候群

診断のポイント

　多くは小児の上腕骨顆上骨折後に合併するが，高度の圧座損傷・多発骨折でも発生する．主な徴候は，痛み・蒼白・動脈拍動の消失・感覚鈍麻・運動麻痺であり，前腕部は高度に緊満し，患者は耐え難い痛みを訴える．

治療方針

　直ちに外科的処置が必要となる．骨折があれば，整復・固定を行い，さらに前腕部での筋膜切開によるコンパートメント内の除圧が必要となる．筋膜切開をしても動脈の拍動が得られず，血管損傷が疑われる場合は血管造影を行い，損傷した動脈の狭窄を解除する．

2▶慢性的末梢循環障害

　代表的な Raynaud 症候群と Buerger 病について記す．

⑴Raynaud 症候群（レイノー症候群）

診断のポイント

　寒冷刺激や振動刺激で指動脈の攣縮を起こして，手指が蒼白となり，チアノーゼ・紅潮などの症状を繰り返す．膠原病や振動工具の使用，外的刺激などの原因が明らかなものは Raynaud 症候群，明らかでないものは Raynaud 病と呼ぶ．

治療方針

　血管造影（CTアンギオ，MRIアンギオ），サーモグラフィーなどを行って閉塞・狭窄している血管の部位を同定する．原因疾患がある場合は，その治療を行う．多くはまず，薬物療法を行い，血管拡張薬・抗凝固薬・循環改善薬の内服を行う．薬物療法で効果がない場合は，総掌側指動脈から固有指動脈への分岐部周辺の指動脈外膜を切除する，指動脈周囲交感神経切除術が有効な場合もある．

⑵Buerger 病（バージャー病）

診断のポイント

　四肢の小動脈内膜の炎症により，血栓ができて血管が閉塞する疾患である．特に喫煙歴のある中年以降の男性に多発する．四肢の冷感・チアノーゼ・静脈炎・爪変形などの症状がみられる．

治療方針

　喫煙していれば禁煙を徹底させる．薬物療法としては，血管拡張薬・抗凝固薬・循環改善薬の内服を行う．星状神経節ブロックも検討する．末梢の細動脈の疾患であり，外科的な血行再建術の適応は乏しい．

痙性麻痺手

Spastic hand

河村　太介　北海道大学大学院 助教

【疾患概念】　脳性麻痺や脳血管疾患，頭部外傷，頚髄損傷などを原因として生じる．痙縮と麻痺の組み合わせにより関節変形や拘縮を引き起こす．

【病態】

　脳性麻痺は出生時仮死，早産，低出生体重児などの低酸素性虚血性脳病変により生じ，多彩な症状を呈する．

　脳血管疾患は頭蓋内の血行不全や出血などによる疾患の総称で，脳梗塞，脳出血，くも膜下出血などが痙性麻痺手の原因となる．

　脳血管疾患による運動麻痺は急性期には弛緩性であるが，その後筋緊張が回復し深部腱反射が亢進する．上肢では屈筋群の痙縮が現れ，その後麻痺肢の随意的運動が可能となる．この回復過程の評価に Brunnstrom stage（表16-1）が用いられる．

診断のポイント

　随意的な筋収縮と痙縮，筋の拘縮，関節拘縮を注意

表 16-1　Brunnstrom stage 分類

Stage	
I	随意運動なし（弛緩性麻痺）
II	共同運動またはその要素の最初の出現期（痙性発現期）
III	共同運動またはその要素を随意的に起こしうる（痙性期）
IV	基本的共同運動から逸脱した運動（痙性減弱期）
V	基本的共同運動から独立した運動（痙性減少期）
VI	協調運動ほとんど正常（痙性最小期）

深く区別する．

脳血管疾患の場合は Brunnstrom stage による回復過程の評価を行う．

治療方針

1 ▶ 脳性麻痺

脳の発育を促進するためにも，できる限り上肢機能を向上させるよう治療を計画する．拘縮予防のための理学療法，作業療法，装具療法を行うが，症状が重くなるにつれ効果は一時的となる．そうした症例では手術治療を選択する．手術は機能改善の他に，整容や保清を改善する目的でも行われる．機能改善を目指す手術であっても完全な機能を獲得することは困難である．

手術は術前の機能評価が行える6〜12歳に行う．

2 ▶ 脳血管障害

脳性麻痺と違い中高年の患者が多く，一度獲得した機能を突然失うため，より大きな機能障害を自覚することになる．

手術は Brunnstrom stage の Stage IV 以上の機能があり，高次脳機能障害や重度の感覚障害を伴わない場合に適応となる．

保存療法

1 ▶ フェノールブロック

5%フェノール液により，筋肉に向かう運動神経周囲の蛋白質を変性させることで，ブロック効果を得る．経皮的に注入されることが多いが，目的とする筋肉の運動点近くに注入するため，電気刺激装置を用いて行う．注入後3〜5か月で再生が始まるためブロック効果も限定的である．術前の評価としても用いられる．

2 ▶ ボツリヌストキシンA

ボツリヌス菌から精製された蛋白質により，神経筋接合部における神経終末からのアセチルコリン放出を阻害する．筋の大きさに応じた量を，目的とする筋内に注入する．効果の持続時間は約3〜5か月間で，本邦においては薬剤使用にあたって講習会を受講する必要がある．

手術療法

各関節の変形に応じた骨切り術や腱延長術，腱移行術，腱固定術などを組み合わせて行う．

書痙

Writer's cramp

若林　良明　横浜市立みなと赤十字病院 院長補佐/部長（手外科・上肢外傷整形外科）〔横浜市中区〕

【疾患概念】　ある特定の動作を行う，または行おうとした際に，不随意の筋緊張の亢進（痙縮）や姿勢・肢位異常を起こし，その動作に支障が生じるものを動作特異性ジストニアという．上肢の動作特異性ジストニアとして，書字動作によって起きるものを書痙，楽器演奏によるものを楽器奏者クランプとよび，これらは基本的には同じ病態と考えてよい．理髪師や美容師，調理師，彫刻家などでも同様の症状を呈することがある．

大量の書字や動作の反復練習が発症の契機となることが多く，他の動作では症状が出現しにくいこと，人前で症状が悪化することなどから心因性と扱われてきた経緯があるが，近年では同一の動作を繰り返すことで，大脳運動野-淡蒼球-視床-大脳運動野という皮質基底核視床回路に促通経路が形成され，これが特定の動作によって発振してしまうことで生じるという考え方が主流になりつつある．

【臨床症状】　書字の際，手指が異常に緊張して筆圧が高くなり，書字速度は遅く，書字がスムーズに行えない．母指は屈曲位をとることが多く，楽器奏者などは母指が「巻きこまれる」と表現することがある．緊張が手よりも近位に及ぶものでは肩や上腕のこりを訴える．箸の使用やつまみ動作など，書字以外の動作が障害されることもある．

診断のポイント

典型例では上記の臨床症状から診断は比較的容易である．振戦を伴う場合には Parkinson 病や甲状腺機能亢進症，アルコール依存症，その他脳疾患などを鑑別する必要がある．

治療方針

1 ▶ 筆記具や筆記法の指導

把持する部分が太く，低い筆圧で書ける筆記具の使用を試みる．またあえて書き順を逆にして書字させる

「脱・書き順法」が有効であるとの報告がある．

2 ▶ 薬物療法

書字困難の不安感が強いものには抗不安薬を，筋緊張に対してはトリヘキシフェニジルなどの抗コリン薬の投与を試みるが，あくまで対症療法であり，有効性は低いとされる．

3 ▶ ボツリヌス療法

ボツリヌス毒素を標的筋に注射し，神経筋接合部の神経終末に作用させることで，アセチルコリンの放出を抑制し，筋緊張の緩和をはかるものだが，実施に際しては講習・習熟を要し，わが国では書痙に対して保険適用はない．

4 ▶ 定位的視床 Vo 核凝固術

脳神経外科分野で，皮質基底核視床回路での GPi（淡蒼球内節）からの投射を受ける視床 Vo 核（腹吻側核）の凝固術が著効すると報告されている．局所麻酔下の定位手術で，実際に症状を起こす動作を観察しながら行うものである．実施可能な医療機関は限られるが，保存的治療の効果が上がらないものには，選択肢として患者に提示してもよいと考えられる．

複合性局所疼痛症候群（CRPS）

Complex regional pain syndrome

平田 仁　名古屋大学大学院 教授（手の外科学）

【疾患概念】　基本的には打撲，切創，捻挫，閉鎖性骨折，小・低侵襲手術など比較的マイナーな外傷に続発して，高度で持続性の局所性疼痛を生ずる疾患である．アロディニアなどの感覚障害に加え，血管活動性異常，浮腫・局所性多毛，骨・関節・軟部組織の異栄養性変化，運動制御異常・情緒障害など多様な異常が出現する．米国人医師 Silas Weir Mitchell が南北戦争において，銃傷に伴う比較的軽傷の末梢神経損傷例にまれに認める状況として，カウザルギアとよんで詳細に報告したことに始まる．その後ドイツ人医師 Paul Sudeck が，骨折により誘発される例を報告した．以後も不可解な難治性疼痛として散発的に報告されていたが，1947年に米国人医師 James Evans が Rene Leriche や William Livingstone の考えを取り入れ，脊髄レベルでの侵害受容ニューロンと交感神経の短絡を原因とする，交感神経系の局所性過興奮が多様な症状の原因と説明して reflex sympathetic dystrophy（RSD）との病名を提唱し，症例の大半が Sudeck の報告したような神経損傷を伴わない症例であることを報告した．これが長年にわたり広く受け入れられていた．しかし，1980年代になり多くの症例で交感神経の過活動をいずれの時期にも認めないことが確認され，1988年に国際疼痛学会から複合性局所疼痛症候群（complex regional pain syndrome；CRPS）との病名が提唱された．CRPS は神経損傷を伴わないものを I 型，神経損傷に合併するものを II 型と分類したが，II 型の存在には懐疑的な研究者も多く，当初より II 型の診断には確実に末梢神経損傷を証明できることを要件とした．CRPS I 型が症例の 8〜9 割を占める．しばしば単なる神経障害性疼痛が CRPS II 型と診断されており注意が必要である．

【病態】
　正確な発症メカニズムは不明であるが，外傷を引き金に高度の神経性炎症が誘発され，難治性疼痛と，局所的な組織変化が起こり，さらに，疼痛などの持続を要因として脳活動の慢性的な異常が誘発されることで情動障害，運動制御異常，あるいはネグレクト様症候群のような局所を超えて広がる身体異常が出現するものと考えられている．今日では中枢神経系の異常が脳機能解析や詳細な脳の形態計測分析により確認されており，神経ネットワークの広範な異常活動により引き起こされる難治性疼痛状態と考える研究者が多い．多くのケースでギプスなどによる損傷局所の固定を受けた既往があり，外傷とともに局所の不動化も発症の一因とされる．局所性の痛覚過敏に加えて，通常は痛みを伴わないあらゆる刺激で疼痛が誘発されるアロディニアを伴う．ただし，アロディニアは CRPS に特有の所見ではなくはるかに発生頻度の高い神経障害性疼痛などでもみられ，これをもって CRPS とすることはできない．感覚障害に加えて，局所的に交感神経活動が不安定となり，局所血流が増大して血管透過性が上がり，浮腫の発生，皮膚温上昇，発赤，発汗，などを認める．頻度は少ないが，発症早期より交感神経の過活動により血管が収縮し，蒼白になり皮膚温が低下する症例もみられ，前者を heat edema，後者を cold edema と表現される．さらに，軟部組織や骨格の異栄養性変化が発生することも特徴であり，局所的な骨萎縮，発毛や皮膚，皮下組織の萎縮が急速に進行し，関節は拘縮する．また，運動制御異常や情動調節障害もまれならずみられ，発症後早期より局所性ジストニア，振戦，うつ，不安・焦燥，対人障害などが起こる．

【問診で聞くべきこと】
　発症の引き金となった外傷の存在や，ギプスなどによる苦痛を伴う外固定を受けた既往の有無を必ず確認する．また，後述の CRPS 判定指標における徴候（患者の訴える症状）の項目では診察以前に経験していれば陽性と判断するため，判定指標にリストアップされている症状や徴候が，発症早期に遡って一度でも経験

していないかを確認する必要がある．さらに，CRPSでは家族性発症例の報告があり，免疫にかかわる遺伝子に異常を認めるとの報告もある．これらの例では外傷など明らかな引き金を伴わずに発症することが指摘されており，家族歴を確認することも重要である．

必要な検査とその所見

国際疼痛学会は国際共同研究を実施し，主成分分析，判別分析によりCRPSをほかの難治性疼痛疾患と判別するための診断基準を定めている．わが国では厚生労働省CRPS研究班が日本人CRPS患者に対して同様の研究を実施し，表16-2に示すCRPS判定指標を公表している．いずれも，感覚障害，血管運動性障害，浮腫・発毛異常，異栄養性障害をそれぞれ評価するのであり，患者の主観に基づく"症状"と，医師が診察室で確認することによる"徴候"の2つで判定する．臨床用と研究用の2つの判定基準が定められており，臨床判定指標を用いることにより感度82.6%，特異度78.8%で判定でき，研究用判定指標により感度59%，特異度91.8%で判定できる．CRPSの補助診断としては単純X線，3相骨シンチグラフィー，網羅的感覚評価（QST），サーモグラフィー，MRIなどが用いられるが，その信頼性は必ずしも確認されていない．

鑑別診断で想起すべき疾患

痛みの性状に類似点があるため，神経障害性疼痛を伴う多様な疾患との鑑別が重要である．また急性期には，外傷に伴う骨折，コンパートメント症候群や不顕性神経障害に伴う高度疼痛をCRPSと誤診しないように注意する必要がある．

診断のポイント

厚生労働省CRPS判定指標を厳密に適用して診断を進める．骨萎縮の判定は正確に撮影されたX線画像を複数の医師により評価するぐらいの慎重さが求められる．サーモグラフィーによる皮膚温評価ではマニュアルに従って厳密な手順で計測をし，最低でも1℃以上の患・健側差を認める必要がある．CRPS患者では頭頂葉を中心に制御される感覚統合，空間認知，身体イメージなどの機能に異常をきたすネグレクト様症候群を合併することがまれならずみられる．このため，「力の入れ方がわからない」，「自分の体のような気がしない」などと訴えて障害局所を動かせない（アキネジア，ブラジキネジア）ことがある．この状況では腱反射や末梢神経伝導速度など局所における生理学検査異常は認めず，また，意図しない動きを局所に観察できることもあるが，このような所見をもってCRPSではないと断ずるような誤った判断は厳に慎むべきである．

表16-2 厚生労働省判定指標

臨床用CRPS判定指標

A 病期のいずれかの時期に，以下の<u>自覚症状のうち2項目以上該当すること</u>．
ただし，それぞれの項目内のいずれかの症状を満たせばよい．
1. 皮膚・爪・毛のうちいずれかに萎縮性変化
2. 関節可動域制限
3. 持続性ないしは不釣合いな痛み，しびれたような針で刺すような痛み（患者が自発的に述べる），知覚過敏
4. 発汗の亢進ないしは低下
5. 浮腫

B 診察時において，以下の<u>他覚所見の項目を2項目以上該当</u>すること．
1. 皮膚・爪・毛のうちいずれかに萎縮性変化
2. 関節可動域制限
3. アロディニア（触刺激ないしは熱刺激による）ないしは痛覚過敏（ピンプリック）
4. 発汗の亢進ないしは低下
5. 浮腫

治療方針と治療上のポイント

CRPSに対して有効性を確認された疼痛治療薬はない．このため侵害受容性疼痛や神経障害性疼痛に用いられる一般的な疼痛治療薬を用いる．これまでに有効性が確認されている治療としては認知行動療法がある．専門家によるチーム医療が前提となるため，痛みセンターや難治性疼痛治療ユニットを備える医療施設以外では実施が困難である．理学療法や作業療法も有効とされ，心理的な側面に配慮して慎重に実施すべきである．

予後

CRPSの7割以上の症例が1年以内に寛解していることが確認されている．特に，橈骨遠位端骨折などに伴う例では寛解の可能性が高く，変形治癒により手根部で正中神経の圧迫などが疑われる例では，積極的に矯正骨切り術を実施することで早期に寛解を得ることもまれならず経験される．

患者説明のポイント

原因不明の難治性疼痛であるが，適切に痛みをコントロールし，拘縮の発生を予防しつつ局所を動かすことで7割の症例が寛解すること，発症後1年を超えて症状が持続する症例では長期間にわたり痛みが残るが，ほとんどのケースでは疼痛治療薬を用いることなく仕事に復帰できていることを，患者の心理状態に配慮しつつ，丁寧に説明する．症状の高度の症例に対しては認知行動療法を実施可能な施設での治療を勧める．

17 脊椎・脊髄疾患

脊柱の機能解剖 …………………… 550	脊髄動静脈奇形 …………………… 568
整形外科的脊椎・脊髄疾患の	脊髄出血 …………………………… 570
とらえ方/診断手順 ……………… 551	前脊髄動脈症候群 ………………… 571
神経内科的脊髄疾患診断の進め方 … 552	癒着性くも膜炎 …………………… 572
結核性脊椎炎 ……………………… 554	脊髄空洞症 ………………………… 574
原発性脊椎腫瘍 …………………… 555	脊髄外傷後の脊髄空洞症 ………… 575
転移性脊椎腫瘍 …………………… 557	多発性硬化症 ……………………… 577
骨粗鬆症性椎体骨折 ……………… 558	脊髄小脳変性症 …………………… 578
透析性脊椎症 ……………………… 560	筋萎縮性側索硬化症 ……………… 579
脊髄髄内腫瘍 ……………………… 562	脊髄炎 ……………………………… 582
脊髄髄外腫瘍 ……………………… 564	むち打ち損傷（外傷性頚部症候群）…… 583
脊髄くも膜嚢腫 …………………… 567	低髄液圧症候群 …………………… 585

脊柱の機能解剖

Function and anatomy of the spine

小林 洋　福島県立医科大学 学内講師

1 脊柱の役割

　脊柱は，二足歩行を行うヒトの体幹を支持し，同時に脊髄，馬尾および神経根と言った神経組織を内包している．その役割は，①体幹の支持性，②脊椎の可動性，③神経組織の保護の3点に集約される．

2 脊柱の構造

　脊柱は，32〜35個の椎骨（頚椎7個，胸椎12個，腰椎5個，仙椎5個，尾椎3〜5個）と椎間板から構成される．
　頚椎の数は一定であるが，胸椎，腰椎および仙椎の数の変異は正常人の約5%に出現する．仙椎と尾椎は椎間板と周囲の靱帯が骨化癒合して，各々一塊の仙骨と尾骨となる．
　これらの椎骨が，線維軟骨性の椎間板と交互に重なることにより，可動性の備わった脊柱が構成される．椎骨や椎間板は強靱な靱帯で連結されるとともに，筋・腱の強力な集合体で支持されている．

3 脊柱の構成因子

1 ▶ 椎骨

　基本的形態は共通であり，前方に存在するほぼ円柱状の椎体と後方に存在する椎弓から構成される．椎弓は左右の椎弓根と椎弓板からなり，椎弓板は後方で左右が合して棘突起となる．この棘突起の形，大きさ，方向は，脊椎の部位によって異なる．
　椎弓は，左右一対の横突起，上関節突起，下関節突起を有し，関節突起は隣接する椎骨の関節突起と滑膜性連結を形成する．
　一方，棘突起と横突起は，椎骨に停止する筋の停止部位となる．脊柱の尾側ほど椎体が大きくなるのは，尾側ほどそれより頭側の構造物によって生じる重力と応力が大きくなるためである．

2 ▶ 椎間板

　中心部の髄核とその周囲を囲む線維輪，軟骨終板で構成される．成人の健常な髄核は，自由水を含む高粘稠性ゲルで構成される．線維輪は輪状の層状構造をしたコラーゲン線維により構成され，加齢の影響を受けやすい．前後屈，側屈，回旋運動など脊柱の3次元的な動きを可能にすると同時に，脊椎長軸方向の圧を緩衝している．椎間板内圧は姿勢により大きく変化する．

3 ▶ 前縦靱帯

　椎体間を連結し，椎体と椎間板の前面を覆う靱帯である．頚椎から仙椎まで全脊柱を連結している．伸展力に対して脊椎の前方部分が離開するのを防ぐ．

4 ▶ 後縦靱帯

　椎体と椎間板の後面を覆う靱帯で，腰椎部では椎体高位で幅が狭く，椎間板高位で左右に広がるという形態を呈する．

5 ▶ 黄色靱帯

　隣接する椎弓間を連結する，左右1対の弾性線維からなる靱帯である．脊柱管の後壁の一部を構成する．黄色靱帯付着部での正中では，硬膜外組織が認められるため，この脂肪組織が正中部硬膜外を示すランドマークになる．

4 脊柱のアライメント，動的機能

　隣接する椎骨間の可動域はわずかに限られているが，その総和が脊椎全体に大きな運動性をもたらしている．運動の自由度は胸椎よりも頚椎，腰椎において大きい．頚椎と腰椎の棘突起は短く，上下の棘突起間の間隔も大きく，関節突起の形状や配列も胸椎とは異なる．
　成人の脊柱は4つの部位に分けられ，矢状面においては4つの彎曲が存在する．すなわち，頚椎の前彎，胸椎の後彎，腰椎の前彎，仙椎の後彎である．これらの彎曲はヒトの直立二足歩行への適応の結果によるものであり，体軸方向の負荷に対する緩衝機能を有している．
　胎児は，子宮内で背中を丸めた姿勢をしているため，新生児の脊柱は後彎の状態である．出生後，後頚部の筋の発達に伴って，頭のバランスを保つために頚椎前彎が獲得される（生後約3か月）．その後，座位や立位を獲得するなかで，腰椎前彎が獲得される（生後約1年）．
　それぞれの移行部は臨床的に重要である．応力が集中して脊椎疾患や外傷の好発部位になるからである．
　近年の研究により，脊柱アライメント不良が健康関連QOLを低下させる機序が解明されつつある．脊柱の各彎曲と骨盤および下肢を含めたグローバルアライメントの解析，病態解明が進み，変形矯正手術の成績向上に寄与している．特に，腰椎と骨盤の関係性が注目されている．しかし現状では，変形矯正手術には高い侵襲や合併症の課題がある．不良アライメントの予防としての運動療法や骨粗鬆症治療の重要性が再認識されている．

整形外科的脊椎・脊髄疾患のとらえ方/診断手順

Diagnosis of spine and spinal cord disorders

國府田 正雄 筑波大学医学医療系 准教授

【概説】 整形外科的脊椎・脊髄疾患の診断においても，他疾患と同様に問診，視触診，身体診察，画像診断の順に診察を進める．問診は重要で，診断の絞り込みに有用なので軽視すべきではない．視触診，身体診察はなおざりにされがちであるが，かいつまんで見るだけでもかなり診断に役立つ．画像診断の重要性は言うまでもないが，問診・視触診・身体診察・単純X線で疾患・罹患高位をある程度推定してCT・MRIを適切に施行することが，診断の精度を向上させるうえで重要である．

1 問診

他の疾患と同様，整形外科的脊椎・脊髄疾患の診断においても問診が非常に重要なのは論をまたない．基本情報として年齢・性別・家族歴・既往歴・職業(歴)・スポーツ歴などは必須の項目である．

職業歴は，特に現在の職業だけでなく，実際に携わっている業務を具体的に聴くことが重要である．業務に伴う特異的な姿勢・動作が症状の原因になっている可能性や，手術をする場合の術式選択にも業務は重要な要素である．例えば成人脊柱変形患者の職業が野菜農家でかがみ込む動作の多い場合は，骨盤から上位胸椎までの長範囲の矯正固定術は躊躇されるなど，業務が術式決定の重要な要因になりうる．

既往歴は，可能な限り詳しく聴取する必要がある．例えばがんの既往は，たとえ年数が経過していても重要である．転移性骨腫瘍の診断に問診上最も有用であるのは，がんの既往であるという報告がある．乾癬や炎症性腸疾患の既往や家族歴などは，脊椎関節炎を疑う重要な病歴の代表例である．

発症様式を可能な範囲で聴取する．急性発症なのか緩徐発症，あるいは慢性疾患の急性増悪か，など発症様式が診断の助けになることが少なくない．近年増加が著しい骨脆弱性に伴う骨折では，受傷機転がはっきりしないことも多い．

動作・姿勢に伴う症状変動は重要である．歩行時しびれが悪化し休むとおさまるのは，典型的な腰部脊柱管狭窄症の症状である一方，安静時にしびれがあり歩いても変わらない場合は，腰部脊柱管狭窄症が重症化した症例やMorton病などにみられる．立位を継続していると腰が曲がって痛みが増す，台所で長時間の作業に耐えられず肘をついてしまう，スーパーマーケットでカートを押せば楽などは，脊柱後弯による矢状面アライメント不全による症状を疑う所見である．

2 視診・触診

診察室に入ってくるときの歩き方には，わずか数歩であっても重要な情報が詰まっている．整形外科的脊椎脊髄疾患に起因する跛行にも各種あり，失調性歩行，痙性歩行，鶏歩，Trendelenburg跛行など，それぞれ診断の参考になりうる．歩行・立位時の姿勢も非常に重要である．前方注視が困難な首下がりや腰が曲がってしまう脊柱後弯などは，座位では評価困難なことも多い．

視診では，筋萎縮を十分に観察する必要がある．最も手軽なのは，露出部分である手や前腕であろう．広範な筋萎縮では筋萎縮性側索硬化症などが鑑別診断に挙がる．視診では皮疹の有無も重要である．坐骨神経痛様の下肢痛を呈する帯状疱疹では，下肢感覚検査の際に下肢を露出してもらって視診し，神経痛部位の皮疹が見つかれば即座に診断可能である．手掌を観察し掌蹠膿疱症の小膿疱を発見できれば，SAPHO症候群を容易に診断できる．触診では，腫瘤やリンパ節などを観察し，転移性腫瘍その他の鑑別に役立てる．

3 神経学的診察

脊椎・脊髄疾患診療においては必須の診察である．詳細な神経学的診察法については成書に譲るが，外来診療の忙しいなかでは，最低限ハンマーで膝蓋腱反射を確認するだけでもよい．膝蓋腱反射の亢進を確認するだけで，腰椎疾患と胸髄などより上位の障害の鑑別に役立つ．上肢の深部反射およびscapulo-humeral reflex (Shimizu)も，脳の障害などを除外するにあたって参考になる．

神経根症の場合など痛み・しびれが主訴の際には，誘発テストが診断に重要である．頚椎レベルの神経根症の誘発テストであるSpurlingテスト・Mizunoテストや，腰椎レベルの神経根症誘発テストの1つKempテストなどは，いずれも診断に有用である．筋力テストは，上肢・下肢ともに簡単に行うだけでも診断に有用である．感覚検査は，主にピンを用いた痛覚検査を行う．時間的余裕のないときは露出部である手や，靴下を脱ぐだけで容易に診察できる足背のみでも参考になる．また，服をまくってもらって腹部のpin prickテストを行うのは，比較的容易でかつ上位の障害を診断できるので，筆者は必ず施行している．体幹や下肢の皮膚を露出させることで，皮疹の有無などの視診も兼ねることができるという利点がある．

4 画像診断

単純X線は今でも非常に重要で画像診断の基本といえ、決して軽視すべきではない。いわゆるABCD（A：アライメント、B：骨、C：軟骨・椎間板、D：病変）の順に読影することが、見落としを減らすことにつながる。脊椎のアライメントは撮影条件（立位か臥位か、視線の向きなど）により変化しうるので、施設内で撮影条件の統一をはかる必要がある。アライメントに関して、最近では局所アライメントのみならず矢状面アライメント不全および全脊椎アライメント評価の概念が浸透してきており、立位での全脊椎X線を撮ることが増えている。この場合も、技師によっては無理に患者に「良い姿勢」を取らせてしまうことがあるので、なるべく自然な姿勢で撮影するよう周知しておく必要がある。また、頸椎・腰椎とも、正面像はやや尾側まで撮影範囲に含めるようにするとよい。頸椎では肺尖部の読影が容易になり、Pancoast腫瘍の見落としを防ぐことができ、腰椎では股関節疾患や仙腸関節病変の鑑別に役立つ。

単純X線の大きな利点は、動的評価を容易に行えることである。麻痺・外傷などで動態撮影が危険な例以外では、前後屈を撮影し、椎間不安定性を評価する。立位・臥位の動的撮影も、骨粗鬆症性椎体骨折を疑う場合に有用である。正面・側面に加え、立位または座位側面像を撮影し、臥位側面像と比較することで椎体不安定性を評価し、新規骨折の有無を確認しうる。

近年のマルチスライスCTの進歩により、ごく短時間に広い範囲を高精度に検査することが可能になった。特に骨病変の描出に優れることから、靱帯骨化症の検出や外傷の精査、腫瘍・感染における骨破壊の評価などに適している。また、再構成画像が容易に作成できるため、冠状断・矢状断・横断という標準的なスライス以外に、疾患ごとに重要な断面を任意に作成することができるのも非常な利点である。CTの撮影範囲に偶然他科疾患が描出されることもあるので、可能な限り放射線科の読影を依頼し、読影レポートには必ず目を通すようにする必要がある。最近、読影レポートを読まずに重篤な疾患を見逃す事例が非常に大きな問題となっている。

MRIは、問診・診察所見や単純X線所見から、撮像法・撮像範囲を決定するのが望ましい。骨粗鬆症性椎体骨折における骨折の有無判定や、外傷例における後方要素損傷の判定を目的とする場合は、STIRやT2脂肪抑制などのシークエンスをオーダーする必要がある。頸椎・腰椎の椎間孔内外での狭窄は、椎間板に隣接する頭側のスライスで最も描出されやすい。施設によっては、ルーチン撮像の横断像スライスが各椎体・椎間レベルになってしまっている場合があり、注意が必要である。筆者は疑う椎間およびその上下椎間は、必ず「各椎間連続3スライス」とオーダーするようにしている。また、撮像範囲の端にある病変にも注意する。例えば腰椎の撮像に含まれる胸腰椎移行部の腫瘍性病変や、黄色靱帯骨化症、仙骨部の骨折・腫瘍などは見逃されやすい。

神経内科的脊髄疾患診断の進め方

Diagnostic process of neurological spinal cord disease

酒井 紀典　徳島大学大学院 特任教授（地域運動器・スポーツ医学分野）

1 整形外科を受診しうる神経内科的脊髄疾患

整形外科を受診しうる神経内科的脊髄疾患の代表的な症状は、四肢のしびれである。この「しびれ」とは多義語であり、必ずしも感覚障害を示しているとは限らず、放散痛を示している場合もあれば、時には運動障害を「しびれ」と表現する患者も多く、目の前の患者が訴える「しびれ」が何を意味しているのかを捉えることが、診察のはじめの一歩となる。

このような「しびれ」を訴え、整形外科を受診しうる代表的な神経内科的脊髄疾患として、多発性硬化症、急性横断性脊髄炎、筋萎縮性側索硬化症、遺伝性痙性対麻痺、脊髄梗塞などが挙げられる。これらの疾患では、画像上変性所見を併せて持つ場合も多く、鑑別が困難な場合も少なくない。

整形外科医の診療において重要なことは、常にこれらの疾患の可能性を念頭に置きながら神経診察を行うことである。判断に迷うときは、神経内科医へのコンサルテーションを優先すべきである。

2 脊髄疾患診断の進め方

1 ▶ 問診

発症時期・機転、外傷の有無、進行の程度・スピード、既往歴などを詳細に聴取する。圧迫性脊髄病変では、外傷機転がない限り麻痺の進行は緩徐である。外傷機転を伴わずに急激な麻痺の進行がみられる場合には、脊髄梗塞や血管障害（動静脈奇形からの出血など）を疑う。1～数日間で麻痺が進行している場合には、急性横断性脊髄炎や多発性硬化症などの神経内科的疾患のほか、硬膜外膿瘍や硬膜外血腫なども鑑別疾患として考える。

2 ▶ 神経学的評価

必ず運動障害，感覚障害，深部反射の3つの要素を評価し，総合的に判断する．これらの3つの要素が髄節レベルの障害として説明できるかどうかが重要なポイントとなる．これらの神経学的診察の結果，MRIなどの画像所見において，想定される障害髄節高位と一致する脊髄圧排所見がみられれば，圧迫性脊髄病変と考えて差し支えないが，両者に乖離がみられる場合には，神経内科的脊髄疾患の可能性を考える．

脊髄高位での障害では，眼球や口角・舌などの運動障害はきたさない．患者が四肢の症状のみを訴える場合でも，これらの部位の運動障害の有無を確認しておくことが重要である．これらの部位に所見が疑われた場合には，神経内科にコンサルトすべきである．

3 鑑別すべき代表的神経内科的脊髄疾患

1 ▶ 多発性硬化症（multiple sclerosis；MS）

髄鞘への自己免疫反応の関与が示唆されている，中枢神経系脱髄疾患の1つである．有病率は人口10万人あたり8～9人で30歳前後の成人に好発する．女性に多く，男性の3～4倍程度と報告されている．60歳以上の発症はまれとされており，頚椎症性脊髄症などの変性疾患の好発年齢とは異なることがポイントである．MSは炎症性脱髄病変が，部位を変え，時間を変えて繰り返し起こる疾患である．また，脱髄病変は大脳，小脳，視神経，脳幹，脊髄など中枢神経であればどこにでも起こる可能性があり，脱髄病変の発生部位により神経症状は異なる．起こりうる症状としては，視力障害・感覚障害・運動障害・排尿障害・構音障害などが挙げられる．再発・寛解を繰り返しながら慢性の経過をたどる点が，圧迫性脊髄病変と異なる．確定診断には神経学的検査に加え，脳脊髄液検査，造影MRI，頭部MRIなどを行う．治療は急性期にはステロイドパルス療法を行い，再発予防にはインターフェロンや免疫抑制薬などが用いられるが，近年では治療の選択肢が広がってきている．

2 ▶ 急性横断性脊髄炎

単一の髄節または隣接する髄節において，灰白質および白質に急性炎症が生じる病態である．好発年齢や発症に性差はない．腰背部痛や四肢の筋力低下，感覚異常などで発症し，数時間～数日の間に対麻痺症状がピークとなる．ウイルス感染症，特異免疫反応，血管炎など原因には諸説ある．ワクチン接種後に起こることもある．診断にはMRIおよび髄液検査のほか，治療可能な原因を同定するためのその他の検査などを行う．MRIでは急性期にT2強調像で病変部に高信号がみられ，T1強調像では低～等信号で病変部の脊髄の腫大がみられる．造影効果は約半数にみられる．予後に関しては，一般的に進行が急速であるほど不良である．また神経症状の回復の早いものほど予後が良いとされている．1/3の患者は完全回復し，1/3の患者は対麻痺症状が残存，1/3の患者は重度の麻痺が残存するといわれている．脊髄の圧排所見が軽微な割に脊髄障害が強い場合には，本症を疑う必要がある．

3 ▶ 筋萎縮性側索硬化症（amyotrophic lateral sclerosis；ALS）

ALSは中年以降に発症し，運動ニューロンが選択的かつ進行性に変性・消失していく原因不明の疾患であり，有病率は人口10万人あたり7～11人と推計されている．症状は，筋力低下・筋萎縮が主体であり，進行すると上肢の機能障害，歩行障害，構音障害，嚥下障害，呼吸障害などを生じる．一般的に感覚障害や排尿障害，眼球運動障害はみられない．ALSと脊椎疾患の合併も多く，その鑑別は困難であり，臨床経過と電気生理学的検査を含めた神経学的所見が診断上重要である．ALS患者の5～15％の患者が脊椎手術を受けているという報告もある．最近では，ALS患者に脊椎手術を行うとALS症状が悪化する可能性についても報告されているが，その機序については明らかではない．

このように鑑別は非常に重要ではあるが，現状では高感度かつ特異的なバイオマーカーが存在しないため，臨床的には①頚部筋の筋力低下，②萎縮筋での深部反射の残存または亢進，③広範な線維束性収縮，④急激な体重減少，⑤構音障害，嚥下障害，呼吸筋麻痺などの球症状，などがみられる場合には強くALSを疑う．また，範囲を広げた針筋電図が有用となる．一見して障害されていない領域，特に僧帽筋や胸椎の傍脊柱筋の針筋電図は有用である．

4 ▶ 遺伝性痙性対麻痺

まれな一群の遺伝性疾患であり，緩徐進行性の非髄節性の痙性対麻痺を主な症状とする．症状は主に下肢にみられる．発症年齢は比較的若年で，わが国では人口10万人当たり約0.2人の有病率であると推定されている．通常，感覚および括約筋機能は保たれる．家族歴を聴取することが重要である．圧迫性脊髄病変で症状が説明できないときには本疾患を疑う必要がある．治療は対症療法となる．

5 ▶ 脊髄梗塞

典型例では急激な発症が特徴であるが，数時間から，時に1～2日間を経て完成する場合もある．障害高位によって，対麻痺，四肢麻痺，感覚障害，膀胱直腸障害などを呈する．前駆症状として，頚部痛や背部痛があり，その痛みは障害高位を示すことが多い．脊髄の動脈は腹側2/3を支配する前脊髄動脈系と，背側1/3を支配する後脊髄動脈系に分けられるが，発生学的に

は前脊髄動脈系が虚血になりやすく，特に胸髄が虚血に弱いとされている．また脊髄の血管は脳血管と比較し動脈硬化が少ないといわれ，脊髄梗塞は若年者にもみられることなどから，動脈硬化以外のさまざまな病態が考えられている．臨床的には，胸腹部大動脈における解離性動脈瘤，大動脈のアテローム硬化，大動脈手術後，脊椎手術後などにみられることが多い．前脊髄動脈症候群では急速に発現する対麻痺あるいは四肢麻痺，病変高位以下での解離性感覚障害（温痛覚は障害されるが，触覚，振動覚，位置覚は保たれる），膀胱直腸障害を呈する．本疾患を認知していれば，問診と神経学的所見から診断は比較的容易である．後脊髄動脈症候群はきわめてまれである．脊髄梗塞の診断のためにはMRIが必要であるが，発症時にT2強調像で病変が描出されるのは4〜6割とされている．また，拡散強調像は脊髄梗塞発症早期において有用とされているが，脊髄の構造が小さいことなど画像評価における問題点もある．脊髄梗塞に対する治療法はエビデンスのある確立されたものはなく，抗血栓薬の投与や，抗浮腫のためステロイドや高浸透圧利尿薬の投与など脳梗塞に準じた治療が行われる．

結核性脊椎炎

Tuberculous spondylitis

本郷 道生 秋田大学 講師

【疾患概念】 結核性脊椎炎は，脊椎カリエスともよばれ，結核菌が血行性感染により軟骨終板下に病巣を形成し，椎体，椎間板に進展して破壊し，膿瘍，腐骨などを形成する．さらに亀背などの脊柱変形が生じ，時に脊髄麻痺となる疾患である．

【疫学】

2018年の統計では，わが国での結核罹患率は人口10万人当たり12.3人，結核新規登録患者は年間15,590人であり，年々減少傾向にある．このうち，結核性脊椎炎は155人（1.0%）であった．70歳以上の高齢者は105名（68%）を占める．

【病態】

起因菌は結核菌（*Mycobacterium tuberculosis*）であり，最初の感染経路は肺が最も多く，次いで泌尿生殖系であり，その後血行性に脊椎に達するとされる．病変は椎体前方の椎体軟骨終板から始まり，徐々に椎体中央に広がる．次いで椎体終板が肉芽や膿瘍により破壊され，椎間板に侵入して隣接椎体に病巣が波及するという経路をたどる．その経過は化膿性脊椎炎と比べ

て緩徐である．破壊された椎体では壊死が生じて腐骨が形成され，亀背などの脊柱変形が生じる．膿瘍や破壊された椎体後壁による圧迫，脊柱変形の進行に伴いPott麻痺とよばれる脊髄麻痺を生じる．

問診で聞くべきこと

全身症状の有無，腰背部痛などの症状が生じてからの経過と，疼痛の具体的な性状や神経症状，膀胱直腸障害の有無を確認する．また結核の既往や家族歴の聴取も重要である．

【臨床症状】

全身症状は，肺結核と同様に，微熱，倦怠感，寝汗，易疲労感，食思不振，体重減少などを認めることがあるが，症状のないことも多い．罹患部位の疼痛も生じるが，化膿性脊椎炎と比べ軽度である．脊柱可動性が低下して不撓性が生じることもある．傍脊柱に生じる膿瘍は炎症所見に乏しく，冷膿瘍（cold abscess）とよばれる．膿瘍は，腸腰筋に沿って流注膿瘍となり，時に腸骨窩膿瘍を形成する．骨破壊が進行すると後弯変形が生じ，さらに骨片陥入，膿瘍の圧迫などで脊髄麻痺が生じる．

必要な検査とその所見

(1)理学所見

疼痛を有する部位の棘突起の圧痛や叩打痛，傍脊柱筋の圧痛や緊張による脊柱の可動域制限を認める．病変が進行し，脊椎が破壊されると後弯など脊柱変形を生じる．四肢の神経症状を有する場合は，罹患高位に合致する疼痛や馬尾障害，脊髄の神経障害を認める．

(2)臨床検査

①血液生化学検査：白血球，CRPや血沈値は，中等度の上昇を認めることが多いが，急性化膿性脊椎炎と比較すると著明な上昇は認めない．

②インターフェロンγ遊離試験：結核菌感染の有無を判断する検査で，クォンティフェロン（QFT）とTスポットの2種類がある．QFTは産生されたインターフェロンγの総量を測定し，Tスポットはインターフェロンγを産生した細胞（スポット）の数を測定する．感度，特異度ともに高いが，活動性か潜在性か，脊椎病変が結核由来かの判断はできない．

③結核菌検査：診断には必須の検査である．結核の既往や，胸部X線で肺結核が疑われれば，喀痰，胃液からの検体を3日間連続で採取する．脊椎病変では，膿瘍の穿刺や瘻孔，手術部位から検体を採取する．検査法には，塗抹検査法，分離培養法，核酸増幅法がある．塗抹染色法は，排菌量の多い患者を迅速に鑑別可能である．分離培養法は塗抹染色法よりも検出感度が高いが判定に時間がかかる．検体中の抗酸菌遺伝子を増幅して判定するPCR（polymerase chain reaction）法などの核酸増幅法は，迅速かつ正確な診断ができる．さ

らに分離培養した菌により薬剤感受性検査を行い，有効な抗結核薬を判断する．

④病理組織診断：乾酪壊死と類上皮細胞を主体とした肉芽腫性病変を認め，Ziehl-Neelsen 染色で結核菌が確認できれば，診断が確定する．

⑤ツベルクリン反応：陽性では感染の可能性があるが，BCG 接種や非結核性抗酸菌症の影響を受け，結核菌感染ではないこともある．一方陰性でも結核感染を否定できず，診断法としての有用性は低い．

(3)画像所見

①単純 X 線写真：初期は，椎体の骨萎縮，椎間板腔の狭小化，椎体終板の不整像や前方隅角部の骨欠損像などを認める．化膿性脊椎炎に比べると椎体破壊はより高度である．骨破壊が進行すると後弯変形を生じる．膿瘍形成により，傍脊椎膿瘍や腸腰筋膿瘍を疑わせる軟部影の変化を認める．

②MRI：早期から病変をとらえられ，椎体の炎症，膿瘍，腐骨，炎症性肉芽などが混在し，さまざまな所見を呈する．造影 MRI では病変周囲の造影増強効果（rim enhancement）も認め，化膿性脊椎炎のびまん性造影効果との鑑別点になる．さらに病変の進行による脊髄や神経根の圧迫が評価できる．

③CT：骨組織の詳細な評価に有用で，矢状面，冠状面の再構成像により，終板の破壊像や腐骨が明瞭に確認できる．造影後には膿瘍周囲の増強効果（rim enhancement）が特徴的で，膿瘍の範囲が確認できる．また，CT ガイド下の生検術は膿瘍穿刺の手技として有用である．

鑑別診断で想起すべき疾患

化膿性脊椎炎と比較し，結核性脊椎炎では椎体破壊が高度で，罹患椎体数が多く，膿瘍も大きくなるなどの鑑別点がある．また初期には単一椎体のみの骨破壊で始まることもあり，脊椎腫瘍と鑑別を要することもある．

診断のポイント

診断確定には時間を要する例も多く，頻度は減少傾向にあるものの，腰背部痛を訴える患者では本疾患の存在を念頭に置く必要がある．画像診断では化膿性脊椎炎や腫瘍性疾患との鑑別が重要となる．診断確定には，病巣からの結核菌の検出の証明が必要である．

治療方針

1 ▶ 保存療法

本疾患では，抗結核薬投与，罹患部の安静および外固定が原則である．局所の安静には，ベッド上安静や硬性または半硬性の体幹コルセットを用いる．頚椎罹患では頚椎装具で固定する．1～2 か月の臥床後，装具による外固定を行いながら離床を進める．

2 ▶ 手術療法

保存療法にもかかわらず病変が進行する場合や，初診時に四肢の麻痺や膀胱直腸障害，冷膿瘍や腐骨を伴う病巣，著しい疼痛，後弯変形の進行や不安定性を認める場合は手術療法の適応を検討する．手術では，病巣が前方に存在し，変形や麻痺，不安定性の原因であることから，前方進入により椎体の病巣に到達し，病巣郭清と自家骨移植が選択されるが，胸椎では後側方進入法も行われる．これらの脊柱再建に加えて，インストゥルメンテーションの併用により，早期離床や骨癒合率の向上，変形進行予防に有効とされているが，その是非は意見が分かれる．近年では，鏡視下手術や経皮的な椎体固定も報告されている．

合併症と予後

一般的な脊椎疾患の手術治療と同様，周術期の感染や血腫，神経合併症，長期臥床に伴う深部静脈血栓症などに留意する．結核性脊椎炎の神経症状や疼痛などの予後は比較的良好で，圧迫病変が比較的緩徐で圧迫力が強くないためとされる．

患者説明のポイント

薬物療法を主体とする保存的治療および手術治療のいずれも長期間を要することや，再発・再燃の可能性があることを説明する．

リハビリテーションのポイント，関連職種への指示

保存療法，手術療法いずれでも，長期の体幹部の安静が必要なため，治療介入早期から，ベッドサイドでの四肢の関節拘縮予防や筋力低下防止のためのリハビリテーションを開始する．骨癒合や再建脊柱の状態を確認しながら，起立・歩行訓練を進める．本疾患は高齢者に多く，全身の消耗性疾患でもあるため，栄養管理と褥瘡予防対策が重要である．

原発性脊椎腫瘍

Primary tumors of the spine

相澤　俊峰　東北大学大学院 教授

【疾患概念と頻度】　脊椎に原発する腫瘍を「原発性脊椎腫瘍」と総称し，他臓器原発の「転移性脊椎腫瘍」と区別する．日本整形外科学会の「全国骨腫瘍登録一覧表」によれば，2006～2015 年の原発性骨腫瘍 17,640 例中，脊椎発生は 1,335 例（7.6％）と頻度は高くない．良性が 636 例，悪性が 683 例で，良性は血管腫 324 例，巨細胞腫（giant cell tumor；GCT）116 例，類骨骨腫 41 例，骨軟骨腫 33 例，悪性は脊索腫 284 例，リンパ腫 91 例，骨肉腫 69 例，骨髄腫 68 例，Ewing 肉腫 48 例，

軟骨肉腫36例であった．東北大学脊椎外科懇話会の手術登録では1988〜2017年の全脊椎手術76,925件中，原発性脊椎腫瘍は305件，0.4%を占めるに過ぎない．

【病態】

一部の腫瘍を除いては特徴的な臨床症状に乏しい．腫瘍が大きくなると骨破壊などによる疼痛や変形，神経を圧迫すれば脊髄・馬尾症状や神経根症状などを呈してくる．類骨骨腫，動脈瘤様骨嚢腫（aneurysmal bone cyst；ABC），骨軟骨腫などの良性腫瘍は，椎弓や椎弓根など脊椎の後方要素に好発する．

問診で聞くべきこと

変性疾患と異なる安静時痛の有無，しびれや排尿障害など自覚する神経症状について問診する．類骨骨腫では夜間痛，アスピリンやNSAIDsの効果について尋ねる．

必要な検査とその所見

脊柱の変形，叩打痛，神経学的所見は必須である．身体所見から推測される脊柱高位を中心に画像検査を行う．

(1) 単純X線

骨病変がある程度大きくならないと単純X線では認識できない．脊柱の変形と骨破壊，骨硬化について観察する．骨硬化性腫瘍として類骨骨腫，骨芽細胞腫，骨形成性骨肉腫などが挙げられる．片側の椎弓根が溶骨すればpedicle sign，"winking owl" signを呈する．

(2) CT

骨の破壊，膨隆，硬化などを鋭敏に描出する．横断に加え，矢状断，冠状断，必要であれば3Dを再構築する．成長が遅い良性腫瘍では辺縁硬化を示す．

(3) 造影MRI

必ず造影で矢状断，横断，冠状断を撮像する．腫瘍の局在や進展，神経組織の圧迫などの情報が得られる．

(4) 血液生化学検査

血液由来の腫瘍の診断のほか，炎症や転移性腫瘍との鑑別に有用である．多発性骨髄腫ではグロブリン分画や総蛋白の増加，尿中Bence Jones蛋白がみられ，悪性リンパ腫や一部の白血病ではインターロイキン2受容体が高値となる．

(5) 病理診断

確定診断と治療方針決定のために，透視下あるいはCTガイド下針生検や開放生検を行う．

(6) 遺伝子検査

2015年の「悪性骨腫瘍取扱い規約」によれば，Ewing肉腫，間葉型軟骨肉腫，傍骨性骨肉腫，ABC，GCT，軟骨芽細胞腫，軟骨粘液線維腫で，遺伝子検査が診断に有用である．

MRIで腫瘍がT1低信号，T2高信号，Gdで造影され，X線やCTで溶骨性を示す非特異的所見であれば，生検は必須である．しかし，特徴的な画像所見から確定診断に至る腫瘍もある．血管腫はX線で骨透過性が増した椎体に肥厚した骨梁が縦走するcorduroy striation patternをみることがあり，MRIではT1，T2いずれも高信号を呈することが多い．CTでpolka dot signやhoneycomb appearanceがあれば確定診断に至る．CTで中心部に石灰化を伴う骨透亮像（nidus）がみられ，T2強調像や造影MRIで腫瘍周囲の骨髄や軟部組織に炎症の波及があれば類骨骨腫である．剖検例で有病率が20%と高く頚椎や仙骨に好発する良性脊索細胞腫は，Gd-MRIで造影されずCTでは淡い骨硬化像を示す．診断に自信が持てない場合には，半年〜1年後にCT，MRIで変化がないことを確認する．

鑑別診断で想起すべき疾患

結核を含めた感染性脊椎炎，透析患者に多い破壊性脊椎関節症，変性破壊性椎間板症，Gorham病などが鑑別に挙がる．

診断のポイント

①自覚症状に乏しく早期に受診することが少ない．②脊柱管内病変があれば，疼痛や麻痺を呈する．③変性疾患と異なり安静時痛，夜間痛を呈することがある．④麻痺の進行は速いものが多い．現在の日本ではMRIが比較的容易に撮像できる．疑わしい場合は単純X線で有意な所見がなくてもMRIを撮像する．造影MRIは腫瘍が見つかれば後日追加でもよい．

専門病院へのコンサルテーション

MRIで脊椎腫瘍が見つかった時点で専門病院へ紹介する．

治療方針

1 ▶ 保存療法

無症候性の血管腫，骨軟骨腫は経過観察でよい．類骨骨腫は疼痛がアスピリンなどで制御できれば，数年の経過で自然治癒が期待できる．脊椎後方要素のABC，小児の椎体に好発するLangerhans細胞組織球症（Langerhans cell histiocytosis；LCH）も無症候性であれば経過観察が基本である．若年発生のLCHは椎体の良好なリモデリングが期待できる．いずれも必要に応じてコルセットなどを使用する．

2 ▶ 手術療法

麻痺や保存療法に抵抗する疼痛がある良性腫瘍，GCT，悪性腫瘍などが手術適応となる．良性であれば腫瘍切除あるいは除圧と脊柱再建が基本である．GCTや単発の悪性腫瘍は，可能であれば脊椎全摘を含む広範切除が望ましい．不可の場合には姑息的手術にならざるを得ない．

3 ▶ 薬物療法と放射線療法

リンパ腫，多発性骨髄腫は化学療法が主体となる．麻痺があれば腫瘍切除や除圧と脊柱再建を行う．Ewing 肉腫，骨肉腫は手術，抗癌剤，放射線の併用療法を行う．ただし骨肉腫に対する放射線療法の効果は不確実である．仙骨脊索腫は仙骨離断で排尿排便障害など高度の ADL 障害をきたす．重粒子線療法が仙骨離断と同等の治療効果がある．近年 GCT に対しデノスマブも使用される．

合併症と予後

予後は病理組織と，悪性の場合には病期進行度による．近年治療成績が向上しており悪性でも根治が期待できる場合がある．ただし「全国骨腫瘍登録一覧表」によれば 2006～2010 年の累積 5 年生存率は骨肉腫で約 70%，軟骨肉腫で約 85%，Ewing 肉腫で約 50% であった．一般に脊椎発生の悪性腫瘍は四肢発生例に比べて予後が悪い．

患者説明のポイント

脊椎腫瘍の患者が来院し特徴的な画像所見がない場合には，生検の必要性と病理診断により治療法が違うことを説明する．病理診断後はこれに従い治療法，予後などを伝える．悪性の場合集学的治療となるため，治療に関わる各科と連携すること，手術の場合には全体的な治療に占める手術の位置づけを話す．小児罹患例では小児科医師とともに保護者に説明する．本人への説明は，年齢や理解度などを十分に考慮する．

転移性脊椎腫瘍

Metastatic spine tumor

橋本 淳一　山形大学医学部附属病院 教授（医療安全管理部）

【疾患概念】　転移性脊椎腫瘍は悪性腫瘍の骨転移で最も頻度が高い．近年の放射線診断・治療やがん治療薬の進歩により，がん患者の相対生存率は大きく改善し，いわゆるがんサバイバーが増加している．がんと共存する生活の質が重要視されているため，転移性脊椎腫瘍を可及的早期に診断し，さらに集学的治療を患者協働で進めていくことが期待されている．

問診で聞くべきこと

症状として最も関連するのは脊椎に関連する痛みである．脊椎転移は腰椎，胸椎，頸椎，仙骨の順に起こりやすい．転移性腫瘍による痛みには，傍脊柱部の局所的な痛みと，神経根性の痛みがあり，痛みの部位と性質を問診から詳細に把握する．"重篤な脊椎疾患の合併を疑うべき red flags" には，がんの既往以外に，予期せぬ体重減少，1 か月以上改善のない場合，50 歳以上の年齢などが指摘されており，痛みが出現する経緯に関する問診も重要である．

必要な検査とその所見

(1) 画像診断

①単純 X 線：単純 X 線で診断可能な例は病態がすでに進行していることが多い．所見として，骨梁間型，造骨型，溶骨型のうち溶骨型と造骨型が混合していることが多い．椎弓根の溶骨による消失は正面像で "pedicle sign" といわれ，左右差を捉える．また椎体の正側面像では，椎体終板や皮質骨不連続性，骨融解による骨折がみられるが，骨粗鬆症性圧迫骨折との鑑別が困難なこともあるため疑わしい場合はさらに精査を進める．

②CT 検査：全身評価法として使用頻度が高い．特に脊椎転移の診断では広範囲な形態異常の把握が可能である．局所の骨吸収や骨形成，骨梁構造の破壊を調べる．また原発巣，骨転移巣の検索以外にも，3D 骨再構成は外科的治療法選択や，経時的な治療効果の判定に用いられる．

③MRI 検査：骨破壊を描出しにくいが，骨転移巣の検出感度は高いため早期発見に有用であり，病変の進展を把握しやすい．また神経症状を呈している場合には脊髄との関連を把握することができ，手術計画に必要である．溶骨型では T1 強調像で低信号，T2 強調像で高信号，造影 T1 強調像で増強され，拡散強調像で異常信号を呈する．造骨型と混合している場合は，部分的に異常信号を呈する．

④骨シンチグラフィー：広範囲な骨代謝反応を反映することが可能であるが，骨折や感染などの良性病変でも偽陽性となることがある．

⑤FDG PET，PET/CT：糖代謝を画像化するため診断精度が高く，他の検査により転移・再発の診断が確定できない患者の悪性腫瘍（早期胃癌を除く）に保険適用となる．糖代謝が不活発な場合や細胞密度の低い腫瘍では集積が乏しく，また炎症病巣では偽陽性となることがある．

(2) 血液学的検査

脊椎転移初期の無症状のときに生化学検査が診断に役立つことがある．骨代謝マーカーは高値を示すことがあり，高カルシウム血症は迅速な対応が必要なことが多い．

以上の検査で診断に至らない場合は骨生検が行われるが，原発不明癌も存在する．

診断のポイント

転移性脊椎腫瘍の早期診断には，症状からまず疑うことが重要である．がん細胞の骨転移による局所的な

骨痛は，体動と関連しない痛みである．しかし，がん細胞によって骨破壊が進行すると，骨粗鬆症性圧迫骨折と同様の強い痛みと体動困難を訴える場合もある．それ以前に持続性の安静時痛があり，外傷歴が明らかでない場合には，転移性脊椎腫瘍も疑う必要がある．

痛みは神経根性の場合もあり，下部胸椎や上部腰椎に腫瘍性病変があるときには，神経症状が腹痛と診断される場合もあり，触診が必要である．また腫瘍が硬膜外腔に浸潤すると腹圧上昇により痛みや麻痺が増強することがある．腰殿部から下肢への痛みや進行性の脱力感は，胸腰椎部の脊髄や馬尾圧迫による神経症状も考慮する．腰部脊柱管狭窄症と異なり，転移性脊椎腫瘍による下肢症状では間欠跛行を伴うことが少ない．

治療方針

転移性脊椎腫瘍と診断され次第，無症候性でも早期に治療を開始することが望まれる．続発する骨関連事象(skeletal related events；SRE)として，放射線治療や整形外科的治療が必要な骨転移痛，脊髄圧迫，病的骨折，高カルシウム血症がある．これらのリスクに十分注意し，予防的治療を考慮する．

保存治療は，原発腫瘍の治療である免疫療法，ホルモン療法，化学療法などと並行してまず骨修飾薬，放射線治療が選択されることが多い．保存治療に抵抗する疼痛，さらに脊椎不安定性や脊柱構造の破綻，脊髄・馬尾や神経根の圧迫を認めた場合，手術適応となる．適応，術式は癌腫によって異なるが，疼痛や麻痺，QOLの改善を目的とした姑息的手術(palliative surgery)，根治を目的とした腫瘍切除手術(excisional surgery)がある．どの治療法を選択するかについては，患者の生命予後予測ツールである徳橋スコアも有用である．

治療法

治療に携わる専門医師，医療スタッフにより，定期的にキャンサーボードなどを設置したうえで広い視点からの意見・情報を収集し，どの治療法が最適かを検討する．

1 ▶ 骨修飾薬

抗RANKL(receptor activator of NF-κB ligand)抗体であるデノスマブ，ビスホスホネート製剤であるゾレドロン酸は，生存期間やSREの発生までの期間延長を望める．有害事象として顎骨壊死，腎機能障害，低カルシウム血症があり，投与前の歯科検診や投与中の血液検査が必要である．長期投与例では，非定型大腿骨骨折に注意を払うべきである．

2 ▶ 放射線治療

放射線外照射は，癌腫によっては鎮痛効果，再骨化を期待できる．脊髄圧迫による急性麻痺には緊急照射も適応となる．緩和的治療の線量では再発が起こりうるため，手術適応がある例では術中内照射で局所制御率を上げることもある．近年，高精度放射線治療により，緩和的治療から根治的治療まで適応が拡大している．体幹部定位放射線治療は，周囲組織への照射を減少させ腫瘍への照射線量を増加させることが可能であり，転移性脊椎腫瘍への活用が期待されている．

3 ▶ 手術療法

手術適応は，①脊椎不安定性，支持性の破綻，②腫瘍圧迫による脊髄不全麻痺，③放射線治療抵抗性腫瘍，④長期予後が予測される単椎罹患例の局所コントロール，とされている．姑息的手術には，椎体形成術，最小侵襲脊椎制動術，後方除圧固定術があり，腫瘍切除手術には腫瘍脊椎骨全摘術がある．腫瘍が残存している場合には骨修飾薬や放射線治療の併用を考慮する．手術方法により治療目的が異なるため，術後に起こりうる合併症や予後には，医療関係者と患者側の理解の差が生じないよう，術前から説明と同意を繰り返す必要がある．

リハビリテーションのポイント

がんリハビリテーション医療の目的は，症状の緩和，二次的障害予防，運動機能や生活能力の維持による生命予後の改善である．病期別に，予防的(がん発見時)，回復的(治療開始時)，維持的(再発・転移時)，緩和的(末期がん)と目的が異なる．病的骨折や神経障害の程度を評価したうえで，原発担当医，腫瘍専門医，放射線治療医，また看護師，PT・OTとともに情報を共有し，サルコペニアなども考慮した訓練プログラムを作成することが望ましい．

骨粗鬆症性椎体骨折

Osteoporotic vertebral fracture

星野 雅俊　大阪市立総合医療センター 副部長〔大阪市都島区〕

【疾患概念】　骨粗鬆症は，骨密度の低下と骨質の劣化による骨強度の低下を特徴とし，骨折の危険性が増大する骨格疾患である．骨粗鬆症性椎体骨折は，骨粗鬆症を基盤とし，軽微な外力("立位からの転倒"以下の外力)によって発生した非外傷性骨折であり，脆弱性骨折と表現される．

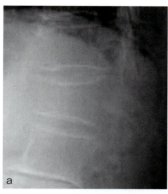
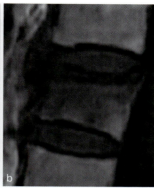
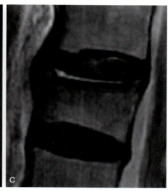

図 17-1　第 12 胸椎骨粗鬆症性椎体骨折
a：単純 X 線像では骨折線ははっきりしない．
b：MRI T1 強調像で低信号変化を認め骨折と確定診断できる．
c：MRI T2 強調像で骨折部は液性分の貯留を認める．

【頻度】

　骨粗鬆症による脆弱性骨折が最も高頻度に発生する部位が椎体である．国内の年間発症件数は約 90 万と推定されており，70 歳代前半の 25％，80 歳以上の 43％が椎体骨折を有するとされる．

【臨床症状または病態】

　主な臨床症状は体動時の腰背部痛であり，特に臥位から座位あるいは立位などへの姿勢変換時に強い．疼痛部位は骨折椎付近より尾側外側付近であることが多い．受傷機転がはっきりしない場合も少なくない．また疼痛を伴わない骨折が 2/3 とされており，身長低下や円背進行が起こって気づく場合もある．好発部位は胸腰椎移行部（第 11 胸椎〜第 2 腰椎）である．骨折治癒後も，楔状化や圧潰など椎体骨折変形が残るため，脊柱後弯変形の原因となる．脊柱後弯は筋疲労性・阻血性の慢性背部痛の原因となり，ADL・QOL 低下と結びつく．通常 3〜6 か月で骨癒合が得られるが，約 20％の症例では骨癒合不全・偽関節になり強い背部痛が遷延する．局所不安定性や骨折骨片の突出により，下肢のしびれや麻痺，排尿排便障害が遅発性に出現することもある．

問診で聞くべきこと

　受傷機転の有無や，疼痛の特徴（姿勢変換時の痛みや疼痛部位が脊柱の側方であること）をチェックする．脊柱後弯変形や身長低下の出現にも注意する．骨粗鬆症のリスクは，両親の大腿骨近位部骨折歴，喫煙，ステロイド薬の使用，関節リウマチ，続発性骨粗鬆症（胃切除後，糖尿病，慢性腎臓病など）の有無，過度のアルコール摂取，ステロイド歴，骨折歴であるのでこれらには特に注意する．その他，転移性腫瘍や脊椎炎との鑑別のため，既往歴や発熱の有無などもチェックする．遅発性神経障害を呈する場合もあるので，下肢のしびれや痛み，麻痺，排尿排便機能も問診すべきである．

必要な検査とその所見

　単純 X 線が基本であるが，新鮮椎体骨折の診断感度は低いとされるため，動態撮影（仰臥位側面-座位または立位側面）か，短期間内の時期を変えた 2 回の撮影で，同一椎体の変形の有無から椎体骨折を診断することが望ましい．しかし，椎体骨折診断のゴールドスタンダードは MRI であり，診断感度はほぼ 100％である．T1 強調像で低信号，T2 強調で低〜高信号，STIR で高信号変化を示す．その他，骨密度検査も重要である．

診断のポイント

①高齢者の脊柱付近の体動時痛を診たら常に新鮮椎体骨折の可能性を念頭に置いて診察すべきである．
②単純 X 線撮影 2 方向（正面像，側面像）を 1 枚ずつ撮影するのみでは骨折椎体の異常可動性を捉えることができず，新鮮椎体骨折を見逃す可能性がある（図 17-1a）．体位を変えた側面像の 2 種類の撮影（座位と仰臥位など），または短期間内で時期を変えた 2 回の撮影で同一椎体の変形の有無から椎体骨折を診断することが望ましい．
③新鮮椎体骨折の検出には MRI は最も信頼性が高い検査である（図 17-1b, c）．特に MRI 矢状面像の T1 強調像で，椎体に限局してその一部が帯状あるいはほぼ全部が低信号の場合は骨折と判定する．

専門病院へのコンサルテーション

　受傷後数週間〜数か月遷延する強い腰背部痛や，神経障害（下肢のしびれや痛み，麻痺，排尿排便機能）が出現した場合は，手術適応となるため，高次の医療機関に紹介する．

治療方針

1 ▶ 保存療法

まずは，薬物や体幹コルセットによる疼痛コントロールと骨癒合を目標とした保存治療が原則である．譫妄や廃用，静脈血栓症など高齢者特有の合併症を予防するためには早期離床を進めるべきである．体幹コルセットにおいては硬性か軟性の種別エビデンスは乏しいが十分な長さのコルセットを作製する．また，ビスホスホネートやSERM（selective estrogen receptor modulator）などの治療でも椎体骨折を生じた例，高齢で複数の椎体骨折や大腿骨近位部骨折の既往を有する例，骨密度低下が著しい例など重度の骨粗鬆症ではPTH（parathyroid hormone）製剤や抗スクレロスチン抗体製剤を考慮する．

2 ▶ 手術療法

手術が適応となるのは，①受傷後数週間〜数か月持続する頑固な腰背部痛，②神経障害，③脊柱後弯変形による脊柱バランスの悪化の3つである．現時点で行われている手術療法は椎体形成術，前方法，後方法，前後合併法であるが，全身予備機能の乏しい高齢者が対象であり，手術侵襲は低いのが理想である．筆者らはその病態の解析を経て，前述①および②には，まず椎体形成術単独を適応しており，良好な成績を得ている．近年手術器具や術式の改良で前述③へも比較的積極的に脊椎インストゥルメンテーションを用いた長範囲矯正固定術が行われているが，その侵襲度は課題である．

患者説明のポイント

骨折後数か月は椎体変形を予防するため，前屈姿勢は控えるように説明する．通常は3〜6か月で骨癒合と鎮痛，ADL回復が得られるが，1〜2割の患者で骨癒合不全・偽関節となり疼痛の持続や神経症状が生じれば，手術加療の可能性があることを説明するべきである．加えて，骨粗鬆症への薬物治療が必須であることも説明する．

リハビリテーションのポイント，関連職種への指示

全身予備機能の乏しい高齢者が主な患者であるため，肺炎や脱水など全身合併症の発生に留意する．譫妄や認知症悪化，廃用，血栓を予防するため適切な疼痛コントロール下に早期離床を進める．高齢者は易転倒性もあるため家屋の改造にも積極的に介入するべきである．骨折治癒後の慢性期には背筋運動の骨量増加効果や骨折予防効果や疼痛緩和効果への有用性が示されており，背筋運動を特に勧めている．

透析性脊椎症

Dialysis-related spondylosis

大澤 透　京都第一赤十字病院 主任部長〔京都市東山区〕

【疾患概念】　透析性脊椎症は，長期透析患者にみられる透析アミロイドーシスを主因とし，脊椎周辺に発生する脊椎症の総称である．

透析アミロイドーシスは透析で濾過できない$\beta 2$-microgloblin（$\beta 2$-MG）を前駆物質とするアミロイドが全身臓器特に靱帯，腱，椎間板，軟骨，関節滑膜などの骨関節領域に沈着し，発生する全身性のアミロイドーシスである．

【頻度】　10年以上の長期透析患者に高頻度に発症する．アミロイドは運動負荷が大きく加齢性変化の強い部位に沈着しやすいため頸椎や腰椎高位での発症が多く，透析開始年齢が高いと発生しやすい．

【病態および臨床症状】　骨軟部組織病変により骨破壊性変化が主体の破壊性脊椎関節症（destructive spondyloarthropathy；DSA）と軟部組織増殖性変化が主体のものに分類される．DSAは脊柱靱帯付着部に沈着したアミロイドが局所炎症を誘発し，脊椎骨軟骨を侵食することで生じ，脊椎不安定性や脊柱変形を惹起し，疼痛や脊髄神経障害の原因となる．軟部組織増殖性変化は脊柱管内靱帯，椎間板線維輪，硬膜管周囲へのアミロイド沈着により生じ，脊柱管狭窄をきたし脊髄神経障害の原因となる．頸椎に生じれば頸髄症や頸椎神経根症と同様の四肢の感覚・運動神経障害，上肢の神経根性疼痛をきたし，腰椎高位に生じれば腰部脊柱管狭窄症と同様の下肢の感覚・運動神経障害，下肢神経痛や神経性間欠跛行を生じる．上記以外に硬膜外周囲異所性石灰化，硬膜外巨大脱出ヘルニアなどの病変が生じうる．

問診で聞くべきこと

通常の脊椎疾患と同様に診察する．透析歴，透析導入原疾患，透析関連合併症の有無や治療歴は治療方針決定に重要である．特に糖尿病性腎症を原疾患とする透析患者の生命予後は非糖尿病性腎症の患者よりも不良である．また透析患者は高頻度で血管石灰化，心血管系の虚血性障害を有するので確認が必要である．

必要な検査とその所見

(1) 単純X線検査（図17-2a）

DSA診断は単純X線検査で行う．骨棘や椎体硬化像を伴わない椎間板狭小化，椎体終板の不整像，椎体近傍の骨破壊・囊腫像，椎体の癒合強直などがみられ

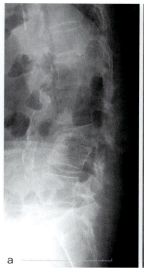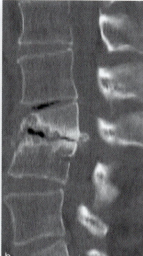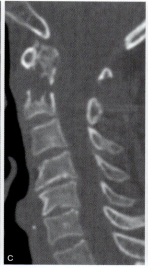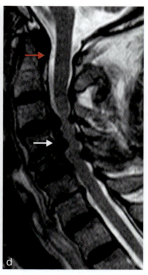

図17-2 透析脊椎症の各種病変
a：単純X線像．破壊性脊椎関節症．L3/4の破壊性変化．後弯変形，椎間高消失を認める．化膿性脊椎炎との鑑別を要する．大動脈の高度な石灰化も認める．
b：CT像．破壊性脊椎関節症．椎体終板の骨侵食像，融解像を認める．
c：CT像．破壊性脊椎関節症．軸椎歯突起の骨侵食により脆弱性骨折をきたしている．
d：MRI T2強調像．軟部組織増殖性病変の例．白矢印：後縦靱帯の肥厚，色矢印：歯突起後方の軟部組織増殖性変化（偽腫瘍）．

る．DSA変化を伴う脊椎では動態機能撮影も重要である．歯突起の骨侵食破壊像，環軸椎亜脱臼も確認を要する．

(2) MRI（図17-2d）

黄色靱帯，後縦靱帯や椎間板へのアミロイド沈着部位はT1・T2強調像にて低信号領域を呈する．この靱帯肥厚，椎間板膨隆による脊柱管狭窄所見を確認する．歯突起後方に生ずる偽腫瘍など増殖性変化にも注意する．

(3) CT検査（図17-2b, c）

DSAの進行度，椎間関節病変，軸椎歯突起骨侵食像，硬膜周囲石灰化の診断に有用である．

鑑別診断で想起すべき疾患

手根管症候群，閉塞性動脈硬化症，化膿性脊椎炎などを鑑別する．

診断のポイント

・長期透析患者で，四肢のしびれや歩行障害を認めるときには本疾患を疑う．
・DSA診断には単純X線検査が重要である．
・MRIにて脊柱管内狭窄病変を確認する．
・透析患者は糖尿病性神経障害，手根管症候群の合併により，高率に手足のしびれを訴えるために鑑別を要する．

専門病院へのコンサルテーション

保存療法抵抗性の疼痛，神経根症状や進行性の脊髄障害を認める場合には，脊椎外科専門医へのコンサルテーションが必要である．循環器内科，心臓血管外科へのコンサルテーションが随時可能で，周術期の透析管理が十分に可能な総合病院での加療が望ましい．

治療方針

透析関連合併症を評価したうえで治療法を選択する．頚部痛，腰痛，神経根性疼痛は保存療法が第1選択である．手術適応は非透析患者と同様で，治療成績も短期的には良好である．頚椎では進行性の脊髄障害，保存療法抵抗性の神経痛，腰椎では保存療法抵抗性で透析施設への通院が困難となる間欠跛行などの歩行障害，下肢神経痛，腰痛が手術適応となる．

保存療法

DSAでは体幹コルセット，頚椎カラーなど外固定により局所の安静をはかり，障害進行を抑制する．脊柱管狭窄例ではプロスタグランジンE1製剤の経口投与を行う．神経障害性疼痛にプレガバリン，ミロガバリンの経口投与が有効な場合もある．

17 脊椎・脊髄疾患

手術療法

軟部組織増殖性変化が主体の病態には後方除圧術が一般的である．DSAを伴い脊椎不安定性を認める症例ではインストゥルメンテーションを用いた除圧固定術が選択される．手術の低侵襲化，術中出血の軽減により高リスク透析患者においてもより安全に手術加療を行う機会が増えている．

合併症と予防

透析歴の長期化，高齢化，糖尿病性腎症の増加に伴い全身および局所的合併症を有する患者は増えている．$β2$ MGクリアランスのよいダイアライザや清浄化された透析液の使用が，透析アミロイドーシス発症を遅らせる効果を持つ．手術において術後管理を重症管理病棟で行い，透析管理医と密に連携をとることが重要である．腰椎除圧術後では経過中にDSA変化を生じ，神経症状が再燃し再手術を要する症例がある．慢性腎臓病に伴う骨代謝異常のため，固定術後にスクリューの弛みや骨癒合の遷延化をきたしやすい．さらに術後の固定隣接椎間障害も非透析例より短期間で発症しやすく術後の経過観察が重要である．

患者説明のポイント

透析に伴う合併症で長期透析患者に生じやすい．日常生活に支障をきたす神経症状があれば手術が選択されその治療効果も高い．しかし全身アミロイドーシス病変，血管病変などを併発しているため周術期合併症が高頻度で生じ，時には致死的合併症も起こり得る．さらに術後長期成績は不安定で再手術率も高いため慎重な経過観察が必要である．

リハビリテーションのポイント，関連職種への指示

透析では身体活動量が減少しサルコペニアを呈し運動耐容能が低下している．よって手術で神経症状が改善してもリハビリテーションが思うように進まないケースがある．透析中の抵抗運動，自宅での定期的な歩行運動などによりサルコペニアを改善することは生命予後の改善にも有効である．

脊髄髄内腫瘍

Spinal intramedullary tumors

豊田 宏光　大阪市立大学大学院 准教授（総合医学教育学）

【疾患概念】　脊髄の内部から外部にかけて発生する腫瘍．

【頻度】

脊髄硬膜内腫瘍の15～20%を占め，上衣腫が最も多く，星細胞腫，血管芽腫が続く．まれに，乏突起細胞腫，脂肪腫，髄内神経鞘腫，海綿状血管腫，転移性脊髄内腫瘍などがある．小児では星細胞腫が多い．

【病型・分類】

WHOの組織学的分類では，grade 1は増殖能力が低く外科切除のみで治癒可能，grade 2は周囲の組織に浸潤するためしばしば再発の可能性がある腫瘍，grade 3は組織学的に悪性所見を示す腫瘍，grade 4は悪性で壊死を起こしやすく予後が非常に悪い腫瘍となっている．

上衣腫はgrade 2に属し頻度は髄内腫瘍の60%と報告されている．40～50歳代，頚髄から頚胸髄に好発する．その他の上衣腫系腫瘍として馬尾に生じる粘液乳頭状上衣腫(grade 1)，上衣下腫(grade 1)，退形成性上衣腫(grade 3)が存在する．

星細胞腫は若年者の頚髄から頚胸髄に発生しやすい．毛様細胞性星細胞腫(grade 1)，びまん性星細胞腫(grade 2)が大半を占め，他の星細胞系腫瘍として退形成性星細胞腫(grade 3)，脊髄膠芽腫(grade 4)が存在する．

血管芽腫はgrade 1に属し頻度は3～8%と報告されている．40～50歳代，胸髄，頚髄に発生しやすい．孤発性が多いが，20～30%はvon Hippel-Lindau病(VHL)を基盤に持つと言われている．VHLを基盤に持つ場合，脳，網膜，副腎，腎臓，膵臓に腫瘍や嚢胞を合併していないか，家族歴がないかを評価する必要がある．

【臨床症状または病期】

初発症状としては疼痛や感覚異常が多く，腫瘍の増大に伴い脊髄症状を示す．緩徐に進行するが，腫瘍内や周囲に出血を生じた場合は症状が急速に進行する．

問診で聞くべきこと

いつから，どの部位から，どのような症状が出現し，どのように広がってきたのかを聴取し，脊髄症状（箸や書字の困難，歩行障害，排尿障害など）の有無を評価する．

必要な検査とその所見

神経学的所見や症状の経過から腫瘍の発生高位を推測してMRI検査を行う．造影MRI検査をあわせることで，腫瘍の質的評価が行える．

上衣腫はT1強調像で低信号ないし等信号であり，脊髄は紡錘状に腫大し上下に空洞を伴うことが多い（星細胞腫では嚢胞や空洞の合併は少ない）．T2強調像で腫瘍実質は高信号となるが，空洞や周囲の浮腫も高信号を呈する．造影MRIで腫瘍は均一に造影され，空洞や嚢胞との境界が明瞭となる．腫瘍の周辺に出血が生じた場合にはT2強調像で低信号を呈しヘモジデリン沈着(hemosiderin cap)とよばれ，星細胞腫

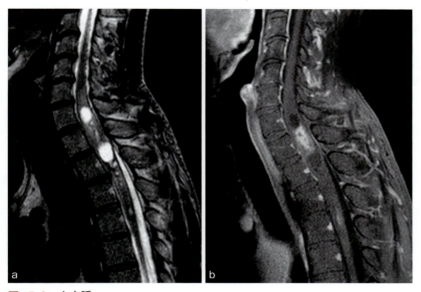

図 17-3　上衣腫
a：MRI T2 強調矢状断像
b：MRI 造影 T1 強調矢状断像

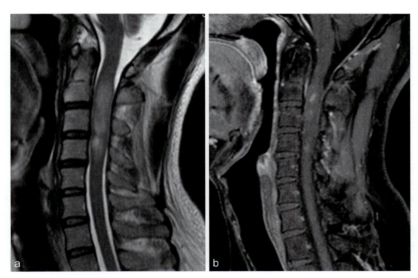

図 17-4　星細胞腫
a：MRI T2 強調矢状断像
b：MRI 造影 T1 強調矢状断像

よりも上衣腫でよくみられる（図 17-3）．
　星細胞腫は T1 強調像で等〜低信号，T2 強調像で高信号を呈する．造影 MRI で斑状に造影効果を受ける部分と周辺の浮腫部分を認める（図 17-4）．中心管由来の上衣腫と比較して，白質由来の星細胞腫は境界が不明瞭で左右，前後に偏在することが多い．

　血管芽細胞腫は T1 強調像で等〜低信号，T2 強調像では高信号を呈し，腫瘍内に血流の速い血管を無信号（signal void）として認めることがある．腫瘍を中心に頭尾側に空洞症を形成することが多い．造影剤により腫瘍全体が明瞭に描出され脊髄動静脈奇形と鑑別できる．脊髄血管造影を行うことで栄養血管などを把握

563

することができる.

鑑別で想起すべき疾患

臨床症状から椎間板ヘルニア,脊柱管狭窄症,脊椎腫瘍,感染性脊椎炎,多発性硬化症,筋萎縮性側索硬化症,横断性脊髄炎など.圧迫性脊髄症に伴う浮腫や,多発性硬化症,脊髄サルコイドーシスもT2強調像で高信号を呈するため鑑別が難しい場合がある.

診断のポイント

・上下肢の感覚障害,巧緻運動障害,疼痛などで発症し,次第に体幹以下の感覚障害,歩行障害,排尿障害などの脊髄症状へと進行する.
・画像診断として造影MRI検査を行う.

専門病院へのコンサルテーション

脊髄髄内腫瘍が疑われた場合には専門家に紹介する.髄内腫瘍は整形外科よりも脳神経外科で治療していることが多い.

治療方針

1▶保存療法

手術治療が原則である.保存療法としてNSAIDsや神経障害性疼痛に適応のある薬剤を用いることがあるが,可及的早期に専門医に相談する.

2▶手術療法

後方支持組織を温存した椎弓形成術などを用いてアプローチし,手術用顕微鏡下に腫瘍摘出を行う.

(1)上衣腫,星細胞腫

後正中裂経由で進入し,腫瘍を周辺から剥離し摘出していく.術中迅速病理診断を行い,grade 1~2の上衣腫や低悪性度星細胞腫であれば全摘出術を目指し,grade 3~4の場合は機能的予後を考慮して生検・部分摘出にとどめる.上衣腫よりも星細胞腫のほうが浸潤性に増殖するため全摘出は困難となる.腫瘍が残存した場合には術後放射線治療を考慮する.

(2)血管系腫瘍

腫瘍と正常脊髄組織の境界を剥離しながら流入動脈を同定し凝固遮断する.腫瘍は易出血性であるため,腫瘍周囲をバイポーラーにて凝固縮小しながら一塊で全摘出を行う.

合併症と予後

希少疾患であるため合併症や予後に関するまとまった報告は少ない.悪性度が高いもの,術前神経機能が悪いもの,腫瘍が上下に長いもの,胸髄の分水嶺にかかるものほど術後神経障害悪化のリスクが高く,全摘出できなければ再発のリスクが高くなる.悪性度の高い星細胞腫の場合は,髄腔播種,中枢への腫瘍浸潤による呼吸不全や意識障害の出現があり生命予後にかかわる.

患者説明のポイント

治療方針決定に病理学的診断が重要であることを伝える.手術を行う際には,術後神経障害の増悪や再発の可能性について十分に説明し,患者や家族の同意を得ておく.上衣腫や低悪性度の星細胞腫,血管芽腫では全摘出術を目指すが,術中診断で高悪性度と診断されれば,生検や部分摘出にとどめることを説明する.悪性度が高い場合は生命予後にも影響があること,術後に放射線治療などの集学的治療を行うことも説明する必要がある.

リハビリテーションのポイント,関連職種への指示

術後の全身状態が安定化すれば,数日以内に離床を開始する.神経障害の重症度に応じて理学療法,作業療法を行う.術後しびれ,疼痛が悪化する場合には難治性のことが多いためペインクリニックと協同し治療にあたる.

脊髄髄外腫瘍

Spiral extramedullary tumors

豊田 宏光 大阪市立大学大学院 准教授（総合医学教育学）

【疾患概念】 硬膜の内部,脊髄の外側に存在する腫瘍を脊髄髄外腫瘍,硬膜内髄外腫瘍とよぶ.馬尾に発生した場合は馬尾腫瘍,椎間孔を経て脊柱管内外に発育したものは形態から砂時計腫（ダンベル型腫瘍）とよぶ.

【頻度】

脊髄硬膜内腫瘍の約80%を占め,神経鞘腫が最も多く,髄膜腫,神経線維腫が続く.まれな疾患として,悪性末梢神経鞘腫,孤立性線維性腫瘍（血管外皮腫）,海綿状血管腫,類皮嚢腫,転移性腫瘍,粘液乳頭状上衣腫,傍神経節腫などがある.

【病型・分類】

神経鞘腫は,全脊髄腫瘍の25~50%を占め,中高年に発生することが多く性差はない.神経根より発生する良性腫瘍で約90%が後根由来とされている.神経線維腫も神経根から発生するが,画像診断で神経鞘腫と鑑別することは困難である.病理学的に主にSchwann細胞から構成されれば神経鞘腫,Schwann細胞以外に神経周膜細胞や線維芽細胞を含む場合は神経線維腫と診断される.腫瘍が多発性に存在する場合には神経線維腫症1型（von Recklinghausen病）,神経線維腫症2型,神経鞘腫症などの遺伝性腫瘍を疑う.まれではあるが,悪性腫瘍に分類される悪性末

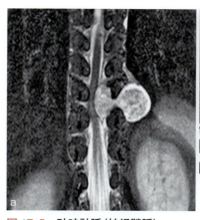
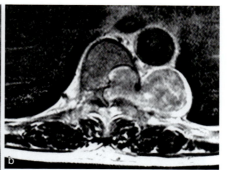

図17-5 砂時計腫（神経鞘腫）
a：MRI T2 強調冠状像
b：MRI T2 強調横断像

梢神経鞘腫も存在する．髄膜腫は全脊髄腫瘍の25〜46%を占め，くも膜細胞から発生する良性腫瘍で中高年の女性，胸椎レベルに好発する．15種類の組織亜型が存在し，石灰化を伴うことが多いpsammomatous型，meningothelial型が大半を占めるが，周囲の組織に浸潤し再発の可能性が高いものも存在する．

【臨床症状または病期】

初発症状としては疼痛や感覚異常が多い．夜間就寝時の疼痛や臥位での疼痛は脊髄腫瘍に特徴的な症状と言われている．腫瘍の増大により神経根や脊髄が圧迫されると根症状，脊髄症状が出現する．

問診で聞くべきこと

いつから，どの部位から，どのような症状が出現し，どのように広がってきたのかを聴取し，脊髄症状（箸や書字の困難，歩行障害，排尿障害など）の有無を評価する．

必要な検査とその所見

神経学的所見や症状の経過から腫瘍の発生高位を推測してMRI検査を行う．造影MRI検査をあわせることで腫瘍の質的評価が行える．

神経鞘腫はT1強調像で脊髄と比較して等信号〜やや低信号，T2強調像で高信号，造影MRI検査で明瞭な増強効果を示す．囊胞や出血や壊死を伴うことがあり，造影MRI検査で腫瘍内に造影されない領域を認めれば神経鞘腫の可能性が高い．また，形態が砂時計腫である場合も神経鞘腫のことが多い（図17-5）．

髄膜腫はT1強調像で低信号〜等信号，T2強調像で等信号または低信号，造影MRI検査で腫瘍全体が均一に増強される．造影MRI矢状断像で腫瘍の上下に線状に糸を引いたように造影される部分を認めた場合，dural tail signとよばれ髄膜腫に特徴的な所見である．腫瘍が硬膜に沿って発育していることを示している（図17-6）．

MRI以外の評価として，単純X線検査では，腫瘍存在高位に一致して椎弓根間距離の拡大や椎弓根の侵食（erosion），側面像で椎体後面の圧痕（scalloping），さらに斜位像では砂時計腫の場合，椎間孔の拡大がみられることがある．CT検査でも同様の所見が得られる．これらは発育がゆるやかな良性髄外腫瘍に特徴的な所見である．脊髄腔造影では，腫瘍が髄外に存在するため脊髄の偏位や騎跨状の陰影欠損（capping）がみられる．腫瘍内部に石灰化像を認めた場合はpsammomatous型髄膜腫を疑う（図17-7）．

鑑別で想起すべき疾患

椎間板ヘルニア，脊柱管狭窄症，脊椎腫瘍，感染性脊椎炎，多発性硬化症，筋萎縮性側索硬化症，横断性脊髄炎など．

診断のポイント

・頚椎では頚肩腕痛，胸椎では側胸部痛から始まり，その後，進行性に筋力低下や知覚障害が出現する場合には本症を疑う．神経診察を行い脊髄（錐体路）症状の有無を確認する．

・夜間就寝時の疼痛や臥位での疼痛は本症に特徴的な症状である．

・画像診断として造影MRI検査を行う．

専門病院へのコンサルテーション

脊髄髄外腫瘍が疑われた場合にはMRI検査を行い専門家に紹介する．

17 脊椎・脊髄疾患

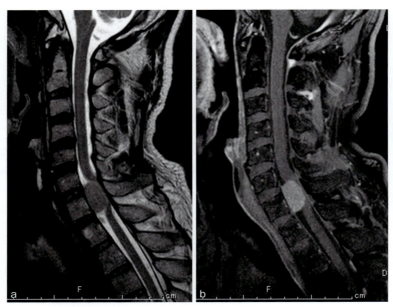

図 17-6　髄膜腫 (meningothelial meningioma)
a：MRI T2 強調矢状断像
b：MRI 造影 T1 強調矢状断像

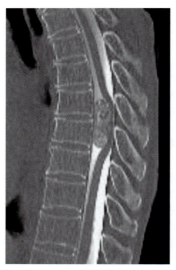

図 17-7　髄膜腫 (psammomatous meningioma)
脊髄腔造影後 CT 横断像

治療方針

1 ▶ 保存療法

神経根症状で疼痛のみの患者の場合は，鎮痛薬を処方し経過をみる．腫瘍の増大スピードを確認するために 2 回目の MRI 検査を 3〜6 か月後に行う．経過中に脊髄症状を呈することがあるため，定期的に神経診察を行う．

2 ▶ 手術療法

治療の原則は手術による腫瘍摘出である．一般的に後方進入手術が多く，後方支持組織を温存した片側椎弓切除術，片側進入両側除圧術，椎弓形成術などを用いてアプローチし腫瘍を切除する．砂時計腫で椎間関節の温存が困難な場合はインストゥルメンテーションを併用した固定術を行う．腫瘍への栄養血管を焼灼切離して一塊に摘出することが理想であるが，腫瘍が巨大な場合は，腫瘍内減圧を行った後に切除したほうが脊髄障害を予防できる．

合併症と予後

手術が成功すれば臨床成績は良好である．神経鞘腫の場合，神経根切断による神経脱落症状に留意する．後根由来が多いため筋力低下よりも知覚障害のほうが多い．再発はまれである．髄膜腫は再発に留意する必要があり 10 年で 15％ との報告がある．腫瘍付着部の硬膜を切除し修復したほうが再発は少ないとされているが，電気凝固にとどめても再発は変わらないとの報告がある．悪性末梢神経鞘腫の場合，予後がきわめて不良であり手術療法単独ではなく集学的な治療が必要となる．NF-2 を伴う神経線維腫は非合併例と比較して予後不良あり，再発率も高い．

患者説明のポイント

治療の原則は手術による腫瘍摘出であり，摘出しなければ最終診断がつかないことを説明する．脊髄症状を呈しているにもかかわらず放置すると，改善が乏しく，手術による神経障害悪化のリスクも高くなることを伝える．

リハビリテーションのポイント，関連職種への指示

術後の全身状態が安定化すれば，数日以内に離床を開始する．術前の神経障害に応じて理学療法，作業療法を行う．片側椎弓切除術で対応できれば創部の安静のために短期間の簡易装具を使用するが，固定術を併用した場合には，骨癒合が得られるまで硬性コルセットを使用する．

脊髄くも膜嚢腫

Spinal arachnoid cyst

岩渕 真澄　福島県立医科大学会津医療センター 教授

【疾患概念】 脊髄くも膜嚢腫（以下，本疾患）は，先天性あるいは種々の炎症，出血，外傷など二次的変化により硬膜内に発生する嚢腫性病変である．本疾患は，1903 年に Spillerlo により最初に報告された．その後，MRI の普及に伴い数多くの報告がされてきた．先天性の場合，Marfan 症候群，Ehlers-Danlos 症候群，および神経線維腫症などの結合織異常をきたす疾患との関連を示唆する報告も多く，何らかの先天性素因も関与しているものと思われる．発生部位では硬膜外くも膜嚢腫，脊髄くも膜嚢腫，神経根嚢腫，および仙骨嚢腫がある（図 17-8a，b）．発生部位はそのほとんどが脊髄背側であり，胸椎発生が最も多い．

【病態】 脊髄や馬尾・神経根を圧迫し，神経障害をきたすことがあるほか，まれに硬膜を破って硬膜外に及び，硬膜外腫瘍と同様の症状をきたすこともある．最も頻度の高い症状は，下肢のしびれと脱力，および局所の疼痛である．頚胸椎高位に発生した場合には痙性麻痺をきたす．進行すれば排尿障害をきたす．

問診で聞くべきこと

(1)自覚症状

上肢や下肢のしびれと脱力，および巧緻障害の有無について確認する．歩行障害の確認も重要で，平地や階段で支持を必要とするかどうかにつき確認する．

必要な検査とその所見

(1)身体所見

最初に痙性歩行の有無と Romberg 徴候について確認する．次に四肢腱反射，および感覚障害と筋力低下の程度と範囲から，神経学的に罹患高位を推察する．

(2)画像所見

①単純 X 線写真

神経線維腫症に合併したくも膜嚢腫の場合，側弯や椎弓根間距離の拡大，および脊柱管前後径の拡大が認められることがあるため，側弯の有無，椎弓根間拡大の有無，および脊柱管前後径について観察する．

②MRI

硬膜管内の脊髄周囲や馬尾周囲，および神経根周囲に T1 強調像で低信号，T2 強調像で高信号の嚢腫様病変があるかどうかを確認する．病変により脊髄や馬尾が圧迫を受けているかどうか，また脊髄が圧迫されていた場合には，髄内信号強度変化の有無とその範囲について観察する．

診断のポイント

画像所見で，身体所見から推察した罹患高位に一致したくも膜嚢腫が認められた場合には，容易に診断可能である．しかし，退行性変性による脊柱管狭窄を合併している症例では，責任高位の特定には，詳細な神経学的所見と画像所見とを照らし合わせた慎重な検討を要する．

専門病院のコンサルテーション

神経症状を有し，MRI で嚢腫が確認された場合には専門病院へのコンサルトが勧められる．他病変に対する画像検索で偶然に見つかる場合もあるが，神経症状が認められない症例に対しては経過観察でよい．

治療方針

前述したような，神経症状を有さず，他病変に対する画像検索時に偶然見つかった嚢腫に対しては経過観察でよいが，神経症状を有する症例に対しては，原則として手術が選択される．

手術療法

硬膜内にあるものは嚢腫の全摘が行われるが，嚢腫壁に対する穿刺あるいは壁の部分切除による開放のみでもよいとの報告もある．硬膜外嚢腫の場合には嚢腫の全摘，くも膜下腔との連絡孔のある場合にはその閉鎖を行う．

患者説明のポイント

症状のない嚢腫に対しては経過観察のみでよいが，神経症状が出現した場合には手術を要する旨をきちんと説明する．

リハビリテーションのポイント，関連職種への指示

術後の髄液漏に対しての観察は特に重要である．髄液漏による合併症として最も重篤なものは脳出血であることを看護師へ伝え，ドレーンからの髄液流出の有

17 脊椎・脊髄疾患

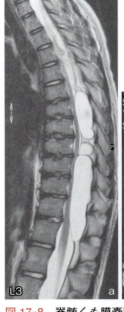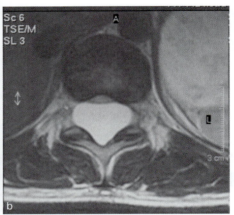

図 17-8　脊髄くも膜嚢腫：MRI T2強調像
a：矢状断像，b：横断像（第11/12胸椎椎間高位）
11歳，女性．
主訴：転びやすい，よくつまずく．
現病歴：もともと長距離走の選手であったが，1年ほど前から転びやすくなって右足関節剥離骨折受傷．歩行やランニングで右下肢に重苦しさを自覚するようになり，前医受診．MRIで硬膜外くも膜嚢腫を指摘され，紹介となった．
治療：分節的に椎弓切除（T7～9）を行い，嚢腫摘出，硬膜の欠損部（交通孔）を縫縮するも，下位胸椎高位で再発し，T10～L2椎弓を形成し嚢腫，硬膜の欠損部（交通孔）を縫縮した．最終的には後日，進行する胸椎後弯を矯正固定した．2回目の嚢腫摘出後，下肢運動麻痺は消失し，スポーツも制限なく行っている．術後7年の時点で再発は認められていない．

無のチェックを行うこと，髄液が流出した場合にはその量を経時的に記録すること，および意識障害の有無やバイタルサインの経時的チェックを行うことを指示する．

　リハビリテーションのポイントとしては，髄液漏の有無やその程度を考慮しながら離床を進めることが重要である．問題がなければ，積極的に四肢の筋力強化や可動域訓練・巧緻訓練，および起立・歩行訓練を進める．

脊髄動静脈奇形

Spinal arteriovenous malformation

小澤 浩司　東北医科薬科大学 教授

【疾患概念】　脊髄や神経根の近傍で動脈と静脈が直接吻合することによって，動脈血が直接脊髄表面の静脈に還流してしまい，脊髄からの正常な静脈血が静脈へ流れ込むことができなくなる血管奇形の1種である．次のような機序による脊髄障害症状を起こす．
①細動脈の血流が不足するために脊髄の虚血が生じる．
②静脈のうっ滞により脊髄内の静脈還流障害が生じる．
③動脈瘤や静脈瘤が生じ，脊髄を圧迫する．

④動静脈奇形が破裂し、髄内出血、くも膜下出血が生じる。

【頻度】
　脊髄動静脈奇形はまれな疾患で、手術治療が行われるのは、人口400,000人に1人程度であるとされている。

【分類】
　動静脈の吻合部（シャント）の局在により、次の4つに分けられる。
①脊髄髄内動静脈奇形（intramedullary arteriovenous malformation；intramedullary AVM）
②脊髄硬膜内傍脊髄動静脈瘻（perimedullary arteriovenous fistula；perimedullary AVF）
③脊髄硬膜動静脈瘻（dural arteriovenous fistula；dural AVF）
④脊髄硬膜外動静脈瘻（epidural arteriovenous fistula；epidural AVF）

【臨床症状・病態】
　脊髄循環障害により、手足のしびれ、運動麻痺、排尿障害などの症状が緩徐に出現し、ゆっくりと進行することが多い。動静脈奇形が脊髄実質内で破裂する脊髄内出血では、突発的に重度の脊髄麻痺を引き起こすことがある。まれに、上位頸髄の動静脈奇形がくも膜下腔内で破裂することがあり、くも膜下出血による突発的な重度の頭痛、項部硬直、および意識障害を引き起こすことがある。

　髄内動静脈奇形は頸髄に好発し、多くは脊髄実質内の腹側にある。若年者に起こり、出血による突然の背部痛や四肢麻痺で発症する場合と、徐々に進行する脊髄症状で発症する場合がある。非出血発症の場合は、静脈還流障害が脊髄障害の原因である。動脈瘤の合併や導出静脈に静脈瘤が認められることがある。妊娠によって症状の悪化をきたすことがある。

　傍脊髄動静脈瘻は脊髄の表面でシャントをつくり、まれにくも膜下出血を起こすが、多くは静脈還流障害によって進行性の脊髄症状を呈する。また動脈瘤の合併や拡張した静脈が静脈瘤を形成し、脊髄を圧迫して症状を出す場合がある。性差はなく20〜30歳台に好発する。脊髄円錐や馬尾に好発するが、他の部位にも起こる。前脊髄動脈が関与することが多い。

　硬膜動静脈瘻は脊髄動静脈奇形のなかで最も頻度が高く、中年以降（40歳以上）に好発する。緩徐に進行する脊髄症状を呈し、出血することはほとんどない。多くの症例で、シャント部位は下位胸髄、腰髄、脊髄円錐の1か所で、神経根に伴行する根動脈が神経袖部でシャントをつくる。その結果、硬膜外から硬膜内に向け根静脈が逆流し、脊髄背面の静脈（posterior median vein）に動脈血が流れこむ。そのために髄内虚血、静脈還流障害により脊髄障害を呈する。Foix-Alajouanine syndromeは、硬膜動静脈瘻の進行した病態であると考えられている。

必要な検査とその所見
　脊髄動静脈奇形の診断はMRI、造影剤を用いた脊髄血管の3D-CTA、選択的血管造影により行われる。MRI T2強調像で脊髄の表面を蛇行しながら矢状方向に走行する導出静脈（medullary vein）がsignal voidとして描出される。流速の遅い血流は、造影T1強調像で造影効果がみられる。矢状像、冠状像は病変の部位・高さの同定に有用であり、導出静脈と脊髄の関係がわかる。横断像で髄内動静脈奇形ではnidusがsignal voidとして観察される。脊髄の肥厚・萎縮、脊髄空洞、動脈瘤、髄内の新鮮または陳旧性出血、静脈内血栓などの所見がみられることがある。病変の診断にMRIが有用であるが、小さな動静脈シャントは血管撮影でないと描出できない。臨床症状から脊髄動静脈奇形を疑いMRIで血管病変が描出されない場合、血管撮影が適応である。

診断のポイント
　緩徐な経過をたどるものは脊椎症性脊髄症、椎間板ヘルニア、後縦靱帯骨化症などと症状は同じである。急性発症では、頸背部の疼痛を伴うことが多く脊髄梗塞、硬膜外血腫と鑑別を要する。臨床症状のみでは診断が難しく、MRIで前述の所見がみられることにより診断可能である。

専門病院へのコンサルテーション
　MRIで脊髄動静脈奇形を疑わせる所見がみられた場合は、専門医に紹介する。

治療法
　治療には血管内治療と手術療法がある。血管内治療は選択的血管造影によりシャント部位を同定し、栄養動脈を塞栓する方法である。脊髄動静脈奇形のタイプ、関与している血管に応じて治療法が選択される。髄内動静脈奇形は最も治療が難しいタイプである。硬膜内傍脊髄動静脈瘻では手術療法、血管内治療のどちらも行われる。硬膜動静脈瘻は手術により根治可能であるが、血管内治療も行われる。脊髄硬膜外動静脈瘻は血管内治療により根治可能である。

　手術療法として、硬膜動静脈瘻では硬膜周辺で流入動脈、流出静脈を凝固・遮断する。硬膜内傍脊髄動静脈瘻では、シャント部を遮断する。

予後
　他の脊髄脊椎疾患と同様に、治療開始前の症状の重篤さと治療開始までに要した時間によって改善度が違い、完全麻痺や出血が生じている場合には予後が悪い。

脊髄内動静脈奇形は治療が困難な場合が多く予後が悪い．

患者説明のポイント

脊髄動静脈奇形とは，背骨の中の神経のまわりの動脈と静脈の間が異常につながっている病気である．脊髄動静脈奇形によって神経への血液の流れが悪くなると，足の筋力低下・しびれやトイレの症状がでることが多い．これらの症状は，月の単位で時間経過とともに悪化する．また，急な出血症状が出ることがある．診断にはMRI検査が有用である．治療には，動脈と静脈の間の吻合部を閉塞して異常な血流を止めるために，外科的手術とカテーテルで治療する血管内塞栓術がある．いずれも専門医により治療が行われる．

脊髄出血

Spinal hemorrhage

小林 洋　福島県立医科大学 学内講師

【疾患概念】　脊髄出血性疾患は，部位別に，硬膜外出血，硬膜下出血，くも膜下出血，および脊髄内出血に分類される．

【病型・分類】
(1)硬膜外出血

小児を含む全年齢に認められ，好発部位は上位胸椎と下位頸椎である．外傷，凝固異常などが原因となることもあるが，多くは原因不明の特発性である．怒責などが誘因となり，出血高位に一致した背部痛あるいは腰部の激痛に始まり，短時間で脊髄麻痺が出現することが多い．ときに，前兆となる小発作があり，その後に大発作が出現することもある．

(2)硬膜下出血

まれであるが，外傷，凝固異常，腰椎穿刺や硬膜外麻酔による医原性の症例，および特発性がある．

(3)くも膜下出血

脊髄硬膜動静脈瘻，脊髄辺縁部動静脈瘻が原因で，突発性の発症形態になる．脊髄腫瘍によることもある．急性の腰背部痛，根性疼痛で発症する．脊柱可動域制限のほかに，髄膜刺激症状としての項部硬直，Kernig徴候を認めることがある．頭蓋内くも膜下出血とは異なり，背腰痛などが頭痛に先行しており，意識レベルに異常は認められない．全くも膜下出血の1%とまれである．

(4)脊髄内出血

脊髄動静脈奇形，脊髄辺縁部動静脈瘻，髄内腫瘍に伴うことがある．外傷例も少なくない．頸髄，腰髄部に多い．出血は後角周辺を中心とした脊髄灰白質に発生し，数髄節に及ぶ．くも膜下出血を合併することもある．症状の発現は一般に急速である．突然の背部の激痛に続いて，数時間以内に障害高位以下の脊髄障害が発生する．

問診で聞くべきこと

痛みの部位や，運動感覚障害，膀胱直腸障害の有無を確認する．麻痺に先行する疼痛は重要な所見である．発症の誘因と経時的な推移を確認する．また，凝固異常をきたす既往も聴取する．

必要な検査とその所見

(1)MRI（図17-9）

必須の検査である．出血部（血腫）は，ヘモグロビンの化学的変化を反映する．48時間以内の急性期ではT1強調像は脊髄と等信号，T2強調像は脊髄よりも高信号を示し，その内部にデオキシヘモグロビンによる低信号を認める．それ以降はT1強調像で高信号を示し，T2強調像では高信号と低信号の混在を認める．

硬膜外血腫は両側凸型で，硬膜管の背側2～3椎体にとどまることが多い．硬膜下血腫は三角形で，脊髄腹側あるいは傍正中で広範囲に進展する．出血巣と原因疾患である脊髄血管奇形，海綿状血管腫などとの鑑別も可能であり，治療法の選択にも不可欠の検査法である．脊髄腫瘍が疑われる場合には，造影が必要である．

(2)脊椎血管造影

脊髄血管奇形が疑われる場合に行う．異常血管はMRIでは見えないことがある．

診断のポイント

出血の部位や程度により，症状はさまざまであるが，本疾患を鑑別診断に入れて問診することが重要である．神経学的所見においては，初診時はもちろん，経時的な変化にも注意が必要である．

治療方針

硬膜外出血や硬膜下血腫で，疼痛のみの症例や，麻痺の程度が軽度で早期に回復傾向が認められる症例では，保存療法で対応可能である．一方，重篤な麻痺や進行性の麻痺の場合は，血腫除去をできるだけ早期に行う．

血管奇形による出血では，脊髄血管造影にて正確な診断を行ったうえで，塞栓術や流入血管遮断術が適応となる．

髄内腫瘍に伴う出血においては，脊髄切開（myelotomy）による血腫の除去とともに腫瘍の摘出を行う．一期的な完全摘出が困難な場合には，初回の摘出にはこだわらずmyelotomyを行い，二期的な摘出を行う．

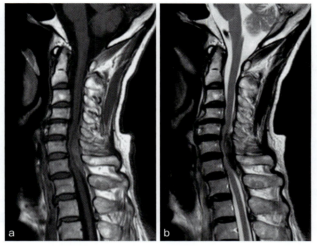

図 17-9 頚部硬膜外血腫，MRI 矢状断像
脊柱管内の硬膜管背側に占拠性病変が認められる．内部は T1 強調像で高信号を示し，T2 強調像では高信号と低信号が混在した像を示している．
a：T1 強調像，b：T2 強調像．

リハビリテーションのポイント

早期よりリハビリテーションを開始する．麻痺症状がある場合は，褥瘡などの合併症に対する管理が重要である．

前脊髄動脈症候群

Anterior spinal artery syndrome

竹内 大作　那須赤十字病院 部長〔栃木県大田原市〕

【疾患概念】　脊髄梗塞の1つで対麻痺（頚髄では四肢麻痺）・解離性知覚障害・膀胱直腸障害を呈する．脊髄栄養血管の1つである前脊髄動脈の血行障害によって生じる．前脊髄動脈は脊髄横断面の腹側 2/3 を栄養し，後索を除く白質（前索，側索）および中心灰白質のすべてを灌流している．このため前脊髄動脈の障害により，障害部位以下の運動麻痺と解離性感覚障害が起こる．すなわち，温痛覚および疎な触覚（脊髄視床路）が障害されるが，深部感覚（後索）が保たれる．

脊髄梗塞にはこのほか，後脊髄動脈の障害による後脊髄動脈症候群（後索・後角の障害が特徴），横断性梗塞，片側性の Brown-Séquard 症候群がある．これらを合わせても脊髄梗塞は脳梗塞の 1/50〜1/100 の発生率とされ，非常にまれな疾患である．脳梗塞と異なり，動脈硬化や不整脈といった基礎疾患が明らかな例はむしろ少なく，多くは原因不明である．

【臨床症状】

急性発症の背部痛と対麻痺（頚髄病変では四肢麻痺），しびれ，排尿障害で，発症から 2 日以内にピークに達する．特に誘因なく発症することが多い．麻痺重症度は Frankel A〜D までさまざまである．

必要な検査とその所見

MRI T2 強調像で脊髄実質の虚血部位が高信号を呈する．横断像で脊髄前方 1/3〜2/3 に及び，白質・灰白質の区別なく信号変化をきたす．矢状断像では頭尾側数椎体に索状の信号変化が及ぶことが多い（図17-10）．

鑑別診断で想起すべき疾患

大動脈解離（急性発症の背部痛の原因として除外する必要あり），頚椎・胸椎椎間板ヘルニアおよび転移性脊椎腫瘍（脊髄が前方から圧迫されることで同様の臨床症状を呈する）．

診断のポイント

①急性発症の対麻痺（頚髄病変では四肢麻痺）．
②解離性感覚障害（温痛覚が障害されるが，深部感覚＝受動関節覚・振動覚が保たれる）．
③MRI で上記所見および鑑別疾患の除外．

専門病院へのコンサルテーション

確定診断がついていなくても，対麻痺（四肢麻痺）の時点で脊椎脊髄外科専門医に可及的早期に転医させることが望ましい．

17 脊椎・脊髄疾患

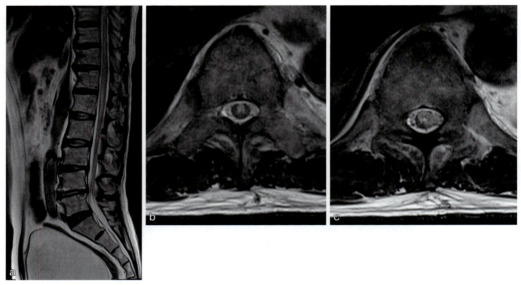

図 17-10　前脊髄動脈症候群
a：発症時 MRI T2 強調像．第 10 胸椎〜第 1 腰椎にかけて脊髄内に索状の信号変化を認める．膨満した膀胱に注意．
b：2 日目 MRI T2 強調像．第 10 胸椎，前索〜前角にかけて高信号域を認める．
c：2 日目 MRI T2 強調像．第 11 胸椎，後索・後角以外の脊髄実質に高信号域を認める．

治療方針

　根本的な治療はない．脳梗塞に用いられる血栓溶解療法は適応がなく，血管径が細いことなどから血管内治療も行われていない．支持療法，すなわち四肢麻痺・対麻痺に対してリハビリテーション，しびれに対してプレガバリンなどの薬物療法を行う．

患者説明のポイント

　改善が得られることは少なく，機能予後はおおむね不良である．本人にはともかく，家族には機能予後について早めに説明し，介護・福祉のサポートを受けられるようソーシャルワーカーとの連携を勧める．

癒着性くも膜炎
Adhesive arachnoiditis

村上 秀樹　岩手医科大学 特任教授

疾患概念

　脊髄癒着性くも膜炎（spinal adhesive arachnoiditis；SAA）では，脊髄周囲の慢性炎症により，くも膜および神経組織の広範な癒着と瘢痕形成が生じ，髄液の灌流障害あるいは脊髄の血流障害が惹起される．結果的にくも膜嚢胞，脊髄空洞症，脊髄軟化

症が合併し，緩徐に進行する神経障害を呈する．原因としては髄膜炎などの感染によるもの，脊髄造影剤，硬膜外麻酔薬やステロイド注入などの化学物質刺激によるもの，脊髄外傷，脊髄・脊椎手術，くも膜下出血，腰椎穿刺などの機械的刺激によるものが報告されている．

臨床症状

　脊髄癒着性くも膜炎に特有の症状はないが，緩徐に進行する脊髄症状が特徴とされる．硬膜から脊髄表面の間が癒着し，くも膜下腔の血管の閉塞を起こし，脊髄への血流が徐々に障害されることが要因の 1 つと考えられている．また，くも膜下腔の髄液灌流障害により髄内に嚢胞性変化が生じ，脊髄空洞症が合併するために多岐にわたる症状が緩徐に進行すると考えられている．特に，持続性の根性疼痛，解離性感覚障害や下肢痙性などの症状を呈することが多い．

必要な検査と所見

　画像検査では，以前は脊髄造影検査によるくも膜下腔の不規則なブロック像や嚢胞状の拡大が特徴的といわれていたが，現在では MRI 検査が必須である（図 17-11）．T2 強調像で一般的に認められる脊髄と，くも膜下腔の髄液との境界が不明瞭となり消失した所見を呈する．それに隣接した部位のくも膜下腔は嚢胞状の拡張を示し，髄内には脊髄の浮腫，軟化，壊死などを示す高信号域を認める．脊髄空洞症も T2 強調像で

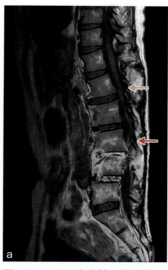
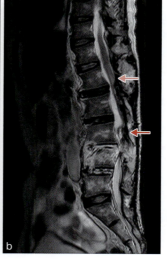

図17-11　70歳女性，癒着性くも膜炎＋脊髄空洞症
15年前に交通事故にてL4脱臼骨折となり，後方器械固定術を施行された．現在も緩徐に進行する下肢痛を認める(MRI矢状断像，a：T1強調，b：T2強調)．
L3, 4高位の硬膜管陰影が不整となり，その周囲のくも膜下腔が拡大している(⬅)．L1-2高位の髄内には髄液と同じ信号強度を示す領域があり，空洞を認める(⬅)．

高信号域として認められるが，T1強調像でも同部位が境界明瞭な髄液と同一の低信号域であることを確認する必要がある．T2強調像高信号の所見だけで脊髄空洞症と診断してはいけない．

診断のポイント

MRIにて局所的くも膜下腔の拡大と脊髄圧排を認める疾患として，硬膜内くも膜嚢胞，脊髄ヘルニアなどが挙げられる．脊髄癒着性くも膜炎の原因である感染，出血，外傷や脊椎手術，脊椎麻酔，脊髄造影検査などの病歴を聴取することと，MRI検査にて隣接したくも膜下腔の不整や消失病変が広範囲にわたって認められる場合には，脊髄癒着性くも膜炎であることが多い．また，脊髄空洞症を認めるものの，Chiari奇形，脊髄腫瘍，外傷の既往のない場合は，空洞症の原因として脊髄癒着性くも膜炎を考慮に入れる必要がある．

治療方針

脊髄癒着性くも膜炎では，緩徐に進行する脊髄症状により，支配領域の異痛症(allodynia)や神経障害性疼痛を呈することが多い．これらに対して通常のNSAIDsは効果がないことが多く，第1選択薬としてCaチャンネルα2-δリガンド(ガバペンチン，プレガバリン)，三環系抗うつ薬(ノルトリプチリン)，選択的セロトニン・ノルアドレナリン再取り込み阻害薬(SNRI，デュロキセチン)が推奨されている．

外科的治療としては，脊髄刺激療法と手術がある．脊髄刺激療法は，経皮的に硬膜外腔にリード型電極を挿入し，脊髄後索を刺激することで除痛効果を獲得する治療法であるが，期待できる除痛効果は約50％程度とされている．手術では，くも膜癒着剥離術，shunt手術，椎弓切除術，硬膜補填術，後方固定術などが報告されている．くも膜癒着剥離術は癒着部位が限局している症例に対しては有効とされているが，剥離操作に伴う脊髄の損傷や術後再癒着を多く認めることより確立された手術方法とはなっていない．shunt手術には，脊髄空洞-くも膜下腔shunt術，脊髄空洞-胸腔shunt術，脊髄空洞-腹腔shunt術などがあるが，その症状改善率は40～60％であり，約50％に再手術を要したと報告されている．

リハビリテーションのポイント，関連職種への指示

くも膜下出血や脊髄損傷の患者で，原疾患による感覚障害や運動障害に対してのリハビリテーション継続中に，損傷高位を越えてさらなる異常感覚や運動麻痺の出現と進行を認めた場合には，MRIで脊髄癒着性くも膜炎や脊髄空洞症の有無についてチェックする必要がある．脊椎・脊髄手術や腰椎穿刺の既往があるような患者に対しても同様に留意が必要である．特に腰

椎部の癒着性くも膜炎では，腰部の加齢性変性による腰部脊柱管狭窄症などとの鑑別が重要となる．腰部脊柱管狭窄症と比べ，異痛症や痛覚過敏，自律神経症状などを伴う神経障害性疼痛を呈することが多いといわれている．原因精査のため脊髄造影を施行し，bloody tapをきたすと癒着性くも膜炎を助長する原因となるため，不要な検査は避けるべきである．

脊髄空洞症

Syringomyelia

水谷 潤　東京女子医科大学八千代医療センター 准教授

【疾患概念】　脊髄の中が空洞のように広がり，その中に脳脊髄液が貯留して脊髄機能の障害が生じる状態．病態の詳細はまだ完全に解明されているわけではないが，脊髄周辺において脳脊髄液の循環動態不良が生じることによって空洞が形成されると考えられている．

脊髄内に空洞形成を示す疾患の病理所見は，Estienneによって1546年に報告され，Ollivier-d'Angerはこの疾患をsyringomyelia（脊髄空洞症）と命名した．Simonは中心管とは無関係に形成された空洞をsyringomyeliaとよび，中心管が拡大して形成された空洞をhydromyelia（水髄症）と提唱した．しかし，臨床的に両者を区別することは困難で，syringomyelia（脊髄空洞症）という名称が一般に用いられている．

【頻度】
発生頻度は，男女ほぼ同数で，家族性の発症はまれである．下記に述べる病型で考えると，Chiari奇形に伴う発生頻度が最多である．

【病型】
空洞をきたす原因疾患からは以下のものに大別される．

①Chiari奇形に伴うもの
Chiari奇形とは小脳，延髄および橋の発生異常を基盤とする奇形で，小脳や下部脳幹が大孔下縁を越えて下降し，脊柱管内へ陥入した状態．4型に分類されるが，日常診療上問題となるのはⅠ型とⅡ型である．

②癒着性くも膜炎に伴うもの
癒着性くも膜炎とは，脊髄の周りの水の通るスペースに，何らかの原因で炎症が起こり，そのためにやはり，髄液の流れが妨げられることにより，その部位から下に，空洞が出現するタイプの脊髄空洞症である．

③脊髄腫瘍に伴うもの

④脊髄出血後に伴うもの

【臨床症状】
(1)知覚系症状
初発症状としては知覚障害の訴えが多く，主に上肢〜上半身，特に手の痛みや温度に対する感覚鈍麻（ジャケット型または宙吊り型感覚障害と称される）が初発であることが多い．古典的には両側宙吊り型知覚障害が特徴とされたが，初期には一側性のことが多く，進行すると対側の症状が出現する．温痛覚障害はほとんどの患者さんにみられるが，触覚は後期まで保たれることが多く，解離性感覚障害を呈する．

また，しばしば咳・努責・いきみなどにより自発痛が誘発される．脊髄空洞症に伴う疼痛の頻度は高く，治療により空洞が縮小したにもかかわらず疼痛が持続することがある．交感神経系の関与（reflex sympathetic dystrophy）や，脊髄後角におけるシナプス再生の異常（deafferentation pain）などが機序として想定されている．

(2)運動系症状
上肢の遠位筋優位の脱力・筋萎縮が特徴的である．腱反射は上肢では空洞の偏在する側で低下ないしは消失し，下肢では初期は亢進，進行すると低下する．腹壁反射は空洞の偏在する側で低下する．

(3)その他の症状
自律神経症状として，Horner徴候・発汗障害・起立性低血圧などが生じることもある．一般に比較的初期には発汗は亢進し，脊髄髄内病変の進行した長期経過例では発汗低下する．発汗亢進の機序として胸髄側角の交感神経細胞の関与が考えられている．

症状進行は緩徐だが，放置すると，約半数で20年以内に下肢症状も出現して麻痺が進行し，排尿や排便の障害などの症状も発現する．

鑑別診断で想起すべき疾患
脊髄空洞症の20〜85％に脊柱側弯症が合併する．腹皮反射消失症例で高率に空洞が認められる．非定型的カーブの側弯症をみた場合には側弯症合併を念頭におく．

診断のポイント
神経学的所見とMRI所見から総合的に判断する．随伴するChiari奇形や側弯症に注意する．

治療方針
基本的には手術治療しかないが，小児で軽症の場合自然軽快することもある．

保存療法
小児では自然軽快することもあり軽度の症状の場合，保存的に経過観察するが，症状が進行性，脊髄症

状が強い場合は手術的治療が必要である．

手術療法

1 ▶ 大孔減圧術

Chiari奇形の場合には通常本手術が有効である．後頭骨下部の大孔に至る部分と上位頸椎（多くは環椎後弓，症例により軸椎椎弓も追加）の切除を行い，その後，硬膜を切開して人工硬膜や筋膜で硬膜形成術を行う．本手術で，脳脊髄液が循環する十分なスペースを形成することで，空洞の縮小をはかる手術である．

2 ▶ シャント形成術

脊髄空洞内に直接細いチューブ（カテーテル）を挿入する．空洞を縮小されることを目的とし，「空洞-くも膜下腔シャント（SS shunt）」が行われることが多い．

患者説明へのポイント

手術の目的は，空洞を縮小させることであり，慎重な手術操作を行えば，ほぼ目的を達成することが可能である．それにより症状の悪化は止められることが多いが，空洞が縮小しても，痛みや「しびれ」といった神経症状の回復が期待どおりにならない場合も少なくない．その際は，内服での保存的療法の継続が必要となる．また，残念ながら，空洞が再発してしまう可能性もあるので，定期的に神経症状の診察と必要に応じてMRI検査を行う必要がある．

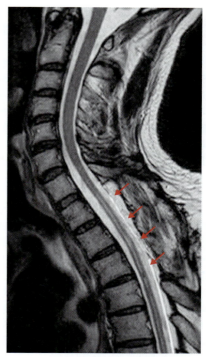

図 17-12 外傷性脊髄損傷後10年経過した患者の頸椎MRI
脊髄空洞症がみられる．

脊髄外傷後の脊髄空洞症

Posttraumatic syringomyelia

川口 善治　富山大学 教授

【疾患概念】 外傷性の脊髄損傷患者で脊髄内に空洞が形成され，遅発性の神経症状を生じることがある．MRIが診断に有用である（図17-12）．脊髄損傷患者では症状の有無にかかわらず50％以上に空洞が認められる．このうち1～7％には症状を有するとされており，外傷後平均15年で診断され，有症状になるには1か月～45年かかるとの幅があると報告されている．また30歳以上で，完全脊髄損傷の場合，5年以内に脊髄空洞が起こる可能性が高い．原因は不明であるが，くも膜下腔の癒着が空洞発生の要因の1つと考えられている．

【臨床症状】 既存の脊髄損傷に伴う症状に加えて，麻痺や知覚障害の上行が起こりうる．頸髄に病変が及ぶと新たな上肢のしびれ，手内筋の萎縮が生じる．空洞が上行し延髄まで影響が及ぶと嚥下障害なども起こる可能性がある．またさまざまな表現の痛みの訴えがあり，時に座位，臥位，咳，くしゃみなどで増悪する．その他，頭痛，発汗，起立性低血圧の悪化，排尿障害，安定しない脈拍や血圧など多彩な症状を伴うことがある．

問診で聞くべきこと

新たに出現した神経症状の悪化がないかを聴取する．また本人に自覚が乏しい発汗，動悸，血圧の変動にも留意し，体調の変化などを聞く．

必要な検査とその所見

空洞の有無を知るにはMRIがきわめて有用な検査となる．したがって，脊髄損傷患者ではフォロー中に一度はMRIの撮像を考慮する．また脊髄空洞を認めた場合，症状が強くないときでも空洞の拡大することがないか定期的にMRIを撮像する．一方，脊髄空洞はArnold-Chiari奇形でも生じることがあるため，小脳扁桃の大後頭孔への落ち込みがないかをチェックしておく．

鑑別診断で想起すべき疾患

Arnold-Chiari奇形，脊髄腫瘍による脊髄空洞である．脊髄腫瘍が疑われる場合は造影MRIを撮像する．

トピックス：iPS細胞を用いた頸髄損傷治療

　急性期から亜急性期にかけての脊髄損傷治療に対する基礎研究に関しては，ある一定の成果をすでに上げることができ，世界中で臨床治験が進んでいる状況である．本稿では，iPS細胞を用いた頸髄損傷治療の現状と問題点を述べ，基礎研究を含めた世界情勢などについて解説する．

　ある種の体細胞をリプログラミングしてiPS細胞を作成するわけであるが，もととなる細胞種もさまざまである．皮膚の線維芽細胞，ケラチノサイト，臍帯血細胞，骨髄細胞，脂肪細胞などがその代表例である．また実際の移植時に使用される細胞も，iPS細胞そのものではなく，iPSから誘導された神経前駆細胞，ニューロン，オリゴデンドロサイト，アストロサイト，間質血管細胞などが報告されている．こうした細胞移植により，脊髄損傷モデルでの機能回復が多数報告されている．

　iPS由来神経系細胞移植による機能回復のメカニズムにも，液性因子の分泌による神経保護作用，再髄鞘化による軸索機能の改善，新たなシナプス形成による神経ネットワークの再建などが報告されている．各治療コンセプトに基づいて，種々の誘導細胞移植が行われている．

　iPS細胞は未分化細胞であるため，造腫瘍性の問題はいまだ完全には解決しきれない問題として存在する．しかし，Notchシグナル阻害薬や，細胞誘導技術の工夫，未分化細胞混入リスクの低減，さらには腫瘍化したことが判明した際に，細胞のアポトーシスを誘導するための自殺遺伝子の導入などさまざまな試みが行われている．完全とは言い切れないが，臨床応用での安全性が担保できる程度の成果が得られたと判断され，国内では臨床治験が開始されている．

　将来的には，慢性期の脊髄損傷もこうした細胞移植療法の治療ターゲットと考えられている．動物実験モデルではあるが，コンドロイチナーゼABCなどの瘢痕溶解薬を用いることで，脊髄微小環境を変化させ，iPS由来細胞移植に最適な環境条件を新たに生み出すことにも成功している．将来的には慢性期頸髄損傷も，iPS細胞移植による治療効果が期待されている領域である．

鈴木　秀典〔山口大学大学院 講師〕

診断のポイント

　脊髄損傷患者では半数以上に脊髄空洞を認めることがあることを念頭に入れて診察を行う．麻痺や知覚障害の変化，特に上行する所見や上記の多彩な症状の変化を認めた場合は遅滞なくMRIによる精査を行う．

専門病院へのコンサルテーション

　MRIにて脊髄空洞を認めた場合は，一度専門医にコンサルテーションを行う．特に麻痺や知覚障害の上行があった場合は直ちに専門医の意見を求める．

治療方針

1▶保存療法

　MRIで空洞が認められても明らかな症状に乏しい場合は，定期的に診察を行い，慎重に経過観察する．保存的に空洞を縮小させる治療は存在せず，あくまでも対症療法となる．

2▶手術療法

　脊髄空洞の拡大に伴う麻痺の上行が認められた場合は，手術により空洞の縮小を図ることを考慮する．手術では損傷脊髄部位の癒着の剥離を行う．これによって空洞が縮小しない場合は空洞-くも膜下腔間にシャントチューブを設置し，空洞内の液体をドレナージする．

患者説明のポイント

　脊髄損傷患者では半数以上に脊髄空洞が起こりうることを説明し，定期的にMRI検査が必要であることを理解していただく．経過フォロー中に麻痺や知覚障害の上行や愁訴の増悪があればMRIを撮像する．

リハビリテーションのポイント，関連職種への指示

　神経症状の推移に注意する．基本的には脊髄損傷患者のリハビリテーションと同様である．

　脊髄外傷後の脊髄空洞症の可能性を周知し，麻痺や知覚障害の上行や愁訴の増悪，体調の変化の有無を聴取するように留意させる．

多発性硬化症

Multiple sclerosis

中村 仁　仁整形外科クリニック 院長〔栃木県宇都宮市〕

【疾患概念】
多発性硬化症（multiple sclerosis；MS）は，中枢神経系（脳・脊髄・視神経）に多発する慢性炎症性脱髄疾患で，さまざまな領域に，再発性に脱髄が生じ，空間的・時間的多発が特徴的な疾患である．その原因や病態はいまだ解明されていない．免疫学的異常が関与していると推定されており，神経症状の再発と寛解を繰り返しながら徐々に障害が進行していく疾患である．

【頻度】
日本では約2万人，世界中で約250万人の患者がおり，欧米人に多く，アジア，アフリカでは，比較的少ない．欧米では10万人あたり80～100人以上である一方，日本では10万人あたり10人程度である．平均発症年齢は20代後半であり，若年成人が罹患する代表的な神経難病で，指定難病である．10歳未満と50歳以上での発症はまれである．女性が男性より3倍ほど多く，ほとんどの場合特記すべき既往歴を持たず，家族歴もない．近年罹患患者数は増加傾向である．高緯度地域ほど有病率が高く，有病率に対する緯度の影響が一般的に知られている．

【病型・分類】
日本でのMS患者の大部分は，再発寛解型MSおよび，それが進行した二次性進行型MSである．初期から慢性進行性の経過をたどる一次性進行型MSは，約3％と欧米（10～20％）と比較して少ない．

【臨床症状および病態】
脳・視神経・脊髄といった中枢神経に広く病変が認められることから，視力・視野障害，眼球運動障害，めまい，筋力低下，歩行障害，感覚障害，小脳症状，膀胱直腸障害，脳萎縮からくる高次脳機能障害，認知機能障害，抑うつ，多幸など精神神経症状をみることもあるなど多岐にわたる．脊髄症状は左右対称性に生じ，不完全性であることが多い．数時間～数日かけて四肢の運動障害や，痙縮，四肢の異常感覚や，知覚低下，レベルをもった体幹の感覚障害，膀胱直腸障害などを呈する．錐体路障害により四肢腱反射亢進，病的反射出現，腹壁反射消失をみることが多く，男女とも性機能障害をもたらすことも多い．

易疲労性，Uhthoff現象，Lhermitte徴候，有痛性強直性攣縮は診断の一助となる．Uhthoff現象は体温の上昇により発作性に神経症状が増悪し，体温の低下とともに改善するものを指し，Lhermitte徴候は頸部を他動的に前屈させると，頸部から背中にかけて電撃痛が下方に放散する現象である．発作性の強い痒み，発作性の構音障害や運動失調による不明瞭な発語と一側性の小脳失調も生じる．このような発作性の症状の特徴として短時間の発作を1日に何回も繰り返し，数日～数週間続く．また，運動や感覚刺激で誘発されやすく，抗てんかん薬が有効である．上記のように多種多様な症状を呈する．

確定診断
MSを確定する特異的なバイオマーカーは存在しない．時間的，空間的に中枢神経が多発することが特徴である．診断には，2017年版McDonald診断基準が用いられる．MRI上の所見がMcDonald診断基準を満たしたとしても，無症状の患者には適応してはならない．また，MS以外の鑑別診断を行ったうえで適用しなくてはならない．すなわち，臨床症状およびMRI所見での，空間的多発性，時間的多発性の証明が求められる．脳脊髄液では，IgG増加，IgG indexの上昇，オリゴクローナルIgGバンドの出現がみられる．鑑別診断として，特に治療法が異なる視神経脊髄炎関連疾患との鑑別が重要である．その他，急性散在性脳脊髄炎，腫瘍，梅毒，脳血管障害，頸髄症性脊髄症，脊髄空洞症，脊髄小脳変性症，ヒトT細胞白血病ウイルス1型関連脊髄症，膠原病，Sjögren症候群，神経Behçet病，神経サルコイドーシス，ミトコンドリア脳症，進行性多巣性白質脳症などがある．

治療方針
原因不明のMSの発症を予防し根治させる治療法はない．そのため，発症・診断早期から適切な薬物療法を行い，再発を予防し慢性進行期に至るのを防ぎ，MSの進行を抑制することが重要である．日本神経学会監修の『多発性硬化症・視神経脊髄炎 診療ガイドライン2017』によると，急性期は，ステロイドパルス療法が第一選択である．複数回使用しても，効果が不十分な場合，血漿浄化療法を試みる．再発予防と進行抑制のために現在，6種類の疾患修飾薬が使用されているが，再発寛解型MSのみ疾患修飾薬が有効であり，いずれの進行型MSに対しても有効な治療薬は，現在発売されていない．治療薬を選択するうえで効果とともに重要になるのはその安全性である．いずれの薬剤も多岐にわたる副作用がある．短期的なものも長期的なものもあり，死亡例や重症例も発生している．リスク・ベネフィットを含め十分に説明し同意を得ることが重要である．

予後
根治療法のない現在，視力・視野障害，高次脳機能

障害，運動障害などのさまざまな症状は，次第に進行する．

関連職種への指示

MS は，指定難病であり，特定医療費（医療費助成）の対象である．MS 専門医・眼科医・看護師・PT/OT・MSW・公的福祉機関などの連携が重要である．

おわりに

原因不明の MS は，除外診断により早期に診断し，早期からの適切な治療開始が，予後決定に重要である．MS 治療は日々複雑化しており，『多発性硬化症・視神経脊髄炎　診療ガイドライン 2017』に沿った適切な治療法の選択により MS 患者の予後を改善させることができる一方，診断・治療薬の選択が難しい場合は，初期の段階での MS 専門医への紹介も考慮すべきである．

脊髄小脳変性症

Spinocerebellar degeneration (SCD)

矢部　一郎　　北海道大学大学院 教授（神経病態学分野神経内科学教室）

【疾患概念】　脊髄小脳変性症（spinocerebellar degeneration；SCD）とは，慢性進行性の小脳性運動失調を中核症状とする一群の神経変性疾患の総称である．病理学的には小脳を中心とした系統変性をきたすものが多いが，病変の程度や分布は疾患により異なる．遺伝性 SCD と孤発性 SCD に大別され，分子遺伝学的な研究が進み，起因遺伝子の解明された遺伝性 SCD が増えている．孤発性/非遺伝性の約 2/3 は多系統萎縮症（multiple system atrophy；MSA）であり，残り 1/3 が臨床的に皮質性小脳萎縮症（cortical cerebellar atrophy；CCA）と診断されている．CCA には小脳症候を主徴とする MSA の初期，家族歴の明確でない遺伝性 SCD，二次性運動失調症なども含まれている可能性もあり，均一な疾患ではない．いずれの病型においても，現時点で根治療法は見出されておらず，難治性神経疾患の範疇に属する．

【病態】

本邦で比較的頻度の高い優性遺伝性 SCD として，脊髄小脳失調症 1 型（spinocerebellar ataxia type 1；SCA 1），SCA 2，Machado-Joseph 病（MJD），歯状核赤核淡蒼球ルイ体萎縮症（dentatorubral-pallidoluysian atrophy；DRPLA），SCA 6，SCA 31 が挙げられる．このうち SCA 31 以外は，遺伝子翻訳領域内に位置する CAG リピートが異常伸長し，そこから異常伸長したグルタミンリピートを有する蛋白質が翻訳される．それにちなんで CAG リピート病もしくはポリグルタミン病と総称される．異常伸長したポリグルタミンはユビキチン化されて核内に凝集し封入体を形成する．CAG リピート病では起因遺伝子のリピート数が多いほど発病年齢が若年化し，進行が速く，症状も重篤かつ多彩となる傾向がある．異常伸長したリピート数は親から子への伝達過程で不安定であるので，時にリピート数が増大することがある．それを反映して小児では発病が若年化し病像も重篤化することがあり，促進現象として知られている．現在まで起因遺伝子の解明された優性遺伝性 SCD にはトリプレットリピート病が多い．SCA 31 は原因遺伝子イントロンに位置する 5 塩基リピート（TGGAA）を含む挿入配列の異常伸長により発症する疾患であり，RNA 毒性により発症することが推定されている．その他の AD-SCA のなかには古典的な変異によるものも知られつつある．

一方，MSA は，小脳性運動失調，パーキンソニズム，および自律神経障害が中核症候である．パーキンソニズムが優位の MSA-P と小脳性運動失調が優位の MSA-C に分類できるが，その比率は欧米では 2：1 程度で MSA-P が多く，日本やアジアでは逆に 1：2 程度で MSA-C のほうが多いと報告されている．何らかの遺伝的な背景の違いに由来する人種による症状の差と考えられる．MSA の自然経過については個人差があるものの，一般的には発症から 3 年ほどのうちに歩行補助具が必要となり，5 年程度で車椅子レベルの日常生活動作となった後，発症から 10 年程度のうちに寝たきり状態となって肺炎などで死亡するといわれる．このほかに，声帯開大不全による窒息や心臓突然死によって死亡する場合がある．特に自律神経障害にて発症した MSA には突然死が多いことを含めて予後不良であることが報告されている．MSA では大脳基底核や脳幹，小脳のオリゴデンドログリア細胞に α シヌクレインを主成分とする封入体（glial cytoplasmic inclusion；GCI）がみられ，病理学的特徴とされている．細胞内における蛋白質輸送の障害や炎症性の要素，酸化ストレス，ミトコンドリア機能異常，遺伝子変異などさまざまな背景は検討されているものの，MSA の根本的な原因や発症の仕組みについてはいまだに解明されていない．

【臨床症状】

SCD の臨床像としては以下の 4 つの特徴が挙げられる．①小脳性ないしは後索性の運動失調が主要症候である．②発病は緩徐で，経過は進行性である．③その他の症候として錐体外路症候，錐体路症候，自律神経症状，末梢神経症状などを示すものがある．④頭部の CT や MRI により小脳萎縮や脳幹萎縮がしばしば

みられる．

運動失調による症状の具体例として，歩行のふらつき，手足のふるえ，呂律の回りづらさなどが挙げられる．その他，眼振によるめまいや視点の定まりにくさを伴う場合もある．また，MSAのように自律神経障害を伴う場合には，起立性低血圧による立ちくらみや失神，排尿障害などを高率に伴う．声帯開大不全による嗄声も伴う場合がある．

問診で聞くべきこと

いつから始まりどのように経過しているのかを聞くことがまず重要である．SCDの臨床経過は緩徐進行性の経過であるので，それに合致していることを確認する．家族歴聴取も重要である．遺伝性SCDであれば血縁者に同様の症状をみることが多い．

必要な検査

脳MRIやCTで小脳や脳幹の萎縮を確認する．その他，脳血流SPECTで小脳血流の低下を認めることも診断の参考になる．遺伝性SCDでは遺伝学的検査を行う場合もある．

鑑別診断で想起すべき疾患

運動失調を主症状とする疾患が鑑別に挙がるが，例えば小脳梗塞や出血，多発性硬化症や小脳炎などは一般に経過が急性であり，神経放射線学的所見も異なるので鑑別は比較的容易である．小細胞肺がんや卵巣がんなどの婦人科系腫瘍などの悪性腫瘍に伴う傍腫瘍性小脳性運動失調などの鑑別が最も注意すべき疾患となる．

診断のポイントおよび専門医へのコンサルテーション

運動失調症状が緩徐に進行し，脳MRIなどで小脳や脳幹の萎縮が確認されれば，SCDの可能性が高いので，脳神経内科医に確定診断を求めるべくコンサルテーションする．

治療方針

根本的治療法として確立したものはない．小脳性運動失調に対してタルチレリン内服やプロチレリン静注が対症療法として保険適用がある．起立性低血圧には弾性ストッキング装用やミドドリン，アミジニウム，ドロキシドパ，フルドロコルチゾン，排尿障害にはソリフェナシン，タムスロシン，ジスチグミンなどの投与を行うが，進行期の尿閉には導尿や尿道カテーテル留置が必要となることもある．MSAの睡眠時無呼吸に対してはcontinuous positive airway pressure（CPAP）またはnon-invasive positive pressure ventilation（NPPV）を用いることはあるが，喉頭蓋軟化症を伴う症例に対してはCPAPやNPPVは気道閉塞を増大させるため禁忌である．声帯開大不全を呈する呼吸障害には気管切開術を，嚥下障害に対しては胃瘻造設術などの検討も要する．

リハビリテーションのポイント，関連職種への指示

リハビリテーションの励行は廃用症候群予防の観点からとても重要である．特に腰肢帯筋を中心とした筋力およびバランス能力の維持向上を図ることが望ましい．構音障害に対しては，安定した姿勢をとることやゆっくり話すこと，リズムや声の高低を整える方法などが推奨される．嚥下障害には，安定した姿勢の確保，扱いやすい食器や補助具の使用，頭部屈曲・頚部屈曲・交互嚥下，安全な食事形態・とろみ付け，口腔ケア，胃瘻などの経管栄養といった点が推奨される．

本症は指定難病であり，診断基準と重症度基準を満たすものは認定申請できる．認定されれば個々の収入に応じて医療費の自己負担軽減を受けることができる．また，40歳以上であれば申請により介護保険の2号被保険者として介護サービスを受けることができる．運動失調など症状の進行に伴い日常生活に支障をきたしている患者には，障害程度に応じて肢体不自由や音声言語，そしゃく機能といった身体障害者手帳を申請するなど医療・福祉制度を活用して長期療養を支援することが望ましい．

筋萎縮性側索硬化症

Amyotrophic lateral sclerosis（ALS）

村松 慎一　自治医科大学 オープンイノベーションセンター 神経遺伝子治療部門 教授

【疾患概念】　上位運動ニューロンと下位運動ニューロンの両者が散発性・進行性に脱落する神経変性疾患である．一部の患者では認知症を呈し，前頭側頭葉変性症（frontotemporal lobar degeneration；FTLD）と同一のスペクトラムを構成する．遺伝子変異のある特殊な例を除き，RNA結合蛋白質TDP 43の異常凝集体が神経細胞に認められることから，TDP 43プロテオパチーとして病態研究が進められている．

【頻度】　10万人あたりの有病率は7〜11人，年間の発症率は1.1〜2.5人，男性は女性の1.3〜1.4倍と推定されている．40歳以降の発症が多い．

【病型・分類】　上位・下位運動ニューロン徴候が四肢・体幹・脳神経領域に進展していく古典型と，初期に四肢の症状が目立たない進行性球麻痺型を基本とする．しかし，上位運動ニューロン徴候を欠くもの，下位運動ニューロン徴候を欠くもの，片麻痺や球麻痺のみで進行が遅い

17 脊椎・脊髄疾患

> **トピックス** 脊髄における拡散テンソルトラクトグラフィー

組織内の水分子の拡散情報を検出・可視化したのが拡散強調像(diffusion weighted MR imaging；DWI)であり，DWIはすでに実臨床の現場において，超急性期から急性期の虚血性脳・脊髄血管障害の診断に必須である．脊髄の白質のような，長軸(頭尾側)方向に走行する神経軸索など一定の方向性を有する生体構造の中においては，水分子の拡散が制限されている．この制限構造に着目し，水分子の拡散異方性を捉えようとするMRI像を拡散テンソルイメージング(diffusion tensor imaging)といい，さらに，拡散異方性を追跡することにより白質神経線維の走行を描出した画像を，拡散テンソルトラクトグラフィー〔diffusion tensor (fiber) tractography；DTT〕とよぶ．

筆者らはこれまでに，DTTが脊髄白質線維の軸索の状態を反映している組織学的裏付けを，サル脊髄半切モデルを用いて行い，大脳皮質の一次運動野から脊髄へ下行する皮質脊髄路の，解剖学的唯一の証拠といえる錐体交叉を描出し，さらには適切なFA(fraction anisotropy)閾値設定下で損傷後神経線維が途絶することを示した(図17-13)．また自然発症脊柱靱帯骨化モデルマウスであるtwyマウスを用いて，同一個体における脊柱靱帯骨化進展と脊柱管狭窄・脊髄内での軸索変性を経時的にDTTで評価し，脊柱管狭窄率進展と温存される神経線維比，さらには後肢運動機能との間に相関を見出し，DTTでの定量的パラメータ評価が脊柱管狭窄進展に先立って低下する，すなわちより鋭敏に脊髄神経変性を捉えた．

これらの動物実験の結果に基づき，実臨床において

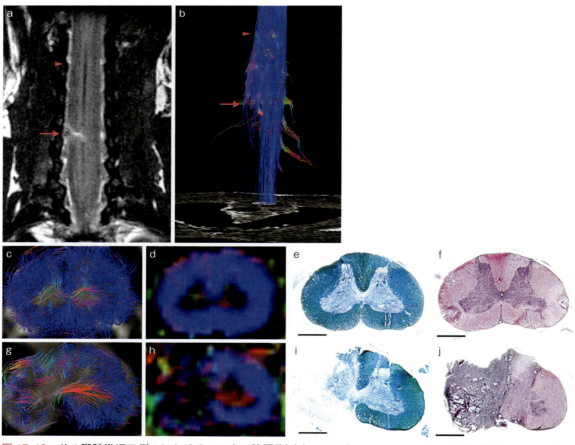

図17-13 サル脊髄半切モデルにおけるMRI(T2強調像)(a)，DTT(b，c，d，g，h)および組織像(e，f，i，j)
脊髄半切により組織学的にも脊髄片側に損傷が加えられ，それを反映するDTT像が描出された．
(Fujiyoshi K, et al: Journal of Neuroscience, 2007 より引用・改変)

圧迫性脊髄症の術前後評価をDTTにより行い，術後頸椎JOAスコア改善率と関連する因子を探索した．DTTでの定量的評価には，健常部と損傷部におけるDTT fiber tract比（FT比：最狭窄部のfiber数/C2高位のfiber数）を用いた．その結果，術前のFT比が60%以下の場合に術後改善不良（平林法によるJOAスコア改善率40%以下）であることが明らかとなった．このことから，DTTによる神経軸索の定量的評価は，従来のT2強調像などによる脊髄圧排の評価よりも，鋭敏に脊髄障害を捉えることができるバイオマーカーとなりうると考えられた．現在後縦靱帯骨化症（ossification of posterior longitudinal ligament；OPLL）に対する厚生労働省班研究の一環として，術前DTTが頸椎OPLLの術後予後予測因子となりうるか，多施設前向き臨床研究により検証中である．

辻 収彦〔慶應義塾大学 特任講師〕

もの，認知症を伴うものなどがある．

【臨床症状】

上位運動ニューロン徴候として筋伸張反射亢進，痙縮，病的反射，下位運動ニューロン徴候として筋萎縮，線維束収縮を多髄節にわたって認める．典型例では，一側上肢遠位部の筋力低下で初発し，筋力低下・筋萎縮が同側近位部，対側遠位部，下肢，脳神経領域へと波及する．進行性球麻痺型は，嚥下障害と構音障害が増悪するが，初期には四肢の筋力は保たれる．

問診で聞くべきこと

5〜10%は家族内発症するので近縁者の類症，血族結婚などを問う．線維束収縮を自覚していることが多いので，その部位を問う．食事量の減少などの嚥下機能の低下や，朝方の頭痛，夜間覚醒，日中の眠気などの呼吸筋麻痺の症状に注意する．

必要な検査とその所見

(1)脳・脊髄MRI

他疾患の除外のために行う．T2強調像で錐体路の高信号，拡散テンソルの変化が認められる場合がある．

(2)針筋電図

急性脱神経所見として，安静時の線維性収縮電位，線維自発電位・陽性棘波，線維束収縮が認められる．また，慢性脱神経所見として，運動単位の振幅増大・多相化・持続時間延長，運動単位発射頻度の増加・リクルートメントの低下がみられる．脳幹と胸髄領域では各1筋，頸髄と腰仙髄領域では，神経根支配と末梢神経支配の異なる2筋で検査する．

(3)神経伝導検査

複合筋活動電位の振幅低下とF波出現率の低下がみられる．伝導ブロックはない．

鑑別診断で想起すべき疾患

伴性球脊髄性筋萎縮症，遺伝性痙性対麻痺，ポリオ後症候群，GM2ガングリオシドーシスなどでは，病歴，筋電図，遺伝子検査により鑑別する．また，多巣性運動ニューロパシー，慢性炎症性脱髄性多発神経炎（chronic inflammatory demyelinating polyneuropathy；CIDP）などのニューロパシーでは神経伝導検査が重要である．頸椎症との鑑別には，知覚障害の有無とともに詳細な筋電図検査が有用であるが，高齢者では合併例もあり経過観察が必要となる．

診断のポイント

①上位と下位の運動ニューロンがともに障害されている，②進行性の経過，③他の疾患を除外できる，の3点によって診断される．1994年に提唱されたEl Escorial基準では，運動支配領域を脳幹，頸髄，胸髄，腰仙髄の4領域に分け，3領域において上下位の運動ニューロン障害を示す所見があればdefiniteとする．しかし，この基準は感度が低く早期の治療介入の機会を逃す可能性がある．そこで，2008年には筋電図異常を臨床的な筋萎縮と等価とするAwaji基準が提唱されている．

専門病院へのコンサルテーション

臨床症状のみでの診断が困難な例では，詳細な筋電図検査を実施可能な施設に紹介する．球麻痺症状があれば，早期から神経内科医にコンサルテーションする．

治療方針

根治療法は確立されていないが，軽度ながら機能障害の進行抑制効果が期待できる治療薬としてリルゾールとエダラボンがある．リルゾールは努力性肺活量が60%以下では適応外になる．
①リルテック®錠（50 mg）　1回1錠　1日2回　朝・夕食前
②ラジカット®点滴静注バッグ（30 mg）　1回60 mg　1日1回

合併症と予後

発症から侵襲的換気が必要となる期間の中央値は20〜48か月とされる．高齢発症，体重減少，呼吸障害は予後不良因子となる．前頭側頭葉症状として，行動異常，性格変化，意欲低下，言語機能障害などが認められることがある．

患者説明のポイント

症状の進行に合わせ，経管栄養や人工呼吸の使用を相談する．過度の期待を与えないよう注意し，新薬の治験情報なども提供する．

リハビリテーションのポイント・関連職種への指示

筋力低下，摂食嚥下障害，呼吸障害に即して，多専門職種のサポート体制を構築する．難病ネットワーク，ALS協会(患者団体)，公的援助の情報を提供する．在宅療養ではレスパイト入院も考慮する．最新のIC技術によるコミュニュケーション機器を活用する．

脊髄炎

Myelitis

名越 慈人　慶應義塾大学 講師

【疾患概念】　脊髄炎は，脊髄における炎症性疾患の総称であり，原因によってさまざまな病態を呈する．代表的なものを列挙する．

視神経脊髄炎，横断性脊髄炎，急性散在性脳脊髄炎，HTLV-1関連脊髄症，多発性硬化症，ウイルス性脊髄炎，梅毒性脊髄炎，放射性脊髄炎，HIV脊髄症，サルコイドーシス，特発性脊髄炎，自己免疫性疾患．

【臨床症状】　一般的には，急性発症の神経症状を呈する．四肢のしびれや筋力低下，膀胱直腸障害などである．障害を受ける脊髄の部位により，症状は多彩である．また，疾患によっては軽度の発熱を認める．

問診で聞くべきこと

脊髄炎では，急速に症状が進行する．そのため問診で，発症後数週～数か月で明らかに増悪傾向がみられる場合，脊髄炎を疑う．

明らかな原因により脊髄炎を呈する場合もある．
・急性散在性脳脊髄炎 → ワクチン接種1～4週後に発症することが多い．
・放射性脊髄炎 → 同部位への放射線照射歴がある．
・ウイルス性脊髄炎 → 基礎疾患に，糖尿病や免疫不全症候群が存在することがある．
・梅毒性脊髄炎，HIV脊髄症 → 梅毒およびHIVの感染の既往
・HTLV-1関連脊髄症 → HTLV-1の感染の既往，出身地(九州・沖縄地方に多い)

また疾患によっては脊髄以外の症状も訴える場合がある．
・視神経脊髄炎 → 視神経炎
・急性散在性脳脊髄炎 → 頭痛，嘔吐，意識混濁
・サルコイドーシス → 脳神経障害，髄膜炎，肺病変
・自己免疫性疾患 → 筋・関節症状，発熱など

必要な検査とその所見

MRIを用いた脊髄の評価が大切である．また脊髄炎に特徴的な所見を列挙する．
・脊髄の腫大がほとんどみられない．
・T2強調像の横断像で，高信号領域がスポット状に存在する．
・多発性硬化症の病態は，急性炎症性脱髄であり，側索や後索など脊髄の白質が障害を受ける．
・視神経脊髄炎は，脊髄の中心部に発症する．アクアポリン4に対する自己抗体が病原であるが，このアクアポリン4が脊髄中心管周囲に分布するためである．また，3椎体以上の長い脊髄病変を認めることが多く，頭部MRIでは視神経に輝度変化を認める．

(1) 血液および髄液検査
・多発性硬化症 → 髄液検査で，オリゴクローナルバンド(約70%)やIgGの上昇
・視神経脊髄炎 → 血液検査で抗アクアポリン4抗体が陽性
・サルコイドーシス → 髄液検査で，50%にアンギオテンシン転換酵素(ACE)が上昇(ただし血清ACEは正常のことが多い)
・自己免疫疾患 → 血液検査で各種抗核抗体

鑑別診断で想起すべき疾患

①脊髄腫瘍との鑑別には難渋する場合が多いが，いくつか鑑別するポイントがある．
・脊髄腫瘍の大部分が良性または低悪性度であるため，その増殖は緩徐である．それに伴い，脊髄への圧迫もゆっくり生じるため，急性発症の脊髄炎と異なり症状の進行が遅い．
・腫瘍性病変であるため，MRIでは脊髄の腫脹を認める．特に横断像で，脊髄辺縁の輪郭が腫大して広がっていることが多く，比較的輪郭が保たれる脊髄炎との違いが顕著である．
・造影MRIにおいて，腫瘤像を認めることが多い．ただし，悪性の星状細胞腫は造影効果が低いこともあり，注意が必要である．

②圧迫性脊髄症との鑑別も重要である．基本的に頚椎症性脊髄症や後縦靱帯骨化症では脊柱管が狭く，椎体ではなく椎間板レベルで最も強い輝度変化を認める．またガドリニウムによって造影効果が認められる症例もある．

診断のポイント

MRIで髄内輝度変化を認めた場合，血液検査や髄液検査を行って脱髄疾患や炎症性疾患で上昇するマーカーの発現を評価する．また脱髄疾患が疑われる場合は頭部MRIを撮影し，病巣が脳内にも存在しないか

を調べる．検査の結果診断がつけば，原疾患の治療に当たるが，診断がつかず，かつ麻痺が進行するなど緊急性が高い場合は，神経内科医とも緊密に連携し，生検やステロイド投与の必要性を検討する．症状の進行が緩徐である場合は，経時的に観察し，定期的にMRIを撮影したり，血液・髄液検査を適宜施行したりして，遅発性に発現するマーカーの同定を試みる．

治療方針

脊髄炎は，基本的に神経内科の領域の疾患であり，直ちに専門医へ紹介する．治療法は，原因疾患によりさまざまある．診断に難渋する場合，また治療に反応せず症状が急速に進行する場合は，外科的な生検を検討する．

患者説明のポイント

脊髄炎の鑑別疾患として，脊髄腫瘍や圧迫性脊髄症（頚椎症性脊髄症，後縦靱帯骨化症など）が挙げられる．日頃の診療で見慣れていないと，鑑別に難渋することも多く，常にこの3つの疾患を念頭に置き，患者にもその旨を伝えて，直ちに専門医へ相談するよう指示する．

また診断がつかず生検を行う場合は，術後脱落症状が出現するリスクについて，入念に説明しておく必要がある．

むち打ち損傷（外傷性頚部症候群）

Whiplash associated disorder（WAD）

三木 健司　大阪行岡医療大学医療学部 特別教授

【疾患概念】　自動車にヘッドレストが整備されていなかった時代に，追突事故後に頚部痛をはじめとしたさまざまな症状を呈し，骨折や脱臼がない頚椎部の軟部組織損傷で"むち打ち損傷"と呼ばれていたものである．外傷性頚部症候群の定義は「頚部外傷によって生じた頚椎ならびに神経の構築学的，神経学的帰結で，運動および神経系の多彩な異変だけでなく，精神神経学的ならびに耳性学的，視覚平衡機能障害をも伴う症候群」とされている．

【病態】　これらは医学的見地に基づいた診断名ではなく，現在では，頚椎部に外力が加わった際に生じる障害を総称した"外傷性頚部症候群"の診断名で扱われている．この病態は古くから存在したものではなく，昭和39年にマスコミで「むち打ち症」という概念が大々的に報道されてから，報道される前の昭和38年と比較すると4年後の昭和42年には約34倍に急増したものであり，器質的な病態ではなく，心理社会的な病態と考えられる．外傷性頚部症候群は交通事故などにより生じ，痛みなどの自覚症状を有する．

問診で聞くべきこと

痛み・しびれの発現時期・程度，頚椎の可動域，運動麻痺の有無

必要な検査とその所見

神経学的診察（Jacksonテスト，Spurlingテスト，水野テスト，深部腱反射）

頚椎のX線検査［正面，側面，機能撮影〔前屈・後屈（麻痺がない場合）〕］

MRI（脊椎・脊髄所見のみならず，皮下出血・筋肉内出血などの軟部組織の異常所見確認）

診断のポイント

症状および画像検査，神経生理学的検査により外傷による器質的な異常がないことから診断する．神経障害性疼痛の診断には神経支配領域の知覚低下，支配筋の筋力低下，支配神経の神経反射異常を確認する必要がある．外傷性頚部症候群は，患者自体が自覚症状を持ちながら，客観的な所見が捉えられないことがほとんどであり，難治化する症例は少なくない．Barré-Liéou症候群と呼ばれる症状がみられることもある．

①内耳の症状：めまい，耳鳴り，耳づまり
②眼の症状：眼のかすみ，疲れ，視力低下（眼精疲労）
③心臓の症状：心臓部の痛み，脈の乱れ，息苦しさ
④咽喉頭部の症状：かすれ声，喉の違和感，嚥下困難
⑤頭痛，頭重感
⑥その他の症状：上肢や全体のだるさ，上肢のしびれ，注意力散漫など

「いたみ」は自覚症状であり，その程度が器質的な病理所見と必ずしも一致しないことが知られている．心理・社会的疼痛も含めた Nociplastic Pain という概念が2017年に国際疼痛学会から提唱されている．"pain that arises from altered nociception despite no clear evidence of actual or threatened tissue damage causing the activation of peripheral nociceptors or evidence for disease or lesion of the somatosensory system causing the pain." と定義されており，「医学的には痛みを生じるような証拠，損傷がないのにもかかわらず侵害刺激様の痛みを生じている」病態であり，欧米では広く知られた概念である「medically unexplained symptoms」に近い病態である．また外傷性椎間板ヘルニアの診断については経年性との鑑別が問題となる．事故の衝撃で椎間板ヘルニアが発症したなら，事故直後に神経麻痺や激痛が起こり入院加療となる．そうでない場合には経年性の椎間板ヘルニアが画

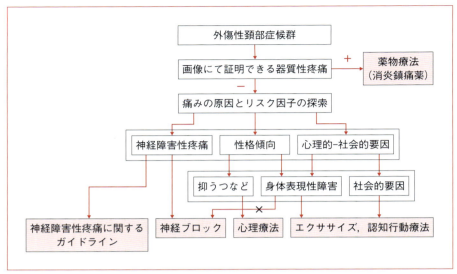

図17-14 外傷性頸部症候群の治療アルゴリズム

像上みられるだけであり，外傷性椎間板ヘルニアとの診断は適切ではない．ケベックガイドラインでは脊椎の骨折や硬膜外出血を伴うものまでWADとされており，日本とは重症度が異なる．後遺障害を申請した日本のほぼ全症例の外傷性頸部症候群患者における52,251例の治療経過調査〔PLoS One 14（5）: e0216857〕により女性，高齢，頸部以外の傷害があること，治療開始までの日数が短いことが，治療の遷延化の因子として抽出できた．物損金額，相手車種，衝突様式においては，関連しなかった．また医業類似行為は治療期間を短縮させる効果はなかった．医業類似行為を外傷性頸部症候群の治療として選択する統計的・医学的理由は存在しない．Canadian C-spine ruleにバスやトラックなどの大型車の追突では検査が必要とされるなど大型車との事故では大きな衝撃があると考えられている．しかし，今回の調査では事故の相手車の車種は治療が長引く因子ではなかった．つまり日本においては外傷性頸部症候群として診断される限り，その病状は外力とは関連しない．

治療方針（図17-14）

基本は保存療法．患者教育，運動療法，安心を与える，活動性を保つこと，通常の日常生活を再開することが重要である．

1 ▶ 生活指導

・患者の訴えをよく聞いて安心感を与えるようにする．
・頸部愁訴だけなら日常生活や仕事を制限しないように指導する．
・嘔気や嘔吐，めまいが強いときは，数日のみの安静臥床を指導する．

2 ▶ 頸椎カラー

Grade Ⅰでは不要，Grade Ⅱ～Ⅲで処方しても72時間以上着用させない（ケベック治療ガイドライン）．

3 ▶ 理学療法

活動性を維持するため，受傷時早期からの運動療法が有用．温熱療法などの物理療法は運動療法の補助として行う．

4 ▶ 手術療法

行わない．全例で治療成績不良との報告あり．

5 ▶ 薬物治療

NSAIDs，アセトアミノフェン，神経障害性疼痛治療薬．

上肢にしびれがある場合は，ビタミンB_{12}製剤（コバマミド，メコバラミンなど）や非ステロイド性抗炎症薬やワクシニアウイルス接種家兎炎症皮膚抽出液などを考慮する．

有効性が最も期待できる治療は運動療法と心理療法である（IASP 2009-2010 Global Year Against Musculoskeletal Pain）．関節可動域の拡大を目的とした運動や筋活動に着目した運動など機能的な運動療法が有用である．

心理療法をリハビリテーションと組み合わせて実践することが有用である．

リハビリテーションのポイント

頸椎の運動を通常どおり行ってよいことを説明し，過度の安静をしないように教育し実践させること．被害者意識があり，「怒り」「社会的不公平感」などによる痛みが多くみられる．共感的姿勢で接すること．痛

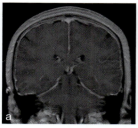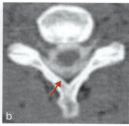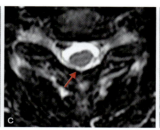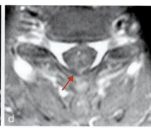

図 17-15　低髄液圧症候群（脳脊髄液漏出症）の典型例
a：頭部 MRI 冠状断像（Gd 造影 T1 強調像）：硬膜，大脳鎌，小脳テントの肥厚を認める．
b：頚椎 CT ミエログラフィー水平断像：矢印の部分に造影剤の硬膜外漏出を認める．
c：頚椎 MRI 水平断像（脂肪抑制 T2 強調像）：b の漏出部分に高信号領域を認める．
d：頚椎 MRI 水平断像（脂肪抑制 Gd 造影 T1 強調像）：b，c の漏出部分は造影されず水信号であることがわかる．

みがあっても動くこと・働くことができるというように支える医療が必要である．集学的診療ができるとよい．

低髄液圧症候群

Intracranial hypotension

佐藤　慎哉　山形大学医学部総合医学教育センター　教授

【疾患概念】　本症候群は，古くから腰椎穿刺後に穿刺部から髄液が漏出し，起立時に脳の下垂による血管や脳神経の牽引頭痛を呈する症候群としてよく知られていた．他の原因として，脊髄脊椎外傷や硬膜の嚢胞などがあるが，特に誘因なく特発性とされる症例もある．低髄液圧による頭痛は，1988 年の国際頭痛分類（初版）から記載されている．本症候群と同様の症状を呈しながら髄液圧が正常範囲内の症例も報告され，脳脊髄液減少症と呼ばれることもあるが，国際頭痛分類や ICD（国際疾病分類）では採用されていない．

わが国では，交通外傷による頭頚部外傷と低髄液圧症候群・脳脊髄液減少症の関係が社会問題化したため，2007 年に厚生労働科学研究費補助金「脳脊髄液減少症の診断・治療の確立に関する研究班」〔研究代表者：嘉山孝正 山形大学教授（当時）〕が組織された．本研究班では本症に関連する 8 学会（日本脳神経外科学会，日本整形外科学会，日本神経学会，日本頭痛学会，日本脳神経外傷学会，日本脊髄外科学会，日本脊椎脊髄病学会，日本脊髄障害医学会）が協力し，低髄液圧症候群・脳脊髄液減少症の中核を成すのは「脳脊髄液の漏出」であると規定し，2011 年に「脳脊髄液漏出症の画像診断基準」を公表し，脳脊髄液漏出症に対して硬膜外自家血注入療法（ブラッドパッチ）が保険適用となった．そのため現在は，低髄液圧症候群のうち漏出が明らかなものに対して脳脊髄液漏出症という名称も広く使われている．

【臨床症状】
起立性頭痛（頭痛）が最も多く，患者の 9 割以上が訴える．その他，頻度の高い症状としては，めまい，視機能障害，倦怠感（易疲労感）などがある．これらの症状は座位や起立位を続けることで短時間に悪化することが多いのが特徴である．

- 問診で聞くべきこと

頭痛の有無と体位による変化については必ず聞く必要がある．国際頭痛分類第 2 版までは，症状が変化する時間を 15 分以内としていたが，第 3 版から時間についての記述はなくなった．

髄液漏出の原因が明らかなもの以外は，特発性とされるが，頭頚部外傷後や激しいスポーツ，カイロプラクティック，重いものを持つなどの重労働を契機として発症する場合もあり，発症時の病歴聴取は重要である．

- 必要な検査とその所見

画像診断として，脳および脊髄の MRI，RI 脳槽シンチ，CT ミエログラフィーなどが用いられる．頭部 MRI の所見としては，硬膜増強効果（図 17-15a）を，脊髄 MRI では，硬膜外の水信号の有無（図 17-15c, d）を評価する．硬膜外の髄液は，T2 強調像で高信号を呈するが，同様に高信号となる静脈叢との鑑別が必要である．脂肪抑制 T2 強調水平断像と脂肪抑制造影 T1 強調水平断像を比較することで血管と髄液を区別することができる．RI 脳槽シンチや CT ミエログラフィーでは，RI や造影剤の硬膜外への漏れを評価する．

低髄液圧を証明するための髄液検査は，その後の画像診断に大きな影響を与えるため，髄液検査は単独で

行われるよりも，RI 脳槽シンチや CT ミエログラフィーの際に行われることが多い．髄液圧の正常値は 75〜170 mmH₂O であり，60 mmH₂O 未満を低髄液圧としている．

鑑別診断で想起すべき疾患

頭痛を呈する疾患すべてを鑑別する必要がある．典型的な起立性頭痛を呈する場合，体位性頻脈症候群（postural orthostatic tachycardia syndrome；POTS）の鑑別が必要である．POTS は起立により，心拍数が増加し，起立時にたちくらみ，めまい，倦怠感，起立性頭痛などを伴う疾患である．また頸原性頭痛の患者でも，体位性の頭痛を呈する場合があり，鑑別疾患として重要である．

診断のポイント

再現性のある症状の体位性変化と，低髄液圧または髄液漏出の画像所見により診断が確定する．しかし低髄液圧による画像所見の変化には，症状とタイムラグがしばしば認められること．また，髄液漏出の読影には経験が必要である点には注意が必要である．

専門病院へのコンサルテーション

脊髄 MRI や RI 脳槽シンチ，CT ミエログラフィーによる髄液漏出の診断には経験が必要であり，一般の病院で安易に行うべきではない．

再現性のある起立性頭痛の場合，本症を疑い，可能であれば頭部造影 MRI を行い，硬膜肥厚を認めれば本症候群と診断し専門病院へコンサルテーションすべきである．

また治療経験のある施設であっても，硬膜外水腫や硬膜外血腫を伴った患者では治療経過中に脳ヘルニアを起こす危険があり，脳神経外科がある施設で治療を行うべきである．

治療方針

低髄液圧症候群（脳脊髄液漏出症）の治療は，第一に

トピックス　fMRI を用いた慢性腰痛の研究

近年，機能的脳画像法の発展に伴い，疼痛認知に関連する脳活動の研究が盛んに行われている．特に慢性痛における脳の局所神経活動変化に伴う脳血流や代謝変化を捉える研究が増加し，その機序の解明が進んでいる．慢性腰痛に対する機能的 MRI（fMRI）を用いた研究は，機能的脳画像法のなかで中心的な役割を果たしている．その基本原理は，局所領域の血行動態を指標に神経の電気的活動を間接的に評価するものである．fMRI によって，熱刺激や疼痛などの外部からの刺激（タスク）に対する脳賦活が可視化でき，ヒトの疼痛認知機構に関する多くの研究が報告されている．例えば，慢性腰痛患者への腰部圧迫刺激タスクでは，後帯状皮質の賦活が健常人よりも強く観察される．また，腰痛経験者では，"ヒトが中腰で重そうな荷物を持つ"写真を見るという視覚のタスクによって，補足運動野，前運動野，視床，島，後帯状回で賦活が認められる．

一方，fMRI 信号にはタスクや刺激，心拍・呼吸などの生理学的リズムに合致しない基線変動が存在する．従来，これは意味を持たないノイズとして除去されてきた．しかし，この基線変動が，脳の離れた部位間で相互に同期することがわかり，この同期現象の強さが，脳内ネットワークの機能的結合性を示す指標として扱われるようになった．それに伴って，タスクを課さずに fMRI を撮像する方法が普及してきた．この方法を安静時機能的 MRI（resting-state fMRI）という．

代表的な安静時ネットワークに default mode network（DMN）がある．DMN は，内側前頭前野，後部帯状回/楔前部，下部頭頂葉，外側側頭葉，海馬を含む領域から構成され，意識状態，内省，認知機能に深くかかわると考えられている．慢性腰痛患者では安静時に動作時に活動していた内側前頭前野と帯状回，外側頭頂野などの領域に強い機能的結合が形成されていることが明らかにされている．

安静時機能的 MRI により，慢性痛においては DMN の機能不全が認められ，これが慢性腰痛患者における認知機能障害に関連すると推測されている．側坐核と内側前頭前皮質との機能的結合性を慢性腰痛患者の予後と相関分析した研究では，これらの機能的結合性が高いほど難治性であることが示され，このネットワーク機能が腰痛の慢性化に大きな影響を及ぼすと考えられる．

慢性腰痛に対する客観的な画像診断法はいまだに確立されていない．慢性腰痛に関する有意義な知見が得られている機能的脳画像法は，まさに慢性腰痛のバイオマーカーとしてその中心的役割を果たすことが期待される．

二階堂　琢也〔福島県立医科大学 准教授〕

安静臥床を行う．安静臥床治療の効果が不十分で，画像診断で髄液漏出が明らかな場合には，ブラッドパッチを行うことが推奨される．2019年に公表された前述の関連8学会合同「脳脊髄液漏出症診療指針」においても同様の治療方針が推奨されている．

治療法

1 ▶ 保存的治療

約2週間の安静臥床により髄液漏の軽減と漏出部位の自然閉鎖を促す．同時に経口水分摂取や補液を行い髄液の増加を図る．水分補給は，経口摂取・補液を含め1日2L以上が望ましい．

2 ▶ ブラッドパッチ

髄液漏出部を含む範囲の硬膜外に自家静脈血を注入し炎症を誘発させ，漏出部位を閉鎖する．注入量は，腰椎部10〜30 mL，胸椎部10〜20 mL，頚椎部10〜15 mLが標準的である．本法は，画像診断により脳脊髄液の漏出が確認された場合のみ診療報酬が請求可能である．複数回のブラッドパッチが必要な場合もある．

患者説明のポイント

患者へは，以下のポイントについて十分説明すべきである．
- 臨床症状として，経過中に起立性頭痛（頭痛）が必ず起こること．
- 治療としては，まず安静臥床が必要であること．
- 髄液漏出以外の原因による症状が並存している可能性もあり，ブラッドパッチだけでは，完治しない場合があること．
- ブラッドパッチは，侵襲を伴う治療法であり合併症が発生する可能性もあること．

私のノートから / My Suggestion　"患者から学ぶ"の精神，そして常に疑問を

運動器疾患は外傷から変性性や炎症性，腫瘍性，代謝性，先天性・遺伝性など，その原因も多岐にわたり，対象年齢も新生児から高齢者まですべての年代に及ぶ．このため，現在でも整形外科の教科書に記載されていないような疾患，病態に出会うことも時にある．筆者は，在籍した教室の伝統であった"患者から学び，常に疑問を持ち，その解明を目指す"の精神で診療に当たってきたつもりでいる．そのためか，患者から多くの興味ある現象や新たな疾患の存在を見出すことができた．

例を挙げると，「腰椎変性側弯症（degenerative lumbar scoliosis；DLS）」もその1つであった．高齢者脊柱変形のなかで，筆者は1980年代初めに腰椎の側弯変形が年齢とともに徐々に進行していく高齢者に出会った．当時，DLSに関する発表はほとんどみられず，今後，わが国の高齢化に伴い大きな問題になっていく可能性を強く感じ，基礎・臨床研究を開始した．このDLSを脊椎疾患の1つに位置づけ，その定義から発生の原因や自然経過，神経症状の発現機序，形態分類，そして椎弓根スクリューによる矯正固定術もいち早く導入して臨床研究を進めた．その後，国内外の学会で脊椎関連の主要テーマの1つにDLSも取り上げられ現在に至っている．しかしながら，まだまだ多くのことが未解決であり，今後の成果に期待したい．

ほかにも，「腰椎椎間板嚢腫」や「小児頚椎後弯変形後のre-alignment現象」，「小児にみられる軸椎棘突起剥離骨折」，「環軸関節回旋位固定の病態」，「リウマチ性環軸関節脱臼のメカニズム」，「環軸関節後方固定術における至適固定角度」，「椎間板ヘルニアや後縦靱帯骨化症関連遺伝子の同定」，「脊髄損傷の病態と再生」など，多くのことを新たに学ばせてもらった．臨床医は患者の訴えや臨床症状・所見・経過を納得いくまで徹底的に検討し，常に疑問をもたなくてはならない．そして，その疑問を解明するため，基礎も含めた臨床研究を実施し，その結果を正しく評価して患者に還元していくことが臨床医に課せられた使命と考えている．

戸山　芳昭（慶應義塾大学 名誉教授／一般財団法人 国際医学情報センター 理事長）

帰してはいけない外来患者 第2版

外来診療に必要な知識をブラッシュアップ。やっぱり帰さなくてよかった！

編集
前野哲博
筑波大学医学医療系地域医療教育学 教授

松村真司
松村医院 院長

第2版では外来診療に求められる「臨床決断」「診断エラー」「28症候」の知識をブラッシュアップ。47症例はすべて書き下ろし。「緊急性、重篤性、有病率、治療可能性から決断する！」「秒単位、突発で持続する症状は危ない！」「増悪傾向の症状はピークアウトするまで目を離さない！」など、外来で使える general rule が満載。外来研修にも最適。

目次
第1章 外来で使える general rule
第2章 症候別 general rule
全身倦怠感／食欲不振・体重減少／浮腫／発疹／発熱／頭痛／めまい／失神／意識障害／呼吸困難／咳嗽／咽頭痛／リンパ節腫脹／動悸／胸痛／悪心・嘔吐／吐血・下血／腹痛／便秘／下痢／腰背部痛／歩行障害／四肢のしびれ／排尿障害／肉眼的血尿／視力障害・視野狭窄・眼の充血／不安・抑うつ・気分障害などの精神症状／妊婦の症状
第3章 ケースブック

●A5 頁288 2021年 定価：4,180円（本体3,800円＋税10%）[ISBN978-4-260-04479-0]

医学書院
〒113-8719 東京都文京区本郷1-28-23 ［WEBサイト］https://www.igaku-shoin.co.jp
［販売・PR部］TEL:03-3817-5650 FAX:03-3815-7804 E-mail:sd@igaku-shoin.co.jp

18 脊柱変形

- 思春期特発性側弯症に対する保存療法 ……… 590
- 特発性側弯症の手術療法 ……… 591
- 先天性脊柱側弯症 ……… 594
- Marfan症候群による脊柱変形 ……… 596
- 多発性神経線維腫症に合併した脊柱変形の治療 ……… 598
- 腰椎変性後側弯症 ……… 599
- 変性腰椎後弯 ……… 600
- Scheuermann病 ……… 602
- Calvé扁平椎 ……… 603
- 老人性円背 ……… 604
- 椎弓切除後の脊柱変形 ……… 605
- 脊椎外傷後の進行性脊柱変形 ……… 606
- 神経・筋原性疾患に伴う脊柱変形 ……… 608

思春期特発性側弯症に対する保存療法

Conservative treatment for adolescent idiopathic scoliosis

二階堂 琢也　福島県立医科大学 准教授

【概説】　特発性側弯症とは，側弯症以外に併存する疾患がなく，X線像において椎体の奇形など異常が認められないものであり，側弯症のなかでは最も多い．特発性側弯症のなかで3歳までに発症するものを乳幼児期側弯症，4～9歳を学童期側弯症，10歳以降に発症するものを思春期側弯症とよぶ．思春期特発性側弯症 (adolescent idiopathic scoliosis；AIS) に対する治療は自然経過と考えあわせ，多くの要素を考慮に入れながら行う必要がある．すなわち，暦年齢と骨年齢 (Risser sign など)，初潮年齢，身長の伸び，カーブのパターン (シングルカーブかダブルカーブかなど，高位，カーブの大きさ)，本人・家族の希望や治療に対する理解度，などである．手術を必要とする患者は AIS 全体の数%と少なく，多くの患者が保存的に治療を受けることになる．

　一般に Cobb 角 25° 未満では 4～6 か月ごとの経過観察でよい．25° 以上で進行性あるいは今後進行の可能性が高い場合 (未初潮，Risser sign 0～1，身長が顕著に伸びているなど) には装具療法を考慮する．例えば，同じ Cobb 角 30° でもすでに初潮後 2 年を経過し，身長が伸びていない場合には治療介入を必要とせず，経過観察でよいが，未初潮，Risser sign 0～1 で身長の伸びが著しい場合や身長の伸びが想定される場合には，早期に装具を開始する．Cobb 角が 40° を超えて，さらに進行が予想される場合には，手術を考慮する．

1 保存療法の種類

　装具療法，運動療法などがある．側弯の進行防止に有効であることが一定の科学的根拠で示されている保存療法は，装具療法のみである．

2 装具療法の適応と実際

　装具療法は側弯を真っ直ぐに矯正することではなく，装具によって，矯正状態を長時間維持することにより，成長期における側弯の進行防止や手術時期を遅らせることが目的である．そのため，カーブが進行しやすい成長期に適応があり，Cobb 角と成熟度を指標に実施する．Cobb 角は，25～30° 以上で装具治療を考慮する．成熟度は，①骨成熟度，②性成熟度，③身長の伸びが主な指標である．①骨成熟度の評価は骨端

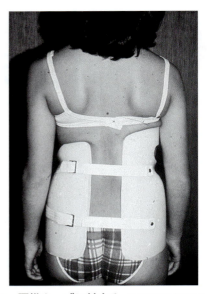

図 18-1　腰椎カーブに対する underarm brace
〔松本守雄：思春期特発性側弯症に対する保存療法．土屋弘行，他 (編)：今日の整形外科治療指針第 7 版．pp580-581，医学書院，2016〕

核の骨化を評価する Risser sign を用いる．Risser sign 4 以上を成熟と判断する．②性成熟度は，Tanner の stage と二次性徴の開始時期 (女子では初潮の年齢，男子では声変わりの年齢) を指標とする．Tanner の stage 4 以上を成熟，また二次性徴の開始時期から 2 年ないし 2 年半以上経過していれば成熟とする．③身長の伸びは，1 年間に 1 cm 以下の伸びとなった時期を成熟とする．総合的には，上記①～③項目のうち 1 項目でも成熟に達していない場合は成熟完了と判定しない．

　装具治療には頸部まで及ぶ，いわゆる Milwaukee brace と腋窩以下の underarm brace に大別される．Milwaukee brace は頸胸腰仙椎装具とよばれる長い範囲の装具で，患児のコンプライアンスが悪いため，上位胸椎にメインカーブがあるような特殊な場合 (頂椎が T7 より頭側にあるなど) を除いて処方されることはまれである．主に頂椎が T7 以下にある場合には，よりコンプライアンスの良い胸腰仙椎装具 (thoracic lumbosacral orthosis；TLSO) が選択される (図 18-1)．Boston brace，Osaka Medical College brace (OMC brace) などがある．

　装具療法の原理は長軸への牽引，カーブ凸側頂椎に付着する肋骨を後外側から前内側へ斜め方向に圧迫するパッドとそれに抗する支持 (3 点支持)，凸側への屈曲，骨盤に対しての平行移動，および上位胸椎部の立

ち直り反射を利用しての矯正である．立ち直り反射は姿勢反射の1つで，カーブを凸側から圧迫することにより上位の脊柱に立ち直り反射を誘発させるものである．パッドの位置などは装具仮合わせ，完成の際に医師が立ち会って確認することが重要である．装具完成後は約1か月後に来院させ，装着状況の問診やX線写真での矯正の確認を行い，適宜修正する必要がある．第二次性徴期を迎える思春期女児では，体格の変化に伴い，装具の不適合が起こるため，受診ごとに適合性を慎重に確認する．

装具装着は特に成長期においては，運動や入浴の時間を除いて，full timeの装着が望ましい．Weinsteinらの報告によれば，1日18時間以上の装着で装具療法の効果がより良好である．しかし，実際は，学校に装着していくことをいやがる患児も多く，どうしても学校に着けていくことに抵抗を示す場合には，帰宅してから登校するまでのpart time wearから開始するなど慣らして，抵抗感がなくなってからfull timeに移行するなど工夫する．また，Risser 0〜3はfull time装着，Risser 4以上では，part time装着など骨成熟度も装着時間の参考にする．装具療法終了時期の目安は，Risser sign 4以上，カーブの進行が5°未満，年間1cm以上身長の伸びがないこと，初潮や声変わりから2年以上経過，性成熟が十分であることなどである．装具からの離脱は徐々に行うのがよい．例えばfull timeで装着していた場合，まずは夜のみのpart time装着とし，さらに4〜6か月後の診察で側弯の顕著な進行がなければ，装具治療を終了とする．

装具療法は手術に至るまでの進行を防ぐために有効であるが，思春期に装具療法を行うことが多いため，患児や親に対する心理的影響についても十分な配慮が必要である．また，自己申告では実際に装具を装着している時間について信頼性が高いとはいえない．受診ごとに，装具装着の意義と重要性を繰り返し指導することが必要である．

3 運動療法

側弯症に特化した運動療法の有効性に関しては，エビデンスレベルの高い報告は少ない．Mehtaらによるサイドシフト法やSchroth法などの側弯症に特異的な運動と腹背筋強化，ストレッチングなどの非特異的な運動が報告されている．効果が期待できるとは限らないが，経過観察中あるいは装具療法中の患者や家族にモチベーションがある場合に実施する場合がある．最初は理学療法士の指導のもとに行うことが望ましい．習得したら自宅で行うようにする．

1 ▶ サイドシフト法

サイドシフト法は体幹を側弯のカーブ凹側に水平移動させることによってカーブ尾側端における椎骨の傾斜を減少・消失させ，その頭側のカーブを立ち直らせ軽減させる自己矯正運動である．胸椎カーブから腰椎カーブまで適応がある．右凸胸椎カーブの場合，両肩を水平に保ったまま，体幹を左に水平移動させる．カーブ下位終椎が水平化するように意識をさせる．最初は指導者が右手で頂椎部付近体幹を左に押して補助する．サイドベンド，体幹の回旋が起きないように注意する．慣れてきたら自身での運動に移行する．運動の指導は鏡の前で行うとよい．立位と座位で行う．

2 ▶ Schroth法

側弯のタイプに合わせて状態を把握し，3次元的にエクササイズを行う運動療法である．骨盤を自己矯正レベルで保持させながら側弯を減弯させるエクササイズで，呼吸による胸郭の動きも利用する．患児自身が側弯を意識し，正常な姿勢を理解できるよう指導する．日常生活やホームエクササイズで修正された姿勢を獲得させる．装具療法の補助療法として有用との報告がある．

3 ▶ 非特異的運動

側弯症では，背部や肩甲骨，骨盤周囲の柔軟性低下，体幹筋の筋力低下と左右の筋力不均衡，姿勢の悪化などが生じている．運動療法はこれらの改善を目的とした，柔軟性向上，筋力増強，正しい姿勢と脊柱バランスの獲得が目的となる．さらに，装具療法中の患児では，体幹筋力の低下や左右非対称性の悪化が問題となるため，これらを防止・改善させるために凹側のストレッチングと凸側の筋力増強訓練，および腹筋の筋力強化訓練などを実施する．また，高度の側弯症では，呼吸機能低下に伴う息切れなどの症状をきたす可能性がある．さらに，有酸素運動の重要性が指摘されている．

特発性側弯症の手術療法

Surgical treatment for idiopathic scoliosis

二階堂 琢也　福島県立医科大学 准教授

【概説】　特発性側弯症は，女児に多く，体格が華奢で手足が長いなどの身体的特徴を有する疾患群である．また，胸椎では右凸の側弯，腰椎では左凸の側弯が多く，胸椎後弯が減少するなど弯曲の形態に共通点が多い．思春期では，弯曲による背部痛や腰痛を訴えることは少ない．発症年齢や身長，側弯の進行程度，弯曲のタイプや大きさなどにより，その治療方針や手術方法は大きく異なる．近年，手術方法を決定する場合，

乳幼児期と学童期発症の早期発症側弯症（early onset scoliosis）と思春期発症の晩期発症側弯症（late onset scoliosis）に大別して検討されるのが一般的である．すなわち，早期発症と晩期発症に分類され，全く異なった治療概念と手術方法の選択が必要と考えられている．

早期発症の特発性側弯症では，いかに成長を温存させながら側弯の悪化を予防するかが治療の主な目的であり，代表的な手術療法はgrowing rod法をはじめとする成長温存手術である．一方，晩期発症側弯症では，正常な三次元的脊柱形態を，いかに安全に，そして短い範囲の固定で行うかが焦点となっており，後方からの矯正固定術が現在主流となっている．弯曲のタイプによって選択的胸椎固定，選択的腰椎固定などの適否も検討する．

1 手術療法

特発性側弯症の手術適応を検討する場合，年齢，Cobb角，変形の進行度，脊柱バランスなどが重要な因子である．また，患児やその両親の手術に対する理解度や希望を十分に確認する必要がある．手術の侵襲性やリスクなどの問題点については，複数回の説明機会を設けることが望ましい．医師だけでなく，看護スタッフなどを通じて，コミュニケーションが取れていることを確認することも重要である．

1 ▶ 早期発症特発性側弯症

早期発症側弯症の多くは原因疾患を有する症候群性や，先天性，神経筋原性疾患などによるものであるが，明らかな原因疾患が確認できないため特発性側弯症として診断されるものも少なくない．手術療法の適応は，保存的治療に抵抗する側弯である．この時期に脊柱の後方のみを固定する矯正固定手術を行った場合，脊柱前方の成長による悪化（クランクシャフト現象），体幹長の成長制限による低身長や体幹と四肢のアンバランス，固定後の胸郭や内臓の発育障害などの問題が懸念される．したがって，本時期における手術はgrowing rod法などの成長温存手術が主流である．Growing rod法では，初回のインプラント設置を行った後，患者の成長を観察しながら，およそ半年ごとのロッド延長手術を行い，骨成熟まで継続した後に最終的な矯正固定術を行う．成長を温存しながら矯正が可能という利点がある一方で，複数回の手術が必要であること，設置インプラントの問題や感染など合併症率が高いという欠点がある．そのほかにも，VEPTR（vertical expandable prosthetic titanium rib）やShilla法などの成長温存手術がある．本時期における手術は，合併症の発生頻度の高さと有害事象の重大さから，できるだけ5歳以上まで保存的治療で待機してから行うことが推奨されている．しかし，いたずらに手術時期を遅らせると高度の側弯に進行する可能性があるため，手術のタイミングについては慎重に検討すべきである．

2 ▶ 晩期発症特発性側弯症

第二次性徴がみられた年齢の特発性側弯症では保存的治療に抵抗し，側弯が進行している症例に対して手術を検討する．一般的にCobb角では45～50°以上が手術の適応とされているが，手術の決定にはCobb角以外の要素も重要である．同じ大きさのCobb角でも12歳と成長がほぼ終了時期にある16歳ではそれ以後の進行の程度が全く異なる．言い換えれば，成長する時期をまだ残している症例で悪化が認められた場合には45°前後でも手術を考慮し，ほぼ成長が終了した胸椎側弯症例では経過をみてから決定しても遅くはない．ただし，Cobb角が45～50°以上になった場合，成長が終わっても側弯が進行する可能性があるため，手術が適応となることに留意する．骨成熟時に40°以上ある腰椎カーブも手術適応となり得る．また，側弯のカーブパターンや部位も手術決定に影響を与える．腰椎側弯では手術を実施する場合に固定下端が可能な限りL3より頭側になるよう計画すべきであり，将来悪化した場合L4までの固定が必要になることが想定される側弯では，悪化する前に若干弯曲が小さくても手術に踏み切らなければならないこともある．

2 手術の実施手順

1 ▶ 術前準備

以下の項目を評価しておく必要がある．
①手術の可否を決定するために全身状態を評価する検査として，患児の体格とBMI，胸部X線像，心電図，肺活量，心エコー，血液・生化学検査などがある．特に，初潮を迎え，生理不順や食事の偏りのある場合には貧血が認められることに注意する．貧血がある場合，術前の自己血貯血ができなくなるだけでなく，手術時期の延期も検討せざるを得なくなるため，鉄剤などを投与して貧血の是正をはかる．問題があれば各専門科や麻酔科と相談する．齲歯の有無の確認も必要である．齲歯は術後感染のリスク因子であるため，術前に治療しておく．
②手術方針を決定する評価検討項目として，神経学的異常所見の有無，関節弛緩（joint laxity）の程度，側弯による円背の部位と大きさ，肩バランスや体幹バランスの状態，立位全脊柱X線像（正面，側面），左右側屈X線像，脊柱牽引X線像，CT（脊髄造影），およびMRIなどを検査する．

2 ▶ 手術のプランニング

手術には前方法，後方法，前後合併法がある．柔軟

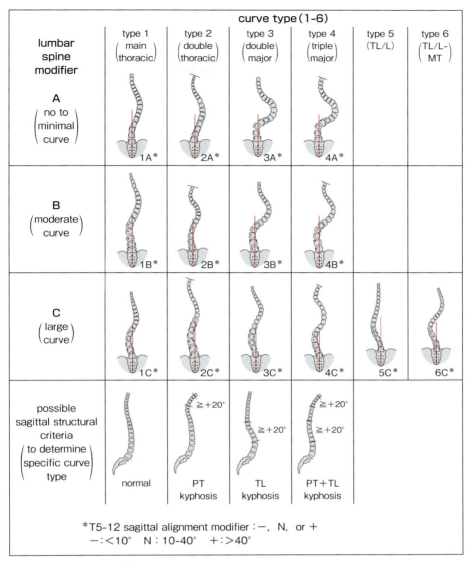

図18-2 特発性側弯症におけるLenke分類

性の高い胸腰椎・腰椎カーブに対して前方法は良い適応となるが，現在は，椎弓根スクリューを用いた後方法が主流である．椎弓根スクリュー法では，強固なアンカーにより優れた前額面での矯正や術後の矯正維持が可能となるため，固定範囲の短縮化が積極的に試みられるようになっている．しかし，術式や固定範囲の選択は治療者によって異なりいまだ統一されていないのが現状である．術後に肩バランスが悪化する症例が存在するため，注意が必要である．

現在，思春期特発性側弯症ではLenke分類が手術方針決定に使用されており（図18-2），そのなかには，6種類のカーブパターン，3タイプの腰椎側弯の態様，3タイプの胸椎後弯の大きさ，が含まれている．また，左右側屈における側弯の角度を25°以上の構築性とそれ以下の非構築性で区別して各症例の弯曲の柔らかさを評価し，固定範囲に含めるべき弯曲を決定している．しかし，固定範囲をこの分類によって決定するのは，現在の手術法に合致しないという指摘もある．

3 ▶ 手術の実際

早期発症側弯症に対するgrowing rod法と思春期特発性側弯症に対する後方矯正固定術について述べる．いずれも，脊髄への安全性を確認するために，各

種の脊髄モニタリング下に手術を実施する．

(1) 早期発症特発性側弯症に対する growing rod 法（図18-3）

本手術は矯正対象である弯曲を挟む形でその頭尾側にフックや椎弓根スクリューを設置し，それらに傍脊柱筋の筋膜下を通す形で延長可能な連結部でコネクトしたロッド（growing rod）を設置する．そして，およそ6か月ごとにロッドを適宜延長することで側弯を矯正する手術である．ロッドは脊柱の両側に設置することが多いが，症例によっては片側にしか設置できないこともある．頭尾側に設置したアンカーは必ず骨移植をして補強固定する．延長を繰り返し，最終的には成長が落ち着いた時期に(2)で述べる矯正固定術を行う．

(2) 思春期特発性側弯症に対する後方矯正固定術（図18-4）

本手術はすべての側弯症手術における基本的手術手技となるもので，後方から手術部位の傍脊柱筋を骨膜下に剥離後，椎弓根スクリュー，あるいはフックやワイヤーなどを術前計画に沿って複数設置する．椎弓根スクリューの設置では，術前CT画像と術中のレジストレーションによるCT based ナビゲーションや術中CTデータを使用するナビゲーション（O-arm）も安全性の面から有用である．その後，適切な長さにカットしたロッドを凹側，凸側のそれぞれの各アンカーに設置する．通常は最初に凹側ロッドを設置後，そのロッドを回旋させることで三次元矯正を行う．椎弓根スクリューを挿入した椎体では，Direct Vertebral Rotation（DVR）で椎体回旋変形の矯正も可能である．凸側ロッドは，頂椎部分を背側から押さえ込むようにして設置することで，椎体の回旋変形の矯正効果が期待できる．矯正方法は症例ごとの側弯のタイプにより異なり，さまざまな矯正方法のバイオメカニカルな特徴を理解し，いつでも使えるよう習熟しておく必要がある．本手術ではインプラントを設置して側弯を矯正するのみならず，骨癒合によって固定を完成させることが肝要である．

3 周術期合併症への対応

周術期合併症には，神経障害，手術部位感染，上腸間膜症候群，インプラントの弛み・脱転，非固定椎間の変形の増悪（adding-on），骨癒合不全，固定隣接椎間障害などがある．

4 後療法のポイント

術後の後療法については術者の考えにより差があるが，growing rod手術にしても矯正固定術にしても，骨を移植しており，骨癒合を待つ必要がある．その間

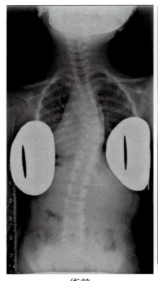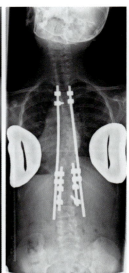

術前　　　　　　術後

図18-3　Growing rod 法

はあまりインプラントの固定力を過信せず，体幹装具で保護する．運動は，骨癒合が得られる時期を考慮して術後6か月間程度禁止とし，生活上でも固定領域に過度な力学的負荷がかからないように制限する必要がある．しかし，その期間の長さや程度については症例ごと，医師ごと，手術ごとでも異なる．

5 手術実施上のポイント

手術において最も重要なポイントは，最良の時期を逸することなく，病態に対して最適な手術術式を選択することである．そして，患児と家族に手術の利点とリスクを十分に説明したうえで，治療選択について十分な時間的猶予を与えて最終的に決定する必要がある．

先天性脊柱側弯症

Congenital scoliosis

伊東　学　　国立病院機構北海道医療センター 統括診療部長〔札幌市西区〕

【疾患概念】　本疾患は，先天的な椎骨や肋骨の形態異常により生じる側弯症であり，他の生下時からの脊柱側弯症で椎骨奇形がないものとは区別される．発生頻度は0.1％程度である．点状軟骨異形成症のように，

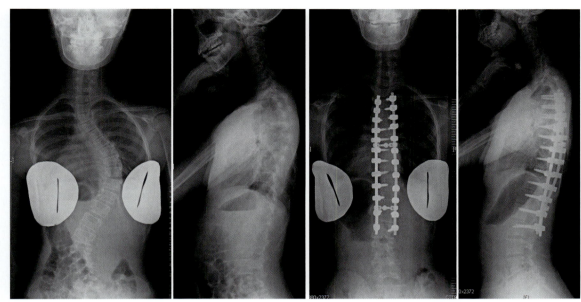

術前　　　　　　　　　　　　　　　　術後

図 18-4　後方矯正固定術

本疾患との鑑別が難しい骨系統疾患があるので注意が必要である．また，二分脊椎のように神経管が開いたままになっている脊椎破裂は，別の病態に分類されている．

【病態】
　単純X線画像の所見から，①形成異常，②分節異常，③混合型の3つの病態に分類される．なかでも形成異常が最も頻度が高く，半椎，蝶形椎，楔状椎が代表的な形態異常である．近年CT画像の進歩により，奇形椎の3次元的な形態異常（図 18-5）が明らかとなり，椎骨の前方要素と後方要素の形態の相違や，頭尾側方向に分節的ずれがある奇形があることが明らかとなった．最も変形が進行しやすい奇形は，unilateral unsegmented barと半椎が混合した奇形である．肋骨奇形が合併する場合は変形が進行する場合が多く，幼少期から高度の肋骨奇形のあるものは胸郭不全症候群に陥り，呼吸不全を起こし死亡する場合もある．変形が高度になると神経障害が出現することがある．

問診で聞くべきこと
　母親の妊娠早期における健康障害や服薬状況について聴取する．また，子供の成長過程での障害や，他の専門医の治療を受けている疾患があるかについて確認する．鎖肛，食道閉鎖，腎欠損，橈骨異常，心血管異常，四肢異常が合併することがあるので，保護者に確認する．

必要な検査とその所見
　脊椎の単純X線画像で脊椎の形態異常を評価する．生下時には軟骨成分が多く，正確な奇形形態を評価することは難しい．自力で立位がとれる児童には，立位での全脊柱X線画像2方向を撮影する．奇形が見つかった場合，その部位を中心にしたスポット撮影を行う．椎骨の3次元的形態異常の評価には，3次元CTが必須である．小児への放射線被曝は最小限にすべきであり，安易にCT撮影を行うことは控えるべきである．通常の単純X線画像で，形態異常のパターンと変形の進行は十分に評価できる．MRIでの脊髄奇形や神経組織の圧迫についても，高度の変形がある症例では評価が必要である．

診断のポイント
　脊椎の形態異常が乳幼児健診などで見つかった場合には，単純X線画像で脊柱変形や脊椎の形態に異常があるかどうかを確認し，他の臓器や四肢の異常も確認する．小児科医師と連携した全身的な診察が重要となる．特発性側弯症と思われる症例でも，軽微な椎骨の奇形を伴うことがあるので注意を要する．

治療方針
　早期診断と早期の専門医への紹介が最も重要である．本疾患を疑えば，各地域で本疾患を専門的に数多く診療している医師への早期の紹介を考える．

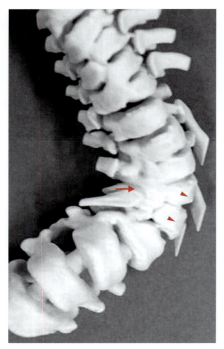

図 18-5 先天性側弯症の症例の 3 次元実体モデル

矢印（→）は unilateral unsegmented bar を示し，矢頭（▶）は半椎を示す．変形が最も進行する可能性の高いタイプである．

1 ▶ 保存療法

本病態に対する装具やギプスでの保存治療は無効である．しかしながら，奇形椎以外の脊椎の代償性弯曲を予防する目的で使用する意義はある．特に下位腰椎の代償性変形の抑制に対する意義は大きい．柔軟性のあるカーブにのみ有効であり，脊椎インプラントが使用できる体格まで成長し，手術治療に移行するまでの適応となる．装具作製の際は，胸郭の成長を抑制するような装具とならないように注意を払う必要がある．幼少時には経過観察が主体であり，治療法が限定されているため，保護者が治療法がないことに不安を抱くことがあるので十分に説明し，保護者からの信頼を得ることが重要である．

2 ▶ 手術療法

以前は，5歳以下の幼少期での片側固定術や *in situ* 固定を行っていたが，現在その適応は減少しており，変形矯正を目的とした脊椎インストゥルメンテーション手術が行われている．奇形椎を摘出して脊椎を矯正固定する脊椎骨切り矯正固定術と，成長を考慮して行う growing rod 法，VEPTER 手術，Shilla 手術がある．これらの手術をどのような症例に対し，いつ，どのように使い分けるかについては，専門家の間でもいまだコンセンサスは得られていない．これらの手術は神経合併症，深部感染，インプラント折損などの合併症の頻度が高く，手術の難易度が高いため，この医療を数多く実施している経験豊富な医療機関で行う必要がある．近年では，脊髄モニタリングやナビゲーション下のインプラントの設置などのハイテク手術が行われている．

▶患者説明のポイント

発症の原因や自然経過も不明な点が多いが，早期診断と専門医の治療の開始が最も重要である．本疾患を疑った場合には，日本側弯症学会のホームページに掲載されている各地区での専門医に早期に紹介し，治療方針を立ててもらうのがよい．以前には治療が困難であった本疾患も，現在の医療技術の発展で治療の安全性ならびに効果は飛躍的に向上している．本疾患を疑った場合は，ぜひ経験豊富な専門医への早期受診を保護者に薦めてほしい．安易な経過観察は，患者の将来に大きな影響を与えることを十分に認識すべきである．

Marfan 症候群による脊柱変形

Scoliosis in Marfan syndrome

田中　雅人　岡山労災病院脊椎脊髄センター センター長/副院長〔岡山市南区〕

【疾患の概念】　Marfan 症候群とは，全身の結合組織に異常を生じる常染色体優性遺伝性疾患であり，フィブリリン遺伝子（15q21）の変異が原因とされる．本症候群は主として骨格系，眼球，心血管系の異常を呈し，1896 年にフランスの小児科医であるアントワーヌ・マルファン博士により初めての報告がなされている．

本症候群は一般的には精神発達遅延はなく，小児期には関節弛緩による過度運動性（hypermobility）が認められることが多い．整形外科的に最も問題となる変形は脊柱側弯症であり，側弯のカーブは比較的硬い．

【発生頻度】
Marfan 症候群の発生頻度は人口 110 万人に対して 4～6 人とされているが，実際には Marfanoid と呼ばれる不全型が多く存在しており，正確な発生頻度は不明である．遺伝形式は常染色体優性であるが，そのうち約 25％ は家族歴のない散発性とされる．本症候群に側弯症の合併する頻度は約 60％ である．

【臨床症状】
Marfan 症候群における心血管系合併症は，僧帽弁

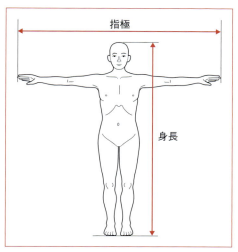

図18-6　指極/身長比
この値が1.05を超す場合は異常ありと判断する.

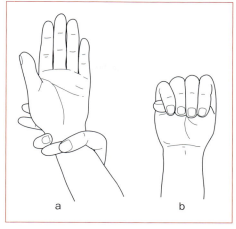

図18-7　手首徴候と母指徴候
a：手首徴候：親指と小指で対側の手首を握って，小指の末節が完全に親指と重なると陽性．
b：母指徴候：母指を曲げて手掌の中に握った場合，母指の爪が完全に小指側から出ると陽性．

と大動脈において認められる．大動脈瘤破裂や大動脈解離により突然死をきたすことがある．また三主徴の1つとされる水晶体偏位（亜脱臼）は，本症候群の患者の70％以上に認められるとされ，それによる視力の低下，自然気胸により呼吸困難などを呈する．また，漏斗胸や鳩胸などの胸郭の変形をきたすことが少なくない．

合併する側弯症の特徴は，ダブルカーブやトリプルカーブなど複雑なカーブが多く，若年発症でかつ急速進行し，思春期後期でも進行することである．また，関節の弛緩傾向があるにもかかわらず，柔軟性のない硬いカーブが多く，椎体の側方へのすべりや椎体形成不全が多いとされる．

問診で聞くべきこと

常染色体優性遺伝であるために家族歴の有無は重要である．高度の近視や水晶体脱臼の有無を知るうえで，眼科への受診歴も重要である．これまでに検診などで，心電図異常を指摘されたことがないか，胸部症状の有無などを知ることは問診時に大切である．

必要な検査とその所見

指極（両手を横に広げた左右の指先までの距離）が身長の1.05倍あれば，有意な所見である（図18-6）．手首徴候と母指徴候も重要である（図18-7）．

硬膜の拡張を検査するには，腰椎のMRIが必要である．

鑑別すべき疾患

思春期特発性側弯症，Ehlers-Danlos症候群，Loeys-Dietz症候群など．

診断のポイント

一般的にはやせ型で身長が高く（dolichomorphism），長い手足と長い手指が特徴的である．本症候群を疑った場合は，骨格系，皮膚，硬膜の拡張などの整形外科に関連する症状だけでなく，心血管系，肺の病変の評価のために他科への紹介が必要となる．原則として診断はGhent診断基準によってなされる（表18-1）．

専門病院へのコンサルテーション

Marfan症候群を疑った場合は，たとえ側弯が軽度であっても，早期に小児科，循環器内科のある総合病院へのコンサルテーションが必要とされる．心血管系の問題で突然死をきたすことがあるので，正確な診断と治療が必要とされる．

治療方針

1 ▶ 保存療法

一般的にはMarfan症候群の患者の脊柱変形は，治療に難渋する場合が多い．本症候群に合併した側弯症に対して，装具治療はあまり効果がないとされている．海外の報告では装具療法は17％の患者にのみ有効で，比較的早期に手術適応となることが多かったとしている．

2 ▶ 手術療法

脊柱変形に対しての手術は，併存する心血管系の異常のためにリスクは高い．そのために手術を選択する時期と合併症の予防が非常に重要となる．本症候群においてCobb角が40°以上で，かつ進行性の側弯は手

18 脊柱変形

表 18-1　Marfan 症候群の骨格系基準

大基準：以下の8つのうち少なくとも4つ以上の項目を満たすもの 1. 鳩胸：胸骨を中心として胸郭が前方に突出した状態 2. 手術を要する漏斗胸：胸骨を中心として胸郭が後方に陥没した状態 　　陥凹の程度が強いと肺，心臓，大血管を圧迫し手術適応となる 3. 上節／下節比，指極／身長比：上節／下節比は正常で 0.93 以上 　　患者の平均は約 0.8．指極／身長比は 1.05 を超える 4. 手首徴候と母指徴候陽性 5. 20°を超える脊柱側弯または脊椎すべり症 6. 170°未満の肘関節の伸展制限 7. 内果の内旋と扁平足 8. 寛骨臼突出 **小基準** 1. 中等度の漏斗胸 2. 関節の過動性 3. 叢生歯を伴う高口蓋 4. 特徴的顔貌

術適応とされる．カーブが広範囲に及ぶ症例が多いために，手術法は後方方法が選択されることが多い（図18-8）．これまでの報告では側弯の矯正率は 44〜70% とされ，特発性側弯症と比較するとやや術後矯正率が悪い．

患者説明のポイント

遺伝子疾患ではあるが，約 25% は家族歴のない散発性であることの説明は重要である．また，整形外科における側弯症の治療だけでなく，眼科，小児科，循環器内科などの他科との協力が大切な疾患であることを，両親にも理解してもらうことが必要である．

多発性神経線維腫症に合併した脊柱変形の治療

Spinal deformities in multiple neurofibromatosis

渡邉　和之　福島県立医科大学 准教授

【疾患概念】
神経線維腫症（neurofibromatosis）は，全身の神経線維に多発性に腫瘍が発生する遺伝性疾患である．Type 1（NF1）と Type 2（NF2）に大別され，NF1 が脊柱変形を伴う．

【頻度】
NF1 は 3,000〜3,500 人に 1 人の割合で発生する．

【病型・分類】
NF に合併する脊柱変形は dystrophic type と non-dystrophic type に大別される．

【臨床症状・病態】
脊柱の変形が主な症状であるが，dystrophic type の変形は，進行すると脊髄麻痺を呈する可能性がある．すなわち両下肢のしびれや歩行障害を呈する．

診断のポイント

NF の診断には National Institute of Health（米国）の診断基準がある．またわが国では 2018 年に日本皮膚科学会がガイドラインを策定しており，そこで下記の診断基準が提示されている．

①カフェオレ斑が 6 個以上認められる
　思春期以前　　最大径 5 mm 以上
　思春期以後　　最大径 15 mm 以上
②神経線維腫が 2 個以上，または蔓状神経線維腫が 1

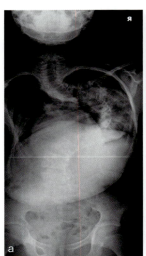 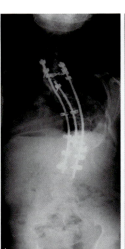 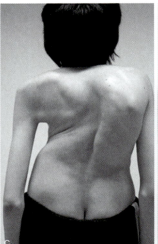 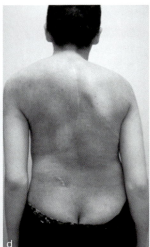

図 18-8　Marfan 症候群に合併した 14 歳男児の側弯症の術前術後の X 線写真と外観

個以上認められる
③腋窩や鼠径部の雀卵斑様色素斑が認められる
④視神経膠腫
⑤2個以上のLisch結節(虹彩過誤腫)
⑥長脛骨異形成,脛骨偽関節などの特徴的な骨病変
⑦第一度近親者(両親,同胞,子)にNF1罹患者がいる

脊柱変形の診断は,外観,身体所見,および単純X線やCTといった画像検査を合わせて行う.MRIは腫瘍や髄膜瘤の評価に必要である.画像所見から脊柱変形はdystrophic typeとnon-dystrophic typeに大別される.Dystrophic typeは短く急峻なカーブを呈し特徴的な変化〔椎体のwedging, scalloping, rib penciling, 硬膜拡張(dural ectasia)(図18-9)など〕がみられる.一方,これらの所見を伴わないものをnon-dystrophic typeとする.

専門病院へのコンサルテーション

基本的にNF1に伴う脊柱変形が認められた場合には,専門医へのコンサルテーションを考慮する.特にdystrophic typeの変形は進行が速く,高度な変形は脊髄麻痺を呈することもあり早期の対処を要する.手術の難易度が高く,脊柱変形を多く扱っている施設での治療を勧める.

治療方針

Dystrophic typeの変形は,保存療法は無効とされており,進行する可能性が高い.Dystrophic typeの変形が高度になると手術の難度が非常に高くなり合併症の危険性も高まる.したがって,変形が高度になる前に手術治療を考慮する.角上変形がある場合には,脊髄麻痺が出現する場合があり手術適応となる.

Non-dystrophic typeの場合は,思春期特発性側弯症の治療方針に準ずる.25°未満の側弯であれば経過観察を行い,25〜50°未満の側弯には装具療法を行う.それ以上の側弯に対しては手術を検討する.経過中にnon-dystrophic typeからdystrophic typeに移行する場合があり,十分な経過観察が必要である.

患者説明のポイント

NF1の患者で脊柱変形が認められた場合,特にdystrophic typeの変形が認められた場合には進行する可能性が高いこと,変形が進行すると治療が難しくなることを説明し,少なくとも定期的な経過観察を行う.また,必要時には早めに専門施設への受診を勧める.変形が軽度であっても軽視しないことが肝要である.

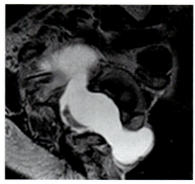

図18-9 硬膜拡張

腰椎変性後側弯症

Lumbar degenerative kyphoscoliosis

高見 正成　和歌山県立医科大学 教授(低侵襲脊椎外科手術研究開発講座)

【疾患概念】　加齢性変化により腰椎が後側弯変形をきたした結果,腰背部痛もしくは下肢神経症状,あるいはその両者を呈する症候群である.

【病型・分類/病態または臨床症状】

従来は腰椎変性側弯症と呼称されたが,現在では脊柱後弯変形なども含めた成人脊柱変形(adult spinal deformity;ASD)の一部として認識されている.ASDの形態学的分類として近年提唱されたSRS-Schwab分類では,矢状面アライメントが患者のQOL(quality of life)に深く相関するという研究結果に基づき,冠状面での30°未満のカーブはASDから除外され,PI-LL(pelvic incidence, lumbar lordosis), SVA(sagittal vertical axis), PT(pelvic tilt)を用いて矢状面形態が細分化された.

臨床症状は,①腰部脊柱管狭窄症を主体とする場合,②アライメント異常を主体とする場合,もしくはこれらの混合型が存在すると考えれば理解しやすい.②では,局所の腰椎不安定症と脊柱グローバルアライメント異常に分かれる.グローバルアライメント異常では,筋疲労性腰痛と呼称すべき後弯症状が発現する.すなわち,立位や歩行の継続により次第に姿勢の屈みを自覚し,それとともに姿勢性の腰痛(単に"痛い"ではなく,"重い","つらい"などと表現することもある)を訴え,臥位により速やかに症状が消失する.安静時痛はきたさない.また前方注視困難由来の代償性頸椎過前弯による後頸部痛や肩こり,さらには胃部圧迫による胃食道逆流症をきたすこともある.

問診で聞くべきこと

腰部脊柱管狭窄症による下肢症状，もしくは腰椎不安定症による機械的腰痛，あるいは矢状面アライメント異常による姿勢性腰背部痛を訴えているのかの問診は必須である．姿勢性腰背部痛では，臥位もしくはシルバーカー歩行により速やかに腰痛が軽減するかどうかを確認する．さらに宮本らの提唱するキッチンエルボーサイン（台所での作業にて腰痛を回避する目的で作業台の上に肘付近で荷重するため，荷重部に色素沈着や硬化などを認める現象）の有無を確認する．

診断のポイント/必要な検査とその所見

基本的には前述の問診と全脊柱立位X線像2方向で診断が可能である．X線立位側面像では，前述のパラメータを計測する．SRS-Schwab分類では，PI-LL＞20°，SVA＞95 mm，PT＞30°で重度と定義される．腰椎X線前後屈像による不安定性やMRIや脊髄腔造影検査による狭窄，CTによる骨形態の評価などを行う．

鑑別診断で想起すべき疾患

小児側弯症の遺残．高度変性では両者の鑑別は困難である．

専門病院へのコンサルテーション

腰部脊柱管狭窄症やアライメント異常のいずれが主体であっても，症状が高度で，保存療法に抵抗を示す場合や手術希望がある場合もしくは今後の治療方針について疑問がある場合は，専門病院への紹介を考える．脊柱管狭窄症が主体の場合は，神経学的所見に注意を払い，麻痺や膀胱直腸障害といった重篤な所見を認める場合は速やかに専門病院への紹介を行うべきである．

治療指針

1 ▶ 保存治療

手術を希望されないか軽症の場合は，下肢神経症状に対し薬物治療や各種ブロック療法，コルセットなどの処方，背筋筋力増強訓練などのリハビリテーション，両側ポール歩行などの生活指導を行う．姿勢性腰痛に対するNSAIDsなどの鎮痛薬は基本的に無効である．

2 ▶ 手術治療

腰部脊柱管狭窄症主体で，神経症状が強く，保存加療に抵抗を示す場合は，患者との相談により手術を考える．麻痺症状が高度な場合は手術を強く勧める．手術にあたっては，脊柱管内のみならず椎間孔狭窄の十分な検索が必要である．腰椎不安定性を認めない場合は可能ならば腰背筋への影響が少ない内視鏡下椎弓切除術などの低侵襲手術を考慮し，認める場合や30°以上の側弯を有する場合は短椎間固定術での対応を考慮する．矢状面アライメント異常を主体とする場合の手術加療では脊柱矯正固定術が必要となる．手術では，個人固有の値を示すPIを参考にフォーミュラより矯正目標を設定し，脊柱の可撓性も加味してその目標LLを獲得・維持可能な矯正手段および固定範囲を選択する．近年本邦に導入された側方進入椎体間固定術は，低侵襲化を可能とし有用な手段であるが，手術はなお高侵襲であり，患者によっては椎体骨切り術を要する場合もある．このように本疾患に対する手術はハイリスクで，高齢者ゆえの併存症によりさらにリスクが高まるため，手術適応には常に慎重な姿勢が求められる．また，手術は通常下位胸椎〜骨盤までの固定術が行われることが多いため，術後に腰椎不撓性障害（靴下や下着をはく・足の爪を切るなどの腰椎屈曲動作困難）が出現する可能性がある．術後はいわゆる和式生活が困難で，椅子・テーブルを用いた洋式生活を行わざるを得ない可能性の了解は得ておく必要がある．さらに術後のロッド折損などのインプラント関連合併症や隣接椎間障害の問題があり，再手術率も比較的高く，術後の定期的なフォローが必須である．これら十分な説明を行ったうえで手術希望がある場合は，脳血管や冠動脈を含めた全身検査を行うとともに骨粗鬆症に関する検査を行う．治療が必要であれば手術までの待機期間にテリパラチドを積極的に使用する．骨粗鬆症の治療は，手術時の強固なインプラント設置の成否や術後の隣接椎体骨折発生の有無などにかかわり，手術成績に直接反映するため，非常に重要な要素である．また，股関節や膝関節などの下肢機能についても十分把握しておく．

患者説明のポイント

矯正固定術では，手術の合併症率が比較的高いことと腰背部痛緩和と引き換えに不撓性障害の可能性があることの説明は必須である．

リハビリテーションのポイント，関連職種への指示

術前より背筋訓練や股関節の可動域訓練を積極的に行う．股関節が柔軟な患者では術後の腰椎不撓性障害を回避できる可能性がある．長範囲固定の場合は，強い体幹の屈曲動作（草ひき，雑巾がけなど）は避けるように指導する．

変性腰椎後弯

Degenerative lumbar kyphosis

森平 泰　獨協医科大学 准教授

【疾患概念】　変性腰椎後弯は加齢変性による高齢者のいわゆる「腰曲がり」で，多椎間にわたる椎間板高

の減少や椎体骨折による椎体高の減少で，脊柱前方要素が短縮して生じる腰椎の後弯変形である．前屈作業動作などの環境因子や，遺伝的素因などが発症に関係する．椎間板変性は下位腰椎に多く，骨粗鬆性椎体骨折は胸腰椎移行部や上位腰椎に多く生じるが，両者はしばしば合併する．脊柱伸筋群は萎縮し，椎間関節包や棘間棘上靱帯が弛緩することで脊柱後方要素は延長する．また椎体側面にある大腰筋の走行は前方移動し，腰椎前屈方向へのベクトルに変化し，自力で体幹の前傾を修正することが困難となる．

【臨床症状と病態】

体幹の前倒れによる，立位での作業や歩行などの日常生活困難が主な症状である．立位や歩行の持続により，腰背部の疼痛や倦怠感が増強し，それに伴い腰椎がさらに前屈し，体幹の直立位保持が困難となる．シルバーカーなどを使用したつかまり歩行や座位で，腰痛が軽減もしくは消失するのが特徴的である．腰椎前屈位では脊柱管や椎間孔は拡大するが，椎間板膨隆や側弯変形により脊柱管狭窄や椎間孔狭窄を合併して，下肢症状を認めることもある．

後弯位が進行すると，胸腔や腹腔の圧迫により内臓機能にも悪影響を及ぼす．逆流性食道炎や拘束性呼吸障害との関連性が指摘されている．

【問診で聞くべきこと】

腰痛の程度や下肢痛の有無，後弯変形による日常生活制限について聞く．後弯変形の罹患期間と最近の進行についても把握する．他の疾患同様に，神経根症や間欠性跛行などの神経学的異常所見を評価する．腰椎後弯は短時間の立位動作では発生しないことも多く，台所作業や持続歩行時の困難な状況を具体的に聞き出す．立位作業において肘をついたり寄りかかったりしてしまうまでの時間が，日常生活上の困難度の把握に重要である．

生活歴として前傾姿勢などの労働環境や，遺伝的要因の把握のため血縁者における同様の姿勢異常の有無を聞く．骨粗鬆症に関連する併存症やステロイド治療の有無を聞く．

【必要な検査とその所見】

立位全脊柱X線側面像による，矢状面のグローバルバランスやアライメントを評価する．力を抜いた自然な立位が重要で，一般的には肩関節を45°屈曲し，手指を鎖骨にのせた肢位にて撮像する．膝関節屈曲・股関節伸展下で骨盤を後傾して立位を保つ患者も多く，大腿骨頚部まで含めるとある程度推察できる．冠状面変形を合併する場合は，正面像にて冠状面のグローバルバランスやアライメントも評価する．矢状面変形の指標となるパラメータは，腰椎前弯 (lumbar lordosis；LL), pelvic tilt (PT), pelvic incidence (PI), sagittal vertical axis (SVA) である（図18-10）．下肢痛や神経学的異常所見を認める場合は，他の脊椎疾患同様に，MRIもしくはCT myelographyにて脊柱管狭窄や椎間孔狭窄を評価する．

手術治療の計画を立てる際には，Fulcrum backward bending法による後弯の柔軟性評価を行う．X線透視台上で仰臥位となり，後弯の頂椎付近にウレタンフォーム製の小枕を敷いて，腰椎の最大後屈位を強制し，全脊柱側面X線像を撮像する．ここで得られたLLは，術中に腹臥位の体位をとることで得られるLLを術前に把握でき，PIを基に術中にあとどの程度の矯正操作を加える必要があるかの治療戦略が立てられる．

【鑑別診断で想起すべき疾患】

腰部脊柱管狭窄症では，下肢症状を避けるため逃避性の腰椎前屈位がある．また多椎間の腰椎固定術 (posterolateral lumbar fusion；PLF, transforaminal lumbar interbody fusion；TLIF) 後にみられる医原性の後弯がある．脊柱後弯を呈する疾患として，パーキンソン病，強直性脊椎炎，びまん性特発性骨増殖症 (diffuse idiopathic skeletal hyperostosis；DISH), 外傷後後弯, 先天性後弯, 脊椎カリエス, Scheuermann病などが鑑別を要する．

【診断のポイント】

骨盤形態 (PI) に適合しない腰椎前弯 (LL) が腰椎後弯の主病態であり，PI-LLが変形の重症度の指標となる．腰椎や胸腰椎に後弯が生じた場合，立位姿勢をとるための代償作用として，膝関節屈曲・股関節伸展下での骨盤後傾 (PT) が働く．後弯の重症度が骨盤代償を上回る場合や，骨盤代償が行えない場合に，結果として前倒れ (SVA) が大きくなる．全脊柱側面X線像でのSVA増大は，QOL (quality of life) を悪化させる重要な因子であり，おおむね50mm以内が理想とされている．

また，短時間の静止立位では骨盤代償が働き，体幹の前倒れが大きくないのに，立位の持続や歩行にて高度の腰曲がりになる症例もある．骨盤後傾の持続は非生理的負荷を強いられるため，X線像の評価ではSVAのみならず，骨盤代償 (PT) の大きさに注目することも，患者の日常生活の困難さを把握するうえで重要である．

【治療方針】

腰椎後弯があっても，屋内で座位を多くとる生活で外出も少ない患者は，日常生活における困難さは大きくない．高齢者で軽症の患者には，進行予防を啓蒙することが治療の主体となる．前屈作業動作を避けるなどの生活指導や，体幹筋を強化する運動療法を進める．

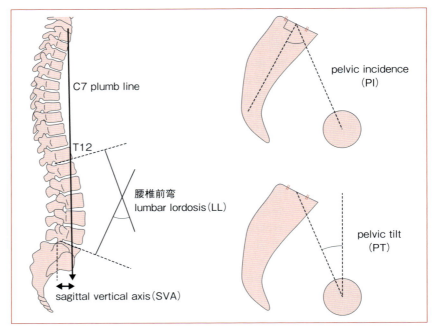

図18-10　矢状面アライメントの画像パラメータ
pelvic incidence：骨頭中心と仙骨終板中点を結んだ線と，仙骨終板の垂直二等分線のなす角度.
pelvic tilt：骨頭中心と仙骨終板中点を結んだ線と，骨頭中心を通る垂線のなす角度.

日常生活動作の改善に，体幹軟性装具が有効な場合もある．また，骨粗鬆症の治療も重要である．

体幹の前倒れにより立位や歩行の持続が困難で，日常生活制限が大きい場合は手術を考慮する．近年，本疾患の病態解明と手術手技の進歩により，過去には不可能であった変形矯正が可能になっているが，高齢者に対する骨切りを含めた矯正術は，いまだ合併症や再手術が多い手術である．手術希望がある場合には，脊柱変形手術に習熟した施設にコンサルテーションする．手術では骨盤形態(PI)に適合した腰椎前弯形成がきわめて重要であり，例えばPIが50°程度の場合はPI-LLが10°以内であることが望ましい．

> **患者説明のポイント**
>
> 変性腰椎後弯は，座位を多くとる屋内中心の生活であれば，患者の日常生活における困難さは大きくない．しかし「腰曲がり」の容姿への不満や，持続歩行を求める比較的若年患者の日常生活制限を改善するには，いまだ合併症や再手術の多い矯正固定術が必要となる．手術には，患者の強いモチベーションに加えて，手術侵襲に耐えうる全身状態が必要であることを説明する．

Scheuermann病

Scheuermann disease

泉　恭博　いずみ整形外科クリニック　院長〔広島市中区〕

【疾患概念】　Scheuermann病は脊椎骨端軟骨症で，診断基準には後弯角が45°以上，5°以上の楔状椎体が3椎体以上ある，思春期胸椎後弯症とされている．胸椎後弯変形は痛みが少なく，学校検診でも指摘されないので，高度な変形になるまで見落とされている．日常生活・運動などで，後弯脊椎に屈曲負荷がかかれば，輪状軟骨(ring apophysis)の成長障害をみて後弯が悪化する．胸椎後弯症はclassic typeとして分類されるが，atypical typeに分類される頚椎・腰椎移行部に発症した後弯変形が報告されることはまれである．

【病態の背景】
運動器検診で手が床につかない体の硬い子供が，小，中学生の10〜20％にも存在することが明らかになった．前屈制限があれば，椎体骨端線に過度な前方負荷がかかっており，脊椎成長障害を起こし後弯傾向になる．検診で前屈制限は指摘されても，二次検診施設で

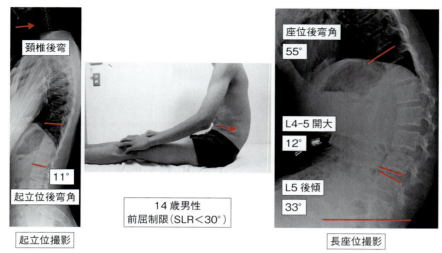

図 18-11　腰部後弯変形の評価
（泉　恭博：J Spine Res 6: 1643-1646, 2015 より）

は脊柱は部分評価されるので，後弯変形は軽視されている．筆者らの姿勢外来では，AeroDR 長尺撮影をして全脊柱評価を心がけているので，前屈制限児には矢状面の異常弯曲が多いことに気付けている．

診察・診断

診察では脊柱後弯変形は前屈位で弯曲の形状・程度の側面所見や，後弯の頂点部での色素沈着などの皮膚変化に注意する．X線評価では側弯変形同様に Cobb 法で後弯角を測定する．現在の classic type（胸椎）に使用している 45°以上の後弯という判定基準は，頚椎部や胸腰椎部には適応できない．Atypical type には 10°以上の後弯角，5°以上の楔状椎，椎間板狭小化，終板不整，Schmorl 結節などの有無などの後弯因子で診断が下せるが，生理的前弯部にて起立位 X 線写真では過小評価されやすく，機能撮影が必要になる．頚部 Scheuermann 病の診断基準は検討中だが，腰部 Scheuermann 病には長座位による機能撮影で，30°以上の後弯角，第 5 腰椎の 20°以上の後傾角，第 4～5 腰椎間の 5°以上の開大などを提案している（図 18-11）．

治療体系・方針

本症の治療は骨未成熟であれば，後弯矯正装具で進行を防止，変形の改善をする．手術療法は骨成熟した高度な後弯変形には，側弯症矯正手術に準じる後方矯正手術の適応になる．しかし，atypical type への装具の適応後弯角は確立していないので，治療担当医の経験による判断に任されている．

生活様式の変化・運動不足で，胸椎は前弯化して可撓性が減少，さらにハムストリング短縮などで前屈制限が多くなり，健常な矢状面弯曲が消失している．日本人の 4 人に 1 人が悩まされている宿命的な肩こり・腰背部痛の発生防止策には，学童期から古くて新しい本症に対し理解・配慮が望まれる．

【本項への補足事項】

Ascani らは約 4 万人対象の学校検診で，側弯変形は 4.1％，後弯変形は 3.1％と報告している．日本の学校検診では昭和 53 年から前屈テストで脊柱変形に注意するように学校保健安全法改正があり，全国各地で姿勢検診が実施されていても，脊柱後弯変形が指摘されることはきわめてまれである．

少年期後弯症として 1986 年 Blumenthal が腰部 Scheuermann 病を紹介しているが診断は Sorenson の判定基準を使用した結果，Texas Scottish Rite Hospital では 10 年間に 13 例と少なかったと報告している．Sachs は Twin Cities Scoliosis center の治療経験から新たな 5°以上の楔状堆が 1 椎体以上を提案しているが，後弯角は 45°以上としているので，atypical type に使用できる判定基準が待たれている．

Calvé 扁平椎

Calvé disease(vertebra plana)

高野　弘充　順天堂大学医学部附属順天堂医院脊椎脊髄センター 助教

【疾患概念】　1925 年に Calvé が椎体の扁平椎をきた

す骨端症として報告したことから，Calvé 扁平椎とよばれている．1954 年に Compere が vertebra plana の生検で好酸球性肉芽腫（eosinophilic granuloma）であることを確認し，好酸球性肉芽腫は Langerhans 細胞とよばれる組織球性細胞の増殖を主体としている椎体病変と考えられている．Calvé 扁平椎は好酸球性肉芽腫により椎体圧潰を引き起こし，扁平椎をきたす疾患である．

【臨床症状と病態】
10 歳未満の発生が圧倒的に多く，主症状として罹患部の自発痛であり，神経症状を伴う場合もある．好酸球性肉芽腫の好発部位として頭蓋骨，肋骨，骨盤，長管骨，脊椎に好発し，脊椎は全体の 10% 程度である．

問診で聞くべきこと
疼痛部位，発症時期，外傷の有無，神経症状の有無．

診断のポイント
①単純 X 線撮影で主に 1 椎体の圧潰・扁平化，椎間腔が温存．
②MRI で境界不明瞭な T1 低輝度，T2 高輝度の病巣．
③生検で組織球性細胞の増殖が確認できれば診断が確定．

鑑別疾患で想起すべき疾患
化膿性脊椎炎，脊椎カリエス，腫瘍性疾患（Ewing 肉腫，悪性リンパ腫，神経芽腫，転移性脊椎腫瘍）などと鑑別する．

【治療方針】
通常は 1 椎体の単発例であり予後良好だが，病変の多発化や再発例も報告されている．成長障害，病的骨折および神経症状がなければ，診断確定後は外固定・安静などの保存療法により扁平椎のリモデリングが期待され，経過は良好である．

【保存療法】
基本的に自然治癒が期待できるため，まず保存療法を行う．鎮痛薬による疼痛緩和をはかり，頸椎では頸椎装具，ハローベスト，胸腰椎では硬性装具などの装具療法を行う．放射線治療の有効性を示す報告もあるが，放射線感受性が高い一方で，成長障害や二次性悪性腫瘍などの問題から適応は再発例などに限定されるのが通常である．また多発例や骨外病変合併例は再発および尿崩症を合併する例が多いため，化学療法が行われる場合もある．

【手術療法】
急激な神経症状を呈する場合や後弯変形が進行する場合は，除圧術，病巣掻爬・骨移植，脊椎インストゥルメンテーションを用いた手術療法が行われる．

患者説明のポイント
①好酸球性肉芽腫の病態と臨床経過
②経過観察・保存療法の重要性
③小児期より治療期間が長期化するため家族への協力要請

老人性円背

Senile kyphotic spine deformity

藤井 朋子　東京大学医学部附属病院 22 世紀医療センター運動器疼痛メディカルリサーチ＆マネジメント講座 特任研究員

【疾患概念】
高齢者における腰背部の過後弯であり，単に後弯症ともよばれる．骨粗鬆症をベースとした椎体の変形や骨折，椎間板の変性と菲薄化，背筋筋力の低下など複数の要因からなる．椎体骨折数が増えるほど胸椎後弯角は増大するが，後弯症のある高齢者のうち，椎体骨折があるのは 1/3 程度であったとの報告がある．

【頻度】
後弯症の有病率は，評価方法や定義にもよるが 20〜40% とされる．

【臨床症状】
背景に骨粗鬆症や新鮮椎体骨折がある場合は，腰背部痛を伴う．痛みを伴わない場合もあるが，後弯変形が進行すると，立位でのバランスを保持するための背筋の持続的な収縮により，筋血流低下，筋肉内圧の上昇が起き，遅発性筋痛をもたらすと想定される．後弯症では胃食道逆流症，呼吸機能の低下を伴ったり，バランス能力や歩行速度などの身体機能の低下，転倒，QOL の低下，生命予後不良との関連が報告されている．

問診で聞くべきこと
発症の時期，徐々に起こったか比較的短期間に起こったか，腰背部痛の有無と程度，転倒などのきっかけがあったか，転倒しやすいか，骨粗鬆症の治療を行っているか，ADL に支障があるかなどが，診断と治療方針の決定に役立つ．

必要な検査とその所見
診察では，立位と比べて仰臥位で後弯の改善がみられるかチェックする．胸腰椎あるいは全脊柱の正面・側面 X 線撮影を行う．胸椎後弯角の増大，腰椎の後弯，骨盤後傾などがみられる．新鮮椎体骨折が疑われるが，X 線で判断できない場合，可能ならば MRI 検査を行い STIR で椎体の高輝度変化がないか確認する．

診断のポイント

雨戸の開け閉めなど，ちょっとした動作の後に発生した急性の痛みでも，寝返りで痛いという訴えがある場合は新鮮椎体骨折があることが多い．

治療方針

1 ▶ 保存療法

椎体骨折がある場合や骨粗鬆症と診断されれば，骨粗鬆症の薬物療法を開始する．

後弯症の保存的治療としては運動療法，装具療法などがある．運動療法はまだリジッドでない後弯を改善し，身体機能の改善や転倒リスクの減少，骨折の予防，ADLの向上につながる可能性がある．運動療法としては，①腹臥位で腹部の下に枕を置き，体幹を水平に持ち上げて保つ背筋力の強化運動を行う．腰痛のコントロールおよび骨盤前傾と腰椎前弯を誘導するために，②これだけ体操®も勧めている．腰部脊柱管狭窄症があり，殿部から大腿以下に痛みなどの症状が出る場合は中止する．姿勢の改善に，座位での③肩甲骨ダイナミックストレッチ，背もたれのある椅子を使った上位胸椎の④バックエクステンションを行う．頭部前方偏位となっている患者では，⑤ネックリトラクションを指導する．骨盤後傾位の後弯変形では，ハムストリングや腹筋群のタイトネスが関与している場合が少なくないので，⑥ハムストリングや股関節周囲筋，腸腰筋・大腿直筋のストレッチを合わせて指導する．コアマッスルの強化としては仰臥位での⑦ドローイン（腹部引き込み運動）や⑧アームレッグレイズを指導する．高齢者ではすべてをできないことも多いが，②〜④は比較的行いやすい．また，有酸素運動は内因性疼痛の作動（exercise-induced hypoalgesia；EIH）に役立つ．高齢者では変形性膝関節症や腰部脊柱管症を伴うことが多いので，訓練室で自転車エルゴメーターを行ってもらっている．

(1) 新たなコンセプトの体幹装具 Trunk Solution（図18-12）

良姿勢を体得しつつ，腹部インナーマッスルを賦活する装着型機器 Trunk Solution（TS）がある．TSを装用して週2〜3回，15分程度の歩行訓練を実施することで，骨盤の後傾と腰椎後弯を伴う患者や椎体骨折後の患者の歩行パフォーマンスの向上と転倒リスクの低減が期待できる．運動器リハビリテーションやデイケア施設で使用するとよい．

2 ▶ 手術療法

外科的治療としては，椎体骨折後に強い痛みが続くなど ADL への支障度が大きい場合に，椎体形成術や後弯矯正術が行われている．患者が困っていることをよく聴取したうえで，専門医へ紹介する．

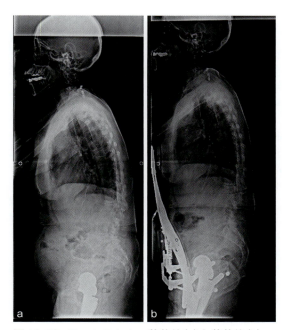

図 18-12　Trunk Solution 装着前(a)と装着後(b)
前屈み姿勢が改善している．
(松平浩，他：慢性腰痛の主要な管理手段．そうだったのか！腰痛診療―エキスパートの診かた・考えかた・治しかた. p145, 南江堂, 2017 より許諾を得て改編して転載)

椎弓切除後の脊柱変形

Postlaminectomy spine deformity

竹内 拓海　杏林大学 助教

【疾患概念】　外傷，腫瘍，変性疾患などで脊椎の椎弓切除術を受けた後，脊柱後方支持組織の強度が低下する．それに伴い脊椎の生理的彎曲が変化し，その結果局所に高度の後弯変形をきたすことがある．小児においては，後方支持組織の問題だけではなく，椎体前方の成長軟骨板にかかるストレスが増加し，成長が抑制されることも変形の原因とされる．

【頻度】

小児においては，約半数以上と高頻度に起こるが，成人ではまれである．しかし，成人でも頚椎においては，術前の cervical-sagittal vertical axis や T1-tilt が高値な場合の椎弓切除，もしくは椎弓形成後，また軸椎の椎弓切除後に後弯が進行することがある．また胸椎においても，胸椎後縦靱帯骨化症に対し広範囲に椎弓切除をした場合は，発生頻度が高くなる．

【臨床症状および病態】

症状は，後弯変形と同部の疼痛であり，頚椎の高度後弯化では，脊髄症状の悪化をきたすことがある．一般的な好発部位は頚椎と胸椎で，腰椎の発生頻度は低い．

問診で聞くべきこと

脊髄腫瘍摘出術や脊椎カリエスなどの脊椎疾患の手術歴，症状の出現時期と変形の経時的変化を聴取して，進行速度を確認する．小児においては身長の変化も重要である．

必要な検査とその所見

全脊柱を含める X 線側面像で，後弯の部位と形状を調べる．変形の頂椎部では，屈曲・伸展（可能ならば fulcrum backward bending を行う）の動態撮影で，変形の可撓性を確認する．CT では，変形部を含める椎間関節の骨癒合の有無を確認し，MRI では脊髄腫瘍などの原疾患や，脊髄の圧迫の程度や脊髄萎縮の有無を確認する．

鑑別で想起すべき疾患

Larsen 症候群などの先天性の頚椎後弯症や，Marfan 症候群，Scheuermann 病，神経線維腫症，脊椎脊髄に対する放射線治療後などによる変形との鑑別が必要である．

診断のポイント

椎弓切除の手術歴と，X 線側面像で手術と同高位の進行性の後弯が確認できれば，診断は確定である．

専門病院へのコンサルテーション

小児では高頻度に起こるため，術前に専門医と術後の変形対策について相談すべきである．むしろ，そのような対応ができない施設では，小児への手術は行うべきではない．術後に後弯変形が発生した場合，すみやかに専門医による診察を要する．

治療方針

頚椎後弯は軽度であっても，神経症状を呈するものは手術加療の適応となる．胸椎では 50° 未満までの後弯であれば装具加療で進行予防と除痛をはかることがある．疼痛と変形進行が抑えられる期間は装具加療を続けてよいが，進行を見逃さず手術時期を逸しないことが大切である．胸椎の後弯は 50° 以上，胸腰移行部後弯は 30° 以上が手術適応の目安であり，部位によって術式は異なる．また，変形の進行が明らかな場合は，すべてではない．術式に関しては，軽度後弯で可撓性を認める場合は，前方固定術単独か後方単独の矯正固定術が行われる．一方，神経症状を呈するものや，可撓性の少ない高度後弯症では，解離・矯正・除圧固定が必要で前後方合併手術となる．このような場合は，麻痺の出現もしくは悪化，偽関節，変形の再発など合併症の頻度が高く，難易度の高い手術となる．

合併症と予後

内固定が併用できない場合や，固定力が不十分な場合は halo-vest 固定が必要で，それに伴う皮膚トラブルや偽関節が起こりやすい．しかし，通常の脊椎固定術と同様，骨癒合が得られると予後良好である．

患者説明のポイント

小児の場合，一度後弯変形が起こると進行性で，高頻度に手術が必要となる．固定術後骨癒合が完成すれば進行は治まる．部位や変形によっては矯正ができない場合があり，早期に悪化する前に的確なタイミングで固定術を行うことが勧められる．

リハビリテーションのポイント，関連職種への指示

術後の固定性が良ければ，術後早期から離床・リハビリテーションができる．固定力が不十分であれば，外固定を併用しながら徐々にリハビリテーションを開始する．その際，外固定による皮膚トラブルなどに注意を要する．

脊椎外傷後の進行性脊柱変形

Posttraumatic progressive spine deformity

渡邉 和之　福島県立医科大学 准教授

【疾患概念】

若年者における脊椎外傷は，交通事故や転落などの高エネルギー外傷で発生し，多発外傷の一部である場合も少なくない．脱臼骨折や破裂骨折を呈して，脊髄損傷を伴うことも問題点である．したがって，受傷直後から骨折部の変形，不安定性，そして神経障害があり，手術を要する．一方，高齢者では，骨粗鬆症を基盤とした椎体骨折が多く，転倒などの軽微な外傷が原因となる．また，受傷機転が明確でない場合も多い．骨粗鬆症性椎体骨折は，椎体の圧壊が進行して，変形治癒するため後弯変形の原因となる．一度椎体骨折が発生すると，他の椎体にも骨折が発生する危険性が高まり，さらに後弯変形が進行する．また，椎体骨折は，骨癒合が得られず偽関節になると，徐々に後弯変形が進行し，それとともに，後壁損傷による遅発性の神経障害が発生する．このように，高齢者では，脊椎外傷後に脊柱変形が進行する危険性が高い．本稿では，椎体骨折と椎体骨折偽関節に続発する脊柱変形について述べる．

【臨床症状・病態】

椎体骨折，椎体骨折偽関節部に起因する腰背部痛，多発椎体骨折に伴う後弯変形による疲労性腰背部痛，そして神経障害が発生した場合の神経障害が主な症状

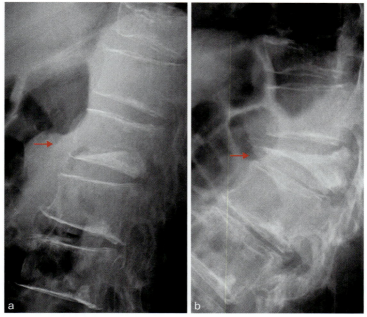

図 18-13 単純 X 線所見
a：仰臥位側面像，b：座位側面像．
第 12 椎体骨折偽関節．撮影の肢位を変えることで椎体骨折偽関節が明らかになる．

である．偽関節部は不安定性があり，起居動作によって動きが生じ，直接痛みの原因となる．また，後壁損傷がある場合，脊柱管が狭窄して，脊髄または馬尾神経根の障害を呈する．偽関節部の不安定性も神経障害の原因となる．一方，骨癒合が得られても，椎体の変形がある場合，脊柱は後弯を呈する．特に腰椎部での後弯が存在すると，前傾姿勢となり，立位時の姿勢を維持するために腰背筋の活動を要する．このため，立位歩行時に腰背部の疲労性疼痛が出現して，長時間の継続が困難となる．

問診で聞くべきこと

受傷機転，疼痛の部位，および下肢症状の有無を聴取する．また，痛みが誘発される動作，立位歩行可能時間，受傷前の日常生活動作を確認する．併存症の有無，過去の骨折歴，骨粗鬆症の治療歴を併せて確認する．

必要な検査とその所見

(1) 単純 X 線（図 18-13）

可能であれば，立位 2 方向と前後屈側面像（機能撮影）を撮影する．椎体圧壊や骨折部での形態変化が明らかであれば骨折と診断できる．仰臥位での側面像で，偽関節部の可動性を観察することは偽関節の診断に有用である．脊柱後弯変形の評価には立位全脊柱撮影を行う．

(2) CT

矢状断の再構築が有用である．後壁損傷の程度を評価する．

(3) MRI

STIR で椎体の信号変化が認められれば新鮮骨折を疑う．また，T2 強調像で脊柱管狭窄の有無を評価する．偽関節部では，T2 強調像で高信号を示し，液体貯留が示唆される所見が認められる．

(4) 血液生化学検査

血清カルシウム値，炎症反応，貧血の有無などを評価する．

診断のポイント

・高齢者が腰背部痛を訴えて受診した場合，特に転倒が契機になっている場合には，常に骨折の可能性を考える．

・検査は単純 X 線が基本であるが，所見が不明瞭な場合 MRI や CT を適宜追加する．

・問診による症状の把握が重要である．

専門病院へのコンサルテーション

椎体骨折そのものは保存療法が原則である．難治性の腰背部痛があり，椎体骨折偽関節が判明した場合や，椎体骨折に下肢症状を伴っている場合には，手術療法

を考慮して専門医へ紹介する．椎体骨折が変形治癒していて後弯変形が高度な場合，手術適応となる可能性があるため，専門医への紹介を考慮する．

治療方針

椎体骨折の治療は，保存療法が基本である．一方，椎体骨折偽関節は手術適応がある．また，下肢症状を呈している場合には早期に手術を要する．椎体骨折後の後弯変形については，保存療法を十分に行い，疼痛や日常生活動作の障害が高度な場合には，変形矯正を目的とした手術を考慮する．

保存療法

骨折部を安定化するためにコルセットを作製する．また，疼痛コントロールのための投薬とともに，骨粗鬆症に対する治療を並行して行う．日常生活動作は，可能な範囲で許可する．定期的に単純X線で経過観察を行っていくが，椎体圧壊が進行する場合が少なくないので注意が必要である．骨癒合が得られれば，経過は良いが，偽関節となった場合には，疼痛が遷延し後弯変形が進行する．十分な保存療法を行っても骨癒合が得られない場合は，症状に応じて手術を検討する．

手術療法

椎体骨折偽関節に対しては，バルーン椎体形成術（balloon kyphoplasty；BKP），リン酸カルシウムセメント，PMMAまたはHAを用いた経皮的椎体形成術が行われる．椎体骨折偽関節に伴って，神経障害が生じている場合は早期の手術適応がある．脊柱管の開放と骨折部の安定化，偽関節部への処置が必要となる．神経への圧迫が強くなければ偽関節部の安定化のみで症状の改善が得られる場合もある．手術方法は，椎弓根スクリューを用いた後方固定と椎体形成の組み合わせ，脊椎短縮術，前方除圧固定術などさまざまな術式があるが，患者の症状や状態，希望に応じて選択する．椎体骨折後の後弯変形では，骨癒合が得られている場合，各種骨切り術を用いての変形矯正が適応となる．しかし，手術侵襲が大きく，合併症の頻度が高いため，必要性を十分に検討する必要がある．

患者説明のポイント

まず，骨粗鬆症が基盤にある外傷であることを説明して骨粗鬆症の治療を導入，継続することが肝要である．椎体骨折は変形が進行する可能性が高いこと，偽関節となる場合があることは前もって説明すべきである．

神経・筋原性疾患に伴う脊柱変形

Spinal deformity in patients with neuromuscular disease

寺井 秀富　大阪市立大学大学院 准教授

【疾患概念】

脊柱変形には側弯症と後弯症があり，そのうち側弯症はCobb角が10°以上であるものと定義され，さらに特発性側弯症，先天性側弯症，症候性側弯症に分けられる．特発性側弯症は現在のところ原因が不明の側弯であり，思春期の女児に多く見られ80%以上は特発性に属する．先天性側弯症は先天的な形態異常（半椎や癒合椎，肋骨の癒合不全など）に起因する側弯であり，全側弯症の10〜15%程度である．症候性側弯症は神経線維腫症やMarfan症候群に伴うものが有名であるが，脳性麻痺，ムコ多糖症などの代謝性疾患，進行性筋萎縮症，脊髄性筋萎縮症，二分脊椎などでも側弯を生じる．全体の5%程度が症候性といわれている．成人例ではParkinson病に伴う脊柱変形が有名であるが，本稿では小児例を想定して記述する．

【臨床症状】

神経・筋原性疾患に伴う側弯症の患者は整形外科を紹介受診時にはすでに原疾患の病状が進行しており，生活の中心は座位または臥位であり，車椅子や座位保持装置付きの車椅子を使用していることがほとんどである．側弯の程度は特発性側弯症と比較して大きく，原疾患と相まって著しい呼吸機能の低下をきたす．患者のほとんどはflaccidの状態であり，側弯が進行すると座位保持ができなくなって常に車椅子にもたれかかる必要が生じ，上肢の自由が制限されるようになる．また，姿勢を保つことができないと気道の確保が困難になり，呼吸機能低下と相まって誤嚥や風邪ひきを繰り返すようになったり，食思不振になったりする．ほとんど臥位しかとっていない患者でも，成長期には側弯が進行することに注意したい．

問診で聞くべきこと

ほとんどの場合小児科でのフォローを受けており，詳しい病状や現在行っている治療方法，通院の頻度，今後の見通しなどについては，小児科主治医からあらかじめ詳細を聞いておく．整形外科医としては日常の生活，食事摂取方法や可能な運動の程度，誤嚥や風邪ひきの頻度，行っているリハビリテーション，使用している装具の有無などについて聴取しておくこと．

必要な検査とその所見

①単純X線検査（図18-14a, b）：立位撮影は困難なことが多いが，可能な範囲で全脊柱の正面像/側面像を撮影する．撮影条件が座位であるか臥位であるかは重

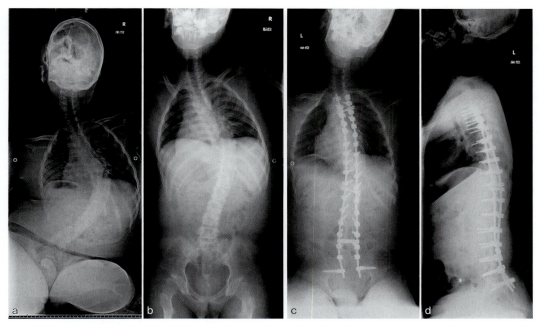

図 18-14　進行性筋ジストロフィー患者の脊柱変形
a：単純X線座位正面像，b：単純X線臥位正面像，c：側弯症術後正面像，d：側弯症術後側面像．

要であり，フォローアップは必ず同じ条件下で撮影された画像で行う．
②呼吸機能検査：初診後早い段階で呼吸機能検査を行っておき，適宜フォローアップする．
③MRI/CT：必須の検査ではないが，変形した椎体と胸郭・気管との位置関係を明らかにするために，初診時に撮影しておくとよい．手術を考慮する場合には必須である．

診断のポイント

原疾患は小児科で診断・フォローアップを行ってもらい連携をはかるようにする．側弯の診断は単純X線検査で容易であるが，胸椎前弯など矢状断の変形も注意しておく．時に前弯した胸椎が気道を圧迫して症状を出している場合がある．半年～1年に1回程度単純X線写真でフォローを行い，側弯評価のほかに座位姿勢の変化，呼吸状態の悪化などに留意して診察する．

専門病院へのコンサルテーション

フォローアップは，小児科診察も併せて行ってもらえる側弯症治療の専門施設に依頼することが望ましい．

治療方針

1 ▶ 保存療法

無理なく座位保持ができるように，車椅子に座位保持装置などの調整や拘縮予防などの理学療法を処方する．症候性側弯症に対しては特発性側弯で使われるような硬性装具は皮膚障害を生じるだけであり適応はない．必要であれば症候性側弯症に適用できるように開発された，Dynamic Spinal Brace（通称プレーリーくん）の使用を考慮する．

2 ▶ 手術療法（図 18-14c, d）

本疾患における手術療法の目的は安定した座位保持を獲得し両上肢の自由を確保することと，側弯進行に伴う呼吸機能の悪化を防ぐことである．呼吸機能の悪化は10歳前後から始まるとされており，側弯の進行が防ぎえない場合には比較的早期の手術が望ましいとされている．特発性側弯症ではいわゆるcrankshaft現象を回避するために成長期の終了時期を見極めて手術が行われるが，本疾患では成長期終了を待つよりも呼吸機能の悪化をきたす前に手術を行うべきである．Cobb角を含め特発性側弯症の手術基準とは異なることに留意したい．手術は上位胸椎から骨盤付近までの長範囲固定が必要となる．

患者説明のポイント

神経・筋原性疾患に伴う脊柱変形は，座位・臥位にかかわらず進行すること，側弯の進行に伴い呼吸機能や消化管機能が大きく損なわれれば生命予後に影響するため，そうなる前に手術が必要であることを説明しておく．手術は合併症も多く，かなり侵襲が高いこと，

手術を機会に気管切開となる可能性や術後管理が厳重になることは周知しておく．また，脊柱固定を行うことによって，車椅子からベッドへの移動など患児のケアに変化をきたすことを保護者や介護者に伝えておく．

▶リハビリテーションのポイント，関連職種への指示

術前に呼吸・嚥下の評価と訓練を行っておく．小児科に依頼し栄養状態の評価と補正を行っておく．また耳鼻科や麻酔科とも十分な連携を行い，気道の評価や気管切開の必要性，ICUでの術後管理などについて協議しておく．術後は人工呼吸を含めた適切な呼吸管理・輸液管理を行う．術後装具は必要とせず，早期にベッドアップしても問題ない．

トピックス　神経障害性疼痛の病態と治療

神経障害性疼痛は2011年に国際疼痛学会において「体性感覚神経系の病変や疾患によって引き起こされる疼痛」と定義されている．診断は①障害神経の解剖学的支配に一致した領域の他覚的感覚障害（感覚低下，感覚過敏，アロディニアなど），②神経障害性疼痛を説明する神経病変や疾患の有無を確認する．両者があれば確定し，一方のみの場合はその要素を持つと診断する．ともに該当しない場合を除き，治療対象となる．侵害受容器の興奮を伴わない痛みであり，侵害受容性疼痛と区別されるが，脊椎疾患に伴う痛みのように両者の混在は少なくない．脊椎疾患に伴う神経障害性疼痛のスクリーニングツールとしてSpine painDETECTがある．

神経障害性疼痛は末梢神経，脊髄，脳の病変による可塑的変化を原因としたシステムの変化が病的な痛みの原因と考えられている．末梢神経の病変部位の電気的短絡や，形成された神経腫・後根神経節での異常なイオンチャネルの発現増加による異所性発火や，脊髄でのNMDA受容体の活性化や神経線維の側芽形成によるシナプス再構成，グリア細胞の活性化が痛覚過敏の機序として考えられている．脳でも一次感覚野の再構築や下行性疼痛調節系の機能異常がみられ，痛みの調節や認知のシステム異常とも考えられている．

本邦での治療は「神経障害性疼痛ガイドライン」に記述されている．Caチャネル$\alpha 2\delta$リガンド（プレガバリンなど），ノルアドレナリン・セロトニン再取り込み阻害薬（デュロキセチン），三環系抗うつ薬（アミトリプチリン）が第一選択薬である．第二選択薬はトラマドール，ワクシニアウイルス接種家兎炎症皮膚抽出物となる．オピオイドは第三選択薬である．認知行動療法や運動療法の有効性も報告されている．病態や薬物の忍容性に応じて，神経ブロックや脊髄刺激法などの侵襲的治療も一部考慮される．ADL・QOLの改善を目標とした疼痛治療計画のもと治療を行う．

須藤　貴史〔群馬大学大学院医学系研究科 講師（麻酔神経科学）〕

19 頚椎部の疾患

頚椎の解剖 …………………………… 612	急性頚部椎間板石灰化症 …………… 628
頚部痛，上肢痛のとらえ方/診断手順	頚椎椎間板ヘルニア ………………… 630
…………………………………………… 614	頚椎症性神経根症 …………………… 632
頚部脊髄障害のとらえ方/診断手順 … 615	頚椎症性脊髄症 ……………………… 633
頭蓋底陥入症 ………………………… 618	頚椎後縦靱帯骨化症 ………………… 635
環椎後頭骨癒合 ……………………… 621	頚椎黄色靱帯石灰化症 ……………… 637
歯突起の形成異常（歯突起形成不全）	頚椎屈曲性脊髄症 …………………… 638
…………………………………………… 622	Pancoast 症候群 ……………………… 640
Chiari 奇形 …………………………… 623	頚性頭痛と頚性めまい ……………… 641
Klippel-Feil 症候群 …………………… 624	頚椎リウマチ病変 …………………… 642
環軸椎回旋位固定 …………………… 626	上位頚椎・頚髄損傷 ………………… 644
筋性斜頚 ……………………………… 627	中下位頚椎・頚髄損傷 ……………… 646
痙性斜頚 ……………………………… 628	頚椎症性筋萎縮症 …………………… 648

頚椎の解剖

Anatomy of the cervical spine

岩渕 真澄　福島県立医科大学会津医療センター 教授

頚椎は7つの椎骨で構成される．構造上，第1頚椎（環椎）と第2頚椎（軸椎）の上位頚椎（環軸椎）と第3頚椎から第7頚椎の下位頚椎とに分けられる．本項ではそれぞれの解剖と頚椎を通る脊髄神経との関係について述べる．

1 上位頚椎

環椎と軸椎は，機能解剖学的に下位頚椎とは異なる構造を有する．環椎は環状の構造をなし頭蓋骨を支える機能を有する．椎体は持たない．後頭骨と環椎間には椎間板はないが，後頭骨との間で後頭環椎関節をなす．この関節は主に前後屈運動機能を有する．軸椎は，椎体が頭側へ伸びて歯突起となり，環椎との間で環軸関節をなす．環軸椎間にも椎間板はない．環軸関節は，環椎前弓内面と歯突起前面との間で正中環軸関節，環椎下関節面と軸椎上関節面との間で外側環軸関節をなす（図19-1）．環軸関節の主機能は回旋運動であり，左右45°の回旋が可能である．頚椎全体の回旋は左右70°であるので，その約60％は環軸関節でなされる．

環椎は環状を呈し，前弓，後弓，両側外側塊からなる．後弓の両側には椎骨動脈と後頭下神経の通る椎骨動脈溝がある．両外側塊には頭側面と尾側面にそれぞれ関節窩があり，頭側面では頭蓋骨と，尾側面では軸椎と関節をなす．軸椎の尾側面は，第3頚椎と椎間関節および椎間板を介して連結している．外側に位置する横突孔は椎骨動脈が通る．

環軸椎間を連結しているのは，十字靱帯と翼状靱帯である．歯突起は十字靱帯によって環椎と後頭骨に固定され，さらに歯突起は翼状靱帯によって後頭骨へ固定されている．十字靱帯は横靱帯と縦靱帯により構成される．横靱帯は環椎外側塊間を繋ぎ，縦靱帯は後頭骨と軸椎間を繋いでいる．翼状靱帯は，歯突起先端から後頭骨へ向かって左右1本ずつ存在し，歯突起と後頭骨とを繋いでいる．さらに2本の翼状靱帯の間に歯突起尖端靱帯が存在し，後頭骨と歯突起とを繋いでいる．これらの靱帯は強靱であり，後頭骨と環軸椎とを強固に固定している（図19-2）．

2 下位頚椎

第3頚椎以下の下位頚椎では，それぞれの椎骨は椎体，外側塊，椎弓根，椎弓，棘突起，および横突起から構成される．それぞれ上位椎および下位椎との間は，椎間板と左右2つの椎間関節によって3か所で連

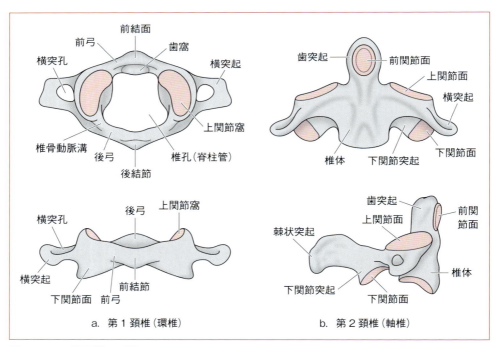

図 19-1　上位頚椎の形態

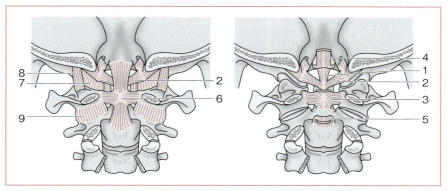

図 19-2　上位頚椎の靱帯構造
1：歯突起尖端靱帯(apical lig.)　2：翼状靱帯(alar lig.)　3：横靱帯(transverse lig.)
4：縦靱帯(upper band, transverso-occipital lig.)　5：縦靱帯(lower band. transverso-axial lig.)
6：十字靱帯(cruciate lig.)　7：後頭環椎関節囊　8：外側後頭環椎間膜　9：環軸関節囊

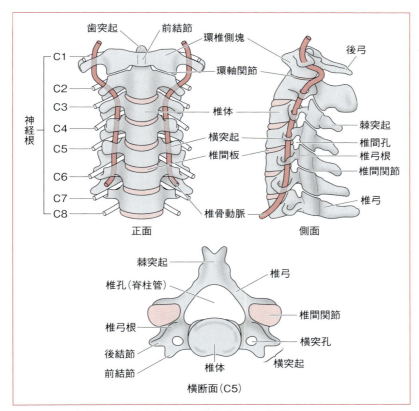

図 19-3　下位頚椎の形態と神経根，椎骨動脈との関係

結されている．横突起は前結節と後結節を有する．第6頚椎の前結節は他椎骨よりも大きく，頚動脈結節とよばれる．また横突起内には横突孔があり，第6頚椎よりも上位椎では横突孔内を椎骨動脈が走行する（図19-3）．それぞれの椎体は，前方は前縦靱帯，後方は後縦靱帯によって強固に固定されている．下位頚椎は前後屈，側屈，および回旋の運動機能を有する．

3 頚椎を通る脊髄神経との関係

大孔を出た延髄は，環椎椎孔（脊柱管）に入り脊髄（頚髄）へと移行する．後頭骨-環椎間から左右2本の第1頚神経根が出る．それよりも下位の椎間からも左右2本の頚神経根が出ることから，頚椎は左右それぞれ8本の神経根を有する（図19-3）．脊髄の詳細な解剖については成書を参照されたい．

頚部痛，上肢痛のとらえ方/診断手順

Diagnosis of neck and arm pain

吉井 俊貴　東京医科歯科大学大学院 准教授

【概説】　頚部痛，上肢痛は日常診療において比較的頻度の高い愁訴である．一方で，原因が多因子であることが多いため，初診の段階で確定診断がつかないこともまれではない．大半の症例では，日常生活に深刻な影響を及ぼさないが，なかには重篤な疾患が潜んでいる場合もあり注意が必要である．

診断において重要なポイントは，疾患の頻度を念頭に置き，症状の強さや神経学的所見などを参考に，必要な検査を進めていくことと，まれながら重篤な障害を引き起こす疾患を見逃さないことである．例えば頚椎症やいわゆる肩こりなどは，頻度は高いものの検査所見は非特異的で，症状は self-limited なことも多い．一方で，感染や腫瘍性病変に代表される red flag に分類されるような疾患は頻度が低いものの，決して見逃してはならず，症例に応じて検査を迅速に行っていくことが重要である．

まずは①十分な問診を行い，②神経学的所見を含めた詳細な身体所見をとること，③単純X線を基本とした画像検査を行い，症例によっては④血液検査などを追加し，適切に診断を進めていく．

1 代表的な疾患

頚部痛，上肢痛を引き起こす疾患は多岐にわたるが，代表的なものを列挙する．①頚椎症（椎間板性，椎間関節性の痛み），いわゆる肩こりを含めた筋筋膜性の頚部痛や肩甲部痛，②神経障害を伴うものとして，頚椎症性脊髄症，頚椎症性神経根症，頚椎症性筋萎縮症，頚椎椎間板ヘルニア，頚椎後縦靱帯骨化症，③小児に起こる環軸椎回旋位固定，④外傷に伴う頚椎捻挫，骨折，脱臼，椎間板損傷，⑤関節リウマチに伴う頭頚移行部，上位頚椎，中下位頚椎病変，⑥感染（化膿性脊椎炎，結核性脊椎炎）や腫瘍性疾患（原発性，転移性），⑦歯突起周囲の偽腫瘍，石灰沈着（crowned-dens syndrome），石灰沈着性頚長筋炎，⑧頚椎外に病変を有する疾患として胸郭出口症候群，肩関節周囲炎，腱板断裂，変形性肩関節症，上腕骨外上顆炎，手根管症候群，肘部管症候群，⑨その他の疾患としてリウマチ性多発筋痛症，線維筋痛症，うつ病，ヒステリー，眼精疲労，狭心症，顎関節症などが挙げられる．

2 診断の手順

頚部痛，上肢痛をひき起こす疾患は多いが，詳細な問診，身体所見，神経学的所見により疑うべき疾患をある程度限定したうえで，必要に応じて画像検査，血液検査を行い，病態を見極め診断をつけていく．

1 ▶ 問診

問診において重要なことは①痛みの局在，②発症の誘因，③痛みの強さ，性状，④神経症状の存在を明らかにすることである．

①痛みの局在：患者が表現する痛みの範囲は広く，実際に痛む場所を患者に示してもらい具体的な痛みの部位を把握する．

②発症の誘因：痛みが起こる誘因があったかどうかを詳細に聴取する．具体的には外傷の有無，就労，スポーツ，子育て，介護，精神的誘因，不良肢位での睡眠や作業などに関して確認する．

③痛みの強さ，性状：痛みの程度が我慢できる程度か，立位，座位がとれない程，非常に強いものであるか，鋭い痛みか，鈍痛か，動作時痛か，安静時痛か，自然改善傾向にあるのか，改善増悪を繰り返す慢性経過であるか，進行性に増悪傾向であるかなどを聴取する．

④神経症状の存在：肩甲部，肩から上肢にかけて痛みやしびれがあるか，頚椎の動きによって誘発されるものか，食事や書字などの際に手の巧緻運動障害がないか，下肢のしびれや歩行障害，膀胱直腸障害の有無などについて確認する．

2 ▶ 診察

頚部痛，上肢痛の診断プロセスにおいて身体所見は非常に重要である．主には頚部から肩甲部の触診，頚椎，肩関節の可動域，神経学的所見などから可能性のある疾患を限定していく．

(1)触診

頚部から肩甲部，肩の圧痛を調べる．特に肩こりを含む筋筋膜性の，肩甲部痛では頚椎，肩甲骨周囲の筋や筋付着部にて圧痛を認めることが多い．

頚椎，肩関節可動域：前後屈，側屈，回旋運動を行わせ可動範囲や疼痛の有無を調べる．運動時痛や可動域制限が非常に強い場合，感染や腫瘍性疾患も念頭に置き，外傷を伴えば頚椎捻挫や骨折を疑う．また伸展

や側屈で上肢への放散痛を伴う場合は，頚椎症性神経根症を疑う．肩関節の運動時痛や可動域制限を認める場合は，肩の障害を積極的に疑い画像検査を追加する．

(2)神経学的評価

①深部反射，病的反射など：肩甲上腕反射，三角筋反射，上腕二頭筋反射，腕橈骨筋反射，上腕三頭筋反射，膝蓋腱反射，アキレス腱反射などの亢進あるいは減弱/消失を評価する．亢進の場合は反射中枢より頭側での脊髄障害を考える．Hoffmann反射，Babinski反射などの病的反射の異常は脊髄障害を示唆する．

②知覚障害：痛覚(pinprick test)や触覚をチェックし，感覚鈍麻(hypesthesia)，感覚脱失(anesthesia)，感覚過敏(hyperesthesia)，錯感覚を評価し dermatomeと照合する．正常部位を10としたときの被検部の相対感覚を1～10で自己申告させる方法もある．固有感覚領域としてC5の肩外側部，C6の母指-示指間背側，C7の中指尖部，C8の小指尺側は外来でも簡便にチェックできる．

③運動障害：徒手筋力テスト(manual muscle testing；MMT)により0～5の6段階にて評価する．三角筋(C5)，上腕二頭筋(C6)，上腕三頭筋(C7)，手内在筋(C8)の筋力低下が特徴的とされるが，必ずしも一定せずしばしば複数筋に及ぶ．

④筋萎縮：主に前根が障害された場合，手内筋(骨間筋，対立筋など)や肩甲帯筋(三角筋，棘上筋，棘下筋など)の筋萎縮を呈することがある(頚部神経根性筋萎縮症)．

⑤誘発テスト：

Jacksonテスト：頚部を過伸展させて肩甲部や上肢への放散痛を調べる．神経根症，脊髄症ともに陽性となりうる．教科書的には徒手的な軸方向への圧迫を加えるとされているが，特に著明な上肢痛を有する症例では不可逆的な症状の増悪をきたす可能性があるため，慎重に行う必要がある．

Spurlingテスト：頚椎を後屈したうえで患側に側屈させた状態で軸圧を加え放散痛の有無をみるテストであり，椎間孔を狭小化させ神経根圧迫を増強させていると考えられる．比較的陽性率が高く，逆に前屈・健側への側屈し患側上肢を挙上することで症状の軽快がみられる．Jacksonテスト同様，症状の強い症例では症状の増悪をきたさぬよう慎重に行う必要がある．

3 ▶ 画像検査

問診や身体所見から骨，関節，頚椎疾患が疑われる場合は，まず簡便に行える単純X線検査を行う．頚椎症では変性所見は認めるものの，特異的なX線所見を認めない場合も多く，神経症状を認める場合はMRI検査を追加する．外傷や感染，腫瘍性疾患においては必要に応じてMRI検査，CT検査を追加し，骨，椎間板，脊髄，神経根の評価を行う．肩関節疾患を疑う場合，特に腱板断裂を疑う場合にはMRI検査を行う．

4 ▶ 電気生理学的検査

頚椎症性の上肢神経障害と末梢神経障害の鑑別のためには，神経伝導速度検査は有用であり，また上肢の筋力低下が認められる場合には，筋原性の筋力低下や運動ニューロン疾患(motor neuron disease)の鑑別のため，針筋電図検査が有用である．

他科へのコンサルテーション

うつ病，ヒステリー，狭心症，顎関節症など，他科領域の疾患の合併が疑われる場合，特に狭心症など緊急の対応を要する場合には，速やかに専門科にコンサルテーションを行う．

頚部脊髄障害のとらえ方/診断手順

Neurological diagnosis of cervical myelopathy

寒竹　司　　山口労災病院脊椎・脊髄外科　部長〔山口県山陽小野田市〕

【概説】　圧迫性頚髄症は静的圧迫因子，動的圧迫因子，循環因子などの複数の因子が関連して発症するとされているが，その病態は完全には解明されていない．圧迫性頚髄症の診断では臨床症状，神経学的所見から高位診断を行い，MRIなどの画像による脊髄圧迫レベルと障害高位が一致するかを確認することが重要である．臨床所見と画像所見の不一致がある場合は，神経内科疾患などの鑑別疾患を念頭に置いて，鑑別診断を行う必要がある．

1 病態

圧迫性脊髄症の発症には，主として①静的因子，②動的因子，③脊柱管狭窄因子，④循環因子の4つの因子が関与するとされている．しかし，4つの因子がどのように関連して脊髄症を発症するのか，またどのような機序で脊髄に選択的な病変を生じるのか，いまだ完全に明らかになっていない．主な慢性脊髄圧迫障害の原因疾患としては，頚椎症性脊髄症，後縦靱帯骨化症，黄色靱帯骨化症，脊髄腫瘍などがある．

脊髄症の症状は髄節徴候(segmental sign)と索路徴候(long tract sign)に分けて考えると理解しやすい．髄節徴候は障害レベルの灰白質の異常により生じ，支配高位の筋の筋力低下，筋萎縮，腱反射低下といった弛緩性麻痺をきたす．また，索路徴候は障害高位の白質の障害により生じ，障害レベルから尾側の痙性麻痺

を生じる.

2 診断の実際

頸部脊髄症の診断は主として臨床所見と画像所見により行う．必要に応じて，電気生理学的検査も補助診断として使用される．重要なことは，臨床所見による神経学的障害レベルと画像所見による神経圧迫レベルが合致しているかを確認することである．

1 ▶ 問診・理学所見

問診上のポイントとしては，①初発症状（通常は手指のしびれ，歩行障害）の出現時期・罹病期間，②外傷歴の有無，③頸椎の動きとの関連，④ADL動作の障害の程度，⑤職業や治療歴などについて聞く．

理学所見は，視診から神経診察へとルーチン化した一連の流れのなかで，見落としのないように心がけることが重要である．主なポイントとしては，myelopathy hand と言われる手指の巧緻障害の有無と程度の確認（10秒テスト，finger escape sign），歩容のチェック（痙性歩行），Romberg徴候，Mann試験やLhermitte徴候（後索障害），SpurlingテストやJacksonテスト（神経根症の合併），WrightテストやMorleyテスト（胸郭出口症候群の合併）などをチェックし，深部腱反射（亢進のレベル，左右差），病的反射の有無（Hoffmann反射，Trömner反射，Wartenbergの指屈反射，Babinski反射など），徒手筋力検査（筋力低下の部位，左右差，筋萎縮の有無），知覚障害（範囲と程度）などについて順次診察を進めていく．

2 ▶ 高位・横位診断

頸髄症の診断のうえで，主病変の局在を診断することは重要である．局在診断は，頭尾側方向の高位診断と脊髄横断面での病変部位の拡がりを同定する横位診断に分けられる．

高位診断は頸椎部における脊椎・脊髄髄節間の高位差を理解し，臨床的に診察した神経学的所見から障害高位を推定することで行われる．この際に髄節徴候に注目した障害高位決定の診断指標を参考にすると理解しやすいが，これらの指標は単椎間障害の症例ではよく合致するが，実際の臨床では多椎間障害や神経根障害，末梢神経障害の合併により修飾を受けるため，症例ごとに慎重に検討することが重要である．C5髄節（C3/4高位）よりも上位の高位診断の指標には，肩甲上腕反射（scapulohumeral reflex；SHR，C1〜4髄節が反射中枢）や下顎反射（橋が反射中枢）が有用である．また，頸髄症は基本的には上肢症状・所見を伴っているが，C6/7椎間障害以下の病変ではそれらが欠如し胸髄障害との鑑別が困難な症例もあるため，注意を要する．

横位（脊髄内局在）診断は脊髄横断面の灰白質・白質の脊髄伝導路を理解し，索路徴候と髄節徴候に分けて，横断面での病変の拡がりを診断する．

索路徴候は，下行性運動線維束である錐体路や上行性感覚線維束である後索および脊髄視床路に代表される，脊髄白質の索路の障害の総称である．代表的な索路徴候としては，錐体路徴候，後索障害，脊髄視床路障害がある．錐体路の障害では，病変部位と同側の筋力低下，深部反射亢進が認められる．錐体路は層状構造となっており，下部脊髄に向かう線維ほど外側に存在する．後索は振動覚，位置覚，二点識別覚などの深部感覚の線維束が通っており，障害により病変部と同側の深部感覚の障害を生じる．層状構造を形成しており，頸髄レベルでは内側は薄束とよばれ，仙髄，腰髄の線維束が走行しており，外側は楔状束とよばれ，胸髄，頸髄の線維束が走行している．下肢の深部感覚障害ではRomberg徴候が陽性となる．脊髄視床路には温痛覚などの表在感覚の線維束が走行している．温痛覚の線維は後根から脊髄に入り後角でニューロンを変えて同側を数髄節上行し，脊髄中心管の前方で交叉して対側の脊髄視床路に入る．触覚の求心路は複数あるため，一側の脊髄視床路の障害では触覚の障害は生じないが，一側の後角・後根障害では温痛覚と同様に触覚も障害されるため，触覚障害の有無（温痛覚と触覚の解離障害）は局在診断に有用である．脊髄視床路でも錐体路と同様に層状となっており，髄内の病変では脊髄外側に位置する仙髄の線維は障害されにくく，会陰部や肛門周囲の温痛覚が保たれることがある（sacral sparing）．

髄節徴候は障害レベルの灰白質の障害により生じる．前角・前根には下位運動ニューロンが存在し，その障害は髄節に一致する筋力低下（弛緩性麻痺），筋萎縮，線維束収縮を生じる．後角・後根障害では皮膚分節に一致する感覚障害，疼痛を生じる．

3 ▶ 画像診断

画像診断は主として単純X線撮影，CTとMRIにより行われる．

単純X線正面像ではアライメント，Luschka関節の変化を観察し，開口位では環・軸関節，歯突起の変化を観察する．側面像ではアライメント，後咽頭・気管腔の拡大の有無，椎間板腔の狭小化，骨棘・靱帯骨化の有無について観察し，脊柱管前後径を計測する．C5椎体レベルの脊柱管前後径が13 mm未満であれば脊柱管狭窄症とみなす．機能撮影では不安定性を評価し，環軸椎の不安定性にも注意する．斜位像では椎間孔の狭小化や拡大の有無を観察する．

CTは脊髄腔造影（ミエログラフィー）や血管造影と組み合わせて行われることも多いが，奇形椎，靱帯骨化巣や椎骨動脈走行の詳細な評価には有用である．

トピックス　FDG-PETによる圧迫性脊髄症の機能診断

脊髄の画像診断，機能診断法としては，MRIや電気生理学的な手法が主に用いられている．近年の画像診断の進歩により，^{18}F-2-fluoro-deoxyglucose(FDG)-positron emission tomography(PET)を用いて，神経組織のグルコース代謝量・活性を定性・定量化することが可能となり，高分解能PETにより頸髄の評価も可能となってきた（図19-4）．頸髄グルコース代謝量は健常者ではほぼ一定であるが，圧迫性頸髄症（頸椎症性脊髄症，後縦靱帯骨化症）患者では，その脊髄症状の重篤度（JOAスコア）と正の相関がみられ，除圧手術を行った後はその数値は正常化に向かうと報告されている．脊髄グルコース代謝量は，神経細胞や組織の活動性や血流，脊髄のメカニカルな圧迫程度などにより影響を受けると考えられており，神経組織の可塑性を示すものと判断される．つまり，脊髄症状が進行している症例で頸髄グルコース代謝量が上昇している場合は，手術などの処置により改善が期待され得るだけの脊髄機能が備わっていると考えられる．一方，頸髄グルコース代謝量が低下している症例では，脊髄機能の可逆性変化が期待できにくい状況に陥っていると考えることができる．圧迫性頸髄症における頸髄グルコース代謝量の変化は，手術のタイミングや術後成績の予測因子となり得ると考えられる．臨床現場にはPET-MRIが登場してきており，さらに正確な頸髄高位決定や，責任高位の予測や脊髄実質のより詳細な評価を行うことができる可能性が期待され得る．FDG-PETによる脊髄機能診断は，臨床的有用性の高い新たな検査技術になり得ると思われる．

中嶋　秀明〔福井大学　講師〕

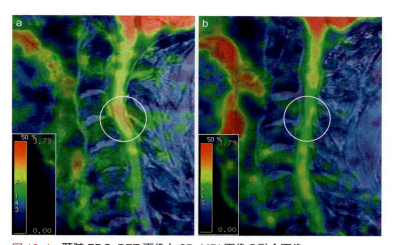

図19-4　頸髄FDG-PET画像と3D-MRI画像の融合画像
a：頸髄グルコース代謝が上昇している症例．
b：頸髄グルコース代謝が低下している症例．
〔Uchida K, et al: Clinical significance of MRI/(18)F-FDG PET fusion imaging of the spinal cord in patients with cervical compressive myelopathy. Eur J Nucl Med Mol Imaging 39: 1528-1537, 2012 より改変・引用〕

MRIは椎間板の変性，膨隆や脊髄の圧迫の状態を観察する．50歳以降の中高年では無症状の健常人にも約20～30%に脊髄圧迫所見が認められるとの報告があり，病的所見であるか否かの判断はあくまで臨床症状と神経学的所見による．T2強調像における髄内高信号変化は，脊髄の浮腫性変化から嚢胞性壊死などの変化を反映しているとされており，脊髄症の責任病巣と一致することが多いが，必ずしも予後不良因子とはいえない．

3　鑑別が必要な疾患

臨床症状，神経診察所見の高位診断が画像所見と一

致しない症例では，必要に応じて末梢神経伝導速度・筋電図検査などを追加して，腫瘍性疾患，神経内科疾患などの鑑別を行う必要がある．脳・脊髄腫瘍，脳性麻痺，脊髄空洞症，Arnold-Chiari 奇形，脊髄血管障害（脊髄梗塞，脊髄出血，脊髄動静脈奇形など），多発性硬化症，筋萎縮性側索硬化症（amyotrophic lateral sclerosis；ALS），脊髄サルコイドーシス，亜急性連合性脊髄変性症，HTLV-1 関連痙性対麻痺（HTLV-1 associated myelopathy；HAM），脊髄炎（自己免疫疾患，感染症など），頚椎症性筋萎縮症，平山病などの鑑別疾患を念頭に置く．また，上肢のしびれが主症状で，深部反射が低下している症例では，絞扼性末梢神経障害や多発神経炎などの合併も念頭に置く必要がある．

4 診断のポイント

圧迫性頚髄症の診断は臨床症状からある程度は可能であるが，重要なのは臨床的な神経学的障害レベルが画像による圧迫レベルと合致するかどうかである．

頭蓋底陥入症

Basilar invagination or impression (BI)

村田 英俊　横浜市立大学大学院脳神経外科学 准教授

【疾患概念】　頭蓋底陥入症（basilar invagination or impression；BI）とは，軸椎歯突起先端が上方偏位し頭蓋内に陥入した状態と定義される．頭蓋底部での骨軟部奇形による陥入症を basilar invagination と称し，これらの奇形を伴わない陥入症を basilar impression と称す．しかし，双方ともに上位頚椎の上方偏位と陥入をきたすため，治療的観点からは，頭蓋底陥入症（BI）として区別しないで用いられることが多い．BI は陥入した歯突起が，上位頚髄や延髄の圧迫をきたす，あるいは椎骨脳底動脈を圧迫・潅流障害を生じさせる症候群である．本稿ではその病態と治療を中心に概説する．

【臨床症状】
BI は陥入した歯突起が，上位頚髄や延髄の圧迫をきたす，あるいは椎骨脳底動脈を圧迫・潅流障害を生じさせる症候群である．

BI の症状は，筋骨格に由来するもの（頭痛，後頚部痛など），脳幹圧迫に由来するもの（嚥下障害，構音障害，眼振），小脳圧迫に由来するもの（四肢・体幹失調など），脊髄圧迫に由来するもの（四肢しびれ，手指巧緻性障害，四肢筋力低下）など，圧迫される部位により多彩である．圧迫により生じる椎骨脳底動脈血流不全に由来する場合もある．症状は前屈位で生じやすい．

一般的には，後頭部痛，平衡障害（体幹失調），巧緻運動障害，四肢のしびれでの発症頻度が高く，進行に応じて上肢，下肢の麻痺が生じてくる．

水頭症を合併する場合には意識障害や頭蓋内圧亢進症状を，脊髄空洞症を合併する場合には，解離性感覚障害などの脊髄空洞症に準じた症状を呈する．

脳幹圧迫や口腔顔面奇形により，睡眠時無呼吸症候群をきたしている場合も少なくない．

問診で聞くべきこと

前述のとおり，BI の症状は多彩である．Sawin と Menezes（1997）による BI の症状のまとめによると，頭痛（76％），下位脳神経障害（嚥下障害，構音障害）（68％），腱反射亢進（56％），四肢麻痺（48％），体幹または四肢失調（32％），眼振（28％），側弯症（20％）との報告があり，同疾患を想起する参考になる．

必要な検査とその所見

BI の診断は，歯突起が頭蓋内に陥入している所見からなされる．頭蓋底部と歯突起の位置関係で BI の診断がなされる．X 線側面像または CT 矢状断では ① McRae line，② Chamberlain line，③ McGregor line を指標に，X 線正面像または CT 冠状断では ④ Digastric line，⑤ Bimastoid line を指標として BI の診断がなされる（図 19-5a）．

治療的観点からは，環軸椎亜脱臼の有無と不安定性評価が重要であり atlantodental interval（ADI）（環椎・歯突起間距離）の変化をみる（図 19-5b）．

MRI では，脳幹，上位頚髄の圧迫の程度と範囲を確認する．脳幹あるいは髄内に T2 強調像での信号変化を伴っていたり，大孔部の狭窄をきたしているときは脊髄空洞症を併発していることがある．

また治療にあたっては頭蓋頚椎移行部の固定術が行われることが多いため，3D-CT angiography および venography にて，椎骨動脈と骨構造との関係や，S 状静脈洞や後頭静脈洞の発達の有無を確認しておく必要がある．

さらに，clivoaxial angle（正常範囲 145～160°）や cervicomedullary angle（正常範囲 135～175°）（図 19-6）が急峻であるとき（例えば clivoaxial angle 120°以下），後方手術のみでは不十分となる可能性があり，前方手術（経口的除圧術）の併用の必要性が生じうることを念頭におく．

鑑別診断で想起すべき疾患

BI をきたす原因疾患として鑑別を要する場合がある．

basilar invagination を呈する先天性 BI と，basilar impression を呈する後天性 BI に区別される．

先天性の原因疾患として，骨形成不全症（osteogen-

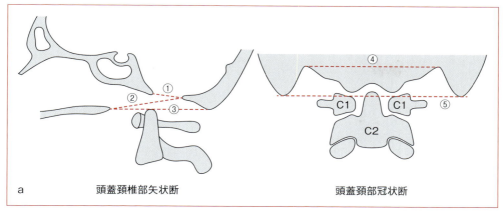

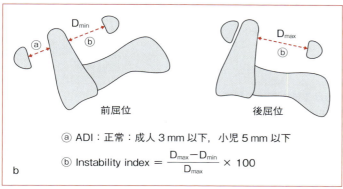

図 19-5 頭蓋底陥入の程度と不安定性の指標

a：
頭蓋頚椎部矢状断
①McRae line：大孔前縁-後縁を結ぶ線　歯突起先端がこの線を越えると頭蓋底陥入症（BI）の診断
②Chamberlain line：硬口蓋後端-大孔後縁を結ぶ線　歯突起先端がこの線を 3 mm 越えると BI の診断
③McGregor line：硬口蓋後端-後頭骨下端（opisthion）を結ぶ線　歯突起先端がこの線を 4.5 mm 越えると BI の診断
頭蓋頚椎部冠状断
④Digastric line：両側乳突切痕（二腹筋切痕）を結ぶ線　歯突起先端がこの線を越えると BI の診断
⑤Bimastoid line：両側乳様突起先端を結ぶ線　歯突起先端がこの線を 10 mm 越えると BI の診断
b：環軸椎亜脱臼と不安定性の診断
ⓐatlantodental interval（ADI）は成人で 3 mm 以下，小児で 5 mm 以下が正常．これを超えると環軸椎亜脱臼を示しうる．
ⓑ歯突起後縁と環椎後弓を結ぶスペースの動的要素 instability index＝（$D_{max}-D_{min}/D_{max}$）×100 が 20％ を超えると不安定性が強いとされる．

esis imperfecta），軟骨無形成症（achondroplasia），鎖骨頭蓋骨形成不全症（cleidocranial dysostosis）など骨軟部形成不全が挙げられる．また BI の発生過程において，種々の骨奇形（Chiari 奇形，扁平頭蓋，Klippel-Feil 症候群など）や Down 症候群を合併することがある．とりわけ Chiari 奇形は BI の 25〜35％ に合併すると言われる．

後天性のものとして，リウマチ関節炎（RA），副甲状腺機能亢進症，骨 Paget 病（骨代謝異常症），骨軟化症，くる病などがある．特に RA から生ずる BI は，上位頚椎の軸椎支持機構の破綻からくるといわれ，RA 患者の約 10％ に生ずるとされる．

診断のポイント

患者の神経学所見と画像上の頭蓋底陥入所見との整合性が得られれば，診断は確定する．画像上の頭蓋底陥入所見があっても，無症候性のことがあり，一方で症状は軽微であっても，不安定性があれば，症状が明確なこともある．

19 頸椎部の疾患

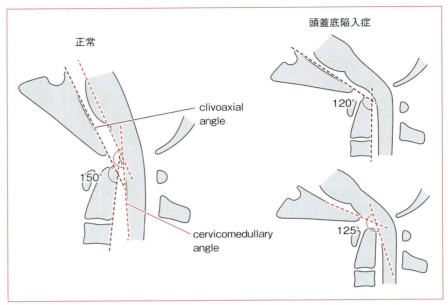

図 19-6 頭蓋底陥入症における前方圧迫の評価
clivoaxial angle：斜台と軸椎後縁がなす角　正常範囲 145〜160°
120°以下となると前方圧迫要素が強いとされ，前方手術が考慮される．
cervicomedullary angle：上位頸髄と延髄がなす角　正常範囲 135〜175°
この角が急峻となると前方圧迫要素が強いとされ，前方手術が考慮される．

専門病院へのコンサルテーション

BI は脳神経外科，整形外科の境界領域かつまれな疾患の1つである．専門に治療できる施設は限られている．以下の場合は，BI 治療を多く扱っている脳神経外科医または脊椎脊髄専門医への紹介が望ましい．
①脳神経症状や脊髄症状があるが，診断がつかないとき
②BI はあるが，今後の治療（保存治療または外科治療の適応）について判断がつかないとき
③BI にて臨床症状が悪化しているとき

治療方針

神経学的症状や徴候が明らかであり，脳幹または脊髄圧迫がある場合には手術適応となる．しかし，これらの症状が乏しい場合には，保存治療（カラー装着，非ステロイド系抗炎症薬，単純頸椎牽引など）で経過をみる場合も少なくない．

特に手術治療の場合，BI の多くでは固定術が必須となるため，成長過程にある小児や若年者においては，適応がより慎重となる．若年例で手術を行う場合では，可能な限り C1-C2 間にとどめるよう配慮する必要がある．症状の進行と年齢を考慮して，手術のタイミングを決定することになる．

なお，Chiari 奇形に関連した BI では通常環軸椎亜脱臼を伴わず，後方減圧術で対応可能である．

手術療法

BI の手術治療の主眼は，除圧（整復を含む）と安定化（固定）である．このうち，固定術の役割は大きく，固定することにより，陥入進行を阻止し，動的変化を消失させるだけでも改善が得られる場合がある．そのため頭蓋頸椎固定術あるいは環軸椎固定術が，治療の主軸をなす．この際，前方要素の圧迫の程度と整復の可否が，後方固定術のみで対応可能か否かが決まる．clivoaxial angle（正常範囲 145〜160°）や cervicomedullary angle（正常範囲 135〜175°）（図 19-6）が急峻となれば（例えば clivoaxial angle 120°以下），後方手術のみでは不十分となる可能性があり，前方手術（経口的除圧術）の併用の必要性が高くなる（図 19-7）．

患者説明のポイント

頭蓋底陥入の程度および不安定性の程度と症状との関係を説明する．症状の度合いと不安定性の程度によって，保存治療で経過をみることができるのか，外科治療が望ましいのか，を説明する．陥入が高度な場合や不安定性がある場合には，軽微な外傷であっても症状が進行しうることを説明する．比較的まれな疾患

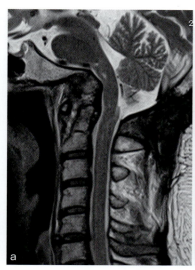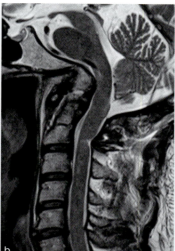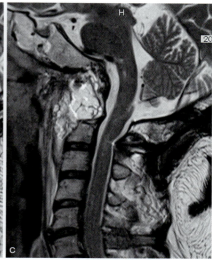

図 19-7　頭蓋底陥入症の患者の MRI（T2-weighted image）
clivoaxial angle 90°, cervicomedullary angle 107° であった．
a：術前，b：頭蓋頸椎後方固定術（環軸椎矯正含む）後，c：経口手術後．

であり，外科治療にあたっては，頭蓋頸椎移行部の固定術や経口手術など，特別な治療が必要となることが多く，専門施設への紹介についても言及しておく．

▶ リハビリテーションのポイント，関連職種への指示

術後全身状態が安定していれば，翌日以降で離床を開始し，術前の神経症状に応じて，理学療法と作業療法を開始する．ほとんどの症例で固定術を施行しているため，少なくとも術後3か月は，フィラデルフィアカラーなどの頸椎装具を着用する．その後CTにて骨癒合を確認できた時点で，カラーを外す．経口手術後は，術当日抜管せず，口腔・顔面奇形や舌腫大などなければ，翌日以降十分な覚醒ののち抜管する．飲水・飲食は，咽頭後壁創を確認したのち開始するが，おおむね4日後程度から開始している．

環椎後頭骨癒合
Atlanto-occipital assimulation

半田 隼一　福島県立医科大学 助教

【疾患概念】　後頭骨と頸椎の一部または全体が癒合するもので，軟骨無形成症，脊椎骨端異形成症，Larsen症候群，Morquio症候群などの骨系統疾患に合併することが多い．胎生期第4後頭椎板と頸椎第1椎板との発生異常により生じる．

【頻度】
有病率は0.08〜2.76％，男女比の発生頻度はほぼ同数である．

【臨床症状または病態】
扁平頭蓋，歯突起の頭蓋底陥入，Chiari奇形，環軸椎亜脱臼，癒合椎，椎骨動脈の形態異常を合併しやすい．外見上の特徴として，短頸，翼状頸，または頸部の位置異常（Klippel-Feil奇形の斜頸）を認めることがある．頸椎可動域は制限されることがある．また，延髄，小脳，脊髄の圧迫による神経症状を呈する．これらの症状は中年以降に発生することが多い．その理由として，歯突起周囲の靱帯弛緩，加齢性変化による骨棘形成などが推察されている．

▶ 問診で聞くべきこと

頸部痛や頭痛などの局所症状や，神経症状（四肢のしびれ，ふらつきなど）を確認する．

▶ 必要な検査とその所見

頸椎単純X線側面像での環椎と後頭骨との癒合，環軸椎亜脱臼や頭蓋底陥入の有無を確認する（図19-8）．CTは，骨の形態がより詳細に評価できるため有用である．また，MRIで延髄，小脳，脊髄の評価を行う．椎骨動脈異常が疑われた場合は，CTもしくはMRアンギオグラフィーまたは椎骨動脈造影検査を行う．

▶ 診断のポイント

神経学的所見のチェックと，画像検査で診断する．

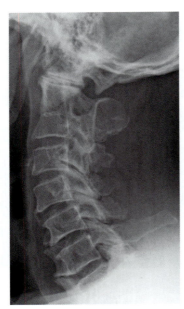

図 19-8　環椎後頭骨癒合 X 線側面像（Klippel-Feil 症候群）

専門病院へのコンサルテーション
神経症状が出現した場合には，専門医へのコンサルトが望ましい．

治療方針
癒合だけでは手術療法の対象とはならない．保存療法に抵抗する疼痛，または神経症状がある場合，手術療法の方針となる．

保存療法
頸椎カラーや牽引療法を行う．

手術療法
環軸椎不安定性がある場合，後方除圧固定術を行う．後方除圧固定術で前方からの圧迫が解除されない場合には，経口腔的前方除圧術を行う．

患者説明のポイント
神経症状が出現した場合，手術療法が必要となる．

歯突起の形成異常（歯突起形成不全）

Anomalies of odontoid (dens), Dysplasia of the dens

横須賀　公章　　久留米大学 講師

【疾患概念】　頭頸移行部骨形態の先天異常の1つである．

歯突起の形成については，発生学的に尖端骨核は3歳頃で出現し，10～12歳頃に歯突起として骨化し軸椎椎体と完全に癒合する．この時期に何らかの異常が生じることにより，形成異常が生じると考えられている．臨床的には頭蓋脊椎結合部の異常可動性を伴っており，この部位での脊髄圧迫症状を起こす危険性があるので注意を要する．

【病型・分類】
先天性歯突起形成不全（congenital anomaly of the odontoid process）は，aplasia, hypoplasia, os odontoideum, persistent ossiculum terminale に大別されるが，Greenberg の分類（1968年）が，最も理論的でわかりやすい．歯突起の形成異常は，Incompetence of Odontoid Process の congenital type に属し，5つに分類されている（表 19-1）．歯突起骨（os odontoideum）の原因については，先天性と後天性（幼少期における骨折後癒合不全）が考えられている．

【臨床症状・病態】
形成異常が問題ではなく，環軸椎間不安定性の有無が臨床上問題となる．不安定性による脊髄の狭窄病変が環軸椎高位にあるため，上位頸髄障害を起こし，循環・呼吸・嚥下など，生命維持に不可欠な機能の障害を起こす．

問診で聞くべきこと
幼少期の頸部の些細な外傷（minor trauma）の既往歴．

必要な検査とその所見
頸椎 X 線，頸椎 CT 画像（図 19-9）は診断に不可欠である．形態異常に続いて確認すべきは，環軸椎間の異常可動性の有無である．疑うときには必ず頸椎機能撮影を行う．歯突起骨の dystopic type は後頭骨と癒合し，orthotopic type は環椎後弓と癒合する．また，環軸関節不安定性を評価するときの指標となる，ADI (atlantodental interval, 環椎歯突起間距離), SAC (space available for spinal cord, 脊髄余裕空間)は，歯突起骨では，頸椎前屈により SAC は減少する．SAC が 11～14 mm 以下になると神経症状を起こす．

表 19-1　Greenberg の分類
　　　　（Atlanto-axial dislocations. 1968）

Type Ⅰ	os odontoideum（Separete odontoid）
Type Ⅱ	ossiculum terminale（Free apical segment）
Type Ⅲ	Agenesis of odontoid base
Type Ⅳ	Agenesis of apical segment
Type Ⅴ	Agenesis of odontoid process

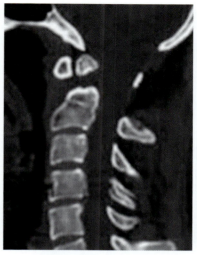

図 19-9　歯突起骨（os odontoideum）頸椎 CT 側面像

- 鑑別疾患で想起すべき疾患

　臨床では，骨折との鑑別が重要となってくるが，形成異常や偽関節の離れた骨は鈍（丸く平滑），骨折では鋭が特徴であり，年齢や発症機序により判別がつきやすい．

- 診断のポイント

　分類できない場合もあるが，重要なことは環軸椎間不安定性があるかである．疑うときには，機能撮影と CT 撮影を行う．

- 専門病院へのコンサルテーション

　不安定性があり，かつ，脊髄症状がある場合は，速やかに専門医へのコンサルテーションを行う．

- 治療方針

　一番のポイントは，環軸椎間不安定性と脊髄症状の有無である．
　不安定性の有無に関係なく，脊髄症状を呈していない症例に関しては，まず外固定（各種の頸椎カラー）などの保存療法を優先する．高度な不安定性や脊髄症状を有する場合，疼痛の強い場合は環軸椎関節固定術の適応となる．

- 手術療法

　環軸関節後方固定術：Posterior C1-C2 fusion（Brooks 法），C1-C2 transarticular screw fixation（Magerl 法），スクリュー・ロッドを使用した脊椎インストゥルメンテーション固定を行う．

- 手術の合併症と予後

　術中操作による静脈叢損傷や脊髄損傷，スクリュー誤進入による椎骨動脈損傷がある．よって，術前 CT 検査にて軸椎・環椎の形状評価と椎骨動脈を代表とする血管走行の評価は必須である．手術にて骨癒合を得られれば，可動域制限は残存するが，不安定性はなくなり治癒する．術後数日は，脊髄浮腫などによる呼吸中枢（脳幹）の障害に注意する．術後の頸椎カラー固定期間の明確な目安はないが，強固な固定が得られても，治癒期間の術後 2〜4 週は着用するのが望ましい．

- 患者説明のポイント

　狭窄している部位が上位頸髄であり，延髄直下に位置し，脳幹のなかでも延髄は生命維持に重要な中枢があること．一度でも損傷を受ければ四肢麻痺などの重篤な障害が起こる可能性が高いこと．万が一，手術加療になった場合，神経損傷や血管損傷などの重大な合併症の危険性があること，などを説明する．

- リハビリテーションのポイント，関連職種への指示

　術後早期の脊髄症状に注意するのは当然であるが，頸椎後方法の術後は後頸部の筋力が著しく低下するため，アイソメトリック運動などによる筋力訓練は欠かせない．

Chiari 奇形

Chiari malformation

名越 慈人　慶應義塾大学 講師

【疾患概念】　Chiari 奇形Ⅰ型は，小脳扁桃や脳幹が大後頭孔を越えて脊柱管へ嵌頓する病態である．その結果，脳脊髄液の還流経路が破綻し，脳脊髄液が脊髄内へ流れ込み空洞を形成することが多い．実際，脊髄空洞症の約 50％ に Chiari 奇形を合併している．

【分類】
　Chiari 奇形はⅠ型がほとんどである．Ⅰ型の病態は上述のとおりで，成人に多い．Ⅱ型は小児に多く，脊髄髄膜瘤や水頭症を発症する．非常にまれではある

19 頚椎部の疾患

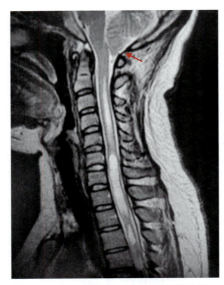

図 19-10　29 歳女性，Chiari 奇形 I 型
MRI の T2 強調像で，脊髄内に広範囲な高信号領域を認める．また，小脳扁桃が大後頭孔を越えて下垂している（←）．

が，Ⅲ型は小脳が大後頭孔より下垂し，Ⅳ型は小脳の形成不全を認め，双方とも生下時より重度の障害を呈する．

【臨床症状】
60〜80% の患者で頭痛を訴える．好発年齢は 20〜40 歳で，女性に多い傾向がある．空洞症は 50〜80% の患者に認め，脊髄における空洞の局在によって，さまざまな症状が出現する．
①運動機能障害：筋力低下，筋萎縮，巧緻運動障害，痙性
②感覚機能障害：疼痛，知覚異常，しびれなどの異常感覚，異痛症
③その他の所見：反射異常，膀胱直腸障害

診断のポイント
・頚椎 MRI を撮影し，小脳扁桃の位置を確認する．大後頭孔を越えて尾側に嵌頓している場合，確定診断となる（図 19-10）．
・脊髄空洞症では，T1 強調像で低信号，T2 強調像で高信号の領域を脊髄内に認める．
・頚椎 MRI で空洞を認めた場合，空洞が胸髄や円錐部まで達している可能性もあり，脊髄全長または他の脊髄高位における追加の画像検査が必要である．

治療方針
無症状または空洞が小さい場合は，治療を必要としない．経過観察中，症状の出現や増悪があれば治療を検討する．

保存療法
対症療法のみである．症状が軽度の場合，手術が行えない場合，術後も症状が残存する場合に適応となる．神経障害性疼痛のコントロールのために，鎮痛薬，抗うつ薬，抗てんかん薬，抗痙攣薬，オピオイドを用いる．運動機能や quality of life（QOL）を維持するため，理学療法などリハビリテーションを行う．また，症状の増悪するような活動は制限する必要がある．

手術療法
Chiari 奇形では小脳扁桃が大後頭孔を越えて下垂しているため，大後頭孔減圧術が主流であり，さらに環椎後弓切除や硬膜切除/形成を追加することが多い．約 60% 以上の症例は，この大後頭孔減圧術で空洞の縮小がみられ，それに付随して症状も軽快する．ただし，脊髄横断面で空洞が片側に位置する症例では，大後頭孔減圧術では空洞が縮小しないことが多く，空洞内に直接カテーテルを入れる短絡術を必要とする場合がある．

Klippel-Feil 症候群

Klippel-Feil syndrome

古矢 丈雄　千葉大学大学院 講師

【疾患概念】　本症候群は，Maurice Klippel と André Feil が 1912 年に報告した脊椎欠損を有する一剖検例に由来する．剖検例の特徴から，①短頚，②低位毛髪線，③頚部可動域制限を 3 徴とする先天性頚椎欠損（癒合）例を，Klippel-Feil 症候群と呼称するようになった．現在では，上記古典的 3 徴が揃っていない場合も含め，「頚椎に先天的な癒合が認められる症例」全般を指すことが多い．

【頻度】
1/40,000〜42,000 出生であるとされる．男女比は女性が 65% とやや多い．

【病型・分類】
癒合パターンから，広範囲の頚椎と上位胸椎の癒合を特徴とする I 型，1, 2 椎間の癒合を特徴とする II 型，頚椎に加え下位胸椎または腰椎の癒合を併発するⅢ型に分類される（Feil 分類）．

【病態】
古典的 3 徴すべてを認める例は少なく，50% 以下である．3 徴のうち最も多い徴候は，頚部可動域制限

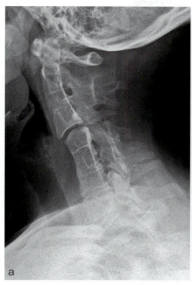
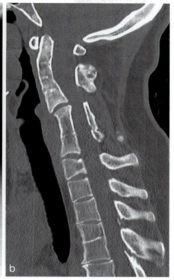

図 19-11　Klippel-Feil 症候群
a：X線側面像，b：CT矢状断再構築像

である．

問診で聞くべきこと

本症候群は，他の症候群や内臓奇形を合併することも多いため，問診では合併症，既往症，その治療歴についての情報を得ることが重要である．

必要な検査とその所見

X線（図 19-11a）またはCT（図 19-11b）にて癒合椎を確認する．癒合椎はC2/3椎間に最も多く認められる．頚椎前後屈動態撮影にて，癒合隣接椎間における異常椎間可動性の有無を確認する．頚椎に癒合椎を認めた場合，胸椎以下の癒合椎の有無を確認する．他の骨性・中枢神経奇形の合併につき評価を行う．代表的なものとして環椎後頭骨癒合症，歯突起骨などの上位頚椎奇形，Chiari 奇形，Sprengel 変形，側弯症が挙げられる．上位頚椎奇形の評価には，CT が有用である．Chiari 奇形の合併有無の確認には，MRI を施行する．Sprengel 変形は，発生過程における肩甲骨の下降障害により，肩甲骨が高位となる奇形である．Sprengel 変形の評価には，3D-CT が有用である．側弯症の評価には，全脊柱X線撮影を施行する．

診断のポイント

画像所見および特徴的な3徴が診断のポイントとなる．

治療方針

癒合椎に起因する症状としては，小児期では軽度の頚部痛や可動域制限または無症状であることが多い．

合併症・併存症を有する場合，そちらの治療が優先される．前述の上位頚椎奇形，Chiari 奇形，Sprengel 変形，側弯症などの有無を確認の後，これら合併症がなく脊髄症も呈していなければ，運動器については対症療法，定期経過観察でよい．

30歳代以降，癒合隣接椎間において脊髄障害が生じることがある．日常生活動作障害をきたす進行性の脊髄症に対し，脊椎の除圧（固定）術が検討される．

併発する上位頚椎奇形に伴う脊髄症に対し，除圧術または除圧（矯正）固定術が検討される．骨性奇形に由来する頚椎変形に対し，治療を依頼されることがある．装具療法は基本的に無効であり，治療には手術を要する．しかしながら手術は骨切りや矯正固定術など，比較的侵襲の大きな手術が必要となるため，両親・患児とよく相談して治療方針を検討する必要がある．Sprengel 変形に対し，肩関節可動域改善および整容改善目的に手術が施行される．側弯症に対し，脊柱変形に伴う胸郭圧排による呼吸機能障害改善および整容改善目的に，矯正固定術が施行される．癒合椎により頚部可動域制限を認める場合，麻酔導入の際に挿管が困難となる可能性があり注意を要する．

合併症と予後

合併する内臓奇形や他の症候群の重症度が，患者の予後を左右する．必要に応じ，各診療科に精査加療を依頼する．

患者説明のポイント

予後や重症度を規定するのは，他の骨性・中枢神経

環軸椎回旋位固定

Atlantoaxial rotatory fixation

村上 玲子　新潟大学医歯学総合病院整形外科・リハビリテーション科 助教

【疾患概念】
環椎が軸椎に対して回旋した位置にあり後天性に斜頸を呈するものを環軸椎回旋位固定という．後咽頭腔や歯突起周囲の炎症や外傷が契機となり，程度によっては靱帯損傷をきたして環軸関節が亜脱臼する．炎症が原因の場合は Grisel 症候群ともよばれる．6〜12歳に好発し，急性期には強い運動時痛と頸椎可動域制限を伴い，いわゆる cock robin position を突然呈するようになる．軸椎棘突起の圧痛，斜頸と同側への軸椎の転位，片側の後頭部痛を伴うことがある．発症から時間が経過している例では強い疼痛は消失している．

問診で聞くべきこと
本疾患の原因となりうるエピソードの有無，すなわちごく軽微なものを含む頸部への外傷の有無，先行感染（上気道感染，咽頭炎，中耳炎，咽後膿瘍，頸部リンパ節炎など）の有無，耳鼻咽喉科疾患術後（アデノイド口蓋扁桃摘出術，咽頭形成術，耳疾患に対する手術など）ではないかを問診する．ほかの後天性斜頸との鑑別のために既往歴も聴取する．また，治療方針を考えるうえで発症時期を聴取することも大切である．

必要な検査とその所見
臨床所見では，神経症状や感染徴候を伴っていないかを注意深く診察，評価する．契機として炎症を疑う場合，頸部リンパ節の腫大や耳下腺の腫脹を伴うことがあるため，触診で確認し，検温，血液検査などで炎症所見を確認する．頸椎単純X線像では，環椎と歯突起との位置関係が左右非対称にみえる．環軸関節は開口位撮影でよく描出されるが，可動域制限のために撮影肢位がとれず撮影困難なことが多い．側面像では，環椎歯突起間距離（atlantodental interval；ADI）と後咽頭腔幅（軸椎椎体前下縁と咽頭後壁の距離）を計測する．小児では前者は4mmまで，後者は2〜7mmが正常範囲である．後者が増大している場合は，後咽頭膿瘍や出血などを疑う．診断には頸部の肢位に左右されずに環軸椎の関係を評価可能な頸椎CTが有用である．横断面における環軸椎の位置関係によるFielding分類が頻用されており，靱帯損傷の可能性がある typeⅡ以上は慎重な対応を要する．神経症状を呈する場合は，MRIによる脊髄の評価は必須である．外傷性斜頸の場合の出血や靱帯損傷，骨傷の評価，および経過が長い症例や原因が特定できない場合などにも，MRIは有用である．

鑑別診断で想起すべき疾患
後天性斜頸の鑑別として以下のものが挙げられる．有痛性（環椎骨折，硬膜外血腫，歯突起骨，若年性特発性関節炎，川崎病，頸椎腫瘍など）．無痛性（時に有痛性）〔頸髄腫瘍，後頭蓋窩腫瘍，薬剤性（向精神薬），脊髄空洞症，良性発作性斜頸，ヒステリー性斜頸など〕．

診断のポイント
問診と診察により原因を検索，特徴的な臨床所見を評価し，単純X線像またはCT像で診断を確定する．

専門病院へのコンサルテーション
発症から1週間以上経過している場合，骨折や神経症状を伴う場合，臨床症状が重篤な場合は速やかに専門病院へ紹介する．

治療方針
環軸関節の変形をきたす前に，適切な治療を行う必要がある．発症からの経過期間と重症度により，治療方針を決める．①発症から1週間以内の場合は，頸椎装具を装着，消炎鎮痛薬を投与し，痛みを取り除く．疼痛が強く日常生活が困難な場合は，入院加療を考慮する．②発症から1週間経過しても斜頸位が残存する場合は，入院させ頸椎介達牽引を行って安静をはかる．体格や疼痛に応じて0.5〜1kgから開始して適宜増量し，食事やトイレ時以外は常時牽引する．斜頸位が整復されても不安定性が残るため直ちに牽引は終了せず，2週間程度は継続する．牽引終了後は頸椎装具を1〜3か月装着する．③発症から1か月経過しても斜頸位が残存する場合は，CTで環軸関節の変形を再評価，軽度な場合は全身麻酔下に無理のない範囲で整復を試みる．整復が得られたらハローベストを装着して整復位を保持し，環軸関節のリモデリングを待つが，同部の不安定性が残存する場合は手術を考慮する．整復できない場合は手術適応で，可及的に環軸関節を整復後，環軸関節固定術を行う．

筋性斜頸

Muscular torticollis

村上 玲子　新潟大学医歯学総合病院整形外科・リハビリテーション科 助教

【疾患概念】　片側の胸鎖乳突筋の線維化による拘縮が原因で，新生児・乳児期より特徴的な外観をとり，頚部可動域制限を生じる．成因には諸説あるが，解明はされていない．非外傷性斜頸の原因としては最多である．

【臨床症状】　新生児～乳児期に家人が頚部のしこりに気づいて，医療機関を受診することが多い．患側の胸鎖乳突筋に一致した頚部に腫瘤を認め，その大きさは生後2，3週でピークを迎えた後，徐々に消退する．頚部可動域は健側への側屈，患側への回旋で制限される．仰臥位では頚部を健側へ回旋する傾向があるため，健側の後頭部が平坦になっていることが多い．年長児では顔面非対称，頭部の健側への側方偏位，代償性の脊椎側弯，肩の高さの左右差を認めることがある．青年期や成人まで放置されていると，肩こり，頭痛などの自覚症状を訴えることがある．

■問診で聞くべきこと

新生児期または乳児期に頚部のしこりに気付いていたかどうか，斜頸位に気が付いた時期，注視するときなど斜頸位が顕著になる場面があるか，斜視の有無，基礎疾患の有無，は非筋性斜頸との鑑別に有用である．年長になってから受診した場合は，新生児～乳児期の写真も有用な情報となることが多く，家人に持参してもらうと参考になる．

■必要な検査とその所見

(1) 単純X線検査

頚椎2方向撮影像で先天性の椎体の形態異常（奇形椎）が原因である，骨性斜頸との鑑別を行う．また，年長例では，患側胸鎖乳突筋の鎖骨枝付着部の骨性隆起を認めることがある．立位全脊柱前後像では代償性側弯を認めることがある．

■鑑別診断で想起すべき疾患

筋性斜頸が否定的な場合は，骨性斜頸や眼性斜頸，耳性斜頸などを疑い，精査を進める．中枢神経系の異常や分娩麻痺，炎症性斜頸，環軸椎回旋位固定，鎖骨骨折なども鑑別に挙がるが，これらは既往歴や疼痛の有無，先行感染，外傷歴などで容易に鑑別が可能である．

■診断のポイント

典型例では，新生児～乳児期の胸鎖乳突筋の部位に一致した腫瘤の有無，斜頸位と腫瘤の左右との合致，頚椎可動域制限や頭部変形のパターンなど，臨床所見からおおむね診断が可能である．

■専門病院へのコンサルテーション

1歳を過ぎても斜頸位や頚部可動域制限を認める場合，すでに顔面非対称が生じている場合，筋性斜頸以外の原因が疑わしい場合は専門病院への紹介が望ましい．

治療方針

1 ▶ 保存的治療

本疾患は1歳までに8～9割は自然治癒が見込まれる良好な経過をとる．そのため，新生児～乳児期の第1選択は保存的治療である．可動域制限のある頚部運動を促すための育児指導を行い，経過観察を行う．具体的には，患側に明るい方向（窓や照明）やおもちゃを置く（吊るす）位置がくるようにベッドを配置する，授乳やあやす際は患側から行う，寝ているときに頚部が患側に回旋するよう健側の肩甲骨の下にタオルを入れる，などである．

2 ▶ 外科的治療

1歳を過ぎても斜頸位や可動域制限が残存する場合，それ以上の大きな改善は期待できないため外科的治療を考慮する．1歳以降で目立った斜頸位や明らかな可動域制限が残存する場合，顔面非対称を認める場合は手術適応となる．実際は患児が自覚症状によって日常生活に支障をきたすことはないため，容姿の改善が必要かどうかで決めることが多く，保護者や本人とよく相談して決める必要がある．顔面非対称は手術後も改善しないため，出現前に手術を行うことが望ましい．頭部変形は若年であれば術後にある程度の改善が期待でき，5歳未満での手術を推奨するという報告がある．

術式には胸鎖乳突筋腱切り術（皮下切腱術，下端切腱術，上下両端切腱術），胸鎖乳突筋部分摘出術または亜全摘出，胸鎖乳突筋延長術，形成的腱延長術などがある．術後の装具装着やリハビリテーションの必要性は術者の考え方，術式によって異なる．

■リハビリテーションのポイント

筆者の施設は術翌日から他動的可動域訓練を行っている．体幹が逃げないように後方から患児を抱えるようにして，頚部の側屈や回旋可動域訓練を行う．理学療法士から保護者に方法を指導し，退院後も毎日自宅で訓練を継続させている．

痙性斜頸

Spasmodic torticollis

中村 雄作　りんくう総合医療センター脳神経内科 主任部長〔大阪府泉佐野市〕

【疾患概念】　痙性斜頸は，頸部の局所性ジストニアで，頸部筋の不随意な常同的収縮による頸部の運動や頭位の異常である．頭部の偏倚は一定のパターンがあり，また特定動作で症状が発現する動作特異性がみられる．不随意に一定方向に頭部が偏倚していくこともある．起床時の症状改善の有無や手などを軽く顎に添えるだけで症状が改善する感覚トリックがみられることがある．

【臨床症状と病態】
　異常姿勢は，回旋，側屈，前後屈，肩の挙上，側弯があり，複数の組み合わせで出現する．発症後数か月〜数年は進行するが，その後は安定することが多い．ジストニアの特徴は，①常同性，②動作特異性，③感覚トリック，④共収縮，⑤オーバーフロー現象，⑥早朝の症状改善が挙げられる．機序は大脳基底核を中心とする運動ループの機能異常が考えられており，皮質運動野内抑制の障害，周辺抑制の障害，感覚運動連関の異常，神経可塑性の異常や小脳機能異常などが考えられている．

問診で聞くべきこと
　①頭部の偏倚方向，振戦などの経過，②安静時だけでなく症状が発現しやすい精神的負荷や特定動作，歩行時での悪化，③起床時の改善，④感覚トリックの有無を確認する．

必要な検査とその所見
　写真，動画により偏倚を確認する．表面筋電図でジストニア放電を検討する．筋CTや筋MRIで筋腫大がみられ診断に有用である．鑑別診断のため脳脊髄MRIが必要である．

診断のポイント
　診断は，特発性，薬剤性，症候性や心因性斜頸などを鑑別する．臨床症状，経過，表面筋電図でジストニア放電がみられ，他の原因を鑑別し特発性痙性斜頸と診断する．薬剤性（遅発性ジスキネジア）は抗精神病薬，抗不安薬などの服用歴がある．症候性では，神経筋萎縮疾患での前屈，Parkinson病，多系統萎縮症などの神経変性疾患で後屈がみられる．状況により変化する心因性斜頸，偽性斜頸（筋性斜頸，眼性斜頸，拘縮・骨格異常）などが挙げられる．

専門病院へのコンサルテーション
　痙性斜頸の診断は困難なことが多く不随意運動の経験豊かな脳神経内科医への相談が必要である．

治療方針
　ボツリヌス治療はジストニア症状の改善と痛みを改善する最も有効な治療法である．わが国ではボトックス®（A型毒素）とナーブロック®（B型毒素）が認可されている．正しい筋選択，投与量の選択が重要で治療経験を要する．筋電図や超音波ガイドにより治療成績は向上する．アーテン®や抗不安薬を併用することもある．治療抵抗性の場合，視床破壊術，脳深部刺激（deep brain stimulation；DBS）を行うこともある．

合併症と予後
　ボツリヌス治療は早期診断・治療により70〜80%の有効性が得られる．治療開始までが遅い場合治療成績は悪く，長期治療成績では寛解は30%程度である．主な副作用は軽度の嚥下障害，後頸部筋力低下である．

患者説明のポイント
　斜頸は罹病期間が長い場合予後不良となることが多い．早期診断，早期治療により予後は改善する．

急性頸部椎間板石灰化症

Cervical intervertebral disc calcification in children

嶋村 佳雄　田中脳神経外科病院脊椎脊髄外科部長〔東京都練馬区〕

【疾患概念】　小児椎間板石灰化症は1924年Baronが最初に報告した疾患で，これまでに国内外で約400例近くの報告がある．椎間板石灰化症は成人ではしばしばみられるものの無症状が多く，これに対し小児ではまれではあるがほとんどが急性発症し，頸椎発症例が多い．頸部の激痛を伴い受診することが多いが，ほとんどの症例において保存治療により自然軽快治癒する予後良好な疾患である．

【病態】
　椎間板石灰化症は小児と成人では病態は大きく異なる．成人の場合多くは加齢性変化であり，主に線維輪に生じ自然消退することはない．一方，小児の椎間板石灰化症は主に髄核に生じ自然消退する．石灰化の機序は現時点では不明であるが，感染や外傷を機に病変部位周囲の酸素分圧，pH，血流などに影響を及ぼして骨誘導因子などが血流を介して髄核内に移行することで石灰化が生じる可能性や，もともと髄核内にある石灰化構成物質が，感染や外傷により髄核内圧が上昇することで石灰化するのではないかと推測されている．

表 19-2　Eyring の 6 徴候

①局所の疼痛，関連痛
②脊椎の運動制限
③炎症の存在
④椎間板の石灰化
⑤小児の罹患
⑥良好な予後

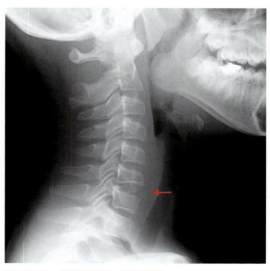

図 19-12　頚椎単純 X 線側面像
C6/7 に椎間板の石灰化（←）を認める．

【臨床症状】

男女比は 3：2 で男性に多く発症年齢は 3〜13 歳にみられている．

発生部位は中下位頚椎に多く，単椎間発生例は 65％，2 つ以上の多椎間発生例は 35％ と報告されている．症状を有するのはほぼ全例が頚椎発症で，最も多い症状は頚部痛と頚椎運動制限であり，発熱や斜頚，頚部リンパ節軽度腫脹，ときに咽頭・嚥下痛などの症状がみられる．非常にまれではあるが，神経根症や脊髄症と思われる症状を認めることがある．Eyring の 6 徴候（表 19-2）が提唱されている．

問診で聞くべきこと

発症前の外傷の有無と先行する小児特有の感染症状の有無は参考になる．

必要な検査とその所見

発熱や咽頭喉頭，頚部の腫れを認める場合は血液検査および感染症に対する一般的な検査は必要である．頚部椎間板石灰化症は急性炎症の指標である白血球，CRP，血沈の上昇がみられることが多く，特に血沈が上昇する場合が多い．

単純 X 線は大変重要であり，椎間板髄核に一致して円形もしくは卵円形の石灰化を認める（図 19-12）．また，石灰化した椎間板に隣接する椎体の扁平化および骨棘形成，罹患椎間板の椎間腔拡大も散見される．特に後方に脱出して脊髄症をきたす場合は CT および MRI 撮影が必要である．椎間板石灰化症は MRI にて T1，T2 強調像ともに低信号をきたす．

診断のポイント

前記臨床症状および単純 X 線像にて石灰化した椎間板を認めた場合に十分に疑うべき疾患である．Eyring の 6 徴候（表 19-2）は診断の一助となる．

鑑別診断で想起すべき疾患

頚部椎間板石灰化症は，まれではあるが本疾患の存在を知り小児の頚部激痛と頚椎可動域制限をきたした症例に遭遇した場合の鑑別の 1 つにできることが重要である．

頚部痛に発熱や炎症所見を伴う場合，小児科が初診医であることが多く急性上気道炎，咽頭後壁膿瘍，頚部リンパ節炎，川崎病などの小児感染症が一般的に鑑別として挙げられる．加えて強い可動域制限や嚥下困難，神経障害などを認める場合は縦隔気腫や化膿性脊椎炎を，また高熱と項部硬直や痙攣を伴う場合は髄膜炎などを疑う必要がある．

頚部痛に斜頚を認める場合は，環軸関節回旋位固定，第 2 頚椎（軸椎）骨折などを疑う必要があり，CT 検査，特に 3D-CT にて鑑別は容易である．Crowned dens syndrome は急性に頚部痛を発症する点で似ているが，高齢で女性に多いという点が頚部椎間板石灰化症とは異なる．

治療方針

治療は頚椎の安静が必要でありカラー装着と非ステロイド性抗炎症薬（NSAIDs）内服がファーストチョイスであるが，激しい疼痛のためにベッド上安静とし，頚椎牽引を行うこともある．疼痛管理としてアセトアミノフェンを使用すると同時に，最近の傾向として本疾患の石灰化に対し，H_2 ブロッカー（一般名：シメチジン）400 mg/日の連日投与を行うことで比較的早期の石灰化縮小が期待できたとの報告も多い．

合併症と予後

一般的に保存治療において臨床症状は急速に安定消失し，X 線所見は徐々に改善し石灰化も消失していく．3 週間以内に 60％ の症例が，6 か月以内に 95％ の症例が完全に症状消失するとされる．再発症例の報告はなく予後良好であるが，まれに石灰化椎間板が椎間孔や脊柱管へ脱出し後方ヘルニアとして頚髄症や神経根症を発症したものや，前方にヘルニアとなって嚥下困難を発症したもので手術治療を必要とした報告は

19 頚椎部の疾患

ある．

患者説明のポイント

自然経過で軽快していく予後良好な疾患であること．そして石灰化を起こした椎間板に隣接する椎体に扁平化がある場合は少なからず残存することがあることを話しておく必要があり，長期の経過観察が必要である．

注意点，リスクマネージメント

一般的に単純X線像で診断可能な疾患であるが頚部の激痛と可動域制限，斜頚が強い場合に下位頚椎を含めた撮影は難しくなる．さらに発熱や炎症反応上昇がみられる場合に，先行感染や嚥下痛，咽頭痛を合併すると正確な診断はさらに難しくなることは明らかであり注意が必要である．小児科からの紹介の場合は別として初診医が整形外科の場合，特に先行感染を伴う例ではまれに，溶連菌感染や川崎病などの小児感染症と併存合併する例があるので，小児科医との連携を取ることはとても重要である．

頚椎椎間板ヘルニア

Cervical disc herniation

新井 嘉容　埼玉県済生会川口総合病院 副院長〔埼玉県川口市〕

【疾患概念】　頚椎椎間板はその変性の過程において髄核の水分が減少し，軟骨板を含めた椎間板組織にフラグメンテーションが生じるようになる．そのフラグメント化した軟骨板を含む椎間板組織片が，脆弱化した線維輪や後縦靱帯深層を穿破したものがヘルニアである．ヘルニアはしばしば神経根や脊髄を圧迫して，それぞれ神経根障害，脊髄障害を引き起こす．

【頻度】
頚椎の椎間板変性は20歳代に始まるとされている．したがって頚椎のヘルニアは30〜50歳代で生じることが多い．神経根症をきたすヘルニアの椎間板高位はC6/7椎間が最も多く，次いでC5/6，C7/T1，C4/5椎間の順である．一方，脊髄症ではC5/6椎間が最も多く，次いで，C4/5，C3/4，C6/7の順である．

【病型・分類】
その局在から正中，傍正中，外側（椎間孔）ヘルニアの3タイプに分類される（図19-13）．脊髄症は正中あるいは傍正中のヘルニアで，神経根症は外側あるいは傍正中のヘルニアで引き起こされる．また，後縦靱帯穿破の様式から次の3型に分けられるが，術前MRIでの判別は難しい．

Ⅰ型：靱帯内脱出．後縦靱帯の深層を穿破し，浅・深2層間に留まるもの．
Ⅱ型：後縦靱帯浅層穿破．靱帯を破り，一部が硬膜外腔に脱出したもの．
Ⅲ型：硬膜外遊離片．硬膜外腔に脱出し，遊離断片となったもの．

手術例では脊髄症，神経根症のいずれもⅠ型が最も多かったとの報告がある．

【臨床症状または病態】
(1) 神経根症
片側上肢の疼痛・しびれや頚部・肩甲間部の疼痛が主訴である．比較的急速に発症する激しい疼痛であることが多い．患側の手を挙上して後頭部にあてがっている例があるが，神経根の緊張がゆるみ，圧迫が軽減するためと考えられる．なお，胸部へ痛みが放散することがあり狭心症と間違われることもある．

(2) 脊髄症
四肢しびれ，両手指巧緻運動障害，歩行障害，膀胱

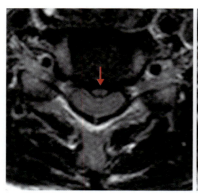
正中

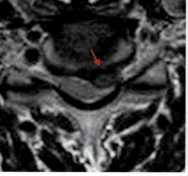
傍正中

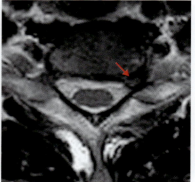
外側（椎間孔）

図19-13　頚椎椎間板ヘルニアの局在（MRI T2強調像，水平断像）

直腸障害が主訴である．左右いずれかの上肢のしびれで発症し，まもなく両側性となる．経過とともに手指の巧緻運動障害が出現し，ボタンの止め外し，書字，箸の使用などに困難をきたすようになる．やがて，足の引きずり，もつれといった痙性歩行が出現し，しびれが下肢・体幹にも広がり，さらに排尿障害が加わる．下肢の感覚障害は，温度覚の異常で自覚されている場合も少なくない．

問診で聞くべきこと

各症状の発症時期や様式，初発症状や経過につき問診する．諸症状の推移は治療による反応を予測するうえで重要である．

必要な検査とその所見

(1) 神経学的所見
① 神経根症：頚椎を患側に側屈させ，同時に後屈させて頭部に下方への圧迫を加えると頚部〜肩，上肢，手にかけての放散痛が再現される（Spurling テスト陽性）．障害神経根の支配域に一致して筋力や腱反射の低下，知覚障害などがみられる．
② 脊髄症：Hoffmann 徴候と下肢腱反射の亢進がみられる．腱反射亢進が明らかでない場合でも，Babinski 反射が陽性であれば頚髄症を疑ってよい．上肢の痙性麻痺を簡便に定量化する方法として10秒テストがある．10秒間，できるだけ速く拳を開閉させるもので，年齢にもよるが24回に満たない場合は頚髄障害が示唆される．

(2) 画像検査
① 頚椎 X 線：靱帯骨化や肺尖部（Pancoast）腫瘍を除外する．
② 頚椎 MRI：ヘルニアの描出に最も適しているが，骨棘や靱帯骨化との鑑別は難しい．無症候性のヘルニアがあることにも留意すべきである．神経根の描出は空間解像度の点で困難であるが，椎間板のやや頭側レベルの水平断像が参考になる．冠状断像・斜位像も有用である．脊髄症ではヘルニアの圧迫により脊髄に変形がみられ，T2強調像で髄内に高輝度領域が見られれば診断確定してよい．
③ CT ミエログラフィ：椎間孔病変の検索に有用である．

鑑別診断で想起すべき疾患

① ヘルニア以外の頚椎疾患：頚椎症，脊柱管狭窄症，後縦靱帯骨化症，脊髄腫瘍など
② 絞扼性末梢神経障害：手根管症候群，肘部管症候群，胸郭出口症候群など
③ 帯状疱疹による末梢神経障害
④ Pancoast 腫瘍による末梢神経障害
⑤ 糖尿病性末梢神経障害
⑥ 運動ニューロン疾患

診断のポイント

神経根症か脊髄症かの鑑別が最も重要である．両者で治療方針が大きく異なるためである．頚椎に原因があっても，Brown-Séquard 症候群をきたすような傍正中のヘルニアや C6/7 高位のヘルニアでは，上肢症状がなく下肢症状で発症する場合があるので注意を要する．

専門病院へのコンサルテーション

脊髄障害の急性増悪や，手内在筋の筋力低下で手の機能障害をきたした C8 神経根症（下垂手）では早期の手術を要する場合が多く，脊椎脊髄外科指導医/専門医への早めのコンサルテーションが必要である．

治療方針

1 ▶ 神経根症

ヘルニアの自然退縮が期待できるため保存治療が原則である．急性例は一般に発症から4か月の間に改善が著しい．

2 ▶ 脊髄症

いたずらに保存的治療を続けるのではなく，神経障害の不可逆性変化が完成する前に手術治療を施行すべきである．

保存治療

神経根症は長期的にみれば治療法別の成績に差がなく，重症度に応じて対症的に種々の治療がなされてよい．軽症例では日常生活上の指導に加えて疼痛に応じて非ステロイド性抗炎症薬，Caチャネル $\alpha_2\delta$ リガンド，セロトニン・ノルアドレナリン再取り込み阻害薬，アセトアミノフェンなどを適宜選択する．重症例では，頚部の安静目的に入院させグリソン牽引を行い，硬膜外あるいは神経根のブロックを併用する場合がある．頚椎カラーによる外固定も有用であるが，頚部筋群強化のために同時に等尺性運動も指導する．

手術治療

単椎間障害であれば前方除圧固定術のよい適応である．ヘルニア摘出の後，自家腸骨やケージなどによる椎体間固定を行う．神経根症の場合，後方からの椎間孔拡大術も広く行われている．いずれも成績は良好である．

患者説明のポイント

神経根症は急性例では痛みがあまりにも強いため，患者は不安な心理状態にある．ヘルニアは自然退縮が期待できる（図19-14）ことを伝え，患者を安心させることも必要である．手術を必要とするのはあくまでも重篤な筋力低下が出現する場合や保存治療抵抗性の場合である．一方，脊髄症の場合，たとえヘルニアであっ

19 頚椎部の疾患

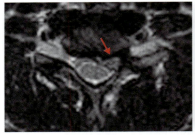
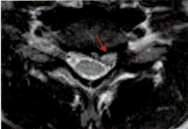
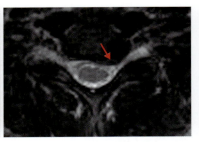

初診時　　　　　　　　初診後1か月　　　　　　　初診後4か月

図 19-14　頚椎椎間板ヘルニアの自然退縮（T2 強調像，C6/7 高位での水平断像）
C6/7 左傍正中ヘルニアが1か月後に高輝度となり，4か月後には消失している．

ても手術治療を考慮すべきケースが多くなる．すでに神経が不可逆性の変化をきたしてしまっている場合には，たとえ手術を行ってもすべての症状を完治させることはできないが，手術方法はすでに標準化されており，治療により症状の改善は期待できることを説明する．手術のタイミングを逃さないようにすることが大切であって，いたずらに不安を煽るような言動は慎むべきである．

合併症と予後

前方手術では，頚部の腫れや誤嚥に伴う呼吸障害，反回神経麻痺による誤嚥や嗄声，隣接椎間での再発の可能性が，後方手術では，術後 C5 麻痺（肩挙上困難）や軸性疼痛が出現する可能性がある．術直後の神経症状の悪化は硬膜外血腫の可能性があるので，見過ごさないようにスタッフ全員に注意を促す．

頚椎症性神経根症

Cervical spondylotic radiculopathy

竹内　幹伸　腰・首・頭の中京スパインクリニック 院長
〔愛知県日進市〕

【疾患概念】　一般的にいわれる頚椎症は2種類あり，中枢神経である頚髄圧迫による頚椎症性脊髄症と，その枝である末梢神経すなわち頚神経根圧迫による頚椎症性神経根症がある．その原因は頚椎椎間板ヘルニアや骨棘による頚神経根の圧迫であり，外傷が契機で発症することもあれば，内因性のことも多く，どちらが多いかは一概には言えない．おもに，第5/6頚椎レベル，次に第6/7頚椎レベル，最後に第4/5頚椎レベルでの神経根圧迫が多い．

【臨床症状】　一言で言うと，長引くひどい寝違えである．特徴的な症状としては，急激発症，片側頚部痛，片側の上肢や肩甲骨付近への放散痛である．麻痺症状を起こすことは多くない．

問診で聞くべきこと

頚神経根の圧迫により上を向くことが困難になる．患者さんからよく聞く訴えは，高い所に置いてある物がとれない，シャンプーができない，ひげそりができない，うがいや歯磨きができない，洗濯物を干せないなどである．そのため，問診では上記のことを聴取して欲しい．あと急激発症か，片側症状か，片側肩甲骨付近への放散痛があるかどうかも診断のポイントとなる．

必要な検査とその所見

問診や，一通りの神経所見だけではなく，Jackson テスト，Spurling テストの陽性か陰性は必ずチェックしておくべき所見である．

画像診断ではX線6方向（2方向だけでは不十分），頚椎 CT で骨棘の有無，頚椎 MRI〔T1，T2 強調像の水平断・矢状断，Short T1 Inversion Recovery 撮影（STIR）矢状断〕で神経圧迫の有無をチェックする．
※外傷の場合は，MRI 撮影で STIR 矢状断を入れておくと受傷時に外傷が契機で症状が起こっているかどうかの判断がつきやすくなる．外傷が契機になっている場合は，STIR 矢状断で後頚筋群や椎体もしくは椎体前縁が高信号となり血腫を疑わせる所見をみることが多い．

鑑別診断で想起すべき疾患

①単純な寝違え．
②変形性肩関節症：症状的に判断が難しい．変形性肩関節症では Jackson テスト，Spurling テストが陰性であるため，その点で鑑別する．また，変形性肩関節症の場合は三角筋の筋力低下は起こるが，二頭筋の筋力低下を起こすことは少ない．本疾患との鑑別点となる．
③Pancoast 腫瘍：意外と見落としがちであるが，

Pancoast腫瘍でも本疾患と同様の症状を呈することがある．X線・CTで肺尖部所見を見逃さないこと．

診断のポイント
①急激発症：本疾患は急激発症のため，年単位（例えば数年前から）の症状や，緩徐発症であれば本疾患とは考えにくい．
②片側症状：基本的に本疾患は片側症状である．上肢や肩周辺だけでなく頸部痛も片側である．両側性の場合，本疾患とは考えにくい．
③片側肩甲骨付近への放散痛：急激発症・頸部や上肢の片側症状だけでなく，片側肩甲骨付近への放散痛の有無も特徴的な症状である．
④Jacksonテスト，Spurlingテストの実施：本疾患の場合はほとんどの症例で両テストとも陽性または強陽性となる．要するに，上を向くことが困難になる．
⑤画像診断（X線，CT，MRI）で頸神経根を圧迫する所見があるかどうかである．

専門病院へのコンサルテーション
①1，2か月の保存的加療（内服，休職など）で改善が得られない場合．
②上肢の明らかな麻痺症状を呈している場合は速やかなコンサルテーションが必要と思われる．特に遠位筋麻痺場合は近位筋麻痺に比べて回復が悪い．

治療方針
麻痺症状や強い日常生活への支障がない限り，治療の基本は保存的加療である．1，2か月程度で70〜80％が改善する．保存的加療で改善傾向にない場合は手術適応となる．

1 ▶ 保存的加療
(1)内服加療
非常に強い痛みの場合はNSAIDs座薬が一番効果的と考える．通常はNSAIDsなどの鎮痛薬と筋弛緩薬の投与が一般的である．効果が乏しい場合は，プレガバリンなどの神経障害性疼痛薬を加えることも効果的と考える．
(2)枕の高さ
意外と知られていないかもしれないが，枕の高さに関しては高いほうが痛みは緩和される．低い枕ほど痛みが誘発されるので注意が必要である．
(3)安静加療
痛みが強い場合は，休職を含めた安静加療が必要である．
(4)各種ブロック注射
トリガーブロック注射，頸部傍脊柱神経ブロック，神経根ブロックなども効果がある．

2 ▶ 手術加療
2か月程度の保存的加療に抵抗する場合，麻痺症状（MMT3以下）を認める場合，日常生活に支障をきたす場合は手術適応となる．詳細な手術方法に関しては手術テキストを参考にしてもらいたい．
(1)前方アプローチ
頸椎前方固定術や経椎体神経除圧術などがある．
(2)後方アプローチ
後方椎間孔除圧術，椎弓形成術などがある．
(3)内視鏡手術
おもに後方アプローチによる椎間孔除圧術が行われている．ヘルニアがある場合は後方からヘルニア摘出も可能である．

リハビリテーションのポイント
安静加療がメインであるため，本疾患の場合は症状が安定するまで積極的なリハビリテーションは必要ない．軽度麻痺症状がある場合は，疼痛が軽減後に行うことが良いと思われる．カラーや牽引の有効性については質の高いエビデンスはない．

患者説明のポイント
生命を脅かす疾患（要するに悪性腫瘍）でないことをまず伝える．
そのうえで，1，2か月の保存的加療で70％程度の人は改善すること，保存的加療で改善がない場合や筋力低下がある場合は手術適応になることを伝える．

リハビリテーションのポイント，関連職種への指示
痛みなどの症状が強い場合は安静を指示する．食事や移動のADL制限は必要ない．画像所見で明確な神経根圧迫所見を認める場合や，痛みが強い状況でのリハビリテーションは不要と考える．痛みにより著明なADL制限がある場合や，麻痺症状がある場合は手術となるため，手術に則った指示とする．

頸椎症性脊髄症

Cervical spondylotic myelopathy

小林 洋　福島県立医科大学 学内講師

【疾患概念】　頸部脊柱管の初育性狭窄を背景とし，加齢退行性変化，前後屈不安定性および軽微な外傷が加わって，脊髄の機械的圧迫あるいは血行障害が生じる結果，発症する疾患である．

初発症状としては，両手のしびれや巧緻運動障害が認められる．具体的には箸の使用，書字，衣服のボタンかけなどに困難をきたし，下肢では階段昇降（特に降りるとき）の困難を感じるようになる．重症化すると，箸が使用不可能になり，歩行困難になり，膀胱直腸障害が出現する．脊髄への圧迫の程度により重症度

19 頸椎部の疾患

は異なるが，両上肢のみの初期から四肢不全麻痺へと進行する例が多い．

【頻度】

男性の発症が女性の2倍以上で，50歳代での発症が多い．C5/6が責任高位である場合が多いが，高齢者は障害高位がC3/4とC4/5と頭側で障害される場合が多い．また罹病期間が長く，手術成績は一般的に非高齢者よりも劣る．

問診で聞くべきこと

初発症状，発症の時期，契機を確認する．転倒などの外傷が契機となっている場合，症状の経時的変化（増悪，改善，不変など）が，脊髄損傷と本症を鑑別するうえで重要である．既往歴では，上肢の末梢神経絞扼性疾患や，腰部脊柱管狭窄，脳梗塞など，本症の鑑別になる疾患について確認する．

必要な検査とその所見

神経学的所見から障害高位を推測し，それを裏付ける所見を画像所見で確認するという手順で行う必要がある．なぜならば，無症状の形態異常や加齢的変化による形態異常を原因と誤って判定してしまう可能性があるからである．障害高位が一致しない場合は，他の疾患や他部位の病変との鑑別を要する．

高位診断に関しては，通常は深部反射，筋力，および感覚障害の範囲からある程度推定可能であるが，多椎間に障害があり困難な場合も少なくない．C5/6やC6/7高位での障害では，上肢症状がないかごく軽微で，胸髄症様の症状を呈することがあり注意を要する．

一般に深部反射は，障害高位において減弱あるいは消失し，以下は亢進する．しかし，例外もあるので注意する．例えば，糖尿病性末梢神経障害や腰部脊柱管狭窄症などで二次ニューロンの障害がある場合は，反射は減弱あるいは消失することがある．一方，Babinski反射は病的反射であり，深部反射の亢進が明らかでない場合でも陽性であれば上位運動ニューロンの障害が示唆され，診断学的意義が高い．

また，Hoffmann徴候やmyelopathy handは圧迫性頸髄症に特徴的であり，本症にも高い確率で存在するため，有用な所見である．Myelopathy handとは，尺側の1ないし2指（小・環指）の内転が障害され，手指の素早い把握動作とその解除（グー，パー）が行えなくなる状態，と定義される．定量的に評価する方法として，上肢では10秒テストが有用である．正常では少なくとも20回未満は異常とされる．経時的変化の確認が可能である．

(1) 単純X線写真

中間位と最大前後屈の側面像を含める．中間位側面像で脊柱管前後径を測定し，前後屈側面像で前後へのすべりや各椎間の可動域を測定する．一般的に脊柱管前後径12 mm以下が脊柱管狭窄と考えられている．

(2) 頸椎CT

骨化，石灰化病変の有無を確認する．後縦靱帯骨化はX線やMRIではわからないことも多い．

(3) 頸椎単純MRI

必須の検査である．硬膜管の圧迫や脊髄の扁平化を観察する．T2強調像での髄内高輝度変化は脊髄症の存在を示唆する．圧迫因子の鑑別には限界があり，単純X線像やCTとの併用が望ましい．

鑑別診断で想起すべき疾患

(1) 後縦靱帯骨化症

頸椎単純X線像，CTおよびMRIで後縦靱帯骨化とこれによる圧迫された硬膜管が認められる．

(2) 筋萎縮性側索硬化症

40〜50歳代に発症し，上位と下位の運動ニューロンが侵される．初発症状は，上肢の筋力低下，痙攣，線維束攣縮あるいは筋萎縮が多い．知覚障害や，膀胱直腸障害は認められない．針筋電図検査を行い，下肢筋や背筋から脱神経電位の有無を確認する．

(3) 多発性硬化症

20〜40歳代に発症することが多い．初発症状は，運動麻痺やしびれ感，視力低下，複視などが多い．2か所以上の中枢神経症状を呈し，寛解や再発を繰り返す．症状の時間的・空間的多発性が特徴である．眼振，断続性言語，企図振戦がCharcot三徴（Charcot triad）とされる．しかしこれら三徴が出現するのは病気がかなり進行した時期であるので，早期診断の役には立たない．白質障害なので上肢の筋電図検査で脱神経電位は原則として認められない．約半数に髄液oligoclonal IgG bandsが陽性となる．

(4) 糖尿病性神経障害

手袋・靴下型感覚障害，四肢遠位筋の筋力低下，深部反射の低下などにより鑑別する．神経伝導速度の低下を確認する．

(5) 末梢神経絞扼性疾患（肘部管症候群，手根管症候群）

臨床的に高頻度にみられ，合併例も多い．Tinel様徴候や，elbow flexion testやPhalen test（手関節の他動掌屈の持続により感覚障害が再現される）などの負荷試験，短母指外転筋や小指外転筋・骨間筋などの筋力低下，および境界明瞭な感覚障害を有することが鑑別の手がかりとなる．しかし，合併例など判別困難な場合も少なくない．神経伝導速度検査により確定診断が得られる．

治療方針

感覚障害が主で，運動障害が軽微な軽症例には保存的治療を行う．一方，神経障害が高度の場合には手術が行われることが多い．手術のタイミングが遅れると

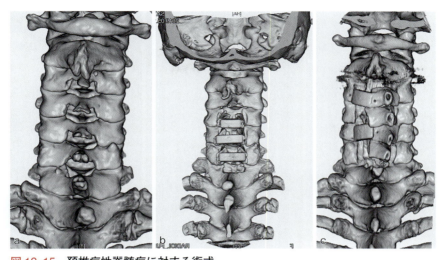

図 19-15　頚椎症性脊髄症に対する術式
a：選択的後方除圧，b：棘突起縦割式椎弓形成術，c：片開き式椎弓形成術．

脊髄の回復力が劣り，症状が改善しにくくなる．とはいえ実際には手術を望まない患者も多く，症状が長期間横ばいの患者もいるため治療方針の決定はしばしば困難である．しかし，漫然と保存療法を続けることは患者のQOLを損なう．本人・家族と信頼関係を構築し，適切なタイミングでの手術介入を考慮する．

保存療法

薬物療法は一般的に行われているが，脊髄症に対してのエビデンスは現在のところなく，痛みやしびれに対する対症療法としての意味合いが強い．装具療法や持続牽引療法には弱いエビデンスがあるが，あまり一般的とは言えない．

手術療法

進行性あるいは長く持続する脊髄症，軽症でも保存療法で効果がなく脊髄圧迫の強い青壮年者は手術適応である．高齢者でも，周術期合併症に注意すれば手術適応となる．

脊柱管前後径が12 mm以下の多椎間狭窄例で頚椎前弯が保持されている場合では後方除圧を選択することが多い．術式には選択的後方除圧や，椎弓形成術（片開き式，棘突起縦割法）などがある（図19-15）．脊柱管前後径が広く，圧迫部位が1～2椎間で頚椎後弯変形が認められる場合は前方除圧固定術が選択されることもある．

頚椎後縦靱帯骨化症

Ossification of the posterior longitudinal ligament of the cervical spine (OPLL)

関　健　東京医科大学 助教

【疾患概念】　頚椎椎体の後方支持組織である後縦靱帯に骨化が起こることで，脊柱管内で前方圧迫因子となり神経症状をきたす疾患である．明らかな骨化病変があっても無症候性の場合は，「頚椎後縦靱帯骨化」とよび本疾患概念には当てはまらない．男性では女性の約2倍の頻度で多い．発症の原因は不明であるが，家族性が認められており遺伝的な影響が調査されている．また，内分泌・代謝疾患との関連や骨化発生・伸展にメカニカルストレスの影響も指摘されており，多因子が影響していると考えられている．厚生労働省の特定疾患研究事業の対象疾患に指定されている．

【臨床症状】　四肢のしびれや疼痛，頚部痛で発症することが多い．進行すると手指巧緻性障害（書字やボタンかけ，箸の使用が困難などの指の使いにくさ），歩行障害が出現し，重症例では痙性運動麻痺や膀胱直腸障害をきたす．他覚的には上肢腱反射の異常や下肢腱反射の亢進，病的反射が出現する．

問診で聞くべきこと

四肢のしびれと疼痛の有無やその領域，手指の使いにくさや歩きにくさを聞く．予後に影響するため症状が出現してからの期間や，転倒など症状増悪の外傷エ

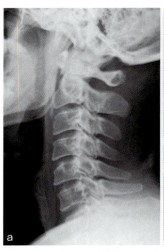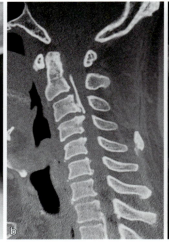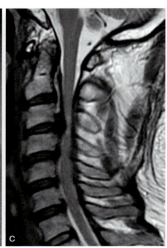

図19-16　頚椎後縦靱帯骨化症
a：単純X線側面像，b：CT矢状断，c：MRI T2矢状断

ピソードがないかを確認する．

必要な検査とその所見

①頚椎単純X線検査（図19-16a）：多くの症例では側面像で骨化病巣を確認することができる．しかし，骨化に連続性がなく小さい病変では骨棘など変性所見との鑑別が難しい症例もある．側面像が正確でない場合は正常所見を骨化病変と見誤る場合もある．胸腰椎でも靱帯骨化症を合併しやすいため，胸椎，腰椎の撮影も考慮する．

②頚椎単純CT（図19-16b）：骨化病巣の確認に最も優れている．骨化病巣の形態や広がりが確認できる．

③頚椎単純MRI（図19-16c）：神経症状が出現している場合，頚髄圧迫の程度や髄内輝度変化を確認することができる．髄内輝度変化のあるものは治療予後が悪い可能性がある．

鑑別診断で想起すべき疾患

手根管症候群や肘部管症候群などの整形外科領域の末梢神経障害は，丁寧な診察や神経伝導検査，筋電図などで鑑別が可能である．まれではあるが多発性硬化症などの中枢神経変性疾患，慢性炎症性脱髄性多発根ニューロパシーなどの神経内科領域の末梢神経障害がある．特に筋萎縮性側索硬化症などでは脊椎疾患を合併していることがある．脊髄症としては責任高位が一致しない場合は，神経内科へのコンサルトも検討する．

診断のポイント

画像所見で骨化病巣が確認でき，それに起因すると思われる神経学的症状や，可動制限による運動障害を認める場合に診断が確定する．

頚部痛のみの場合は，靱帯骨化に起因する症状であるかの判断は難しく，診断には至らない．

専門病院へのコンサルテーション

①骨化病巣があるが同病変が症状の原因となるか診断がつかない症例
②症状が重度でなくても手術適応の判断など治療方針に苦慮する症例
③進行性の脊髄症や麻痺症状のある手術適応症例

上記については手術が行える施設の脊椎専門医へ紹介するべきである．

治療方針

頚部痛や根性疼痛を主訴とする場合，脊髄症があっても軽度で日常生活の支障が少ない場合は保存的治療を行う．進行性の脊髄症や重症症例には手術加療を検討する．ガイドラインでは，軽度の脊髄症状に対する手術適応や発症前の予防的手術は有効性がないとされているが，骨化占拠率や有効脊柱管径，動的因子の関与を参考に適応を慎重に決定するべきとされている．脊髄症状がある症例でも下肢症状がなく進行性でない場合は，保存加療で症状が増悪するリスクや術式，術後合併症を説明したうえで治療法を選択していただき，保存加療と慎重な経過観察を行っている症例もある．

保存療法

薬物療法は疼痛に対する対症療法としてほぼ全例に施行している．ただし脊髄症への内服の有効性はエビデンスがない．頚部の可動性に伴う頚部痛，神経痛が強い際は装具を処方することもある．しかし，姿勢によっては不快に感じる人も多く，希望された方にのみ処方している．

手術療法

手術法は前方法（前方除圧固定術）と後方法（椎弓形成術）に大別できる．手術成績は両者とも比較的安定しており，症例に応じて使い分けられている．

1 ▶ 前方除圧固定術

圧迫因子を直接取り除くことが可能であり，1～2椎間の骨化病変で適応となることが多い．占拠率の高い症例や後弯化した症例では，後方除圧の効果が得難く，本手術の適応となる．合併症には反回神経麻痺や食道損傷などがあり，移植骨の合併症が生じると再建手術の手技的難易度は高くなる．

2 ▶ 椎弓形成術

骨化病巣が多椎間に及ぶ場合に行われ，前方法と比較すると手術手技が簡便で多く行われている．除圧効果は脊椎アライメントにより異なり，骨化が小さく，頸椎前弯が保たれた症例に適応がある．術後後弯や骨化の成長による再発が問題となる．アライメント不良例には術後後弯や動的因子による症状残存を防ぐために後方固定術が併用されることもある．

患者説明のポイント

頸部外傷による頸髄損傷のリスクは高くなるため転倒には注意を要する．手術加療を躊躇する症例もいるであろうが，麻痺症状が出現している症例では，進行性に重症化するリスクを説明する．罹患期間が長い症例や術前の重症度が強い症例では，術後予後が思わしくない可能性を説明する．

リハビリテーションのポイント，関連職種への指示

術後血腫による四肢麻痺は早急に対処が必要な合併症であり，四肢神経症状の変化やドレーンの排液量を注意して観察する必要がある．静脈血栓塞栓症予防のためには弾性ストッキングの装着と間欠的な空気圧迫法を施行し，リハビリテーションでも翌日から早期離床を促す．術前から下肢不全麻痺が出現している患者では，他動的な下肢可動域訓練を開始する．

椎弓形成術後は術後疼痛に対し，約1週間の頸椎簡易装具を装着する施設が多い．前方固定術では，骨癒合まで約3か月間頸椎装具を着用する．

頸椎黄色靱帯石灰化症

Calcification of the ligamentum flavum of the cervical spine（CLFC）

西川 節　守口生野記念病院 院長/脊椎・脊髄センター長〔大阪府守口市〕

【疾患概念】　CLFCは頸椎の椎弓を支持し，頸椎脊柱管の後方要素である黄色靱帯が石灰化する疾患である．臨床像，画像所見（図19-17a, a', b, b'），病理組織学的（図19-17c, c'）特徴から黄色靱帯骨化症と区別して扱われるようになった．CLFCの組織学的検討では，異所性石灰化と異栄養性石灰化の両側面を有しており，黄色靱帯内の島状の石灰化のなかにハイドロキシアパタイトやピロリン酸カルシウムの沈着を認める．これらの結晶の周辺に炎症所見を示すことが多い．軟骨細胞，造骨細胞や骨誘導因子の発現はみられない．この点が後縦靱帯骨化とは別の病態として扱われている由縁である．CLFCの成因は詳しくはわかっていない．微細な靱帯への機械的刺激を修復するための炎症性変化，代謝性因子の関与が指摘されている．

臨床症状

人種別には黄色人種に多い．60～70歳台を中心に高年齢層でみられている．発生頻度は，全脊椎脊髄疾患のうち0.9～1.8%といわれている．発生部位はC4/5, 5/6に多いが，時にC3/4, 6/7にもみられる．多くの例で慢性的に進行するが，運動や軽微な頸部外傷などを契機に急性に発症し，数週間のうちに重篤な四肢麻痺に陥ることもある．頸部痛，四肢のしびれ感で始まり，手指の巧緻運動障害，歩行障害，膀胱直腸障害へと進行する．他覚所見は，四肢の筋力低下，腱反射異常（上肢で低下，下肢で亢進），知覚障害を呈する．

必要な検査とその所見

①単純X線検査で診断できることもあるが，石灰化が小さい場合では判別できない．ダイナミック撮影を行って頸椎の不安定性の有無を検索する．

②CT scan（図19-17a, a'）：石灰化病巣の確認に必須である．2～3 mm幅のスライスのCT scanにおいて，脊柱管内の椎弓に接して砂粒状・卵円形をした高吸収域を示す占拠性病変を確認することができる（図19-17a, a'）．

③MRI（図19-17b, b'）：頸髄の圧迫の程度とその範囲を確認するのに必須である．病変はT1強調像，T2強調像ともに低輝度として描出される．

鑑別診断で想起すべき疾患

筋萎縮性側索硬化症などの運動ニューロン疾患，多発性硬化症，神経サルコイドーシスなどの脊髄神経の変性疾患，Guillain-Barré症候群などの末梢神経障害との鑑別が必要である．

診断のポイント

自覚症状（訴え），神経学的他覚所見と画像所見との整合性があれば診断が確定する．CLFCは，ほかの病変（後縦靱帯骨化，変形性頸椎症，椎間板ヘルニア）を合併していたり，胸腰椎の病変，全身の関節の石灰化病変を合併していることも多く，神経学的他覚所見，画

19 頚椎部の疾患

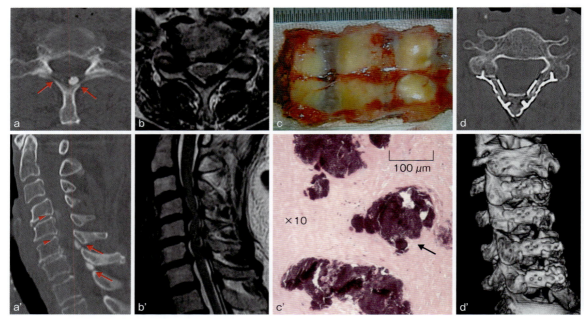

図 19-17　頚椎黄色靱帯石灰化症：画像, 病理, 手術
a, a'：CT 水平断, 矢状断再構成像
b, b'：MRI T2 水平断, 矢状断像
c：切除した椎弓の脊柱管面
c'：組織像（HE 染色）
d：籠型のチタンプレートを用いた椎弓拡大形成術後の水平断再構成像
d'：椎弓拡大形成術後の三次元再構成像
色矢印：黄色靱帯の石灰化, 色矢頭：椎間板ヘルニア, 黒矢印：島状の石灰化.
（西川 節, 他：頚椎黄色靱帯石灰化症. 脊髄外科 32：46-55, 2018 から引用, 一部改変）

像所見とが乖離している場合は, 胸腰椎や肩関節, 膝関節の検査も行っておく必要がある.

治療方針

1 ▶ 保存療法
頚椎の過度な運動動作を避けるなどの生活指導, ネックカラー装着による頚部安静が適応となる. 痛みに対しては, 非ステロイド鎮痛薬, プロスタグランディン製剤の投与がある.

2 ▶ 手術療法
進行性の脊髄症状に対しては手術適応である. 病変は後方要素にあるので, 後方からの減圧・病変除去として椎弓切除, 椎弓拡大形成術が適応である（図 19-17d, d'）. 手術において注意すべきことは, 椎弓の脊柱管側の黄色靱帯を膨隆（石灰化）を含めて全摘出することが重要である. 不安定性のある椎間には後方側方固定を追加する.

患者説明のポイント
病態を説明したうえで, 治療法の選択肢（保存療法, 手術療法）を示すが, 保存療法は根本的治療ではないこと, 軽微な頚部への外傷により重度の脊髄損傷をきたし, 重度な機能障害に陥る危険性については十分に説明しておく必要がある.

リハビリテーションのポイント, 関連職種への指示
術前の麻痺の状態に応じて理学療法と作業療法を計画するが, 術翌日から床上でのリハビリテーションを開始しなければならない. 術後 3 日以内に, 起立訓練, 歩行訓練を開始する. 術後 1～2 週間はネックカラーを装着した後, 除去する.

頚椎屈曲性脊髄症

Cervical flexion myelopathy

出村 諭　金沢大学附属病院 准教授

【疾患概念】　頚椎屈曲性脊髄症（cervical flexion

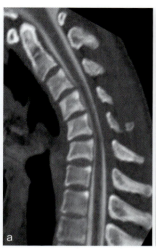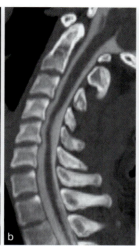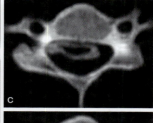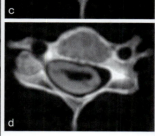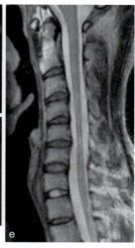

図 19-18　脊髄造影後 CT および頚椎 MRI
a：脊髄造影後 CT 矢状断像（前屈位）
b：脊髄造影後 CT 矢状断像（後屈位）
c：脊髄造影後 CT 水平断像（前屈位）
d：脊髄造影後 CT 水平断像（後屈位）
前屈位では背側硬膜および脊髄が前方に偏位し，脊髄は扁平化している．
e：頚椎 MRI 矢状断像（T2 強調）：髄内高輝度領域および同部位での萎縮を認める．

myelopathy；CFM）は，頚椎の前屈時に脊髄が圧迫，もしくは伸張された状態での脊髄障害を総称し，病態を重視した疾患概念である．また，若年性一側上肢筋萎縮症（平山病）は，CFM に関連する一臨床病型として位置づけられている．

【病態】

CFM の主な病態としては以下の説が唱えられている．①脊椎と脊髄長の不均衡による頚椎前屈時の脊髄 overstretch mechanism 説．②頚椎前屈により脊髄が前方へ偏移し，椎体や椎間板と接して圧迫を受ける contact pressure 説．③頚椎前屈により，硬膜後方部分の前方移動により脊髄が圧迫を受ける tight dural canal in flexion 説．以上により頚髄前角細胞の循環障害などが関与し症状を引き起こすと考えられている．その他，硬膜管の組織変化などのコラーゲン代謝異常，硬膜外静脈叢の異常，アトピー素因との関連も指摘されている．CFM，平山病ともにわが国からの報告が多く，若年男性の発症が圧倒的に多い．

【臨床症状】

(1) 上肢運動障害，筋萎縮
　上肢遠位筋の筋力低下，特に手内在筋の筋萎縮，小指の内転障害，握力低下などがみられる．一側優位の筋萎縮が大多数を占めており，両側性の筋萎縮は少ない．

(2) 知覚障害
　下位頚髄レベルの髄節支配領域以下の知覚障害（上肢尺側，体幹，下肢）がみられることがあるが，ごく軽度であることが多い．

(3) 下肢錐体路徴候
　下肢深部腱反射亢進，痙性歩行，病的反射を認めることがあるが，CFM に特徴的な所見はない．

(4) その他
　寒冷時の手指脱力，手指振戦，手の発汗異常などが報告されている．

必要な検査とその所見

(1) 単純 X 線，脊髄造影 CT（図 19-18a〜d）
　中間位では頚椎前弯の消失や後弯化を認めることが多く，脊髄造影 CT では，背側硬膜の前方偏位および脊髄の前方偏位，扁平化を認める．

(2) MRI（図 19-18e）
　中下位頚髄レベルでは脊髄の萎縮，T2 強調像で髄内高輝度変化を認めることが多い．

(3) 電気生理学的検査
　筋電図では萎縮筋に脱神経電位を認めるが，末梢神経伝導速度は正常であることが多い．

鑑別診断で想起すべき疾患

上肢の筋萎縮，尺側優位の症状を呈する疾患としては頚椎症性脊髄症，遠位型頚椎症性筋萎縮症（cervical spondylotic amyotrophy；CSA），脊髄空洞症，肘

部管症候群，胸郭出口症候群のほかに，脊髄性進行性筋萎縮症，運動ニューロン疾患などの脳神経内科疾患の鑑別が必要となる．

治療方針

　数年間で症状の進行が停止することが多く，症状や時期により治療方針が異なる．若年発症が多く，運動障害，筋萎縮が軽度である場合は，頚椎前屈を避ける生活指導，頚椎カラーの指導を行う．一方，筋萎縮や運動麻痺，脊髄障害によるADL障害が進行する場合は手術治療を考慮する．

　手術は障害レベルでの動的因子の改善や硬膜の減圧を目的とした頚椎前方固定術，後方固定術，制動術，硬膜形成術が報告されている．

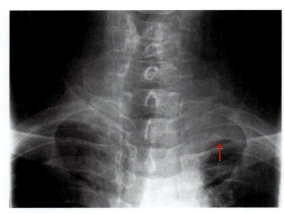

図19-19　左Pancoast腫瘍
気管の右方偏移．左肺尖apical cap増大．

Pancoast症候群

Pancoast syndrome

仲田 和正　西伊豆健育会病院 院長〔静岡県賀茂郡〕

【疾患概念】　Pancoast腫瘍は the American College of Chest Physician の定義では，「肺尖の第1肋骨あるいは骨膜，下位腕神経叢，交感神経，星状神経節，鎖骨下血管などを侵す腫瘍」である．

　米国の放射線科医 Henry Pancoast により1924年報告された．

【頻度】

　Pancoast腫瘍は肺癌の3〜5%である．
Moffit Cancer Center Florida USA の2012年の550例のPancoast腫瘍の分析では，52%が扁平上皮癌，23%腺癌，20%大細胞癌，5%が小細胞癌であった．

【病態】

　自験例では，61歳男性，左肩甲骨内側のズキズキした疼痛で始まり次第に増強，夜間不眠となり発症1か月で来院．左3, 4, 5指のしびれ，肘伸展：右5/左4，手関節掌屈：右5/左4，左握力低下（8kg）と，左C7，C8病変を疑わせ，呼吸症状はなかった．

　Pancoast腫瘍は肺尖に発症するので進展により症状はさまざまである．

　一般的肺癌のような咳，息切れはないことも多く初診で整形外科，神経内科に来院することもある．

　肩の持続的激痛，腕神経叢の下からの浸潤による尺骨神経領域（C8の第4, 5指）や前腕尺側（T1），上腕尺側（T2）のしびれ，手内筋（C8, T1）の萎縮，肋骨・椎体破壊，Horner症候群（傍脊椎交感神経や星状神経節浸潤による片側眼裂狭小化，発汗減少，縮瞳）などが起こる．

　初期は交感神経系刺激による片側発汗増加，片側flushing（顔面発赤）もある．

　運動で対側の正常交感神経の過剰興奮による対側発汗，発赤もありharlequin signと言う．局所浸潤で片側鎖骨上窩リンパ節腫大，遠隔転移もあり得る．

問診で聞くべきこと/診断のポイント

　肩から上肢の疼痛を訴えるとき，癌や炎症を示唆する「夜間痛」「体重減少」の有無．特に小指（C7），前腕内側（T1），上腕内側（T2）のしびれ，握力低下（C8），手内筋（虫様筋，骨間筋）萎縮（T1）をみたとき，Pancoast症候群も念頭に置く．

　またHorner症候群（上記．顔を見ればわかる）に注意．

必要な検査とその所見

　単純X線だけでは見逃すことが多い．特にC7, C8病変があるときは頚椎だけでなく胸部X線も撮影．X線では特に上位肋骨，胸椎の破壊，Apical cap（肺尖軟部組織，正常は5mm以下）の拡大，気管の健側への転位に注意（図19-19）．

　CT, MRIで確定診断を行う．CT，エコーガイド下で鎖骨上窩からの生検，必要に応じて気管支鏡，気管エコー（endobronchial ultrasound；EBUS），開胸生検など．

鑑別診断で想起すべき疾患

　頚椎椎間板ヘルニア，頚椎骨軟骨症，筋萎縮性側索硬化症，頚肋など．

治療方針

　転移がなければ放射線治療，化学療法（シスプラチン，エトポシドなど）の後3, 4週で手術治療．

転移がある場合は放射線，化学療法や免疫療法（デュルバルマブ）など．

頚性頭痛と頚性めまい

Cervicogenic headache and cervicogenic dizziness (vertigo)

住谷 昌彦　東京大学医学部附属病院緩和ケア診療部准教授

【疾患概念】

(1)頚性頭痛（頚原性頭痛）

骨性，筋性，および血管を含む他の軟部組織要素を含む頚部疾患や外傷による頭痛．骨性の頚性頭痛のメカニズムは頚椎（特に上位頚椎）の解剖学的異常（脱臼や骨折，腫瘍，椎間関節の狭小化と骨棘形成）により関連痛として頭痛が生じる場合と第2頚髄神経根の圧迫による大後頭神経痛がある．筋性の頚性頭痛では，僧帽筋や胸鎖乳突筋の筋疲労や筋膜の炎症の際に，これらの頭蓋骨の筋付着部（筋起始部）の痛みが生じることがある．頚部筋肉の筋疲労や炎症の原因として頚椎の変性（生理的弯曲の消失，椎間板高の減少）や外傷も挙げられる．また，僧帽筋腱膜を通過して皮下組織に神経線維を伸ばす大後頭神経が，筋性に圧迫され頭痛が生じることもある．その他の軟部組織を原因とするメカニズムでは，椎骨動脈の解離や頚部の回旋で椎骨動脈が閉塞することにより生じる頭痛，頚部膿瘍の頭側への進展で起こる頭痛などがある．

(2)頚性めまい

頚部交感神経の障害（頚部交感神経からの異常信号による血管収縮），頚部固有受容器障害（前庭神経核への異常求心性入力），椎骨動脈の閉塞（頭部回旋による椎骨動脈の閉塞），片頭痛との関連（頚部三叉神経経路の活性化）などをメカニズムとして起こるめまい．

【臨床症状】

頚部疾患や外傷の出現時期に一致して発症する頭痛やめまいで，頭痛やめまいを誘発する頚部運動を伴うことが多く，この頚部運動により反復性に頭痛やめまいが生じる．嘔気や冷汗を伴うこともある．頚性めまいでは，誘発する頚部運動を継続すると次第に減弱する浮動性（時に回転性）めまいが特徴的である．頚部構造またはその神経支配を診断的に求心路遮断（神経ブロック）すると，頭痛が消失または改善する．

● 問診で聞くべきこと

頭痛およびめまい時の頚部痛の合併と頚部運動の可動域制限．頚部外傷歴と頚椎異常の病歴．椎骨脳底動脈循環不全の既往あるいはそれを示唆する顔面〜下肢までのいずれの部位での運動麻痺と感覚障害の有無，嘔気・嘔吐，冷汗の合併．頭痛部位の感覚鈍麻やアロディニア（第2頚髄神経根症を示唆），頭痛部位に一致する頚部筋の付着部の圧痛および頚部筋の圧痛．日常的な頚部の過伸展や過屈曲動作の継続の習慣．その他，他の頭痛疾患を鑑別除外するため閃輝暗点や項部硬直の有無，など．

● 必要な検査とその所見

(1)頚性頭痛（頚原性頭痛）

頚椎X線や頚椎MRI，頚部CTにより，環軸椎の亜脱臼や生理的弯曲の消失のほか，脊髄空洞症やChiari奇形など脊椎脊髄の解剖学的異常を評価する．発熱や項部硬直を伴う場合には血液検査を行い，腫瘍など red flags 疾患の鑑別除外を行う．めまいでは，末梢性（内耳）疾患，中枢性（脳）疾患の否定を行う．

● 鑑別診断で想起すべき疾患

(1)頚性頭痛（頚原性頭痛）

上位頚椎の骨折や腫瘍，椎骨脳底動脈循環不全，感染（髄膜炎，頚部膿瘍）のred flags疾患を鑑別除外する．

片頭痛など頭痛疾患全般，筋緊張性頭痛，特発性大後頭神経痛など．

(2)頚性めまい

突発的に起こるめまいとして，良性発作性頭位めまい症，Ménière病，外リンパ瘻，中枢前庭障害など．

● 診断のポイント

(1)頚性頭痛（頚原性頭痛）

頭痛およびめまい時の頚部痛の合併と頭痛を誘発する特異な頚部運動およびその可動域制限，頚部の筋緊張．多くの頭痛疾患が神経脱落症状を伴わず臨床症状から診断するため，頚性頭痛・めまいの単一の原因を確定診断することは困難なことが少なくない．頚性頭痛およびめまいの発症起源は症例によって異なり，症候群として考える．

● 専門病院へのコンサルテーション

頚部のred flags疾患は専門医に紹介する．頚椎の保存加療に抵抗性の場合や神経脱落症状を合併する場合には脊椎脊髄手術などの適応判断のため専門医に紹介する．

治療方針

1 ▶ 頚性頭痛（頚原性頭痛）

第2頚髄神経根症に伴う頭痛に対しては神経障害性疼痛治療薬，頚筋群の過緊張を伴う場合には筋弛緩薬による薬物療法を選択する．また，頚椎椎間関節炎や筋膜炎などに続く頭痛やめまいの場合には消炎鎮痛薬が有効なこともある．筋緊張を減少させ，疼痛を緩和するために理学療法や神経ブロック治療が有用なこ

19 頚椎部の疾患

とがある．椎骨動脈血流障害による頭痛やめまいの場合には，血管の減圧手術や抗凝固療法を行う．片頭痛関連めまいとの重複例では，片頭痛の治療に準じて生活指導や薬物療法などを行う．

患者説明のポイント

(1) 頚性頭痛（頚原性頭痛）

長時間のVDT作業や無理な姿勢など，頚への負担を避ける生活習慣を心がけるように指導する．痛みやめまいを理由とした過度な安静は，頚部筋肉の廃用により頚椎の機械的負荷の増大や筋仕事量の増大による筋緊張の遷延化が起こり，頭痛・めまいの慢性化の原因となることを説明し，頚椎運動とともに全身運動についても安静を避けるように指導する．

頚椎リウマチ病変

Rheumatoid arthritis in the cervical spine

米澤 郁穂 参宮橋脊椎外科病院 副院長〔東京都渋谷区〕

【疾患概念・病態】
滑膜に発生した炎症が組織を破壊することが，関節リウマチ（rheumatoid arthritis；RA）の病態の基本であるため，頚椎においても滑膜組織が存在する椎間関節や歯突起（環軸関節）周辺に病変が発生しやすい．滑膜組織が存在しない組織においても慢性的な炎症が波及し，椎体周囲に存在する靱帯の弛緩や断裂，椎体終板や椎間板の炎症，椎体内の骨脆弱化が生じる．結果として頚椎の骨性支持機構が破綻し，環軸関節亜脱臼，環軸関節垂直性亜脱臼，軸椎下亜脱臼（中下位頚椎のすべり）や椎体圧潰，椎体癒合など種々の頚椎変形が複合的に発生する（図19-20）．また環軸関節から発生した炎症性肉芽組織が脊髄を圧迫する場合もある〔歯突起後方腫瘤（図19-21）〕．

生物製剤の使用によってRA自体のコントロールが良好になり，頚椎病変の発生頻度は著しく低下している．しかしながら，未治療例や生物製剤を使用しても治療効果が得られないケースでは，頚椎病変は高頻度に発生するため注意深い経過観察が必要である．

【臨床症状】
主たる症状を列挙すると，
①頚椎の変形や脱臼に伴う頚部の痛み，可動域制限
②脊髄および神経根の圧迫によって生じる脊髄症状（四肢麻痺）と神経根症状（頭頂部，後頭部，耳介部の痛み，頚部から手指あるいは肩甲骨の内側に放散する痛みやしびれ）
③環軸関節垂直性亜脱臼で生じる延髄の圧迫に起因する呼吸障害（睡眠時無呼吸）および嚥下障害
④頚椎の変形や脱臼による椎骨動脈の血流障害を起因とするめまい，耳鳴り
などがある．

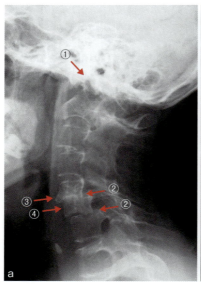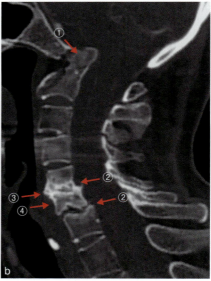

図19-20　リウマチ頚椎病変
単純X線側面像（a）およびCT矢状断像（b）．
①環軸関節垂直性亜脱臼，②軸椎下亜脱臼，③椎体癒合，④椎体圧潰

問診で聞くべきこと

前項で示した臨床症状の有無を聞き，原因を究明することはもちろんであるが，早急に治療が必要となる脊髄症の発症を見逃さないことが最も重要である．しかし，脊髄症を発症するケースは四肢の関節が高度に破壊されていて，筋力低下や腱反射亢進の有無，病的反射の出現など神経学的異常を確認することが難しい場合が少なくない．上肢の巧緻運動障害が出現しても，手指変形が強く，物を持つことや細かい動作が元々できないため異常が見逃されやすく，歩行障害があっても脊髄の圧迫障害によるものなのか，膝や股関節の変形や関節炎の悪化によるものなのか，はっきりしないことが多い．今まで持てたものが持てなくなった，はしやスプーンが使えていたが，最近，使いづらくなった，コップを持っていると，落とすことがあるといった病状の変化は，脊髄症の発症を疑う大切な情報である．なんとか歩けていたのに，最近，ふらつきが気になる，車椅子に座っていても体を支えにくい，ないしは支えられないなどの症状も，脊髄症を疑うべき症状である．RAの患者は，脊髄症を発症しても関節炎の悪化として自己判断するため，定期健診において早期から自分の異常を訴えることはまずないと考えるべきである．RAにおける脊髄症の早期発見は，患者サイドへの医師からの問いかけによって，初めて可能となることを理解されたい．

必要な検査とその所見

各種の脱臼は単純X線頚椎側面中間位像のみで判断すると，脱臼の程度を含め見誤ることがあるので，頚椎正面，側面中間位像に前屈位，後屈位を加えて撮影することが必須である．最も頻度の多い環軸関節亜脱臼は，環椎が軸椎に対して水平方向にすべる脱臼形態である．大部分は環椎が前方にすべる前方脱臼であるが，後方へすべる後方脱臼も存在する．前方脱臼は，X線側面像において前屈位でずれが大きくなる場合が多く，その程度は環椎歯突起間距離（atlantodental interval；ADI）で示される（図 19-21）．環軸関節垂直性亜脱臼は外側環軸関節部分の圧潰が生じ，環椎が頭蓋骨とともに下方に転位した状態であるが，後頭骨・環椎関節の破壊や脱臼が関与している場合もある．X線画像で，歯突起が頭蓋内に陥入していることが明らかなケース以外は，CT矢状断像もしくはMRIで診断する（図 19-20）．

診断のポイント

脊髄の圧迫障害がなければ，X線撮影は半年～1年に一度のチェックで十分である．脊髄の圧迫障害が疑われた場合は，MRIを撮影して脊髄の圧迫病変の有無を確認する．X線所見に変化がない場合でも，RA頚椎に特徴的な歯突起後方腫瘤による脊髄の圧迫が生じるので，注意が必要である（図 19-21）．

RA頚椎病変の手術適応は，画像上，亜脱臼の程度や脊髄の圧迫の程度によってではなく，脊髄症の発症の有無によって判断される場合が大部分である．したがって，日々の外来診療で，問診によってそれを確認する地道な診察がなにより重要である．

専門病院へのコンサルテーション

脊髄症を発症した場合は，速やかに専門医の受診を

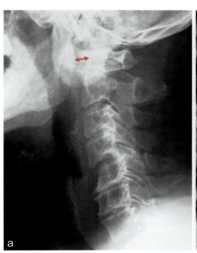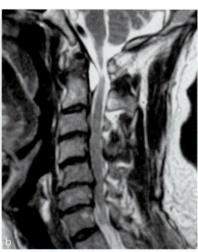

図 19-21 歯突起後方腫瘤を合併した環軸関節亜脱臼
a：単純X線側面像．矢印；環椎歯突起間距離（ADI）．
b：MRI T2強調矢状断像．歯突起後方に存在する腫瘤が脊髄を圧迫している．

勧める．また環軸関節亜脱臼において，X線前屈位側面像でADIが6〜10 mm以上の場合や環軸関節垂直性亜脱臼が疑われる場合は，症状がなくとも受診を勧められたい．

治療方針

1 ▶ 頚部の痛み

原因は椎体の変形や脱臼，椎体の圧潰などさまざまである．痛みのみで脊髄症がないと判断されれば，局所の安定を得る目的で頚椎カラーを装着して経過観察を行う．痛みの強さは，必ずしも脱臼や変形の程度と相関せず，数か月で自然軽快もしくは軽度の痛みに落ち着く場合が大部分である．除痛目的で，手術が行われるケースはきわめてまれである．

2 ▶ 脊髄症状

脊髄症を発症してから手術までの期間が長くなればなるほど，回復の程度は悪く生命予後も不良であるため，早急に手術治療を行う必要がある．まれに脊髄症の程度が軽度で進行しないケースで経過観察を行う場合もあるが，その判断は難しく専門医の下で慎重に行うべきである．

手術は①中下位頚椎病変に対して椎弓形成術または後方除圧固定術，②環軸関節亜脱臼に対して環軸椎後方固定術，③環軸関節垂直性亜脱臼に対して後頭骨頚椎もしくは後頭骨胸椎固定術がそれぞれ行われる．なお中下位頚椎病変に対して除圧（椎弓形成術）に固定を加えるか否かは，不安定性を考慮したうえで決定する．

患者説明のポイント

初期から生物製剤による治療を受けているケースでは，手術が必要になるような重篤な頚椎の変形が起こる可能性はきわめて低く，過度に心配する必要がないことを伝える．頚椎の変形が生じているケースでは脊髄症状とは，どのような症状であるかを説明し，十分な理解を得ること，そして，その症状の出現が疑われた場合には速やかに申し出るよう指導する．

上位頚椎・頚髄損傷

Injury of the upper cervical spine and spinal cord

飯塚 陽一　　群馬大学 准教授

【疾患概念】　上位頚椎・頚髄損傷は，その解剖学的特性から中・下位頚椎・頚髄損傷とは異なった臨床像を呈する．上位頚椎部では脊柱管が広いため脊髄損傷を免れやすい一方，脊髄損傷をきたせば四肢麻痺のみならず重篤な呼吸筋麻痺が生じうる．

【頻度】
全頚椎損傷の約20％が上位頚椎損傷であり，そのうち歯突起骨折が最も多い．65歳以上の高齢者では全頚椎損傷のなかで歯突起骨折が最も多く，80歳以上に限定するとほとんどの頚椎損傷が歯突起骨折である．近年の超高齢社会を反映して，高齢者の歯突起骨折は増加している．

【病型・分類】

(1)環椎破裂骨折（Jefferson骨折）
第1頚椎，すなわち環椎の骨折であり，頭側からの圧迫力により生じる．骨折した外側塊は外方向へ転位することにより，脊柱管は拡大することが多いため，脊髄損傷をきたすことは少ない．

(2)歯突起骨折
第2頚椎，すなわち軸椎の歯突起に生じる最も頻度の高い骨折形態であり，屈曲，伸展，剪断などさまざまな外力により生じる．歯突起骨折の分類としてはAndersonの分類が用いられることが多い（図19-22）．

(3)軸椎関節突起間骨折（hangman骨折）
軸椎に生じる骨折として歯突起骨折に次いで頻度が高い骨折であり，主に頚部の過伸展により軸椎の関節突起間部に生じる．環椎破裂骨折と同様に脊柱管が拡大する方向に転位するため，脊髄損傷をきたすことは少ない．Hangman骨折の分類としてLevine分類があり，治療方針決定のために有用である（図19-23）．

(4)そのほかのまれな上位頚椎損傷
蓋膜と翼状靱帯の損傷により生じる環椎後頭関節脱臼は，きわめてまれな損傷形態であるがほとんどが致命的である．外傷性環軸椎脱臼は，横靱帯損傷，環椎骨折，軸椎骨折などに合併してみられることがある．

【臨床症状】
上位頚椎損傷では頚部痛や後頭部痛がみられることが多いが，前述したとおり脊髄損傷をきたすことはまれである．しかしながら，脊髄損傷を伴った場合は，中・下位頚椎損傷と比較し，より近位からの神経障害や呼吸停止を含めた重度の呼吸障害を生じ，ときに致命的となる．そのほか，開口障害や斜頚位などの症状がみられることがある．

問診で聞くべきこと

頚部痛，後頭部痛，四肢のしびれ感および動かしにくさ，呼吸苦の有無などを確認する．また，高エネルギー外傷の場合は，他部位損傷を合併していることが少なくないため上位頚椎部以外の症状の有無についても確認することが重要である．

必要な検査とその所見

(1)神経学的検査
徒手筋力検査（manual muscle testing；MMT）や触

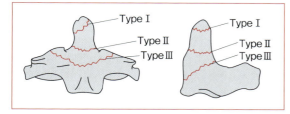

図 19-22　歯突起骨折の分類（Anderson の分類）
Type Ⅰ：歯突起先端の斜骨折であり，まれな骨折型である．
Type Ⅱ：歯突起基部までの骨折であり，不安定型の骨折である．
Type Ⅲ：骨折が軸椎椎体に及ぶ骨折型である．
（Anderson LD, et al: Fractures of the odontoid process of the axis. J Bone Joint Surg Am 56: 1663-1674, 1974 をもとに作図）

覚・痛覚の検査を行い，脊髄損傷の有無を評価する．脊髄損傷をきたしている場合は，呼吸障害，四肢麻痺，下位脳神経症状などがみられる．

(2) 単純 X 線検査

頚椎 X 線側面像に加え，開口位での頚椎 X 線正面像の撮影を行う．しかしながら，単純 X 線検査のみでの診断が困難なことがあり，また，歯突起骨折では，歯突起骨 os odontoideum や小児例での骨端線との鑑別が難しいため，CT での評価も行うことが望ましい．

(3) CT

MPR 解析を含めた CT を行うことにより，損傷形態をより詳細に把握することができる．頭部外傷や顔面外傷の合併が多いため，頭部も含めた評価を行う．

(4) MRI

損傷脊髄の MRI T2 強調像では，受傷後数時間から脊髄内に高信号領域が出現することが多い．

> 鑑別診断で想起すべき疾患

神経障害がみられる場合は，脳損傷や上位頚椎・頚髄以外の脊椎・脊髄損傷などの可能性も念頭におきつつ診断する．

> 診断のポイント

上位頚椎損傷では，脊髄損傷をきたさないことが多いため，神経障害がない症例であっても頚部痛や開口障害，斜頚位などの症状がみられる外傷症例では，上位頚椎損傷の可能性を常に念頭に置くべきである．患者自身が両手で頭部を支えて来院することもある．単純 X 線像で上位頚椎損傷が明らかではない場合でも，上位頚椎・頚髄損傷が疑われる場合は CT や MRI を行う．動態撮影を含めた頚椎 X 線側面像や CT あるいは MRI において，環椎歯突起間距離（atlanto dental interval；ADI）が 3 mm 以上の場合は，横靱帯損傷の可能性もあり注意を要する．

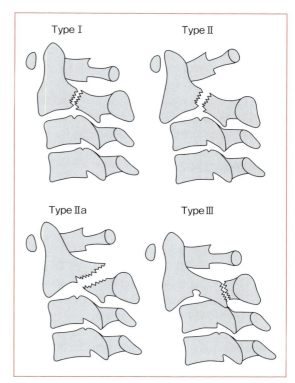

図 19-23　hangman 骨折の分類（Levine の分類）
Type Ⅰ：軸椎の転位が 3 mm 以下で，角状変形はみられない．
Type Ⅱ：軸椎の転位が 3 mm 以上で，角状変形がみられる．
Type Ⅱa：軸椎の転位はないか軽度だが，角状変形がみられる．
Type Ⅲ：軸椎の転位が 3 mm 以上で，角状変形に加え，椎間関節脱臼がみられる．
（Levine AM, et al: The management of traumatic spondylolisthesis of the axis. J Bone Joint Surg Am 67: 217-226, 1985 をもとに作図）

> 専門病院へのコンサルテーション

上位頚椎損傷，特に脊髄損傷が疑われる場合は，直ちに専門施設へのコンサルトおよび搬送を検討する．

治療方針

1 ▶ 脊髄損傷に対する治療

脊髄損傷をきたしている場合は，呼吸器管理と循環器管理が重要である．受傷後 8 時間以内であれば，メチルプレドニゾロンの静脈内大量投与（保険適用）を考慮するが，消化管出血などのリスクが増加するため，特に高齢者に対する投与は慎重になるべきである．上位頚髄損傷では，肋間筋のみならず横隔膜も麻痺するため，重度の呼吸障害を生じ，人工呼吸器管理が必要となることが多い．長期の人工呼吸器管理が予想され

る場合は，気管切開を行う．また，副交感神経系が優位となり分泌物が増加するため，頻回の体位変換や痰の吸引なども重要である．徐脈や低血圧がみられる場合は，アトロピンやドパミンの投与を考慮する．なお，低血圧状態が持続すると神経学的予後が悪くなることから，米国神経外科学会のガイドラインでは受傷後1週間の平均動脈圧は85〜90 mmHgを維持することが推奨されている．消化管出血の予防のためヒスタミンH_2受容体拮抗薬などの投与を考慮する．

2 ▶ 脊椎損傷に対する治療

頚椎カラーやハローベストなどによる保存療法を行うか手術療法を行うかは，主に転位と不安定性の程度により決定する．手術を行う場合は，早期離床・早期リハビリテーションのため可及的早期に行う．

(1) 環椎破裂骨折（Jefferson骨折）

原則として保存療法を行う．ただし，横靱帯損傷を伴う不安定型のJefferson骨折に対しては，C1-2後方固定術や後頭頚椎固定術，外側塊を整復し環椎のみをスクリューで固定する手術などを行う．

(2) 歯突起骨折

Anderson Type Ⅰ，Ⅲの歯突起骨折に対しては，原則として保存療法を行う．不安定型の骨折に分類されるAnderson Type Ⅱの歯突起骨折に対しては，前方アプローチによる歯突起スクリュー固定やC1-2後方固定術などを考慮するが，高齢者の場合は手術のリスクとベネフィットを勘案し，頚椎カラーによる保存療法を行うことも少なくない．ただし，高齢者歯突起骨折の保存療法例では，偽関節が高率に発生するため注意を要する．

(3) 軸椎関節突起間骨折（hangman骨折）

原則としてLevine Type Ⅰ，Ⅱ，Ⅱaのhangman骨折に対しては保存療法を行い，Levine Type Ⅲの骨折に対しては手術を行う．ただし，不安定性や角状変形の強いLevine Type ⅡおよびⅡaの骨折に対しては手術も考慮する．手術は，主にC2-3後方固定術やC2骨折部スクリュー固定（transpedicular screw fixation）などの後方固定術を行う．

患者説明のポイント

上位頚椎骨折単独で脊髄損傷がなければ予後は良好であることを説明する．脊髄損傷をきたしている場合は，家族には予測される神経学的予後について早期から説明する必要があるが，患者本人には精神面の配慮をしつつ説明する．脊髄損傷による呼吸障害があれば，一生人工呼吸器から離脱できない可能性があることについても説明する．

リハビリテーションのポイント，関連職種への指示

保存療法例，手術療法例のいずれであっても，可及的早期からの離床とリハビリテーションが望ましい．脊髄損傷がある場合は，四肢のリハビリテーションのみならず，呼吸障害に対する呼吸器リハビリテーションがきわめて重要である．また，褥瘡や肺炎の予防のため頻回の体位交換が必要である．急性期を過ぎたら社会復帰に向けた実践的なリハビリテーションを行う．

中下位頚椎・頚髄損傷

Injury of the middle and lower cervical spine and spinal cord

半田 隼一　福島県立医科大学 助教

【疾患概念】　後頭骨から第1頚椎（環椎），第2頚椎（軸椎）に生じる損傷を上位頚椎損傷という．中下位頚椎損傷は第3頚椎から第7頚椎までに生じる損傷をいう．損傷を受けた部位の不安定性，骨傷，および脊髄損傷の有無によって，治療方針が変わる．

【頻度】
2002年に実施された全国調査では，新規脊髄損傷発生頻度は約30人/100万人/年と推定された．頚髄損傷の占める割合は83.1%であることから，新規発生頻度は約25人/100万人/年と推定される（上位頚髄損傷も含む）．非骨傷性頚髄損傷の占める割合は頚髄損傷の約70%と報告されており，特に高齢者の転倒における非骨傷性頚髄損傷が増加している．

【病型・分類】
中下位頚椎損傷の分類で，わが国において広く用いられているのは，Allen分類である．この分類は，画像所見より予測される受傷機転と，重症度をもとに6型に分類され，治療方針を決定するうえで有用な分類法である．また，2007年にSpine Trauma Study Groupらによりsub axial injury classification（SLIC）が提唱された．SLICは損傷形態，椎間板-靱帯複合体，神経組織損傷の3つを点数化し，手術適応の有無を判定するのに有用な分類である．さらに，2016年にAOSpineグループは，AO分類（AOSpine sub-axial cervical spine injury classification system）を提唱した．これは胸腰椎損傷のAO分類による損傷形態に基づいた分類である．

【臨床症状または病態】
受傷原因として，中下位頚椎損傷は上位頚椎損傷と同様に，交通事故や転落，スポーツ外傷がほとんどを占める．解剖学的な相違から，上位頚椎損傷とは受傷機転や症状発現に相違がある．中下位頚椎損傷は，頚部への介達外力により生理的範囲を超えた運動を強制

された際に発生する．脊髄損傷を合併した場合，脊髄が横断性に損傷を受けると，損傷脊髄神経支配節以下の四肢，体幹に対称性の運動麻痺および感覚障害を生ずる．また，画像検査上では骨傷が明らかでないにもかかわらず，脊髄損傷となる非骨傷性脊髄損傷がある．

問診で聞くべきこと

受傷原因の確認や脊髄損傷の評価を行う．多発外傷を合併することも多いため，脊椎のみならず，全身状態の確認が必要である．

必要な検査とその所見

まずは全身状態の評価が重要である．呼吸，循環の評価として，血圧，脈拍数，心電図，呼吸回数，血中酸素飽和濃度をモニターする．急性期脊髄損傷の症状として，肋間筋や腹筋麻痺による努力性呼吸障害や，交感神経遮断による副交感神経優位の症状として徐脈や低血圧が出現するため，十分に留意する必要がある．全身状態の評価と並行して，脊椎・脊髄損傷の評価を行う．神経学的評価により，障害高位の診断を行う．すなわち，反射，知覚，筋力の評価を行う．反射は，急性期脊髄損傷が存在すれば，損傷高位以下の反射は脊髄ショックにより消失する．肛門反射(anal wink)や球海綿体反射(bulbocavernous reflex)の評価は，脊髄ショックの離脱や，脊髄損傷の予後を判定するうえで有用なため，必ず評価する．脊髄ショックの離脱とともに損傷高位以下の反射が出現してくる．知覚は，痛覚と触覚を皮膚分節(dermatome)に沿って評価する．その際，肛門周囲の知覚も必ず評価する．肛門周囲の知覚残存は不全麻痺であり，麻痺の回復が期待できる(sacral sparing)．筋力は各髄節の key muscle を評価する．麻痺の重症度評価に関しては，Frankel 分類と ASIA(American Spinal Injury Association)分類が用いられる．全身状態の安定後，単純 X 線撮影，CT ならびに MRI による画像評価を行う．単純 X 線写真では，頚椎 4 方向(正面，側面，斜位)と開口位正面像を撮影する．明らかな骨折や脱臼がある場合，診断は容易であるが，軽微な骨折や，脱臼も自然に整復されていたりすると診断は難しく，頚椎配列，特に正面像での棘突起配列や，側面像での椎間板後方開大，気管と椎体間の距離(後咽頭腔における血腫の存在)などを注意深く観察する．また，不安定性の評価として，頚椎前屈，後屈の機能撮影が必要となるが，初期には行うべき検査ではない．全身状態の安定後に，疼痛や麻痺の確認を行いながら，機能撮影を行い，不安定性の評価を行う．頚椎単純 X 線写真に加えて，CT では，より詳細な評価が可能である．MPR(multi planar reconstruction)によって，微細な骨傷も抽出可能であり，3D 像によって，脱臼などアライメントの評価が容易となる．特に，頚椎単純 X 線写真では，頚胸椎移行部が肩と重なり，下位頚椎部の損傷が見逃されることがあるため，CT での検索が有用である．MRI では，脊髄や椎間板損傷の有無に加えて，後方靱帯複合体(棘上靱帯，棘間靱帯，黄色靱帯)の評価が可能である．これら通常の画像評価に加えて，脱臼を認める場合，CT アンギオグラフィー，または MR アンギオグラフィーによる椎骨動脈の血流を評価する．脱臼骨折の場合，横突孔を走行する椎骨動脈が損傷を受け，脳底動脈血栓症を引き起こす恐れがある．

診断のポイント

神経学的評価ならびに画像検査により，脊髄障害高位の診断を行う．また，損傷を受けた部位の不安定性および骨傷の有無によって，治療方針が変わるため，これらを可及的早期に評価し，診断する．

専門病院へのコンサルテーション

頚椎・頚髄損傷では，手術療法が必要となることもあるため，脊椎手術が可能な施設へのコンサルトが望ましい．

治療方針

治療法の選択は Allen 分類や SLIC，AO 分類の損傷型に，神経障害の程度や合併損傷など全身状態を考慮して行う必要がある．神経症状がないか，あっても軽微で，損傷部位の不安定性がない場合には，保存療法を選択する．一方，脊髄圧迫による神経症状があるものや，損傷部位の不安定性を認める場合には，手術療法を選択する．

保存療法

Allen 分類の CF Stage 1 や VC Stage 1 で，後方要素損傷の合併がなく，SLIC スケールで合計点が 4 点未満であれば，保存療法を考慮する．ただし，その場合でも，脱臼やアライメント異常があれば，早期に整復操作を行う．整復完了後に強固な外固定を行う．ハローベストなどによる固定を行う．

手術療法

Allen 分類で不安定性が示唆されるものや，SLIC スケールで合計点が 4 点以上のものは手術療法が考慮される．手術療法の目的は，神経機能回復の阻害因子である神経圧迫因子の除去，脊椎安定性の獲得である．損傷形態によって，頚椎前方固定術のほか，頚椎椎弓根スクリューなどの脊椎インストゥルメンテーションによる後方固定術を行う．

合併症と予後

脊髄損傷による神経因性膀胱や褥瘡，呼吸機能障害，肺炎，無気肺，イレウス，消化管潰瘍などがある．

患者説明のポイント

受傷直後は脊髄ショックのため，完全麻痺か不全麻痺かの判断は困難である．麻痺の予後判定には，脊髄ショックが離脱してから行われる．保存療法，手術療法ともに脊髄損傷による種々の合併症が発生しやすく，管理が重要となる．

リハビリテーションのポイント，関連職種への指示

脊柱支持性が得られれば，合併症予防の観点からも，早期のリハビリテーション介入が望ましい．残存する機能の維持のほか，拘縮予防のため関節可動域訓練や，筋力増強訓練が行われる．また，呼吸機能維持のため，肺理学療法を行う．

頚椎症性筋萎縮症

Cervical spondylotic amyotrophy

牛尾 修太　九段坂病院 医長〔東京都千代田区〕

【疾患概念】　頚椎症の一型であり，上肢の筋萎縮を主徴とし，感覚障害は全くないか軽微という臨床的特徴を持つ．

【臨床症状と病態】　40〜60代の男性に多い．神経障害高位によって近位型と遠位型に分けられる．近位型では三角筋，上腕二頭筋，腕橈骨筋，遠位型では上腕三頭筋，前腕筋群，手内在筋が障害される．脊髄前角や前根が機械的な圧迫や二次的な血行障害を受けて生じると考えられている．

問診で聞くべきこと

初期症状や継時的な症状の変化をできるだけ詳しく聞き取る必要がある．肩の外傷歴や球麻痺症状の有無についての聴取も他疾患との鑑別に重要である．

必要な検査とその所見

四肢の徒手筋力検査，感覚障害の確認，四肢腱反射のほか，病的反射の検査を必ず行う．

単純X線画像では6方向撮影する．椎間板腔の狭小化やLuschka関節の骨棘形成などの頚椎症性変化が認められる．MRI画像では，腹側からの骨棘や肥厚した後縦靱帯などによる脊髄や神経根の圧迫所見を認めることが多いが，神経根障害の画像診断は容易ではなく無症候性の椎間孔狭窄も少なくないため，神経学的所見との総合的な判断が必要である．針筋電図での脱神経電位の存在や分布の確認は他疾患との鑑別に有用となる．

鑑別診断で想起すべき疾患

肩関節周囲炎，腱板断裂，筋萎縮性側索硬化症（amyotrophic lateral sclerosis；ALS）などの運動ニューロン疾患（motor neuron disease），神経痛性筋萎縮症（neuralgic amyotrophy）などの末梢神経疾患．

診断のポイント

①比較的限局した上肢の筋力低下を認める．
②知覚障害や長索路（long tract）症状はごく軽度か全くない．
③画像検査上の障害部位と神経学的に一致する筋力低下を認める．
④神経原性疾患や末梢神経疾患などほかの疾患を否定できる．

専門病院へのコンサルテーション

本疾患を疑った場合には，頚椎手術を可能な脊椎脊髄病外科医へ紹介することが望ましい．運動神経疾患との鑑別に難渋する場合には神経内科専門医へのコンサルテーションも行う．

治療方針

保存的治療が第1選択となる．ただし，上肢のMMTが2以下の症例やMMTが3以上であっても，発症から3か月以上経過し改善傾向を認めずADLに支障がある症例では頚椎の手術治療を勧める．特に罹病期間が6か月以上になると手術の有効性が低くなることから時機を逸しない対処が必要である．

保存治療

頚椎の伸展動作を避けるなどの生活指導を行う．ビタミンB_{12}を処方しつつ，罹患筋の積極的な筋力増強訓練の指導を行う．保存治療で改善を大きく期待できる期間は発症から3〜6か月程度であり，改善の有無の確認を怠らない．

手術治療

前方法と後方法とがあり，施設によって術式選択は異なる．筆者らは前方圧迫要素の除去が望ましいと考え，複数椎間であっても前方除圧術を第1選択としている．ただし，合併症などが問題となる場合には後方からの椎間孔除圧術を選択している．手術後1年程度は機能改善が見込めるため，長期的なフォローが重要である．

リハビリテーションのポイント

術後早期から積極的な患肢の筋力増強訓練などの運動療法を行うことが重要である．上肢近位の麻痺筋がMMT3未満の場合，臥位にて肩外転，肘屈曲運動を行う．筋力が増加すれば重量物を手に持って肩関節運動を行う．遠位の手指筋の強化には，可動域をできるだけ最大限とするような屈曲・開排運動を行う．自主的な筋力強化運動も行うように指導する．

20 胸椎部，胸郭の疾患

胸椎の解剖	650
脊髄損傷の褥瘡	651
脊髄損傷患者の急性期の排尿管理	652
脊髄損傷患者の慢性期の排尿管理	654
胸部脊髄障害のとらえ方/診断手順	655
胸椎後縦靱帯骨化症	656
胸椎黄色靱帯骨化症	658
肋骨骨折，胸骨骨折	660
胸椎椎間板ヘルニア	662
胸肋鎖骨肥厚症	663
背痛・胸郭痛のとらえ方/診断手順	665
胸腰椎部脊椎・脊髄損傷	666

胸椎の解剖

Anatomy of thoracic spine

加藤 仁志　金沢大学大学院 助教

1 椎骨

椎体の形状は，上位胸椎から中位胸椎にかけて前後径を増し，胸椎全体として後弯している(図20-1)．また，中位胸椎から下位胸椎にかけて横径を徐々に増して楕円形状に近くなり，体積も増して腰椎の形態に似る．棘突起の形状は基本的に三角柱状で，T1, T2では下位頸椎の形状に似て，ほぼ後方水平に突出しているが，T7, T8 に近づくにつれて下方へ傾斜が強くなり，その後再び水平化していき，T11, T12ではほぼ水平になり腰椎の形状に似る．椎弓の形状は扁平で，頸椎や腰椎より水平面が広く，上位胸椎は長方形状をなし，下位胸椎にかけて正方形状に近づく．上下椎弓の重なり部分は椎間関節をなし，それぞれ屋根瓦状に重なっている．横突起の側方突出はT1からT12にかけて次第に減少し，大きさは上位から中位にかけて次第に長大となり，T7, T8で最大となるが，それより下位では短小となる．T11, T12では退縮して後方に向かい，先端は腰椎の横突起に似て上方の乳頭突起と下方の副突起に分かれる．椎弓根は椎体上半分に位置しており，T1, T2やT10～T12は比較的円形で太いが，T3～T9では縦長で細くなる．椎間関節の横断面における傾きは上中位胸椎では前額面に近く，下位胸椎では腰椎に似て矢状化する．したがって，胸椎は腰椎に比べて前後屈の可動域が小さく，軸回旋可動域が大きい．脊柱管は他の部位に比べると円形で狭小であり，脊髄は前脊髄動脈の発達も乏しく血流供給は不十分である．したがって，胸椎は力学的に安定しているが，神経生理学的には弱点を有している．

2 胸郭との関係

第1～第10肋骨は，前方で肋軟骨を介して胸骨と連結し胸郭を形成する．肋椎関節によって胸郭は胸椎と連結され，胸椎を力学的に支持する(図20-1)．一方，第11・第12肋骨は前方で自由端となるため，その力学的役割は小さい．すなわち，胸郭による支持を受けるのはT1～T10までである．肋椎関節は，椎体・椎間板と肋骨頭の間の肋骨頭関節および横突起と肋骨結節の間の肋横突関節の2関節により構成される．第2～第9肋骨頭関節は，椎間板高位で上下2椎にまたがって存在し，その関節包および放射状靱帯は，2椎を連結することで直接的に胸椎の椎間安定性に寄与する．肋骨頭関節内には肋骨頭と椎間板線維輪を連結する関節内靱帯が存在する．一方，第1および第10～第12

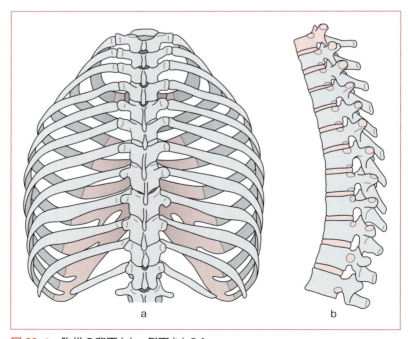

図20-1　胸椎の背面(a)，側面(b)のシェーマ

肋骨頭関節は他の高位の肋骨頭関節に比べて下方に位置し，1肋骨と1椎体との関節となることが多い．

3 傍脊柱筋

胸椎部では，上肢を脊椎につなぎとめている浅層筋群（係留筋），肋骨を動かして呼吸運動を補助する中層筋（呼吸補助筋），脊柱起立筋や体幹の側屈や回旋を行う横突棘筋（半棘筋，多裂筋，回旋筋）などの深層筋に分けられる．

4 血流分布

中下位胸椎の分節動脈は，大動脈から左右1対ずつ直接分岐しているが，上位胸椎では主に鎖骨下動脈から起始し，椎体側面を上行する最上肋間動脈から分岐している．分節動脈は椎体前方や側方を栄養する短い枝（椎体枝）を出し，椎間孔付近で3枝（脊髄枝，腹側枝，背側枝）に分岐する．脊髄枝は椎間孔から脊柱管内に入り，腹側枝は肋間動脈になる．背側枝はさらに内側枝・外側枝に分かれ，内側枝は椎間関節や椎弓，多裂筋や回旋筋に分布し，外側枝は脊柱起立筋や皮膚に分布する．脊髄枝は神経根に沿って脊柱管内に入り脊柱管内に分布し，上下，反対側の脊髄枝の末梢と吻合する．脊髄枝の前根上を走行する前根動脈のうち，脊髄腹側を走行し前脊髄動脈を形成する根髄動脈は，胸椎高位で2～3本しか存在せず，脊髄虚血が生じやすい環境にある．根髄動脈のうち，腰膨大付近の脊髄を栄養する大きな根髄動脈を大根髄動脈（Adamkiewicz動脈）といい，左側に多く75％はT9～T12高位に存在する．後脊髄動脈は左右に対をなして2本縦走し，前脊髄動脈よりも多くの根髄動脈が吻合して形成される．

脊髄損傷の褥瘡

Pressure ulcers in spinal cord injury patients

西村 行秀　岩手医科大学 教授（リハビリテーション医学講座）

【疾患概念】　脊髄損傷者は脊髄が損傷されることにより運動麻痺や感覚麻痺を生じる．したがって脊髄損傷者は自覚症状に乏しいため褥瘡の発見が遅れ，重症化しやすい．全国労災病院脊髄損傷者データベース作成研究の第三次調査（1997〜2000年）では，脊髄損傷者の死因の3位が敗血症であり，敗血症の原因のほとんどが褥瘡によるもので，脊髄損傷者に特有な死因となっている．

日本褥瘡学会によると，褥瘡は，「身体に加わった外力は骨と皮膚表層の間の軟部組織の血流を低下，あるいは停止させる．この状況が一定時間持続されると組織は不可逆的な阻血性障害に陥り褥瘡となる」と定義されている．

【病態】
褥瘡の発生はその深達度によって分類され，米国褥瘡諮問委員会（National Pressure Ulcer Advisory；NPUAP）によるstage分類が広く用いられてきた．Stage1（消退しない発赤），stage2（部分欠損），stage3（全層皮膚欠損），stage4（全層組織欠損），分類不能（皮膚または組織の全層欠損—深さ不明），深部組織損傷疑い（suspected deep tissue injury；DTI—深さ不明）に分類される．

実際の臨床現場では，褥瘡の診察をすると皮膚の障害範囲より皮下や筋組織の障害範囲が広いことが多々ある．

褥瘡の好発部位は後頭部，肩甲骨部，肘部，仙骨部，腸骨部，坐骨部，尾骨部，大腿骨大転子部，腓骨頭部，下腿外側部，外果部，踵部など多くある．脊髄損傷者は常時車椅子を使用することが多いため，特に仙骨部，坐骨部，大腿骨大転子部の褥瘡には気を付ける必要がある．

【問診で聞くべきこと】
車椅子の使用時間，除圧する間隔，使用している車椅子のクッション，睡眠時の体位変換については聞いておく必要がある．

【必要な検査とその所見】
(1)視診
　発赤，腫脹，創の有無の確認は必須である．
(2)触診
　熱感，周囲軟部組織との差異の確認が重要である．
(3)Bモードエコー（図20-2）
　たとえ視診や触診で異常がなくても，エコー上，皮下組織に異常がみられることがある．また，視診や触診で異常所見のある者はエコーでも異常がみられる．したがってBモードエコーを用いた診察は有用であるといえる．
(4)圧力分布測定装置
　座位時，除圧時などの車椅子座面にかかる体圧をリアルタイムに計測することができる器機である．日常生活に使用している車椅子やベッドなどに圧力分布測定装置を使用することで，個々に対する指導ができる利点がある．
(5)MRI
　非侵襲的に深部の評価を行うことができる．骨髄炎など骨の評価や，軟部組織の評価，褥瘡の広がりを評価することができる．

図 20-2　Bモードエコーを用いた褥瘡診察風景

診断のポイント

皮膚に異常がみられる症例の診断は容易である．しかし，たとえ皮膚に異常がなくとも皮下組織や筋に異常がある場合もあるため，触診は必須である．また，Bモードエコーを用いた皮下組織や筋の評価は有用であり，褥瘡の診断の助けとなる．

治療方法

1▶保存治療

最も重要なことは，しっかりと洗浄し，褥瘡と周囲の皮膚を清潔に保つことである．洗浄は十分な量の水道水または生理食塩水で行う．使用する外用剤は，感染を伴うときに使用するもの，肉芽形成や上皮化を促進させるもの，保湿により創部を保護するものなどさまざまなものがある．適宜，状態に応じて使い分ける必要がある．

2▶手術治療

不良肉芽，壊死組織や感染部位を切除するデブリドマンや，各種皮弁などの再建術がある．

予後

ひとたび褥瘡を発生すると，患者はその褥瘡の治療のために膨大な時間と費用をついやすこととなる．褥瘡治療のために通院治療や入院治療が必要となり，就労だけではなく，日常生活にも支障をきたす．したがって，褥瘡の発生を予防することが最重要となる．

リハビリテーションのポイント，関連職種への指示

褥瘡の治療には医師だけではなく，看護師，理学・作業療法士，栄養士など多職種で連携して治療する必要がある．運動療法などのリハビリテーション治療も有効である．患者には日常生活における圧迫部位の除圧方法や，車椅子使用時の注意や指導なども重要となる．

脊髄損傷患者の急性期の排尿管理

Urinary management in acute spinal injury

高橋　良輔　総合せき損センター泌尿器科 部長〔福岡県飯塚市〕

1 受傷直後の排尿管理

受傷直後は，合併損傷を含めた脊髄損傷に対する初期治療が行われる時期であり，安静保持と体液管理を目的に，尿道カテーテルが留置されることが多い．この際のカテーテルは，細径（男性：12〜14 Fr，女性：14〜16 Fr 程度）で蓄尿バッグまで一体型のものを選択すべきである．男性ではカテーテルによって尿道が圧迫された結果，医原性尿道下裂や瘻孔形成などを発症しないように，陰茎を腹側に向けてカテーテルを下腹部に固定することが推奨されている．これによって尿道の屈曲が避けられ陰茎根部での尿道損傷のリスクが軽減される．尿路感染の予防を目的とした抗菌薬の使用は，耐性菌の発生を促すという重大な問題があるため推奨されない．尿道留置カテーテルの交換間隔は通常2〜4週である．

2 尿道留置カテーテルを抜去するタイミング

長期にわたる尿道カテーテル留置は，尿路性器感染症（急性精巣上体炎，急性前立腺炎），医原性尿道下裂（外尿道口が大きく裂ける）などの合併症の頻度が高くなるため推奨されない．社会的にやむをえない場合を除いて，必要性がなくなった時点ですみやかに抜去するのが望ましい．そのタイミングとしては，①脊髄損傷に対する手術や合併損傷に対する初期治療が落ち着いて全身状態が安定し，②患者自身で飲水量のコントロールが可能となり，③1日尿量が1,500 mL程度（その後必要となる可能性のある清潔間欠導尿の頻度に配慮して）になった時点，で考慮するのがよい．可能ならばこの時点で脊髄損傷患者の排尿管理に慣れた泌尿器科医と連携することが望ましいが，難しい場合はまず尿道留置カテーテルを抜去して，スタッフによる清潔間欠導尿に移行すべきである．その際，1回導尿量が400 mLを超えないように導尿回数を設定する．一方，高齢者や全身状態が落ち着かない患者において，やむをえず長期の留置カテーテル管理を要する場合は，カテーテル抜去が可能となる時期までいったん膀胱瘻管理とするのもよい．一般的に，尿道留置に比べて膀胱瘻のほうが管理が容易で安全とされている．有熱性尿路感染，膀胱結石，上部尿路結石の発生率に有意差を認めないものの，膀胱瘻では尿道合併症のリス

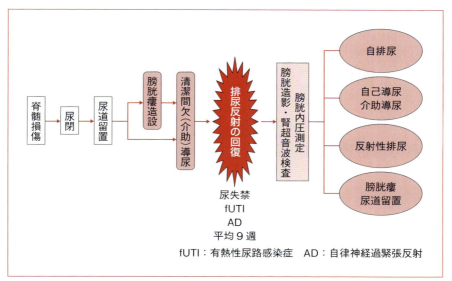

図 20-3　脊髄損傷完全麻痺の排尿管理の流れ

クが低いことが報告されている．最終的に自己導尿が必要となる患者が多いことを考えると，尿道をよりよい状態に保つためにも，長期の尿道カテーテル留置は可能な限り避けることが望ましい．

3 留置カテーテルを抜去後の排尿管理

留置カテーテル抜去後に自排尿を認める場合，①1回排尿量が200 mL以上，②残尿が50 mL以下，③30秒以内で排尿が終了する，④尿失禁がない，の条件がそろっていれば，ほぼ良好な自排尿と考えてよい．一方で自排尿が可能でも，①残尿が多い（100 mL以上），②尿失禁を伴う，③頻回に有熱性尿路性器感染症を起こす，といった場合は何らかの治療介入を要する．下部尿路（膀胱，尿道）の機能検査を行い，膀胱排尿筋収縮力，膀胱コンプライアンス（膀胱の柔軟性），排尿筋過活動（膀胱の不随意収縮），排尿筋括約筋協調不全，膀胱変形などの有無を確認し，薬物療法や清潔間欠導尿の導入を考慮する．従来行われてきた下腹部を手で圧迫する手圧排尿や下腹部を叩打する排尿方法は，上部尿路障害を惹起するリスクが高い．ともに膀胱外から力を加えることによって膀胱内圧を上昇させ，尿道抵抗に打ち勝つことで尿を排出させる．そのため高圧排尿となりやすく上部尿路障害をきたす可能性が高いこと，自律神経過緊張反射を誘発する可能性があることなどから，脊髄損傷における排尿管理法としては推奨されない．

自排尿を認めない場合は，下部尿路の機能検査（膀胱内圧測定，膀胱造影）を行ったうえで，排尿管理法を

検討する（図 20-3）．完全麻痺症例では，受傷から2～3か月経過すると，尿失禁や自律神経過緊張反射による症状を認めるようになる．これらは急性期の脊髄ショック期から回復期への移行を示唆する所見であり，この時期に膀胱内圧測定・膀胱造影を行い，排尿管理法を検討するとよい（図 20-3）．留置カテーテル抜去後に有熱性尿路感染症を繰り返す場合も，原因検索目的に膀胱内圧測定・膀胱造影による評価が必要である．

間欠導尿の方法として，Guttmannらは無菌間欠導尿（すべての器具はオートクレーブ滅菌済みの状態でパックされており，2人1組で滅菌手袋装着下に清潔シーツを使用して導尿を行う）の有用性を提唱したが，その後Lapidesらは非無菌間欠導尿である清潔間欠導尿でも代用可能とした．両群の比較検討では，細菌尿および症候性尿路感染症の発生率に有意差を認めた報告と認めなかった報告があり，一定の見解は得られていない．これらの結果から，必ずしも無菌間欠導尿を行う必要はなく，実際に多くの施設で清潔間欠導尿が行われる根拠となっている．

4 仙髄領域の神経学的所見

S4-5の支配する仙髄領域の感覚が残存するかどうかは，完全麻痺か不完全麻痺かを鑑別する重要項目であるが，同じくS2-4の支配する肛門括約筋の随意収縮の有無は，下部尿路機能の予後と関連が深い神経学的所見であるため，これら肛門周囲の診察は非常に重要である．総合せき損センターに受傷後7日以内に入

院した胸腰椎損傷患者で，受傷6か月後に自排尿が可能であるかどうかの予測に関して，肛門括約筋随意収縮の自排尿可能に対する陽性適中率は97.6%（124/127例）であり，陰性適中率は84.5%（207/245例）であった．

脊髄損傷患者の慢性期の排尿管理

Urinary management in chronic spinal injury

須田 浩太　北海道せき損センター　副院長〔北海道美唄市〕

脊髄損傷（以下脊損）において排尿障害は生涯にわたって続く可能性が高く，神経因性膀胱に精通した泌尿器科医による定期的フォローアップが理想である．しかし，整形外科医やリハビリテーション科医などが慢性期脊損患者の総合診療的な役割を果たさねばならないこともあるため知っておくべき病態や合併症につき解説する．慢性期排尿管理は，①腎機能維持，②合併症対策，③排尿コントロールの3つが重要となる．

1 腎機能維持

腎不全は慢性脊損患者の死因で常に上位にランクインしている．また，脊損患者は腎機能低下に伴い生命予後が短縮することが報告されている．すなわち，慢性期排尿管理の最大目標は腎不全や腎機能低下を防ぐことである．そのためには後述する神経因性膀胱に起因するさまざまな合併症を最小限に抑える努力が重要となる．ところで脊損患者では麻痺領域の筋量低下に伴いクレアチニン産生量が低下しているため，腎機能障害が生じても血清クレアチニンが上昇しづらく，上昇した時点ではかなり腎機能が低下していることが多い．よって血清クレアチニンは予防的観点からは指標として疑問がある．現時点では24時間クレアチニンクリアランス，シスタチンC，蛋白尿が有用視されている．最も簡便でわかりやすいのは蛋白尿であり，少なくとも蛋白尿が続く場合は詳細な腎機能評価を追加する．超音波断層診断法は非侵襲性で水腎症の診断に有用であり年1〜2回の評価が望ましい．水腎水尿管，膀胱尿管逆流，腎結石，水腎症，萎縮腎があれば腎機能低下を防ぐためにも尿路管理を厳密に行う必要がある．

2 合併症対策

1 ▶ 尿路感染症

脊損患者に最も頻度が高い合併症であり常に配慮しなければならない．排尿が順調であれば少なく，不順であれば増える．尿道カテーテル留置や膀胱瘻では必発と考える．尿路結石，残尿，不潔な自己導尿が危険因子となる．起炎菌は大腸菌などグラム陰性菌が多いが尿培養で菌が同定されても症状がなければ治療しない．尿路感染は繰り返すので耐性菌を作らないほうが賢明である．感染症状があれば尿培養のみならず血液培養を行い感受性のある抗菌薬を投与する．菌が未同定なら経験則に基づくしかないが48時間で改善しなければ抗菌薬は変更したほうがよい．急性膀胱炎は頻尿，尿失禁が多く，急性前立腺炎，急性精巣上体炎，急性腎盂腎炎は発熱が多い．

2 ▶ 腎結石，膀胱結石

脊損では腎結石，尿管結石，膀胱結石がきわめて多い．長期臥床やカテーテル留置は危険因子となる．腎結石・尿管結石には体外衝撃波による破砕，経皮腎管結石砕石術，切石術を，膀胱結石には経尿道砕石術を行う．

3 ▶ 膀胱尿管逆流，水尿管症，水腎症

尿が尿管に逆流しだすと上部尿管拡張，すなわち水尿管症や水腎症となる．排尿筋過活動や低コンプライアンス膀胱が原因のことが多く，間欠導尿や抗コリン薬でコントロールできない場合は速やかに専門医へコンサルトする．

3 排尿管理

1 ▶ 評価

ウロダイナミクス検査にて膀胱内圧，排尿筋過活動，膀胱コンプライアンスを評価し，排尿時膀胱尿道造影により尿道括約筋動態，膀胱尿管逆流を評価する．また排尿時膀胱尿道造影で排尿筋-外尿道括約筋協調不全を推察する．排尿中に外尿道括約筋部尿道の開きがよければ可能性は少なく後部尿道の拡張や前立腺への逆流があれば可能性が高い．

2 ▶ 自排尿

残尿100 mL以下，膀胱変形・膀胱尿管逆流・排尿筋-外尿道括約筋協調不全なし・膀胱コンプライアンス20 mL/cmH$_2$O以上であれば良好な排尿状態とみなす．随意排尿か反射性排尿が可能であれば自排尿にて管理する．手圧排尿や腹圧排尿は尿路障害のリスクが高く推奨しない．

3 ▶ 間欠導尿

良好な排尿状態になければ間欠導尿の適応となる．導尿間隔は3時間以内とし高圧蓄尿・膀胱過伸展・自律神経過反射を避ける．1回導尿量・導尿間隔・飲水量を記録させる．排尿筋過活動や低コンプライアンスを伴う場合は抗コリン薬を併用する．長時間にわたり導尿できない場合はその間のみバルーンカテーテルを

```
症状　背部痛，下肢のしびれ，下肢筋力低下，歩行障害，膀胱直腸障害など
　↓
問診
　上肢症状あり　→　頚椎病変
　下肢痛あり　　→　腰椎病変
　↓
　先行する背部痛あり　→　胸椎骨折，硬膜外血腫，脊椎炎，脊椎腫瘍など
　↓
理学所見・診察所見
　棘突起の叩打痛　　　→　胸椎骨折，脊椎炎，脊椎腫瘍など
　下肢腱反射の低下　　→　胸腰移行部病変
　↓
画像診断
　単純X線，CT像
　　椎体の骨性病変　→　胸椎骨折，脊椎炎，脊椎腫瘍など
　　退行性変性所見（骨棘，椎体癒合，後縦靱帯骨化，黄色靱帯骨化）

　MRI像
　　椎体内信号変化　→　胸椎骨折，脊椎炎，脊椎腫瘍など
　　脊髄圧迫病変　　→　椎間板ヘルニア，後縦靱帯骨化症，黄色靱帯骨化症，硬膜外血腫・腫瘍，硬膜内髄外腫瘍など
　　脊髄内信号変化　→　髄内腫瘍，多発性硬化症，サルコイドーシス，脊髄炎など
```

図 20-4　胸部脊髄障害の診断の進め方

利用する間欠式バルーンカテーテル法も有用である．

4 ▶ その他

自己導尿が困難であれば外尿道括約筋切開術，尿道ステント留置，尿路変更などを考慮する．カテーテルは2〜4週ごとに交換する．膀胱瘻では膀胱結石の有無を定期的に調べる．外尿道括約筋切開術（男性）は排尿圧と残尿を減らすが集尿器が必要である．尿道ステント留置（男性）により反射性排尿が可能となる．

尿路変向術：定期的なカテーテル交換を必要としない非禁制型尿路変向術として，膀胱皮膚瘻，膀胱腸管皮膚瘻などがある．

胸部脊髄障害のとらえ方/診断手順

Diagnosis of thoracic myelopathy

川口 善治　富山大学 教授

【概説】　胸椎部における脊髄症で下肢のしびれで発症することが多く，次第に下肢の麻痺が出現し，病状が進行すると対麻痺（paraplegia）に至ることがある．胸髄症を呈する病態としては，①胸髄が外側から圧迫されるもの（脊髄外病変）と②胸髄自身に病変をきたすもの（脊髄内病変）の2つに分かれる．頚椎疾患，腰椎疾患に比較して頻度は高くはないが，本障害をきたす疾患を念頭に置いて診察を行わないと脊髄障害が進行し，非可逆性になることがあるため注意を要する．

【病因】

上記の①，②に当てはまる疾患を挙げる（図20-4）．
①胸髄症をきたす脊髄外病変：胸椎椎間板ヘルニア，変形性胸椎症，胸椎後縦靱帯骨化症，胸椎黄色靱帯骨化症，椎体骨折による脊髄圧迫，脊椎腫瘍（原発性，転移性），化膿性脊椎炎，結核性脊椎炎，硬膜外血腫，硬膜外腫瘍（悪性リンパ腫など），硬膜内髄外腫瘍（髄膜腫，神経鞘腫など）など
②胸髄症をきたす脊髄内病変：脊髄炎，多発性硬化症，サルコイドーシス，脊髄髄内腫瘍（良性，悪性）など

主に外科手術の適応になるものは①に挙げた疾患および②の良性脊髄髄内腫瘍である．②に挙げた他の多くの疾患は神経内科で治療されることが多い．

臨床症状と神経学的所見

障害脊髄レベル以下に症状が起こる．下肢のしびれが初発症状のことが多く，次第に下肢の運動障害が進行し歩行障害をきたす．歩行障害は足が前にスムーズに出ない，躓きやすいなどの痙性歩行が特徴的である．また排尿障害がみられることもある．骨粗鬆症を伴う高齢者では転倒時に胸椎骨折が起こり，その後遅発性に下肢の神経障害を呈することがある．一般に腫瘍性病変では漸時増悪を示す経過をたどるが，変性疾患で

は症状が増悪寛解を繰り返し緩徐に進行する．また脊椎腫瘍，脊椎炎，椎間板ヘルニア，硬膜外血腫は背部痛を伴うことが多く，椎間板ヘルニアや硬膜内髄外腫瘍では片側胸部に帯状痛が生じることがある．理学所見として重要なものは背部の叩打痛である．特に胸椎骨折，脊椎炎，脊椎腫瘍では棘突起を叩打することによって局所の痛みと時に下肢に放散する痛みを誘発することがある．神経学的所見としては，下肢の深部反射の亢進，下肢の病的反射(Babinski反射，Chaddock反射)の出現，下肢の筋力低下，下肢の知覚障害がみられる．下肢の深部感覚や位置覚が低下しており，患者は足趾が上に向いているか下に向いているかがわからないこともある．障害高位については感覚障害の範囲を詳細に調べることが必要である．胸腰移行部の病変では脊髄円錐部が障害されるため，下肢の深部反射は低下し知覚障害が会陰部や肛門周囲に起こる．

問診で聞くべきこと

(1)胸髄症の経過

胸部脊髄障害と思われる症状について，いつからどのような症状が出現しどのように進行しているのかを具体的に聴取する．外傷があったか否かを聞くことは重要である．外傷を契機に症状が起こったか，または外傷後しばらく(3か月程度)して症状がしているか，を聞く．高齢者で後者の場合は胸椎骨折による遅発性神経障害を念頭に置く．

(2)胸髄症以外の随伴症状

背部痛および帯状痛の有無とその経過を聞く．強い背部痛が起こった後短時間に下肢の麻痺が出現したものは，硬膜外出血を疑う．背部痛および帯状痛が増悪寛解を繰り返すものは椎間板ヘルニアや硬膜内髄外腫瘍を疑う．

(3)既往歴

転移性脊椎腫瘍や化膿性椎間板炎を念頭にがんの既往，感染性疾患の危険因子(糖尿病など)の聴取を行う．

診断の進め方

診断手順は，問診 → 診察 → 画像診断が基本である．すなわち，まず胸部脊髄障害にまつわる症状の有無を詳細に聞く．その後診察を行い，胸部脊髄障害を示唆する神経所見の有無をチェックする．そのうえで画像での異常所見が問診および診察での所見を説明しうるものかを判断する．画像診断では第一に胸椎X線撮影を行う．そこで，A：アライメント，B：bone(骨)，C：その他の所見の順に観察していく．続いてMRIによって脊髄圧迫の有無，圧迫に伴う脊髄髄内輝度変化の有無をみる．さらにCTは後縦靱帯骨化，黄色靱帯骨化などの骨性狭窄の有無を検査する際に有用であり，かつDISH(diffuse idiopathic skeletal hyperostosis)など椎体癒合のチェックにも有用である．

診断のポイント

胸部脊髄障害を引き起こす疾患は頚椎疾患，腰椎疾患に比較し頻度が高くないため，見逃されることが懸念される．したがって常に念頭に置いて診察をすることが重要である．診断手順の基本に従い，問診と診察で得られた所見を画像所見が説明しうると判断されれば，責任病巣と診断する．責任病巣を正確に捉えたうえで適切な治療法を考えるといった姿勢が必要である．

胸椎後縦靱帯骨化症

Ossification of posterior longitudinal ligament (OPLL) of the thoracic spine

吉田　剛　浜松医科大学 助教

【疾患概念】　胸椎椎体後縁に存在する後縦靱帯に骨化を生じる疾患であり，厚生労働省の特定疾患治療研究事業の対象疾患の1つに指定されている．本疾患の成因はいまだ不明であるが，後縦靱帯骨化症(OPLL)の発生や増大には遺伝的背景に加えて，食生活，糖代謝，力学的要素も関係するという仮説に基づき多くの研究が行われている．欧米人に少なく日本人に多いなど人種差があり，OPLLは頚椎，胸椎，腰椎のいずれの部位にも生じうる．胸椎部においては生理的後弯を有し，脊髄血流のwatershedであるため，後弯位を呈する頚椎部，腰椎部と比べ症状進行が重篤で，治療に難渋する症例も多い．頚椎部が男性に多い(2：1)のに対し，胸椎部では女性にも多く，ほぼ同数かやや女性に多い．また手術に至る胸椎部重症例は女性に多い．胸椎OPLLは，整形外科医が遭遇する難治性疾患のなかで最も治療困難な疾患の1つである．

【臨床症状】　胸椎後縦靱帯骨化症の初発症状としては，下肢の冷感やしびれ感が初発であることが多く，体幹の締め付け感や冷感が初発症状のこともある．しびれは足部に始まって次第に近位に上行することが多い．膀胱直腸障害は頚椎OPLLに比べ顕著である．また歩行障害も1/3に存在する．

問診で聞くべきこと

家族歴，糖尿病をはじめとした内科疾患の有無，喫煙飲酒歴，生下時からの身長体重の経緯を聴取する．胸椎OPLLではbody mass index(BMI)が高く，糖代謝異常を基礎疾患として有している例がある．神経学的所見としては上肢，下肢のしびれ感の有無，排尿排便障害，歩行障害の有無を確認する．

必要な検査とその所見

(1) 神経学的所見

胸椎 OPLL では下肢の感覚障害と深部反射亢進，Babinski 反射陽性，痙性麻痺の所見が見られるが，OPLL が胸腰椎移行部に存在する例では，円錐上部での障害を反映して下肢腱反射の低下・消失がみられることもある．膀胱障害に関しては尿流動態検査で，膀胱の感覚は残存しているも排尿筋過反射や，排尿筋の無反射または反射低下がみられることもある．

(2) 単純 X 線

病巣が大きければ骨化病変の診断に有用であるが，撮影条件などで不明瞭なことがある．胸椎部だけでなく，頸椎，腰椎を含めた全脊柱での評価が望ましい．立位での矢状面アライメント，後弯の評価は治療と予後の評価に有用である．

(3) CT

横断像で骨化巣の脊柱管狭窄率，矢状面での骨化形態（平坦型，鋸歯状など）を確認する．

(4) MRI

骨化巣による脊髄圧迫の有無，髄内高輝度変化などを評価する．

(5) その他

術前に施行した選択的血管造影で，骨化巣部位における前脊髄動脈の閉塞を確認する場合もある．術中のエコーや電気診断が有用な場合もある．

診断のポイント

神経学的所見と CT をはじめとする画像所見の一致をみることで診断が容易である．鑑別疾患として胸椎椎間板ヘルニア，びまん性特発性骨増殖症（diffuse idiopathic skeletal hyperostosis；DISH），脊髄硬膜外腫瘍，加齢性骨棘などがあるが画像所見で除外は可能である．また黄色靱帯骨化症や前縦靱帯骨化症との合併も高率である．

専門病院へのコンサルテーション

麻痺や膀胱障害が進行性，画像所見で胸椎 OPLL が確認できれば，靱帯骨化症治療を行っている難病指定医療機関などへのコンサルテーションが望ましい．また胸椎 OPLL の手術治療は非常に難易度が高いため，脊椎脊髄専門施設のなかでも手術件数が多く，手術支援装置，術中脊髄モニタリングを有し，治療に精通した複数の専門医が存在する施設での手術が望ましい．

治療方針

ガイドラインでは長い罹病期間，多椎間病変，腹臥位仰臥位テスト陽性などが予後に影響を与えるとされている．症状が感覚障害であれば経過観察と対症治療を行うが，脊髄症を発症している，運動麻痺が出現，症状が進行性である場合には手術治療を勧める．

保存療法に有効なものはない．

手術療法

胸椎 OPLL に対する手術は，後方除圧固定，後方進入前方除圧，前方除圧固定ともに，JOA スコア改善率 50％ 程度かそれ以上の改善率が報告されている．いずれの術式でも術後神経症状が一時的悪化や，永続的に悪化する症例も存在し，十分なインフォームドコンセントが必要である．近年では，インプラント併用手術時の手術支援機器の発展や術中脊髄モニタリングの進歩により，手術成績は以前より向上している．ガイドラインでは罹病期間が術後改善率の不良と関連することが指摘されており，緩徐な脊髄症進行をきたす患者では漫然と待機せず，手術に踏み切ることも検討するべきである．

手術術式

後弯を有する胸椎部では除圧術単独での治療効果は少なく，麻痺増悪の報告は少なくない．

後方除圧固定は最も安全性が高く，胸椎部の後弯減弱をインストゥルメンテーションにより行うことにより，間接的な除圧効果も期待できる（図 20-5a，b）．後方進入前方除圧術は，前方進入では到達困難な上位胸椎においても，骨化巣の摘出が可能である．また後方除圧固定術後でも神経症状の改善が得られなかった症例や，悪化した症例に対し二期的手術として，前方除圧固定術が行われる場合もある（図 20-5c，d）．前方進入前方除圧術は最も合理的な方法で，直接的に骨化病変からの除圧効果が期待される．しかし技術的に難易度が高く，硬膜損傷のリスクや合併症の頻度は後方法と比較して高い．

リハビリテーションのポイント，関連職種への指示

胸椎 OPLL では高頻度に下肢筋力低下，歩行障害を呈する．術前より下肢筋力訓練，膀胱・肛門括約筋の訓練を行う．一過性，永続性の麻痺を呈する症例もあり，長期に及ぶ理学療法を要する場合もある．術後に生じた下肢麻痺では，数年の経過で徐々に回復する症例も認められ，リハビリテーションを諦めずに継続することが重要である．麻痺による ADL 障害は大きく，また術後の回復にも時間を要するため，患者の心理面をケアするリエゾン精神科などにおけるフォローも重要である．

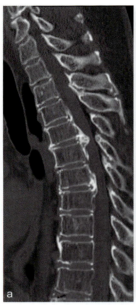
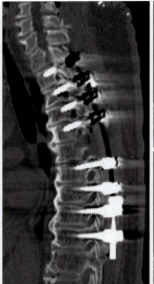
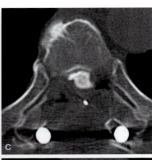
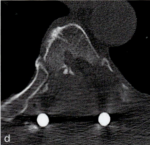

図20-5　胸椎OPLL手術法
a：後方除圧固定術前
b：後方除圧固定術後
c：後方進入前方除圧術前
d：後方進入前方除圧術後

胸椎黄色靱帯骨化症

Ossification of the ligamentum flavum (OLF)

森 幹士　滋賀医科大学 准教授

【疾患概念】　黄色靱帯骨化症（OLF）は，隣接する椎弓間に存在する黄色靱帯が骨化し，脊髄および神経根を圧迫することにより脊髄症や神経根症をきたす，厚生労働省の特定疾患治療研究事業の対象疾病の1つである．

「脊柱靱帯骨化症診療ガイドライン2019」によれば，わが国での胸椎OLFの有病率は，CTによる調査では12〜60%である．加齢とともに有病率が上昇するとされるが，30歳代以下の若年者にも発症することもある．若年のアスリートにも認められることが，特徴の1つである．

胸椎OLFの好発レベルは上位胸椎（T3〜5）と下位胸椎（T10〜12）とである．OLFは頚椎および腰椎に発生することは比較的少ない．性差に関しては，現時点では一定した見解はない．OLFの成因はいまだ解明されていないが，OLF発症には機械的因子や遺伝的要因の関与が示唆されている．また，OLF発生に関連する疾患として糖尿病や筋緊張性ジストロフィーなどが報告されている．OLFの発症と増大に関連する食生活については報告がなく不明である．

胸椎OLFには，同高位の椎間板ヘルニアや後縦靱帯骨化症（ossification of posterior longitudinal ligament；OPLL），頚椎・腰椎OPLL，びまん性特発性骨増殖症（diffuse idiopathic skeletal hyperostosis；DISH）など高率に他の脊椎疾患が併存しているため，胸椎のみならず全脊柱の評価が重要である．CT水平断像での骨化形態により，外側型，拡大型，肥厚型，癒合型，膨隆型などに分類される．椎弓の谷に骨軟骨腫様の形態を呈するキノコ状の骨化（中心型）も存在する（図20-6a）．

【臨床症状】
脊髄あるいは馬尾圧迫による歩行障害，下肢の運動・感覚障害，腰背部痛，下肢痛などが主な症状であるが，いずれもOLFに特異的な症状ではない．症状はOLFによる神経圧迫高位によって異なり，OLFの好発高位である胸腰椎移行部は円錐上部（epiconus）と脊髄円錐部（conus medullaris），馬尾が近接し多彩な症状を呈するために注意が必要である．

問診で聞くべきこと
下肢のしびれや感覚障害，歩行障害，膀胱直腸障害

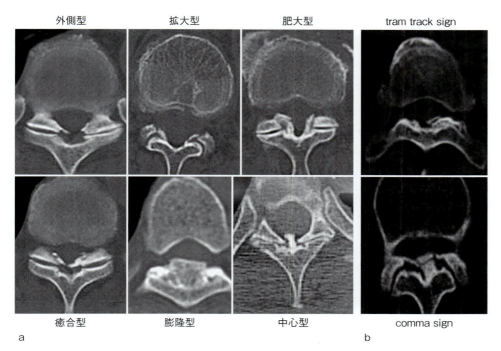

図 20-6 CT 像による骨化所見
a：黄色靱帯骨化症の骨化形態分類（CT 水平断像）
b：硬膜骨化を疑う CT 水平断像所見

の有無を確認する．OLF による脊髄症発症には外傷の関与が示唆されており，転倒などの軽微なものも含め外傷の有無は確認が必要である．また，併存症についても確認が必要である．

必要な検査とその所見
(1) 単純 X 線検査
　胸椎 OLF の診断が可能な場合はあるが，確定診断は困難なことが多い．特に上位胸椎の評価は困難である．
(2) CT
　骨化巣の評価には最適である．脊柱管内の骨化巣の広がりや形態を詳細に確認できる．硬膜骨化は下位胸椎に多く認められるが術前診断は難しい．硬膜骨化の判別には CT 横断像における特徴的な所見（"tram track sign" または "comma sign"）が有用との報告がある（図 20-6b）．OPLL や DISH の合併についても詳細な評価が可能である．
(3) MRI
　脊髄圧迫や髄内信号変化の描出に有用である．OLF は MRI では T1 強調像・T2 強調像ともに低信号を呈する．肥厚靱帯と骨化靱帯との鑑別は困難である．

鑑別診断で想起すべき疾患
　胸髄症を呈する椎間板ヘルニアや OPLL，変形性脊椎症は鑑別診断の対象である．知覚障害が乏しい場合には，運動ニューロン疾患なども鑑別すべき疾患となる．

診断のポイント
　胸髄症による手術例は本症によるものが比較的多いため，胸髄症の症例では本症を念頭に診断を進める必要がある．画像的に OLF および OLF による脊髄の圧迫が認められても，無症状のこともある．患者の自覚症状や神経学的な他覚所見を矛盾なく説明できる画像所見を認めた場合に，黄色靱帯骨化症の診断が確定する．

専門病院へのコンサルテーション
　診断に難渋する場合や治療方針が決まらない場合，麻痺がはっきりとしている場合には，脊椎手術を実施可能な施設の脊椎外科専門医への紹介が望ましい．

治療方針
　歩行障害や膀胱直腸障害などの麻痺を伴わない疼痛などに対しては，まずは保存療法を行うべきである．保存療法が無効の症例や，進行性の脊髄症，または重

度の脊髄症をすでに呈している症例には手術適応がある．

保存療法

薬物療法は腰背部痛や下肢痛に対しては有効な場合があるが，脊髄症に有効なエビデンスのある薬物治療はない．局所の安静目的に，コルセットなどの装具治療が適応となることもある．

手術療法

脊髄の後方に病巣が存在するOLFは，後方手術による直接除圧が可能である．「脊柱靱帯骨化症診療ガイドライン2019」によると，手術により臨床症状の改善が認められるが，中位胸椎では上位および下位胸椎と比較してJOAスコアの改善率が有意に劣るとされている．癒合型，膨隆型では硬膜骨化を合併する頻度が高く注意が必要である．固定術を併用することで手術成績が向上するかどうかについては，現在のところ明確な回答は得られていない．しかし，術前より不安定性を有する症例や，除圧のために椎間関節の切除を必要として術後の不安定性が懸念される症例，前縦靱帯の骨性架橋の途絶部に除圧レベルが来る症例などについては，固定術を併用したほうがよい可能性がある．いずれにせよ，脊髄前方に病巣が存在するOPLLとは全く異なる病態であることを念頭に置くべきである．

リハビリテーションのポイント，関連職種への指示

術後，ドレーンからの排液の量および性状に注意し，術後血腫や髄液漏に注意が必要である．また，肺塞栓症や下肢静脈血栓症に対する予防にも注意が必要であり，フットポンプや弾性ストッキングを使用するなど看護師とも連携をはかる．術後のリハビリテーションは，床上でも可能な四肢運動訓練から開始し，全身状態が安定化すれば早期に離床して，術前の麻痺や全身状態に応じて理学療法や作業療法を行う．

患者に対しては，福祉制度や特定疾患に指定されていること，靱帯骨化症や難病には患者会が存在することなどについても情報提供を行う．

肋骨骨折，胸骨骨折

Fracture of the rib and sternum

小林 洋　福島県立医科大学 学内講師

【疾患概念】　胸郭は，12個の胸椎に12対の肋骨が関節を作り，前方では肋軟骨によって胸骨と連結した籠状構造物である．第1～7肋骨は肋軟骨を介して胸骨に連結し，第8～10の肋軟骨はそれぞれの上位肋軟骨に連結し，第7肋軟骨へ融合し肋骨弓を形成する．第11，12肋骨は遊離端となる浮遊肋骨である．胸骨は胸骨柄と体部からなり，結合部を胸骨角といい，第2肋軟骨が付着する．

肋骨骨折は日常生活で遭遇する頻度の高い骨折の1つであり(全骨折の6％)，多くは数週間で治癒する単純な骨折である．血気胸，フレイルチェストなどの合併症にさえ注意すれば，予後の良好な疾患である．以前は交通事故や労災事故による骨折が多かったが，近年の高齢者人口の急激な増加に伴い，軽微な外傷による骨脆弱性骨折が増加している．

胸骨骨折は比較的まれな骨折である(全骨折の0.2％)．交通事故時にハンドル打撲で生じることが多く，ハンドル骨折とも呼ばれる．肋骨，肩甲骨，鎖骨，胸椎の骨折と合併していることが多い．

これらの骨折は通常は保存的治療で対応可能である．しかし骨性胸郭の内部には，呼吸，循環の維持に重要な臓器である肺，心臓，大血管が存在するため，胸部外傷では気道，呼吸，循環の異常に直結した緊急性の高い病態が生じる可能性があり，診断と対応の遅れが防ぎ得た外傷死(preventable trauma death)へ直結することを念頭に置く必要がある．

【病型・分類】

(1)部位

肋骨は骨性部，軟骨部および移行部の骨折がある．胸骨では柄部，体部および剣状突起部に分類される．肋軟骨骨折，移行部骨折は単純X線写真上では確認できないことが多く，理学所見で診断する．

(2)特殊な病態

①フレイルチェスト

上下連続した肋骨をそれぞれ2か所以上骨折してできた骨連続性を失った胸壁部分が吸気(胸腔内陰圧)時に陥没し，呼気(胸腔内陽圧)時に膨隆する特徴的な胸壁運動を呈し，この状態をフレイルチェストという．肺挫傷を伴うことが多く，換気不全と低酸素血症を認める場合には陽圧呼吸管理を要する．人工呼吸器からの早期離脱を目的として，骨接合術が行われることもある．

②緊張性気胸(図20-7)

肋骨骨折に伴って肺表面の臓側胸膜が破綻した場合，胸腔内に肺内空気が流入し肺の虚脱が生じる．緊張性気胸は，一方向弁により空気が胸腔内に閉じ込められ発症する病態である．通常の気胸とは異なり，胸腔内圧の上昇により静脈還流が障害され循環不全を起こし，対側肺も縦隔偏位のため圧迫され重篤な呼吸不全に陥る．頚部静脈の怒張，頚部気管の健側への偏移，

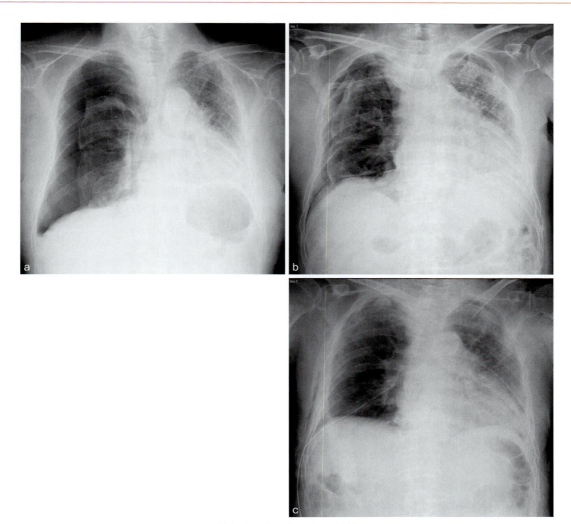

図 20-7　胸部挫傷により発症した緊張性気胸の症例（88 歳，男性）
5 日前に右胸部打撲後，右胸痛の持続と，当日朝からの呼吸困難にて受診した．
a：初診時，b：第 2 肋間より静脈留置針刺入後．c：胸腔ドレナージ後．

患側の膨隆，動きの減弱，呼吸音減弱，鼓音増強，皮下気腫が重要な身体所見である．緊張性気胸が疑われる場合には，X 線や CT を待たずに速やかな脱気が必要である．

問診で聞くべきこと

まず受傷機転を確認する．交通事故の場合は，運転者かどうか（ハンドルにぶつかっていないか），シートベルト装着の有無を聴取する．反復するスポーツ活動によることもある．

既往歴では，COPD（chronic obstructive pulmonary disease）などの呼吸予備能が低下する疾患を有する場合，合併症のリスクが高いため注意が必要である．転移性骨腫瘍による病的骨折にも留意し，悪性疾患の既往も確認する．特に外傷のない場合や軽微な受傷機転の場合には注意が必要である．血胸の場合，抗血小板薬，抗凝固薬を内服している場合に重症になりやすいので聴取しておく．

診断のポイント

衣服を脱いでもらい触診で圧痛点を確認する．骨折部には圧痛を認め，時に転位や軋轢音を触知することもある．動揺性のある場合はフレイルチェスト，皮下気腫のある場合は気胸が疑われる．

単純 X 線では，圧痛部位をペンなどでマーキングし，その部位を中心とした 2 方向を撮影すると検出率が高くなる．それでも転位がわずかだと X 線ではわかりにくいことが多い．そのため，初診時に骨折線が

認められなくても，骨折の可能性を完全には否定しないほうがよい．

気胸・血胸を合併していることがあるので，呼吸苦の有無や呼吸音，酸素飽和度を確認し，適宜，胸部単純X線や胸部CTを追加して評価する．帰宅させる場合でも，呼吸苦の増悪など，症状の進行が認められる場合は再診するように指示する．

治療方針

肋骨骨折，胸骨骨折とも基本的には保存的治療の適応であり，手術を要することはまれである．高エネルギー外傷による多発外傷の場合は，臓器や血管損傷を念頭に置いた対応が必要である．血気胸・フレイルチェストなどの特殊な病態の場合は，速やかに専門医にコンサルトする．

治療法

1 ▶ 保存療法

バストバンドで胸郭を外固定する．吸気時の胸郭の広がりを抑えて疼痛を軽減させる効果がある．呼気終末時の，胸郭が最も縮んだタイミングで固定することを指導する．多くは2〜3週で疼痛が軽快しバンドを外すことができる．疼痛が強い場合にはNSAIDsなどの鎮静薬や，湿布を処方する．

フレイルチェストで奇異性呼吸を認める場合は，挿管による陽圧呼吸管理が必要となる．気胸・血胸の場合は，胸腔ドレナージを要することがある．

2 ▶ 手術療法

通常，肋骨・胸骨骨折で手術療法が選択されることはまれである．転位が大きく臓器損傷の可能性がある場合や，多発骨折で陽圧呼吸管理からの早期離脱が必要な場合に，骨接合術が選択される．

胸椎椎間板ヘルニア

Thoracic disc herniation

赤羽 武　山形大学

【疾患概念】　胸椎高位において変性などを背景に脱出した髄核が脊柱管内に突出し，脊髄・神経根を圧迫することで高位に応じた下肢・体幹部以遠の神経症状を生じる疾患である．

【頻度】
胸椎椎間板ヘルニアは頸椎や腰椎と比較してまれであり，発生頻度は100万人に1人，全脊椎椎間板ヘルニアのうち0.25〜0.75%とされる．性差はなく（男性48%，女性52%），40歳以降の中高年に多く，第8〜12胸椎の下位胸椎発生が75%を占め，そのなかでも第11胸椎と第12胸椎の椎間に発生する頻度が最も高い．

【病型・分類】
脱出部位に応じて正中・傍正中・外側に分けられ，正中と傍正中でおよそ70%を占める．

【臨床症状・病態】
ヘルニアが生じた椎間板高位に応じ，同高位・同側以遠の脊髄症状・神経根症状を生じる．そのため，非特異的な背部痛や帯状の神経根性疼痛，体幹下肢の異常知覚，下肢の脱力やふらつきといった症状を主訴に受診することが多い．

下位胸椎に好発すること，びまん性特発性骨増殖症や後縦靱帯骨化症の骨化非連続部位に多く発生すること，黄色靱帯の骨化出現高位に好発することから，脊椎の局所不安定性がヘルニア発生の原因の1つであると推測されている．

問診で聞くべきこと

先に述べたように，下肢の異常知覚や筋力低下，歩行障害で受診することが多く，腰椎由来の疾患と区別が困難な場合がある．胸椎椎間板ヘルニアの可能性を念頭に置き，体幹の症状について問診することが重要である．また第10胸椎以下のヘルニアでは脊髄円錐部，円錐上部に由来する神経症状が出現し，身体診察においてさらに多彩な症状を示すため，注意も必要である．頸椎，腰椎疾患と同様に膀胱直腸障害の有無を確認する．

必要な検査とその所見

(1)神経学的所見

病巣以遠の筋力や感覚，反射所見（深部反射の亢進，病的反射の出現），歩行能力などの神経所見を評価し，病巣より頭側の所見と比較することが重要である（例えば胸椎椎間板ヘルニア由来のみの症状であれば，上肢は正常所見となり，頸髄症との鑑別になる）．脊髄円錐部，円錐上部の障害では深部反射が低下する場合もあり注意が必要である．

(2)画像所見（図20-8）

単純X線では評価は困難である．同疾患を疑う場合には積極的にMRIの撮像を検討する．MRIで胸椎椎間板ヘルニアが疑われる場合，骨化/石灰化の有無，椎間板の真空現象などを確認する目的でCTも重要である．

鑑別診断で想起すべき疾患

脊椎変性疾患一般（腰椎/頸椎椎間板ヘルニア，腰部脊柱管狭窄症，頸椎症性脊髄症），靱帯骨化症（黄色靱帯骨化症，後縦靱帯骨化症），腫瘍性疾患（脊髄腫瘍，転移性脊椎腫瘍，骨原発脊椎腫瘍），感染性疾患（化膿

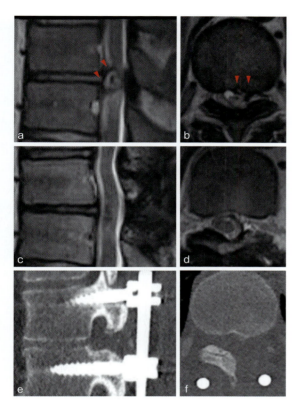

図 20-8 胸椎椎間板ヘルニアの検査画像および術後画像

a, b：術前単純 MRI：第 10/11 胸椎高位に傍正中型ヘルニアを認める（▼部）.
c, d：術後単純 MRI：後方進入法による胸椎椎間板摘出術後.
e, f：術後単純 CT：後方より片側椎間関節を全切除し、視野を広げ椎間板摘出を行った.

性脊椎炎、硬膜外膿瘍、脊椎カリエス）、脱髄性疾患、運動ニューロン疾患、ビタミン欠乏症などが鑑別となる.

診断のポイント

症状から腰部脊柱管狭窄症として検査され、MRI などで腰椎高位に画像所見がないため見逃されることが多い．鑑別疾患として本疾患の可能性を念頭に置き、疑わしい場合には胸椎 MRI 撮像を検討することが重要である．もしくは腰椎 MRI 撮像時に下位胸椎を撮像範囲に含むようにすることも有用である．

専門病院へのコンサルテーション

脊髄症状が出現していれば手術治療が必要となる可能性があり、脊椎手術の経験が豊富な病院へコンサルテーションを検討する．

治療方針

背部痛もしくは神経根症のみの症状であれば投薬による保存治療を行い、経過観察する．脊髄に由来する筋力低下やふらつきなどの症状を認める場合には手術適応とする．胸椎は頚椎や腰椎と異なり生理的に後弯しているため、脊髄腹側から神経の圧迫を受ける本疾患では、手術に際し後方除圧のみでは神経除圧が得られない場合がある．また頭尾側椎体が靱帯骨化により連続し、応力集中がヘルニア発生の背景にある場合があり、脊椎不安定性が懸念される場合には固定術を選択する必要がある．アプローチには前方進入法と後方進入法があり、以前は前方進入法での摘出が一般的であった．しかし近年では固定術における治療成績の躍進に伴い、後方進入法でも前方進入法に劣らない成績が報告されている．周術期合併症の面では後方進入法が優れるが、石灰化を伴う場合や正中ヘルニアに対しては後方進入法による治療改善率が乏しく、前方進入法による切除が推奨される．

合併症と予後

手術時期を逸すると麻痺の進行とそれに伴い症状が残存する可能性が上昇するため、適切な治療時期を見逃さないことが重要である．

手術関連合併症には、脊椎手術の一般的合併症（神経損傷、硬膜外血腫、感染、深部静脈血栓症など）、固定術の際にはインプラント破損や隣接椎間障害、前方手術の際には血胸、胸水貯留、肋間神経痛などが挙げられる．

患者説明のポイント

脊髄症状が出現している場合には手術適応である．しかしその解剖学的特徴から胸髄は他高位と比べ合併症の頻度が高く、手術自体に危険性が伴う．症状の推移と現在の症状を入念に聴取し、手術適応を検討することが重要である．

リハビリテーションのポイント，関連職種への指示

脊髄症状の改善には長期的に時間を要する．術前から家族・患者本人にもそのことを伝え、術後長期的にリハビリテーションに取り組む姿勢を得ることが重要である．

胸肋鎖骨肥厚症

Sternocostoclavicular hyperostosis

佐藤 毅　能代厚生医療センター 副院長〔秋田県能代市〕

【疾患概念】　鎖骨、胸骨、肋軟骨周囲の前胸部を中心

に，無菌性に骨肥厚を伴う骨硬化性病変を呈する慢性炎症性疾患である．手掌，足底の無菌性膿疱を主な皮膚症状とする掌蹠膿疱症(palmoplantar pustulosis；PPP)に合併することが知られていて，掌蹠膿疱症性骨関節炎(pustulotic arthro-osteitis；PAO)とよばれてきた．一方，SAPHO(synovitis, acne, pustulosis, hyperostosis, osteitis)症候群は骨関節炎に無菌性膿疱を伴う炎症性皮膚疾患を合併した症候群に対して用いられる名称で，PAOを含む概念と定義され，本症はSAPHO症候群のなかの1つの疾患と考えられている．しかし，最近その病因論などから，PAOとSAPHO症候群は別の疾患概念である可能性も示唆されている．

【発生頻度】
40～60歳に好発し，男女比は約1：2と女性に多い．PPPの約10％に本症が発生し，最終的に50～60％に皮膚病変を伴うようになる．

【臨床症状】
胸鎖関節や胸肋関節を中心とした前胸部～鎖骨にかけての痛みと発赤，腫脹，熱感を認める．急性増悪期には非常に強い安静時痛があり，肩関節や体幹の動きに伴う運動時痛や深呼吸や咳での痛みも伴う．慢性期には，骨性隆起や肩関節可動域制限がみられる．PPP合併例では，両側手掌や足底に非感染性の小膿疱を認める．

問診で聞くべきこと
前胸部の熱感，腫脹，疼痛で受診した場合には，①痛みの強さと安静時痛や運動時痛，②全身性の発熱の有無，③手掌・足底の皮膚病変の存在と治療歴，④他の皮膚病変，⑤四肢関節の腫脹や疼痛，⑥腰殿部痛などの脊椎症状，⑦外傷の有無，⑧悪性疾患の既往を聴取する．PPPに影響を与える可能性のある1)扁桃炎，歯周炎などの病巣感染，2)金属アレルギー，3)喫煙歴なども聞いておく必要がある．

必要な検査とその所見
(1)単純X線写真
　胸骨，第1肋骨，鎖骨近位端を中心に骨硬化と骨肥厚を認めるが，進行すると鎖骨全体に広がり，胸鎖関節と胸肋関節の癒合がみられるようになる．
(2)単純CT
　上記の所見がより明らかになる．
(3)骨シンチグラム
　胸鎖関節・胸肋関節部を中心に強い異常集積像を認めるが，単純X線写真で変化が明らかとなる前に病変部や脊椎などの他部位への取り込みを確認することができる．
(4)血液検査
　CRP陽性，赤沈の亢進，血清補体値の上昇，軽度の白血球や血小板増加などの非特異的炎症反応の上昇がみられるのみだが，時にALP上昇がみられることがある．

鑑別診断で想起すべき疾患
(1)関節リウマチ，強直性脊椎炎などの膠原病
　関節症状や血液検査などから鑑別する．
(2)感染性骨髄炎
　初期には鑑別困難な場合もあるが，血液検査，画像診断や臨床経過から判断する．
(3)原発性・転移性骨腫瘍
　がんの既往，画像診断，腫瘍マーカーなどから鑑別可能なことが多いが，生検を要することもある．
(4)外傷
　問診の外傷歴から明らかである．

診断のポイント
①前胸部～鎖骨にかけての痛み，腫脹，熱感．
②前述の「必要な検査とその所見」に記載した項目．
③手掌・足底の皮膚病変(特にPPP)の存在や治療歴．
などから総合的に診断する．

治療方針
PPPの活動性が病勢に影響を与える症例があることから，皮膚病変を認めた場合は皮膚科医へ相談し，並行して治療を行う必要がある．本症に対しては，非ステロイド性抗炎症薬の内服を基本とする．全身性の発熱や局所の炎症所見がみられたり，採血にて炎症反応が上昇している場合は，ステロイド薬の内服も有効である．パルス療法後に少量の内服へ変更したり，最初から少量内服を行う．これらで効果が不十分な場合は，専門医に紹介することが望ましい．保険適用外になるが，ビスホスホネート製剤，サラゾスルファピリジン，メトトレキサート，生物学的製剤であるインフリキシマブ，アダリムマブなどが使われることもある．しかし，筆者はビスホスホネート製剤以外は使用経験はない．

患者説明のポイント
慢性炎症性疾患で長期に経過するが，悪性疾患ではないこと．治療は対症療法が中心で時に急性増悪するが，いずれ軽快することを説明する．

背痛・胸郭痛のとらえ方/診断手順
Diagnosis of back pain and thoracic girdle pain

遠藤 寛興　岩手医科大学 講師

1 背痛・胸郭痛のとらえ方

　整形外科を訪れる患者の訴えとして「背痛・胸郭痛」は比較的多い．その原因として，加齢により生じる変性や外傷など胸郭構造の異常が最も頻度が高く，感染や腫瘍なども原因となる．しかし表20-1に示すように，心血管，呼吸器，消化器など筋骨格系以外の多岐に及ぶ臓器，器官が疼痛の原因となる可能性があり，その診断には整形外科的診察のみならず，内科的，精神科的診察も含めた総合的なアプローチが必要となることも少なくない．

　また背痛・胸郭痛の原因となる疾患のなかには下肢症状として初発し，原病巣部位の疼痛出現とともに急速に症状が進行し，診断および治療が遅れると重篤な機能障害に至ってしまう場合がある．そのため症状の重症度，緊急度についても適切に判断し対応していく必要がある．

2 診断手順

　背痛・胸郭痛を訴える患者であっても，基本的にはほかの疾患の診察法と大きく異なるところはなく，一般的な順序に従って診察を行い，必要に応じ各種画像検査や血液検査などの補助診断を行うことで正確な診断を心がける．

1 ▶ 問診
　背痛・胸郭痛の発症様式，経過，体位や動作との関係，付随する脱力や感覚障害の有無について手際よく聴取する．悪性腫瘍や内科的疾患などを含めた既往歴や家族歴，職業歴，趣味，スポーツおよび家庭環境についても詳細に聴取する．その際，高齢者における脆弱性骨折や脊椎転移など，年代別に頻度の高い原因疾患を想定しながら必要な情報を聴取することで，不必要な検査を避けた早期診断が可能となる．

　疼痛の性質については「ズキズキする」，「締め付けられる」といった具体的な表現を聴取し，疼痛の強さについては visual analog scale (VAS) や numerical rating scale (NRS) を用いることで客観的な表現が可能となり，また経時的な変化も捉えやすい．

2 ▶ 理学所見
　診察室に入る患者の歩行状態を観察することから診察は始まっている．胸髄症では上位運動ニューロン障害による痙性歩行を認める．この場合患者は下肢の脱力を訴えるが，徒手筋力検査では明らかな筋力低下を認めないことがある．診察時は可能な限り着衣を最小限とし側弯・後弯変形，可動域制限の有無について観察する．胸郭運動域の測定として最大吸気呼気の胸郭周径を計測し，その差が5 cm未満の場合は強直性脊椎炎を疑う．背部・胸郭の腫脹，腫瘤，皮膚の色調や発疹の有無についても観察する．帯状疱疹は胸背部に好発し，通常発疹出現の数日前に強い疼痛や灼熱感が生じるが，早期にはしばしば見逃されるため注意を要する．

　続いて傍脊柱筋，棘突起，胸郭の圧痛や叩打痛の有無を確認し病巣をある程度特定する．一般に圧痛は骨，筋肉，靱帯など触知可能な浅層の障害を反映するのに対し，叩打痛は深達性の振動により誘発されるより深層の障害を反映する．胸椎黄色靱帯骨化症の骨化部位では，高頻度に棘突起の叩打痛を認める．

表20-1　背痛・胸郭痛をきたす疾患

罹患部位	疾患
胸椎	外傷（骨折，脱臼），化膿性脊椎炎，原発性・転移性腫瘍
	胸椎椎間板ヘルニア，靱帯骨化症，破壊性脊椎関節症
胸髄	脊髄損傷，脊髄炎，脊髄腫瘍，脱髄疾患，血管障害
胸郭	外傷（骨折，脱臼），帯状疱疹，肋間神経炎
	原発性・転移性腫瘍，筋痛，筋炎
頚椎	頚椎椎間板ヘルニア，頚椎症性脊髄症，靱帯骨化症
肺・胸膜	肺炎，肺化膿症，肺癌，胸膜炎，膿胸，気胸，胸膜腫瘍，肺梗塞
心・大血管・縦隔	心筋梗塞，狭心症，大動脈解離，縦隔腫瘍
上腹部臓器	消化管疾患，膵疾患，肝胆道疾患
非器質性（心因性）	

また背痛に下肢症状を有する場合，神経学的診察を行うことは必須であるが，この際下肢のみならず上肢および体幹部の診察を忘れてはならない．特に体幹部の感覚障害，皮膚表在反射を詳細に観察することは，胸髄障害高位や障害様式を推測するうえできわめて重要である．

3 ▶ 補助診断

外傷や変性など骨関節病変を疑った場合には単純X線検査やCT検査を，脊髄や脊髄神経根の圧迫病変や腫瘍性病変を疑った場合にはMRI検査を行う．胸郭構成要素の感染や転移性病変を疑った場合には，画像検査に加えて炎症反応や腫瘍マーカーといった血液検査が必須であり，さらに施設は限られるものの核医学検査（[18]FDG-PET）は，腫瘍や炎症の局在や鑑別にきわめて有用である．

注意すべき点として中高年者では画像検査で変性所見を高率に認めるが，これを安易に病変と解釈してはならず，愁訴が理学所見や画像検査などの補助診断の結果と一致して初めて確定診断に至ることを忘れてはならない．

必要な検査とその所見

本損傷においては，初診時，救急搬送時に全身状態，脊柱の不安定性，神経障害の有無を評価する必要がある．

(1) 合併損傷の有無

詳細は，救急外傷の専門書に譲るが，頭頸部，胸腹骨盤部の理学所見，FAST，末梢血ならびに生化学検査，単純X線，単純または造影CTを評価する．

(2) 胸腰部の理学所見，神経所見

脳神経所見，四肢の深部腱反射，徒手筋力テスト，仙椎領域を含めた痛覚と触覚，球海綿体反射，ASIA impairment scale，改良Frankel分類を評価する．

(3) 画像評価

単純X線写真の胸椎，腰椎の正面像，側面像を撮影する．胸腰椎の単純CT，MRIを評価する．単純CTではMPR（multi planar reconstruction）にて矢状断，冠状断像を構築し，椎体後壁損傷，椎弓根，椎間関節，棘突起の骨折や脱臼の有無を確認する．MRIではSTIR像を用いることで，CTにて明らかとならない骨挫傷や，椎間板-靱帯複合体（disco-ligamentous complex）の損傷が評価可能である．また，硬膜外血腫や椎間板ヘルニアの有無も評価する．

胸腰椎部脊椎・脊髄損傷

Thoracolumbar injuries of the spine and spinal cord

和田 簡一郎　弘前大学医学部附属病院 講師

【疾患概念】　胸腰移行部は応力が集中しやすく，骨粗鬆症性骨折を除いては高エネルギー外傷により脊椎損傷を生じる．不安定性の大きい骨折に対しては手術治療が考慮される．強直性脊椎炎（ankylosing spondylitis；AS）やびまん性特発性骨増殖症（diffuse idiopathic skeletal hyperostosis；DISH）の有無を確認し，これらを認めない場合，不安定性の評価として，Thoracolumbar Injury Severity Score（TLISS）system（Vaccaro AR: Spine 2005）（表20-2）を用い，治療方針を検討する．ASやDISHに生じた損傷に対しては，転位や後方要素の損傷を認める場合，手術による脊椎の安定化が必要となる．保存治療も含め，いずれの場合も早期に脊椎の安定化を獲得し，全身管理を行いながら，ADL向上のためのリハビリテーションを進め，安定した脊椎，良好なアライメント，自立したADLを目指す．

問診で聞くべきこと

受傷時刻，場所，機転，職業，同居者，既往歴（糖尿病，抗凝固薬または抗血小板薬，免疫抑制薬，脊椎疾患など）を伺い，記録しておく．

表 20-2　Thoracolumbar Injury Severity Score（TLISS）system

パラメータ		点数
損傷形態	圧迫骨折	1
	破裂骨折	1
	外側楔状変形＜15°	1
	水平/回旋脱臼	3
	伸延脱臼	4
神経学的損傷度	なし	0
	神経根損傷	2
	脊髄/脊髄円錐損傷	
	完全	2
	不全	3
	馬尾	3
後方靱帯複合体損傷度	損傷なし	0
	不確定	2
	明確な断裂	3

推奨治療：総スコア3以下は保存治療，総スコア4は保存治療もしくは手術治療，総スコア5以上は手術治療

〔Vaccaro AR, et al: A new classification of thoracolumbar injuries: the importance of injury morphology, the integrity of the posterior ligamentous complex, and neurologic status. Spine 30: 2325-2333, 2005〕

診断のポイント

　画像評価にて重要なポイントは2つある．middle column（椎体後方半分から後縦靱帯），posterior column（椎弓，椎間関節，棘突起，棘間および棘上靱帯）の損傷の有無をCT，MRIを用いて，詳細に，正確に判定することである．もう1点は，ASやDISHを認めた場合，癒合椎内，または尾側端の骨折であるかどうかを判定することである．ASやDISHに伴った脊椎損傷は，離れた高位に複数の骨折を認めることがあるため，全脊椎のCT，MRIを撮影することが望ましい．また，全身状態の評価を行った後，両下肢の筋力および感覚評価，膀胱直腸障害の有無を確認し，脊髄損傷を合併していないかどうかを評価する．

治療方針

　ASやDISHを伴った骨折でなければ，TLISS systemにて，保存治療，手術治療の適応を判定する．ASやDISHに伴う骨折で，椎体骨折に後方要素の損傷を伴っていれば，転位がなくとも遅発性に転位を生じ，神経障害へつながるリスクがあるため，不安定型の骨折として，手術治療を検討する．

　TLISS systemにて0〜3点であれば保存治療，4点であれば軽度の不安定性があり保存治療もしくは手術治療，5点以上であれば不安定型として手術治療を考慮する．保存治療としては，体幹硬性装具を第1選択とするが，0〜3点では，装具のコンプライアンスを考慮して軟性装具とする場合もある．手術法は，前方要素の破壊が軽度であれば，椎弓根スクリューを用いた後方固定術を選択する．固定範囲は，骨質が保たれていれば1椎体頭側，1椎体尾側，骨質が低下していれば頭尾側に2もしくは3椎体を選択する．可能であれば経皮的椎弓根スクリューを用いる．麻痺を伴う場合，T11，12レベルでは脊柱管内の骨片占拠率が35%，L1レベルでは40%以上であれば後方除圧術を追加する．その際は，後方要素の欠損を必要最小限にとどめるよう意識する必要がある．硬膜損傷を伴う場合は，修復を行う．middle columnまでの骨折，Chance骨折のように骨癒合により安定性が獲得できるものは，後方の骨移植は不要と考える．骨癒合が得られれば，インプラントを抜去し，motion segmentを残すという選択肢もある．椎間関節の損傷を伴う場合は，椎間関節のデコルティケーションと自家骨移植を追加する．その場合でも椎間癒合が得られれば抜釘を考慮してよい．前方要素の破壊が高度（McCormackのLoad-sharing分類にて7点以上；McCormack T: Spine 1994）であれば，前方支柱の再建を行う．

　ASやDISHに伴う骨折であれば，前方要素のみの骨折であれば硬性装具を用いた厳密な装具治療を行う．骨癒合が得られれば装具を除去する．後方要素の損傷を伴っていれば手術治療を考慮する．ASやDISHに伴う骨折に後方固定術を行う場合，頭尾側に3椎体ずつの固定を行う．DISHの場合は，離れたレベルに複数の骨折が生じていることもあるため，適宜固定範囲を延長する．

　手術時期については，ダメージコントロールとしての意義，長期の神経学的，支持性組織としての機能的予後の改善を考慮して，早期が望まれる．全身麻酔手術が行える全身状態であるか，麻酔科を含めた診療科間の評価を踏まえ，可能と判断された後，手術スタッフ，手術器械の準備が整ったうえで手術を行う．可及的早期の手術が骨折の整復には有利であるが，超早期手術の有用性については議論があり，医療スタッフも含めた医療資源への配慮も必要と考える．

　手術治療後も，instrumentation failureを予防するために硬性装具を用いる．骨癒合が得られた場合，抜釘を考慮するが，骨移植を行っていない椎間は骨癒合を期待できないため，同レベルでインストゥルメンテーションの破損を生じることがあり，適切な社会活動の制限など指導を行う必要がある．やむを得ず重労働に復帰しなくてはならない場合は，骨癒合後，早めに抜釘をすすめるなどの配慮が必要と考える．ただし，抜釘後のスクリューホールを起点とした骨折の発生には注意を要する．また，そのようなインストゥルメンテーションの破損の可能性については，患者への情報提供を行っておく必要がある．近年，インストゥルメンテーションの材料，デザイン，刺入法，術中画像支援などの進歩は著しく，選択肢が増え，固定力も向上しているが，骨癒合を得るための操作を加えていないレベル，前方骨破壊の重度な症例においてインストゥルメンテーションの耐久性を過信してはならない．

合併症と予後

　機能的予後には，神経学的予後，脊柱の支持器官としての予後に分けて考える必要がある．神経学的予後は，受傷後速やかに安定性が得られ，それが維持されれば，脊髄損傷の重症度に依存する．脊柱は，良好なアライメントと安定性が獲得されれば，支持器官としての機能的予後も十分期待できる．

患者説明のポイント

　神経学的重症度に合わせて，平易な言葉で説明を行う必要がある．また，必要に応じて他科からの説明も行う．背骨が骨折し，痛み，足の運動障害，感覚障害，排尿障害が生じていることを説明する．身体を支え，動かすといった背骨の機能を改善させる必要があること，今後の神経の働きについては，怪我をしたときの

状態が悪いほど回復が悪いことを伝える．背骨を安定させる，神経の圧迫をとる，二次的な障害の危険性をできるだけ下げる，長く機能が安定することを目的とした治療法を提案する．また，それぞれの治療法を組み合わせる，途中で追加する，再度試みることがあることも伝えておく必要がある．詳細は割愛するが，肺梗塞，深部静脈血栓塞栓症を含めた全身合併症，手術であれば感染，神経合併症，血腫，出血コントロールのための輸血治療についても説明を行う．以上を伝えたうえで，ご本人，ご家族に治療法を選択していただく．

リハビリテーションのポイント，関連職種への指示

入院日当日からのリハビリテーション介入が望ましい．リハビリテーション科に全身状態，安静度を伝え，急性期の残存機能の温存，機能回復を目的として，計画を立案してもらう．具体的には下肢可動域の温存，筋力の維持と筋萎縮の予防，深部静脈血栓塞栓症予防に配慮し，早期離床，ADL訓練開始を目指す．また，栄養管理も重要であり，栄養サポートチーム（nutrition support team；NST）の介入を依頼する．看護師は，呼吸，循環のモニタリングのほか，下肢筋力，感覚，しびれや痛みの自覚症状，排尿障害の変化の観察を行う．また，ベッド上安静が必要な場合は，肺炎，褥瘡を予防するため2〜3時間ごとの体位変換を行う．

私のノートから/My Suggestion　整形外科医のよろこび

　私の目に焼き付いている組織写真がある．椎体・海綿骨類似生体材料として作製したチタンメッシュボールをウサギに埋め込み，ヴィラヌエバ染色を施した研磨切片の世界である．真黒なチタンワイヤに沿うピンク色の類骨と緑色の骨梁．これらが破骨細胞を交えて多寡・濃淡入り乱れる万華鏡の世界であった．延長仮骨に見られる旺盛な類骨反応や軟骨を経ない直接骨化像にも興奮した．CTやMRIに慣れた諸君の目には，単純X線でうっすらと見える頼りない骨折仮骨に旺盛な内軟骨骨化組織像を重ねることは困難かもしれない．しかし諸君が運動器専門医になりたいなら，そういう驚異の世界をイメージでき，かつ治癒反応に感動できる医師になれる教育を受けてほしいものである．

　急性期病院に勤務していると，入院はとにかく手術をするため，手術はとにかく早く退院・転院させるため，という流れに慣らされてしまう．諸君が期待する教育も手術手技であろう．「保存療法の原理」を教育され，かつ実践するチャンスがあるだろうか．手術がすべて，ではなく，目の前の痛みを手術しないでも「癒せる」方法は本当にないのか常に自問し，先輩から聞き出してほしい．

　かつて，がちがちにプレート固定した骨折は抜釘したら再骨折した．その誤りを反省した結果，ロッキングプレートが開発された．骨はストレスがなければ治癒反応が起こらない．強固な内固定は骨の治癒を邪魔していたのである．この治癒原理は今も真実である．

　脊椎も同様である．たわんで機能する器官である．Pedicle screw（PS）を用いてその一部でもリジッドに固定すれば，入院短縮の大目的は達成できても隣接椎体の破綻は時間の問題である．固定延長を繰り返し結局は第8胸椎まで固定するのを当たり前と思わないでほしい．PSをロッドではなくゴムでつなぎ，あえてセミリジッド固定にしたシステムもかつては使用されていたのである．考え方としてはこちらの方が正しいと思う．

濵西　千秋（近畿大学 名誉教授／市立岸和田市民病院リハビリテーションセンター センター長〔大阪府岸和田市〕）

21 腰・仙椎部の疾患

腰椎・仙椎の解剖 …………………… 670	成人の腰椎分離症・腰椎分離すべり症
腰痛・下肢痛のとらえ方/診断手順	……………………………………… 692
……………………………………… 671	発育期腰椎分離症 ………………… 693
二分脊椎 …………………………… 673	腰椎変性すべり症 ………………… 695
終糸症候群，脊髄係留症候群 …… 676	腰部脊柱管狭窄症 ………………… 697
急性腰痛発作の初期治療 ………… 677	椎間関節嚢腫，ガングリオン …… 700
慢性腰痛の保存療法 ……………… 679	Schmorl 結節 ……………………… 702
非器質性腰痛 ……………………… 680	椎体辺縁分離 ……………………… 703
若年者の腰椎椎間板ヘルニア …… 682	腰椎不安定症 ……………………… 704
成人の腰椎椎間板ヘルニア ……… 684	梨状筋症候群 ……………………… 704
高齢者の腰椎椎間板ヘルニア …… 685	化膿性腸腰筋炎 …………………… 706
腰椎外側椎間板ヘルニア ………… 686	術後椎間板炎 ……………………… 707
内視鏡下椎間板切除術 …………… 689	仙骨部腫瘍 ………………………… 708
腰椎再手術（医原性術後疼痛） … 690	仙腸関節の疼痛 …………………… 709

腰椎・仙椎の解剖

Anatomy of lumbar and sacral spine

江幡 重人　国際医療福祉大学 教授

1 腰椎（図21-1）

腰椎は5つの椎骨と椎体間の椎間板からなる．前方要素，椎弓根，後方要素からなり，前方要素は椎体，後方要素は椎弓や突起である．腰椎配列は前弯であり，下位腰椎では椎間板の傾斜角度が大きくなる．

1 ▶ 椎体
椎体は楕円柱構造である．椎体の前面と側面は陥凹し，後面中央部でわずかに陥凹している．上下面はほぼ平坦で終板を形成し椎間板と連結する．

2 ▶ 椎弓根
椎体と後方要素をつなぎ，厚い皮質骨を持つ環状構造である．その断面は上位腰椎で縦楕円形であるが，下位になるにつれ横楕円形になる．

3 ▶ 椎間関節
上関節突起と下関節突起からなる．両関節突起により滑膜関節である椎間関節を形成している．上関節突起内側起始部は脊柱管の外側陥凹を形成している．椎間関節面の傾斜角度は矢状面に対して下位腰椎ほど大きくなる．この形状は腰椎にかかる剪断力と回旋力に抵抗し，椎体の前方転位と回旋変位を抑制している．

4 ▶ 椎弓
椎弓は椎体とともに椎孔を形成し，神経組織を保護している．また突起に伝わる外力を椎体に伝達している．

5 ▶ 筋突起
筋突起は棘突起，横突起，副突起，乳頭突起よりなる．それぞれ背筋群が付着し，これらの筋群を介し外力を伝達する．横突起は椎弓根と椎弓の境界から左右側方に出ている．第3腰椎横突起が最長で，第5腰椎横突起はしばしば仙骨と癒合する．

6 ▶ 椎間板
脊椎の可動性と支持性に大きくかかわっている．椎間板は髄核，線維輪，軟骨終板よりなり，中央部に髄核がありその周囲を線維輪が囲んでいる．荷重，衝撃の吸収などの役割を担っている．

7 ▶ 靱帯組織
(1)前縦靱帯
　頚椎から腰椎まで全脊柱の前面（椎体や椎間板）を覆っている靱帯である．
(2)後縦靱帯
　椎体と椎間板の後面を覆っている．靱帯腰仙部では

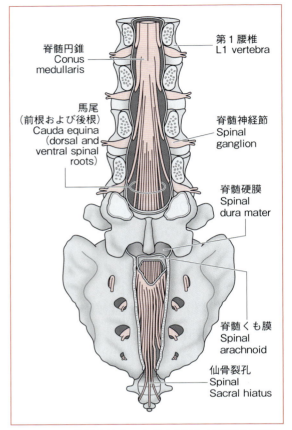

図21-1　腰仙椎を後方から見た図（後方要素を切除）

椎間板高位では椎間板を覆うように広がるが，下位腰椎ほど靱帯の幅は狭くなる．
(3)黄色靱帯
　椎弓間を結ぶ靱帯で脊柱管の後方の一部を構成する．頭側部は峡部レベルの椎弓に，尾側部は下位椎弓上縁に，外側部は上関節突起の基部に付着する．
(4)棘間靱帯，棘上靱帯
　棘突起間に存在し，腰椎の支持性や前屈の制限などに寄与している．

2 仙椎（図21-1）

仙椎は5つの骨から構成されている．これらの骨は骨性に癒合し，三角形のような形状をした仙骨を形成している．仙骨は骨盤輪の中央に位置し，腸骨と仙腸関節を形成しこれらを連結する．仙骨の先端には仙骨裂孔があり脊柱管と通じている．

腰痛・下肢痛のとらえ方/診断手順

Diagnosis of the low back pain and sciatica

波呂 浩孝　山梨大学大学院 教授

【疾患概念】 2016年の国民基礎調査によると，腰痛は男性1位（92.2/1,000人），女性2位（118.2/1,000人）の有訴率であった．腰痛ガイドラインには，第12肋骨と殿溝下の間を腰部とし，急性は発症から4週間未満，亜急性を発症から4週間以上，3か月未満，慢性を発症から4週間以上としている．原因は椎間板や椎間関節，椎骨などの脊椎由来，神経根などの神経由来，のほかに，仙骨や骨盤，股関節に認めることもある．また，腎結石などの腎尿路系，子宮内膜症などの婦人科系，大動脈瘤などの血管由来，うつ状態などの心因性，など原因は多岐にわたる．脊椎や神経由来では，腫瘍，感染，外傷，神経症状を伴う脊椎疾患，などの原因がある．また，下肢痛は殿部から大腿，下腿へ放散することが多く，神経根や馬尾に原因があることが多い．欧米の総合診療医による腰痛の原因精査では約85％が原因不明である"非特異的"と報告されたが，日本における整形外科専門医による研究では全腰痛患者の78％で原因が特定しえたという報告がある．また，ガイドラインによると，腰痛は低体重，肥満，喫煙，飲酒，運動の習慣がない，心理社会的因子，と関連することが記載されている．

1 診察で最も重要な点

さまざまな画像検査を実施して形態学的異常を見つけ出すことが重要ではなく，問診，診察，神経学的所見を詳細に調べて異常を見つけ出すことが病態解明で肝要である．

2 診察手順

主訴，現病歴，家族歴，既往歴を問診する．次いで，視診，触診と診察を進める．問診では，疼痛の部位や種類，程度，過去の治療歴，疼痛の増悪・軽減の要因などを明らかにする．

1 ▶ 問診

(1)主訴について

腰部は胸腰椎移行部から腰仙椎まで，あるいは脊柱正中から外側まで，広範囲であるので，どの部位に疼痛を自覚するかを詳細に問診する．腰椎正中部に限局している場合は骨折やすべり，分離が，傍脊柱部の場合は筋疲労や炎症が，仙腸関節周囲の場合は脊柱管外の病変を考える．下位胸椎や上位腰椎に骨傷がある場合には，骨傷部ではなく殿部などに疼痛を訴える場合もある．

下肢痛を訴える症例では，その疼痛部位が殿部，大腿，下腿，足趾までのどの部位に存在するかを問診する．下肢へ放散する場合は，腰部神経根症のことが多く，疼痛部位を明らかにすることで障害神経根を推察できる．しかし，下肢痛を訴える症例のなかには，股関節や膝関節疾患が原因であることがある．

(2)現病歴について

腰痛，下肢痛の発症時期（急性あるいは潜行性）と，発症機転，その程度，性状，さらには現在までの治療内容とその効果を問診する．

①発症時期と機転

物を持ち上げたとき，急激に腰痛が発症した場合は，外傷を考える．潜行性の場合は変性疾患や腫瘍を考慮する．腫瘍，感染，腹部および骨盤内臓器障害（膵炎，腸炎，腹部大動脈瘤，卵管捻転，腎盂腎炎など）は潜行性に発症し，その後に疼痛が増強することがある．脊髄係留症候群や低位脊髄円錐は下肢痛（神経根症状）で発症することがある．

②疼痛の特徴

1)腰痛

腰痛には，鈍痛，拍動痛，激しい疼痛など，その程度，種類はさまざまであり，安静時と体動時でその強さが異なる．腰痛の正確な部位は患者に手指で示してもらうことが正確である．夜間痛や安静時痛を訴える場合は感染や腫瘍も考慮する．立位困難で，救急あるいはストレッチャーで搬送されて来るほどの疼痛の場合は，骨粗鬆症や外傷による椎体骨折や骨腫瘍による病的骨折，椎間板ヘルニアの急性期，感染性脊椎炎，脊髄腫瘍などを考慮し，発症機転，発症前の腰痛の有無と程度，既往歴などを問診する．

2)殿部から下肢に放散する疼痛

殿部から下肢に放散する疼痛では，多くの症例は足が痛いとか腰が痛いというように訴える．したがって殿部から下肢のどの部分に疼痛があるのかを正確に問診する必要がある．また，しびれを疼痛と訴えることもあるので，その程度や種類についても慎重に判断する必要がある．下肢痛やしびれを訴える場合は神経根症状によるものだけではなく，下肢の関節や骨の疾患（股関節唇損傷，変形性股関節・膝関節症，大腿骨，骨盤への腫瘍転移など）の場合もある．神経根症状は知覚過敏，しびれ感，灼熱感や冷感なども存在する．徒手筋力テストや詳細な知覚検査，深部腱反射などの神経学的所見により障害神経高位を推察できる．

間欠跛行がある場合には，歩行時間や距離でその程度は定量化されるので，歩行困難となるまでの時間や距離，歩行継続が困難（しびれ，疼痛，脱力）となった理由について問診する．これは腰部脊柱管狭窄症と閉

塞性動脈硬化症の特徴的な所見の1つであるので，その鑑別に留意して診察を進める．また，脊柱管狭窄症でも脊髄性，馬尾性，神経根性で，その様相は異なるので間欠跛行の内容について問診しなければならない．痙性歩行を伴う場合は，脊髄性で頚椎病変が原因となることがあり，頚椎装具の装着による局所安静で症状の軽快をみることがある．他方，カートを押すことで下肢症状が軽減し歩行距離や時間が延長する，あるいは，前屈すると歩行の継続が可能である場合がある．

③家族歴

後縦靱帯骨化症や関節リウマチによる脊椎脊髄病変，脊椎疾患以外の病変については，家族歴は診断的価値がある．

④既往歴

治療中あるいは過去に治療歴のある疾患の存在，腰痛に関して告げられた診断名，治療内容(注射や内服の薬剤とその使用・服用期間と頻度，理学療法の種類など)などを聴取する．過去の治療歴は，今後の治療法選択の重要な参考となるので詳細に問診する．

2 ▶ 視診ならびに触診

視診は，患者が診察室に入るときから始まっている．椎間板ヘルニアの急性期では，腰をヘルニアの存在する部位と反対方向に側屈かつ前屈して歩いてくる．診察に際しては，衣類を脱衣させ，立位で背部を注意深く視診，触診する．脊柱の変形の有無は視診のみでははっきりしないことが多いので，棘突起を触診して配列異常がないか診察する．次いで腰椎を前後屈させて，腰椎の可動性をみる．また，腰椎を屈曲させて左右の肩甲骨や肋骨の高さをみる．側弯が存在する場合は，突出する側の肩甲骨や肋骨が高くなる．次に左右へ側屈させて，可動性をみる．神経根の圧迫のある側への側屈は制限されていることがある．後屈により下肢への放散痛を訴える場合は，脊柱管狭窄による神経根障害の場合がある．骨粗鬆症や外傷による椎体骨折，成人脊柱変形で生じた脊柱後側弯では骨盤後傾と膝屈曲位で代償する．立位保持と歩行障害がみられ，シルバーカーなどの前方支持が必要となる．次いで，棘突起，棘間靱帯での圧痛，叩打痛の有無を診察する．さらに傍脊柱筋を触知してその緊張の程度を知るとともに圧痛の有無を診察する．同時に殿部の筋萎縮の有無を観察する．

その他，全身の皮膚での色素沈着の有無(多発性神経線維腫，von Recklinghausen病)，仙骨部の皮膚の陥凹や多毛の有無(低位脊椎円錐，脊髄係留症候群などの脊髄奇形)にも着目する．なお，間欠跛行をみる症例では，閉塞性動脈硬化症との鑑別のため足趾爪，皮膚温と色調，さらにはDoppler聴診器での血流の有無を診察する．必要により下肢，足趾の脈波を確認する．

3 ▶ 神経学的所見

(1)臨床所見

下肢の知覚低下の有無と部位，筋力低下や筋萎縮を診察する．知覚障害部位と筋萎縮・筋力低下によって障害神経高位を診断できる．知覚には触覚，痛覚，温覚などがあるが，評価は健常部を10として，知覚低下部位はそれに比べどの程度減少しているかを，残存する知覚の程度を10分の5(5/10)というように表現してもらう．痛覚と触覚では，痛覚のほうが鋭敏で病変を特定できることが多い．

また，下肢の筋力低下や知覚障害などの神経症状が胸椎あるいは頚椎に責任病変を有する場合があり，知覚障害が腹部や胸部に達していないか，深部反射が亢進していないか，病的反射がないか，を必ず確認する．

(2)誘発テスト

神経根の圧迫の有無を知る方法としてさまざまな検査法が報告されている．下肢挙上(straight leg raising；SLR)テストは，患者を仰臥位とし，アキレス腱部を保持して，膝関節伸展位で股関節を屈曲して下肢を挙上する．殿部あるいは下肢への放散痛を訴える(陽性)．そして，その程度を評価する目的で30°あるいは70°の股関節屈曲角で記録する．必ず対側にも同様のテストを行って左右の程度を比較する．しかし，腰痛のみが誘発される場合は，陽性とはしない．また，若年性椎間板ヘルニアではほとんど陽性となるが，高齢者では陰性となることもあるので注意を要する．なかでも中学生以下の若年者では，疼痛よりも下肢の挙上とともに殿部，腰部まで棒状に持ち上がることがある．これをwooden board signあるいはHuftlendenstrecksteifeという．また，神経根の圧迫が高度な症例では，しばしば対側の下肢を挙上すると，患側の下肢痛を訴える(counter SLR)．なお，Lasègueテストは SLRテストと混同されるが，これは股関節，膝関節90°屈曲位から膝関節を伸展させて下肢を誘発するものである．股関節後面で，梨状筋による坐骨神経の圧迫，すなわち梨状筋症候群でも，これらのテストで下肢への放散痛を訴えることがある．側臥位(患側を上)で股関節を内転，内旋することで疼痛が誘発される(Freiberg test)ことが多いので，鑑別のために実施する．

Kempテストは，患者は立位で検者はその背側に立って，肩をもって体幹を左右に回旋するようにして腰椎を伸展させることで，殿部や下肢の疼痛を誘発する方法である．

大腿神経伸展テストは，伏臥位で膝関節を90°屈曲した肢位のまま下肢を引き上げるようにすると股関節

が伸展される．第2〜4神経根の圧迫の場合に陽性となることが多い．

これらテストは股関節を屈曲あるいは伸展させるため，股関節の可動域を診察しておく必要がある．仰臥位で患側の下肢を対側の膝の上に乗せて（股関節は屈曲，外転，外旋の肢位にある），膝を軽く下に押し下げるようにする Patrick テストを行う．

詐病や誇張症などの心因的要素が疑われる症例には，Hoover test や flip test を行うことで鑑別できることがある．Hoover test は健側の踵の下に検者の手をおいて患肢を膝関節伸展，足関節90°位で自動挙上させると，神経根圧迫症例では健側に強く力を入れるので，検者の手が強くベッドに押し付けられる．しかし心因性の症例では手に圧を感じない．また flip test は座位で膝関節を90°屈曲下垂した状態で，膝関節を伸展させると前者では，両手を後ろについて疼痛から逃避する姿勢をとる場合を陽性で，心因性症例ではこのような逃避行動がみられないのが一般的である．

(3) 深部反射

膝蓋腱反射（patella tendon reflex；PTR），アキレス腱反射（Achilles tendon reflex；ATR）を調べる．脊髄円錐が障害された症例では，下肢の知覚障害や筋力低下などの腰部神経根障害様所見を呈するが，PTR，ATR は亢進することがある．その場合には，足クローヌス，膝クローヌス，さらには Babinski 反射など錐体路徴候の有無を診察する．また，下肢の腱反射が亢進していれば，上肢の深部反射や病的反射についても検討する．

(4) 徒手筋力テスト

用手的に筋力を評価する．健側を基準として，患側の筋力低下の程度を評価するが，健側と同等の場合は「5」，ある程度の抵抗を検者の手で加えても自動運動が下肢の自重に抗して行える場合を「4」，抵抗を加えなければ，下肢の自重に抗して自動運動が可能な場合を「3」，下肢の自重を除いた状態での自動運動可能な場合を「2」，筋の収縮をみるが自動運動ができない場合は「1」，全く筋の収縮がない場合を「0」とする6段階評価を行う．

障害神経高位診断

神経根症状は，病巣の高位診断にとってきわめて重要である．腰椎の疾患・外傷では第4，5腰部神経根（L4，L5）と第1仙骨神経根（S1）が障害される頻度が高い．神経根が障害されるその神経支配域に限局した神経学的異常がみられる．

脊髄円錐部の障害でも神経根様症状がみられるので，神経根の障害か脊髄障害かの鑑別も重要である．さらに神経根あるいは脊髄障害の存在を裏付ける検査として，電気生理学的検査や神経根ブロック，各種の

画像診断も重要である．

診断のフローチャート

腰痛診療ガイドライン2019（改訂第2版，南江堂）では，腰痛の診断手順として図21-2のアルゴリズムを示している．神経症状の有無，画像検査および血液検査の有無で手順が異なることを示している．また，腫瘍や感染，骨折などの重篤な疾患の合併を示唆する要因として9つの危険信号（表21-1）を挙げている．

画像検査

腰痛診療ガイドライン2019（改訂第2版，南江堂）では，非特異的腰痛患者の初診時の診療以外は，X線撮影は腰痛の原因特定に意義があるとしている．また，神経学的所見を有する，あるいは red flags がある症例では MRI 撮像を推奨している．MRI は，椎体，終板，椎間板，脊柱筋，などの脊椎構成体および神経が描出されるため，有意義である．さらに，腰痛の疼痛源の特定として，椎間板造影や注射，椎間関節造影や注射，選択的神経根ブロックが実施されることがある．

二分脊椎

Spina bifida

折田 純久　千葉大学フロンティア医工学センター 教授

【疾患概念】　二分脊椎は，胎生期の椎弓の癒合障害により脊柱管の後方の椎弓欠損を生じる先天奇形である．骨の異常とともに脊髄の異常を伴うものを特に総称して，脊椎癒合不全（spinal dysraphism）とよぶ．発生部位は腰仙椎が約80％を占め，髄膜，神経組織などの脊柱管の内容物の脱出を伴う顕在性二分脊椎と，脱出を認めない潜在性二分脊椎がある．臨床症状として，二分脊椎の部位に一致した種々の程度の下肢の麻痺や変形，膀胱直腸障害を合併することがある．成因としては多因子遺伝が考えられているが，葉酸の投与が発生率を減少させることが知られている．

【疫学】

わが国での脊髄髄膜瘤の発生頻度は，2,000の出産に1人の割合とされる．妊娠初期に葉酸を十分に摂取することで発生頻度が減少するとの報告から，1990年代に米国や英国，カナダ，中国などで，妊娠可能性のある若い女性は葉酸を1日に 0.4 mg 摂取するように勧告が出され，以後発生率は減少傾向である．

わが国ではかつて二分脊椎の発症率が増加傾向にあるとの調査結果を受け，当時の厚生省は「妊娠前4

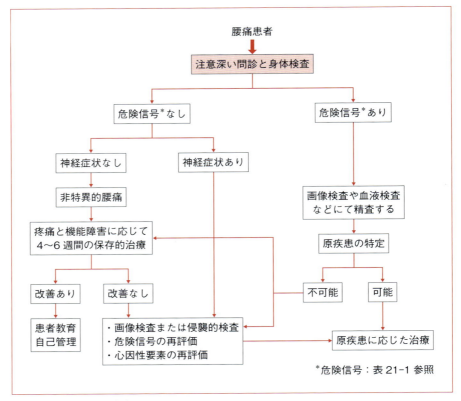

図21-2 腰痛の診断手順
〔日本整形外科学会/日本腰痛学会(監),日本整形外科学会診療ガイドライン委員会/腰痛診療ガイドライン策定委員会(編):腰痛診療ガイドライン2019改訂第2版.南江堂,2019より〕

表21-1 重篤な脊椎疾患(腫瘍,感染,骨折など)の合併症を疑うべき red flags(危険信号)

- 発症年齢＜20歳または＞55歳
- 時間や活動性に関係のない腰痛
- 胸部痛
- 癌,ステロイド治療,HIV感染の既往
- 栄養不良
- 体重減少
- 広範囲に及ぶ神経症状
- 構築性脊柱変形
- 発熱

HIV：human immunodeficiency virus

〔日本整形外科学会/日本腰痛学会(監),日本整形外科学会診療ガイドライン委員会/腰痛診療ガイドライン策定委員会(編):腰痛診療ガイドライン2019改訂第2版.南江堂,2019より〕

週〜妊娠12週まで通常の食事に加え,栄養補助食品から1日0.4 mgの葉酸を摂取すれば発症リスクの低減が期待できる(2000年12月)」と通達した.しかし,これにより欧米では神経管閉鎖障害の発生頻度が減少しているものの,わが国では明らかな減少は統計上確認されていない.わが国における妊婦の葉酸の摂取状況と二分脊椎発生頻度については,今後もさらなるデータが待たれるところである.

【分類と病態】

(1)潜在性二分脊椎(spina bifida occulta)

　椎弓の欠損はあるが正常な皮膚や筋肉で覆われており,髄膜が脊椎外に脱出していないもの.発生部位は腰仙椎部,特に第5腰椎,第1仙椎に多い.単一の脊椎レベルに発生した場合,神経症状を伴うことはほとんどない.皮膚に全く異常を認めず,X線撮影で偶然発見され臨床的に問題とならないものが多いが,皮膚の剛毛や毛細血管の拡張,皮膚の膨隆,陥凹,皮膚洞などの皮膚異常や皮下脂肪腫を認める場合もある.また皮膚異常と脊髄の奇形性病変を合併し神経症状を呈する場合もある.終糸症候群(filum terminale syndrome),腰仙部脂肪腫(lumbosacral lipoma),皮膚洞

(dermal sinus)，脊髄正中離開（diastematomyelia），仙骨形成不全などがある．

(2) 顕在性二分脊椎（spina bifida aperta）

二分脊椎の部位に一致した腰背部に囊胞を認め，通常，囊胞の表面の皮膚は欠損し，薄い皮膜で覆われている．出生時に囊胞が破れて脳脊髄液が流出し，神経組織が露出していることもある．囊状二分脊椎ともよばれる．

①髄膜瘤：硬膜，くも膜が披裂部より脱出したもので，正常または薄い皮膚に覆われている．囊胞内は脳脊髄液のみであり神経組織は含まない．神経学的異常を必ずしも認めないことが多い．

②脊髄髄膜瘤：囊胞内に異常な脊髄や馬尾を含む．

③脊髄披裂：髄膜に被われていない異常な脊髄が体表に露出し，脳脊髄液が流出しているもの．脊髄披裂では脊髄の形成不全があり，脊髄開裂部が存在する．

脊髄髄膜瘤，脊髄披裂では水頭症，神経麻痺，神経因性膀胱・排便障害などの合併症を呈することが多く，脊髄が周囲組織と癒着することで身体の成長とともに牽引されることで，下肢運動障害や腰部以下の痛み・しびれなどを呈する脊髄係留症候群をきたすこともある．

【臨床症状】

(1) 潜在性二分脊椎

神経組織に異常をきたしていなければ，基本的には無症状である．二分脊椎が2椎体以上に及び，脊柱管内の種々の病変を合併する場合には神経症状を呈することがある．腰仙部脂肪腫や類皮囊腫により脊髄係留症候群を呈することがある．下肢の神経麻痺や膀胱直腸障害を認めることがあるが，下肢の麻痺は非対称性であることが多い．この場合は一側下肢の尖足や凹足などの足部変形，一側下肢が細いなどの異常を呈することがある．一方で水頭症はほとんど合併しない．

(2) 顕在性二分脊椎

脊髄髄膜瘤では，水頭症やChiari奇形を高率に合併し，ほとんどが以下のような脊髄麻痺症状を呈する．

①水頭症：開放性二分脊椎の80％以上にChiari奇形とともに水頭症を合併する．出産直後と閉鎖手術後に急速に脳室拡大をきたしやすい．生命，知能に影響し，種々の運動発達障害の原因ともなるため十分な管理が必要となる．出生直後より，頭囲の拡大および大泉門の膨隆を観察し，CT，MRI検査を行う．脳室-腹腔シャントからコントロールする．痙攣を合併することが多いが抗痙攣薬でほとんど抑えることができる．

②神経麻痺：脊髄自体の障害による痙性麻痺と神経根障害による弛緩性麻痺の両者を生じうるが，脊髄病変の部位と状態により種々の程度の麻痺を呈する．弛緩性麻痺の場合でも成長に伴い，脊髄係留症候群による痙性麻痺が加わることもある．

③膀胱直腸障害：開放性二分脊椎ではほぼ全例に生ずる．残尿は尿路感染や腎機能障害の原因となるため適切な尿路管理が重要である．膀胱括約筋障害による残尿に対しては，新生児・乳児期では用手排尿（Crede法）を行う．年長児では自己導尿または自己導尿と用手排尿の併用により管理する．排尿管理については学校や家族に対する指導や協力も重要である．種々の人工尿道括約筋も開発され，排尿を自発的にコントロールすることも可能となってきている．より自立的な生活を行うためには排便訓練が大きなステップであり，二分脊椎症では便秘や便失禁が問題となるものの，訓練により排便の管理が可能となる．

治療方針

脊椎脊髄に対する一次的な治療のほか，水頭症，運動麻痺，感覚障害，膀胱直腸障害に対する総合的な治療計画を立てる必要がある．整形外科，脳神経外科，小児科，小児外科，泌尿器科，リハビリテーション科などを中心に，長期的視野に立ったチーム医療の構成も進める．さらに，障害に対する療育とともに，教育や就職まで含めた生涯にわたる指導が必要となることもある．

開放性脊髄髄膜瘤では感染と神経障害の悪化を予防するため，24時間以内の早期腫瘤閉鎖を顕微鏡下に行う．髄膜瘤では早期の腫瘤処置は必要ないが，遅くとも2歳頃までには処置を行う．

脊髄披裂の手術

脊髄披裂では，感染や癒着により不可逆的な変化が生じないよう，可及的早期の腫瘤閉鎖と脊髄再建術が必要である．囊胞のドーム頂点に切開を加えて内部を観察し，開放された脊髄と脊柱管内構造を構造物ごとに三次元構造として再建（脊髄，神経根を頂点から順次剝離した後，くも膜，硬膜，筋膜，皮膚を順次再建）する，全層縫合術が一般的である．

脂肪腫を伴ったものに対する解離手術の時期については，可及的早期に行ったほうがよいという方針と，神経症状が出現してから行うとする方針がある．しかしいったん運動機能障害，膀胱直腸障害が出現するとその予後は不良であることが多いため，症状出現前の可及的早期の手術が好ましい．

保存療法，整形外科的治療

脊髄の機能不全に伴う筋肉の強さのアンバランスにより，種々の下肢変形を生ずる．変形の形は障害レベルに関係する．

1 ▶ 下肢変形

膝関節屈曲変形，反張膝，外反変形がある．

2 ▶ 足部変形

踵足，尖足，内反足，外反足変形など種々の変形がみられる．装具療法，ストレッチングを持続的に行う必要がある．高度変形や装具装着が困難となった場合には手術を行う．10歳まではアキレス腱延長術，軟部組織解離術，腱移行術などを行う．10歳以降では骨切り術，関節固定術も選択される．

3 ▶ 脊柱変形

進行性の脊柱変形や高度の角状後弯により褥瘡発生の可能性がある場合には，インストゥルメンテーションによる脊柱矯正固定術が適応されることがある．

出生前診断

超音波診断法や胎児MRIによる胎児の二分脊椎診断は，現在かなりの正確さをもって可能となってきている．しかし披裂部が小さい場合は診断困難なこともある．羊水穿刺によるαフェトプロテインの測定も，胎児の二分脊椎診断として有用である．

終糸症候群，脊髄係留症候群

Filum terminale syndrome, Tethered cord syndrome

折田 純久　千葉大学フロンティア医工学センター 教授

【疾患概念】
脊髄が脊柱管末端につなぎ止められる（係留）ことで神経症状を発症している状態を，脊髄係留症候群という．脊髄係留の要因には，肥厚した脊髄終糸（径2mm以上）による牽引の結果として脊髄円錐低位を呈しているものと，脊髄脂肪腫や脊髄披裂などの先天異常に伴うものがあるが，前者は脊髄係留症候群ではなく，（脊髄）終糸症候群とよぶのが一般的である．

【病態】
脊髄最下端は胎生期に成長とともに上昇し，生後2か月で成人と同様の高位であるL1，L2移行部付近に位置するようになる．脊髄円錐がL2以下に係留されたものは低位脊髄円錐とよばれるが，肥厚した終糸により脊髄が係留されることで低位脊髄円錐を呈するものを，終糸症候群とよぶ．また，脊髄円錐が定位に位置していても，脊髄終糸に過度の緊張や肥厚などの異常所見を認めるものも終糸症候群に含まれる．この場合，成長に伴い脊髄がさらに牽引されたり，脊椎の過屈曲により脊髄に牽引力が加わることで，脊髄末端部に阻血性の血流障害が生じ，その結果，神経症状が出現すると考えられている．

脊髄係留症候群では，胎生期に脊髄が形成される際に脊柱管内低位に脊髄が係留され，終糸症候群と同様のメカニズムにより神経症状を呈する．脊髄閉鎖障害に含まれ，通常は二分脊椎を伴う．脊髄係留の発症因子としては腰仙部脂肪腫が最も多く，類皮嚢胞や脊髄正中離開などの潜在性二分脊椎にみられる各病態に伴う．また，脊髄髄膜瘤や腰仙部脂肪腫の術後の再係留も病態として含まれる．

1 終糸症候群

【臨床症状】

多くは小児期に発症するが，成人期になってからの発症例もみられる．

(1) 自覚症状・他覚所見

体幹の前屈制限，腰痛，下肢痛，tight hamstrings，下肢の運動知覚障害，下肢筋萎縮，SLR (straight leg raising) テスト異常，アキレス腱反射の異常（多くは亢進するが，まれに低下することもある），一側の短脚，小足，足趾変形，膀胱直腸障害（尿失禁，反復する尿路感染，夜尿と便失禁など）を認める．

腰椎前弯の増強などの姿勢異常，ときに側弯を認めることがある．

潜在性二分脊椎にみられる皮膚異常（皮膚陥凹，色素母斑，血管腫など）を伴うことが多いが，皮膚異常や潜在性二分脊椎を伴わない終糸症候群も報告されている (tight filum terminale；TFT)．この場合は臨床症状において腰椎椎間板ヘルニアとの鑑別が重要となる．臨床的には頻尿の有無，下肢腱反射の亢進，TFT誘発テスト（体幹の最大前屈位で頸椎を前屈すると腰痛や下肢痛が誘発され，頸椎のみを後屈すると痛みが軽減または消失するものを陽性とする．TFTでは98%に，腰椎椎間板ヘルニアでは25%で陽性）などが鑑別診断に有用で，磁気刺激下肢筋電図検査により体幹前屈時の潜時が遅延することや，膀胱内圧曲線で神経因性膀胱が証明されれば診断はさらに確実となる．

画像所見

(1) MRI

TFTでは椎間板の膨隆は通常は認めない．頸椎，胸椎のMRIで脊髄が脊柱管弯曲の最短距離を通るショートカットサインがみられる．水平断像では硬膜管内の背側寄りに肥厚した終糸の断面を認めることがあるが，通常は点状であり診断的意義は低い．腰椎椎間板ヘルニアでは腰椎に椎間板膨隆を認め，臨床症状と一致すれば診断は比較的容易である．また腹臥位でMRIを撮影すると，緊張し背側に取り残された状態の終糸断面像を背側に認めることがある．

(2) 単純 X 線

しばしば脊柱側弯，二分脊椎を認めることがあるが，単純 X 線では明らかな異常所見を認めない例も多い．

▶ 問診で聞くべきこと

頻尿などの排尿障害の有無．

▶ 診断のポイント

20〜30 代の若い年代で腰痛や下肢痛を訴えるものの，MRI では腰椎椎間板ヘルニアなどの直接的な神経障害をきたす病態を認めないとき，および頻尿の有無，下肢腱反射の亢進，TFT 誘発テストなどが鑑別診断に有用である．TFT の可能性があるときは頚椎，胸椎の MRI も参考にし，さらに磁気刺激下肢筋電図検査により体幹前屈時の潜時が遅延することや，膀胱内圧曲線で神経因性膀胱が証明されれば，さらに診断が確実となる．

▶ 治療方針

進行性の運動知覚障害や ADL 上問題となる腰痛・下肢痛がある場合，排尿障害があり泌尿器科的に神経因性膀胱と診断された場合には，手術療法の適応となる．一方，症状が軽度の場合や無症状例に対して，予防的な手術を行うかどうかについては，意見が分かれている．

▶ 手術療法

手術用顕微鏡下に手術を行う．S1 または S2 の椎弓切除を行い，硬膜とくも膜を切開，正中に認められる緊張した終糸に対して電気刺激により通電性がないことを確認することで馬尾と区別し，これを凝固止血後に終糸を切離する．切離後は中枢端が瞬間的に短縮移動するのが観察される．腰痛・下肢痛や運動知覚障害，軽度の膀胱機能障害の改善は良好であることが多い．側弯は改善することがあるが，足部変形は改善しない．

▶ 患者説明のポイント

神経障害の程度により，改善が期待できるもの，できないものがある（症状が残存する可能性がある）ことを説明する．

2 脊髄係留症候群

【臨床症状】

終糸症候群と同様の臨床症状である．胸部，腰仙部の正中線から傍正中線上に，皮膚異常（皮下腫瘤，皮膚陥凹，血管腫，多毛など）を認める．

▶ 問診で聞くべきこと

終糸症候群と同様である．小児期の腰仙部の治療歴について尋ねる．

夜尿や頻尿，頻回の尿路感染の有無について尋ね，軽度の排尿障害の有無をチェックする．

▶ 診断のポイント

乳児期の健診では，皮膚異常の発見が早期診断のために重要である．

皮膚異常があれば MRI にて脊髄脂肪腫，脊髄係留を確認する．

▶ 治療方針

症状が出現した場合には早期に手術を行うが，症状が軽度の場合や無症状例に対して，予防的な手術を行うかどうかについては，終糸症候群と同様に意見が分かれており一定の見解はない．

▶ 手術療法

脊髄係留の解除や脂肪腫による圧迫に対する減圧，神経根絞扼，伸展の解除が行われる．係留の解除が困難な例もあり，この場合には次第に症状の悪化をきたす．

係留部位に対する手術操作を加えることなく，インストゥルメンテーションを用いた後方からの脊椎短縮固定術により，症状を改善させることも可能であるが，比較的大きい侵襲を要する術式である．

▶ 患者説明のポイント

終糸症候群と同様に，手術により症状の改善がどの程度期待できるのか，進行の予防のみが期待できるのかを十分に説明する．手術侵襲はより大きく，髄液漏や髄膜炎，神経症状の悪化の可能性についても説明する．

急性腰痛発作の初期治療

Treatment for acute low back pain

井上 雅寛　東千葉メディカルセンター 医長〔千葉県東金市〕

【疾患概念】　腰痛を有する患者は非常に多く，医療施設受診をもたらす最も多い症状の 1 つである．一般に急性腰痛は腰痛発症から 4 週間未満の腰痛の総称であり，"ぎっくり腰" と呼ばれることも多い．重量物を持つ，腰を捻る，屈むなどの受傷機転があることが多いが，誘因なく発症することもある．疼痛は筋・筋膜や椎間板などの脊柱を構成する組織の傷害だけでなく，さまざまな疾患，外傷により引き起こされ，診断困難な "非特異的腰痛" も一定数存在する．多くは自然軽快するが，治療に難渋し腰痛が慢性化することもある．

21 腰・仙椎部の疾患

【病態】

急性腰痛の原因は多岐にわたる．脊柱を構成する椎体，椎間板，椎間関節，筋・筋膜などが外的刺激により炎症を生じ疼痛をきたす脊椎由来が最も多いと考えられるが，そのほかにも神経由来，内臓由来，血管由来，心因性がある．脊椎由来の腰痛では多くは加齢による退行性変化が主因となる．しかし脊柱は多くの構造物が複雑に機能しており，どの組織が腰痛の原因かを正確に同定することは容易でない．腰椎変性と腰痛の関連については，椎間板変性，終板変化，腰椎分離症は腰痛と関連する．特に変性椎間板には異常神経侵入がみられ，椎間板における疼痛の原因とされる．

問診で聞くべきこと

急性腰痛の原因には重篤な疾患が含まれるため注意深く問診を行う必要がある．まず受傷機転，時間や活動性と腰痛との関係，胸部痛や下肢症状の有無を確認する．前後屈時の腰痛の有無は腰痛の発生部位を評価するのに重要である．また表21-1（➡674頁参照）の項目は重篤な脊椎疾患の合併の可能性を示す危険信号であり，必ず聞いておく必要がある．

必要な検査とその所見

(1) 単純X線検査

椎体や椎間板の形態的変化を評価するために行われる．非特異的腰痛には必ずしも必要ないとされるが，低コストかつ利便性が高いため，椎体骨折や感染，腫瘍の除外目的にも初期検査として有用である．

(2) CT

骨折や腫瘍の評価において感受性が高く，危険信号の合併がある場合有用である．

(3) MRI

椎体，椎体終板，椎間板，椎間関節の変性を評価可能である．また危険信号や下肢痛を有する場合においても，椎体の信号変化，神経根圧迫の程度を評価可能であり，腰痛の原因診断に最も有用である．

鑑別診断で想起すべき疾患

急性大動脈解離，尿管結石，急性膵炎などの内臓疾患による腰痛は緊急処置を必要とする可能性があるため，最初にスクリーニングするべきである．また危険信号のある腰痛は腫瘍（原発性，転移性脊椎腫瘍など），感染（化膿性椎間板炎，脊椎カリエスなど），椎体骨折，緊急を要する腰椎疾患（下肢麻痺，膀胱直腸障害を伴う腰椎椎間板ヘルニア，腰部脊柱管狭窄症など）を生じている可能性があり注意を要する．

診断のポイント

問診により腰痛の危険信号，神経症状の有無を確認する．受傷機転，安静時痛の有無や腰痛の発症時間の評価は血管性や内臓疾患の除外に有用である．身体所見および神経学的他覚所見と画像所見との整合性がある場合，診断は確定する．しかし画像所見に乏しい症例も多く，画像所見があっても無症状の場合もある．

専門病院へのコンサルテーション

危険信号のある腰痛で，早期に腰痛の改善が認められない場合には感染，骨折などの可能性もあるため，専門病院へのコンサルテーションを行う．また下肢神経症状を伴う場合，特に下肢麻痺や膀胱直腸障害を伴う場合には専門病院への紹介が必要である．

治療方針

危険信号のない腰痛に関しては，神経症状の有無に関係なく保存的治療がまず行われる．「腰痛診療ガイドライン」（2019年）において神経症状のない急性腰痛における安静臥床は必要なく，活動性維持が疼痛軽減と身体機能回復の観点で優れるとされる．薬物療法は疼痛軽減，機能改善ともに有用であり，特に非ステロイド性抗炎症薬はエビデンスが高く第1選択となる．腎機能障害がある場合，筋緊張が強い場合にはそれぞれアセトアミノフェン，筋弛緩薬の併用が推奨される．坐骨神経痛を有し非ステロイド性抗炎症薬の効果が乏しい場合には，Caチャネルα_2リガンドや，セロトニン・ノルアドレナリン再取り込み阻害薬などの使用も有効である．急性腰痛に対するリハビリテーションに関しては，温熱/寒冷療法や牽引療法，腰椎サポートなどの効果は認められるが，有効性を支持するエビデンスに乏しい．また運動療法やマッサージなどの代替療法に関しても，有効性を示すエビデンスはないとされている．

合併症と予後

危険信号，神経症状のない急性腰痛では痛みの経過と日常生活制限は同様の経過をたどり，発症6週間で急激に改善し，残存した腰痛はその後ゆるやかに改善する．しかし心理的社会的要素の関与などにより，一部慢性化する症例もあり注意が必要である．

患者説明のポイント

急性腰痛の多くは自然軽快するが，腰痛を繰り返す場合，椎間板や椎間関節に変性をきたしている場合がある．また腰痛の発症には姿勢や日常生活動作が関わっているため，日常生活において中腰を避けるなど，再発を予防することが重要である．

リハビリテーションのポイント

急性腰痛に対する運動療法や腰痛体操の効果は乏しいが，腰痛予防に関してはリハビリテーションによる運動療法により再発頻度や新規発生率を下げる効果がある．具体的な内容は個人により異なるが，主に体幹筋のトレーニングやストレッチなどを行う．

慢性腰痛の保存療法

Management of chronic low back pain

渡邉 和之　福島県立医科大学 准教授

【疾患概念】 慢性腰痛は，発症から3か月程度持続した腰痛と定義される．その病態は多岐にわたるが，腫瘍や骨折など客観的に確定診断が得られる疾患が指摘されない腰痛を指す．

問診で聞くべきこと

腰痛については，痛みの部位，発症の契機，痛みを誘発する動作，安静時痛の有無，および夜間痛の有無を聴取する．下肢症状の合併の有無，併存症の有無，悪性腫瘍の治療歴，過去の骨折歴，骨粗鬆症の治療歴などを併せて確認する．腫瘍，骨折，炎症などの red flags の除外を念頭において問診する．慢性腰痛では，家庭や職場の問題がストレス要因となり，腰痛の悪化や遷延化に関与している可能性がある．したがって，これらの点についても問診する．また，労災や交通事故との関連も，慢性化の一因となるため留意する必要がある．

必要な検査とその所見

検査は，重大な疾患を除外して red flags を鑑別するために行う必要がある．慢性腰痛では，検査で明らかな異常は指摘されないか，所見が認められても症状への関与はない．

(1) 単純 X 線

pedicle sign など骨融解像や，椎体骨折のないことを確認する．また全脊柱側面像で矢状面アライメントを評価する．後弯がある場合は，成人脊柱変形として治療する．骨棘などの脊椎症性変化や変性すべりなどの所見は頻度が高いが，腰痛との関連はない場合も多い．

(2) MRI

脊柱管狭窄，骨折，腫瘍性病変，および炎症性所見の有無を評価する．炎症や骨折の検出には STIR での撮像が有用である．

(3) 血液生化学検査

炎症反応，貧血，血清カルシウム値，血清リン値などを評価する．慢性腰痛では明らかな異常所見はない．

診断のポイント

・除外診断である．
・red flags を確実に除外する．
・特に高齢者が腰背部痛を訴えて受診した場合，骨折の有無に注意する必要がある．

専門病院へのコンサルテーション

難治性で，特に精神医学的問題の関与が疑われる場合には，希望を確認して専門病院へ紹介する．慢性腰痛で就労などの日常生活に支障をきたしている重症例では，より専門的な学際的アプローチを行っている施設へのコンサルテーションを考慮する．

治療方針

腰痛の原因となる疾患の検索を十分に行い，原因が明らかな場合にはその疾患の治療を行う．明らかな原因が特定できない場合は，対症療法が中心となる．腰痛が消失することが理想であるが，慢性腰痛の改善は得られにくい．そこで，慢性腰痛の治療では，痛みの消失は最終的な目標として，まずは，日常生活動作の維持，改善および生活の質の向上に主眼を置く．腰痛のために発生している機能障害や日常生活動作の制限を改善するために，運動療法を中心に行う．運動の妨げとなるような，器質的な異常はない点を十分に説明する．薬物療法やブロックは補助療法という位置づけで，運動を行ううえでの障害を軽減するために行う．

治療方法

1 ▶ 運動療法

慢性腰痛治療の中心とする．医療機関で行うのではなく，患者自ら運動療法を行うように指導する．運動の内容は問わず，毎日継続できる運動を勧める．散歩，水中運動，自転車など手軽な運動でよい．高齢者で，歩行が不安定な場合には，ハーフスクワットと片脚立位訓練からなるロコトレを指導する．ストレッチとして，腰椎伸展運動と大腿前面後面のストレッチを指導する．

2 ▶ 薬物療法

(1) セロトニン・ノルアドレナリン再取り込み阻害薬

慢性腰痛に適応のある薬剤であり，第1選択として用いてもよい．20 mg 朝1回から開始して2週間程度効果と副作用を確認する．可能であれば 40 mg，60 mg と増量する．

(2) 非ステロイド系消炎鎮痛薬，アセトアミノフェン

使用歴がなければ，第1選択として処方する．漫然と長期間投与するのではなく，効果が得られなければ中止する．痛みが増強したときなどに投与，または頓用で使用する．

(3) トラマドール製剤

難治性疼痛に適応があり，慢性腰痛でも使用することが多い．トラマドール単剤，またはトラマドール・アセトアミノフェン合剤があり，どちらも嘔気や便秘といった副作用に注意しながら投与する．

(4) ワクシニアウイルス接種家兎炎症皮膚抽出液

鎮痛補助薬として，副作用がほとんどなく高齢者に対しても使用しやすい薬剤である．運動療法と併用して長期間投与する場合もある．

(5) 外用剤

湿布，塗布剤ともに副作用が少なく，投与することが多い．

3 ▶ ブロック療法

腰痛の分析を目的として各種のブロックを行う．効果が得られたブロックは，症状緩和目的に複数回施行してもよい．運動療法の補助的な治療である．

(1) 仙骨硬膜外ブロック

腰痛全般に適応がある．効果が認められれば複数回施行する．

(2) 椎間板ブロック

前屈優位の腰痛の場合，MRI で Modic 変化などの所見が認められる椎間板に施行する．効果があった場合は，椎間板性腰痛と判断する．

(3) 椎間関節ブロック

後屈有意の腰痛の場合，単純 X 線機能写で動きが大きい椎間，MRI で椎間関節に水腫が認められる椎間，および CT で変性変化の強い椎間の関与が疑われる．透視で圧痛点を確認して，より近い椎間関節を選択してブロックする．

(4) 仙腸関節ブロック

身体所見上，仙腸関節障害が疑われた場合に施行する．

(5) トリガーポイントブロック

圧痛点をよく確認して行う．腸骨稜に圧痛が認められる場合は，上殿皮神経障害を疑う．カテラン針を使用して，放散痛が得られる部位で薬剤を注入する．

4 ▶ 腰痛診療ガイドライン 2019

ガイドライン内で慢性腰痛に対する治療として強く推奨されている治療方法は，運動療法のみである．薬物療法は，腰痛の治療として強く推奨されているが，慢性腰痛に対する薬物療法として，薬剤個別にみると弱い推奨にとどまっている．

患者説明のポイント

慢性腰痛では，痛みを完全に取り除くことは難しい場合が多いため，治療の目標を，痛みをとることから，痛みがあってもできることを増やすことに転換する必要がある．このため，運動療法を中心にして，体の機能を回復させることを重視するように指導する．体の機能が改善するに従って痛みが軽減していくと期待できることを説明する．薬物療法や病院での治療はあくまで補助的な治療で，自ら運動療法に取り組む必要がある点が重要である．痛みが持続している場合であっても，日常生活上の改善点，または就労上の改善点を治療効果として評価する．治療期間が長期になり，症状の改善が期待どおりでない場合，原因の検索に固執して，繰り返し検査を希望することがある．検索が十分行われているのであれば，検査の結果を提示して，重大な疾患がないこと，検査を繰り返しても，原因が明らかになるわけではないことをよく説明する必要がある．

リハビリテーションのポイント，関連職種への指示

リハビリテーションとしては，全身運動，腰痛体操，物理療法などを行う．医療機関でのリハビリテーションのみでは不十分であり，主に運動の指導を行い，自宅で自ら運動習慣を身に着けられるように補助する．

非器質性腰痛

Nonorganic dysfunctional low back pain

加藤 欽志　福島県立医科大学 講師

【疾患概念】　器質的な要因で説明できない慢性化した腰痛は，心理・社会的要因，性格・人格的問題，あるいは精神医学的疾患が関与している可能性がある（「慢性腰痛の保存療法」の項 ➡ 679 頁参照）．

問診で聞くべきこと

腰痛の発症原因と疼痛の経時的な変化を順を追って確認する．その際，腰痛の増悪・寛解因子や治療歴，生育歴などを聴取する．社会背景として，家庭内や職場での問題は特に重要である．患者に精神医学的問題や心理・社会的要因が存在しているかどうかのスクリーニングについては，「整形外科患者における精神医学的問題に対する簡易質問表（BS-POP）」（図 21-3）が有用である．

有用な身体所見

病歴や画像検査により red flags を除外する（「慢性腰痛の保存療法」の項 ➡ 679 頁参照）．また，通常の身体所見，神経学的所見に加えて，下記の詐病鑑別テストを追加して評価する．

(1) nonorganic tenderness

検者が患部の皮膚を軽くつまんだだけで，強い疼痛を訴える．

(2) axial loading による simulation test（軸方向の負荷）

患者に立位をとらせ，検者が患者の頭部を下方に押さえる．腰痛を訴えた場合を陽性とする．

(3) rotation による simulation test（回旋模擬）

患者に立位をとらせ，患者の両肩と骨盤を同一平面上のままで，検者が他動的に体幹を回旋させる．腰痛

a. BS-POP 患者用

	質問項目	回答と点数			評価点
抑うつ（気分）	1. 泣きたくなったり，泣いたりすることがありますか	1 いいえ	2 ときどき	3 ほとんどいつも	
	2. いつもみじめで気持ちが浮かないですか	1 いいえ	2 ときどき	3 ほとんどいつも	
イライラ感	3. いつも緊張して，イライラしていますか	1 いいえ	2 ときどき	3 ほとんどいつも	
	4. ちょっとしたことが癪にさわって腹がたちますか	1 いいえ	2 ときどき	3 ほとんどいつも	
抑うつ（身体）	5. 食欲は普通ですか	3 いいえ	2 ときどきなくなる	1 ふつう	
	6. 一日のなかでは，朝方がいちばん気分がよいですか	3 いいえ	2 ときどき	1 ほとんどいつも	
抑うつ（疲労感）	7. なんとなく疲れますか	1 いいえ	2 ときどき	3 ほとんどいつも	
	8. いつもとかわりなく仕事がやれますか	3 いいえ	2 ときどきやれなくなる	1 やれる	
睡眠障害	9. 睡眠に満足できますか	3 いいえ	2 ときどき満足できない	1 満足できる	
	10. 痛み以外の理由で寝つきが悪いですか	1 いいえ	2 ときどき寝つきが悪い	3 ほとんどいつも	

b. BS-POP 医療者用

	質問項目	回答と点数			評価点
診察上の問題（過大な訴え）	1. 痛みのとぎれることがない	1 そんなことはない	2 時々とぎれる	3 ほとんどいつも痛む	
	2. 患部の示し方に特徴がある	1 そんなことはない	2 患部をさする	3 指示がないのに衣服を脱ぎ始めて患部を見せる	
	3. 患肢全体が痛む（しびれる）	1 そんなことはない	2 ときどき	3 ほとんどいつも	
診察上の問題（イライラ感）	4. 検査や治療をすすめられたとき，不機嫌，易怒的または理屈っぽくなる	1 そんなことはない	2 少し拒否的	3 おおいに拒否的	
	5. 知覚検査で刺激すると過剰に反応する	1 そんなことはない	2 少し過剰	3 おおいに過剰	
	6. 病状や手術について繰り返し質問する	1 そんなことはない	2 ときどき	3 ほとんどいつも	
人格障害（率直）	7. 治療スタッフに対して，人を見て態度を変える	1 そんなことはない	2 少し	3 著しい	
人格障害（強迫）	8. ちょっとした症状に，これさえなければとこだわる	1 そんなことはない	2 少しこだわる	3 おおいにこだわる	

図 21-3 整形外科患者における精神医学的問題に対する簡易質問表（BS-POP）
医療者用で 11 点以上，あるいは医療者用 10 点以上，かつ患者用 15 点以上を「異常あり」と判定する．

を訴えた場合を陽性とする．

(4) Burn's test
　診察台に患者を正座させ，患者が少し腰を浮かせた状態で検者が患者の両足を固定してから，患者に手を床につけるように指示する．腰椎の屈曲ができない場合や，できないと主張する場合を陽性とする．

専門病院へのコンサルテーション
　治療に対する満足度が低い，症状へのこだわりが強い，精神医学的問題の関与が疑われるなどの場合には，集学的慢性疼痛治療（リエゾン・アプローチ）を行っている専門施設へのコンサルテーションを考慮する．

診断のポイント
①Red flags（腫瘍，感染，骨折など）を確実に除外する．

②精神医学的問題の関与が疑われる場合には，心身医療科などの専門家による精神医学的評価・診断を行うべきである．

治療方針

1 ▶ 受容的な態度で接し，症状を否定しない

患者の訴える腰痛のメカニズムがいかに非合理的かを患者に説明しても，問題の解決にはつながらない．患者が何らかのメカニズムで苦痛を感じていることは事実であり，そのことを理解し，患者を受け入れる姿勢で接する．

2 ▶ 治療目標の設定

慢性の非器質性腰痛の患者は，「痛みの消失」に固執する場合が多いが，現実的に困難な場合も多い．そこで，治療の目標は「痛みの消失」ではなく，痛みによって社会生活機能が障害されている点に注目し，「痛みがあっても動くことができる」「痛みがあるが日常生活を送ることができる」といった目標に修正する．

3 ▶ 運動療法を中心とした保存療法

患者自らが運動療法を継続できるように導くことが重要である．運動療法の継続のためには，種目を限定し，患者個人にとって簡単で適度な負荷の運動を選択することに注意する．外来再診のたびに実施状況を確認して，患者のモチベーションの維持に努める（「慢性腰痛の保存療法」の項 ➡ 679 頁参照）．

患者説明のポイント

治療の目標を，痛みの消失ではなく痛みがあっても日常生活動作が可能となることに修正する．心身医療科（精神科）と連携して治療を行う場合でも，あくまで整形外科医が主治医として治療にかかわり続けることを明言する．

リハビリテーションのポイント，関連職種への指示

腰痛があって動けないという状態から，腰痛があっても動くことができる状態に近づけていくよう努力し，積極的にポジティブなフィードバック（声かけ）を行う．医師に打ち明けない悩みを関連職種の医療者にのみ相談する場合もある．患者が悩みを「言語化」すること自体が治療につながるため，治療にかかわるすべての医療者に患者の苦悩に寄り添う姿勢が求められる．

若年者の腰椎椎間板ヘルニア
Juvenile lumbar disc herniation

小林 洋　福島県立医科大学 学内講師

【疾患概念】 腰椎椎間板ヘルニアの多くは青壮年期に発症するが，変性の軽度な10歳代からも認められる．20歳代前半までの若年者に生じるヘルニアでは形態，症状，および経過に特徴がある．

組織学的には，線維輪と椎体との連続部の軟骨終板が骨とともに突出する場合（隅角解離）がしばしば認められる．解剖学的には，椎間関節の非対称性が関与するという報告もある．また，遺伝傾向は完全には同定されていないが，家族性を認める場合がある．

問診で聞くべきこと

ADLに関しては，座って授業が受けられるかどうかが学生生活の質にかかわるため，必ず確認する．外傷歴やスポーツ歴を聴取し，分離症との鑑別を行う．

診断のポイント

成人と比較して，下肢痛よりも腰痛，殿部痛を訴えることが多い．また，前屈制限が著明で下肢伸展挙上テスト（straight leg raising；SLR）が強陽性を示す傾向があり，下肢と骨盤が棒状になって骨盤も挙上される腰股伸展強直が認められる．疼痛性側弯が認められることもある．これらの特徴は，若年者では神経の緊張が強いこと，ヘルニア形態が比較的小さいことによると考えられる．特徴的な所見が揃えば，比較的容易に診断可能である．

X線では隅角解離を確認する．隅角解離が疑われる例では，CTを撮影し評価する．MRIでは膨隆型のヘルニア像を呈することが多い．

治療方針

基本的には保存的治療が原則である．膀胱直腸障害などの馬尾症状や進行性の麻痺を有する症例は手術適応である．徹底した保存療法に反応せず，就業，就学，および日常生活に支障をきたす例は手術の相対適応となる．

保存療法

スポーツ活動や重量物の挙上は避ける．安静の継続は必ずしも必要ではなく，動けるようになれば特に制限する必要はない．薬物療法に加えて，硬膜外ブロックや，神経根ブロックが有用である．

手術療法

Love変法や顕微鏡下ヘルニア摘出術をはじめ，

トピックス　腰痛と心理社会的因子

今日では，腰痛の遷延に心理社会的因子が関与することは広く知られている．1か月以上の治療で効果が得られない場合には，画像検査のほかに，心理・社会的因子の関与について再評価する必要があるとされている．

腰痛の予後不良因子としてはうつ，仕事上の問題，仕事上の不満などが挙げられている．また，急性腰痛から慢性腰痛への移行にかかわる因子として，補償問題の存在，うつ，心理的苦痛，受動的コーピングおよび恐怖回避思考が挙げられている．

最近の分子生物学的研究により，心理・社会的因子が慢性疼痛となぜ密接な関係を持つかが解明されつつある．最も注目すべきは，中脳辺縁系ドパミンシステムである．人体に痛み刺激が加わると，中脳辺縁系の腹側被蓋野から大量にドパミンが放出され，側坐核でμオピオイドが産生され，痛みが抑制される（図21-4）．しかし，このシステムがなんらかの原因で機能しなくなると，痛覚過敏の状態に陥る．不安，ストレス，うつはこのドパミンシステムに影響することが明らかとなっている（図21-5）．

このような疼痛メカニズムの解明により，新たな治療薬としてセロトニン・ノルアドレナリン再取り込み阻害薬（SNRI）が注目されている．本薬剤は，μオピオイドの作用点である疼痛抑制機構に関与するセロトニンとノルアドレナリンの再取り込みを抑制することで，下行性疼痛抑制系を賦活化し，鎮痛効果をもたらす．

近年では慢性腰痛の病態は生物・心理・社会的疼痛症候群という概念で捉える必要があるとされており，治療には多面的・集学的なアプローチが求められている．医療者には，痛みを消失させるのではなくQOLを向上させることをゴールとし，患者に寄り添って治療するという姿勢が必要である．

小林 洋〔福島県立医科大学 学内講師〕

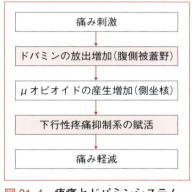

図 21-4　疼痛とドパミンシステム

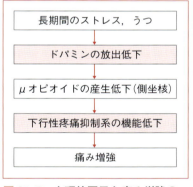

図 21-5　心理的因子と痛み増強のメカニズム

内視鏡下ヘルニア摘出術（microendoscopic discectomy；MED），全内視鏡下椎間板切除術（full-endoscopic discectomy；FED）などの低侵襲手術が増加傾向にある．いずれも良好な成績が報告されている．しかし，内視鏡下手術はラーニングカーブが存在するため，その導入は慎重にする必要がある．また，隅角解離の症例では十分な手術野を確保できる術式である必要がある．椎間板変性は軽度なことが多く，ヘルニア腫瘤の摘出を主とし，母髄核部に操作を加えないことが原則である．

患者説明のポイント

保存的加療が原則であるが，痛みの程度や持続期間によっても治療方針が変わることを伝える．例えば，学校で座っていられないよう場合，痛みを避けるため授業中に体位変換を要したり，時に立位にならざるを得ないこともあり，ADLの低下が著しくなる．症状の改善が得られない場合は手術を考慮する．

部活動の大会や受験など，特有のイベントもあるた

め，本人と保護者の希望を踏まえた治療スケジュールを具体的に提案し，不安の軽減や信頼関係の構築に努める．

成人の腰椎椎間板ヘルニア
Lumbar disc herniation (LDH) in adults

寺井　秀富　大阪市立大学大学院 准教授

【疾患概念】　腰椎椎間板ヘルニアは椎間板を構成する線維輪が変性・断裂し，主に内包されている髄核が正常の位置から突出あるいは脱出して馬尾や神経根を圧迫して腰痛や下肢痛，神経麻痺をきたした状態である．突出あるいは脱出するのは髄核だけでなく線維輪や終板の一部を含む場合も多い．ヘルニアによって神経が直接圧排されることや，圧迫された神経との間で炎症が起こることにより，疼痛や神経麻痺などの症状が出ると考えられている．

【病態】
腰椎椎間板ヘルニアは脱出の程度や位置によって分類され，予後や治療方針にかかわってくるので重要である．
(1)脱出程度による分類
①髄核突出（protrusion）：線維輪の一部が断裂して髄核が正常の位置から突出しているが，線維輪の中にとどまっている状態．
②髄核脱出（extrusion）：線維輪が完全に断裂して髄核が突出している状態．後縦靱帯下にとどまっている subligamentous extrusion と，後縦靱帯を穿破して脊柱管内に突出している transligamentous extrusion に分類される．
③髄核分離（sequestration）：ヘルニアが完全に脱出して硬膜外腔に遊離移動した状態．

【臨床症状】
発症時期やヘルニア高位・位置によって臨床症状が異なる．発症初期は腰痛を訴えることが多く，その後1～2週で下肢への放散痛やしびれを生じることが多い．L1/2～L3/4 の後外側型，L4/5 の外側型では大腿前面の痛み（大腿神経痛），L4/5～L5/S では殿部から下腿外側への放散痛（坐骨神経痛）が典型的である．L5/S の外側型では股関節近傍の痛みを訴えることもある．また，圧迫された神経根に応じた筋力低下を生じ診断の一助となる．中心性の巨大ヘルニアでは馬尾が高度に圧排され膀胱直腸障害を生じることがある．

【問診で聞くべきこと】
契機となった動作の有無や先行する腰痛，罹病期間などを聞く．緊急手術の必要性を判断するうえで膀胱直腸障害の有無は重要であるので必ず聴取すること．

【必要な検査とその所見】
①単純 X 線写真：単独で確定診断には至らないが，すべり症や外傷，腫瘍性疾患などとのおおまかな鑑別に有用である．疼痛性側弯がみられることがある．
②MRI（図21-6a，b）：最も精度の高い検査であり確定診断に用いる．造影は不要である．脱出髄核の量，位置，神経の圧排状態などを確認する．無症候性のヘルニアもあるため，確定診断には身体所見との整合性が重要である．

椎間板ヘルニアに対する脊髄腔造影や椎間板造影は MRI よりも診断精度が低く侵襲性もあるために現在では行われなくなってきている．

【鑑別診断で想起すべき疾患】
腰部脊柱管狭窄症，分離すべり症，炎症性脊椎疾患，腫瘍性疾患，帯状疱疹，脊髄係留症候群（脊髄終糸症候群），変形性股関節症，詐病などとの鑑別を要する．

【診断のポイント】
基本的な徒手筋力テスト，知覚検査，腱反射検査を行って障害されている神経根レベルを推察する．大腿神経伸長テスト（femoral nerve stretch test；FNST），下肢伸展挙上テスト（straight leg raising；SLR テスト）は陽性率が高く，おおまかな障害部位を推察するために有用である．神経症状と画像所見に整合性があれば診断は容易であるが，画像上ヘルニアが多発しており手術高位を決めかねる場合には神経根ブロックなどで確定診断を行う．筋力低下があり手術加療を要すると判断される場合，逆に症状的にヘルニアが疑われるが，MRI で所見がはっきりしない場合には早期に専門家にコンサルテーションを行い判断を仰ぐべきである．

治療方針
1 ▶ 保存療法

固定，けん引，spinal manipulation などの治療効果を示す質の高いエビデンスはない．対症療法としての NSAIDs 投与は一般的に行われており，一定の効果があるとされている．神経障害性疼痛という概念に基づけばプレガバリン，デュロキセチン，アミトリプチリンなどの処方も有効である．硬膜外ブロックや神経根ブロックも臨床上有用な手段であり，保存療法の一環として1～2週間隔で2，3回施行する．

2 ▶ 椎間板内酵素注入療法

2018年に本邦ではじめて認可された，コンドリアーゼを椎間板内に直接注入する新しい治療法．コンドリアーゼは，髄核の主な成分であるプロテオグリカンを構成するグリコサミノグリカンを特異的に分解

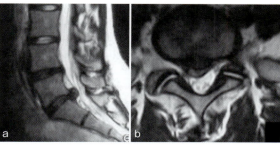
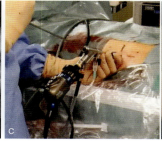
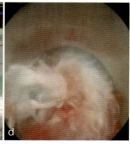

図 21-6　成人の腰椎椎間板ヘルニア
a：単純 MRI 矢状断像，b：単純 MRI axial 像，c：FESS 手術風景，d：FESS 内視鏡画像.

し，プロテオグリカンの保水能を低下させ，その結果，椎間板内圧が低下してヘルニアによる神経根圧迫が軽減され臨床症状が改善すると考えられている．Subligamentous extrusion が適応となる．蛋白製剤であるためアナフィラキシーの危険性があり，生涯で一度しか投与できない．

3 ▶ 手術療法（図 21-6c, d）

一般的な後方からのヘルニア摘出術（顕微鏡などを用いる）の他に，内視鏡を用いた MED (microendoscopic discectomy)，FESS (full-endoscopic spine surgery，以前の percutaneous endoscopic discectomy；PED) などの術式がある．FESS は局所麻酔で行える利点がある．習熟すれば各術式間での臨床成績に差はないとされている．術式はヘルニアの高位やタイプなどによっても変わるので，術者の決定にゆだねられる．

▶患者説明のポイント

初期治療の基本は保存的治療であること，保存療法中でも神経脱落症状が顕在化した場合や 3 か月以上疼痛が続くような場合，早期に除痛・職場復帰などが必要な場合には手術が必要であることなどを説明する．手術療法のメリットは早期に除痛が得られ長期予後も良好であるが，5 年で約 5％ 程度の再発があることを説明しておく．

床的特徴としては，加齢性退行性変化が加わるため，腰椎椎間板ヘルニアに加えて腰部脊柱管狭窄が症状に関与する，combined stenosis が臨床的に多く認められる．強い下肢痛や筋力低下などの片側性の神経根症状を呈し，画像的にもヘルニアとしての特徴的な所見を認め，ヘルニアが現症の主たる原因と考えられる場合に腰椎椎間板ヘルニアと診断する．他の特徴としては，後屈制限，Kemp 徴候，歩行時の疼痛および下肢伸展挙上 (straight leg raising；SLR) テストの陽性率の減少が挙げられる．組織学的には，髄核や髄核と線維輪のタイプから，加齢に伴い軟骨終板を含むタイプが多くなる．

罹患椎間としては通常 L4/5，次いで L5/S1 に多いが，高齢者では L3/4 またはより頭側における発生頻度が若年者，成人に比べて高いのが特徴である．

▶問診で聞くべきこと

安静時痛・夜間痛の有無や，既往歴で糖尿病やがんの既往，ステロイドの内服などについて確認する．転移性脊椎腫瘍や化膿性脊椎炎，骨粗鬆症性椎体骨折などを見逃さないためである．これらの疾患は高齢者に多く，腰痛に加えて神経根障害をきたす場合があり，椎間板ヘルニアに似た症状を呈することがある．また，外傷の有無についても確認する．高齢者の転倒では，圧迫骨折や仙骨の脆弱性骨折による腰下肢痛をきたすことがあり，鑑別に入れておく必要がある．必要に応じて画像検査を追加する．

▶必要な検査とその所見

上記の問診と身体診察にて，病態を推察することが重要である．その後，身体所見を裏付けるような画像所見があるかどうかを確認する．

(1) 単純 X 線

加齢退行性変化，いわゆる脊椎症性変化が認められる症例が多いが，症状とは無関係であることが多い．椎弓根の消失や，終板の不整，および腸腰筋陰影の増大など，腫瘍や感染の rule out を行う．

高齢者の腰椎椎間板ヘルニア

Lumbar disc herniation in the aged

小林 洋　福島県立医科大学 学内講師

【疾患概念】　60 歳以上における腰椎椎間板ヘルニアの発生頻度は，全ヘルニア症例の 1.8〜3.8％ と報告されており，青壮年期の 88.4〜95.1％ に比して低い．臨

(2) MRI

矢状断像では，ヘルニアによる腹側からの硬膜管の圧排像を認める．水平断では，ヘルニアによる腹側からの硬膜管の圧排や，椎間関節や黄色靱帯肥厚などによる後方からの圧排の有無，程度を確認する．高齢者では，多椎間にわたる圧排所見が認められることも多く，症状と神経学的所見を併せて責任高位を診断する．また，外側ヘルニアにも注意して，水平断像や傍矢状断像を読影する．また，椎体の信号変化により前述した脊椎圧迫骨折や仙骨脆弱性骨折も診断可能である．

(3) 神経根ブロック

疼痛の機能診断に有用である．また，造影像の途絶や神経根の横走などの有無も参考になる．また，疼痛が著明に改善し持続することもあり，治療にも有用である．

診断のポイント

① 丁寧な問診と神経学的所見の確認を行い，障害神経根まで推定する．
② 症状が強い場合は治療と並行してMRI検査を行い，画像による診断の裏付けを行う．
③ 必要に応じて責任障害神経根のブロックを行い，機能的診断を行う．

治療方針

① 運動機能の予備能が低下しており，歩行障害を伴うような場合には入院になることもあるが，症状が軽度であれば外来で治療可能である．
② 膀胱直腸障害や進行性の麻痺は手術適応であるが，基本的には保存的治療で対応可能である．保存療法としては，薬物療法，ブロック療法がある．保存療法に反応せず，日常生活に支障をきたす例は，手術を考慮する．

薬物療法

高齢の場合，腎機能障害などの注意すべき併存症を有する場合がある．また，多数の内服薬を内服している場合も多い．同伴する家族やお薬手帳からも情報を集めて検討し，処方する．継続の際も，効果を適切に評価する．効果がない場合も漫然と増量するのではなく，他の病態の可能性を考慮したり，他の治療法への変更を検討する．

患者説明のポイント

膀胱直腸障害や進行性の麻痺がなければ，保存的治療が原則である．しかし無効の場合は，全身状態を評価のうえ，患者が希望すれば手術が選択肢であることを提示する．高齢であったとしても手術によるADL改善は期待できる．むしろ漫然と保存的治療を続けていくうちに，廃用が進むと不可逆的なADL障害につながるので，患者，家族との信頼関係の構築が重要である．高度麻痺例に対しては，手術を行っても回復しない可能性を説明しておく必要がある．

腰椎外側椎間板ヘルニア

Lateral lumbar disc herniation, Far-lateral disc herniation

眞鍋 裕昭　徳島大学 助教

【疾患概念】 腰椎椎間板ヘルニアは発生部位によって①脊柱管内，②椎間孔内，③椎間孔外に分けられるが，②，③を合わせて外側椎間板ヘルニアとよぶ．発生頻度は腰椎椎間板ヘルニア全体のうち，10％前後とされ，下位腰椎レベルでの発生が多い．

【臨床症状】
脊柱管内ヘルニアに比べ，強い疼痛を訴えることが多く，激しい痛みのために体動困難となる症例もある．脊柱管内ヘルニアでは分岐直後の神経根（例：L4/5脊柱管内ヘルニアであればL5）が障害されるが，椎間孔内や外側ヘルニアでは椎間孔を走行する1つ上位の神経根（L4/5外側ヘルニアであればL4）が障害される．

問診で聞くべきこと

罹患高位の診断のために疼痛部位の詳細な把握は必須である．また，治療方針の決定のために既往症や受傷前ADL，さらに職場復帰時期を考えるために職種は聞いておく必要がある．

必要な検査とその所見

単純X線では椎間板高の減少や変性所見，または機能撮影による不安定性の評価は可能であるが，単独での診断は難しい．

画像診断で最も有用なのはMRIであるが，撮像方向はsagittal，axialのみでなくcoronal像で神経根の走行を確認することも重要であり，ヘルニアに圧排された神経根は横走化する．また，神経根の描出に優れた拡散強調MRニューログラフィー（diffusion-weighted MRN；DW-MRN）を撮像することで，神経根の走行をより詳細に評価することが可能となる．

CTでもヘルニアの存在が確認できるが，有用性はMRIより劣る．ミエログラフィーでは診断が困難であり，椎間板造影によるヘルニアの描出や神経根造影での神経根の横走化と再現痛を確認し，ブロックによる一時的なpain reliefを得ることも診断の助けとなる．

鑑別診断で想起すべき疾患

椎間板嚢腫，椎間関節嚢腫．

> **トピックス**　腰椎椎間板ヘルニアの新しい治療

疾患概念

　腰椎椎間板ヘルニアは一般的な疾患であるが，有病率について詳細は十分明らかにはされていない．男女比は約2〜3：1，好発年齢は20〜40歳代，好発高位はL4/5，L5/S1間である．また腰椎椎間板ヘルニア診療ガイドラインによると，米国では人口の約1%が罹患しているとされる．腰椎椎間板ヘルニアで受診している患者の1割が手術を行っており，年間約5万人が手術を行っていると考えられる．この腰椎椎間板ヘルニアによって神経根が圧迫されると，腰痛や下肢痛が生じ，また重度の場合は下肢麻痺が生じる．

　コンドリアーゼは，日本発の腰椎椎間板ヘルニア融解酵素である．これは土壌菌のプロテウスブルガリスから抽出した多糖分解酵素で，椎間板髄核の主要構成成分であるグリコサミノグリカン（GAG）を特異的に分解する特性を有しており，GAGを分解し，プロテオグリカンの保水能を低下させることで，椎間板内圧が低下し，神経根への圧迫を軽減させる．

治療方針

至適適応について

　この酵素は保存療法と手術療法との間に位置付けられる．本剤を投与する前に十分な保存療法を行っていることが前提であり，この保存療法に抵抗する腰椎椎間板ヘルニアに対して投与することが望ましい．

　投与対象となる具体的臨床像は，突出した腰椎椎間板ヘルニアに起因した神経障害による症状（下肢痛，しびれ）を有し，明らかな神経学的所見を呈する患者に投与されることが適正使用上望ましい．画像上ヘルニアによる神経根の圧迫が明確であり，腰椎椎間板ヘルニアの症状が画像所見から説明可能な患者にのみ使用するのがよい．また突出した椎間板ヘルニアのタイプは，MacNab分類で後縦靱帯下脱出型が最も良い適応である．

　以下の条件を満たすことが推奨される．
①腰・下肢痛を有する（主に片側，ないしは片側優位）
②安静時にも症状を有する
③SLRテストは70°以下陽性（ただし高齢者では絶対条件ではない）
④MRIなど画像所見で椎間板の突出がみられ，脊柱管狭窄所見を合併していない
⑤症状と画像所見とが一致する

穿刺手技の実際（L4/5とL5/S1）（図21-7）

　まず斜位の体位を取り，透視下でL4/5の椎間板腔が並行にみえる状態を確認する．針刺入点はL5上関節突起前縁としマーキングを行う．

　またL5/S1の場合は，椎間板腔に腸骨稜が重なって見えないことが多いので，透視管球を頭側に20〜30°傾斜させて椎間板腔が映し出されるように調節をする．そして椎間板穿刺には22か23GのPTCD針を使用してできる限り椎間板中央に針先を位置するようにする．上下の終板に針先が当たっているとコンドリアーゼが至適な位置に注入されないことがあるので注意が必要である．

投与後の経過観察

　アナフィラキシー発現の可能性を考慮して，投与後30分間は医師の監視下で観察する．投与後2〜3時間は副作用の発現など患者の状態を注意深く観察することが大切である．本剤投与後に，アナフィラキシーの発現が認められた患者は，二相性アナフィラキシー反応の発現の可能性があるため，一定期間は入院下で医師の監視下におくことが推奨される．また投与後1週間は腰に負担をかけないように注意する．

副作用について

　主な副作用は，腰痛51例（22.3%），下肢痛11例（4.8%），発疹など6例（2.6%），発熱4例（1.7%），頭痛3例（1.3%）であったが，重篤な副作用は認められなかった．

治療可能な施設と医師（表21-2, 3）

　現在はコンドリアーゼを使用して腰椎椎間板ヘルニアの治療が可能な施設と医師が限定されており，市販後調査の結果解析後に見直しがなされる予定である．

椎間板髄核融解術の位置付け

　腰椎椎間板ヘルニア診療ガイドラインにおける椎間板髄核融解術と手術療法の有用性の比較では，椎間板髄核融解術は椎間板摘出術より劣り，経皮的髄核摘出術より有効でありまた適切な被験者を選択することで，椎間板摘出術と同等の成績を得ることができるとされている．

〔松山 幸弘（浜松医科大学 教授）〕

21 腰・仙椎部の疾患

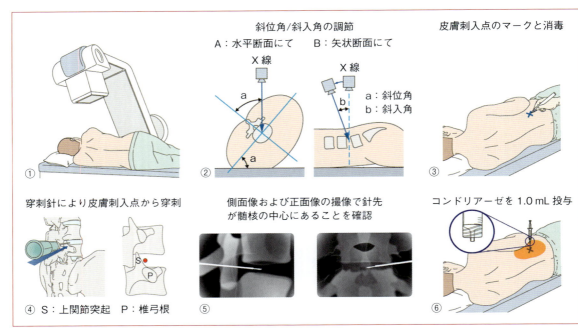

図 21-7　椎間板髄核融解術　手順
・アナフィラキシーなどの発現に備えて静脈ルートを確保し，血圧・心電図および動脈血酸素飽和度のモニターを行う．
・被験者の安全を確保するため，コンドリアーゼ投与前から投与後30分間は，全身モニタリングを行う．
①まず管球の振れる透視台の上に半側臥位で体位を取る
②斜位角/斜入角の調節をする
③皮膚刺入点のマークと消毒．このとき上関節突起の前に刺入点をおく
④穿刺針により皮膚刺入点から穿刺
⑤側面像および正面像の撮像で針先が髄核の中心にあることを確認
⑥コンドリアーゼを1.0 mL投与

表 21-2　医師要件・施設要件（JSSR）

医師要件	※以下①②を満たす医師とする． ①日本脊椎脊髄病学会指導医，その指導下にある医師，もしくは本剤の治験に参加した医師 ②椎間板穿刺経験がある，もしくは腰椎椎間板ヘルニア手術50例以上の経験がある医師
施設要件	※以下①〜④をすべて満たす施設とする． ①X線透視設備（C-アームなど）があり清潔操作のもと本剤を投与可能な施設 ②ショック・アナフィラキシーに対応可能な施設 ③緊急時に脊椎手術ができる，または脊椎手術ができる施設と連携している施設 ④入院設備がある施設

表 21-3　医師要件・施設要件（NSJ）

医師要件	①日本脊髄外科学会指導医もしくは認定医 ②椎間板穿刺経験がある，もしくは腰椎椎間板ヘルニア手術50例以上の経験がある医師
施設要件	①X線透視設備（C-アームなど）があり清潔操作のもとに本剤を投与可能な施設 ②ショック・アナフィラキシーに対応可能な施設 ③緊急時に脊椎手術ができる，または脊椎手術ができる施設と連携している施設 ④入院設備がある施設

外側ヘルニアではまれではあるが発育期の骨端輪骨折の遺残による骨片の有無は確認しておく必要がある．

診断のポイント

特徴的な身体所見から比較的診断は容易であるが，

ヘルニアの脱出形態・部位・性状は以後の治療経過に大きく影響するため，最終診断はいくつかの画像検査を組み合わせて慎重に行う必要がある．

専門病院へのコンサルテーション

下肢筋力低下が出現した場合は手術適応となるた

め，専門病院へのコンサルテーションが必要である．

治療方針・方法

1 ▶ 保存療法

腰痛や下肢痛を強く訴える症例や，炎症が活発な初期には，日常生活動作制限や装具療法による局所安静が望ましく，NSAIDsをはじめとした消炎鎮痛薬も有用である．牽引などの物理療法は腰痛に有効との報告はあるが，強い下肢痛を伴う急性期の患者に対しては慎重に行う必要がある．

2 ▶ 手術療法

代表的な手術方法にはLOVE法（直視下，顕微鏡下），内視鏡下ヘルニア摘出術（micro-endoscopic discectomy；MED），全内視鏡下ヘルニア摘出術（full-endoscopic discectomy；FED）などがあり，ヘルニアの発生部位や脱出形態を考慮して選択される．

新しい治療法として椎間板内酵素（コンドリアーゼ）注入療法が2018年にわが国で承認され，普及しつつある．しかし，医師・施設の認定が必要であり，適応も"保存療法で十分な改善が得られない後縦靱帯下脱出型の腰椎椎間板ヘルニア"と定められている．

合併症と予後

保存療法例の予後に関する因子として，脱出形態が挙げられており，特に遊離脱出しているタイプのヘルニアやMRI T2強調像での高輝度変化は自然退縮が期待できる所見である．

患者説明のポイント

80〜90％は自然経過のなかで退縮すると言われており，腰椎椎間板ヘルニア治療の原則は保存療法であることを説明する．しかしながら，椎間板ヘルニアの好発年齢は壮年期であり，患者背景を吟味したうえで，手術加療について相談する．手術前にはヘルニア摘出後も軽度のしびれが残存する可能性があることも説明しておく．

リハビリテーションのポイント，関連職種への指示

術後早期から積極的なリハビリテーションを行う．リハビリテーションの早期開始と再発率には関連がない．

内視鏡下椎間板切除術

Microendoscopic discectomy

眞鍋 裕昭　徳島大学 助教

【概説】 手術手技の低侵襲化はすべての外科医にとっての課題であり，脊椎外科領域においても低侵襲化が叫ばれて久しい．昨今，内視鏡手術は光学機械や周辺機器の発達により，世界規模で普及しているが，椎間板切除に対する手技に発展がみられたのは1990年代後半であり，他分野に比べると比較的最近のことである．インターネットの普及により，患者側の得られる情報も増えてきていることから，今後も内視鏡手術のニーズは増えてくると思われる．

1 種類

椎間板切除に用いられる内視鏡手術は大きく分けて2種類あり，従来の手術を内視鏡を用いることで低侵襲化を可能とした(1)後方内視鏡下椎間板摘出術（microendoscopic discectomy；MED法）と経皮的にアプローチすることでより低侵襲となった(2)全内視鏡下椎間板摘出術である．後者はさらにアプローチの違いにより①interlaminar approach，②posterolateral approach，③transforaminal approachに分けられる．特に②，③は局所麻酔下に行うことができるため，全身状態が不良な高齢者にも施行可能である．しかし，これらのすべては異なるアプローチ，手技にもかかわらず，保険診療報酬上では内視鏡下後方椎間板ヘルニア摘出（切除）術（K134-2,2）に一括されており，区別されていない．

2 対象疾患

上記の手術を適切に選択することにより，従来手術で行うヘルニアに対してはすべて対応可能である．特に全内視鏡手術に関しては，ヘルニアのみならず椎間孔狭窄や外側陥凹の除圧に対しても適応を拡大している．それぞれの手技について特性を十分に理解したうえで，適応を決める必要があるが，患者因子のみならず，執刀医の技量によっても適応は変わる．

3 利点

患者への低侵襲，創部痛の軽減，組織癒着の減少，入院期間の短縮，早期の社会復帰．

4 欠点

機器の導入・維持費用の増加，緩やかなlearning curve，術後硬膜外血腫，disorientation．

5 手術のポイント（図21-8）

1 ▶ MED法

術中のすべての操作は16〜18mmの円筒形レトラクター内で行う．レトラクター設置後は，椎弓と黄色靱帯の切除，神経根の固定を行い，髄核摘出までの過程はLOVE法に準じて行う．

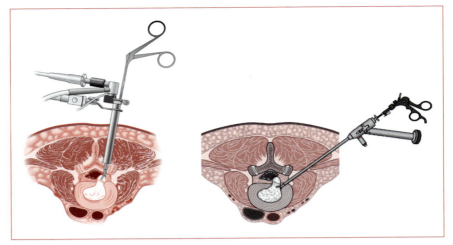

図 21-8　内視鏡下椎間板切除術
左：MED 法　右：FED 法（transforaminal approach）

2 ▶ FED 法

① interlaminar approach は後方椎弓間から従来の後方手術と同様のアプローチで行う．しかし，MED 法で用いるレトラクターより細いカニューラを使用するため，後方筋群への侵襲は小さく，症例によっては骨切除を全く行わず，黄色靱帯を開窓してヘルニアに到達できる．② posterolateral approach は後側方から横突起間を通って，③ transforaminal approach はより外側から経椎間孔的にアプローチする．②，③については後方組織への侵襲はごくわずかに，ほぼダイレクトに椎間板に到達することができる．

6 注意事項

技術認定医 1 種，2 種，3 種が制定されている．

内視鏡手術については手術手技の習熟が必要であるため，導入時には経験豊かな脊椎内視鏡医の指導下に開始することが望ましい．また，術中のトラブルに対処するためにも従来手術に精通している必要がある．低侵襲さを求めるあまり無理をしてはならず，最優先されるべきは手術を合併症なく完遂することであり，患者の安全が十分に担保されていることは必須である．

腰椎再手術（医原性術後疼痛）

Multiply operated back（Failed back syndrome；FBS）

眞鍋　裕昭　徳島大学 助教

【概説】　腰椎椎間板ヘルニアや腰部脊柱管狭窄症，すべり症などに対して手術加療を行ったにもかかわらず，症状が残存もしくは悪化することがあり，それらは腰椎術後疼痛症候群（failed back syndrome；FBS）と呼ばれる．FBS には再発例も含まれるが，症状の種類や罹患期間などは明確に定義されてはいない．頻度は報告によりばらつきがあるが，約 10% 前後とされている．また，FBS に対して再手術を行うことで，腰椎多数回手術例（multiply operated back；MOB）へ移行していく．一般的に MOB は，初回手術に比べ術後成績は劣るとされている．さらに，FBS は整形外科の疾患，例えば変形性関節症や関節リウマチなどと比較して疼痛のレベルは高く，より強い QOL や身体機能の低下をきたすといわれている．

【病態】　FBS の病態は複雑であり，多くの要因が関連している．予測因子としては，術前因子，術中因子，および術後因子に分類される．

さらに，術前因子は患者側と医療従事者側に分類されるが，患者要因には，不安障害やうつ病などの精神疾患，肥満，喫煙，MOB などがある．また，社会的背景（労災や障害支援年金の受給者）や心理的背景（職場でのストレスや医療従事者への不信感など）は最も強

い関連があるとされている．医療従事者，特に主治医側の因子として，狭窄因子の見逃しや高位診断の誤りなど不十分な病態把握が考えられる．また，糖尿病性ニューロパチーや腫瘍性病変，神経内科疾患についても見逃してはならず，手術適応や術式選択を誤った場合も当然ながらFBSのリスクとなる．

術中因子としてはヘルニアの残存や不十分な椎弓切除による除圧不足，インプラントの逸脱や不良アライメントでの固定などが挙げられる．さらに，侵襲的な神経の取り扱いもリスクとなる．

術後因子としては，短期・長期にかかわらず合併症が挙げられる．感染や術後血腫など一概に手術手技についての合併症とは言い切れないものもあるが，想定される要因として，術後瘢痕，隣接椎間障害や癒着性くも膜炎がある．

問診で聞くべきこと

何よりもまず，患者の心理的，社会的状態を詳細かつ徹底的に評価する必要がある．精神疾患の併存，労災補償請求，または身体障害に関する請求の存在に注意する．学校や職場での環境についても聴取しておく．

続いて，正確で詳細な痛みの把握が重要である．軸性疼痛か神経障害性疼痛の鑑別が必要である．FBSの患者では症状の訴えが術前と異なることはよくあるため，常に訴えの変化に注意する．内臓疾患や感染，悪性疾患など急いで確定診断を行い，診断に基づいた治療を必要とすることを示唆する，Red flagsと呼ばれる徴候（発熱や胸部痛，感染徴候，体重減少など）には十分注意する．

必要な検査とその所見

(1) 理学所見

まずは疼痛部位と重症度の特定のために，一般的な脊椎疾患の診察手順に従うが，手術前後の所見の変化には十分に注意を払う必要がある．椎間板ヘルニアにおけるSLRTや，筋膜性疼痛や椎間関節症における圧痛，下肢筋力低下や神経脱落症状などは鑑別診断に役立つが，確定診断をするには不十分である．

(2) 画像検査

単純X線は最初に検討されるべき検査である．椎体変形やすべり症，腰椎分離症などについての情報量は多く，立位全脊柱は脊柱アライメントの評価が可能であり，動態撮影を行うことで不安定性を評価することができる．しかし，脊柱管狭窄や神経圧迫の評価が難しく，軟部組織の描出ができないことから，椎間板や神経の評価にはMRIが必要になる．

MRIはFBSに限らず，現在の脊椎疾患に対するゴールドスタンダードの画像検査である．ガドリニウムを用いた造影MRIは，硬膜外線維症，神経周囲瘢痕組織，および再発の椎間板ヘルニアを区別することが可能となり，化膿性椎間板炎の検出にも優れている．しかし，MRIはインプラント使用時にはアーチファクトが発生するため，固定術後患者にはしばしば単純CT，CTミエログラフィーが必須となる．CTではインプラントの設置，弛みの評価が可能であり，椎間関節症変化や骨性狭窄の描出に優れている．

また各種ブロックも診断には有効である．神経根，椎間板，椎間関節，分離部ブロックなどを適切に選択することで，特定の病因が診断可能となる．各種ブロックは診断的治療となるが，診断に重点を置く場合はステロイドを用いず，局所麻酔薬のみ投与することもある．病態をよりクリアにするためには，病変にピンポイントにアプローチする必要があり，正確な手技が求められる．

疼痛の部位・程度が頻繁に変わり，画像検査と症状の乖離が大きい場合は心理的要因の関与を疑い，心理テストを行う．感染や腫瘍性病変を疑う場合は血液検査を適宜追加する．

治療方針

1 ▶ 保存療法

基本的には保存療法が主となる．消炎鎮痛薬や筋弛緩薬，神経刺激症状が強い場合には，プレガバリンやミロガバリンを投与する．最近は慢性腰痛患者に対するセロトニン・ノルアドレナリン再取り込み阻害薬（SNRI）の効果も認められている．腰痛治療に準じた理学療法の介入も有効である．そのほか，各種ブロックや脊髄刺激療法，心理的要因の関与が強い場合は認知行動療法を取り入れる．

2 ▶ 手術療法

手術療法は診断が不確かな状態で行うと，症状の改善ところか悪化を招くこともあり，病因が確実に同定された場合のみ適用される．主には椎間板ヘルニアや狭窄の残存には除圧術，固定術後の偽関節や隣接椎間障害には追加固定，インプラント関連の問題では抜去や入れ替えが考慮される．

患者説明のポイント

まずは治療によって症状の改善がどの程度見込まれるかを説明し，治療前から過度な期待をすることを防ぐ．原因によっては病態が複雑であり，いずれの治療法においても効果には限界があることを理解してもらう必要がある．MOBでは手術の効果が思うとおりでないこともあり，患者との信頼関係を損なわないためにも，術前に十分な説明が必要である．

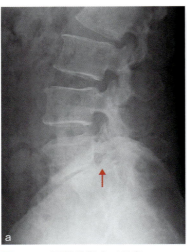
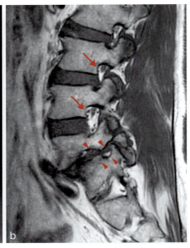

図 21-9　腰椎分離すべり症
a：単純 X 線像．L4 椎体が前方すべりを呈している（矢印）
b：MRI 傍矢状断像（T1 強調像）．正常な椎間孔（矢印）では神経根（低輝度）は全周性に脂肪組織（高輝度領域）に囲まれ，椎間孔内で神経根圧迫は認められない．分離すべり部の椎間孔（矢頭）は分離椎弓により前後に分断され変形しており，椎間孔内の脂肪組織（高輝度領域）は観察できない．同部で神経根が圧迫されていると考えられる．

成人の腰椎分離症・腰椎分離すべり症

Lumbar spondylolysis and spondylolisthesis in adults

青木　保親　東千葉メディカルセンター　部長〔千葉県東金市〕

【疾患概念】　主に青少年期に起こる疲労骨折により，腰椎椎弓の上下関節突起間の連続性が断たれた状態を腰椎分離症という．疲労骨折が成人に発生することはまれであるため，成人の腰椎分離症は疲労骨折が骨癒合せずに偽関節化した状態と考えてよい．

腰椎分離により腰椎後方組織の安定性が損なわれ，分離椎体と尾側椎体との間に機械的ストレスが生じる．その結果として椎間板変性や分離すべりが起きる（図 21-9a）．すべりに伴い腰痛や下肢症状が生じた状態を腰椎分離すべり症という．

【頻度】
日本人の腰椎分離保有率は約 6％ であり，男性にやや多い．腰椎分離は下位腰椎に多く，L5 椎弓が好発部位である．

腰椎分離を有する患者の過半数において，一生涯の間にすべりが生じると考えられている．すべりが生じる時期は 50 歳代以降であることが多いが，20 歳代以下の若年期にすべりが発生する場合もある．片側分離の場合にすべりを発生する確率は低い．

【臨床症状および病態】
成人における腰椎分離・分離すべりは無症状である場合も少なくない．

最も頻度の高い症状は腰痛であり，分離部のみならず椎間板，椎体終板などのさまざまな組織が腰痛の原因となりうる．

下肢症状は神経組織が圧迫されることで生じることが多い．分離椎体が前方へ移動しても分離椎弓は後方へ残るため，脊柱管が中心性狭窄を起こすことはまれである．必然的に馬尾障害をきたすことはほとんどなく，片側の神経根障害をきたすことが多い．神経根圧迫部位は分離部から椎間孔にかけてである（図 21-9b）．

問診で聞くべきこと

腰椎分離症・分離すべり症の症状である腰痛，下肢痛，間欠性跛行の有無を確認する．

腰椎分離症は青少年期に発症することが多いので，青少年期の腰痛の既往も参考になる．

手術適応の参考にするため，発症時期や経過，治療歴，日常生活制限の程度や下肢脱力感の有無なども聴取する．

必要な検査とその所見

(1) 単純X線検査(図21-9a)

分離の有無は側面像か斜位像で，すべりは側面像で評価する．腰椎前屈時にすべりが顕在化する場合もある．

(2) CT

分離の有無の評価に最も適している．分離部や椎間孔の骨形態評価にも有用である．

(3) MRI

腰痛に関連する所見として分離部の液体貯留や骨髄浮腫，椎間板や椎体終板の変性などを評価することができる．下肢症状に関連する所見として，傍矢状断像で椎間孔付近での神経根圧迫の有無が評価できる(図21-9b)．冠状断像にて神経根の走行を評価することも可能である．

診断のポイント

腰痛のみの患者では，診察所見や画像所見を総合して腰痛の原因を診断する．局所の圧痛や，腰椎の前後屈・側屈による腰痛の誘発は診断の参考になる．分離部ブロック，椎間板造影・ブロック，神経根ブロックは診断の一助になる．

下肢症状を呈する患者では，画像所見と下肢神経症状のレベルが一致しているかどうかが重要である．神経根ブロックは診断の一助になる．

専門病院へのコンサルテーション

診断に難渋する場合，保存治療の効果が得られない場合には専門病院へのコンサルテーションを検討する．日常生活に著しい障害をきたす場合や，下肢筋力低下を呈する場合などには手術治療を検討する可能性があり，コンサルテーションが必要である．

治療方針

保存治療では分離部の骨癒合やすべり整復を目指す必要はなく，症状を改善することが目的となる．

コルセット，体幹筋強化や柔軟性獲得，生活指導などにより局所へのストレスを軽減することで症状が改善することもある．症状が強い場合には薬物療法，各種ブロック治療などにより症状の緩和をはかる．保存治療に抵抗する場合や，下肢筋力低下などの重篤な神経障害が出現した場合には手術治療を検討する．

下肢症状がなく腰痛のみを呈する場合は一般的に障害椎間の脊椎固定術が適応となる．分離部修復術を行うこともあるが，成人での手術適応は限定的である．

下肢症状を呈する場合には障害神経根を同定し，除圧術か固定術を行うことで症状の改善が期待できる．脊椎インプラントを併用した椎体間固定術は良好な手術成績を期待することができる．

患者説明のポイント

無症状である場合に偶然見つかった分離・分離すべりに関する説明で患者に過度の不安を与えてはならない．腰下肢痛を呈している場合でもまずは保存治療が優先されること，痛みが強く長期継続する場合には手術適応もあること，筋力低下などの下肢神経症状が進行する場合には早期手術を検討する必要があることを説明する．

発育期腰椎分離症

Lumbar spondylolysis in children and adolescents

加藤 欽志　福島県立医科大学 講師

【疾患概念】　腰椎分離症は，発育期に発生する関節突起間部(pars interarticularis)の疲労骨折であり，過度なスポーツ活動が原因となることが多い．

【発生頻度】

男子が女子の約2倍の頻度であり，わが国では，野球，サッカーなどのスポーツ種目に多い．

問診で聞くべきこと

①スポーツ活動の有無と内容，②年齢(学年)，③痛みの部位と性状を確認する．また，治療計画の立案には，④患者のチーム内での立場，⑤今後の練習・試合日程についても把握する．

必要な検査とその所見

(1) 身体所見の評価

腰椎伸展・回旋時に増強する，限局した腰痛が特徴的である．触診で疼痛の範囲と圧痛点を評価する．棘突起の圧痛の存在は，当該椎の疲労骨折を疑うべき重要な所見である．

(2) 画像所見の評価

CTは病期分類を行ううえで必須の検査である(図21-10)．3次元CTの矢状断像では，腹尾側から背頭側へ向かう骨折線を確認する．偽関節化した終末期では，辺縁の骨硬化性変化や遊離体が出現することがある．

MRIは，CTで異常所見が認められない超初期病変の検出や，骨癒合能の予測に有用である．STIR画像で椎弓根の骨髄浮腫(高信号像)を確認する(図21-11)．

診断のポイント

①スポーツ活動を行う発育期の腰痛患者で，数週間以上痛みが持続し，腰椎伸展で疼痛が誘発される場合は本症を想起する．

②腰痛が左か右の片側に限局して発症し，両側性の腰

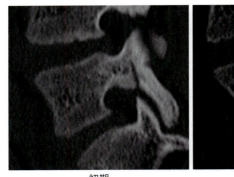  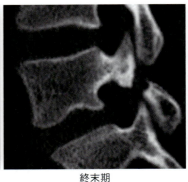

初期　　　　　　　　進行期　　　　　　　　終末期

図21-10　腰椎におけるsagittal reconstruction CT画像

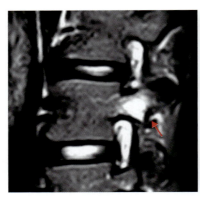 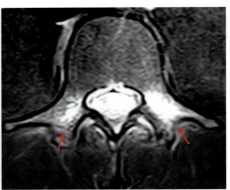

図21-11　MRI STIR像における椎弓根の高信号像

痛に移行する．あるいは，片側性の腰痛がいったん改善した後に，反対側の腰痛が出現する，という病歴が典型的である．
③CTとMRIは，正確な病期分類と骨癒合能の存在を確認するために必須の検査である．

治療方針

骨年齢と病期を参考に治療方針を決定する．小学生では，終末期を除いて，原則として骨癒合を目指す．この年代では，終末期に至った場合にすべりに移行する確率が高いためである．初期であれば3か月間，進行期であれば6か月間硬性コルセットを装着する．ただし，片側がすでに終末期の場合は骨癒合率がきわめて低いため，終末期分離に準じて治療する．運動は体育の授業も含めて完全に停止する．運動休止と装具装着のコンプライアンスが，骨癒合の鍵であるため，本人，家族および指導者の理解を得ることが重要である．MRIで高信号像が消失，あるいはCTで骨折部の骨性架橋が一部でも得られた状態になれば，軟性コルセットへ切り替える．中学生でも骨年齢が低く，骨癒合が期待できる（初期から進行期でMRI上高信号像が残存）場合は，小学生と同様に治療するが，中学生以降で骨成熟している場合は，片側の初期の症例以外骨癒合は目指さず，終末期分離に準じた対応を行う．競技復帰の過程では，選手自身に腰椎伸展・回旋での疼痛確認のセルフチェックを指導し，疼痛の急激な増強時や継続時（1週間以上）には，医療機関への再診を指示する．

患者説明のポイント

①腰椎の伸展と回旋運動が発症の原因動作となること．
②骨性に未成熟な小学生では，骨癒合が得られないとすべり症に移行するリスクがあるため，硬性コルセットによる厳密な保存療法が必要であること．
③終末期に移行しても必ずしも腰痛が残存するとは限らず，多くの場合成人では無症状であること．

リハビリテーションのポイント，関連職種への指示

腰椎の伸展と回旋動作が，関節突起間部（分離部）に

対する力学的負荷を増大させることに留意し，この負荷を極力軽減させるような対応を行う．すなわち腰椎の安定化，腰椎の過度の前弯の矯正と骨盤後傾の誘導，および，胸椎や股関節・下肢などの隣接部位の可動性の獲得を中心とした機能訓練を行う．機能訓練は硬性コルセット装用開始後より開始し，軟性装具への変更後は，疼痛の再燃に注意して，徐々に運動強度を上げる．発症の原因となった動作は，可能な限り骨癒合後に行う．体幹深部筋が賦活化され，隣接部位の可動性が十分に獲得された状態で，競技で要求される複合的な動作が可能となった段階で競技復帰を許可する．一方で，腰椎への負荷軽減を目的とした動作の修正は，一部の選手においてパフォーマンスに負の影響を与えてしまうことがある．このような場合はトレーナーや指導者などと連携しながら対応する必要がある．

腰椎変性すべり症

Lumbar degenerative spondylolisthesis

南出 晃人　獨協医科大学日光医療センター整形外科脊椎センター 教授

【疾患概念】
腰椎変性すべりは，椎間関節，椎間板の変性変化に伴い，腰椎が直下の腰椎または仙骨に対して前方に転位した状態である．腰椎分離によるすべりと区別される．

【病態】
変性すべり症は，明らかな原因は不明であるが，加齢とともに椎間板や靱帯，関節など腰椎を支持している組織が変性を起こし，それに伴って腰椎の安定性が失われ，腰椎にずれ（すべり）が生じると考えられている．このように，加齢や長期間にわたる負荷などによって徐々に腰椎が変性を起こし，その結果発症したすべり症を「腰椎変性すべり症」とよぶ．腰椎変性すべり症では，腰椎のずれとともに脊柱管が狭くなり，馬尾神経や神経根が圧迫され症状が生じてくる．中高年〔特に閉経頃（50～60歳くらい）〕の女性に多く，そのため，女性ホルモンの影響や，女性ホルモンの減少による骨粗鬆症の進行によって，それまで支えられていた骨が支えられなくなって変性すべりが起こるのではないかとも考えられている．部位では第4腰椎に好発する．

【臨床症状】
初期には腰痛で発症することもあるが，すべりの進行による椎間板の膨隆，椎間関節の変性変化，黄色靱帯の肥厚などにより，脊柱管の狭窄とともに脊髄神経が圧迫され，腰殿部痛に加え，下肢の痛みやしびれ感などの下肢症状が出現する．長い距離を歩くと腰下肢症状が増強する間欠跛行の腰部脊柱管狭窄症としての症状を呈するようになる．腰部脊柱管狭窄症の神経障害型式により，馬尾障害，神経根障害，混合障害（馬尾，神経障害とも）により症状が異なる．

問診で聞くべきこと
腰・下肢痛と間欠跛行が主な症状であることが多いため，歩行時の下肢症状出現と姿勢との関係を聞く．特に前屈をとるような姿勢でカートを押すと歩行距離が伸びる，あるいは自転車走行は楽であるなどの病歴は本症を診断するうえで有用である．重症化してくると，会陰部の感覚異常，膀胱直腸障害などが出現する．

必要な検査とその所見
神経学的診察を行い，障害高位を診断するとともに，重症度も評価する．

画像検査では，まずは腰椎の単純X線撮影を行う．特に側面像では，前屈，後屈の動態撮影はすべり椎間の不安定性の評価に有用である．腰椎MRI撮影では，脊柱管の程度，硬膜管（馬尾），脊髄神経への圧迫の評価を行う．腰椎不安定性がある場合には，脊髄腔造影検査での動態撮影により狭窄の程度が明らかになる．

CT検査は，骨性の狭窄要素を診断するのに有用である．すべり高位での椎間孔部狭窄が疑われる場合には，選択的神経根造影（神経根ブロック），3D-MRIが有用である．

診断のポイント
腰椎すべりの有無は単純X線側面像の動態撮影で明らかであるが，問診，身体所見，神経学的所見などと合わせて，診断をすることが大切である．腰部脊柱管狭窄症として間欠跛行を呈する場合には，血管性間欠跛行（閉塞性動脈硬化症など）との鑑別が重要である．その鑑別には，間欠跛行での姿勢性の要因が参考となる．

専門病院へのコンサルテーション
コルセット装着，薬物療法などの保存療法を行っても症状の改善がみられず，特に馬尾障害を伴っている場合には専門病院へ紹介すべきである．硬膜管面積が50 mm^{2}以下の重度な狭窄の場合には，症状が増悪する可能性が高い．

治療方針
腰椎変性すべり症に対しては，まずは保存加療を行うが，効果が不十分で日常生活上の支障が大きい場合に手術療法を考慮する．しかし，腰部脊柱管狭窄症の神経障害型式を知ることは，その予後を考えるうえで重要である．馬尾障害を伴っている場合は，自然経過，

トピックス　腰椎変性すべり症に対する脊椎内視鏡手術

　腰椎変性すべり症に対する手術治療ガイドラインによれば，術後のすべり進行に伴う症状悪化の危惧から固定術の併用を推奨している．しかしながら，筆者らの山村地域住民における縦断コホート研究では，すべりの有病率は年齢とともに増加するが，そのすべりの進行程度は経年的に減少することを報告した．また，日常診療で経験する変性すべりはⅡ度までのすべりであり，それ以上のすべりを経験することはない．これらのことから，すべりはある時期に進行するが，その時期を過ぎると変性変化とともに脊柱の安定化に向う self-limited disease と考えられる．そこで，1996 年に富田らが報告した腰椎変性すべりの病期分類を改良し，その分類別から腰椎変性すべり症に対する内視鏡下除圧術（MEL）の治療成績を検討し，変性すべり症に対する低侵襲除圧術の有用性と限界を明らかにした．

　対象は，2008〜2013 年の期間に L3 または L4 単椎間の腰椎変性すべり症に伴う腰部脊柱管狭窄症の診断で手術加療を必要とした全例に MEL を施行した 218 例（男 96 例，女 122 例，平均年齢 69.7 歳）であった．術前単純 X 線側面像を用いて %slip 10%，動態不安定性 3 mm，椎間高 1/3 を境界にすべり病期（前期：すべりなし，初期：%slip＜10% 椎間高減≤1/3，進行期：%slip≥10% または動態不安定性 ≥3 mm 椎間高減 ≤2/3，末期：椎間高減＞2/3 動態不安定性＜3 mm）に分け，術後 2 年以上の追跡調査を行った．

　最終的に 173 例に追跡可能であり，その追跡期間は平均 2.3 年であり，JOA 改善率は全体で 63.8% であり，各病期群間での有意な差はなかった（p＞0.05）．腰痛 VAS も術後で改善し，各病期群間での有意な差はなかった（p＞0.05）．術前の病期別は，初期 15 例，進行期 145 例，末期 13 例であり，術後の病期分類の進行は 15.6%（27/173）にみられた．また，再手術は 9.8%（初期 6.7%，進行期 11.0%）に行われ，追加固定術 5.2%（9 例）はすべて進行期であった．これらの結果から腰椎変性すべり症に対する MEL の治療成績は，全体的に良好に保たれていた．しかし，再手術症例も存在し，そのほとんどが進行期であったため，進行期の症例では，症状の病態に合わせた手術方法（固定術を含む）の選択が望ましい．

● 参考文献

Minamide A, et al: Clin Spine Surg 32: E 20-E 26, 2019.

南出　晃人〔獨協医科大学日光医療センター 教授〕

保存加療で回復することはまれであり，手術療法を勧める．

保存療法

1 ▶ 生活指導
　臨床症状は，主に腰部脊柱管狭窄症と同じであり，腰椎の前弯を弛める姿勢をとることで，症状の出現する時間を遅らせたり，程度を軽減することができる．病態を説明したうえで，歩行時のカート使用，自転車での移動などである．腰椎すべりについては，前屈位でのすべりは増大する傾向にあるため，急な動作を避けるなど指導する．

2 ▶ 薬物療法
　一般的に腰下肢痛に対して，アセトアミノフェン，非ステロイド性抗炎症薬，プレガバリン，ミロガバリン，トラマドールなどが用いられる．また，経口プロスタグランジン E_1（リマプロストアルファデクス）は，腰部脊柱管狭窄による神経性間欠跛行，下肢のしびれの馬尾症状に対して，短期間の有用性が認められている．

3 ▶ ブロック療法
　腰部脊柱管狭窄症による神経根性疼痛に対しては，硬膜外ブロック，選択的神経根ブロックは有効である．選択的神経根ブロックは治療とともに高位診断に有用である．

4 ▶ 理学療法
　体幹筋力訓練，姿勢訓練，温熱療法などである．全身体幹筋力訓練としては，プール内の歩行訓練も有用である．

5 ▶ 装具療法
　コルセット装着の目的は体幹筋力の補強と姿勢の矯正である．一般に腰椎変性すべり症（腰部脊柱管狭窄症）では腰椎前弯を減少させることが望ましい．

手術療法

　一般的には，適切な保存療法が行われ，その保存療

法が無効である場合に手術療法が適応される．その適応は，個々の患者の社会的条件，身体的条件を考慮して決定する．腰椎変性すべり症に対する手術療法の基本は，神経に対する圧迫を解除する除圧術と脊椎固定術である．術後の腰椎不安定性の進行に伴う術後成績悪化から固定術の必要性を勧める意見，術後の腰椎不安定性は必ずしも術後成績を反映しないから除圧術のみの意見があり，固定術の要否についてはいまだ議論が多い．最近では，Ⅰ度（Meyerding 分類）までのすべりで高度な腰椎不安定性がなければ，低侵襲性の除圧術のみでの良好な成績が報告されている．

手術治療には，開窓術（顕微鏡，内視鏡下による低侵襲性除圧など），椎弓切除術，後側方固定術，後方椎体間固定術，前方・側方経路椎体間固定術などがある．

合併症と予後

手術合併症には，神経障害，硬膜損傷，下肢深部静脈血栓症，肺梗塞，感染，血腫，インストゥルメントの破損・弛み，偽関節などがあり，十分なインフォームドコンセントが必要である．除圧術のみでは除圧部位の再狭窄の可能性，術後の腰椎不安定性の増強による固定術の必要性などであり，固定術では隣接椎間障害の可能性がある．

患者説明のポイント

手術治療により下肢痛，間欠跛行の症状は軽快しやすいが，神経障害の程度により下肢のしびれは改善が乏しいことが多いこと，術後経過で手術部の再狭窄，隣接椎間の狭窄・不安定性が生じる可能性があることを説明する．

リハビリテーションのポイント，関連職種への指示

術後，除圧術，固定術の術式にかかわらず，痛みに応じて早期からの離床を勧める．患者自身による体幹筋の筋力強化を勧める．

術後に特に注意を要することはないが，腰椎の過度な屈曲，伸展は術早期は避けるように指導する．

腰部脊柱管狭窄症

Lumbar spinal stenosis

三上 靖夫　京都府立医科大学大学院 教授（リハビリテーション医学）

【疾患概念】　椎間板の変性に伴う脊柱管内への膨隆，椎間関節の関節症性変化による変形，黄色靱帯の肥厚などにより腰部脊柱管に狭窄が生じ，脊柱管内を走行する硬膜管内の馬尾や神経根が圧迫を受け症状をきたす，腰椎の代表的な変性疾患である．椎間孔内外での神経根の圧迫も，腰部脊柱管狭窄症に分類される．

【病型・分類】

病態による分類として国際分類（Arnoldi, 1979）が知られているが，日常診療では症状と画像による分類が用いられている．症状による分類には馬尾症状を呈す馬尾型，神経根症状を呈す神経根型，両症状を呈す混合型の3つの病型がある．画像による分類には脊柱管が全体的に狭くなり硬膜管が圧迫を受ける中心型と，外側陥凹で神経根が圧迫される外側型がある．

【臨床症状】

脊柱管の断面積は姿勢により変化することから，症状は姿勢や動作によって変化する．最も特徴的な症状が間欠跛行である．歩行により殿部や下肢に疼痛，感覚異常（しびれ感，灼熱感，締め付け感など）や脱力感などが強くなって歩行を中断するが，休息で症状が軽減し歩行を再開できる症候である．立位の持続でも同様の症状が生じることが多い．歩行・立位などで強くなる症状は，障害された神経根の支配領域に生じる疼痛や感覚異常，筋力低下などの神経根症状と，硬膜管内で複数の馬尾が障害され生じる会陰部や両側殿部下肢の感覚異常や脱力感，膀胱直腸障害などの馬尾症状である．

問診で聞くべきこと

疼痛や感覚異常が，どのような姿勢や動作で生じるかを聴取する．多くの症例で，症状は歩行や立位で強くなり，前屈位で軽減する．座位をとると腰椎の前弯が減じて症状が軽減することから，自転車には問題なく乗れることが多い．

必要な検査とその所見

体幹後屈時に殿部下肢への放散痛やしびれ感が誘発され，Kemp 徴候が陽性であれば診断の手掛かりとなる．椎間板の膨隆や黄色靱帯の肥厚が脊柱管狭窄の主な因子であることが多く，画像診断ではこれらを描出できる MRI が必要である．脊柱管内の狭窄は矢状断像と横断像で評価できるが，椎間孔内外での狭窄を捉えるために冠状断像が必要であり，3D ミエログラフィーにより椎間孔外の画像診断が可能である．骨性狭窄因子の評価には 3D-CT が有用である．MRI による診断技術が向上し脊髄造影は必須の検査ではないが，臥位で撮像する MRI と立位で撮影する脊髄造影では狭窄の状況が異なることは珍しくない．また脊髄造影においても，立位後屈位で脊柱管狭窄がより詳細に描出されるので，造影後の CT と併せて診断に用いる．機能診断としては選択的神経根ブロックが有用であり，治療としてのブロックを兼ねて行う（詳細は「神経根造影」の項 ➡ 14 頁参照）．

鑑別診断で想起すべき疾患

間欠跛行の原因となる PAD（peripheral arterial

トピックス　腰部脊柱管狭窄症に対する新しい疫学

脊椎加齢変性疾患の疫学的指標である有病率，新規発生率，自然経過と予後などを知ることは臨床上きわめて有用である．なぜなら疾患の疫学的実態を把握し，各種疫学的指標をもとに危険因子を解明し，予防法を確立しない限り，最適な治療方針は決定できないからである．しかし，その疫学的実態は長らく不明であった．このため，筆者らは2008年から，脊椎加齢変性疾患の疫学調査である The Wakayama Spine Study（WSS）を開始した．WSSの特徴は，ベースライン調査で約1,000名の一般地域住民に対し，脊椎疾患に関連する詳細な問診と診察，全脊柱MRIを実施したことである．

本稿では，WSSベースラインデータの横断的分析から得られた腰部脊柱管狭窄（lumbar spinal stenosis；LSS）に関する知見を述べる．対象は，検診時にWSSに参加登録した938名（男性308名，女性630名，平均年齢66.3歳）である．整形外科専門医が，LSSに関する問診と診察を行った．画像上のLSSを，T2強調横断像上の中心性狭窄（radiographic LSS；rLSS）として4段階評価（1：正常，2：正常の1/3未満の狭窄，3：正常の1/3以上～2/3未満の狭窄，4：正常の2/3以上の狭窄）を行った．MR画像所見と問診結果，神経・理学的所見と合わせて，臨床的な腰部脊柱管狭窄症（symptomatic LSS；sLLS）の診断を下した．その結果，正常脊柱管の1/3以上の狭窄を有する者は対象の77.9％に認められることが判明した．一方sLSSと診断された者は，11.2％（男性11.4％，女性11.1％）に過ぎず，症候者のなかで，間欠跛行を呈するものは51.4％であった．rLSSの有所見率は男女差なく，加齢とともに増加していた．高位別では，L4/5，L3/4，L2/3の順に高かった．

病院来院者と異なり健康に暮らしている地域住民において，『LSSの画像異常は高頻度に認められるが，発症しているものは，ごくわずかに過ぎず，両者の間には大きな乖離が存在する』という新たなエビデンスは，臨床上重要な示唆を与えている．すなわち画像異常は必ずしも症候性を意味しないため，画像所見のみに頼って腰部脊柱管狭窄症と診断する，あるいは手術適応や除圧部位を決定することは厳に慎まなければならない．また保存療法を手術より優先すべきであって，いくら画像上の狭窄が高度であっても症状と関連がなければ，予防的神経除圧という考え方は成立し難い．

WSSを通じて，脊椎加齢変性疾患の疫学実態を調べることが可能である．一般地域住民を対象としているので，予測因子の測定バイアスが少なく，誤った結論を導き難いのが長所と言える．今後の日常臨床や研究活動にお役立ていただければ幸いである．

山田　宏〔和歌山県立医科大学 教授〕

---

disease，末梢動脈疾患）との鑑別が必要である．PADでは，歩行など運動時に動脈閉塞のため末梢の筋へ十分な酸素を届けることができず，下腿後面に疼痛が生じる．鑑別のポイントは，狭窄症では前屈位をとると速やかに症状が消失するが，PADでは姿勢で症状は変化しないこと，PADでは立位持続で症状は生じないことなどである．ABI（ankle-brachial pressure index）検査やPWV（pulse wave velocity）検査はPADの診断に有用であるが，狭窄症にPADが併発することは珍しくなく注意を要する．

診断のポイント

歩行や立位で症状が強くなり，MRIで脊柱管狭窄による神経の圧迫所見を確認できれば診断は難しくない．しかし，画像で著しい狭窄を認めても，症状が軽微なことが少なくない．地域住民を対象としたコホート研究で，MRI上で重度の脊柱管狭窄を認めても無症候性である住民が大勢いることが明らかにされており，画像だけで診断を下せない．

治療方針

「腰部脊柱管狭窄症診療ガイドライン2011」では，初期治療は保存療法を原則とし，薬物療法で経口プロスタグランジンE_1製剤の有効性に触れる一方で，除圧術の有効性も示されている．まず保存療法を行い，効果が得られない場合に手術療法を考慮する．

保存療法

薬物療法では，経口プロスタグランジンE_1誘導体製剤である，リマプロストの投与が第一選択である．NSAIDsは無効な症例が多く，胃腸障害や肝腎機能障害などの合併症をきたす危険性から長期投与を避ける．神経根・馬尾症状には侵害受容性疼痛と神経障害性疼痛が混在していることが多く，神経障害性疼痛にはプレガバリンやミロガバリンが有効な症例がある．

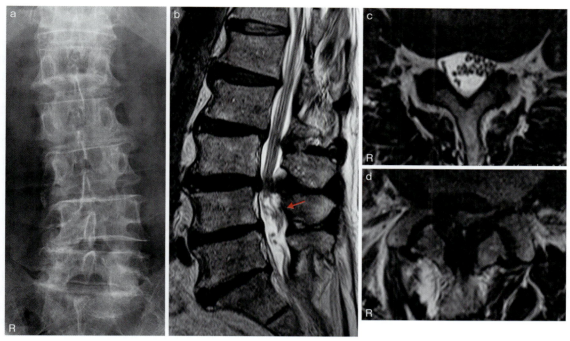

図 21-12 腰部脊柱管狭窄症（76歳，男性）
a：単純X線正面像で脊椎症性変化を認める．
b：MRI T2矢状断像でL3/4高位に脊柱管狭窄を認め，尾側に馬尾弛緩（白矢印）を認める．狭窄を認めないL2/3（c）に比べ，L3/4で強い狭窄を認める（d）．本症例は間欠跛行で手術適応ありと紹介され来院したがリマプロストの処方で症状は消失し，83歳時の最終観察時にも症状はなく農業に従事されていた．

投与にあたっては，めまい・ふらつきなどの副作用についての十分な説明と投与量の調整が必要である．薬物療法で効果が得られない神経根症状に対し，経仙骨裂孔硬膜外ブロックを施行し，無効であれば神経根ブロックを行う．馬尾症状に対しても硬膜外ブロックが有効な症例がある．

手術療法

障害高位の除圧術を施行する．神経学的に責任高位でないと診断された高位に，強い神経の圧迫所見を認めた場合，除圧範囲に含めるかは議論がある．手術手技では顕微鏡や内視鏡を使った，傍脊柱筋や椎間関節を可及的に温存する低侵襲手術が普及しつつある．強い腰痛を伴う症例や，除圧範囲に不安定性を認める症例では固定術を追加することがある．

予後

神経根症状の予後は良好であるが，馬尾症状は保存療法が無効なことが多いとされる．症状が重症化する前に適切な治療を開始できれば，馬尾症状でも良好な予後が得られる．安静時のしびれ感は，早期に治療を開始しても完全に消失しないことが多い．

患者説明のポイント

姿勢や動作により症状が変化する理由を説明し，日常生活で体幹伸展を避けるよう指導する．リマプロスト投与時には，効果が直ぐに表れる薬剤ではないことを説明したうえで，服用する必要性を説明する．症状が軽微であるのにMRIで強い狭窄所見を認めた場合は，加齢による自然経過で脊柱管狭窄は進むが急激に症状が進行することは少ないこと，狭窄があっても保存療法で治療できること，ほとんどの症例で手術は必要ないことを説明する（図 21-12）．

リハビリテーションのポイント

体幹と骨盤帯の柔軟性を獲得し，筋力を増強させて腰椎の前弯を減じるよう運動療法を行う．

椎間関節嚢腫，ガングリオン

Facet cysts, ganglion cysts in the lumbar spine

日下部 隆　東北労災病院 脊椎外科部長〔仙台市青葉区〕

【疾患概念】　椎間関節近傍の嚢腫性病変はガングリオン嚢腫や滑膜嚢腫と報告されていたが，現在は総称して椎間関節嚢腫と呼ばれる．脊柱管内で硬膜（馬尾）や神経根を後側方から圧迫することで腰下肢痛や麻痺を惹き起こす．発生機序は，関節症性変化をきたした椎間関節の動きによって黄色靱帯関節包部が破綻し，靱帯内の亀裂から嚢腫が発生，膠原線維化とフィブリン様変性により増大すると考えられている．

【頻度】
症候性腰椎病変における画像診断では0.5～2.3%に，各種脊椎疾患に対する除圧術の1.6%に滑膜嚢腫を認めたと報告されている．また，脊柱管内滑膜嚢腫の96.2%が腰椎発生例であったとされる．

【病型・分類】
発生椎間高位に一致した神経障害をきたすが，まれに椎間孔から椎間孔外に局在して通常より1椎間上位の神経根症状を起こすことがある．腰椎手術後に嚢腫が生じることがあり，除圧術後はその手術椎間に，固定術後はその上位隣接椎間に生じる．嚢腫の形態学的特徴から4型（亜型を含めて6型）に分類され，嚢腫の進展機序を反映すると考えられている．

【臨床症状】
変性に伴って発生するため大多数が高齢者（平均66歳）に生じ，男女比は約3:2である．発生高位はL4-L5椎間が圧倒的に多く，L3-L4，L5-S1と続き，L2-L3，L1-L2は比較的少ない．そのほとんどが片側単椎間例である．特異的な臨床症状には乏しく，症状だけで腰部脊柱管狭窄症や腰椎椎間板ヘルニアと鑑別することは困難である．多くが脊柱管狭窄を生じていることから腰殿部痛に加えて神経根症（70%）に伴う下肢痛やしびれ，間欠跛行を呈することが多く，両足底のしびれや膀胱直腸障害といった馬尾障害（25%）もみられる．一般に緩徐発症で罹病期間は約10か月だが，急性増大（嚢腫内出血）を思わせる激痛で発症することがある．

【問診で聞くべきこと】
長時間歩行や重労働，外傷歴といった誘因の有無，疼痛の程度，膀胱直腸障害の有無，ADL障害について具体的に聞き出す．

【必要な検査とその所見】
単純X線像では椎間関節の変性所見を伴い，約30%で当該椎間に変性すべりを認める．脊柱管の後側方に嚢腫像を呈することから，診断にはMRIがきわめて有用である．一般に，T1強調像で低輝度，T2強調像で等輝度から高輝度（図21-13a，b），辺縁（嚢腫壁）が造影される，といった特徴がある．しかし，嚢腫内の出血（血腫）や器質化により，さまざまな輝度を呈することがある．ときにCTで嚢腫内腔と椎間関節腔にvacuum像をみることがある．従来の脊髄造影像とCTMでは診断できないが，椎間関節造影と椎間関節造影後CTでは椎間関節と交通する嚢腫内の貯留像を捉えることができる（図21-13c）．さらに，三次元再構成像によって嚢腫の局在を三次元的に把握することができる（図21-13d）．

【鑑別診断で想起すべき疾患】
すべての脊柱管内嚢腫性病変が鑑別の対象となるが，実際に鑑別で苦慮することはほとんどない．
・黄色靱帯肥厚，血腫，嚢腫：このなかに椎間関節嚢腫が含まれている可能性が高い．
・Synovial osteochondromatosis：CTで判別可能．
・椎間板ヘルニア（硬膜背側脱出）：辺縁が不整，椎間関節造影で描出されない．

【診断のポイント】
自覚症状と神経学的所見，前述の特徴的画像所見との整合性があれば診断が確定する．

【専門病院へのコンサルテーション】
これまで急性不全対麻痺による緊急手術はなく，診断がついていれば紹介，移送を急ぐ必要はない．しかし，重度の下肢筋力低下例や馬尾障害例は手術可能な専門病院に紹介することが望ましい．

【治療方針】
MMTで4（good）以上の筋力を保っている神経根症，あるいは腰殿部痛のみの症例に対して保存療法を行う．保存療法抵抗例やMMTで3（fair）以下に筋力が低下している，あるいは馬尾障害例では手術の適応となる．

【保存療法】
NSAIDsなどの内服に加えて，症状に応じて椎間関節ブロックや選択的神経根ブロックを行うことがある．症状は3～4か月の経過で徐々に改善し，約85%が4～12か月で緩和するとともに約60%の嚢腫が縮小する．

【手術療法】
開窓術に準じた部分椎弓切除術（Lumbar Laminotomy. NASS Coverage Policy Recommendations, 2014）により黄色靱帯と嚢腫を一塊に切除す

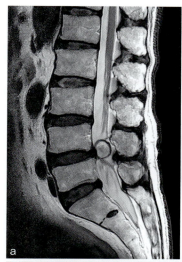
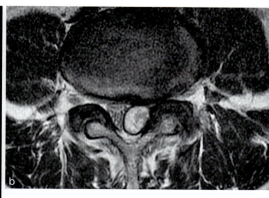
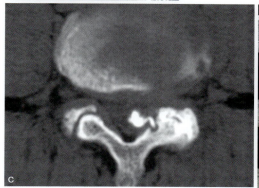

図21-13 腰椎椎間関節嚢腫
　　　　（67歳，男性．左L4-L5）
a：MRI T2強調矢状断像
b：MRI T2強調水平断像
c：椎間関節造影後CT
d：椎間関節造影後CT三次元再構成像
（日下部隆，他：腰椎椎間関節嚢腫の治療成績―腰椎開窓術による嚢腫切除．J Spine Res 11: 1107-1113, 2020 より）

る．En bloc切除によって，しばしば嚢腫と硬膜間にみられる癒着の剥離をより容易にする．術前に嚢腫の局在を正確に把握しておくことが必要である．嚢腫が椎間孔外に局在している場合は外側開窓術で対処する．一方，椎間不安定性があることや，近年は嚢腫再発の観点から初回手術に椎間固定術を推奨する報告もある（Lumbar Fusion. NASS Coverage Policy Recommendations, 2014）．しかし，当該椎間は変性が進行してむしろ不安定性は小さく，嚢腫切除後の再発率は決して高くないことから，初回から固定術を併用する必要はないと考えている．

合併症と予後

脊椎手術一般の合併症と同様であるが，約75%で嚢腫と硬膜が癒着しており硬膜損傷の危険性が高い．嚢腫切除の成績は日整会腰痛疾患治療成績判定基準の改善率が70〜100%，嚢腫を完全に切除すれば再発率は2%であり，予後は良好である．

患者説明のポイント

全般的に治療経過はおおむね良好であることを説明し，不安を取り除くようにする．保存療法で疼痛が改善する可能性は高いが緩徐であることと，その見込み期間を説明する．間欠跛行の悪化や筋力低下，両足底

のしびれ，会陰部症状，膀胱直腸障害といった馬尾障害を疑わせる症状があれば早期の手術を検討するように指導する．術後も安静時症状が残ることがあることを説明しておく．

リハビリテーションのポイント，関連職種への指示

開窓術による嚢腫切除で安定性を損なうことはないので，早期の社会復帰を目指す．家事，事務職などは術後3〜4週を目標にし，重労働復帰は術後2〜3か月を目安に許可している．

Schmorl 結節

Schmorl node (nodule)

吉本 三徳 札幌医科大学 准教授

【疾患概念】 Schmorl 結節は，1928 年に Schmorl によって最初に報告された．椎間板組織が，椎体終板を越えて椎体内へ陥入した状態を指す．

【頻度】
X線，CT，MRI などの画像検査において偶然発見される症例がほとんどである．発生頻度は報告により差があり，MRI では 16〜38％，剖検例では 76％ との報告がある．

【臨床症状】
多くは無症状である．一方，大規模疫学調査では，腰痛がある症例のほうがない症例と比較すると，Schmorl 結節の発生頻度が高いとの報告もある．

必要な検査とその所見

単純 X 線（図 21-14a）では，辺縁に骨硬化を伴う椎体終板の陥凹を認める．MRI（図 21-14b）では椎間板内から連続して，T1 強調像で低信号，T2 強調像で高信号の髄核が，椎体内へ陥入している様子が認められる．

診断のポイント

通常は無症状であるため，特に注意すべきポイントはない．他に腰背部痛の原因となる疾患がないことを確認する．まれにではあるが，MRI で椎体内に T1 強調像で低信号，T2 強調像で高信号の骨髄浮腫を伴う症例を認めることがあり，腰痛との関連を示唆する報告もある．

鑑別診断で想起すべき疾患

脊椎腫瘍，化膿性脊椎炎，骨粗鬆症性椎体骨折，Modic change との鑑別が必要である．

治療方針

Schmorl 結節は無症状であることがほとんどであるため，治療の対象となることは少ない．腰痛がある場合は一般的な非特異的腰痛に準じて，消炎鎮痛薬の

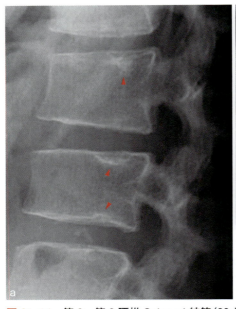
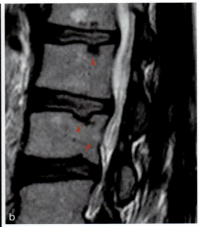

図 21-14 第 2，第 3 腰椎 Schmorl 結節（60 歳，男性）
a：単純 X 線側面像：辺縁に骨硬化を伴う椎体終板の陥凹を認める（矢頭）．
b：MRI（T2 強調矢状断像）：髄核が椎間板内から連続して椎体内へ陥入している（矢頭）．

投与や理学療法，運動療法などを行う．

患者説明のポイント

病的意義は少なく，特別な治療は必要としないことを説明する．症状がなければ日常生活やスポーツ活動に制限を加える必要はなく，腰痛を伴う場合にも，通常の非特異的腰痛に対する一般的な治療法で対処すればよいことを説明する．

椎体辺縁分離

Epiphyseal separation of the vertebral body

吉本 三徳　札幌医科大学 准教授

【疾患概念】椎体辺縁部（隅角）が椎体から分離した状態であり，分離部には椎間板組織が入り込む．

【臨床症状・病態】

発育期には，椎体終板は力学的に脆弱な成長軟骨層を有している．環状骨端核は，単純 X 線上 10〜12 歳頃に椎体隅角部に出現するが，この環状骨端核が椎体と癒合し，成長軟骨層が消失するまでの期間，つまり終板が力学的に脆弱な若年期に，椎体辺縁分離は発症することが多い．発育期におけるスポーツ活動などの外力が誘因となる．無症状のものが多いが，腰痛や神経根症状を呈することもある．また，発育期には無症状であっても，成人になってから椎間板ヘルニアや脊柱管狭窄を伴い発症することもある．

問診で聞くべきこと

発症の時期，スポーツ活動の種目や練習量について聞く．腰痛の程度，下肢の痛みやしびれの部位，疼痛増悪動作，筋力低下や膀胱直腸障害の有無について聞く．

必要な検査とその所見

単純 X 線側面像での診断が一般的である．椎体辺縁から分離した，島状の骨陰影がみられる．腸骨稜や椎弓根が重なって単純 X 線像では確認しづらい場合は，CT 矢状断像や横断像が有用である（図 21-15）．下肢神経症状を伴う場合は MRI を撮像する．

鑑別診断で想起すべき疾患

腰椎椎間板ヘルニアと診断している症例のなかに椎体辺縁分離を伴っている症例がある．特に手術を行う際には注意が必要である．

診断のポイント

椎体辺縁分離の診断は画像診断から容易である．しかし，無症候性の場合も多いので，腰痛や下肢痛を呈する他の疾患が潜んでいないか，注意が必要である．

治療方針

安静，薬物療法，理学療法，コルセットの使用などの保存治療が原則である．下肢神経症状を伴い，保存療法が無効な症例は手術適応となる．

手術では，部分椎弓切除を行い，分離骨片を切除し，神経根の圧迫を解除する．長年無症状で経過しながら，青壮年期になって椎間板ヘルニアを発症した症例のなかに，陳旧性の椎体辺縁分離を伴っていることが

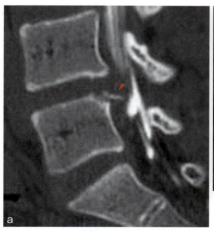
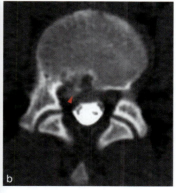

図 21-15　第 5 腰椎椎体辺縁分離（13 歳，男性），脊髄造影後 CT
a：矢状断像
b：横断像
第 5 腰椎の椎体辺縁から分離し，脊柱管内に突出した骨陰影を認める（矢頭）．

ある．このような症例の多くは椎間板ヘルニアの摘出のみで神経根の除圧が完了できることが多い．

患者説明のポイント

無症候性のものが多く，必ずしも治療を必要としないこと．また症状が発生しても多くは保存治療で改善することを説明する．

腰椎不安定症

Lumbar spinal instability

永島 英樹　鳥取大学 教授

【疾患概念】
腰椎不安定症とは，椎間可動域が異常に大きい状態で症状を伴うものをいう．不安定性の方向には，矢状面（前後），冠状面（左右），横断面（回旋）があるが，通常は矢状面で評価する．腰椎不安定性の原因として，外傷，感染，腫瘍などがあるが，ここでは変性疾患によるものに限定して述べる．

【病態】
加齢とともに，椎間板に含まれる水分とプロテオグリカンが減少することで，椎間板腔が狭くなる．それに伴い，脊椎周囲の靱帯（前縦靱帯，後縦靱帯，黄色靱帯など）が緩んでくると，椎間安定性が失われて不安定になる．

【臨床症状】
前屈位から元に戻そうとしたときに腰痛に襲われたり（instability catch），仰臥位で両下肢を伸展させたまま挙上を保持するよう指示すると，腰痛のために突然下肢を落としたり（painful catch），動作時に急激な腰痛発症に対する不安感を訴えたりする（apprehension）のが特徴的な症状と言われている．椎間関節症を呈すると，腰殿部から大腿後面の痛みを訴え，後屈時にこの痛みが再現され，腹臥位にして棘突起を手掌で圧すると腰痛が誘発される．脊柱管狭窄を合併することもあって，下肢のしびれや痛み，間欠性跛行，膀胱直腸障害をきたすこともある．

必要な検査とその所見
(1) X線写真

腰椎不安定症は前屈位と後屈位の動態側面X線写真で診断する．しかし，変性疾患による腰椎不安定症の診断基準については，いまだ結論はついていない．1例を挙げると，動態撮影ですべりが4 mm以上または椎間可動域が10°以上の変化があれば，椎間不安定性があると診断する（図21-16）．中間位側面X線写真で，vacuum phenomenon（椎間板腔のガス陰影）やtraction spur（終板から2～3 mm離れた椎体でみられ

る骨棘）があれば腰椎不安定症を示唆している．
(2) MRI

椎間関節に関節液貯留を認めることがある．脊柱管狭窄の有無も確認する．

診断のポイント
① 身体所見と画像所見がそろえば確定診断となる．
② 椎間関節ブロックで痛みが緩和されれば，椎間関節由来と診断できる．

治療方針
変性が進行すると椎間板腔は消失し，隣接椎体が接触することで椎間は安定化してくる．そうなると症状も軽減するので，治療の基本は保存療法であり，安定化するまで待てないほどの痛みや脊柱管狭窄によるADL障害があれば，手術を選択する．

保存療法
装具療法や生活指導を行う．薬物療法は，腰殿部痛や脊柱管狭窄症に対する対症療法として行う．

手術療法
通常は固定術を行うが，腰部脊柱管狭窄の症状があれば除圧術も同時に行う．固定術には，経椎間孔的腰椎椎体間固定術や側方経路腰椎椎体間固定術などがある．

患者説明のポイント
変性疾患によるものは，自然経過で改善することを説明する．改善するまで我慢できないような痛みがあれば手術も選択肢となること，膀胱直腸障害や麻痺がある場合は手術適応であることを説明する．

リハビリテーションのポイント，関連職種への指示
痛みが誘発されないように姿勢などの生活指導を行うとともに，腰痛体操を指導する．安静臥床は避けるべきで，日常生活をこなしていくよう働きかける．

梨状筋症候群

Piriformis syndrome

齋藤 貴徳　関西医科大学 主任教授

【疾患概念】
われわれ整形外科医の間においても，梨状筋症候群は疾患名としては古くからよく知られているが，現在でも診断を確定するのが難しい疾患の1つとして認識されており，積極的に治療している病院はごくわずかである．この梨状筋症候群は，そのほとんどが一側の殿部から下肢の疼痛で始まるため，椎間板

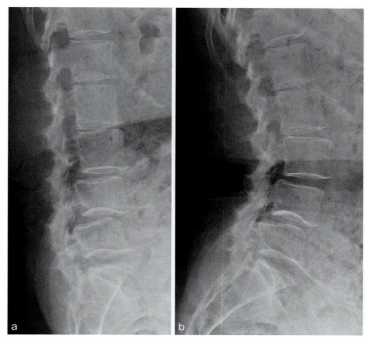

図 21-16　腰椎動態側面 X 線写真
　a：前屈位，b：後屈位
　L3 のすべりの変化は 2 mm であるが，L3/4 の椎間可動域は 11°と不安定性を認める．前屈位では L3/4，L4/5 ともに椎間の後方開大も認める．

ヘルニアなどの腰椎疾患と間違われて治療されることが多いのが特徴として挙げられる．

【病態】
　本疾患は，殿部にある股関節の外旋筋の1つである梨状筋が通常とは異なる形状や走行をしているため，付近を走行する坐骨神経を圧迫し下肢にしびれや痛みを生じさせる病気で，骨盤出口部で生じる，いわゆる絞扼性神経障害の1つである．この梨状筋の解剖学的な形態異常である破格については1937年Beatonらが死体の解剖結果より，正常のType AからType Fまで6型に分類し報告している．自験例ではType D，Type B の順で破格が認められているが，この分類には登場しない形態の破格も経験しており，多くの解剖学的破格が坐骨神経の圧迫を引き起こしていると考えられる．破格の存在しない例では梨状筋と双子筋の間で圧迫を受けていることが多い．

【発症原因】
　この病気の発症誘因としては軽微な外傷が最も多く，続いて立ち座りの動作の繰り返しや硬い椅子での長時間の座位，腰椎の手術などが挙げられる．しかし，約6割の例で明らかな誘因となるようなものは存在せず，日常生活のなかで発症され来院されている．

問診で聞くべきこと
(1) 疼痛部位の特徴
　この病気の臨床症状は殿部から下肢にかけての疼痛で，腰椎椎間板ヘルニアや腰部脊柱管狭窄症の症状と区別がつきにくい．この疾患の疼痛部位の特徴としては通常腰椎疾患では足部の疼痛は足背のみに生じることが大半であるのに対し，この梨状筋症候群では，足底全体に痛みやしびれが生じることが挙げられる．
(2) 動作時の特徴
　腰椎疾患においては歩行で疼痛が増悪し安静で緩解することが多いのに対し，梨状筋症候群では座位で疼痛が増悪するため疼痛側の殿部を持ち上げて座ることがある．また，立ち座りの動作時に痛みが強くなることも多く，逆に歩行により痛みが軽減するというパターンをとることが多い．

診断のポイント
(1) 神経学的所見
　神経学的所見としては，多くの例では，むしろ感覚障害も運動障害も認めず，しびれ，痛みの訴えのみで，他覚所見に乏しいことが特徴的で，逆に，本疾患の診断根拠にもなり得る．このように，痛みやしびれなどの自覚症状のみで，他覚所見が認められない場合，心

因性疾患と間違われ心療内科に紹介されることも多く注意が必要である.

(2) 誘発テスト

本疾患にはFreiberg test, Pace testの2つの誘発テストが有名だが, いずれも陽性率は低く, 各々約30％, 15％程度とされている. これに対し腹臥位で膝を90°屈曲し, 股関節を内旋させる腹臥位内旋テストは陽性率が約90％と高く有用と考えている.

(3) 診断法

画像診断についてはこれまでMRIやMR neurographyによる検査が有用であるとの報告もあるが, 現在の解像度では左右を比較しても異常を見つけるのは困難であり, 画像に頼っての診断はむしろ危険である. これに対し, 電気生理学的検査である体性感覚誘発電位（N16 componentを指標）による診断は自験例では陽性率が約90％であり, 術前の確定診断を行う手技として適している.

治療方針

1 ▶ 保存療法

保存療法としての, 安静や鎮痛薬の投与はほとんど無効で, 超音波などを用いての局所麻酔薬とステロイドの注射が唯一の有効な保存療法であるといえる.

2 ▶ 手術療法

手術は通常全身麻酔下で腹臥位で行う. 梨状筋を切除するときは必ず大転子部から大坐骨孔まで梨状筋の全体像を確認し, 坐骨神経も坐骨結節部から大坐骨孔まで追い, この2者の相互関係を明らかにしてから行う必要がある.

患者説明のポイント

この疾患の特徴として直後から症状が劇的に改善するのではなく, 数か月～1年かけてゆっくり疼痛が軽減していく例が多く認められるため, 直後からの改善を期待しすぎないように理解してもらうことが重要である.

関連職種への指示

本疾患は正確に診断を行うと従来考えられていたよりも頻度の高い疾患であり, かつ治療成績も良好で今後積極的な治療が期待される.

化膿性腸腰筋炎

Iliopsoas pyomyositis

永島 英樹 鳥取大学 教授

【疾患概念】 大腰筋と腸骨筋とを合わせて腸腰筋とよぶ. 前者は第12胸椎から第5腰椎の横突起基部, 椎体側面, 椎間板から, 後者は腸骨窩の上方部分から起始し, ともに大腿骨小転子に停止する. この筋に感染が及んだものが化膿性腸腰筋炎である.

【病型・分類】

化膿性腸腰筋炎は, 原発性と続発性に分けられる. 原発性は血行性に菌が運ばれて発症し, 続発性は隣接臓器の感染（脊椎炎, 胃腸穿孔など）から菌が直接侵入して発症する.

【臨床症状】

感染で通常みられる発熱や疼痛などを訴える. 患側の股関節が屈曲位をとっており, 他動的に伸展や内旋させると疼痛が誘発されるのが特徴である（psoas sign）.

必要な検査とその所見

(1) 血液検査

白血球数の増加, 核の左方移動, CRPやプロカルシトニンの高値がみられる.

(2) 画像検査

腹部または腰椎のX線正面写真で, 大腰筋陰影が腫大していることがある. しかし, 軽度の場合にはこの判別が難しいことと, 腸骨筋陰影の観察が難しいことから, CTやMRIで観察するほうが容易である.

(3) 培養検査

腸腰筋膿瘍を穿刺して, 培養検査に提出し, 起炎菌が同定されれば確定診断となる. 通常, CTガイド下で穿刺を行う. 血液培養もしておく.

診断のポイント

Psoas signとCTまたはMRIで腸腰筋の腫大を認め, 組織培養で起炎菌が同定されれば確定診断となる.

治療方針

1 ▶ 原発性

CTガイド下で膿瘍を穿刺して, 培養検査に提出するとともに, ドレナージ・チューブを留置してドレナージを行う. また, 起炎菌に感受性のある抗菌薬を投与する. 血行感染の原因となり得る心内膜炎などの検査を進め, あればその治療も行う.

2 ▶ 続発性

基本的な治療は, 原発性と同じである. しかし, 原因となった脊椎炎・胃腸穿孔などが治癒しなければ, 腸腰筋炎も治癒しないので, これらに対して手術を行うことがある.

合併症と予後

腸腰筋は血行が豊富なので, 原発性のほとんどは治癒する. 続発性の予後は, 原疾患による. 糖尿病などの易感染性宿主の因子がないかを確認し, あればその治療もあわせて行う.

> 患者説明のポイント

基本的には予後は良好で後遺症も生じないが，続発性の場合は，当該診療科の治療方針に従うように説明する．

術後椎間板炎

Postoperative discitis

山田 圭　久留米大学 准教授

【疾患概念】　腰椎手術（前方ないし後方手術）後に手術創部感染による炎症を発生し，椎間板に感染が発生したものをいう．腰椎の後方除圧手術で椎間板に操作を加えていなくても，炎症の程度，持続期間により椎間板まで炎症が波及することも少なくない．

【頻度】　発生頻度は2～3%程度である．基礎疾患（糖尿病，血液透析，免疫抑制薬使用など）がある易感染性宿主は注意が必要で，インストゥルメンテーション手術は術後感染発生率が高い．

【臨床症状】　腰椎術後1～2週間に腰痛，38℃以上の発熱を認める．膿瘍が硬膜外に進展し神経の圧迫がある場合には下肢痛や下肢脱力を伴うこともある．腰痛や下肢痛を必ずしも伴わないことも多い．

> 問診で聞くべきこと

手術部に一致した痛み，下肢放散痛・脱力の有無，発熱時の悪寒戦慄の有無を確認する．周術期には呼吸器感染症，尿路感染症，胆道系感染の合併もあるので，呼吸器症状（咳，痰），排尿痛，腹部症状の有無を確認する．腰椎部の感染が髄膜炎を合併することがあるので，頭痛（割れるような強い頭痛）の有無も確認する．

> 必要な検査とその所見

(1) 血液検査

血液検査で，白血球数（白血球分画），CRP値，肝機能，腎機能を含む生化学検査，そしてできれば赤沈値（60分値）を確認する．

(2) 細菌学的検査

38℃以上の発熱を認めた場合には必ず，血液培養（静脈で可）を2セット採取し，血液培養を行う．また同時に尿を採取して細菌培養に提出する．創部から排液がある場合は滲出液（膿）の培養も行う．これらは，必ず抗菌薬投与以前に行うことが必須である．可能であれば病巣部（膿瘍や椎間板）の穿刺を行い，起炎菌を同定する．

(3) 造影CT検査

手術部の炎症巣では中心部の低吸収域と周囲の造影効果を認める．腰椎のみならず，胸部から骨盤にかけて同時に検査を行えば，創部感染以外の肺炎，胆道系感染，尿路感染症の否定にも役立つ．

(4) MRI（造影検査を含む）

MRIは感度，特異度は高く椎間板の炎症を鋭敏に検出する．しかし手術創部は手術後の変化か術後感染かを鑑別するには困難なこともある．

> 診断のポイント

(1) 創部の所見

創部の腫脹，発赤，熱感を確認する．創離開や排液を認める場合，何らかの感染を起こしている可能性がある．腰痛もなく創部の炎症所見がなくても深部感染が存在する場合がある．血液検査，造影CT，造影MRIなどの画像所見で総合して判断することが必要である．

(2) 細菌学的検査

血液培養，創部培養，尿培養で菌が検出され，38℃以上の発熱，血液検査で炎症所見を伴い，画像所見で感染による炎症を疑う所見がある場合には起炎菌である可能性がある．

治療方針

1 ▶ 抗菌薬による治療

起因菌不明の場合は，頻度的に黄色ブドウ球菌が多いので，第1世代セファム系抗菌薬〔セファゾリン（CEZ）〕2gを8時間おきに1日3回点滴静注する．投与中に起因菌が判明すれば，その菌の感受性に合わせて抗菌薬を変更する．起因菌不明で第1世代セファム系抗菌薬が無効である場合には，メチシリン耐性黄色ブドウ球菌感染（methicillin-resistant *Staphylococcus aureus*；MRSA）を想定しバンコマイシン（VCM）に変更する．適宜VCMの薬物濃度モニタリングを行って適切なトラフ値を維持する必要がある．VCMが無効な場合は，椎間板組織への移行性を考慮しリネゾリドやダプトマイシンへの変更も考慮する．感染症科あるいは感染制御科が病院にあれば抗菌薬の選択について早めにコンサルテーションを行うほうがよい．抗菌薬はCRP値が正常化し赤沈値も低下するまで点滴静脈投与を行い，ある程度の病状の改善が得られた後に起炎菌に感受性があり，病巣への移行が良好な抗菌薬内服へ変更する．内服は赤沈値（1時間値）をみながら継続する．内服は起炎菌がMRSAである場合にはリファンピシン，ミノサイクリン，クリンダマイシン，ST合剤などより感受性があるものを選択し，状況に応じて2剤併用も考慮する．ただし，リファンピシンは単剤で使用すると耐性化しやす

21 腰・仙椎部の疾患

いため単剤では使用しない．結果的に抗菌薬は月単位の長期投与が必要となる．

2 ▶ 手術療法

(1) 後方手術

造影MRIで炎症巣が椎間板まで波及している場合には，抗菌薬投与単独では炎症が鎮静化しないことも多い．抗菌薬投与後1〜2週間で発熱や血液所見で炎症所見が改善しない場合には，病巣掻爬洗浄手術を検討する．病巣掻爬洗浄術を行っても炎症の改善を認めない場合には，腰椎創部を開放創として毎日洗浄を行うか，持続洗浄療法を検討する．術中の硬膜損傷や創部に硬膜の露出がなければ，陰圧閉鎖療法（negative pressure wound therapy；NPWT）を考慮する場合もある．インプラントを使用した症例では，インプラントの弛みが顕著な場合や複数回の病巣掻爬洗浄術を施行しても感染が鎮静化しない場合には抜去を検討する．

(2) 前方手術

後方手術で炎症が鎮静化せず，椎体の破壊，腰椎の不安定性が強い場合には前方固定術を検討する．掻爬後の感染巣には腸骨など自家骨を使用することが多い．

患者説明のポイント

手術前から術後感染，それに伴う術後椎間板炎の発生の可能性を説明し了承を得ることが必須である．特に患者側の因子（基礎疾患，栄養状態，患者の体の常在菌）も関与することを説明する．術後感染発生後は，炎症データ，撮影した画像所見を基に適宜患者に経過を説明し，その後の治療方針を話し合っていくことが重要である．

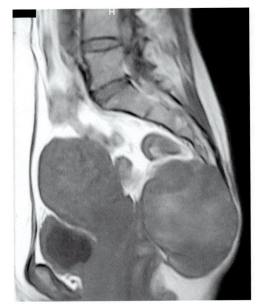

図 21-17 45歳，女性．仙骨脊索腫（MRI T1強調像）
S5以下に巨大な腫瘤を認める．S4以下の切除術を行った．

仙骨部腫瘍

Sacral tumors

尾﨑 敏文　岡山大学大学院 教授

【疾患概念】 仙骨部に発生した骨腫瘍と軟部腫瘍全体のことであるが，ここでは仙骨骨腫瘍を中心に記載する．日本整形外科学会骨軟部腫瘍委員会 全国骨腫瘍登録一覧表（2006〜2017年）に登録された仙骨骨腫瘍症例は，良性腫瘍207例，原発性悪性腫瘍475例，続発性悪性腫瘍309例，骨腫瘍類似疾患52例であった．良性腫瘍207例の内訳は，骨巨細胞腫79例，血管腫52例，神経鞘腫34例，骨軟骨腫10例，その他32例であった．一方，原発性悪性腫瘍475例の内訳は，脊索腫303例，骨肉腫36例，悪性リンパ腫40例，Ewing肉腫27例，その他69例と続く．仙骨悪性腫瘍では約2/3が脊索腫である．骨腫瘍類似疾患52例のうち，単発性骨嚢腫19例と線維性骨異形成14例が多い．

【臨床症状】

まず仙骨部や殿部の疼痛を訴えることが多い．さらに膀胱直腸障害や，下肢のしびれや麻痺など神経症状を呈することがある．症状は腰椎疾患と類似するために，腰椎疾患との鑑別が重要である．仙骨部に腫瘍を触れることもある．良性腫瘍では骨巨細胞腫を除き，進行が緩徐な傾向である．

問診で聞くべきこと

いつからどの部分が痛くなったか，痺れたか，腫瘤が出現したかを聞く．転倒による打撲など外傷と関係がないかなども重要である．がんの骨転移の可能性もあるため，がんの既往歴の聴取は大変重要である．

必要な検査とその所見

まず衣類を脱いでいただき，仙骨部をよく診察することが基本である．仙骨部に腫瘍を触知したり圧痛を訴えることもある．

腰椎疾患が考えられやすいので，まずは腰椎単純X線が撮影されることが多い．仙骨を含む骨盤単純X線写真があれば診断が可能なことがある．しかし，単純X線写真では腫瘍像は検出しにくいことが多いの

で，症状が続くならCTやMRI（図21-17）を追加で検討する．その場合も腰椎をターゲットに撮像することが多いと思われるが，腰椎のみ撮像では仙骨部病変を見落とす可能性がある．骨盤腫瘍や仙骨腫瘍の可能性も頭の隅に置いていただき，可能であれば骨盤や仙骨を含めて撮像することが重要であろう．

診断には典型的な血管腫や骨軟骨腫は画像だけでも診断可能であるが，その他の腫瘍では病理組織学的な診断が重要である．以前は切開生検が一般的に行われていたが，仙骨前面へ隆起した症例などでは患者さんへの負担が大いので，近年はCTガイド下生検がよく用いられる．採取組織は免疫染色や遺伝子診断にも利用される．

鑑別すべき疾患

良性骨腫瘍，骨転移を含んだ悪性の骨腫瘍，骨髄炎，骨腫瘍類似疾患などである．

全身治療

原発性悪性骨腫瘍である骨肉腫やEwing肉腫の場合は，それぞれの標準的な抗がん剤化学療法を全身治療として用いる．骨肉腫には国内ではNECO95Jプロトコールに沿って，メトトレキサート大量，シスプラチン，ドキソルビシン，イホスファミドが，術前・術後化学療法として用いられる．一方，Ewing肉腫にはビンクリスチン，イホスファミド，ドキソルビシン，エトポシドを用いるVIDEや，これらにシクロフォスファミドを組み合わせたVDC-IE交代療法が行われる．がんの骨転移の場合は，骨修飾薬や原発がんに対する抗がん剤化学療法やホルモン治療が行われる．

局所療法

原発性悪性腫瘍の切除は重要な局所療法であるが，手術に伴う合併症や術後機能障害が出現しやすいので利点と欠点をよく検討する必要がある．

Ewing肉腫は放射線感受性が高く放射線治療が行われることも多い．抗がん剤化学療法や放射線治療の効果が乏しい脊索腫に関しては，以前は局所療法としては手術のみが選択肢となり，手術不能症例には治療法がなかった．手術は長時間に及び，出血も多く，手術により高位仙骨部（S1〜2）を切除すると膀胱機能，排便機能，性的障害が必発で，切除神経根によっては歩行障害が発生することもある．2016年4月より，粒子線治療が切除非適応の骨軟部腫瘍に対して保険収載され，満足のできる局所制御効果が得られている．

良性腫瘍では骨巨細胞腫が治療上の問題が多いと思われる．骨巨細胞腫に関しては，従来動脈塞栓術や仙骨全摘術が行われていた．近年は抗RANKL抗体であるデノスマブが用いられるようになっているが，いつまで，どのように投与するかが問題であるし，逆に徹底した搔爬が難しくなったことや，再発リスクが高くなることが報告されている．神経鞘腫に関しては巨大化している症例もあるが，症状に乏しく成長が緩徐な症例も多く経過観察のみの場合もある．

患者説明のポイント

良性腫瘍で症状に乏しいときは経過観察を行う場合もある．仙骨脊索腫では局所治療として外科的切除と粒子線治療の選択肢があるが，双方ともに利点欠点があるため担当医と十分に相談することが望ましい．脊索腫を含めて悪性腫瘍では治療後の再発や遠隔転移が起こる可能性がある．長期的な経過観察が重要である．

仙腸関節の疼痛

Sacroiliac joint pain

金岡 恒治　早稲田大学スポーツ科学学術院 教授

【疾患概念】 仙腸関節は，関節周囲を強固な靱帯で結合されているため可動性に乏しいが，数度程度のわずかな可動性を有する．骨盤輪に何らかの動作による負荷が繰り返されることで，仙骨と腸骨間の後仙腸靱帯やその付着部に負荷が加わり，微細損傷を起こし，炎症を惹起し，その修復過程で神経組織が侵入することで疼痛を生じると考えられる．また後仙腸靱帯のみならず，仙骨と腸骨を連結する靱帯やその付着部に疼痛を伴うため，骨盤輪不安定症による靱帯付着部障害ととらえると病態を理解しやすい．

【頻度】

わが国の報告では一般整形外科外来を受診した，いわゆる非特異的腰痛患者の疼痛原因の6%程度を占めるとされる．

【病型・分類】

前屈動作によって疼痛を生じるニューテーションタイプ，伸展動作によって疼痛を生じるカウンターニューテーションタイプ，どちらでも痛む不安定型に分けられ，各々の病態によって後述するリハビリテーションの方法が異なる．

【臨床症状】

腰痛を主訴とし，動作時痛，座位での疼痛，鼠径部痛など，とらえどころのない骨盤周囲の疼痛を訴える．疼痛部位は上後腸骨棘付近にあり，人差し指1本で痛みの場所を指すように指示すると，上後腸骨棘付近を

指す(one finger test 陽性).また骨盤輪を構成する長後仙腸靱帯,仙結節靱帯などの圧痛,付着部痛を伴うことがある.仙腸関節への負荷が増す片脚立位,階段昇降,歩幅の広い歩行などで疼痛が増強し,免荷するために杖を使用することもある.仰臥位で下肢を伸展して自動挙上させる active SLR テストによって,腸骨に回旋力が加わり,仙腸関節に負荷が加わることで腰痛が再現され下肢挙上が制限されることがある.検者が下肢を支えて他動的に挙上させると疼痛が生じないため通常の下肢伸展挙上テストと区別される.また機序は明らかではないが,仙腸関節障害によって下肢のしびれや疼痛,まれに下肢の筋力低下や知覚障害を呈することがある.

▌問診で聞くべきこと

ガーデニングや床拭きなどのしゃがんで行う作業では,仙腸関節に負荷が大きくなるため,これらの動作を行っていないか確認する.上述の one finger test は簡便で特異性も高いため必ず確認する.また腰椎固定手術後の隣接関節障害として発症することがあるため,固定手術後の患者が腰痛を訴える際には本障害も疑う.

▌鑑別診断

本障害によって腰殿部痛や下肢症状を呈し,active SLR テストで陽性所見を呈するため,腰椎椎間板ヘルニアとの鑑別が必要となる.もし腰椎椎間板ヘルニアを疑い,MRI 検査を行うも,ヘルニアによる明らかな神経根圧迫所見を認めない場合には,本障害も疑う.

▌診断のポイント

脊柱所見に特異性は少なく,one finger test,上後腸骨棘付近や仙椎周囲の靱帯の圧痛,上述の active SLR テストを認める際には本障害を疑う.さらに骨盤輪に負荷を加える操作として,股関節の開排を強制する Patrick テストや,股関節の伸展を強制する Gaenslen テスト,腹臥位で仙骨を押す Newton テスト変法などがあるが,特異性は高くない.仙腸関節後

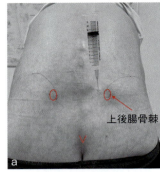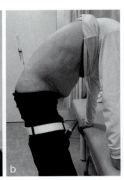

図 21-18　仙腸関節ブロック
立位にて上後腸骨棘の内側から後仙腸靱帯部に刺入する.

方の後仙腸靱帯部へのブロック注射(図 21-18)が診断的治療として用いられ,症状が軽快する場合には本障害と診断する.また仙腸関節を徒手的に支持することで疼痛軽減が得られるため,AKA 法や SNUGS 法などの徒手介入手技も診断的治療法として用いられる.

▌治療方針

NSAIDs 投与やブロック注射などで疼痛を軽減させ,原因動作を避けることで軽快することが多い.しかし慢性化した場合や頻回に繰り返す場合には,骨盤輪を安定させる作用がある腹横筋の単独収縮を訓練させる.超音波画像を用いて腹横筋の単独収縮を訓練し,疼痛誘発動作を行う際に腹横筋を収縮させることで疼痛が軽減したことを確認し,日常生活のなかでもその収縮を意識させる.また骨盤輪を支えるコルセットの装用も有効である.本障害によるとらえどころのない症候は,ときに心理的問題と誤って評価され,さまざまな不適当な薬物加療が行われている症例を散見するため注意を要する.

私のノートから/My Suggestion　腰痛のもつ意味を探れ

　今や，わが国は超高齢社会である．それに伴って，整形外科を訪ねる患者の多くは，高齢である．診療対象となる病態も，以前の急性疾患である外傷から，今は慢性の変性疾患が主体となってきた．慢性疾患に伴う疼痛のなかでも腰痛は，時に，治療に難渋する．

　腰痛についての病態のとらえ方も劇的に変わった．腰痛の増悪や遷延化には，従来われわれが認識している以上に早期から，社会的・心理的な要因が深くかかわっている．私の修業時代は，単純X線写真で椎間腔の狭小化と骨棘を認めると，それが腰痛の原因であると患者に説明していた．X線学的不安定性を認めれば，固定術の適応と考えるのが一般的であった．東日本大震災に伴う原発事故によって，心理・社会的因子が，腰痛の増悪や遷延化のみならず発生にも深く関与していることが初めて証明された．

　近年，慢性の疼痛は，寿命，認知機能，睡眠障害など，健康に深くかかわっていることも明らかにされた．すなわち，腰痛は腰という局所だけでなく，健康という全身の問題なのである．

　このような事実を考えると，整形外科医は，今後，運動器の診療という領域だけにとどまらず，痛みを通して国民の健康の維持に大きな役割を果たさなければならない．そうであれば，腰痛を診察する際，その患者にとって腰痛はどんな意味をもっているのかを探る必要がある．腰痛の存在は，患者の健康にとって負に働く要因が背景にあり，他の臓器の障害をも惹起しているかもしれないのである．

　これからの整形外科医は，運動器のプロとしてアート（技術，NBM）の高い能力は当然として，健康の門番（ゲートキーパー）の役割も求められている．この役目は，整形外科医だからこそできる．その使命を果たすためには，"人間学"のスキル，そしてcureだけでなく，careの視点をもつことが求められる．外来診療のなか，患者の話に耳を傾け，共感を示すことは，困難な作業だが大切である．

菊地 臣一（福島県立医科大学 名誉教授）

救急・集中治療領域における緩和ケア

監修＝**氏家良人** 函館市病院局 病院局長／岡山大学 名誉教授
編集＝**木澤義之** 神戸大学医学部附属病院緩和支持治療科 特命教授

提供する時期や疾患を問わない緩和ケアを、救急・集中治療領域に統合するために

救命ができても死が避けられなくても、がんだけではなく心不全でも外傷でも、緩和ケアニーズは存在する。救急外来やICUにおける緩和ケアニーズのアセスメント、患者・家族とのコミュニケーション、苦痛症状に対するケア――時間が限定された救急外来やICUだからこそ、提供できる緩和ケアがある。「救命か、緩和か」ではなく、「救命も、緩和も」かなえるために、領域を越えて編まれたはじめての書。

B5 頁200 2021年
定価：2,970円（本体2,700円＋税10%）
[ISBN978-4-260-04147-8]

目次

Prologue
これまでの歩みを踏まえ、領域を越えた協働を実現するために

1 緩和ケアの実際 ― overview
2 緩和ケア視点からの評価を通常のケアに統合する ― アセスメント
3 治療の中止と差し控え ― 法律と倫理
4 患者・家族と話し合う ― コミュニケーション
5 苦痛症状に対するケア
6 生命維持治療の中止とその後に行うべき緩和ケア

医学書院　〒113-8719　東京都文京区本郷1-28-23　[WEBサイト]https://www.igaku-shoin.co.jp
[販売・PR部]TEL:03-3817-5650　FAX:03-3815-7804　E-mail:sd@igaku-shoin.co.jp

22 骨盤の疾患

骨盤輪骨折，仙腸関節脱臼 ………………………………… 714
骨盤骨折に伴う血管損傷・尿路損傷 ……………………… 715
外傷性恥骨結合離開 ………………………………………… 716
骨盤輪不安定症 ……………………………………………… 717
恥骨炎（恥骨結合炎） ……………………………………… 717
仙腸関節炎 …………………………………………………… 718

骨盤輪骨折，仙腸関節脱臼

Pelvic ring fracture, Sacroiliac joint dislocation

伊藤 雅之 福島県立医科大学 教授（外傷再建学講座）

【疾患概念】 骨盤輪は，恥骨で構成される前方要素と，仙骨や仙腸関節で構成される後方要素に分けられる．骨盤輪骨折や仙腸関節脱臼は，交通事故や墜落など高エネルギー外傷に伴う致命的な外傷であり，整形外科が病院搬送直後からかかわるべき，整形外科緊急症である．高エネルギー外傷のために，多部位の損傷を合併し，内臓器損傷を伴うことも多いため，他科と協力して治療戦略を立てる必要がある．一方，近年の高齢化に伴い，転倒などの低エネルギー外傷で受傷する，脆弱性骨盤輪骨折が増えてきている．転位が小さく，急性期に致命的となることは少ないものの，診断が難しく骨代謝が悪いために治療に難渋することがある．ここでは，骨盤輪骨折と脆弱性骨盤輪骨折を分けて解説する．

【分類】
重症度は，骨盤の後方構成体の破綻度合いによって決定される．Young-Burgess分類は，受傷機転によって，受傷側の腸骨部が内旋し骨盤容積が減じる側方圧迫型，腸骨部が外旋し骨盤容積が広くなる前後圧迫型，腸骨部が剪断力によって垂直方向にも転位し骨盤輪が破綻する垂直剪断型に分けられる（**表22-1**）．骨盤容積が広がれば内出血量も多くなるために，一般的に側方圧迫型より前後圧迫型のほうが重症であり，さらに垂直方向に骨盤輪の破綻を伴うと内臓器損傷なども合併しやすく，より重症化する．骨盤のどこに損傷があるかといった損傷部位の分類としてAO分類があり，また，脆弱性骨盤輪骨折においてはRommens分類が用いられる．

【病態】
(1)骨盤輪骨折，仙腸関節脱臼
骨盤輪が破綻し，周囲の血管損傷と骨折部からの出血により，大量出血をきたすことが主な死亡原因となる．

(2)脆弱性骨盤輪骨折
恥骨骨折では，骨盤輪の不安定性が強くないため，痛みに応じて歩行可能となる．しかし，恥骨骨折と診断しても，脆弱骨の場合は後方構成体が破綻していることがあり，荷重制限を要する．

問診で聞くべきこと
転倒などによる低エネルギー外傷であるか，交通事故や高所墜落などの高エネルギー外傷であるか，あるいは外傷の際に外力がどの方向に加わったか，問診で聞くことによって，おおよその重症度を判断し，緊急対応の準備をする．緊急手術の可能性があり，既往歴，家族歴，アレルギーや内服の有無，最終飲食時間など，一般的な問診は欠かせない．脆弱性骨盤輪骨折の場合，単なる恥骨骨折に思われるが，殿部や腰部の痛みの有無を聞くことで，後方構成体損傷の有無を推測できる．

必要な検査とその所見
(1)身体検査
まずはチームによる蘇生行為であるが，2番目として多臓器損傷の合併を診るために身体検査がある．着衣をとり，低体温にならないように保温に注意をしながら，全身の観察をする．高エネルギー外傷では，特に多臓器損傷の合併の有無を確認する．骨盤骨折においては，腟の裂傷や直腸の損傷を合併した場合，開放性骨盤骨折となり死亡率が上がるために見落としてはならない所見である．尿道口からの出血は尿道損傷を疑う．意識障害のある患者は，頸椎保護とログロールによって背部を観察し，意識障害のない患者は，問診によって神経損傷の有無を確認する．バイタルサインには常にチームの誰かが注意し，いつでも蘇生行為を再開できるようにしておく．

(2)血液検査
重症と判断した場合，血液ガス検査によって貧血の有無をすぐに判断し，緊急輸血のため血液型は最優先される．

(3)尿検査
尿の外観で血尿と判断すれば，腎臓以下尿道までの損傷を疑う．尿道口からの出血，Foleyカテーテルの挿入困難などは逆行性膀胱造影を行う．

(4)X線
蘇生が必要な場合，胸部と骨盤部の単純X線正面像2枚で判断する．骨盤輪の破綻程度，恥骨結合の離開距離，骨盤容積の拡大，あるいは第5腰椎横突起骨折，仙腸関節脱臼の有無などで重症度が判断できる．患者の状態が落ち着いているのであれば，インレット像，アウトレット像を追加し，それぞれ，前後方向，垂直方向の転位や骨盤輪の破綻を明らかにする．

(5)CT
重症度の判断に必要な，骨盤の後方構成体損傷を診断するのに用いる．これらは手術計画をする際にも必要な情報となる．造影剤を使用することでextravasationの有無を診断し，塞栓術の適応を判断することもある．

(6)MRI
高齢者の脆弱性骨盤輪骨折においては，後方構成体の破綻はX線学的に診断できないことも多く，その場合にMRIが有用である．

表 22-1　Young-Burgess 分類　受傷機序に応じた分類

LC：側方圧迫型 前方損傷 恥骨骨折	LC-Ⅰ	圧迫側の仙骨骨折
	LC-Ⅱ	圧迫側のクレセント骨折
	LC-Ⅲ	LC-ⅠかⅡに対側のAPCを合併
APC：前後圧迫型 前方損傷 恥骨結合離開　恥骨骨折	APC-Ⅰ	恥骨結合離開＜2.5 cm
	APC-Ⅱ	恥骨結合離開≧2.5 cm
	APC-Ⅲ	後方靱帯成分の完全破綻
VS：垂直剪断型		
CM：上記の組み合わせ(combined mechanism)		

診断のポイント

単純X線正面像の1枚で重症度を判断することが重要であり，緊急大量輸血や経動脈塞栓術など自施設で対応ができないと判断したら，即転院搬送の判断をする．高齢者の脆弱性骨盤輪骨折では，低エネルギーにかかわらずショックになることがあるため経過観察が必要である．

治療方針

1 ▶ 初期治療

初療室では，出血性ショックに対応する．輸血と止血と固定である．輸血は骨盤輪の破綻程度によって，院内のルールに従うが，クロスマッチを行わずO型の赤血球で緊急輸血を行うことも検討する．大量輸血の場合は，赤血球，新鮮凍結血漿，血小板の輸血を行う．トラネキサム酸の投与も有効であるという見解がある．止血については経動脈塞栓術あるいはガーゼパッキングなどの外科処置をする．固定はシーツラッピング・ペルビックバインダー・ショックパンツなどで初期対応し，オープンブックタイプは創外固定，垂直剪断型は創外固定と直達牽引を施す．腟・直腸など会陰部の損傷があれば開放骨折として対応し，抗菌薬の投与を行い，洗浄・修復・ストーマなどで対応する．

2 ▶ 保存療法

骨盤輪が破綻していない場合に適応となる．特に高齢者は寝たきりを防ぐために，早期から痛みに応じて起立訓練や歩行訓練を開始する．通常は3～4週間で仮骨形成と痛みの軽減をみる．

3 ▶ 手術療法

オープンブックタイプと垂直剪断型，側方圧迫型のうち，下肢の内旋が強い例，恥骨骨折部が膀胱損傷を引き起こしている例，恥骨結合がかみ込んでしまっている例などが適応となる．骨盤輪から体幹への荷重伝達を考えた固定が要求される．プレートや脊椎固定材料を用いるが，専門施設への相談，加療が望ましい．

骨盤骨折に伴う血管損傷・尿路損傷

Vessel injury and urinary injury associated with pelvic ring fracture

伊藤　雅之　福島県立医科大学 教授(外傷再建学講座)

【疾患概念】
骨盤骨折では，骨盤輪の破綻に伴って，血管損傷や尿路損傷が発生する．大血管損傷があった場合は致命的となる．

【頻度】
それぞれ重症度(表22-1 参照)に応じて合併頻度が上がる．APC-Ⅲの67%，VSの63%に出血性ショック，LC-Ⅲの60%に後腹膜血腫を認める．膀胱損傷を含めた尿路損傷は6～15%に認められる．女性は男性に比べて尿道が短いため，尿道損傷を起こしにくい．

必要な検査とその所見

特に血尿を認めた場合は，逆行性膀胱造影を行う．

診断のポイント

ショックは，冷えてしっとりした皮膚の触知，あるいは橈骨動脈が触知されないことなどで緊急に察知をする．医原性の尿道損傷を防ぐために，逆行性膀胱造影などで尿道や膀胱損傷がないことを確認して，Foleyカテーテルを挿入する．

治療方針

出血源は多数の小血管損傷と骨折部からのことが大半で，骨盤輪骨折の項で示された初期の輸血・止血・固定でほとんどの場合対応可能であるが，大血管損傷はこれらの治療で対応できないため，明らかな大血管損傷は，緊急性に応じて左開胸あるいは経動脈的にREBOA (resuscitative endovascular balloon occlusion of the aorta)などで大動脈遮断し時間を稼ぎ，救急科・血管外科により血管内ステント治療，外科的修復を要する．膀胱損傷は修復と同時に骨接合術が望ま

しく，外科的修復をしなかった場合，26%の合併症率が報告されている．尿道損傷は損傷に応じて，Foleyカテーテルによる保存療法，膀胱瘻をつくった後に尿道修復術などが行われる．

外傷性恥骨結合離開

Traumatic disruption of the pubic symphysis

鈴木 卓　帝京大学医学部附属病院外傷センター 准教授

【疾患概念】　骨盤の輪状構造を形成している靱帯結合のうち，前方の恥骨結合の線維軟骨が破綻して離開が生じる．多くの場合骨盤の前後方向から外力が加わり，左右の寛骨の片側または両側が外旋方向へ転位する（open book injury）．外力が大きいと後方の仙腸関節の靱帯損傷を伴っていることもある．まれに側方からの外力により，恥骨結合部が破綻して恥骨同士が重なり合うように転位することもある（locked symphysis）．

【臨床症状】

恥骨結合部の痛みを訴える．後方仙腸関節まで損傷が至ると腰背部痛が主訴となる．寛骨の外旋が大きいと，患側下肢が外旋位となる．外陰部や会陰部に皮下血腫を認めることもある．

【必要な検査とその所見】

(1) X線写真（図 22-1a）

恥骨結合間の距離は正常で 0.5 cm 前後であり，1 cm 以上間隔が広がっている場合は確定診断となる．

(2) CTスキャン

恥骨結合離開の正確な計測や後方仙腸関節の離開の有無を評価する．

(3) 膀胱・尿道造影

外尿道口からの出血や会陰部に皮下血腫を認めた場合に考慮される．

【診断のポイント】

多発外傷や重症外傷に合併することが少なくないため，臨床所見が詳細にとれないことがある．単純X線写真上の計測が基本で，疑わしい場合は，骨盤の外旋方向にストレスを加える目的で膝を屈曲して，両下肢を外転外旋位（frog-leg position）で単純X線写真を撮影し，恥骨結合間距離が増大しないか評価する．

【治療方針】

一般に離開の大きさが 2.5 cm より大きい場合には，後方の仙腸関節部の靱帯損傷を伴っており，手術治療が必要である．ストレスをかけても恥骨結合間が 2.5 cm 未満で，仙腸関節部の痛みを訴えない場合は，保存療法が選択される．Locked symphysis の場合は，麻酔下に患側下肢を frog-leg position にして整復を試みるが，観血的治療を要することが多い．

1 ▶ 保存療法

腰椎コルセットや骨盤ベルトなどを装着する．荷重歩行は疼痛に応じて許可する．強い痛みが持続する場合は手術療法への変更を検討する．

2 ▶ 手術療法

大きく創外固定と内固定に分けられる．後方部の靱帯損傷が比較的軽度であれば，骨盤後方部分は内固定しなくても，恥骨結合部が近接した状態を維持することにより，靱帯成分が瘢痕治癒して骨盤輪の輪状構造が再建される．一方，恥骨結合が左右に開大するだけでなく，上下方向にも転位するような骨盤後方の損傷が大きいと推測される場合は，恥骨結合離開のプレート固定に加えて骨盤後方部分の内固定を要する．

(1) 創外固定

両側の腸骨稜または下前腸骨棘にピンを挿入し，骨盤を内旋する方向に整復固定する．靱帯成分が瘢痕治癒する12週程度の装着を要するため，患者のADLが低下するのが難点である．多くの場合は初期治療として用いられ，後日内固定に変更するのが一般的である．

(2) 内固定（図 22-1b）

腹直筋間の正中アプローチから膀胱前面の後腹膜腔に進入し，プレートで恥骨結合部を固定する．後方損傷が重度の場合は，腸骨より仙骨に向けて経皮的スクリュー固定を追加するとよい．完全に仙腸関節が脱臼している場合は，仙腸関節前面にプレートを設置し関節固定術を併用する．

【合併症と予後】

恥骨結合離開に合併しやすい泌尿生殖器損傷や神経障害がないか検索する．長期経過すると，多くの症例で前方プレートの折損やスクリューの逸脱，恥骨結合のわずかな開大がみられるが，臨床症状を呈することは少ない．

【患者説明のポイント】

長期に経過をみると，設置したプレートの折損やスクリューの逸脱が高率に生じ，症状が出れば抜釘が必要となることを説明する．出産可能年齢の女性の場合は，将来の帝王切開が必要となる可能性について説明する．

【リハビリテーションのポイント，関連職種への指示】

左右体位交換や座位は術直後より許可できる．腹臥位は好ましくない．後方靱帯損傷を伴う場合は荷重制限が必要である．術後早期に下肢外排位を許可すると，恥骨結合の再離開を生じるので注意する．

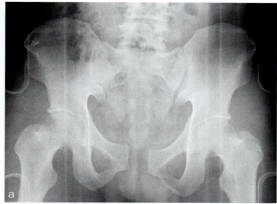
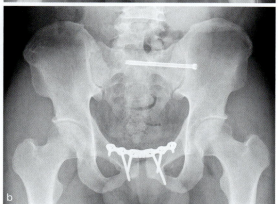

図 22-1 恥骨結合離開（a）と内固定（b）
骨盤輪後方要素の損傷程度を評価する必要がある．

Gaenslen test など）で疼痛が誘発される．

(2) 画像所見

　骨盤単純 X 線写真では異常を示さないことが多い．骨盤 CT 横断像上で，仙腸関節後方の 3 mm 以上の開大や仙腸関節後縁で仙骨の後方偏位などは，異常所見である．片側立位の骨盤単純 X 線正面像で，恥骨結合に上下 5 mm 以上の段差が出る場合は，不安定性があると考えてよい．

診断のポイント

　骨盤に負荷がかかる状態での仙腸関節部や恥骨結合の痛みがある場合に疑う．骨盤ストレステスト陽性で，画像所見で異常が確認されれば確定する．MRI で他の腰椎疾患を除外しておくことも大切である．

治療方針

　画像所見で異常を示さない場合は本質的には機能異常と考えられるため，保存療法が基本となる．手術療法が適応となることは少ない．

1 ▶ 保存療法

　鎮痛薬を処方し，必要に応じて装具療法として腰椎コルセットなどを骨盤周囲に締結する．慢性期では脊柱起立筋・殿筋・股関節内外旋筋などの筋力強化とストレッチも有効である．局所麻酔薬による仙腸関節ブロックも有用な方法である．

2 ▶ 手術療法

　恥骨結合固定術，仙腸関節固定術などがあるが，画像所見で客観的不安定性が確認できる器質的疾患に適応するのが望ましい．

骨盤輪不安定症

Pelvic ring instability

鈴木 卓　帝京大学医学部附属病院外傷センター 准教授

【疾患概念】　仙腸関節や恥骨結合部で骨盤の生理的可動範囲を超えた動揺が生じ，痛みなどの愁訴を伴う疾患群と考えられる．妊娠・出産後の女性に多いが，軽微な骨盤外傷後や過度なスポーツでも起こり得る．

【臨床症状・病態】

　立位や座位，歩行時，労作時などに腰仙部または恥骨結合部に痛みを訴える．出産前後の女性に生じる場合は，分娩外傷や女性ホルモンによる結合組織の弛緩が関与する．

必要な検査とその所見

(1) 理学所見

　骨盤ストレステスト（Newton test, Patrick test,

恥骨炎（恥骨結合炎）

Osteitis pubis

村上 栄一　JCHO 仙台病院 院長〔仙台市泉区〕

【概念】　左右の恥骨を結合する恥骨結合部に運動ストレスがかかって生じる炎症で，スポーツによって発症する例が多い．ランニングやサッカーなどでキック動作を繰り返すことで，恥骨結合の軟骨円板に捻じれや，恥骨に付着している大内転筋，腹直筋，薄筋などに牽引力が加わり炎症を起こす．また出産の際にも，恥骨結合が開大される力が働き，炎症を起こす場合がある．

【症状】

　恥骨前面や内転筋に一致した痛み，運動痛，時に鼠径部や大腿内側や腹部にまで痛みを感じることがある．

診断

X線写真で恥骨に不整像があり，圧痛を認めれば診断は容易である．恥骨結合に反復性のメカニカルストレスのかかるスポーツ歴があれば，下肢を挙上，外転する動作で疼痛が誘発されやすい．

治療法

急性期から発症半年以内であれば，保存療法が第1選択で，まず，2週くらいのスポーツ休止が必要．疼痛をよぶジャンプやキック，ジョギングも禁止し，局所へのアイシング，NSAIDsの内服，副腎皮質ホルモンの局所注射などが行われる．

長期的には運動療法が効果的である．初期は股関節の外転可動域訓練，内転筋のストレッチから始めて，水中歩行などの免荷訓練，その後，痛みの有無を確認しながら，徐々にジョギング，ボールキックの練習に移行する．いたずらな早期復帰はかえって再発を繰り返すため，注意を要する．詳しくはスポーツ医に相談しながら治療を行うことが望ましい．

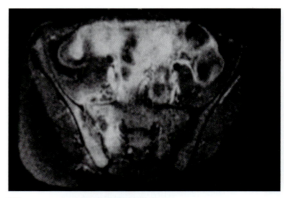

図22-2　右化膿性仙腸関節炎

仙腸関節炎

Sacroiliitis

村上　栄一　JCHO 仙台病院 院長〔仙台市泉区〕

【概念】　化膿性と非化膿性の仙腸関節炎がある．化膿性の場合には上気道感染や尿路感染に続発して起こることが多く，起炎菌は黄色ブドウ球菌が多いが，大腸菌による場合もある．結核は漸減傾向にあるが，欧米に比べて多く，結核菌による関節炎の存在を忘れてはならない．

非化膿性仙腸関節炎は，仙腸関節の関節包や靱帯付着部（enthesis）の炎症を起こす enthesopathy で，進行すると関節の強直を生じる．強直性脊椎炎はその代表で，最初に変化するのが仙腸関節とされ，脊椎や股関節などの関節にも炎症を起こしていく．この他に乾癬性関節炎，Reiter 症候群，Crohn 病，潰瘍性大腸炎，Whipple 病，Behçet 病を含めた7疾患が血清リウマチ反応陰性の脊椎関節炎（seronegative spondyloarthropathy；SNSA）と呼ばれ，これらも仙腸関節炎を生じる．

【症状】　腰部から殿部にかけての痛みが中心で，下肢症状も伴うことがある．化膿性では局所の熱感，また腸腰筋の刺激症状により股関節屈曲位をとることもある．SNSA では腰殿部のこわばり感，運動痛，自発痛や脊椎可動域制限がみられ，進行に伴い各関節の可動域制限などが出現する．最終的には仙腸関節や脊柱の強直のために前かがみの姿勢となり，日常生活動作の障害をきたす．

診断

(1) 疼痛部位の同定

One finger test（指1本で痛みの中心部を指す）で仙腸関節部付近を指す．また仙腸関節付近に圧痛を認める．

(2) 仙腸関節の疼痛誘発テスト

腹臥位で患側の仙腸関節部を掌で腹側に押して疼痛が誘発される（sacroiliac joint shear テスト：Newton テスト変法）．

(3) 血液検査

化膿性の急性例では白血球の増多，CRP 強陽性を認めるが，亜急性例や結核性では変化が軽度であることも多い．結核性ではツ反陽性が診断の目安となる．SNSA では，血沈亢進，CRP 陽性など炎症反応がみられ，強直性脊椎炎患者では HLA-B27 陽性例が多いと言われる．

(4) 画像所見

①単純X線：化膿性ではある程度進行すると関節周辺が不鮮明となり，侵食像を認める．SNSA でも初期の変化は捉えにくく，経過とともに強直性脊椎炎では仙腸関節の骨縁の不鮮明化，骨びらんが生じ，進行すると関節強直に進展し，また脊柱には靱帯骨化による bamboo spine を認める．

②MRI：化膿性では初期から炎症を反映して T1 低信号，T2 高信号の領域が関節周辺に認められ（図22-2），診断的価値が高い．SNSA では炎症を反映するが，特徴的所見は捉えにくい．

③骨シンチ：化膿性および非化膿性において初期から集積像を認め，早期診断の助けとなる．

(5) 細菌培養

化膿性の最終的な確定診断は起炎菌の同定である．血液培養や仙腸関節穿刺による関節液培養を施行する．結核の場合はPCR法が有用である．

(6) 仙腸関節ブロック

非化膿性の場合には仙腸関節ブロックで一時的に疼痛の軽快が得られる例も少なくない．

治療のポイント

1 ▶ 化膿性仙腸関節炎

安静，抗菌薬投与を行う．CRPが陰性化しても3週間は抗菌薬を継続する．治療抵抗性の例では病巣郭清やドレナージが必要になる．結核性では副作用の発現に注意を払いながら抗結核薬を6〜9か月間投与する．

2 ▶ 血清反応陰性脊椎関節炎（SNSA）

早期から薬物治療とスポーツや体操を含む積極的なリハビリテーションの介入で関節強直や脊柱変形を予防することが重要である．

薬物はNSAIDsが第1選択で，無効な症例ではサラゾスルファピリジン，メトトレキサートなどが有効な例もある．

またステロイド入りの仙腸関節ブロックが有効な例もある．

移動と歩行
生命とリハビリテーションの根源となるミクロ・マクロ的視座から

編集
奈良　勲 [広島大学名誉教授]
高橋 哲也 [順天堂大学保健医療学部理学療法学科教授]
淺井　仁 [金沢大学医薬保健研究域保健学系リハビリテーション科学領域教授]
森山 英樹 [神戸大学生命・医学系保健学域教授]

「移動圏の拡大」を新たなテーマとして人間らしい社会参加の実現を探る！

「移動圏の拡大」を新たなテーマとして人間らしい社会参加の実現を探る

すべてのリハビリテーション医療者に向けた
唯一無二の書

細胞生物学、生命倫理、霊長類研究、人間発達学、運動生理学、運動学など、多彩な基礎的知見から"移動"の概念を再考するほか、日常生活活動（ADL）や福祉用具を含めた環境整備の視点で対象者の"移動"を捉え直す。また、代表的なリハビリテーションの対象疾患者について、"移動圏"の概念を基軸として、横断的に考察する。"移動"に関連する学際的知見を、第一線で活躍する執筆陣が書き下ろした"唯一無二"の書！

CONTENTS

序　章　生命の根源となるミクロ・マクロ的"移動"の概念

第1章　移動に関連する基礎的概要
1　生命機能と細胞
2　医療分野における生命倫理学の変遷
3　霊長類の進化と移動
4　人間発達と移動
5　運動生理学的観点からみた移動
6　姿勢制御と移動
7　運動学的観点からみた移動

第2章　環境因子と個人因子に基づく移動圏
1　日常生活活動における移動
2　福祉用具および環境と移動

第3章　代表的な疾患者の移動形態と移動圏
1　骨関節疾患者の移動
2　脳卒中片麻痺者の移動
3　Parkinson病者の移動
4　呼吸疾患者の移動
5　心臓疾患者の移動
6　糖尿病者の移動
7　脊髄損傷者の移動──補助ロボットの活用
8　切断者の移動
9　脳性麻痺者の移動
10　精神疾患者の移動

●B5　頁344　2020年　定価：5,500円（本体5,000円＋税10%）[ISBN978-4-260-04080-8]

医学書院
〒113-8719　東京都文京区本郷1-28-23　[WEBサイト] https://www.igaku-shoin.co.jp
[販売・PR部] TEL:03-3817-5650　FAX:03-3815-7804　E-mail:sd@igaku-shoin.co.jp

23 股関節の疾患

股関節の機能解剖(バイオメカニクス) …… 722
股関節部の痛みのとらえ方/診断手順 …… 723
発育性股関節形成不全(いわゆる先天性股関節脱臼
　について) …… 725
発育性股関節形成不全 …… 727
Perthes 病 …… 728
大腿骨頭骨端異形成症(Meyer 骨異形成症) …… 730
大腿骨頭すべり症 …… 730
単純性股関節炎 …… 732
乳児化膿性股関節炎 …… 733
弾発股 …… 734
一過性大腿骨頭萎縮症 …… 734
急速破壊型股関節症 …… 735
大腿骨頭壊死症 …… 737
変形性股関節症 …… 739
股関節脱臼骨折 …… 743
大腿骨頭骨折 …… 744
大腿骨頚部骨折 …… 745
大腿骨転子部骨折 …… 748
Femoroacetabular impingement(FAI) …… 750

股関節の機能解剖（バイオメカニクス）

Functional anatomy and biomechanics of the hip joint

大谷 卓也　東京慈恵会医科大学附属第三病院 教授

1 股関節の機能解剖

1 ▶ 骨軟骨形態の機能解剖

　大腿骨頚部〜骨頭には125°程度の頚体角と10〜30°の前捻角が存在する．寛骨臼は30〜40°の外方開角と30〜40°の前方開角を有する．このような股関節の大腿骨頭軟骨面と寛骨臼軟骨面がすっぽり納まるように適合する股関節肢位は，屈曲約90°でわずかな外転，外旋位，すなわち四つ這いの姿勢である．ヒトの股関節構造はいまだに四足獣に適したものであり，二足獣としての起立位では骨頭軟骨前方が非覆不全を呈し，もともと生体力学的に厳しい環境であることをまずは念頭に置く必要がある．

2 ▶ 関節包，靱帯の機能解剖

　股関節では，頚部から骨頭が円筒状の関節包・靱帯に取り囲まれている．前面の腸骨大腿靱帯，前下面の恥骨大腿靱帯，後面の坐骨大腿靱帯が重要で関節安定性に寄与する．これらの靱帯はいずれも股関節伸展位で緊張し，屈曲位では弛緩するような走行であるため，関節スタビライザーとしての機能は股関節伸展位においてより高い．

3 ▶ 股関節周囲筋の機能解剖

　股関節周囲には多くの筋肉が存在し屈曲，伸展，内転，外転，内旋，外旋などの作用を行う．筋肉の機能解剖につき認識しておくべきいくつかの点を挙げる．
①股関節と膝関節に関与する二関節筋の股関節作用は，常に膝関節肢位に影響を受ける．例えば大腿直筋の股関節屈曲作用は膝伸展位よりも膝屈曲位において強力であり，また，ハムストリングス（大腿二頭筋，半腱様筋，半膜様筋）の股関節伸展作用は膝伸展位においてより強力となる．あるいは，股関節の他動的伸展可動域をチェックする場合，膝伸展位での股関節伸展は関節包靱帯が制御するが，膝深屈曲位では伸展可動域が減少し，これは大腿直筋による制御が働いたものである．
②3度の運動自由度を持つ股関節の運動筋は，関節肢位により働きが変化するという特徴を持つ．例えば，多くの股関節内転筋群は内転とともに屈曲作用を有するが，屈曲角度が50〜70°以上となると，逆に内転とともに伸展に働くようになる．あるいは，内閉鎖筋，外閉鎖筋はいずれも，股関節中間位において外旋作用を有する．しかし股関節が屈曲位をとると，内閉鎖筋の走行は大腿骨軸方向に近くなり回旋作用が働きにくくなるのに対し，外閉鎖筋は股関節屈曲位においても骨軸と直交して走行し，外旋作用が維持される．人工股関節置換術後の後方脱臼予防の観点では，股関節屈曲位での内旋制動が重要であり，外閉鎖筋の機能維持が重要と考えられる所以である．
③ボリュームが大きい浅層筋と比較して，以前はあまり重要視されなかった深層筋（腸腰筋，小殿筋，短外旋筋群）の機能が注目されている．これらの深層筋は骨頭を寛骨臼に押し付けて関節自体の支持性や安定性を高め，浅層筋の働きをサポートして関節の運動効率を改善し，また，深部感覚機能（プロプリオセプション）に関与して姿勢や歩行の制御に寄与するとされている．

2 股関節のバイオメカニクス

1 ▶ 股関節前額面におけるバイオメカニクス

　正しい片脚起立姿勢を前額面上で観察した際の股関節周囲の力学的バランスを説明したPauwelsの理論は，あまりにも有名である．すなわち立脚側の股関節中心より内側に偏した体重の重力ベクトルに対し，股関節の外側に位置する筋力ベクトルが釣り合いを取ることで，骨盤の水平性と正しい体幹姿勢が保てるとするもので，両ベクトルの合計である股関節合力は，起立〜歩行において体重の3〜6倍とされている．一方，関節破壊の観点では，荷重される合力を受け止める面の単位面積当たりの力である，応力が重要となる．したがって，股関節治療を考えるうえでは，関節応力を減少させるために，いかに股関節合力を減少し，荷重面積を拡大できるかが重要点となる．

2 ▶ 股関節矢状面におけるバイオメカニクス

　近年，脊椎と骨盤の矢状面上のバランスの重要性が指摘され，多くの研究がなされている．基本的事項としては，胸椎後弯と腰椎前弯，骨盤傾斜は相互に代償性を働かせつつバランスを保っており，第7頚椎中心から下ろした垂線（C7 plumb line）は股関節回転中心の後方を通るとされている（代償性矢状面バランス：図23-1a）．しかし腰椎の後弯変形や胸椎の代償性低下に伴い非代償性矢状面バランスとなると，C7 plumb lineは股関節の前方へと偏位し，股関節合力は大きく増加するとされている．さらに，腰椎後弯に骨盤後傾が伴うと，寛骨臼荷重面積の減少により股関節応力は大きく増大して，股関節破壊へとつながる（図23-1b）．急激で高度な破壊の典型例が，急速破壊型股関節症である．本項の第1項で述べたように，ヒトが二足獣となった時点ですでに股関節は厳しい生体力学的環境にあることを踏まえると，破壊が一気に加速

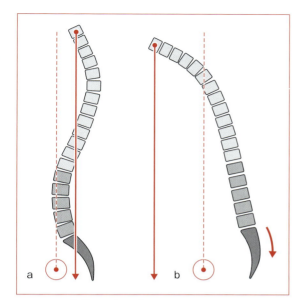

図 23-1　脊椎〜骨盤の矢状面バランスと股関節バイオメカニクス

a：代償性矢状面バランス；胸椎後弯，腰椎前弯，骨盤傾斜は相互に代償してバランスを保っており，第7頚椎中心から下ろした垂線（C7 plumb line）は股関節回転中心の後方を通る．

b：非代償性矢状面バランス；腰椎変形や胸椎の代償性低下に伴い C7 plumb line は股関節の前方へと偏位し，股関節合力は大きく増加する．さらに骨盤後傾により股関節応力は大きく増大して股関節破壊へとつながる．

するというこの病理メカニズムは理解に難くない．

3 股関節拘縮の機能的影響と注意点

　股関節疾患にはしばしば軟部組織拘縮を伴い，屈曲拘縮と内外転拘縮が機能的問題を生じやすい．屈曲拘縮は腰椎の代償運動により見過ごされやすいため，これを正しく評価するための Thomas test（仰臥位で健側股関節を深屈曲することで腰椎の代償性前弯を抑制する）を理解して利用する．屈曲拘縮は下肢長評価に影響するため，仰臥位での全下肢長のX線撮影時は，上体を少々起こして骨盤を前傾させ，両股関節を同じ屈曲位とすることで正しい評価が可能となる．股関節の内外転拘縮も，自覚的〜相対的下肢長に強く影響する．そのメカニズムを患者本人に説明し理解してもらうことは重要である．内外転拘縮がある場合のX線評価にも注意が必要で，左右の内外転を補正することで正しい評価が可能となる．屈曲，内外転のいずれの拘縮の存在下でも，体表からの Spina Malleolar Distance（SMD）計測は大きな誤差を生じる可能性があることを銘記すべきである．

股関節部の痛みのとらえ方/診断手順

How to diagnose the hip pain

坂井 孝司　山口大学大学院 教授

1 股関節部の痛みの特徴

　股関節疾患による痛みは，鼠径部，殿部，大転子部，大腿部に出現することが多い．しかし，股関節疾患であっても腰痛や膝関節部痛を主訴として受診する患者も存在する．また股関節周辺の疼痛だからといって股関節疾患のみが原因とは限らず，腰椎部疾患，腹部・骨盤部疾患，大腿部疾患，他臓器疾患や他科疾患の可能性を念頭において，診察を進めることが重要である．さらに股関節部の痛みが関節内由来であるか，関節外由来であるか，その両方かも考える必要がある．

2 診断手順（図 23-2）

　問診・診察にて発症の誘因や痛みの部位・性状を把握したうえで，考えられる疾患を列挙しつつ，画像検査や血液検査で所見を確認し確定診断を行っていく．

3 問診

　まず，性別，発症時年齢，疼痛の部位，発症の誘因，疼痛が増強・誘発される動作や股関節肢位，スポーツ習慣の有無を含めた生活歴について聴取する．特に発症の誘因が想起される場合には，疼痛出現に至った経緯や受傷機転の有無を，どこが一番痛むのかとともに詳細に聴取する．

　乳児でおむつ交換の際に激しく啼泣し発熱を伴う場合には，化膿性股関節炎を考える．乳幼児期の女児では発育性股関節脱臼，学童期の男児では Perthes 病，思春期の肥満の男児では大腿骨頭すべり症が多い．Perthes 病では，大腿部痛や膝関節部痛のみを訴える場合もあり注意を要する．

　青年期以後で，緩徐に股関節部痛が出現した場合には変形性股関節症を，高齢者で比較的急激に股関節痛を生じた場合は，大腿骨頭軟骨下骨折や急速破壊型股関節症を念頭におく．大腿骨頭軟骨下骨折では，詳細に問診を聴取すると軽微な外傷のエピソードを伴っている場合があり，また高齢者に限らず生じ得る疾患である．コミュニケーションが難しく外傷歴を聴取できない場合には，大腿骨頚部骨折を含めた骨折の可能性を常に念頭におく．外傷歴がなく安静時痛や夜間痛がある場合には，悪性腫瘍や感染性関節炎・化膿性腸腰筋炎を考え，糖尿病やステロイド・免疫抑制薬服用な

23 股関節の疾患

```
1. 主訴：鼠径部痛，殿部痛，大転子部痛，大腿部痛
2. 問診    安静時痛・夜間痛がある場合：重篤な病態（悪性腫瘍，感染性疾患）も鑑別
          腰部・膝部・下腿の疼痛がある場合：腰部・腹部・骨盤部・大腿部疾患も鑑別
3. 診察：理学的所見の把握・鑑別診断
   小児期   発育性股関節脱臼
           感染性関節炎（化膿性，結核性），単純性股関節炎
           Perthes 病
           大腿骨頭すべり症，特発性股関節急性軟骨溶解
           腫瘍性疾患（良性，悪性）
   青年期以後
           変形性股関節症（一次性，二次性）
           特発性大腿骨頭壊死症，一過性大腿骨頭萎縮症
           感染性関節炎（化膿性，結核性）
           非感染性炎症疾患，関節リウマチ
           急速破壊型股関節症，大腿骨頭軟骨下骨折
           骨系統疾患
           外傷：大腿骨頚部骨折，転子部骨折，骨盤脆弱性骨折
           スポーツ障害：疲労骨折，裂離骨折，筋腱炎
           関節内遊離体（滑膜骨軟骨腫症，離断性骨軟骨炎）
           大腿寛骨臼インピンジメント，股関節唇損傷
           骨盤環不安定症，仙腸関節炎
           腫瘍性疾患（良性，悪性）
4. 検査    画像検査（単純 X 線検査，MRI，CT），血液検査
```

図 23-2 股関節部の痛みの診断手順

どの免疫機能低下をきたす素因の有無を確認する．

ステロイド薬の全身投与歴や習慣飲酒歴・喫煙歴，膠原病の既往や臓器移植の既往がある場合には，特発性大腿骨頭壊死症を念頭に置く．膝関節部の痛みのみを主訴として受診する場合もあり注意する．またダイビング歴がある場合には，潜函病を想起する．

スポーツ活動に関する場合には，スポーツの種目・レベル，幼少期からのスポーツ歴，トレーニング内容・時間について詳細に聴取する．疲労骨折や裂離骨折，筋腱損傷も念頭におく．腸腰筋関連鼠径部痛は，立位で股関節屈曲を繰り返す場合に発生しやすい．

疼痛の性状から，catching や locking などがあれば，股関節唇損傷や関節内遊離体を考える．女性で妊娠後期から股関節部痛が生じる場合には骨盤環不安定症を，月経周期と関連する股関節部痛の場合には，子宮内膜症も鑑別疾患となりうる．また鼠径部痛や大腿部痛を訴えるやせ型の高齢者で，股関節の動作と関係なく食事後に疼痛を生じる場合には，腸管ヘルニア嵌頓の鑑別が必要である．

4 診察（視診）

患者が診察室へ入ってくる際の歩容を観察し，跛行の有無をみる．疼痛による歩行障害か，下肢短縮や関節変形・拘縮，外転筋力低下による機能的な歩行障害かの鑑別を要する．股関節部痛による患側の立脚相が短くなる逃避性跛行，下肢長の不均衡により骨盤や体幹が傾く硬性墜下性跛行，患側の外転筋力低下により患側立脚時に対側に骨盤が傾斜する Trendelenburg 歩行，患側立脚時に患側に体幹が傾斜する Duchenne 歩行などがある．

5 診察（立位）

立位が可能な場合には，股関節部における荷重時痛の有無，片脚起立が可能か，側弯を含めた脊柱所見などを確認する．

6 診察（仰臥位）

股関節疾患を疑わせる所見として，股関節の他動運動で疼痛が誘発されること，患側の下肢を対側下肢にのせて股関節を屈曲・外転・外旋させると，疼痛誘発や可動域制限が認められる Patrick test が陽性であること，Scarpa 三角の圧痛が認められることが挙げられる．大腿骨頚部骨折でコミュニケーションがとりづらい例では，他動的に股関節を内外旋させる・膝から

の叩打で表情をしかめるかという点も参考になる．大腿骨頭すべり症においては，股関節を他動的に屈曲させると外転・外旋位になる Drehmann's sign が特徴的である．弾発股では，他動的に股関節を動かした際に弾発現象と疼痛が誘発される．感染性関節炎が疑われる際には，鼠径部の腫脹・リンパ節の圧痛の有無を確認する．

大腿骨寛骨臼インピンジメントでは必ずしも特異的ではないが，Patrick test に加えて，股関節を屈曲・内転・内旋時に鼠径部に疼痛が生じるかをみる，前方インピンジメントテストが陽性となることが多い．

スポーツ障害に関連する疲労骨折・裂離骨折・筋腱炎を疑う場合は，腸骨稜前方（内外腹斜筋，中殿筋），上前腸骨棘（縫工筋，大腿筋膜張筋），下前腸骨棘（大腿直筋），大転子（中殿筋，小殿筋，外旋筋群，外側広筋），小転子（腸腰筋），坐骨結節（ハムストリングス），恥骨部の疼痛や圧痛の有無を確認する．

上記所見がない場合，股関節以外の疾患との鑑別が必要となる．腹部，腰部，殿部，大腿部の圧痛や腫脹の有無を確認する．骨盤環不安定症・仙腸関節炎では両側の腸骨や恥骨を圧迫し仙腸関節の疼痛が誘発される Newton test，仰臥位で患者に上肢で健側膝関節を屈曲し抱えさせて，患側下肢を台から下ろし股関節を伸展させる Gaenslen test が有用である．腸管ヘルニア嵌頓では鼠径部内側の腫脹を，大腿動脈瘤・動脈閉塞では動脈の拍動を確認する．

７ 画像検査（単純 X 線検査）

画像所見が必ずしも自覚症状の原因とは限らず，症状に対応する変化か否かを見極める．変形性股関節症の診断には股関節 X 線正面像が有用で，軟骨下骨の骨硬化，関節裂隙の狭小化，骨嚢胞，骨棘形成がみられる．発育性股関節脱臼では，臼蓋の側方被覆を示す lateral CE 角が 20° 未満が臼蓋形成不全である．特発性大腿骨頭壊死症では，大腿骨頭の帯状硬化像が特徴的である．正側面像で crescent sign や圧潰所見を確認する．

８ 画像検査（MRI）

単純 X 線検査では検出されない，骨折や腫瘍性病変，感染性疾患の診断に有用である．特発性大腿骨頭壊死症では，T1 強調像での骨頭内帯状低信号像が特徴的で，T2 強調像で骨髄内浮腫を伴うこともある．

９ 診断がつかないときの対処法

理学的所見・検査所見に乏しく，股関節の痛みが股関節由来か否か判別困難な場合，股関節ブロックによる機能診断が有用である．また関節外由来あるいは特定の筋腱由来か否かを判定するため，エコーガイド下に関節外に局所麻酔薬を注入することもある．

発育性股関節形成不全（いわゆる先天性股関節脱臼について）

Unreduced dislocation and residual dislocation of the hip in DDH

二見 徹　滋賀県立小児保健医療センター 病院長〔滋賀県守山市〕

【疾患概念】　かつては先天性股関節脱臼と呼ばれていたが，生下時よりも出生後の発育過程で脱臼や亜脱臼に至る例が多く，近年では発育性股関節形成不全（developmental dysplasia of the hip；DDH）と呼ばれている．股関節を形成する骨盤部分（寛骨臼）より大腿骨頭が関節包内で脱臼している状態から，骨頭の求心性の異常（脱臼〜亜脱臼）や臼蓋の形態の異常（臼蓋形成不全）を含んでいる．女児，左股関節に多く，わが国では秋〜冬の寒冷時期の出産に多い．

【臨床症状】

1 歳以下の乳児における代表的な症状は，股関節が開きにくい（開排制限）ほか，股関節の轢音（クリック徴候），見かけ上の脚長不等，大腿・鼠径部の皺の非対称などがある．歩行開始後（1 歳以上）では跛行（Trendelenburg 跛行）や脚長不等が主たる症状であり，両側脱臼例では跛行とともに立位・歩行時に腰椎前弯が明瞭であることが多い．

問診で聞くべきこと

DDH のみならず変形性股関節症も含めた股関節疾患の家族歴や出生時の胎位，分娩形式を聴取する．特に骨盤位分娩は発生率に影響する．

診断のポイント

向き癖や下肢の肢位を観察する視診が重要である．すなわち，股関節が自然に開いていない，股関節が内転や伸展傾向であれば本症を疑う．また，下肢の肢位異常の反対方向への向き癖を伴う場合が多く，向き癖や斜頸の有無を診る．内反足などの足部変形も DDH の危険因子であるため，足部変形の有無の確認も重要である．

続いて，開排制限（70° 以下を陽性），見かけ上脚長差を認める（Allis 徴候），股関節の轢音（クリック徴候；Barlow テスト・Ortolani テスト陽性），鼠径部・大腿皮膚溝の非対称などを調べる．過剰な開排，すなわち 90° 以上開排する場合は過開排として，全身的な関節弛緩性の異常を考慮し，危険因子とみなす．これ

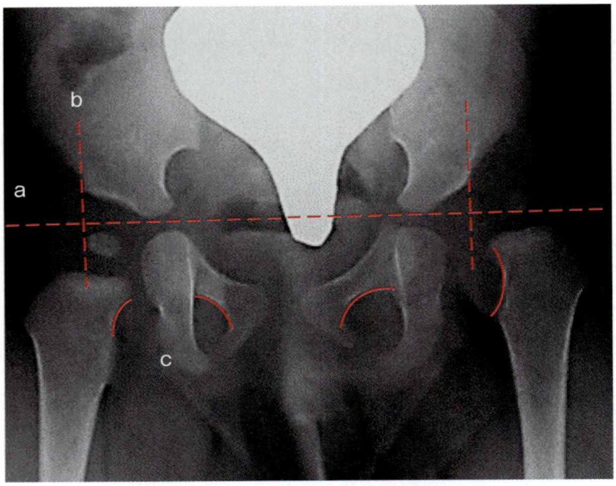

図 23-3 股関節脱臼の診断に用いる補助線（6 か月，女児．左 DDH）

a：Hilgenreiner 線，b：Ombrédanne 線（Perkins 線），c：Shenton 線．

脱臼股関節は基準線 a の近位側，b の外側へ偏位し，c が不連続となる．

らの視診と触診が診断のうえで最も重要である．なお，DDH の診断のためには，症候性脱臼や奇形性脱臼，麻痺性脱臼との鑑別を要する．そのためには，股関節以外の異常，例えば脊柱変形がないか，足部変形の有無などを確認し，基礎疾患の存在の有無を調べる．

必要な画像検査とその所見

確定診断は超音波断層像（エコー検査）や単純 X 線像により行い，重症度を判定する．初回の評価では X 線撮影の前にできればエコー検査を行うことが望ましい．

(1) 超音波断層像（エコー検査）

エコー検査には，側方から調べる Graf 法と前方から観察する前方法とがある．Graf 法によって骨頭の位置と臼蓋の形状が描出され，前方法により開排位での骨頭と臼蓋の位置関係が明瞭となる．なお，前方法は整復過程や整復後の骨頭と臼蓋の位置関係を確認するうえで有用である．

(2) 股関節単純 X 線像

X 線像での骨端の位置確認は，両腸骨下端を結ぶ接線である Hilgenreiner 線と垂直方向に臼蓋外側縁を通過する線（Ombrédanne 線，Perkins 線）を用いて左右を比較する．DDH 症例では，骨端部もしくは骨幹端近位中央部が外側，近位に位置する（図 23-3）．Hilgenreiner 線と臼蓋外側縁のなす角，臼蓋角（α）は 30° 以下を正常とし，30° 以上を臼蓋形成不全とする．求心性について，大腿骨頸部近位内側と恥骨下縁とが形成する Shenton 線の連続性を調べる．不連続であれば求心性が不良である可能性がある（図 23-3）．

(3) MRI

鎮静を要するため，DDH において一般的な検査とは言えないが，被曝なしに，治療前，治療後の評価が 3 次元的に確実に行える利点がある．治療前の評価として，開排位での骨頭と臼蓋の位置関係により重症度の判定を行う．整復後は開排位，すなわちギプス固定の状態で骨頭の求心性や関節唇の形状などが評価可能である．

専門医へのコンサルテーション

3，4 か月健診において，①開排制限　②臀径・大腿部の皺の非対称，女児，骨盤位分娩，家族歴の項目のうち，①が陽性，あるいは②の項目 2 つ以上で乳児股関節脱臼の二次検診（整形外科）に紹介が必要となっている．抱き方やオムツのあて方で改善しない開排制限，および脱臼が疑われる症例は，生後 4，5 か月までには専門医へ紹介する．なお，リーメンビューゲル（RB）の不慣れな装着は，壊死などの合併症の観点からも避けたほうがよい．

治療方針

3 か月未満の開排制限，向き癖の強い例では抱き方やオムツのあて方を指導する．

3 か月以上の脱臼症例では通常，整復治療が必要となる．治療方法は月齢や重症度により選択すべきであ

る．わが国ではRBを一律に装着する考えもあるが，整復されないまま装着を続けると脱臼が重症化する．整復されても骨頭壊死や成長障害を生じる例があるため，スクリーニング的なRB装着は推奨しない．特に開排制限が強い症例や，整復される可能性が低い高度な脱臼，クリック徴候が陰性の生後6か月以上の完全脱臼に対するRB装着は適応に乏しい．一方，6か月以下の臼蓋形成不全，もしくは軽度の亜脱臼において，開排制限が改善していればRB装着でもよい．RBの適応外の症例では牽引治療，徒手整復，観血整復を年齢と重症度により選択するが，可能であれば牽引による緩徐な整復が望ましい．

筆者は4歳未満では牽引療法（開排位持続牽引法）を試み，整復されない症例には徒手整復を行う．徒手整復不能例や4歳以上の症例では，通常観血的整復術を選択する．その際必要に応じて，骨盤手術（Salter手術）や大腿骨減捻内反骨切りを併用する．

患者説明のポイント

初期は予防の観点からも抱き方（コアラ抱っこ）やオムツのあて方が重要である．赤ちゃんが下肢・股関節を自由に動かせる環境を考え，安易なベビースリングの使用やオムツを厚くして股関節を無理に広げるのは避けるように指導する．

整復治療後も定期的な経過観察が必要で，特に治療を行った症例や重度の脱臼例については骨成熟期まで経過観察を行う．経過により就学前に臼蓋形成不全の補正手術を要することがあることを伝え，反対側の股関節も良好に発育せず，後に臼蓋形成不全が明瞭となる場合があることを説明しておく．次世代を含め，遺伝による家族内発症の可能性があることの説明も重要である．

（注：現状では臼蓋形成不全を使用することが多いため，本項では寛骨臼形成不全ではなく臼蓋形成不全と記載した．）

発育性股関節形成不全

Developmental dysplasia of the hip（DDH）

二見 徹 滋賀県立小児保健医療センター 病院長〔滋賀県守山市〕

【疾患概念】 発育性股関節形成不全（developmental dysplasia of the hip；DDH）は寛骨臼による骨頭の被覆が不足している状態を指し，求心性良好な臼蓋形成不全，求心性が不良な亜脱臼股，軟骨面の接点を有しない脱臼股までを含むスペクトラムを示す．

【臨床症状または病態】

亜脱臼を伴わない臼蓋形成不全の患者は，小児期では疼痛や跛行を呈さない場合が多い．重度の臼蓋形成不全や亜脱臼が顕著の症例においては，疼痛回避や，股関節周囲筋群の筋力低下に伴う跛行が次第に明らかとなる．なお，初期における疼痛の原因は関節軟骨の変性や関節唇の損傷であることが多い．

問診で聞くべきこと

既往歴と家族歴を調べる．疼痛がある場合はその発現時期や痛みの性状と疼痛が誘発される肢位や動作を中心に聴取する．行っているスポーツとその内容やレベルの確認も重要である．

診断のポイント

(1)診察

跛行と歩行時の体幹・骨盤の左右への揺れを観察する．片脚起立でTrendelenburg徴候を調べる．下肢長，大腿・下腿の周囲径と両股関節の可動域を測定する．

Drehmann徴候とFAI（femoroacetabular impingement，大腿骨寛骨臼インピンジメント）をみるanterior impingement testを行い，Patrick（FABER）テストにより屈曲外転位での可動域制限や疼痛の有無を確認する．

(2)画像診断

前後像の単純X線像が基本である．側面像は開排位でのLauenstein像を用いる．軸射での側面像では骨頭が坐骨と重なり，Perthes病や大腿骨頭すべり症の初期変化を見逃しやすい．前後像で臼蓋荷重部の硬化部（sourcil）外側点を基にCE（center-edge）角を計測する（modified CE角）．Y軟骨が閉鎖前では臼蓋角を，閉鎖後はSharp角を計測する（45°以下正常）．Shenton線，近位骨幹端-涙痕間距離（teardrop distance；TDD）により求心性の評価を行う．前方の骨頭被覆は立位65°斜位像（false profile view）により計測する〔VCA（vertical-center-anterior）角〕．これらのうち，臼蓋角，CE角とShenton線，およびTDDが特に重要である．小児期においては臼蓋角30°以上，CE角10°以下を，骨成熟後ではCE角20°以下を臼蓋形成不全と判定する．これに加え，Shenton線が不連続で，かつTDDの左右差が2mm以上ある場合は亜脱臼とする（図23-4）．臼蓋形成不全が軽症であっても疼痛が強いときには，造影MRIによる放射状の断層撮影を行い，関節唇の損傷の有無を確認する．

治療

1 ▶ 保存療法

運動時痛には運動制限や種目変更が可能かを模索する．FAIの症状があれば運動時や生活動作での深屈

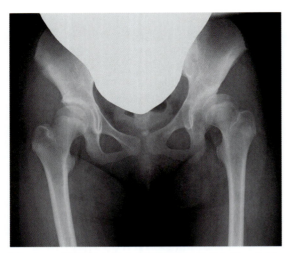

図 23-4 亜脱臼を伴う臼蓋形成不全（12歳，女子．左 DDH）
左股関節は Shenton 線の連続性が不良で，TDD が拡大し，側方化が明瞭．
早めの手術治療が必要な状態にある．

曲を控えるように指導する．Trendelenburg 徴候を認める場合には，外転筋を中心とした股関節周囲の筋力トレーニングを行う．これらによっても疼痛が強いときは消炎鎮痛薬を処方する．

2 ▶ 手術療法

就学前，重度の臼蓋形成不全に対しては，Salter 手術などの寛骨臼移動術を行うことが多い．特に求心性が不良な症例や，経年的に臼蓋の被覆が改善しない（5歳時：CE 角 5°以下，臼蓋角 30°以上），家族歴を有する症例では手術を考慮すべきである．

学童期以降，臼蓋形成不全による疼痛があり，保存療法を行っても疼痛が持続する場合も手術を考慮する．疼痛が明確でなくても亜脱臼を伴い，変形性股関節症へ進行する可能性が高い場合，家族歴などを参考にして手術を行う場合がある．増悪すると大腿骨骨切りや観血的整復術が必要となる場合があるからである．

求心性が保たれている臼蓋形成不全では，臼蓋縁の二次骨化核の出現により CE 角が改善するため，手術適応に迷う（CE 角 10～15°のグレーゾーンにある）症例では，骨化核の出現後まで待機して適応を判断するほうが確実である．

Y 軟骨の閉鎖前（女子の閉鎖時期：12～14歳）に二次骨化核が出現し，CE 角が不足し（15°以下），求心性に問題がある場合や不適合性が存在する場合に早めにトリプルオステオトミー（triple osteotomy；TO）を行うと，リモデリングや適合性の改善が得られるため有利

である．Y 軟骨閉鎖後は各種の寛骨臼移動術（TO, rotational acetabular osteotomy；RAO, curved periacetabular osteotomy；CPO, Ganz）を術者の熟練度で選択する．なお，求心性不良が顕著な症例や重度の臼蓋形成不全（例：CE 角 0～5°以下）では大腿骨内反骨切りの追加を考える．股関節外転位で適合性が悪化し，内転位で改善する症例では外反骨切りが選択され，大腿骨のいかなる肢位変化においても適合性が改善せず，骨頭の被覆が不良である場合には，Chiari 骨盤骨切り術や棚形成術を用いる．
（注：現状では臼蓋形成不全を使用することが多いため，本項では寛骨臼形成不全ではなく臼蓋形成不全と記載した．）

Perthes 病

Perthes disease（Legg-Calvé-Perthes disease）

金子 浩史　あいち小児保健医療総合センター 医長〔愛知県大府市〕

【疾患概念】Perthes 病は成長期に起こる阻血性大腿骨頭壊死である．血流障害の原因は明らかでない．成人の骨頭壊死と異なり，壊死部が 2～5 年かけて自己修復していく．力学的に脆弱な時期に荷重すると骨頭は圧潰し，放置すると変形が遺残する．病変は骨端だけでなく骨幹端に及ぶことがあり，大腿骨頚部の肥大や短縮がみられる．最終的に骨頭が球形に修復すれば予後は良好だが，変形が遺残すると相対する寛骨臼の形態も不良となり変形性関節症に進展する．

【頻度】
5～8 歳の男子に多いが（男女比 5：1），低年齢または高年齢発症もまれにある．わが国の発症頻度は 0.9/10 万人であり，両側発症率は 10% 未満である．

【臨床症状】
軽度な痛みと跛行を主訴に来院することが多い．痛みの部位は股関節に限らず，大腿部や膝関節のこともある．股関節可動域制限（特に外転と内旋）を認めることが多く，跛行や下肢痛を訴える児では必ず股関節の可動域を確認する．

問診で聞くべきこと
痛みの部位と性質を問診する．Perthes 病患者は注意欠陥・多動性障害の発症リスクが健常児と比べ 1.5 倍高く，日常生活における不注意や衝動性について保護者から聴取する．

鑑別診断で想起すべき疾患
Perthes 病は発症時に関節水腫を伴うことが多く，

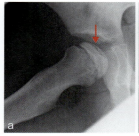 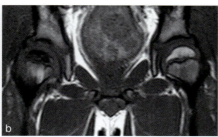 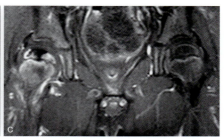

図 23-5　右 Perthes 病 初期 stage Ib（8 歳 4 か月，男児）
a：X 線側面像．硬化した骨端に軟骨下骨折線（crescent sign，矢印）を認める．
b：MRI T1 強調像冠状断．右大腿骨頭の骨端全体が低輝度を示している．
c：造影 MRI 脂肪抑制 T1 強調像冠状断．壊死部（黒色部分）が b と比べ明瞭に描出されている．

単純性股関節炎，化膿性股関節炎，大腿骨頭すべり症，若年性特発性関節炎，軟骨芽細胞腫などの鑑別が必要である．比較的頻度が高い単純性股関節炎は急激に発症して安静にて速やかに改善するが，Perthes 病は緩徐に発症して症状が遷延する．化膿性股関節炎は発熱を伴うことが多く，血液検査で炎症反応を認める．大腿骨頭すべり症は好発年齢が Perthes 病より高く，X 線側面像で骨端の後方転位を認める．若年性特発性関節炎は Perthes 病と同様に緩徐に発症するが，骨頭の変形はみられない．軟骨芽細胞腫は骨端に好発する良性骨腫瘍で，周囲の骨髄や軟部組織に反応性浮腫や炎症をしばしば伴う．

骨端の異常を呈する疾患として，Meyer 骨異形成症は大腿骨頭骨端に限局した不整像を呈し，両側にみられることが多い．多発性骨端異形成症は膝関節の骨端にも変化がみられ，軽度の低身長を呈する遺伝性骨系統疾患であり，変形性関節症を早期に発症しやすい．

診断のポイント

両股関節の 2 方向 X 線撮影と MRI が必須である．X 線像の経時的変化が特徴的で 4 つの病期に分類される：Waldenström 分類 stage I 初期（壊死期），II 分節期，III 修復期，IV 残余期．Joseph らは stage I～III をさらに a 前期と b 後期に分け，7 段階に分類した．

I 初期：壊死した骨端が硬化像を呈し（Ia），進行すると荷重部に圧潰が生じる（Ib）．滑膜炎に伴う関節水腫により骨頭の側方化が起こる．側面像でみられる骨端前方から中央に至る軟骨下骨折線（crescent sign，図 23-5a）は本疾患に特徴的である．壊死範囲が広い場合，この線が後方に及ぶ．

II 分節期：骨端に亀裂が 1～2 本生じて壊死骨の吸収が始まる（IIa）．吸収は徐々に進み，透亮像と硬化像が混在して分節状になる（IIb）．この時期に重症度（lateral pillar 分類）が明らかとなり，予後予測が可能になる．初期から分節期にかけて骨幹端に囊胞を形成することがあり，重症度が高いことを示している．

III 修復期：最も長く，最重症例では 3～4 年かかる．吸収された部分に新生骨が出現し，骨端の前外方から中央に向けて輪郭が徐々に明瞭になっていく（IIIa）．分節期後期（IIb）から骨端の 1/3 以上が新生骨で覆われる修復期後期（IIIb）にかけて，骨頭と頚部は肥大し，それに合わせるように寛骨臼の形態も変化する．

IV 残余期：壊死骨がなくなり，修復が完了した状態である．成長終了まで骨頭と寛骨臼の形態は徐々にリモデリングされるが，高年齢発症例や重症例では限界がある．

重症度は lateral pillar 分類を用いる．X 線正面像で骨端が最も吸収されたとき（stage IIb）に判定する．骨端外側部分の高さが健側と比べ 100% を group A，50% 以上を B，50% 未満を C とする．後に B と C の間に B/C が追加されたが，判定がやや難しい．

造影 MRI は壊死部を明瞭化するために有用である（図 23-5b, c）．さらに subtraction technique による perfusion MRI を用いると，lateral pillar 分類をより早期（stage I～IIa）に予測できるとされている．

専門病院へのコンサルテーション

治療方針決定のため，経験が豊富な専門病院へのコンサルテーションが望ましい．

治療方針

治療の目的は骨頭の変形を最小限にして，良好な関節適合性を獲得することである．発症年齢，病期，重症度，症状，股関節形態を考慮して治療方針を決定する．発症年齢が高くなると修復能力は低下する．Lateral pillar 分類が未確定の stage I～IIa では慎重に対応する．荷重制限が最も重要であり stage IIIb～IV に解除することが望ましい．

1 ▶ 5 歳以下

保存療法が第 1 選択となる．外転可動域の制限があ

る場合は理学療法，牽引，外転ギプスなどで改善をはかる．骨頭の側方化が続く症例や lateral pillar 分類 group B/C〜C の重症例は骨頭変形が遺残しやすく，装具を用いた containment 治療（寛骨臼で骨頭を包み込み，球形修復を促す方法）を適用する．骨頭が肥大して相対的な寛骨臼形成不全を呈する場合は，骨盤骨切り術などで被覆を改善させる．

2 ▶ 6〜7歳

Lateral pillar 分類 group B 以上は装具または手術による containment 治療を行う．装具の受け入れや管理が困難な症例や，装具治療中に lateral pillar 分類 group B/C〜C が明らかになった重症例は手術を考慮する．骨盤骨切り術と大腿骨内反骨切り術のいずれかを適用するが，hinge abduction（骨頭の側方化と圧潰が強く，外転時に骨頭荷重部と寛骨臼外縁が衝突して外転が制限される状態）を呈する症例に対しては両者を同時に行う．

3 ▶ 8歳以上

手術療法が優先される．10歳以上では骨盤または大腿骨骨切り術単独施行の成績が不良なため，両者同時手術またはトリプル骨盤骨切り術を適用する．12歳以上では成人の骨頭壊死に近い状態であり，大腿骨頭回転骨切り術が考慮される．

予後

成長終了時のX線像で股関節形態，主に骨頭の球形度を評価する：Stulberg 分類 class I（健側と同じ大きさで球形）とII（球形だが骨頭肥大や頚部短縮あり）の長期予後はおおむね良好だが，III（楕円形），IV（荷重部1cm以上が平坦），V（圧潰して関節不適合）は変形性関節症に進展しやすい．

患者説明のポイント

壊死した骨頭は徐々に修復していくが，放置すると変形を残す可能性が高く，治療が必要である．保存療法は荷重制限や装具装着が中心となるため，患者の理解や受け入れが成績に影響する．手術療法はより確実に治療を進められる可能性は高いが，侵襲とリスクを伴う．

リハビリテーションのポイント，関連職種への指示

荷重制限が必要な時期は，患者の運動能力や生活環境を考慮して移動手段（車椅子，松葉杖など）を検討する．股関節可動域の改善・維持と，廃用性筋萎縮の予防に努める．

長期間の治療となるため，医療者と患者・家族の意思統一が必要である．

大腿骨頭骨端異形成症（Meyer 骨異形成症）

Dysplasia epiphysealis capitis femoris (Meyer dysplasia)

金子　浩史　あいち小児保健医療総合センター　医長〔愛知県大府市〕

【疾患概念】

片側または両側の大腿骨頭骨端に，限局した一過性の不整像を呈する疾患である．骨化遅延になるが，変形を残さず自然治癒するため，本疾患の病的意義は少ない．Perthes 病と診断された患者のなかに，本疾患が含まれている可能性がある．

【臨床症状】

2〜4歳の男児に多く，半数以上で両側に異常を認める．股関節痛や跛行を主訴に来院することもあるが，ほかの理由で撮影されたX線検査で偶然発見されることが多い．

診断のポイント

X線像で大腿骨頭に，不整で小さな骨端や複数の骨端核を認める．骨端の形態は2〜4年かけて徐々に改善し，複数みられる場合も癒合していく．これらの変化は骨端に限局しており，骨幹端の形態は正常である．一方，Perthes 病は骨幹端にも異常を呈することが多く，病期の進行とともに骨頭と頚部の幅が拡大していく．

専門病院へのコンサルテーション

Perthes 病は治療が必要な疾患であり，本疾患との鑑別が困難な場合には専門病院へコンサルテーションする．

治療方針

骨端の形態は自然に改善するため，治療は不要である．

大腿骨頭すべり症

Slipped capital femoral epiphysis (SCFE)

大谷　卓也　東京慈恵会医科大学附属第三病院　教授

【疾患概念と発症要因】

大腿骨近位成長軟骨板が負荷される荷重に耐え切れず，骨端が骨幹端に対して後内方に転位する（すべる）疾患である．小児の成長が盛んな growth spurt の時期を中心に発症する．本症の発症には複数の要因が考えられている．古典的には内

分泌学的な異常が指摘され，成長ホルモンと性ホルモンの不均衡，下垂体機能低下症に対する成長ホルモン補充療法などに関連した発症の報告があるが，実際の臨床例で明らかな内分泌学的異常を認めるものは多くない．次に力学的な要因として，肥満とスポーツ活動が重要と報告されている．成長過程で力学的に脆弱化した成長軟骨板に対し，体重増加やスポーツ活動による力学的負担が急激に増加することが重要な発症要因となる．また，股関節の形態学的要因として，大腿骨頚部の前捻減少〜後捻，骨端線の後方傾斜，寛骨臼の前方〜外側被覆が大きいなどの形状がリスクとなるという報告がある．

【頻度と発症年齢】

わが国での発生頻度は欧米と比較して少ないとされてきたが，2002年の報告では年間10万人当たり男子2.22人，女子0.76人であり，1976年の統計と比較すると男子は約5倍，女子は約10倍に増加しており注意が必要である．発症年齢の平均は男子が11歳10か月，女子は11歳5か月であり，両側に発生したものは14％であったと報告されている．両側例における発症時期の間隔はほとんどの症例で24か月以内であったことから，発症後2年間は反対側の発症に注意を払う必要がある．

【病型分類と経過，予後】

通常，緩徐に発症し，骨端が少しずつ後方へすべるようにゆっくりと変形が進行する．骨端と骨幹端の間の安定性が比較的保たれているうちは跛行を呈しつつも歩行は可能であり，このような状態を臨床的に安定型とよぶ．しかし，ひとたび，骨端が骨幹端から分離して急激な転位を生じると，患児は激痛とともにたとえ杖を使用しても歩行不能な状態となり，これを不安定型とよぶ．単純X線所見では，骨端は骨幹端から大きく転位し，同部での骨折〜骨端線離開様の所見を呈する．

古典的な分類法としては発症から3週間以内または急性に強い症状で発症したものを acute type，経過が3週間を超える場合を chronic type，そして3週以上の慢性経過から急性増悪したものを acute on chronic type としたが，必ずしも骨端の安定性とは関連しない場合があるため注意が必要である．

以上のような経過において，安定型ですべりの程度が軽度のうちに診断，治療されたものの予後は比較的良好である．しかし，診断が遅れ，安定型でも変形が高度となったものの治療は困難となる．さらには，安定型のうちに診断できず不安定型となってしまった場合，分離した骨端への血液供給が不良となり骨頭壊死を合併するリスクが生じる．不安定型の治療予後は安定型と比較して明らかに不良である．

臨床症状と診断のポイント

主訴は疼痛と跛行であるが，慢性経過中は必ずしも強い疼痛は訴えず，違和感程度であることも多い．自覚症状は股関節部に限らず，殿部，大腿部，膝関節周囲など多彩である．自覚症状が膝周囲痛であったために長期にわたって診断が遅れ，重症化させてしまった症例が多数報告されているので注意が必要である．このような診断遅延を防ぐために，患児を必ず仰臥位として診察を行うことが重要である．まず，患側下肢の短縮と外旋変形に注意し，次いで股関節可動域を左右比較し患側の屈曲制限，内旋制限をチェックする．患側の股関節を他動的に屈曲する際に自然に外転，外旋していく Drehmann 徴候は本症の典型的所見である．

画像診断ではまず，単純X線の両股関節正面像と左右の側面像を撮影して比較を行う．本症では骨端線の開大や不整像とともに骨端高の減少，側面像では骨端線の後方への傾斜などの所見が認められるが，初期においてはその診断は容易ではない．早期の補助診断としては MRI が有用である．

治療方針

まず重要なことは，本症の診断が確定した場合は経過観察や保存療法を行うことはなく，基本的には早期に手術治療が行われることを銘記しておかなくてはならない．

不安定型の症例は歩行不能で搬送されて入院となり，可及的早期の手術が検討される．急性発症から手術までの時間，転位した骨端を整復するか否か，整復の方法，骨端固定の方法などにはさまざまな議論がありコンセンサスは得られていない．多くの場合，骨端を整復せずあるがままの位置で固定する in situ 固定法，あるいは，閉鎖的，イメージ下に，骨端を愛護的，最小限に整復してから固定する方法などが行われる．筆者は，不安定型においては骨頭壊死に対する配慮が最も重要であるという考えから，次のように治療している．入院後は可及的早期に手術を行う．関節包を前方から切開して骨端を直視下に確認し，荷重部のドリリングによる出血が認められる範囲内で可及的な整復を行ったのち，スクリュー2本で強固に固定する．骨幹端前方の突出部があればトリミングして，術後の寛骨臼とのインピンジメント（femoroacetabular impingement；FAI）を予防し，関節内圧上昇を抑えるために関節包は縫合せずに閉創する（図 23-6a）．

安定型の治療についても議論が多いが，筆者は，アクシデントによる不安定化を避けるためにも，診断したら即日入院とし手術準備を開始している．また，すべりの重症度により治療法を選択している．後方すべり角40°以下の症例はそのままの位置で in situ sin-

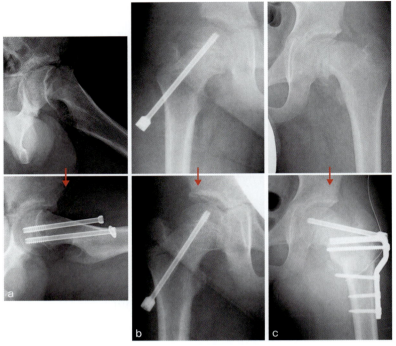

図 23-6　大腿骨頭すべり症に対する各種の手術治療
a：不安定型に対する関節切開法での整復固定術；前方から関節切開し骨端部ドリリング法で血行を評価しつつ骨端の整復固定を行った．その後，骨幹端前方の突出部を切除した．
b：軽症の安定型に対する in situ single screw dynamic fixation 法；骨端線早期閉鎖が防止され，術直後（上）から術後 2 年（下）までの間に，骨頭から頸部の成長とともにスクリュー外側端が骨皮質に近接している．
c：重症の安定型に対する転子部 3 次元骨切り術と骨端固定術；術前の大腿骨全長の CT データから計画し，屈曲を基本として少々の内外反を加味した 3 次元骨切りを行った．骨端の single screw dynamic fixation を追加した．

gle screw fixation を行うが，術後の骨端線早期閉鎖を予防するためにスクリュー外側端を骨皮質から 1〜2 cm 突出させる dynamic 法で固定している（図 23-6b）．すべり角が 40°を超える場合は，転子部で屈曲を主体とした 3 次元骨切り術を行う．術前の CT プランニングで屈曲角度と少々の内外反を計画する．その後，骨端の single screw dynamic fixation を追加する（図 23-6c）．

いずれの手術治療を行った場合でも，術後は臨床的な，あるいは画像的な FAI が存在しないかを注意深く観察し，必要に応じて内固定材抜去術時に，前方進入法による骨頭から頸部の骨軟骨形成術を追加している．

単純性股関節炎

Transient synovitis of the hip

佐野　敬介　愛媛県立子ども療育センター 医監〔愛媛県東温市〕

【疾患概念】　小児に発生する一過性の股関節炎であり，病因としてはウイルス感染，外傷，アレルギーなど諸説あるが，詳細は不明である．
【病態】
　発症年齢は 2〜12 歳頃であるがピークは 5〜7 歳であり，男児に多く，片側発症例が多い．跛行および股関節痛を主訴とする症例が多いが，大腿部痛や膝関節痛を訴える症例も認める．

問診で聞くべきこと
最近の上気道感染症の有無.

必要な検査とその所見
跛行の確認を行う.股関節の可動域制限も認めており,特に flexion-adduction test は病状評価に有用である.単純X線像にて関節裂隙の開大を認めることがあるものの,明らかな異常所見を呈さないことも多い.超音波検査にて,関節液の貯留や滑膜炎に伴う大腿骨頸部前面関節包の拡大を確認することが可能であり,診断に有用である.Perthes 病など他の疾患を疑う場合には MRI 検査が有用である.

鑑別診断で想起すべき疾患
化膿性股関節炎,Perthes 病(初期),若年性特発性関節炎,大腿骨頭すべり症.

診断のポイント
化膿性股関節炎との鑑別が重要である.38.5℃以上の発熱,患肢での荷重不可能,血液検査にて白血球数 $12,000/mm^3$ 以上,CRP 2.0 mg/dL 以上,赤沈1時間値 40 mm 以上などを認めた場合には,化膿性股関節炎の可能性が高いと判断する.Perthes 病(初期)との鑑別は非常に困難であり,症状が軽減した場合でも,1か月程度間隔を開けて両股関節2方向単純X線撮影を行うことが推奨される.

治療方針
保存的治療が基本である.安静のみにて症状は数日〜2週間で消失することが大半である.症状が2週間以上にわたって持続する場合や激烈な場合には,入院加療(免荷,介達牽引)も行う.早期再発を防止するには,flexion-adduction test が完全に陰性化した時点での運動制限解除が重要である.

合併症と予後
後遺障害は認めない.

患者説明のポイント
良性疾患であるが,安静を十分に行わないと症状遷延や早期再発の可能性がある.また他疾患と後日判明することもあるため,完全に治るまで通院が必要である.

乳児化膿性股関節炎
Septic arthritis of the hip in infancy

佐野 敬介　愛媛県立子ども療育センター 医監(愛媛県東温市)

【疾患概念】　股関節内の細菌感染であり,大腿骨近位骨幹端部骨髄炎からの波及や,滑膜からの血行性波及などが原因となり生じる.治療開始遅延により大腿骨頭壊死や股関節脱臼,大腿骨成長障害などの重篤な機能障害を生じる可能性が高い.

【病態】　発熱およびおむつ替え時の激しい啼泣,自動運動の消失(仮性麻痺)を認める.股関節は熱感・腫脹・圧痛を認めており,屈曲外旋位拘縮を示すことが多い.起炎菌としては黄色ブドウ球菌,表皮ブドウ球菌,肺炎球菌,インフルエンザ菌が多い.

問診で聞くべきこと
基礎疾患,先行感染,抗菌薬投与の有無.

必要な検査とその所見
38.5℃以上の発熱および上記下肢症状を認める場合には,股関節単純X線撮影,超音波検査および血液検査を行う.超音波検査で関節液の貯留が確認できて,なおかつ白血球数 $12,000/mm^3$ 以上,CRP 2.0 mg/dL 以上,赤沈1時間値 40 mm 以上のいずれかを認めた場合には,化膿性股関節炎の可能性が高いと判断して関節穿刺を行い,膿の貯留を確認する.穿刺経路中に化膿性筋炎などの関節外病巣を有する可能性もあるため,可能であれば穿刺前に緊急MRI検査を施行する.

鑑別診断で想起すべき疾患
化膿性筋炎,若年性特発性関節炎,単純性股関節炎.

診断のポイント
発熱および股関節痛と思われる症状を認めた場合には,必ず化膿性股関節炎を念頭に置いて診断に当たる必要がある.

治療方針
関節穿刺で膿の貯留が確認できれば,緊急で手術(関節洗浄＋ドレーン留置)を行う.手術方法としては直視下手術(前方または内側アプローチ)や鏡視下手術がある.術後は長期にわたり抗菌薬を投与する必要がある.

合併症と予後
大腿骨頭壊死や股関節脱臼,大腿骨成長障害などを生じる場合がある.

患者説明のポイント
股関節に重篤な障害が生じるため,診断確定後は速やかに手術を行う必要がある.早期に手術できた場合にも将来股関節の変形,成長障害が出現する可能性はゼロではなく,長期間のフォローが必要である.

弾発股
Snapping hip

帖佐 悦男 宮崎大学 教授

【疾患概念】 股関節の動作時に弾発現象が生じる疾患の総称である．原因により関節外型と関節内型に分類され，関節外型には外側型と内側型がある．

【病態】
関節外型では，動作時に筋・腱・靱帯が骨性隆起を乗り越える際に弾発現象が生じる．関節内型では，動作時に関節唇など遊離体が「ひっかかる」ことにより生じる．

問診で聞くべきこと
どのような動作，肢位にて弾発現象が生じたのか，また疼痛の有無を聴取する．

1 関節外型

【病態】
外側型では腸脛靱帯が股関節の屈伸動作時に大転子を，内側型では腸腰筋腱が恥骨隆起を乗り越える際に生じることが多い．

【臨床症状】
大転子部や鼠径部に弾発現象を認め，疼痛を伴う場合がある．

診断のポイント
腸脛靱帯の場合，大転子を触知し下肢を内転させるようなストレスを下腿外側に加え，股関節を屈伸させ誘発する（bicycle test）．腸腰筋腱の場合，鼠径部を触知し股関節を屈曲外転（開排）し，その後，伸展内旋させ誘発する．

2 関節内型

【病態】
関節唇損傷，骨軟骨腫症，離断性骨軟骨炎などによる遊離体が「ひっかかる」ことにより生じる．

【臨床症状】
股関節動作時の「ひっかかり」，クリック徴候を認め，疼痛を伴う場合がある．

診断のポイント
MRIなどの画像検査で遊離体を確認し，キシロカインテストを実施する．

専門医へのコンサルテーション
弾発現象に加え疼痛が増強する場合，専門医に紹介する．

治療方針
保存療法が基本である．

保存療法
局所の安静・消炎鎮痛処置や弾発現象を避けることを指示し，リハビリテーション（ストレッチング，温熱療法）を実施する．滑液包炎，腱周囲炎や関節炎が生じている場合，ステロイドの局所・関節内注射を行う．

手術療法
滑液包切除，腱靱帯延長術・形成術や腸腰筋腱付着部解離術，関節唇修復術や遊離体摘出術などを行う．

患者説明のポイント
明確な解剖学的異常がない場合，弾発現象を生じる動作を無理にしないことや症状を気にしすぎないこと，ならびに治療・予防としての動作の改善やリハビリテーション治療の重要性を説明する．

リハビリテーションのポイント，関連職種への指示
弾発現象誘発動作の避け方（動作の改善），ストレッチング，筋力強化やアイシングなどアスレチックリハビリテーションの指導を指示する．

一過性大腿骨頭萎縮症
Transient osteoporosis of the hip（TOH）

神野 哲也 獨協医科大学埼玉医療センター 主任教授

【疾患概念】 急性〜亜急性の片側股関節痛で発症し，6か月〜1年以内に自然治癒する原因不明の疾患である．中年男性や妊娠後期女性に多い．病態は大腿骨頭の骨髄浮腫であり，骨萎縮を続発する．痛みに対する対症療法と，治癒までの期間中に骨折をきたさないような指導が必要となる．

【病態・臨床症状，発症機序，好発年齢】
原因は不明であるが，骨髄浮腫をきたす機序として微小骨折を含む外傷，静脈還流障害，閉鎖神経圧迫などの説がある．発症早期の痛みは強い．

問診で聞くべきこと
妊娠以外の危険因子として，外傷歴，飲酒や喫煙などの嗜好，ステロイド使用歴が知られている．職業などの情報も治療上必要となる．

必要な検査とその所見
(1) 単純X線検査
発症1か月頃から，大腿骨頭の骨萎縮（骨輪郭の不鮮明化，骨の透過性亢進）が認められる．活動制限指示の要否や骨折合併の有無を確認するため定期的に行

うが，骨萎縮所見は疼痛消失に遅れて徐々に正常化する．

(2) MRI

発症早期の診断には必須であり，大腿骨頭〜転子部にかけてびまん性骨髄浮腫(T1低信号，STIR高信号)が特徴的である．関節液貯留も認める．

同様の病態を対側股関節や膝，足関節などにも生じることがあり(局所性移動性骨粗鬆症：regional migratory osteoporosis)，疼痛部位に応じて画像検査を追加する．血液検査では異常を認めない．

鑑別診断で想起すべき疾患

大腿骨頭壊死症との鑑別が重要であるが，TOHにおける画像異常はびまん性である．すなわち，MRIでのT1低信号域は大腿骨頭壊死症のような帯状ではなく，STIRや造影における高信号域にも欠損部を認めない．骨シンチグラムでもcold in hotではなく，びまん性集積を認める．

CRPなどの炎症マーカーが高値であれば，化膿性股関節炎や関節リウマチなどの炎症性疾患の可能性を考える．

診断のポイント

強い股関節痛と画像所見から診断する．MRIでの大腿骨頭のびまん性骨髄浮腫像が決め手となる．

治療方針

治療は，自然治癒するまでの疼痛緩和と骨折予防である．

保存療法

疼痛に対する対症療法として，杖使用を含む荷重制限や活動制限，物理療法，薬物療法を適宜選択する．活動・荷重制限は骨折予防目的にも必要であり，X線経過に応じて指導する．薬物療法としては非ステロイド性消炎鎮痛薬などの鎮痛薬を用いる．ビスホスホネートやテリパラチド，カルシトニンなどの骨粗鬆症薬によって治癒が早まる可能性が示されている．

手術療法

骨折をきたさなければ手術は不要である．大腿骨頭壊死症に対して海外で行われるcore decompressionには明らかな効果は認められていない．

合併症と予後

大腿骨頭骨折や大腿骨頚部骨折をきたす例が，妊娠女性などを中心に報告されている．大腿骨頭軟骨下脆弱性骨折はTOHとの関連も報告されている．

患者説明のポイント

原因不明であるが，病名のとおり数か月で自然治癒する良性疾患であること，ただしその間は骨の強度が落ち骨折のリスクがあるため，過負荷を避ける必要があることを説明する．薬物療法は原因療法ではなく必須ではないことから，症状の強さや患者希望を踏まえ，インフォームドコンセントのうえ用いる．

急速破壊型股関節症

Rapidly destructive coxarthropathy (RDC)

神野 哲也　獨協医科大学埼玉医療センター 主任教授

【疾患概念】　主として高齢女性の片側股関節に発生し，数か月の経過で大腿骨頭の消失と寛骨臼の破壊に至る疾患である．

【病態・臨床症状，発症機序，好発年齢】

原因は不明であるが，大腿骨頭軟骨下脆弱性骨折が契機となる症例や，骨盤後傾が多いことなどが報告されている．形態的にはおおむね正常であった股関節に，小外傷や骨盤傾斜による応力集中などが加わることで発症し，骨脆弱性を背景に修復反応が乏しいまま高度の骨吸収が進み，急速に骨軟骨破壊が進行する疾患と考えられる．股関節痛は高度であるが，高度関節破壊の結果，関節切除術後に類似の状態となることで疼痛が軽減することもある．関節破壊の程度に応じて脚短縮を生じる．関節可動域制限は目立たない．

問診で聞くべきこと

軽微なものも含めた外傷歴の有無を聴取する．初診時にすでに高度破壊を認める場合は，問診で急速な経過を推定する．

必要な検査とその所見

(1) 単純X線検査(図23-7)

進行性の股関節破壊が認められることが診断の必要条件である．進行に伴い大腿骨頭は消失し，寛骨臼も荷重部を中心に破壊される．寛骨臼縁が破壊されると亜脱臼位を呈する．骨棘などの骨形成反応はみられない．破壊が急速なあまり破骨細胞による吸収が追いつかずに，関節内に残された破砕骨片の滞積像が，単純X線やCTで認められることもある．

(2) MRI

特異的所見はないが，他疾患との鑑別に必要である．

(3) CT

術前検査として，破壊された関節の形態を三次元的に把握するために必要である．

(4) 血液検査

特徴的な所見はないが，他疾患との鑑別に必要である．CRP上昇はあっても軽度である．

その他の検査として，関節液検査(細菌培養，結晶の

23 股関節の疾患

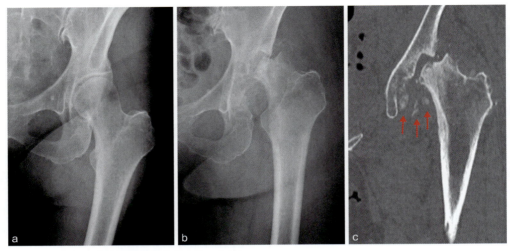

図 23-7　左急速破壊型股関節症（69歳，女性）
a：発症時の単純X線像．明らかな異常を認めない．
b：5か月後の単純X線．高度関節破壊と外上方への亜脱臼を認める．
c：bと同時期のCT像．関節内に破砕骨片滞積像（矢印）を認める．

鏡検，細胞診），術中組織の培養検査や病理組織検査が他疾患との鑑別目的など必要に応じて行われる．

鑑別診断で想起すべき疾患

骨破壊をきたしうる種々の疾患を鑑別する必要がある．転移性骨腫瘍はMRIや全身の諸検査で鑑別する．神経病性関節症はRDCと異なり疼痛が高度ではないことや，知覚鈍麻をきたす基礎疾患があることで鑑別する．化膿性股関節炎や結晶誘発性関節炎（偽痛風など）では，血液検査で炎症反応が認められ，また関節液検査でそれぞれ細菌や結晶が証明される．通常の変形性股関節症と異なり，急速な進行が特徴のRDCではX線学的に骨増殖性変化（荷重部骨硬化像や骨棘形成）がほとんどみられず，吸収性変化も骨嚢胞はみられない．拘縮もきたしにくい．

診断のポイント

診断基準はなく，画像上の高度破壊に至る急速な経過と他疾患の除外により診断する．したがって，「早期診断」は困難であるが，高度な破壊に至る前に，急速な股関節症の進行傾向（X線学的な関節裂隙狭小化～消失，大腿骨頭や寛骨臼の骨吸収）がみられた場合に疑う必要がある．

専門病院へのコンサルテーション

高度な破壊に至ってからの人工股関節全置換術は難度が増すため，急速破壊の傾向が疑われれば，早めに専門医に紹介することが望ましい．

治療方針

高齢者に多く，股関節の破壊が著明であるため，通常は人工股関節全置換術が行われる．

保存療法

関節破壊が進行する前の早期に本症を疑う場合は，骨粗鬆症薬が進行抑制に有効である可能性がある．

手術療法

人工股関節全置換術においては，寛骨臼骨欠損の程度に応じて，人工骨・同種骨移植，オーギュメントや寛骨臼サポートリングなどの特殊インプラントの使用を要する．

合併症と予後

寛骨臼の高度破壊をきたすと，人工股関節全置換術の成績不良（合併症や早期再手術など）につながりうる．

患者説明のポイント

根治療法としては人工股関節全置換術が必要であること，高度破壊に至ると手術の難度が上がり成績不良の原因となりうることを説明し，適切なタイミングでの手術を勧める．

大腿骨頭壊死症

Osteonecrosis of the femoral head

稲葉 裕　横浜市立大学大学院 教授

【疾患概念】　大腿骨頭壊死症のうち，原因が明らかでないものは特発性大腿骨頭壊死症に分類され，「非外傷性に大腿骨頭の無菌性，阻血性の壊死をきたし，大腿骨頭の圧潰変形が生じると，二次性の股関節症にいたる疾患」と定義される．基礎疾患が明らかなものは二次性大腿骨頭壊死症に分類され，その基礎疾患として，外傷，潜水病，鎌状赤血球症，Gaucher病，放射線照射などがある．

【頻度】
　わが国では，「特発性大腿骨頭壊死症調査研究班」によって全国規模の疫学調査および大規模医療施設における定点モニタリングが実施されている．2015年に実施された全国疫学調査では，年間有病率が人口10万人あたり18.2人，年間新患数は2,100人と推定されている．好発年齢は，男性では40歳台であり，女性は30歳台と60歳台に二峰性のピークがある．

【病型・分類】
　治療方針を決定するために，病型（Type）および病期（Stage）分類を行う．
　病型は壊死範囲の局在によって分類され，単純X線像，MRIの両方またはいずれかで判定する．
・Type A：壊死域が寛骨臼荷重面の内側1/3未満にとどまるもの，または壊死域が非荷重部のみに存在するもの
・Type B：壊死域が寛骨臼荷重面の内側1/3以上2/3未満の範囲に存在するもの
・Type C：壊死域が寛骨臼荷重面の内側2/3以上に及ぶもの
　Type C-1：壊死域の外側端が寛骨臼縁内にあるもの
　Type C-2：壊死域の外側端が寛骨臼縁をこえるもの
　病期は大腿骨頭の圧潰と関節症性変化の有無について，骨頭の正面と側面の2方向X線像で評価を行う（図23-8）．
・Stage 1：X線像の特異的異常所見はないが，MRI，骨シンチグラム，または病理組織像で特異的異常所見がある時期
・Stage 2：X線像で帯状硬化像があるが，骨頭の圧潰（collapse）がない時期
・Stage 3：骨頭の圧潰があるが，関節裂隙は保たれている時期（骨頭および寛骨臼の軽度な骨棘形成はあってもよい）
　Stage 3A：圧潰が3mm未満の時期
　Stage 3B：圧潰が3mm以上の時期
・Stage 4：明らかな関節症性変化が出現する時期

【病態】
　特発性大腿骨頭壊死症の病態は，大腿骨頭の阻血性壊死であると考えられている．ステロイド投与およびアルコール摂取と，骨頭壊死の発生との間に関連があることが報告されているが，その詳細な発生機序についてはいまだ明らかにされていない．
　ステロイド関連大腿骨頭壊死は，ステロイド投与開始後の早期に発生することが多いことが示されている．ステロイド治療開始に伴って脂質代謝異常，血液凝固能亢進，酸化ストレスの増加などが生じ，これらの変化が壊死発生と関連している可能性がある．これらに加えて，血管内皮機能障害，脂肪塞栓，骨細胞のアポトーシスなど，さまざまな要因の関与が示唆されている．

【問診で聞くべきこと】
　基礎疾患の有無，内服薬，ステロイド使用の有無，飲酒歴，喫煙歴を確認する．ステロイド投与歴がある場合はその基礎疾患，ステロイドの最大投与量および投与期間，パルス投与の有無を確認する．ステロイド関連は女性に多く，その原疾患は全身性エリテマトーデス（systemic lupus erythematosus；SLE）が最多である．アルコール愛飲歴がある場合には飲酒量と頻度，飲酒期間を聴取する．アルコール関連は男性に多く，日本酒換算で1日2合（純アルコール量として40g）を10年以上継続していたかどうかが，1つの目安となる．また，喫煙も特発性大腿骨頭壊死症と関連性があることが知られている．

【必要な検査とその所見】
　診断や壊死領域の把握には，単純X線像の骨頭正面像および側面像（股関節90°屈曲，45°外転，内・外旋中間位）やMRIが有用である．
(1)単純X線検査
　壊死領域の周囲に帯状硬化像を認める．骨頭の圧潰が生じると，関節面の不整像や軟骨下骨の骨折線（crescent sign）を認める．
(2)MRI
　T1強調像の骨頭内帯状低信号域（band像）が特徴的であり，低信号域の中枢側が壊死領域，末梢側が健常部である．
(3)骨シンチグラム
　壊死領域での集積が低下し，修復組織での取り込みが亢進するため，cold in hot像を呈する．
(4)骨生検
　組織学的には①壊死領域（necrotic zone），②修復組

23 股関節の疾患

Stage 1	Stage 2	Stage 3		Stage 4
		3A 圧潰 3 mm 未満	3B 圧潰 3 mm 以上	
X線像の特異的異常所見はないが，MRI，骨シンチグラムまたは病理組織像で特異的所見がある．	X線像で帯状硬化像があるが，大腿骨頭の圧潰がない．	大腿骨頭の圧潰があるが，関節裂隙は保たれている（軽度な骨棘形成はあってもよい）．		明らかな関節症性変化が出現する．

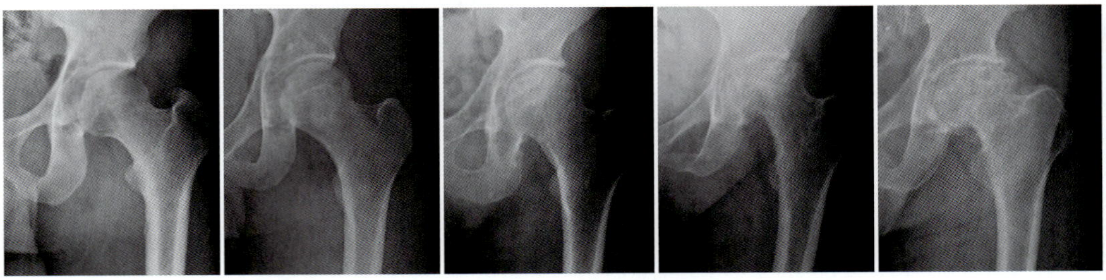

図 23-8　特発性大腿骨頭壊死症の病期分類
病期は帯状硬化像，大腿骨頭の圧潰，関節症性変化の有無について，大腿骨頭の正面と側面の2方向X線像で評価を行う．

織（reparative interface zone），③健常部（normal zone），の3層構造が特徴的な所見である．壊死領域では骨小腔内に存在する骨細胞の核が広範に消失（empty lacunae）し，周囲の骨髄細胞も壊死に陥る．

診断のポイント

診断では，腫瘍，腫瘍類似疾患，骨端異形成症などの疾患を除外する必要がある．また，一過性大腿骨頭萎縮症や大腿骨頭軟骨下脆弱性骨折，Perthes病などを鑑別する．大腿骨頭以外に，上腕骨頭や大腿骨顆部，手月状骨などにも骨壊死が発生することがあり，注意を要する．本疾患は骨壊死が発生しただけの時点においては，自覚症状はない．大腿骨頭に圧潰が生じたときに自覚症状が出現し，この時点が大腿骨頭壊死症の発症である．発症初期では股関節の荷重時痛を認める．また，股関節周囲の痛みではなく，大腿から膝にかけての疼痛を訴える例もある．特発性大腿骨頭壊死症診療ガイドラインが2019年に発行されており，診断・治療を行う際には参照されたい．

治療方針

特発性大腿骨頭壊死症調査研究班による調査や諸家の報告では，荷重面に対する壊死部の占める割合が大きいほど圧潰の危険性が高く，圧潰危険率はType Aで10%以下，Type Bで40%程度，Type C-1で80%程度，Type C-2で90%以上である．そのため大腿骨頭の圧潰をきたす可能性が低いType Aでは経過観察，可能性が高いType Cでは関節温存手術が適応となり，Type Bは注意深い経過観察が必要である．青壮年で骨頭圧潰が軽度な症例では関節温存術を検討し，骨頭の温存が望めない場合や，すでに圧潰が進行した症例，関節症性変化が強い症例では人工股関節全置換術（total hip arthroplasty；THA）の適応となる．

保存療法

Stage 1あるいは2で，病型がType Bまでの症例は保存療法の適応である．体重コントロールや長距離歩行・重量物運搬作業の禁止など，身体活動の制限を勧めるが，その有効性に関するエビデンスは乏しい．骨頭の圧潰を認めている症例では，症状緩和および圧潰進行の抑制を目的として免荷を行う．

手術療法

手術は関節温存手術（骨切り術，core decompression，骨移植術など）と非温存手術〔人工骨頭置換術（bipolar hip arthroplasty；BHA）やTHA〕に大別される．手術適応は症例の年齢，病期，病型に加えて，社会的背景（職業，生活様式，家庭状況など）も十分に考慮する必要がある．

骨切り術では，壊死領域の部位，範囲によって大腿骨頭回転骨切り術もしくは転子間弯曲内反骨切り術を行う．大腿骨頭回転骨切り術では，壊死領域の局在により回転方向（前方もしくは後方）を選択する．骨切り線は頸部軸に対して直角となるように計画し，壊死範囲が大きく内反が必要な場合には，必要な内反角度が

> **トピックス**　　大腿骨頭軟骨下脆弱性骨折

　大腿骨頭軟骨下脆弱性骨折（subchondral insufficiency fracture of the femoral head；SIF）は文字どおり，大腿骨頭の軟骨下に生じる骨折であり，骨折形態としては椎体の圧迫骨折に似ている．高齢者に非外傷性に生じることが多く，脆弱性骨折がその病態であると考えられている．疾患概念が確立されたのは2000年頃であるが，何もその頃から起こり始めたはずはなく，誰も知らなかっただけである．すなわち，SIFを診断するコツは，積極的に本疾患を"疑う"ことである．

　では，なぜ以前には知られていなかったのか．それは，似たようなX線画像を呈する有名な疾患が存在したからである．SIFのX線画像の特徴は「骨頭の圧潰（陥没）」である．「骨頭の圧潰」で誰もが真っ先に頭に思い浮かべる疾患は大腿骨頭壊死症であろう．実際に，大腿骨頭壊死症と診断されて手術をされた症例のなかで病理組織学的にSIFと診断されたものは11％にのぼる，と報告されている．SIFの疾患概念が確立し普及したことの最大の意義は，「骨頭の圧潰≠大腿骨頭壊死症」となったことであると思う．

　では，なぜ鑑別することが重要なのか．1つは大腿骨頭壊死症の疫学的背景に影響を与えてしまうからである．大腿骨頭壊死症は国が難病に指定している疾患であり，臨床調査個人票は貴重なデータとなる．SIFが混在すれば見えるものも見えなくなってしまう．もう1つは，SIFは"骨折"であり保存的に治癒しうるからである．骨折の範囲にもよるが，まずは免荷による経過観察を行うべきである．

　保存的に治癒しうるものがある一方で，急速な骨頭圧潰進行をきたすものもある．いわゆる急速破壊型股関節症のパターンを示すものであり，SIFは急速破壊型股関節症の原因の1つであると考えられている．なぜこのようなスイッチが入るのかはいまだにわかっていないが，SIFを疑った場合には，急速な経過を辿りうることを患者・家族に最初に説明しておくべきである．

本村 悟朗〔九州大学大学院医学研究院人工関節生体材料学講座准教授〕

得られるように骨切り線を設定する．

> **患者説明のポイント**

　特発性大腿骨頭壊死症は比較的若年で発生し，患者の活動性が高いことが多い．手術を施行する場合には，将来的に再手術が必要となる可能性が高いことを説明し，治療法を選択する．また，ステロイド投与およびアルコール摂取によって，特発性大腿骨頭壊死症の発生リスクが上昇することが知られているが，現時点において骨壊死の発生機序は未解明である．

変形性股関節症
Osteoarthritis of the hip

中島 康晴　九州大学大学院 教授

【疾患概念】　変形性股関節症（股関節症）とは，関節軟骨の変性や摩耗により関節の変形が生じ，反応性の骨増殖（骨棘など）を特徴とする疾患である．股関節の変性・変形により同部の疼痛と可動域制限，歩行障害を呈する．

原疾患が明らかではない一次性股関節症と，何らかの疾患に続発する二次性股関節症に分類される．わが国では，一次性の頻度は少ないものの，最近では屈曲時の臼蓋と大腿骨頚部の衝突現象であるfemoroacetabular impingementが，一次性股関節症の原因の1つとして注目されている．多くを占める二次性は，Perthes病，大腿骨頭すべり症，化膿性股関節炎などの小児期の股関節疾患，あるいは股関節脱臼や骨折などの外傷後の長期経過後に発症するものである．そのなかでも乳児期の股関節脱臼・亜脱臼（発育性股関節形成不全）や寛骨臼（臼蓋）形成不全に伴う股関節症が最も多く，股関節症全体の80％を占める．

　股関節症の多くは進行性であり，長い時間をかけて病状は悪化していく．特に寛骨臼形成不全の程度が強い例や，50歳以上の例では進行しやすいとされている．

【頻度】

　股関節症に関する疫学的な報告は少ないものの，単純X線診断による有病率は1.0〜4.3％と報告されており，男性は0〜2％，女性は2〜7.5％と圧倒的に女性に多い．

23 股関節の疾患

【臨床症状】
(1)疼痛

鼠径部の疼痛が主体となるが，関連痛として大腿部痛や殿部の疼痛を訴える場合も少なくない．股関節症初期には長歩き後のだるさや運動開始時の疼痛（starting pain）として現れ，病期の進行とともに疼痛は持続性となり，安静時痛や夜間痛が出現してくる．

(2)可動域制限

病期の進行とともに種々の可動域制限が生じてくる．特に，内旋，外転，屈曲の制限が出現し，進行する．具体的には靴下の着脱やしゃがみこみなどに制限が出る．病期進行と並行して関節拘縮も進行するが，骨性強直に至ることはまれである．

(3)跛行

疼痛による逃避性跛行や脚長差による墜落性跛行など種々の跛行を呈する．Trendlenburg 跛行は亜脱臼性股関節症に特徴的な中殿筋不全による跛行である．

問診で聞くべきこと

二次性股関節症の原因となりうる発育性股関節形成不全の既往歴，家族歴に加えて，過去の労働内容と期間，スポーツ歴，外傷歴，体重は股関節症の関連因子であるため，問診において聴取すべきである．また，臨床症状の重症度として，日常生活動作における制限および疼痛の程度を聴取しなくてはならない．

必要な検査とその所見

(1)理学的検査

股関節症に特徴的な所見は鼠径部痛，Scarpa 三角の圧痛，関節可動域の制限，脚長差，筋萎縮，Trendelenburg 徴候，跛行，および Patrick テスト陽性などが挙げられる．しかしながら，これらの所見は股関節疾患であるか否かを判定するために有用な所見であり，個々の股関節疾患の診断が可能となるものではない．

(2)単純 X 線所見

MRI や CT によりさまざまな画像情報を得られるようになったものの，現在も単純 X 線所見が股関節症診断には最も重要である．

股関節症の単純 X 線所見には，関節裂隙の狭小化，骨構造の変化（骨硬化，骨囊胞，骨棘，臼底肥厚，骨頭変形など），寛骨臼形成不全，骨頭と臼蓋の位置関係（亜脱臼，脱臼）が挙げられる．最も重要な所見は軟骨の厚みを示す関節裂隙であり，最も汎用されている日本整形外科学会病期分類では，その程度を中心に病期が分けられている．

①前股関節症：寛骨臼形成不全などの形態異常はあるものの，関節裂隙の狭小化は存在しない状態（図 23-9a）．

②初期股関節症：関節裂隙が部分的に狭小化している

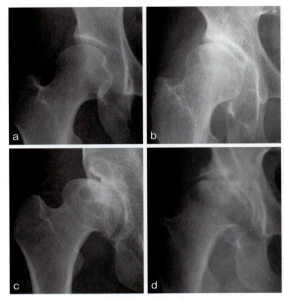

図 23-9　変形性股関節症　病期分類

が，消失はない状態（図 23-9b）．

③進行期股関節症：部分的な関節裂隙の消失（軟骨下骨の接触）がある状態（図 23-9c）．

④末期股関節症：関節裂隙の広範な消失（図 23-9d）．

(3)MRI，CT

MRI は股関節症と他疾患との鑑別に有用である．大腿骨頭壊死症や大腿骨頭軟骨下骨折ではそれぞれ骨頭内に特徴的な信号パターンを呈する．また，関節唇の描出には MRI は欠かせない．CT は単純 X 線よりも詳細な 3 次元形態の可視化が可能であり，術前計画に有用である．

(4)血液生化学検査

股関節症の診断や病勢を反映する血液マーカーとして臨床応用されているものはない．関節リウマチとの鑑別に ACPA，RF，MMP-3 などを確認する場合がある．

診断のポイント・鑑別診断で想起すべき疾患

鼠径部〜大腿部痛，可動域制限，跛行などの特徴的な理学的所見に加えて，上記の画像所見が確認されれば股関節症と診断できる．

鑑別診断すべき疾患は，関節内病変と関節外病変に分けられる．関節内病変としては大腿骨頭壊死症が重要で，ステロイド投与歴やアルコール多飲歴などの病歴に加え，単純 X 線における帯状硬化像や MRI における T1 low band の存在によって鑑別する．関節リウマチの典型的な画像は増殖性変化に乏しい関節裂隙の狭小化であり，他関節所見や血液検査を総合して鑑

別する．スポーツ障害などでみられる，骨形態異常を伴わない関節唇損傷は単純X線のみによる診断は困難である．理学的所見，MRI所見，そして後述するキシロカインテストで診断を進める．関節外病変では，脊椎疾患との鑑別が重要となる．X線透視下もしくは超音波ガイド下に股関節内にキシロカインなどの局所麻酔薬を注入し，下肢痛が軽減もしくは消失した場合には股関節症による下肢痛であると診断でき，脊椎疾患との鑑別に有用である．

治療方針

保存的治療として生活指導，理学療法，薬物治療などがあり，いずれも症状の緩和には有用であるものの，長期的な病期進行予防の効果は不明であり，多くは緩徐に進行していくと考えられる．そのため，寛骨臼形成不全の程度が強いなど，病期進行が予想され，手術的な矯正で関節温存がはかれる場合には早期の手術が勧められる．すでに進行し，関節温存が困難な場合や高齢の場合には人工股関節置換術の適応となる．

保存療法

1 ▶ 患者教育・生活指導

患者教育には，股関節の解剖や疾患の理解，生活環境の改善，日常生活動作の指導，杖や装具の指導，電話相談などによって患者が再確認できる体制，および家庭での運動の指導などが含まれる．股関節の広い可動域を要する和式生活よりも，ベッド・椅子・洋式トイレなどの洋式生活が望ましい．また激しい運動や重労働・立ち仕事は疼痛の原因となるため，できるだけ避けたほうがよい．杖の使用は疼痛緩和に有効であり，股関節への負担を軽減するため，進行した病期の場合には特に勧められる．肥満は明らかに病期進行に影響するので，体重管理が必要である．

2 ▶ 運動療法

運動の種類としては，有酸素運動や筋力増強訓練，可動域訓練，水中運動が推奨されており，どの病期においても疼痛，機能障害の改善が期待できる．筋力訓練は股関節周囲筋や大腿四頭筋などの太腿の筋肉の強化が有効であり，関節に体重をかけない臥位や座位で行うことが勧められる．水中歩行は，浮力により股関節への負担が軽くなり，無理なく安全に筋肉が鍛えられるので理想的な方法と言える．運動療法の効果を上げるためには実施率の向上が重要である．理学療法士の指導下のグループ訓練に引き続き，ホームエクササイズを行い，さらに追加の訓練・指導を行うと患者の意欲の向上に有効である．

3 ▶ 薬物療法

NSAIDs，アセトアミノフェン内服により，疼痛緩和と日常生活動作の改善が得られ，その効果は2薬剤間で差を認めない報告が多い．有害事象として，NSAIDsでは消化管障害，肝腎機能障害，アセトアミノフェンでは肝機能障害が危惧される．弱オピオイドは，変形性関節症の疼痛・症状緩和に有効であるが，消化器症状や中枢神経症状などの有害事象の頻度が高く，注意が必要である．グルコサミン，コンドロイチン硫酸などが変形性関節症に対して市販されているが，その効果が実証されていない．

手術療法

股関節症に対する手術的治療として，骨切り術に代表される関節温存術と人工股関節置換術に分けられる．

1 ▶ 関節温存術

寛骨臼側の骨切り術としては寛骨臼移動術・寛骨臼回転骨切り術，Chiari骨盤骨切り術などが，大腿骨側の手術として，大腿骨内反骨切り術，大腿骨外反骨切りなどが挙げられる．手術適応を決める場合には，年齢，性別と職業，病期，両側か片側性か，体重，関節適合性などを総合的に考慮しなければならない．

(1) 年齢

まず考慮すべきは年齢である．いくら形態的に骨切り術の適応であろうと高齢者に行うのは問題がある．具体的には50歳までは積極的に骨切り術の可能性を探り，その後の10年間はグレーゾーン，60歳代以降は人工股関節置換術の適応であろう．

(2) 性別と職業

股関節症は女性に多いことから，結婚，妊娠，育児などのライフイベントを考慮に入れる必要がある．また職業に関しても，座り仕事か，肉体労働かは重要な因子であり，復職も含めて，十分に考慮する．

(3) 病期と術式

股関節症病期は術式を決めるうえで最も重要な因子で，それぞれの病期に適した術式があり，また術後のゴールも変わってくる．前股関節症～初期股関節症には寛骨臼移動術・寛骨臼回転骨切り術が適応となり，長期にわたる関節予後の改善を期待して行われる．一方大腿骨外反骨切り術やChiari骨盤骨切り術，もしくはその併用手術は進行期～末期股関節症例を適応とし，将来的な人工股関節置換術を視野に入れたtime saving的な意味合いを持つ．実際，進行期に対する大腿骨外反骨切り術は除痛に優れた手術であるが，術後10年前後より関節症が再度進行し，人工関節置換術に至る場合が多い．

(4) 両側性か片側性か

前股関節症～初期股関節症の両側性の場合には，通常，症状の強い側から手術を行う．寛骨臼形成不全が

トピックス　股関節のロボット手術

整形外科における手術用ロボットとしては，人工股関節全置換術（total hip arthroplasty；THA），人工膝関節全置換術（total knee arthroplasty；TKA），人工膝関節単顆置換術（unicompartmental knee arthroplasty；UKA），大腿骨骨折整復術，脊椎椎弓根スクリュー刺入術に対して開発が行われてきた．THAに応用されているロボットには，外科医が作成したCT画像計画に従いロボットが能動的に骨の掘削を行うActive Systemと，リーマーやボーンソーなどの手術器具の位置と方向を一定範囲以外に動かないようロボットが制御するActive Constrained Systemの2種類がある．

1986年にIBM社がTHAにおけるステム設置のための大腿骨髄腔掘削を行うActive SystemとしてROBODOCの開発を始めた．1992年に米国で初めて臨床応用され，2000年にはわが国でも臨床治験が行われた．ステム周囲骨折予防，ストレスシールディングの低減，脂肪塞栓予防などさまざまな有用性が報告され，術後10年の良好な臨床成績も報告されている．2014年にT-solution One（Think Surgical, Inc.）という新世代のシステムにかわり，FDAの承認も得て徐々に使用されてきているが，わが国では薬機法未承認である．

一方，Active Constrained SystemのRIO Robotic Arm Interactive Orthopedic System（Mako Surgical Corporation）が開発され，2006年以降米国でUKA，TKA，THAに適用された．2013年にStryker社に買収され，MAKOシステムとして世界的に普及しつつある．THAにおいては寛骨臼リーマーと，カップ設置ハンドルをロボットアームで誘導し，リーミングおよびカップのプレスフィット固定時の手振れを制御するシステムとなっている．リーマーによる骨の掘削量を画像表示して，削りすぎを防止するようになっている（図23-10）．ステム側はナビゲーション機能を有し，ステムアライメントや脚長差，脚オフセット差を計測できる．リーミング精度向上による骨温存効果，正確なカップアライメントと脚オフセットによる関節安定性，機能の向上，正確な脚長補正が報告されている．わが国では2017年にTHAでの使用が薬機法承認となり，2019年保険収載となっている．股関節形成不全に伴う二次性変形性股関節症にどこまで適応可能か今後検証が進むものと考えられる．

高尾　正樹〔大阪大学　講師〕

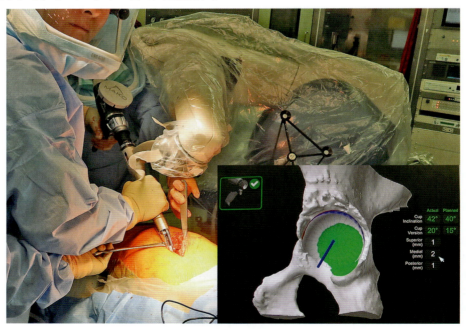

図23-10　ロボットアーム支援人工股関節全置換術
MAKO Total Hipのロボットアームの制御下で，右下のモニター画面を参照しながら寛骨臼のリーミングを行っている．緑色がリーミング残存骨を示している．

あっても症状がない場合には経過観察としている．進行期〜末期の両側例に対する骨切り術の適応は慎重を要する．

2 ▶ 人工股関節置換術

人工股関節置換術（total hip arthroplasty；THA）は破壊の進行した股関節を切除し，人工の股関節を埋め込む手術である．人工股関節は受け手であるカップ，軟骨の役割を担うポリエチレン，人工骨頭，その骨頭を固定するステムからなる．THAでは術後早期より除痛が得られ，可動域，歩行能力を改善される．骨切り術と比較した場合，術後のリハビリテーションにかかる日数も少ないため，早期退院も可能である．これまで年齢的制約があった大きな理由はその耐久性のためである．骨-インプラント間の弛みおよび摺動面の摩耗粉の問題は術後10年以降に増加するため，若年者への適応には慎重を要した．しかしながら開発が進んだインプラント表面の優れた骨固着性は弛みを減少させ，さらに2000年前後に開発されたクロスリンクポリエチレンは摩耗を激減させ，THAの長期耐用性は飛躍的に向上した．現在では，50歳未満の若年者であっても関節温存の適応になりにくい場合には，THAが選択されることが多い．

リハビリテーションのポイント

運動療法による疼痛軽減，関節可動域改善，筋力増強などの効果が認められており，ADLの維持・改善が期待できる．継続できれば長期的な効果があるが，X線学的な病期進行の予防効果については明らかではない．

リハビリテーションプログラムは一般的に，①物理療法，②関節可動域運動，③筋力増強運動，④動作練習から構成され，個人に合わせたプログラムが有効である．

①物理療法は運動療法の前に行い，ホットパックに代表される温熱療法により疼痛緩和を行う．動作練習は歩行能力向上練習やADLにおいて関節に負担の小さい動作の指導などを行う．

②関節可動域運動：変形性股関節症では，股関節屈曲，内転拘縮が生じやすく，腸腰筋，内転筋，ハムストリングス，下腿三頭筋などのストレッチを行う．愛護的に疼痛が生じないよう動かして，最終可動域で20〜30秒間伸張を保持する．ゆっくり元に戻し，数回繰り返す．個人の機能に合わせ徒手で行うが，関節炎や疼痛の増強を誘発しないように，慎重に始めて徐々に強度を高めていくことが重要である．

③筋力増強運動：股関節周囲筋のみでなく下肢全体，体幹筋の運動も行う．等張性運動と等尺性運動では，関節運動を繰り返す等張性運動より，一定の角度で保持する等尺性運動のほうが望ましい．10秒間保持し10〜15回を1セットとして行う．ゴムバンドを用いた運動の場合，ゴムバンド自体に強度設定があるが，強度の高いものを選択し，疼痛に応じて等尺性運動の強さでコントロールする．ハーフスクワットなどの閉鎖運動連鎖による多関節運動は，主動作筋と拮抗筋が同時に収縮して関節への負荷が均一化するため安全性が高い．

④水中運動療法：代表的な運動療法である．水中では水の浮力と抵抗により，関節への負担を小さくして筋力増強が可能である．浮力により水位が剣状突起の場合30%荷重，臍部では50〜60%荷重，恥骨部では80%荷重となり関節への負荷を調整することができる．また，歩行や水泳のみでなく，体操やダンスなどさまざまな取り組みがなされており，肥満の軽減や心肺機能の向上にも効果がある．

股関節脱臼骨折

Hip fracture dislocation

吉田 健治　筑後市立病院 顧問〔福岡県筑後市〕

【疾患概念】　交通事故や労災事故などの高エネルギー損傷により，外傷性股関節脱臼が生じる．大腿骨頭の血行は，内側大腿回旋動脈の分枝である外側骨端動脈（lateral epiphyseal artery）であり，阻血を生じやすい．本外傷は，大腿骨頭骨折あるいは寛骨臼縁骨折を伴うことがある．大腿骨頭壊死の発生率を低下させるために，早期の脱臼整復が必要である．

【病型・分類】

後方脱臼が外傷性股関節脱臼の90%を占め，股関節屈曲位で長軸方向に外力が作用して発生する．いわゆるダッシュボード損傷である．大腿骨頭骨折は後方脱臼の6〜7%に合併する．前方脱臼は本骨折の10%を占め，そのうち恥骨脱臼は股関節の外転・外旋・伸展により生じ，閉鎖孔脱臼は股関節の外転・外旋・屈曲により生じる．

問診で聞くべきこと

受傷原因，受傷からの経過時間，疼痛部位を聴く．

必要な検査

外傷性股関節脱臼は，単純X線の正面像・軸斜像で診断は容易である．合併する大腿骨頭骨折，大腿骨頚部骨折，寛骨臼縁骨折，寛骨臼底骨折，関節内骨片の診断には，閉鎖孔斜位像（obturator oblique view），腸骨斜位像（iliac oblique view）やCT scanが有用である．MRIは，bone bruiseや術後の大腿骨頭壊死の診断に有用である．

診断のポイント

後方脱臼は患肢の短縮と股関節の内転・内旋が典型的な肢位である．しかし大腿骨骨幹部骨折を伴う場合は，典型的肢位を示さないので見逃される場合があるので注意が必要である．前方脱臼は患肢短縮に加え，恥骨脱臼では股関節伸展・外旋，閉鎖孔脱臼では股関節屈曲・外転・外旋を示す．

専門病院へのコンサルテーション

股関節外科に対する対応が困難であれば専門医へ紹介する．

股関節脱臼に対する徒手整復

大腿骨頭壊死の予防のために，脱臼整復は緊急を要する．麻酔下に筋弛緩薬を使用する．

1 ▶ 後方脱臼の場合

Allis 法（後方脱臼に対する）は仰臥位で助手が骨盤を固定し，術者は股関節 90°屈曲位で大腿を長軸方向へ牽引しつつ内外旋を加える．Stimson 法は伏臥位で行うので，愛護的方法であるが多発外傷の患者には適さない．

2 ▶ 前方脱臼の場合

Allis 法（前方脱臼に対する）は仰臥位でハムストリングスを弛緩させるように膝を屈曲し，助手は大腿内側から外側への圧迫を加えつつ，術者は股関節軽度屈曲位で大腿を長軸方向へ牽引し内転・内旋する．

3 ▶ Reverse Bigelow 法

股関節軽度屈曲・外転位で屈曲した大腿を急激に持ち上げる方法と，股関節屈曲方向へ牽引し内転・内旋・伸展する方法がある．

保存的治療

脱臼が整復されて股関節の安定性，適合性が良好であり，合併した骨折の処置が必要でない場合は保存的に治療を行う．

手術的治療

次の場合は観血的に行う．①脱臼の徒手整復が不能である場合，②寛骨臼後壁の骨折が大きく股関節の不安定性を認める場合，③関節の不適合性を認める場合，④関節内骨片の介在を認める場合である．後壁骨折で注意すべきは marginal impaction であり，関節面の陥没骨折に対しては骨移植も行う．

合併症と予後

(1) 坐骨神経麻痺

股関節後方脱臼の約 10〜15% にみられる．異所性骨化による late sciatic nerve dysfunction も報告されている．

(2) 大腿骨頭壊死

1.7〜40% と報告者によりさまざまであるが，受傷後 6 時間以内に整復された場合は 0〜10%，12 時間を超えた場合は 5.6 倍に増加したと報告されている．通常，受傷後 2 年以内に発生するが 5 年後でもみられることがある．

(3) 変形性股関節症

10〜30% と多様である．受傷後早期の良好な関節適合性と安定性を獲得することが大切である．

(4) 異所性骨化

股関節後方脱臼骨折に多発する．インドメタシン内服，放射線治療が有効といわれる．

(5) 大腿骨頭の変形治癒

部分切除により疼痛，関節可動域が改善するといわれる．

患者説明のポイント

上記の合併症について，初診時に説明しておく．受傷後 2 年以内は大腿骨頭壊死の発生が高いこと，さらに晩期合併症として変形性股関節症が起こりうることより，定期的な診察・検査の必要性を説明する．

リハビリテーションのポイント，関連職種への指示

深部静脈血栓に対する予防，腓骨神経麻痺の予防，免荷での筋力増強，関節可動域訓練について指導する．

大腿骨頭骨折

Femoral head fracture

吉田　健治　筑後市立病院 顧問〔福岡県筑後市〕

【疾患概念】　大腿骨頭骨折はほとんどが外傷性股関節脱臼に合併して発生する．解剖学的に阻血を生じやすく代償能，副血行路に乏しいために大腿骨頭壊死を生じやすい．坐骨神経が近接しており坐骨神経麻痺を生じることがある．

【分類】

Pipkin 分類が用いられる．Type 1 は骨頭窩よりも尾側での骨折で，円靱帯は付着していない．Type 2 は骨頭窩よりも頭側での骨折で，円靱帯が付着している．Type 3 は大腿骨頸部骨折を合併したもの．Type 4 は臼蓋縁骨折を合併したものである．

【臨床症状】

ほとんどが股関節脱臼に合併するので，脱臼の方向により特有の肢位を呈する（股関節脱臼骨折 ➡ 743 頁を参照）．

問診で聞くべきこと

受傷原因，受傷からの経過時間，疼痛部位を聴く．

必要な検査とその所見

単純X線を撮影する．両側股関節の正面像，患側大腿骨頚部の軸斜像に加えて，患側股関節の閉鎖孔斜位像，腸骨斜位像が必要である．さらにCT scanも行う．骨頭骨折，寛骨臼骨折，大腿骨頚部骨折，合併する骨折を検索する．MRIはbone bruiseや術後の大腿骨頭壊死の診断に有用である．

診断のポイント

骨頭骨折の分類，寛骨臼骨折，関節内介在物，関節適合性を評価する．

治療方針

脱臼整復は緊急を要する．徒手整復が困難であれば直ちに観血的に行う．

保存療法

脱臼整復が可能で骨頭骨片が荷重部に占める割合が小さく，関節内介在物がなければ保存療法を行う．

手術療法

脱臼整復が不能，関節内介在物の存在，大腿骨頚部骨折の合併，寛骨臼骨折があり不安定性がある場合や関節適合性が不良である場合は手術を行う．Pipkin type 1およびtype 2で大腿骨頭の摘出や骨接合を行う際，通常は骨頭骨折は前内側に位置するので，前方アプローチ(Smith-Petersenアプローチ)を用いる．大腿骨頚部骨折を伴うtype 3では，前側方アプローチ(Dallアプローチ)を用いる．寛骨臼後壁骨折を伴う場合には，後方アプローチで再脱臼させると骨頭血行に悪影響を与えるので，後方アプローチの際にtrochanteric flip osteotomyを併用しsurgical dislocationを行うことにより，骨頭の血流を障害させることなく関節包前方からの骨片の処置を行う方法が推奨される．Type 3で骨癒合が困難と思われる例では年齢も考慮のうえ，primaryに人工関節置換術を選択することもある．

合併症と予後

受傷直後の脱臼整復の際に，新たな骨折を生じることのないように愛護的な操作が必要である．Pipkin type 1，type 2をtype 3にすることのないように注意が必要である．大腿骨頭壊死の発生頻度は，脱臼の早期整復により低くなることを認識しておく．坐骨神経麻痺，異所性骨化，変形性股関節症などがある．

患者説明のポイント

上記の合併症について初診時に説明しておく．受傷後2年以内は大腿骨頭壊死の発生が高いこと，さらに晩期合併症として変形性股関節症が起こりうることより，定期的な診察・検査の必要性を説明する．

リハビリテーションのポイント，関連職種への指示

深部静脈血栓に対する予防，腓骨神経麻痺の予防，免荷での筋力増強，関節可動域訓練について指導する．

大腿骨頚部骨折

Femoral neck fracture

徳永 真巳　福岡整形外科病院 副院長〔福岡市南区〕

【疾患概念】　大腿骨骨頭直下から頚部における骨折で，関節包内骨折である．主として高齢者の転倒による低エネルギー損傷の結果として生じるが，交通事故や労働災害などの高エネルギー損傷の結果として生じることもある．

【頻度】

わが国の大腿骨頚部/転子部骨折の年間発生数は2012年では175,700例で，男性が37,600例，女性が138,100例であった．発生率は40歳から年齢とともに増加し，70歳を過ぎると急激に増加していた．高齢者での発生率は男性より女性が高かった．2009～2014年の患者数の増加は男性では85～89歳，女性では90～94歳で最も大きかった．

日本整形外科学会(日整会)による大腿骨近位部骨折全国調査(施設回答率68.4％)では，2018年の1年間で大腿骨頚部骨折の発生数は51,344例(男性12,636例，女性38,673例，登録時男女不明もあり)である．

【骨折型分類】

分類にはGarden stage(図23-11)を用いるのが一般的である．

stage Iは不完全骨折であり，骨頭は外反位をとり骨折線の外側は陥入し，内側骨皮質に骨折線はみられず若木骨折型を呈する．

stage IIは完全骨折であるが転位はなく，遠位骨片と近位骨片の主圧縮骨梁の方向性に乱れがない．

stage IIIは転位のある完全骨折であり，X線単純写真正面像では近位骨片は内反し，臼蓋と骨頭および遠位骨片内側の主圧縮骨梁の方向が一致していない．骨頭が後方へ大きく回旋転位しているために，損傷のないWeitbrecht支帯の牽引の効果によるといわれている．

stage IVは転位高度の完全骨折である．

この4段階は検者間での分類判定の一致率が低い．そこで上記のうち，stage IとIIとを非転位型，stage IIIとIVとを転位型として2つに分類するのが，治療法の選択と予後予測との面で間違いが少ないことが知られている．

23 股関節の疾患

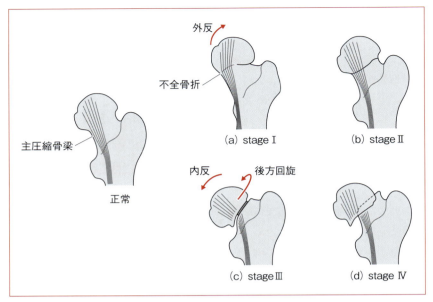

図 23-11 大腿骨頚部骨折の分類（Garden stage）

【病態】
　多くは高齢者の低エネルギー外傷であり，立位からの転倒などが原因の多くを占める．なかには明らかな外傷機転がない例もあるので，診断に注意を要する．
　特徴的なのは大腿骨頭の血行動態である．大腿深動脈から分岐した外側大腿回旋動脈と内側大腿回旋動脈から extracapsular arterial ring を作り，頚部外側にループを作成する．大腿骨頚部は薄い皮膜に覆われ，皮膜には extracapsular arterial ring から上行する血管（ascending cervical arteries）が複数走行し，骨頭下で subsynovial intracapsular arterial ring を作る．この ring から骨頭栄養動脈（superior retinacular artery もしくは lateral epiphyseal artery もしくは terminal subsynovial artery）が骨頭直下の関節軟骨との境界部より骨頭に進入し，骨頭荷重部を栄養する．頚部骨折により骨頭栄養動脈は損傷を受ける危険性が常にあり，動脈損傷の結果生じる外傷性大腿骨頭壊死は，本骨折の代表的な合併症である．

【臨床症状】
　股関節部の疼痛を訴える．多くは歩行不能であるが，骨折部が咬み込んでいる非転位型では歩行できることもある．股関節部には圧痛があり，股関節回旋で疼痛誘発する．

問診で聞くべきこと
　疼痛発生時期を確定する．多くは疼痛が発生した時点を特定できる．また外傷機転の有無を聴取する．認知症例では詳細が不明なことも少なくなく，家族や介護担当者の観察が問診の助けになることもある．
　一般的なことでは，受傷前の歩行状態・合併症・既往歴を聴取し，服用している薬剤を調査する．

必要な検査とその所見
　X線単純写真の2方向が必須である．外反・後捻することが多く，わかりにくければ健側と比較する．多くはX線単純写真で診断が可能であるが，時にX線像では診断できない不顕性骨折（occult fracture）が存在する．骨粗鬆症性股関節骨折を疑う症例でX線単純写真では骨折を認めないことは，外来ではしばしば遭遇する．その際には，可能な限り次の精密検査をすみやかに施行することを推奨する．不顕性骨折の診断には現時点ではMRIが最も適している．
　なぜ急いで診断をつける必要があるのか？　不顕性骨折は非転位型骨折であるが，荷重を許しているとに突然顕性骨折となり転位型となることがある．非転位型であれば低侵襲の骨接合術で治療できるが，診断がつかずに荷重を許可したばかりに転位型骨折となり，人工物置換術の適応となるからである．

鑑別診断で想起すべき疾患
　恥骨骨折や坐骨骨折，仙骨部骨折など脆弱性骨盤骨折の鑑別が必要である．この脆弱性骨盤骨折にも不顕性骨折があり，MRIが有用である．

診断のポイント
　X線 Garden 分類は治療選択に重要である．一般的に非転位型では骨接合術を，転位型では人工物置換術（人工骨頭・人工股関節置換術）を選択する．不顕性骨

折も骨接合術の適応がある．

専門病院へのコンサルテーション

ほとんどの本骨折は手術適応があり，しかも合併症を減らすためには可及的早期の手術が必要である．手術可能な中核病院へ直ちに転院させるべきである．

治療方針

若年例では転位型でも骨接合術の適応とされている．高齢者の脆弱性骨折では，非転位型は骨接合術が，転位型は人工物置換（人工骨頭・人工股関節置換術）がガイドラインでは推奨されている．

骨接合術のインプラントには，cannulated cancellous screw, Hanson pin system, sliding hip screw などが利用可能である．

合併症と予後

(1) 偽関節

関節内骨折であり，骨折周囲に十分な血流や支持性を持つ靱帯・筋間中隔・筋肉起始停止などの軟部組織がないことが，骨癒合率を下げる原因となる．骨折部への関節液の流入も，骨癒合に悪影響を与える．

骨癒合率は，骨折型によって異なる．非転位型（Garden stage Ⅰ，Ⅱ）の骨癒合率は84〜100％と報告されている．一方，転位型（Garden stage Ⅲ，Ⅳ）では骨癒合率は59〜97％である．うらがえせば偽関節率がみえてくる．

(2) 骨頭壊死・遅発性骨頭圧潰（late segmental collapse）

骨頭壊死（骨壊死）は病理学的な概念で，遅発性骨頭圧潰（late segmental collapse; LSC）は形態学的（X線学的）な変化である．臨床的には病理学的に骨壊死を診断するのは困難であるため，多くの研究で骨壊死はMRIを用いて評価している．

荷重部に広範な骨壊死を生じると，術後経過中にLSCをきたす．LSCは術後長期間（術後1〜2年）経過した後に明らかとなることが多いので，少なくとも術後2年間の経過観察が必要である．MRIでは早期に骨頭壊死の診断が可能であり，術後6か月のMRIで骨頭壊死の可能性が否定できれば，その後の経過観察は不要とも言われる．

骨頭壊死およびLSCの発生率は偽関節と同様に骨折型によって異なる．発生率は骨頭壊死（MRIによる）が非転位型で4〜25％，転位型で47〜100％，LSCが非転位型0〜8％で，転位型26〜41％と報告されている．

(3) 術後手術部位感染

対象が高齢であり，一般的な免疫力低下や複数の内科的併存症のもとにインプラントを使用するため，一定の術後手術部位感染の発症は免れない．術後手術部位感染率は0.5〜15.0％（深部感染0.5〜4.9％，表層感染0.9〜15.0％）である．術式別には，骨接合術では0.2〜3.9％，人工骨頭置換術では1.3〜6.9％（深部感染1.7〜3.0％，表層感染2.6〜15.0％）と報告されている．

(4) 死亡率

1年以内の死亡率はわが国では10％前後，海外では10〜30％と報告されている．生命予後に影響する因子には性（男性のほうが不良），年齢（高齢者ほど不良），受傷前の歩行能力（低い者ほど不良），認知症（有するほうが不良）などがある．治療法別には人工骨頭置換術のほうが，骨接合術より死亡率が高い．

(5) 歩行能力

受傷後，適切な手術を行い，適切な後療法を行っても，すべての症例が受傷前の日常活動レベルに復帰できるわけではない．歩行能力回復に影響する主な因子は年齢，受傷前の歩行能力，認知症の程度である．退院後，自宅に帰った症例は施設入所例よりも機能予後が良い．

(6) 深部静脈血栓症，肺動脈血栓塞栓症

高齢であり骨折により下肢運動が制限されるため，股関節骨折は高リスク群に分類されている．

患者説明のポイント

患者が高齢であり，一般的な麻酔リスクや死亡を含めた術中術後合併症の可能性は一定の確率で存在することを，ご本人とご家族に理解していただく必要がある．

そのうえで手術を行っても治療が難しい，すなわち偽関節・骨壊死・LSC・感染の可能性があることを説明する．

かといって保存治療では，いかに非転位型や不顕性骨折といえども適応はごく少数の症例に限られる．そのわけは高齢者では効果的な免荷や部分荷重が困難であり，荷重をすることで骨折部の転位をきたす可能性がある．非転位型であれば低侵襲の骨接合術で治療できるが，転位型骨折となれば人工物置換術の適応となる．

骨折が適切に治療されても，歩行レベルは術前のレベルより低下する可能性は否定できない．

リハビリテーションのポイント，関連職種への指示

早期離床が必要である．そのために搬送後（入院後）のすみやかな手術を推奨されている．欧米では24〜36時間以内の手術を行うことで機能・生命予後が改善されたという報告がされているため，わが国でも術前待機日数の短縮が進められている．しかし現状では，2018年の日整会調査によると頚部骨折は平均4.45±11.86日（人工骨頭：平均4.97±12.23日，骨接合術：平均3.17±10.41日）である．

近年では従来型の整形外科病棟単独のケアだけでは

なく，老年科・栄養科・理学療法科・medical social worker などの多職種連携診療により，合併症を減らし機能予後を改善することが知られている．内科的なケアや早期からの理学療法に加えて，栄養状態を改善し，口腔内を清潔に保ち，施設の調整や家屋改造を連携して行い，退院計画を作成することが有用である．

大腿骨転子部骨折

Trochanteric fracture

徳永 真巳　福岡整形外科病院 副院長〔福岡市南区〕

【疾患概念】　大腿骨頚部骨折より遠位で転子部を中心とした部位の骨折である．主として高齢者の転倒による低エネルギー損傷の結果として生じるが，まれに交通事故や労働災害などの高エネルギー損傷の結果として生じることもある．

【頻度】
わが国の大腿骨頚部/転子部骨折の年間発生数は2012年では175,700例で，男性が37,600例，女性が138,100例であった．発生率は40歳から年齢とともに増加し，70歳を過ぎると急激に増加していた．高齢者での発生率は男性より女性が高かった．2009～2014年の患者数の増加は男性では85～89歳，女性では90～94歳で最も大きかった．

日本整形外科学会（日整会）による大腿骨近位部骨折全国調査（施設回答率68.4%）では，2018年の1年間で大腿骨頚部骨折の発生数は52,271例（男性11,655例，女性40,577例，登録時男女不明もあり）である．

【骨折型分類】
AO/OTA分類が広く使用されている．本分類は，転子部骨折をType Aとし，これらを3群に細分する．Type A1は単純な転子部の骨折．Type A2は多角片骨折で，外側壁幅が20.5 mm以下で外側壁骨折のリスクを有する．Type A3は，大転子と小転子の間に骨折線を有する逆斜骨折である（図23-12）．A1を安定型，A2，A3を不安定型としている．

また3D-CT画像を用いた中野分類（図23-13）も使用されている．一次骨折線が小転子から大転子へ近位に向かい斜めに走る型をType I，一次骨折線が小転子より大転子遠位にかけて横あるいは遠位に向けて走る型をType IIと分類し，さらにType I は4-part theoryにより骨頭部，大転子部，小転子部，骨幹部の4 segmentの組み合わせで9型に分類される．Type I で後方内側（小転子部）に第3骨片があり，後内側の支持性がないものを不安定型と称している．

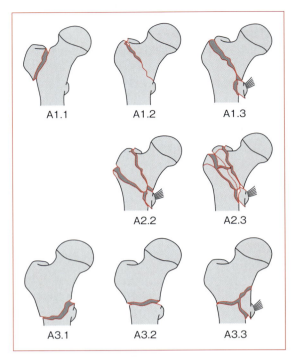

図23-12　AO/OTA分類

【病態】
多くは高齢者の低エネルギー外傷であり，立位からの転倒などが原因の多くを占める．大腿骨近位部の血行動態から，頚部骨折に認められる外傷性大腿骨頭壊死はまれである．関節外骨折であり，基本的に血流や周辺の軟部組織の付着は豊富である．

【臨床症状】
股関節部の疼痛を訴える．不顕性骨折では歩行可能例もあるが，多くは歩行不能である．患肢は短縮し，股関節は屈曲外旋する．

■問診で聞くべきこと
疼痛発生時期を確定する．多くは疼痛が発生した時点を特定できる．また外傷機転の有無を聴取する．認知症例では詳細が不明なことも少なくなく，家族や介護担当者の観察が問診の助けになることもある．
一般的なことでは，受傷前の歩行状態・合併症・既往歴を聴取し，服用している薬剤を調査する．

■必要な検査とその所見
X線単純写真の2方向は必須である．多くはX線単純写真で診断が可能であるが，時にX線像では診断できない不顕性骨折（occult fracture）が存在する．骨粗鬆症性股関節骨折を疑う症例でX線単純写真では骨折を認めないことは，外来ではしばしば遭遇する．その際には，可能な限り次の精密検査をすみやかに施

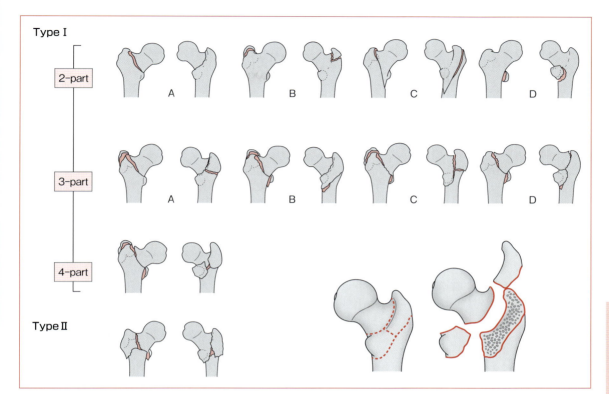

図 23-13　中野 3D-CT 分類

行することを推奨する．不顕性骨折の診断には現時点ではMRIが最も適している．

近年ではCT検査を施行する施設も多い．3D-CTで骨折型を詳細に検討し，安定した整復位を獲得することが容易か困難かの目安をつけ，術前計画を立てることが必要である．

鑑別診断で想起すべき疾患

恥骨骨折や坐骨骨折，仙骨部骨折など脆弱性骨盤骨折の鑑別が必要である．この脆弱性骨盤骨折にも不顕性骨折があり，MRIが有用である．

診断のポイント

X線単純写真や3D-CTで骨折型を詳細に把握する．骨折線が1本で近位骨片と遠位骨片の2つに分かれる2-part骨折は，骨片間接触を有する安定した整復位の獲得が容易である．転子部前方の骨皮質は強固で1本の単純な骨折線だが，転子部後方の骨皮質は比較的弱く，大転子を含む後外側骨片と小転子を含む後内側骨片に分かれる．その組み合わせで3-part骨折と4-part骨折に分類される．多骨片骨折では，後方骨片の転位状況や主骨片同士の転位位置でみると，骨片間接触を有する安定した整復位の獲得が困難な症例がある．

骨接合術施行時に安定した整復位にするためには，骨折部を直接操作したり，観血的整復を行う必要があるので，術前の画像評価でプランニングをするべきである．

専門病院へのコンサルテーション

ほとんどの本骨折は手術適応があり，しかも合併症を減らすためには可及的早期の手術が必要である．手術可能な中核病院へ直ちに転院させるべきである．

治療方針

主に骨接合術の適応となる．内固定材料には大きく分けると，髄外インプラントであるcompression hip screw（CHS）と髄内インプラントである髄内釘が広く使用されている．CHSと髄内釘とを比較する論文では，成績に差がないとするものが多いが，近年では髄内釘は不安定型骨折に対して偽関節低減や歩行能力維持に有利という結果が出ている．合併症（再転位，カットアウト，固定破綻）の発生においても，髄内釘が少ない傾向が近年になるほど強くなってきている．なおCHSは適切な手術手技とインプラント選択によって，不安定型骨折に対して十分に適応がある．

本骨折における人工物置換術の適応であるが，骨接

合術による治療をより標準的と考えるべきである．論文における臨床成績では両者とも良好である．人工物置換術においてカットアウトなど局所合併症発生率が低率な傾向がある一方で，輸血率が高いなど手術侵襲が大きくなる．死亡率，歩行能力には差がないとする報告が多い．粉砕の高度な一部症例では，人工物置換術も選択肢の1つである．ただし，難易度の高い手術である．

不顕性骨折に対しては，症例を選んで保存的治療の適応がある．一定期間の免荷や部分荷重を行い，X線経過観察を慎重に行う必要がある．経過中に転位が生じれば手術を選択する．

合併症と予後

(1) 偽関節

骨折部周辺に十分な血流と支持性をもった軟部組織が存在するため，骨癒合の条件は悪くない．偽関節・骨癒合不全の発生率は3%未満でありsliding hip screwと髄内釘との間には差がないことが知られている．

(2) カットアウト

骨頭を把持するブレードやラグスクリューの骨頭内挿入位置が不良であると，骨頭骨片が回旋・内反しカットアウトを起こす．骨頭内至適挿入位置は，X線単純写真前後像で中央から遠位(骨頭下方)，側面像で中央とされている．

(3) 術後手術部位感染

対象が高齢であり，一般的な免疫力低下や複数の内科的併存症のもとにインプラントを使用するため，一定の術後手術部位感染の発症は免れない．術後手術部位感染率は0.5〜15.0%(深部感染0.5〜4.9%，表層感染0.9〜15.0%)である．

(4) 死亡率

1年以内の死亡率はわが国では10%前後，海外では10〜30%と報告されている．生命予後に影響する因子には性(男性のほうが不良)，年齢(高齢者ほど不良)，受傷前の歩行能力(低い者ほど不良)，認知症(有するほうが不良)などがある．

(5) 歩行能力

受傷後，適切な手術を行い，適切な後療法を行っても，すべての症例が受傷前の日常活動レベルに復帰できるわけではない．歩行能力回復に影響する主な因子は年齢，受傷前の歩行能力，認知症の程度である．退院後，自宅に帰った症例は施設入所例よりも機能予後が良い．

(6) 深部静脈血栓症，肺動脈血栓塞栓症

高齢であり骨折により下肢運動が制限されるため，股関節骨折は高リスク群に分類されている．

患者説明のポイント

患者が高齢であり，一般的な麻酔リスクや死亡を含めた術中術後合併症の可能性は一定の確率で存在することを，ご本人とご家族に理解していただく必要がある．一方，保存治療では肺炎などの全身合併症により，生命予後を悪化させることが強く予想されることを説明すべきである．また骨折部の疼痛コントロールや，骨折部の良好な整復は，保存治療では困難である．

骨折が適切に治療されても，歩行レベルは術前のレベルより低下する可能性は否定できない．

リハビリテーションのポイント，関連職種への指示

早期離床が必要である．そのために搬送後(入院後)のすみやかな手術を推奨されている．欧米では24〜36時間以内の手術を行うことで機能・生命予後が改善されたという報告がされているため，わが国でも術前待機日数の短縮が進められている．しかし現状では，2018年の日整会調査によると転子部骨折は平均3.66 ± 10.41日である．

近年では従来型の整形外科病棟単独のケアだけではなく，老年科・栄養科・理学療法科・medical social workerなどの多職種連携診療により，合併症を減らし機能予後を改善することが知られている．内科的なケアや早期からの理学療法に加えて，栄養状態を改善し，口腔内を清潔に保ち，施設の調整や家屋改造を連携して行い，退院計画を作成することが有用である．

Femoroacetabular impingement(FAI)

大原 英嗣 市立ひらかた病院 主任部長/下肢機能再建センター センター長〔大阪府枚方市〕

【疾患概念】 日常生活やスポーツ活動のなかで，寛骨臼もしくは大腿骨頚部における軽微な形態異常が原因で，両者が主に股関節前方で衝突することによって股関節唇損傷や関節軟骨障害を引き起こす病態をFAI (femoroacetabular impingement) と言う．寛骨臼前方の一部の出っ張りや臼全体的の後捻や過被覆から生じるpincer type，大腿骨頚部のくびれ減少や骨性隆起もしくは頚部の前捻角減少や内反股から生じるcam type，両者が併存するmix typeの3 typeに分類される．無症状のものもあるが，発症するものはmix typeに多い．症状は股関節の疼痛や違和感として発症する．特にcam病変は，関節軟骨障害，それに次いで発生する変形性股関節症(osteoarthritis of the hip; OA)の誘因となることが知られている．

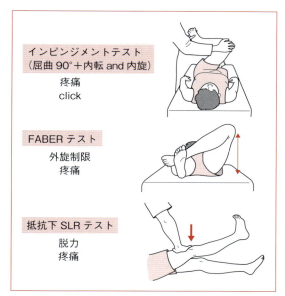

図 23-14 疼痛誘発テスト

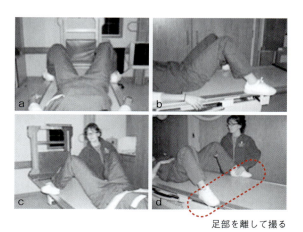

図 23-15 45°Dunn view
(Domayer SE: European J Radiology, 2011 より)

【臨床症状】
　自動車の乗り降りや階段の昇り，振り返りの際の急な痛み，長時間座位のつらさ，寝返り時の痛みなどを訴える．発症は15歳前後から60歳以上に及び，幅広く，スポーツ活動に影響を受け若年発症するものも多い．診察所見で特徴的なものは前方インピンジメントテスト，FABERテスト，抗SLRテスト（図23-14）などがある．歩行は問題ないことが多い．

■ 問診で聞くべきこと
　開排，屈伸，寝返り，長時間の座位などの疼痛誘発動作，歩行時痛の有無，発症からの症状継続期間，職歴，スポーツ歴，外傷歴．

■ 必要な検査とその所見
(1) 単純 X 線検査
　本疾患のスクリーニング検査として必須．両股正面像，45°屈曲Dunn撮影（図23-15），false-profile撮影，頚部軸位撮影など．
(2) CT 検査
　3D-CTや多断面撮像による徹底的な形状の精査がインピンジメント部位の把握に有用で，大腿骨頚部の骨硬化像や骨囊胞（herniation pits）の存在も参考になる．撮像は膝までを含み，大腿骨頚部前後捻の確認も行う．
(3) MRI 検査
　股関節唇損傷，関節軟骨障害は，1.5 T以上の機種での寛骨臼開口平面の放射状撮像によってのみ診断可能．撮像条件の調整が必須．

(4) キシロカインテスト
　本検査（キシロカイン関節内注射）による症状改善は，本疾患の補助診断と手術治療効果予測の目安になる．

■ 鑑別診断で想起すべき疾患
　下前腸骨棘（anterior inferior iliac spine；AIIS）インピンジメント，坐骨大腿（IF）インピンジメント，大腿骨頭壊死，滑膜骨軟骨腫症，軟骨下骨脆弱性骨折（subchondral insufficiency fracture；SIF），色素沈着性絨毛結節性滑膜炎（pigmented villonodular synovitis；PVNS），股関節周囲軟部腫瘍，痛風，下前腸骨棘骨折，大腿直筋腱炎，腸腰筋腱炎，大転子滑液包炎，恥坐骨疲労骨折，仙腸関節炎，恥骨結合炎，スポーツ選手におけるグロインペイン症候群など．

■ 診断のポイント
　単純X線検査で寛骨臼形成不全や関節症などの明らかな異常所見がないにもかかわらず，持続する股関節痛を訴える場合には本疾患を強く疑う．診断は通常のX線検査に加え，45°屈曲Dunn撮影で，cam病変の有無をスクリーニングする．
（日本整形外科学会変形性股関節症診療ガイドライン 2016　FAIの項参照　https://minds.jcqhc.or.jp/n/med/4/med0063/G0000859）

■ 専門医へのコンサルテーション
　スポーツ選手などの特に活動性の高い患者では，cam病変による変形性股関節症発症のリスクもあるため，症状が持続する場合は早期に専門医への受診が推奨される．手術治療の主軸は股関節鏡視下手術であり，2018年には日本股関節学会の股関節鏡技術認定制度が発足し，厳正な審査を受けた認定医（ホームページにリスト掲載）による診断と治療が推奨される．本

手術では70°斜視鏡の使用に加え，体表から深部のワーキングスペースの少ない股関節の手術であり，手術手技の習得に多くの時間を要することから，経験の豊富な専門医に治療を託すべきである．

治療方針

1 ▶ 保存療法

活動性の比較的低い患者では，ADL，仕事への取り組み方など生活習慣の工夫により症状のコントロールをはかる．必要に応じて投薬，消炎薬注射，理学療法を追加する．活動性の高い患者では保存治療の効果は低く，手術治療に劣るとされる．

2 ▶ 手術療法

手術は主に股関節鏡視下手術が行われる．全身麻酔と硬膜外麻酔を併用し，牽引手術台を使用する．股関節前方と外側に1cm程度2，3か所にportal皮膚切開，関節内に関節鏡を挿入する．原則としてpincerやcam骨病変の切除形成を行い，関節唇損傷のある場合は股関節唇の部分切除や修復，場合によっては自家腱組織による再建を行い関節唇の本来の機能を再建する．手術の目的は除痛とOA予防であり，スポーツ選手のパフォーマンス回復再発予防目的でpincer病変に対する骨切除および関節唇修復のみ行う場合や，中高年の初期OAのcam type FAI患者に対してOA進行予防目的で骨形成と関節唇修復をする場合もあり，さまざまな病態に対応する必要がある．また，寛骨臼や大腿骨頚部の著明な後捻があるものには，骨切り術で対処する場合もある．

患者説明のポイント

治療に対する期待は患者間で異なり，日常生活に支障をきたす患者は日常生活復帰，スポーツ選手はそのパフォーマンスを元のレベルに戻すことを期待する．まずは病態と治療デザイン，手術する場合はそのリスクを十分に説明し，各目標に向けて協力して取り組むことが重要である．術前検査では関節症の徴候が診断されなくても，鏡視所見ではすでに高度軟骨障害を認めることもあり，中高年以上の本手術にはOA進行のリスクがあることも必ず説明すべきである．

リハビリテーションのポイント，関連職種への指示

手術侵襲により損傷された筋組織や靱帯の修復を待ちながら，早期にストレッチを行う．可動域の患健差がなくなる頃に筋力トレーニングに重点を移す．まずはADL動作を獲得し，患者の必要度に応じてアスレティックトレーニングに移行する．特にスポーツ選手における術後リハビリテーションの到達目標は，まずは発症前のパフォーマンスの再獲得である．治療する側，患者側ともに骨形態の矯正は衝突による関節唇の損傷や軟骨障害の回避であり，可動域を拡大するものではないことを念頭においてリハビリテーションに取り組むべきである．

わが国では，FAIの概念はいまだに普及しているとは言いがたい．患者が安心して医療を受けられるためにもまずは，コメディカルの教育が重要で，疾患概念，診断治療方法について十分に理解を得ることから始める必要がある．

私のノートから／My Suggestion　運動器の解剖と機能

　大学での初期研修を終え，昭和49年（1974年）の最初の外勤先は埼玉県の小川赤十字病院であった．部長の東璋先生と新人の私の2人体制だった．部長は手の外科と関節リウマチを専門とされており，多くの外科治療を経験させていただいた．大腿骨骨折は青年のオートバイ事故による骨幹部骨折に対する髄内釘（Kuntscher法）が多かった．関節リウマチも多く，外科治療は人工膝関節（Geomedic型），人工股関節（Charnley型）であった．手術中の指南だけでなく，解剖と手術書を勉強するようにと指導を受けた．解剖については，『Grant's Method of Anatomy』を薦められた．Grantは『Grant's Atlas of Anatomy』がよく知られているが，Method of Anatomyは図が適切に簡略化，模式化されており，アトラスとハンドブックとしての目的のほか，dissecting manualsとして書かれている．系統解剖のlocomotor system，局所解剖のupper limb, lower limb, neckのところは日本語に訳しノートを作成したが，私は昭和43年頃の東大紛争ストライキの影響で解剖学の実習，授業の期間が短縮された世代なので，解剖のよい見直しになった．

　整形外科の臨床経験を積むにつれ，運動器の機能の理解が重要であることを認識するようになった．これには，井原秀俊先生らの訳による『図解 関節・運動器の機能解剖』〔Anatomie fonctionnelle de l'appareil locomoteur（J. Castaing, et al）〕が役に立った．関節，脊椎の運動を理解しやすいように，多くの図で説明されている．また，塩田悦仁先生の訳による『カパンディ関節の生理学（現在は『カパンジー機能解剖学』に改題）』〔Physiologie articulaire（A. I. Kapandji）〕は副題がSchémas commentés de mécanique humaineとあるように，独創的なシェーマと解説で運動器の機能が理解できるように工夫されている．美しいシェーマに目を奪われると同時に，コメントの的確さは，その序文の「運動器の機能は安定性と可動性の2つであることを理解した瞬間から明らかとなる．均衡はこれら2つの機能の間に存在すべきである」という文章からもうかがうことができる．

　整形外科は運動器の健康を支える医学として，解剖と機能はその基本であり，大切にしたい．

中村　耕三（東京大学 名誉教授／東和病院 院長〔東京都足立区〕）

社会活動支援のための リハビリテーション医学・医療テキスト

障害者の「社会での活動」の支援はリハビリテーション医学・医療の重要な役割です。

監修	一般社団法人　日本リハビリテーション医学教育推進機構
	公益社団法人　日本リハビリテーション医学会
総編集	久保俊一　一般社団法人日本リハビリテーション医学教育推進機構・理事長／公益社団法人日本リハビリテーション医学会・理事長
	佐伯　覚　一般社団法人日本リハビリテーション医学教育推進機構・理事／公益社団法人日本リハビリテーション医学会・理事
編集	三上靖夫　京都府立医科大学教授・リハビリテーション医学
	高岡　徹　横浜市総合リハビリテーションセンター・センター長
	中村　健　横浜市立大学教授・運動器病態学

障害者の学校生活、就業、地域行事、スポーツなど「社会での活動」を支援するのはリハビリテーション医学・医療の重要な役割です。障害者福祉法から介助犬まで、「社会での活動」を支援するために必要な知識を網羅的にまとめた唯一のテキスト。障害のある方が社会で生き生きと輝くためのリハビリテーション支援を本書で学ぼう。

●B5　頁160　2021年
定価：2,420円
（本体2,200円＋税10%）
[ISBN978-4-260-04619-0]

目次
Ⅰ.「社会での活動」を促進するために！
Ⅱ. 障害と就学・就労支援の進め方
Ⅲ. 障害者とスポーツ
Ⅳ. 疾患・障害別アプローチのポイント

関連書

回復期のリハビリテーション医学・医療テキスト

監　修　(一社) 日本リハビリテーション医学教育推進機構
　　　　(一社) 回復期リハビリテーション病棟協会
　　　　(一社) 地域包括ケア病棟協会
　　　　(公社) 日本リハビリテーション医学会
総編集　久保俊一／三上靖夫
編　集　角田　亘／三橋尚志／
　　　　仲井培雄／水間正澄

B5　頁312　2020年
定価：3,850円（本体3,500円＋税10%）
[ISBN978-4-260-04233-8]

生活期のリハビリテーション医学・医療テキスト

監　修　(一社) 日本リハビリテーション医学教育推進機構
　　　　(一社) 日本生活期リハビリテーション医学会
　　　　(公社) 日本リハビリテーション医学会
総編集　久保俊一／水間正澄
編　集　三上靖夫／角田　亘

B5　頁248　2020年
定価：3,520円（本体3,200円＋税10%）
[ISBN978-4-260-04146-1]

リハビリテーション医学・医療Q&A
リハビリテーション医学・医療コアテキスト準拠

監　修　(公社) 日本リハビリテーション医学会
総編集　久保俊一
編　集　佐浦隆一／芳賀信彦／
　　　　酒井良忠／篠田裕介

B5・頁256　2019年
定価：6,600円（本体6,000円＋税10%）
[ISBN978-4-260-03819-5]

リハビリテーション医学・医療 コアテキスト

監　修　(公社) 日本リハビリテーション医学会
総編集　久保俊一
編　集　加藤真介／角田　亘

B5　頁344　2018年
定価：3,960円（本体3,600円＋税10%）
[ISBN978-4-260-03460-9]

医学書院
〒113-8719　東京都文京区本郷1-28-23　[WEBサイト]https://www.igaku-shoin.co.jp
[販売・PR部] TEL:03-3817-5650　FAX:03-3815-7804　E-mail:sd@igaku-shoin.co.jp

24 下肢全体の問題

脚長不等 ……………………………………………………… 756
O脚，X脚 ……………………………………………………… 757
下肢における絞扼性神経障害 ……………………………… 759
大腿四頭筋拘縮症，殿筋拘縮症 …………………………… 761

24 下肢全体の問題

脚長不等
Limb length discrepancy

西須　孝　千葉こどもとおとなの整形外科　院長〔千葉市緑区〕

【疾患概念】　先天性または後天性に脚長差が生じた病態で，長い下肢が異常である場合と，短い下肢が異常である場合と，両下肢が異常である場合とさまざまである．原因としては，片側肥大症（Klippel-Trenaunay-Weber症候群，Silver-Russell症候群，Proteus症候群などを含む），片側萎縮症（先天性内反足や麻痺性疾患によるものを含む），先天性下肢形成不全（先天性脛骨欠損症，腓骨列形成不全，大腿骨形成不全など），骨折後の過成長・骨端線早期閉鎖，骨髄炎後の骨端線早期閉鎖，成長軟骨板を含む腫瘍による成長障害，悪性腫瘍に対する放射線治療後の骨端線早期閉鎖，Perthes病，大腿骨頭すべり症，発育性股関節形成不全に伴うPerthes病様変形，プロテインC・S欠乏症に伴う骨端線早期閉鎖などさまざまである．

【臨床症状】
(1) 歩容の問題
　歩行時に下肢が短いほうを接地したときに骨盤傾斜が生じて，半身が落下するように下がる墜落性跛行が典型的であるが，これを代償するために短いほうをつま先立ちして歩く場合もある．これが長期にわたって続くと尖足拘縮が生じる．

(2) 脊柱側弯の問題
　立位をとったときに骨盤が傾斜するため，機能性側弯が生じる．この時点では足底板などにより脚長補正をすれば側弯は解消するが，学童期以降長期にわたり機能性側弯が続くと"曲がり癖"がついて，脚長補正しても側弯が解消されない状態となり，構築性側弯となる場合がある．

問診で聞くべきこと
　骨折，骨髄炎（不明熱も含めて），先天性股関節脱臼などの既往歴，多発性骨腫瘍（多発性外骨腫，メタコンドロマトーシス，Ollier病など）の家族歴は診断の参考になるので，問診しておく．

必要な検査とその所見
　両下肢立位全長の単純X線検査は，診断に最も有用である．側弯症の評価のため，全脊椎の単純X線検査を立位と座位で行って，機能性側弯と構築性側弯の評価を行う．腫瘍性疾患が疑われたときはMRI検査を行う．また，骨端線早期閉鎖が疑われたときはCT検査を行う．

鑑別診断で想起すべき疾患
　股関節の外転拘縮があれば，その下肢は見かけ上長く見える．逆に股関節の内転拘縮があれば，その下肢は見かけ上短く見える．また，膝関節の屈曲拘縮があれば，その下肢長は短縮する．脚長を評価するうえで，関節可動域の評価は欠かせない．

診断のポイント
　腫瘍性疾患，骨端線早期閉鎖，関節疾患，先天奇形，骨折後の過成長，麻痺性疾患などがすべて除外できたら，片側肥大症か片側萎縮症ということになる．体全体のプロポーションから考えて短いほうが異常と考えられたら，片側萎縮症と診断し，長いほうが異常と考えられたら片側肥大症と診断する．

専門病院へのコンサルテーション
　脚長差が2 cmを超えたら，専門病院への紹介が望ましい．特に患者家族が低侵襲の治療を希望する場合は，成長抑制術の適応年齢を考え，遅くとも10歳前には紹介する必要がある．

治療方針
　治療の必要性は歩容と脊柱変形の状態によって決められるが，脚長差がおおむね2.5 cmを超えたら手術治療を検討する必要がある．手術は長い下肢を短くするか，短い下肢を長くするか，いずれかの選択をすることとなる．まれに脚長補正によって脊柱側弯が悪化するケースもあるので，事前に脚長補正時の単純X線脊柱正面像を評価しておく．

保存療法
　機能性側弯が目立ってきたら，手術を行う前に構築性側弯とならないようにするため，補高装具を適用する．補高装具は靴底を全体的に高くする方法と，足底板によって靴の中でヒールアップする方法とがある．後者では尖足拘縮が生じる場合があるので，注意を要する．

手術療法
　さまざまな選択肢がある．
1 ▶ 成長抑制術
　8プレート®（Orthofix社）やステープルで一時的に成長軟骨板に抑制をかける方法で，侵襲が小さいため，現在主流となっている治療法である．内外側で均等に成長抑制がかからなかったり，恒久的な成長停止が起こってしまうリスクがある．年齢が上がるほど効果は少ない．
2 ▶ 骨短縮術
　大腿骨や脛腓骨の骨幹部を部分的に骨切除して短縮し，プレートや髄内釘で固定する方法である．骨全長

の10%程度が限界で，それ以上の短縮をするとコンパートメント症候群になるリスクがある．成長終了後でも行える．

3 ▶ 一期的骨延長術
大腿骨や脛腓骨の骨幹部を骨切りして，その間に遊離骨移植を行ってプレート固定する方法である．1～2 cm であれば可能であるが，3 cm 以上の延長は難しい．成長終了後でも行える．

4 ▶ 骨短縮術と一期的骨延長術の併用
長いほうの大腿骨や脛腓骨を短縮して切除した骨を用い，短いほうの大腿骨や脛腓骨を延長する方法で，合理的ではあるが両側同時に侵襲の大きい手術を行うこととなるため，実際に行われることはほとんどない．

5 ▶ 創外固定器を用いた仮骨延長術
創外固定器を装着後，骨幹部を骨切りして，一定の待機期間をおいた後，毎日 1 mm 程度の延長を続けていく方法である．創外固定器の装着期間は 1 cm の延長につきおおむね 1～2 か月必要となる．長期にわたり，肉体的ストレスを受ける欠点があるため，最近は敬遠される傾向にある．成長終了後でも行えるが，成人では骨形成に時間がかかるため，創外固定装着期間がより長くなる．

6 ▶ 電動式骨延長器を用いた仮骨延長術
近年開発された治療法で，体内に骨延長器を埋め込んで治療を行うため，患児が受ける肉体的ストレスが小さい．海外では普及しているがわが国ではまだ認可されていない．髄内釘が延長する仕組みのため骨幹部が解剖軸に沿って延長される．このため機能軸が保てない欠点がある．成長終了後でも行える．

7 ▶ 骨膜剥離切離術
過成長を誘導する方法で古くより行われてきた方法だが，仮骨延長術が普及してからはほとんど行われなくなっていた．しかし近年これを徹底的に行う方法が考案され，海外で再び行われるようになった．筆者は好んで採用しているが，わが国ではほとんど行われていない．若年齢ほど効果が大きく 5 cm 以上の過成長も起こり得るが，何 cm 過成長するか予測できないため，伸びすぎたときには成長抑制術が必要となる．骨端線早期閉鎖例には効果がない．

8 ▶ 鏡視下骨性架橋切除術
筆者が考案した手術で，骨幹端に 2 つの骨孔を開けて内視鏡と処置鉗子を挿入し，成長障害の原因となっている骨性架橋を切除し，成長再開を促す方法である．骨性架橋による成長停止が脚長不等の原因となっている症例に限って適応がある．脚長差を悪化させない目的で行うが，脚長補正を達成できることもある．

患者説明のポイント
脚長補正にはさまざまな手術法があるが，どの治療法を選択するかは，患児および家族がどの治療法を希望するかによって決めていくこととなる．長期入院を許容するのか，創外固定の装着を許容するのか，長いほうの下肢の短縮を許容するのか，受験・進学・就職を考えたうえで何歳頃の手術を希望するのかなどについて，事前に十分な相談をしておく必要がある．

リハビリテーションのポイント，関連職種への指示
創外固定器を用いた仮骨延長術を行う場合：骨を伸ばすことによって相対的に筋肉が短縮し，筋拘縮による関節可動域制限が生じ，骨延長に伴って徐々に悪化する．これに対しては筋肉のストレッチを行うリハビリテーションが必要となる．また，必要に応じて良肢位を保つための装具の着用も行う．創外固定器を長期にわたり装着するため，ピン刺入部の感染のコントロールも重要となる．毎日，ピン刺入部も含めたシャワー浴（一般にオープンシャワーとよばれる）を行うことが看護師の重要な任務となる．

O 脚，X 脚

Physiologic bowlegs and Physiologic knock-knees

落合 達宏　宮城県立こども病院 科長〔仙台市青葉区〕

【疾患概念】
脚を閉じたとき膝間に間隙が生じたものが O 脚，足首間に間隙が生じたものが X 脚である（図 24-1, 2）．

小児の下肢の形態は年齢により変化し，1～2 歳台には O 脚を，3～4 歳台には X 脚を呈し，6 歳以降は成人と同じわずかな X 脚となる（図 24-3）．

なお，成長に伴う生理的な形態の変化から逸脱したものを病的と扱うが，年齢ごとの大腿骨脛骨角の正常範囲内（平均 ± 2SD）を生理的な意味で O 脚，X 脚とし，範囲外を病的（変形）な意味で内反膝，外反膝とする．

また，O 脚には下腿内捻による内また歩行を合併することが多いが，やはり生理的なもので，経年的に減捻して 8 歳までに成人と同じわずかな外捻位となる．

診断のポイント
小児期の O 脚，X 脚はほとんどが生理的なものであるが，一部に病的なものを含むため，初診時には両下肢全長立位正面 X 線像を用いて鑑別診断を行うことが必要になる（表 24-1）．

特に重要な疾患にはくる病と Blount 病が，そのほかに軟骨無形成症や多発性骨端異形成症，骨幹端異形成症などの骨系統疾患を念頭に置く．

くる病では骨端線の開大と陥凹，骨幹端の骨軟化か

24 下肢全体の問題

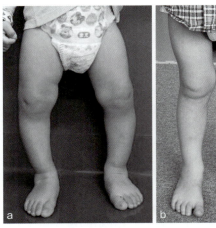

図 24-1　生理的 O 脚（1 歳 5 か月）と生理的 X 脚（3 歳 9 か月）

脚を閉じたとき膝間に間隙が生じたものが O 脚で，評価には顆間距離を用いる（a）．
一方，足首間に間隙が生じたものが X 脚で，評価には果間距離を用いる（b）．

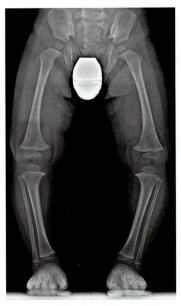

図 24-2　生理的 O 脚の X 線像

O 脚には病的なものも存在するため，初診時には両下肢全長立位正面 X 線像を用いて鑑別診断を行うことが必要になる．

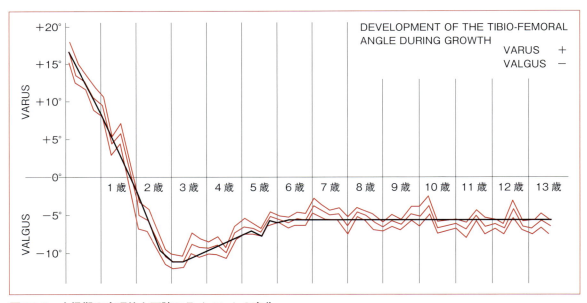

図 24-3　小児期の生理的な下肢アライメントの変化

出生直後に示した O 脚は徐々に軽減して 2 歳を過ぎると X 脚に逆転する．X 脚は 3 歳ごろに最も強くなるが，その後軽減して 6 歳ごろに成人と同じ約 5°の X 脚になり安定する．
〔Salenius P, et al: The development of the tibiofemoral angle in children. JBJS 57A: 259-261, 1975 より〕

表 24-1　鑑別すべき病的 O 脚・X 脚

原因	O 脚	X 脚
先天性	脛骨列形成不全 軟骨無形成症 骨系統疾患	腓骨列形成不全 骨形成不全症 骨系統疾患
発育性	Blount 病	全身性関節弛緩症
代謝性	くる病 低リン血症性くる病	くる病 Morquio 病
外傷性	大腿骨内側骨端線閉鎖 脛骨内側骨端線閉鎖	大腿骨外側骨端線閉鎖 腓骨骨端線閉鎖
関節性	化膿性関節炎	化膿性関節炎 JIA 膝関節炎

ら気づき，血液検査により診断される．

　Blount 病では脛骨近位骨幹端の動揺性や内側嘴の骨折像が認められれば診断は容易だが，内反角のみでは難しく，補助的に骨幹端骨幹角を計測し判定する．

　骨系統疾患では骨端の骨化遅延や骨幹端の陥凹などから疑い，診断の手掛かりとする．

　生理的変化の判断には経時的な観察も重要で，2 歳ぐらいの O 脚であれば半年後の再診時に形態改善が得られていることが診断の裏付けとなる．

治療方針

　始歩後に初診する著しい O 脚でも，確実に鑑別診断ができれば，自然の経過で正常範囲内まで改善が得られる．

　まれに合併した下腿内捻が残存することがあり，重度のものに限って減捻骨切り術が行われる．

患者説明のポイント

　治療の必要はなく，就学前まで経過を観察するだけで十分と説明する．

下肢における絞扼性神経障害

Entrapment neuropathy in the lower extremity

齋藤　貴徳　関西医科大学 主任教授

【疾患概念】　下肢の絞扼性神経障害は見逃されることの多い疾患として知られている．しかし神経圧迫除去手術の 10% は下肢の絞扼性神経障害であり，まれなものではない．整形外科医においても上肢の絞扼性神経障害はよく知られているが，下肢は馴染みの薄い臨床医が多い．その理由の 1 つは血管系の障害のような訴えがあるためである．この項では下肢の絞扼性神経障害のうちでも比較的頻度の高い疾患について記載する．

1 総腓骨神経の絞扼性神経障害

1 ▶ 解剖学的因子

　総腓骨神経は浅層に位置しているという解剖学的な特徴により，外的な要因で障害を受けやすいことが知られている．特に膝窩部から腓骨頭部にかけては皮下に位置しているため触診も容易であるが，その直ぐ末梢部では深部表面に腓骨頸部が存在し，2 つの長腓骨筋頭から形成されるトンネル内に進入している．同部は最も絞扼を受けやすい部位である．もう 1 つの絞扼部は腓骨頭から 1～2 cm 中枢部に位置する fabella によるものがある．fabella は腓腹筋外側頭の大腿骨への付着部直前の腱内に存在する種子骨の 1 種で，裏面は大腿骨の外果後面の軟骨面と関節を形成している．その大きさや位置により総腓骨神経の圧迫が生じ麻痺や疼痛が出現する．

2 ▶ 神経学的所見

　上記 2 部位での絞扼では総腓骨神経の全領域に運動・感覚の脱落症状が生じるが，腰椎由来の L5 神経根症状が鑑別に重要となる．感覚は下腿外側と足背の全体に鈍麻を認めるが，腓腹神経の分岐より末梢のことが多く，その場合には第 5 趾背側の感覚は保たれる．運動は下垂足を特徴とするが，L5 神経根症状と異なり，中殿筋（股関節外転筋力）の筋力低下を認めないことで鑑別する．

3 ▶ 臨床症状

　疼痛のみで発症することも多く，この場合には明らかな筋力低下を認めないことがある．これは fabella 症候群（fabella 部での総腓骨神経の絞扼）に多くみられる現象で，人工膝関節置換術（total knee arthroplasty；TKA）の術後に下肢のアライメントの変化により fabella が総腓骨神経直下に来ることにより発症することがある．運動麻痺を主訴に発症する場合は腓骨頭部での絞扼の場合が多い．繰り返す膝の屈伸で発症することがあるが，頚部骨折や人工骨頭術後などに下肢の肢位により腓骨頭部がベッドのマットに当たり生じることも多い．

4 ▶ 診断のポイント

　典型的には神経学的に総腓骨神経領域に限局した運動・感覚神経脱落症状が認められるが，fabella 症候群などでは，fabella 部の圧痛が非常に顕著になることが疑う根拠になる．逆に腓骨頭部での絞扼では同部の圧痛やいわゆる Tinel sign は認めないことが多い．画像診断としては fabella のサイズが目安になるとの報告が多く 12 mm 以上で発症することが多いと報告されている．しかし，自験例では完全には骨化してい

ないため単純 X 線には映らない非骨化性の fabella で発症する例もあるため信頼性には乏しい．腓骨頭部ではまれにガングリオンにより発症することもあるがこの場合には MRI で診断が可能である．

5 ▶ 治療方針
疼痛のみの場合には屈伸の制限と鎮痛薬，ブロック注射でまず治療を開始するが，下垂足の場合には必ず筋電図検査を実施し，絞扼部より末梢部で刺激した複合筋活動電位（CMAP）の振幅が 100 μV 以下の場合には，早急に手術による絞扼解除（fabella 切除を含む）を行う．

2 足根管症候群

1 ▶ 解剖学的因子
足根管症候群は後脛骨神経が足根管を通過するところで圧迫を受けて発症する絞扼性神経障害である．足根管とは，屈筋支帯がトンネルの屋根を形成し，トンネルの基部は脛骨内果後面と距骨，踵骨内面および後脛骨筋，長母趾屈筋，長趾屈筋腱よりなる線維性のトンネル（fibro-osseous tunnel）をいう．

2 ▶ 成因
特発性以外では，足関節部の骨折などの外傷後に発症することが多いほか，リウマチ患者，足根骨癒合症（tarsal coalition），ガングリオン，静脈瘤などにより発症することが報告されている．要因となる疾患としては，静脈性の血管障害や腎疾患，下腿の浮腫，甲状腺機能低下症，糖尿病，アルコール中毒などが挙げられる．

3 ▶ 臨床症状
特徴的な臨床症状としては足底部，特に足趾や中足骨頭部の灼熱感，ひりひりする痛み，しびれ感や疼痛である．これらが踵部に広がることはまれである．足部筋の筋力低下をきたすことはまれであるが，足の筋痙攣や足趾がつると訴えることがある．外側足底神経の圧迫が長期に及べば骨間筋の筋力低下が生じるため，鉤爪足趾変形を認めることがあり，扁平足に合併することも多い．

4 ▶ 診断のポイント
局所所見として内果後方部の腫脹がしばしば認められ，後脛骨神経の走行に沿って Tinel sign が認められる．自覚症状は歩行や起立により増悪し，夜間に強い傾向があり，安静や挙上により軽減するのが特徴である．誘発テストとして dorsiflexion-eversion test があるが陽性率は高くない．確定診断は筋電図検査で伝導速度を測定することで可能である．

5 ▶ 治療法
(1) 保存療法
まず，局所安静や鎮痛薬の投与により治療を行う．また，足根管内への局所麻酔薬とステロイドの注射は有用なことがある．
(2) 手術療法
保存療法が有効でない場合には手術を行う．屈筋支帯より中枢側から神経血管束を同定し足根管を解放する．距踵骨癒合症や骨棘による足根管症候群では骨性要素の切除が必要となる．特発性の場合には，十分に末梢まで確認する必要がある．通常，内側足底神経と外側足底神経は別々のトンネルを走行しており，これらの分岐後も十分に絞扼部の確認と解放が必要となる．

6 ▶ 患者説明のポイント
手術の合併症として皮膚の癒合不全（特に糖尿病合併例）と踵骨枝の術中損傷で，分岐部の破格により生じやすいため十分な注意が必要である．足部の筋萎縮が生じているような例では，筋力の回復はほとんど望めないことも術前に説明が必要である．

7 ▶ 関連職種への指示
直後からの足関節の運動は控えるように指示が必要で，自覚症状の回復にも時間を要する例もあり，特に糖尿病などの合併例では，迅速な回復にあまり期待を持たせることのないような説明が必要である．

3 Morton 病

1 ▶ 解剖学的特徴
本疾患は，趾神経が特に第 3 趾と第 4 趾の趾間部（第 3 趾間）で第 3，第 4 中足骨を中足骨骨頭部で連結している趾間靱帯と交差する部位で生じる絞扼性神経障害である．どの趾間でも発症の可能性はあるが，特に同部の趾神経は内側足底神経と外側足底神経の両者からの分岐が合流して形成されているため，可動性が低く，発症しやすいと考えられている（約 75% が第 3 趾間）．

2 ▶ 成因と特徴
歩行時などに足趾の背屈を行った，特に末梢側に趾間部の足底神経が牽引され趾間靱帯に押しつけられて発症する．特に女性の場合，ハイヒールなどの中足骨間を圧迫するような動的因子が加わると，第 3 趾間の圧が高まり発症しやすいと考えられている．通常第 3 趾間の趾間靱帯部で偽性神経鞘腫が生じているため，同部に Tinel sign を認める．

3 ▶ 臨床症状
頻度的には男性よりも女性で約 10 倍多く，若年者よりも高齢者に生じやすい．安静時よりも歩行時に疼痛は強く，靴の中で刺すような電撃痛を訴えることも

ある．足を休ませた場合や挙上した場合に疼痛が軽減する．

4 ▶ 診断のポイント

中足骨骨頭部を第1，第5中足骨を掴むようにして圧迫し，第3趾間部を足底から圧迫すると疼痛の再現と，クリック音とともに神経鞘腫と思われる腫瘤を触知する(Mulder sign)．また，中足骨・基節骨関節〔中足趾節(metatarsophalangeal；MTP)関節〕や趾節間関節を強制的に引き延ばすと痛みが生じ，MTP関節を屈曲させるとそれが解除される(Gauthier sign)．感覚障害は通常認めないことが多い．局所麻酔薬の注射で疼痛は軽減する．電気生理学的検査はより中枢側(足根管症候群など)の障害を除外するために有用である．

5 ▶ 治療

(1)保存療法

先細靴やハイヒールなどの中足骨に負荷のかかる靴をやめるよう指導し，歩行の制限を指導する．ステロイドの注射は有効だが長期的な効果は望めないことが多い．

(2)手術療法

保存療法が無効な例に施行する．X線上中足骨頭付近に骨棘などを認めない場合には背側切開で中足骨間靱帯を単に切開分離し，偽性神経腫を認めた場合には神経内剝離を行う．再発例や骨棘，靱帯の石灰化を有する例では足底アプローチによる神経切除の適応となるが，その際には偽性神経腫の再発を防ぐため，必ず切除した神経断端を周囲の筋内(母指内転筋など)に埋没する必要がある．

6 ▶ 患者説明のポイント

中足基節骨間関節の加齢性変化と診断されていることも多く，趾神経の絞扼性神経障害であることを理解させることが重要である．神経の処置によっては再発のリスクもあり，術後も靴の選択や労働での歩行の制限などが必要なことがあることを説明しておく．

大腿四頭筋拘縮症，殿筋拘縮症

Contracture of quadriceps muscle, gluteal muscle

阪本 桂造　昭和大学 客員教授

【疾患概要】筋拘縮症は何らかの原因(外傷，筋肉注射，感染，虚血など)で筋線維が壊死や瘢痕によりfibrosisとなり，筋肉が本来持つ柔軟性を失い，その結果多彩な病状を呈する．また侵された筋肉により，大腿四頭筋，殿筋，三角筋拘縮症などと称される．

【筋拘縮症の歴史的背景】

1960年代までは，筋拘縮症の症例発表は散見されるのみであった．しかし1973年山梨県鰍沢地区での大腿四頭筋拘縮症の局地的集団発生が報じられ，大きな社会問題となったのが契機となり，1960年静岡県伊東市，1967年福井県今立町などにも特定の地域で集団発生があることが判明した．しかし発生当初は，本症の病態が解明されておらず原因不明の疾患として扱われた．1971年臨床例と動物実験の研究発表もあり，筋肉注射の弊害が問題となった．1973年「注射による筋短縮症から子供を守る全国協議会」の活動や，1975年日本整形外科学会内に筋拘縮症委員会が設置され，1985年同学会が「筋拘縮症の診断と治療」を委員会報告として公表し，また1975年日本小児科学会も筋肉注射の注意を提言したこともあり，本症の発生はそれ以降激減した．

【病態】

疼痛を主訴とせず，歩容や機能障害を主訴とする例が多い整形外科的疾患といえる．本症では「筋拘縮症」や「筋短縮症」の呼称が用いられている．本来拘縮(contracture)は関節で用いられ，筋肉にはstiffness，あるいは病理的筋線維の壊死や瘢痕によるfibrosisが妥当と考えられるが，古くから親しまれている阻血性の筋拘縮であるVolkmann拘縮や，手掌腱膜の肥厚による手指の屈曲拘縮であるDupuytren拘縮の表現もあり，筋拘縮症として呼称されたと解釈する．筋短縮症は，筋の壊死や瘢痕により筋自体が短縮(shortening)したものではなく，乳幼児期に傷害された筋肉が本来有する柔軟性を失い，骨の長軸発育に応じた筋肉の伸張発育が追いつかず，結果的に骨の長軸長に比し線維化した筋肉長が短い状況となるため筋短縮症と称されると解釈される．いずれにせよ，筋拘縮症と筋短縮症の病態は同じである．

1 大腿四頭筋拘縮症

診断のポイントと聴取すべきこと

診断は比較的容易であるが，乳幼児期の注射の既往は必ず聴取する．視診や触診では，局所的に皮膚の陥凹や癒着を認めることが多い．患者腹臥位で他動的に膝を屈曲した際，尻が上がる現象を「尻上がり現象」とよび，伸展0°から尻上がりをきたす角度を尻上がり角度という．なおこの尻上がり現象は，大腿直筋が罹患した際にみられることに注意すべきである．座位で診察するのではなく，必ず立位での腰椎前弯の増強やベッド上で正座をさせ，不能例では踵よりの尻の浮き上がりをチェックする．仰臥位と腹臥位での膝関節ROM測定で，その差を確認する．また判定項目が参考になる．

必要な検査とその所見

(1) X線撮影

大腿部のみならず腰椎の臥位/立位正面と側面像を撮影．本症では立位で腰椎前弯度が増強する．

(2) MRI

筋肉の性状や部位（筋別）を敏感に反映するためきわめて有用であるが，筋肉の線維化の程度と臨床所見は必ずしも一致しないことに留意する．

(3) エコー

瘢痕化した筋線維の長さや，カラーDopplerでは筋の血流状態を教えてくれる．

分類

侵された筋より，直筋型・広筋型・混合型の3つに分けられる．

判定項目

Ⅰ：尻上がり角度（腹臥位），Ⅱ：膝関節屈曲角度（股関節最大屈曲位），Ⅲ：正座，Ⅳ：歩行・走行．直筋型は項目Ⅰ・Ⅲ・Ⅳ，広筋型はⅡ・Ⅲ・Ⅳ，混合型はⅠまたはⅡの点数の多いほうとⅢ・Ⅳの合計点数で判定される．

治療方針

骨端線閉鎖前では保存的療法（温熱療法やストレッチ指導など）を勧める．加齢に伴い尻上がり角度の悪化がある．骨端線閉鎖以降では，保存的療法に加え手術療法（腱切り術，瘢痕部の切除，腱延長など）が選択されてきたが，再発例が多く，今のところ絶対的な手術療法は確立されていない．ただ罹患後中高年になり，腰痛がひどく，寝れば腰痛がなくなるが，立つと腰椎の前弯が増悪し5分と歩けないような例では，小転子での大腰筋腱の切離術も1つの腰痛改善方法ではないかと考える．

予後

骨端線閉鎖前・後に限らず，大腿四頭筋拘縮症術後の経過は決して良いとはいえない．手術選択は慎重に決定すべきである．

リハビリテーションのポイント

健常な残された筋肉の柔軟性を保たせるため，患部に温熱療法を加えたうえでストレッチを主体とした，愛護的なリハビリテーションを実施する．

2 殿筋拘縮症

診断のポイント

大腿四頭筋拘縮症に比べ，皮膚症状は軽いか，ない例が多い．腰殿部の易疲労感や，あぐらをかけないなどを訴える例が多い．股関節角度の測定は仰臥位で行い，内外旋0°で屈曲すると抵抗を感じれば拘縮を疑う．さらに屈曲を進めると，患肢は外転を生じるのが特有である．

判定項目

Ⅰ：股関節屈曲角度，Ⅱ：外転拘縮角度（股関節90°屈曲位），Ⅲ：歩行・走行，Ⅳ：正座・あぐら．これらで評価し，Ⅰ～Ⅳの合計点が7～10点で重症とされる．

治療方針

1 ▶ 骨端線閉鎖前

健常に残された筋のストレッチを主体とした保存療法が主体である．

2 ▶ 骨端線閉鎖後

大腿四頭筋拘縮症に比べてADL上の障害が軽い．きわめて高い重症例では，瘢痕線維化した筋腱の切離を行う．

予後

大腿四頭筋の筋長に比較して殿筋の筋長が短いせいか，大腿四頭筋拘縮症に比べ，術後の予後は良い．

患者説明のポイント

残念ながら筋拘縮症は医原性であることが多いので，言葉を選び，患者人格を尊重し，患者人生の将来への道筋を助言する．必要であれば心理カウンセラーの面談を勧める（筋拘縮症に関する詳細な検診票や判定基準は，日本整形外科学会「評価・ガイドライン・マニュアル集」を参照されたい）．

25 大腿の疾患

大腿骨転子下骨折 …………………………………… 764
大腿骨骨幹部骨折 …………………………………… 766
小児大腿骨骨折 ……………………………………… 768
大腿骨遠位部の骨折 ………………………………… 770
人工股関節全置換術後の大腿骨骨折 ……………… 772
人工膝関節全置換術後の大腿骨骨折 ……………… 774
大腿四頭筋,ハムストリングの断裂 ……………… 775
非定型大腿骨骨折 …………………………………… 776

大腿骨転子下骨折

Femoral subtrochanteric fracture

塩田 直史 岡山医療センター 医長（整形外科・リハビリテーション科）〔岡山市北区〕

【疾患概念】 大腿骨転子下骨折は，小転子下縁から3cmもしくは5cm遠位の間に発生すると定義される．内側皮質には大きな圧迫力が，外側には張力がかかり，生体力学的に大きな負荷がかかる部位である．

【病態】
若年者では高エネルギー外傷，高齢者では骨脆弱性に伴う低エネルギーでの骨折が生じる．近年では非定型骨折も散見され，骨癒合が得られにくい．また転移性骨腫瘍の好発部位でもある．

いったん骨折が発生すると，周囲の強大な筋に牽引され，大きな転位をきたすことも特徴である．近位骨片は腸腰筋・小中殿筋・短外旋筋群の作用により屈曲・外転・外旋する．遠位骨片は内転筋の作用により内転・短縮転位する（図25-1）．

【病型・分類】
わが国ではSeinsheimer分類が用いられることが多い．骨片の数と部位・骨折線の方向により分類している．また，世界的にはAO/OTA分類が一般的である．

問診で聞くべきこと
受傷原因（高エネルギー外傷であったかどうか），ビスホスホネート製剤などの骨粗鬆症薬の使用状況，悪性腫瘍の既往，その他基礎疾患については聴取すべきである．

必要な検査とその所見
単純X線の股関節正面・軸射像，大腿骨全長の正面・側面像を撮影する．そして健側の大腿骨全長の正面・側面像も撮影し，非定型骨折のチェックと髄内釘挿入の長さや径を術前計画できるようにしておく．骨折形態を把握しにくいことも多いため，CTにて精査すべきである．CTでは，見落としがちな同側大腿骨頸部の骨折のチェックもしておく．

治療方針
保存治療では，整復できず機能回復は難しく，基本的に手術治療が選択される．整復操作をまず行い，正確なアライメントを回復した後に，インプラント固定することが望ましい．整復操作には前述した転位の逆方向への力を加えることを理解しておくことが重要である．インプラントの選択では，髄内釘が高い骨癒合率を認めて第1選択である．また骨頭方向へスクリュー固定ができるタイプを選択することが多い．プレート固定も有効な方法であるが，固定様式や整復方法の選択，術後の荷重コントロールの問題など比較的難しい．

合併症
内反や回旋異常の整復不良があり，術前計画をしっかり立てて手術に望むべきである．また，遷延癒合・偽関節も比較的多い部位であり，術後の荷重コント

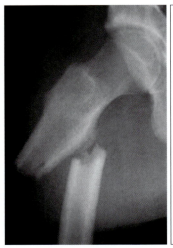 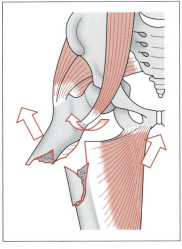

図25-1 大腿骨転子下骨折における転位様式
近位骨片は腸腰筋・小中殿筋・短外旋筋群の作用により屈曲・外転・外旋する．遠位骨片は内転筋の作用により内転・短縮転位する．

トピックス　骨折領域におけるシミュレーション手術

　骨折領域において，術前計画と術中の骨折整復評価にシミュレーション技術を応用しているので紹介する．

　術前計画では，大腿骨転子部骨折において，術前に3D-CTを用いたテンプレート（レキシー社製ZedTrauma）を行っている．近年，人工股関節置換術や人工膝関節置換術では，術前計画に3Dテンプレートを行うことは珍しくない．同様の技術を応用し，骨折の整復予測・インプラント挿入をシミュレーションしている．整復すべき部位や，整復程度を予想し3Dの作図を行っている．また個人により異なる骨形態（多くは高齢者で弯曲が強く，長い髄内釘は入らないこともある）に対し，挿入可能な髄内釘の長さや径を3Dで計画している（図25-2）．

　術中使用では，転位を伴う脛骨外顆骨折を中心に行っている．術前に撮影しておいた健側の3D-CTデータを左右反転させ用いる．手術時に3D image（Siemens社製Cios Spin）で撮影した骨折側のデータを使用する．2つのデータをナビゲーションシステム（Brain LAB社製 Kickナビゲーションシステム Spine&Trauma 3D）を使用して，骨折していない内顆部分と健側反転データをマッチングさせる．すると外顆骨折の転位の場所・深さ・横径の膨大を健側と比較しながら整復操作を行うことが可能である．反対側の形態を3次元的に認識しながら手術でき，どの部位が整復不足か，どの程度まで整復できているかが判明する．従来の直視に頼っても透視装置や関節鏡を用いても，3次元的に正確な整復は術中わからなかったが，この方法を用いれば初めて手術を行う若手でも，正確な整復目標が常に被曝することなく得られ，非常に有用である（図25-3）．

塩田　直史［岡山医療センター　医長（整形外科・リハビリテーション科）〔岡山市北区〕］

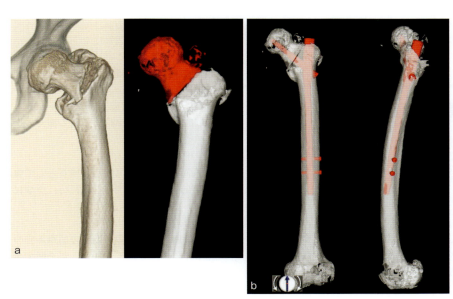

図25-2　術前整復3D作図と髄内釘挿入3D作図
aの赤色骨頭は3次元整復を行った後の作図．bは髄内釘が挿入された状態で髄腔とのマッチングを確認．

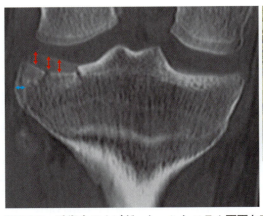
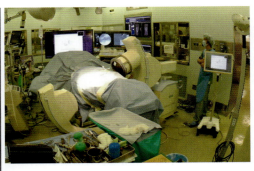

図 25-3　手術中のナビゲーションシステム画面と実際
赤色矢印が健側と比較して陥没している部分．青色矢印は横径の増大している部分．術中 3D image とナビゲーションシステムを併用している．

ロールも重要である．

リハビリテーションのポイント，関連職種への指示

可動域訓練は術直後から開始するが，荷重コントロールを行う必要があり，スタッフの協力は不可欠である．特にプレート固定の場合は重要であり術後 6〜8 週は全荷重すべきでない．

大腿骨骨幹部骨折

Femoral shaft fracture

前　隆男　佐賀県医療センター好生館 副館長/主任部長〔佐賀市〕

【疾患概念】　最大の長管骨骨折であり，交通事故や労災事故などの高エネルギーによる骨折と，高齢者によくみられる転倒などの低エネルギーによる骨折に二分される．前者は近年交通事故などの減少により少なくはなっているが，骨折部のみならず頭部，腹部損傷などを合併していることがあり，その初期治療には注意を要する．一方，後者は高齢者特有の骨粗鬆症による骨脆弱性とさまざまな合併症を有しており，手術に際して十分な評価が必要である．

【臨床症状】　大腿部における激痛，高度の変形，腫脹，下肢短縮を認める．大量出血にてショック状態を呈する場合もある．

問診で聞くべきこと

受傷機転が非常に重要である．高エネルギー外傷では本人から情報を得ることが困難な場合が多いため，受傷現場の状況や関係者よりできる限り情報収集に努めることが重要である．他方，高齢者では受傷前の活動度や併存傷病，認知症などの有無も治療方針の判断材料となる．

必要な検査とその所見

(1) 画像診断

単純 X 線での確認が基本であるが，高エネルギー外傷の場合には多部位にわたる撮影や全身 CT の撮像が必要となる．

(2) 生理・検体検査

出血に対する循環動態の検査として血液検査や心電図検査・超音波検査などを行い，点滴にて輸液，輸血ルートを確保する．

(3) 理学的検査

開放創の有無，骨折以遠の循環障害のチェック，神経損傷の有無を確認することが必要である．

診断のポイント

大腿骨骨幹部骨折はその付着する筋肉により大きく転位する．骨折形態によってはピンホール上の開放創を合併することがあり，開放骨折の有無のチェックには注意が必要である．

治療方針

保存治療は全身状態が手術に耐えられない場合や小児患者以外は適応とならない．
一般的には全身状態が重篤でなければ早期の手術が

薦められる．また全身状態の管理が優先される場合には創外固定などで骨折部の安定化をはかり（図25-4a），回復を待って内固定を行うことが多い．手術方法としては髄内釘（図25-4b）が最も多く用いられるが，骨幹端骨折や髄腔狭小，他のインプラントがある場合，変形を有している場合などはプレートを使用せざるを得ない．一方，全身状態の管理だけではなく開放骨折や局所の挫滅が高度の場合にも，創外固定にてstaged operationとなる．また，使用する髄内釘に関しては順行性髄内釘の選択が標準であるが，高度肥満，刺入部の皮膚障害，脛骨骨折の合併例，多発外傷，牽引台を使用できない骨盤骨折合併例などでは，膝関節からの逆行性髄内釘の選択も考慮すべきである．いずれにせよしっかりとした術前評価と計画，作図が重要でインプラント不適合や変形癒合などをきたさないことが求められる．

合併症と予後

(1) 大量出血

高エネルギー外傷の場合には1,000〜1,500 mL以上もの出血をきたし，循環動態に大きなリスクをもたらし輸血が必要な場合も多い．特に両側の場合には相当量の失血となり，凝固能の低下を引き起こし，さらに重篤な状態となる可能性がある．

(2) 深部静脈血栓症，肺塞栓症

外傷による侵襲や不動により深部静脈血栓症のリスクは高い．受傷後，経時的に検体検査を行い血栓形成の可能性をチェックすることが必要である．また一定期間後には超音波による検査や必要があれば造影CTを撮像して血栓の有無を判断する．また，血栓が確認されれば適切な治療を迅速に開始する．

(3) 脂肪塞栓

大腿骨骨幹部骨折が脂肪塞栓症の原因として最多である．

脂肪滴が血中に入り，肺，脳，皮膚，眼球に到達することで脂肪塞栓を発症する．

受傷後24〜72時間後に発症することが多い．その症状（古典的3徴）は，ほぼすべてで呼吸器症状を認め，呼吸困難，低酸素血症，重症化すると急性呼吸窮迫症候群（acute respiratory distress syndrome；ARDS）を引き起こす．中枢神経症状では脳塞栓による昏迷や痙攣を認める．そして眼瞼結膜や口腔粘膜に出血斑が出現することが多い．早期診断と対症治療，そして早期内固定が予防と治療に重要となる．

(4) 感染

開放骨折である場合は感染を引き起こすことが懸念されるが，閉鎖骨折でも受傷時に生じる皮下血腫により後日感染を合併することがある．特に殿部から大腿部にかけて，Morel-Lavallee lesionという剪断力に

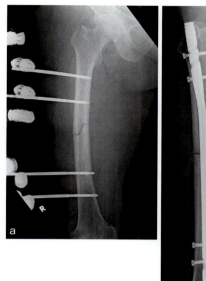

図25-4　多発外傷におけるダメージコントロール
a：創外固定によるダメージコントロール．
b：順行性髄内釘による二期的手術．

よって生じる皮下組織損傷に伴う大量の血腫が時にみられ，早期発見と早期治療を行わないと高率に感染をきたす．

(5) 変形癒合

保存治療では多くみられる．一方，手術による治療でも脚長差や回旋変形が残ることがあり，健側と比較して正確なアライメントを得ることが重要である．高度の脚長差や内旋変形は歩行に支障をきたし歩容も悪くなる．

(6) 偽関節，遷延癒合

粉砕骨折などで局所の血流を温存できない内固定などを行った場合には癒合が遷延し，癒合不全に至ることがあり注意を要する．また，骨片が大きく遊離している場合や骨欠損がある場合にも癒合不全が起こりうる．仮に，癒合不全，偽関節となった場合にはさらなる侵襲と治療期間が延長され，患者，医師，医療経済的にも不都合が生じる．重要なことはいたずらに観察期間を引き延ばすことなく，適切な判断のもと適切な時期に追加処置（含む手術）を実施する．

(7) せん妄，認知症，誤嚥性肺炎

せん妄は受傷による侵襲や手術後の疼痛によって出現する．高齢者によくみられるが，若年者でもICU症候群などのように環境要因が引き起こす場合もある．また元来有していた認知症が顕在化し，臥床による嚥下機能の低下が誤嚥性肺炎を招くことも多い．こ

のように高齢者では併存症の悪化に注意を要し，内科系医師を含めた多職種での対応が求められる．

患者説明のポイント

大腿骨骨折は長管骨骨折のなかで生命予後を左右する重篤な外傷であることを十分に説明することが肝要である．

リハビリテーションのポイント，関連職種への指示

手術の目的の1つは早期リハビリテーションを可能とすることである．術後の骨折部に大きな問題がなければ早期の離床，隣接可動域訓練や筋力維持訓練を励行させる．また荷重時期に関しては骨折の形態によりさまざまであるが，可能であればつま先接地などの部分荷重を直後より行いたい．荷重の是非は一歩誤ると癒合不全にもつながりかねないため，スタッフとの情報共有を確実にすべきである．

小児大腿骨骨折

Femoral fractures in children

西須 孝 千葉こどもとおとなの整形外科 院長〔千葉市緑区〕

【疾患概念】 大腿骨骨折は，大きな外力か，極端な骨脆弱性が原因となるので，乳幼児においては虐待や骨脆弱性をもたらす基礎疾患の可能性を念頭に置いて診断を進める．一方，明らかな高エネルギー外傷が原因のときは，成長軟骨板の損傷の可能性を考慮して治療を行う．

【臨床症状】 一般に激痛と腫脹を主訴とし，体動困難となって救急受診するが，二分脊椎症などの麻痺性疾患や先天性無痛無汗症では激痛はなく，腫脹と発熱だけがみられる．

問診で聞くべきこと

基礎疾患の存在や過去の骨折歴を知るため，既往歴を確認した後に，受傷機転について詳細な問診を行う．この際，受傷時に誰が一緒にいたかについても問診しておく．少しでも不自然な点があれば虐待の可能性を考え，院内の専門委員会に調査を委ねる．高所転落事故の場合も，第三者による放り投げの可能性を考慮する．

必要な検査とその所見

交通事故などで受傷機転が明白な場合は局所のX線検査で十分であるが，虐待が疑われる場合は，全身の皮膚，粘膜の観察を行い，全身骨のX線検査を行う．骨脆弱性のみられる疾患の代表格である骨形成不全症が疑われる場合は，頭蓋骨のX線検査が最も有用で，wormian boneとよばれるモザイク状に亀裂が入ったような変化がみられたら，骨形成不全症の可能性が高いと考えられる．また，青色強膜も有力な参考所見となるが，健常児にもみられることがあるので注意を要する．

大腿骨頚部の骨折では，骨頭壊死が生じる可能性が高いが，初期にその判定を行うことは難しく，患肢の免荷を続けていくなかで，廃用性骨萎縮が起こらない部位があれば，その部位の血流が途絶されていると判定する．受傷後1か月ほど経過をみればおおむね判定できる．最終的には受傷後3か月時のMRIで確定診断できる．

大腿骨遠位部の骨端線損傷では，成長軟骨板の連続性が絶たれているかどうか評価することが重要で，これによって，どれだけ厳密な整復を要するかどうかが判定できる．必要であればCT検査も行って確実に評価しておく．

鑑別診断で想起すべき疾患

乳幼児においては骨形成不全症，幼児期以降では線維性骨異形成症や単発性骨嚢腫が原因の場合もある．この他，大理石骨病，骨内血管腫，動脈瘤様骨嚢腫など，さまざまな骨系統疾患，腫瘍性疾患が原因となり得る．特にX線診断が難しく一見通常の大腿骨骨折にみえてしまうのは単発性骨嚢腫で，骨折部の両端を合わせたときに欠損部がありそうなX線所見であれば，CT検査を行って診断する．

診断のポイント

通常の生活で小児に大腿骨骨折が起こることはないので，健常児の大腿骨が偶発的な外力によって骨折したと決めつけず，基礎疾患や生活環境も含めて診断することが重要である．

専門病院へのコンサルテーション

基礎疾患の存在や虐待が疑われるときは，専門病院に相談することが望ましい．

治療方針

1 ▶ 大腿骨骨幹部骨折

5歳未満ではBryant牽引が第1選択となる．これは膝伸展位で両下肢を垂直上方へ介達牽引する方法で，回旋転位を最小限にすることができる．Bryant牽引の治療成績はきわめて良好で，患児の苦痛も少なく，1か月程度ですみやかに骨癒合が得られることが多い（図25-5）．ただし皮膚障害などの問題のため，介達牽引では3kgを超える牽引を行うことができない．このためおおむね5歳以上では，直達牽引による治療が行われてきた．しかし近年，elastic stable intramedullary nailing（ESIN）とよばれる髄内釘手術が

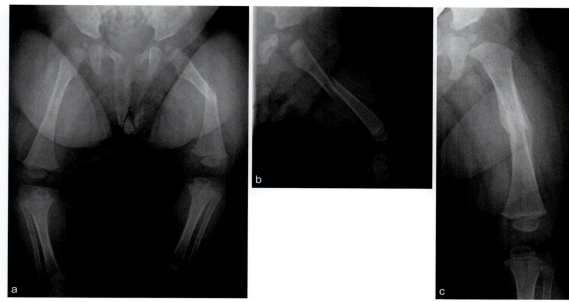

図 25-5 小児大腿骨骨折（6 か月，女児）
洗濯機の上から転落受傷．左大腿骨骨幹部の斜骨折を認めた．Bryant 牽引による保存療法を行い 1 か月後には十分な骨癒合が得られた．
a：両下肢単純 X 線正面像
b：左大腿骨単純 X 線側面像
c：受傷後 1 か月単純 X 線正面像

わが国に導入され，急速に普及するに至った．このチタン製の弾力性の高い髄内釘による治療は，直達牽引による治療に比して患児の苦痛が少ないため，今では 5 歳以上では第 1 選択の治療法となっている．ただし術後回旋転位が生じやすいので，体重の大きい患児においては，一定期間のギプス固定を推奨する意見もある．骨癒合後は，順調な経過でも数年にわたって過成長が生じることが多いので経過観察を行い，2 cm を超える脚長差が生じたら成長抑制術などの手術治療を考慮する．

2 ▶ 大腿骨頸部骨折

まず経皮的または観血的にスクリュー固定を行う．整復が難しいときや転位が大きく骨頭血流障害が特に心配されるときは，関節をあけて直視下に支帯動脈を内包する支帯を観察しながら，回旋転位を整復してスクリュー固定を行う．術後は前述したように骨頭壊死の評価を行い，壊死があると診断したときは血流が回復するまで 1〜2 年の間，坐骨免荷装具による完全免荷を行う．

3 ▶ 大腿骨遠位骨端線損傷

まず CT 検査で骨折型を正確に判定する．Salter-Harris Ⅳ 型のように成長軟骨板の連続性が絶たれている場合は，可能な限り整復してから Kirschner 鋼線数本で固定する．それ以外の骨折型でも内外反変形，屈曲伸展変形が起こらないように整復して鋼線固定を行う．大腿骨遠位部の場合は，予後良好とされる Salter-Harris Ⅱ 型であっても，骨端線早期閉鎖が生じることが多く，骨癒合後には成長軟骨板の骨性架橋の所見がみられる．これに対しては，残存する健常な成長軟骨板が 50% 以上あれば，鏡視下または直視下に骨性架橋を切除して成長再開を誘導する．ただし残存した成長軟骨板が健常かどうか判定するには，1 年くらいの経過観察が必要となる．

患者説明のポイント

重大な骨折なので，その原因が単に外傷なのか，それとも骨折しやすい疾患が背景にあるのか，よく調べさせてくださいと説明し，大腿骨骨頭壊死や骨端線早期閉鎖が起こり得る骨折型であれば，後遺症の可能性についても，十分に説明しておく．また，順調に経過しても，過成長が生じて患側の下肢が長くなってしまう可能性について説明する．

リハビリテーションのポイント，関連職種への指示

病棟看護師は，虐待の可能性について評価する重要な役割を担っている．入院時の全身の観察に加えて，

入院後の患児と家族との関係についての注意深い観察が必要である．ESIN 術後のリハビリテーションにおいては，大腿骨の回旋転位が問題となるので，股関節の内外旋訓練は推奨されない．

大腿骨遠位部の骨折

Fracture of the distal femur

野田 知之　川崎医科大学 教授(運動器外傷・再建整形外科学講座)

【疾患概念】　大腿骨遠位部骨折は交通事故などの高エネルギー外傷，または高齢者の軽微な転倒など低エネルギー外傷のいずれにも発生し，近年では大腿骨ステム周囲骨折ならびに人工膝関節周囲骨折などのインプラント周囲骨折の増加とあわせて，治療に難渋することが多い骨折である．関節近傍骨折であるため正確なアライメントの再建と，関節内骨折の場合は関節面の解剖学的再建が必要であり，多くの症例で強固な固定による早期運動を目的とした手術療法が適応となる．

【病態・臨床症状】　大腿骨遠位部，膝関節の腫脹や疼痛，骨折部の異常可動性，関節内血腫の貯留を示し，ほとんどの症例で自動運動や荷重は不可能である．骨折部では大腿四頭筋とハムストリングスの牽引力により短縮が生じ，内転筋と腓腹筋の牽引力により内反，伸展変形が起こる．高エネルギー損傷例では膝窩動脈損傷にも注意が必要である．

【病型・分類】　AO/OTA 分類が手術方法の選択に有用であり，広く使用されている（図 25-6，術前画像参照）．なお本分類は 2018 年に修正，改訂された．人工膝関節周囲骨折に対しては転位と弛みを考慮した Lewis-Rorabeck 分類が代表的である．

問診で聞くべきこと
受傷機序の詳細な聴取とともに，受傷肢位，疼痛部位などを問診する．職業，日常活動性の程度や自立度の確認も重要である．

必要な検査とその所見
単純 X 線検査は必須であり，正面および側面の 2 方向に加え，骨折を疑う場合は両斜位を追加する．健側との比較も重要である．

さらに MPR 再構成像や 3D 像を含めた CT による評価は関節内骨折には必須であり，関節面転位の評価や手術計画立案に有用である．血管損傷が疑わしい場合は超音波 Doppler 検査に加え，造影 CT や動脈造影を考慮する．

鑑別診断で想起すべき疾患
鑑別診断として下腿骨折や膝蓋骨骨折，膝靱帯損傷や半月板損傷が挙げられる．またこれら疾患との合併も考慮する．

診断のポイント
①変形・腫脹や開放創の有無の確認．
②損傷部以下の神経学的評価ならびに血行障害の有無の確認．
③単純 X 線写真や CT による，骨折の転位，陥没骨片の有無を含めた関節内骨折の評価．
④必要に応じて，造影 CT，動脈造影（血管損傷疑い）や MRI 評価（靱帯損傷，半月板損傷の合併疑い）を追加．

専門病院へのコンサルテーション
手術適応となる場合が多く，手術が可能な整形外科専門施設，専門医による治療が望ましい．多発外傷例や血管損傷症例では，集中治療が可能な施設との速やかな連携が必要である．

治療方針

初期治療について，高エネルギー損傷で軟部組織状態の悪化が予想される症例や重度開放骨折症例では，創外固定やデブリドマンなどの緊急手術が必要な場合があり，適切な判断が求められる．

原則的にほとんどの症例が手術適応となる．関節外アライメントの再建と関節面の解剖学的整復，さらには早期可動域訓練を可能とする安定した固定の獲得という原則に則って治療する．

保存療法の適応は，転位のない安定した不全骨折もしくは手術不能例などに限定される．knee brace やシーネ，もしくは長下肢ギプス（適宜巻き替え必要）にて 6 週間前後の固定を行うが，膝関節拘縮や変形治癒の発生は避けられず，長期臥床を強いられる．経過中に転位の増悪による骨片の皮膚穿孔などにも注意を要する．

手術療法

骨折型，年齢，活動性などを考慮して，固定法やインプラントの選択をする必要がある．腓腹筋の牽引力で反張位固定になりやすいため，骨折部直下に枕を挿入し軽度膝関節屈曲位とすることが重要である．

1 ▶ 関節外骨折（Type A2, A3）（図 25-6a）
関節外骨折であり，逆行性髄内釘が良い適応である．関節軟骨に髄内釘挿入孔を作成しなければならない欠点はあるが，プレート固定より低侵襲で荷重にも有利である．また大腿骨外側の解剖学的形状に合うよう作

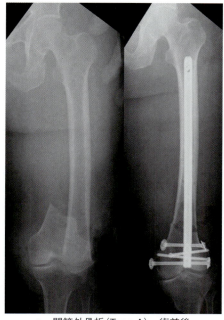
a. 関節外骨折（Type A）　術前後

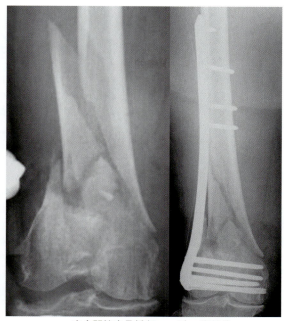
c. 完全関節内骨折（Type C）　術前後

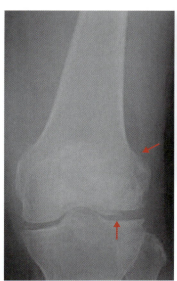
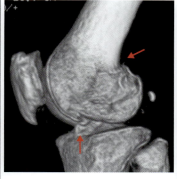
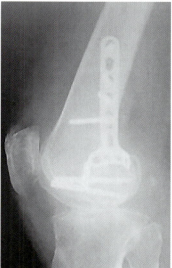
b. 部分関節内骨折（Type B）　術前後

図 25-6　大腿骨遠位部骨折（33）AO/OTA 分類（2018 年改訂）

られたアナトミカルロッキングプレートも適応可能である．遠位骨片が小さいなど，不十分な横止めスクリューの挿入により固定力不足になりそうな症例に用いられ，特に骨幹端の多骨片骨折に対しては，小皮切で骨折部を展開しない MIPO（minimally invasive plate osteosynthesis）法（最小侵襲プレート固定）との併用が有用である．

2 ▶ 部分関節内骨折（Type B）（図 25-6b）

　関節内骨折の治療原則に従って，早期可動域訓練を可能とする正確な関節面の整復と強固な内固定の獲得が重要となる．転位がほとんどない症例では経皮スクリュー固定が可能な症例もあるが，骨折の部位に応じて内側，もしくは外側より関節切開を行って直視下に整復固定する．スクリューにて骨片間圧迫を行い，骨

粗鬆や剪断応力に対する固定性向上のために buttress plate を追加する症例もある．関節軟骨からのスクリュー挿入が必要な症例もあり，埋没型ヘッドレススクリューや吸収ピンも用いられる．

3 ▶ 完全関節内骨折(Type C)(図25-6c)

関節面に対しては直視による解剖学的整復，骨幹端と骨幹部に対しては長さ，アライメント，回旋を再建する機能的整復を行う．外側アプローチにより関節切開し，関節面を直視下に整復，Kirschner 鋼線による仮固定に続いてスクリューや吸収ピンにて関節面骨片を一塊とする．この後，外側アナトミカルロッキングプレートにて固定する．Type A 同様に骨幹端の多骨片骨折に対しては MIPO 法が有用である．

合併症と予後

手術合併症には急性期合併症として感染，静脈血栓塞栓症，皮膚壊死，膝関節可動域制限が挙げられる．晩期合併症として固定破綻，膝関節拘縮，偽関節，外傷性変形性関節症などが挙げられ，外傷性変形性関節症に対しては，人工関節置換術など追加処置が必要となる場合がある．

患者説明のポイント

関節拘縮や外傷性変形性関節症の防止のため，関節面の解剖学的再建ならびに強固な固定を達成し，早期離床，可動域訓練を行うことを説明する．遷延癒合に対する追加手術の可能性も説明しておく．良好な機能獲得には，早期からの患者自身の積極的なリハビリテーション参加や協力が不可欠である点や，長期的な経過観察が必要な点などを理解させる．

リハビリテーションのポイント，関連職種への指示

関節拘縮防止のため，非荷重下の早期可動域訓練をドレーン抜去後より積極的に行う．荷重について，髄内釘では術後早期より可及的に 1/3 程度の部分荷重は許可し，6～8 週程度で全荷重歩行を許可している．プレートの場合は，4～6 週前後から部分荷重歩行訓練を開始し，10～12 週で全荷重歩行を許可するのが一般的である．

関節可動域訓練の励行と廃用性萎縮の防止，免荷や部分荷重指示の遵守を周知徹底する．

人工股関節全置換術後の大腿骨骨折

Periprosthetic femoral fracture after total hip arthroplasty

髙平 尚伸 北里大学 教授/大学院医療系研究科 研究科長

【疾患概念】 人工股関節全置換術(total hip arthroplasty；THA)後の大腿骨骨折は，THA の治療成績の向上による適応拡大，高齢化人口割合の増加，初回人工関節年齢の低下などにより手術件数が年々増加傾向であり，発生率がさらに増えることが予測されている．術後の長期経過や高齢化による骨脆弱性や転倒リスクの増加によりリスクが高まる．使用可能なインプラントやスクリューの挿入方向などに制限があり，強固な固定が困難なことがある．

【頻度】
発生頻度は初回 THA および再置換術後では 0.1～18% 程度である．軽微な外傷によるものが多く，高エネルギー外傷は 10% 以下である．

【病型・分類】
Vancouver 分類(図25-7) Type A は大転子部骨折 Type A_G と小転子部骨折 Type A_L に分類される．Type B は最も頻度が高く，骨折はステム周囲に限局しており 3 つに分類される．Type B_1 はステムの固定性および bone stock が良好，Type B_2 はステムの弛みはあるが bone stock が良好，Type B_3 はステムの弛みと bone stock の減少を認めるものである．Type C はステムより遠位部での骨折である．

【臨床症状または病態】
受傷機転は軽微な外傷が少なくないが，交通事故もある．症状は股関節部または大腿部痛，歩行不能，局所の腫脹や圧痛，可動時痛などである．

問診で聞くべきこと

受傷機転，初回 THA 使用時のインプラント情報を聴取する．具体的には，セメント使用の有無，固定様式やコンセプト，ポーラスコーティングの有無や部位などである．不明な場合，元のメーカーがわかれば情報入手の可能性がある．骨粗鬆症の治療歴，処方中の薬剤名も聴取する．

必要な検査とその所見

(1)単純 X 線検査

骨折線の有無を確認する．インプラントの弛みは，髄腔の開大，骨溶解，ステム先端の移動や沈下などがポイントになる．

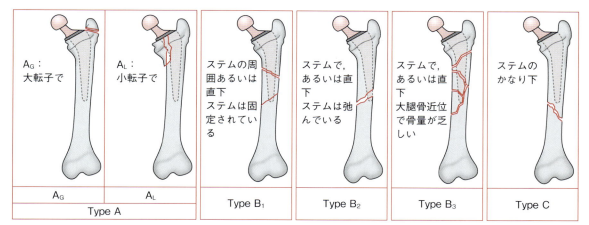

図 25-7 Vancouver 分類（Duncan et al. 1995）
(Schwarzkopf R, et al: Total hip arthroplasty periprosthetic femoral fractures: a review of classification and current treatment. Bull Hosp Jt Dis 71: 68-78, 2013 より)

(2) CT

インプラントで骨折線が隠れている場合，骨折の同定に有用である．

診断のポイント

症状と画像で診断は容易であるが，インプラントで骨折が隠れていることもあり注意を要する．また，初回 THA のインプラントの情報不足，弛みの有無の判断が治療方針を左右する．

専門病院へのコンサルテーション

外傷外科医と関節外科医の治療選択の偏りのリスクがあり注意を要する．分類が困難な場合，両者の治療方針の意見の聞ける体制か両者の常在する専門病院へのコンサルテーションが望ましい．

治療方針

患者の年齢，活動性，骨量や骨質，骨折部位，インプラントの種類や固定性，弛みと骨欠損の有無や程度などの要因を考慮する．Vancouver 分類による骨折型により治療方法が推奨されている．早期診断，適切な治療，早期リハビリテーションが重要である．

保存療法

重度骨粗鬆症の高齢者で並存疾患があり，手術自体にリスクがある場合には保存療法もやむを得ない．その場合，外固定あるいは牽引療法などによるベッド上安静が余儀なくされるため，合併症の発生に注意を要する．

薬物療法

骨量や骨質不良例では骨形成薬なども選択肢である．

手術療法

Vancouver 分類 Type A では多くの場合に骨接合術が推奨される．B_1 ではワイヤリングかケーブルプレートとスクリューによる骨接合術が推奨される．インプラントがあるためロッキングプレートが有用である．B_2 では骨折部を超える長さのロングステムによる再置換術が推奨される．B_3 では，重度の骨欠損がある場合，分節状の同種皮質骨とインターロッキングロングステムを用いた再置換術が有用である．同種骨の入手が困難な場合には impaction bone grafting (IBG) で対応することも選択肢である．C では，長いケーブルプレートによる骨接合術が推奨される．

患者説明のポイント

反対側も THA 後であれば骨折発生に注意する．骨粗鬆症治療も同時に行う．

リハビリテーションのポイント，関連職種への指示

股関節の可動域や周囲筋力および歩行やバランス能力のトレーニング，骨に刺激を与える体操などを薦める．再発予防にはロコモ体操などもよい．

強固な固定性が得られていれば，術後早期のリハビリテーションが可能であり，主治医との連携が重要である．高齢者では自宅の段差をなくし，階段を滑りにくくするなどの環境の整備などにも気を配ることが大切である．

人工膝関節全置換術後の大腿骨骨折

Periprosthetic femoral fracture after total knee arthroplasty

内野 正隆　博慈会記念総合病院 診療部長〔東京都足立区〕

【疾患概念】　人口の高齢化により人工膝関節全置換術(total knee arthroplasty；TKA)症例は増加し，それに伴うTKA周囲骨折症例も増加している．軽微な外傷で発症することが多く，早期荷重をはかるため治療は手術を推奨する．高齢者は骨癒合能が低下しているので低侵襲手術に努めるが，骨質不良や骨量低下により骨折部の固定性が得られ難いため，治療に難渋することがある．

【頻度】
TKA周囲骨折の発生頻度は，0.6～3%と比較的まれである．

【病態】
原因は，コンポーネントの不適切な位置や大腿骨のnotch形成などの手術手技によるもの，人工関節の弛みに伴う骨融解，病的骨折，高齢女性，骨粗鬆症，関節リウマチ，神経疾患の存在，ステロイドの使用，stress shieldingなどが挙げられる．

【問診で聞くべきこと】
受傷機転，疼痛部位，高齢者では併存する内科疾患，内服薬，認知症の有無，受傷前のADL，在宅，介護認定の有無，介護施設入居などの確認が，治療方針を決定するうえで重要である．

【必要な検査とその所見】
単純X線による2方向が基本である．粉砕骨折で詳細な骨折型を把握するためにCTが有用であるが，人工関節によるアーチファクトのため読影が困難な場合もある．不顕性骨折が疑われる場合は，MRIが有用である．

【診断のポイント】
単純X線像，CT像から骨折型を診断する(図25-8a)．高齢者ではさらに既往歴，認知症の有無，受傷前および治療後に予想されるADL，退院後の生活環境など総合的判断のうえに治療方針を決める．

治療方針

1▶保存療法
転位がなく，安定型の骨折であれば保存的治療の適応となる．ギプス固定，functional brace，牽引療法が挙げられるが，高齢者では荷重制限を行うことは困難なうえ，関節拘縮，筋力低下などが生じ，良好な機能成績は望めない．したがって，手術困難な理由がない限り，手術を行い，早期のリハビリテーション開始が望ましい．

2▶手術療法
適応は転位を認め，不安定型の骨折である．主に逆行性髄内釘，プレート固定，revision TKAが行われる．

(1)逆行性髄内釘
軟部組織を温存し，力学的に早期荷重可能な髄内釘を第1選択としている(図25-8b)．遠位骨片に対し，最低2本のスクリューが必須であり，内外反変形を防止するために3本，あるいは，ブロッキングスクリューの併用が必要なときがある．適応外は膝の拘縮例，同側の人工股関節置換術施行例，TKAの顆間部に隙間がない症例(ステム付きインプラント，closed box型の大腿骨コンポーネント)，遠位に2本のスクリュー挿入困難例，大腿骨コンポーネントの弛みである．

(2)プレート固定
髄内釘が適応外の場合，ロッキングプレートを選択する．ロッキングプレートの固定性を過信し，インプラントの折損，偽関節が生じ得るので，粗鬆骨例や内側骨幹端部の粉砕例では，ダブルプレートにしたほうが安全である(図25-8c)．粉砕骨折では最小侵襲プレート固定法(minimally invasive plate osteosynthesis；MIPO)の適応となる．MIPOにより手術侵襲を軽減し，骨折部周囲の血流が温存されるため骨癒合有利となる．

(3)Revision TKA
適応は，大腿骨コンポーネントの弛み，骨折部が遠位あるいは高度粉砕で安定した固定が得られない症例，保存治療または骨接合術の失敗例が挙げられる．

【合併症と予後】
感染，遷延癒合，偽関節をはじめ，高齢者では全身状態の悪化，認知症，せん妄，誤嚥性肺炎，深部静脈血栓症などが挙げられる．機能的予後は受傷前より不良となる可能性がある．

【患者説明のポイント】
合併症，予後に関して家族を含め詳細に説明する．また，入院直後からソーシャルワーカーが介入し，多職種連携で退院後の方針を，患者，家族の希望と専門的見地からサポートする．

【リハビリテーションのポイント，関連職種への指示】
髄内釘，プレート，revision TKAとも術翌日から可動域訓練を開始する．
髄内釘は術翌日から疼痛に応じて荷重を許可する．粉砕骨折では，light touchとし，架橋仮骨形成後，部

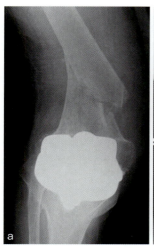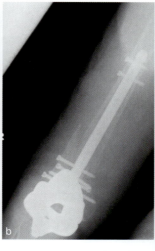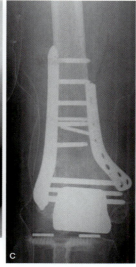

図 25-8　人工膝関節全置換術後の大腿骨骨折
a：単純 X 線正面像
b：逆行性髄内釘
c：ロッキングプレートによるダブルプレート
〔内野正隆：人工膝関節周囲部骨折の治療．MB Orthop 24(6)：65-70，2011 から転載〕

分荷重を開始する．
　プレートは，骨折部が嵌入している場合は術翌日から荷重を開始するが，内側に仮骨が認められるまでは light touch とする．
　Revision TKA も，術翌日から疼痛に応じて荷重を許可する．

大腿四頭筋，ハムストリングの断裂

Muscle rupture of quadriceps and hamstrings

中川 匠　帝京大学 教授

【疾患概念】　筋損傷はトップレベルでスポーツ競技を行うアスリートに発生し，この怪我が原因で競技を休止することによる損失は，アスリート本人にとってもチームにとっても看過できない問題である．ハムストリング損傷の頻度が最も高く，陸上の短距離競技，サッカー，アメリカンフットボールなどのスプリント競技に多く，大腿四頭筋損傷はキッキングスポーツで筋組織が伸長されることにより生じる．一般に筋損傷を受傷したアスリートやチームは可及的早期のスポーツ復帰を希望するが，復帰後に再損傷を生じる危険性が高く，再損傷を起こすとさらに長期間競技の離脱を余儀なくされるので，復帰の判断には細心の注意が必要である．

【病態】
　筋損傷は筋線維と筋肉周囲を覆う筋上膜（筋膜）との境界部分や，筋腱移行部の腱・腱膜などの生体力学的特性の異なる組織同士の接合部で発生することが多い．MRI 画像などで筋組織に異常所見のない軽症なものから，付着部剥離や腱断裂して連続性が損なわれている重症まで，重症度は大きく異なる．

問診で聞くべきこと
　受傷機転があったかどうか，スポーツの活動レベル，ポジション，復帰目標などを聴取する．

必要な検査とその所見
　一般に X 線や CT 検査では異常がみられないが，骨化性筋炎を合併したケースではこれらの検査を行う．軟部組織損傷であり超音波（エコー）検査と MRI 検査が有用である．エコーはポータブル機種もあり，現場での評価や筋組織の収縮に伴う評価が可能な点や，治癒過程を経時的に安価に観察できる利点がある．一方で，患部の描出には一定の経験と技術が必要なこと，エコーでの描出範囲に限界があるなどの欠点もあり，正確で再現性のある病変部の評価には MRI 画像が優れている．MRI 画像では筋組織の浮腫，出血，筋腱移行部の連続性の途絶，筋内腱の走行の乱れ，骨化病変

25 大腿の疾患

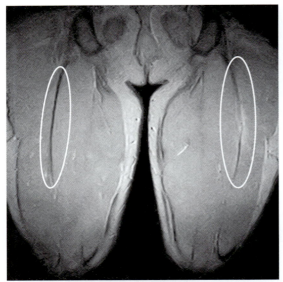

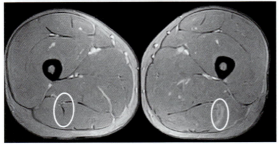

図 25-9　サッカーで受傷したハムストリング筋腱移行部損傷（22歳，男性）

の観察が可能であり，損傷部位やその範囲を評価することにより治療方針を決定する．

診断のポイント

重症度によりスポーツ復帰までの期間は大きく異なるため，初期診断でどの程度の損傷かどうか見極めるのは重要である．

(1) 軽症

筋肉痛を訴えるが，疼痛部位がはっきりせず，筋力や関節可動域は一般に保たれている．MRI画像では異常所見がないか，筋線維の浮腫などの所見が観察される．一般に予後は良好であり，可及的速やかにスポーツ活動を再開して競技復帰することが可能である．

(2) 中等症

患部を中心とした疼痛が明らかであり，筋力低下や関節可動域制限もみられる．筋-筋上膜移行部での損傷もみられるが，筋腱移行部での腱・腱膜の損傷の頻度が高い（図 25-9）．MRI画像で異常所見が明らかで

あり，損傷の範囲や程度の診断に使用される．スポーツ復帰には一定の期間を要し，機能の回復に応じて徐々に運動強度を上げていくことが重要である．

(3) 重症

運動中に突然発症し，運動機能の消失が明らかな損傷である．腱付着部・筋腱移行部の完全断裂であり，MRI画像で筋腱移行部の連続性の途絶，筋腱組織の弛緩などの異常所見が観察される．腱付着部剥離では手術が検討され，スポーツ復帰に長期間を要し再発率も高い．亜急性〜慢性期では骨化性筋炎に進行するケースもある．

治療方針

重症例の頻度は高くなく，保存的治療で対応可能な場合が多い．急性期は RICE 療法（安静，アイシング，患肢挙上，圧迫）により腫脹や炎症が広がるのを防ぐ．炎症が消失したら，徐々に他動的関節可動域訓練を開始する．消炎鎮痛薬，電気療法，高気圧酸素療法などの治療が併用されるが，有用性を支持するエビデンスは確立されていない．痛みなく関節を全可動域で動かすことができて，筋力が十分に回復したらスポーツ復帰を許可する．MRI画像の所見も復帰の判断に有用である．

非定型大腿骨骨折

Atypical femoral fracture

宮腰　尚久　秋田大学大学院 准教授

【疾患概念】　非定型大腿骨骨折は，大腿骨転子下から骨幹部に発生する横骨折であり，転倒などの軽微な外力で生じ，誘因となる外傷がないことも多い．本骨折は，骨粗鬆症に対してビスホスホネート薬を長期間使用した例に生じやすく，治療に難渋する例が多いことから，その主因は，骨代謝回転の極度な抑制であると考えられてきた．しかし，近年の研究により，骨代謝回転は必ずしも抑制されていないことが明らかとなった．

ビスホスホネート薬以外にも，ステロイド薬，デノスマブ，プロトンポンプ阻害薬などが本骨折に関与すると考えられるが，これらを裏付ける質の高い研究は少ない．また，骨幹部に生じる本骨折には，大腿骨の弯曲が大きな例が多い．

【頻度】　発生率は，人口10万人・年あたり3.2〜50例と推定される．

【病型・分類】

完全骨折と不完全骨折に分類され，骨折部位により転子下骨折と骨幹部骨折に分けられる．

問診で聞くべきこと

骨折が生じる前に，鼠径部や大腿部に痛みが生じることがあるため，このような前駆症状がないかを確認する．

必要な検査とその所見

単純X線像による診断が困難な不完全骨折は，骨シンチグラムによる骨折部の異常集積像やMRIの輝度変化で診断する．本骨折は両側に発生することが多いため，片側例では対側の評価も必ず行う．

診察のポイント

本骨折の診断には，2014年に提唱された米国骨代謝学会のタスクフォースレポートによる定義が用いられる．すなわち，「大腿骨小転子直下から顆上部の直上までに生じる骨折」において，「5つの主な特徴のうち，少なくとも4つを満たす」必要がある．5つの主な特徴とは，①外傷なし，あるいは立った高さ以下からの転倒などの軽微な外力で生じる，②骨折線は外側の骨皮質から生じて横走するが，内側に骨折線が及ぶに従って斜めになる場合もある，③完全骨折では両骨皮質を貫通し内側にスパイクを認めることがあり，不完全骨折では外側のみに生じる，④骨折は粉砕なしか，わずかな粉砕を認めるのみである，⑤骨折部外側骨皮質の外骨膜または内骨膜に，限局性の肥厚〔beaking（くちばし状）やflaring（フレア状）〕が生じる，である．

また，診断に必須ではないが，本骨折の副次的な特徴には，①骨幹部の皮質骨厚の全体的な増加，②片側性または両側性の鼠径部や大腿部の鈍痛やうずく痛みなどの前駆症状，③両側性に生じる不完全または完全大腿骨骨幹部骨折，④骨折治癒の遷延，がある．

専門病院へのコンサルテーション

以下に述べる手術適応例は，手術が可能な専門病院にコンサルトする．

治療方針

1 ▶ 完全骨折

完全骨折は手術の絶対適応である．手術には髄内釘が用いられることが多い．

2 ▶ 不完全骨折

両側性の不完全骨折は免荷ができないため，手術を要する．片側性の不完全骨折は免荷による保存治療を選択してもよいが，経過中に完全骨折となる例が少なくないこと，術後の骨癒合期間が完全骨折は不完全骨折よりも長いことなどから，予防的な手術を推奨する意見が多い．不完全骨折において，①痛みの前駆症状があること，②骨折部位が転子下であること，③骨折部に骨透亮線があることは，完全骨折へ移行しやすい所見である．

3 ▶ 薬物療法

ビスホスホネート薬などの骨吸収抑制薬を使用している例では，診断と同時にこれを休薬し，ビタミンDを補充する．骨癒合に有利に働くように，テリパラチドの使用も考慮する．

患者説明のポイント

完全骨折では，骨癒合の遷延により再手術を要する可能性が高いことを説明する．

リハビリテーションのポイント，関連職種への指示

骨癒合が遷延しやすいため，術後の後療法は慎重に行う．片側例では，対側の注意深い経過観察が必要であり，鼠径部痛や大腿部痛などの前駆症状を見逃さないようにする．

薬価基準収載

劇薬　処方箋医薬品
注意—医師等の処方箋により使用すること

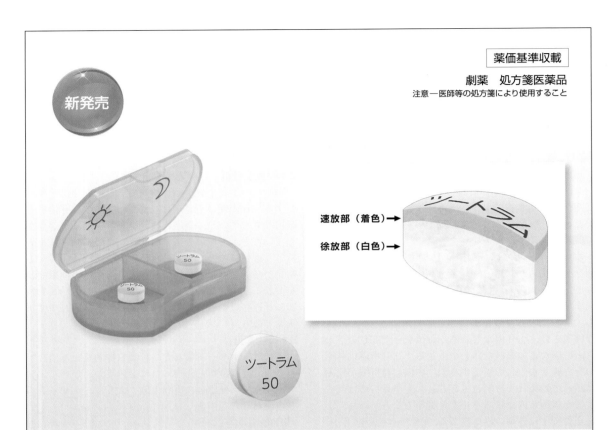

速放部（着色）→
徐放部（白色）→

持続性鎮痛剤
1日2回投与型トラマドール塩酸塩徐放錠

持続性鎮痛剤
劇 ツートラム®錠　50mg / 100mg / 150mg

効能又は効果、用法及び用量、禁忌を含む使用上の注意等については、添付文書をご参照下さい。

製造販売元
日本臓器製薬
くすりの相談窓口 ☎0120-630-093
土・日・祝日を除く 9:00〜17:00
〒541-0046 大阪市中央区平野町4丁目2番3号
資料請求先：学術部

2020年12月作成

26 膝関節の疾患

膝関節の機能解剖 ………………… 780	半月板損傷 …………………………… 800
膝関節周辺の痛みのとらえ方/診断手順 ……………………………………… 781	膝関節タナ障害 ……………………… 802
	滑膜骨軟骨腫症 ……………………… 803
特発性膝関節血症 …………………… 782	[膝]離断性骨軟骨炎 ………………… 804
関節軟骨損傷 ………………………… 783	膝蓋下脂肪体炎（Hoffa病）………… 805
膝関節脱臼 …………………………… 786	ジャンパー膝 ………………………… 806
膝蓋骨脱臼 …………………………… 787	Osgood-Schlatter病 ………………… 807
膝蓋骨骨折 …………………………… 789	Sinding Larsen-Johansson病 …… 808
脛骨プラトー骨折 …………………… 791	有痛性分裂膝蓋骨 …………………… 810
脛骨顆間隆起骨折 …………………… 792	腸脛靱帯炎 …………………………… 810
脛骨粗面骨折 ………………………… 793	変形性膝関節症 ……………………… 811
Segond骨折 …………………………… 794	膝関節特発性骨壊死 ………………… 815
側副靱帯損傷 ………………………… 795	化膿性膝関節炎 ……………………… 816
前十字靱帯損傷 ……………………… 797	Baker嚢腫 …………………………… 817
後十字靱帯損傷 ……………………… 798	鵞足炎 ………………………………… 818
複合靱帯損傷 ………………………… 799	

膝関節の機能解剖

Functional anatomy of the knee

中川 匠　帝京大学 教授

1 膝関節を構成する骨

　膝関節は人体で最大の可動関節であり，大腿骨，脛骨，膝蓋骨の3つの骨で構成される．大腿骨と脛骨は大腿脛骨関節を形成し，大腿骨と膝蓋骨は膝蓋大腿関節を形成する．膝関節腔内のこれらの3つの骨の表面は，関節軟骨という硝子軟骨組織で覆われており，荷重の伝達・分散や関節面同士の低摩擦での滑動に役立っている．関節軟骨組織は主として，typeⅡコラーゲン線維と水分を引き付ける機能があるプロテオグリカンなどの細胞外基質から構成される．関節軟骨は重量の約80％が水分，細胞成分が1％程度の組織で，血行や神経支配がなくその修復能力は高くない．

　大腿脛骨関節は内側コンパートメントと外側コンパートメントに分かれ，荷重を支える機能を有する．膝蓋大腿関節は膝関節伸展機構の一部として機能し，膝関節を伸展させるときに大腿四頭筋収縮力を効率的に伝える働きがある．膝蓋骨は膝関節の前面に位置しており，膝関節を保護する役割も担う．これらの2つの関節は共通の関節包の中にあり，関節腔は1つにつながっている．2つの大腿骨顆部は前後方向，内側外側方向で凸の形状を呈しており，ほぼ平らな脛骨関節面との適合性はよくない．

2 膝関節のアライメント

　膝関節を正面から観察したときに，大腿骨遠位の骨軸と脛骨近位の骨軸のなす角を大腿脛骨角（femorotibial angle；FTA）といい，正常膝では176°前後であり，膝関節は軽度外反を呈する．また，大腿骨頭中心から足関節中心を結ぶ線を下肢機能軸（Mikulicz線）とよび，正常膝では膝関節の中央付近を通る．膝蓋骨の中心と脛骨粗面とを結ぶ線と大腿骨軸となす角をQ角とよび，膝関節の外反を反映して正常では10～12°であり，大腿四頭筋を収縮させると膝蓋骨には外側方向へ牽引力が働く．

3 靱帯の支持機構

　膝関節は骨性適合性が高くない蝶番関節であり，線維性の関節包に加えて側副靱帯と十字靱帯が関節の安定性に寄与している．膝関節は大きく屈曲伸展するのに加えて，屈曲位では回旋の動きも許容している．

1 ▶ 内側側副靱帯

　内側側副靱帯（medial collateral ligament；MCL）は膝の内側にある幅広い靱帯であり，MCL浅層と後斜走線維（POL）および深部の関節包レベルにあるMCL深層から構成されている．これらのうちMCL浅層は外反ストレスに対して膝関節を安定させる主たる組織であり，大腿骨内側上顆から遠位に走行し脛骨近位内側に停止する．後斜走線維は半膜様筋遠位部と線維性に連続しており，膝関節伸展位付近での外反ストレスや内旋ストレスに対して働く．MCL深層は関節包が厚くなった組織であり，大腿半月線維と脛骨半月線維から構成される．MCLは膝屈曲位より膝伸展位で緊張する組織である．MCLは血流が豊富な組織であり修復能力が高いため，単独損傷の多くは保存的治療で対応可能である．

2 ▶ 外側側副靱帯と後外側支持機構

　外側の支持機構として，外側側副靱帯（lateral collateral ligament；LCL）と後外側支持機構（posterolateral complex）がある．LCLは関節外靱帯であり，大腿骨外側上顆と腓骨頭との間を結ぶ線維束であり，伸展位で緊張し屈曲位で弛緩する．内反ストレスに対して膝関節を安定化させる機能がある．膝関節の後外側部の解剖は複雑で個人差があり，LCL，膝窩筋，弓状靱帯，膝窩腓骨靱帯などから構成され，膝関節への外旋ストレス，後方ストレスに対して安定化させる機能がある．

3 ▶ 前十字靱帯

　前十字靱帯（anterior cruciate ligament；ACL）は大腿骨外側顆の顆間窩面後方から脛骨の前方に走行し，脛骨の前方へ付着する．ACLはその脛骨側付着部の位置により，前内側（AM）束と後外側（PL）束の2つの機能束に分けられる．ACLは大腿骨に対して脛骨を前方方向へ制動する機能を有しており，ACLが損傷すると脛骨の前方不安定性が生じる．膝屈曲位ではACLは弛緩しており，膝関節を伸展するにつれ緊張する．スポーツ活動中などに損傷し，多くは大腿骨側での損傷である．ACLは自然治癒能力に乏しく，骨を制動する靱帯機能が損なわれるとスポーツ活動中などに膝くずれとよばれる亜脱臼を繰り返し，半月や関節軟骨の二次損傷に至ることもあり，膝関節の安定化を目的としたACL再建術が行われる．

4 ▶ 後十字靱帯

　後十字靱帯（posterior cruciate ligament；PCL）は大腿骨内側顆の顆間窩面前方から後方へ走行し，脛骨の後縁中央部に付着する．PCLは大腿骨に対して脛骨を後方へ制動する役割を担っている強力な靱帯であり，PCLが損傷すると脛骨の後方への不安定性が生じる．PCL線維束はその大腿骨側起始部と脛骨側停

止部の位置関係により，前外側(AL)束と後外側(PM)束の2つの機能束に分けられる．PCL単独損傷では脛骨の後方不安定性が生じるが，不安定性が大きい場合を除き保存的に経過観察することが多い．

4 半月

可動関節である膝関節に特徴的なのは，大腿脛骨関節の内外側の2つのコンパートメントの辺縁に，半月(menisci)とよばれる線維軟骨が介在していることである．半月は大腿脛骨関節の適合性を向上し，hoopを形成することで関節にかかる荷重分散機能を有するほか，関節の安定性や関節軟骨の潤滑・栄養に役立っている．半月は膝横断面ではC字型を呈しており，内側半月のほうが外側半月よりも前後径が大きく，I型コラーゲン線維が円周方向に配列している．矢状面と冠状面では大腿骨と脛骨の関節面との隙間を埋めるように，辺縁が楔型に厚くなっている形状をしている．半月の内周部分には血行は存在しないが，外側半月の中節・後節移行部を除き，その辺縁の10〜25%には血行がある．内側半月はMCLや関節包により脛骨に固定されており可動性が少ないのに対し，外側半月は膝窩筋裂孔部では関節包に付着しないため可動性は大きい．半月は単独で損傷する場合とACL損傷などに合併して損傷する場合があり，キャッチングやロッキングなどの症状を生じる．半月機能が損なわれると軟骨損傷が引き起こされ，二次性変形性膝関節症の危険性が大きくなるため，可及的にその機能の温存を目指す関節鏡手術が行われる．

膝関節周辺の痛みのとらえ方/診断手順

Clinical and anatomical diagnosis of knee joint pain

池内 昌彦 高知大学 教授

膝関節周辺の痛みを訴える患者を診察する場合，一般的には痛みの局在と膝関節の解剖を照らし合わせて想定される疾患を念頭に検査を進めるとよい．また，痛みを正確に捉えるためには，局在以外にも，強度や質，時間的変化なども評価することが重要である．

1 診断手順

1 ▶ 病歴聴取

膝のどこが，いつから，どのように痛むのか，詳しく聴取する．また，外傷やオーバーユースなどの発症誘因，運動や食生活などの生活習慣，家族構成や職業などの社会的背景，既往歴や併存症などの情報も重要である．さらに，膝関節の不安定感や膝くずれ(giving way)，ロッキングなどの痛み以外の症状も聴取しておく．これらの情報は初診時を逃すと得られないことが多く，時間はかかるが初診時に丁寧に聴取することが望まれる．問診表にこれらの情報に関する質問を盛り込んでおくと外来診療が効率的になる．

2 ▶ 身体所見

(1)歩容を観察し跛行がないかどうか確認する．また，膝関節機能に大きな障害がないかどうか確認するために，しゃがみ込み動作をしてもらうとよい．次に，立位の状態で下肢アライメントを評価する．内反，外反，屈曲拘縮や過伸展の有無を視診で確認する．膝蓋骨が正面を向いていない場合には回旋アライメントの異常を疑う．

(2)診察台の上に仰臥位で寝てもらい，膝関節の診察を進める．初診のときは必ずショートパンツに履き替え靴下を脱がせて，下肢全体を診るようにする．

①視診：再度下肢アライメントを評価したのちに，関節の腫脹や変形，脚長差や筋萎縮の有無について確認する．次に自動屈伸をしてもらい，可動域制限や伸展ラグ，膝蓋骨トラッキング異常の有無を診る．屈曲90°では脛骨落ち込み徴候(posterior sagging)を確認し，陽性なら後十字靱帯損傷を疑う．

②触診：熱感や腫脹，膝蓋跳動の有無を確認する．膝前面だけではなく膝窩部も注意して触診を行う．Baker嚢腫は膝窩動脈の内側に触れる．痛みの原因検索をするうえで最も重要なことは，圧痛点の確認である．膝の各部位の圧痛を詳細に評価することで，疼痛発生源となっている解剖学的構造と疑うべき疾患が明らかになってくる（図26-1，表26-1）．関節裂隙の触診では，膝90°屈曲として内外側それぞれ前方・中央・後方を確認する．

③徒手検査：McMurrayテストやApleyテストによって半月板損傷を評価する．靱帯損傷の評価としては，内外反ストレスを完全伸展位と屈曲30°で行い，側副靱帯損傷を評価する．前十字靱帯損傷の評価には，前方引き出しテスト，Lachmanテスト，pivot shiftテストが，後十字靱帯損傷の評価には，後方引き出しテストが行われる．さらに，後外側支持機構損傷疑いの場合には脛骨外旋テスト(ダイアルテスト)が有用である．

④計測：膝関節のROM(range of motion)，大腿周囲径，下腿周囲径などの計測を行い，膝伸展筋の筋力は徒手筋力テスト(manual muscle testing；MMT)で評価する．

3 ▶ 画像検査

一般にまず単純X線検査を，次にMRIを施行する

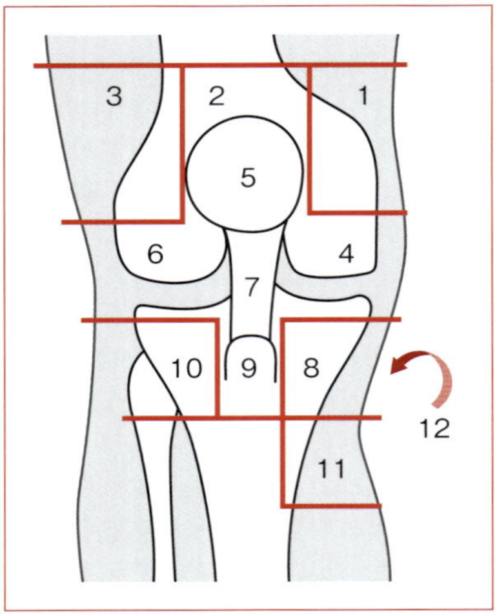

26 膝関節の疾患

図 26-1 膝関節 pain drawing
数値はエリア番号．

表 26-1 pain drawing の各エリア番号に疼痛がみられる主な疾患（変形性関節症を除く）

エリア番号	疾患
1	タナ障害
2	ジャンパー膝
3	腸脛靱帯炎
4	内側半月板損傷，内側側副靱帯損傷，特発性骨壊死，離断性骨軟骨炎
5	膝蓋大腿関節障害，膝蓋骨脱臼，有痛性分裂膝蓋骨
6	外側半月板損傷，外側側副靱帯損傷，離断性骨軟骨炎
7	膝蓋腱炎
8	鵞足炎，疲労骨折，脆弱性骨折
9	Osgood-Schlatter 病
10	近位脛腓関節障害
11	疲労骨折
12	後十字靱帯損傷，半月板後節損傷

ことが多い．必要に応じて CT，超音波検査，骨シンチグラフィーなどを追加する．単純 X 線検査では正側 2 方向に加えて膝蓋骨軸位像の 3 方向撮影を基本とする．また，変形性膝関節症の診断には立位荷重位での撮影が有用で，Rosenberg 法を代表とする膝関節軽度屈曲位撮影では鋭敏に関節裂隙の狭小化を捉えられる．さらに，脚長差や下肢変形などの場合には股関節・足関節を含む下肢全長撮影を要する．離断性骨軟骨炎を疑う場合には顆間窩撮影が有用で，通常の正面像ではわかりにくい病変が明らかになる．靱帯損傷は徒手検査で診断可能であるが，定量的に評価するためにはストレス撮影を要する．前後方向と内外側方向へのストレス下に撮影し健側と比較する．膝関節の MRI 検査では，一般的な T1 強調像，T2 強調像のほかに，軟骨や靱帯の評価に適したプロトン強調像や T2*強調像などが撮像され，必要に応じて脂肪抑制法が併用される．特に炎症部位の検出には脂肪抑制法の 1 つである STIR や脂肪抑制 T2 強調像が有用である．

4 ▶ 検体検査

(1)関節液検査

関節液の貯留を伴う場合，まず関節穿刺にて関節液を採取し性状を観察する．貯留液が血液で脂肪滴を伴う場合は，軟骨欠損，関節内骨折など骨髄から出血が生じる病態を考える．関節水腫でやや混濁を認める場合は，炎症性疾患を疑って関節液検査を行う．血球カウントと偏光顕微鏡を用いて結晶（尿酸や CPPD）の有無を確認する．炎症性の関節液貯留の場合，一般に白血球数は増加するが 50,000/μL 以上であれば感染症を強く疑うべきである．また，関節液が強く混濁あるいは白濁している場合には，血球カウントおよび結晶の確認と同時に，グラム染色と細菌培養を行い感染症の鑑別を忘れないようにする．診断に難渋するときには抗酸菌や真菌による感染症の鑑別を要する．

(2)血液検査

骨関節感染症や関節リウマチ，痛風や偽痛風などの急性関節炎の診断において血液検査は有用である．通常，炎症を反映して CRP が高値となり赤沈は亢進する．関節リウマチを疑う場合はリウマトイド因子，抗 CCP 抗体を追加する．多関節炎はもちろん，たとえ単関節炎であっても常に鑑別疾患として関節リウマチをはじめとする膠原病を念頭におく．

特発性膝関節血症

Idiopathic hemarthrosis of the knee

谷藤 理　新潟大学 助教

【疾患概念】 明らかな外傷歴がなく膝関節内出血を繰り返す疾患である．以前は，膝蓋大腿関節型の変形性膝関節症（膝 osteoarthritis；OA）における，膝蓋骨周囲の滑膜の挟み込みが出血の一因と指摘されていたが，近年では外側半月板（lateral meniscus；LM）損傷による，外側下膝動脈からの出血が主たる原因であると結論づけているものが多い．

【臨床症状】

特に誘因なく繰り返す膝関節の血腫を呈する．血腫発生時は関節痛，関節可動域制限が出現する．また外側型膝OAの症状である外側関節裂隙部の疼痛，LM損傷に伴う疼痛やひっかかり症状を呈する場合もあるが，普段は無症状である場合も少なくない．

問診で聞くべきこと

関節腫脹・疼痛の反復性や，原因がないかを確認する．先行する外傷や変性，易出血性をきたす既存症，服薬，関節内注射歴などの有無を確認する．

必要な検査とその所見

単純膝関節X線により，外側型OA変化の有無などを確認する．
MRIではLM損傷や，その他の膝関節血症の原因となる病変の有無を確認し，他の疾患を除外診断する．

鑑別診断で想起すべき疾患

膝関節内出血をきたす他の疾患である，外傷，色素性絨毛結節性滑膜炎（pigmented villonodular synovitis；PVNS），滑膜骨軟骨腫症，血友病，血小板減少症，ヘモクロマトーシス，血管腫，樹枝状脂肪腫などとの鑑別を要する．

診断のポイント

初回血腫の場合は外傷性との，反復性の場合は腫瘍性病変や易出血性をきたす疾患との鑑別を意識する．

治療方針

1 ▶ 保存的治療

関節穿刺，弾性包帯やブレース固定による安静，アイシング，止血薬の投与などが行われる．

2 ▶ 手術的治療

保存的治療に抵抗性であり日常生活に支障をきたす場合に，出血原因の確認も含めて手術が考慮される．LM損傷部での外側下膝動脈からの関節内出血は，確認できれば関節鏡視下での直接的な止血を行う．関節鏡視下手術では，まずそのほかの出血の原因となる疾患がないか関節内全体を観察する．LM中後節部の損傷部については，タニケットを加圧しない状態でプロービングにて出血を誘発させ，出血点を確認し，同部位を凝固止血する．不安定な変性半月板については部分切除を施行する．
関節内からの止血が困難な場合には血管内治療で塞栓術を行う場合もある．
関節鏡視下による止血後は，安静保持のため術後1週間の非荷重，膝関節屈曲を90°までに制限し，術後1週目から疼痛に応じて荷重歩行，膝可動域訓練を開始する．止血薬の内服を術後しばらく継続する場合もある．

関節軟骨損傷

Articular cartilage injury

中村 憲正　大阪保健医療大学 教授

【疾患概念】　関節軟骨は関節の荷重伝搬，円滑な運動に寄与する組織である．組織内の70〜80％を水分が占め，血管，神経，リンパ管組織が存在しないという特徴がある．そのために軟骨が損傷，変性しても軽度なものでは痛みを伴わず無症状であり，損傷が進行して初めて自覚されるというケースが多い．しかもその段階においても，血行を介する通常の組織修復機転は働かず，難治性となることが多い．軟骨損傷が重症化すると変形性関節症へと進行するリスクが高く，その段階以前に治療を行うことが重要である．

【臨床症状または病態】　軟骨損傷はその損傷の深さにより分類される（国際軟骨再生・関節温存学会；ICRS分類）が，その深さが軟骨深層まで達するようになると疼痛，引っ掛かり，関節水腫などの症状を認める．損傷軟骨片が母床から遊離するような場合には，嵌頓症状をきたす場合もある．

問診で聞くべきこと

軟骨損傷は1回の外力により生ずるものもあるが，静的あるいは動的な関節内の力学環境の異常の蓄積により，つまりオーバーユースにより生ずるものがある．症状の発症時以前に遡る外傷歴や，関節不安定性，アライメント異常などの身体素因も含めた注意深い問診が必要である．

必要な検査とその所見

X線では軟骨損傷自身は描出されないが，関節裂隙の狭小化やアライメント異常の有無などを掌握するうえで必要である．
MRIは診断に不可欠である．プロトン密度強調像，脂肪抑制プロトン密度強調像が損傷部分の描出に優れる．また軟骨だけではなく骨髄浮腫像は軟骨損傷を示唆するものであり，留意すべきである．

診断のポイント

臨床症状と画像診断から総合的に判断することが望ましい．

治療方針

血行を介した治癒機転を望むことができないために，保存療法の効果は不確実であり，一般には外科的治療が必要となる．術式には骨髄よりの細胞の集積をはかるドリリング，マイクロフラクチャー法，荷重のあまりかからない部位より骨軟骨柱を採取して損傷部

トピックス　関節軟骨の再生医療

　再生医療の定義は「細胞を積極的に活用して，組織・臓器の機能障害の再生をはかる」こととされている．関節軟骨は修復能に乏しく，損傷を受けると自然には治らずに変性が進行して，変形性関節症を含む関節の機能不全状態へと進行する．そこで損傷部に再生治療で介入し，治癒させることが期待されている．

軟骨が治らない理由

　軟骨が損傷を受けると治りにくい理由は，軟骨の構造に帰する．軟骨は，豊富な軟骨細胞外マトリックスに軟骨細胞が埋もれた構造をもつ組織である．軟骨マトリックスが荷重に抗して関節運動を担っている．軟骨細胞と軟骨マトリックスは持ちつ持たれつの関係で，軟骨細胞が軟骨マトリックスを作り，軟骨マトリックスは軟骨細胞に環境を与えて維持する（図26-2）．軟骨細胞から軟骨マトリックスを除去すると，軟骨細胞は変質して軟骨マトリックスを作れなくなる．関節軟骨が損傷すると軟骨マトリックスも失われるため，そこに細胞だけが供給されても軟骨を作る過程が始まりにくい．

関節軟骨の再生治療

①マイクロフラクチャーは，軟骨下骨を穿孔して，骨髄内に存在するとされるプロジェニター細胞を損傷部に取り入れるものである．軟骨マトリックスがないところに細胞のみが導入されるので，作られる組織は軟骨ではなく，瘢痕様組織を含む線維軟骨である．
②自家軟骨細胞移植は，少量の関節軟骨を採取し，軟骨細胞の数を増やすために軟骨マトリックスを除去して軟骨細胞のみを取り出して培養してから，損傷部に移植するものである．軟骨マトリックスを除去するため，軟骨細胞は変質するので正常な軟骨で修復することは難しい．わが国で保険収載されているジャック®では，軟骨細胞をⅠ型コラーゲンゲルに包埋することで移植部に細胞を均等に分布させることを意図している．
③モザイクプラスティーは，軟骨を組織のまま損傷部に移植する方法で，軟骨による修復を可能にする．移植する面積と同等の関節軟骨欠損を新たに別の場所に作るので，修復できる損傷の大きさが限られる．
④同種軟骨片移植も，軟骨を組織のまま損傷部に移植する方法である．海外でのみ行われている．米国では亡くなった乳幼児から採取された軟骨が，DeNovo NTとして販売されている．軟骨細胞は軟骨マトリックスで囲まれているため，軟骨として移植するとホスト（患者）の免疫担当細胞が軟骨細胞に接触しないため，免疫反応が惹起されにくい．そのため同種軟骨移植は，HLAタイプを合わせずに免疫抑制薬も使用せずに行われている．課題としてはドナー不足，ドナー間の軟骨の質のバラつき，感染のリスクが挙げられる．

関節軟骨再生治療の分類

　関節軟骨再生治療において修復組織が作られるしくみは2つに分けられる（図26-3）．1つは，導入/移植した細胞が何らかの因子を分泌し，それがホスト（患者）の周辺細胞に作用して修復組織を作ることを促進するものである（trophic effect）．研究レベルでは，骨髄などから採取した間葉系細胞を培養で数を増やした後に関節内に投与し，このしくみによって損傷部に修復組織を作る試みが行われている．間葉系細胞からのどのような分泌因子が軟骨修復を阻害せずに促進するかについての科学的な解析が待たれている．自家軟骨細胞移植においても，ホスト（患者）の細胞が修復組織を作ることに移植細胞からの分泌因子が働いている要素があることが考えられる．

　もう1つのしくみは，軟骨を組織として，すなわち軟骨マトリックスを保った状態で損傷部に移植するものである（replacement）．モザイクプラスティーと同種軟骨片移植がこのしくみに相当する．このしくみでは移植物が修復組織をダイレクトに構成する．移植物が軟骨なので，修復組織は軟骨であることが期待できる．

研究段階の関節軟骨再生治療

　モザイクプラスティーと同種軟骨片移植の課題である移植物の不足は，バイオテクノロジーにより軟骨を製造して供給することで解決しうる．胚性幹（ES）細胞と人工多能性幹（iPS）細胞は，いくらでも数を増やせる自己複製能と，体のあらゆる細胞/組織になれる多能性を持つ．そのためES細胞またはiPS細胞からは，ほぼ無限量の軟骨を作り出すことができる．初期胚を犠牲にする倫理的問題を回避できるiPS細胞から，軟骨細胞と軟骨マトリックスからなる軟骨組織を作り，関節軟骨損傷部に移植する開発が進められている．iPS細胞由来軟骨を移植する臨床研究は第1種に相当し，厚生科学審議会で審議を受けて行われる．

関節軟骨再生治療に関する法律

　マイクロフラクチャーとモザイクプラスティーはもちろんのこと，細胞移植治療であるジャック®は保険

診療で行える．治験とは別に，新しい治療方法を行うためには再生医療等安全性確保法に則って，臨床研究または治療を行う必要がある．合理的に予想される安全性の程度によって第1種，第2種，第3種に治療方法が分類され，それぞれに応じた審査を受ける必要がある．間葉系細胞やPRP（多血小板血漿）を関節内投与する場合も，この法律が適用されることに注意が必要である．

妻木 範行〔大阪大学大学院 教授（生化学・分子生物学講座）／京都大学iPS細胞研究所 特定拠点教授〕

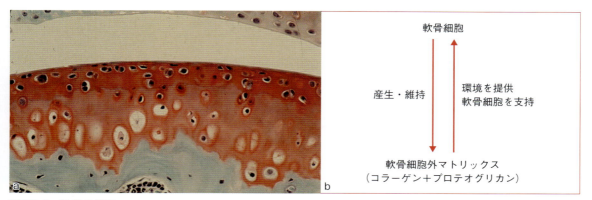

図26-2 軟骨の構造
a：関節軟骨の組織像（マウス）．軟骨細胞は，サフラニンO染色で赤く染まる軟骨細胞外マトリックスの中に散在している．
b：軟骨細胞と軟骨細胞マトリックスの関係．軟骨の修復能が乏しい理由は，軟骨の解剖学的構造に帰せられる．外傷により軟骨が損傷を受けると損傷部は軟骨ECMを喪失する．すると軟骨細胞が変質して軟骨ECMが作られなくなる，という悪循環に陥るため損傷部はほとんど自然修復されない．

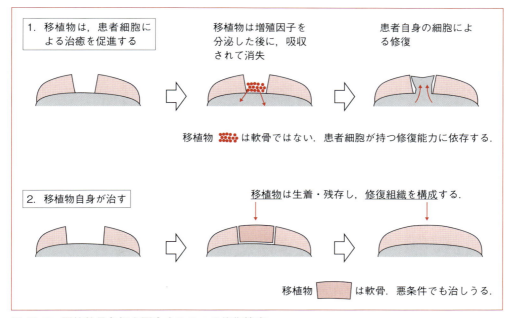

図26-3 関節軟骨欠損を再生する2つの修復機序

に移植する自家骨軟骨移植術，さらには培養軟骨細胞や幹細胞を損傷部に移植する再生医療的治療も近年導入されている．これらの治療法は欠損部の大きさ，部位，患者の年齢，スポーツ活動性，社会的背景などを勘案し選択する．

リハビリテーションのポイント

外科的治療後の後療法はその修復方法，部位，サイズにより異なり，個々の症例に応じた検討が必要である．

一般的には，修復部への適度なずり応力の適用はその質の向上に寄与するとされ，可及的早期より関節の滑動性の向上をはかり，合わせて早期の可動域，筋力の回復を目指すべきである．

膝関節脱臼

Patellar dislocation

石橋 恭之　弘前大学大学院 教授

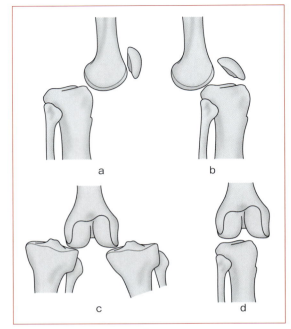

図 26-4　膝関節脱臼の分類
a：後方脱臼，b：前方脱臼，c：側方脱臼，d：回旋脱臼．

【疾患概念】　膝関節脱臼は，交通事故や高所からの転落といった高エネルギー外傷のほか，スポーツ外傷などで生じる．非常にまれな外傷とされているが，受傷時に脱臼したとしてもその多くは自然整復されることから，実際の発生率はさらに高いものと考えられる．単純X線で脱臼を認めなくても，多方向への不安定性を認める場合には，脱臼が生じた可能性を常に念頭におく必要がある．脱臼にはしばしば膝窩動脈損傷を伴うため，下肢の血流評価は必須である．

【膝関節脱臼の分類】

大腿骨に対する脛骨近位端の転位方向により，前方，後方，内方，外方，回旋脱臼の5型に分類される（図 26-4）．前方脱臼が最も頻度が高く約40％に生じ，次いで後方脱臼が約30％に，以下，側方脱臼，回旋脱臼の順で生じる．転位位置による分類のほか，損傷された靱帯による解剖学的分類がある（複合靱帯損傷の項 ➡ 799頁，表 26-2 参照）．

【臨床所見】

特徴的な変形と運動制限・腫脹，疼痛を認めるが，自然整復された場合には明らかな変形を認めないため注意が必要である．神経損傷の多くは腓骨神経麻痺であり，その場合，下腿外側から足背の感覚障害と足関節や足指背屈が不能となる．下肢血流障害を生じると，しびれ感や感覚低下，腫脹を生じる．膝窩動脈損傷には完全断裂と内膜損傷があり，完全断裂では直後より著明な下肢の腫脹を伴う．内膜損傷では血栓を形成し閉塞するため，徐々にしびれ感を訴え，下腿全体の感覚障害が生じる．このため慎重な経過観察が必要であり，受傷後48〜72時間は下肢の血流チェックを行う．

診断のポイント

膝関節の特徴的な変形を認めれば診断は比較的容易であるが，膝脱臼そのものより，膝窩動脈損傷を含めた合併症の検索が重要である．

専門医のコンサルテーション

膝関節脱臼の患者は膝窩動脈損傷の可能性があるので，早期に専門病院にコンサルテーションするほうが望ましい．血管閉塞が生じた場合には，直ちに血管再建が必要となる．

膝関節脱臼に対する初期対応

膝関節脱臼患者をみたら，まず下肢の血流評価を行う．足背動脈，後脛骨動脈の拍動を左右で比較する．潜在的な血管損傷の評価には足関節上腕血圧比（ankle-brachial pressure index；ABI）は簡便な方法であり，ABIが0.90以下の場合には血管造影（アンギオCT）が推奨される．もし膝窩動脈損傷を認めたら，直ちに専門医による血行再建を行う．虚血が8時間以上に及んだ場合には下肢の切断率は80％以上に及ぶため，まず救肢を考えて初期対応にあたるべきである．

前方脱臼および後方脱臼であれば，下腿を遠位方向

に牽引しながら脛骨近位部を整復位方向へ押し込むことで整復できる．回旋脱臼や側方脱臼では徒手整復が困難なため，麻酔下に整復を行うが，しばしば観血的整復が必要となる．脱臼が整復され膝窩動脈損傷を合併していなければ，急性期の手術は不要であるが，受傷後 2 週以内には関節外靱帯の一次修復が勧められる．その後要すれば，二期的に関節内靱帯の再建を行う（複合靱帯損傷の項➡ 799 頁を参照）．

合併症と予後

膝関節脱臼は重度の膝関節外傷であり，しばしば膝窩動脈損傷や腓骨神経麻痺を合併する．脱臼が整復されたとしても，膝窩動脈内膜損傷の可能性があり，注意深い経過観察が必要である．また損傷された靱帯の一次修復は必要であるが，非解剖学的な修復は拘縮膝をきたすため専門医によって行われるべきである．脱臼整復後の脛骨-大腿骨の位置関係を，外固定や創外固定などで維持することも，その後の治療（二期的再建）を行ううえで重要である．

膝蓋骨脱臼

Patellar dislocation

松下 雄彦　神戸大学 特命准教授

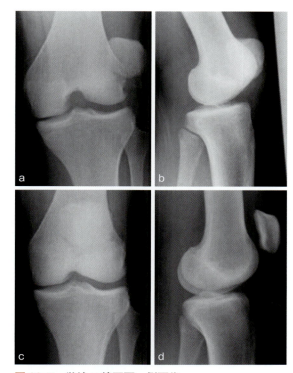

図 26-5　単純 X 線正面，側面像
a：脱臼時単純 X 線正面像
b：脱臼時単純 X 線側面像
c：整復後単純 X 線正面像
d：脱臼時単純 X 線側面像

疾患概念

外傷性の膝蓋骨脱臼は，頻度は高くないが時々スポーツ活動でみられる．初回脱臼は外傷性脱臼とよばれることもある．脱臼形態によって，反復性膝蓋骨脱臼，習慣性膝蓋骨脱臼，恒久性脱臼に分けられる．反復性膝蓋骨脱臼は，通常は整復されているが脱臼が複数回繰り返される状態で，習慣性膝蓋骨脱臼は屈曲するたびもしくは伸展するたびに脱臼する状態を指す．恒久性脱臼は常に脱臼した状態である場合である．また，生まれつきに脱臼している場合は先天性脱臼とよばれる．

問診で聞くべきこと

外傷の有無，受傷時の状況，下肢の肢位について確認する．また，同様の脱臼症状の有無について確認する．脱臼肢位としては膝外反が多いが，はっきりしない場合や軽微な機転で脱臼する場合も多い．同様のエピソードを繰り返している場合は，反復性膝蓋骨脱臼を疑う．

理学所見，必要な検査と所見

診察上は関節腫脹を伴うことが多い．初回脱臼の場合は関節穿刺にて関節内血腫を認める．膝蓋骨外方への不安定性があり，膝蓋骨を外方に軽く押すと恐怖感を誘発する apprehension サインが陽性となる．膝内側の膝蓋骨内縁もしくは大腿骨内上顆近位から内側膝蓋大腿靱帯に沿って腫脹や圧痛を認める．急性期でない場合は，診察上，膝蓋骨が膝外方でトラッキングする動きを認めることがある．また，脱臼を起こしやすい素因として全身関節弛緩性，Q 角増大などがある．画像検査は，単純 X 線の正面，側面像，膝蓋骨軸射像，CT，MRI が有用である．脱臼時には単純 X 線正面像では膝蓋骨の外方偏位を認めるが（図 26-5a, b），整復されると異常を認めないこともある（図 26-5c, d）．膝蓋骨軸射像では外方傾斜や大腿骨滑車溝の低形成をしばしば認める（図 26-6）．CT では大腿骨滑車の低形成が同定しやすい（図 26-8a）．MR 軸射像で膝蓋骨や大腿骨外顆に骨挫傷を認める（図 26-7）．また，CT や MRI で膝蓋骨内側縁の骨折や関節面を含む骨軟骨骨折を認めることがある（図 26-8a, b）．

鑑別診断で想起すべき疾患

関節内血腫をきたす，前十字靱帯損傷，関節内（膝蓋骨骨折，脛骨高原骨折），血友病などが挙げられる．

診断のポイント

膝蓋骨の不安定性を生じるため apprehension サイ

ンが陽性となる．画像では膝蓋骨の外方変位や傾斜，大腿骨の滑車低形成などを有することが多い．画像検査は軸射像での所見が主体となることがポイントとなる．

治療方針

1 ▶ 保存療法

初回脱臼は基本的に保存的加療を行われることが多い．痛みや腫脹が強くなければ必ずしも固定を行う必要はないが，腫脹や痛みが強い初期はニーブレースやギプスシーネ固定を行う．また，腫脹の程度に応じて関節穿刺を考慮する．荷重は痛みに応じて許可をする．腫脹，疼痛が改善したら，徐々に可動域訓練や筋力訓練を行う．膝蓋骨脱臼防止用サポーターを使用することもある．

リハビリテーションのポイント

可動域の再獲得がまずは重要である．多くの場合は膝屈曲位では膝蓋骨は安定するため，患者にその旨伝えて恐怖感を取り除くことにより，可動域をスムーズに再獲得していくことを助ける．

2 ▶ 手術療法

初回脱臼に対する，修復術の成績は報告によってばらつきがあり，その必要性についてのコンセンサスは得られていない．広範囲の関節面を含む骨軟骨骨折の場合は，骨片の骨接合を吸収性ピンや小スクリューを用いて行う．反復性膝蓋骨脱臼の場合は内側膝蓋大腿靱帯再建術や脛骨粗面移行術を単独もしくは併用して行う．内側膝蓋大腿靱帯再建術は，膝屈筋腱や四頭筋

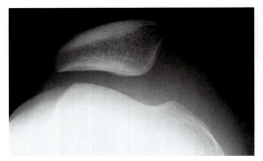

図 26-6　X線膝蓋骨軸射像
膝蓋骨の外方偏位と傾斜を認める．

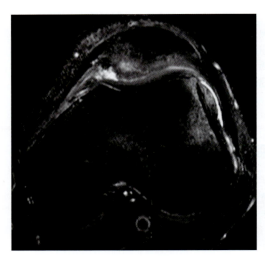

図 26-7　MRI T2 脂肪抑制軸射像
大腿骨外顆に骨挫傷を認める．

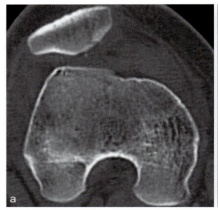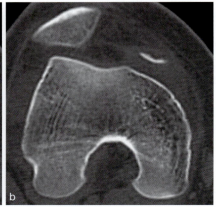

図 26-8　単純 CT 膝軸射像
a：大腿骨滑車の低形成と膝蓋骨の外方偏位ならびに傾斜を認める．また，膝蓋骨関節面に軽度の陥凹を認める．
b：関節内遊離骨片．

腱，人工靭帯を用いて行う方法があるが，膝屈筋腱を用いて行うことが多い．大腿骨滑車溝の高度形態異常がある場合は，滑車形成術を要することもある．術後の後療法手術の内容や不安定性によって異なる場合があり確認を要する．

リハビリテーションのポイント

膝蓋骨脱臼に対する術後は，大腿四頭筋筋力の低下やコントロール不良となることがしばしばある．四頭筋筋力の低下が持続する場合は，電極刺激での神経筋コントロールの改善をはかる．手術を行った場合は，術後スポーツ活動への復帰は6か月程度要する．

専門病院へのコンサルテーション

①膝蓋骨の不安定性により日常生活上転倒を繰り返している場合，②膝蓋骨の異常な動きや位置が著明な場合，③小児の脱臼で膝蓋骨の位置異常が著明な場合．上記の場合は早めにコンサルトをして治療方針を決定する．

患者説明のポイント

若年者で活動性が高く，膝蓋骨高位や脛骨粗面-大腿滑車溝間距離増加，大腿骨滑車低形成などの脱臼素因を複数有する場合には，再脱臼の可能性が高いので患者に再脱臼する可能性について説明を行い，十分に注意して経過をフォローする．膝蓋骨の異常な動きや位置が著明な場合は，軟骨の摩耗が進み，将来的に膝大腿関節の変形性関節症が起こることもあることも説明しておく．

膝蓋骨骨折

Fracture of the patella

谷藤 理　新潟大学 助教

【疾患概念】　膝蓋骨骨折は，全骨折の1%を占めており，その年間発生率は10万人あたり13人とされている．膝蓋骨は大腿四頭筋による膝関節伸展力を効率的に働かせるlever armの役割を担っているため，偽関節や変形癒合は疼痛のみならず機能障害を引き起こす可能性がある．

【病態】　本骨折は直達外力，介達外力，またその合併により発生する．直達外力による骨折は膝の前方からの打撃を含め転倒や，交通事故，転落などで起きる．小児のsleeve fractureのように大腿四頭筋収縮による介達外力でも起きる．

骨折型に基づいて①転位のない横骨折，②転位のある横骨折，③下極ないし上極の骨折，④転位のない多骨片（粉砕）骨折，⑤転位のある多骨片（粉砕）骨折，⑥縦骨折，⑦骨軟骨骨折の7つのタイプに分類される．

臨床症状

膝蓋骨上の圧痛を認める．転位した膝蓋骨骨折では，急性の関節内血腫をきたし，骨折部の陥凹が触知される．また膝伸展困難ないし不能となることが多い．

必要な検査とその所見

(1) 膝単純X線

正面像では骨折の形態，骨折線の方向などを，側面像では骨折部の離開の程度，関節面の適合性などをみるのに役立つ．膝蓋骨軸写像は縦骨折の描出に優れている．

(2) CT

骨折の詳細を把握することができるため術前評価に有用である．

(3) エコー

転位がなく単純X線のみでは同定しにくい骨折も描出することが可能であり，簡便かつ有用な検査である．

鑑別診断で想起すべき疾患

(1) 分裂膝蓋骨

骨化異常などが原因とされている，膝蓋骨が2つ以上に分裂している病態である．分裂膝蓋骨では分裂部辺縁が鋭的ではなく丸まっており，近位外側に位置するSaupe分類のⅢ型が最も多い．

診断のポイント

明確な受傷機転の有無について確認することにより，比較的容易に診断をすることができる．

治療方針

骨折部の転位を認める場合は手術適応になる．骨折部のstep-offが2〜3mm，gapが1〜4mmで転位ありと定義される．その他，開放骨折，骨軟骨骨折，関節内遊離体が存在する場合も手術適応になる．それ以外の転位を認めない症例が保存療法の適応になる．

保存療法

腫脹が強い初期は，ニーブレースないしギプスシーネによる固定を行う．荷重は疼痛に応じて許可する．1週間でX線により転位のないことを再度確認，もし転位を認めたら手術を考慮する．転位がなければ，ニーブレース固定の継続ないしシリンダーキャスト固定に変更して経過をみる．4週間程度で再度X線を確認し，膝可動域訓練を開始する．膝関節自動運動で転位が生じないことをエコーで確認することにより，可動域訓練開始や屈曲許容角度の決定の助けになる．

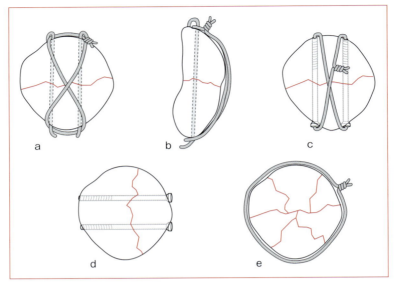

図 26-9　膝蓋骨骨折手術法
a：tension band wiring（TBW）法
b：TBW 法側面像：下極部で K-wire を軽度後方に曲げる．
c：中空スクリューを介した tension band 法
d：縦骨折に対する中空スクリュー固定
e：cerclage wiring（CW）法

手術療法

　手術では関節面および骨片の解剖学的整復を目指す．皮切は，横切開は瘢痕形成が少なく整容面で優れており，正中縦切開は展開に優れている．

　骨折型により固定方法は異なり tension band wiring 法（TBW 法），cerclage wiring 法（CW 法），およびその組み合わせが一般的に用いられる．横骨折に対する TBW 法では 1.8～2 mm の Kirschner 鋼線（K-wire）を 2 本平行に縦方向に刺入する．Tension band 用の巻き鋼線は 1.0～1.2 mm を使用し，膝蓋骨の上極と下極では K-wire の後方を通して，膝蓋骨前面で 8 の字締結を行う（図 26-9a）．K-wire の上極は，180°近くまで曲げて骨に打ち込む．K-wire のバックアウト防止のために，K-wire を打ち込む際は大腿四頭筋腱に微小切開を加えて腱内に埋め込む．また下極から出た K-wire も軽く後方に曲げることにより，バックアウト防止効果を高める（図 26-9b）．K-wire の代わりに，3.5～4.5 mm の中空スクリューを用いて骨片間を固定し，中空に締結用巻き鋼線を通す方法もある（図 26-9c）．単純縦骨折に対しては，3.5～4.5 mm の中空スクリュー 2 本を用いて固定する（図 26-9d）．粉砕骨折の場合は，軟部組織の剥離は最小限に留める．粉砕骨折に対しては CW 法が用いられる．膝蓋骨赤道面に 1.0～1.2 mm の巻き鋼線を一回りさせて締結し，骨片をまとめる（図 26-9e）．CW 法単独では固定力がそれほど強くないため，術後 2～3 週程度の外固定を要することが多い．CW 法に TBW 法を組み合わせることにより，固定力を増すことができる．その他，粉砕骨折に対しては strong suture を用いて追加固定する方法や，ワイヤーホール付きピンを膝蓋骨周囲から数本刺入し，ワイヤーをホールに通して締結することによりまとめる方法などもある．

合併症と予後

　K-wire の逸脱によって固定力の低下，それに伴う再転位をきたす場合があり再手術を要する．また K-wire の逸脱は皮膚の刺激症状により可動域の障害，感染の原因になり得る．逸脱を回避するために，K-wire 両端の適切な処理，適切な tension band のテンションに留意する．

リハビリテーションのポイント，関連職種への指示

　後療法は，術翌日から膝伸展位で，疼痛に応じて全荷重を許可する．初期は，ニーブレースなどの外固定装着下での歩行が安全である．固定性良好であれば，早期可動域訓練が可能である．強固な固定性が得られていない場合は，2～3 週の外固定の後に可動域訓練を開始する．その際も膝伸展位での膝蓋骨のモビライゼーションは指導する．

骨折型，術後固定力が症例ごとに異なるため可動域訓練や荷重開始時期，部分荷重の必要性も含め，主治医とPT間で十分に情報を共有する必要がある．

脛骨プラトー骨折
Tibial plateau fracture

野田 知之　川崎医科大学 教授（運動器外傷・再建整形外科学講座）

【疾患概念】　脛骨プラトー骨折は，膝関節機能と膝安定性に大きな影響を及ぼす．関節近傍骨折であるため，正確なアライメントの再建と関節面の解剖学的再建が必要で，多くの症例で強固な固定による早期運動を目的とした手術療法が適応となる．

【病態・臨床症状】
膝関節，脛骨近位部の腫脹や疼痛，関節内血腫を示す．頻度が高い外側プラトー骨折では外反変形を呈する．

【病型・分類】
2018年に修正されたAO/OTA分類が手術方法の選択に有用であり，広く使用されている．ほかにSchatzker分類も用いられる．

問診で聞くべきこと
受傷機序の詳細な聴取とともに，受傷肢位，疼痛部位などを問診する．職業，日常活動性の程度や自立度も確認する．

必要な検査とその所見
単純X線検査では正面，側面の2方向に加え，骨折を疑う場合は両斜位を追加する．健側との比較も重要である．
さらにMPR再構成像や3D像を含めたCTによる評価は必須で，関節面転位の評価や手術計画立案に有用である．血管損傷が疑わしい場合は超音波Doppler検査に加え，造影CTや動脈造影を考慮する．

鑑別診断で想起すべき疾患
大腿骨遠位部骨折や膝蓋骨骨折，膝靱帯損傷や半月板損傷が挙げられる．またこれらとの合併も考慮する．

診断のポイント
①変形・腫脹や開放創の有無の確認．
②神経血管障害やコンパートメント症候群の有無の確認．
③単純X線写真やCTによる，骨折の転位，陥没骨片の有無を含めた関節内骨折の評価．
④必要に応じて，造影CT，動脈造影やMRI評価を追加．

専門病院へのコンサルテーション
手術適応となる場合が多く，手術可能な整形外科専門施設，専門医による治療が望ましい．

治療方針
初期治療について，高エネルギー損傷で軟部組織状態の悪化が予想される症例やコンパートメント症候群症例では，創外固定や減張切開などの緊急手術が必要となる．

手術適応は年齢や活動性にも影響されるが，5°以上の内外反変形，3mm以上の外顆関節面転位（若年者では2mm以上）である．内顆関節面に関しては転位しやすいため，転位があれば手術治療を考慮する．関節外アライメントの再建と関節面の解剖学的整復，さらには安定した固定の獲得によって，早期可動域訓練を行う．

保存療法の適応は，転位のない安定した不全骨折もしくは手術不能例などに限定される．knee braceやシーネ，もしくは長下肢ギプス（適宜巻き替え必要）にて6週間前後の固定を行う．

手術療法
骨折型，年齢，軟部組織状態などを考慮して，インプラントの選択を行う．高エネルギー損傷では，初期治療として膝関節架橋創外固定を行い，軟部組織状態の改善を待って最終内固定を行う．

脛骨近位部に対する髄内釘固定は，関節外骨折であっても整復不良を生じやすく，技術的困難を伴う．挿入アプローチを変えた伸展位挿入やblocking screwの使用など，手術法と整復法に十分習熟して行うべきである．

固定法としては，アナトミカルロッキングプレートに代表されるプレート固定が一般的であり，骨折型や粉砕の程度により，バットレスプレートや架橋プレートのプレート機能が適応される．外側もしくは内側の1枚プレート，もしくは分離した内外側の皮切からの2枚プレートが使用される．

関節内骨折に対しては正確な関節面の整復は必須であり，挙上した関節面骨片の再陥没防止に骨移植（人工骨も含む）を行うことも多い．小皮切で骨折部を展開しないMIPO（minimally invasive plate osteosynthesis）法（最小侵襲プレート固定）の併用も有用である．軟部組織の回復が思わしくない場合は，Ilizarovなどリング型創外固定を使用して最終的に治療する場合もある．

合併症と予後
急性期合併症として感染，静脈血栓塞栓症，皮膚壊死などが挙げられる．晩期合併症として膝関節拘縮，

偽関節，外傷性変形性関節症などが挙げられ，長期的な経過観察が必要な点を説明する．

- 患者説明のポイント

関節面の解剖学的再建ならびに強固な固定を達成し，早期離床，可動域訓練を行うことを説明する．遷延癒合に対する追加手術の可能性も説明しておく．

- リハビリテーションのポイント，関連職種への指示

関節拘縮防止のため，非荷重下の早期可動域訓練をドレーン抜去後より積極的に行う．プレートの場合は，4〜6週前後から部分荷重歩行訓練を開始し，10〜12週で全荷重歩行を許可する．

関節可動域訓練の励行と廃用性萎縮の防止，免荷や部分荷重指示の遵守を周知徹底する．

脛骨顆間隆起骨折
Fracture of the tibial intercondylar eminence

石橋 恭之　弘前大学大学院 教授

【疾患概念】　膝前十字靱帯（anterior cruciate ligament；ACL）付着部の裂離骨折であり，骨端線未閉鎖の小児期に特徴的な外傷の1つであるが（child type），骨端線が閉鎖した成人にも生じる（adult type）．ACL損傷と同様の受傷機転で生じ，半月板損傷などを合併する．裂離骨折を見逃したり骨片整復が不良であったりすると，不安定性が残存し内側半月板の二次的損傷をきたす．正確な整復固定が必要である．

【診断・分類】
膝を捻ったという受傷機転に加え，関節内血腫，またLachman testなどで前方安定性の有無を確認する．また半月板損傷や内側側副靱帯損傷など合併損傷がないかどうか確認する．画像の第1選択は単純X線であり，通常，側面像で骨片が確認できることが多い（Meyers分類，図26-10）．

- 診断のポイント

骨片が小さい場合や若年者で裂離骨片に骨性成分をほとんど含まない場合（cartilaginous type）には，単純X線では見逃されることがあり，補助診断としてCTやMRIが有用である．

- 必要な検査とその所見

CTでは骨片の粉砕の程度やcartilaginous typeの裂離骨折が描出できる．MRIではACL実質部損傷のほか，半月板損傷など合併損傷の有無，また骨端線（成熟度）が評価できる．単純X線で脛骨顆間隆起骨折の診断が得られると，MRIが撮られないこともあ

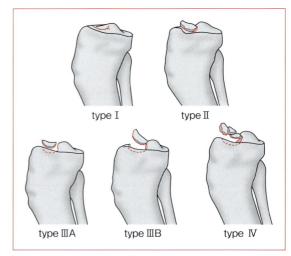

図26-10　脛骨顆間隆起骨折の分類（MeyersとMcKeever分類）

るが，合併損傷の有無の確認など治療方針の決定には必須である．

【治療】
骨片の転位の少ないMeyers分類typeⅠや膝伸展位で骨片整復が可能なtypeⅡではギプスなど保存治療の適応とされている．整復困難なtypeⅡ，また転位のあるtypeⅢ/Ⅳに対しては手術適応であるが，整復位の得られたtypeⅡであっても保存治療の成績はあまり好ましくないことからtypeⅡ以降はすべて手術適応とする報告もある．現在は鏡視下に骨片の整復固定が行われることがほとんどであり，pull-out固定，もしくはスクリュー固定が行われる．2〜3週程度の外固定後，可動域訓練を開始する．スポーツなどへの完全復帰はX線で骨癒合を確認してから行う．

- 合併症と予後

整復位が良好であれば，予後は良好である．合併症として，骨折部の癒合不全，膝不安定性の遺残，鏡視下固定術後の関節線維症，成長障害などが挙げられる．Adult typeの脛骨顆間隆起骨折では，ACL靱帯実質部が損傷されていることがある．MRIで術前に慎重に評価し，必要であればACL再建術の準備をして手術に臨む必要がある．

脛骨粗面骨折
Fracture of the tibial tubercle

髙木 博　昭和大学藤が丘病院 准教授

【疾患概念】　脛骨粗面骨折は，脛骨粗面骨端核癒合以前の13〜16歳に好発する比較的まれな骨折であり，全骨端線損傷中の割合は2〜3%程度と報告されている．発生機序としては，跳躍時における膝屈曲位で足部固定にて大腿四頭筋が強力に収縮した場合と，ジャンプ着地時に大腿四頭筋が緊張した状態で強力な膝屈曲が起こった場合の2通りが考えられており，どちらの場合も膝蓋腱による脛骨粗面への牽引力による裂離骨折が生じる．

【分類】
骨折型を3型（Type 1：脛骨粗面の骨片が一部剥離したもの，Type 2：脛骨粗面の舌状突起が剥離したもの，Type 3：骨折線が関節内に入るもの）に分けたWatson-Jones分類と，さらに詳しく6型に分けたOgden分類がある（図26-11）．

【必要な検査とその所見】
(1) 単純X線検査
脛骨粗面骨折は単純X線検査で診断は可能である．
(2) CT
骨片の転位の程度と，骨折線の詳細な評価のためにCTは有用である．
(3) MRI
Type 3に半月板損傷や前十字靱帯損傷の合併損傷が報告されており，MRIを用いた評価は有効である．

【診断のポイント】
多くはスポーツに活動におけるジャンプ（動作時や着地時）時に起こる．脛骨粗面に腫脹と疼痛および圧痛を認め，膝関節自動伸展が不能になる．13〜16歳の男児に多い．要因として，急激な身長の伸びに伴う大腿四頭筋の柔軟性の低下や，Osgood-Schlatter病の既往などが挙げられている．

【治療方針】
骨折部の転位を認めないものは，伸展位での長下肢ギプスによる保存加療を選択し，5〜6週間の固定を行う．
転位を認める場合は観血的治療の適応となる．固定法としては海綿骨スクリューでの固定が選択されることが多いが，骨片の大きさによってはtension band wiring固定などが用いられる．術後は固定力に応じて2〜4週程度の外固定ののち，可動域訓練を行う．

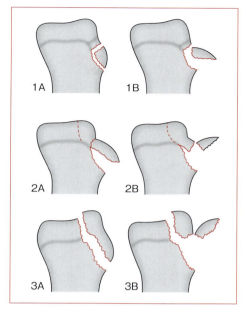

図26-11　脛骨粗面骨折のOgden分類
Type 1：A：脛骨粗面二次骨化中心に限局した骨折．
　　　　B：骨片が近位へ転位．
Type 2：A：骨端線高位までの骨折．
　　　　B：骨片が近位前方へ転位．
Type 3：A：関節内に達する骨折．
　　　　B：骨片が二次骨化中心と骨端で分離．
(Ogden JA, et al: Fractures of the tibial tuberosity in adolescents. J Bone Joint Surg Am 62: 205-215, 1980 より)

【リハビリテーションのポイント】
保存療法の場合は，ギプス固定後に関節可動域訓練を開始する．観血的治療の場合は，術中の固定力に応じて関節可動域訓練の開始時期が異なる．早期から大腿四頭筋の筋力低下を防ぐ目的で，大腿四頭筋のアイソメトリックトレーニングを指導する．また伸展位での部分荷重訓練から開始し，その後に伸展制限をなくしたうえでの全荷重歩行訓練を行う．

【患者説明のポイント】
整復位が良好で骨癒合が得られた場合には，変形や成長障害が起こることはまれであることを説明する．治療には，手術やギプス固定後の，可動域訓練と筋力訓練のリハビリテーションが重要であることを理解してもらい，日常生活およびスポーツ活動復帰までの期間，積極的なリハビリテーションを施行する．

Segond骨折

Segond fracture

髙木 博　昭和大学藤が丘病院 准教授

【疾患概念】　1879年フランスの外科医Paul Segondが発見した脛骨外側顆剝離骨折である．75～100%の確率で前十字靱帯損傷を合併すると報告されている．骨片が小さく見逃されやすい場合も多い．脛骨外側顆が大腿骨外側顆に対し前方に亜脱臼した際に生じるが，その解剖学的部位については多くの報告がある．外側関節包靱帯や腸脛靱帯，そして最近では膝外側に前外側靱帯（anterolateral ligament）が高い確率で存在し，その付着部であるとの報告が多く認められる．

【病態】　前十字靱帯損傷に合併するため，関節内血腫と膝関節前方動揺性および回旋不安定性を認める．受傷はスポーツに起因するものが多い．脛骨外側顆の骨折部位に一致した圧痛も認める．

必要な検査とその所見

(1)単純X線検査

膝関節正面像にて，脛骨外側顆の外側に剝離骨片を認める．骨片が小さい場合には注意が必要である．

(2)MRI

Segond骨折を見つけた場合には，MRI検査は必須である．前十字靱帯損傷のほか，半月板損傷や他の靱帯損傷および軟骨損傷の評価を行う．

診断のポイント

受傷機転は前十字靱帯損傷と同様で，スポーツ活動にて膝関節を捻り受傷することが多い．前十字靱帯損傷を疑った場合に，単純X線膝関節正面像の脛骨外側顆の外側に注目し，Segond骨折の存在の有無を確認することが重要である．画像上，大腿二頭筋腱付着部もしくは外側側副靱帯付着部の剝離骨折である，腓骨頭剝離骨折との鑑別が必要となる場合がある．骨片の位置の違い（腓骨頭剝離骨折のほうがより外側に位置する）と圧痛部位の違いにより鑑別することができる．

治療方針

Segond骨折に対する治療は不要であると考えられており，特別な治療は必要ない．合併する前十字靱帯損傷に対する治療を行う．多くのSegond骨折は，前十字靱帯再建術後に骨癒合を認める（図26-12）．

患者説明のポイント

Segond骨折は，前十字靱帯損傷を合併している確率がきわめて高いことを説明し，MRIでの精査を行う．MRIで前十字靱帯損傷を確認したのちに，本骨折に対する治療は必要がなく，前十字靱帯損傷に対する治療が必要となることを説明する．

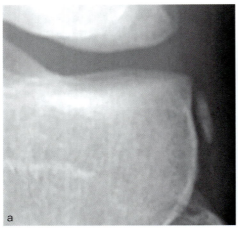 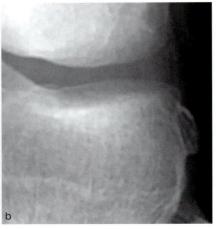

図26-12　単純X線膝関節正面像でのSegond骨折
a：脛骨外側顆外側の剝離骨片．
b：同症例の前十字靱帯再建術後に骨癒合を認める．

側副靱帯損傷
Collateral ligament injury of the knee

古賀 英之　東京医科歯科大学大学院 教授（運動器外科学）

【疾患概念】 膝側副靱帯損傷は大きく内側側副靱帯（medial collateral ligament；MCL）損傷と，外側側副靱帯（lateral collateral ligament；LCL）および後外側支持機構（posterolateral corner；PLC）損傷に大別される．両者ともに新鮮単独損傷例や部分損傷例，大きな愁訴を伴わない陳旧例については一般的に保存療法が選択され，良好な経過をたどることが多い．一方で愁訴を有する陳旧性靱帯損傷や複合靱帯損傷に伴う損傷に対しては手術的治療が選択され，近年の鏡視下手術の進歩，個々の靱帯の解剖学的理解やバイオメカニクス研究の積み重ねによる再建術の治療成績の向上に伴い，積極的な手術的治療の選択により良好な成績が得られるようになってきている．本項では最初に頻度の圧倒的に多いMCL損傷について詳細を述べ，その後LCLおよびPLC損傷について概説する．

1 MCL損傷

【病態】
　MCL損傷は膝関節靱帯損傷のなかでも最も頻度の高い外傷であり，主にコンタクトスポーツやスキーなどで多発することが知られている．受傷機転としては，ラグビーやアメリカンフットボール，ホッケー，柔道などのコンタクトスポーツで膝外側からの直達外力が加わることによる接触性損傷と，上述のスポーツやサッカー，スキーなどにおけるジャンプ着地やストップ，ターン動作による非接触性損傷が挙げられる．2度以上の損傷や十字靱帯損傷を合併した場合にはpop音を聞くこともある．いずれの場合も主に外反力により生じることが多い．

問診で聞くべきこと
　スポーツの種類や受傷機序（接触性か非接触性か，外反損傷か），視診や触診による症状の部位や性質などが診断や治療方針の決定に重要である．
　急性期には視診にて膝内側に腫脹を認める．MCL単独損傷では関節内血腫は通常ないか，あっても少量であるが，十字靱帯の合併損傷を認める場合には関節内血腫を認めることが多い．一方3度のMCL損傷が十字靱帯損傷に合併する場合には膝内側に広範な皮下出血を認めることが多く，関節内血腫は少量であることも多い．
　触診はMCLの走行に沿って評価する．損傷部位に一致した圧痛が存在する．MCL損傷のgrade分類は臨床的には外反動揺性の評価によって分類する．外反動揺性の評価は屈曲0°および30°における徒手外反ストレステストにて行い，3度に分類される（1度：屈曲0°および30°でともに外反不安定性はないが圧痛を認めるもの，2度：屈曲0°では不安定性を認めないが屈曲30°では不安定性を認めるもの，3度：屈曲0°および30°でともに外反不安定性があるもの）．3度損傷ではほとんどの症例に合併する十字靱帯損傷を認める．

必要な検査とその所見
(1) 単純X線外反ストレス撮影（図26-13a，b）
　不安定性の定量評価に有用であり，屈曲20°，外反ストレス撮影を用いて内側関節裂隙の開大を患健差で比較し評価を行う．
(2) MRI（図26-13c）
　MCL損傷の診断はMRIがなくとも可能であるため，臨床上単独損傷と診断されたケースでは急性期のMRI検査は必ずしも必須ではない．一方手術を要する3度損傷ではMRIが有用であり，MCL浅層の損傷部位や断裂形態の評価が可能である．またMCL浅層に併せてMCL深層が断裂し，関節外に血腫が漏出している所見などがしばしば観察される．合併する十字靱帯損傷や半月板，軟骨損傷の評価にもMRIが有用である．

診断のポイント
　病歴とともに視診，触診が重要であり，臨床的には徒手検査により外反動揺性を評価して診断および治療方針を決定する．ストレスX線撮影やMRIは不安定性の定量評価や合併損傷の評価に有用である．

専門病院へのコンサルテーション
　十字靱帯損傷に合併するMCL損傷や，MCL単独損傷であっても不安定性の強い3度損傷（実際には単独の3度損傷はきわめてまれであるが）は，膝関節鏡視下手術を実施できる施設の膝スポーツ整形外科専門医に紹介すべきである．

治療方針
　MCL単独損傷は保存療法が原則であり，その臨床成績は良好である．ギプスなどの外固定は行わず，ニーブレースや支柱つき装具などで急性期の歩行時疼痛緩和を得たうえで，早期から積極的な可動域訓練および筋力強化訓練を行い，段階的にスポーツ復帰を許可する．また前十字靱帯（anterior cruciate ligament；ACL）損傷に合併した2度のMCL損傷に対しては，MCLに対しては保存療法で治癒しうるという点でほぼコンセンサスが得られている．一方，十字靱帯損傷に合併した3度MCL損傷に対する治療方針に

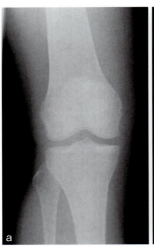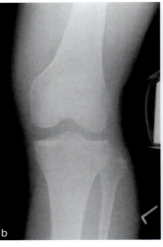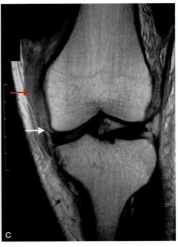

図 26-13　単純 X 線外反ストレス撮影および MRI
ACL および 3 度 MCL 損傷の症例における健側(a)，患側(b)外反ストレス X 線像を示す．内側関節裂隙の開大を患健差で 8 mm 認める．(c)MRI では MCL 浅層の大腿骨付着部での断裂および膨化(色矢印)，MCL 深層大腿骨付着部の断裂(白矢印)を認める．

ついてはさまざまな報告があり，保存療法を勧めるもの，急性期に修復を勧めるもの，慢性期に再建を勧めるものなど一定の見解が得られていない．しかしながら断裂端が大きく転位した症例(特に脛骨側の引き抜き損傷)，断裂端の関節内陥入がみられる症例，付着部の剥離骨折例などでは急性期に修復術を選択する．また十字靱帯損傷に合併した陳旧性 MCL 損傷に対して，3 度の外反動揺性が残存する症例に対しては合併する十字靱帯の再建術に併せて再建術，吊り上げ修復術などの手術的治療を選択することが多い．

リハビリテーションのポイント，関連職種への指示

保存療法においては，MCL の自然治癒能力は比較的高いため，その治癒を阻害せず促進するために適切なリハビリテーションが重要である．固定期間の延長はかえって MCL の治癒を阻害するとされる．MCL 損傷急性期では痛みの軽減に努めるとともに，損傷靱帯に過度なストレスを与えないように注意しながら受傷後早期から可動域訓練や筋力強化訓練を行う．

2 LCL・PLC 損傷

LCL 並びに PLC は複数の支持組織から構成されるが，PLC においては膝窩筋複合体(膝窩筋腱，popliteofibular ligament，膝窩筋が主要構成要素)が特に重要な支持組織である．その損傷は，構成体が複雑なため，一部の構成体の単独損傷から，全構成体に及び十字靱帯の合併損傷を伴うものまであり，複雑な病態を呈する．PLC 機能不全は後十字靱帯(posterior cruciate ligament；PCL)再建術後の制動性不良や ACL 再建術後の不安定感の遺残の原因となり，また日常生活でも特に膝内反や過伸展時の不安定感を主訴とする例が多いため，その診断と治療を的確に行う必要がある．

LCL 損傷に対する内反動揺性の評価は MCL 損傷と同様に屈曲 0° および 30° における徒手内反ストレステストにて行い，3 度に分類される．3 度損傷ではほとんどの症例に合併する十字靱帯損傷または PLC の損傷を認める．一方，PLC の重度損傷は複合靱帯損傷の部分障害として生じ，その最も重篤なものは脱臼膝である．膝関節脱臼では膝窩動脈損傷や腓骨神経麻痺を合併することがあるので注意する．後外側不安定性に対する徒手検査には膝屈曲 70〜90° で下腿外旋位とし後方へ押し込む posterolateral drawer test や，膝屈曲 30° および 90° で下腿を最大外旋させる dial test がある．

画像診断としては MRI が LCL 損傷や合併損傷の把握にきわめて有用である．ストレス X 線撮影は陳旧例の内反不安定性の定量化に有用である．

LCL もしくは PLC の単独損傷では保存治療が原則である．一方 LCL の 3 度損傷や PLC の重度損傷は多くが複合靱帯損傷の部分障害として生じ，基本的に手術適応となる．

前十字靱帯損傷

Anterior cruciate ligament (ACL) injury

黒田 良祐 神戸大学大学院 教授

【疾患概念】 前十字靱帯は大腿骨に対する脛骨の前方変位を制動する靱帯であり，スポーツ活動の際に非接触性または接触性の受傷機転（下記）によって断裂することがある．前十字靱帯損傷後，切り返し動作や方向転換時に，膝がガクッと外れるような不安定性（膝くずれ，pivot shift）の症状を呈するようになる．また，前十字靱帯損傷は自然治癒が期待できず，若年症例やスポーツ活動を希望する場合，手術的治療が必要となる．

【病態】 主にサッカー，バスケットボールなどのスポーツ活動時に，急な方向転換や切り返しなどを行うと，膝関節には外反を主とした複合的な回旋外力が加わる．その力は関節内の前十字靱帯に伸長ストレスとして加わり，過度になると断裂を起こす．多くの場合，このように非接触性（non-contact）な受傷機転で発生するが，直接膝の外側から当たられ受傷する接触性（contact）損傷もまれではない．

【問診で聞くべきこと】 受傷時のスポーツ，どのようなプレイをしていたか，接触の有無，pop音の有無，受傷後プレイ続行の可否，疼痛および腫脹の発生とその時期は聴取すべきである．陳旧性の症例では，受傷後の不安定性の発生回数や頻度，ひっかかり感やロッキングなどの他の症状も聴取しておく．

【必要な検査とその所見】

(1) Lachman test

膝関節軽度屈曲位（20～30°）で，脛骨を前方に引き出し，その際の前方変位量と制動された際の感触（endpoint）の2つを判断する徒手検査である．前方変位量が大きくなり，endpointが鈍い場合に陽性と判断する．この検査は感度が高い一方，特異度は決して高くない．

(2) pivot shift test

前十字靱帯損傷の主症状である，膝の不安定性（pivot shift）を再現するテストである．膝関節伸展位で外反と軽い内旋のストレスを加え，そのまま膝を屈曲させていく．約30°で急激に脛骨が後方へずれるような動きを生じた場合に，陽性所見と判断する．このテストは非常に特異度が高いため，このテストで陽性所見が得られれば，前十字靱帯損傷とほぼ確定的に診断ができる．

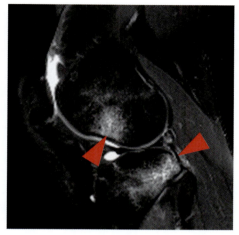

図26-14 前十字靱帯損傷に生じる骨挫傷の典型例
大腿骨外顆および脛骨外側高原後縁に骨挫傷の所見を認める（◀）．

(3) X線検査

骨端性閉鎖前の症例では関節内での剥離骨折が比較的多く，骨折の有無を確認する．また，頻度はまれであるが，脛骨外側縁での剥離骨折（Segond骨折）も時にみられる．

(4) MRI検査

主に顆間部での矢状断で，靱帯の連続性の途絶や弛緩の所見で損傷と判断される．前十字靱帯損傷の診断とともに，半月板や軟骨損傷の合併を評価するのに有用である．これらの合併損傷は，手術治療の際に追加処置を要するため事前評価が大切である．

【診断のポイント】 pivot shift testは診断上の価値は高いが，評価困難な例もある．特に疼痛や不安感の強い患者は筋性防御反応が働き，pivot shiftの発生を抑制させる．患者を十分にリラックスさせ，適度な力でテストを行うことが望ましい．

MRIでは，前十字靱帯の不連続や後十字靱帯の"たわみ"に加えて，大腿骨外顆の伸展位荷重面，および脛骨外側高原後縁に生じた骨挫傷（bone bruise）は，特に受傷後初期によく観察される（図26-14）．前十字靱帯損傷に付随する特徴的所見も見逃せない．半月板損傷の合併率は高く，急性期では外側半月板損傷が多い．

【専門病院へのコンサルテーション】 受傷機転の十分な聴取と，臨床所見によっておおむね診断は容易であるが，合併損傷の有無や治療方針および時期の判断は，専門的な知識と経験を要する．

よって，本損傷を疑った場合には，専門病院に紹介することが勧められる．

治療方針

一般にスポーツ選手や愛好家での発生が多く，スポーツ活動の継続を希望されることが多く，手術適応となることが多い．一方，活動レベルの高くない患者で保存的に治療する場合も少ないながら存在する．

手術療法

手術は自家腱を用いた再建靱帯を，大腿骨および脛骨の解剖学的な靱帯付着部に作成した骨孔に挿入し，固定する方法が一般的である．用いられる自家腱は，主にハムストリングス筋腱，または骨付き膝蓋腱が用いられている．近年では大腿四頭筋腱の使用も増えてきている．

移植された再建靱帯は，骨孔内に一定の期間をもって生着するが，十分な強度になるにはかなりの長期間を要する．再建靱帯は手術後4～5か月にかけて強度がいったん弱くなり，その後，再び強度が上がるといわれている．ある程度の強度であると見込まれる，術後6か月以降でのスポーツ復帰を許可している施設が多い．MRIの信号強度が正常と同等になるまで，2年以上の期間がかかるという報告もあり，靱帯の十分な成熟には長期間を要すると考えられる．

保存療法

一般の日常生活動作においては，膝の不安定性は発生しにくい．よって，特に活動レベルの高くない患者さんに対しては，一定の運動制限を確認したうえで保存的に治療することが可能である．長期的に半月板や軟骨の損傷を生じるリスクを認識し，なるべく穏便な生活を営んでもらう必要がある．

患者説明のポイント

手術症例ではスポーツ復帰までの期間，保存症例では活動レベルの制限を十分に確認し，了承してもらうことが大切である．

術後合併症としての再断裂は5～10％であり，同程度の頻度で反対側膝に前十字靱帯損傷を受傷することが知られている．スポーツ復帰には担当の医師および理学療法士の評価と指導のもと，慎重に行うように確認すべきである．

リハビリテーションのポイント，関連職種への指示

下肢筋力の十分な回復が必要であり，スポーツ復帰には健側の筋力に比べ9割以上の筋力が望ましい．

一方，屈筋と伸筋のバランスや左右の下肢筋力のバランスも大事であり，さらには各種スポーツ動作時の全身的なバランス機能にも目を配る必要がある．

術後早期（3か月まで）の期間は可動域の回復と筋力の回復，ADLの自立を中心にリハビリテーションを行う．術後4か月目以降でジョギングやランニングなどのスポーツ動作に徐々に移行していくが，各々のスポーツ動作をバランスよく行えることを確認しながら進めていくようにする．

最終的にスポーツ復帰に際しては，各々のスポーツの得意な動きに関して，バランスを失わずに適切な動作ができているかを確認していくことが必要である．

後十字靱帯損傷

Posterior cruciate ligament (PCL) injury

黒田 良祐　神戸大学大学院 教授

【疾患概念】　後十字靱帯（posterior cruciate ligament；PCL）損傷は，ラグビーなど接触型のスポーツ選手や交通外傷でよくみられる靱帯損傷である．スポーツでは膝前方からの相手のタックルなど，膝屈曲位で膝前面を打撲し受傷することが多い．交通事故では，膝屈曲位でダッシュボードに膝前面を強打することで生じる（ダッシュボード損傷）．高エネルギー外傷の場合は，他の靱帯損傷や神経血管損傷，軟骨・半月板損傷，骨折などを合併することがある．PCL単独損傷の場合は保存療法によりスポーツ復帰が可能なことが多い．

【臨床症状】
受傷時は疼痛や脛骨近位前面の擦過傷や打撲痕，膝関節内血腫を認めることが多い．陳旧例では，下り坂や階段での膝不安定感を訴える場合が多い．

問診で聞くべきこと

受傷機転・肢位，脱臼感や腫脹の有無を入念に聴取する．陳旧例では，不安感や膝くずれの有無，疼痛部位を問診する．

診断のポイント

受傷機転の聴取と理学所見が特に重要である．特徴的な理学所見は，仰臥位膝90°屈曲位（立て膝）での脛骨後方落ち込み徴候（posterior sagging sign）である．両膝を立て膝とし，脛骨粗面の位置が健側よりも落ち込んでいることを肉眼的に確認し，大腿骨顆部と脛骨高原前縁の段差を両母指にて触知し左右差を確認する．立て膝で脛骨を後方に押し込み不安定性を評価する後方引き出しテスト（posterior drawer test）も診断に有用である．神経血管損傷や他の靱帯損傷，軟骨・半月板損傷の評価も重要である．

PCL実質部損傷の場合，通常の単純X線像では異

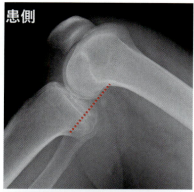

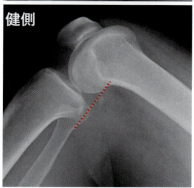

図 26-15 posterior sagging view
仰臥位，膝 90°屈曲位で単純 X 線側面像を撮影する．健側と比較し患側では脛骨近位が後方に亜脱臼する．

常を認めないが，仰臥位膝 90°屈曲位で膝側面像を撮影する posterior sagging view は脛骨後方落ち込みの評価として有用である（図 26-15）．PCL 損傷を疑った場合は，他の靱帯損傷，軟骨・半月板損傷の評価も含めて，MRI を施行すべきである．

専門医へのコンサルテーション

　PCL 付着部剥離骨折で転位が大きい場合は骨接合術の適応となりうるため，専門医への紹介が望ましい．合併損傷がある場合や，PCL 実質部単独損傷で数か月の保存療法でも症状が持続している場合は，手術適応になりうるため紹介が望ましい．

治療方針

　合併損傷の有無が治療方針を左右するため，その診断が重要である．合併損傷がない PCL 単独損傷の場合は，まず保存療法が選択される．

手術療法

　合併損傷を伴う場合や，保存療法を数か月行っても

表 26-2 膝関節脱臼の Schenck 分類

タイプ	損傷部位
KD-Ⅰ	単独十字靱帯損傷（ACL または PCL）と側副靱帯損傷
KD-Ⅱ	両十字靱帯損傷（ACL と PCL），側副靱帯損傷はなし
KD-ⅢM	両十字靱帯損傷と MCL 損傷の合併
KD-ⅢL	両十字靱帯損傷と LCL 損傷の合併
KD-Ⅳ	両十字靱帯損傷と両側側副靱帯損傷（MCL，LCL）
KD-Ⅴ	骨折を伴った脱臼

KD：knee dislocation, ACL：前十字靱帯，PCL：後十字靱帯，MCL：内側側副靱帯，LCL：外側側副靱帯.

膝の不安感が改善しない症例は，PCL 再建術の適応となる．PCL 脛骨付着部剥離骨折で転位が大きい場合は骨接合術の適応となる．

保存療法

　受傷直後には RICE 療法や消炎鎮痛薬投与を行うが，膝伸展位での外固定は最小限に留め，支柱付き PCL 装具を作製するのが望ましい．疼痛が軽減すれば，早期から大腿四頭筋の筋力訓練や関節可動域訓練を積極的に行う．

患者説明のポイント

　下腿前面を地面につくこと（kneeling）や膝立ち動作など，日常生活で控えるべき動作を伝える．また筋力トレーニングの必要性も理解してもらう．

リハビリテーションのポイント

　大腿四頭筋の働きにより，脛骨プラトーの後方落ち込みを抑制することができるため，大腿四頭筋の筋力訓練は特に重要である．

複合靱帯損傷

Combined injuries of the knee ligaments

石橋　恭之　弘前大学大学院 教授

【疾患概念】　膝靱帯損傷の多くは，前十字靱帯（anterior cruciate ligament；ACL）損傷や内側側副靱帯（medial collateral ligament；MCL）損傷といった，単独靱帯損傷である．膝複合靱帯損傷は，より高エネルギー外傷で生じる複数の膝関節内外の靱帯損傷である（表 26-2）．その病態は膝関節脱臼・亜脱臼とほぼ同じであり，骨折などの多発外傷を伴うことも多い．このため他部位の治療が優先されることがあり，初期治

療が遅れることもある．複合靱帯損傷を診る場合には，常に膝脱臼が生じた可能性を考慮し，経時的に下肢の血流評価を行わなければならない．

【病態】
膝複合靱帯損傷は，外力により膝関節が（亜）脱臼後に整復された状態と考えられ，その臨床所見は，著明な変形を認めないことを除けば，膝関節脱臼と同様である．膝関節の腫脹，疼痛，皮下出血を認め，損傷された靱帯により種々の不安定性を呈する．膝脱臼と同様に，腓骨神経麻痺をきたしていれば，腓骨神経領域の感覚障害と足関節や足趾背屈が不能となる．膝窩動脈損傷により下肢血流障害を生じるとしびれ感や感覚低下，腫脹を生じる（膝関節脱臼の項 ➡ 786 頁参照）．

診断のポイント
血管損傷がなければ，膝関節の不安定性の評価を行う．Lachman test，前方引き出しテスト，後方引き出しテスト，内反・外反ストレステストなどを行う．画像検査は，単純 X 線に加え，MRI を行い靱帯損傷，半月板損傷，骨折の有無を確認する．

専門医のコンサルテーション
膝窩動脈損傷が疑われれば，直ちに専門病院にコンサルテーションする．足関節上腕血圧比（ankle-brachial pressure index；ABI），API（ankle pressure index，損傷側の後脛骨動脈圧/非損傷側の後脛骨動脈圧）が有用である．ABI＜0.9 以下，API＜0.9 で血管損傷が強く疑われる．

治療方針
複合靱帯損傷患者は，受傷後数時間〜数日で血管閉塞をきたすことがあり，入院のうえ，経過観察する必要がある．血管閉塞が生じた場合，迅速に血管再建を行わないと下肢切断のリスクが高くなる．

保存治療
新鮮例において，他部位の合併症などで手術的治療が行えないときには，シーネ固定で経過観察を行う．外固定後は必ず単純 X 線像を 2 方向で撮影し，膝関節の整復位が保たれていることを確認する．膝関節が亜脱臼位のまま陳旧化させると，その後の治療が著しく困難になる．整復位保持が困難な症例では，創外固定を用いて整復位を保持するが，保存治療の成績は不良であり，状況が許せば早期に手術治療を行うべきである．

手術治療
新鮮例に対しては，主に関節外靱帯の一次修復を行う．可能であれば 2 週以内に行ったほうが，損傷靱帯の同定や修復は容易である．裂離骨折，半月板損傷などがあれば同時に修復する．関節外靱帯の一次修復を解剖学的に行うことと，その後の膝関節の整復位保持が重要である．その後必要であれば，二期的に関節内靱帯の再建術を行う．

陳旧例の治療は困難である．特に後十字靱帯（posterior cruciate ligament；PCL）を含めた後方支持機構が損傷し，脛骨が後方偏位した場合の再建術の成績は不良である．創外固定器を用いて脛骨−大腿骨の位置関係を改善してから，再建術などを行う必要がある．

半月板損傷

Meniscus injuries

堀部 秀二　大阪府立大学大学院 教授

【疾患概念】
半月板は大腿骨顆部と脛骨プラトーの間にある線維軟骨で，円周方向に配列した密な膠原線維を tie fiber が束ねた構造を有している．この特徴的な構造により荷重の分散・伝達機能を担い，関節安定性にも寄与しているため，損傷が生じるとその力学的機能が破綻し，関節軟骨への負担が増加する．半月板は内側と外側に 2 つあり通常 C 型をしているが，外側は円板状の頻度がわが国では高く，完全型の発生率は 2.2〜6.5％ と報告されており，正常型の半月板とは異なった構造をしている．膝関節の屈伸とともに半月板は前後に移動し，形態も変化しているため，損傷すると膝の屈伸運動やひねり動作に伴う痛み，ひっかかり感やロッキングといった特徴的な症状が出現する．外周辺部 1/3 にしか血行が存在しないため，いったん損傷した半月板は治癒しにくく，損傷半月板による症状は持続することが多いが，経過とともに軽減する場合や無症状の場合もある．

【病態】
半月板はさまざまな原因で損傷するが，大きく単独で損傷する場合と靱帯損傷に合併して二次的に損傷する場合に分類できる．単独損傷例では，膝への外傷（捻るなどの大きな力や繰り返す微外傷）により生じるもの，形態異常を原因としているもの，加齢による変性に起因するもの，などに分類できる．形態異常である外側円板状半月板は正常型と比較して膠原線維の配列異常のために損傷しやすく，内側半月板の中・後節部変性断裂は加齢に伴い増加し，明らかな外傷なく発生することが多い．靱帯損傷合併例では前十字靱帯（anterior cruciate ligament；ACL）損傷が最も多く，内・外側半月板の中〜後節部の縦/斜断裂が特徴的である．

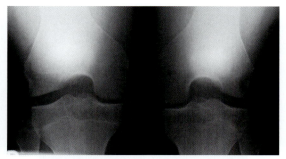

図 26-16 両膝外側円板状半月板損傷(Rosenberg 撮影像)(14 歳, 男性)

両膝ともに大腿骨外顆の扁平化を認め, 外側大腿脛骨関節の関節裂隙が開大している.

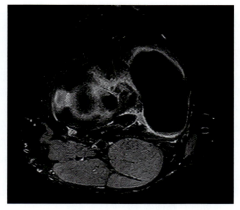

図 26-17 右膝外側半月板横断裂(MRI 横断面)(18 歳, 男性)

外側半月板中節部が横断裂し, 約 1 cm 程度開大している.

問診で聞くべきこと

外傷の有無を聞くことは重要で, もし外傷歴があれば外傷の時期や受傷機転などを, 明らかな外傷歴がなければいつ頃から症状が出現したかを, 聴取する. また, 症状の推移や手術などの治療歴についても聞いておく.

【臨床症状】

臨床症状をチェックすることは診断だけでなく, 治療方針を決定するうえでも重要であり, 関節裂隙の圧痛や関節腫脹の有無, 関節可動域の測定を行う. 半月板損傷の徒手検査として McMurray test は有名であるが, MRI 検査が普及した現在では診断的意義はあまりなく, 検査中にロッキングすることもあるため, 最近はほとんど行っていない. ACL 不全を合併している場合も多いので, Lachman test などの徒手不安定性検査は必ず施行する.

必要な検査とその所見

①単純 X 線(正面, 側面, 軸写, Rosenberg 撮影)は必ず施行し, 遊離体などのほかの疾患との鑑別を行う. 特に Rosenberg 撮影での関節裂隙は半月板の厚さや関節軟骨損傷の評価にも有用で, 関節裂隙の狭小化があれば半月板損傷や関節軟骨損傷を, 内側と比較して外側の関節裂隙が開大していれば外側円板状半月板を疑う(図 26-16).

②MRI 検査は半月板損傷の診断に必須の検査で, 半月板実質内の輝度変化と形態に着目する. 輝度判定は主に T_2^* 強調像で判断し, Mink らの分類 grade III, すなわち輝度変化が関節面に達するものを損傷とする. また, 専門医であれば, 半月板損傷の有無だけでなく, 損傷半月板の形態や術式予測をすることも重要である. 最近では半月板を横断面で描出するようになり, 損傷部位や程度がわかりやすくなってきた(図 26-17).

診断のポイント

MRI 検査は半月板損傷の診断には有用であるが, 画像上損傷を認めても損傷半月板に起因する症状がない場合もあるので, 臨床症状(痛みの部位, ロッキングなど)と合致するかどうかを見極めることは重要である. 特に中高年の内側半月板変性断裂は無症候性の場合も少なくなく, 注意を要する. 一方, MRI 検査で明らかな損傷がない場合でも, 小さな損傷や外側半月板の hypermobile meniscus を見過ごすこともあるので注意が必要である.

治療方針

損傷半月板に対する治療目的は, 症状(疼痛, 水腫, 可動域制限, 膝周囲筋の筋力低下など)の緩和と半月板機能の改善である. どのような治療を行うかは, 症状だけでなく, 患者のニーズや医師の考え方などにより異なるが, 原則として, ACL 損傷合併の有無, 半月板縫合可能の有無, 活動レベル, を考慮して治療法を決定する. 単独例では, MRI 冠状断・矢状断で半月板外周辺縁1/3 の縦断裂もしくは斜断裂, かつ半月板実質部の変性所見が少なければ縫合術の良い適応なので, 症状の緩和も機能も温存可能な縫合術を可能な限り早期に施行する. MRI 検査で縫合術の適応とならないと判断した単独例では, 原則的には保存治療を第1選択とするが, 症状が改善しない場合には鏡視下に切除する. ただし, 若年アスリートに対する外側半月板切除術は術後早期に関節軟骨破壊が進行する場合があるので注意すべきである. ACL 損傷に合併した半月板損傷は不安定性により二次的に生じること, 将来

ACL不全を放置すると関節症性変化が進行することを考慮し，原則的にACL再建＋半月板手術を行う．

保存療法

　保存療法の目的は，①損傷半月板による症状の緩和，②関節可動域制限の改善，③随伴する膝周囲筋の筋力低下の改善，である．受傷初期には患部を安静にし，鎮痛薬や貼付剤などの薬物療法や水腫の関節穿刺を必要に応じて行う．中高年の内側半月板変性断裂（ただしMRI上大腿骨内顆部に骨髄内変化がない場合）で疼痛が強い場合には，1～2回限りのステロイドの関節内注射や4～5回のヒアルロン酸の関節内注射も行う．回復期は，物理療法などによる疼痛のコントロールとともに関節可動域や膝周囲筋力の改善を行う．保存治療は漫然と行わず，経過中効果判定を必ず行い，保存治療が有効でない場合には治療法の変更や外科治療への切り替えを行う．

手術療法

　手術療法には切除術と縫合術があるが，縫合術は症状と半月板機能をともに改善することが可能だが，切除術は症状を緩和できても半月板機能は犠牲にならざるをえない点を十分理解したうえで施行する．切除するか縫合するかは最終的には関節鏡で決定するが，術前MRIである程度縫合可能かどうかを予測しておく必要がある．

1 ▶ 半月板切除術

　損傷部位を中心にできるだけ切除範囲を少なくし，かつバランスのよい安定した外周辺部を可及的に大きく残存させるように，関節鏡視下に鉗子類や焼灼デバイスを用いて切除する．術後早期から歩行可能となり，可動域も術後それほど問題にはならないが，切除により半月板機能が劣化しているということを十分患者に説明しておく必要がある．

2 ▶ 半月板縫合術

　血行野の1cm以上の不安定な縦断裂や斜断裂は良い適応で，縫合法には大きくoutside-in法, inside-out法, all inside法がある．いずれの方法でも，損傷部を新鮮化後，適度に密着させ，十分な固定を得るまで縫合する．術後はある程度の固定や免荷などが必要であるが，縫合部が治癒すれば症状も機能も改善される．最近では，無血行野や体部の変性を伴う断裂に対しても縫合法の工夫やfibrin clotの併用などにより縫合術の適応が拡大傾向にある（図26-18）が，症状残存や再断裂，長期成績など課題も少なくない．

患者説明のポイント

　半月板の機能（膝関節内にあるクッションの役割を担っている軟骨の板），損傷の原因（膝を捻った，加齢

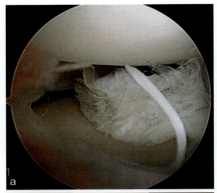
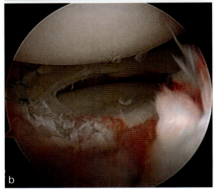

図26-18 右膝単独外側半月板前〜中節部の変性縦断裂（18歳，男性）
損傷半月板体部は変性が強い（a）が，11針で縫合（b）．

に伴う，靱帯損傷に合併など），損傷の程度（損傷部位や損傷形態），治療目的（損傷半月板による症状と機能の回復），治療方法（保存治療か手術治療か）を説明する．半月板を切除する場合には，損傷半月による症状は改善するが，半月板の機能が落ちて関節水腫や将来の関節症を生じる可能性があること，半月板を縫合する場合には，症状残存や再断裂が生じることもあることを術前に丁寧に説明しておくべきである．

膝関節タナ障害

Shelf disorder of the knee

小野　智敏　勝田台病院〔千葉県八千代市〕

【疾患概念】　胎生期の膝関節は複数の膜組織により分画されている．その遺残物が，前十字靱帯，膝蓋上嚢，内・外側の各滑膜ヒダである．これらの多くは無

症状であるが，内側滑膜ヒダ（medial synovial membrane；MSM）はまれに症候化する．タナ障害とは，以下の機序でMSMが関節包を牽引・刺激した病態である．
①過負荷による炎症でMSMの形状が変化し，大腿骨内側顆にbowingする．
②膝蓋大腿関節〔patellofemoral（PF）関節〕の拘縮のため膝蓋後圧が上昇し，MSMがPF関節にインピンジメントする．

若年者のMSMは光沢のある絹色の薄い膜で，この形態がタナである．タナは経年齢的に外観が変化し，徐々に脂肪性の厚い膜となる．若年者での報告が多いためタナ障害と呼称されているが，他形態のMSMも上記機序で症候化する．

臨床症状
階段昇降・立ち上がり時に生じる膝蓋骨周囲の疼痛を主訴とする．安静時・歩行時の痛みは軽微である．軋音は本疾患に特有な所見ではない．

鑑別疾患
タナ障害の発生頻度は低い．まず類似症状を呈する以下の疾患を考慮する．
①癒着性関節炎．外傷・手術後に発症する．まれな疾患ではない．
②patellofemoral pain syndrome（PFPS）．外傷歴を欠くことが多い．膝蓋骨の可動性の低下と，屈曲角度の顕著な左右差を呈する．発生頻度は20％前後である．

診断のポイント
①画像診断にはMRIを使用する．MSMは関節包と内側顆の間に位置するため，その描出には関節水腫による関節包の拡張が不可欠である．水腫を欠く場合，生理食塩水50 mLを関節内に注入すると良好な結果が得られる．
②榊原分類C, D型のMSMを検出し，その症候性が確認できると確定診断となる．しかしHughston Plica Testなど，現行の検査法は感度・再現性に問題があり，確定診断をMSM切除に頼ることが少なくない．確定診断は避け，類似疾患の可能性を考慮した診察を行う必要がある．
③PFPSの臨床症状は本疾患に酷似し，発生頻度がより高い．そしてMSMの処置以外は治療方針が同じである．本疾患を疑う場合，PFPSに準じた治療を行うことが実用的である．

治療方針
①まず安静・NSAIDsなどで炎症を抑える．同時に大腿四頭筋・膝蓋支帯のストレッチを行い，膝蓋後圧の軽減をはかる．Hydraulic distention（水圧剥離受動術）が有効な場合もある．
②上記の治療を2か月間行い，症状が軽快しない場合にMSM切除を考慮する．しかしタナ切除術の不良例報告は少なくない．その適応には慎重を要する．

滑膜骨軟骨腫症
Synovial osteochondromatosis

新井 祐志　京都府立医科大学大学院 准教授（スポーツ・障がい者スポーツ医学）

【疾患概念】
滑膜骨軟骨腫症は主に関節内の滑膜組織から軟骨化成を生じ，硝子軟骨様の結節が増殖する良性の疾患である．軟骨化成が進行すると，滑膜から関節内へ遊離体を形成する．

【頻度】
膝関節に発生することが多く，女性よりも男性に好発する．好発年齢は30～50歳代で，小児に発生することはまれである．

【病型・分類】
Milgramらによる病期分類が用いられる．第1期：滑膜内の軟骨化生のみ，第2期：滑膜内の軟骨化生と関節内遊離体，第3期：関節内遊離体のみ．

【臨床症状または病態】
関節の腫脹を伴い，疼痛および可動域制限を呈する．クリックやロッキングを生じることもある．

問診で聞くべきこと
遊離体によるロッキングの症状について明らかにする．

必要な検査とその所見
単純X線像で60％以上の症例において骨軟骨片が描出される．CT像では骨軟骨片がより明瞭に描出される．MR画像は石灰化や骨化していない軟骨病変の描出に有効であり，骨軟骨片の石灰化の有無によってさまざまな信号を呈する．軟骨片であれば硝子軟骨と同様で，骨軟骨片は骨髄内と同様の信号強度を呈する．

診断のポイント
単純X線像から疑うことが比較的容易である．撮像時期によって遊離体が移動することがある．

専門病院へのコンサルテーション
クリックやロッキングがあれば手術可能な専門病院へのコンサルテーションが望ましい．

治療方針
保存療法は無効であり，関節内遊離体によるロッキングなど機械的な症状に対して手術療法が選択さ

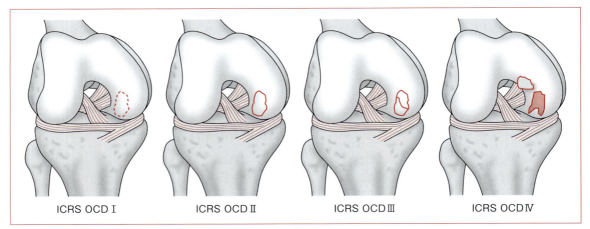

図 26-19　離断性骨軟骨炎の ICRS 分類
Ⅰ：関節軟骨に亀裂はなし．一部に軟化部位．
Ⅱ：一部に軟骨の亀裂を認めるも病巣部は安定．
Ⅲ：軟骨の亀裂は病巣部全体に．
Ⅳ：病巣部は母床から遊離．

れる．

治療法
関節内遊離体に対して関節鏡視下摘出術が行われる．滑膜内に存在する病変に対しては滑膜切除の適応とする成書が多いが，良性疾患であるため手術侵襲を考慮すると最小限に留めることが望ましい．

合併症と予後
おおむね予後は良好である．

患者説明のポイント
放置すれば二次性変形性関節症の原因となる．滑膜病変が残存する場合には再発する可能性があるが，基本的には良性疾患であることを説明する．

リハビリテーションのポイント，関連職種への指示
手術後は疼痛に応じて積極的に関節可動域訓練および筋力訓練を行う．

[膝] 離断性骨軟骨炎
Osteochondritis dissecans of the knee

中村 憲正　大阪保健医療大学 教授

【疾患概念】
膝離断性骨軟骨炎（osteochondritis dissecans；OCD）は，10代以降の思春期に発生の多い骨軟骨病変である．性別は男性に多い．進行すると関節面内部の軟骨下骨において分離，脱落して遊離体を形成する．病因としては繰り返す関節面への剪断力などの力学的要因，血流不全による骨壊死，骨端骨化不全など諸説がある．好発部位は大腿骨の内顆 85%，外顆 15% でまれに膝蓋骨にも起こり，外側例では円板状半月に合併することが多い．

【臨床症状】
初期では軟骨片は遊離せず，運動後の不快感や鈍痛が出現することもあるが，無症状の場合も多い．関節軟骨の表面に亀裂や変性が生じると疼痛が増強，水腫も出現し，スポーツ活動に支障を与える．骨軟骨片が遊離すると引っかかり感，軋音が出現し，可動域制限，ロッキングが生じる場合もある．

必要な検査とその所見
初期には病変は単純 X 線では捉え難く，MRI 検査が有用である．OCD の病期分類には国際軟骨再生・関節温存学会（ICRS）の分類が広く用いられている（図 26-19）が，そのなかでは関節軟骨，骨軟骨片の状態，母床との連続性が主要な着目ポイントとなる．MRI 診断においても，これらの項目を入念に確認する．特に T2 強調像や脂肪抑制プロトン密度強調像での骨軟骨片と母床との間に存在する高信号領域の存在は，病巣の不安定性を示唆するもので治療方針の決定に有用である．骨軟骨片が分離，遊離してくる時期は X 線でも診断が可能となるが，その際，顆間窩撮影が診断に有用である．

診断のポイント
臨床症状と画像診断から推測される病巣部の不安定性評価などを総合的に勘案し，治療方針を決定するこ

とが重要である．

鑑別診断で想起すべき疾患
骨壊死，関節内遊離体を生じる疾患（滑膜骨軟骨腫症，骨軟骨骨折など）．

治療方針
成長期（10代前半，骨端線閉鎖以前）で骨軟骨片が安定していれば，免荷歩行や安静，スポーツ活動の一時停止などの保存的治療を選択する．通常3か月以上を要するが，臨床症状の回復と画像による修復程度から，活動復帰時期を決定する．軟骨下骨の修復が遷延している場合や，発育期以降（10代後半，骨端線閉鎖後）では，軟骨下骨の血行を促進させる目的で，関節鏡視下に患部の数か所にドリリング（関節内，あるいは関節外より）を行い，治癒機転を促進させる．ただし思春期児童の安定型と思われる病変に対する保存療法治療効果は50％程度とされる．長期の活動制限は児童への精神的負担も大きく，患者の活動性も勘案し総合的に治療方針を決定する．保存療法で治療効果がない例や骨軟骨片が剥離し遊離する例では，整復固定術を選択し，症例によっては骨移植の併用も配慮したうえで，骨釘や生体吸収性ピンなどを使用して固定する．遊離骨軟骨片と母床の欠損が小さい場合は，遊離骨軟骨片の摘出のみ行うこともあり，遊離骨軟骨片の状態が悪く骨癒合を期待できないときは，大腿骨非荷重部より採取した円柱状の骨軟骨片を移植する自家骨軟骨移植，あるいは培養軟骨あるいは幹細胞移植などを行う．

膝蓋下脂肪体炎（Hoffa病）

Hoffa disease

新井 祐志 京都府立医科大学大学院 准教授（スポーツ・障がい者スポーツ医学）

【疾患概念】 1904年にHoffaによって報告された．膝蓋下脂肪体の過形成や瘢痕形成を生じることによって，膝前面痛をはじめとする関節の不定愁訴を生じる疾患である．

【頻度】 主に30～40歳代に好発し，男性より女性に多い．リスク因子として関節弛緩性，膝蓋大腿関節の形成不全，反張膝がある．

【臨床症状または病態】 原因は膝前面に対する外傷や繰り返される機械的刺激によって膝蓋下脂肪体に生じる出血や炎症である．膝蓋下脂肪体の腫脹を伴い，膝前面に限局性の圧痛がある．階段昇降により増悪する．膝関節の可動域制限や関節水腫を認め，膝蓋下脂肪体を触知することもある．

問診で聞くべきこと
膝関節前方への外傷歴や繰り返しの刺激の有無について問診する．

必要な検査とその所見
MR画像が有用であり，膝蓋下脂肪体の浮腫像や腫脹を認める．進行した症例では単純X線像で膝蓋下脂肪体に一致して石灰化を認めることがある．

鑑別診断で想起すべき疾患
膝蓋大腿関節症，離断性骨軟骨炎，膝蓋骨不安定症やタナ障害など膝前面に症状を引き起こす疾患を鑑別すべきである．

診断のポイント
仰臥位で膝関節屈曲位から，膝蓋腱の内外側を用手的に圧迫しながら膝関節を伸展することで，膝蓋下部に疼痛が誘発される（Hoffa sign）．

専門病院へのコンサルテーション
保存療法に抵抗性の場合には膝関節専門医へのコンサルテーションが望ましい．

治療方針
保存療法を第1選択とする．

治療法
保存療法として消炎鎮痛薬の内服，局所の安静，温熱療法などの物理療法や装具療法を行う．奏効しない場合には局所へのステロイド注射を施行する．保存療法に抵抗性の場合には関節鏡視下膝蓋下脂肪体の部分切除を選択せざるを得ないこともある．

合併症と予後
膝蓋下脂肪体の切除を行った場合の手術成績は明らかにされていない．

患者説明のポイント
膝関節前面への機械的な刺激を避けることを指導する．

リハビリテーションのポイント，関連職種への指示
膝蓋大腿関節症に対するリハビリテーションに準じる．

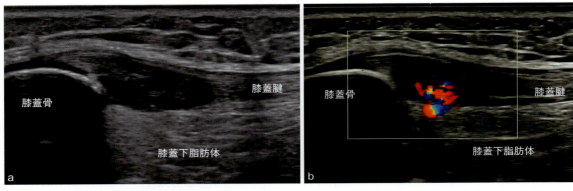

図 26-20　超音波膝関節前方長軸像
a：Bモード：膝蓋腱の肥厚およびfibrillar patternが消失している.
b：Dopplerモード：膝蓋腱および腱周囲や膝蓋下脂肪体に血流シグナルが増加している.

ジャンパー膝

Jumper's knee

中瀬 順介　金沢大学 助教

【疾患概念】　ジャンパー膝は，ジャンプ・ランニング動作を繰り返すスポーツ選手に好発する膝伸展機構のオーバーユースによる代表的な膝スポーツ障害である．好発部位は，膝蓋腱の近位深層やや内側よりであり，次いで大腿四頭筋腱遠位付着部である．病態や治療の一貫性を担保するために，本項では「膝蓋腱症」について述べる．

【頻度】　スポーツ選手の膝蓋腱症の発生率は 14.2～44.6% と報告されており，男性が女性の2倍多い．

【病態】　膝蓋腱の微小断裂，浮腫，ムコイド変性などと報告されているが，現在でも不明な点も多い．痛みの発生源は膝蓋腱付着部深層の摩耗，断裂と周囲滑膜組織の反応と言われている．

【臨床症状】　膝蓋腱近位部中央から内側に圧痛，腫脹と局所熱感を呈する．ジャンプの着地やスクワット動作など大腿四頭筋遠心性収縮時に疼痛を強く訴える．

■問診で聞くべきこと
　外傷の有無，スポーツの種類とポジション，安静時痛の有無，発症からの期間．

■必要な検査とその所見
　単純X線検査では，慢性例で膝蓋腱内の石灰化や膝蓋腱付着部の膝蓋骨不整像などの所見を呈することはあるが，通常異常所見は認めない．超音波検査では

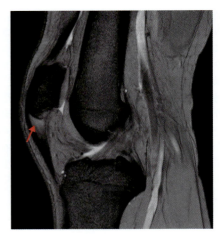

図 26-21　ジャンパー膝
MRI像 T2強調像．膝蓋腱内に高信号領域を伴った肥厚像を呈する．

膝蓋腱が肥大，低輝度化し，fibrillar patternが開大または消失する（図26-20）．Dopplerモードでは病変部周囲や膝蓋下脂肪体に血流シグナルの増加を認めることがある．MRIでは，T2強調像で腱内に高信号領域を伴った肥厚像を呈する（図26-21）．

■診断のポイント
　膝前方部痛を主訴とするスポーツ選手で膝蓋骨下極から膝蓋腱付着部に圧痛を認め，踏み込みやジャンプの着地で疼痛を訴える．病初期では，ウォームアップ後には症状が消失することがあり，選手は痛みを感じながらもスポーツ活動を継続し，慢性化してから病院を受診することも多い．膝蓋骨疲労骨折は，膝蓋腱症と非常によく似た症状を呈するため，鑑別が必要で

ある．

専門病院へのコンサルテーション

保存療法に抵抗し，スポーツ復帰できない症例ではスポーツ膝専門医への受診を勧める．

治療方針

膝蓋腱症治療の基本は，負荷の軽減や安静を含めた保存療法であるが，慢性例では治療に難渋することも少なくない．超音波ガイド下ヒアルロン酸注射が有効な症例もある．6か月以上保存療法に抵抗する例に対しては手術加療が推奨されている．

保存療法

大腿四頭筋とハムストリングスのストレッチングに加えて，大腿四頭筋遠心性トレーニング，動作評価と指導を行う．症状が持続する例には，病変部と膝蓋骨前滑液包をターゲットとして超音波ガイド下ヒアルロン酸注射を行っている．

手術療法

関節鏡下で変性組織の切除や膝蓋骨下極の骨切除などが行われるが，手術加療を行っても疼痛が遷延する症例もあり，本症の病態の解明とともに新しい治療法の確立が望まれる．

Osgood-Schlatter 病

Osgood-Schlatter disease

中瀬 順介　金沢大学 助教

【疾患概念】　1903 年に Robert B. Osgood と Carl B. Schlatter が報告した脛骨粗面部に生じる骨端症の1つである．成長期に膝前方部痛を訴える代表的な疾患である．

【頻度】

発生率は 10〜20% 程度で，成長期のスポーツ選手（男児では 10〜12 歳，女児では 8〜10 歳）に発生し，約 30% は両側発症である．

【病態】

脛骨粗面部では男児で 10〜11 歳ごろに，女児では 8〜9 歳ごろに骨化核が出現し（apophyseal stage），骨化核が脛骨近位骨端と癒合（epiphyseal stage）し，男児では 18 歳ごろに，女子では 16 歳ごろに癒合が完成する（bony stage）．この間，脛骨粗面部は力学的に脆弱な状態にある．そこに①身長が伸びることによる大腿四頭筋のタイトネスの増大，②スポーツ活動による繰り返しの負荷，③大腿四頭筋筋力の増大などが加わり発症に至る．脛骨粗面部の部分的な裂離に加えて膝蓋腱周囲滑液包や膝蓋下脂肪体に炎症を伴うこともある．

【臨床症状】

脛骨粗面部の疼痛を主訴とし，圧痛，腫脹，軽度の熱感を認める．ジャンプの着地やスクワットなど大腿四頭筋遠心性収縮時に強い疼痛を訴える．初期では運動後のみ痛みを感じるが，徐々に運動中にも痛みがみられ，スポーツ活動に支障が出る．日常生活でも階段昇降時や正座時に痛みを訴えることもある．

問診で聞くべきこと

外傷機転の有無，スポーツの種類とポジション，安静時痛の有無，発症からの期間．

必要な検査とその所見

(1) 柔軟性の評価

大腿四頭筋，ハムストリングス，下腿三頭筋の柔軟性を評価する．

(2) 疼痛誘発テスト

両脚ハーフスクワット，片脚ハーフスクワット，両脚ジャンプ，片脚ジャンプ時の疼痛の有無を確認する．

(3) X 線検査

膝関節側面像で脛骨粗面部の骨化核の分節化の有無，裂離骨片の有無を評価するが，病初期の評価はできない（図 26-22a）．

(4) 超音波検査

超音波では骨化が完成していない骨化核や軟部組織の評価のみならず，血流シグナルを観察することができる．脛骨粗面部の骨化核の部分裂離に加えて，深膝蓋下包水腫，膝蓋腱低エコー域などを観察できる（図 26-23）．

(5) MRI 検査

T2 強調像で，病変部周囲および膝蓋腱や膝蓋下脂肪体にも高信号域を認める（図 26-22b）．

診断のポイント

年齢，病歴，身体所見と画像検査で比較的診断は容易である．なかでも圧痛点の確認が重要である．

治療方針

Osgood-Schlatter 病の治療の基本は保存療法である．一方，骨端線閉鎖後にも疼痛が遷延する症例では，遺残骨片による機械的な刺激による滑液包炎や腱症を合併していることがある．このような症例には直視下あるいは鏡視下骨片摘出術が適応となることがある．

保存療法

初診時に歩行や階段昇降など日常生活動作でも強い疼痛を訴える場合には，徹底的な局所の安静とアイシ

26 膝関節の疾患

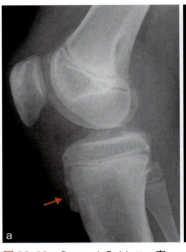
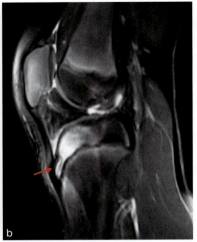

図 26-22　Osgood-Schlatter 病
a：X 線側面像：脛骨粗面の不整像を認める．
b：MRI 像（T2 強調矢状断像）：病変部周囲および膝蓋腱や膝蓋下脂肪体にも高信号域を認める．

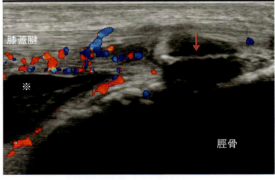

図 26-23　超音波膝関節前方長軸像
Doppler モード．骨化核の裂離（→）に加えて，膝蓋腱周囲や膝蓋下脂肪体の血流シグナルの増加と深膝蓋下包水腫（※）を認める．

ングを指導し，スポーツ活動のみならず疼痛誘発動作を避けるように生活を指導する．その後は運動療法や注射療法を行っているが，疼痛の状態を確認しながら対応していく．特に保護者に対する説明は重要であり，安静が必要な理由やストレッチングの重要性を理解してもらい，治療に協力してもらう．

Sinding Larsen-Johansson 病

Sinding Larsen-Johansson disease

中瀬 順介　金沢大学 助教

【疾患概念】　1921 年に Sven Christian Johansson の講義を基に Christian Magnus Sinding-Larsen が報告した膝蓋骨下端に発生するスポーツ障害の 1 つである．

【頻度】
Osgood-Schlatter 病と同じく男児に多くみられるが，Osgood-Schlatter 病よりも発生年齢はやや低く，10 歳前後での発症が多い．

【病態】
膝蓋腱の牽引による膝蓋骨の骨化障害説が有力であるが，症状には膝蓋骨周囲の滑液包炎が関連しているとする報告もあり，詳細は不明である．

【臨床症状】
膝蓋骨下極の運動時痛と圧痛が特徴的で，膝関節水腫や可動域制限は認めない．運動時および運動後の疼痛を認めるが，安静により症状は軽快する．鑑別診断には，急性発症で受傷機転を伴う膝蓋骨 sleeve 骨折が挙げられる．膝蓋骨 sleeve 骨折は骨化していない膝蓋骨軟骨の途絶を伴うため，その鑑別には MRI が有用である．

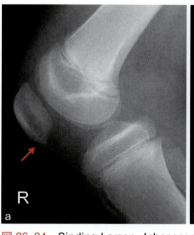
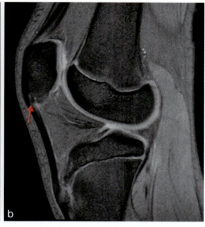

図 26-24　Sinding Larsen-Johansson 病
a：X線側面像：膝蓋骨下極に不整像を認める．
b：MRI像（T2強調矢状断像）：病変部周囲および膝蓋腱や膝蓋下脂肪体にも高信号域を認める．

問診で聞くべきこと

外傷の有無，スポーツの種類とポジション，安静時痛の有無，発症からの期間．

必要な検査とその所見

(1) 柔軟性の評価

大腿四頭筋，ハムストリングス，下腿三頭筋の柔軟性を評価する．

(2) 疼痛誘発テスト

両脚ハーフスクワット，片脚ハーフスクワット，両脚ジャンプ，片脚ジャンプ時の疼痛の有無を確認する．

(3) X線検査

膝関節側面像で膝蓋骨下極（膝蓋腱付着部）に不規則な骨化像や不整像など多彩な所見を呈する（図26-24a）．

(4) 超音波検査

Bモードで膝蓋骨の途絶や不整像を，Dopplerモードでは骨途絶部や膝蓋腱付着部に血流シグナルが増加していることがある（図26-25）．

(5) MRI検査

T2強調像で，病変部周囲および膝蓋腱や膝蓋下脂肪体に高信号域を認める（図26-24b）．

診断のポイント

年齢，病歴，身体所見と画像検査で比較的診断は容易である．なかでも圧痛点の確認が重要である．

治療方針

保存的に加療する．経過が短く予後は良好であり，保存療法の中心はスポーツ活動の制限である．一時的

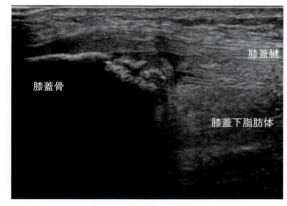

図 26-25　超音波膝関節前方長軸像
膝蓋骨下極に骨の不整像を認める．

にランニングを伴う競技から水泳などへの種目変更も考慮する．大腿四頭筋ストレッチ指導とスポーツ活動の制限のみで4～6週間程度で症状は軽快し，症状が遷延することはまれである．

有痛性分裂膝蓋骨
Painful bipartite patella

池内 昌彦　高知大学 教授

【疾患概念】　膝蓋骨は，軟骨塊が幼児期から学童期にかけて骨化することによって発生する．複数の骨化核をもつものが骨性に癒合せず，線維軟骨性癒合になったものが分裂膝蓋骨である．成長期でスポーツ活動を行っているものに好発する．

【頻度】
1～2％の頻度であるが，うち症状を有する者は2％にとどまる．約半数は両側性に分裂膝蓋骨を有する．

【病型・分類】
副骨化核がみられる部位によって分ける Saupe 分類が用いられる．タイプ1(5％)は膝蓋骨下極に，タイプ2(20％)は膝蓋骨外側に，タイプ3(75％)は膝蓋骨上外側に副骨化核を認める(図26-26)．有痛性になるのはタイプ3が多いとされている．

【臨床症状】
膝前面痛と副骨化核に一致した圧痛である．分裂部が隆起していることがある．

問診で聞くべきこと
膝蓋骨骨折との鑑別に迷うことがある．外傷の有無やスポーツ活動と症状との関連性について問診しておく．

必要な検査とその所見
X線検査（前後像と軸写）やCTにて分裂像を認める．MRIを撮像すると浮腫像を認める．

診断のポイント
好発年齢が10～15歳の成長期である点と，いわゆる骨折急性期にみられる急性炎症所見に乏しい点が挙げられる．スポーツ動作に伴って悪化することが多い．

【治療方針】
基本的に保存治療が適応となる．症状が軽い場合は，大腿四頭筋やハムストリングスのストレッチングや，運動後のアイシングなどを行う．一般にはスポーツ活動を休止し，消炎鎮痛薬の外用剤を処方する．症状の強い例では，2～3か月間の安静が必要になる．これらの保存治療を行っても，改善しない場合や繰り返す場合には手術が行われる．分裂した骨片の摘出，接合術などが行われる．Saupe分類タイプ3に対しては，外側広筋による牽引力を減じる目的に，同筋付着部の切離術が行われる．いずれの手術でも良好な術後成績が報告されている．

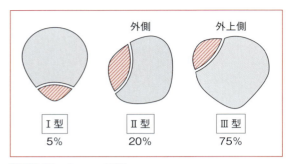

図 26-26　Saupe 分類

腸脛靱帯炎
Iliotibialitis

津田 英一　弘前大学大学院 教授（リハビリテーション医学）

【疾患概念】　腸脛靱帯は大腿筋膜張筋とともに上前腸骨棘に起始し，大腿外側を大腿筋膜として下行し，大腿骨顆部では靱帯状となり脛骨 Gerdy 結節に停止する．腸脛靱帯炎は，海兵隊員に生じた膝外側痛を iliotibial band friction syndrome として報告されたのが最初であるが，現在では持久系スポーツに好発するオーバーユース障害として広く知られている．ランニングに起因するものは runners knee とも称され，その発生頻度は1.6～12％と報告されている．膝伸展位で大腿骨外側上顆の前方に位置する腸脛靱帯が，屈曲によって後方へ移動し外側上顆を乗り越える際の機械的刺激（friction）が病態と考えられてきた．腸脛靱帯が外側上顆の直上にくる膝屈曲20～30°は impingement zone と称され，ランニング中は踵接地時に屈曲角度が impingement zone となるため疼痛を生じる．一方で組織学的所見や画像所見の検討により，腸脛靱帯と大腿骨外顆の間に介在する脂肪組織の微小損傷や滑液包の水腫も病態の1つとされている．

【臨床症状】
主要な症状は，スポーツ活動中の繰り返す膝屈曲伸展によって生じる膝外側痛である．症状が強い例では，階段や坂道の下りなど日常生活動作でも疼痛を訴えることがある．

問診で聞くべきこと
スポーツ種目，スポーツ歴，練習内容・環境，疼痛の出現にかかわるスポーツ動作，疼痛の性状・持続時間．

必要な検査とその所見
診察では膝外側の解剖学的ランドマークを参考に圧

痛点の局在を同定する．腸脛靱帯炎では大腿骨外側上顆を中心に腸脛靱帯の走行に沿って圧痛を認める．膝屈曲伸展で同部に摩擦感を触知するとの報告もある．疼痛誘発テストとしてgrasping test（外側上顆より中枢で腸脛靱帯を圧迫し膝屈曲伸展により疼痛を誘発），Ober test（患肢を上，膝屈曲90°として側臥位をとらせ，股関節を伸展・外転位から徐々に内転させ疼痛を誘発）がある．X線検査では特異的な所見はなく主に他疾患との鑑別に用いる．MRI検査では腸脛靱帯と大腿骨外側上顆との間に輝度変化を，超音波検査では腸脛靱帯の肥厚像を認める．

> 鑑別診断で想起すべき疾患

外傷歴なく膝外側痛を生じうる疾患として，外側半月損傷，外側円板状半月，軟骨損傷，離断性骨軟骨炎，疲労骨折，大腿二頭筋腱炎，膝窩筋腱炎，有痛性分裂膝蓋骨，膝蓋骨不安定症が挙げられる．

> 診断のポイント

腸脛靱帯のタイトネス，股関節の外転筋力低下，下肢内反・下腿内旋・後足部外反・前足部回内アライメントなど腸脛靱帯炎の危険因子とされている所見は，治療法の選択にも有用であり必ず評価する．

> 専門病院へのコンサルテーション

長期経過例や再発を繰り返す例では，身体特性や運動能力に応じたトレーニングの調整が必要となるため，アスレチックリハビリテーションに精通した医療機関を紹介する．

> 治療方針

症状の改善とともに発症に関連する危険因子の排除がスポーツ復帰，再発予防にとって重要である．多くの場合，保存治療が有効であり6～8週で元のスポーツへ復帰可能となる．手術治療として腸脛靱帯の部分切離術，延長術，鏡視下デブリドマン，滑液包切除術の報告もあるが，適応は難治例などきわめて限定的である．

> 治療法

1▶スポーツ活動の制限

症状発現に関連するスポーツ活動は，疼痛が消退するまで休止する．

2▶NSAIDs内服・外用

疼痛を強く訴える場合には，鎮痛の補助として処方する．

3▶ステロイド薬局所注射

トリアムシノロン5 mgを局所麻酔薬（1％リドカイン1 mL）と併用で腸脛靱帯下の深部に局所投与する．急性炎症期の疼痛に著効することがあり診断的価値もある．

なお，2022年からは糖質コルチコイド注射はすべてドーピング禁止物質となる予定であり，原則としてスポーツ選手は本治療法の適応とならない．

4▶リハビリテーション

発症に関連する内的な危険因子を排除するうえで，最も重要な治療法である．腸脛靱帯のタイトネスにはストレッチ，股関節外転筋力の低下には筋力増強トレーニング，下肢アライメント異常にはインソール作製を行う．ランニング，サイクリングなどの再開時には，impingement zoneで過度な負荷が掛からないようフォーム指導を行う．

> 患者説明のポイント

単なるスポーツ活動の休止や鎮痛処置では，一時的な疼痛改善は得られるもののスポーツ復帰後の再発が危惧されること，再発予防には積極的なリハビリテーションと練習内容・環境の改善が不可欠なことを説明する．

> リハビリテーションのポイント，関連職種への指示

スポーツ復帰時には外的な危険因子の改善にも留意し，練習量・頻度，環境（下り坂や路肩のような傾斜面でのランニングを回避），用具（ヒールが硬い，外側が摩耗したシューズは交換）などの指導を行う．スポーツ復帰後も必要なストレッチ，筋力増強トレーニングを継続し再発予防に努める．

変形性膝関節症

Osteoarthritis of the knee

出家 正隆　愛知医科大学 主任教授

【疾患概念】　関節軟骨などの関節構成体の退行性疾患であり，加齢によって生じるcommon diseaseである．関節軟骨の変性・破壊と関節周囲や軟骨下骨での骨の増殖性変化があり，滑膜炎を生じる疾患である．症状には関節痛，関節水腫，可動域制限，変形などがある．疾患の発症と進行には，多因子がかかわっているが，何らかの疾患に続発して発症する場合，二次性変形性関節症，原因のない場合，一次性と分類する．四肢荷重関節（膝関節，股関節），手指関節によく発症する．

変形性膝関節症は整形外科外来で最もよく遭遇する疾患の1つである．

その原因には，加齢や性ホルモンの影響（女性に多い），人種間での差などのほか，肥満や外傷によることが多い．

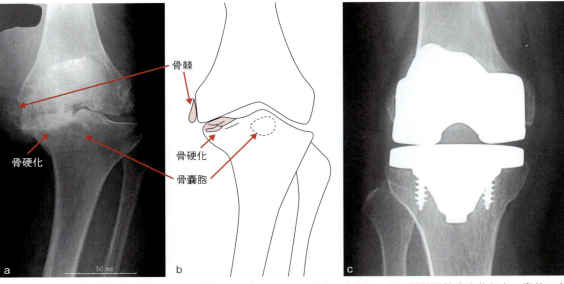

図 26-27 進行期変形性関節症 X 線正面像（a）とそのシェーマ（b），本症例に人工関節置換術を施行（c：術後 X 線正面像）

術前 X 線像では膝関節の内反変形，関節裂隙の消失，骨棘，骨硬化，骨囊胞がみられる．

【病態】

関節軟骨の表面に不整を生じ，線維化，破壊，剥離が起こる．さらには，軟骨の消失，軟骨下骨の露出，象牙質化が起こる．関節辺縁では軟骨細胞の増殖と軟骨棘形成，さらに骨化して骨棘の形成を生じる．荷重部では骨硬化や血管結合組織が侵入し骨囊胞を生じる．

問診で聞くべきこと

初期症状は，膝関節の動きはじめの疼痛（starting pain）やこわばり感などを訴えることが多い．動きはじめると疼痛は軽快し，長時間の歩行などでは疼痛が再び生じる．

多くの症例で，内側大腿脛骨関節部が障害される内側型で，疼痛も内側部に生じる．

進行してくると，膝の内反変形が目立つようになる．高齢者で膝の変形を伴った疼痛があれば，変形性関節症であろう．歩行時や階段昇降時にも持続的な疼痛を生じる．また関節可動域も伸展制限とともに正座が困難となる．

必要な検査とその所見

(1) 単純 X 線検査

単純 X 線検査は必須である．正面像と側面像では，大腿脛骨関節の変化をみることができるが，膝蓋大腿関節の変化を調べるためには膝蓋骨軸射像も撮影する．変形性膝関節症では，関節裂隙の狭小化，骨棘形成，軟骨下骨の骨硬化像および骨囊胞像が認められる（図 26-27）．

関節裂隙の狭小化は，関節軟骨の摩滅の状態を示すもので，その程度を把握するためには，立位での撮影も必要である．特に軽度屈曲位での立位前後撮影肢位は Rosenberg 撮影とよばれ，大腿脛骨関節の初期変化の描出に有用である．

(2) MRI 撮影

初期から進行期の症例で，疼痛や関節可動域制限の原因として，半月板損傷や関節軟骨障害や骨壊死症との鑑別に有用である．

(3) 関節液などの検査

関節液の貯留が変形性関節症の特徴的所見であり，関節穿刺によって，淡黄色透明，粘稠性の液が排出される．

(4) 顕微鏡検査

軟骨細胞や軟骨片が認められる．

診断のポイント

中高年の膝関節痛の多くが軟骨変性を基盤にしているため，症状や画像所見を参考に鑑別する必要がある．初期関節症では，半月板損傷，骨壊死症，進行期であっても，高齢発症の関節リウマチ，偽痛風，感染性関節炎，骨壊死症などとの鑑別は必要である．

治療方針

退行性疾患であるため，治癒することはなく，治療の目的は，疼痛・炎症の軽減，機能障害の改善である．

そのための方法として，減量，運動療法，生活習慣の指導は，すべての患者への基本としてOARSI（国際変形性関節症学会）のガイドラインをはじめ多くのガイドラインで推奨されている．これらの基本療法に加え，保存療法と手術療法を組み合わせて患者の状況に応じて治療を行う．

保存療法

変性した関節面に負担をかけないような生活指導が基本である．体重の減少，運動療法，生活指導ではベッド，洋式トイレ，杖の使用などである．運動療法は，無理のない可動域訓練と下肢筋力強化を行う．エルゴメーターやプール歩行などは推奨されている．大腿四頭筋と股関節外転筋の強化は，膝関節を安定化し，症状の軽減につながることが報告されている．

1 ▶ 装具療法

膝関節部に装着する膝装具と足底部に装着する足底挿板がある．膝装具には，外反を強制することで，下肢アライメントの矯正と支持性を得るものが有効であるが，高価かつ装着コンプライアンスが低い．足底挿板は，内側型変形性膝関節症に対して外側が高くなっている楔状足底挿板が有用で，患者の歩容を変化させて症状の改善につなげる．

2 ▶ 薬物療法

抗炎症薬の投与が推奨されている．特にCOX-2選択的阻害薬の推奨度は高いが，高齢者に多い疾患であり，副作用に注意する必要がある．近年では，従来のNSAIDsに加え，疼痛への内服薬の種類も増えており，疼痛管理は患者の治療に対する満足度にも大きく影響するので，有効に使用するべきである．

関節内注射では，ヒアルロン酸や副腎皮質ステロイドが用いられている．ヒアルロン酸は効果発現が遅いが，持続効果が長いとされている．ステロイド薬は，強力な消炎鎮痛効果を持つが，頻回の注射で骨・軟骨破壊を引き起こすこともあり，注意すべきである．

手術療法

保存療法で症状の改善が得られない症例や，関節症が進行した症例では，手術療法を考慮する．手術療法にはメリット・デメリットがあり，その適応を十分に考慮する．

1 ▶ 関節鏡視下手術

水腫の持続や遊離体が存在する症例で，関節可動域に制限がある症例などでは，関節鏡視下のデブリドマンが行われる．変形が強い症例ではその効果の持続は期待できない．

2 ▶ 骨切り術

膝関節変形がまだ全体に及んでいない症例で活動性の高い症例には骨切り術を行う．一般に内反膝には脛骨近位部での外反骨切りを，外反膝には大腿骨顆上部での内反骨切り術を行う．手術器具の進歩により，後療法も短縮されて社会復帰も容易になっている．術後成績は，10年以上にわたる良好な成績の報告があり，関節温存術として有用である．

3 ▶ 人工関節置換術

高齢者で変形が高度に及んで内外側に変性が及んだ例には，人工膝関節置換術が行われる（図26-27）．人工関節にも，全置換術や単顆置換術，さらには全置換術にも十字靱帯を温存するタイプもあり，適応を考慮する必要がある．多くの症例で人工膝関節は術後の満足度も高い．しかし，術後の肺塞栓症，感染などの危惧，人工関節の弛みなどの合併症があることを十分に患者に説明する必要がある．

合併症と予後

感染症や血栓症，塞栓症には注意する．

鏡視下手術では，侵襲が少なく社会復帰が容易であるメリットがあるが，その効果の持続性が不明確であるデメリットがある．

骨切り術は，自分の関節が温存できるメリットがあるが，矯正角や限局した関節症であることなど適応に注意する必要がある．また手術の効果を自覚するのに，術後数か月かかる点が問題である．中年での手術症例では変形性の再発も留意する必要がある．

人工関節では，感染症が最も危惧されるので，既往症，特に糖尿病患者には注意が必要である．また高齢者での手術となるため，エコノミー症候群には注意し，血栓の有無は術前後エコーで確認する．一般には耐久性は約20年程度といわれてきたが，30年以上良好な結果を保つ症例も少なくない．

患者説明のポイント

修復機能が乏しい組織の障害，病態は長期間の経過で進行する退行性疾患であることを理解してもらう．

病因は，加齢，肥満，関節安定性の低下，筋力低下などが考えられ，これらの進行を遅らせることを目的とした保存療法が必要であることを理解してもらう．症状の進行とともに，下肢アライメントの変化は，歩行や歩容に影響し，ADLの支障につながるので，保存療法にも限界があり，手術療法が必要なことも説明する．

リハビリテーションのポイント，関連職種への指示

筋力訓練，関節可動域訓練は，基本である．

生活指導で椅子や洋式トイレ，ベッドの使用などを進める．このため，関節可動域訓練ではできるだけ完全伸展できるようにする．膝蓋骨の可動性の改善，膝窩部の拘縮除去に努める．

歩容もチェックして，歩行時の安定性を得るように

26 膝関節の疾患

> **トピックス**　HTO のコンピュータシミュレーション

　内側型変形性膝関節症に対する関節温存手術として、内側開大式高位脛骨骨切り術（high tibial osteotomy；HTO）が行われている．脛骨近位内側に骨切りを加えて、骨切り面を楔状に開大することで、内反位から外反矯正を行う．過去の臨床成績より、下肢全長の荷重線が脛骨関節面の内側縁から 62.5％ を通るように、変形の及んだ内側荷重を外側荷重にすることで良好な除痛を得ている．しかし、下肢矯正の目標が経験則であるため、運動力学的な観点での検討がコンピュータシミュレーションで行われている（図26-28）．

　ボランティアの協力を得て、股関節から足関節までの三次元筋骨格を作成し、イメージマッチングの手法で運動精度が検証されたコンピュータモデルでの検討を紹介する．荷重線が脛骨関節面の 50％ を通る正常膝モデル、60％、62.5％、70％、80％ を通過する HTO モデルを各々作成し、歩行およびスクワット運動で比較を行った．60％、62.5％ 矯正モデルは、良好な外側荷重移動と正常膝に近い運動が維持されていた．しかし、62.5％ より外反位に矯正されると、過度に荷重が外側移動し、膝関節屈曲に伴う大腿脛骨関節間の回旋が減少し、膝蓋大腿関節の剪断力が増加し、術後回復の低下や早期外側関節軟骨摩耗が懸念された．したがって、過去の臨床経験から求められた矯正角度の有効性が運動力学的に確認され、矯正不足は最も避けるべきであるが、過矯正にも注意が必要である．ただし、目標矯正の ±5％ 以内の手術の正確性は、80％ 以下と報告されており、過矯正を避けるため、近年矯正角度 60％ 前後を目標として試みられている．

　一方、矯正後の大腿脛骨関節面傾斜にも目を向ける必要がある．特に内側開大式 HTO は、骨切り部後方の開大不足により、側面における脛骨後方傾斜が増加する傾向にある．シミュレータ解析により、脛骨後方傾斜が増加すると、脛骨に対して大腿骨が後方移動することで、前十字靱帯の過緊張をはじめとした各靱帯間のアンバランスを生じ、関節運動の悪化を生じた．

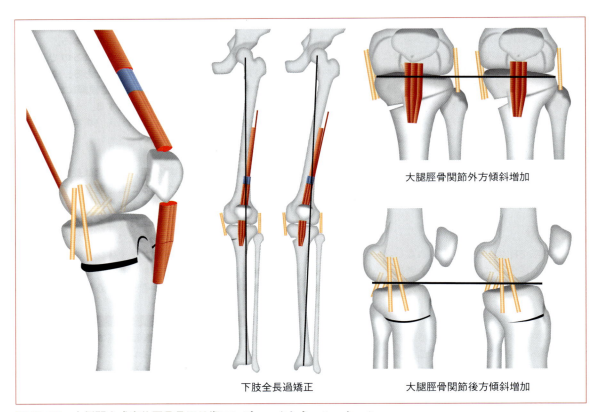

図 26-28　内側開大式高位脛骨骨切り術コンピュータシミュレーション

また，冠状面における大腿脛骨関節面は，正常で約3°内方傾斜している．しかし，外反矯正を行うと，関節面も外方に傾斜する．HTOにより，関節外方傾斜2°までは正常に近い関節動態を示したが，5°以上になると，下肢全長の荷重線が62.5%に維持されていても，外側への大腿脛骨関節間の剪断力，膝関節屈曲位での内側関節面の過度な接触力増加を生じ，関節動態の異常をきたした．以上の結果より，HTOは，膝関節伸展時における冠状面下肢全長の矯正のみならず，膝関節屈曲時または冠状面および矢状面での関節面傾斜にも目を向けていく必要がある．

栗山 新一〔京都大学大学院 病院講師〕

指導する．

病態を把握して，患者に治療の目的，その治療の継続の重要性を説いて理解してもらう．保存療法・手術療法のメリット・デメリットを理解し，患者の日常生活からみて助言する．

膝関節特発性骨壊死

Idiopathic osteonecrosis of the knee

岡崎 賢　東京女子医科大学 教授

【疾患概念】　ステロイド使用歴などの骨壊死症を生じうる要因がない患者において，膝関節荷重面に限局性に軟骨下骨の欠損が生ずる．高齢女性の大腿骨内側顆遠位荷重面に好発する．大きな外傷なしに急性に強い疼痛で発症することが多く，病初期の単純X線では異常を認めないが，病期が進行するにつれて，限局性の骨透亮像が関節軟骨直下に認められるようになる．軟骨下骨の脆弱性骨折がその病因と考えられている．

【病態】　歩行や階段昇降などの日常生活での通常動作によって，大腿骨内側荷重面の軟骨下脆弱性骨折が生じ，強い疼痛が発生する．発症直後の単純X線では異常を認めず，MRIにて荷重面を中心に大腿骨内側顆に信号変化を認め，時に軟骨下骨折線が認められることもある．免荷などで保存的に治癒することもあるが，病巣が大きい場合や，荷重を続けた場合では，骨折部が治癒せずに陥没し，断片化した部位が壊死に陥る．病期が進行するにつれて，単純X線で限局した骨透亮像が認められ，周囲に円形の骨硬化像が認められる．やがて，関節面の退行性変化が生じ，脛骨側にも関節症変化が生ずる．

病因として，高齢や骨粗鬆症による骨脆弱性と内側半月板後根損傷が挙げられる．特に内側半月板後根損傷は中高齢女性において頻度が高く，本症に発展するリスクが高いため，注意を要する．半月板が脛骨関節面から逸脱し，荷重分散機能が低下することによって，大腿骨荷重部の力学的負荷が高まることが要因と考えられている．

問診で聞くべきこと

急性に発症する強い膝関節の疼痛が特徴的であり，多くの患者はその発症日時と状況を記憶している．それまで無症状であった膝が突然痛くなったという話を聞いた場合は，本疾患を念頭におく．その発症状況は，大きな外傷を想定するものでないことも多い．たとえば，普通に歩いているときや椅子から立ち上がったとき，玄関の段差を降りたときなどに強い疼痛が発生したなどである．そのため，こちらから尋ねないと患者が言わないこともある．骨脆弱性に関連する疾患や骨粗鬆症がないかも聴取する．

必要な検査とその所見

(1) 単純X線撮影

膝関節3方向の基本撮影と，荷重下での正面像を撮影する．可能であれば全下肢立位撮影にて下肢アライメントの評価をすると，予後予測や治療方針策定に有用である．

本症の発生初期では，有意な所見に乏しいことがほとんどである．もともとの関節症変化の有無や，本疾患以外の不顕性骨折，偽痛風などの関節内石灰化症の鑑別に用いる．病期が進行すると，病巣部の骨透亮像や周囲の骨硬化像が認められる．

(2) MRI

病初期の診断に最も有用である．病初期での単純X線像で異常を認めないために見逃しや誤診とされるのを防ぐために，前述のような特徴的な病歴を聴取した場合は，本疾患を強く疑い，MRIの撮像を行うべきである．病期が進行した後に他医で診断され，初期に受診した医療機関に対してトラブルになるケースが散見される．

MRIでは，軟骨下骨の信号変化と，内側半月板の後角や後根の損傷に留意する．骨内の信号変化は脂肪抑制を加えたT2強調像などで鋭敏に捉えることができる．半月板損傷は，矢状断の連続スライスにおいて，

ある1〜2枚の半月板像が不鮮明になる所見（ghost signやwhite meniscus signとよばれる）を認めた場合，半月板の放射状断裂であり，本症と合併することも多く，発症リスクにもなる．冠状面での半月板の関節面からの逸脱にも注目する．

診断のポイント

特徴的な病歴を逃さないことと，MRIが病初期に診断するポイントである．中高年女性で急性に発症した膝関節痛が多いが，それ以外にも発生しうる．単純X線で異常を認めない場合で，膝関節に強い疼痛を訴え，診察にて神経症状などの関節外病変が除外された場合は，MRIを撮像する．MRIでは，本症を認めない場合でも，半月板損傷の有無に注目する．前述の半月板損傷所見を認めた場合は，本症や変形性関節症の発症リスクを念頭におく．

病期が進行した後は，単純X線像で比較的容易に診断できる．

専門病院へのコンサルテーション

病初期に診断した場合，保存療法を行うが，保存療法抵抗性の強い疼痛が続く場合や3か月ほど治療しても改善しない場合は，手術適応について専門病院へ紹介する．また，病巣が大きい場合や内反膝を認める場合も，保存療法抵抗性のリスクが高く，紹介する．病期が進行して関節面の不整があり，保存療法抵抗性の場合も手術ができる専門病院へ紹介する．

治療方針

1 ▶ 保存療法

病初期で，関節面の陥没を認めない場合は，免荷による保存療法が有効なこともある．特に罹患病巣が小さい場合や，下肢アライメントに内反がない場合は保存療法が有効である可能性が高い．1か月ほど荷重制限をさせ，定期的にX線で病巣の陥没が生じないか確認する．

2 ▶ 手術療法

下肢内反アライメントがあり，関節面の陥没がない状況では，高位脛骨骨切り術（high tibial osteotomy；HTO）のよい適応である．関節面が陥没し，病変部の関節軟骨が消失している場合は，単顆型人工膝関節置換術（unicompartmental knee arthroplasty；UKA）とHTOのどちらかを患者の状況に応じて選択する．一般に，病巣が広く，骨欠損が深い場合はUKAが適しており，病巣が小さい場合や下肢内反アライメントが強い場合はHTOが適している．病期がさらに進行し，関節症性変化が広がり，可動域制限もきたしている場合は人工膝関節全置換術の適応となる．

患者説明のポイント

病初期に診断した場合は，関節面の陥没を防ぐことが重要で，陥没した場合は手術適応となることも多いと説明する．半月板の放射状断裂や逸脱を診断した場合は，本症や変形性関節症の発症リスクを説明する．すでに病期が進行している場合は，日常生活動作での不自由が強い場合は手術を検討すると説明する．

化膿性膝関節炎

Septic arthritis of the knee

立花 陽明　埼玉医科大学 教授

【疾患概念】　化膿性関節炎のなかで膝関節は最も頻度が高い．感染経路は，わが国ではヒアルロン酸あるいはステロイド薬の注入に伴う関節穿刺による直接感染が海外に比べて多く，他に血行感染，関節周囲の感染巣からの波及，開放創や人工関節置換など手術によるものがある．また，超高齢社会を反映し，高齢であったり，糖尿病，肝・腎・心疾患，悪性新生物，ステロイド・免疫抑制薬の内服，関節リウマチ，変形性関節症および結晶性関節症などのリスクファクターとなる併存疾患を有していることが多い．起因菌としては黄色ブドウ球菌が多いが，菌が同定できないこともある．

【臨床症状】
発熱し疼痛と局所の発赤・腫脹・熱感を伴い，膝蓋跳動が陽性で可動域が制限される．しかし，弱毒菌や高齢者，免疫不全患者では，局所の炎症症状に乏しいことがあるので注意する．

問診で聞くべきこと

外傷やステロイド薬あるいはヒアルロン酸注入などの既往歴，併存疾患，薬物の内服歴や発症の時期について聴取する．

必要な検査とその所見

(1) 血液・生化学検査

白血球数が増加し赤沈値亢進，CRPおよびPCTが高値となる．

(2) 関節液検査

関節穿刺を行い，関節液中の白血球数と尿酸およびピロリン酸カルシウム結晶の検査とともに，塗抹染色と細菌培養に提出する．穿刺・吸引された関節液は，通常，黄色〜黄白色調で混濁し粘性はやや低下している．白血球数が100,000/mm^{3}以上，好中球数85%以上となる．

(3) 単純X線検査

初期には骨萎縮像のみのことが多いが，軟骨下骨の破壊や骨髄炎がないかなど骨病変の存在，さらに変形性関節症，軟骨石灰化症の合併に留意する．

(4) CT
骨病変の拡がりを診断する．
(5) MRI
関節液の貯留，関節軟骨および軟骨下骨の破壊，骨・軟部組織病変の有無に注意する．

診断のポイント

発熱とともに臨床所見から診断は比較的容易であるが，炎症所見に乏しいことがあったり，すでに抗菌薬が投与されている場合には，細菌培養検査で陰性になることがある．痛風や偽痛風による結晶誘発性関節炎との鑑別のために，関節液中の結晶の有無を確認することは必須で，結晶誘発性関節炎と化膿性関節炎が併在していることもある．

治療方針

膿の貯留が持続することによって，関節軟骨が破壊され重篤な機能障害をもたらすので，化膿性膝関節炎が疑われたら可及的速やかに，関節鏡視下に排膿とデブリドマンを行う．術中，滑膜組織を数か所採取し細菌培養と病理検査へ提出する．鏡視下手術は関節切開下手術に比べ侵襲が少なく，手術中に大量の潅流液を使用し洗浄できる利点がある．一方，関節切開でも，鏡視下デブリドマンと同等の治療成績が得られるという報告もある．X線検査で軟骨下骨の骨破壊，骨侵食像および骨嚢腫が認められる場合（Gächter stage IV）には，関節切開を考慮する．術後は，閉鎖式ドレーンの留置を行うか持続潅流を行う．なお，持続潅流を抜去する時期については，1～3日で抜去する，排液が清澄になったら，あるいは1～2週以上など，報告者によってさまざまである．

また，起因菌が同定されるまでは広域スペクトルの抗菌薬を全身投与し，その後感受性のある抗菌薬に変更する．臨床症状および血液・生化学検査が正常化してきたら経口投与に変更する．一方，経過中に炎症所見が増悪するような場合は再手術を考慮する．

治療のポイント

早期診断が重要であり，本症が少しでも疑われれば，関節鏡による排膿・除圧およびデブリドマンを行い，感受性のある抗菌薬を投与し関節破壊を最小限にする．そして，可及的早期にリハビリテーションを開始し，感染を制圧するだけでなく関節機能をできる限り回復させるようにする．一方，炎症所見が遷延したり増悪するような場合には，躊躇せず再手術を行う．

患者説明のポイント

複数回の洗浄・デブリドマンが必要になったり，遅発性に再発する場合があることを説明する．また，高齢者，変形性膝関節症の合併，発症から治療開始まで長期間を要した場合，術中所見での重症度（Gächter分類）が高い場合には治療成績が低下する．さらに，高齢者では致死的になる可能性があることも説明しておく．

Baker 嚢腫

Baker cyst

原藤 健吾　慶應義塾大学 専任講師

【疾患概念】　Baker 嚢腫という名称は，1877年にBakerによって詳しく報告されたことに由来する．Baker 嚢腫は膝窩嚢胞（popliteal cyst）ともよばれ，一般的には腓腹筋内側頭と半膜様筋との間（gastrocnemio-semimembranous bursa）に交通が認められ，関節液が貯留して腫大したものである．嚢胞形成には弁のようなメカニズムが存在する．通常は，変形性膝関節症や関節リウマチなどの関節内病変に関連してみられる．

【臨床症状】
小さいものは無症状であるが，大きくなると有症状となる．典型的な臨床症状は，膝窩部の疼痛および圧迫感，膝関節可動域制限である．まれに破裂して，血栓性静脈炎や蜂窩織炎と似た症状を呈する場合がある．

必要な検査とその所見

(1) 触診
患者を腹臥位すると膝窩部に腫瘤を触知可能である．超音波でも判別可能である．
(2) 単純 X 線
変形性膝関節症などの関節内病変の有無を確認する．
(3) MRI
T1強調像にて低信号，T2強調像にて高信号の辺縁の明瞭な腫瘤様陰影として描出される．

診断のポイント

後方から穿刺して黄色透明の液体が排出されれば診断は確定である．まれではあるが，滑膜骨軟骨腫症，色素性絨毛結節性滑膜炎，滑膜肉腫などと鑑別を要することがある．

治療方針

変形性膝関節症や関節リウマチに伴う無症候性のBaker 嚢腫は経過観察のみでよく，原疾患の治療を優先する．Baker 嚢腫自体が有症状であると判断した場合には，穿刺による排出を要する．穿刺にはステロイ

ド注射を併用することもあり，頻回の穿刺を施行しても再発を繰り返す場合には，鏡視下手術を考慮する．鏡視下手術では，関節腔とBaker囊腫の間の交通孔を拡大するか閉鎖する．

> 患者説明のポイント

いかなる治療を行う場合も再発の可能性に関しては説明しなければならない．

鵞足炎

Pes anserinus tendinitis bursitis syndrome

原藤 健吾　慶應義塾大学 専任講師

【疾患概念】　鵞足とは，縫工筋腱・薄筋腱・半腱様筋腱の3つの腱が脛骨近位内側部に扇状に付着する部分であり，その形態が鵞鳥の足に似ていることから鵞足（pes anserinus）と命名された．膝関節の屈曲伸展が繰り返されることで，内側側副靱帯の前縦走線維と鵞足との間の摩擦が生じ，腱の付着部や鵞足滑液包の炎症をきたしたものが鵞足炎である．したがって，鵞足炎は腱付着部の炎症（tendinitis）と鵞足滑液包の炎症（bursitis）の総称である．スポーツ選手のみならず，変形性膝関節症を有する肥満患者にも多くみられる．

【臨床症状】　膝関節内側の動作時痛であり，ハムストリングが緊張している状態で膝関節の屈曲伸展を行う際に疼痛を生じやすいため，階段昇降や急激な立ち上がり動作，しゃがみこみ動作で生じることが多い．鵞足滑液包炎では液体貯留を伴う．

> 診断のポイント

圧痛部位を注意深く触知する必要がある．鵞足炎の場合の圧痛部位は内側関節裂隙より3横指程度遠位である．

> 治療方針

鵞足部の骨軟骨腫を合併している場合を除き，鵞足炎そのものが手術適応となることはない．保存療法としては，スポーツ選手では安静およびハムストリングのストレッチやアイシング，消炎鎮痛薬などが主体となる．高齢者で変形性膝関節症を伴う場合には原疾患の治療を行い，体重コントロールも重要である．疼痛が強い場合には局所にステロイド注射を施行することもあるが，腱の脆弱化を予防するために頻回使用は避けるべきである．

> リハビリテーションのポイント

スポーツ選手は，疼痛が軽減すると可及的早期にスポーツ復帰するが，再発を繰り返すと慢性化する可能性がある．再発予防としてハムストリングのストレッチを行いつつ，軽い負荷から徐々に復帰するように努めるべきである．高齢者では変形性膝関節症治療と同様に大腿四頭筋訓練も必要となる．

27 下腿の疾患

下腿の機能解剖	820
下腿の痛みのとらえ方/診断手順	821
下腿コンパートメント症候群	822
シンスプリント（過労性脛部痛）	822
脛骨・腓骨骨折	823
腓骨神経麻痺	825
下腿内弯	826
先天性下腿偽関節症	827
先天性脛骨列欠損症，先天性腓骨列欠損症	828

下腿の機能解剖

Functional anatomy of the lower leg

栃木　祐樹　獨協医科大学埼玉医療センター 准教授

下腿は，躯幹〜大腿を支持するとともに，脚と地面のインターフェイスである足部・足関節をコントロールするアクティブサスペンションの役割を担う．

1 骨と関節

脛骨は，骨幹部が三角円柱状の厚い骨皮質をもち，その前内側面は全長にわたって皮膚直下に位置する．遠位1/3の部分は，他方向でも筋の付着や被覆がなくなるために血流面で不利となり，外傷時の感染が生じやすく骨癒合も遅い．遠位端関節面は，足関節天蓋部の内側壁から上部荷重面までの主要部を構成する．

腓骨は，近位端の腓骨頭が脛骨外後方部に接合し，平面状の近位脛腓関節が微小な多方向可動性を許容している．骨幹部は三角円柱状で，脛骨外側後方から起こる幅広の靱帯（骨間膜）が遠位2/3の内側前方の稜に付着し，2骨間を連結する．遠位端の外果は，脛骨遠位端外後方の溝状部分にはまり込み，幅広の前・後遠位脛腓靱帯や骨間膜の延長である骨幹靱帯による線維性結合形成する．この遠位脛腓関節が，足関節天蓋の外側壁を構成する外果関節面に軸方向と回旋方向の微小な調節機能を持たせるため，足関節は接触圧の極端な上昇を伴わずに側方の骨性安定性を維持することができる．

下腿の支持機能は，前内側の太い脛骨が大半（>80％）を担い，後外側の細い腓骨の分担は10〜20％とされるが，実際の分担割合は肢位や外力によって変化する．

2 筋と腱

前外側面には，伸筋群が走行する（図27-1a）．脛骨骨幹部前外側面の近位1/3は前脛骨筋の起始部で，腓骨の前内側面からは長母趾伸筋・長趾伸筋・第三腓骨筋が起こる．腓骨骨幹部の外側面では，中枢部からは長腓骨筋，末梢部からは短腓骨筋が起こる．

後面には，屈筋群が走行する（図27-1b）．後脛骨筋は脛骨骨幹部外側寄りの近位1/3部分，長趾屈筋は脛骨骨幹部内側寄りの中央1/3部分，長母趾屈筋は腓骨骨幹部後面の中央から遠位部を起始部とする．下腿三頭筋のうち深層のヒラメ筋は，脛・腓骨の近位骨幹部の後面に両骨にまたがる起始部を持つ．浅層の腓腹筋は，大腿骨遠位骨幹端の内後方と外後方に起始部を持ち，足・膝の両関節にまたがって走行するため，膝関

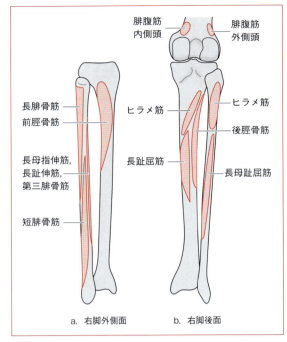

図27-1　下腿筋の起始部

節の肢位が伸筋緊張に大きく影響する．

3 血管

下腿以遠に血流を供給する膝窩動脈は，近位脛腓関節の直下で前・後脛骨動脈に分岐する．前脛骨動脈は，骨間膜前方の深部を周囲の筋群や脛骨を栄養しながら骨幹部遠位端まで下行し，伸筋腱群とともに伸筋支帯下を通過して足部へと至る．一方の後脛骨動脈は，骨幹部近位で腓骨動脈を分枝したのち，屈筋群間の深部を周囲の筋群や脛骨後方部を栄養しながら下行し，足関節内側後方から足根管を経て足底に至る．腓骨動脈は，腓骨近傍の深部を周囲の筋や腓骨を栄養しながら下行して後足部外側に至る．血液の還流は，これら主要動脈の周囲に伴走する深部静脈および表在性の皮下静脈によって行われる．

4 神経

脛骨神経は，後脛骨動脈と並走して下腿後方の深部を下行する．下腿屈筋群を支配する運動枝を分枝しながら足関節内側後方を走行し，足根管を通って足部底側へと至り，足部内在筋および後足部内側や足底の知覚を支配する．

総腓骨神経は，腓骨頭のすぐ遠位で後方から前方へと骨の直上を回り込みながら外側腓腹神経（下腿外側から後足部外側にかけて表在知覚を支配）を分枝し，

さらに深腓骨神経と浅腓骨神経へと分岐する．深腓骨神経は，下腿伸筋群や腓骨筋群を支配する運動枝を分枝しながら前脛骨動脈と並走して，伸筋群の深部を下行する．足関節部では伸筋腱群とともに足背へ至り，背側足内筋および第1・2趾間背側の知覚を支配する．浅腓骨神経（足関節外側前方から足部背側の表在知覚を支配）は，下腿近位部では長腓骨筋の筋腹下を走行し，下腿中央部からは筋膜下の浅層にあらわれ，そこから足背皮下に至る部分の走行には個体差が大きい．

下腿の痛みのとらえ方/診断手順

Diagnostic approach of the lower leg pain

須田 康文　国際医療福祉大学塩谷病院 病院長

【概略】　下腿は，中枢は膝関節に末梢は足部・足関節につながり，立位時には身体を支持し，運動時には膝関節と足部・足関節の動きを相互に伝え調整する役割を担う，重要な運動器の1つである．下腿の前方，外方，後方は機能別に区画された筋群に覆われる一方，内側は脛骨を被覆する軟部組織に乏しいため，特に中央部では骨折や創傷が難治化しやすく，また下腿に起始を有する筋の機能障害は足部・足関節の運動を妨げ，立位，歩行に影響を及ぼすなどの問題を生じやすい．よって，下腿の痛みの病態を正しく診断し，早期に対策を講じることが下肢機能を維持するうえで大切である．

【病態】
下腿の痛みをきたす主な疾患を，病態別に提示する．
(1)外傷性
骨折，打撲，筋挫傷，肉ばなれ，腱断裂．閉鎖性骨折や筋挫傷では，急性下腿コンパートメント症候群の合併に注意が必要である．
(2)オーバーユース性
Osgood-Schlatter病，鵞足炎，疲労骨折，シンスプリント（過労性脛部痛），慢性労作性下腿コンパートメント症候群，アキレス腱症・周囲炎．
(3)隣接関節疾患性
変形性膝関節症，変形性足関節症，外反扁平足，内反足，尖足など下肢アライメント異常をきたす疾患に伴う下腿痛．
(4)感染性
骨髄炎，蜂窩織炎，壊疽性筋膜炎．
(5)腫瘍性
骨肉腫，Ewing肉腫などの原発性悪性骨腫瘍，骨巨細胞腫，類骨骨腫などの良性骨腫瘍，腫瘍類似病変（骨嚢腫，線維性異形成症など）や転移性骨腫瘍による病的骨折．
(6)神経障害性
腰椎疾患（腰椎椎間板ヘルニア，腰部脊柱管狭窄症，腰椎すべり症など）に伴う下肢痛．
(7)脈管疾患性
末梢動脈疾患（閉塞性動脈硬化症，閉塞性血栓血管炎など），下腿静脈瘤，血栓性静脈炎，深部静脈血栓症．
(8)骨脆弱性
廃用，骨粗鬆症，関節リウマチ，ステロイド治療などで骨量低下（骨萎縮）をきたしていると，軽微な外力で脛骨，腓骨に骨脆弱性骨折を生じることがある．

【問診で聞くべきこと】
疼痛について，①痛みの強度，②発生からの期間，③外傷など誘因の有無，④部位と広がり（限局性か広範囲か），⑤動作との関連（安静時痛か，運動時痛か，姿勢によって変化するか，歩行とのかかわり），⑥他の部位の痛みの有無，⑦片側性か両側性かを確認する．スポーツ選手・愛好家では，スポーツの種目，レベル，実施時間を，そのほか職業，趣味の内容，既往症，投薬歴について聴取する．疼痛以外の症状も確認する．年齢，性別も診断に重要である．

【必要な検査とその所見】
(1)身体所見
腫脹，熱感，冷感の有無，皮膚の色調，圧痛部位，動脈（膝窩，後脛骨，足背）拍動，ABI（ankle-brachial pressure index，足関節上腕血圧比），歩容を確認する．下肢のアライメント異常や変形の有無，下肢長，大腿・下腿周囲径，下肢関節可動域，神経学的所見〔SLR（straight leg raising），深部反射，病的反射，感覚，筋力〕を調べる．
(2)画像検査
単純X線，CT，MRI，骨シンチグラフィー．単純X線で骨折，骨腫瘍，骨膜反応，骨萎縮，骨破壊などの有無と程度を確認する．3D-CTでは骨折部位と転位の状態を3次元的に捉えることができる．MRIでは，単純X線で変化の現れる前に疲労骨折，骨脆弱性骨折を診断できる．筋・腱断裂の部位，骨腫瘍の広がり（軟部組織も含めて）も確認できる．骨シンチグラフィーでは，骨髄炎，骨腫瘍，疲労骨折，病的骨折，転移性骨腫瘍の診断に有用である．
(3)血液・尿検査
炎症性疾患，Ewing肉腫で高い炎症反応，骨肉腫でALP高値，筋損傷でCPK高値，ミオグロビン尿などが認められる．

【診断のポイント】
小児で脛骨骨幹端部に腫脹を伴う痛みを認める場合には，急性骨髄炎，悪性骨腫瘍を念頭に精査する．ス

スポーツ選手の下腿痛は疼痛部位が特徴的である．跳躍競技者での脛骨骨幹部中央前面の痛みは跳躍型疲労骨折（難治化しやすい）を，脛骨下中1/3内側後縁の痛みはランナーに好発するシンスプリントを疑う．高齢者の限局性の下腿痛では，骨脆弱性骨折を生じていることが少なくない．腰椎疾患に伴う下腿痛では，神経学的所見が認められ，疼痛部位が比較的広範囲である．間欠跛行では閉塞性動脈硬化症，腰部脊柱管狭窄症を疑うが，足部動脈拍動，ABI，皮膚温，腰部前屈など姿勢により改善がみられるかで両者を鑑別する．激烈な安静時の下腿後面痛では，急性動脈閉塞，深部静脈血栓症，急性下腿コンパートメント症候群を疑い，できるだけ早期に診断，治療を行う必要がある．

下腿コンパートメント症候群

Leg compartment syndrome

前川 尚宜　奈良県立医科大学 講師（救急医学講座）

【疾患概念】　外傷や循環障害を起点として，筋膜に囲まれたコンパートメント内の組織内圧上昇による微小循環障害に伴い発生する，筋・神経の障害である．筋体の壊死は6〜8時間で不可逆な状態となることから，早期に対応しなければ著しい機能障害につながる．なお脛骨骨幹部骨折の2.7〜15.6％に合併するとも言われ，開放骨折でも起こりうる．

【臨床症状】

症状としては5P〔Pulselessness（脈拍消失，減弱），Pallor（蒼白），Pain（疼痛），Paresthesia（感覚異常），Paralysis（麻痺）〕であるといわれるが，5Pすべてを認めた時点では手遅れである．臨床症状としては初期に患肢の著しい腫脹を認め，鎮痛薬が効かない激痛を認める．次第にコンパートメント内の神経に一致した知覚障害を認めるようになり，末期には末梢動脈の拍動の減弱または消失，麻痺をみる．著しい腫脹と激痛をみた時点で，本症を考えることは重要である．

【診断】

患肢の腫脹，感覚異常などの所見をみた際には，障害されたコンパートメント内の筋体を他動伸展させ疼痛を確認する，他動伸展試験（passive stretch test）をまず行う．補助診断としてコンパートメント内圧測定である．最近では動脈圧モニタールートに18〜20Gの注射針を付け，注射器を各コンパートメント内に刺入測定する方法が行いやすい．正確に各コンパートメント内に注射針が刺入できているかの確認には，超音波検査を併用するとよい．測定は複数箇所での内圧を行うことが重要であり，また判断に迷う場合には，経時的に観察し測定を行うとよい．

【治療方法】

臨床所見，ストレッチテスト陽性であれば，緊急に筋膜切開を考慮する．迷うときは，補助診断であるコンパートメント内圧を参考にする．コンパートメント内圧が40 mmHg以上，あるいは拡張期血圧とコンパートメント内圧の差（ΔP）が30 mmHg以下である場合には，筋膜切開を行う．ΔPが30〜40 mmHgであれば相対適応とされるが，臨床症状を優先に適応を判断する．筋膜切開の方法としては外側と内側に皮切を加える2皮切で行う方法と，外側の皮切よりすべてのコンパートメントを開放する1皮切による方法がある（図27-2）が，前者が容易である．創は人工真皮または持続陰圧吸引療法で待機し，腫脹軽減後に一時的閉鎖または植皮を追加する方法か，シューレース法での閉鎖を行う．

シンスプリント（過労性脛部痛）

Shin splints

笹原 潤　帝京大学スポーツ医科学センター 准教授

【疾患概念】　シンスプリントは，走ることの多いスポーツにおいて頻度が高く，運動時や運動後に脛骨の内側後方に痛みをきたす疾患である．欧米では medial tibial stress syndrome とよばれている．

【病態】

下腿筋膜の脛骨付着部における牽引ストレスによる炎症や，脛骨の骨脆弱性などが原因として指摘されているが，実際の病態はわかっていない．

問診で聞くべきこと

スポーツやランニングを行っていないか，またその頻度や練習量についても聞く．

必要な検査とその所見

身体所見では，脛骨の内側後方に圧痛があり，片脚ジャンプで痛みを伴う．超音波や単純X線，MRIといった画像検査では，一般的には異常所見を呈さない．

鑑別診断で想起すべき疾患

脛骨の内側後方に強い圧痛があり，片脚ジャンプで強い痛みがある，もしくは痛みのために片脚ジャンプができない場合は，脛骨疲労骨折（疾走型）を疑って超音波検査やMRIを検討する．また圧痛が脛骨の内側後方ではなく前方にある場合も，脛骨疲労骨折（跳躍型）を疑って鑑別を進める．

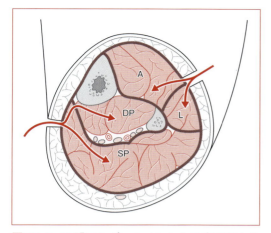

図 27-2 下腿コンパートメントと 2 皮切による減張切開

外側より前方と外側，浅後方コンパートメント内側より深後方と浅後方コンパートメントの筋膜を切開する．1 皮切で行う場合は外側皮切をやや後方に置き，外側コンパートメントと浅後方コンパートメントの間より，深後方コンパートメントを開放する．
(Paul Tornetta, III, et al: Rockwood and Green's Fractures in Adults, 9 th ed. Wolters Kluwer, 2020 より)

診断のポイント

脛骨疲労骨折の場合は，ピンポイントでの強い圧痛があることが多いのに対し，シンスプリントでは圧痛部位が数 cm に及び，また痛いながら競技も継続できている場合が多い．

治療方針

保存治療を行う．

足関節の背屈制限がある場合は，下腿三頭筋のストレッチを指導する．股関節外転筋力が弱い場合は，そのトレーニングを指導する．また症状が長引く場合はインソールも検討する．

片脚ジャンプで強い痛みがある，もしくは痛みのために片脚ジャンプができない場合は，その痛みが改善するまで走行を中止させる．

近年，体外衝撃波治療の有用性も報告されている．集束型の体外衝撃波治療については，シンスプリントは保険適用がないが，拡散型圧力波治療は消炎鎮痛等処置（器具などによる療法）として適用することができる．

合併症と予後

しばしば慢性化するが，一般的にその予後は良好である．痛みがあるままで競技継続できていることも多い一方で，脛骨疲労骨折（疾走型）に移行することもあるので，注意深く経過観察することが重要である．

専門病院へのコンサルテーション

一般的に予後良好であるため基本的には不要であるが，脛骨前方に圧痛があり，画像検査で脛骨疲労骨折（跳躍型）を疑う場合は，スポーツ専門医へコンサルテーションしたほうがよい．

患者説明のポイント

基本的には予後良好であるが，痛みがあるままで競技を継続していると，脛骨疲労骨折（疾走型）に移行することがあることを説明しておく．

脛骨・腓骨骨折

Fracture of the tibia and fibula

佐藤 徹　岡山医療センター 診療部長〔岡山市北区〕

【疾患概念】　脛骨内側面は皮下に存在するため，開放骨折を生じやすく，軟部組織損傷やコンパートメント症候群の発生率も高い．膝関節および足関節は変形癒合に対する許容範囲が狭いため，下肢全体のアライメントを考慮した適切な治療を必要とする．

【臨床所見と病態】　ほとんどの症例で明らかな外傷機転があり，骨折部の疼痛，腫脹，圧痛（Malgaigne 圧痛），下腿の変形を認め，歩行不能となる．骨折部の異常可動性と変形から診断は容易である．受傷原因は交通外傷などの高エネルギー外傷で直達外力が脛骨に働く場合と，脛骨に対し介達外力が屈曲方向あるいは捻転として働くことによって生じる場合に大別される．高エネルギー損傷例では開放骨折やコンパートメント症候群や神経血管損傷の合併に注意する必要がある．疲労骨折もしばしばみられる．

問診で聞くべきこと

受傷機序，疼痛部位とその性状，既往症と服薬歴，受傷前の ADL 状態が治療方針の決定に重要である．

必要な検査

(1) 単純 X 線

膝関節および足関節を含む下腿 2 方向撮影を行う．必要に応じて両斜位撮影を追加する．

(2) CT（造影を含む）

骨折線が関節面近傍に及んでいる可能性がある場合，MPR-CT が撮影されるが，骨幹部骨折のみでは保険適用外である．血管損傷を疑う場合，造影 CT あるいは血管造影が必要となる．

診断のポイント

X 線上は主骨折線の部位と骨折型を診断すること，および骨折線が関節面に及んでいるかどうかを判断す

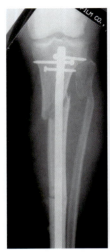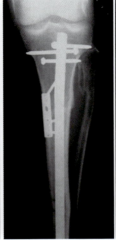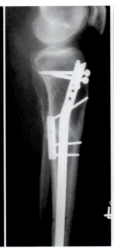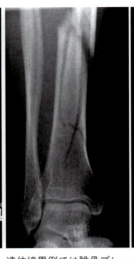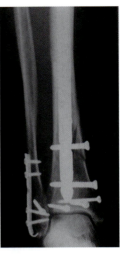

近位境界例には追加プレートにて整復位を獲得　　　　　遠位境界例では腓骨プレートを施行

図 27-3　脛・腓骨骨幹部骨折
第1選択は髄内釘固定である．髄内釘適応の境界部では整復位保持と固定力強化のための工夫が必要である．

る．脛骨骨幹部骨折はたとえ閉鎖性骨折であっても何らかの軟部組織損傷を伴っていることが多く，その程度を評価することが重要である．まず，腫脹と挫傷の部位と程度を評価する．骨折による水疱形成は軟部組織の広範かつ重篤な腫脹の徴候であり，皮膚のしわが消え，光沢を帯びている場合はさらなる外科的侵襲によって腫脹増大の可能性が高いために，無理な手術を行うべきではない．創外固定などで骨折部の整復と安定化をはかり，その後コンパートメント内圧の測定や末梢循環をチェックする．

激しい疼痛や足趾の他動伸展による疼痛，限局した知覚脱失などのコンパートメント症候群を思わせる徴候があれば，直ちにコンパートメント内圧の測定と筋膜切開を行う．

治療方針

安定型で転位のわずかな脛骨骨幹部骨折はまず徒手整復を行い，ギプス固定後に PTB (patellar tendon bearing) ギプスあるいは functional brace を作製して，早期荷重を開始することによって良好な結果が得られる．許容される変形は一般的に短縮 1 cm 未満，外内反変形 5° 未満（足関節近傍ほど許容されない），回旋変形 10° 未満，前後方向角状変形 10° 未満である．転位を残した脛骨骨折に対し，保存的治療法が選択された場合，良好な整復位と関節可動域は期待できず，手術的治療のほうが有益である．

小児において保存的治療が選択されることが多いのは長期間の外固定でも関節拘縮が起こりにくいことと，整復操作が比較的容易であるためである．脛骨はリモデリングによる変形矯正能が大腿骨ほどには高くないので，小児だから変形癒合が許容されるということは決してないことを念頭に置いて治療に当たるべきである．整復位の獲得保持と早期機能回復を期待して，TEN (titanium elastic nail) による内固定が行われることがある．

脛骨骨折を内固定した場合，腓骨を内固定するのか否かは腓骨の骨折部位，骨折型と脛骨に対する内固定法によって異なる．腓骨の骨折部位が近位 1/3 に位置する場合は腓骨の内固定は不要である．

保存的治療

安定型で転位の少ない症例はまず長下肢ギプス固定を行い，その後 functional brace あるいは PTB ギプスを装着して早期荷重を行い良好な結果が得られる．

手術療法 (図 27-3)

1 ▶ 髄内釘固定法

脛骨骨幹部骨折治療の第1選択は髄内釘固定であり，その骨癒合率は高く，感染率は低い．骨幹端部近傍骨折では整復位の獲得に注意することが必要で，特に骨幹部近位 1/3 では変形癒合の発生率が高い．Gustilo type II までの開放骨折では創の清浄化後，一期的に髄内釘挿入が行われることが多い．熱量発生による骨壊死を防止するため，髄腔リーミングに際し，駆血を行わないもしくは駆血解除する必要がある．近位・遠位の横止めスクリュー挿入オプションが増え，

固定力アップによる適応拡大が期待される．

2 ▶ プレート固定法

脛骨骨幹部近位・遠位1/3の転位した不安定な骨折は，骨折線が関節面に及んでいなくても髄内釘固定では解剖学的整復が困難で，十分な固定性を得ることも困難なため，プレート固定が選択されることが多い．

3 ▶ 創外固定法

重篤な開放骨折（Gustilo IIIa 以上）例や生命にかかわる多発外傷で，患者にさらなるダメージを加えることなく，骨折の安定化を獲得するために創外固定が適応となる．これらの状況では創外固定は一時的な固定法として使用される．創外固定は最終的な固定法としても使用可能だが，ピン周囲感染や変形癒合，遷延癒合などの合併率は高い．

合併症と予後

(1) コンパートメント症候群

筋区画内圧が上昇することによる，微小循環障害に伴って発生する筋神経障害である．臨床症状は損傷程度には合わない激しい疼痛，あるいは足趾の他動的伸展による疼痛の増大であり，従来からいわれてきた5P〔pain, paresthesia（知覚異常），paralysis（運動麻痺），pallor（蒼白），pulselessness（脈拍消失）〕は早期診断には役に立たない．コンパートメント症候群の確定診断は4つの筋区画内圧を測定し，30～40 mmHg以上であればその筋区画の緊急筋膜切開術が適応となる．

(2) 感染

開放骨折，軟部組織の状況が悪い症例では内固定の有無にかかわらず，感染を生じやすい．感染予防には汚染物と壊死組織の徹底したデブリドマンと，軟部組織再建後に内固定術を考慮することが必須である．術後感染では早期の洗浄により，インプラント留置のまま感染が鎮静化することもあるが，感染制御のためには大多数の症例でインプラントの抜去を必要とする．

(3) 変形癒合

脛骨近位1/3部の骨折を髄内釘で治療する場合，前方凸，外反変形を生じやすい．整復位を保持して，髄内釘を挿入するために mono cortical plate の使用，suprapatellar approach による釘の挿入，poller screw の使用などの方法がある．

患者説明のポイント

保存的治療と観血的治療の長所と短所について説明し，患者に治療法を選択してもらうというスタンスと保存的治療の経過中にも転位の進行と骨癒合の遷延化などの理由で手術療法に変更する可能性があることを説明する．治療経過中での合併症である感染，遷延癒合や偽関節，変形癒合，関節拘縮の可能性について説明する．また後療法である膝および足関節周囲筋の筋力強化と関節可動域訓練，患側の荷重制限の遵守の重要性について理解を求める．

リハビリテーションのポイント，関連職種への指示

① 手術的治療法を選択した場合はいかなるインプラントを使用しても，早期に膝および足関節の可動域訓練を開始する．
② 脛骨骨幹部の横骨折や短斜骨折を髄内固定法で治療した場合，2～3週以内に全荷重歩行が可能であるが，プレート固定法では5～6週で部分荷重を許可し，10～12週で全荷重を開始することが一般的である．
③ 急性期には患肢挙上と冷罨法を指示し，激しい疼痛を訴えた場合，緊急対応が必要なコンパートメント症候群や感染の可能性があることを指導する．
④ 膝・足関節自動運動の励行．
⑤ 免荷あるいは部分荷重歩行訓練の指導．

腓骨神経麻痺

Peroneal nerve palsy

渡邊 孝治　わたなべ整形外科クリニック 理事長〔石川県金沢市〕

【疾患概念】　腓骨神経麻痺は，末梢神経麻痺のなかで最も頻度が高いとされている．その原因としては，腓骨神経が体表近くを走行することに関係がある．腓骨神経は坐骨神経より分岐し，大腿後面の中央で総腓骨神経と脛骨神経に分かれる．総腓骨神経は，大腿二頭筋の内側縁に沿って下り，腓骨頭外側を回って下腿前面に出て浅・深腓骨神経に別れる．

総腓骨神経は腓骨頭に接し表層近くを走行するために，圧迫を受けやすい解剖学的特徴がある．

浅腓骨神経は，下腿前方コンパートメントを下行したあと，筋膜を貫通して皮下に出る．深腓骨神経は，下腿前方コンパートメントを下行したあと，足関節の伸筋支帯の深層を下り第1中足骨基部高位で皮下に出る．

末梢では足背，足趾に分布するため外傷を受けやすい解剖学的特徴がある．

【病態】

膝部腓骨頭での圧迫による麻痺が最も多い．術後の不適切な安静肢位による圧迫，ギプスや牽引架台による圧迫など医原性に発生することが多い．

また，腓骨神経はほとんど周囲の組織がなく容易に牽引されるため，脛骨高原骨折，膝関節脱臼，腓骨頭骨折などの膝関節周囲の外傷に合併することもある．

神経腫瘍，糖尿病などによる末梢神経障害をきたす

疾患も要因となる．

【臨床症状】

総腓骨神経麻痺では，足関節および足趾の背屈力が低下あるいは消失し，知覚障害は下腿外側から足背のしびれ感や知覚鈍麻を示す．高度麻痺例では下垂足を呈する．神経圧迫部位や絞扼部位に圧痛やTinel様徴候を認める．

浅腓骨神経麻痺は下腿遠位部での圧迫で起き，純粋な知覚障害となる．第1～2趾間と第5趾を除く足背部に知覚神経障害が発生し，足を内反することにより症状の増悪を認める．

深腓骨神経麻痺では，足関節背側の伸筋支帯などの線維組織に圧迫を受けて絞扼障害を起こすことがあり，第1～2趾間の知覚障害が出現する．前足根管症候群とよばれる．

診断のポイント

腓骨頭付近での圧迫のエピソードや外傷の有無の確認など，病歴の聴取が重要である．また身体所見として下垂足や足の知覚障害があり，Tinel様徴候も重要な所見である．

腰椎椎間板ヘルニアなどによるL5神経根障害や，坐骨神経障害との鑑別を要する．

神経伝導検査と針筋電図が鑑別に有用であり，障害部位，脱髄か軸索変性か，軸索変性の程度を知ることが予後を知るうえで重要である．

治療方針

要因によって治療方針を決定する．
①腓骨頭部での圧迫による麻痺の場合は原因を直ちに除去し，保存的加療を行い回復の有無を観察する．尖足予防装具を着用し約3か月経過しても，回復傾向がみられない場合は手術加療を考慮する．
②骨折や脱臼などによる外傷により直接損傷がある症例に対しては，神経を直接確認する必要があると考える．
③腓骨神経近傍での良性腫瘍・ガングリオンなどによる内的圧迫要因が明らかな場合では，腫瘍切除術による神経除圧を行う．神経鞘腫に対しては核出術を行う．
④足関節部での絞扼性神経障害に対しては，局所麻酔薬やステロイドの注射を試みる．効果がない場合は神経剥離・絞扼開放術を行う．
⑤受傷から長期間を経過し回復が期待できない下垂足例に対しては，筋腱移行術を行う．

保存療法

1 ▶ 薬物療法

ビタミンB製剤の投与，ステロイドを局所注射あるいは点滴投与する．

2 ▶ 理学療法

低周波などの電気刺激療法を行う．関節の拘縮予防や筋力回復促進の目的に自・他動運動療法を行う．

3 ▶ 装具療法

拘縮予防と歩行を容易にする目的で短下肢装具を着用させる．

手術療法

1 ▶ 神経縫合術

外傷などで神経が切断された場合は，顕微鏡下に神経縫合術を行う．

2 ▶ 神経剥離術

神経周囲組織による圧迫が著明な場合は神経外剥離術を，神経内に瘢痕組織が存在する場合は神経内剥離術を行う．

3 ▶ 筋腱移行術

下垂足に対して後脛骨筋前方移行術を行う．後脛骨筋腱を終止部で切離し，骨間膜を通して前方に移行した後に第3楔状骨に孔を開けて通し，腱固定用スクリューを用いて固定する．術前に尖足拘縮を十分取り除いておくことが重要である．

下腿内弯

Tibia vara

上松 耕太　市立奈良病院人工関節センター センター長〔奈良市〕

【疾患概念】

1歳半～2歳頃までO脚を呈するが，2歳半頃よりX脚に転じ，7歳頃成人に近いアライメントとなり，その標準偏差を超えれば治療の対象となる．下腿内弯はO脚を呈する場合にみられ，脛骨内反・内旋を呈するものである．単純X線で明らかな異常を認めない生理的O脚，脛骨近位内側成長障害のBlount病（図27-4），骨石灰化障害のくる病，軟骨無形成症などの骨系統疾患，外傷や感染後の変形，腫瘍などである．

診断のポイント

問診では変形の発生時期，処女歩行の開始時期，既往歴など聴取する．Blount病は処女歩行開始時期が一般より早い．ビタミンD欠乏性くる病が再び散見され，食物アレルギーによる食事制限，母乳のみの栄養，日光曝露不足など詳しく聞く必要がある．

単純X線立位正面像で，骨端，骨端線，骨幹端などの異常の有無を確認し，大腿脛骨角（femorotibial

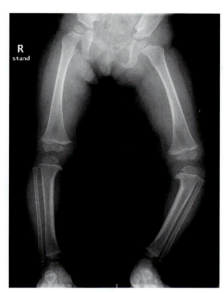

図 27-4　Blount 病（2 歳，女児）

angle；FTA），骨幹端骨幹角（metaphyseal-diaphyseal angle；MDA）を計測する．O 脚では 2〜3 歳時に FTA が 195°以上を病的とする．Blount 病は Langenskiöld が X 線分類し stage Ⅲ〜Ⅳまでは可逆的，Ⅴ以降は不可逆的に進行するとされる．脛骨骨幹端内側が嘴状に沈下し，骨端部内側は低形成を呈する．MDA が悪化を示すことが多く 11°以上の内反膝は経時的に進行するとされている．くる病では，cupping，fraying，flaring などの所見を認め，疑われる場合は Ca，P，ALP，PTH などを調べる．骨系統疾患では疾患に特徴的な X 線像を呈する．

専門病院へのコンサルテーション

徐々に悪化してくる場合や疾患に特徴的な X 線像を呈する場合は，小児整形外科の受診を勧めるのがよい．

治療方針

2 歳時の内反変形が両側性で FTA が 190°未満，MDA が 11°未満で，骨端線や骨端部および骨幹端部が正常であれば生理的 O 脚として経過観察でほぼ自然矯正される．

Blount 病は，3 歳までに発症した Langenskiöld 分類 stage Ⅰ〜Ⅳでは装具療法を，Ⅴ以上は手術を検討する．しかし装具療法の有効性は 65〜92％とされ，自然経過例でも 75〜87％が良好であり，装具療法の有効性は不明である．実際の臨床の場では 2 歳前後の Blount 病と生理的 O 脚の鑑別は困難であり，4 歳まで経過観察でよい．4 歳を過ぎても矯正されなかった症例は 6 歳までに骨切り術や成長軟骨外側抑制術などの手術を行う．

先天性下腿偽関節症

Congenital pseudoarthrosis of the tibia（CPT）

柿崎　潤　　千葉県こども病院 部長〔千葉市緑区〕

【疾患概念】

脛骨と腓骨の偽関節が対象になりうるが，わが国では，脛骨に生じた場合を先天性下腿偽関節症（congenital pseudoarthrosis of the tibia；CPT）と呼ぶことが多い．CPT は先天性の偽関節症とあるが，出生時に脛骨の偽関節を認めるもの以外に，脛骨の前外側弯曲変形や出生後に生じた脛骨骨折が骨癒合せず，脛骨が偽関節となる例など，脛骨のさまざまな状態を含む．しばしば，神経線維腫症 1 型を合併することが多い．

【頻度】

出生 14 万〜25 万人に 1 人の発生率と見積もられる非常にまれな疾患である．また，神経線維腫症Ⅰ型（neurofibromatosis type 1；NF-1）の 1〜4％に CPT を有するとされるが，逆に CPT の 55〜80％は NF-1 であると見積もられている．男児にやや多い．片側罹患が多いが，両側例もある．両側例の頻度はさらにまれである．

【臨床症状】

小児の下腿が前外側凸の弯曲変形を認める．弯曲変形に原因不明の偽関節を認めた場合には，先天性下腿偽関節症と診断されるが，弯曲変形のみで偽関節を認めないこともある．

弯曲変形のみの場合，歩行開始後の間もない頃に骨折を生じることが多く，その場合には，歩きたがらないなどの症状がみられる．

問診で聞くべきこと

CPT は神経線維腫症が合併していることが多く，神経線維腫症に関することを聴取する．

神経線維腫症は常染色体優性遺伝であるため，家族歴の有無を聴取する．そのほか，カフェオレ斑の有無，皮膚の神経線維腫を確認するが，生後間もない頃には，明らかでないことも多く，成長とともに明確になってくることも多いため，継続的に確認を行う必要がある．

必要な検査とその所見

単純 X 線で診断できる．脛骨・腓骨の前外側凸の弯曲，骨硬化像，髄腔狭小化や消失，囊胞形成，脛骨の萎縮，偽関節などを確認する．偽関節のほとんどが脛骨の骨幹部から遠位部に認める．

【病型・分類】

Crawford 分類（図 27-5）
Type Ⅰ（Ⅰ）：髄腔硬化を伴う前外側弯曲変形
Type Ⅱ（ⅡA）：骨硬化，髄腔形成不全，髄腔拡大を伴う前外側弯曲変形
Type Ⅲ（ⅡB）：囊胞形成，髄腔拡大を伴う前外側弯曲変形
Type Ⅳ（ⅡC）：骨折や偽関節を伴う前外側弯曲変形．偽関節部は骨萎縮がみられる

専門病院へのコンサルテーション

骨折や偽関節ではない場合には経過観察でもよいが，診断が確定もしくは疑わしい場合には，先天性下腿偽関節症の治療経験のある医師へ紹介することが望ましい．

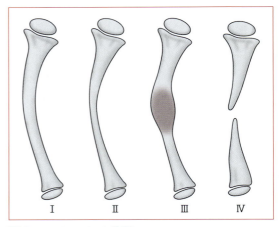

図 27-5　Crawford 分類

治療方針

1 ▶ 保存療法

骨折や偽関節ではない Crawford 分類の Type Ⅰ～Ⅲでは，骨折予防として装具療法を行うが，装具による骨折予防効果は定かではない．初回骨折ではギプスによる治療を試みることが多いが，骨癒合が得られないことも多い．偽関節となった場合，手術までの間，PTB（patellar tendon bearing）装具などを装着し歩行させる．

2 ▶ 手術療法

骨折や偽関節の場合には積極的に手術治療を行う．手術治療には，Ender 釘や Kirschner 鋼線による髄内釘固定，リング型創外固定器による固定を選択する．これに骨移植を併用するが，移植骨として腸骨移植と血管柄付き腓骨移植が選択肢となる．これらの固定法と骨移植を組み合せて行うのが一般的であるが，近年はロッキングプレートによる固定や Masquelet 法などの報告も散見される．2018 年の systematic review では，骨癒合率と再骨折率から，リング型創外固定に髄内釘を組み合わせた固定に，皮質海綿骨による骨移植が望ましいと報告されている．

4 歳までの低年齢の症例には，腸骨移植に髄内釘固定を選択する．腸骨移植は偽関節部に海綿骨移植を行い，その周囲を皮質骨で包むような骨移植を行う．4 歳以降では，上記腸骨移植（可能であれば腓骨偽関節部も含むような腸骨移植）に，リング型創外固定器による骨接合を行い，骨癒合後に髄内釘を挿入している．

合併症と予後

骨癒合後の再骨折からの偽関節を繰り返すこと，そのほか，脚長不等，足関節の外反変形などの下腿変形が残存しやすい．

患者説明のポイント

一度の手術で骨癒合が得られ，再骨折を生じないことはまれであり，多数回手術になることが多いということを強調し伝えることが必要である．複数回の手術を行っても，骨癒合が得られず偽関節となること，骨癒合が得られても脚長差や足関節変形が残存する場合が多いことなどを説明する．多数回手術のうえ，骨癒合が得られない場合には，下腿切断術を行い，義足装着を考慮せざるを得ない場合もあることなどを説明する．

先天性脛骨列欠損症，先天性腓骨列欠損症

Congenital longitudinal deficiency of the tibia, Congenital longitudinal deficiency of the fibula

薩摩　眞一　兵庫県立こども病院 副院長〔神戸市中央区〕

1 先天性脛骨列欠損症

【疾患概念】

先天的に完全または部分的に脛骨が欠損している病態で，発生頻度は 100 万人に 1 人とされる．

診断のポイント

単純 X 線像で確定診断と病型分類を行う．Jones らの分類で Ⅰ～Ⅳ 型に分けられる．臨床的には以下のような所見がある（図 27-6a）．
①患側下肢は著しく短縮している（脛骨のみでなく，腓骨や大腿骨の形成不全を伴うことが多い）．
②足部の著しい内反尖足変形がみられる．
③足趾欠損を伴うことが多い．

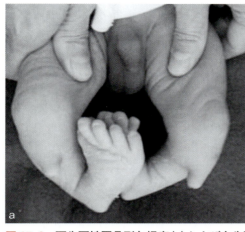
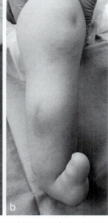

図 27-6　両先天性脛骨列欠損症(a)および左先天性腓骨列欠損症(b)
a：脛骨遠位の部分欠損がみられる Jones 分類Ⅱ型である．足部の著しい内反尖足変形がみられる．下腿中央部の突起は脛骨の遠位断端である．
b：腓骨が完全に欠損した Achterman and Kalamchi 分類 type Ⅲ である．足趾は母趾を除いてすべて欠損し足関節は著しく外反している．後に Syme 切断が行われた．

④部分欠損症では膝関節機能が比較的保たれていることが多い．
⑤完全欠損症で大腿四頭筋の低形成が著しい症例では膝関節の自動伸展ができない．

治療方針

膝関節機能の状況にかかわらず著しい足部変形に対する治療が必要となる．装具による保存的治療には限界があり，歩行開始時期には再建か切断かの二者択一を迫られる．膝関節機能が保たれている場合には，再建術により歩行可能な下肢を期待できるが，骨延長術を含めた多数回手術を経たうえで装具装用が必要である．再建が期待できない病態では，切断後の義足装用は合理的な選択肢であり欧米では受け入れられやすい．しかしながら屋内で靴を脱ぐわが国では拒否感も根強く，家族との十分な話し合いが必要である．

2 先天性腓骨列欠損症

【疾患概念】

先天的に腓骨の低形成あるいは無形成をきたす疾患で，頻度は 10,000 人に 1 人程度とされる．

診断のポイント

単純 X 線像で腓骨低形成の程度を評価する Achterman and Kalamchi 分類が一般に汎用される．球状足関節はこの疾患でよくみられる．臨床所見には以下のような特徴がある(図 27-6b)．
①脚長差(患肢短縮)がみられる．
②外側足趾列の欠損や残存趾の合趾はしばしばみられる．
③足部では尖足，舟底足，外反変形がしばしばみられる．

治療方針

治療目標は支持性の獲得である．保存的治療には，健側と比べて足が小さいことに対する足底挿板や部分義足，あるいは脚長補正のための補高装具などがある．手術治療では切断も選択肢の１つではあるが患肢温存が圧倒的に多い．この場合，足関節の安定化を得る手術と脚長差の補正手術が必要となる．

私のノートから/My Suggestion 「手術は成功しました！！」

　時々「本日，日本で初めての〇〇手術成功！！」などというスペクタクルなニュースが登場する．いつも思うのだが，「手術の成功」というのはちょっとおかしいと感じる．手術が終わってすぐ，前から用意されていたパネルを頭上に記念写真をマスコミに売りこむなど，まるで大昔の見世物小屋の宣伝のようでおぞましいものだと私は思う．

　機能回復が治療の目標となることが多い整形外科医にとっては，「手術が成功した」といえるのは十分な経過観察が終わったあとである．手術直後にいえるのは「手術は予定通り無事終了した」だけである．

　「最も好きな手術は？」と聞かれたら，私は「先天性下腿偽関節症に対する血管柄付き腓骨移植（vascularized fibula graft；VFG）」と答える．先天性下腿偽関節症に対するVFGとIlizarov創外固定の併用は，装具装着期間の短縮が得られ，小児のQOL向上に貢献した．自験例11例中，18歳以上の9例と15歳の1例の計10例が装具なしで歩行している．その10例中8例では術後平均17か月で装具なしの歩行が可能だった．

　若い頃の話であるが，私自身が1984年に最初の手術をしてから5年後の1989年に，それまでに治療した7例をSingaporeの国際学会に「全例骨癒合が得られた！！！」と発表した．しかし，情けないことにVFGを早くからやっていたPho教授は，食事には誘ってくれたが私の発表を褒めてはくれなかった．のちに思い知らされたことなのだが，経過観察期間が短すぎたのだ．なかには，移植骨の骨折によりさらなる手術が必要になった例もあった．

　特に小児では，少なくても10年以上の経過観察，できれば成長が止まるまでの経過観察が必要である．

　マスコミが手術したその日にあるいは翌日に報道することがあるが，「初の〇〇手術成功！！」というスペクタクルは，われわれ整形外科医から見ると恥ずかしいことだ．

藤　哲（弘前大学 名誉教授）

28 足関節，足部の疾患

足関節・足部の解剖	832
足関節・足部の診断	833
先天性内反足	834
先天性垂直距骨	836
多趾症，合趾症	836
小児期外反扁平足	838
Sever 病，Köhler 病，Freiberg 病	839
中足骨短縮症	840
足根骨癒合症	841
外反母趾	842
強剛母趾	843
槌趾	845
内反小趾	847
陥入爪	847
変形性 Lisfranc 関節症	848
成人期扁平足（後脛骨筋腱機能不全症）	849
変形性足関節症	850
距骨無腐性壊死	852
脛骨天蓋骨折	854
足関節果部骨折	856
距骨骨折	858
足関節・距骨下関節脱臼	859
距骨滑車骨軟骨障害	860
踵骨骨折	861
舟状骨骨折，立方骨骨折	862
Lisfranc 関節脱臼骨折	863
中足骨骨折，趾骨骨折	864
足関節新鮮外側靱帯損傷	866
足関節陳旧性外側靱帯損傷	867
遠位脛腓靱帯損傷	869
足根洞症候群	870
二分靱帯損傷，踵骨前方突起骨折	871
Lisfranc 靱帯損傷	871
中足骨疲労骨折	873
内果疲労骨折，舟状骨疲労骨折	874
麻痺足（弛緩性麻痺）	875
麻痺足（痙性麻痺）	876
関節リウマチの足部変形	878
糖尿病性足病変	879
神経障害性関節症	879
重症下肢虚血	881
痛風の足部障害	881
足部の腫瘍	883
足根管症候群	884
Morton 病	885
前足根管症候群	886
アキレス腱皮下断裂	887
アキレス腱症，アキレス腱周囲炎	888
アキレス腱付着部症	889
腓骨筋腱脱臼	890
足底腱膜症	892
足関節前方インピンジメント症候群	894
足関節後方インピンジメント症候群	895
長母趾屈筋腱障害	896
母趾種子骨障害	896
Os subfibulare 障害，Os subtibiale 障害，Os peroneum 障害	897
外脛骨障害	899

足関節・足部の解剖

Anatomy of the foot and ankle

大関 覚　レイクタウン整形外科病院 名誉院長〔埼玉県越谷市〕

足関節と足部は，直立2足歩行に適応し発達した運動器で，下肢が生み出す力を地面に伝える機能を持っている．

1 荷重に耐え，衝撃を吸収する静的構造（図28-1）

1 ▶ 3次元的に回旋する後足部

足関節天蓋は，脛骨遠位部と腓骨外果で形成され，両者は前脛骨腓靱帯と後脛骨腓靱帯と骨間膜とで結合されている．距骨は，滑車の上方と内側と外側から天蓋に接しているため関節面によって高い安定性を得ている．しかし，足関節の外旋損傷で脛腓間離解が起こると，急激に安定性が失われ，関節の接触面積も激減する．距骨内側は三角靱帯深層線維が滑車後方と，外側は前距腓靱帯が滑車前縁と外果を，後距腓靱帯が距骨後方突起と外果を結合している．踵骨は内側の載距突起部が脛踵靱帯で内果と結合し，外側では踵腓靱帯で外果と結合している．前距腓靱帯の起始部は外果前方の腓骨遠位関節面の最下端の前方にあり，踵腓靱帯の起始部はその後方で，腓骨遠位関節面の最下端は鏡視下手術の重要なランドマークである．

2 ▶ 足部軸の回旋の要のChopart関節

後足部の前方は，距舟関節と踵立方関節とがChopart関節を形成している．距骨-舟状骨-(内・中・外側)楔状骨-第1-3中足骨が形成する内側支柱と，踵骨-立方骨-第4-5中足骨が形成する外側支柱とは，距骨頸部軸を回転中心にChopart関節に沿って回内-回外の足部回旋運動を起こす．距舟関節は前方凸で踵立方関節は後方凸の形状をしており，後足部の内反⇄外反に伴って，立方骨は舟状骨の下内方⇄外側方へと回旋しながら移動し，中足部以遠を回内⇄回外させる．舟状骨は内側で内果と三角靱帯の浅層線維で連結し，背側は距骨と距舟靱帯で連結しており，底側は踵骨の載距突起前縁との間に底側踵舟靱帯（スプリング靱帯）があり，踵骨関節面，距骨下関節前方小関節，中央小関節とともに球形の距骨頭部をすっぽりと包み込むように関節する．踵骨前方突起から舟状骨と立方骨にそれぞれ靱帯が走り，二分靱帯（Y靱帯）とよばれる．立方骨背側と舟状骨は背側立方舟靱帯が連結する．

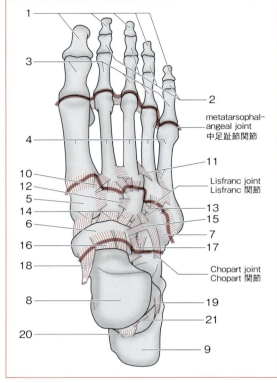

図28-1　足根骨と靱帯（足背からの観察）

1　末節骨　distal phalanx
2　中節骨　middle phalanx
3　基節骨　proximal phalanx
4　中足骨　metatarsal [複] metatarsus
5　楔状骨　cuneiform
6　舟状骨　navicular
7　立方骨　cuboid
8　距骨　talus [複] tali
9　踵骨　calcaneus
10　背側足根中足靱帯　dorsal tarsometatarsal ligament
11　背側中足靱帯　dorsal metatarsal ligament
12　背側楔間靱帯　dorsal intercuneiform ligament
13　背側楔状立方靱帯　dorsal cuneocuboid ligament
14　背側楔状舟状靱帯　dorsal cuneonavicular ligament
15　背側立方舟状靱帯　dorsal cuboideonavicular ligament
16　背側距舟靱帯　dorsal talonavicular ligament
17　二分靱帯　bifurcate ligament
18　三角靱帯　deltoid ligament
19　踵腓靱帯　calcaneofibular ligament
20　後距踵靱帯　posterior talocalcaneal ligament
21　後距腓靱帯　posterior talofibular ligament

3 ▶ 大きな負荷が集中する中足部

舟状骨と内側・中央・外側楔状骨は，足内側支柱の縦アーチの頂部を形成し，関節面は扁平で，短い背側・底側楔状舟状靱帯，背側・底側楔状間靱帯で連結され

ているため可動性が小さい．外側の立方骨とは，背側・底側楔状立方靱帯，背側・底側楔状舟状靱帯とで結合し，底側面には，前述の底側踵舟靱帯と長・短底靱帯が踵骨との間を強力に連結しアーチを支えている．

4 ▶ 水平方向に安定した Lisfranc 関節

中央楔状骨は長軸方向に短いため，内側・外側楔状骨とともに深いほぞ穴を形成し，第2中足骨基部はこのほぞ穴に強固に支えられ安定しており，内側支柱の要となっている．第2中足骨基部と内側楔状骨の間を，強靭な Lisfranc 靱帯と背側・底側足根中足靱帯とが連結している．中足部と5本の中足骨は背側・底側足根中足靱帯で緊密に連結され，第2-5中足骨基部間は背側・底側中足靱帯で連結され，特に水平方向に安定している．そのため Lisfranc 関節が脱臼する場合は，第2中足骨基部骨折を合併しやすい．第2中足骨基部と中間楔状骨とは，リング状の関節面を形成し，内側楔状骨と関節しており，第1中足骨と第2中足骨は上下に僅かな可動性を持っている．第1中足骨基部と第2中足骨との間に中足靱帯を持たないため，楔状骨との関節が弛緩すると中足骨内反を起こし外反母趾変形となる．

5 ▶ 足の横アーチを形成する前足部

第1-5中足骨の遠位では，足底腱を深横中足靱帯が連結して足部の横アーチを形成し，中足骨骨頭と趾の基節骨は中足趾節（metatarsophalangeal；MTP）関節で連結されている．MTP 関節底側には蹠側板が関節を支えている．母趾では，基節骨は末節骨との間に趾節間（interphalangeal；IP）関節があり，第2-5趾では中節骨との間に近位趾節間（proximal interphalangeal；PIP）関節があり，中節骨と末節骨の間に遠位趾節間（distal interphalangeal；DIP）関節がある．歩行では，踏み返しの際に MTP 関節の大きな背屈角度が必要になる．

2 力を地面に伝え，足のアーチ構造を支える動的メカニズム

静止起立時には，体重に重心は足関節軸より前方にあり，下腿が前方に倒れようとする力と，下腿三頭筋から牽引力を踵に伝えるアキレス腱にかかる力が拮抗して安定した立位が保たれる．

歩行に際しては，まず踵が接地する際に，足関節の背屈位を前脛骨筋などの下腿前方区画筋が働き調節するが，前脛骨筋腱は楔状骨と第1中足骨の内側-底側に停止し，距骨下関節の運動軸より内側にあるため足部は回外する力を生む．この回外力に拮抗するのは，背屈筋では長趾伸筋と第5中足骨背側に停止する第3腓骨筋であるが，底屈筋の長・短腓骨筋のほうが拮抗する力は強い．長腓骨筋腱は踵骨底部を回り込み内側楔状骨底面と第1中足骨底面基部に停止し最遠位の線維は第1背側骨間筋の起始部を形成し，短腓骨筋腱は第5中足骨基部に停止して両者は強力な回内力を発揮する．そのため Charcot-Marie-Tooth 病で腓骨筋が麻痺すると足部は回外し外縁接地歩行になる．また，踵接地時の衝撃は，踵骨の接地部が脛骨軸より外側にあるため，後足部を外反する方向に作用し，この力は足関節内側の三角靱帯に吸収されることで天蓋への衝撃力を緩衝している．

つま先立ち動作では，下腿三頭筋の力がアキレス腱を介して踵を引き上げ，足関節は底屈する．距腿関節と距骨下関節は静止立位時の中間位より不安定で，後足部の内反底屈力を生む後脛骨筋や長趾屈筋・長母趾屈筋と，外反力底屈力を生む長短腓骨筋との筋力バランスが重要な役割を担っている．

重量物を押したり，走るとき急激に加速するためには，足部は背屈位から底屈するが，背屈位では距腿関節の遊びが減少し，距骨下関節は外反外旋位でロックしている．この際には，踵腓靱帯や距踵骨間靱帯に大きな張力が働いている．距骨下関節が不安定になると踏ん張り動作や，フェイント動作ができなくなるのはそのためである．

外傷や足部機能障害の診断に当たっては足部機能の観点から，受傷機転と障害されている機能を検討することが重要であろう．

足関節・足部の診断

Examination of the foot and ankle

仁木 久照　聖マリアンナ医科大学 主任教授

1 診断のポイント

足関節・足部の変形と痛みをきたす疾患を知ること，疼痛の部位を詳細に評価すること，変形の特徴を知ること，これらができれば診断はほとんどの場合可能である．

乳児期にみられる変形は，先天性内反足，内転足，垂直距骨，外反踵足，巨趾症，合趾症，多趾症がある．

幼児期では，小児期扁平足，思春期では腓骨筋痙性扁平足がある．足根骨癒合症が腓骨筋痙性扁平足の原因となることが多い．癒合症では足部，特に距骨下関節の回内外運動制限が認められる．

成人期では，変形性足関節症，成人期扁平足，外反母趾，強剛母趾，内反小趾，ハンマー足趾変形などが

あり，視診，触診で診断は比較的容易である．

全身疾患に足の変形が生じることがあるので注意する．糖尿病ではCharcot footとよばれる神経病性関節症を呈することがある．関節リウマチでは足趾変形（扁平三角状変形）が多く，歩行障害からサルコペニアの原因になり得る．Chopart関節病変は疼痛が強いが，見逃されやすい．麻痺足では，凹足，尖足，足趾変形など弛緩性・痙性麻痺に特徴的な変形が生じる．神経学的所見が重要である．

2 症候の診かた

足関節・足部の診察では圧痛点が正確に評価できれば，約8割は診断可能である．疼痛と腫脹の部位を詳細に捉える．足底の胼胝の有無と部位を評価する．

変形は立たせて，歩かせてみて，初めて明らかになる場合がある．必ず，健側と比較する．後足部，中足部，前足部に分けて観察する．踵接地や足底接地の様子，土踏まずの有無，後足部では踵骨の内・外反，前足部では母趾とそれ以外の外側趾変形と関節拘縮の有無を評価する．

下腿三頭筋-アキレス腱のタイトネスを評価する．さらに，足部自体の可撓性（柔らかさ），特に踵骨内・外反やChopart関節での内・外転，回内・外運動を評価する．

3 検査と所見の読み方

単純X線撮影では，非荷重時では足根骨の位置異常を正確に評価できないので，荷重時の足部正面，側面，足関節正面，側面像は必須の検査である．外反母趾では，荷重時足部正面像で母趾基節骨軸と第1中足骨軸のなす角度（外反母趾角）で重症度を評価する．変形性足関節症では荷重時足関節正面像で，関節裂隙狭小化の有無，部位，範囲で重症度を評価する．扁平足や凹足では，足部荷重時側面像で距骨-第1中足骨角の程度でアーチを評価する．踵骨舟状骨癒合には足部斜位像が有用である．

CTでは，変形性関節症や足根骨癒合の有無と範囲が評価できる．3D-CTでは，骨棘形成の部位と範囲の評価が容易である．

MRIでは，腱損傷の有無と程度，滑膜炎の有無と範囲，骨髄浮腫の有無，部位と範囲は診断に有用である．疼痛と骨髄浮腫が一致する場合は診断の助けになる．軟骨条件による軟骨の評価も治療法選択の一助になる．

超音波では，腱損傷の有無や程度を動的に評価可能である．

4 見逃しやすい疾患との鑑別

糖尿病などによる神経病性関節症（Charcot関節）における骨・関節破壊は進行性で，初期には明らかな変化が少ない．経時的な観察が必要で，まず疾患を疑うことが見逃さないポイントである．軽微な外傷を契機として異常な腫脹が続くにもかかわらず，疼痛や画像所見が軽微な場合，本疾患を疑う．

足趾中足趾節（metatarsophalangeal；MTP）関節発症の関節リウマチを見逃さない．初期には足趾変形は伴わず，MTP関節の腫脹のみが唯一の他覚所見である．またChopart関節病変の場合，当初は足関節病変が疑われることが多い．腫脹と疼痛の部位，Chopart関節の他動運動での疼痛誘発が確認できれば診断は容易である．

5 確定診断がつかないとき試みること

肢位や撮像条件を変えて再度MRIを施行すると，最初に捉えることができなかった病変を見つけられることもある．CTのボリュームレンダリング法では，腱の走行や連続性，色素性絨毛結節性滑膜炎（pigmented villonodular synovitis；PVS）などの軟部組織病変の範囲を立体的に評価可能である．

先天性内反足

Congenital clubfoot

町田 治郎　神奈川県立こども医療センター 総長〔横浜市南区〕

【疾患概念】　生下時に前足部内転，後足部内反，足全体の尖足を呈する．発生頻度は約1,000人に1人で，男子は女子の2〜3倍である．片側例と両側例はほぼ同数で，左右も同数である．親，兄，姉が先天性内反足の場合には，発生頻度は10〜20倍になるといわれているが，遺伝子は同定されていない．特発性と症候性に分類される．症候性は多発性関節拘縮症，筋緊張性ジストロフィー症，二分脊椎などに伴うもので，より重症である．先天性内反足の初診時の重症度の評価には，Demeglio法やPirani法を用いる．

問診で聞くべきこと

親族に手足の変形があるかを問診する．また先天性股関節脱臼との合併例もみられるので，その家族歴や骨盤位分娩かどうかも確認する．

必要な検査とその所見

一般病院でX線検査をする必要はない．専門病院

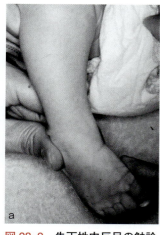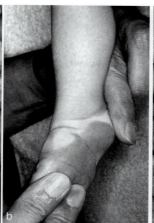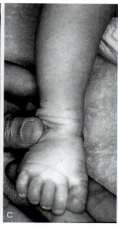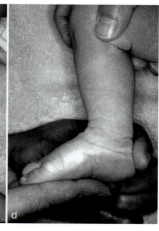

図 28-2　先天性内反足の触診
a：重症例で外反矯正しても 20°以上変形が残存する．
b：重症例で背屈しようとしても 20°以上変形が残存する．
c：軽症例で外反矯正すると中間位まで矯正できる．
d：軽症例で背屈すると中間位まで背屈できる．

に受診した際に，足部のストレスX線撮影を行う．足部X線像は，軽度外転位で正面像を，最大背屈位および最大底屈位の側面像を撮影する．正面像で距骨と踵骨の重なりが強く，最大背屈位側面像では脛距角 105°以上，脛踵角 70°以上となっている．治療効果の評価時には，両足部立位 X 線正面像と側面像，両足関節立位 X 線正面像も撮影する．

鑑別診断で想起すべき疾患

徒手矯正操作にて尖足がなく，前足部の内転のみがみられる場合は内転足である．子宮内での肢位によることが原因で自然に治る場合も多いが，歩行開始後も内転変形が残存することもあるので，念のため専門医に診てもらったほうがよい．

診断のポイント

視診だけではなく実際に触って，外反矯正や背屈してみることが重要である．重症例では外反矯正や背屈しようとしても 20°以上変形が残存する（図 28-2a, b）．軽症例では中間位まで矯正できる場合もある（図 28-2c, d）．

専門病院へのコンサルテーション

出生当日でもギプス治療を薦める医師もいるが，ギプス治療も小児専門病院で始めるべきである．筆者の施設では全身状態が安定する生後 2 週頃より開始している．正常な乳幼児では成人以上に足関節を背屈できるので，足関節が中間位まで背屈可能な場合でも，経過観察せずに専門医に紹介すべきである．また症候性では基礎疾患の治療を優先し，全身状態が改善した後にギプス治療を開始する．

治療方針

先天性内反足は 20 年ほど前までは距骨下全周解離術という手術が主流であったが，固い足になってしまうという反省により，15 年ほど前から広範な軟部組織解離術を行わない Ponseti 法が全世界で gold standard となった．Ponseti 法は尖足のままギプスによる凹足矯正を行い，尖足はアキレス腱の皮下切腱により対処する．その後に足部を 70°外旋位に保つ足部外転装具を，歩行開始までは 23 時間，歩行開始後は夜間のみ 4 歳まで使用するという治療体系である．わが国でも Ponseti 法が主流となり，先天性内反足の治療成績は著明に改善した．しかし装具の装着を嫌がる患児も多く，装具を装着しないと治療成績は不良である．また重症例では，装具を装着していても変形遺残や再発が問題となる．欧米では手術をしても固い足になってしまうので，多少の変形遺残は許容していると思われる．日本小児整形外科学会では，全症例の約 30%では軟部組織解離術が必要といわれている．

1 ▶ 保存療法

治療はまずギプスによる矯正であるが，筆者の施設では全身状態が安定する生後 2 週頃より毎週，長下肢ギプスによる足の矯正を行っている．はじめに前足部を回外して靴型のギプスを作製し，靴型ギプスを外転，軽度背屈して長下肢ギプスを巻く．5〜10 回ギプス矯正後に，矯正状態を評価するために足部の X 線像を撮影する．外転位の正面像で距骨と踵骨の重なりが改善しＶ字型に開いているかどうか，最大背屈位の側

面像で脛踵角が70°以下かどうかをチェックする．足部がほぼ矯正されていたら，Denis Browne 型装具を処方する．最大背屈位の側面像で脛踵角が70°以上の場合には，生後6か月〜1歳くらいの間にアキレス腱切腱術を行う．その後は3〜5歳まで，Denis Browne 型装具や夜間短下肢装具による治療を行う．10歳くらいまで外出時に足底挿板を使用することもある．

2 ▶ 手術療法

歩行開始後に後足部内反により，足背や外側で接地してしまう症例では手術を行う．筆者の施設の手術方法は，距骨下関節を解離せずに後内側解離術を行う方法で，足が固くならずに機能的な足を再建することができる．他医で初期治療を行い，変形が残存または再発した症例でも治療可能である．調査時の治療成績評価法としてはMcKay, International Clubfoot Study Group(ICFSG)およびLaaveg-Ponsetiなどがある．筆者の施設で加療し，15歳以上まで経過を観察した特発性先天性内反足57例84足を後方視的に調査したところ，ICFSGの評価法では全足とも良または優と評価された．

▶患者説明のポイント

特発性と症候性に分けて，以下の項目を説明する．

(1) 特発性

適切な治療を行えば，学校の体育は可能である．ただし，普通の足に比べ，しゃがみにくい，正座にしくいことがある．重症であるほど，ふくらはぎの細さや足が小さい傾向は強い．中学校や高校での運動部での活動もたいてい可能であるが，過度な活動では足部痛を訴えることがある．しかし数日の安静やサポーターの使用により，部活を継続できることが多い．

(2) 症候性

手術を要することが多いが，膝や股関節などの関節変形の治療を優先することがある．変形は治せても，もともとの筋力の弱さや可動域制限を治すことはできない．精神発達障害がない症例では，歩けるかどうかは大腿四頭筋力に左右される．

先天性垂直距骨

Congenital vertical talus

北野　元裕　国立病院機構大阪医療センター　医長〔大阪市中央区〕

【疾患概念】　生下時より高度外反扁平足を呈するまれな先天性足部疾患である．距骨が足底面に対して垂直に近く底屈し，舟状骨が距骨の背側に脱臼している

ため，後足部は尖足位，前足部は背屈回内位となり，重症例では舟底足変形を呈する．頻度は1万人に1人程度とされ，約半数が両側例である．原因は不明だが特発性が約半数で，他は二分脊椎，先天性多発性関節拘縮症，染色体異常などに伴うものである．

▶病態

舟状骨が距骨の背側に脱臼し，距骨が底内側に向いて垂直位となる．踵骨は底屈，外反し後足部は尖足位となりアキレス腱の緊張も高度である．脱臼した距舟関節周囲の高度拘縮と前脛骨筋腱，長母趾・長趾伸筋腱，長短腓骨筋腱の緊張のため前足部は背屈回内位となり，足関節底屈制限は著明である．

▶診断のポイント

生下時にみられる高度外反扁平足，舟底足変形で，踵は小さく後方に踵骨を触れず，アキレス腱の緊張，足関節底屈制限が著明であれば本症を疑う．胎内姿勢による生理的外反踵足も時に伸筋腱緊張，足関節底屈制限を呈するが，足根部は柔軟でアキレス腱の緊張もなく，鑑別は比較的容易である．X線検査では幼児期まで舟状骨が未骨化で距舟関節脱臼は描出されないが，距骨が脛骨軸に近い垂直位であることが特徴的である．

▶治療方針

手術療法が必要で，従来は広範囲軟部組織解離，腱延長にて距舟関節脱臼整復，尖足矯正を行い，足関節底屈を得る手術が一般的であったが，術後瘢痕による高度足部拘縮や変形再発が問題であった．最近は低侵襲なDobbs法が一般的で，長期成績はまだわからないが短期的には良好な矯正が得られるようになった．内反足に対するPonseti法とは逆方向に前足部底屈，内がえしで5，6回の石膏ギプスによる矯正後，アキレス腱皮下切腱と観血的距舟関節整復，伸筋腱などの延長を行う．変形再発防止のため，成長終了まで短下肢装具や足底装具などの継続を行う．

多趾症，合趾症

Polydactyly, Syndactyly

藤井　宏真　奈良県立医科大学　学内講師

1 多趾症

▶疾患概要

多趾症は，足趾奇形のなかで最も多い奇形で，胎生期に足趾が分離する時期(胎生5〜8週)に何らかの異

常があり本来より多く分離した状態である．人種的には黒人に多く，次いでアジア系に多い．わが国での発生率は2,000人に1～2人．多くは孤発例で片側のみにみられるが，13トリソミー症候群，Laurence-Moon-Biedl症候群，Greig頭蓋多合指症候群，Carpenter症候群，VACTERAL，Ellis-van Creveld症候群など先天性疾患の一症候として発症することもある．家族性では，主に対称性，両側発生が多く，常染色体優性遺伝形式をとる．これまでの研究でさまざまな原因遺伝子が発見されているが，多趾症単独例では，GLI3やZRS/SHH遺伝子などの関連が示されている．

【病型，分類】

これまで形態解剖学的な分類や発生学，遺伝子学的分類などさまざまな病型分類が提唱(Venn-Watson分類，Temtamy-McKusick分類，Watanabe分類，SAM systemなど)されているが，一般的に第2趾から中枢に引いた線を中心として，過剰趾が第1趾側にある場合を軸前性(pre-axial)，第5趾側にある場合を軸後性(post-axial)，第2，3趾にある場合を中心性(central)とよぶ．一般的には黒人に軸後性多趾症が多く，アジア(香港，フィリピンなどの報告例)では軸前性が多いとされるが，わが国では軸後性多趾の割合が多く，第5趾の外側に過剰趾(いわゆる第6趾)がある症例が多い．

【臨床症状】

出生時に外見の異常としてすぐに認識されることが多いため，生後すぐに来院されることが多い．多趾を診断する場合，身体所見上で軸前性か軸後性の判断はできても正確に分離している部分を示すことは難しい．この時点では，分離している部位を予測しながら触診し足趾の自動運動の有無，合併症の有無などを確認する．上肢に比べ機能的に問題になることは少なく，放置しても生活上問題になることは少ない．ただし足趾周囲の横幅が広くなるため靴の問題や，中足骨で癒合しているタイプでは，成長に伴い足底部の痛みが出現する場合がある．

【問診で聞くべきこと】

家族歴，妊娠経過中の問題，内服薬，合併奇形の有無(産婦人科や小児科での指摘)などを確認する．問診の時点でご家族，特に母親は自分を責める(原因が妊娠中の自分の行動，服用歴などにあるのでは？など)，あるいは遺伝的なことを心配されることが多く，デリケートな問題をはらむため配慮が必要である．

【必要な検査】

病型，治療方針決定のための画像診断．

(1)単純X線

正面像のみで可．ただし生後すぐでは骨化が未熟なため正確な診断がつかないことがあり，筆者らは生後半年以降に一度，手術前にもう一度撮影している．

(2)MRI

ほとんどの症例で必要ないと思われるが，形態が複雑な多趾症で，関節，筋肉の状態，腱の有無などを確認するために撮影する．

【治療方針】

手術療法が基本となる．機能的に問題になることが少ないため，美容的な問題から家族が切除を希望されることがほとんどである．手術時期は，全身麻酔の安全性の観点から1歳以降に行うことが多い．ただし，単純X線で骨化がはっきりしない場合，変形の程度が強く複雑な場合などでは2歳頃に行うこともある．主に低形成が強い指を切除することが多く，その際に過剰趾に停止している内在筋や腱などを本来の足趾に的確に再縫合し，その後の変形や機能不全に注意が必要である．また関節を共有している場合は，関節軟骨の一部をメスなどでトリミングする必要がある．術後は，頻度は少ないが骨切りを併用した場合，縫合した腱などが着くまで安静を保ちたいときなどにピンニングやギプス固定を行う．乳児期の患者に対して包帯のみで固定した場合，傷を触らないように工夫が必要となる．

【合併症と予後】

一般的な術後感染，縫合不全以外に，残す指の血管を損傷した場合，一部壊死を起こすことがある．その他ギプス障害，傷の瘢痕形成などに注意が必要となる．成長に伴い変形が進行することがあり，再手術が必要になることもある．乳児期に手術を行う場合，術後2～3日で痛みのコントロールは問題なくなることが多く，その頃から荷重歩行を行ってしまう．そのため，ピンニングをした際にはピンのトラブルにも注意が必要である．

2 合趾症

【疾患概要】

2つ以上の足趾が皮膚性あるいは骨性に癒合した疾患で，多趾症や短趾症を合併することも多い．胎児の足や手は最初1枚の板状をしており，趾間となる部分が壊死して裂け目ができることで分離する．この発生段階で起こる指列誘導障害である．発生頻度は1,000～3,000人に1人の割合で，男児に多く片側例が多い．足では第2，3趾間に多くみられ，末梢まで癒合した完全合趾と，途中まで癒合した不完全合趾がある．合趾単独奇形の発症率は，10,000人に2.2人とされ，指の単独発症例の約4倍多いとされる．Poland症候群，Down症候群，Crouzon症候群，Apert症候

群，Holt-Oram 症候群など多くの症候群の一徴候として発症することもある．

【病型，分類】
　Temtamy-McKusick 分類がよく用いられる．Ⅰ～Ⅴ型に分類され，Ⅰ型（2q34-q36）は第2，3趾の完全あるいは不完全癒合，Ⅱ型（2q31）は第4，5趾間の癒合と過剰趾をみる多合趾症，Ⅲ型（6q21-q23）は手の環指と小指の合指，Ⅳ型（7q36）は全趾の完全合趾，Ⅴ型（2q31-q32）は中足骨癒合を合併するタイプである〔（　）内は判明している遺伝子異常〕．最も頻度の多いⅠ型は常染色体優性遺伝形式をとる．

【臨床症状】
　多趾症同様，出生時の外観の異常として気づかれ外来を受診することが多い．皮膚性合趾では，それぞれの足趾は正常の機能を有し独立した運動が可能なことが多く，機能的に問題になることは少ない．骨性合趾や複雑な奇形では，腱，神経，血管などにも異常があることが多い．

必要な検査
　多趾症と同様，単純X線にて精査を行う．術前に必要に応じてMRIを撮影することもある．

治療方針
　多趾症と同様に機能的には全く障害が認められない場合が多く，美容的な観点から手術を行うことが多い．手術は1歳以降に行うことが多いが，術後の瘢痕形成や手術のやりやすさなどで2歳以降に行う施設もある．術式はさまざまな方法が提唱されているが，趾間部の形成が最も重要で，三角皮弁や台形皮弁を駆使し分離する．分離時に皮膚が不足することが多く，筆者の施設では足関節内果付近から不足分の皮膚を採取し全層植皮を行っている．

合併症と予後
　一般的な術後感染や縫合不全以外に分離時の血管損傷に伴う壊死や，植皮の壊死には注意が必要である．3趾以上の癒合がある場合には，血管損傷による壊死を回避するために，一度にすべてを分離することは避けることが望ましく，可能であれば術前に血管のチェックを行うことが望ましい．また美容的な手術であるため瘢痕形成，植皮部の変色，趾間形成部の再癒合が問題になる．趾間は再癒合が起こらないようにできるだけ深めに形成するほうがよい．成長に伴い足趾が変位することがあり，その際には再手術を要することもある．

小児期外反扁平足
Flatfoot in childhood

北野 利夫　大阪市立総合医療センター小児整形外科部長〔大阪市都島区〕

【疾患概念】　内側縦アーチの減少と後足部外反を伴う小児期外反扁平足は，一般的には経過が良好な flexible flatfoot（FFF）が多くを占めるが，拘縮を伴い非荷重時でも変形を呈する次のような疾患（pathologic FF）とを鑑別する必要がある．すなわち，hypermobile flatfoot with short tendo-Achilles（HFF-STA），足根骨癒合症，ゆがみ足（skewfoot），先天性垂直距骨，多発性関節拘縮症，麻痺性足部変形などであり，これらはFFFと異なり，後に症状が出現する頻度が高い．良性であり多くは成長とともに改善するFFFであっても，全身関節弛緩性，肥満，靴の装用は成人期以降における扁平足遺残の危険因子である．

診断のポイント
　良性のFFFであるか否かを診断する必要がある．身体所見としては，立位時足底接地面積の拡大（縦アーチの消失）と後足部外反を呈する場合に外反扁平足と診断するが，爪先立ちによる縦アーチ形成や立位時他動的母趾背屈による縦アーチ形成がみられた場合，FFFと診断できる．足関節の可動性，特にアキレス腱拘縮有無の確認は重要であり，一見，足関節の可動域が良くても，膝関節伸展位かつ距骨下関節中間位（矯正位）に保持した状態では足関節の背屈ができない場合は，アキレス腱拘縮を伴うHFF-STAと診断する．子宮内での肢位異常によるものであり治療を要しない（先天性）外反踵足と，早期治療が必要な先天性垂直距骨との鑑別も，アキレス腱拘縮の有無や他動的底屈位X線側面像での距舟関節整復の有無が決め手となる．単純X線立位側面像上でのC-signは距踵関節癒合症の，anteater nose signは踵舟関節癒合症の，それぞれ特徴的な所見である．

治療方針と保護者への説明のポイント
　FFFは拘縮を伴わず自然経過が良好であり，多くは3～4歳までに自然軽快する．この年齢以降も改善しない場合は，骨成熟後も扁平足が遺残する傾向にあるため，足・足趾底屈筋強化やインソールの使用が勧められる．FFF以外の外反扁平足すなわち，拘縮や足根骨形態異常を伴う場合は，胼胝形成や疼痛出現の可能性が高く手術治療を要することもあると説明し，病状により専門病院へのコンサルテーションを検討する．

Sever病，Köhler病，Freiberg病

Sever disease, Köhler disease, Freiberg disease

雑賀 建多　岡山大学病院 助教

1 Sever病

【疾患概念】
9〜12歳の学童期に好発する踵骨の骨端症である．1912年に初めて報告された．スポーツをする男児に多い．骨端部に繰り返しかかる衝撃とアキレス腱や足底腱膜による牽引力が原因とされている．

【頻度】
ときに遭遇する．

【臨床症状，病態】
運動で増悪する疼痛を訴え，骨端の内外側に圧痛を認める．成長やコンディショニング不良による下腿三頭筋のタイトネスも発症に関与するといわれている．

必要な検査とその所見
X線像で骨端線の不整，骨端核の硬化や分節化を認めることがあるが，これらは正常でもみられることがあるため，健側との比較が重要である．MRIでは骨端線周囲に骨髄浮腫を認める．

診断のポイント
スポーツ活動が盛んになった男児が踵の疼痛を訴える場合にはまず疑う．

治療方針
手術を要することはない．活動制限，下腿三頭筋のストレッチング，Heel upのインソールなどによる保存療法を行う．

患者説明のポイント
症状が長引くこともあるが，骨端線の閉鎖（14〜15歳）とともに軽快する予後良好な疾患であることを説明する．

リハビリテーションのポイント
下腿三頭筋から足底腱膜にかけてのHeel Cord Stretchingを徹底的に行うことが重要である．

2 Köhler病

【疾患概念】
3〜7歳の小児に生じる足舟状骨の骨軟骨症である．1908年に初めて報告された．女児よりも男児に多い．原因は不明だが，活発な運動による局所の血行障害の可能性が考えられている．

【頻度】
まれ．

【臨床症状】
患部の疼痛を訴え，足を引きずって歩くことが多い．

必要な検査とその所見
X線像で舟状骨の輪郭が不整となり扁平化する．2年ほどで自然修復される．

診断のポイント
小児の中足部痛をみたら疑うべきである．

治療方針
症状に応じて活動制限を行い経過観察する．

患者説明のポイント
予後良好な疾患であることを説明する．

3 Freiberg病

【疾患概念】
中足骨頭背側の骨壊死であり，第2中足骨に多いが第3，4中足骨にも発生しうる．1914年に初めて報告された．第2 Köhler病ともいわれる．スポーツをする思春期の女子に多い．原因は明らかではないが，スポーツなどで骨頭背側にかかる繰り返しストレスの関与が考えられている．

【頻度】
比較的まれ．

【臨床症状，病態】
患部の疼痛，腫脹，荷重時痛を生じる．軽症では自然修復されるが，進行すると骨頭が変形し比較的早期に関節症性変化を呈する．

問診で聞くべきこと
スポーツ活動の有無，ハイヒールによる中足趾節（metatarsophalangeal；MTP）関節の過背屈がないかなど．

必要な検査とその所見
X線像で，骨頭の骨硬化，扁平化，進行すると関節症性変化を認める．壊死が完成するとMRI T1強調像で低信号を示す．

診断のポイント
思春期女子のMTP関節痛をみたら疑う．

治療方針
活動を制限し，インソール，舟底靴などを用いる．保存療法が無効な場合や骨頭の変形や遊離体による症状がある場合に手術を考慮する．手術は，滑膜，遊離体，骨棘，壊死骨の切除を行う．病巣を楔状に切除し，底側の正常な骨頭関節面を背側に回転する中足骨遠位部の背側楔状骨切り術が有効である（図28-3）．

28 足関節，足部の疾患

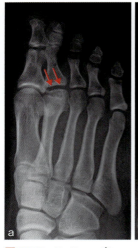
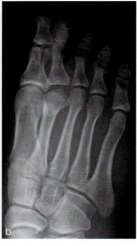

図 28-3　Freiberg 病
a：術前 X 線像．第 2 中足骨の扁平化を認める．
b：背側楔状骨切り術後，症状は軽快した．

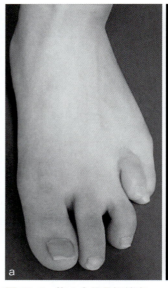
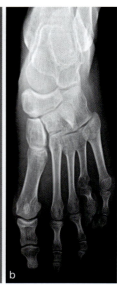

図 28-4　第 4 中足骨短縮症
a：第 4 趾の短縮と背屈転位を認める．
b：X 線像では第 4 中足骨の短縮を認める．

患者説明のポイント

症状や骨の変形は 2 年程度で落ち着くことが多いが，有症状期間が比較的長いこと，手術を要する状態になりうることを説明する．ときにスポーツの回避や種目の変更も必要である．

中足骨短縮症

Brachymetatarsia

落合 達宏　宮城県立こども病院 科長〔仙台市青葉区〕

【疾患概念】　中足骨短縮症は中足骨の先天性の低形成により生じるもので，第 4 趾に多くみられ，しばしば両側性，対称性を示すが，多発することはまれである．
病態は外肺葉性突起先端の異常溶解に続発するものや中足骨骨端の早期閉鎖によるものと考えられ，多様な症候群に合併することもあるが多くは孤発性である．

診断のポイント

(1) 第 4 中足骨短縮症
美容外観についての主訴がほとんどだが，第 4 趾の背屈転位を示す（図 28-4a）ため，まれに趾背が靴と当たると訴えることもある．
X 線像では扇状の中足骨頭配列から第 4 中足骨頭のみが後退して短縮と判断できる（図 28-4b）．

(2) 第 1 中足骨短縮症
中足骨頭配列から第 1 中足骨頭が後退した結果，第 2 中足骨頭に荷重負荷が集中して足底痛を訴える．

(3) その他の中足骨短縮症
趾変形などの受診時に，足趾端のわずかな短縮から第 2 あるいは第 3 中足骨短縮がみつかることがある．

治療方針

1▶第 4 中足骨あるいはその他の中足骨短縮症
疼痛や機能障害はほとんどないが，趾の背屈転位がある場合はストレッチを指導する．
外観の問題には中足骨延長術を行い，中足骨頭配列を再建する．
手術は，かつては腸骨移植により行われていたが，現在は創外固定器を用いた骨延長術が行われるようになった．

2▶第 1 中足骨短縮症
第 2 中足骨頭痛を訴える場合にはアーチサポートを処方する．
足底に胼胝を伴うなど著しい短縮に対しては中足骨延長術を行い，中足骨頭配列を再建する．

患者説明のポイント

機能的には生活の支障にならないので，必ずしも治療を要しないことを伝える．
しかし，思春期に外観を思い悩むこともあるので，希望すれば治療が可能であることも話しておく．

なお手術には半年程度の治療期間が必要となり，創外固定による不便さを伴うことも説明する．

▶ リハビリテーションのポイント，関連職種への指示

中足趾節（metatarsophalangeal；MTP）関節の拘縮を減ずることで外観の改善や趾背の角質肥厚の軽減にもつながるので，日々のストレッチを積極的に奨める．

足根骨癒合症

Tarsal coalition

垣花　昌隆　獨協医科大学埼玉医療センター 講師

【疾患概念】　足根骨癒合症は，線維性あるいは軟骨性，骨性に，中足部や後部足の骨が癒合する疾患である．発生率は1％未満で男児に多く，50〜60％が両側性に発症する．原因は明らかでないが，しばしば腓骨欠損や先天性内反足に伴う．

踵舟関節の癒合が最も多く，次に距骨下関節の癒合が多くみられるが，約10％は踵立方関節，舟・楔状関節にも発生する．

【臨床所見】　多くは10歳前後で，足部の痛みを訴え来院する．癒合部の可動性が減少し，後足部の可動域は減少している．

踵舟関節の癒合ではしばしば外反扁平足を呈し，腓骨筋の痙性を伴うことが多い．

距骨下関節の癒合症では，足根管症候群を合併することもある．

▶ 問診で聞くべきこと

関節可動域は減少していないか，捻挫の頻度，足根管症候群のような神経症状の有無などを確認しておく．

▶ 必要な検査とその所見

(1) 単純X線検査

単純X線では関節面の不明瞭化，不整像，およびC signがみられる（図28-5a）．

(2) CT

関節裂隙の不整像や骨性の突出がみられる．3D-CTは癒合部の骨性隆起がより明確に確認でき，切除部を計画するのに有用である（図28-5b）．

(3) MRI

線維性組織や隣接した関節の炎症が確認できる．

▶ 鑑別診断で想起すべき疾患

およそ25％の患者が腓骨筋の痙性を伴うため，足関節や後足部の背外側面に痛みを訴える．感染や関節症による距骨下関節の炎症も，腓骨筋の痙性を招くこ

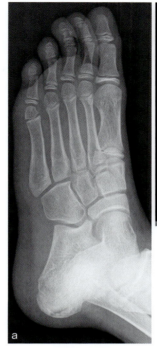
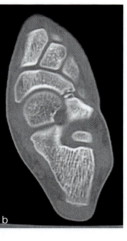

図28-5　踵舟関節癒合症（12歳，男児）
単純X線内側斜位像（a）および単純CT（b）で，踵舟関節の不整像を認める．

とがあるため鑑別を要する．

▶ 診断のポイント

足部痛，繰り返す捻挫などを主訴に来院した場合，本疾患も疑い検査をすることが重要である．単純X線およびCTで関節面の不整，または癒合がみられれば診断は確実である．

▶ 専門病院へのコンサルテーション

診断に難渋する症例や，保存療法では症状が軽快せず手術を検討する場合は，足の外科手術を行える病院へ紹介することが望ましい．

▶ 治療方針

症状を有する足根骨癒合症の初期治療は，運動制限や炎症止めの内服，装具などによる保存加療が主体であり，1/3の患者はこれらの治療で完治する．

しかし保存加療では症状が軽快しない症例には，手術を計画する．手術は癒合部の切除を行い，再癒合予防のために，切除面には骨蝋を塗布するか遊離脂肪を移植する．癒合部を確認し確実に切除し，関節の動きを確認することが大切である．

また距骨下関節の癒合症で神経症状を合併しているときは，神経が圧迫されてないことを確認する．成人

例では癒合部を切除しても関節が動かないことがあり，関節固定術を選択する．

リハビリテーションのポイント，関連職種への指示

術後早期より関節可動域訓練を開始する．早期よりリハビリテーションを行うことで，再癒合を防止する意味もある．そのため家族にも指導を行い，退院後も自宅で関節可動域訓練を行うことが重要である．

外反母趾

Hallux valgus

佐本 憲宏　国保中央病院 副院長〔奈良県磯城郡〕

【疾患概念】　母趾が中足趾節関節（metatarsophalangeal；MTP関節）で外反し，第1中足骨の内反と母趾列の回内からなり，母趾基節骨は外反，母趾種子骨は外側へ偏位し，亜脱臼の状態になる．

【臨床症状】

(1) 病態と病因

病因は先天性の要因および環境的な要因からなる．これらは先天性や遺伝，母趾の形態などの内的要因と靴の種類や様式の生活様式などの外的要因からなる．性差は9：1で女性に多く，第1中足骨が長いことや扁平足，エジプト型の足趾などは内的要因として重要である．

(2) 分類

足部荷重時単純X線写真背底像で，外反母趾角（hallux vulgus angle；HVA）が，20〜30°未満が軽度，30〜40°未満が中等度，40°以上を重度としている．

重度変形では二次的な変形が合併することが多い．ハンマー趾や第2趾および第3趾MTP関節亜脱臼や脱臼，内反小趾および陥入爪などがある．

(3) 症状

軽度変形で初期の段階では，母趾内側部（突出部）が靴に当たって痛い，また徐々に変形が増してきていることなどを訴える．中等度変形になってくると母趾列の機能不全に陥り，足部のWindlass現象（巻き上げ現象）機能が消失して，第2趾および第3趾への負荷が増加して，足底部の疼痛（中足部痛）が発現して胼胝が形成されることが多い．さらに重度変形に進行すると履く靴が制限されるため，母趾内側の疼痛は軽減する．一方，中足部痛とともにLisfranc関節痛やハンマー趾変形など，さまざまな二次的な変形や関節症変化が出てくる．

問診で聞くこと

変形と疼痛の出現時期，これらの増悪時期などを詳細に聞いておく．小学生時からという場合も比較的多い．次に現在，最も困っている症状は何か，その他疼痛の部位（母趾，足底，中足部，Lisfranc関節部，ハンマー趾変形背側など），胼胝形成の有無などについて聴取する．仕事と仕事中に装用している靴の種類なども重要な要素である．

必要な検査とその所見

理学所見としては，母趾MTP関節と第2，3趾近位部を含めたLisfranc関節の不安定性の程度，ハンマー趾などの足趾変形の程度〔可逆性（flexible type）もしくは不可逆性（fixed type）〕，胼胝の有無と程度などを診る．

画像診断は，足部荷重時単純X線写真背底像，側面像および種子骨軸写像（軸位像）を両足撮影する．第1中足骨軸と第1基節骨軸のなす角である外反母趾角（HVA），第1中足骨軸と第2中足骨軸がなす角であるM1M2角を計測する．また背底像と種子骨軸写像で種子骨の脱臼度を確認する．荷重を想定したCT画像ではさらにより多くの情報が得られる．

専門病院へのコンサルテーション

保存治療に抵抗し，症状が増悪する場合には手術の適応も含めて，足の外科専門医に紹介受診させる．その場合には，外反母趾手術に習熟した経験のある医師に紹介することが望ましい．昨今整形外科以外の医師が手術をすることもあり，その紹介には注意を要する．

治療

1 ▶ 保存治療

装具療法，運動療法（図28-6）および薬物療法が行われる．装具療法では，足底挿板や夜間装具などがある．運動療法はHohmann体操に代表されるストレッチ（passive），自身で母趾を回外，内転させるストレッチがある．またactiveな自動運動として行う母趾外転筋運動訓練が効果的である．特に小学生時から行わせると，軽度外反母趾では改善効果が認められることもある．

2 ▶ 手術治療（図28-7）

手術方法は数多くあるが，日本整形外科学会外反母趾診療ガイドラインでは，軽度から中等度は遠位骨切り術が選択される．Chevron法やMitchell法，Hammond法などとその変法がある．重度変形では，遠位外側軟部組織解離術とともに近位骨切り術または骨幹部骨切り術が選択される．Mann法，回旋差し込み中足骨骨切り術，中足骨水平骨切り術，中足骨斜め骨切り術，Scarf法などがある．ただ重度変形の外反母趾手術では，第2趾や第3趾などの中足骨骨切りやハンマー趾形成手術などを併用することが多い．

さらに関節脱臼度が強く，不安定性が強い場合や超

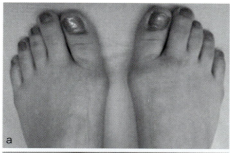
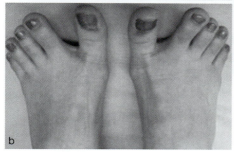
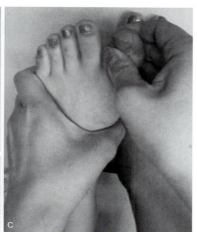

図 28-6　運動療法
a：足部写真
b：母趾外転筋運動訓練
c：拇指のストレッチ

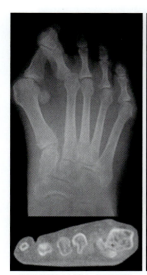
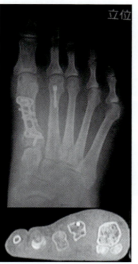

術前単純 X 線と CT 画像　　術後単純 X 線と CT 画像

図 28-7　重度外反母趾に対する矯正骨切り術

小限の侵襲で行う distal lineal metatarsal osteotomy（DLMO 法）も行われている．

患者説明のポイント

外反母趾患者にとって，手術は骨切りを伴うことの多い比較的侵襲が大きい治療である．しかし患者サイドとしては単純に突出した骨を削る程度と考え，適切な入院期間や術後療法を軽視誤解することが多い．術後の踏み返し禁止の期間や運動開始時期などはインフォームドコンセントを得ておく．さらに 2, 3 か月は足部の腫れや浮腫などで靴が履きにくいことや，創部遷延治癒，また再発や術後内反母趾および感染や血栓症などの合併症については十分に説明しておく必要性がある．

重度変形などでは，第 1 足根中足（tarsometatarsal；TMT）関節固定術（Lapidus 法）や母趾 MTP 関節固定術（Duvries 法）などの適応となる．

最近最小侵襲手術として，遠位中足骨骨切り術を最

強剛母趾

Rigidus

内田　俊彦　NPO オーソティックスソサエティー 理事長〔東京都品川区〕

【疾患概念】　強剛母趾は，母趾中足趾節間（metatarsophalangeal；MTP）関節の変形性関節症で，同部の

トピックス　外反母趾に対する最小侵襲骨切り術（DLMO法）

2000年代から海外で小皮切による外反母趾手術の報告が増え，その1つのBösch法に準じ，わが国で井口らが第1中足骨遠位直線状骨切り術DLMO法（distal lineal metatarsal osteotomy）を報告した．日本整形外科学会外反母趾診療ガイドライン第2版より掲載され，軽度から中等度外反母趾に対して，術後早期では良好な成績が期待できるとグレードCに推奨されている．

DLMO法の適応は，保存療法に抵抗性のある軽度から中等度の外反母趾である．また外側軟部組織解離を追加することや短縮可能な骨切りの方法で，重度例にも応用することがある．第1中足骨骨頭下の小皮切で中足骨遠位を骨切りする．直径2mmのKirschner鋼線を骨切り部から遠位に向け，骨に沿わせ皮下に挿入し，骨頭を外側に移動させ，逆行性に近位骨片の髄腔内に固定する方法である．後療法は早期に踵荷重歩行を開始し，術後4～5週でKirschner鋼線を抜去，約2か月で通常歩行としている．

伸筋腱，屈筋腱の張力により骨片間に圧着力が働くため，固定材料はKirschner鋼線1本で，抜釘手術の必要もないため低コストである．また母趾の外観，特に爪の向きを見て母趾の外反・回内を矯正するため，手術時透視撮影の必要がない．手術時間が少ないため患者，治療側双方において負担の少ない術式である．利点を生かし局所麻酔下で行う外来手術，両側同時手術や，他の足部手術と併用して行える（図28-8）．

合併症は重度例において他の近位骨切り術と同様に外反母趾の再発，遠位骨片が近位骨片の外側へ逸脱し遷延癒合や，逸脱による第1中足骨長の短縮のため，新たに第2中足骨頭部底側に痛みを生じるトランスファーメタターサルジアがある．よって低侵襲ではあるが，治癒までに数か月を要し，前述した合併症もあることから，患者に十分な説明が必要である．

本法の特徴を理解し，適応を見極めれば有用な術式である．今後本法の長期成績を明らかにしていくことが重要である．

池澤 裕子〔永寿総合病院 部長（東京都台東区）〕

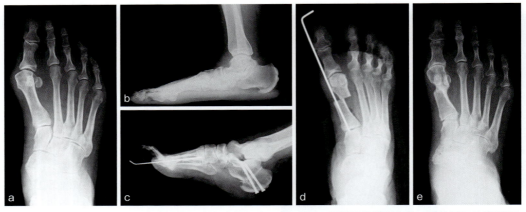

図28-8　外反母趾，後脛骨筋腱機能不全症合併例（53歳，女性．長趾屈筋腱移行術，踵骨骨切り術併用）
a, b：術前，c, d：術直後，e：術後半年．

疼痛，可動域制限を特徴とする疾患である．
【病態】
　強剛母趾の本態は変形性関節症であり，その主な原因は繰り返される微小外傷の繰り返しと考えられている．本症に進展しやすい形態的素因として第1中足骨の挙上，第1中足骨が第2中足骨より長いことなどが挙げられている．

【臨床症状】
　発症機序は繰り返される微小外傷であり，好発年齢は中高年が多く，母趾背屈時の痛みが特徴的である．
　歩行姿勢を観察すると，前足部回内の動き（蹴り出しの際に母趾側に荷重中心が偏り，2から5趾をうまく使えていない）であり，2から5趾を使えるようにすると痛みは減少する（図28-9）．

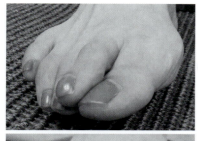
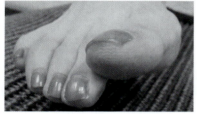

図 28-9　テーピングによる足趾屈曲誘導

足底部にテーピングして2から5趾を屈曲位にすることで足底接地の際に足趾が使いやすくなり、母趾の痛みは軽減する。足底挿板であればメタタルサールパッドの高さの調節で足趾の屈曲を誘導できる。

問診で聞くべきこと

痛みは母趾MTP関節の背屈時に生じることが特徴的であるため、歩行中、特に蹴り出しの際に痛みが生じるかどうか、女性であればヒールの高い靴を履くと痛みが出るか、履く靴によって(靴底の構造の違いなど)痛みの出方に違いがあるか、などを聞くことが大切である。

必要な検査とその所見

単純X線写真で関節症変化の有無を確認できれば診断は確定する。重症度によるHattrup & Johnson分類があり、治療計画に有用である。

鑑別診断で想起すべき疾患

痛風による母趾MTP関節炎や外反母趾が挙げられるが、前者は血液検査で、後者はX線診断で鑑別は容易である。多くはないが外反母趾変形との合併例もなかには存在する。

治療方針

基本的には保存療法が主体である。薬物療法、運動療法、装具療法があるが、発生機序から歩行時における母趾への荷重の偏りを少なくすることが重要であり、普段履く靴の指導が大切である。
保存療法で効果がない場合に手術治療が選択される。関節温存手術と非温存手術に大別される。

治療法

主に保存療法に関して述べる。蹴り出しの際に靴底が柔らかいと母趾の背屈を制限することが難しいため、硬めのものを選ぶ必要がある。しかし単純に硬いとは言っても、蹴り出しの際に蹴り返しができないほど硬いとかえってつまずきやすくなることになり、高齢者では転倒する危険も考えられる。その際にはトースプリングがしっかりとある靴選びや、母趾背側にできる骨棘が当たって痛みが出る場合もあるため、トーボックスが確保されている靴選びを指導する。
足底挿板を含めて装具療法を考える場合、まず靴に細工を考えるのであれば、メタタルサールバーを作製して蹴り返しが容易にできるようにすることが大切である。足底挿板を作製する際には内側アーチをしっかりと作ること、母趾MTP部を柔らかくするような細工をよく見るが、それよりもメタタルサールパッドで2から5趾の屈曲を誘導して母趾への負担を少なくすることが有効である。靴による保存療法で気をつける必要があるのは、靴は消耗品であり、靴底の削れやアッパーの革の弛みなどを少なくとも半年に一度はチェックして、その都度対処すべきである。

患者説明のポイント

病気の本態は関節症のため治るものではない、ということを説明し、関節症の進行予防のためには履物や歩き方が重要であることを指導すべきである。

リハビリテーションのポイント

足趾の使い方をしっかりとできるように指導することが大事である。

槌趾

hammer toe, mallet toe, claw toe

大原 邦仁　髙木整形外科・内科 院長〔名古屋市瑞穂区〕

【疾患概念】

槌趾変形では、ハンマー趾（hammer toe）と槌趾（mallet toe）に分けて考えられることが多い。ハンマー趾は近位趾節間（proximal interphalangeal；PIP）関節では屈曲し、遠位趾節間（distal interphalangeal；DIP）関節では伸展している変形である。一方、槌趾はDIP関節のみ屈曲している変形である（図28-10）。ハンマー趾に加えて中足趾節（metatarsophalangeal；MTP）関節の過伸展を合併したものを鉤爪趾（claw toe）とよぶ（図28-10）。

【病態】

女性に多い。サイズの小さな靴、ハイヒールやtoe boxの小さな靴を履くことで、MTP関節が背屈位矯

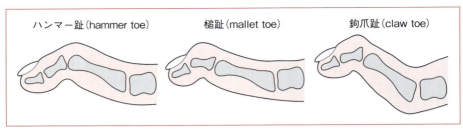

図 28-10　各種変形

正されるため，長趾伸筋や虫様筋が作用しにくくなり変形が生じると考えられる．中年以降ではplantar plateの損傷を合併しやすいことも一因と考えられる．また，単独で発症する場合もあるが，外反母趾，関節リウマチ，外傷が原因となることも多い．

鉤爪趾は，Charcot-Marie-Tooth病や二分脊椎などの神経筋疾患の凹足変形に合併して発症することが多い．ほとんどが両側性で，全趾に発症する．

【臨床症状】
槌趾では足趾先端やDIP関節の疼痛，胼胝形成がみられる．荷重時や歩行時に疼痛を生じる．ハンマー趾，鉤爪趾では，PIP関節背側の疼痛を生じる．またPIP関節背側や中足骨頭底側に，胼胝や潰瘍が形成される．特に靴を履くと，同部位が刺激され症状が増強する．

【問診で聞くべきこと】
疼痛の部位や出現する状況，使用している靴について確認する．また外傷歴の有無や，足趾変形をきたす疾患の有無を聞き出す．

【必要な検査とその所見】
変形の徒手整復ができるか否か，隣接関節の拘縮の程度を評価する．単純X線で関節症性変化や脱臼・亜脱臼の有無，外傷後では末節骨背側の骨折の有無を確認する．

【診断のポイント】
足趾の各関節を確認し，どの変形に該当するか判断する．疼痛部位の確認や徒手矯正が可能かなど触診を行うことが大切である．足趾変形をきたす疾患を念頭において診察する．

【専門病院へのコンサルテーション】
変形が高度な症例，外反母趾などの足部変形を合併する症例では治療が難渋するため，専門医へ紹介すべきである．

【治療方針】
まず保存療法を試みる．

【保存療法】
Toe boxにゆとりのある靴の選択，靴の履き方の指導を行う．拘縮予防として徒手矯正を反復させる．装具療法として，足底挿板や疼痛部の除圧のためのパッドなどを用いる．

【手術療法】
変形に対する徒手矯正が可能な場合，槌趾では長趾屈筋腱切離術が有効である．ハンマー趾では長趾屈筋腱の背側移行術が適応となる．これは足底の長趾屈筋腱を露出し，これを2つに縦切した後，それぞれの内外側から背側に回し，背側の皮膚切開を用いてPIP関節の近位で長趾伸筋腱に固定する方法である．Kirschner鋼線で3週間程度固定する．

変形に対する徒手矯正が不可能な場合，関節形成術や関節固定術を行う．槌趾ではDIP関節形成術を行う．これは関節背側から中節骨の骨頭を切除して，長趾伸筋腱を縫縮する方法である．Kirschner鋼線で3週間程度固定する．

【合併症と予後】
切除形成術では再び変形することがある．手術時は神経・血管損傷に注意する．

【患者説明のポイント】
病態に対する患者の理解を要する．靴の選択方法，履き方を理解してもらう．

【リハビリテーションのポイント，関連職種への指示】
足部内在筋の筋力強化を行う．拘縮予防として徒手矯正を反復させる．

足趾の皮膚の状態に留意して，フットケアにて胼胝の除去，潰瘍形成や趾間部の白癬の予防を行う．

内反小趾

Bunionette

須田 康文　国際医療福祉大学塩谷病院 病院長

【疾患概念】　内反小趾とは，第5趾先端が母趾側を向き（内反），その付け根（第5中足骨頭）が外側に迫り出す状態を指す．無症候例も少なくないが，有症状時は疼痛が主な症状となる．Bunionette（バニオネット），仕立て屋（tailor）が脚を交差する肢位でしばしば同部に胼胝を生じることから tailor's bunion とも称される．

【病態】
第5中足骨頭が外側に迫り出す骨性の要因として，第5中足骨頭外側の拡大，第5中足骨頭の外側への弯曲，第4中足骨に対する第5中足骨の過度の外反（第4第5中足骨間角の増大）が挙げられる．このような背景のもと，先の細い靴や足幅の狭い靴，ハイヒールを履くことで，突出する第5中足骨頭の外側（ときに底側にも）が圧迫され皮下に滑液包炎を生じ，その表層に有痛性の胼胝を形成することとなる．骨性の要因がない場合でも不適切な靴の使用で内反小趾を生じることがある．開張足による横アーチの崩れ，扁平足も内反小趾を発生する要因となる．しばしば外反母趾に合併する．なお内反小趾の発生頻度は明らかとはなっていない．男女差については，女性に多く発生する印象があるが，差はないとする報告もあり，一定の見解は得られていない．

■ 問診で聞くべきこと
靴の選択，使用法は内反小趾の発生要因にも，また症状増悪因子にもなるので，普段あるいは過去にどのような靴を履いているか履いていたかを確認する．疼痛は靴を履いているときに生じるのか，裸足でも生じるのか，職業（内勤か外勤か），靴を履いている時間についても聴取する．

■ 必要な検査とその所見
視診，触診で第5趾，第5中足趾節関節の形状と胼胝の位置，圧痛点，縦横アーチ構造の変化を確認する．単純X線足部背底像（荷重位），斜位像で第5中足骨頭の解剖学的特徴の有無，第5中足骨に対する基節骨の内反の程度を，側面像（荷重位）で縦アーチ構造の低下（扁平足）の有無を調べる．ただし外反母趾とは異なり，画像上の明確な定義（外反母趾では外反母趾角20°以上）はない．

■ 診断のポイント
視診，触診により診断は容易である．

■ 専門病院へのコンサルテーション
保存療法が無効な場合には，足の外科を専門とする整形外科施設に紹介することが望ましい．

■ 治療方針
多くの場合，適切な靴の選択，靴の履き方指導を中心とした保存療法が奏効する．保存療法を数か月行っても無効な場合手術療法を考慮する．

■ 保存療法
靴の選択，履き方は最も重要な保存療法である．内反小趾を生じている場合，ハイヒールは避け先端（トーボックス）の広い靴を薦める．ただし外反母趾と同様，荷重時に足の幅が広がることで第5趾の内反の程度は増強するため，胼胝への圧迫を避けるあまり，ワイズ（足囲）の広い靴を選択することは避けるべきである，同時に靴紐あるいはベルトで中足部を内外より締め，荷重時の足幅の広がりを防ぐことが重要である．小趾外転筋体操，第5趾先端の外側へのストレッチ，足底に胼胝を有する例，扁平足合併例では足底挿板（アーチサポート）も有用である．

■ 手術療法
第5中足骨の外側への拡大を認める場合には，突出する骨性部分の切除と関節包の縫縮を行う．第5中足骨頭の外側への弯曲，第4第5中足骨間角の増大している例では，第5中足骨の骨切り術を考慮する．骨切りの高さは，遠位部，骨幹部，近位部に分けられるが，近位部骨切りは骨癒合にやや難があるため，最近は遠位骨切りを低侵襲で行うとする報告が増えている．軟部組織のみへの処置（滑液包切除など）では，骨切り術に比べて後療法期間が短くなるメリットはあるが，骨性要素が背景にある例では，症状が再燃しやすいことを念頭に置く必要がある．

■ リハビリテーションのポイント，関連職種への指示
骨切り術を行う場合，骨癒合が得られるまでの術後約2か月間は，職業やADLに一定の制限を要する．このため，骨癒合の程度に応じて段階的に職場，ADLへの復帰を指導する必要がある．

陥入爪

Ingrown toenail

門野 邦彦　五條病院 部長〔奈良県五條市〕

【疾患概念】　陥入爪は爪が皮膚軟部組織に食い込み，

28 足関節，足部の疾患

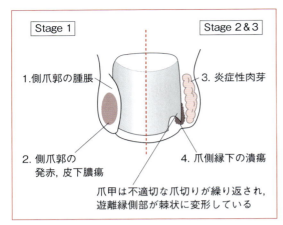

図 28-11 Heifetz の進行度分類

疼痛や創傷を生じる疾患である．爪甲が彎曲した「巻き爪」とは異なる病態だが合併していることが多く，並行して治療を進める必要がある．

【頻度】
日常的によくみられる疾患だが，わが国における正確な統計はない．韓国の統計では，頻度は307.5人/10万人年，女性に多く，若年と高年齢の二峰性に好発するとされる．

【病型・分類】
Heifetz の進行度分類が用いられる（図 28-11）．
Stage 1　発赤，腫脹期：趾尖の軟部組織に発赤と腫脹があり圧迫で疼痛を生じる．
Stage 2　創傷，滲出期：爪甲により側爪郭に創傷ができ出血や排膿を生じる．経過とともに創傷は深くなり潰瘍化するが，圧迫を避けるなどでいったん改善する．しかし容易に再発を繰り返す．
Stage 3　肉芽形成期：Stage 2 を繰り返すうちに，側爪郭に肉芽組織が増生し，爪甲はその中に埋もれ，その下では爪側縁部に潰瘍が形成される．Stage 3 は慢性化し自然治癒はまれである．

問診で聞くべきこと
靴の刺激が原因となることが多いので，日常よく履く靴をチェックする．近年，歩行困難な施設入所者に発症する例が増えており，発症前に介護者が爪切りをしてないか確認する．

診断のポイント
側爪郭に発赤，腫脹，慢性創傷，肉芽増生などを認めれば診断は容易である．皮下膿瘍を形成することもある．肉芽組織に埋もれた爪甲縁が棘状に変形していることがあるので確認を要する．外反母趾では，母趾が回内し爪甲側縁に体重がかかる状態となる．この刺激が原因になっていることがある．

治療方針
軽症では靴の変更，圧迫の解除，爪甲縁と軟部組織の間にコットンなどを詰めることで改善する．進行した例では，物理的に爪甲を持ち上げて軟部組織への刺激を解除する方法が有効である．近年各種の爪甲矯正器具が開発されている．ワイヤーやフックで爪甲を持ち上げるものが知られる．重度例では，化学薬品や観血治療で炎症性肉芽を除去しないと治癒機転に向かわない例がある．創傷が難治性のとき，PAD（peripheral arterial disease）による末梢循環障害が潜んでいることがある．手術治療は爪甲の狭小化をきたし，再発時に有効な治療法がないことが問題で，近年適応が縮小している．いずれの治療法でも一定の再発があるため，治癒後も定期的なフットケアと再発時の早期治療が重要である．

患者説明のポイント
窮屈な靴，深爪は悪化要因になるため避けるよう指導する．

リハビリテーションのポイント
適切な靴選び，適正な爪切り方法が再発予防に重要である．患者が要介護者の場合，介護者にフットケア法を指導する．外反母趾合併例では，足底装具などで母趾回内を矯正することが望ましい．

変形性 Lisfranc 関節症
Osteoarthritis of Lisfranc joint

平野 貴章　聖マリアンナ医科大学 准教授

【疾患概念】
Lisfranc 関節は，中足骨と足根骨とで構成される関節（足根中足関節）である．特に第2中足骨を中心とした「ほぞ」の構造は，足部における横アーチの構成に重要な key point である．骨形態の安定性のみならず，Lisfranc 靱帯（骨間靱帯），背側靱帯，底側靱帯など靱帯複合体が存在し，ほぞ構造の安定性に関係している．
変形性 Lisfranc 関節症は，同部位の関節症性変化である．

【病態】
足根中足関節の不安定性は変形や疼痛の原因となる．不安定性の原因は，内的要因として関節弛緩性と，外的要因として外傷後によるものが存在する．特に外傷後の変化として，Lisfranc 関節 subtle injury は，単純X線像で第1楔状骨と第2中足骨基部にわずかな離開を呈する外傷であり，その後足部荷重を繰り返すことにより足部変形や関節症性変化が強くなる．

問診で聞くべきこと

過去に足部の外傷歴の有無を確認することは大切である．また既往歴，受傷前の活動性や疼痛がどの状態で出現するかを確認することは重要である．

必要な検査とその所見

(1)画像診断
①単純X線像：足部単純正面像，側面像，斜位像で，関節症性変化を確認する．
②CT像：単純X線像ではっきりしない場合や，詳細な変化を確認することができる．

診断のポイント

足背部に疼痛と腫脹を認める場合は，変形性Lisfranc関節症の可能性がある．

関節症性変化のため，骨棘などにより深腓骨神経領域のしびれや感覚障害をきたすこともある．また裸足では症状がない場合でも，靴により足背側より圧迫されることにより，症状を呈することがある．

治療方針

1 ▶ 保存療法

薬物療法としてNSAIDs投薬や外用薬を用いる．また装具療法として，足底板などの処方を行う．そのほか足背部の疼痛がある場合には，靴の指導を行うことも有用である．

2 ▶ 手術療法

手術療法として骨棘を切除する場合や，変形や疼痛が著しい場合はLisfranc関節の関節固定術を考慮する．Lisfranc関節は小さいながら動きを有する関節であるため，関節固定時には足部アライメントを十分注意する必要がある．

成人期扁平足（後脛骨筋腱機能不全症）

Adult acquired flatfoot deformity [Posterior tibial tendon dysfunction (PTTD)]

生駒 和也　京都府立医科大学大学院 准教授

【疾患概念】　足のアーチ構造が破綻し，土踏まずが消失して扁平になった足部を総称して扁平足という．成人期扁平足（adult acquired flatfoot deformity；AAFD）は成人期に扁平足が生じる，もしくは進行する疾患である．後脛骨筋腱機能不全症（posterior tibial tendon dysfunction；PTTD）はAAFDの主たる病因である．

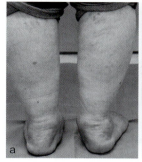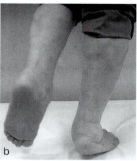

図 28-12　too many toes sign (a) と single heel rise test (b)

【頻度】
中年以降の女性や肥満体型の人に多い．足関節周辺の外傷や手術の既往，スポーツなどによるオーバーユース，小児期・思春期扁平足の既往などが誘因になる．

【病型・分類】
病期分類としてMyersonの分類が用いられる．Stage 1は後脛骨筋腱の損傷はあるが，扁平足を生じていない状態，stage 2は徒手的に変形矯正が可能（可撓性あり）な扁平足変形，stage 3は徒手的に矯正が不可能（可撓性なし）な扁平足変形とされ，stage 4では扁平足変形に外反型変形性足関節症を伴う．Stage 2として分類される変形の範囲が広いため，stage 2を前足部外転および回外変形の程度と，内側列の不安定性の程度で細分化する方法も報告されている．

【病態】
後脛骨筋腱が変性・断裂し，後脛骨筋の内側縦アーチを動的に維持する作用が破綻する．これにより内側縦アーチを静的に維持しているバネ靱帯や足底の諸靱帯が伸長され，アーチ構造が破綻し，扁平足変形をきたす．

【臨床症状】
足関節内果後方から下縁に走行する後脛骨筋腱に沿って，疼痛と腫脹がみられる．変形が進行した例では，踵骨外反に伴って足関節外側，特に足根洞や腓骨遠位部に荷重時痛や歩行時痛がみられる．

局所所見としては，後脛骨筋腱に沿った圧痛と足部内側縦アーチの低下を認める．進行期では足根洞や腓骨遠位部での圧痛と腫脹が出現する．Too many toes sign（後方から見て足趾が多く見えること：図28-12a）や，single heel rise test（片脚でのつま先立ちができなくなる：図28-12b）で陽性を示す．

問診で聞くべきこと

疼痛の発生時期と誘因，職歴やスポーツ歴は必ず聴

取する．軽微な外傷で生じることも多いため，外傷歴は十分に注意して聴取する必要がある．痛みの部位と程度，増悪する状況を確認する．小児期・思春期扁平足の既往は発症原因になる．

必要な検査とその所見

単純X線像では，荷重時足部正面・側面像，荷重時足関節正面像，後足部撮影像（Cobey法など）が必要である．足部正面像では距舟関節被覆角（talonavicular coverage angle）と距骨第1中足骨間角（APT 1 MTA）を，側面像で距骨第1中足骨間角（LT 1 MTA）と踵骨ピッチ角（calcaneal pitch angle）を，後足部撮影では脛骨軸と踵骨軸のなす角（TB-C角）を計測すべきである．荷重時足関節正面像では，外反型変形性足関節症の有無を確認する．MRIでは，後脛骨筋腱やバネ靱帯の損傷程度を評価する．

鑑別診断で想起すべき疾患

変形性関節症（距舟関節，距踵関節，Lisfranc関節），関節リウマチなどの関節炎，骨関節外傷，神経病性関節症，神経麻痺（脳性麻痺，ポリオ，神経損傷），足部腫瘍などである．

診断のポイント

内果周囲の後脛骨筋腱に沿った腫脹と圧痛が重要である．さらにMRIにおける後脛骨筋腱の信号変化の有無で鑑別が可能となる．

治療法は病期により異なるため，正確な病期分類が重要となる．足部の可撓性評価は，検者が患側と同側の手で踵を保持して中間位に矯正し，母指を距骨頭に当てる．反対側の手で足背部を外側から把持し，前足部をChopart関節で内転・回内してアーチを形成するように矯正する．これが可能であれば「可撓性あり」と診断する．

専門病院へのコンサルテーション

PTTDの手術は専門性が高く，慎重に術式を選択する必要性があるため，患者が手術を希望する場合には専門医に紹介すべきである．

治療方針

Stage 1と2は保存療法が第1選択である．保存療法が3か月間無効な例や後脛骨筋腱の完全断裂例では手術を優先する．Stage 3と4は手術療法が第1選択であるが，症状や患者の希望によっては保存療法を行う場合もある．

保存療法

急性期は安静と荷重制限を指導する．安静のために，ギプス固定を行う場合もある．亜急性期から慢性期は運動制限とリハビリテーション治療を行う．リハビリテーション治療は，装具療法と運動療法（筋力増強訓練，関節可動域訓練）を行う．装具療法は足底挿板やUCBL装具が有効である．

手術療法

軟部組織手術と骨関節手術に大別できるが，軟部組織手術を単独で行うことはほとんどない．術式は病期に応じて選択する．Stage 2では，踵骨骨切り内側移動術と長趾屈筋腱移行術を選択し，前足部外転が大きい症例ではさらに踵立方関節延長固定術を追加する．Stage 3では選択的二関節固定術もしくは三関節固定術を，stage 4では三関節固定術に三角靱帯再建術もしくは脛骨骨切り術を行う．

リハビリテーションのポイント，関連職種への指示

機能回復訓練では，前足部内転の自動運動を行う．筋力増強訓練として，足外側縁や小趾球で接地しながらの歩行，足趾の屈曲訓練による内在筋の強化を行う．両足および片足つま先立ち訓練も行う．下腿三頭筋のストレッチングも，扁平足進行の予防に重要である．

つま先立ち訓練の励行，関節可動域の確保と廃用性骨萎縮の予防を，看護師，PTに周知徹底する．

変形性足関節症

Osteoarthritis of the ankle joint

谷口 晃　奈良県立医科大学 准教授

【疾患概念】　足関節の軟骨および関節構成体の退行性疾患であり，関節軟骨の変性や破壊，さらには関節辺縁や軟骨下骨における骨の増殖性変化を特徴とする．二次的な反応として滑膜炎を認める．内反型および外反型の変形性足関節症が存在するが，わが国では内反型の頻度が高い．発症には関節の不安定性が大きく関与しており，捻挫を繰り返す病歴を持つものに発生することが多い．

【臨床症状】
内反型変形性足関節症では，外観上の足関節内反変形と内果関節面に一致した疼痛を認める．症状は荷重時や歩行時に増強し，時に歩行困難を生じることもある．外反型変形性関節症は扁平足に併発することが多く，足部内側縦アーチの低下や足関節外側の疼痛を訴えることが多い．

問診で聞くべきこと

幼少時からの捻挫歴や，過去のスポーツ歴は診断上有用である．荷重時痛や歩行時痛の有無，足関節不安定性の自覚についても聴取する．足関節周囲の骨折の既往についても問診する．

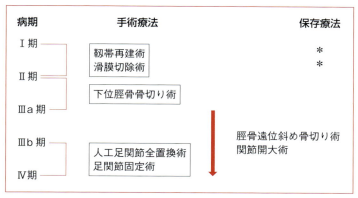

図 28-13 変形性足関節症の治療法

必要な検査とその所見

単純X線足関節荷重時2方向撮影を行う．関節裂隙の狭小化を認めず，骨棘および骨硬化像のみを認めるものをⅠ期，関節裂隙の一部が狭小化しているものをⅡ期，関節裂隙が一部消失しているがその範囲が内果関節面に限局しているものをⅢa期，距骨滑車上面にまで達しているものをⅢb期，関節裂隙の消失が足関節全体にわたるものをⅣ期と判定する．また脛骨軸と脛骨下端関節面のなす角である脛骨下端関節面傾斜角を計測する．日本人の平均値は87.4°であり，本症ではさらに内反しているものが多い．

関節軟骨の変性や隣接関節障害の評価，および手術計画の策定にCTは有用である．この場合も荷重条件下撮影や荷重をシミュレートした撮影方法は，正確な病態を把握するためにも望ましい．以下の疾患を鑑別するため，血液検査や関節穿刺液の結晶分析などを行う．

鑑別診断で想起すべき疾患

外傷性足関節症や関節リウマチ，痛風や偽痛風などは，鑑別すべき疾患として念頭におく必要がある．

診断のポイント

関節裂隙の狭小化や消失を認めれば，本疾患と診断される．Ⅰ期のようにX線所見に乏しい病期では，疼痛部位の確認や足関節不安定性の評価などを入念に行う．一方，手術適応となる進行期から末期の関節症では，外果関節面における骨軟骨腫の存在や，距骨下関節をはじめとした隣接関節の変性まで評価し，追加手技の要否を判定する．

専門病院へのコンサルテーション

Ⅱ期以降の症例で観血的治療を希望する症例では，専門病院へのコンサルテーションが望ましい．

治療方針

Ⅰ～Ⅱ期の症例では保存療法を選択することが多いが，関節不安定性が著明な場合には観血的治療を行うこともある．Ⅲa期以降の症例では保存的治療での症状改善の見込みは低く，観血的治療を選択することが多い（図28-13）．

保存療法

足関節の不安定性が存在する症例には，足関節用の軟性装具を用いてさらなる捻挫を予防する．各種温熱療法は初期の症状緩和には有用である．Ⅱ期の症例では，外側楔のついた足底挿板による効果が期待できる．また副腎皮質ステロイドの関節内注入も，一時的な症状緩和が見込める．Ⅲa期以降の症例では保存療法で改善しない症例が少なくない．

手術療法

Ⅰ～Ⅱ期の症例で，足関節の不安定性が著明なものには靱帯再建術を行う．また関節内に滑膜炎が生じている場合には，関節鏡下滑膜切除術を行う．Ⅱ～Ⅲa期にかけて脛骨下端関節面が強く内反している症例では，下位脛骨骨切り術を行う．Ⅲb期以降の症例では，患者の活動性に合わせて足関節固定術や人工足関節全置換術を行う．関節温存を強く希望する症例には，創外固定器を用いた関節開大術や脛骨遠位斜め骨切り術を選択しうるが，術後経過に関する慎重な説明が必要である．

患者説明のポイント

初期の段階では進行を予防することが重要で，装具の装着や理学療法士の指導のもと筋力維持，強化が必要であることを説明する．進行期では手術療法を含めた治療戦略について，末期では各種手術方法の利点と

28 足関節，足部の疾患

トピックス　変形性足関節症に対する遠位脛骨斜め骨切り術

進行した変形性足関節症の治療として，下位脛骨切り術，人工足関節置換術，関節固定術が適応されてきた．関節温存手技として下位脛骨切り術が行われてきたが，Joint orientation を整える手術であり，高倉＆田中分類での Stage 3a までが適応とされる．遠位脛骨斜め骨切り術（distal tibial oblique osteotomy；DTOO）は脛骨遠位部を斜めに骨切りして開大させ足関節の安定性をはかる手術で，1994 年に寺本らにより確立された日本発の誇るべき手術である．脛骨遠位内側から脛腓関節までの斜め骨切り，十分な遠位骨片の開大，距骨の total contact，それによる足関節の安定性の確保・alignment 改善が可能となる．原法ではリング型創外固定にて固定し，開大部には腸骨移植を行っている．これにより Stage 2〜4 の一部まで適応されることになり，選択肢が拡がった．下位脛骨切り術に比して動的安定性の向上を目指すので，術中に遠位骨片を開大させた状態をみながら距骨の安定性を評価する必要がある．寺本らは multidirectional instability と表現し，X 軸（底背屈方向，前後方向，lateral shift），Y 軸（距骨の回旋不安定性，牽引することによる軸方向の不安定性），Z 軸（内外反ストレス不安定性，前後ストレス不安定性）で安定性を得ることが重要であるとしている．

素晴らしい理論，術式であるが故に広く行われるようになったが，リング型創外固定を行える施設は限られており，ロッキングプレートを用いた方法が報告されている．十分な距骨の安定性を獲得するには遠位骨片の十分な開大が重要となり，プレート固定の場合，創外固定に比して固定時の調整が難しく under correction になりやすい．同様に内側の皮膚緊張も強くなり，皮膚トラブルが危惧されるので原法とは異なるとされる．不十分な矯正での DTOO は，total contact を模した下位脛骨切り術になってしまうリスクがある．

人工足関節置換術が術後の活動量制限が必要であること，足関節固定術では可動域の喪失・隣接関節障害発生リスクがあるが，DTOO に比較して早期の社会復帰が可能となることが多い．適応を決めるには個々の症例を的確に評価し，要求に対して柔軟に対応する必要がある．

柏倉　剛〔市立秋田総合病院 科長（秋田市）〕

欠点について説明する．

リハビリテーションのポイント，関連職種への指示

保存療法では，足関節周囲筋群の強化やバランス訓練などを積極的に行う．手術症例では初期固定中は免荷歩行訓練を，終了後は術式に合わせて関節周囲筋群の強化や可動域訓練を行う．

距骨無腐性壊死
Avascular necrosis of the talus

今出　真司　島根大学 助教

【疾患概念】　感染を除く何らかの要因によって生じた距骨の虚血性骨壊死．距骨は体表の 6 割が軟骨に覆われ，かつ靱帯を除く筋や腱などの軟部組織の付着もない．このような構造特性が好発する理由である．要因の主たるものは距骨頸部骨折など外傷だが，ステロイド投与やアルコール多飲に起因する特発例の報告も散見される．

【頻度】
特発性を含む全体の罹患率は不明である．一方，外傷を契機とするものは，一般にその程度と発生率が相関し，距骨頸部骨折（Hawkins 分類）では，1 型で 0〜10％，2 型で 20〜50％，3 型で 60％ 以上の確率をもって無腐性骨壊死を生じることが知られている．

問診で聞くべきこと

足関節捻挫のような軽微な外傷でも生じ得るので留意する．特発性を考慮したステロイド使用歴やアルコール摂取量の聴取も行う．

診断のポイント

発症初期に特異的な症状はなく，本疾患を高率に発症し得る患者では常に念頭に置き，慎重な経過観察をする必要がある．診断は画像所見により，単純 X 線像（図 28-14a）や CT（図 28-14b）ではある程度病期が進行した段階（発症からおおむね 4 週以降）で骨硬化像として表れる．一方，距骨体部の相対的骨萎縮（Hawkins sign）がこれを否定する徴候として重要（感度 100％，特異度 57.7％）であるものの，本徴候の欠如が骨壊死の診断を確定するものではない．MRI ではより早期から病変を捉えることができる（図 28-14c，

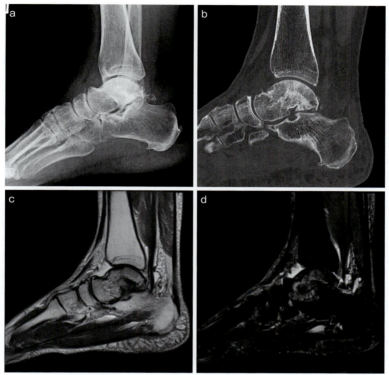

図 28-14　距骨無腐性壊死の画像所見
単純 X 線像（a）および単純 CT（b）．距骨体部に骨硬化像．MRI では T1 強調像（c）で低信号，STIR 像（d）で等〜高信号を呈する．

d）．鑑別疾患として本疾患を挙げた場合は積極的に撮像したほうがよい．

専門病院へのコンサルテーション

確立された治療方針はなく，症例ごとに柔軟な対応を要する．本疾患と診断した症例は足の外科医が在籍する医療機関へ紹介することを勧める．

治療方針

距骨体部圧潰のない，あるいは軽微な症例では無症状な症例も多く，保存治療が第 1 選択となる．PTB（patellar tendon bearing）装具などを用い免荷を維持する．免荷期間と圧潰回避率の関係に明確なエビデンスはないが，発症後 2 年までは壊死部再潅流の可能性が残されるので，状況に応じ適宜期間を設定する．筆者はまず半年間免荷を維持し，以後は患者の忍耐を見定め，限界に達する前に十分な説明のもと荷重を許容し，圧潰を生じれば逐次手術治療に切り替えている．距骨体部圧潰の進行した症例では手術治療を選択する．従来，主流は関節機能を損なう関節固定術であったが，近年では優れたインプラント（人工距骨など）が開発され，関節機能の温存も可能となっている．患者の状態や生活環境など複合的に検討し術式選択をする必要がある．

患者説明のポイント

患者のニーズ（いつまでに何の機能をどの程度まで獲得したいのか）を正確に捉え，これに至近な治療計画を練り，インフォームドコンセントを行う．不可逆的な治療も含まれるので，十分な納得が得られるまで何度でも説明を行うべきである．

リハビリテーションのポイント，関連職種への指示

通例，治療期間は長期に及ぶ．看護，リハビリテーションともに症例ごとの調整を要するので，チームとしての診療体制確保が必要である．

トピックス　距骨壊死に対する人工距骨置換術

　距骨壊死は足関節に重度の機能障害をきたし，治療に難渋することが多い疾患である．特発性以外では距骨骨折後などの外傷性距骨壊死やステロイド性，アルコール性の距骨壊死が挙げられる．距骨の圧壊を認めない早期の症例に対する保存治療として，PTB（patellar tendon bearing）装具を用いた荷重制限などがある．一方，距骨の圧壊を伴うような距骨壊死に対する手術治療として，人工距骨置換術や固定術がある．本稿では人工距骨を用いた手術治療について述べる．

　人工距骨は京セラメディカル社によるアルミナセラミック製で，健側の足部 CT 像から三次元 CAD を用いてデザインしている．足関節前方アプローチで距骨を摘出したのちに，人工距骨を挿入する．手技のピットフォールとして，足関節前方アプローチでは前脛骨筋と長趾伸筋の間から進入するが，足背動静脈と深腓骨神経が皮切遠位部で外側から術野を横切るように走行することがあり注意する．距骨の摘出の際には，必要に応じて関節包や前距腓靱帯，骨間距踵靱帯などを切離する．特に距骨内側後方部分を摘出する際には，長母趾屈筋や後方の神経血管束を損傷しないように注意する．切離した靱帯に対する修復術や再建術は併用していない．距骨の圧壊に伴い脛骨天蓋面も障害されているような症例には，TNK Ankle の脛骨コンポーネントを併用した Combined TAA や，摘出した距骨の一部を用いた脛骨天蓋面の形成を併用することもある．追加処置をすることなく人工距骨置換術の単独症例に対する後療法は，局所の軟部組織の安静のために術後 2 週間短下肢ギプス固定として，接地程度の荷重にとどめている．その後は足関節外側靱帯用装具を着用のうえで，疼痛に合わせて全荷重を許可している．術後 3 か月以降に，単純 X 線による足関節内がえしと前方引き出しのストレス撮影を施行しているが，大半の症例において足関節の不安定性は認めていない．経過とともに脛骨前方や舟状骨足背側に骨棘形成を認めることもあるが，骨棘切除など追加手術を施行した症例はない．1999 年に人工距骨を開発した当初は距骨体部のみを置換していたが，より良い臨床成績を目指して，2005 年以降は距骨頸部も含めた全置換型の人工距骨を使用している．臨床成績は良好で，再手術を必要とするような合併症も認めていない．

黒川　紘章〔奈良県立医科大学 診療助教〕

脛骨天蓋骨折

Pilon fracture (Plafond fracture)

衣笠　清人　近森病院 統括部長〔高知市〕

【疾患概念】　足関節は距腿関節とも呼ばれ，内果・外果と脛骨天蓋部および距骨により構成されている．この脛骨天蓋部の骨折を含むものが pilon 骨折とか plafond 骨折とよばれている．ともにフランス語で pilon はすりこぎ棒，plafond は天井を意味する．

【病型・分類】
　スキーなどで起こる低エネルギー外傷型では，軟部組織のダメージは比較的軽度で転位は少ない．しかし高所からの転落や交通外傷で起こる高エネルギー外傷型では，軸圧損傷としての関節面の粉砕や骨幹端部への陥入が必発で，開放創を伴うこともある．分類としては古くは Ruedi 分類，最近では AO Muller 分類が CCF（Comprehensive Classification of Fractures）として用いられてきた．2018 年に OTA と AO Foundation から，Fracture and Dislocation Classification Compendium — 2018 として新 AO 分類が発表された（図 28-15）．多少の違いはあるが，本骨折に限ればほぼ同じである．

■問診で聞くべきこと
　受傷機転をよく聴取して，軟部組織の受けているダメージを評価しなければならない．

■必要な検査とその所見
　単純 X 線撮影では，足関節前後・側面 2 方向に加えて，健側の同 2 方向も比較のため撮るべきである．また最近は 3D-CT が可能であることが多いので，VR で立体画像を作っておくと手術治療を行う場合非常に有用である．

■鑑別診断で想起すべき疾患
　一見，足関節果部骨折にみえる骨折型のなかに，天蓋部の陥入転位を含んだものもあり，注意すべきである．これらは AO 分類では 44 □ ではなく，43 B 2.□ である．

■診断のポイント
　診断は 3D-CT まで撮影していれば容易であるが，大切なのはその後の治療方針を早く決定し，速やかに適切な治療を開始することである．

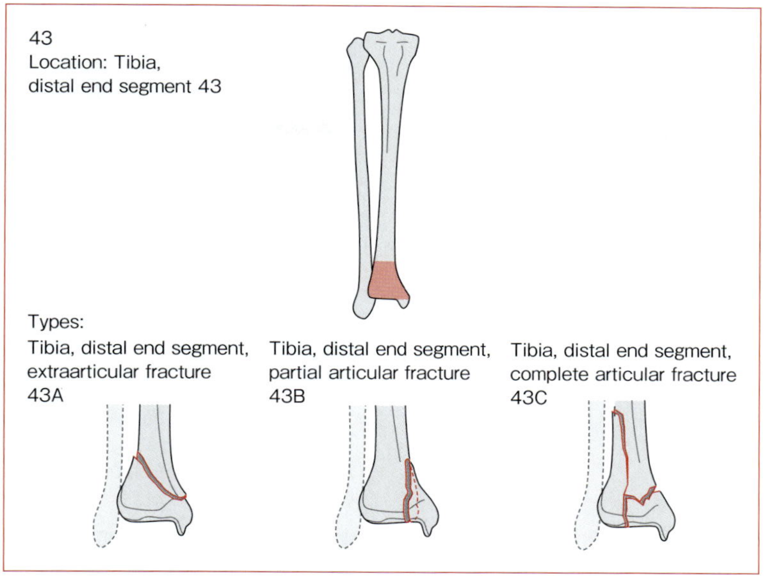

図 28-15　AO-OTA 分類（一部）
〔JOT 32(1): Supplement, 2018 より〕

専門病院へのコンサルテーション

自院で治療できない場合は，可能な限り早く専門病院へ転送しなければならない．

治療方針

ほとんどの症例で手術治療が必要である．しかも粉砕高度で整復・固定ともに難しいことが多い．また軟部組織は開放創がなく，搬入時の腫脹も軽度～中等度であっても，経時的に腫脹が高度になり水疱形成を伴ってくる場合がある．したがって搬入当日は一時的創外固定だけ行い，アイシングやフットポンプを用いて腫脹の早期軽減をはかり，二期的に観血的整復固定術を予定するという，いわゆる staged surgery を施行するのが標準的になりつつある．

治療方法

一時的創外固定では，脛骨骨幹部-踵骨の Spanning Ex.-Fix として，さらに下腿全体がベッドから浮くようにフレームを組んでおくとよい．最終的に骨接合術ではプレート固定が一般的であるが，アプローチが重要である．古典的な 2 皮切アプローチ (anteromedial & posterolateral) では，皮膚壊死とそれに続く術後感染の危険度がかなり高い．単皮切アプローチである筆者の Kesagake approach は，慣れれば良い方法であるが，簡単ではない．整復固定後，骨欠損部には自家骨移植または人工骨を充填する．しかし軟部組織の条件が少しでも悪ければ，最小限の展開で整復して Ilizarov 創外固定を行うほうが安全である．ただし，本骨折の治療目的は足関節機能の回復であり，皮膚壊死・感染を回避しても整復不良が残れば，変形性関節症の発症は必発であることも覚えておかなければならない．

合併症と予後

搬入時から腫脹が軽減してくるまでは，コンパートメント症候群の発症に十分な注意を払い，疑わしい場合は緊急筋膜切開を施行する．予後については完璧な関節適合性と安定性が獲得されていれば，わずかな足関節の可動域制限だけで長期にわたり良い成績が期待できる．整復不良の場合，数年後以内に変形性関節症が進行する．

患者説明のポイント

本骨折は重症外傷であり，治療には長期間を要する．またコンパートメント症候群・皮膚壊死・感染の危険度は高く，複数回の手術を要する場合もある．骨癒合後も変形性関節症が進行し，足関節固定術・骨切り術や人工関節置換術が必要になることもある．以上のことを必ず説明しておく．

リハビリテーションのポイント，関連職種への指示

4～6 週の免荷をして，早期可動域訓練（特に足関節背屈）を行う．病棟看護師には，急性期はコンパートメント症候群の徴候に注意するよう指示する．

足関節果部骨折

Malleolar fractures of ankle joint

佐藤 徹　岡山医療センター 診療部長〔岡山市北区〕

【疾患概念】　足関節果部骨折は多くの場合，介達外力により生じる．外力の種類，方向によって種々の骨折形態を生じるが，重要なポイントは果部骨折が関節内骨折であるということである．治療の目的は他の関節内骨折と同様に，足関節部の解剖学的整復と骨折部の安定性を獲得し，早期関節運動を行うことである．転位のない安定型骨折では保存的治療法が選択されるが，転位した骨折では観血的整復内固定法が選択される．

【病型・分類】

Lauge-Hansen 分類は受傷時の肢位，外力の方向，損傷の程度の判別が可能であり，整復位獲得のために必須である．しかしながら分類はしばしば難解で，再現性にも問題があり，必ずしも現在の治療法に適合しているとはいえない．AO/OTA 分類(2018)は Weber 分類をもとにしており，簡便で観血的治療法を決定するときに有用である．

AO 分類

腓骨の損傷レベルにて骨折を3型に大別する．すなわち腓骨の損傷高位によって type A，B，C に大別し，さらに1, 2, 3 の group に分類する(図28-16)．

Type A：脛腓靱帯結合部より遠位での損傷
　A1：単独損傷
　A2：内果骨折合併
　A3：後内果骨折合併

Type B：脛腓靱帯結合部での損傷
　B1：単独損傷
　B2：内側損傷(内果骨折または靱帯損傷)合併
　B3：内側損傷＋後外側縁(Volkmann)骨折合併

Type C：脛腓靱帯結合部より近位部での損傷
　C1：腓骨骨幹部単純骨折
　C2：腓骨骨幹部多骨片骨折
　C3：腓骨近位部損傷(Maisonneuve 骨折)

以上のように，AO/OTA 分類は外側複合体の再建を重視しており，一般的には A から C に，1 から 3 になるほど重症度と治療の困難さが増していくとされている．

【問診で聞くべきこと】

受傷機序，疼痛部位，既往症と受傷前の ADL が診断と治療方針の決定に重要である．

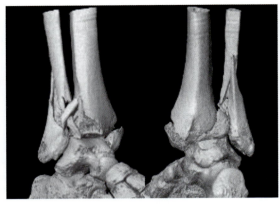

受傷時 3D-CT 像
前外側から見たところ　　後内側から見たところ
AO type B 骨折，内果剥離骨折，後果骨折，Tillaux-Chaput 骨折が明らかになった．

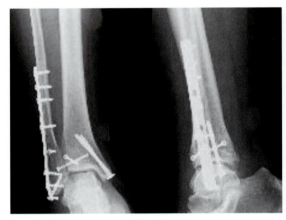

個々の骨片に対する典型的内固定を示す．

図 28-16　足関節三果骨折と内固定

【必要な検査とその所見】

(1)単純 X 線

前後，側面の2方向と，両斜位像に加えて15〜20°内旋位の mortise view がルーチンである．

(2)CT

遠位脛腓間離開の有無，前下脛腓靱帯の剥離骨折である Tillaux-Chaput lesion(脛骨剥離骨折)，Le Fort (Wagstaff) lesion(腓骨剥離骨折)の検索を行う．後果骨折の部位と転位位，骨片の大きさを観察する．

また，内果部の粉砕と関節面の嵌入骨片のチェックに必須である．

【診断のポイント】

(1)腓骨骨折の損傷レベル

骨折レベルは骨幹膜の断裂が近位のどこまで及んでいるかを示す．AO 分類 type C はほぼ全例，type B

は一部で遠位脛腓関節の不安定性を認める．
(2)遠位脛腓関節部の離開，不安定性の評価
　単純X線のmortise viewとCTによって受傷時に診断し，骨折部の内固定後にフックテスト，外旋ストレステストなどによって確認する．

治療方針

　来院時に大きな転位を認めた場合，愛護的に牽引して整復操作を行う．整復操作はLauge-Hansen分類を参考に，受傷肢位の逆肢位にして行う．手術を予定していても，整復操作と局所の安静目的での外固定を行う．開放骨折や来院時，すでに軟部組織の腫脹を認めた場合，整復位保持が困難な場合，創外固定を考慮する．

1 ▶ 保存的治療

　AO分類type Aで，内側損傷を伴わない単独骨折は安定型と判断されるので，保存的治療可能である．Type Bのうち，内側損傷を合併しない転位のない外果単独損傷は保存的治療可能である．三角靱帯断裂は内側の圧痛などの臨床所見と，gravity testやCotton testなどのストレスX線撮影によって評価される．不安定性を認める足関節損傷は，観血的整復術によってのみ，安定した解剖学的整復位が得られる．

2 ▶ 観血的治療

(1)腓骨骨折
　ほとんどの場合，内固定のファーストステップは腓骨の再建である．AO分類type Aはスクリュー固定あるいはtension band法で固定が行われる．Type B，Cでは骨折部の解剖学的整復位を獲得することが重要である．内固定はラグスクリューとプレート固定が一般的である．骨折部位が近位1/3の腓骨骨折は通常，内固定の適応にならない．

(2)内果骨折，三角靱帯の展開，内固定
　三角靱帯損傷は必ずしも展開を必要とはしない．しかし，腓骨を整復内固定後にX線で内側関節裂隙の開大や，腓骨の解剖学的整復が不可能な場合，三角靱帯あるいは骨軟骨片が内側関節裂隙に嵌頓している場合があるために，内側部の展開が必要となる．Type Bの内果骨折は裂離骨折であり，介在する骨膜を除去して，正確に整復内固定を行う．骨折面に垂直に4.0 mm先ネジ海綿骨スクリューあるいはKirschner鋼線を挿入する．小さな骨片にはテンションバンドワイヤー法が用いられる．Type Aでは内側天蓋部に圧迫力が加わるために，関節面の陥没をCTでチェックする必要がある．陥没した関節面は直視下に整復して，整復後の軟骨下部の欠損には骨移植を行う．

(3)後果骨折
　脛骨後外側部の後果骨折（Volkmann三角）は，後脛腓靱帯によって外果と結合しているために，腓骨を整復すればある程度整復されることが多い．側面像で後果骨片が全関節面の25％未満で，距骨の後方不安定性を認めなければ，保存的に治療可能である．関節面の25〜33％以上の転位した大きな骨片は後外側皮切で，直視下に整復後，スクリュー固定する．

(4)遠位脛腓関節部
　外果→内果骨折固定後に遠位脛腓関節の離開や不安定性を認めた場合，整復後に脛腓間スクリューを挿入固定する．
　前下脛腓靱帯の裂離骨折（脛骨：Tillaux-Chaput lesion，腓骨：Le Fort lesionあるいはWagstaff lesion）は整復固定が行われる．脛腓間固定術が必要かどうかはフックテストや足関節外旋ストレステストを術中に行って判断する．もし遠位脛腓間が不安定であれば，腓骨から脛骨に向けてポジショニングスクリューを挿入しなければならない．

　以下，治療に難渋する特別な状況における治療法について述べる．
(5)粉砕した腓骨の整復固定
　骨折部に粉砕を認めないAO分類C1骨折では正確な骨折部の整復が可能である．骨折部が粉砕したAO分類C2骨折では必ず健側X線を撮影し，腓骨の短縮防止に努める必要がある．粉砕部の正確な整復が可能であれば，骨折部の展開を行い，不可能と判断されれば骨折部の短縮，外側転位に注意しながら主骨片間のみの整復固定を行う．遠位骨片を先にプレートと固定し，tension deviceを用いて骨折部を延長すると短縮を防止できる．腓骨は短縮，外旋，外側転位をきたしやすいことに注意して，整復固定を行う．

(6)Maisonneuve骨折の治療法
　AOグループは足関節果部骨折における腓骨骨折の手術適応を近位1/3までとしている．観血的治療の合併症である腓骨神経麻痺と整復位獲得による利点を考慮してのことである．腓骨近位部骨折を整復しない場合，腓骨は短縮し外旋位となる．変形を放置すると疼痛や関節の不安定性，さらには関節症を生じる可能性があるため，足関節全体の解剖学的整復を考慮して腓骨から脛骨に向けてのポジショニングスクリューが必要となる．ポジショニングスクリューの適応は健側と比べて関節面の開大が2 mm以上，腓骨の短縮を認める場合で，関節の不安定性は側臥位で外側を下にしたgravity testあるいは外旋ストレステストで確認する．

患者説明のポイント

　足関節内骨折は正確な関節面の整復を必要とし，変形癒合は外傷後変形性関節症をもたらす．整復のため

28 足関節, 足部の疾患

には観血的治療を必要とする．術後，早期足関節自動運動を開始し，機能回復をはかる．術後感染，癒合の遷延化，神経損傷の可能性についてあらかじめ説明しておく必要がある．

リハビリテーションのポイント，関連職種への指示

術後に局所の安静が必要な場合や尖足予防が必要な場合は，術直後に足関節底背屈 0°，内外反 0° で外固定を行う．術後 48 時間以内にドレーンを抜去し，足関節自動運動を開始する．外固定は尖足予防のために少なくとも夜間は必要となることが多い．医師あるいは理学療法士指導のもとに積極的に足関節自動運動を行い，正常な関節可動域を獲得すれば，外固定は不要となる．荷重開始は術後 5〜6 週で開始し，10〜12 週で全荷重とする．ポジショニングスクリューを挿入した場合は，術後 6〜12 週で抜去するが，スクリューが破損することもあることをあらかじめ説明する必要がある．周術期にはコンパートメント症候群の可能性を念頭に，医師および病棟看護師の経時的な観察が必要である．

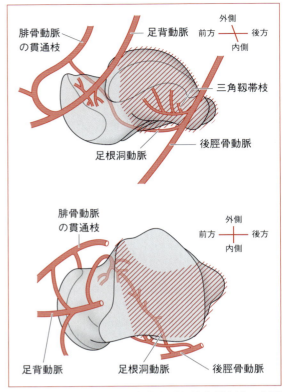

図 28-17 距骨（右足）の栄養動脈と後内側血流の支配域（網掛け部）

距骨骨折

Talus fracture

栃木 祐樹　獨協医科大学埼玉医療センター 准教授

【疾患概念】 距骨は，大半の部位を関節軟骨に囲まれて栄養血管の流入部位が限定されているため，血流障害時の血管再生が不利な条件にある．特に距骨体部は，中央〜内側後方部までの広い範囲が後内側部から流入する血管の支配下にあり（図 28-17），頸部骨折に同血管の損傷が合併すると，体部の無腐性壊死が高率に発生する．また，転位を伴う体部骨折では，距骨滑車荷重面に関節面不整が残存すると二次性足関節症が発生しやすい．本骨折の取り扱いに際しては，こうした重篤な遺残障害のリスクと発生メカニズムを十分に理解しておく必要がある．

【病型・分類】

(1) 頸部骨折

高所転落の着地時に足関節が過背屈強制を受け，脛骨前果が距骨頸部背側に衝突して発生するとされる．高エネルギー損傷では，体部骨片が後方脱臼する場合があり，開放損傷では体外脱転も生じ得る．体部無腐性壊死の発生率は，受傷時の体部骨片転位の程度に大きく依存し，転位が最小限の Hawkins I 型では 20% 未満とされるが，距骨下関節の亜脱臼を伴う同 II 型では 50% 程度となり，体部骨片の後方脱臼を伴う同 III 型では 90% 程度となる．

(2) 体部骨折

転落外傷などによる後足部軸方向への衝撃で発生するとされる．高エネルギー損傷時には大きな転位や粉砕骨折が生じ，新鮮外傷時の軟骨ダメージに加えて関節面不適合も残存しやすいために二次性関節症のリスクが高い．転位が少ないと，単純 X 線画像では描出困難となり見逃されやすい．

(3) 外側突起骨折

後足部への外反強制時に同部が外果-踵骨間に挟み込まれて発生するとされ，スノーボード外傷に多い．単純 X 線画像で描出されにくく，外側靱帯損傷と疼痛部位が類似しているために見逃されやすい．主荷重面の損傷ではないが，適切に治療されないと偽関節化や二次性関節症のリスクがある．

(4) 後方突起骨折

過底屈強制により，この部が後果-踵骨間に挟み込まれて発生するとされる．画像診断では，三角骨障害との識別が難しい．

診断のポイント

損傷部位を推測するため，受傷メカニズムをしっかり問診しておく．単純X線画像では骨折が明瞭でない場合も多く，脂肪滴を伴う関節血腫など骨折を示唆する所見があれば，積極的にCT検査を行う．画像上で骨折が確認されなくても，荷重時痛や後足部全周性の腫脹が認められれば，本骨折を疑った初期対応（中間位外固定・免荷など）を行う．1週ほど経過して急性炎症が鎮静化しても，強い荷重時痛が残存する場合には，不顕性骨折を疑いMRI検査を行う．

治療方針

1 ▶ 保存療法

骨片転位がない場合には，骨折型によらず主に保存療法が行われる．頚部骨折や体部骨折では慎重な治療スケジュールが推奨されており，3～6週は下腿～足部ギプス固定を行い全免荷とする．その後に可動域訓練や歩行訓練を開始するが，受傷後8～12週まで荷重制限や脱着型外固定による患部保護が継続される．長期外固定により関節拘縮を生じやすいため，初期治療時から底背屈・内外反中間位での外固定を心がけることがきわめて重要である．

2 ▶ 手術療法

骨片転位がある場合には，観血的整復固定術が行われる．残存する栄養血管を損傷しないように，低侵襲手術を心がける．関節面形態の完全復元を目指すためには，X線透視と関節鏡視の併用が有効とされる．内固定材は，主に中空スクリューが用いられるが，頚部骨折に対しては専用形状のロッキングプレートも供給されている．早期からの可動域訓練を行えるように，できるだけ強固な固定を心がける．頚部骨折のスクリュー固定時には，後外側（滑車関節面の後縁部）から距骨頭に向けて刺入すると，良好な整復固定が得られやすい．

足関節・距骨下関節脱臼

Dislocation of the ankle and subtalar joint

原口 直樹　聖マリアンナ医科大学横浜市西部病院 副院長

【疾患概念】　骨折を伴うことなく足関節あるいは距骨下関節が脱臼するもので，スポーツ外傷や交通外傷で発生する．

【頻度】
足関節脱臼・距骨下関節脱臼ともに非常にまれな外傷である．特に足関節脱臼は足関節の外傷全体の0.07%との報告があり，20～30歳台の男性に多く発生する．

【病型・分類】
足関節ではすべての方向に脱臼しうる（後内方，内方，後方，外方，上方，前方）が，後内方脱臼が最も頻度が高く，次いで内方脱臼が多い．約半数が開放性脱臼である．距骨下関節では内方脱臼が多く，しばしば距舟関節脱臼を伴う．

【臨床症状】
足関節の高度の変形を認める．血管の圧迫により，整復前に一時的な阻血を認めることがある．整復後は足関節周囲に腫脹や皮下血腫を認める．高エネルギー外傷では開放創を認め，骨が露出する．

問診で聞くべきこと

受傷の場所と時間，開放性脱臼であれば受傷した場所の汚染の状態などを聞く．

必要な検査とその所見

単純X線写真で脱臼の方向と骨折の合併の有無を評価する．足関節・距骨下関節脱臼ともに，CTを撮影して細部の骨損傷を確認する（図28-18）．

診断のポイント

足関節脱臼では単純X線像により脱臼の診断は容易であるが，足背動脈や後脛骨動脈の拍動および足部の知覚を確認する．脱臼整復前と整復後に毛細血管再充満時間（capillary refilling time）を計測する．脱臼の整復後は足関節中間位でX線写真を撮影し，関節の適合性を評価する．

専門病院へのコンサルテーション

血管損傷や高度の軟部組織損傷を合併する場合は，専門病院へ転送する．

治療方針

緊急に徒手整復してギプスシーネ固定を行う．開放性の脱臼は洗浄・デブリドマンを行い整復，ギプスシーネ固定を行う．閉鎖性・開放性ともに靱帯の修復は一般に必要ない．軟部組織の合併症がなければ，腫脹が軽減する受傷後約2週間程度で短下肢ギプス固定に変更する．外固定期間は4～6週間とする．ギプスにはヒールをつけて，徐々に荷重を許可する．ギプス除去後は短下肢装具を装着させて，同時に関節可動域訓練および筋力強化訓練を積極的に行う．

合併症と予後

早期に整復を行えば，ギプス固定により予後は良好である．起こりうる合併症としては，足関節脱臼では拘縮が多く，不安定性が問題になることはまれである．開放性脱臼では感染が比較的多い合併症であり，切断や皮弁を要する高度の軟部組織欠損などが報告されて

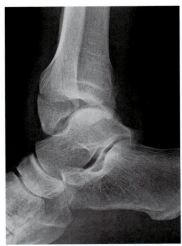
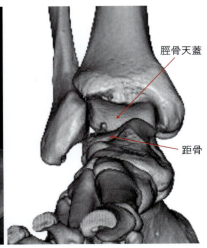

図 28-18　足関節後内方脱臼

患者説明のポイント

拘縮や変形性関節症，知覚障害，複合性局所疼痛症候群など，起こりうる合併症をあらかじめ説明しておく．開放性脱臼であれば，深部感染や創の治癒不全に対する皮弁などの二期的な手術の可能性を説明する．

リハビリテーションのポイント，関連職種への指示

外固定を除去後，拘縮を防ぐために積極的な可動域訓練と筋力強化訓練を行う．強い疼痛や腫脹・浮腫，極端な皮膚の色調の変化の出現に注意し，疼痛を我慢させて継続的に運動負荷を与えないように留意する．

距骨滑車骨軟骨障害

Osteochondral lesion of the talar dome

林　宏治　大手前病院 足の外科センター長〔大阪市中央区〕

【疾患概念】　軟骨下骨層で分離が生じ，進行すると骨軟骨片が関節内遊離体となる疾患である．外傷歴が明らかでない離断性骨軟骨炎と，外傷歴がある骨軟骨骨折として定義することもあるが，両者を総称して骨軟骨障害とよぶことが一般的である．

【病態】　関節内で繰り返される微小外傷が主因と考えられるが，骨形態異常の関与も指摘されている．

【臨床症状】　安静時痛はまれで，階段昇降時や運動時に痛みを認めることが多い．

問診で聞くべきこと

スポーツ歴と職歴の問診は負荷強度の確認に重要で，骨折や捻挫などの外傷歴も忘れずに確認する．

必要な検査とその所見

単純X線のみでは不十分であるため，CTまたはMRIが必要となる．

診断のポイント

本症は骨と軟骨という異なる組織の複合損傷で，病勢は骨病変の損傷程度に左右されるため，その形態的評価をCT，質的評価をMRIで行う必要がある．

治療方針

保存療法で治癒に至る可能性は低いため，手術療法を要することが多い．

1 ▶ 保存療法

スポーツ活動制限，ギプスや半硬性装具による外固定，松葉杖による荷重制限が行われる．

2 ▶ 手術療法

元の骨軟骨温存が可能な鏡視下ドリリングまたは内固定術を第1選択とする．10 mm未満の病変に行う鏡視下マイクロフラクチャーでは修復組織が線維軟骨であることを，10 mm以上の病変に行う自家骨軟骨移植術では膝関節と足関節の軟骨特性の相違に，それぞれ留意する必要がある．また，順行性および逆行性自家海綿骨移植術では，骨病変には正常骨組織置換が，軟骨病変には線維軟骨再生がそれぞれ期待できる．

患者説明のポイント

本症は緩徐に進行することが多いため原因特定が困難なことが多く，負荷軽減により症状は緩和されるも

のの，画像上での改善が得られにくいという特徴がある．手術のタイミングは慎重に決定する必要があり，痛みの程度，年齢などを考慮して，各術式の利点と欠点を十分に説明する．

踵骨骨折
Calcaneal fracture

奥田 龍三　洛西シミズ病院 顧問〔京都市西京区〕

【疾患概念】　距骨下関節内に骨折が及ぶ関節内骨折（60～75％）と及ばない関節外骨折に大別される．関節内骨折は一般に高所からの落下や交通事故など高度エネルギー外傷によるが，高齢者など骨の脆弱性があれば低エネルギー外傷でも生じる．関節外骨折は捻れや筋の牽引力などにより生じる．関節内骨折は後足部の疼痛や変形などの後遺障害が生じやすいことで知られ，これまで多くの治療法が報告されてきているが，いまだ課題の多い骨折の1つである．合併損傷として腰椎骨折や他の下肢骨折がある．

【頻度】　足根骨骨折のなかで最も頻度の高い骨折であり，全骨折の2％を占め，性別では男性が圧倒的に多い．

【骨折型分類】　関節内骨折では足部側面X線像によるEssex-Lopresti分類（図28-19a）とCT冠状断像によるSanders分類が，治療法の選択や成績評価の際によく用いられる．関節外骨折には部位別に前方突起骨折，体部骨折，隆起部骨折などがある．

【臨床症状】　後足部を中心に疼痛を訴え，歩行困難となることが多い．踵骨周辺に腫脹，圧痛，皮下出血斑を認める．足部の腫脹が強くなればしばしば皮膚に水疱が形成される．開放骨折（17％）がまれではなく創の有無を確認する．

【問診で聞くべきこと】　外力の程度を知るため受傷原因と肢位，機序を聴取する．落下や交通事故では腰痛やほかの下肢痛について聞き，合併損傷の有無を確認する．受傷前のADL，職業，スポーツ活動を把握することは治療法の選択や後療法に重要である．

【必要な検査とその所見】　単純X線検査として足部背底と側面像，踵骨軸射像，Bröden像を撮影し，関節内か関節外骨折かを判別する．関節内骨折では舌状型か関節陥没型かを分類する．関節内骨折では一般にBöhler角（tuber angle of Böhler，正常値：20～40°）は低下し，Gissane角（crucial angle of Gissane，正常値：95～105°）は増大する．軸射像では横径の増大，Bröden像では後関節面の状態について評価する．CT像により関節内の骨折や骨片の転位の詳細を把握する．

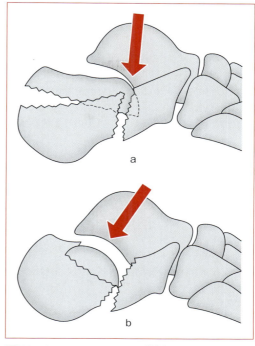

図28-19　Essex-Lopresti 分類
a：舌状型骨折（tongue-type fracture）．踵骨の後関節面骨片はアキレス腱付着部を含み，舌状を呈している．矢印：ストレスの方向．
b：関節陥没骨折（joint depression fracture）．踵骨の後関節面骨片はアキレス腱付着部を含まない．矢印：ストレスの方向．

【診断のポイント】
・受傷機転，臨床所見，X線検査により診断は容易であるが，治療にはさらなる評価が必要となる．
・閉鎖か開放性骨折かを鑑別する．
・関節内か関節外骨折かを判別する．
・骨片の形態と転位の程度を評価する．

【専門病院へのコンサルテーション】　手術の難易度が高いため臨床経験が乏しい場合は専門病院に紹介する．後遺障害の治療は専門的な知識と経験を要するため足の外科専門医にコンサルテーションする．

治療方針

1 ▶ 保存療法
(1) 関節内骨折
　転位がない，または軽度（2 mm 未満）であれば，短下肢ギプス固定を 4 週間，免荷歩行を 6 週間程度行い，骨癒合傾向を認めれば荷重歩行を開始する．
(2) 関節外骨折
　転位がなければ短下肢ギプス固定のうえ免荷歩行を行う．

2 ▶ 手術療法
(1) 関節内骨折
　転位があれば舌状型にはWesthues手技による整復と経皮的ピンニングまたは観血的整復とプレート固定を行う．関節陥没型には観血的整復とプレート固定が一般的である．
(2) 関節外骨折
　前方突起骨折や隆起部裂離骨折に対しては観血的整復と内固定を行う．

合併症と予後
　可動域制限，後足部変形，距骨下関節症などによる疼痛や機能障害の遺残がまれではなく，ときに手術療法を必要とすることがある．

リハビリテーションのポイント
　受傷後は患肢挙上をはかる．術後の外固定期間は骨折型や手術方法に応じて決めるが，一般的に足部の腫脹が消退すれば可動域訓練を開始する（受傷後 2～4 週）．免荷は仮骨形成または骨癒合が確認できるまで継続する（受傷後 6 週以上）．

患者説明のポイント
　関節内骨折，特に粉砕骨折では骨癒合が得られても後足部の疼痛，変形，可動域制限が遺残しやすい．これらの後遺障害に対して手術療法を必要とすることがある．

舟状骨骨折，立方骨骨折

Navicular fracture, Cuboid fracture

大塚 和孝　長崎記念病院 部長〔長崎市〕

【疾患概念】　足部にかかるさまざまな外力により，舟状骨や立方骨に骨折をきたす外傷であり，時にそれぞれが合併する．

【病型】
　新鮮舟状骨骨折は，背側剥離・結節部・体部骨折の 3 つに分類できる．舟状骨には疲労骨折も多くみられ，これを加えて 4 つの骨折型とすると理解しやすい．立方骨骨折は外側遠位の剥離骨折と体部骨折に分かれるが，後者には強い外力により激しい圧潰を伴う nutcracker fracture（胡桃を割るような形態の陥没骨折）が含まれる．

【臨床症状】
　高エネルギー外傷ではLisfranc関節脱臼骨折などの合併損傷を認めることも多く，腫脹が激しい場合はコンパートメント症候群の発症に注意する．

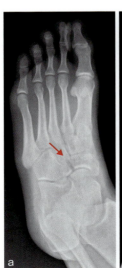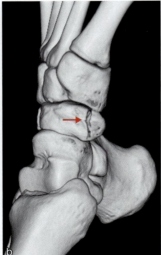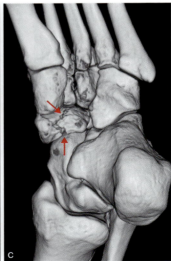

図 28-20　舟状骨骨折の一例
単純写真（a）では外側に骨折線を認めるが，3D-CT（b，c）では骨折が舟状骨全体に及んでいるのがわかる．

必要な検査とその所見

足部X線背底像，側面像，両斜位像を撮影する．3D-CTやMPR (multi planar reconstruction) が有用で，空間的な転位の程度や方向・骨片の大きさや位置などが把握しやすい (図28-20).

診断のポイント

低エネルギー外傷による単独損傷では，ていねいな触診と圧痛点の確認が診断の一助となる．

治療方針

新鮮例で転位がないかわずかなものは保存療法の適応となり，3〜5週程度の外固定と免荷でほとんどが治癒する．舟状骨結節部骨折ではさらに1〜2週長めの外固定が望ましいが，螺子やKirschner鋼線固定により外固定期間を大幅に短縮できる．転位のある症例では，活動性の低い高齢者の一部を例外として手術療法を選択する．

骨折や脱臼による大きな転位やLisfranc関節脱臼骨折の合併は，腫脹によるコンパートメント症候群の一因となる．必要とあらば手術のための十分な器材が整っていなくても緊急に整復し，Kirschner鋼線を用いた足部形態の改善を行う準備をしておく．圧潰が激しい場合は骨片どうしの内固定のみでは長さの保持が困難なことがあり，骨移植や創外固定器の併用が必要となる．

Lisfranc関節脱臼骨折

Fracture dislocation of the Lisfranc joint

大内 一夫　福島県立医科大学 准教授

【疾患概念】　Lisfranc関節脱臼骨折は強い直達外力により発生するが，足関節底屈位で軸圧や回旋力が加わった場合に発生しやすい．

Lisfranc関節のkeystoneは第2中足骨である．第2中足骨基部は，内側，中間および外側楔状骨で形成されたほぞ穴にはまり込み，靱帯で結合している．第2中足骨と内側楔状骨はLisfranc靱帯(骨間靱帯)，背側，底側靱帯で，また内側楔状骨と中間楔状骨は骨間靱帯で結合されているが，第1，第2中足骨間は靱帯性に結合されていない．そのため，第2中足骨基部と楔状骨間の解剖学的整復が治療のポイントとなる．

【症状】　足部に著しい腫脹と疼痛が生じ，多くの場合Lisfranc関節部で不安定となり，前足部荷重が困難となる．ときに血管損傷を伴い足趾の血行が障害される．

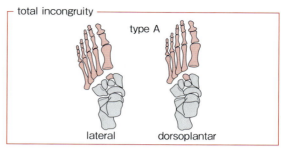
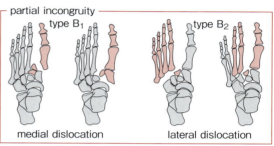
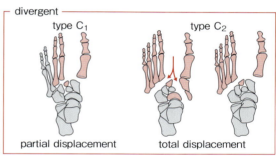

図28-21　Myersonらの分類
(Myerson MS, et al: Foot Ankle 6: 225-242, 1986 より)

【病型・分類】

骨折型の分類にはMyersonらの分類 (図28-21) が用いられる．total incongruity, partial incongruityおよびdivergentの3つに大別し，前者2つは転位方向で，divergent typeは損傷範囲でそれぞれ2つに分類されている．この分類は損傷部位が比較的明確になっているため，手術方法の選択にも役に立つ分類法である．

必要な検査とその所見

単純X線足部正面像および斜位像でLisfranc関節の適合性を観察する．健側との比較も役立つ．転位がわずかな場合には単純X線像のみでの診断は困難で，その場合にはCTが有用である．CTでは，骨間の離開や転位方向，骨片の存在が評価できる．

診断のポイント

高エネルギー外傷時に足部の腫脹，疼痛を認めた場合，Lisfranc関節脱臼骨折を疑い，画像診断を行う．

治療方針

保存療法は困難であるため，手術療法を基本と考える．初期治療としてはX線透視下に徒手整復を試み，複数のKirschner鋼線で経皮的に固定する．外固定のみで整復位を保持することは困難である．整復位が得られない場合には観血的整復術を行う．

手術療法

腰椎麻酔または全身麻酔下に仰臥位で行う．大腿近位部に空気止血帯を巻き，膝下に膝枕を入れ，足底が手術台に着くようにする．皮切は足背の縦皮切を用いる．損傷範囲により1つまたは2つの皮切を用いる．スプレッターなどで関節を開大し，血腫や介在物を除去後，骨鉗子を用いて正確に整復する．整復後，不安定性がある関節を3.0〜3.5 mm cannulated screwで固定する．固定手順は，①内側-中間楔状骨，②内側楔状骨-第2中足骨，③内側楔状骨-第1中足骨，④外側楔状骨-第3中足骨の順で行う．第4，5中足骨-立方骨はもともと可動域が大きく強固な固定は必要ないためKirschner鋼線で固定する．

患者説明のポイント

足部コンパートメント症候群が合併する場合があることを説明する．保存療法での治療は難しく変形や疼痛を残すことが多い．Lisfranc関節の変形，関節症性変化が出現し痛みの原因となった場合には，Lisfranc関節固定術の適応となる．

リハビリテーションのポイント

術後6週間ギプス固定を行い，免荷とする．荷重を開始する場合には必ず足底挿板を用い，数か月間は装着させる．

中足骨骨折，趾骨骨折

Fracture of metatarsus and phalanges

伊東 勝也　医真会八尾総合病院 統括部長〔大阪府八尾市〕

1 中足骨骨折

【疾患概念】

足根骨と趾節骨の間にある第1〜5中足骨に生じた骨折．骨折部位により，骨頭骨折，頸部骨折，骨幹部骨折，近位部骨折に分類される．第5中足骨の近位部骨折はさらに細かく分類される．

【病態】

多くは直達あるいは介達外力が加わることによる急性の外傷によって生じる．近位部の骨折は，しばしばLisfranc関節損傷や脱臼骨折の一部として生じる．第2，3中足骨の骨幹部は疲労骨折の好発部位である．

第5中足骨の近位部はZone Ⅰ〜Ⅲに分かれていて（図28-22），Zone Ⅰは腱や腱膜の裂離骨折（いわゆる下駄履き骨折）の好発部位，Zone Ⅲは疲労骨折の好発部位として知られている．Zone Ⅱに生じる急性あるいは疲労骨折はJones骨折と言われ，骨癒合が得られにくい難治性の骨折として有名である．

【臨床症状】

骨折部に腫脹，変形を認め，安静時痛，歩行時痛あるいは歩行不能を訴える．軟部組織が少ないため腫脹が高度になれば水疱形成や皮膚壊死など皮膚障害を生じる．

問診で聞くべきこと

外傷の有無，受傷の仕方，疼痛の部位，スポーツや

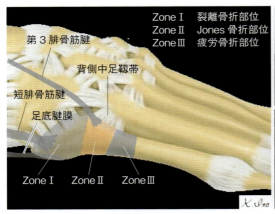
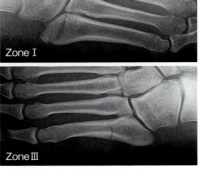

図28-22　第5中足骨基部骨折とZone

歩行の頻度と競技レベル．

必要な検査とその所見
　足部単純X線背底像，側面像，斜位像で診断する．Lisfranc関節部は単純X線に加えてCTや3D-CT検査を行うとより詳細に骨折の状態がわかる．疲労骨折の場合は2～3週後の再検査やMRIあるいは骨シンチグラムが有用である．

鑑別診断で想起すべき疾患
　中足部に腫脹と疼痛をきたす鑑別すべき疾患として，Freiberg病，Morton病，中足趾節(metatarsophalangeal；MTP)関節炎，各種骨軟部腫瘍，蜂窩織炎，CPPD沈着症などが挙げられる．また小児の場合はIsline病などの各種骨端症を骨折と見誤らぬよう注意が必要である．

診断のポイント
　腫脹，圧痛のある部位を単純X線にて確認すれば診断は比較的容易であるが，初期には単純X線で診断できない疲労骨折の存在を念頭に置く必要がある．

専門病院へのコンサルテーション
　Jones骨折や第5中足骨疲労骨折の治療には専門的知識が必要である．

治療方針
1 ▶ 保存療法
　転位がないか徒手整復可能な場合は，短下肢ギプスやギプスシャーレ，アルミシーネなどの外固定を4週間程度行い，その間免荷歩行をさせる．第2，3中足骨骨幹部の疲労骨折の場合は原因となったスポーツや長距離歩行を中止するだけで旺盛な仮骨形成を認めて治癒する．第5中足骨基部骨折の場合ZoneⅠであれば転位が少なければ保存療法の良い適応である．ZoneⅡやⅢの骨折の場合外固定が6～8週必要となる場合がある．

2 ▶ 手術療法
　整復位の維持が外固定で不能な場合に手術を施行する．手術は部位や骨折様式により経皮ピンニング，スクリューやプレートによるORIF(open reduction and internal fixation)，鋼線やスクリューによる髄内釘固定，tension band wiringなどさまざまな方法がある．近年の内固定材料の進歩により，外固定は不要あるいは短期間で済むため手術が選択されることが多くなっている．特にJones骨折や第5中足骨疲労骨折には手術が積極的に行われている．

合併症と予後
　比較的骨癒合しやすく一般に予後は良好である．底屈や背屈あるいは短縮の変形癒合が生じれば，中足骨の配列に凹凸が生じ有痛性胼胝の原因となる．外傷後Morton病や神経障害が残ることもある．Lisfranc関節損傷や脱臼骨折は疼痛が残りやすい．Jones骨折，第5中足骨疲労骨折は骨癒合遷延，偽関節，癒合後の再骨折などのため難治である．

患者説明のポイント
　変形癒合や偽関節を避けるために外固定や，荷重の制限が必要なことを説明する．

リハビリテーションのポイント，関連職種への指示
　免荷歩行，踵歩行，足趾可動域訓練などを行う．症例によっては縦横のアーチサポートの足底板が歩行訓練に有用である．
　内固定が強固であれば術翌日より踵歩行と足趾，足関節可動域練習を積極的に行う．

2 趾骨骨折

【疾患概念】
　MTP関節以遠の趾節骨(基節，中節，末節骨)の骨折である．

【病態】
　打撲などの直達外力によって骨折する場合と，捻挫時などに腱や靱帯によって裂離骨折を生じる場合がある．母趾基節骨内側基部は疲労骨折の好発部位である．

【臨床症状】
　骨折部の腫脹，変形，疼痛を認める．患趾をかばえば歩行できることが多いため骨折しているとは思わず受診が遅れる傾向にある．

問診で聞くべきこと
　外傷の有無，受傷の仕方，疼痛の部位，スポーツの頻度と競技レベル．

必要な検査とその所見
　足趾の単純X線背底像，側面像，斜位像で診断する．小さくてわかりにくい小骨片にはCTや3D-CTが有用である．

鑑別診断で想起すべき疾患
　足趾に腫脹や疼痛を生じる鑑別すべき疾患に各種骨軟部腫瘍，感染，関節炎などが挙げられる．

診断のポイント
　腫脹，圧痛のある部位を単純X線にて確認すれば診断は比較的容易である．5趾の癒合した中末節骨間の骨折は正常関節に誤認されることがある．

専門病院へのコンサルテーション
　母趾基節骨の疲労骨折の治療には専門知識が必要である．

治療方針
1 ▶ 保存療法
　骨折部の転位がないか整復可能であれば，シーネ固定や隣接趾を利用したバディテーピングなどを行う．

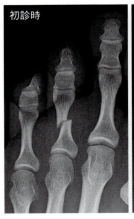
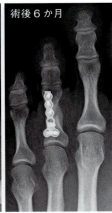

図28-23　基節骨骨折

2 ▶ 手術療法

徒手整復が困難あるいは整復位の保持が困難な場合，経皮鋼線刺入固定を行う．近年は小さなロッキングプレートも開発されおりORIFを施行することもある（図28-23）．

合併症と予後

一般に予後は良好である．

患者説明のポイント

偽関節の予防のため外固定，患趾への荷重の制限が必要なこと，骨癒合まで時間がかかることを説明する．

リハビリテーションのポイント，関連職種への指示

骨癒合まで患趾の安静のため踵歩行を指導する．
内固定が強固であれば術翌日より踵歩行と足趾可動域練習を積極的に行う．

足関節新鮮外側靱帯損傷

Acute injury of the lateral ankle ligament

杉本 和也　奈良県総合医療センター 副院長〔奈良市〕

【疾患概念】　足関節外側靱帯損傷は足部内がえし捻挫の代表で，スポーツや日常動作のなかで発症する．軽症例では局所安静や活動制限で治癒するが，重症例では足関節に不安定性を残して変形性関節症に進展することがある．

【病態】　足関節外側靱帯は前距腓・踵腓・後距腓靱帯の3靱帯から構成され，前距腓靱帯が最も損傷しやすく，踵腓・後距腓靱帯損傷が加わると重篤となる．一般に靱帯が引き伸ばされたもの（Ⅰ度），部分断裂（Ⅱ度），完全断裂（Ⅲ度）と分類されるが，靱帯が複数あるため，前距腓靱帯の過伸長または部分断裂（Ⅰ度），同靱帯の完全断裂（Ⅱ度），前距・踵腓靱帯と後距腓靱帯短線維の完全断裂（Ⅲ度）とする長谷川の分類が有用である．後距腓靱帯が完全に損傷されることは少ない．前距腓靱帯は関節包靱帯であり，損傷では局所の出血や腫脹，関節内出血などをきたす．骨軟骨損傷や腓骨筋腱損傷が合併することがある．

小児では，腓骨の下端前方における靱帯性裂離骨折となることが多い．就学前児童では未骨化部位で裂離するため，X線撮影での診断が困難である．

問診で聞くべきこと

受傷肢位の他，慢性捻挫の再受傷と鑑別のため捻挫の既往を聞く．荷重による疼痛の増強があれば，軟骨損傷を疑う．

必要な検査とその所見

(1) 視診・触診

足関節外果の前方や下方に腫脹を認めるが，腫脹が広がると部位の視認が困難となる．圧痛は前距・踵腓靱帯の部位を確認する．前距腓靱帯の不安定性は，徒手前方引き出しテストを行い健側との比較で評価する．

(2) 画像診断

① 単純X線撮影：骨折を除外するために足関節の単純2方向撮影を行う．裂離骨折が多い小児では原口法が有用である．

② ストレス撮影：正面像で内反ストレス，側面で前方引き出しストレス下に撮影する（図28-24）．裂離骨折が多い小児では行わない．

③ エコー検査：前距腓靱帯や関節包の乱れや裂離骨折が観察できる．踵腓靱帯は損傷により描出困難となる．

④ MRI撮影：前距腓靱帯では緩みや膨化，皮下の浮腫像がみられる．踵腓靱帯損傷では靱帯の描出は難しく，腓骨筋腱周囲の浮腫変化などを参考とする．骨髄内浮腫があれば軟骨損傷を疑う．

診断のポイント

触診や画像診断より重症度を判定する．前方への不安定性がある場合はⅡ度損傷以上，距骨傾斜角が顕著（15°以上が目安）であればⅢ度損傷である．筋緊張によって，ストレス撮影で不安定性が描出されない場合があり，注意を要する．内反ストレスで距骨傾斜角が20°以上となった場合には，全靱帯損傷の可能性があり重篤と認識する．

治療方針

1 ▶ 保存療法

原則として保存療法を行う．Ⅰ度損傷ではU字型

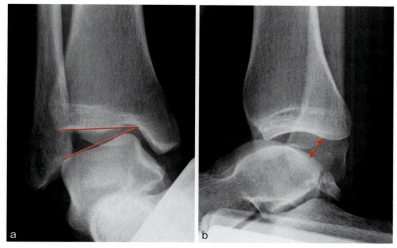

図 28-24　ストレス X 線検査による不安定性の評価
a：距骨傾斜角の計測，b：前方引き出し距離の計測．

シャーレや装具にて固定する．Ⅱ度損傷では1週間の膝下ギプス固定の後，装具に変更，Ⅲ度損傷では3週間の膝下ギプス固定を行った後，装具に変更する．ギプス装着時も荷重歩行を許可する．スポーツ復帰は3〜6週間後が目安である．所属チームの環境（アスレチックトレーナーによるテーピングサービスの有無）によっても異なる．

2 ▶ 手術療法

Ⅲ度損傷のなかでも，後距腓靱帯損傷を伴う場合に考慮する．距骨傾斜角が 25° を超えるような例が対象となる．

足関節陳旧性外側靱帯損傷

Chronic lateral ankle instability

橋本　健史　慶應義塾大学 教授（スポーツ医学）

【疾患概念】　急性足関節捻挫が慢性化して，頻回に捻挫を繰り返し，疼痛，不安定感を訴えるようになることを足関節陳旧性外側靱帯損傷とよぶ．受傷直後に荷重できないような重度急性足関節捻挫の 20〜30％ が本症となる．その原因は足関節の骨形態，初期治療方法などが言われているが，私は受傷2週以内に10日以上のギプス固定を行えば，本症になることをある程度避けることができると考えている．

【臨床症状】　日常生活で足関節痛，不安定感を訴える．歩行，走行動作解析を行うと，踵接地直前に足関節が過大な内がえしをして，踵接地直後に過大な外がえしをしている．このため，捻挫を繰り返しやすく，また，足関節軟骨に負担を与え，変形性足関節症の原因となりうる．

【問診で聞くべきこと】
重要なのは初回足関節捻挫の時期と受けた治療である．受傷直後に荷重できたか，また，ギプス固定を何日間受けたかを聞く．そして現在，どのような職業についているのか，デスクワークか立ち仕事なのか，階段昇降が多いのか，スポーツを週に何回，何時間行うかについても聞いておく．

【必要な検査とその所見】
①まず，単純 X 線検査を行って，足関節果部骨折，脛腓間離開の有無を調べる．そして，正面像では，距骨滑車の骨軟骨骨折，距骨外側突起骨折の有無をみる．側面像では，踵骨前方突起骨折の有無を確認する．

②次に，徒手足関節ストレス検査を行う．足関節軽度底屈位で前方引き出しテスト，足関節中間位で足関節内反ストレステストを徒手で行い，左右差をみる．その後，ストレス X 線検査を行う．特に足関節内反ストレス X 線検査がその後の治療方法を決定する重要な情報となる．

③次に行うべきなのは超音波検査である．本症では靱帯が肥厚し，fibrillar pattern（長軸方向の高信号の複数の線）が減少して全体が低信号になることが多い．ストレスをかけると明らかな不安定性を確認することができる．必要に応じて MRI 検査を行う．

【診断のポイント】
本症診断のポイントは，足関節痛を訴える患者で，

トピックス　陳旧性足関節外側靱帯損傷に対する鏡視下手術

　関節鏡視下手術は最も進化した最小侵襲手術であり，術創の治癒期間を短縮し，術後の疼痛や感染のリスクを少なくし，早期に日常生活やスポーツ活動に復帰できる利点がある．足関節外側靱帯損傷に対する関節鏡視下手術は，1987 年に Hawkins により残存靱帯をステープルで距骨に固定する術式が初めて報告され，2009 年に Corte-Real により縫合糸アンカーを用いた関節鏡視下修復術が，2014 年に Guillo らにより自家腱を用いた鏡視下靱帯再建術が報告された．2013 年に足関節靱帯損傷の研究に特化した Ankle Instability Group（AIG）が発足して以降，この分野は急速に進歩し，現在までに 100 編以上の英文論文が発表されている．

　術式は，残存靱帯を腓骨付着に縫合する関節鏡視下修復術と，自家腱を移植する関節鏡視下再建術に分けられる．術前の MRI やストレス超音波検査，最終的には術中の関節鏡評価において，靱帯線維が残存していれば前者が，残存していなければ後者が行われる．

　関節鏡視下修復術は，縫合糸アンカーの糸を残存靱帯に経皮的に通す percutaneous 法と，ポータルからすべての操作を行う all-inside 法がある．筆者らは，より低侵襲で解剖学的な修復を行うことができる all-inside 法を採用し，modified lasso-loop 法により残存靱帯を腓骨付着に縫着している．残存靱帯は確実かつ強固に縫着でき，また荷重や背屈 10°から底屈 20°までの可動は外側靱帯をほとんど緊張させないため，術後の外固定は行わず，手術翌日から自動運動と荷重歩行を開始し，ジョギングは術後 2 週，競技特異的なトレーニングは術後 5 週から開始する．

　関節鏡視下再建術は，2014 年に Guillo らにより初めて報告された．筆者らは，Glazebrook 教授と共同開発した AntiRoLL 法を 2015 年に発表し，臨床応用している．足関節鏡および距骨下関節鏡視下に腓骨付着，距骨付着および踵骨付着に径 6 mm，深さ 20 mm の骨孔を穿った後，自家薄筋腱を用いて作成した Y 字状の移植腱を all-inside-out 法で骨孔内に導入し，緊張を加えた状態で interference screw で骨孔内に固定する術式である（A-AntiRoLL）．関節内合併病変がない場合は，上記の操作をより容易に行うことができる経皮的 AntiRoLL（P-AntiRoLL）を行う．術後は，外固定は行わず，手術翌日から自動運動と荷重歩行を開始し，ジョギングは術後 3 週，競技特異的なトレーニングは術後 6 週から開始する．

　関節鏡視下修復術・再建術ともに良好な臨床成績が報告されており，歴史が浅く未解決な問題点もいくつか存在するものの，今後のさらなる発展が期待される分野である．

　　　　　　　　　高尾　昌人〔重城病院 CARIFAS 足の外科センター 所長（千葉県木更津市）〕

単純 X 線検査で異常所見がないときに本症を疑い，捻挫の既往を中心とした詳細な問診と徒手足関節ストレス検査を行って不安定性を確認することである．それに続く超音波検査で確定診断となる．

専門病院へのコンサルテーション

　6 か月程度の保存療法を施行しても疼痛が改善しない場合やアスリートが早期スポーツ復帰を希望する場合は専門病院への紹介が望ましい．

治療方針

　まずは，保存療法を行い，3〜6 か月後に，なお症状が改善しないときは，手術療法を考慮する．筆者は本症の 8 割程度は保存療法で，十分治療可能と考えている．

保存療法

①足関節内がえし外がえし制動サポーターを装着させる．
②足関節周囲筋力増強を指導する．足趾の自動伸展・屈曲を行うタオルギャザーを 30 回，1 日 3 セット行うように指導する．また，母趾と踵部を床につけたまま，第 5 中足骨基部を持ち上げる腓骨筋訓練を 10 回，1 日 3 セット行うよう指導する．
③底部に突起のついた不安定板に足底をつけ，ゆっくり内がえし，外がえしを行わせる固有知覚受容器訓練を行わせる．15 回を 1 日 3 セット行わせる．

手術療法

　遺残靱帯にある程度強度があるときは Broström 法，Gould 法などの靱帯を縫縮する靱帯修復術の適応である．これは鏡視下で行われることが多い．しかしながら，遺残靱帯が高度に変性しているときは，靱帯再建術が必要である．腓骨筋腱（図 28-25），足底筋腱，半腱様筋腱，膝蓋腱などの一部または全部を使用して，

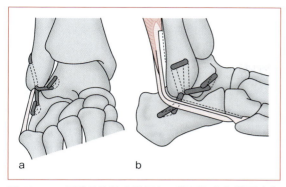

図 28-25 短腓骨筋腱を半切して使用した靱帯再建術
a：正面像．濃灰部分が再建靱帯であり，点線部分は骨トンネルである．
b：側面像．短腓骨筋腱を半切，遊離して，距骨の前距腓靱帯停止部，腓骨外果および踵骨の踵腓靱帯停止部に骨トンネルを作成して，ここを通して，前距腓靱帯，踵腓靱帯の同時再建を行う．術後は 2 週間の荷重ギプス固定を行い，その後，足関節周囲筋力増強などの理学療法を行う．4 か月後よりスポーツ復帰を許可する．

靱帯再建を行うさまざまな方法が報告されている．オープンで行う方法が一般的であったが，鏡視下靱帯再建術も行われるようになってきている．

> 患者説明のポイント

保存療法の有効性を説明して，足関節周囲筋力増強，固有知覚受容器訓練を励行するように指導する．同時に，階段昇降を控える，不整地歩行，激しい運動を控えるなどの日常生活指導も重要である．

> リハビリテーションのポイント，関連職種への指示

長腓骨筋を中心とした十分な足関節周囲筋力増強と，固有知覚受容器訓練を中心としたバランス訓練が重要であることを理学療法士に説明する．

遠位脛腓靱帯損傷

Distal tibiofibular ligament injury

寺本 篤史　札幌医科大学 講師

【疾患概念】　遠位脛腓靱帯は主に前下脛腓靱帯と後下脛腓靱帯で構成され，複合的な遠位脛腓関節の動きを許容している．遠位脛腓靱帯損傷の多くは前下脛腓靱帯の損傷であるが，重症例では後下脛腓靱帯も損傷することがある．典型的な受傷肢位は足部外旋，足関節背屈位である．三角靱帯損傷を合併することも多い．腓骨高位骨折（Maisonneuve 骨折）を合併することもあるため注意が必要である．

【臨床症状】
前下脛腓靱帯部の腫脹と疼痛を伴う．荷重やしゃがみこみ動作での疼痛を認めることが多い．

> 問診で聞くべきこと

受傷肢位の確認が重要である．スポーツによる受傷の場合は，種目と受傷時のプレー内容を確認する．

> 必要な検査とその所見

触診が最も重要である．前下脛腓靱帯は触診が可能で，圧痛点が明確である．外旋テストは座位で膝屈曲位とし，検者が下腿近位を保持し足関節中間位で足部を外旋させる．損傷があれば前下脛腓靱帯部に疼痛を認める．Cotton テストは検者が下腿中央を保持し足部を外方へ移動させる．損傷があれば距骨が外方へ移動し不安定感を認める．Squeeze テストは検者が下腿中央部で脛骨と腓骨を両手で絞るように圧迫を加える．損傷があれば疼痛が誘発される．
画像検査では単純 X 線像による遠位脛腓関節の評価が行われる．果間関節窩撮影（mortise view）で，足部を 20°内旋し撮影することで遠位脛腓関節が描出される．遠位脛腓関節が 6 mm 以上の開大を認めれば損傷を疑う．内果関節面と距骨間の距離（medial clear space）の開大も確認する．CT 水平断にて遠位脛腓関節の離開がより明確になる．MRI 水平断では遠位脛腓靱帯の信号変化が確認されることがある．超音波検査による遠位脛腓関節開大の評価も有用である．

> 診断のポイント

①頻度の高い足関節外側靱帯損傷と受傷肢位が異なるため，問診が重要である．
②触診で前下脛腓靱帯の圧痛を必ず確認する．
③単純 X 線像で遠位脛腓関節の開大が確認できれば診断は容易であるが，より正確な診断のためには超音波や CT，MRI による確認が必要となる．

【治療方針】
理学所見と画像所見から損傷の程度を Grade 1：遠位脛腓関節の開大（不安定性）なし，Grade 2：荷重や外旋ストレスで開大あり，Grade 3：明らかな開大あり，と分類でき，Grade に従って治療方針は決定される．Grade 1 に対しては保存治療が行われる．Grade 3 の不安定性に対しては手術による遠位脛腓間固定が検討される．Grade 2 に対する治療は一定の見解がない．

【保存療法】
急性期は RICE 療法を行う．荷重は疼痛のない範囲で許可するが，疼痛があれば松葉杖を使用して免荷す

る．受傷後2週までに荷重量を可能な範囲で増加させる．受傷後4～8週で社会復帰，スポーツ復帰が目標となる．

手術療法

手術による脛腓間固定の方法は金属スクリュー，吸収性スクリュー，ステープル，スーチャーボタンなどが挙げられる．最も多く行われている方法は金属スクリューで，良好な成績が認められるが，スクリュー留置のまま荷重をすると折損の恐れがある．スーチャーボタンによる固定は脛腓間の生理的運動を許容し，理学療法が早期から積極的に行えるため，良好な治療成績が期待できる．近年はスーチャーテープによる補強術も行われている．

患者説明のポイント

損傷の程度と日常生活，職業，スポーツ活動の状況に応じて治療方法が選択されるため，保存療法と手術療法の利点欠点をそれぞれ説明する必要がある．特に手術療法の金属スクリュー固定は，一定期間の免荷が必要になることやスクリュー折損のリスクがあることを説明する必要がある．

リハビリテーションのポイント

保存療法において経過中に不安があれば装具もしくはテーピングを行う．

金属スクリュー抜去の必要性とその時期については議論があるが，術後8～12週間程度のスクリュー留置が勧められている．その間リハビリテーションのなかで荷重に伴うプログラムが制限される．スーチャーボタン固定は2～4週の免荷が推奨されている．

足根洞症候群

Sinus tarsi syndrome

渡邉　耕太　札幌医科大学保健医療学部 教授（理学療法学第2講座）

【疾患概念】　足根洞とは，距骨と踵骨の間で距骨下関節の前方に位置する漏斗状の空間である．ここには神経受容体や神経終末があり，足根洞症候群ではこれらへの異常刺激が疼痛を引き起こすと考えられている．主に捻挫などの外傷後に足部外側の長引く痛みを呈する．

【頻度】　足部捻挫後の後遺障害として多くみられる．

【臨床症状または病態】　足関節の前外側にある足根洞部の疼痛が主訴で，不安定感を訴えることもある．足根洞内に存在する骨間距踵靱帯や前関節包靱帯の損傷や滑膜炎，神経受容体・終末の障害などの病態が指摘されている．

問診で聞くべきこと

捻挫などの外傷の既往，特に内がえし捻挫があったかを聞く．捻挫後しばらく経過してから足根洞部の痛みが出現することもある．

必要な検査とその所見

足根洞部の圧痛を調べる．同部の腫脹や腓骨筋痙性扁平足の有無もチェックする．画像検査ではストレスX線検査による距骨下関節不安定性の確認，MRIによる足根洞部の靱帯損傷や浮腫，滑膜炎を確認する．足根洞内への局所麻酔薬注入の有効性は診断的価値が高い．

鑑別疾患で想起すべき疾患

距骨外側突起骨折，踵骨前方突起の骨折やそこに付着する二分靱帯損傷，足根骨癒合症，複合性局所疼痛症候群（complex regional pain syndrome；CRPS）など．

診断のポイント

足根洞を触知しその圧痛を確認することが重要である．画像は補助診断となり，疑った場合には足根洞内ブロック注射を考慮する（CRPSの場合は注意）．

治療方針

保存治療が主体である．週1回の足根洞内局所麻酔薬とステロイドの注射を数回試みる．腓骨筋痙性扁平足がある場合にはギプス固定も有用である．足の機能が低下している場合が多いので，機能回復のリハビリテーションを行う．疼痛に対する薬物療法も考慮する．保存治療に抵抗する場合，足根洞内の掻爬術が行われる．

患者説明のポイント

病態をよく説明し，注射をする場合には一時的に疼痛が強くなる可能性について理解を得る．リハビリテーションの重要性も説明する．

リハビリテーションのポイント

足部・足趾の自他動運動が低下している例が多く，愛護的に可動域訓練を開始し可動性を再獲得させる．バイブラバスなどの温熱療法の併用も相談する．症状軽減の後は捻挫予防のエクササイズも大切となる．

二分靱帯損傷，踵骨前方突起骨折

Injuries of bifurcated ligament, Anterior process fractures of the calcaneus

篠原　靖司　立命館大学スポーツ健康科学部　教授

【疾患概念】　二分靱帯は踵骨前方突起を始始としたV字形の靱帯で，踵舟靱帯と踵立方靱帯の総称である．足関節内反捻挫時に損傷することが多い．両靱帯とも1cm幅，2cm長程度の短い靱帯であるが，特に踵舟靱帯は非常に強靱であるため，受傷時に靱帯の単独損傷を起こすことはまれで，靱帯付着部である踵骨前方突起の（剝離）骨折を伴うことが多い．

【臨床症状】
　足関節外果よりやや遠位前方に腫脹と疼痛を認める．踵骨前方突起の骨折を伴うため，同部位の皮下出血が特徴的である．疼痛は受傷後より徐々に強くなり，歩行困難となることも多い．

【問診で聞くべきこと】
　受傷機転（肢位）の確認が重要で2つ存在する．1つは足関節の底屈・内がえしによる受傷であり，もう1つは足関節過背屈での外転強制による受傷である．足関節内反捻挫受傷時には本傷害を念頭に置くべきである．

【必要な検査とその所見】
　圧痛点の確認が重要である．足関節外果先端より1cm下方，3～4cm前方にある踵骨前方突起に強い圧痛を認めれば，本傷害と診断できる．骨折を伴っていれば，単純X線撮影でも診断が可能であるが，正面および側面像の2方向では周囲の足根骨と重複しているため判断しにくく，踵骨前方突起の描出に優れている斜位像で確認するほうがよい．骨折の評価が容易であるCT撮影が本傷害でも有用とされ，微小な剝離骨折も確認することが可能となる．近年では超音波エコーで，靱帯損傷および骨折の有無が併せて確認できる．

【診断のポイント】
①足関節内反捻挫に伴う外傷であり，見逃されることも多いため注意する．
②強い底屈での内がえしによる受傷機転と足関節外果より遠位前方の腫脹，皮下出血，圧痛点により本傷害を積極的に疑う．
③単純X線では足部斜位像を追加して確認するべきである．CTおよび超音波が非常に有用である．

【治療方針】
　骨折の有無，骨片の大きさによるが，基本的には保存療法が第1選択となる．疼痛が軽度であれば硬性サポーターとし，荷重および歩行に支障があれば，短下肢ギプスによる2～4週間の固定を行ったのちサポーターに変更する．可動域訓練は痛みに応じて受傷早期より開始してよい．
　骨片が大きい場合はスクリューなどによる骨接合術などの手術療法が選択される．

【患者説明のポイント】
　骨折部は小さいことが多く，十分な治療（固定）を行っても骨癒合が得られないこともあり，陳旧例で偽関節となり症状が残存している場合は，手術による骨片の摘出を行う必要があることを説明しておかなければならない．

Lisfranc靱帯損傷

Lisfranc ligament injuries

野口　幸志　JCHO久留米総合病院　医長〔福岡県久留米市〕

【疾患概念】　Lisfranc靱帯損傷は，捻挫などの比較的低エネルギー外傷で生じる内側楔状骨と第2中足骨間の軽微な離開（subtle injury）から，転落などによる高エネルギー外傷に至るものまで存在する．Lisfranc靱帯は，Lisfranc複合体（背側靱帯，Lisfranc靱帯，底側靱帯で構成）に存在する骨間靱帯であるため肉眼では確認できず，診断や治療に難渋する．

【頻度】
　足部捻挫として見逃され，慢性的な経過をたどることも少なくない．持続する疼痛で廃用症候群としての特徴を示す例もみられる．

【病型・分類】
　Nunleyらの分類が多く用いられ，荷重時の足部単純X線正面像によって3つに分類される．内側楔状骨と第2中足骨間の間隙を健側と比較し，開大が明らかでないものをstage I，開大が2～5mmのものをstage II，開大が2mm以上で足アーチの低下がみられるものをstage IIIとしている．

【臨床症状】
　受傷直後から足背部を中心に強い疼痛を訴え，足部の荷重は困難なことが多い．腫脹は足部背側だけでなく底側にも認める．

【問診で聞くべきこと】
　受傷肢位は必ず確認する．Lisfranc靱帯損傷は，足関節底屈位で足趾が背屈位となり，足部長軸方向に踵部から軸圧とともに回旋力が加わり生じると考えられ

28 足

871

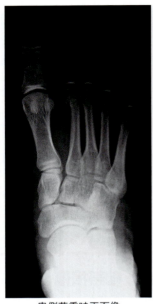 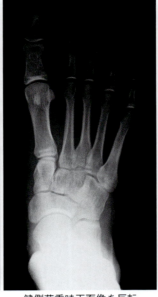 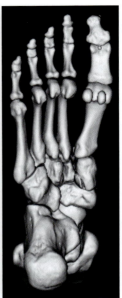

患側荷重時正面像　　　　健側荷重時正面像を反転　　　3D-CT

図 28-26　Lisfranc 靱帯損傷を合併した第 2 中足骨頚部骨折
荷重時単純 X 線像にて内側楔状骨・第 2 中足骨間の離開を確認できる．骨傷の判断には CT が有用で，母趾・第 2 趾中足骨基部間に小骨片と内側楔状骨に裂離骨折を認める．

ている．

必要な検査とその所見

単純 X 線像で内側楔状骨・第 2 中足骨間の離開や小骨片（fleck sign）を認める．これらの所見は非荷重時では不明瞭な場合もあり，できる限り荷重下で撮影する．CT 検査は健側と比較することで離開の有無を確認できるだけでなく，併存している裂離骨折や亜脱臼も把握できる．また高分解能 MRI 検査では，Lisfranc 靱帯損傷を描出することが可能である．

鑑別診断で想起すべき病態

第 2 中足骨骨折などを鑑別する（図 28-26）．

診断のポイント

単純 X 線の所見が乏しい割に臨床症状が強ければ，常に Lisfranc 靱帯損傷の存在を疑う．特に足底面に出血斑を認め，中足部の両側から用手的に圧迫を加えることで疼痛が誘発されれば，強く疑う．足部の荷重は可能であっても，踏み返しは困難なことが多い．

専門病院へのコンサルテーション

Lisfranc 靱帯損傷は，放置すると疼痛や機能障害を残すにもかかわらず，診断が困難であるため，疑わしければ精査可能な病院や足の専門医に紹介するのが望ましい．

治療方針

Stage Ⅰには基本的に 4〜6 週間の免荷ギプス固定を行う．Stage Ⅱ，Ⅲには基本的に手術療法が推奨される．手術療法では，3.0〜3.5 mm 径のポジショニングスクリューで内側楔状骨と第 2 中足骨基部間，内側楔状骨と中間楔状骨間を固定する．スクリューは術後 3〜4 か月後に抜去する．近年，スクリュー固定に代わってスーチャーボタンデバイスであるミニタイトロープを用いた固定法も行われている．靱帯損傷が著しい場合は靱帯再建術も考慮する．

合併症と予後

初診時に的確に診断され適切に治療されれば予後は良い．不適切な治療により足部の遺残変形や慢性的な疼痛が残存すれば，関節固定を考慮する．

患者説明のポイント

Lisfranc 靱帯が損傷され，その機能が破綻すると足全体の機能低下をきたすことを十分に説明する．また，治療には長期間を要することを理解してもらう．

リハビリテーションのポイント，関連職種への指示

前足部の免荷期間が長いため，その間は踵部のみでの荷重は積極的に行わせ，できる限り骨萎縮を最小限にとどめるように努める．また，足趾内在筋だけでなく外在筋の筋力訓練も指導し，筋萎縮の防止にも努

める.

中足骨疲労骨折
Stress fracture of the metatarsal

山口 智志　千葉大学大学院国際学術研究院 准教授

【疾患概念】　疲労骨折は，繰り返しの外力が加わることにより生じる骨折である．代表的なスポーツ障害だが，スポーツの有無，年齢にかかわらず生じうる．

【頻度】
主に第2，3中足骨に生じる骨幹部疲労骨折（図28-27a）は，下腿遠位，踵骨に並び最も頻度が高い下肢の疲労骨折である．第5中足骨近位骨幹部骨折（いわゆるJones骨折，図28-27b）は，サッカーやバスケットボールなどの競技で生じることが多い．第2中足骨基部骨折は非常にまれだが，クラシックバレエで生じることが多い．

【病型・分類】
下肢の疲労骨折は，運動制限などの保存療法で治癒するlow-risk fractureと，遷延癒合や再骨折が多く，手術を要することが多いhigh-risk fractureに分類される．骨幹部骨折は前者であり，Jones骨折，第2中足骨基部骨折は後者である．

【臨床症状】
明らかな外傷歴がなく，徐々に増悪する足部痛を訴えることが多い．Jones骨折では，不完全骨折の状態から完全骨折に至った瞬間の受傷機転が明らかな場合もある．

●問診で聞くべきこと
アスリートは，スポーツ種目や練習量の増加の有無を聴取する．アスリートでなくても，旅行で長時間歩いたなど，急激な活動量の増加がなかったかを確認する．

●必要な検査とその所見
丁寧な触診で圧痛部位を特定することが最も重要である．
画像検査は単純X線撮影を行うが，初期には異常がないことが多い．骨幹部骨折では2～3週後に再撮影を行うと，骨折線や仮骨を認める（図28-27a）．Jones骨折や第2中足骨基部骨折で慢性化した例では，骨折部の骨硬化像や嘴状の仮骨形成を認める（図28-27b）．単純X線で異常がない場合，MRIが早期診断に有用である．

●診断のポイント
初期には単純X線で異常を認めないことがあるた

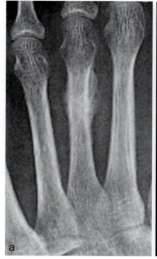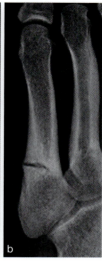

図28-27　中足骨疲労骨折
a：第3中足骨骨幹部疲労骨折（単純X線正面像）
b：第5中足骨近位骨幹部疲労骨折（単純X線斜位像）

め，病歴と圧痛部位から疲労骨折の存在を疑うことが重要である．

●専門病院へのコンサルテーション
Jones骨折や第2中足骨基部骨折は治療に難渋することがあるため，スポーツ障害や足部・足関節疾患を専門とする施設への紹介を検討する．

【治療方針】
骨折部位により治療方針は大きく異なるため，適切な診断のうえ治療法を選択する．

【治療法】
1 ▶ 骨幹部骨折
痛みに応じて荷重を許可し，日常生活およびスポーツ活動を制限する．痛みが強い場合はシーネ固定や松葉杖を使用することもあるが，完全な免荷は不要である．スポーツは痛みに応じて徐々に再開するが，X線で仮骨が均一化する6～8週で完全復帰を目安とする．

2 ▶ Jones骨折
保存療法は長期間の免荷が必要であり，また遷延癒合や再骨折が多いため，手術を要することが多い．髄内スクリュー固定を行う．

3 ▶ 第2中足骨基部骨折
スポーツ中止もしくは荷重を許可したギプス固定で骨癒合を目指す．遷延癒合，骨癒合不全に至った場合はプレート固定を行う．

患者説明のポイント

Jones 骨折は，手術を行っても遷延治癒や再骨折が生じうる．スポーツ復帰を急がず，段階的復帰が必要であることを説明する．

内果疲労骨折，舟状骨疲労骨折
Stress fracture of medial malleolus, tarsal navicular

亀山　泰　井戸田整形外科名駅スポーツクリニック 院長〔名古屋市西区〕

【疾患概念】　疲労骨折は骨の同じ部分に，繰り返しの力が加わることによって骨折が起こる，骨組織に起こる代表的なスポーツ障害である．足舟状骨や足関節内果疲労骨折は疲労骨折のなかでも診断がつきにくく，スポーツ活動に支障をきたし，完全骨折や遷延治癒になり治療に難渋することが多く注意が必要である．

【頻度】　下肢の疲労骨折のなかでは，脛骨や中足骨の骨幹部疲労骨折に比べ比較的まれで，競技レベルの高いランニング系やジャンプ系のスポーツ，特に陸上競技，サッカー，バスケットボール，ハンドボール選手に多く発症し，初期には診断がつきにくく，見逃される場合が多い疲労骨折である．

【臨床症状・病態】　症状は初期では愁訴がはっきりせず，一定しないことが特徴であるが，内果疲労骨折の場合，内果と脛骨天蓋との前方境界部の圧痛点が特徴であり，もともと軽い疼痛があって，ある衝撃で完全骨折となって走行困難となり診察に訪れることもある．舟状骨疲労骨折では痛みはゆっくりと徐々に発現しあまり局在しないが，距骨と舟状骨近位の関節面の背側中央のポイントで，体表上は前脛骨筋腱と長母指伸筋腱の間あたりの舟状骨背側近位の圧痛点が重要である．

問診で聞くべきこと

スポーツ種目や動作，発症までの練習内容など，骨にストレスが繰り返し加わった状況を詳細に聞くことが大切で，ランニングの量や質の増加や，スポーツサーフェスやシューズなどの環境などが急激に変化した場合は発症しやすい．

必要な検査とその所見

単純 X 線は初期では明らかでないことが多く，内果では，前後像で脛骨天蓋と内果関節面の境界部から垂直に内上方に向かう骨折線が特徴的である．舟状骨では，軽度内側斜位像ではっきりした骨折線を認める場合は，すでに転位のある完全骨折例か偽関節例のことが多い．まずは MRI の STIR 像で高信号にて早期診断し，CT で疲労骨折の場所やタイプを評価し，治療方針や治癒の判定に役立てるのに最も有用である（図 28-28）．

診断のポイント

アスリートの足部・足関節痛には，この疲労骨折をいつも疑って診察することが重要で，骨直上の特徴的な局所の圧痛点の確認と，X 線画像上問題なくとも MRI や CT 検査をすることが重要である．

専門病院へのコンサルテーション

足舟状骨や足関節内果疲労骨折の場合，難治性となり手術が必要となることもあり，再発予防も含めて経験の多い専門医に紹介することが望ましい．

保存療法

CT 画像で骨折線が表層のみで，骨吸収や骨硬化が少ない場合は，内果の場合はランニングやジャンプ，ダッシュの禁止で，舟状骨の場合は約 4〜6 週間免荷して，遷延治癒や偽関節例には，超音波など骨刺激の骨折治療器を可能な限り使用し，少なくとも 2〜3 か月以上は運動禁止が必要である．

手術療法

保存治療失敗例，完全骨折転位例や遷延治癒・偽関節例に行っている．骨折線が舟状骨体部に至る例や，貫通した完全骨折例を手術適応にしている報告もある．骨折部に圧迫螺子固定を行い，必要に応じて骨掻爬して骨移植を追加する（図 28-28）．

合併症と予後

手術の合併症には，創の感染，髄腔リーミング過剰による熱壊死，螺子挿入不良や強度不足による骨癒合不全，再骨折，偽関節などがある．螺子挿入には入念に計画して正確にガイドピンを挿入して，1 本は比較的関節面近くを目指し，慎重にリーミングしてから挿入する必要がある．

患者説明のポイント

内果も舟状骨も疲労骨折のなかではかなり難治性のため，慎重に復帰しないと癒合不全や再発することが多い．スポーツ復帰には，足部足関節の発症原因を取り除き，段階的に復帰することが重要である．

リハビリテーションのポイント

足部のアーチ低下例にはインソールを作製する．着地による衝撃を吸収し，集中させないよう，足部・足関節の筋力強化と可動域改善をはかる．

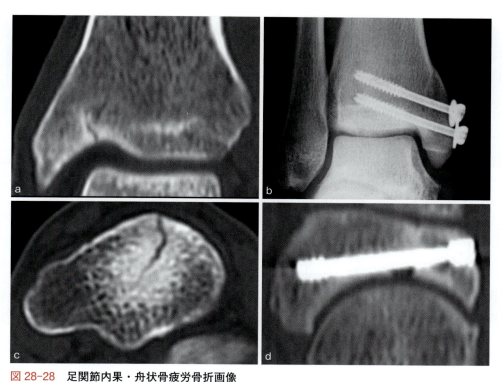

図 28-28　足関節内果・舟状骨疲労骨折画像
a：内果疲労骨折（CT像），b：内果疲労骨折螺子固定（単純X線），c：舟状骨疲労骨折（CT像），d：舟状骨疲労骨折螺子固定（CT像）．

麻痺足（弛緩性麻痺）

Paralytic foot (Flaccid palsy)

福岡　真二　福岡県こども療育センター新光園 園長〔福岡県糟屋郡〕

【疾患概念】　脊髄前角細胞から筋までの障害によって弛緩性麻痺が起こる．原因疾患には，二分脊椎（脊髄髄膜瘤），ポリオ（脊髄性小児麻痺），脊髄性筋萎縮症（Werdnig-Hoffmann病，Kugelberg-Welander病），Charcot-Marie-Tooth病（遺伝性運動感覚ニューロパシー），進行性筋ジストロフィーなどがある．

【病態】　前脛骨筋，長趾伸筋，第3腓骨筋の麻痺により下垂足，腓骨筋の麻痺により内反足，後脛骨筋の麻痺により外反足，腓腹筋，ヒラメ筋の麻痺により踵足，足内在筋の麻痺により凹足，鉤爪趾（claw toe）を起こす．麻痺により足関節，足部を正中位に維持できず，体の直立姿勢を保つことができない．

成長や時間経過とともに，筋腱の拘縮，靱帯の拘縮，骨の変形をも生じる．

●問診で聞くべきこと
原因疾患が診断されていない場合，発症時期，麻痺の進行の有無や速度などの基本的な病歴を聴取し，小児神経科，神経内科へ紹介する．整形外科治療を計画するには，麻痺の原因を特定し疾患の予後を知る必要がある．

●診断のポイント
下肢全体の筋力を徒手筋力テストで調べる．体の直立支持には，大殿筋，中殿筋，大腿四頭筋が特に重要である．足関節，足部については，前脛骨筋（内反背屈筋），長趾伸筋，第3腓骨筋（外反背屈筋），短腓骨筋（外反筋），長腓骨筋（外反底屈筋），後脛骨筋（内反底屈筋），腓腹筋，ヒラメ筋（底屈筋）の筋力を調べ，足の変形の原因（筋力不均衡）を理解する．

次に大切な評価は，変形がflexible（徒手矯正可能）か，rigid（徒手矯正不能の固い足）かの区別である．

●専門病院へのコンサルテーション
理学療法，補装具で矯正できない固い足に無効な治療を続けても，骨変形を生じ手術矯正を難しくするので，早期に小児整形外科，足の外科へ紹介する．

28 足関節，足部の疾患

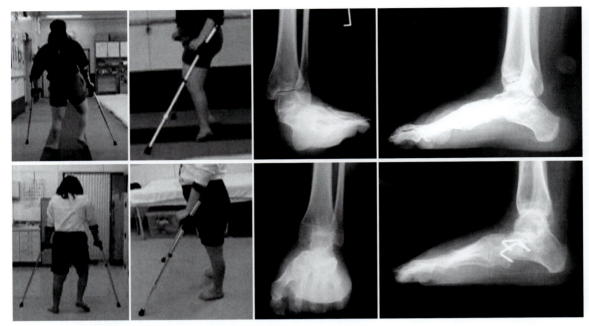

図 28-29　脊髄髄膜瘤に生じた高度外反足
上段：術前，18歳．生下時から拘縮を伴う両内反尖足があり，1歳11か月時に両足後内方解離術を受けた．術後，高度の外反足（flail foot）を生じ，支持性不良であった．
下段：汎距骨固定術，術後6か月．plantigradeを獲得．支持性良好．装具不要．

治療方針

1 ▶ 保存療法

麻痺筋を強化することは不可能なことが多く，麻痺が軽い部分，健常な部分の筋力強化訓練を行う．翌日に疲労感や筋肉痛を起こさない範囲が適切な運動量とされている．通学，就労できる場合は，現在の活動性の維持に努める．関節拘縮予防のためのストレッチを自宅で行えるよう指導する．

装具には足底挿板から短下肢装具までがある．凹足には足底挿板，内反足，外反足には靴型装具，下垂足，尖足，踵足には短下肢装具を用いる．装具だけでは転倒しそうな場合は，杖，松葉杖，歩行器を用いる．

2 ▶ 手術療法

手術の目的は蹠行性（plantigrade）の獲得である．
変形の原因は筋力不均衡であり，これを是正するために，まず，短縮した筋腱の延長術を行う．腱移行術は，下垂足には後脛骨筋腱背側移行術が有効である．脊髄髄膜瘤で，前脛骨筋のみが保たれて起こる内反踵足には，前脛骨筋腱後方移行術を行う．

靱帯の拘縮は二次的変化であり，靱帯を解離すると容易に逆向きの変形を起こす（図28-29）．靱帯解離は8歳以降の高度の靱帯拘縮にのみ行う．固い凹足には足底腱膜切離術を行う．

足底腱膜切離術で矯正できない，より年長の中等度の凹足には第1中足骨骨切り術を行う．

8歳以降の中等度〜高度の内反足には踵立方関節固定術を行う．より年長の高度の内反凹足にはChopart関節固定術を行う．三関節固定術を必要とするものはまれである．14〜15歳以降の極度の変形，麻痺範囲が広く支持性を再建できない場合，汎距骨固定術を行うことがある（図28-29）．

麻痺足（痙性麻痺）

Spastic foot

柴田 徹　兵庫県立障害児者リハビリテーションセンター　センター長〔兵庫県尼崎市〕

【疾患概念】　中枢神経障害による筋の痙縮・筋力不均衡により生じる足部変形を指す．変形は，動的変形と静的変形に分かれる．

【臨床症状】
足底への不均衡な荷重や，靴や装具の不適合による

トピックス　足部変形矯正に対する創外固定器の応用

　足部は皮下組織が菲薄で，真皮の伸展性に乏しい．小児内反足やその遺残変形，Charcot-Marie-Tooth病などに代表される麻痺足で変形が重度な症例においては，変形矯正を一期的に行う場合，変形矯正骨切り時に足部を小さくして皮膚に余裕を持たせる方法をとらなければ，術後創部に皮膚障害が生じることがある．特に前足部から中足部の短縮した皮膚が伸長する方向への一期的矯正で，無理に内固定を使用すると，軟部の緊張が強くなるため循環障害を招きやすい．
　リング型創外固定器（フットリングではスクエア型）は，1.8 mmのワイヤーを多数刺入することにより，薄い皮下にインプラントを留置することなく，強固に固定できるため有用である．近年，足部に特化した薄く小さなプレートなど内固定材料の発展により，リング型創外固定器の必要性は低下しつつあるとされている．しかし，リング型創外固定器を使ったほうが治療しやすい症例が少なからず存在することも事実である．またリング型創外固定器も，新しい可変式ストラットやHexapodシステムの開発，普及など，内固定に勝るとも劣らない進化を遂げており，複雑・煩雑というデバイスから，使いやすいデバイスへと変わりつつある．
　比較的頻度の高い疾患である，尖足矯正においても有用である．足関節周囲骨折に重度開放骨折を合併して生じた尖足や，外傷性コンパートメント症候群後遺症，重度麻痺性尖足など，足関節の関節包周辺が高度に癒着している症例は，アキレス腱延長や軟部組織解離だけでは矯正不足になりやすく，創部トラブルも起きやすい．難治性尖足では，強固な固定力を持つリング型創外固定器は，距腿関節に牽引力をかけ緩徐に矯正を行うことにより，歩行訓練を行いながら尖足矯正を行うことが可能である．また，重度の末梢神経障害から生じるCharcot足・足関節も，糖尿病人口の増加から増加傾向にあり，難治である．Charcot関節は，原疾患が治癒しない限り非可逆的に関節破壊が続くため治療が難しく，進行例の治療目的は皮膚潰瘍改善と支持性の獲得となるが，Charcot関節は骨癒合を得ることが難しく，リング型創外固定器が有効とされている．フットリングを2枚重ねて用いることで，足部の固定性を高めることができる（図28-30，31）．

〔野坂 光司　秋田大学 講師〕

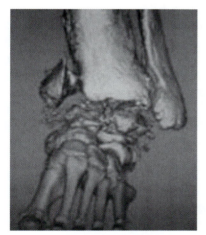

図28-30　末期Charcot足関節 3D-CT

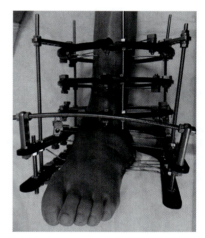

図28-31　Charcot足関節固定術後外観フォト

　疼痛，胼胝形成をはじめとした皮膚障害を生じる．立位・歩行の不安定性，あるいは不安定を代償するために生じる下肢痛や腰痛を生じることもある．最終的に歩行困難や歩行距離の低下を引き起こす．

問診で聞くべきこと
　疼痛や皮膚障害の有無，靴や装具の種類と使用状況，各生活環境（家，学校，職場など）での移動手段や生活様式（和式か洋式，階段の有無）などについて聞く．

診断のポイント

臥位では，足部を構成する各筋の筋力，痙縮，長さ，骨性変形の有無，足の分離運動機能を診る．足部だけでなく，下肢全体(股関節，膝関節)の変形，可動域，痙縮についても知る．次に，立位の姿勢や歩容を観察する．

治療方針

1 ▶ 保存療法

下肢装具により，足底全体に荷重を分散させて，立位歩行を安定させる．強い痙縮や内外反要素のあるものに対しては支柱付き短下肢装具，軽度の尖足変形に対しては足底板や軟性装具，靴型装具を作製する．変形拘縮に対しては，変形に適合させるように装具を作製する．痙縮の強い筋にボツリヌス療法を行う．

2 ▶ 手術療法

(1) 尖足

膝屈曲で足関節が中間位になる場合は腓腹筋腱延長術，屈曲しても足関節の底屈が残存する場合はアキレス腱延長術を行う．アキレス腱延長の場合，過延長に注意して，膝伸展で背屈10°程度までにとどめる．

(2) 内反・槌趾変形

変形に応じて，後脛骨筋腱，長趾屈筋，長拇趾屈筋を筋内腱延長する．

(3) 自立歩行している片麻痺患者の尖足

尖足矯正に加えて，後脛骨筋腱あるいは長拇趾屈筋の前方移行術を行う．すなわちこれらの腱を骨間膜より前方に出し，楔状骨あるいは中足骨に固定する．

(4) 足根骨間に強い不安定性が存在する場合や，年長となり二次的に骨変形を伴っている場合

距踵関節固定や三関節固定術など骨手術を追加する．

合併症と予後

術後ギプス固定を行う場合，踵部に皮膚障害を生じやすいため，ギプスを開窓しておく．

患者説明のポイント

足部変形がありながら独歩している患者に対して手術を行う場合，術後半年程度足周囲の筋力が低下して歩行スピードが低下したり，一定期間装具や歩行補助具(クラッチや歩行器など)が必要となる．また，小児期に変形矯正を行った場合，成人期に移行するまでに変形が再発する可能性がある．

リハビリテーションのポイント

変形矯正後には，足周囲の筋力低下による不安定と，変形矯正された姿勢での立位という体性感覚の変化により，立位歩行機能が一時的に術前より低下する．筋力の回復，新しいアライメントでの立位感覚の獲得，延長した腱の再短縮の予防が重要である．筋力の回復

に伴い装具を変更していく．

関節リウマチの足部変形

Foot deformity in patients with rheumatoid arthritis

原 良太 奈良県立医科大学 助教

【疾患概念】 関節リウマチ(rheumatoid arthritis；RA)でみられる足部変形は，扁平三角状変形や外反扁平足に代表され，非リウマチ性疾患による足部変形と比較して，より重症化する．

【病態】
ほかの部位と同様に，持続する関節滑膜炎や腱鞘滑膜炎が引き起こす関節破壊や，靱帯，腱など支持組織の変性による構造破壊に加え，荷重によるメカニカルストレスが関与する．前足部では外反母趾，第2～5趾の屈趾症(ハンマー趾や鉤爪趾)や中足趾節(metatarsophalangeal；MTP)関節の背側脱臼，内反小趾がみられ，晩期では扁平三角状変形が完成して，足底や足趾背側の突出部に胼胝や鶏眼を形成する．距舟関節破壊や後脛骨筋腱の変性など，内側支持機構の破綻による外反扁平足は，重症化すれば舟底変形となり，胼胝形成や外側インピンジメントを誘発する．

問診で聞くべきこと

疼痛の部位，胼胝の有無や歩行障害の程度などを問診し，理学所見や画像検査と併せて，足部の変形がどのように痛みや機能障害に影響しているかを総合的に診断する．

必要な検査とその所見

単純X線で関節破壊を評価するが，アライメント評価は荷重位撮影で行う．活動性滑膜炎の評価には関節エコーが有用である．

診断のポイント

視診で変形の状態や胼胝の有無を観察し，触診で関節炎の状態や変形が徒手的に矯正可能かを確認する．

専門病院へのコンサルテーション

活動性滑膜炎が残存し，薬物治療の強化が考慮される場合は，リウマチ医へコンサルトする．有痛性胼胝や変形に起因する疼痛による機能障害が持続している場合や，保存治療が奏効しない場合は，リウマチ整形外科，足の外科医へコンサルトする．

保存治療

RA治療において，最も重要なことは滑膜炎に対するDMARDs治療であり，変形や関節破壊がある足部でも滑膜炎が残存している場合は，薬物治療強化の可

否を検討する．装具療法では，前足部変形や外反扁平足に対しては足底挿板が有効であり，矯正不可な rigid な重度変形例に対しては靴型装具の作製を考慮する．

手術療法

近年，前足部変形に対しては，MTP 関節を温存した矯正骨切り術が行われるようになっている．中後足部の変形や関節破壊に対しては関節固定術を行うが，比較的アライメントが良好な距腿関節症に対しては人工足関節置換術が適応となり，距骨圧潰例では人工距骨の使用も有用である．

合併症と予後

手術では創治癒遷延や創部感染が問題となる．距腿関節に対する前方アプローチに対しては，前脛骨筋の bowstring の防止と創保護のために，支帯の縫合と 2～3 週間のギプス固定を行う．足趾の術後血流不全に対しては，固定ピン抜去や包帯圧迫を調整して対応する．

リハビリテーションのポイント，関連職種への指示

足部の関節再建手術の多くは一定の免荷期間を要するため，多関節罹患例では上肢などほかの関節への負荷を考慮してリハビリテーションを行う．易感染状態にある RA 患者においては，足部を清潔に保つなどの意識付けやフットケアも重要である．

糖尿病性足病変

Diabetic foot

早稲田 明生　わせだ整形外科 院長〔東京都狛江市〕

【疾患概念】　糖尿病性足病変とは神経障害や末梢動脈疾患などが関与して，糖尿病患者の下肢に生じる潰瘍，感染および壊疽などの破壊性病変である．

検査

壊死性筋膜炎を発症している場合には単純 X 線や CT 検査においてガス貯留像が認められる．骨髄炎など骨に感染が及んでいる場合には，単純 X 線で骨膜反応や骨吸収像が見られることがあるが，Charcot 関節との鑑別は重要である．血流は ABI（ankle-brachial pressure index）検査や皮膚灌流圧もしくは CT アンギオグラフィーなどにより評価する．

治療

糖尿病足病変の治療には，血糖管理は言うまでもなく感染の治療，デブリドマンなどの局所処置，足底挿板や靴型装具，total contact cast（TCC）などによる免荷などに加え，血行障害を認める場合には血行再建を行うなど多面的なアプローチが必要となる．

潰瘍に感染を伴い壊疽や壊死性筋膜炎が疑われる場合には，デブリドマンや部分切断をはじめとした緊急の外科的処置が必要となる．すぐにデブリドマンを行えない場合は，感染の拡大を防ぐため，排膿ドレナージを行わなければならない．デブリドマンは壊死組織がなくなり感染徴候が消失するまで繰り返し行う．壊死部分が完全に切除されたかどうか疑わしければ，数日後に再度デブリドマンを行う．デブリドマンを繰り返し行っても感染が鎮静化せず，骨，関節が感染組織に覆われているようであれば，関節炎や骨髄炎を疑い，骨，関節の切除も考慮する必要がある．局所陰圧閉鎖療法は肉芽形成を促進させるのに有効であるが，感染が鎮静化する前に開始するとかえって感染が増悪するので注意しなければならない．このような処置と並行して好気性，嫌気性菌の培養を行い，抗菌薬の投与を開始する．

患者説明へのポイント

糖尿病性足病変は非常に再発率が高い疾患である．再発の予防には，毎日自身で足を観察することが大切である．

リハビリテーションのポイント，関連職種への指示

足の定期的な観察と皮膚乾燥予防のための足の手入れ，自分に合った靴の選び方，胼胝の削り方，裸足での歩行禁止などのフットケア教育は，足病変の予防に重要である．

神経障害性関節症

Neuroarthropathy/ Neuropathic arthropathy/ Neuropathic joint/ Neuropathic foot/ Charcot joint/ Charcot foot/ Charcot neuroarthropathy/ Charcot arthropathy

野口 昌彦　東京女子医科大学 客員教授

【疾患概念】　神経病性関節症あるいは Charcot 関節症と同義語である．すなわち，末梢神経障害による知覚障害があり外傷性刺激が原因となって非感染性の破壊的過程を経て関節脱臼や関節近傍の骨折が生じる病態を有する．

【原因疾患】　糖尿病が大半であるが，糖尿病以外では外傷，感染症，脊椎疾患，神経変性疾患，ステロイド，無痛無汗症，Hansen 病などによるものもある（表 28-1）．

【発症頻度】

糖尿病患者の 0.3～7.5% と報告されている．当施設では約 1% である．

【足部・足関節での発症部位】

前足部 15%，中足部 70%，後足部 30% である．70% は中足部(Lisfranc～Chopart 関節)に生じ，神経障害性中足部関節症が進行すれば脱臼し足底に落ち込んだ立方骨，楔状骨などの圧迫により足底潰瘍が発症し感染から下肢切断に到る可能性が生じる．

診断に必要な検査

問診，視診（発赤，腫脹の有無），触診（熱感，関節不安定性の有無）が重要である．単純 X 線像（荷重時足関節正面像，荷重時足部 2R）では関節脱臼，骨折の有無をチェックして病期（表 28-2）を判定する．単純 X 線像で関節脱臼や骨折のない早期には MRI にて骨髄浮腫を認めることがあり，脱臼や骨折が明らかな場合はどの骨が足底突出しているかなどの変形を把握するのに 3D-CT が有用である．

問診で聞くべきこと

本人は外傷とは自覚していないことも多く，軽微なものも含めて外傷の有無，発赤，腫脹，熱感の生じた時期を慎重に聞く．

鑑別診断で想起すべき疾患

発症早期の Charcot 関節症は熱感，腫脹，発赤をきたす感染（蜂窩織炎，骨髄炎，化膿性関節炎），痛風，深部静脈血栓症（deep vein thrombosis；DVT）などとの鑑別を要する．

治療方針

早期診断が最も重要であり，早期ではまだ plantigrade foot が保たれているので plantigrade foot を維持し足底潰瘍が生じないように total contact cast，PTB（patellar tendon bearing）装具による免荷，歩行用ブーツや整形靴などによる保存療法を選択する．関節脱臼・骨折が生じている場合は進行期を避けて手術的介入が必要であり，脱臼整復や関節固定を行い plantigrade foot 再獲得を目的とする．すでに潰瘍が生じている場合はその治療から始めるが潰瘍治癒には足底突出骨切除を要する場合がある．

後療法

手術介入（関節固定術・自家骨移植術，骨接合術，アキレス腱延長術，突出骨切除術など）を行った場合，4 週間のギプス固定と完全免荷，ギプスカット後は歩行時は PTB 装具装着による部分荷重，歩かないときは SLB（short leg brace）装着と患肢挙上を徹底させることを基本とする．CT で骨癒合を確認できれば，インソールと靴型装具を作製し全荷重歩行を許可する．

表 28-1 原因疾患

- 糖尿病
- 外傷(spinal cord injury, peripheral neuropathy)
- 感染〔syphilis, leprosy(Hansen 病), frambesia〕
- 脊椎疾患(myelomeningocele, syringomyelia, rachischisis)
- 神経変性疾患(amyloid neuropathy, alcoholism)
- ステロイド
- 臓器移植(kidney transplantation, spontaneous kidney and pancreas transplantation)
- 無痛無汗症

表 28-2 Eichenholtz 分類（修正版）

		病期			
		潜在危険期	進行期	癒合期	再生期
		Stage 0	Stage 1	Stage 2	Stage 3
炎症	腫脹	軽度(+)	(++)	軽度(+)	(－)
	熱感	極軽度	(++)	軽度(+)	(－)
	発赤	極軽度	(++)	(－)	(－)
骨		萎縮・吸収 (MRI：浮腫)	破壊	新生 骨片の吸収 一部硬化	骨片の癒合
関節		周囲の出血	亜脱臼・脱臼 不安定性		変形・亜脱臼・脱臼の残存 安定性増大

(Eichenholtz SN, Ed: Charcot joint. pp3-8, Springfield, IL: Charles C Thomas, 1966/Shibata T: The results of arthrodesis of the ankle for leprotic neuroarthropathy. J Bone Joint Surg 72A: 749-756, 1990 より)

重症下肢虚血

Critical limb ischemia

富村 奈津子　南風病院 部長〔鹿児島市〕

【疾患概念】　重症下肢虚血（critical limb ischemia；CLI）とは，下肢閉塞性動脈硬化症で安静時疼痛または潰瘍・壊死を伴い，血行再建なしでは組織の維持や疼痛の解除が行えない病態．

【頻度】
日本では明確な報告はなく，60歳以上で欧米と同様20％前後といわれており，2002年の60歳以上の人口から推察し，下肢閉塞性動脈硬化症は660万～760万人と推測される．

【問診で聞くべきこと】
糖尿病，人工透析などの基礎疾患や喫煙歴を聞く．下肢閉塞性動脈硬化症の活動性の低い患者が，些細な外傷を契機に急速にCLIに陥る．下肢痛が間欠性跛行か安静時痛かを確認する．虚血性疼痛は夜間安静時に発生し水平臥床で増悪するため，ベッドから下肢を下垂したり座位で睡眠をとる場合がある．症状を訴えられない高齢者は，認知症やせん妄と誤解されている場合がある．

【必要な検査とその所見】
(1) ABI（足関節/上腕血圧比）
下肢血圧の上腕血圧に対する比率．正常は1.0～1.4，0.9未満および1.4以上は異常．0.6前後は中等症，0.3以下は重症で全身の動脈硬化進行の可能性あり．人工透析では動脈石灰化が高度でABIが異常高値（1.4以上）や偽正常値を示す場合はTBIを指標とする．

(2) TBI（足趾/上腕血圧比）
正常値は0.9以上

(3) 血管超音波検査法
動脈の狭窄や閉塞の有無，血流の低下を非侵襲的に評価できる．

(4) SPP（皮膚灌流圧測定）
創周囲の皮膚血流を評価する．30～50 mmHg以上で創傷治癒を期待できる．

(5) 血管造影検査
下肢動脈の狭窄や閉塞部位を判定し血行再建術適応の検討に必要．

【診断のポイント】
下肢疼痛や冷感，足部の潰瘍で循環障害を検査で認めればCLIに当てはまる．

【治療方針】
下肢救済か下肢切断に大別される．

1 ▶ 下肢救済
全身管理や足部感染制御を行いながら，循環器科や血管外科と相談し血行再建術（血管内治療やバイパス術），壊死組織の切除，創傷治療を行う．創部の血流が良好となり壊死組織が限局した部位で切除し，組織欠損部に局所陰圧閉鎖療法で肉芽形成できれば治癒も可能で，歩行可能な足を残せる．

2 ▶ 下肢切断
(1) 救命のため
下肢の虚血・感染により全身状態悪化の場合は，麻酔が可能なうちに切断を行う．
(2) 歩行のため
下腿義足歩行は獲得しやすいため，下腿への血行再建術を行い切断端の創治癒が見込めるようにする．

【予後】
CLI発症の1年予後は切断30％，死亡が25％で，CLI自体が全身の動脈硬化症の一部分症であり脳心血管イベント（心筋梗塞，脳卒中）による死亡リスクが高い．

【患者説明のポイント】
下肢温存への執着から切断を拒否する場合，CLIは救命を第一に考える必要性を説明する．壊死による広範な正常組織の欠損は，治療が長期化し廃用症候群となる．患者や家族に治療戦略を十分に説明し治療選択を行う．

【リハビリテーションのポイント】
下肢救済治療で残せた足部は，歩行と創再発予防を目的に，足底装具や靴型装具を作製する．下肢切断者も，関節拘縮予防の可動域訓練やADL訓練を行う．

痛風の足部障害

The foot problems caused by gout

金城 聖一　かねしろ整形外科リウマチクリニック 院長〔大阪府寝屋川市〕

【疾患概念】　痛風の関節炎は，体液中で飽和した尿酸ナトリウム塩結晶が関節および関節周囲組織へ沈着し，結晶が関節腔内へ剥落することにより生じる関節炎である．多くは急性発症であるため痛風発作とよばれ，主として下肢関節に単関節炎として生じる．痛風発作は特に足部に好発し，母趾中足趾（metatarsophalangeal；MTP）関節や他の足趾，足関節，足根部に多くみられる．足部のように末梢で体温が低く，か

つ運動量が多い部分では，尿酸の溶解度が下がって結晶化しやすく，さらに物理的負荷により関節炎が惹起されやすいと考えられている．原因が明らかでなく，特に男性で足部に急性単関節炎を生じた場合にはこの疾患を常に念頭に置く．

【痛風関節炎のメカニズム】

痛風関節炎は，尿酸塩結晶が自然免疫機構を介したインターロイキン（IL）-1 前駆体産生亢進と，食食により細胞内に取り込まれた尿酸塩結晶による NLR family, pyrin domain containing 3（NLRP3）インフラマソーム活性により，IL-1β の産生・分泌されることによって関節炎を発症する．IL-1β は関節内の滑膜細胞に作用しケモカインの産生を誘導し，ケモカインの働きによって好中球などの炎症性細胞が関節腔に集積し，さらに炎症反応が拡大することにより痛風関節炎のような強い関節炎が起こる．

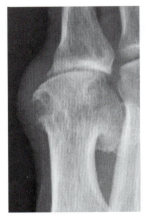

図 28-32　母趾中足趾関節 X 線像
びらん周囲に骨硬化像を伴う．

【頻度】

痛風による足部関節炎の頻度はさまざまな報告があるが，母趾 MTP 関節 60〜80％，中足部 20％，足関節 15％ 程度と考えられている．

初回発作の約 80％ は単関節炎である．痛風の初期に多関節が罹患する頻度は 20％ 以下であるが，発作を繰り返すうちに多関節炎の頻度は増える．

問診で聞くべきこと

発作前に約 50％ の症例で前兆を自覚し，6〜12 時間後に発作が始まる．発作は通常 24 時間以内に極期を迎え，3〜4 日後には漸減し自然に寛解する．これら一連の症状を足部に自覚したかを確認する．次の痛風発作が起こるまでは無症状である間欠性関節炎であり，この無症状の時期があることを病歴から引き出す．また，これまでに健診などでの高尿酸血症の有無，食事，飲酒，家族歴，痛風結節の有無についても問診する．

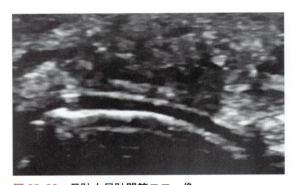

図 28-33　母趾中足趾関節エコー像
エコーにて中足趾関節軟骨に double contour sign がみられる．

必要な検査とその所見

一般には，血液検査（尿酸値，CRP，血沈，白血球など），画像検査（X 線，超音波）を行う．発作を繰り返す部位ではすでに関節変形をきたしていることがあり，特に放置した痛風による骨破壊の強い典型的な X 線像は，打ち抜き像（punched-out defect）や痛風結節を骨性に取り囲む所見（overhanging osseous border）を呈する（図 28-32）．この変化は，骨びらん周囲に骨硬化像を伴うことと関節裂隙が比較的保たれていることで，関節リウマチの骨びらんとの鑑別が可能である．また，超音波では尿酸塩結晶が関節軟骨表面に沈着し，層状に高エコー結晶像が認められる "double contour sign" という特徴的な所見（図 28-33）が認められる．最近開発された dual-energy CT では，関節内のみならず腱に付着している尿酸塩結晶が認め

られる（臨床的に単関節炎の事例が多いが，実際には複数の場所が障害されている症例もあると考えられるようになってきた）．

可能なら関節液を採取して，偏光顕微鏡にて好中球に食食された尿酸ナトリウムの針状結晶を証明すれば診断が確定する．

診断のポイント

足部に特徴的な急性関節炎があり，高尿酸血症，炎症反応上昇が確認できれば診断は比較的容易である．ただし，痛風発作中には血清尿酸値は必ずしも高値を示さない．過去に血清尿酸値が高い時期がどれくらい長く持続していたかが問題であり，この点に関する病歴聴取が重要である．放置すると発作を繰り返し，発作の間隔が次第に短くなる．痛風結節は骨内を含め全身に出現するが，足部に形成することも多く〔耳介・手

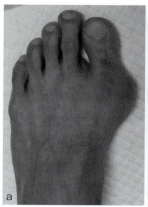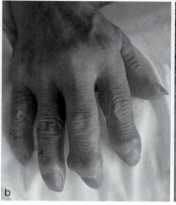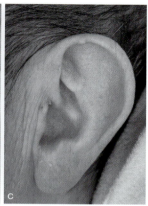

図 28-34　母趾(a)・手指(b)・耳介(c)に生じた痛風結節

指など(図 28-34)にも生じる]，時に破れて皮膚潰瘍を生じることがある．

治療方針

基本は保存療法である．足部に前兆を自覚した場合にはコルヒチンを内服して発作を予防する．コルヒチン1錠(0.5 mg)を内服し，痛風発作が頻発する場合にはコルヒチン1日1錠を連日投与する(コルヒチン・カバー)．ただし発作が始まった後のコルヒチン投与は無効である．

発作時に腎障害に注意しながら，血中濃度上昇が速く，血中半減期が短い非ステロイド性抗炎症薬を大量に短期間のみ服用する．発作時に尿酸降下薬を新たに投与してはいけない．その理由として，痛風発作時に投与して尿酸値を変動させると関節炎が増悪し重積することがあるからである．ただし，尿酸降下薬投与中に発作が起きた場合はそのまま投与を続ける．重積発作時には，副腎皮質ステロイドの全身投与(プレドニゾロン換算1日15〜30 mg，1週間ごとに1/3減量して3週間で中止)，もしくは関節炎が生じた足部の関節内に局所投与を行う(高尿酸血症・痛風に対する尿酸降下薬内服については第5章を参照のこと)．難治症例や上記の治療薬が使用できない症例に対して，本邦未承認であるが，IL-1阻害薬の有効性が報告されている．

痛風結節の痛みや，自壊し皮膚潰瘍が生じている場合には結節切除を行うことがある．また，痛風による変形が生じたための疼痛を訴える場合には，足底板や靴の指導，あるいは場合によっては関節形成術や固定術を考慮する．

合併症と予後

痛風による足部障害を単に局所の関節疾患ととらえずに，尿酸値を指標に治療を行う必要がある．放置すると尿酸塩沈着による痛風結節や尿路結石が生じ，さらにメタボリックシンドロームや，高血圧，脂質異常症，糖尿病などの他の生活習慣病や慢性腎不全を合併し，徐々に動脈硬化も進行して心血管疾患のリスクを高める危険性がある．

患者説明のポイント

痛風が代表的な生活習慣病であることを認識する．尿酸値のコントロールが大切であり，食事療法，飲酒制限，水分摂取の励行，運動などの生活指導を行う．それでも高尿酸血症が持続する場合には，尿酸降下薬の服薬をきちんと継続するように勧める．

足部の腫瘍

Tumor of the foot

塚本 真治　奈良県立医科大学 助教

【疾患概念】　足部の腫瘍は原発性，転移性ともにまれである．足部ではすべての構造物が近接しているため腫瘍は早い時点で触知可能となり，痛みが出る．足部の悪性腫瘍は早期に発見されるため予後が良好である一方，まれであることから不適切な診断と治療がしばしば行われる．

診断のポイント

足部に発生する軟部腫瘍のほとんどはガングリオン，Morton病，滑膜包炎，滑膜炎，感染などの良性病変であり，理学所見や画像所見は悪性腫瘍と同じようにみえる(図 28-35)．各画像検査と必要に応じ生検で診断を確定するのは他の部位の腫瘍と同様である．

28 足関節，足部の疾患

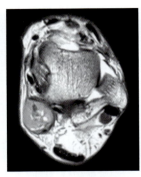

図 28-35 足関節内側の Ewing 肉腫の MRI 画像 (T2WI)
脛骨神経由来の神経鞘腫との鑑別が難しい．

②superficial fibromatosis
③deep fibromatosis（デスモイド腫瘍）
④Morton 病
⑤血管腫
⑥筋内粘液腫
⑦神経鞘腫
⑧神経線維腫

3 ▶ 悪性骨腫瘍
①骨肉腫
②軟骨肉腫
③転移性腫瘍（acrometastasis）：全転移の 1% 以下であり，50% の acrometastasis が大腸・腎・肺がんからと報告されている．

4 ▶ 悪性軟部腫瘍
①悪性末梢神経鞘腫瘍
②滑膜肉腫

5 ▶ 生検
　足関節の病変に対する生検の際は，足根管の神経血管束や腱鞘を汚染させないことが重要である．

治療方針

各腫瘍の治療方針は 5 章参照．

1 ▶ 良性骨腫瘍
①骨巨細胞腫：踵骨と距骨，脛骨遠位に多い．足部の骨腫瘍では最も頻度が高いと報告されている．
②動脈瘤様骨嚢腫：中足骨と踵骨に多い．
③単純性骨嚢腫：踵骨に多い．
④軟骨芽細胞腫：踵骨と距骨に多い．
⑤内軟骨腫：中足骨と趾骨に多い．
⑥chondro-myxoid fibroma
⑦類骨骨腫：踵骨と距骨，脛骨遠位に多い．
⑧osteoblastoma：距骨に多い．
⑨線維性骨異形成
⑩非骨化性線維腫：脛骨遠位に多い．
⑪骨内脂肪腫：踵骨に多い．自然消退もあるため無症候の場合は経過観察のみである．しかし，疼痛や病的骨折のリスクが高い場合は掻爬と骨移植を行う．再発率は低い．
⑫爪下外骨腫：痛みや外見上の問題のため手術が必要となる．手術は足趾先端より横皮切を加え辺縁切除を行う．
⑬bizarre parosteal osteochondromatous proliferation（BPOP）（Nora's lesion）：増大速度が速く痛みを伴う．治療は辺縁切除であるが再発率は比較的高い．

2 ▶ 良性軟部腫瘍
①腱鞘巨細胞腫：足部の軟部腫瘍では最も頻度が高いと報告されている．放置すると関節破壊が進行するため手術（辺縁切除）が基本である．距腿関節内に限局する病変に対しては鏡視下切除が可能である．距腿関節外に広がる腫瘍には切開切除が必要である．

手術療法

　悪性骨・軟部腫瘍に対しては広範囲切除が基本である．足部の悪性腫瘍切除後の欠損に対して，しばしば遊離筋皮弁や有茎皮弁による被覆を要する．前足部の病変に対しては Ray amputation が機能が良好であることから薦められる．下腿切断と比べ，Ray amputation を含めた患肢温存術のほうが機能予後が良好であることから，患肢温存術が薦められる．踵骨の fat pad や踵の皮膚は荷重に最も重要であるため，それらが腫瘍に侵されている場合は下腿切断の適応となるかもしれない．距骨に限局した腫瘍の切除後の再建には，距骨切除＋tibiotalocalcaneous fusion よりも人工距骨置換術のほうが，関節可動域が保たれるため機能が良好である．

足根管症候群

Tarsal tunnel syndrome

羽鳥 正仁　仙塩総合病院 副院長〔宮城県多賀城市〕

【疾患概念】　足根管とは屈筋支帯と脛骨・距骨に囲まれたスペースで，同部を走行する脛骨神経の絞扼性神経障害が足根管症候群である．ガングリオン，距踵骨癒合症（図 28-36），腱鞘滑膜炎などで起こる．原因の明らかでない特発性もある．

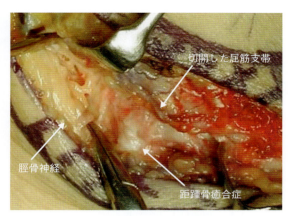

図 28-36　距踵骨癒合症による足根管症候群

【臨床症状】
足底，足趾に知覚障害がみられる．長時間の起立，歩行により症状は悪化する．灼熱感，夜間痛を訴える場合もある．神経内ガングリオンの場合は，激烈な痛みを伴うのが特徴である．

問診で聞くべきこと
いつからどの部位にしびれがあるか．症状は足に限局するか，腰の痛みや大腿，下腿のしびれ，痛みがないか確認する．

診断のポイント
足底，足趾に症状がある例では足根管症候群を想起し，足根管部の腫脹・圧痛・腫瘤の有無を調べる．圧迫部に Tinel 様徴候がみられる．単純 X 線，超音波，CT，MRI で，ガングリオンなどの腫瘤性病変，腱鞘の肥厚，骨の異常などを調べる．

【治療方針】
まず保存療法を試みる．症状の改善が得られない場合は手術を行う．

【保存療法】
症状が落ち着くか安静を指示する．向神経性ビタミン剤，内服・外用消炎鎮痛薬，神経障害性疼痛治療薬の投与を行う．診断もかねて足根管内への局所麻酔薬，ステロイドのブロックも行う．足のアラインメント異常に起因する場合は足底挿板を処方する．

【手術療法】
ガングリオンはまれに消失する場合もあるが，腫瘤性病変の場合は，症状が改善することはまれで，手術となることが多い．足根管を開放し脛骨神経への圧迫病変を切除する．足根管内で病変がみられない場合は，神経が貫通する母趾外転筋起始部での絞扼がないか調べる．

患者説明のポイント
保存治療を行い，症状が改善しない場合は手術となる可能性が高い．手術をしても明らかな占拠性病変がない場合もある．神経内ガングリオンの場合は病変の摘出は困難である．

Morton 病

Morton disease

磯本 慎二　奈良県総合医療センター 部長〔奈良市〕

【疾患概念】
深横中足靱帯底側における趾間神経腫を伴う底側趾神経障害が Morton 病とよばれる．Morton 病における趾間神経腫は腫瘍性病変ではなく，刺激に伴う二次性変化と考えられている．

【好発年齢・好発部位】
中高年の女性に多く発症する．第3/4 趾間に最も多く発生するが，それ以外の趾間部でも発生する．

【発生機序】
外的要因としてハイヒールなどの幅の狭く，中足趾節（metatarsophalangeal；MTP）関節を背屈させる靴を履くことが発症の原因となる．内的要因として外反母趾など足の変形に伴い，母趾以外の中足骨頭への負荷が増えると発症しやすくなる．

【臨床症状】
初期は MTP 関節付近の歩行時の前足部痛として自覚する．慢性化すると，足趾のしびれや放散痛を自覚し，安静時痛を訴えることもある．

問診で聞いておくべきこと
発症から初診までの期間が短いほど保存療法が有効であるため，発症時期を正確に聞く．発症時期に幅の狭い新しい靴に換えていないかを聞く．歩行や立ち仕事の増加など，生活の変化がなかったか聞く．

必要な検査とその所見
(1) 単純 X 線
荷重時足部正面像と側面像を撮影し，原因となりうる外反母趾などの足部アライメント異常を評価する．鑑別のため MTP 関節の変形の有無を確認する．
(2) MRI
神経腫の有無を確認する．神経腫の確認のためには，足冠状断像は MTP 関節周囲を中心になるべく細かく撮影する必要がある（図 28-37）．MTP 関節炎，趾間滑液包炎および腫瘍性病変の鑑別にも重要である．

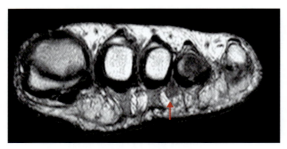

図 28-37　MRI T2 強調冠状断像
趾間部に神経腫（色矢印）を認める．

鑑別診断で想起すべき疾患

深腓骨神経障害，脛骨神経障害や腰椎疾患など趾神経以外の神経障害がないか確認する．趾間滑液包炎，MTP 関節炎は Morton 病とよく似た症状を呈し，趾間神経の症状を合併することもある．また，趾間部に腫瘤がみられる場合は軟部腫瘍との鑑別も必要である．

診断のポイント

臨床所見としては，趾間部の圧痛を認める．約半数に足趾の趾間部における感覚異常を認める．第 1 中足骨と第 5 中足骨を握って趾間部で神経を圧迫することにより，症状が誘発されれば Morton 病が強く疑われる（Mulder テスト）．しかし，趾間滑液包炎，MTP 関節炎などでも同様の所見がみられることがあり，画像検査などで鑑別する必要がある．ほかの神経障害を除外するために，足趾以外の部位の神経症状がないか確認する．

専門病院へのコンサルテーション

靴・生活や仕事の指導，足底板などによる保存的治療により改善しない場合，専門病院へのコンサルテーションを考慮する．

治療方針

1 ▶ 保存療法

幅の狭い靴，生活や仕事の変化が原因と考えられる場合は，それらを改善する．外反母趾など足のアライメント異常が原因と考えられる場合は，足底板により神経障害部位の負担を減らす．それらを行ったうえで症状が残存する場合は，趾間部への局所麻酔薬とステロイド注射を行う．注射は背側より刺入するが，底側趾神経に達するためには深横中足靱帯より底側に針を進めて注入する．注射は治療として有効であるとともに，診断にも有効である．局所麻酔薬が全く無効な場合，Morton 病以外の疾患を考慮すべきである．

2 ▶ 手術療法

上記の保存的治療により症状が軽快しない場合，手術療法を施行する．手術は背側切開による神経腫切除を行う．

合併症と予後

多くは保存療法により症状が軽快する．神経切除術後，趾間部の感覚低下がみられる．多くの症例では症状の訴えはないが，趾間部の不快感を訴える例もある．

患者説明のポイント

多くは保存療法が有効であることを説明し，まずは外的・内的要因を十分に検討して保存的治療を行う．手術を行う場合は，術後に趾間部の神経症状が残る可能性があり，術前に十分に説明を行ったうえで，手術を行うかどうかは慎重に判断する．

前足根管症候群

Anterior tarsal tunnel syndrome

安井　哲郎　帝京大学医学部附属溝口病院 教授

【疾患概念】　足関節前面には下伸筋支帯によって形成される前足根管があり，前脛骨筋腱・長母趾伸筋腱・長趾伸筋腱・足背動脈・深腓骨神経などが通っている．この部位で何らかの要因により深腓骨神経が圧迫されて起こる絞扼性神経障害を，前足根管症候群と称する．これよりやや遠位の Lisfranc 関節レベルで起こる深腓骨神経の絞扼性障害も，（広義の）前足根管症候群に含められることが多い．前足根管症候群はまれな病態であるが，腰椎神経根由来の症状と間違われて診断に至っていないケースがあるので，見逃さないよう注意する必要がある．

診断のポイント

足背から足趾にかけての疼痛を訴える．典型例では，運動やきつい靴により疼痛が誘発され，疼痛・しびれが母趾外側および第 2 趾に放散する．前足根管部の叩打により足背〜足趾に疼痛・しびれが放散する（Tinel 徴候）．

診断にあたっては，単純 X 線検査や超音波検査，MR 検査などにより，骨棘やガングリオンなど器質的な要因の有無を評価する．腰椎神経根由来の症状との鑑別には，神経伝導速度検査が役立つことがある．

足関節捻挫や足関節過底屈などの外傷を契機に発症する例があるので，そのようなエピソードがないか聴取することも診断の助けになる．

治療方針

1 ▶ 保存療法

運動量を減らす，足にフィットした（きつすぎない）靴を使用する，外用消炎鎮痛薬を使用するなどが保存治療の基本である．ステロイドの局所注射は除痛効果が期待できるが，腱の脆弱化など副作用も指摘されているので，注射するか否かの判断は慎重に行う．

2 ▶ 手術療法

下伸筋支帯のリリース（切離）を行う．展開の過程で皮下を走る外側足背神経を損傷しないよう注意する．骨性要素（骨棘など）や軟部腫瘤（ガングリオンなど）が原因の場合はこれらの切除を行う．

アキレス腱皮下断裂

Achilles tendon rupture

中山 正一郎　済生会御所病院 病院長〔奈良県御所市〕

【疾患概念】　アキレス腱皮下断裂は，30～50歳のスポーツ愛好者によくみられ，日常診療で遭遇する機会は多い．レクリエーショナルスポーツ中に受傷することが多く，一般のスポーツ傷害に比べて好発年齢が高いことが特徴である．

【病態】

断裂は加齢に伴う腱の退行性変性を基盤に発生するため，10歳代，20歳代での発生はまれであり，30歳以降に急増し，40歳前後の発生が最も多い．中高年層で盛んなバレーボール，バドミントン，ソフトボール，テニスなどの競技中に多く発生し，踏み込みやジャンプなどの動作で下腿三頭筋に瞬時に急激な負荷が加わることにより腱が断裂する．高齢者では，『転倒』や『階段を踏み外して』など，日常動作のなかで受傷することが多い．

問診で聞くべきこと

受傷時の様子を丁寧に聴取する．そのほとんどが非接触性の受傷にもかかわらず，患者は受傷時の衝撃を『後ろから踵部を誰かに蹴られた』，『ボールが当たった』，『棒で叩かれた』などと表現することが多い．また，受傷時に断裂音を自覚していることも少なくない．受傷前に腱の変性や炎症の存在を疑わせる下腿の鈍痛やつっぱり感といった，前駆症状の有無を確認しておく．

必要な検査とその所見

問診ならびに臨床所見により診断は比較的容易であるため，画像検査は必須のものではないが，補助診断として有用である．単純X線検査にて，踵骨や足関節周辺骨折の除外診断を行う．特に高齢者にみられる，アキレス腱付着部の踵骨裂離骨折との鑑別に有用である．また，腱付着部や腱内に，石灰化像や骨化像などの変性所見がみられることもある．

MRIや超音波検査では，断裂部位ならびに断端部の状態が確認できる．超音波検査では，断端部の接触状態の動的な観察が容易であり，特に保存治療において有用である．MRIは初期診断より，治療経過における腱の修復過程を評価する手段として有用である．修復とともに腱は肥厚し，T2強調像での高信号領域が消退する．

診断のポイント

(1) 問診

前述のような断裂時の特徴的な表現を聴取する．

(2) 触診

典型例において，断裂はアキレス腱の踵骨付着部から3～6 cm中枢側に好発し，触診にて断裂部の陥凹が触知できる．

(3) Thompson squeeze test

患者を腹臥位とし，膝90°屈曲位にて下腿三頭筋の筋腹をつかむと健側では足関節が底屈するが，断裂側では底屈がみられない（Thompson test 陽性）．

(4) つま先立ちができないことを確認

アキレス腱部には腫脹と疼痛がみられるがその程度は軽いことが多く，歩行が可能な場合も少なくない．しかし，つま先立ちは不可能となる．

治療方針

ギプス固定や装具を用いて腱の修復をめざす保存治療と，断裂した腱を直接もしくは経皮的に縫合する手術治療がある．適切に治療された場合，受傷後6か月の時点での手術療法と保存療法の結果はほぼ同じとされている．いずれの治療法においてもスポーツ復帰までには5～6か月を要する．それぞれの長所・短所を踏まえ，患者の活動性や社会的背景，さらに治療に対する理解度などを考慮したうえで治療法を選択すべきである．

アキレス腱断裂診療ガイドラインによれば，保存治療は手術による弊害もなく有用な治療法であるが，再断裂などの重大な合併症に配慮する必要がある，と記載されており，手術治療に比べて再断裂の頻度が高いとされている．しかし，最近では超音波検査による断裂部の修復過程の観察が容易となり，より安全に早期運動療法が可能となってきたため再断裂率は低下し，保存治療の成績は向上している．近年のエビデンスレベルの高い論文でも，機能的リハビリテーションを行えばどちらの治療法でも再断裂率は変わらないとする報告が多い．一方，手術治療では確実に腱断裂部の修

復が可能であるが，感染や神経損傷，創部皮膚壊死などの合併症の危険がある．

また，保存治療において，早期にリハビリテーションを進めるためには，超音波検査やMRIなどの画像検査の頻度や必要性は手術治療に比べて高い傾向にある．

保存治療

できるだけ受傷後早期に治療を開始することがポイントであり，受傷から治療開始までの期間が長くなるとその成績は低下する．受傷後5日以内の治療開始が望ましい．最大底屈位にて，6週間の膝下ギプス固定もしくは装具による固定を行い，段階的に底屈角度を小さくし，8～10週間で装具を除去する．方法や固定期間に多少の違いはあるが，まずはギプスによる固定を2～4週間行い，その後4～6週間装具装着による固定とするのが一般的である．

装具は，補高による足関節底屈位の保持を目的とした短下肢装具である．ヒール部分は数枚の楔状パッドを重ねた構造となっているため，パッドの枚数を減らすことにより底屈角度を徐々に小さくすることが可能である．荷重については3週目から部分荷重を開始し5週間で全荷重とする．

安全性や整容面では優れているが，治療サイドが手技に習熟していない場合には，再断裂や機能障害の発生の危険性がある．特に，ギプスを除去してからのリハビリテーションについては，超音波検査やMRIなどの画像診断にて断端の接触や修復の程度を確認しながら，慎重に進めていく必要がある．

手術治療

経皮的もしくは観血的に腱縫合を行う．術中操作においては以下の点に留意する．①パラテノンと腱の剝離は最小限にとどめ，腱縫合後にできるだけアキレス腱をパラテノンで被覆する．②皮膚壊死を予防するため皮膚から皮下脂肪層を剝がさない．③アキレス腱外側に位置する腓腹神経と小伏在静脈を損傷しないように十分注意する．

術後は2週間のギプス固定の後，さらに3週間の短下肢装具による固定を行うが，荷重は2～3週後から許可する．なお，術後の装具は保存治療と同様のタイプが用いられ，補高により足関節の底屈角度を調整する．最近では初期強度を重視した縫合法によりギプス固定期間の短縮をはかり，できるだけ早期にリハビリテーションを開始する工夫がなされている．

端々縫合術は最も普遍的な手術方法であり成績も安定しているが，後述する合併症の発生には十分な注意が必要である．また，小侵襲である経皮縫合では，神経損傷の発生が問題とされてきたが，近年では合併症を避けるために，さまざまな工夫や新しいデバイスの開発がなされている．

合併症

治療中の再断裂の発生が最も大きな合併症である．いずれの治療においても再断裂の発生は受傷後1～2か月に最も多いため，この時期の転倒や瞬発的な動作でのアクシデントに対する注意喚起が必要である．特に，保存治療において早期の運動療法や荷重を開始する場合には，超音波やMRIなどの画像による修復経過の確認が必要と思われる．また，手術に伴う合併症としては，感染，皮膚壊死，創部遷延治癒，癒着，腓腹神経損傷などが挙げられる．

患者説明のポイント

従来，アキレス腱断裂に対して一般的に手術治療が行われてきたが，近年の保存治療の成績は向上し安定していることを説明し，それぞれの長所や短所を踏まえて治療法を選択する．いずれの治療においても，腱の修復を促し，合併症の発生を防止するためには，早期のリハビリテーションが重要であることを説明する．

リハビリテーションのポイント

保存治療，手術治療にかかわらず，再断裂を含む合併症の発生を最小限にするためには，ギプス固定期間はできるだけ短縮し，早期に機能的装具を用いた運動療法を開始することが重要であり，患者サイドにもその点を十分に理解してもらうことがポイントである．非荷重での足関節自動運動はギプスを外した直後から開始する．

装具を用いて早期から足関節自動運動や荷重開始をするが，転倒や瞬発的な過負荷を防止するために，受傷後4～5週間は必ず松葉杖を使用するように指導する．

アキレス腱症，アキレス腱周囲炎

Achillodynia, Calcaneal paratendinitis

安田 稔人　大阪医科薬科大学看護学部 教授

【疾患概念】 慢性のアキレス腱障害には，腱実質部の障害と腱付着部の障害がある．腱実質部の障害には，パラテノンに炎症を起こすアキレス腱周囲炎と，アキレス腱内に障害の及ぶアキレス腱症があり，両者が合併していることもある．アキレス腱の障害は，組織学的には腱の炎症ではなく，変性所見が中心である．腱変性の要因には，外的要因と内的要因がある．外的要

因としては腱への過負荷が挙げられる．内的要因には年齢，性別，体重のほか，脂質異常症や腎臓透析，副甲状腺機能亢進症などがある．またステロイドやニューキノロン系抗菌薬などの薬剤も，危険因子と考えられている．

問診で聞くべきこと

スポーツ歴や職業など，腱変性の外的因子の有無をチェックする．腱の変性の内的因子となる，脂質異常症などの併存症や薬剤の使用歴も聴取しておく．また痛みの部位が腱実質部か付着部かを聞いておくことも重要である．

診断のポイント

アキレス腱実質部の腫脹や発赤，熱感，圧痛をチェックする．特に正確な圧痛部位を同定することが重要である．さらにアキレス腱の硬結や圧痛部位が，足関節の底背屈運動により移動するかどうかを調べる．移動すればアキレス腱症，移動しなければアキレス腱周囲炎である．単純X線像では，腱実質部における石灰化や骨化の有無をチェックする．超音波画像では，アキレス腱の肥厚やアキレス腱実質部の病変部は，低エコー領域として描出される．さらに腱内の新生血管（カラーDoppler法）を評価する．MRIでは，T2強調像での腱周囲の高信号変化の有無，腱実質部の肥厚と信号変化をチェックする．

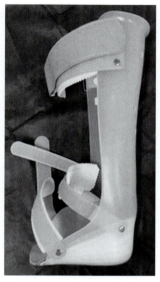

図 28-38　アキレス腱装具
装具には数段重ねのパッドをつける．

治療方針

1▶保存療法

装具療法では，足底挿板を用いて踵を1cm程度高くする．また重症度に応じて，装具による外固定を行う（図28-38）．運動療法では，eccentric loading exerciseが有用である．張力により腱組織の再構築を促進する効果や，腱の変性部の新生血管の数を減少あるいは血管を閉塞させる効果がある．多くの無作為比較研究でその有用性が報告されており，12週間の治療により，良好な治療成績が期待できる．注射療法ではトリニトログリセリン，多血小板血漿などが用いられるが，そのエビデンスはまだない．体外衝撃波療法は難治性腱症に対して，神経終末の破壊による除痛作用と細胞レベルでの機械的刺激による組織修復促進作用があり，有効例もみられる．

2▶手術療法

経皮的腱切りは，軽度～中等度のアキレス腱症に適応がある．経皮的に腱の変性部に縦方向に数か所の腱切りを行う．腱の腱修復機転を促進させて，腱の病変部を治療する．中等度～重度のアキレス腱症では，直視下に腱の変性部分を切除する．腱の断面積の50%を超える切除に対しては，腱の補強を行う．切除範囲が大きい場合は，長母趾屈筋腱の腱移行術などによりアキレス腱を再建する．gastrocnemius recessionは良好な治療成績の報告も多いが，付着部症や骨棘のある例での成績はやや劣る．また底屈筋力が低下する報告もありスポーツ選手には適応は少ない．

患者説明のポイント

スポーツ選手の場合はスポーツ活動の一時中止や，ランニングや歩行の距離を短縮するなど，運動強度や運動頻度を落として負荷を軽減するように説明する．アキレス腱周囲炎を含むアキレス腱症の治療は保存療法が原則であり，装具療法やeccentric loading exerciseを中心に，いずれも3か月程度の治療期間を要することがあることを説明する．

アキレス腱付着部症

Insertional Achilles tendinopathy

松井　智裕　　済生会奈良病院 部長〔奈良市〕

【疾患概念】 アキレス腱の踵骨付着部に生じる疼痛，腫脹，運動機能障害を症状とする障害である．アキレス腱が踵骨に付着する部位に牽引ストレスが加わることで生じる狭義のアキレス腱付着部症と，足関節運動により踵骨後上隆起とアキレス腱が繰り返し接触することで生じる踵骨後部滑液包炎に分けて考えられるよ

28 足関節，足部の疾患

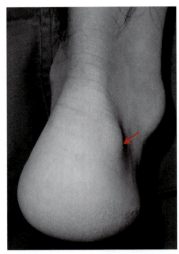

図 28-39 アキレス腱付着部近位外側にみられる隆起（pump bump）

うになってきているが，実臨床では両者が合併していることも多い．

【臨床症状・病態】
　長距離ランナーやジャンプ競技などのスポーツ選手に比較的好発する．アキレス腱付着部の疼痛や腫脹がみられ，運動により増悪する．付着部やや近位外側に pump bump とよばれる隆起を認めることもある（図28-39）．踵骨後部滑液包炎では，滑液包を内外側からつまむことで疼痛が誘発される（two finger squeeze test）．組織学的には，腱付着部の炎症所見と退行性変化が混在した病態が確認されている．

【問診で聞くべきこと】
　スポーツ活動や仕事内容など普段の運動量を確認しておく．また，最近に運動量の増加・練習内容の変更がないか，靴・走り方に変更がないかも確認しておく．

【必要な検査とその所見】
　超音波検査が有用である．腱付着部最遠位の骨棘や後上隆起の骨びらん，踵骨後部滑液包内の水腫，腱付着部の肥厚を認める．パワー Doppler 法では，滑液包や腱付着部に血流増加を認める．MRI では，腱付着部や踵骨後上隆起の異常を捉えやすい．

【診断のポイント】
①アキレス腱付着部か踵骨後部滑液包に一致した圧痛・腫脹を認める．
②足関節背屈やランニング・ジャンプ動作で，疼痛が誘発される．
③画像検査で，腱付着部最遠位の骨棘や踵骨後部滑液包内の水腫，踵骨後上隆起の骨髄浮腫像を認める．

【治療方針】
　全症例においてまずは保存療法を試みる．保存療法は少なくとも3か月は継続するが，症状の改善が得られない場合や再発を繰り返す症例に対しては，手術加療を考慮する．

1 ▶ 保存療法
　急性期の炎症所見が強い時期には，局所安静とアイシング，消炎鎮痛薬の投与を行う．超音波ガイド下に，局所麻酔薬などを踵骨後部滑液包内に注入することも有効である．急性期症状が改善した後は，下腿三頭筋の柔軟性獲得のためストレッチングを行う．また，10〜15 mm の補高とアーチサポートを目的とした足底挿板も装着させる．慢性期の注入療法には，ヒアルロン酸製剤の滑液包内注入（保険適用外）が有効で安全性も高い．難治例に対しては，腱付着部への体外衝撃波治療（保険適用外）が有効な症例もある．

2 ▶ 手術療法
　踵骨後上隆起の過度の突出（Haglund's deformity）があり，MRI で後上隆起に異常信号を認める場合には，内視鏡下に後上隆起と周囲滑膜の切除を行う．アキレス腱実質の変性が強い症例や，アキレス腱付着部に骨化や骨棘を伴う症例では，アキレス腱を縦割して骨化・骨棘を切除した後に，suture bridge 法による付着部再建術を行う．

【患者説明のポイント】
　スポーツ活動や重労働による過度の繰り返し動作（overuse）が原因であること，下腿三頭筋の柔軟性獲得が重要であることを説明し，保存療法とストレッチングを根気強く継続することへの理解を得ることが重要である．

【リハビリテーションのポイント】
　後足部アライメントの補正と下腿三頭筋の柔軟性が，保存療法・術後の再発予防に重要である．

腓骨筋腱脱臼
Peroneal tendon dislocation

鈴木　朱美　　山形大学 講師

【疾患概念】　腓骨筋腱脱臼の頻度は，足関節全外傷の0.3〜0.5% とまれで，しばしば見逃されることもある．長腓骨筋腱，短腓骨筋腱のうち，脱臼するのはほとんど前者で，後者が脱臼することはきわめてまれである．短腓骨筋腱は，腓骨遠位 2/3 に起始し，外果後方のやや近位で腱に移行し，外果後方の腱溝を経て第5中足骨部に停止する．一方，長腓骨筋腱は，脛骨外側顆お

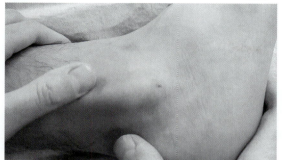

図 28-40　徒手的に腓骨筋腱脱臼を再現(右足)

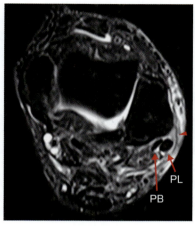

図 28-41　MRI 画像
SPR が剥離し(矢頭),仮性嚢を認める.
PB:peroneal brevis, PL:peroneal longs.

よび腓骨外側の近位 2/3 に起始し,腓骨の遠位 1/3 で腱に移行し,外果後方の腱溝を経て内側楔状骨と第 1 中足骨基部に停止する.長腓骨筋腱は長大な遊離腱部を有し,また短腓骨筋腱よりも外側に位置するため,長腓骨筋腱が脱臼しやすいとされる.

臨床症状

新鮮例では足関節外果部の腫脹,皮下出血および圧痛を認めるが,脱臼は整復されていることが多い.陳旧性の場合は,疼痛や脱臼不安感を主訴に来院することが多く,脱臼を再現できれば診断は確定できる.自身で足関節背屈や外がえしで脱臼を再現できることもあるが,徒手的に腓骨筋腱を後方から前方に圧迫することで再現できる(図 28-40).

問診で聞くべきこと

受傷機転を聴取する.受傷機転は,長・短腓骨筋が足関節を底屈させている状態で他動的に背屈され,過大な力が腓骨筋腱にかかり,上腓骨筋支帯(superior peroneal retinaculum;SPR)が外果より剥離して腓骨筋腱が脱臼すると考えられている.

必要な検査とその所見

(1) 単純 X 線像

外果の SPR 付着部付近の裂離骨折を認めることがある.

(2) 超音波画像

長腓骨筋腱が外果を乗り越えて前方に脱臼する状態が動的に観察できる.

(3) CT 画像

腓骨筋腱溝の形成不全の有無を確認する.腱溝の 70〜80% が凹状であるが,腓骨筋腱脱臼では平坦あるいは凸状であることが多い.

(4) MRI 画像(図 28-41)

剥離した支帯,仮性嚢および腱の変性や断裂が診断できる.

(5) 腱鞘鏡(図 28-42)

短腓骨筋腱,長腓骨筋腱が確認できる.SPR の剥離がある場合は仮性嚢を認める.腱断裂を認めることもある.

鑑別診断で想起すべき疾患

足関節外側靱帯損傷では,外果前方や下方に腫脹や圧痛を認めることが多いため,圧痛点を詳細に診ることで鑑別が可能である.

診断のポイント

容易に脱臼が再現できる症例もあるが,再現できない場合は,受傷機転の聴取と圧痛点を確認する.

治療方針

1 ▶ 保存療法

新鮮例の場合は,ギプス固定を 4〜6 週間程度行うが,治癒率は 50% であり,保存療法の治療成績は良いとはいえない.早期にスポーツ復帰を希望する場合や陳旧例など,確実に脱臼を制御するためには手術が必要である.

2 ▶ 手術療法

軟部組織による制動術と骨性の制動術に大別できる.軟部組織による制動術には,骨膜弁を用いる König 法,アキレス腱の一部を用いる Jones 法,踵腓靱帯を用いる Platzgummer 法などの SPR の再建術と,Das De 法や Das De 変法などの SPR の修復術がある(図 28-43).一方,骨性制動術には,Kelly 法,Kelly 改良法,Du Vries 法を代表とする骨切り移動術や,Albert 法などの腱溝形成術がある.Das De 変法は他の組織を犠牲にしない解剖学的修復術であり,また手技が簡便で低侵襲である.最近ではソフトアン

28 足関節，足部の疾患

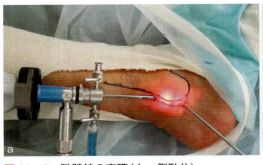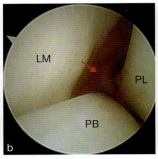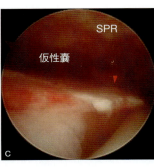

図 28-42　腱鞘鏡の実際（右，側臥位）
a：外果先端から近位 4 cm，外果遠位端にポータルを作成．
b：PB：短腓骨筋腱，PL：長腓骨筋腱，LM：外果，滑膜性腱鞘（矢印）．
c：fibrocartilaginous ridge（矢頭），SPR：上腓骨筋支帯．

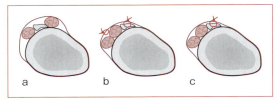

図 28-43　Das De 原法および変法
a：腓骨筋腱脱臼．
b：Das De 原法．前方，後方 2 か所で縫合．
c：Das De 変法．前方 1 か所で切開，縫合．

カーやノットレスアンカーによる修復術や鏡視下修復術が行われている．

合併症と予後
軟部組織制動術と骨性制動術の治療成績はいずれも良好である．骨性制動術の合併症には，骨片突出による疼痛，骨折や骨吸収，偽関節の問題がある．軟部組織制動術は低侵襲であり，再脱臼も少ない．浅い腱溝の場合は，腱溝形成術を追加することもある．

リハビリテーションのポイント
足関節軽度底屈位で，2～3 週間ギプス固定を行い，その後は軟性装具とし，可動域訓練を開始，術後 6 週でジョギング開始，術後 2～3 か月でスポーツ復帰を許可する．

足底腱膜症

Plantar fascitis

熊井 司　早稲田大学スポーツ科学学術院 教授

【疾患概念】　足底腱膜の主として踵骨付着部近傍に疼痛を訴え，歩行や階段昇降，走行において運動機能障害をきたす疾患である．踵部痛（heel pain）を呈する疾患のなかで最も多くの割合を占めており，退行性変性と使い過ぎとの関連が強い腱・靱帯付着部症（enthesopathy）の 1 つと考えられている．病理像から，腱膜による牽引力と荷重による圧迫力の双方が加わっていることがわかっている．マラソンなど長距離走やジャンプ系スポーツ，ジョギング愛好家などに多く，中高年者では日常診療でもよくみかけられる．

【臨床症状】
朝，起床時の第 1 歩目の強い痛み（initial step pain）が特徴的とされる．同様の現象は，しばらく椅子に座っていた後の立ち上がり動作時にも認められる．安静や就寝にて軽快することが多いが，翌朝には足底の突っ張り感とともに再び第 1 歩目の激痛を訴える．疼痛・圧痛は足底腱膜の踵骨付着部（やや内側寄り）にみられることが多く，歩行とともに一時的に軽快することもあるが，歩行距離・時間の遷延とともに鈍痛を訴えるようになる．つま先立ち動作で疼痛が増強することも多く，足底腱膜の巻き上げ機現象（windlass mechanism）が影響していると考えられる．

問診で聞くべきこと
まず，どのような痛みなのか聞くことが重要である．中高年者の場合，ほとんどが朝起床時や椅子から立ち上がった際の歩行開始時痛を訴える．スポーツによる痛みの場合には，スポーツ種目や練習量の増減を聴取

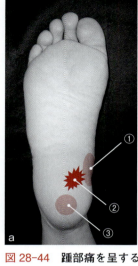
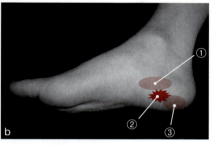

図 28-44　踵部痛を呈する疾患の圧痛部位の相違
足底腱膜症では腱膜の踵骨付着部やや内側に圧痛点がみられるのが特徴である（①：外側足底神経第 1 枝の絞扼性神経障害，②：足底腱膜炎，③：踵部脂肪体萎縮）．

することが診断に役立つ．

必要な検査とその所見
(1) 超音波検査
　腱膜の肥厚や骨棘，Doppler 法での異常血管像がみられ有用性は高い．
(2) MRI
　腱膜の肥厚像とその周囲の高信号像がみられる．付着部踵骨内の骨挫傷様の異常信号が認められることもある．
(3) 単純 X 線像
　骨棘（踵骨棘）が認められることがあるが，症状との関連性は低い．

鑑別診断で想起すべき疾患
　外側足底神経第 1 枝の絞扼性神経障害や，踵部脂肪体の萎縮による踵部痛，踵骨疲労骨折との鑑別が重要となる．

診断のポイント
　特徴的な症状の有無と，圧痛点のわずかな違いを確認したうえで，圧痛部位の画像所見と合わせて正確な診断へと導く（図 28-44）．

専門病院へのコンサルテーション
　初期治療の主体となる装具療法や理学療法は，その内容が十分に理解されていないと効果が得られない．そのため治療開始後，約 3 か月が経過しても全く改善がみられない場合には，専門医に紹介し装具の修正や理学療法の見直しをはかる．また積極的な保存療法として，体外衝撃波治療や超音波ガイド下局所注入療法

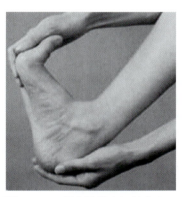

図 28-45　足底腱膜症に対するセルフストレッチング
膝関節を屈曲させ，足関節を最大背屈した状態で，さらに足趾を MTP 関節で最大背屈させる．

を希望する場合には，実施可能な専門施設に紹介したほうがよい．

治療方針
　治療の第 1 選択は保存療法であり 80〜90％ が軽快するとされているが，数か月〜1 年以上に及ぶことも少なくない．そのため患者にはまずそのことを説明し，保存療法を継続してもらうための覚悟を持ってもらうことが重要となる．また，いったん症状が軽快し

保存療法

ストレッチング(図28-45)を中心とした理学療法,night splintや足底挿板を用いた装具療法,超音波ガイド下局所注入療法(生理食塩水,ヒアルロン酸,多血小板血漿など),体外衝撃波治療などが推奨される.消炎鎮痛薬の長期投与による効果は一般に期待できない.発症の危険因子として,①長時間の立ち仕事,②肥満(BMI>30),③足関節の背屈制限が強く関与していることがわかっているため,そういった要因を確認し排除することも治療法の1つとなる.初期治療としては,足底挿板と理学療法の併用が現実的である.

手術療法

手術療法に移行する割合はきわめて少ない.足底腱膜切離術が観血的または内視鏡的に行われているが,治療成績は一定しておらず患者の満足度はそう高くないと報告されている.近年,腓腹筋退縮術(gastrocnemius recession)が踵部痛の軽減に期待されている.

患者説明のポイント

以下の点を十分に理解して治療に臨んでもらうことが重要である.
①保存療法でほとんどの症例が軽快すること
②発症要因をなるべく正確につきとめ,体重のコントロール,靴の見直し,職場環境の修正なども治療法として捉えてもらうこと
③根気よく正しい方法での理学療法,装具療法を継続すること
④再発防止の心がけを持ってもらうこと

足関節前方インピンジメント症候群

Anterior ankle impingement syndrome

野口 英雄　石井クリニック 院長〔埼玉県行田市〕

【疾患概念】 衝突性外骨腫に代表され,足関節前方において異常な骨組織による衝突性の,または軟部組織による挟み込みから生じた疼痛によって正常な関節可動域が制限される状態をいう.

【頻度】 足関節に外傷歴のある者や,スポーツ活動性の高い若年者,過去にスポーツ歴のある青壮年などに多い.

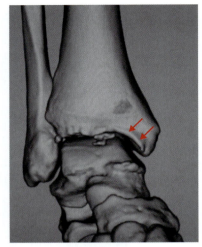

図28-46 遊離体を伴う足関節前方インピンジメント症候群
内果前方にも骨棘を認める(矢印).

単純X線にて確認は容易であり,偶然見つかる無症状例も多い.

臨床症状または病態

スポーツ活動の継続により繰り返される足関節背屈ストレスや,足関節不安定性などが原因となって形成され,足関節背屈時に可動域制限を伴った疼痛を生じる.骨性には衝突性外骨腫,骨棘,遊離体などが原因となる.一般に骨棘は脛骨天蓋前縁では外側に,距骨頚部では内側に形成される.軟部組織では肥大化した滑膜組織,断裂靱帯の瘢痕,メニスコイド,前下脛腓靱帯の破格などがある.ジャンプの着地など足関節背屈強制にて疼痛を生じ,炎症の強い場合は関節腫脹もみられる.

問診で聞くべきこと

痛みの出現する運動肢位,日常生活での疼痛状況を問診する.スポーツ活動の強度を把握しておくことも重要であり,引退後,長期間を経て骨棘や遊離体が形成されることもあるので過去のスポーツ歴も確認する.

必要な検査とその所見

骨性インピンジメントの場合は単純X線にて確認できる.疑いのある場合は側面像で最大背屈位を追加するとよい.足関節不安定性のある場合はストレス撮影も考慮する.最近では足関節内果前方の骨棘が疼痛の原因とされる症例も散見され,3D-CTはこれらの骨棘を明瞭に描出でき非常に有用な検査である(図28-46).軟部性インピンジメントが疑われる場合はMRI検査を行うが,画像上で明らかな場合は少なく,

診断は難しい．

診断のポイント
- 足関節背屈強制にて疼痛が再現されること．
- 可能であれば足関節内に局所麻酔薬注射を行い，速やかに疼痛改善が得られること．

治療方針
疼痛の原因である炎症に対する消炎と，衝突や挟み込みをなくすこととなる．

保存療法
消炎鎮痛薬の投与，衝突現象を避けるためのサポーターなどの装具療法，テーピングなど．スポーツなどの活動性を下げることにより疼痛が改善する場合もある．

手術療法
足関節鏡下に骨棘切除，軟部組織の切除を行う．関節鏡手術は低侵襲であり，正しく切除されると術後数日内には独歩可能となるため早期社会復帰が期待できる．

患者説明のポイント
衝突性外骨腫や骨棘などの骨性インピンジメントは反応性に形成されたものであり，たとえ外科的に切除できたとしても，患者の活動性が変わらない限り後に再発する可能性があることを術前に説明する必要がある．

足関節後方インピンジメント症候群
Posterior ankle impingement syndrome

吉村　一朗　福岡大学病院 准教授

【疾患概念】　足関節底屈動作において，足関節後方に存在する骨組織および軟部組織が挟まる/衝突することで，足関節後方に疼痛が出現する疾患である．

【病態】
足関節に加わる圧迫力，牽引力，外傷，繰り返しの外傷，関節の不安定性により発症する．

サッカー，バレエなど足関節底屈強制されるようなスポーツ選手に多いとされる．

一度の外傷により発症する場合と繰り返しの底屈強制により発症(非外傷)する場合とがある．

最も一般的な原因は三角骨である．三角骨は足関節後方に出現する過剰骨である．また肥大化した距骨後

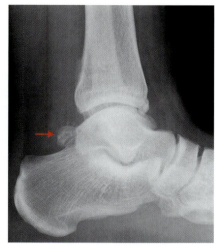

図 28-47　単純 X 線　足関節側面像
足関節後方に三角骨が確認できる．

突起(Stieda's process)なども原因のことがある．最近では画像検査や関節鏡の発達により軟部組織も原因となっていることが明らかになってきている．

問診で聞くべきこと
疼痛が誘発される動作を確認する．足関節底屈位(サッカーのキック動作，バレエのポアントなど)において足関節後方に疼痛が出現するか否か．

必要な検査とその所見
(1)単純 X 線検査(足関節側面像)
　足関節後方(距骨後方)に三角骨あるいは大きな距骨後突起(Stieda's process)の存在を確認する(図 28-47)．
(2)CT
　三角骨，距骨後突起の位置およびサイズの確認を行う．
(3)MRI
　足関節後方の炎症性滑膜，長母趾屈筋腱腱鞘炎や腱損傷の有無の確認する．
(4)足関節底屈テスト(他動的に足関節を素早く底屈させる)
　足関節の後方に疼痛が誘発されることを確認する．
(5)FHLテスト(足関節底屈位で他動的に母趾を伸展屈曲させる)
　足関節後方に疼痛が誘発されたり，母趾の引っかかり感の有無を確認する．

診断のポイント
患者の競技種目，自覚症状，画像所見，足関節底屈テストにより診断を確定する．原因は物理的要因であり，画像上異常を認めても足関節底屈テストで足関節

後方に疼痛が誘発されなければ他の疾患を検討する必要がある．

治療方針

外傷後に発症した場合の急性期は安静のため外固定を行う．非外傷例はテーピング，サポーターなどで底屈制限したり，ステロイド注射などを行う．保存療法に抵抗性の場合は手術療法を選択する．手術療法は疼痛の原因となっている骨組織（三角骨，距骨後突起）を切除する．最近では鏡視下手術が一般的になってきている．サッカー選手やバレエダンサーの場合は手術療法を積極的に選択することが少なくない．

長母趾屈筋腱障害

Flexor hallucis longus tendinopathy

平石 英一　永寿総合病院整形外科〔東京都台東区〕

【疾患概念】 ダンスやスポーツなどで母趾に慢性的に負荷がかかり発生する腱の退行性病変である．動作時の疼痛が主症状のため腱炎（tendinitis）とされていたが，障害部位に炎症細胞の浸潤がみられないため，現在では腱障害（tendinopathy）とよばれている．

【臨床症状・病態】
バレエのルルヴェ（踵を上げ爪先立ちをする）やジャンプ，テニスのサーブ，ダウンヒル走行など，足関節を底屈し母趾に強い負荷がかかる際に疼痛が生じる．大多数は載距突起部の障害であり，腱鞘を有し腱の走向が変わる血流の乏しい部位である．母趾末節骨付着部，第1中足骨頭下部，Henry結節の遠位部にも発生し，まれに皮下完全断裂も起こる．載距突起部では，腱鞘の変性と肥厚，腱線維方向の縦断裂と腱中心部の横断裂を伴う結節状腫大がみられる．縦断裂でも障害部の腱幅は増大し，足関節底屈位では載距突起後部に腱の腫大を触知し，時に弾発現象（第2・3趾にも）がみられる．増悪すると母趾指節間関節の屈伸が困難となり，腱鞘内で嵌頓すると疼痛は消失するが踏ん張りがきかず，パフォーマンスに支障をきたす．一方，皮下完全断裂では衝撃とともに突然屈曲が不能となる．

高率に併発する三角骨障害とともに足関節後方インピンジメント症候群の主因とされているが，本症単独では下肢の力を抜くと底屈テスト（足関節の底屈強制）では疼痛が惹起されない．

問診で聞くこと

ダンスやスポーツの種類，練習時間，疼痛の部位，疼痛を惹起する動作など．

検査所見

(1) 超音波
腱の末梢部分や載距突起部の障害では，腱の腫大や腱鞘の肥厚，ガングリオンなどを診断できる．
(2) MRI
腱の変性（T1，T2強調像で軽度高信号）や腫大，腱周囲の水腫が認められる．三角骨傷害や距骨軟骨損傷など他の傷害との鑑別に必須である．
Henry結節周囲で長母趾屈筋腱と相互接続腱が80%以上に存在し，その遠位部での損傷の報告も散見される．通常の画像検査では診断不能とされ，撮像方法に工夫が必要となる．

診断のポイント

疼痛部位と理学所見，検査所見の一致．

治療

原則的に保存治療を行う．疼痛を惹起する動作や運動量の制限，理学療法により，軽症の場合は軽快する．バレエでは爪先を開くターンアウトが必要なため，股関節の外旋不足は足部の過回内（rolling-in）をまねき，本症や外反母趾の原因となる．立位ポジションの矯正も重要である．載距突起部の腱肥厚例には，足関節外側から超音波ガイド下にステロイドの腱鞘内注射が有効である．

保存療法抵抗例には手術治療を行う．載距突起部障害には，後内側進入より腱鞘切開・腱剥離を行い傷害部のデブリドマンと修復（筆者は3-0吸収糸の連続縫合）を行う．後足部内視鏡手術の際，深層に及ぶ腱障害には，内側切開を適宜延長し直視下に修復している．後療法は，母趾の自動運動は早期に，荷重は腱鞘切開・腱剥離術では数日から，修復術では2週から開始し良好な成績を得ている．なお，同部の皮下完全断裂例では癒着や相互接続腱の関与もあり，熟慮を要する．

腱障害は軽快しても，過度の負荷により再発する．

母趾種子骨障害

Symptomatic hallux sesamoid

上條 哲　医療法人研成会諏訪湖畔病院 整形外科・足の外科センター 所長〔長野県岡谷市〕

【疾患概念】 母趾種子骨は，趾節間（interphalangeal；IP）に存在するものと中足趾節（metatarsophalangeal；MTP）に存在するものとがあるが，IPの種子骨は約半数が欠損している．MTPの種子骨は，欠損例はまれで通常2個存在し，母趾種子骨複合体を形

成している．種子骨そのもの，ないしは種子骨が原因で起こる種子骨複合体も含めた種子骨周囲の疾患を，母趾種子骨障害として総称することが多い．IP の種子骨に関しては，母趾 IP 種子骨障害として分けて考える．

【頻度】
足専門医として診療していても月に 1, 2 例ほどであるが，種子骨障害は見逃されている例が多く，潜在例が相当数あるのではと考えている．外反母趾や強剛母趾として加療されていた例や，原疾患を特定されないまま放置されていた例，皮膚科で加療されていた難治性胼胝が IP 種子骨による物理的な刺激が原因だった例なども経験している．

問診で聞くべきこと
職歴やスポーツ歴などの患者背景，現外傷の有無，外傷歴，病歴，歩容などに関連した先天疾患の有無，母趾および周辺愁訴での他医受診歴など．

必要な検査とその所見
理学検査では局所の圧痛，腫脹，発赤，熱感などの一般的な所見のほかに，歩容，運動時痛，底背屈制限，他疾患の存在，さらに難治性足底角化病変などにも注意を払う．感覚障害や Tinel 徴候の有無も診ておく．
画像検査は単純 X 線検査が基本であり，正面，側面，両斜位および軸写像が必要である．また，補助診断として CT, MRI，骨シンチなどが挙げられる．
外科的に摘出した場合には病理検査が必要になることもある．そのほか，全身疾患や感染が疑われる場合は血液検査も必要になる．

鑑別疾患で想起すべき疾患
関節リウマチ（rheumatoid arthritis；RA），痛風，糖尿病（diabetes mellitus；DM）などの全身疾患に伴う母趾痛や変形，外反母趾・強剛母趾などの局所疾患，白癬菌感染などによる皮膚疾患としての皮膚角化病変，蜂窩織炎など他の周辺部位の感染も考えられる．また，腰椎疾患や足根管症候群も鑑別に挙がる場合がある．さらに，"種子骨障害" とひとまとめにしているが，その原因は，外傷（新鮮骨折，変形治癒，遷延治癒，偽関節，疲労骨折），先天疾患（二分種子骨，分裂種子骨，先天性欠如，肥厚，変異），後天疾患（滑液包炎，神経障害，非感染性関節炎，脱臼・亜脱臼，感染，骨軟骨損傷，無腐性壊死，種子骨炎，腫瘍）と多岐にわたり，これらの鑑別も必要である．

診断のポイント
まず，丁寧な問診および理学所見から "種子骨障害を疑う" ことが大切である．その後は上記検査と所見から鑑別していく．

専門病院へのコンサルト
3 か月以上の保存療法抵抗性の場合や，アスリートなど早期手術を希望される場合，あるいは主な保存療法に装具が必要と判断される場合に，足専門医への紹介が推奨される．

治療方針
保存療法が基本である．骨折などではギプス固定，変形性関節症（osteoarthritis；OA）などではリハビリテーションが奏効することもある．同時に足底板などの装具療法が必要になることも多いが，疾患によっては装具療法が重要な保存療法の 1 つとなる．装具は一度作ると 1 年半ほど経たないと再度の療養費払いが認められないので，最初に適切なオーダーによる適切な装具を作る必要がある．疼痛の程度によっては補助的に NSAIDs の使用や，感染が認められる場合は抗菌薬投与を考える．保存療法抵抗性の場合などは手術療法を選択する．

患者説明のポイント
保存療法が基本であることを十分に納得していただく．復帰を焦るあまり早期の手術を希望することもあるが，手術をしたとしても，術後適切な期間経たないうちに職場・スポーツ復帰を急ぐと，思わしくない経過をたどる可能性があることも説明する．

リハビリテーションのポイント
保存療法でリハビリテーションが奏効することもある．また，術後のリハビリテーションは職場復帰やスポーツ復帰には欠かせず重要で，患者背景に合わせてきめ細かい指示が必要になる．

Os subfibulare 障害，Os subtibiale 障害，Os peroneum 障害

Os Subfibulare lesion, Os subtibiale lesion, Os peroneum lesion

神崎　至幸　神戸大学大学院 特命助教

1 Os subfibulare 障害

【疾患概念】
腓骨外果下端に存在する小骨によって起こる障害である．その病態は二次骨化中心の癒合不全か，小児期の足関節外果裂離骨折の遺残骨片のどちらかであると考えられている．

問診で聞くべきこと
上記の理由から小児期の捻挫歴は必ず確認する必要があるが, 実際には捻挫歴がはっきりしないことも多い．

28 足関節，足部の疾患

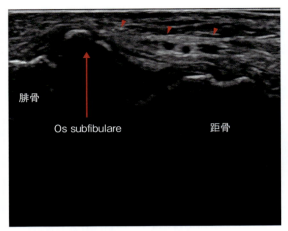

図 28-48　エコーでみた Os subfibulare
矢頭（▲）は膨化した前距腓靱帯．

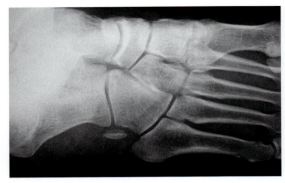

図 28-49　Os peroneum
〔佐本憲宏：Os subfibulare 障害，Os subtibiale 障害，Os peroneum 障害．土屋弘行，他（編）：今日の整形外科治療指針第 7 版．pp872-874，医学書院，2016 より〕

【診断のポイント】

10 歳以下では外果付着部の軟骨成分が多いために，捻挫の際に靱帯が断裂せずに前距腓靱帯付着部裂離骨折を起こす．この骨片が癒合せずに遺残したものが Os subfibulare の大部分である．したがって骨片と外果の間に動揺性が残存するため，症状としては骨片周囲の圧痛・歩行時痛や，足関節の腫脹や不安定性などを訴える．受傷時は軟骨成分が多いため単純 X 線では同定が困難であり，成長とともに徐々に巨大化していく．しかし，エコーを用いれば初期の段階から骨片の同定は可能であり，骨片と外果の間の可動性も動的に評価することが可能である（図 28-48）．

【治療方針】

小児の新鮮例で裂離骨片が同定できれば，ギプス固定を 4～6 週間行うが，癒合率は決して高くなく，実際にそのような長期のギプス固定は困難なことが多い．有症性の陳旧例は足関節不安定症に伴っていることが多く，ブレース固定や腓骨筋筋力訓練などの内反捻挫に対する保存療法を行う．保存療法に抵抗を示すようなら手術が必要であるが，骨接合術は骨片がかなり巨大な場合のみで，多くの場合で切除もしくは部分切除を行い靱帯の修復を行う．

【患者説明のポイント】

小児の新鮮例の加療に当たっては，しっかり保存療法を行っても骨癒合は得られない可能性が高いこと，いったん軽快しても将来症状が出現する可能性があることなどをあらかじめ説明する必要がある．

2 Os subtibiale 障害

【疾患概念】

内果下端に存在する骨端核の副核由来の過剰骨である．発生頻度は約 1％ であるが小児の約 20％ にこの副核があるとの報告もある．運動による牽引性の骨端炎の結果とも考えられる．

【診断のポイント】

圧痛・歩行時痛・外反ストレスでの疼痛を認め，単純 X 線・CT にて容易に同定できる．

【治療方針】

アーチサポートなどの保存療法が無効な場合，骨片の大きさに応じて骨接合術と骨片摘出（靱帯再建も）を使い分ける．

3 Os peroneum 障害

【疾患概念】

長腓骨筋腱が立方骨粗面で底側に方向を変える部分に存在する種子骨であり，約 9％ に存在するといわれる．内がえし捻挫を契機に有痛性になることが多い．

【診断のポイント】

圧痛・歩行時痛・内反ストレスでの疼痛を認め，単純 X 線斜位像・CT にて同定可能である（図 28-49）．新鮮骨折・疲労骨折・分裂種子骨などの鑑別は骨の形態で判断する．

【治療方針】

内反捻挫に対する保存療法をまず行う．保存療法に抵抗を示す場合は，骨片の摘出と腱の修復を行う．

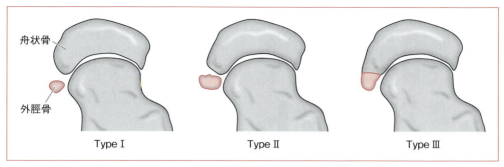

図 28-50　Veitch の分類
単純 X 線における外脛骨の形状により 3 つの型に分類されている．

外脛骨障害

Symptomatic accessory navicular

篠原　靖司　立命館大学スポーツ健康科学部 教授

【疾患概要】　外脛骨とは足部舟状骨の二次骨化核のことで，人口の約 13〜15％ に認める足部にある過剰骨の 1 つである．この外脛骨に骨化障害が生じることで発症する．急激な強い運動負荷や足関節捻挫が症状発現の契機となる．

【頻度】
　発生頻度は 10％ 未満，5％ 前後という報告が多い．10〜13 歳の学童期にみられ，女性と比較してやや男性に多いといわれている．

【臨床症状】
　足部内側（舟状骨結節）に著明な骨隆起を認める．同部位の腫脹，発赤，疼痛が主症状で，強い圧痛を認めることも多い．外脛骨に付着する後脛骨筋機能の低下により，足部内側縦アーチの低下（扁平足）が生じる．重症では内果周囲（特に後方），後脛骨筋腱の走行に沿った腫脹と圧痛を認める．

必要な検査とその所見
　足部 2 方向の単純 X 線を行い，外脛骨が確認できれば，臨床症状と併せ診断できる．2 方向で不明瞭であれば，斜位像を含めた 4 方向での確認および外脛骨撮影を追加するとよい．外脛骨撮影は足部正面より約 10° または 20° 前方に向けて照射する撮影法で，通常の正面像では重複する舟状骨と外脛骨が鮮明に描出される．外脛骨の形状により 3 つの type に分ける Veitch の分類がある（図 28-50）．荷重位撮影で，足部内側縦アーチの低下も確認しておくべきである．CT 撮影は外脛骨と母床との境界面の状態（変形）が確認でき，治療方針の決定に有用な情報が得られる．超音波エコーでも，外脛骨の有無と後脛骨筋腱の状態を観察することができる．

診断のポイント
①運動負荷の継続だけでなく，足関節捻挫後遺症として発症することも多い．
②舟状骨結節の著明な骨隆起，腫脹，発赤，圧痛が重要な所見となる．
③単純 X 線 4 方向，外脛骨撮影に加え，超音波エコーで診断可能である．CT 撮影は治療方針を決定する際に有用である．

治療方針

1 ▶ 保存療法
　まず保存療法を選択する．学童期に発症した場合，症状は骨成長が停止する 15〜17 歳前後に消失することが多いため，それまでの間，運動制限，足アーチ用の足底板，リハビリテーションなどで対処する．

2 ▶ 手術療法
　保存療法の効果が低く，強い疼痛が持続し，再発が繰り返される場合は，経皮的ドリリングや摘出術などの手術を選択する．経皮的ドリリングの適応は骨端線閉鎖前の 12〜13 歳までとなる．摘出術は外脛骨を切除し，付着している後脛骨筋腱を再縫着する．術後は約 2〜3 週間のギプス固定を行う．

患者説明のポイント
　保存療法で軽快しても再発を繰り返す可能性があることを説明する．足アーチ低下も含め足底板，トレーニングによる予防が重要であることも理解してもらう必要がある．

リハビリテーションのポイント
　足アーチ保持に機能している後脛骨筋および足部内在筋のトレーニングを行うことが，再発予防につながる．

高齢者ER レジデントマニュアル

「高齢救急患者特有の診療・マネジメント」のコツを余すところなく注ぎ込んだ1冊

執筆 増井伸高 札幌東徳洲会病院救急センター部長

■本書の特徴

「成人と高齢者は鑑別が異なる。マネジメントも異なる。高齢者は評価に時間がかかる」——。そんな悩みを抱える若手医師に向けて、本書は1) 成人との比較論でない高齢者の特徴、2) 診断できなくても結局どうするか、3) 高齢者でも短時間で評価が可能なテクニックを解説した。救急搬送が年間1万台のERで研修医と日々奮闘している筆者が「高齢救急患者特有の診療・マネジメント」のコツを余すところなく注ぎ込んだマニュアル。

● B6変型　頁298　2020年
定価：3,960円（本体3,600円＋税10%）
［ISBN978-4-260-04182-9］

目次

PART1 症候のWork up
1 高齢者ER 診療の基本
2 せん妄（元気がない，いつもと違う，動けない）
3 意識障害
4 ショック
5 呼吸苦・低酸素血症
6 気道・呼吸管理（NPPV，挿管，人工呼吸器）
7 発熱・感染症
8 失神・転倒
9 胸痛・循環器疾患
10 麻痺・脳血管障害
11 痙攣
12 めまい
13 嘔吐
14 吐血・下血
15 腹痛
16 外傷初期評価
17 頭頸部外傷・顔面外傷
18 腰痛
19 股関節痛
20 四肢外傷（主に転倒に伴うもの）
21 創傷処置
22 マイナーER（外傷以外）
23 アルコール関連疾患
24 心肺停止

PART2 検査異常への対応
25 検査オーダーのタイミング
26 血液ガス検査異常
27 血算・凝固検査異常
28 電解質異常
29 血糖値異常
30 肝機能検査異常・腎機能検査異常
31 心電図異常

PART3 ルーチンワークと方針決定
32 薬剤評価・ポリファーマシー
33 生活環境評価・介護保険
34 入院・帰宅の方針決定

医学書院

〒113-8719 東京都文京区本郷1-28-23　［WEBサイト］https://www.igaku-shoin.co.jp
［販売・PR部］TEL:03-3817-5650　FAX:03-3815-7804　E-mail:sd@igaku-shoin.co.jp

付録

資料1．関節可動域表示ならびに測定法 903
（日本整形外科学会，日本リハビリテーション学会制定）

  Ⅰ．関節可動域表示および測定法の原則
  Ⅱ．上肢測定
  Ⅲ．手指測定
  Ⅳ．下肢測定
  Ⅴ．体幹測定
  Ⅵ．その他の検査法
  Ⅶ．顎関節計測

資料2．その他の資料 910

  Ⅰ．身体障害者手帳診断書の書き方
  Ⅱ．介護保険関係書類（主治医意見書など）の書き方（八幡徹太郎）
  Ⅲ．自賠責保険後遺障害診断書の書き方（山本憲男）
  Ⅳ．労災補償関係の書類の書き方（出村　諭）

資料1. 関節可動域表示ならびに測定法

〔日本整形外科学会，日本リハビリテーション医学会：関節可動域表示ならびに測定法．日整会誌69(4)：240-250，1995〕

I. 関節可動域表示および測定法の原則

■基本肢位
Neutral Zero Method を採用しているので，Neutral Zero Starting Position が基本肢位であり，概ね解剖学的肢位と一致する．ただし，肩関節水平屈曲・伸展については肩関節外転90°の肢位，肩関節外旋・内旋については肩関節外転0°で肘関節90°屈曲位，前腕の回外・回内については手掌面が矢状面にある肢位，股関節外旋・内旋については股関節屈曲90°で膝関節屈曲90°の肢位をそれぞれ基本肢位とする．

■関節の運動
① 関節の運動は直交する平面，すなわち前額面，矢状面，水平面を基本面とする運動である．ただし，肩関節の外旋・内旋，前腕の回外・回内，股関節の外旋・内旋，頚部と胸腰部の回旋は，基本面内の軸を中心とした回旋運動である．また，足部の内がえし・外がえし，母指の対立は複合した運動である．

② 関節可動域測定とその表示で使用する関節運動とその名称を示す．なお，下記の基本的名称以外にしばしば臨床的に用いられている用語があれば（ ）内に併記する．

(1) **屈曲と伸展**：多くは矢状面の運動で，基本肢位にある隣接する2つの部位が近づく動きが屈曲，遠ざかる動きが伸展である．ただし，肩関節，頚部，体幹に関しては，前方への動きが屈曲，後方への動きが伸展である．また，手関節，手指，足関節，足指に関しては，手掌または足底への動きが屈曲，手背または足背への動きが伸展である．

(2) **外転と内転**：多くは前額面の運動で，体幹や手指の軸から遠ざかる動きが外転，近づく動きが内転である．

(3) **外旋と内旋，回外と回内**：肩関節および股関節に関しては，上腕軸または大腿軸を中心として外方へ回旋する動きが外旋，内方へ回旋する動きが内旋である．
前腕に関しては，前腕軸を中心にして外方に回旋する動き（手掌が上を向く動き）が回外，内方に回旋する動き（手掌が下に向く動き）が回内である．

(4) **水平屈曲と水平伸展**：水平面の運動で，肩関節を90°外転して前方への動きが水平屈曲，後方への動きが水平伸展である．

(5) **右側屈・左側屈**：頚部，体幹の前額面の運動で，右方向への動きが右側屈，左方向への動きが左側屈である．

(6) **橈屈と尺屈**：手関節の手掌面の運動で，橈側への動きが橈屈，尺側への動きが尺屈である．

(7) **挙上と引き下げ（下制）**：肩甲帯の前額面の運動で，上方への動きが挙上，下方への動きが引き下げ（下制）である．

(8) **母指の橈側外転と尺側内転**：母指の手掌面の運動で，母指の基本軸から遠ざかる動き（橈側への動き）が橈側外転，母指の基本軸に近づく動き（尺側への動き）が尺側内転である．

(9) **掌側外転と掌側内転**：母指の手掌面に垂直な平面の運動で，母指の基本軸から遠ざかる動き（手掌方向への動き）が掌側外転，基本軸に近づく動き（背側方向への動き）が掌側内転である．

(10) **対立**：母指の対立は，外転，屈曲，回旋の3要素が複合した運動であり，母指で第5指の先端または基部を触れる動きである．

(11) **第3指の橈側外転と尺側外転**：第3指の手掌面の運動で，第3指の基本軸から橈側へ遠ざかる動きが橈側外転，尺側へ遠ざかる動きが尺側外転である．

(12) **外がえしと内がえし**：足部の運動で，足底が外方を向く動き（足部の回内，外転，背屈の複合した運動）が外がえし，足底が内方を向く動き（足部の回外，内転，底屈の複合運動）が内がえしである．

足部長軸を中心とする回旋運動は回外，回内と呼ぶべきであるが，実際は，単独の回旋運動は生じ得ないので複合した運動として外がえし，内がえしとした．また，外反，内反という用語も用いるが，これらは足部の変形を意味しており，関節可動域測定時に関節運動の名称としては使用しない．

■関節可動域の測定方法
(1) 関節可動域は，他動運動でも自動運動でも測定できるが，原則として他動運動による測定値を表記する．自動運動による測定値を用いる場合は，その旨明記する〔■測定値の表示，の②の(1)参照〕．

(2) 角度計は十分な長さの柄がついているものを使用し，通常は5°刻みで測定する．

(3) 基本軸，移動軸は，四肢や体幹において外見上分かりやすい部位を選んで設定されており，運動学上のものとは必ずしも一致しない．また，手指および足指では角度計のあてやすさを考慮して，原則として背側に角度計をあてる．

(4) 基本軸と移動軸の交点を角度計の中心に合わせる．また，関節の運動に応じて，角度計の中心を移動させてもよい．必要に応じて移動軸を平行移動させてもよい．

(5) 肢位は「測定肢位および注意点」の記載に従うが，記載のないものは肢位を限定しない．変形，拘縮などで所定の肢位がとれない場合は，測定肢位が分かるように明記すれば異なる肢位を用いても良い〔■測定値の表示，の②の(2)参照〕．

(6) 多関節筋は原則としてその影響を除いた肢位で関節可動域を測定する．例えば，股関節の屈曲を測定する場合は，膝関節を屈曲した肢位で計測する．

(7) 筋や腱の短縮を評価する目的で多関節筋を緊張させた肢位で関節可動域を測定する場合は，測定方法が分かるように明記すれば多関節筋を緊張させた肢位を用いても良い〔■測定値の表示，の②の(3)参照〕．

■測定値の表示
① 関節可動域の測定値は，基本肢位を0°として表示する．例えば，股関節の可動域が屈曲位20°から70°であるならば，この表現は以下の2通りとなる．

(1) 股関節の関節可動域は屈曲20°から70°（または屈曲20°〜70°）
(2) 股関節の関節可動域は屈曲は70°，伸展は−20°

② 関節可動域の測定に際し，症例によって異なる測定法を用いる場合や，その他関節可動域に影響を与える特記すべき事項がある場合は，測定値とともにその旨併記する．

(1) 自動運動を用いて測定する場合は，その測定値を（ ）で囲んで表示するか，「自動」または「active」などと明記する．

(2) 異なる肢位を用いて測定する場合は，「背臥位」「座位」などと具体的に肢位を明記する．

(3) 多関節筋を緊張させた肢位を用いて測定する場合は，その測定値を〈 〉で囲んで表示するが，「膝伸展位」などと具体的に明記する．

(4) 疼痛などが測定値に影響を与える場合は，「痛み」「pain」などと明記する．

■参考可動域
関節可動域は年齢，性，肢位，個体による変動が大きいので，正常値は定めず参考可動域として記載した．関節可動域の異常を判定する場合は，健側上下肢の関節可動域，参考可動域，（附）関節可動域の参考値一覧表（本書では略），年齢，性，測定肢位，測定方法などを十分考慮して判定する必要がある．

■付録

II. 上肢測定

部位名	運動方向	参考可動域角度	基本軸	移動軸	測定肢位および注意点	参考図
肩甲帯 shoulder girdle	屈曲 flexion	20	両側の肩峰を結ぶ線	頭頂と肩峰を結ぶ線		
	伸展 extension	20				
	挙上 elevation	20	両側の肩峰を結ぶ線	肩峰と胸骨上縁を結ぶ線	背面から測定する。	
	引き下げ（下制）depression	10				
肩 shoulder（肩甲帯の動きを含む）	屈曲（前方挙上）forward flexion	180	肩峰を通る床への垂直線（立位または座位）	上腕骨	前腕は中間位とする。体幹が動かないように固定する。脊柱が前後屈しないように注意する。	
	伸展（後方挙上）backward extension	50				
	外転（側方挙上）abduction	180	肩峰を通る床への垂直線（立位または座位）	上腕骨	体幹の側屈が起こらないように90°以上になったら前腕を回外することを原則とする。 ⇨［VI. その他の検査法］参照	
	内転 adduction	0				
	外旋 external rotation	60	肘を通る前額面への垂直線	尺骨	上腕を体幹に接して，肘関節を前方90°に屈曲した肢位で行う。前腕は中間位とする。 ⇨［VI. その他の検査法］参照	
	内旋 internal rotation	80				
	水平屈曲 horizontal flexion（horizontal adduction）	135	肩峰を通る矢状面への垂直線	上腕骨	肩関節を90°外転位とする。	
	水平伸展 horizontal extension（horizontal abduction）	30				
肘 elbow	屈曲 flexion	145	上腕骨	橈骨	前腕は回外位とする。	
	伸展 extension	5				

資料1. 関節可動域表示ならびに測定法

部位名	運動方向	参考可動域角度	基本軸	移動軸	測定肢位および注意点	参考図
前腕 forearm	回内 pronation	90	上腕骨	手指を伸展した手掌面	肩の回旋が入らないように肘を90°に屈曲する。	
	回外 supination	90				
手 wrist	屈曲（掌屈） flexion (palmarflexion)	90	橈骨	第2中手骨	前腕は中間位とする。	
	伸展（背屈） extension (dorsiflexion)	70				
	橈屈 radial deviation	25	前腕の中央線	第3中手骨	前腕を回内位で行う。	
	尺屈 ulnar deviation	55				

III. 手指測定

部位名	運動方向	参考可動域角度	基本軸	移動軸	測定肢位および注意点	参考図
母指 thumb	橈側外転 radial abduction	60	示指（橈骨の延長上）	母指	運動は手掌面とする。以下の手指の運動は，原則として手指の背側に角度計をあてる。	
	尺側内転 ulnar adduction	0				
	掌側外転 palmar abduction	90			運動は手掌面に直角な面とする。	
	掌側内転 palmar adduction	0				
	屈曲（MCP） flexion	60	第1中手骨	第1基節骨		
	伸展（MCP） extension	10				
	屈曲（IP） flexion	80	第1基節骨	第1末節骨		
	伸展（IP） extension	10				

■ 付録

部位名	運動方向	参考可動域角度	基本軸	移動軸	測定肢位および注意点	参考図
指 fingers	屈曲（MCP）flexion	90	第2-5中手骨	第2-5基節骨	⇨ [Ⅵ. その他の検査法] 参照	
	伸展（MCP）extension	45				
	屈曲（PIP）flexion	100	第2-5基節骨	第2-5中節骨		
	伸展（PIP）extension	0				
	屈曲（DIP）flexion	80	第2-5中節骨	第2-5末節骨	DIPは10°の過伸展をとりうる。	
	伸展（DIP）extension	0				
	外転 abduction		第3中手骨延長線	第2，4，5指軸	中指の運動は橈側外転，尺側外転とする。⇨ [Ⅵ. その他の検査法] 参照	
	内転 adduction					

Ⅳ. 下肢測定

部位名	運動方向	参考可動域角度	基本軸	移動軸	測定肢位および注意点	参考図
股 hip	屈曲 flexion	125	体幹と平行な線	大腿骨（大転子と大腿骨外顆の中心を結ぶ線）	骨盤と脊柱を十分に固定する。屈曲は背臥位，膝屈曲位で行う。伸展は腹臥位，膝伸展位で行う。	
	伸展 extension	15				
	外転 abduction	45	両側の上前腸骨棘を結ぶ線への垂直線	大腿中央線（上前腸骨棘より膝蓋骨中心を結ぶ線）	背臥位で骨盤を固定する。下肢は外旋しないようにする。内転の場合は，反対側の下肢を屈曲挙上してその下を通して内転させる。	
	内転 adduction	20				
	外旋 external rotation	45	膝蓋骨より下ろした垂直線	下腿中央線（膝蓋骨中心より足関節内外果中央を結ぶ線）	背臥位で，股関節と膝関節を90°屈曲位にして行う。骨盤の代償を少なくする。	
	内旋 internal rotation	45				

資料1．関節可動域表示ならびに測定法

部位名	運動方向	参考可動域角度	基本軸	移動軸	測定肢位および注意点
膝 knee	屈曲 flexion	130	大腿骨	腓骨（腓骨頭と外果を結ぶ線）	屈曲は股関節を屈曲位で行う。
	伸展 extension	0			
足 ankle	屈曲（底屈）flexion (plantar flexion)	45	腓骨への垂直線	第5中足骨	膝関節を屈曲位で行う。
	伸展（背屈）extension (dorsiflexion)	20			
足部 foot	外がえし eversion	20	下腿軸への垂直線	足底面	膝関節を屈曲位で行う。
	内がえし inversion	30			
	外転 abduction	10	第1，第2中足骨の間の中央線	同左	足底で足の外縁または内縁で行うこともある。
	内転 adduction	20			
母指（趾）great toe	屈曲（MTP）flexion	35	第1中足骨	第1基節骨	
	伸展（MTP）extension	60			
	屈曲（IP）flexion	60	第1基節骨	第1末節骨	
	伸展（IP）extension	0			
足指 toes	屈曲（MTP）flexion	35	第2−5中足骨	第2−5基節骨	
	伸展（MTP）extension	40			
	屈曲（PIP）flexion	35	第2−5基節骨	第2−5中節骨	
	伸展（PIP）extension	0			
	屈曲（DIP）flexion	50	第2−5中節骨	第2−5末節骨	
	伸展（DIP）extension	0			

V. 体幹測定

部位名	運動方向		参考可動域角度	基本軸	移動軸	測定肢位および注意点	参考図
頚部 cervical spines	屈曲（前屈）flexion		60	肩峰を通る床への垂直線	外耳孔と頭頂を結ぶ線	頭部体幹の側面で行う。原則として腰かけ座位とする。	
	伸展（後屈）extension		50				
	回旋 rotation	左回旋	60	両側の肩峰を結ぶ線への垂直線	鼻梁と後頭結節を結ぶ線	腰かけ座位で行う。	
		右回旋	60				
	側屈 lateral bending	左側屈	50	第7頚椎棘突起と第1仙椎の棘突起を結ぶ線	頭頂と第7頚椎棘突起を結ぶ線	体幹の背面で行う。腰かけ座位とする。	
		右側屈	50				
胸腰部 thoracic and lumbar spines	屈曲（前屈）flexion		45	仙骨後面	第1胸椎棘突起と第5腰椎棘突起を結ぶ線	体幹側面より行う。立位，腰かけ座位または側臥位で行う。股関節の運動が入らないように行う。 ⇨［VI．その他の検査法］参照	
	伸展（後屈）extension		30				
	回旋 rotation	左回旋	40	両側の後上腸骨棘を結ぶ線	両側の肩峰を結ぶ線	座位で骨盤を固定して行う。	
		右回旋	40				
	側屈 lateral bending	左側屈	50	ヤコビー（Jacoby）線の中点にたてた垂直線	第1胸椎棘突起と第5腰椎棘突起を結ぶ線	体幹の背面で行う。腰かけ座位または立位で行う。	
		右側屈	50				

資料1．関節可動域表示ならびに測定法

VI. その他の検査法

部位名	運動方向	参考可動域角度	基本軸	移動軸	測定肢位および注意点	参考図
肩 shoulder（肩甲骨の動きを含む）	外旋 external rotation	90	肘を通る前額面への垂直線	尺骨	前腕は中間位とする。肩関節は90°外転し，かつ肘関節は90°屈曲した肢位で行う。	
	内旋 internal rotation	70				
	内転 adduction	75	肩峰を通る床への垂直線	上腕骨	20°または45°肩関節屈曲位で行う。立位で行う。	
母指 thumb	対立 opposition				母指先端と小指基部（または先端）との距離（cm）で表示する。	
指 fingers	外転 abduction		第3中手骨延長線	2，4，5指軸	中指先端と2，4，5指先端との距離（cm）で表示する。	
	内転 adduction					
	屈曲 flexion				指尖と近位手掌皮線（proximal palmar crease）または遠位手掌皮線（distal palmar crease）との距離（cm）で表示する。	
胸腰部 thoracic and lumbar spines	屈曲 flexion				最大屈曲は，指先と床との間の距離（cm）で表示する。	

VII. 顎関節計測

顎関節 temporo-mandibular joint	開口位で上顎の正中線で上歯と下歯の先端との間の距離（cm）で表示する。左右偏位（lateral deviation）は上顎の正中線を軸として下歯列の動きの距離を左右ともcmで表示する。参考値は上下第1切歯列対向縁線間の距離 5.0 cm, 左右偏位は 1.0 cm である。

■ 付録

資料2. その他の資料　Ⅰ. 身体障害者手帳診断書の書き方

a. 総括表・意見書記入上のポイント

身体障害者診断書・意見書（　　障害者用）

→ 障害区分を記入する

総括表

氏名　○○ ○○

明治・大正・昭和・平成　○年○月○日生（　）歳　　男・女

住所　○○○○○○

① 障害名（部位を明記）　上，下肢機能障害，体幹機能障害など部位を記入する

② 原因となった疾病・外傷名　○○○病　　交通，労災，その他の事故，戦傷，戦災，疾病，先天性，その他（　　）

③ 疾病・外傷発生年月日　○年○月○日・場所

④ 参考となる経過・現症（エックス線写真及び検査所見を含む。）

- 身体機能障害が固定に至る経過を具体的に記載する．また，障害が固定と考えられる医学的な根拠を検査所見を含めて記載する．現症・所見については個別の所見欄に詳述しても構わない

- 具体的な発生年月日が不明の場合は○○月，○○年頃で構わない

- 脊髄損傷，○○切断など具体的な疾病，外傷名を記入する

- 必ず記載すること．切断や人工関節置換術の場合は創治癒が得られた時期，麻痺の場合は機能回復が望めないと判断された時期，不明の場合は身体機能障害が固定されたと医学的に判断された推定時期を記載する

- 成長期の障害，進行性病変，手術等により障害程度が変化する場合など身体障害が将来ある程度変化すると予測される場合に記載

障害固定又は障害確定（推定）○年　○月　○日

⑤ 総合所見
　右上肢機能全廃，右下肢機能の著しい障害など
　身体機能障害の状況について総合的な意見を記載する

〔将来再認定（約○年後）要・不要〕
〔再認定の時期　　○年　○月〕

⑥ その他参考となる合併症状　　他の身体障害がある場合などに記載する

上記のとおり診断する．併せて以下の意見を付す．

○年　○月　○日

病院又は診療所の名称　○○○○
所　　在　　地　○○○○○
診療担当科名　○○○　科　　医師氏名　　○○ ○○　㊞

→ 身体障害者障害程度等級表を参考に該当すると思われる等級を記載する

意　見　書

身体障害者福祉法第15条第3項の意見〔障害程度等級についても参考意見を記入〕
障害の程度は，身体障害者福祉法別表に掲げる障害に 該当する（○級相当）・該当しない

注意 1. 障害名には現在起っている障害，例えば両眼失明，両耳ろう，右上下肢麻痺，心臓機能障害等を記入し，原因となった疾病には，角膜混濁，先天性難聴，脳卒中，僧帽弁膜狭窄等原因となった疾患名を記入して下さい．
　　 2. 歯科矯正治療等の適応の判断を要する症例については，「歯科医師による診断書・意見書」（別様式）を添付してください．
　　 3. 障害区分や等級決定のため，地方社会福祉審議会から改めて次頁以降の部分についてお問い合せする場合があります．

資料2．その他の資料

b．肢体不自由の状況及び所見記入上のポイント

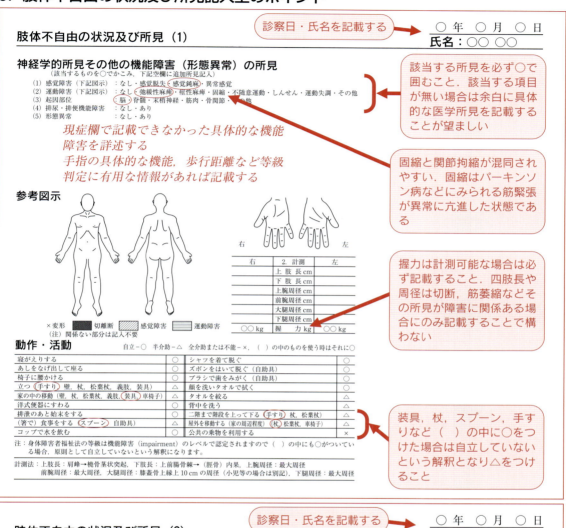

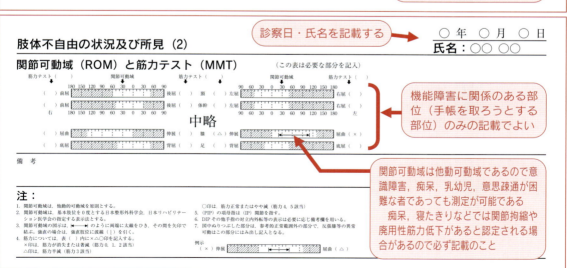

■付録

II. 介護保険関係書類の書き方

主治医意見書①

本意見書は介護認定審査の判定資料として使用されるだけではない．審査後，具体的な介護サービス計画作成のための参考資料として介護サービス提供者にも提供される（※介護サービス提供者への本意見書の提供は申請者本人の同意でなされるものであり，主治医に「守秘義務」に関する問題が生じることはない）

生活機能低下の主体的な原因と考えられる診断名を記入する．複数ある場合は「1.」から優位順に記入する．4つ目以上は，必要に応じ本意見書の最終欄「5 特記すべき事項」に記入する．なお，第2号被保険者（40歳以上65歳未満）の場合，第2号被保険者該当の要件となる特定疾病名（政令で定める16疾病）を「1.」に明記し，その診断根拠等を1(3)に記入する

市区町村コード 17201　対象者番号 00000000　調査回数 01回
管理市町村コード 17201　医師番号
申請日　　年　月　日　記入日　　年　月　日

0305

医師本人による自署が必要（自署でない場合は必ず押印が必要）

申請者 （ふりがな）　男・女　〒
明・大・昭　年　月　日生（　歳）　連絡先（　）

上記の申請者に関する意見は以下の通りです．
主治医として，本意見書が介護サービス計画作成に利用されることに　□同意する　□同意しない

医師氏名
医療機関名　　　　　　　　　　　　電話（　）
医療機関所在地　　　　　　　　　　FAX（　）

主治医への最終受診歴が3か月以内に無い場合は，本意見書は受理されない

(1)最終診察日　　年　月　日　(2)意見書作成回数　□初回　□2回目以上
(3)他科受診の有無　□有　有の場合　□内科　□精神科　□外科　□整形外科　□脳神経外科　□皮膚科　□泌尿器科
　　　　　　　　　□無　　　　　　□婦人科　□眼科　□耳鼻咽喉科　□リハビリテーション科　□歯科　□その他（　）

1 傷病に関する意見

(1)診断名（特定疾病または生活機能低下の直接の原因となっている傷病名については1.に記入）及び発症年月日
1.　　　　　　　　　　　　発症年月日（昭和・平成　年　月　日　頃）
2.　　　　　　　　　　　　発症年月日（昭和・平成　年　月　日　頃）
3.　　　　　　　　　　　　発症年月日（昭和・平成　年　月　日　頃）

不詳の場合はおおよその発症年月を記入する

(2)症状としての安定性　□安定　□不安定　□不明
（「不安定」とした場合，具体的な状況を記入）

(3)生活機能低下の直接の原因となっている傷病または特定疾病の経過及び投薬内容を含む治療内容
（最近（概ね6ヶ月以内）介護に影響のあったもの及び特定疾病についてはその診断の根拠等について記入）

1(1)の原因疾病について，現状からの急激な変化が見込まれない場合は「安定」を選択する．原因疾病が急性増悪状態にあるなど，現状として積極的な医学的管理が必要と予想される場合は「不安定」を選択する．具体的状況の記載欄不足の場合は1(3)に記載する

看護職員等が行った診療補助行為を選択する（医師が同様の行為を行った場合も含む）．ただし，「医師でなければ行えない医療行為」および「家族・本人が行える医療類似行為」は含まれない

2 特別な医療

（過去14日間以内に受けた医療のすべてにチェック）
処置内容　□点滴の管理　□中心静脈栄養　□透析　□ストーマの処置　□酸素療法
　　　　　□レスピレーター　□気管切開の処置　□疼痛の看護　□経管栄養
特別な対応　□モニター測定（血圧，心拍，酸素飽和度　等）　□褥瘡の処置
失禁への対応　□カテーテル（コンドームカテーテル，留置カテーテル等）

3 心身の状態に関する意見

日常の日課について自分で予定を立てたり決定したりできるかどうかを問うもの

(1)日常生活の自立度等について
・障害高齢者の日常生活自立度（寝たきり度）□自立　□J1　□J2　□A1　□A2　□B1　□B2　□C1　□C2
・認知症高齢者の日常生活自立度　□自立　□I　□IIa　□IIb　□IIIa　□IIIb　□IV　□M

判定基準があるので，それに従い判定する

(2)認知症の中核症状（認知症以外の疾患で同様の症状を認める場合を含む）
・短期記憶　□問題なし　□問題あり
・日常の意思決定を行うための認知能力　□自立　□いくらか困難　□見守りが必要　□判断できない
・自分の意思の伝達能力　□伝えられる　□いくらか困難　□具体的要求に限られる　□伝えられない

身振り手振りも含め「いつでも誰にでも自分の意思を伝えられるかどうか」を問うものであって，意思内容の合理性について問わない

(3)認知症の周辺症状（該当する項目全てチェック：認知症以外の疾患で同様の症状を認める場合を含む）
□無　□有　□幻視・幻聴　□妄想　□昼夜逆転　□暴言　□暴行　□介護への抵抗　□徘徊
　　　　　□火の不始末　□不潔行為　□異食行動　□性的問題行動　□その他（　）

単に，「言っても従わない」場合は含まれない．介護者の手を払ったりするような力ずくの抵抗行為を「有」とする

(4)その他の精神・神経症状
□無　□有（症状名：　　　　　　専門医受診の有無　□有（　）　□無）

短期記憶の障害とは，たとえば「蛇口の閉め忘れで水を出しっぱなし」「火がつけっぱなしで鍋を焦がす」など，少し前の行為・体験を忘れてしまい，なおかつ忘れていることの自覚もない状態をいう．簡単な検査法に，身近な3つの物品を見せて一旦それをしまい，5分後に尋ねる方法がある．ちなみに，「自分は物忘れをするようになった」と物忘れの自覚がある場合は，ここでいう「問題あり」には該当しない

構音障害，意識障害（せん妄，傾眠，失見当識など），失語症，その他の高次脳機能障害など

資料2. その他の資料

主治医意見書② 0306

市区町村コード [1][7][2][0][1]　対象者番号 [0][0][ ][ ][ ][ ][ ][ ][ ][ ]
記入日 [ ][ ][ ][ ]年[ ][ ]月[ ][ ]日

3 心身の状態に関する意見

(5)身体の状態
- 利き腕（□右 □左）　身長= cm　体重= kg（過去6ヶ月の体重の変化 □増加 □維持 □減少）
- □四肢欠損　（部位：　　　）
- □麻痺
  - □右上肢（程度：□軽 □中 □重）　□左上肢（程度：□軽 □中 □重）
  - □右下肢（程度：□軽 □中 □重）　□左下肢（程度：□軽 □中 □重）
  - □その他（部位：　　　　　　　　　　　　　　　　　　　　程度：□軽 □中 □重）
- □筋力の低下　（部位：　　　　　　　　　　　　　　　　　　　程度：□軽 □中 □重）
- □関節の拘縮　（部位：　　　　　　　　　　　　　　　　　　　程度：□軽 □中 □重）
- □関節の痛み　（部位：　　　　　　　　　　　　　　　　　　　程度：□軽 □中 □重）
- □失調・不随意運動　・上肢 □右 □左・下肢 □右 □左・体幹 □右 □左
- □褥瘡　（部位：　　　　　　　　　　　　　　　　　　　　　　程度：□軽 □中 □重）
- □その他の皮膚疾患（部位：　　　　　　　　　　　　　　　　　程度：□軽 □中 □重）

4 生活機能とサービスに関する意見

(1)移動
- 屋外歩行　　　　　　　　　　　　　□自立　□介助があればしている　□していない
- 車いすの使用　　　　　　　　　　　□用いていない　□主に自分で操作している　□主に他人が操作している
- 歩行補助具・装具の使用（複数選択可）□用いていない　□屋外で使用　□屋内で使用

(2)栄養・食生活
- 食事行為　　　　　　　　□自立ないし何とか自分で食べられる　□全面介助
- 現在の栄養状態　　　　　□良好　□不良
- →栄養・食生活上の留意点（　　　　　　　　　　　　　　　　　　　　　　　）

(3)現在あるかまたは今後発生の可能性の高い状態とその対処方針
- □尿失禁　□転倒・骨折　□移動能力の低下　□褥瘡　□心肺機能の低下　□閉じこもり　□意欲低下　□徘徊
- □低栄養　□摂食・嚥下機能低下　□脱水　□易感染性　□がん等による疼痛　□その他（　　　　）
- →対処方針（　　　　　　　　　　　　　　　　　　　　　　　　　　　　　　　　）

(4)サービス利用による生活機能の維持・改善の見通し
- □期待できる　□期待できない　□不明

(5)医学的管理の必要性（特に必要性の高いものには下線を引いて下さい。予防給付により提供されるサービスを含みます。）
- □訪問診療　□訪問看護　□訪問歯科診療　□訪問薬剤管理指導
- □訪問リハビリテーション　□短期入所療養介護　□訪問歯科衛生指導　□訪問栄養食事指導
- □通所リハビリテーション　□その他の医療系サービス（　　　　　　　　　　　）

(6)サービス提供時における医学的観点からの留意事項
- ・血圧　□特になし　□あり（　　　　　）　・移動　□特になし　□あり（　　　　）
- ・摂食　□特になし　□あり（　　　　　）　・運動　□特になし　□あり（　　　　）
- ・嚥下　□特になし　□あり（　　　　　）　・その他（　　　　　　　　　　　　）

(7)感染症の有無（有の場合は具体的に記入して下さい）
- □無　□有（　　　　　　　　　　　　　　　　　　　　　　　　）　□不明

5 特記すべき事項

要介護認定及び介護サービス計画作成時に必要な医学的なご意見等を記載して下さい。なお、専門医等に別途意見を求めた場合はその内容、結果も記載して下さい。（情報提供書や身体障害者申請診断書の写し等を添付して頂いても結構です。）

審査判定結果の情報提供を希望　□有　□無

義足・杖・歩行器など補装具の使用を問わず，自分一人で屋外を出歩けるなら「自立」を選ぶ．「介助があれば」は，腰をもつ，手を引くといった介助だけでなく，介護者等の同伴（単なる付き添い）を要する場合も含む

各項目の部位や程度について，介護の手間や生活機能を評価する観点から記載が必要なものを判断する

栄養状態「不良」は，(1)過去6か月で概ね3％以上の体重減少がある，(2)BMI＜18.5，(3)血清アルブミン値＜3.5g/dL，のうち1つでも該当する場合があてはまる

今後概ね3〜6か月間，申請者が介護保険サービスを利用した場合の生活機能の維持・改善の見通しを問うもの．疾患の見通しを問うものではない

医学的見地から必要と考えるものを選択し，とくに必要性の高いものは項目に下線も引く．なお，本項目の記入が，サービスの指示書に代わるものになるわけではないので注意

申請者にかかる介護の手間について，他の項目で記入しきれないこと，選択式では表現できないことなどを記入する．症状に日差・日内変動がある患者（例：関節リウマチ，パーキンソン病など）の実情はこの欄に記載するとよい．また認知症が介護の主原因の場合は，この欄に長谷川式認知症スケールなどの点数を明記しておくのが望ましい

その他の資料

■ 付録

Ⅲ. 自賠責保険後遺障害診断書の書き方

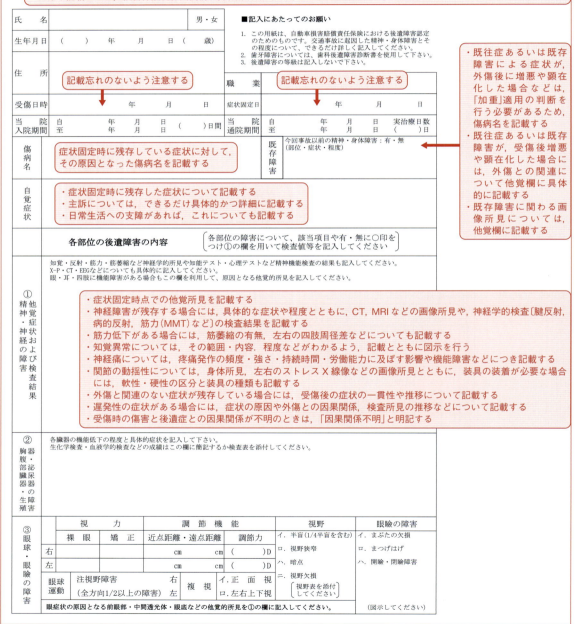

資料2．その他の資料

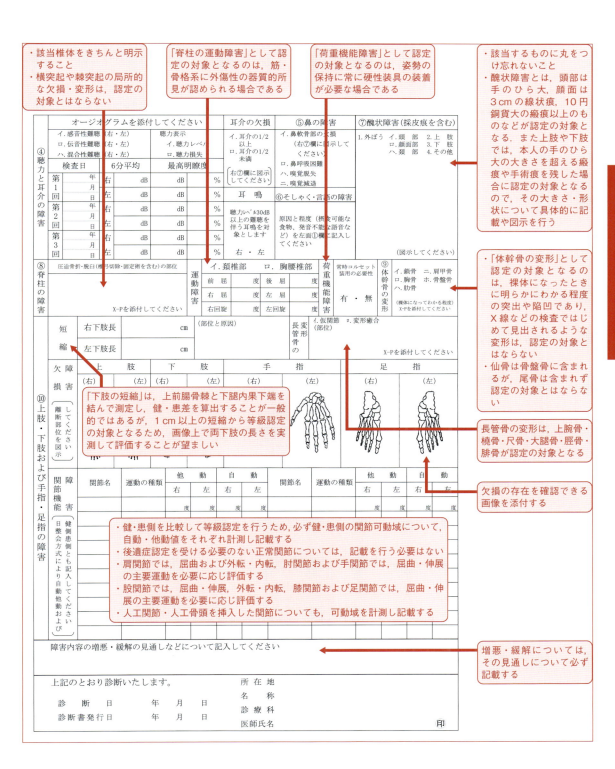

■ 付録

Ⅳ．労災補償関係の書類の書き方

診断書

番号			

傷病が1年以上経過しても治癒（症状固定）していない際に記載する診断書である

フォームは都道府県ごとに異なる

労働保険番号		生年月日	平成　　年　　月　　日
氏名		負傷発病年月日	令和　　年　　月　　日
①傷病名		初診年月日	年　　月　　日

本診断書作成施設における初診日を記載する

②初診時の症状及び症状の経過

③前回の（　　年　　月　　日）以後の症状の経過

治癒が遷延し，2回目，3回目の依頼があった際に記載する

④現在の状況
　　イ、主訴

　　ロ、他覚的所見

⑤現在の治療内容及び諸検査結果
　　イ、治療内容

　　ロ、諸検査の結果（検査項目、数値等）

⑥就労が可能か又は就労可能見込み時期（軽作業を含む）
　　イ、就労可能か　　　可　　　　否

診断書作成日での状態を必ず記載する

　　ロ、就労可能見込時期　　年　　月　　日頃

否の場合に必ず記載する

⑦症状固定時期及び残存障害の有無
　　　　　　年　　月　　日　　　有・無

おおよその見込みで構わないので記載する

⑧今後の治療方針について

⑨アフターケアの要否について
　　　　　　要　・　否

- アフターケアとは治癒（症状固定）後においても後遺障害に関連した疾病が出現する可能性がある場合に"要"を選択する
- 整形外科領域の対象疾患は，脊髄損傷，外傷性頸部症候群，頸肩腕障害，腰痛，大腿骨頸部骨折，股関節脱臼・脱臼骨折，人工関節，慢性化膿性骨髄炎，反射性交感神経ジストロフィー，カウザルギーである

⑩その他参考となるべき事項

令和　　年　　月　　日付けで照会がありました傷病労働者の症状等について上記の通り診断します。

　　　　　令和　　年　　月　　日　　　医療機関名称
　　　　　　　　　　　　　　　　　　　　主治医　　　　　　　㊞
労働基準監督署長　殿

資料2．その他の資料

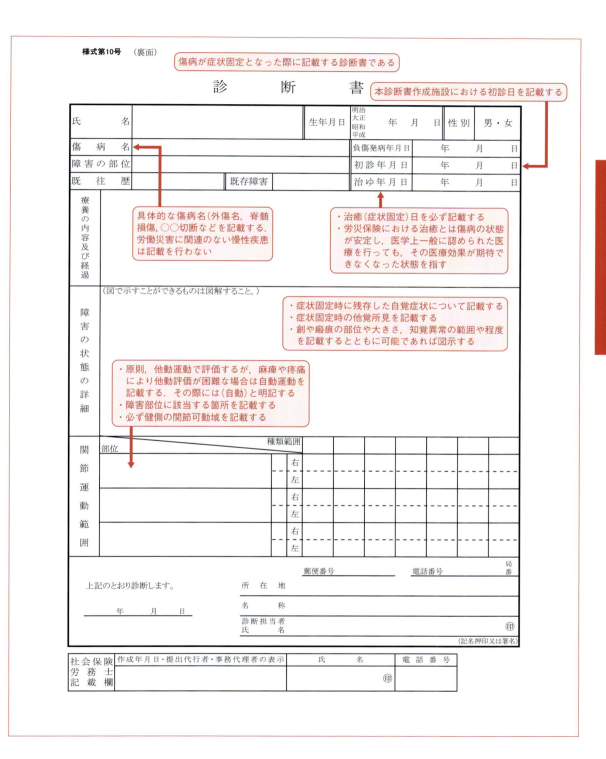

■付録

脊髄損傷用の書式を示す．傷病が1年半以上経過しても治癒（症状固定）していない際に記載する診断書である

具体的な傷病名（外傷名，脊髄損傷，○○切断など）を記載する．労働災害に関連のない慢性疾患は記載を行わない

労働者災害補償保険		診 断 書				（せき髄損傷用）	
1	氏 名 等			（男・女）	2 生年月日	明大昭平	年　月　日
3	傷 病 名				4 負傷年月日		年　月　日
					初診年月日		年　月　日
5	麻痺の状況	有無 （第　　　髄以下完全・不全）　　神経因性膀胱　有・無					
6 過去1年間の療養の概要及び経過の内容			せき髄、せき椎に対する治療	四肢に対する治療	尿路に対する治療	そ の 他	
		期　　間	自　年　月　日 至　年　月　日	自　年　月　日 至　年　月　日	自　年　月　日 至　年　月　日	自　年　月　日 至　年　月　日	
		療養の内容及び経過の概要					

本診断書作成施設における治療を記載する．転医の場合は，転医前の治療内容はわかる範囲で追記する

本診断書作成施設における初診日を記載する

7 運動器系所見

（知覚麻痺、褥創、自動性なし、拘縮、反射等を、下記人体図を利用して記載してください．）

・作成時の他覚所見（運動，知覚障害の部位や程度，腱反射異常，拘縮の有無，褥瘡の有無など）を記載する
・創や瘢痕の部位や大きさ，知覚異常の範囲や程度を記載するとともに可能であれば図示する

資料2．その他の資料

年金通知様式第3号

8 泌尿器系所見	検査年月日（　・　・　）
	腎機能障害：　左　　　右
	結　石：　　腎（　　　　）、尿管（　　　　）、膀胱（　　　　）
	感　染：
	瘻　孔：　　腎（　　　）、尿管（　　　）、膀胱（　　　）、尿道（　　　）
	BUN値（　　　　）、カテーテル留置（有・無）

9 日常生活の状況		
（1）食　事	□1. 自助具を用いても不能 □2. 自助具を用いれば可能 □3. 介助不要	理由
（2）上肢筋力	□1. 体を支持することができない □2. 体を支持し、又は物につかまって上体を起こすことができる □3. 車いすを介助なく運転することができる	理由
（3）歩　行	□1. 不能（自力で立位が保てない） □2. 補装具、支持具を用いなければ歩行することができない □3. 自力（一本杖を含む。）で歩行することができる	理由
（4）療養管理	□1. 終日臥床 □2. 行動範囲は自宅、病棟内のみ	理由

※該当事項に✓印を記入して下さい

1または2を選択した場合は，必ず理由を記載する

備考：今後6ヶ月以内における上記症状の変化の見込の有無　有／無　（理由）

10 その他の異常所見
（同一災害による「せき髄損傷」以外の障害の概要）

合併損傷があった場合に記載する

11 今後の治療の概要と要否		
（1）入　院	要・否	（概要）
（2）運動器系及び褥創に対する治療	要・否	・本診断書作成日以降の治療の概要を記載する ・治癒（症状固定）の場合は"否"を選択する
（3）泌尿器系に対する治療	要・否	

12 その他参考事項
（1）本症と関係のない傷病に関する所見及び治療

（2）既往症又は既存障害

上記のとおり診断します。
　　年　月　日
　　　　　　　　　　　　　〒
　　　　　　　　　所　在　地
病院又は診療所の　名　　　称
　　　　　　　　　診療医氏名　　　　　　　　　㊞
　　　　　　　　　　（電話　　　　　　　　　　）

（裏面の「診断書作成要領」に注意して記載して下さい。）

（物品番号6364）

その他の資料

医療法学入門 第3版

医療者が知っておきたい法知識をわかりやすく解説した好評テキスト

- ●大磯義一郎
  浜松医科大学医学部・教授
- ●大滝恭弘
  帝京大学医療共通教育研究センター・教授
- ●荒神裕之
  山梨大学大学院総合研究部・特任教授

医療者が知っておきたい法知識を、医師と弁護士両方の資格をもつ著者らが、豊富な事例をもとに説き起こす。今回の改訂では第2版刊行以降の法制度の改正を反映して記載を見直し、収載事例の差し替えを行った。また、近年注目を集めている「医師の働き方改革」にも言及した。訴訟が身近になったいま、自信を持って医療を提供するために必読の1冊。

最新の法改正を反映した改訂第3版

目次

1. なぜ医療法学なのか
2. 医師法、コメディカル法
3. 医療法
4. 公衆衛生に関する法規
5. 刑事責任、行政責任
6. 民事医療訴訟
7. 保険診療
8. 介護保険制度
9. 労働法
10. 医薬品医療機器等法
11. 医の倫理と法

A5 頁328 2021年
定価 4,400円
（本体4,000円＋税10％）
[ISBN978-4-260-04588-9]

医学書院

〒113-8719　東京都文京区本郷1-28-23　[WEBサイト]https://www.igaku-shoin.co.jp
[販売・PR部]TEL:03-3817-5650　FAX:03-3815-7804　E-mail:sd@igaku-shoin.co.jp

索引

和文索引

① 用語は五十音順で配列した．
② 片仮名の 2 字目が音引き（長音記号）の時は，前の字の読みの母音で配置した（例えば，アーチはアアチと読んで配置してある）．
③ 疾患名，用語が見出し項目として出ているページは，太字（ゴシック）で示した．

あ

アーテン　628
アームスリング　351
アカントーシス　328
アキネジア　548
亜急性連合性脊髄変性症　618
アキレス腱周囲炎　**888**
アキレス腱症　**888**
アキレス腱症・周囲炎　821
アキレス腱装具　889
アキレス腱反射　673
アキレス腱皮下断裂　**887**
アキレス腱付着部症　889
悪性関節リウマチ　**211**
悪性孤在性線維性腫瘍　185
悪性骨・軟部腫瘍
　―― の切除縁　163
　―― の放射線療法　161
悪性骨腫瘍取扱い規約　153
悪性骨腫瘍の化学療法　158
悪性腫瘍の緩和ケア　167
悪性線維性組織球腫　183
悪性軟部腫瘍取扱い規約　153
悪性軟部腫瘍の FNCLCC grading
　system　155
悪性末梢神経鞘腫瘍　**187**, 884
悪性リンパ腫　**187**, 201, 655
アクチビン A　280
足クローヌス　673
アシクロビル　307
アスペルギルス属　123
アスレチックリハビリテーション
　　　　　　　　　　　81, 115
アセタゾラミド　159, 309
アセトアミノフェン
　　　107, 307, 678, 679, 696
アダリムマブ　198, 199, 209
圧挫症候群　**46**
圧迫型 TOS　408
圧迫性頚髄症　615

圧迫性脊髄病変　553
圧迫プレート法　458
アテトーゼ型　310
アテローマ　152
アドリアマイシン　179
アナトミカルプレート　48
アナトミカルロッキングプレート
　　　　　　　　　　771, 791
アパタイト結晶沈着症　**215**
アバタセプト　198, 199, 209
あひる歩行　244, 252
アフェレーシス　322
アフターケア　364
アミカシン　43
アミジニウム　579
アミトリプチリン　684
アミロイドーシス　470
アミロイド関節炎　286
アミロイド関節症　285
アミロイド染色　155
アムホテリシン B リポソーム　124
アルギリア症　138
アルコール依存症　546
アルドース還元酵素阻害薬　306
アルプロスタジルアルファデクス
　　　　　　　　　　　　332
アルベカシン　121
アルミナ　32
アレンドロネート　226
アロディニア　307, 547, 610, 641
アロプリノール　213
アングルブレードプレート　48
安静時機能的 MRI　586
安静時サーモグラフィー　11
アンダーソン・土肥の基準　335
アンチグライドプレート法　64
安定型，大腿骨頭すべり症　731
アンピシリン　144
アンローダー膝装具　353

い

イオトロラン　12
イオヘキソール　12
いきいき百歳体操　346
意義不明の単クローン性ガンマグロブ
　リン血症　188
イグラチモド　197, 199
異型脂肪腫様腫瘍/高分化型脂肪肉腫
　　　　　　　　　　175, 184
医原性術後疼痛　**690**
医原性尿道下裂　652
医原性リンパ浮腫　328
異骨症　230, 236
異骨性骨硬化症　230
石川の subzone 分類　513
石川分類　515
石黒法　509
萎縮腎　654
萎縮性偽関節　62
異種骨移植　31
異所[性]骨化　74, 314, 345
　――，肘周辺の　**447**
異常骨石灰化グループ　271
異常線維束・靱帯　410
イソニアジド　141, 147
一次救命処置　81
一次性肩関節症　422
一次性股関節症　739
一次性骨癒合　63
一次性静脈瘤　326
一次性変形性関節症　448
一次性リンパ浮腫　328
異痛症　573
一過性神経伝導障害　70, 406
一過性大腿骨頭萎縮症　225, **734**, 738
一期的再置換術　140
イデュルスルファーゼ　274
遺伝カウンセリング　235
遺伝子検査　300
遺伝子診断　**235**

索引

遺伝性運動感覚ニューロパシー　875
遺伝性炎症性/リウマチ様骨関節症　280
遺伝性感覚性自律神経性ニューロパシー　59
遺伝性感覚性自律神経性ニューロパシー4型　304
遺伝性痙性対麻痺　553
遺伝性骨異形成症　59
異軟骨骨症（Leri-Weill）　257
異方性　11
イホスファミド　159, 179, 182, 183, 709
医療における遺伝学的検査・診断に関するガイドライン　235
医療用無菌ウジ治療　330
イレウス　647
陰圧閉鎖療法　42, 138, 146, 332, 708
インターナルインピンジメント症候群　95
インターフェロンγ　147
インターフェロンγ遊離検査　141, 554
咽頭後壁膿瘍　629
インドメタシン　314
院内・手術室内感染対策　22
院内アウトブレイク　121
インピンジメントテスト　96
インフォームド・アセント　235
インフォームド・コンセント　35, 169, 235
インフォームド・チョイス　236
インプラントMP関節形成術　205
インプラント周囲骨折　62
インフリキシマブ　198, 199

う

ウイルス性脊髄炎　582
上田法　310
ウェルシュ菌　125
烏口突起移行術　378, 426
うちわ歩行　112
うつ滞性潰瘍　329
うつ病　614
腕吊り　351
ウパダシチニブ　201
運動器疾患　334
運動器疾患患者の機能評価　335
運動器症候群　91
運動器不安定症　345
運動器リハビリテーション　334
運動神経伝導検査　298
運動性無月経　87
運動単位電位　71
運動ニューロン疾患　615
運動誘発性気管支喘息　86
運動誘発電位　23

え

エアー水泳体操　405
鋭的損傷　75
栄養サポートチーム　331, 668
栄養障害性ニューロパシー　304
腋窩アプローチ　23
腋窩神経　426
腋窩進入法　410
腋窩動脈　319
易骨折性　231
液体窒素処理　167
エクソンスキッピング　302
エコーガイド下トリガーポイントブロック　409
壊死性筋膜炎　126, 142, 143
エスマルヒ駆血帯　157
壊疽性筋膜炎　821
エタネルセプト　198, 199, 209
エダラボン　581
エタンブトール　141, 147
エチドロネート　288
エチドロン酸二ナトリウム　314
エトポシド　174, 182, 640, 709
エドモントン症状評価システム改訂版　168
エピネット　35
エポエチンアルファ　19
エメリン　302
エリブリン　151, 159, 183
エレベトリウム　50
エロスルファーゼ アルファ　274
遠位型頚椎症性筋萎縮症　639
遠位関節拘縮症　531
遠位脛骨斜め骨切り術　852
遠位脛腓関節　820
遠位脛腓靱帯損傷　869
遠位肢異形成症　256
遠位肢節（手部・足部）短縮型　230
遠位上腕三頭筋腱断裂　436
遠位上腕二頭筋腱断裂　436
遠位中間肢異形成症　257
遠位橈尺関節　478
遠位橈尺関節鏡　483
遠位橈尺関節脱臼　441, 459, 489
遠位橈尺関節変形症　480
円回内筋　456
円回内筋症候群　471
円形細胞腫瘍　154
炎症性斜頚　627
炎症性脊椎疾患　684
炎症性脱髄性ニューロパシー　303
エンテロコッカス属　123
円プレート　48

お

欧州褥瘡諮問委員会　331

欧州リウマチ学会　194
黄色靱帯　550
黄色靱帯骨化症　615, 637, 657, 662
黄色ブドウ球菌　123
横靱帯　613
横走線維　438
黄体化ホルモン　87
横断性梗塞　571
横断性脊髄炎　564, 565, 582
横皮切　157
横紋筋肉腫　158, 162, 186
横紋筋肉腫研究グループ　151
応力緩和効果　342
大きな骨変化を伴う繊毛異常症　249
大島の分類　313
オートクレーブ処理　166
オーバートレーニング症候群　86
オーバーユース　80
オーバーユース症候群　202
オーバーロード　80
汚染・挫滅創のプライマリ・ケア　42
オピオイド　307
オフロキサシン　122
温熱療法　343

か

下位型麻痺　407
開眼片脚起立時間　346
下位脛骨骨切り術　851
外脛骨障害　899
下位頚椎　612
壊血病　59
介護支援専門員　368
介護保険の仕組み　367
介護保険法　366
介在骨　478
回収式自己血輸血　20
外傷後後弯　601
外傷肢切断の適応基準　74
外傷性環軸椎脱臼　644
外傷性頚部症候群　583
外傷性肩関節前方脱臼　95
外傷性肩関節脱臼　394
外傷性肩甲下筋断裂　95
外傷性肩鎖関節脱臼　380
外傷性骨化性筋炎　74
外傷性コンパートメント症候群後遺症　877
外傷性ショック　38
外傷性大腿骨頭壊死　746
外傷性恥骨結合離開　716
外傷性橈尺骨癒合症　458
外傷性動脈血栓症　321
外傷性軟部組織欠損　44
外傷性変形性関節症　792
外旋位固定法　394
回旋骨切り術　467

(い〜か)

回旋差し込み中足骨骨切り術　842
外旋ストレステスト　857
回旋脱臼　786
外側円板状半月　811
外側後頭環椎間膜　613
外側骨端動脈　743
外側支帯切離術　111
外側尺側側副靱帯　452
外側上顆炎　99
外側側副靱帯　438, 452, 780
外側側副靱帯損傷　439, 795
外側半月損傷　782, 811
外側腓腹神経　820
改訂 Ghent 基準　279
外転外旋位　716
回転性顆上骨折　506
外転装具　351
外転保持装具　353
開排位持続牽引法　727
開排制限　725
外反型変形性関節症　850
外反型変形性足関節症　849
外反膝　757
外反踵足　833
外反ストレステスト　439
外反肘　438, 444
外反不安定症　453
外反扁平足　821
外反母趾　833, 842
外反母趾角　842
外反母趾変形　833
解剖学的肢位　338
解剖学的人工肩関節　400
開放骨折後の骨髄炎　134
開放性運動連鎖　5
開放性脊髄髄膜瘤　675
海綿状血管腫　562
潰瘍性大腸炎　718
解離性感覚障害　294
改良 Frankel 分類　666
外リンパ瘻　641
加温処理　166
過外転症候群　408
過開排　725
下角炎　419
下関節上腕靱帯　378
鉤爪趾　845
鉤爪足趾変形　760
鉤爪変形　474
　——, 環小指の　473
可逆性の原則　5
架橋プレート　458, 791
顎関節症　614
顎骨壊死　558
拡散型圧力波治療　823
拡散強調 MR ニューログラフィー
　　686

拡散強調像　580
拡散テンソルイメージング　580
拡散テンソルトラクトグラフィー
　　2, 580
拡大掻爬　164
学童期側弯症　590
角度計　339
過誤支配　70
過誤腫　175
仮骨延長術　63
下肢挙上テスト　672
下肢血栓性静脈炎　127
下肢腱反射　631
下肢静脈血栓症　660
下肢静脈瘤　326
下肢伸展挙上テスト　109, 682, 684
下肢深部反射亢進　639
下肢装具　352
下肢における絞扼性神経障害　759
下肢閉塞性動脈硬化症　881
下肢麻痺　678
荷重時足関節正面像　834
過剰趾　837
下垂体機能低下症　731
下垂体プロラクチン産生腫瘍　88
ガス壊疽　126
下前腸骨棘インピンジメント　751
下前腸骨棘骨折　751
鵞足　818
鵞足炎　110, 818, 821
肩
　—— の痛みのコントロール　381
　—— のリハビリテーション　416
下腿
　—— の機能解剖　820
　—— のコンパートメント　72
下腿潰瘍　329
下腿コンパートメント症候群　822
下腿三頭筋　820, 833
下腿静脈瘤　821
下腿内弯　826
肩こり　402
　—— の治療　402
肩装具　351
片開き式椎弓形成術　635
片麻痺　310
片麻痺(脳血管障害)患者のリハビリテーション治療　348
楽器奏者クランプ　546
滑車形成術　789
滑車形成不全　445
滑車上肘靱帯　439
滑車中央溝　432
活性型ビタミン D　284
活性型ビタミン D 製剤　290
滑膜骨軟骨腫症　751, 783, 803, 817
滑膜肉腫　151, 158, 184, 817, 884

カデキソマー・ヨウ素　332
過度運動性　596
カナキヌマブ　209
過粘稠度症候群　188
化膿性関節炎　126
化膿性筋炎　733
化膿性肩関節炎　422
化膿性股関節炎　723, 729, 733
化膿性骨髄炎　126
化膿性膝関節炎　816
化膿性疾患の化学療法　123
化膿性脊椎炎
　　144, 554, 614, 655, 662, 702
化膿性腸腰筋炎　706
化膿性椎間関節炎　144
化膿性椎間板炎　678
ガバペンチノイド　306
ガバペンチン　573
ガバペンチンエナカルビル　308
カフェオレ斑　598
過負荷の原則　5
カペナスプリント　352
可変式ストラット　877
下方脱臼　394
鎌状赤血球症　737
ガリウムシンチグラフィー　16
仮義肢・治療用装具　363
顆粒球コロニー形成刺激因子製剤
　　322
カルシトニン　288, 735
ガルスルファーゼ　274
加齢性骨棘　657
過労性脛部痛(シンスプリント)
　　821, 822
川崎病　626, 629
簡易上肢機能検査　335
がん遺伝子パネル検査　156
眼咽頭型筋ジストロフィー　302
感覚過敏　610, 615
感覚神経伝導検査　298
感覚脱失　615
感覚低下　610
感覚統合療法　310
感覚鈍麻　615
眼窩蜂巣炎　26
ガングリオン
　　152, 470, 473, 480, 523, 541, 700, 883
間欠的空気圧迫法　329
観血的手根管開放術　471
間欠導尿　654
間欠跛行　296, 671, 697
寛骨臼移動術　728, 741
寛骨臼回転骨切り術　741
寛骨臼サポートリング　736
環軸関節　613
環軸関節亜脱臼　642
環軸関節後方固定術　623

■ 索引

環軸関節固定術　626
環軸関節垂直性亜脱臼　642
環軸関節囊　613
環軸椎回旋位固定　614, 626
環軸椎固定術　620
カンジダ属　123
間質性肺炎　200
患者立脚型評価　6
環小指の鉤爪変形　473
眼性斜頸　627, 628
眼精疲労　614
関節液検査　3
関節液の性状と診断　4
関節外骨折　770
関節開大術　851
関節窩頸部骨切り術　396
関節可動域テスト　338
関節陥没骨折　861
関節溢流液　28
関節鏡下滑膜切除術　851
関節鏡視下手術　27
関節強直　338
関節拘縮　66, 338
　　　　に対する運動療法　342
関節弛緩性テスト　84
関節症　95
関節水腫　802
関節穿刺法　3
間接的整復　63
関節内アパタイト結晶沈着症　215
関節内骨折　57
関節内石灰化症　815
関節内遊離体　99
関節軟骨石灰化　214
関節軟骨損傷　783
関節軟骨破断　432
関節包側腱板部分断裂　95
関節保護　208
関節モビライゼーション　343
関節リウマチ
　　　42, 194, 494, 642, 812, 897
　　　　の外科治療　204
　　　　の足部変形　878
　　　　の薬物療法　198
　　　　のリハビリテーション，機能訓
　　練と装具療法　202
関節リウマチ合併症の治療　199
関節リウマチ分類基準　194
完全関節内骨折　772
完全合趾　837
完全骨折　777
乾癬性関節炎　219, 523, 718
感染性関節炎　812
感染性心内膜炎　120
感染性脊椎炎　564, 565
乾燥性角結膜炎　200
環椎（第1頸椎）　612

環椎後頭骨癒合　621
環椎後頭骨癒合症　625
環椎骨折　626
環椎歯突起間距離　622, 626, 645
環椎破裂骨折　644
冠動脈炎　211
陥入爪　847
ガンマカメラ　16
顔面肩甲上腕型筋ジストロフィー
　　　　295, 298, 302, 402
顔面発赤　640
間葉性軟骨肉腫　181
寒冷療法　344
がんロコモ　190

き

奇異性呼吸　662
気管エコー　640
気管支喘息　86
偽関節　62, 747, 767, 792
奇形椎　616
義肢等補装具費支給制度　364
希釈式自己血輸血　19
義手
　　　　の処方　356
　　　　の装着訓練　356
キシロカインテスト　380, 751
偽性巨指症　531
偽性斜頸　628
偽性軟骨無形成症　230, 238, 250, 251
偽性副甲状腺機能低下症　230
偽性麻痺肩　423
基節骨骨折　866
義足
　　　　の処方　358
　　　　の装着訓練　358
北野変法　491
偽痛風　214, 736, 812, 815
ぎっくり腰　677
キッチンエルボーサイン　600
気脳症　26
機能的電気刺激　350
亀背　147, 231, 554
基本肢位　338
基本的 ADL　334
ギムザ染色　154
脚長不等　756
逆行性自家海綿骨移植術　860
逆行性指動脈島状皮弁　513
逆行性髄内釘　770, 774
逆行性髄内釘固定　430
逆行法　298
臼蓋形成不全　725
球海綿体反射　647
急性 PTE　20
急性横断性脊髄炎　553

急性下腿コンパートメント症候群
　　　　821
急性化膿性関節炎　127
急性化膿性骨髄炎　129
急性頸椎椎間板石灰化症　628
急性呼吸窮迫症候群　47, 767
急性骨萎縮　73
急性散在性脳脊髄炎　577, 582
急性上気道炎　629
急性腎盂腎炎　654
急性腎不全　47
急性膵炎　678
急性精巣上体炎　652, 654
急性前立腺炎　652, 654
急性爪周囲炎　539
急性塑性変形　458
急性大動脈解離　678
急性動脈閉塞　319
急性片側性前部ぶどう膜炎　217
急性膀胱炎　654
急性腰痛　677
急性腰痛発作の初期治療　677
急速破壊型股関節症
　　　　225, 722, 723, 735
球麻痺　295
胸郭出口症候群　100, 321, 324, 397,
　　　404, 408, 473, 500, 614, 631, 640
胸郭不全症候群　595
強剛母趾　833, 843
胸骨角　660
胸骨骨折　393, 660
胸鎖関節炎　380, 393
胸鎖関節脱臼　393
胸鎖関節部
　　　　の外傷　393
　　　　の疾患　393
胸鎖乳突筋亜全摘術　627
胸鎖乳突筋延長術　627
胸鎖乳突筋腱切り術　627
胸鎖乳突筋部分摘出術　627
鏡視下 stalk 切除術　482
鏡視下 wafer 法　482
鏡視下関節形成術　524
鏡視下支援整復固定術　482
鏡視下手根管開放術　472
鏡視下橈骨茎状突起切除術　482
狭心症　614
強直性脊椎炎　217, 601, 665, 666, 718
強直肘　204
胸椎黄色靱帯骨化症　655, 658, 665
胸椎後縦靱帯骨化症　605, 655, 656
胸椎椎間板ヘルニア　655, 657, 662
胸椎の解剖　650
協働的意思決定　195
強度変調放射線療法　161
胸腰仙椎装具　354, 590
胸腰椎部脊椎・脊髄損傷　666

(か〜け)

胸肋鎖骨肥厚症　663
棘下筋テスト　390
棘上筋テスト　390
局所性移動性骨粗鬆症　735
局所性ジストニア　628
局所皮弁　45
局所麻酔薬中毒　25
棘突起縦割式椎弓形成術　635
距骨外側突起骨折　870
距骨下関節脱臼　859
距骨下全周解離術　835
距骨滑車骨軟骨障害　860
距骨後突起　895
距骨骨折　858
距骨骨軟骨損傷　112
距骨第1中足骨間角　850
距骨無腐性壊死　852
巨細胞腫　555
巨指症　531
巨趾症　833
距舟関節　832
距舟関節被覆角　850
距踵骨癒合症　884
魚鱗癬　259
起立性低血圧　574
筋・神経疾患
　——の検査法，整形外科医に必要な　297
　——の臨床診断　294
近位脛腓関節　820
近位骨幹端-涙痕間距離　727
近位肢型点状軟骨異形成症　259
近位肢節（上腕・大腿）短縮型　230
筋萎縮性側索硬化症　295, 296, 551, 553, 564, 565, 579, 618, 634, 636, 637, 640, 648
筋逸脱酵素　297
筋芽細胞　300
筋管細胞　300
筋強直性ジストロフィー　295, 300, 302
筋緊張性ジストロフィー症　834
筋緊張性頭痛　641
筋検体の処理　299
均衡型　230
筋拘縮症　761
銀コーティング　138
筋再教育　340
筋挫傷　52
筋ジストロフィー　349
筋腎代謝症候群　320
筋生検　298
筋性斜頸　627, 628
筋前駆細胞　300
筋打撲傷　92
筋短縮症　761
緊張性気胸　660

筋電義手　357
筋電図　6
筋内粘液腫　884
銀皮症　138
筋皮神経　426
筋疲労性腰痛　599
筋分化制御転写因子　300
筋分化の基礎　300
筋膜上剥脱　44
筋膜リリース　405
筋力訓練　5
筋力計測装置，徒手把持式の　5
筋力増強訓練　339

く

隅角解離　682
空洞-くも膜下腔シャント　575
クォンティフェロン®TB　147, 554
区画症候群　72
躯幹骨DXA法　17
くすぶり型多発性骨髄腫　188
靴型装具　355
屈曲肢異形成症　230
屈筋腱皮下断裂　520
屈指・高身長・難聴症候群　242
屈指症　529
くも膜下出血　570
くも膜嚢胞　572
グラディエントエコー法　2
グラム陽性球菌　120
クランクシャフト現象　592
クリープ現象　342
クリオスタット　299
グリコサミノグリカン　687
グリソン牽引　631
クリック徴候　725, 734
クリプトコッカス属　123
クリンダマイシン　22, 122, 144, 707
グルココルチコイド　213
グルコン酸クロルヘキシジン　22
くる病　59, 272, 284, 619, 757
車椅子　360
クレアチンキナーゼ　297
グローインペイン症候群　751
グローバルアライメント異常　599
クロストリジウム性ガス壊疽　125, 142
グロムス腫瘍　151, 174, 541
クロルヘキシジン　3, 121
訓練用仮義肢　363

け

ケアマネジャー　368
頚胸椎装具　354
頚原性頭痛　641
経口抗凝固薬　327
経口プロスタグランジンE_1　696

経口分子標的治療薬，関節リウマチにおける　201
脛骨　820
脛骨・中手骨型点状軟骨異形成症　259
脛骨・腓骨骨折　823
脛骨 Gerdy 結節　810
脛骨遠位斜め骨切り術　851
脛骨落ち込み徴候　781
脛骨外旋テスト　781
脛骨外側顆剥離骨折　794
脛骨顆間隆起骨折　792
脛骨偽関節　599
脛骨高原骨折　787, 825
脛骨後方落ち込み徴候　798
脛骨神経　820
脛骨粗面骨折　793
脛骨跳躍型骨折　82
脛骨天蓋骨折　854
脛骨動脈　319
脛骨疲労骨折（疾走型）　822
脛骨疲労骨折（跳躍型）　822
脛骨プラトー骨折　791
形質細胞白血病　188
経静脈患者管理鎮痛法　23
頚髄腫瘍　626
頚髄症性脊髄症　577
痙性片麻痺歩行　296
痙性斜頸　628
頚性頭痛　641
痙性対麻痺歩行　296
形成的腱延長術　627
痙性歩行　551, 616, 639
痙性麻痺　525, 876
痙性麻痺手　545
頚性めまい　641
痙直型　310
頚椎・頚髄損傷　106, 107
頚椎・体幹装具　354
頚椎黄色靱帯石灰化症　637
頚椎カラー　354
頚椎屈曲性脊髄症　638
頚椎後縦靱帯骨化症　614, 635, 656
頚椎骨軟骨症　640
頚椎疾患　409
頚椎腫瘍　626
頚椎症　418, 614, 631
頚椎症性筋萎縮症　305, 614, 618, 648
頚椎症性神経根症　106, 107, 500, 614, 632
頚椎症性脊髄症　285, 311, 614, 615, 632, 633, 639, 662
頚椎神経根造影　15
頚椎前方固定術　633, 647
頚椎装具　354
経椎体神経除圧術　633
頚椎椎間板造影　14

925

■ 索引

頸椎椎間板ヘルニア
　　　　106, 107, 614, **630**, 640
頸椎捻挫　107, 614
頸椎の解剖　**612**
頸椎部神経根造影　15
頸椎リウマチ病変　**642**
経頭蓋電気刺激筋誘発電位　8
経頭蓋電気刺激脊髄誘発電位　8
経動脈塞栓術　56
経皮的 AntiRoLL　868
経皮的の腱切り　889
経皮的腱膜切離術　535
経皮的酸素分圧　323
経鼻的持続陽圧呼吸療法　274
経皮的心肺補助装置　47
経皮的椎弓根スクリュー　145
経皮的椎弓根スクリュー固定　59
経皮的椎体固定　147
経皮的電気刺激　115
頸部可動域制限　624
頸部神経根性筋萎縮症　615
頸部脊髄障害のとらえ方/診断手順
　　　　615
頸部痛，上肢痛のとらえ方/診断手順
　　　　614
頸部膿瘍　641
頸部の外傷・障害，スポーツによる
　　　　106
頸部傍脊柱神経ブロック　633
頸部リンパ節炎　629
鶏歩　296, 551
頸肋　410, 640
頸肋症候群　408
劇症型 FES　47
血液分布異常性ショック　38
結核　140, 538
結核菌　554
結核菌検査　554
結核性脊椎炎　147, **554**, 614, 655
血管 Behçet 病　321
血管炎性神経障害　306
血管炎性ニューロパシー　303
血管拡張型骨肉腫　177
血管芽腫　562
血管腫　151, 170, 174, 783, 884
血管性間欠跛行　695
血管性腫瘍　543
血管塞栓術　172
血管損傷　68
血管損傷・尿路損傷，骨盤骨折に伴う
　　　　715
血管内治療，虚血性潰瘍　329
血管内皮細胞増殖因子　540
血管肉腫　543
血管の再生医療　322
血管柄付き骨移植術　226
血管迷走神経反射　19

血行再建　319
月状骨周囲脱臼　**484**, 488
月状骨周囲脱臼骨折　480
月状骨脱臼　480, **484**
月状骨軟化症　103, **492**
月状三角骨間靱帯　478
月状三角骨間靱帯解離　495, 496
月状三角骨間不安定症　490
月状三角骨靱帯損傷　480
楔状椎　595
血小板減少症　783
血小板由来増殖因子　540
結晶誘発性関節炎　736, 817
血清反応陰性脊椎関節炎　718, 719
血清反応陰性脊椎関節症　219
結節性偽痛風　155
結節性硬化症　265
結節性紅斑　126
血栓後症候群　327
血栓症　319
血栓性静脈炎　321, 817, 821
血友病　221, 787
血友病性関節炎　**221**
血友病性膝関節症　222
ケブネル現象　219
ケモカイン　882
ケラタン硫酸　273
腱・靱帯付着部症　892
牽引型 TOS　408
腱炎　896
肩関節
　―― における動的安定化機構　388
　―― の機能解剖　**378**
　―― の鏡視下手術　391
　―― の鏡視診断　391
　―― の人工関節手術　400
　―― の診察法　379
　―― のバイオメカニクス　387
肩関節鏡　391
肩関節拘縮　418
肩関節疾患
　―― の MRI 診断　385
　―― の X 線診断　383
肩関節周囲炎　379, 614, 648
肩関節上方唇損傷　396
肩関節制動術　418
肩関節穿刺　3
肩関節部の外傷・障害，スポーツによ
　る　94
嫌気性菌による感染症　125
限局型腱滑膜巨細胞腫　544
肩挙上困難　380
肩腱板断裂　389
健康管理手帳　364
健康関連 QOL 尺度　6
腱溝形成術　891
肩甲骨高位症　401

肩甲骨骨折　413
肩甲骨内上角炎　419
肩甲骨保持装具　351
健康寿命　334
肩甲上神経障害　397
肩甲上腕関節　378
肩甲上腕反射　616
肩甲上腕リズム　388
肩甲脊椎骨　401
肩甲帯の先天異常　**401**
顕在性二分脊椎　673, 675
肩鎖関節亜脱臼　411
肩鎖関節脱臼　95, 411, 412
肩鎖関節部
　―― の外傷　411
　―― の疾患　411
肩疾患の超音波診断　**386**
腱鞘炎　102
腱障害　896
腱鞘滑膜炎　884
腱鞘巨細胞腫　151, 174, **544**, 884
懸垂関節　387
腱性アーチ　474
腱性槌指　519
腱性マレット指　101
肩石灰性腱炎　215
ゲンタマイシン　43
原発性 Raynaud 病　325
原発性アルドステロン症　308
原発性脊椎腫瘍　**555**, 678
原発性低リン血症性くる病　289
原発性肥大性骨関節症　267
原発性マクログロブリン血症　324
腱板疎部損傷　422
腱板損傷　419
腱板断裂　379, 397, 418, 614, 648
腱板断裂後変形性関節症　390
腱板断裂性肩関節症　400, 424
顕微鏡下ヘルニア摘出術　682
腱付着部症　444
肩峰下インピンジメント症候群
　　　　380, 397
肩峰下滑液包炎　410, 420
腱縫合法　518

こ

コアグラーゼ陰性ブドウ球菌　120
コアラ抱っこ　727
高 Ca 血症　188, 191, 285
抗 CCP 抗体　194
高 CK 血症　46, 301
高 IgG4 血症　197
高 K 血症　46
高 K 性，周期性四肢麻痺　308
抗 RANKL 抗体　192, 558
抗 RANKL 抗体製剤　189
抗 SLR テスト　751

(け〜こ)

高悪性度非円形細胞軟部肉腫　151
高圧注入損傷　**515**
抗アルドステロン薬　309
広域災害救急医療情報システム　76
高位脛骨骨切り術　816
抗ウイルス薬　307
後外側回旋不安定症　439, 452, 453
後外側支持機構　780
後外側支持機構損傷　795
硬化性類上皮線維肉腫　185
抗ガレクチン3抗体　197
抗環状シトルリン化ペプチド抗体
　　　　　　　　　　　　194
高ガンマグロブリン血症　197
高気圧酸素療法　142
恒久性脱臼　787
高グロブリン血症　188
後脛骨筋　820
後脛骨筋腱機能不全症　**849**
後脛骨筋腱背側移行術　876
後脛骨動脈　820
高血圧　883
膠原線維染色　155
膠原病　321, 325, 409, 577
後骨間神経麻痺　519
抗コリン薬　547
虹彩炎　217
虹彩過誤腫　599
後索障害　616
好酸球性肉芽腫　171, **173**, 604
合指症　**526**
合趾症　833, **836**
後斜走線維　438
後十字靱帯　780
後十字靱帯損傷　**798**
後縦靱帯　550
後縦靱帯骨化症
　　9, 569, 581, 615, 631, 634, 656, 662
後縦靱帯浅層穿破　630
高周波電気蒸散装置　29
拘縮　860
拘縮肘　204
甲状腺機能亢進症　270, 546
甲状腺機能低下症　88, 250
甲状腺中毒性周期性四肢麻痺　308
硬性鏡　27
向精神薬　626
硬性墜下性跛行　724
更生用装具　364
後脊髄動脈症候群　571
高線量照射　161
酵素補充療法　274
叩打法　417
合短指症　**527**
後天性 BI　618
後天性斜頚　626
後頭蓋窩腫瘍　626

喉頭蓋軟化症　579
後頭環椎関節囊　613
喉頭気管軟化症　259
後頭頚椎固定術　646
高度外反扁平足　836
後内側回旋不安定症　453
高尿酸血症　212, 882
抗バイオフィルム効果　140
広範囲腱板断裂　400, 422
広範切除, 悪性骨・軟部腫瘍の　163
広範切除術および再建術, 骨肉腫の
　　　　　　　　　　　　179
項部硬直　570
高プロラクチン血症　88
高分化型脂肪肉腫　175
後方関節包拘縮　422
後方矯正固定術　595
後方除圧固定術　558
後方靱帯複合体　647
後方タイトネス　419
後方脱臼　394, 786
後方椎間孔除圧術　633
後方引き出しテスト　110, 781, 798
硬膜外くも膜囊腫　567
硬膜外血腫　626, 655
硬膜外出血　570
硬膜外腫瘍　655
硬膜外膿瘍　663
硬膜外ブロック　24
硬膜外遊離片　630
硬膜拡張　599
硬膜下血腫　26
硬膜下出血　570
硬膜損傷　26
硬膜内髄外腫瘍　655
高ミオグロビン血症　46
肛門反射　647
絞扼性神経障害　200
　──, 下肢における　**759**
　──, 総腓骨神経の　**759**
絞扼性末梢神経障害　470, 631
絞扼輪　528
絞扼輪症候群　283
抗ラミニン511抗体　197
抗リウマチ薬　198
高齢者
　──の移動能力評価　337
　──の運動処方　336
　──の骨折　55
　──のリスク管理　336
後弯肢異形成症　231
誤嚥性肺炎　767
股関節
　──の機能解剖　722
　──のバイオメカニクス　722
股関節鏡技術認定制度　751
股関節周囲筋　722

股関節周囲骨軟部腫瘍　751
股関節制動装具　353
股関節装具　353
股関節脱臼骨折　**743**
呼吸機能障害　647
呼吸性アルカローシス　21
呼吸不全性胸郭異形成症　250
国際生活機能分類　362
国際軟骨再生・関節温存学会
　　　　　　　　　783, 804
国際変形性関節症学会　813
国際リンパ学会　328
極超短波　344
腰曲がり　600
五十肩　**418**
固縮型　310
姑息的手術　558
姑息的照射　162
骨・関節結核　**140**
骨・軟部腫瘍
　──の遺伝子診断　156
　──の画像診断　152
　──の病理診断　153
骨・軟部腫瘍診断の手順　150
骨・軟部腫瘍分類　153
骨 Paget 病　286, 619
骨 UPS　183
骨移植　31
骨移動術　29, 136
骨壊死症　812
骨塩　17
骨延長［術］　29
骨塩定量法　17
骨塩量　17
骨外性骨肉腫　151
骨格成分の発生異常グループ
　　　　　　　　　234, 276
骨芽細胞型　177
骨化性筋炎　264, **447**, 776
骨型アルカリホスファターゼ　288
骨幹異形成症　**266**
骨間筋　505
骨関節感染症　120
骨幹端異形成症
　　　　231, 234, 237, **252**, 757
　──, Jansen 型　236
　──, McKusick 型　256
骨幹端骨幹角　827
骨幹端盃状変形　236
骨幹部骨折　777
骨関連事象　558
骨基質　17
骨巨細胞腫　150, 170, **171**, 821, 884
骨切り移動術　891
コックアップスプリント　352
骨形成因子　280
骨形成蛋白質　63

927

■ 索引

骨形成不全症
　　53, 59, 230, 240, 259, **267**, 290, 618
　—— と骨密度低下を示すグループ
　　　　　　　　　　　　　234, **267**
骨形成不全症 5 型　267
骨系統疾患　**230**
　—— の X 線診断　**236**
　—— の臨床診断　**230**
骨系統疾患国際命名・分類 2015　**232**
骨原発脊椎腫瘍　662
骨挫傷　57
骨腫瘍　150
　—— の診断　150
骨腫瘍切除後再建　**164**
骨シンチグラフィー　16
骨髄炎　821
　——, 開放骨折後の　**134**
　——, 皮膚や骨欠損を伴う　**135**
骨髄細胞移植術　322
骨性 Bankart 損傷　96
骨性強直　338
骨生検針　157
骨性合指　526
骨性斜頚　627
骨成熟度　590
骨性制動術　891
骨性マレット指　101, 102
骨折
　—— の基本的整復法　**63**
　—— の髄内釘固定　**50**
　—— の創外固定　**66**
　—— のプレート固定　**48**
骨折・脱臼のリハビリテーション
　　　　　　　　　　　　　　344
骨折リエゾンサービス　57
骨線条症　234, 263, 264
骨組織球症　**173**
骨粗鬆症　42, 202, 204, **288**, 558, 815
骨粗鬆症性椎体骨折
　　　　　　　　558, 601, 606, 702
骨粗鬆症リエゾンサービス　57
骨代謝異常症　619
骨代謝修飾薬　189
骨端異形成　237
骨端異形成症　225
骨端線早期閉鎖　53
骨端線損傷　53
　—— の分類　53
骨端線の縦走行　530
骨中ミネラル　17
骨伝導能　31
骨頭栄養動脈　746
骨頭壊死　747
骨頭軟骨下骨折線像　225
骨内血管腫　768
骨内脂肪腫　884
骨軟化症　**284**, 619

骨軟骨異形成症　236
骨軟骨腫　170
骨軟部肉腫治療研究会　151
骨肉腫　134, 158, **177**, 709, 821, 884
骨嚢腫　821
骨嚢胞　751
骨盤・股関節のスポーツ外傷・障害
　　　　　　　　　　　　　　104
骨バンク　31
骨盤骨折に伴う血管損傷・尿路損傷
　　　　　　　　　　　　　　715
骨盤ストレステスト　717
骨斑紋症　234, 264, **265**
骨盤輪　714
骨盤輪骨折　60, **714**
骨盤輪不安定症　717
骨変化を伴うリソソーム蓄積症
　　　　　　　　　　　234, **273**
骨膜性骨肉腫　177
骨密度　17
骨密度測定　288
骨密度測定法　17
骨誘導能　31
骨量　17
子供虐待　58
ゴナドトロピン放出ホルモン　87
ゴニオメーター　339
固有受容性神経筋促通法　340
コラゲナーゼ　534
孤立性形質細胞腫　188
ゴリムマブ　198, 199
コルヒチン　213, 883
コルヒチン・カバー　883
ゴルフ肘　99
これだけ体操　605
混合型，脳性麻痺　310
混合性結合組織病　324
コンドリアーゼ　684, 687
コンドロイチン硫酸　273
コンパートメント症候群
　　　　　　44, 46, **72**, 322, 515, 825
コンポジット移植　166

さ

サーフェスレンダリング法　2
サーモグラフィー　**11**
再建の梯子　136
最小殺菌濃度　123
最小斜角筋　410
最小侵襲脊椎制動術　558
最小侵襲プレート骨接合術　430
最小侵襲プレート固定法
　　　　　137, 416, 458, 771, 774, 791
最小発育阻止濃度　121
最大骨量　89
サイドシフト法　591
細胞診　154

ザイヤフレックス　534
作業用義手　357
索路徴候　615, 616
鎖骨・頭蓋骨異形成症　401
鎖骨遠位端骨折　412
鎖骨遠位端骨融解症　412
鎖骨下アプローチ　23
鎖骨下動脈　318
鎖骨近位端骨折　393
坐骨結節裂離骨折　104
鎖骨骨幹部骨折　416
鎖骨骨折　**414**
鎖骨上アプローチ　23
鎖骨上進入法　410
坐骨神経ブロック　25
坐骨大腿インピンジメント　751
鎖骨頭蓋異形成症　230, **281**, 380
　—— と類縁疾患群　**281**
鎖骨頭蓋骨形成不全症　619
支えプレート固定　463
挫傷　**52**
サテライト細胞　300
サラゾスルファピリジン　195, 199
サリドマイド　189
サリルマブ　198, 199
サルコイドーシス　42, 582, 655
サルコペニア　204, 297, 344, 834
三角筋拘縮症　381
三角骨骨折　488
三角靱帯　478
三角線維軟骨　478
三角線維軟骨複合体　459, 478, 489
三角線維軟骨複合体損傷
　　　　　　　　　　101, 480, **490**
三環系抗うつ薬　307, 573
三次元 CT　**2**
三次元 MRI　**2**
三肢麻痺　310
酸素依存性殺菌能　142
三頭筋腱皮下断裂　**435**

し

ジオトリフ　539
自家移植骨　166
自家骨移植　31
自家骨軟骨移植術　786
自家骨軟骨柱移植　111
自家腫瘍処理骨　166
自家軟骨細胞移植　784
自家培養軟骨移植　111
趾間神経腫　885
弛緩性麻痺　**875**
指基節骨骨折　**506**
色素性絨毛結節性滑膜炎
　　　　　　　175, 751, 783, 817, 834
子宮筋腫　153
子宮内膜症性卵巣嚢胞　89

(こ～し)

子宮平滑筋腫　153
事業継続計画，医療機関の　77
指極　230, 597
指極/身長比　597
軸後性　837
軸後性多趾症　249
軸索断裂　70, 406
軸前性　837
軸椎（第2頚椎）　612
軸椎下亜脱臼　642
軸椎関節突起骨折　644
指屈筋腱化膿性腱鞘炎　537
指屈筋腱損傷　517
シクロホスファミド　158, 182
視向角　27
自己血輸血　19
趾骨骨折　864
自己導尿　675
自己複製能　784
自己免疫性疾患　582
自己免疫性膵炎　197
四肢
　── のしびれ　552
　── の転移性骨腫瘍　190
示指 MP 関節ロッキング　522
指趾炎　217
四肢欠損　259
四肢短縮型　230
脂質異常症　883
四肢麻痺　310, 571
思春期側弯症　590
思春期特発性側弯症　590, 597
視床 Vo 核　547
歯状核赤核淡蒼球ルイ体萎縮症　578
視床破壊術　628
矢状面アライメント不全　552
指伸筋腱損傷　518
視神経膠腫　599
視神経脊髄炎　582
視神経脊髄炎関連疾患　577
ジスチグミン　579
ジストニア放電　628
ジストロフィン　301
シスプラチン　159, 179, 183, 640, 709
耳性斜頚　627
次世代シーケンサー　235
施設骨バンク　31
指切断傷　515
自然災害　76
指尖床間距離　109
指尖部損傷　513
持続筋電位　8
持続伸張訓練　342
持続他動運動　202, 448
肢帯型筋ジストロフィー　301
肢体不自由児　365
シタラビン　174

指端距離　230
膝蓋下脂肪体炎（Hoffa 病）　805
膝蓋腱症　806
膝蓋腱反射　673
膝蓋骨 apprehension test　110
膝蓋骨 sleeve 骨折　808
膝蓋骨骨折　787, 789
膝蓋骨骨折手術法　790
膝蓋骨脱臼　787
膝蓋骨不安定症　805, 811
膝蓋大腿関節　780
膝蓋大腿関節症　805
膝窩筋腱炎　811
膝窩筋複合体　796
膝窩動脈　319, 820
膝窩動脈外膜嚢腫　321
膝窩動脈塞栓症　320
膝窩動脈損傷　786
膝窩動脈捕捉症候群　321
膝窩嚢胞　817
膝関節 pain drawing　782
膝関節拘縮　791
膝関節穿刺　3
膝関節脱臼　786, 825
　── の分類　786
膝関節タナ障害　802
膝関節特発性骨壊死　815
膝関節の機能解剖　780
疾患特異的 QOL 尺度　334
疾患特異的 QOL 評価　336
膝クロ―ヌス　673
失調型　310
失調性歩行　551
自動運動　340
自動介助運動　340
自動的伸張訓練　342
歯突起形成不全　622
歯突起後方腫瘤　642
歯突起骨　622, 625, 626, 645
歯突起骨折　26, 644
　── の分類　645
歯突起スクリュー固定　646
歯突起尖端靱帯　613
歯突起の形成異常　622
指背腱膜　505
自排尿　654
紫斑　211
ジヒドロピリジン系カルシウム拮抗薬
　　　325
シプロフロキサシン　122
四辺形間隙症候群　100, 397
脂肪腫　151, 174, 562
脂肪塞栓　767
脂肪塞栓症候群　47
脂肪肉腫　184
シメチジン　411
社会的苦痛　167

社会復帰促進等事業　364
視野角　27
斜角筋間アプローチ　23
尺側手根屈筋　456
尺側手根伸筋腱腱鞘炎　480, 490, 500
尺側側副靱帯損傷　98, 522
尺側部手関節痛　480
若年性一側上肢筋萎縮症　639
若年性特発性関節炎
　　　208, 626, 729, 733
若年性特発性骨粗鬆症　269
雀卵斑様色素斑　599
ジャケット型感覚障害　574
斜視鏡　27
斜指症　529
尺骨茎状突起骨折　480, 490
尺骨神経　427, 456
尺骨神経管　504
尺骨神経管症候群　473, 499
尺骨神経皮下前方移動術　434
尺骨神経麻痺　473
尺骨突き上げ症候群　480, 490, 500
尺骨頭部分切除術　501
尺骨動脈　456
シャント形成術　575
ジャンパー膝　806
手圧排尿　653, 654
集学的慢性疼痛治療　681
習慣性肩関節後方不安定症　395
習慣性膝蓋骨脱臼　787
周期性四肢運動　308
周期性四肢麻痺　308
終糸症候群　674, 676
十字靱帯　613
重症下肢虚血　881
重症虚血肢　329
舟状月状骨解離　485
舟状月状骨間靱帯　478
舟状月状骨間靱帯解離　495, 496
舟状月状骨靱帯損傷　480
舟状骨偽関節　480, 495, 496
舟状骨骨折　102, 479, 485, 862
舟状骨疲労骨折　874
重症心身障害　313
重症軟骨無形成症・発達遅滞・黒色表
　皮腫　241
縦靱帯　613
修正 Ferguson 撮影　217
集団災害　76
重度開放骨折　41
重度麻痺性尖足　877
揉ねつ法　416
縦皮切　157
従来型合成 DMARDs　198
重量物動脈性 TOS　408
手関節　478
　── の画像診断　481

■ 索引

手関節・手部の外傷・障害，スポーツによる　101
手関節鏡　**482**
手関節屈曲テスト　439
手関節造影　482
手関節装具　351
手関節痛　479
　── の診断　479
手関節橈屈　498
手関節背屈装具　352
主幹動脈損傷　318
手根管症候群　200, 286, 306, 324, 409, 470, **498**, 614, 631, 634, 636
手根中央関節　478
手根中央関節鏡　482
手根中央関節不安定症　495, 496
手根不安定症　478, **495**
主治医意見書　369
手指巧緻性障害　635
種子骨障害　897
樹枝状脂肪腫　783
手指振戦　639
手術部位感染　120
手掌・口症候群　296
手掌腱膜　504
手掌腱膜切除術　535
手掌の解剖　504
酒石酸抵抗性酸ホスファターゼ-5 b　288
手切断傷　**515**
手段的 ADL　334
出血性ショック　38
術後回収式　20
術後化学療法　179
術後椎間板炎　**707**
出生前診断　240
術前化学療法　179
術中回収式　20
術中迅速組織診　154
術中脊髄モニタリング　**8**
術野消毒　22
受動的コーピング　683
手背の解剖　505
腫瘍壊死因子　199
腫瘍状石灰(沈着)症　215
腫瘍シンチグラフィー　16
腫瘍随伴性ニューロパシー　304
腫瘍性骨軟化症　272
腫瘍脊椎骨全摘術　558
腫瘍切除手術　558
腫瘍内切除　164
腫瘍用人工関節　164
腫瘍類似疾患　**169**
手腕振動症候群　11
循環血液量減少性ショック　38
循環障害肢切断の適応　**323**
順行性自家海綿骨移植術　860

順行性髄内釘固定　430
順行法　298
ジョイスティック整復　64
ジョイントジャック　352
上衣下腫　562
上位型麻痺　407
上位頚椎　612
　── の形態　612
上位頚椎・頚髄損傷　644
上位頚椎奇形　625
上衣腫　563
障害基礎年金　371
障害厚生年金　371
障害者自立支援法　366
障害者福祉　366
障害程度等級　365
障害年金診断書　371
消化管潰瘍　647
上関節上腕靱帯　378
上強膜炎　200, 211
小径有髄線維 Aδ　304
症候性 PTE　21
症候性側弯症　608
踵骨後部滑液包炎　889
踵骨骨折　**861**
踵骨骨端症　111
踵骨前方突起骨折　112, **871**
踵骨ピッチ角　850
小細胞型骨肉腫　177
小指球筋　505
上肢懸垂用肩関節装具　351
上肢障害評価表　335
上肢装具　**351**
小指多指症　249, 526
上肢における注射麻痺　474
踵舟関節癒合症　841
掌蹠膿疱症　380, 551, 664
掌蹠膿疱症性骨関節炎　664
常染色体優性遺伝病　240
常染色体劣性遺伝病　240
掌側 Barton 骨折　460
小殿筋　722
衝突性外骨腫　894
小児期外反扁平足　**838**
小児期扁平足　833
小児喘息　86
小児大腿骨骨折　**768**
小児椎間板石灰化症　628
小脳失調性歩行　296
上腓骨筋支帯　891
踵部 counter sink　114
上方関節唇損傷　95, 420
上方脱臼　394
静脈血栓塞栓症　20, 29, **327**, 791
静脈高血圧　329
静脈性 TOS　408
静脈性潰瘍　329

静脈性血管奇形　543
踵立方関節　832
上腕
　── の外傷・障害，スポーツによる　97
　── の解剖　426
上腕骨外顆偽関節　445
上腕骨外側顆骨折　431
上腕骨外側上顆炎　439, **444**, 614
上腕骨顆上骨折　430
上腕骨顆上骨折変形治癒　445
上腕骨滑車壊死　434
上腕骨滑車形成不全　**434**
上腕骨近位骨端線離開　97, 419
上腕骨近位端骨折　422
上腕骨近位部骨折　59, 97
上腕骨幹部骨折　**429**
上腕骨尺側顆形成不全症　434
上腕骨小頭 OCD　98
上腕骨小頭滑車溝　432
上腕骨小頭離断性骨軟骨炎　446
上腕骨頭壊死　422
上腕骨橈骨神経溝　467
上腕骨頭の無腐性壊死　434
上腕骨内上顆骨折　**433**
上腕骨内側顆骨折　**432**
上腕骨内側上顆炎　439
上腕骨内側上顆形成不全症　434
上腕骨内反症　380
上腕三頭筋　426
上腕尺骨関節関節斜走症　434
上腕動脈　319, 456
上腕二頭筋　426
上腕二頭筋腱の障害　**398**
上腕二頭筋腱皮下断裂　435
上腕二頭筋長頭腱炎　97, 398, 419
上腕二頭筋長頭腱腱鞘炎　397
上腕二頭筋長頭腱脱臼　399
上腕二頭筋長頭腱断裂　97, 398
上腕部近位部骨折　**427**
ショートステイ　367
初期股関節症　740
初期蘇生　39
褥瘡　**331**, 647
　──，脊髄損傷の　651
食物依存性運動誘発性アナフィラキシー　86
書痙　**546**
蹴行性　876
除脂肪量　89
ショックの分類　38
徐放性 K 製剤　309
徐脈　24
尻上がり現象　761
シリコン人工指関節　205
自律性 C 線維　304
ジルコニア　32

(し～す)

シルバーリハビリ体操 346
指列誘導障害 283, 837
脂漏症 267
シロリムス 280
新・片桐スコア 191
人為災害 76
心因性斜頸 628
侵害受容性疼痛 610
心外閉塞・拘束性ショック 38
腎機能障害 558
真菌 123
── による感染症 123
心筋炎 211
伸筋腱脱臼 519
伸筋支帯 457
針筋電図 298
神経・筋原性疾患に伴う脊柱変形 608
神経・筋疾患患者のリハビリテーション治療 349
神経 Behçet 病 577
神経因性膀胱 647, 654
神経芽細胞腫 150
神経原性腫瘍 174
神経原性ショック 38
神経膠腫 543
神経根造影 14
神経根嚢腫 567
神経根ブロック 633
神経サルコイドーシス 577, 637
神経障害性関節症 879
神経障害性疼痛 610
神経障害性疼痛治療薬 107
神経鞘腫 151, 174, 655, 884
神経性 TOS 408
神経性過食症 86
神経性食思不振症 270
神経性食欲不振症 86
神経線維腫 151, 884
神経線維腫症 154, 567, 598
神経線維腫症1型 187, 234, 564, 827
神経損傷 850
神経断裂 70, 406
神経痛性筋萎縮［症］ 305, 473, 518, 519, 648
神経伝導検査 6, 298
神経伝導速度 6
神経内ガングリオン 885
神経病性関節症 223, 422, 736
神経麻痺 675
腎結石 654
心原性ショック 38
人工関節周囲感染 139
進行期股関節症 740
人工肩関節全置換術 204
人工肩関節置換術 400

人工股関節全置換術 205, 738, 742, 772
人工股関節全置換術後の大腿骨骨折 772
人工股関節置換術 743
人工骨 32
人工骨頭置換術 204, 738
人工趾関節置換術 205
人工膝関節全置換術 205, 742, 774
人工膝関節全置換術後の大腿骨骨折 774
人工膝関節単顆置換術 742
進行性偽性リウマチ様骨異形成症 280
進行性筋ジストロフィー 301, 875
進行性骨化性線維異形成症 231, 234, 278, 314, 402
進行性脊柱変形，脊椎外傷後の 606
人工生体材料 32
進行性多巣性白質脳症 577
人工足関節全置換術 851
人工多能性幹細胞 784
人工肘関節全置換術 204, 451
深指屈筋 457
深指屈筋腱皮下断裂 101
シンスプリント（過労性脛部痛） 110, 821, 822
腎性骨ジストロフィー 284
新生児仮死 309
腎性貧血 201
新鮮損傷 517
新鮮凍結血漿保存 19
振せん法 417
迅速組織診 154
靱帯骨化 217
靱帯骨化巣 616
身体障害者障害程度等級表 365
身体障害者診断書 365
身体障害者手帳 365
靱帯損傷 452
身体的苦痛 167
靱帯内脱出 630
シンチグラフィー 16
振動障害 325
深腓骨神経 821
深腓骨神経麻痺 826
深部感覚機能 722
深部感覚障害性歩行 296
深部腱反射 673
深部静脈血栓症 327, 345, 747, 767, 821
深部組織損傷疑い 651
心房細動 321
心理的プロフィールテスト 86

す

水圧式デブリドマン 45

水圧剥離受動術 803
髄液 oligoclonal IgG bands 634
髄外インプラント 749
髄核脱出 684
髄核突出 684
髄核分離 684
髄腔内バクロフェン療法 311
水晶体偏位 279, 597
水腎症 654
水腎水尿管 654
水髄症 574
髄節徴候 615
錐体路徴候 616
水中運動療法 743
垂直距骨 833
水痘・帯状疱疹ウイルス 307
水頭症 675
髄内インプラント 749
髄内固定法 50
髄内神経鞘腫 562
髄内釘 749
髄内釘型 29
髄内釘固定法 824
髄膜炎 641
髄膜腫 566, 655
髄膜瘤 675
スーチャーパッサー 29
スーチャーレトリバー 29
頭蓋内出血 309
スガマデクス 23
すくみ足 350
スタンプシュリンカー 359
ステム付きインプラント 774
ステロイドカバー 206
ステロイド関連大腿骨頭壊死 737
ストレートプレート 48
ストレス骨折 93
ストレッチング 346, 339
ストレプトマイシン 141, 147
砂時計腫 564
スパイロメトリ 83
スピリチュアルな苦痛 167
スフィンゴリピドーシス 275
スプリング靱帯 832
スポーツ
── による上腕の外傷・障害 97
── による疲労骨折 93
スポーツ医学 80
スポーツ外傷 80
スポーツ外傷・障害の予防 90
スポーツ障害 80
スポーツ整形外科(医) 80
スポーツドクター 80
スルバクタム 144
スルファジアジン銀 332
スワンネック変形 509, 512

せ

整形外科患者における精神医学的問題に対する簡易質問表　680
整形外科緊急症　714
整形外科的メディカルチェック　83
清潔間欠導尿　652
生検術　157
星細胞腫　563
脆弱性骨折　59
脆弱性骨盤輪骨折　714
青色強膜　768
成人
　──の腰椎分離症　692
　──の腰椎分離すべり症　692
成人型線維肉腫　185
成人期扁平足　833, 849
成人脊柱変形　599
精神的苦痛　167
性腺機能不全　289
生体材料　32
正中神経　426, 456
正中神経麻痺　470, 498
成長期スポーツ　115
静的ストレッチング　343, 340
生物学的DMARDs　198
生物学的再建術　166
生理的O脚　284, 826
世界ドーピング防止機構　115
セカンドオピニオン　36
赤外線　344
脊索腫　150, 190
脊髄炎　306, 582, 655
脊髄外傷後の脊髄空洞症　575
脊髄外病変　655
脊髄空洞-胸腔shunt術　573
脊髄空洞-くも膜下腔shunt術　573
脊髄空洞-腹腔shunt術　573
脊髄空洞症　294, 572, 574, 577, 618, 623, 626, 639
脊髄くも膜嚢腫　567
脊髄係留症候群　672, 676, 684
脊髄梗塞　553
脊髄硬膜外腫瘍　657
脊髄硬膜外動静脈瘻　569
脊髄硬膜動静脈瘻　296, 569
脊髄硬膜内傍脊髄動静脈瘻　569
脊髄サルコイドーシス　618
脊髄刺激筋誘発電位　8
脊髄刺激脊髄誘発電位　8
脊髄視床路障害　616
脊髄終糸症候群　684
脊髄出血　570
脊髄腫瘍　9, 615, 618, 631, 662
脊髄小脳失調症1型　578
脊髄小脳変性症　349, 350, 577, 578
脊髄髄外腫瘍　564

脊髄髄内腫瘍　562, 655
脊髄髄内動静脈奇形　569
脊髄髄膜瘤　675, 875
脊髄性筋萎縮症　300, 875
脊髄性小児麻痺　875
脊髄性進行性筋萎縮症　640
脊髄正中離開　675
脊髄切開　570
脊髄造影　12
脊髄損傷患者
　──の急性期の排尿管理　652
　──の慢性期の排尿管理　654
脊髄損傷の褥瘡　651
脊髄動静脈奇形　568
脊髄内出血　570
脊髄内病変　655
脊髄軟化症　572
脊髄半側症候群　294
脊髄披裂　675
脊髄誘発電位　8
脊髄癒着性くも膜炎　572
脊髄余裕空間　622
脊柱　550
　──の機能解剖　550
脊柱アライメント不良　550
脊柱管（椎孔）　613
脊柱管狭窄症　564, 565, 631
脊柱管内滑膜嚢腫　700
脊柱変形　9
　──，神経・筋原性疾患に伴う　608
　──，椎弓切除後の　605
脊柱弯曲症　296
脊椎・骨端（・骨幹端）異形成症　255
脊椎（除圧）固定術　145
脊椎インストゥルメンテーション　647
脊椎インストゥルメンテーション手術　145, 596
脊椎インプラント術後感染　145
脊椎外傷後の進行性脊柱変形　606
脊椎カリエス　141, 554, 601, 663, 678
脊椎関節炎　215, 219
脊椎骨幹端異形成症　238, 254
脊椎骨切り矯正固定術　596
脊椎骨端異形成症　237, 244, 250, 621
脊椎骨端骨幹端異形成症　238
　──, Strudwick 型　234
脊椎骨端軟骨症　602
脊椎腫瘍　564, 565, 655, 702
脊椎症性脊髄症　569
脊椎椎弓根スクリュー刺入術　742
脊椎末梢異形成症　244
脊椎癒合不全　673
癤　126
石灰性（化）腱炎　215, 418, 540
石灰性滑液包炎　215
石灰性関節周囲炎　215

切開生検　154
切開生検術　157
石灰性腱板炎　389
石灰沈着　614
石灰沈着性頚長筋炎　614
石灰沈着性腱板炎　410
石灰沈着性腱板炎・滑液包炎　410
節後損傷　406
舌状型骨折　861
摂食障害　86
接触損傷　80
切除生検術　157
節前損傷　406
絶対気圧　142
セファゾリン　22, 43, 707
セボフルラン　23
セルトリズマブペゴル　198, 199
セロトニン・ノルアドレナリン再取り込み阻害薬　678, 679, 691
線維芽細胞型　177
線維芽細胞増殖因子　63
線維芽細胞増殖因子受容体3　240
線維筋痛症　614
線維自発電位　8, 71
線維腫　174
線維性異形成症　821
線維性強直　338
線維性骨異形成症　150, 290, 768, 884
線維肉腫　185
全エクソーム解析　235
遷延治癒骨折　62
遷延癒合　62, 767
前外側靱帯　794
全型麻痺　407
潜函病　434, 724
前鋸筋麻痺　380
前脛骨筋　820
前脛骨筋腱後方移行術　876
前脛骨動脈　820
全血冷蔵保存　19
前股関節症　740
前後ストレス不安定性　852
仙骨　670
前骨間神経　457
前骨間神経麻痺　426, 472, 518
仙骨形成不全　675
仙骨硬膜外ブロック　680
仙骨腫瘍　708
仙骨嚢腫　567
仙骨部腫瘍　708
仙骨裂孔　670
潜在性二分脊椎　673, 674
潜在的前方不安定症　396
浅指屈筋　456
前斜角筋症候群　408
前斜走靱帯　452
前斜走線維　438

(せ〜た)

前十字靱帯　780
前十字靱帯損傷　787, **797**
前縦靱帯　550
前縦靱帯骨化症　657
線状オステオパシー　263
浅掌動脈弓　504
全静脈麻酔　23
全身性エリテマトーデス
　　　　　324, 494, 737
全身性強皮症　324
全人的苦痛　167
潜水病　737
前脊髄動脈症候群　294, **571**
尖足　821
尖足拘縮　756
前足根管症候群　112, **886**
選択的エストロゲン受容体作動薬
　　　　　290
選択的後方除圧　635
選択的脊髄後根切断術　311
選択的セロトニン・ノルアドレナリン
　再取り込み阻害薬　573
先端合指症　526
仙腸関節炎　718, **751**
仙腸関節固定術　717
仙腸関節脱臼　**714**
仙腸関節の疼痛　**709**
仙腸関節ブロック　680, 710, 717
仙椎　670
　──の解剖　**670**
船底足変形　836
先天性 BI　618
先天性下肢形成不全　756
先天性下腿偽関節症　**827**
先天性筋ジストロフィー　301
先天性脛骨欠損症　756
先天性脛骨列欠損症　**828**
先天性肩甲骨高位　380
先天性絞扼輪症候群　528
先天性後弯　601
先天性股関節脱臼　**725**
先天性鎖骨偽関節　401
先天性鎖骨偽関節症　380
先天性歯突起形成不全　622
先天性垂直距骨　**836**, 838
先天性脊柱側弯症　594
先天性脊椎骨端異形成症
　230, 231, 234, 235, 237, 244, **245**, 254
先天性側弯症　608
先天性大胸筋欠損症　401
先天性脱臼　787
先天性多発性関節拘縮症
　　　　　248, 525, 836
先天性橈骨頭脱臼　**443**
先天性橈尺骨癒合症　**467**
先天性内反股　255
先天性内反足　756, 833, **834**

先天性握り母指症　525
先天性腓骨列欠損症　**828**
先天性風車翼状手　531
先天性片側異形成　259
先天性ミオパシー　297
先天性無痛無汗症　304, **768**
尖頭合指症　282, 526
前頭側頭葉変性症　579
全内視鏡下椎間板切除術　109, **683**
全内視鏡下ヘルニア摘出術　**689**
浅腓骨神経　821
浅腓骨神経麻痺　826
前方インピンジメントテスト
　　　　　725, 750
前方除圧固定術　637
前方脱臼　394, 786
前方引き出しテスト　110, **781**
せん妄　767
前腕
　──の解剖　**456**
　──のコンパートメント　72
前腕回内テスト　439
前腕骨骨幹部骨折　**457**
　──の AO 分類　458

そ

創外固定器　877
創外固定法　825
爪下外骨腫　884
早期自動屈曲伸展療法　518
早期自動伸展・他動屈曲療法　518
早期発症側弯症　592
早期発症特発性側弯症　592
総指伸筋　457
爪周囲炎　**539**
装飾用義手　357
相対的骨萎縮　852
総腓骨神経　820
　──の絞扼性神経障害　759
槍斧様骨盤　238
僧帽筋欠損症　402
僧帽筋麻痺　380
創面環境調整　329, 332
ソーセージ指　217
ゾーニング　77
足関節
　──の解剖　**832**
　──の診断　**833**
足関節外旋ストレステスト　857
足関節果部骨折　856
足関節後方インピンジメント症候群
　　　　　895
足関節固定術　851
足関節上腕血圧比
　　　　　321, 323, 786, 800, 821
足関節新鮮外側靱帯損傷　866

足関節前方インピンジメント症候群
　　　　　894
足関節脱臼　859
足関節陳旧性外側靱帯損傷　867
足関節底屈テスト　895
足根管症候群　112, 286, 760, **884**
足根骨　832
足根骨癒合症
　　　　　112, 760, 833, 838, **841**, 870
足根洞　870
足根洞症候群　**870**
側坐核　683
足趾上腕血圧比　323
塞栓症　319
足底腱膜症　114, **892**
足底線維腫　534
足底装具　353
続発性骨粗鬆症　559
続発性大腿骨頭壊死症　225
続発性副甲状腺機能亢進症　288
続発性無月経　87
足部
　──の解剖　**832**
　──の腫瘍　**883**
　──の診断　**833**
足部・足関節の外傷・障害，スポーツ
　による　111
側副血行路　69
側副靱帯　438
側方進入椎体間固定術　600
側方脱臼　786
側弯症　625
阻血性偽関節　62
阻血性大腿骨頭壊死　728
組織診　154
組織非特異型アルカリホスファターゼ
　　　　　271
粗大運動能力尺度　310
粗大運動能力分類システム　310
そとわ歩行　112
ソラフェニブ　177
ソリフェナシン　579
ゾレドロン酸　160, 192, 226

た

ダーメンコルセット　354
ターンバックル式装具　351
第 1-2 肋骨癒合症　410
第 1 Köhler 病　112
第 1 頸椎（環椎）　612
第 1 号被保険者　368
第 1 足根中足関節固定術　843
第 1 中足骨遠位直線状骨切り術　844
第 1 中足骨短縮骨切り術　205
第 2 Köhler 病　839
第 2 頸椎（軸椎）　612
第 2 号被保険者　368

■索引

第2中足骨基部骨折　833, 873
第4中足骨短縮症　840
第5中足骨基部裂離骨折　112
第5中足骨疲労骨折　865
第6趾　837
ダイアルテスト　781
体位性頻脈症候群　586
体外衝撃波治療　115, 823, 893
体幹・下肢筋力増強運動　346
体幹短縮型　230
大胸筋　426
退形成性上衣腫　562
大孔減圧術　575
大後頭孔減圧術　624
大後頭神経痛　200, 641
大根髄動脈　651
第三腓骨筋　820
体軸性脊椎関節炎　216
胎児三次元ヘリカルCT検査　240
胎児被曝　240
代謝性アシドーシス　46
代謝性骨疾患　**284**
帯状疱疹　201, 631, 665, 684
帯状疱疹後神経痛　**307**
体性C線維　304
体性感覚誘発電位　8, 23
耐性菌出現阻止濃度　123
耐性菌選択域　123
大腿・膝・下腿部の外傷・障害，スポーツによる　110
大腿脛骨角　780, 826
大腿脛骨関節　780
大腿骨遠位骨端線損傷　769
大腿骨遠位部の骨折　**770**
大腿骨寛骨臼インピンジメント　104, 727
大腿骨近位部DXA法　18
大腿骨近位部骨折　60
大腿骨形成不全　756
大腿骨頚部骨折　**745**, 769
大腿骨減捻内反骨切り　727
大腿骨骨幹部骨折　**766**, 768
大腿骨骨折
　――，人工股関節全置換術後の　**772**
　――，人工膝関節全置換術後の　**774**
大腿骨骨折整復術　742
大腿骨転子下骨折　**764**
大腿骨転子部骨折　**748**
大腿骨頭壊死　751
大腿骨頭壊死症　**737**
大腿骨頭回転骨切り術　226
大腿骨頭骨折　**744**
大腿骨頭骨端異形成症　730
大腿骨頭すべり症　723, 729, **730**, 733, 756
大腿骨頭軟骨下骨折　723

大腿骨頭軟骨下脆弱性骨折　225, **738**, 739
大腿骨内反骨切り術　226, 741
大腿骨疲労骨折　110
大腿四頭筋拘縮症　**761**
大腿四頭筋損傷　775
大腿四頭筋の断裂　775
大腿神経伸展テスト　109, 672, 684
大腿直筋腱炎　751
大腿動脈　319
大腿二頭筋腱炎　811
大転子(部)滑液包炎　110, 751
大動脈遮断バルーン　39
ダイナミックフラミンゴ療法　346
ダイヤモンドバンドソー　155
ダイヤルロック肘継手付き装具　351
大理石骨病　53, 231, **261**, 264, 768
　――と関連疾患　234, **261**
対立装具　352
タウメル継手付き装具　351
高倉&田中分類　852
多汗症　267
タクロリムス　197, 198
多形型脂肪肉腫　184
多系統萎縮症　350, 578, 628
多血症　324
多血小板血漿　785, 889
多孔体人工骨　33
多骨性線維性骨異形成　234
多指症　**526**
多趾症　833, **836**
多臓器損傷　41
多臓器不全　47
タゾバクタム　43
多断面再構成像　3
立ち上がりテスト　335, 338
脱灰　155
脱臼骨折　57
ダッシュボード損傷　743, 798
脱分化型脂肪肉腫　184
脱分化型軟骨肉腫　181
他動運動　340
他動伸展試験　822
他動的伸張訓練　342
多糖分解酵素　687
タナ　803
タナ障害　805
タナトフォリック骨異形成症　232, 241
谷口分類　276
多能性　784
多嚢胞性卵巣症候群　88
他の骨硬化性骨疾患　266
多発外傷の初期治療　39
多発骨折　41
多発性異骨症　234, 274
多発性異骨症グループ　**273**

多発性外骨腫　256, 756
多発性関節拘縮症　834, 838
多発性筋炎　**302**
多発性硬化症　553, 564, 565, **577**, 582, 618, 634, 636, 637, 655
多発性骨腫瘍　756
多発性骨髄腫　150, **188**
多発性骨端異形成症　**250**, 729, 757
　――および偽性軟骨無形成症グループ　234, **250**
多発性骨軟骨腫症　150, 169, 181
多発性神経線維腫　672
多発性単神経炎　200, 211
多発性単ニューロパシー　305
多発性軟骨性外骨腫症　234, **276**, 278
多発ニューロパシー　294, **303**, 349
ダプトマイシン　121, 707
多方向不安定症　395
打撲　52
玉井分類　515
タムスロシン　579
ダメージコントロール整形外科手術　39
タモキシフェン　177
タリウムシンチグラフィー　16
タルチレリン　579
多列検出器CT　481
短外旋筋群　722
単顆型人工膝関節置換術　816
短下肢装具　349, 353
短期入所生活介護　367
単クローン性免疫グロブリン　188
短頚　621, 624
短指　244
短軸走査　10
短趾症　837
短指症(骨外形態異常を伴う/伴わない)　**283**
単支柱型創外固定器　29
短縮延長法　29
単純性股関節炎　729, **732**, 733
単純性骨嚢腫　884
短掌筋　504
淡蒼球内節　547
短対立装具　352
短橈側手根伸筋　457
丹毒　126
蛋白尿　654
弾発股　725, **734**
単発性骨嚢腫　150, 171, 768
短腓骨筋　820
単皮切アプローチ　855
ダンベル型腫瘍　564
ダンベル変形　237
短母指伸筋　457
単麻痺　310
淡明細胞型軟骨肉腫　181

(た〜て)

ち

短肋骨異形成症　250

地域骨バンク　31
地域包括ケアシステム　207
竹様脊柱　218
恥骨炎　717
恥骨結合炎　717, 751
恥骨結合固定術　717
恥坐骨疲労骨折　751
遅発性VVR様症状　19
遅発性骨頭圧潰　747
遅発性ジスキネジア　628
遅発性尺骨神経麻痺　445
遅発性脊椎骨端異形成症　255
緻密体人工骨　32
中央索断裂　519
中央部手関節痛　480
中央列多指症　526
中下位頚椎・頚髄損傷　646
肘外偏角　438, 444
中間肢・近位肢中間肢異形成症　257
中間肢異形成症　230
中間肢節(前腕・下腿)短縮型　230
肘関節
　── の外傷・障害, スポーツによる　98
　── の機能解剖　438
　── の離断性骨軟骨炎　446
肘関節外反角度　83
肘関節滑膜切除術　451
肘関節鏡視下手術　449
肘関節上腕靱帯　378
肘関節脱臼　440
肘関節不安定症　453
中気孔率多孔体　33
肘屈曲テスト　439
肘屈筋　438
中指伸筋腱脱臼　102
中指伸展テスト　439
注射金製剤　199
注射麻痺, 上肢における　474
中手骨頚部骨折　101
中手骨骨折　505
肘伸筋　438
中心性, 多指症　837
中心性軟骨肉腫　181
中枢前庭障害　641
中足骨骨折　864
中足骨水平骨切り術　842
中足骨短縮骨切り術　205
中足骨短縮症　840
中足骨斜め骨切り術　842
中足骨疲労骨折　873
中足趾節関節炎　865
宙吊り型感覚障害　574
肘頭骨折　440

肘頭脱臼骨折　440
中毒性ニューロパシー　303
肘内障　443
中脳辺縁系ドパミンシステム　683
肘部管　439, 474
肘部管症候群　200, 286, 409, 439, 473, 474, 500, 614, 631, 634, 636, 639
虫様筋　505
肘離断性骨軟骨炎　446
中和プレート法　458
超音波　344
超音波ガイド下局所注入療法　893
超音波ガイド下頚椎神経根ブロック　108
超音波ガイド下伝達麻酔　25
超音波診断　10
長下肢装具　353
腸管蠕動　24
腸管ヘルニア嵌頓　724
長胸神経障害　409
長脛骨異形成　599
腸脛靱帯炎　110, 810
蝶形椎　595
超高気孔率多孔体　33
腸骨窩膿瘍　147
腸骨動脈　319
腸骨変形　238
長軸走査　10
長趾屈筋　820
長趾伸筋　820
長掌筋　456, 504
長対立装具　352
長腓骨筋　820
重複障害児の療育管理指導　313
長母指屈筋　457
長母趾屈筋　820
長母趾屈筋腱障害　896
長母趾伸筋　820
跳躍型疲労骨折　822
腸腰筋　706, 722
腸腰筋腱炎　751
直視下Bankart法　391
直視下関節形成術　524
直視鏡　27
直接作用型経口抗凝固薬　327
直接的整復　63
直立脱臼　394
貯血式自己血輸血　19
治療特例使用　86
チロシンキナーゼ型神経成長因子受容体遺伝子　304
陳旧性MCL損傷　796
陳旧性肩鎖関節脱臼　380
陳旧性損傷　517

つ

椎間関節　613

椎間関節嚢腫　686, 700
椎間関節ブロック　680
椎間板　550, 613
椎間板-靱帯複合体　666
椎間板髄核融解術　687
椎間板造影　13
椎間板内酵素注入療法　684
椎間板嚢腫　686
椎間板ブロック　680
椎間板ヘルニア　564, 565, 569, 700
椎弓形成術　633, 637
椎弓根スクリュー法　593
椎弓切除後の脊柱変形　605
椎孔(脊柱管)　613
椎骨　550, 650
椎骨動脈　613
椎骨脳底動脈循環不全　641
槌指　101, 509
槌趾　845
椎体　613
椎体圧潰　642
椎体形成術　558
椎体骨折　59
椎体辺縁分離　703
椎体癒合　642
対麻痺　310, 571, 655
通所介護　367
通所リハビリテーション　367
痛風　126, 212, 538
　── の足部障害　881
痛風関節炎　882
痛風結節　883
突き指　509
津下-山河分類　499
津下法　532
ツベルクリン反応　141, 555
蔓状神経線維腫　187, 598
鶴田の診断基準　47

て

手・指の循環障害　545
低Ca血症　558
低K性, 周期性四肢麻痺　308
低悪性度線維粘液性肉腫　185
低悪性度中心性骨肉腫　177
低位脊髄円錐　676
低位脊椎円錐　672
定位的視床Vo核凝固術　547
低位毛髪線　624
低カルボキシル化オステオカルシン　288
低気孔率多孔体　33
低緊張型　310
低血圧　24
抵抗運動　5, 340
テイコプラニン　22, 121
低酸素性虚血性脳症　309

■ 索引

低周波超音波治療　115
低出力超音波パルス　62
低出力超音波パルス療法　68
低侵襲病巣掻爬ドレナージ　145
低髄液圧症候群　**585**
底側踵舟靱帯　832
低二酸化炭素血症　21
低ホスファターゼ症
　　　　　231, 240, 259, 269, **271**, 289
低補体血症　197
定量的CT測定法　18
定量的超音波測定法　18
低リン血症　285
低リン血症性くる病　231, **272**
低リン血症性骨軟化症　288
手首徴候　597
デグロービング損傷　43
テジゾリド　121
デスフルラン　23
デスモイド型線維腫症　**176**
デスモイド腫瘍　884
手装具　352
鉄欠乏性貧血　86, 201
テニス肘　99
手の解剖　**504**
デノスマブ　160, 172, 288〜290, 709
手袋・靴下型感覚障害　634
手袋状剥皮損傷　**514**
デブリドマン　43
デュルバルマブ　641
デュロキセチン　573, 684
テリパラチド　289, 290, 600, 735
デルマタン硫酸　273
転移性骨腫瘍　150, 736
転移性腫瘍　884
転移性脊髄内腫瘍　562
転移性脊椎腫瘍　557, 662, 678
殿筋拘縮症　761
転子下骨折　777
点状軟骨異形成症　594
点状軟骨異形成症グループ　**259**
転倒・転落アセスメントスコア　347
電動ハンド　357
転倒予防　**347**

と

等運動性収縮　340
頭蓋頚椎固定術　620
頭蓋骨癒合症候群　**282**
頭蓋垂直牽引　26
頭蓋水平牽引　26
頭蓋直達牽引　**26**
頭蓋底陥入症　**618**
投球障害肩　419
　──の手術療法　**421**
凍結肩　380, 389, **418**
凍結処理　166

銅欠乏症　59
橈骨・尺骨動脈　319
橈骨DXA法　18
橈骨遠位端骨折　60, 479, 480
橈骨遠位端骨折変形治癒　496
橈骨遠位部骨折
　──のAO分類　461
　──の分類　**460**
橈骨茎状突起痛　**497**
橈骨頚部骨折　**441**
橈骨骨折　488
橈骨骨端線早期閉鎖　257
橈骨手根関節　478
橈骨手根関節鏡　482
橈骨神経　426, 456
　──の直接損傷　467
橈骨神経麻痺　427, **467**
橈骨頭骨折　**441**, 445
橈骨頭脱臼　445
橈骨動脈　456
動作特異性ジストニア　546
糖脂質代謝異常症　275
橈尺靱帯　478
等尺性収縮　340
同種骨　166
同種骨移植　31
導出静脈　569
豆状骨滑液包炎　102
豆状三角骨関節症　490, 500
透析アミロイドーシス　285, 560
透析性脊椎症　**560**
透析脊椎症　285
橈側手根屈筋　456
橈側側副靱帯　438
橈側部手関節痛　479
橈側列形成障害　497, 498
等張性収縮　340
動的ストレッチング　340, 343
糖尿病　42, 270, 883, 897
糖尿病神経障害　**305**
糖尿病性壊疽　322
糖尿病性関節症　**223**
糖尿病性自律神経障害　223
糖尿病性神経障害　224
糖尿病性足病変　**879**
糖尿病性多発ニューロパシー　294
糖尿病性ニューロパシー
　　　　　　　　304, **305**, 691
糖尿病性末梢神経障害　631, 634
糖尿病足　223
糖尿病足病変　143
逃避性跛行　724
東北メディカル・メガバンク機構
　　　　　　　　　　　　　236
動脈塞栓症　322
動脈閉塞　102
動脈瘤様骨嚢腫　556, 768, 884

動揺性肩関節　395
動揺性歩行　296
トータルペイン　167
ドキソルビシン
　　　　　151, 158, 159, 177, 182, 183, 709
鍍銀染色　155
特異性の原則　5
特異的腰痛　109
特発性Madelung変形　257
特発性痙性斜頚　628
特発性後骨間神経麻痺　468
特発性膝関節血症　**782**
特発性舟状骨壊死　493
特発性脊髄炎　582
特発性側弯症　590, 608
特発性大後頭神経痛　641
特発性大腿骨頭壊死症　**224**, 724, 737
徒手筋力テスト　5, 335, **338**, 615, 781
徒手伸張訓練　342
トシリズマブ　198, 209
ドチヌラド　213
突然死　85
突然心停止　82
トピロキソスタット　213
トファシチニブ　201
トラフェルミン　332
トラベクテジン　151, 159, 183
トラマドール　696
トラマドール・アセトアミノフェン合剤　679
トラマドール製剤　679
トリアムシノロン　521, 811
トリアムシノロンアセトニド　520
トリガーポイント　405, 680
トリニトログリセリン　889
トリプルオステオトミー　728
トリプレットリピート病　302
トリヘキシフェニジル　547
トレイン刺激　8
ドロキシドパ　579
鈍的損傷　75

な

ナーブロック　628
内外反ストレス不安定性　852
内科的メディカルチェック　**82**
内果疲労骨折　**874**
内視鏡下椎間板切除術　**689**
内視鏡下ヘルニア摘出術　683, 689
内視鏡的筋膜下穿通枝切離術　329
内側開大式高位脛骨切り術　814
内側型野球肘　98
内側滑膜ヒダ　803
内側膝蓋大腿靱帯再建術　788
内側上顆炎　99
内側上顆部分切除術　474
内側側副靱帯　438, 452, 780

（て〜は）

内側側副靱帯損傷　439, 795
内側半月板後根損傷　815
内側半月板変性断裂　802
内転足　833
内軟骨腫　150, 170, **542**, 884
内軟骨腫症　234, **277**, 543
内反型変形性足関節症　850
内反膝　757
内反手　**497**
内反小趾　833, **847**
内反ストレステスト　439
内反足　821
内反肘　438, **444**
中野 3D-CT 分類　749
ナックルキャスト　505, 506
ナプロキセン　213
軟骨オリゴマー基質蛋白質　251
軟骨外胚葉異形成症　**249**
軟骨解離　105
軟骨下骨脆弱性骨折　751
軟骨芽細胞型　177
軟骨芽細胞腫　150, 169, 729, 884
軟骨低形成症　241, **243**
軟骨低形成症様異形成症　242
軟骨低発生症　234
軟骨内骨化　242
軟骨肉腫　150, **180**, 543, 884
軟骨粘液線維腫　150
軟骨の構造　785
軟骨帽　170
軟骨マトリックス　784
軟骨無形成症　230, 236, 238, 240, 241, **242**, 619, 621, 757
軟骨無発生症 2 型　234, 245
軟性(胸)腰仙椎装具　354
軟部 UPS　183
軟部腫瘍
　──の化学療法　**158**
　──の診断　151

に

二期的再置換術　140
肉腫の化学療法　**158**
肉ばなれ　92
二次骨化核　899
二次性アパタイト結晶沈着症　215
二次性関節症　422
二次性股関節症　739
二次性骨肉腫　177
二次性骨癒合　63
二次性静脈瘤　326
二次性肥大性骨関節症　267
二次性副甲状腺機能亢進症　284
二次性変形性関節症　448
二次性変形性膝関節症　110, 781
二次性リンパ浮腫　328
二重エネルギー X 線吸収法　17

二相性アナフィラキシー反応　687
日常生活自立度　371
日常生活自立度判定基準ランク　345
二分靱帯　832
二分靱帯損傷　112, 870, **871**
二分脊椎　**673**, 834, 836, 846, 875
二分併合法　527
日本医師会認定健康スポーツ医　80
日本小児がん研究グループ　151
日本スポーツ協会公認スポーツドクター　80
日本整形外科学会（日整会）認定スポーツ医　80
日本整形外科学会股関節機能判定基準　225
日本ユーイング肉腫研究グループ　151, 182
日本リウマチ学会　195
日本臨床腫瘍グループ　151
乳児化膿性股関節炎　**733**
乳幼児期側弯症　590
尿管結石　654, 678
尿酸一ナトリウム　212
尿酸降下療法　212
尿酸生成抑制薬　213
尿酸排泄促進薬　213
尿中ムコ多糖分析　274
尿道カテーテル留置　654
尿崩症　604
尿路感染症　654
尿路性器感染症　652
二類感染症　140
認知症　767
認定遺伝カウンセラー　236

ね

寝違え　632
熱中症　85
粘液型脂肪肉腫　184
粘液線維肉腫　185
粘液乳頭状上衣腫　562
捻曲性骨異形成症　236
捻挫　**52**

の

濃化異骨症　53, 230, 234, **262**, 264
膿痂疹　126
脳奇形　309
脳血管障害　577
脳原性運動機能障害用　365
脳室周囲白質軟化症　309, 310
脳腫瘍　618
囊状二分脊椎　675
脳深部刺激　628
脳性麻痺　618, 850
　──の手術療法　311

　──の療育　309
脳性麻痺簡易運動テスト　310
脳性まひ児の手指操作能力分類システム　310
脳脊髄液漏出　26
脳脊髄液漏出症　585
脳卒中重症度スケール　349
脳卒中評価法　349
能動義手　357
ノルトリプチリン　573

は

パーキンソニズム　578
パーキンソン症候群　294
パーキンソン病　295, 296, 349, 601
パーキンソン歩行　296
バージャー病　545
肺炎　647
バイオフィルム感染症　121
バイオマテリアル　32
敗血症　47, 651
肺血栓塞栓症　**20**, 327
胚性幹細胞　784
肺尖部腫瘍　631
背側 Barton 骨折　460
背側楔状骨切り術　839
背側スプリント　505
肺塞栓症　660, 767
肺動脈血栓塞栓症　747
梅毒　577
梅毒性脊髄炎　582
ハイドロキシアパタイト　32
ハイドロリリース　405
排尿管理
　──, 脊髄損傷患者の急性期の　**652**
　──, 脊髄損傷患者の慢性期の　**654**
排尿筋過活動　653
排尿筋括約筋協調不全　653
排尿困難　24
排尿障害　677
ハイブリッド型筋電義手　358
廃用症候群　5
廃用性筋萎縮　380
廃用性筋萎縮　66
廃用性骨萎縮　768
破壊性脊椎関節症　285, 556, 560
白癬　126
白鳥のくび変形　509, **512**
歯車様強剛　295
破骨細胞様巨細胞　171
播種性結節性皮膚線維腫症　265
破傷風　125
破傷風菌　125
破傷風トキソイド　43
パゾパニブ　151, 159, 160, 177, 183
パターナリズム　35
ばち指　540

■索引

発育期腰椎分離症　693
発育性股関節形成不全　353, **725**, **727**
発育性股関節脱臼　723
発汗障害　574
白血病　**187**
バットレスプレート　791
バディテーピング　505
バニオネット　847
ばね指　499, **521**
パパニコロウ染色　154
馬尾障害　692
パミドロン酸二ナトリウム　270
ハムストリングの断裂　**775**
バラシクロビル　307
パラフィン浴　343
バランス改善運動　346
針筋電図検査　6
針刺し切創　**33**
バリシチニブ　201
針生検（術）　154, 157
バルーン椎体形成術　59, 608
ハローリング　26
晩期発症側弯症　592
晩期発症特発性側弯症　592
ハングマン骨折　26
半月　781
汎血球減少症　179
半月板切除術　802
半月板切除用器具　28
半月板損傷　**800**, 812
半月板縫合術　802
半硬性装具　355
バンコマイシン　22, 121, 707
ハンズフリーテクニック　35
半椎　595
ハンドル骨折　660
反復性肩関節脱臼　96, 391
反復性膝蓋骨脱臼　787
反復唾液嚥下テスト　348
ハンマー趾　845
ハンマー趾形成手術　842
ハンマー足趾変形　833

ひ

ヒアルロン酸　273
非外傷性肩関節不安定症　**395**
非化膿性腱鞘炎　538
非器質性腰痛　**680**
引き抜き損傷　406
被虐待児症候群　53
―― における骨折　**58**
非均衡型　230
非クロストリジウム性ガス壊疽　125
非経口抗凝固薬　327
非結核性抗酸菌症　**140**, 538
肥厚性偽関節　62
肥厚性皮膚骨膜症　264

腓骨　820
非骨化性線維腫　150, 884
腓骨筋痙性扁平足　833
腓骨筋腱脱臼　**890**
非骨傷性頚髄損傷　646
腓骨神経麻痺　**825**
腓骨頭骨折　825
腓骨動脈　820
腓骨列形成不全　756
膝くずれ　780, 781
膝装具　353
肘周辺の異所性骨化　**447**
肘装具　351
皮質性小脳萎縮症　350, 578
ヒステリー　614
ヒステリー性斜頚　626
ヒステリー性歩行　296
非ステロイド性抗炎症薬
　　　　　　198, 678, 679, 696
ビスホスホネート　290, 735
ビスホスホネート製剤　189, 226
非接触損傷　80
ビタミンA過剰症　267
ビタミンB_{12}製剤　306
ビタミンD欠乏性くる病　272, 826
ビタミンD欠乏性骨軟化症　288
羊飼いの杖変形　291
ヒッププロテクター　353
非定型抗酸菌　140
非定型大腿骨骨折　60, **776**
ヒトT細胞白血病ウイルス1型関連
　脊髄症　577
非動脈硬化性分節的炎症性病変　320
非特異的腰痛　109, 677
皮膚・粘膜曝露　**33**
皮膚潰瘍　211
皮膚角化病変　897
皮膚カフェオレ斑　290
皮膚灌流圧　323
皮膚灌流圧測定　321
腓腹筋　820
腓腹筋退縮術　894
皮膚骨膜肥厚症　**267**
皮膚色素斑　170
皮膚支帯　504
皮膚性合趾　838
皮膚洞　674
皮膚紋理　504
皮膚や骨欠損を伴う骨髄炎　**135**
ピペラシリン　43
肥満細胞症　265
びまん性特発性骨増殖症
　　　　　　218, 601, 657, 662, 666
非無菌間欠導尿　653
病期（stage）分類，特発性大腿骨頭壊
　死症の　226

病型（type）分類，特発性大腿骨頭壊死
　症の　226
表在性低分化骨肉腫　177
標準予防策　34
ひょう疽　**538**
病巣掻爬洗浄手術　708
皮様嚢腫　89
表皮ブドウ球菌　123
日和見感染症　200
ピラジナミド　141, 147
平瀬法　513
ヒラメ筋　820
平山病　409, 618, 639
疲労骨折　93, 117
――，スポーツによる　**93**
ピロリン酸カルシウム　540
ピロリン酸カルシウム二水和物　214
ビンクリスチン　158, 182, 709
貧血　86
ビンブラスチン　177

ふ

ファムシクロビル　307
不安定型，大腿骨頭すべり症　731
不安定肘　204
フィラデルフィアカラー　354
フィルゴチニブ　201
風車翼手　525
フェノールブロック　546
フェブキソスタット　213
フォガティーカテーテル　320
フォンダパリヌクス　327
負荷刺激サーモグラフィー　11
不完全合趾　837
不完全骨折　777
腹圧排尿　654
腹臥位内旋テスト　706
副甲状腺機能亢進症
　　　　　　42, 270, 288, 619
副甲状腺ホルモン　63
複合靱帯損傷　**799**
複合性局所疼痛症候群　11, 29, 73,
　345, 419, 447, 462, 474, **547**, 860, 870
複合肘関節不安定症　440
伏在神経ブロック　25
副子・ギプス包帯固定法　**64**
腹吻側核　547
福山型先天性筋ジストロフィー
　　　　　　300, 301
ブクラデシンナトリウム　332
父権主義　35
不顕性骨折　746, 815
ブコローム　213
ブシラミン　197, 199
不随意運動　294
付着部炎　217
フックテスト　857

不適切養育　58
ぶどう膜炎　217
部分関節内骨折　771
浮遊肋骨　660
ブラジキネジア　548
ブラッドパッチ　587
プラミペキソール　308
フルドロコルチゾン　579
フレイル　297, 344
フレイルチェスト　660
プレート固定法　825
プレートの分類　48
フレーム型（胸）腰仙椎装具　355
プレーリーくん　609
プレガバリン
　　　307, 561, 573, 684, 691, 696
プローブ　10
プロカルシトニン　146
プロジェニター細胞　784
ブロスマブ　284
フロセミド　159
プロチレリン　579
プロベネシド　213
プロポフォール　23
ブロメライン　332
分子標的合成 DMARDs　198
分析的妥当性　235
分娩骨折　53
分娩麻痺　405
分離すべり症　684
分裂膝蓋骨　110, 789

へ

平滑筋肉腫　153, **185**
米国疾病予防管理センター　22
米国褥瘡諮問委員会　331
米国リウマチ学会　194
閉鎖性運動連鎖　5
閉鎖性髄内釘法　416
閉塞性血栓血管炎　**320**, 821
閉塞性動脈硬化症
　　　143, **321**, 324, 672, 695, 821
併存疾患　336
ベストサポーティブケア　180
ヘパラン硫酸　273
ヘパリン　327
ヘパリンコーティング　319
ベビーグラム　59
ペフィシチニブ　201
ヘマトキシリン-エオジン染色　155
ヘモクロマトーシス　783
ヘモジデリン　221
ヘモジデリン沈着　562
ペルオキシソーム病　260
ヘルペス性ひょう疽　539
辺縁切除　163
変形性 Lisfranc 関節症　**848**

変形性関節症　99, 204, 412, 860
変形性胸鎖関節症　393
変形性胸椎症　655
変形性頚椎症　324
変形性肩関節症
　　　389, 400, **422**, 614, 632
変形性肩鎖関節症　380
変形性股関節症
　　　225, 311, 684, 723, **739**, 750
変形性膝関節症　**811**, 821
変形性足関節症　821, 833, **850**
変形性肘関節症　**448**
変形癒合　767
ベンズブロマロン　213
変性すべり症　695
変性破壊性椎間板症　556
変性腰椎後弯　600
片側萎縮症　756
片側固定術　596
片側肥大症　756
扁平三角状変形　834
扁平足　760
扁平頭蓋　619
変容性骨異形成症　230, 237, 247, 254

ほ

蜂窩織炎　**126**, 538, 817, 821, 865, 897
包括的 QOL 尺度　334
包括的 QOL 評価　336
包括的 survey　39
包括的高度慢性下肢虚血　323
傍関節唇嚢腫　385
膀胱結石　654
膀胱コンプライアンス　653
膀胱直腸障害　675
膀胱尿管逆流　654
膀胱排尿筋収縮力　653
膀胱瘻　652, 654
傍骨性骨肉腫　177
傍骨性軟骨腫　**544**
放射性脊髄炎　582
放射線吸収測定法　18
放射線処理　166
放射線療法　172
傍脊柱筋　651
蜂巣炎　**126**
胞巣型横紋筋肉腫　151
乏突起細胞腫　562
訪問介護　367
歩行障害のパターン　296
歩行補助具　**360**, 361
母指 CM 関節症　**524**
母趾 IP 種子骨障害　897
母指 MP 関節尺側側副靱帯損傷　101
母指 MP 関節橈側側副靱帯損傷　101
母指 MP 関節ロッキング　**522**
母趾 MTP 関節固定術　843

母指球筋　505
母指形成不全　**533**
母趾種子骨障害　**896**
母指多指症　526
母指徴候　597
母指内転筋　505
ホスフルコナゾール　124
ホスホマイシン　146
補装具の公的支給と手続き　363
補装具費支給意見書　364
ボタン穴変形　**511**, 519
ホットパック　343
ボツリヌストキシン A　546
ボツリヌス毒素療法　311, 547, 628
ボトックス　628
ポパイ徴候（サイン）　380, 435
ポビドンヨード　3, 22
ポビドンヨード・シュガー　332
ポマリドミド　189
ポリオ　850, 875
ポリグルタミン病　578
ボリュームレンダリング法　2, 834
ボルテゾミブ　189
ホルマリン固定パラフィン包埋ブロック　156
本義肢　364

ま

マイクロウェーブ　344
マイクロフラクチャー　784
巻き上げ機現象　892
マゴットセラピー　330
麻酔法の選択，整形外科手術に対する　23
末期股関節症　740
末梢血単核球移植術　322
末梢骨 DXA 法　17
末梢神経炎　324
末梢神経軸索径　70
末梢神経刺激筋電位　8
末梢神経刺激脊髄誘発電位　8
末梢神経生検　299
末梢神経損傷　**69**
末梢性脊椎関節炎　216
末梢性軟骨肉腫　181
末梢動脈疾患　329, 698
末梢動脈閉塞症　321
末端肥大症　267
麻痺性足部変形　838
麻痺足　875, 876
マルチスライス CT　2
マレット装具　352
マレット指　101, 512
慢性 CPP 結晶性関節炎　214
慢性 PTE　20
慢性炎症性脱髄性多発根ニューロパシー　636

索引

慢性炎症性脱髄性多発ニューロパシー
　　　　　303, 306, 349, 581
慢性下腿コンパートメント症候群
　　　　　110
慢性化膿性骨髄炎　**131**
慢性静脈不全症　322
慢性腎臓病　270, 284
慢性腎不全　42
慢性閉塞性肺疾患　42
慢性腰痛　679
　——の保存療法　**679**
慢性労作性下腿コンパートメント症候
　　群　821

み
ミオグロビン尿　69
ミオトニー現象　295
ミオトニー放電　298
ミオパシー　295
未診断症例　236
水野テスト　583
ミダゾラム　169
ミトコンドリア脳症　577
ミトコンドリア病　297
ミドドリン　579
ミノサイクリン　121
ミノマイシン　707
未分化・分類不能肉腫　183
未分化高悪性度多形肉腫　183
未分化多形肉腫　158, **183**
耳・脊椎・巨大骨端異形成症　247
三森テスト　396
脈波法　329
宮崎スタディ　307
ミロガバリン　306, 307, 561, 691, 696

む
無気肺　647
無菌間欠導尿　653
無月経　83
ムコ脂質症　**275**
ムコ多糖症　230, **273**, 275
ムコ多糖代謝異常症　275
無症候性 CPP 結晶沈着症　214
無症候性高尿酸血症　213
むずむず脚症候群　308
むち打ち損傷　**583**
無痛無汗症　879
ムピロシン　121

め
メキシレチン　309
メタコンドロマトーシス　234, 756
メタタルサールバー　845
メタタルサールパッド　845
メタボリックシンドローム　883

メチシリン感受性黄色ブドウ球菌
　　　　　120
メチシリン耐性黄色ブドウ球菌　120
メチシリン耐性黄色ブドウ球菌感染
　　　　　707
メディカルチェック　82
メトトレキサート
　　　　　159, 177, 179, 183, 195, 198, 709
メトトレキサート・ロイコボリン救援
　　療法　158
メトロニダゾール　144
メニスコイド　894
メルファラン　189
免疫チェックポイント　163
免疫チェックポイント阻害薬　163
免疫療法　163

も
毛細血管再充満時間　430
毛髪鼻指節異形成症　**256**
毛髪鼻指節異形成症 2 型　276
モールド式(胸)腰仙椎装具　355
モザイクプラスティー　784
モニター　10

や
野球肘　80, 98
薬剤性間質性肺炎　200
薬剤性高プロラクチン血症　88
薬剤性腎障害　200
薬物血中濃度モニタリング　121
ヤヌスキナーゼ　199

ゆ
有茎皮弁　45
有鉤骨鉤骨折　102, 480, **487**, 490
有鉤骨骨折　488
遊走性静脈炎　321
有痛弧徴候　380
有痛性外脛骨　112
有痛性青股腫　327
有痛性白股腫　327
有痛性分裂膝蓋骨　810, 811
有頭骨骨折　487
遊離血管柄付き骨移植　63, 136
遊離皮弁　45
ゆがみ足　838
癒合椎　625
癒着性くも膜炎　572
指装具　352
指用小型ナックルベンダー　352

よ
雍　126
要介護認定　368
幼児の骨折　53
養子免疫療法　163

用手排尿　675
陽性鋭波　71
腰仙椎装具　354
腰仙部脂肪腫　674
腰椎　670
　——の解剖　**670**
腰椎/頸椎椎間板ヘルニア　662
腰椎 DXA 法　18
腰椎外側椎間板ヘルニア　**686**
腰椎再手術　690
腰椎術後疼痛症候群　690
腰椎すべり症　821
腰椎前弯　601
腰椎多数回手術例　690
腰椎椎間板造影　14
腰椎椎間板ヘルニア　678, 821
　——, 高齢者の　**685**
　——, 若年者の　**682**
　——, 成人の　**684**
腰椎不安定症　**704**
腰椎部神経根造影　15
腰椎不撓性障害　600
腰椎分離症　692
腰椎分離すべり症　692
腰椎変性後側弯症　**599**
腰椎変性すべり症　**695**
腰痛　671
腰背部の外傷・障害，スポーツによる
　　　　　108
腰部神経根症　671
腰部脊柱管狭窄　698
腰部脊柱管狭窄症　204, 285, 306,
　　322, 551, 634, 662, 678, 684, **697**, 821
ヨードコーティング　138
翼状頸　621
翼状肩甲　302, 379
翼状靭帯　613
よちよち歩き骨折　53
予防抗菌薬投与　22

ら
ラロニダーゼ　274
卵胞刺激ホルモン　88

り
リーミング　50
リーメンビューゲル装具　353, 726
リウマチ肩　423
リウマチ関節炎　619
リウマチ手関節　**494**
リウマチ手指変形　**536**
リウマチ性肩関節症　400
リウマチ性多発筋痛症　210, 614
リウマチ白書　206
リウマチ肘　450
リウマトイド因子　194
リウマトイド結節　194, 200

(ま〜わ)

リエゾン・アプローチ　681
リガメントタキシス　63, 67
リコンストラクションプレート　48
梨状筋症候群　**704**
リセドロネート　288
離断性骨軟骨炎
　　　　98, 110, 112, 448, 805, 811, 860
　——, 膝関節の　**804**
　——, 肘関節の　**446**
立方骨骨折　**862**
リドカイン　521
リトルリーグ肩　419
リネゾリド　121, 707
リバース型人工肩関節　400
リバース型人工肩関節置換術
　　　　　　　　　　204, 403
リハ総合実施計画書　362
リハビリテーション中止基準　341
リファレンスパネル　236
リファンピシン
　　　　121, 141, 146, 147, 707
リマプロスト　698
リマプロストアルファデクス　696
流蝋骨症　234, **263**, 265
リュックサック麻痺　379
療育　309
良性骨腫瘍　**169**
良性軟部腫瘍　**174**
良性発作性斜頚　626
良性発作性頭位めまい症　641
両側Perthes病　250
両側片麻痺　310
両麻痺　310
緑膿菌　123

リルゾール　581
リルテック錠　581
履歴現象　342
リング型創外固定器　29, 877
リン酸三カルシウム　32
臨床遺伝専門医　236
輪状靱帯　438, 452
臨床的妥当性　235
臨床的有用性　235
リンパ浮腫　328

る

類骨骨腫　134, 169, 170, 821, 884

れ

冷凍赤血球　19
冷熱療法　343
冷膿瘍　147, 554
レジスタンストレーニング　5
レストレスレッグス症候群　308
裂手　**529**
レッドマン症候群　22
レナリドミド　189
レフルノミド　195, 197, 198
レボブピバカイン　25
レミフェンタニル　23
連鎖球菌属　123

ろ

ロイコボリン　158
老研式活動能力指標　334, 336
労災保険給付　364
労災補償の手続き　364
老人性円背　604

肋鎖症候群　408
ロコトレ　679
ロコモ25　336, 338
ロコモ体操　773
ロコモティブシンドローム　91, 204
ロコモ度テスト　335, 338
ロコモ度判定　338
ロチゴチン　308
肋間筋麻痺　24
ロッキング　507
ロッキング症状　99
ロッキングプレート　48
肋骨弓　660
肋骨骨折　**660**
ロピバカイン　25, 382
ロフストランド杖　226, 361
ロボットアーム支援人工股関節全置換術　742
ロボットスーツHAL　352
ロモソズマブ　289, 290

わ

若木骨折　53
ワクシニアウイルス接種家兎炎症皮膚抽出液　107, 680
鷲手変形　466
渡辺式21号関節鏡　27
ワルファリン　327
弯曲肢異形成症および関連疾患　**258**
腕尺関節　438
腕神経叢障害　305
腕神経叢損傷　**405**
腕神経叢ブロック　25
腕橈関節　438

欧文索引

A

A-AntiRoLL 868
A型ボツリヌス毒素製剤 311
A群β溶血性連鎖球菌 126
AAFD（adult acquired flatfoot deformity） 849
ABC（aneurysmal bone cyst） 556
ABI（ankle-brachial pressure index） 321〜323, 329, 698, 786, 800, 821
ABK（arbekacin） 121
abnormal mineralization group 271
ACG2（achondrogenesis type 2） 245
Achilles tendon reflex（ATR） 673
Achilles tendon rupture 887
achillodynia 888
achondrogenesis type 2（ACG2） 245
achondroplasia 240, 241, **242**, 619
Achterman and Kalamchi 分類 829
ACL（anterior cruciate ligament） 780
ACR（American College of Rheumatology） 194
acrocephalosyndactyly 282
acrodysostosis 256
acromelic dysplasia **256**
acromesomelic dysplasia **257**
acrometastasis 884
action research arm test 335
active assistive exercise 340
active compression test 396
Active Constrained System 742
active exercise 340
active SLR テスト 710
activin receptor type-1（*ACVR1*） 278, 280
acute arterial occlusion **319**
acute bone atrophy **73**
acute CPP crystal arthritis 214
acute injury of the lateral ankle ligament 866
acute plastic bowing 458
acute pyogenic arthritis **127**
acute pyogenic osteomyelitis **129**
acute respiratory distress syndrome（ARDS） 767
ACVR1（*activin receptor type-1*） 278, 280

AD 240
Adamkiewicz 動脈 651
adding-on 594
Addison 病 308
adhesive arachnoiditis **572**
adhesive capsulitis **418**
ADI（atlantodental interval） 622, 626, 645
adjuvant chemotherapy 179
ADL 訓練 **340**
ADM（adriamycin） 179
adolescent idiopathic scoliosis（AIS） 590
adriamycin（ADM） 179
Adson テスト 409
adult acquired flatfoot deformity（AAFD） 849
adult spinal deformity（ASD） 599
Advanced Trauma Life Support（ATLS®） 39
AE（athlete-exposure） 90
AED（automated external defibrillator） 81
AEH（athlete-exposure hours） 90
AFO（ankle foot orthosis） 349, 353
AIG（Ankle Instability Group） 868
AIIS 751
AIMS 2 336
AIS（adolescent idiopathic scoliosis） 590
AKA 法 710
AL（annular ligament） 438, 452
Albert 法 891
Albizzia 髄内釘 29
Albright 症候群 170
ALK2 278
all-inside 法 868
all-inside-out 法 868
Allen 分類 646
Allis 徴候 725
Allis 法 744
allodynia 573
allograft 31
ALS（amyotrophic lateral sclerosis） 296, 349, 553, **579**, 618, 648
American College of Rheumatology（ACR） 194
American Spinal Injury Association 分類 647
AMK 43

ampicillin 144
amyotrophic lateral sclerosis（ALS） 296, 349, 553, **579**, 618, 648
anal wink 647
anatomy of lumbar spine 670
anatomy of sacral spine 670
anatomy of the ankle 832
anatomy of the arm 426
anatomy of the cervical spine 612
anatomy of the foot 832
anatomy of the forearm 456
anatomy of the hand 504
anatomy of thoracic spine 650
Andersen-Tawil 症候群 308
Anderson の分類 644
anesthesia 615
—— for orthopaedics surgery 23
aneurysmal bone cyst（ABC） 556
angioma 543
angiosarcoma 543
ankle-brachial pressure index（ABI） 321〜323, 329, 698, 786, 800, 821
ankle foot orthosis（AFO） 349, 353
Ankle Instability Group（AIG） 868
ankle pressure index（API） 800
ankylosing spondylitis（AS） **217**, 666
ankylosing spondylitis disease activity score（ASDAS） 218
ankylosis 204, 338
annular ligament（AL） 438, 452
anomalies of odontoid（dens） 622
anteater nose sign 838
anterior ankle impingement syndrome 894
anterior apprehension テスト 96, 380
anterior cruciate ligament（ACL） 780
anterior cruciate ligament（ACL） injury 797
anterior humeral line 431
anterior impingement test 727
anterior oblique ligament（AOL） 438, 452
anterior process fractures of the calcaneus 871
anterior slide test 396
anterior spinal artery syndrome 571

(A〜B)

anterior tarsal tunnel syndrome　886
anterolateral ligament　794
antibiotic therapy in orthopaedic infections　123
antimicrobial stewardship　121
AntiRoLL 法　868
AO/OTA 分類　748, 764, 856
AO Muller 分類　854
AO 分類　646
──, 前腕骨骨幹部骨折の　458
──, 橈骨遠位部骨折の　461
AOL（anterior oblique ligament）　438, 452
AOSpine sub-axial cervical spine injury classification system　646
apatite crystal deposition disease　215
Apert 症候群　282, 526, 837
API（ankle pressure index）　800
apical oblique view　383
Apley テスト　781
apprehension sign　453, 787
APT 1 MTA　850
AR　240
arbekacin（ABK）　121
ARCO 分類　226
ARDS（acute respiratory distress syndrome）　47, 767
ARIF（arthroscopic assisted reduction and internal fixation）　482
arm problems associated with sports　97
arm span　230
Arnold-Chiari 奇形　575, 618
arteriosclerosis obliterans（ASO）　321
arthroscopic assisted reduction and internal fixation（ARIF）　482
arthroscopic diagnosis of the shoulder joint　391
arthroscopic surgery　27
── of the shoulder joint　391
articular cartilage injury　783
artificial biomaterials　32
artificial bone　32
AS（ankylosing spondylitis）　217, 666
ASAS（Assessment of SpondyloArthritis international Society）　218
ASAS 分類基準　218
ASD（adult spinal deformity）　599
ASDAS（ankylosing spondylitis disease activity score）　218

aseptic necrosis of the humeral head　434
ASIA 分類　647
ASIA impairment scale　666
ASO（arteriosclerosis obliterans）　321
assessment of locomotion ability of elderly persons　337
Assessment of SpondyloArthritis international Society（ASAS）　218
Association Research Circulation Osseous 分類　226
Astley-Kendall 骨異形成症　259
asymptomatic chondrocalcinosis　214
asymptomatic CPPD　214
ATA（atmosphere absolute）　142
athlete-exposure（AE）　90
athlete-exposure hours（AEH）　90
atlanto-occipital assimulation　621
atlantoaxial rotatory fixation　626
atlantodental interval（ADI）　622, 626, 645
ATLS®（Advanced Trauma Life Support）　39
ATLS® プロトコル　39
atmosphere absolute（ATA）　142
ATR（Achilles tendon reflex）　673
atraumatic shoulder instability　395
ATS　308
atypical femoral fracture　776
Atzei 分類　482
autograft　31
autologous blood transfusion　19
automated external defibrillator（AED）　81
avascular necrosis of the talus　852
Awaji 基準　581
axial SpA　216
axonotmesis　70, 406

B

B 型肝炎ウイルス　196
B 型ボツリヌス毒素製剤　311
Babinski 徴候　294
Babinski 反射　615, 616, 631, 634, 656, 673
Bado 分類, Monteggia 骨折の　459
Bain 分類　482
Baker 嚢腫　781, 817
balloon kyphoplasty（BKP）　59, 608
ballottement test　480, 496
bamboo spine　218
Bankart 修復術　378
Bankart 損傷　378, 394
Bankart 病変　391
BAP　288

Barlow テスト　725
Barré-Liéou 症候群　583
barrel chest　244
Barsky 法　532
Barsony 骨化　404
Barthel index　334, 335, 341, 349
Barton 骨折　460, **463**
Bartter 症候群　308
basic fibroblast growth factor（bFGF）　63
basic life support（BLS）　81
basilar invagination or impression（BI）　618
Baumann 角　431
Bayne と Klug 分類　498
BBS（Berg balance scale）　350
BCP（business continuity plan）　77
bDMARDs　199
Becker 型筋ジストロフィー　298, 300, 301
Behçet 病　718
Beighton score　105
belly-press テスト　96, 399
belly-tendon 法　8
Bence Jones 蛋白　188, 556
benign bone tumor　169
benign soft tissue tumor　174
Bennett 骨棘　419
Bennett 骨折　**510**
Bennett 損傷　95
Bennett 病変　420
Bennett fracture　**510**
Bennett lesion　422
Berg balance scale（BBS）　350
best supportive care（BSC）　180
bFGF（basic fibroblast growth factor）　63
BHA（bipolar hip arthroplasty）　738
BI（basilar invagination or impression）　618
biceps pulley　398
bicycle test　734
bimastoid line　619
biologic DMARDs　198
biological reconstruction　166
biomaterial　32
biomechanics of the shoulder　387
biopsy　157
bipolar hip arthroplasty（BHA）　738
bizarre parosteal osteochondromatous proliferation（BPOP）　884
BKP（balloon kyphoplasty）　59, 608
Blauth 分類　498, 533
Blount 病　757, 826
BLS（basic life support）　81
BMD　298, 300, 301

索引

943

索引

BMP（bone morphogenic protein）　63, 280
Böhler 角　861
bone bank　31
bone bruise　57
bone elongation　29
bone graft　31
bone lengthening　29
bone mineral measurement　17
bone morphogenic protein（BMP）　63, 280
bone transport　29, 136
Bösch 法　844
Boston brace　590
bowler's thumb　102
bowstring 現象　535
box and block test　335
boxer's knuckle　101
Boychev 法　391
BP　290
BPOP（bizarre parosteal osteochondromatous proliferation）　884
Br（E）-MsEP（muscle evoked potential after electrical stimulation to the brain）　8
Br（E）-SCEP（spinal cord evoked potential after electrical stimulation to the brain）　8
brachial plexus injury　405
brachydactyly　244
brachymetatarsalsia　840
BRAF 遺伝子　173
Brahimi 型　257
Brand 法　531
Brinkman 指数　196
Bristow 法　96, 378, 391, 426
Bröden 像　861
Brodie 膿瘍　133
Brodie abscess　133
Brooks 法　623
Broström 法　868
Brown-Séquard 症候群　294, 571, 631
Bruck 症候群　269
bruise　52
Brunnstrom stage　349, 545
Bryant 牽引　54, 768
BS-POP　680
BSC（best supportive care）　180
Buerger 病　320, 324, 545
Buerger 病診断基準　321
Buerger disease　320
bulbocavernous reflex　647
bunionette　847
Burn's test　681
Burner 症候群　107

Buschke-Ollendorff 症候群　265
business continuity plan（BCP）　77
buttonhole deformity　511
buttress plate　463

C

C. albicans　124
C. glabrata　124
C. guilliermondii　124
C. krusei　124
C. parapsilosis　124
C. tropicalis　124
C-sign　838
C1-2 後方固定術　646
C2-3 後方固定術　646
C2 骨折部スクリュー固定　646
CA　58
Ca チャンネル α2-δ リガンド　573
Caffey 病　267
CAG リピート病　578
calcaneal fracture　861
calcaneal paratendinitis　888
calcaneal pitch angle　850
calcific tendinitis, bursitis　410
calcification of the ligamentum flavum of the cervical spine（CLFC）　637
calcium pyrophosphate dihydrate（CPPD）　214, 540
calcium pyrophosphate dihydrate crystal deposition disease　214
Calvé 扁平椎　173, 603
Calvé disease　603
Cam 病変　105
cam osteochondroplasty　105
Cam type FAI　105
Campailla 型　257
campomelic dysplasia and related disorders（CD）　258
camptocormia　350
camptodactyly　529
―――, tall stature and hearing loss syndrome　242
Camurati-Engelmann 病　264, 266, 267
cannulated cancellous screw　747
capillary refill time（CRT）　430
capitate fracture　487
capitulo-trochlear sulcus　432
capsular repair　492
cardiogenic shock　38
carpal instability　495
carpal instability dissociative（CID）　495
carpal instability nondissociative（CIND）　495
carpal supination test　491

carpal tunnel syndrome　498
Carpenter 症候群　837
carrying angle　83, 438, 444
cartilage-hair hypoplasia（CHH），McKusick type　253
CASPAR 基準　220
casting and Splinting methods　64
CATSHL 症候群　242
Cavendish の分類　401
CB ブレース　353
CC（chondrocalcinosis）　214
CCA（cortical cerebellar atrophy）　350, 578
CCF（Comprehensive Classification of Fractures）　854
CCN 6（cellular communication network factor 6）　281
CD（campomelic dysplasia and related disorders）　258
CDC（Centers for Disease Control and Prevention）　22
CDDP（cisplatin, cis-diamminedichloro-platinum）　159, 179
CDK4　156
CDPX 1　259
CDPX 2　259
cellular communication network factor 6（CCN 6）　281
cellulitis　126
Centers for Disease Control and Prevention（CDC）　22
central groove of the trochlea　432
cerclage wiring 法　790
cervical disc herniation　630
cervical flexion myelopathy（CFM）　638
cervical intervertebral disc calcification in children　628
cervical spine injury related to sports activities　106
cervical spondylotic amyotrophy（CSA）　305, 639, 648
cervical spondylotic myelopathy　633
cervical spondylotic radiculopathy　632
cervicogenic dizziness　641
cervicogenic headache　641
CEZ　43, 707
CFM（cervical flexion myelopathy）　639
Chaddock 反射　656
chair テスト　439
Chamay 法　205, 494
Chamberlain line　619

(B〜C)

characteristics of MRSA infections 121
Charcot 関節　222, 305, 422, 877
Charcot 三徴　634
Charcot arthropathy　879
Charcot foot　834, 879
Charcot joint　222, 879
Charcot-Marie-Tooth 病　299, 304, 833, 846, 875
Charcot neuroarthropathy　879
Charcot triad　634
chauffeur 骨折　460
cheirooral syndrome　296
chemotherapy for malignant bone 158
chemotherapy for soft tissue tumors 158
Chevron 法　842
CHG　22
Chiari 奇形　573, 619, 623, 625
Chiari 骨盤骨切り術　741
Chiari malformation　623
CHILD 症候群　259
child abuse　58
child maltreatment　58
child protection team　59
Chinese finger trap　463
chipping technique　63
chondro-myxoid fibroma　884
chondroblastic type　177
chondrocalcinosis (CC)　214
chondrodysplasia punctata (CDP) group　259
chondroectodermal dysplasia　249
chondroplasia　256
chondrosarcoma　180, 543
Chopart 関節　832
Chopart 関節固定術　876
Chopart 関節病変　834
Chopart 切断　358
chordoma　190
chronic CPP crystal arthritis　214
chronic inflammatory demyelinating polyneuropathy (CIDP)　581
chronic kidney disease (CKD)　284
chronic lateral ankle instability　867
chronic limb threatening ischemia (CLTI)　323
chronic obstructive pulmonary disease (COPD)　661
chronic pyogenic osteomyelitis　131
chronic suppression therapy　140
CHS (compression hip screw)　749
CI 療法　310
CID (carpal instability dissociative) 495

CIDP (chronic inflammatory demyelinating polyneuropathy) 581
ciliopathies with major skeletal involvement　249
CIND (carpal instability nondissociative)　495
CIPA (congenital insensitivity to pain with anhidrosis)　304
circulatory disturbances of the hand 545
cis-diamminedichloro-platinum (CDDP)　179
cisplatin (CDDP)　159
CK (creatine kinase)　297
CKC (closed kinetic chain)　5
CKD (chronic kidney disease)　284
CKD-MBD　285
Classification criteria for Psoriatic Arthritis 基準　220
classification of fracture of the distal end of radius　460
clavicle fracture　414
claw toe　845
Clayton 法　205, 494
CLDM (clindamycin)　122
cleft hand　529
cleidocranial dysostosis　619
cleidocranial dysplasia　281
―― and related disorders　281
CLFC (calcification of the ligamentum flavum of the cervical spine)　637
CLI (critical limb ischemia) 329, 881
clindamycin (CLDM)　122, 144
clinical anatomy of the elbow joint 438
clinical diagnosis of neuromuscular diseases　294
clinical diagnosis of skeletal dysplasia　230
clinodactyly　529
closed box 型の大腿骨コンポーネント　774
closed kinetic chain (CKC)　5
closed rupture of biceps long head 435
closed rupture of triceps brachii 435
Clostridium perfringens　125, 142
Clostridium tetani　125
CLTI (chronic limb threatening ischemia)　323
club hand　497
CMAP (compound muscle action potential)　6

CMD　301
CMT (Charcot-Marie-Tooth disease)　304
CNS (coagulase-negative Staphylococci)　120
coagulase-negative Staphylococci (CNS)　120
Cobb 角　590
Cobey 法　850
Codman 三角　150
COL1A1　267
COL1A2　267
COL2A1　244
COL10A1　252
cold abscess　147, 554
cold edema　547
cold in hot 像　225
Cole-Carpenter 骨異形成症　269
Colles 骨折　460
combined abduction テスト　96
combined injuries of the knee ligaments　799
combined stenosis　685
comma sign　659
COMP　251
compartment syndrome　72
complex regional pain syndrome (CRPS) 29, 73, 345, 447, 462, 474, 547, 870
compound muscle action potential (CMAP)　6
Comprehensive Classification of Fractures (CCF)　854
compression hip screw (CHS)　749
compression rotation test　396
compression test　480
computed X-ray densitometry 法 18
cone-rod dystrophy　254
congenital anomaly of the odontoid process　622
congenital clasped thumb　525
congenital clubfoot　834
congenital constriction band syndrome　528
congenital dislocation of the radial head　443
congenital disorders of the shoulder girdle　401
congenital insensitivity to pain with anhidrosis (CIPA)　304
congenital longitudinal deficiency of the fibula　828
congenital longitudinal deficiency of the tibia　828
congenital pseudoarthrosis of the tibia (CPT)　827

索引

索引

congenital radioulnar synostosis　467
congenital scoliosis　594
congenital vertical talus　836
Conradi-Hunermann 症候群　238
constraint-induced movement therapy　310
containment 治療　730
continuous EMG　8
continuous passive motion（CPM）　202, 448
continuous positive airway pressure（CPAP）　274, 579
contracture of gluteal muscle　761
contracture of quadriceps muscle　761
contusion　52
conventional synthetic DMARDs　198
COPD（chronic obstructive pulmonary disease）　661
core decompression　735
cortical cerebellar atrophy（CCA）　350, 578
Corynebacterium　120
Cotton テスト　857, 869
counter SLR　672
CPAP（continuous positive airway pressure）　274, 579
CPM（continuous passive motion）　202, 448
CPO（curved periacetabular osteotomy）　728
CPPD（calcium pyrophosphate dihydrate）　214, 540
CPPD 沈着症　865
CPPD（calcium pyrophosphate dihydrate）crystal deposition disease　214
CPPD co-occur with OA　214
CPT（congenital pseudoarthrosis of the tibia）　827
Craig-田久保分類　415
craniosynostosis syndromes　282
crank テスト　96, 380, 396
Crawford 分類　828
creatine kinase（CK）　297
crescent sign　225, 434
criteria for immediate amputation of traumatized extremities　74
critical limb ischemia（CLI）　329, 881
Crohn 病　718
cross-body adduction test　96
Crouzon 症候群　282, 837
crowned dens syndrome　214, 614, 629

CRPS（complex regional pain syndrome）　29, 73, 345, 447, 462, 474, 547, 870
CRT（capillary refill time）　430
crucial angle of Gissane　861
Cruess 分類　434
crush syndrome　46
cryotherapy　343
CS　273
CSA（cervical spondylotic amyotrophy）　305, 639
csDMARD　198
CT based ナビゲーション　594
CT myelography　601
CTLA-4　163
cubital tunnel syndrome　474
cubitus valgus　444
cubitus varus　444
cuboid fracture　862
cuff tear arthropathy　403, 422
cupping　284
curved periacetabular osteotomy（CPO）　728
Cushing 症候群　42, 270, 289
Cushing 病　308
CW 法　790
CXD 法　18

D

dactylitis　217
DAIR（debridement, antibiotics, and implant retention）　122
Dall アプローチ　745
damage control（DC）　41
damage control orthopaedics（DCO）　39
damage of major arteries of the extremities　318
DAP（daptomycin）　121
daptomycin（DAP）　121
Darrach 法　205, 494
DARTS 人工手関節　205
Das De 変法　891
Das De 法　891
DASH　335
DBM（demineralized bone matrix）　136
DBS（deep brain stimulation）　628
DC（damage control）　41
DCO（damage control orthopaedics）　39
DDH（developmental dysplasia of the hip）　353, 725, 727
de Quervain 腱鞘炎　480, 497
de Quervain 病　497
debridement, antibiotics, and implant retention（DAIR）　122

decision making of amputation for ischemic limb　323
deep brain stimulation（DBS）　628
deep fibromatosis　884
deep tissue injury　331
deep vein thrombosis（DVT）　345
default mode network（DMN）　586
definitive fixation　41
deformities of the rheumatoid hand　536
degenerative lumbar kyphosis　600
degloving injury　514
del Pinal 法　482
delamination　105
delayed union and nonunion　62
Demeglio 法　834
demineralized bone matrix（DBM）　136
Denis Browne 装具　356, 836
dentatorubral-pallidoluysian atrophy（DRPLA）　578
dermal sinus　675
dermatoglyphics　504
Desbuquois 症候群　248
DESIGN-R　331
desmoid-type fibromatosis　176
destructive spondyloarthropathy（DSA）　285, 560
developmental dysplasia of the hip（DDH）　353, 725, 727
Dewar 瓶　167
D［E］XA（dual energy X-ray absorptiometry）　17, 56, 288
diabetic foot　223, 879
diabetic neuropathy　305
diabetic osteoarthropathy　223
diagnosis of bone and soft tissue tumors　150
diagnosis of neck and arm pain　614
dial test　796
dialysis-related spondylosis　560
diaphyseal dysplasia　266
diaphyseal fracture of the radius and ulna　457
diastematomyelia　675
diffuse enhancement　144
diffuse idiopathic skeletal hyperostosis（DISH）　218, 601, 656, 666
diffusion tensor（fiber）tractography（DTT）　580
diffusion tensor imaging　580
diffusion weighted MR imaging（DWI）　580
diffusion weighted MRN（DW-MRN）　686
digastric line　619

(C〜E)

digital clubbing　540
digital image processing 法　18
DIP 法　18
direct reduction　63
Direct Vertebral Rotation（DVR）　594
disc proper　478
disco-ligamentous complex　666
discography　13
disease-modifying antirheumatic drugs（DMARDs）　198
DISH（diffuse idiopathic skeletal hyperostosis）　218, 601, 656, 666
DISI（dorsal intercalated segment instability）　495
DISI 変形　478
dislocation of the ankle　859
dislocation of the distal radioulnar joint　489
dislocation of the long head of the biceps tendon　399
dislocation of the MP joints　507
dislocation of the subtalar joint　859
disorder of the biceps tendon　398
disorders of the acromioclavicular joint　411
disorganized development of skeletal components group　276
distal lineal metatarsal osteotomy　843, 844
distal radioulnar joint（DRUJ）　459, 478
distal tibial oblique osteotomy（DTOO）　852
distal tibiofibular ligament injury　869
distraction histogenesis　29
distributive shock　38
divergent　863
DLMO 法　843, 844
DM　300, 302
DMARDs（disease-modifying antirheumatic drugs）　198
DMD　297, 300, 301, 351
DMN（default mode network）　586
DN（dysfunction no-pain joint）　110
DOAC　327
Dobbs 法　836
dolchomorphism　597
dorsal intercalated segment instability（DISI）　478, 495
dorsal tilt　462
dorsiflexion-eversion test　760
double contour sign　212, 882
Down 症候群　240, 619, 837
DOX（doxorubicin）　158
doxorubicin（DOX）　158

Doyle の分類　509
Drehmann 徴候　725, 727, 731
dripping candle wax　263
DRPLA（dentatorubral-pallidoluysian atrophy）　578
drug therapy for rheumatoid arthritis　198
DRUJ（distal radioulnar joint）　459, 478
DRUJ 関節症　490
DRUJ 鏡　483
DRUJ 脱臼　459
DRUJ 不安定症　490
DS　273
DSA（destructive spondyloarthropathy）　285, 560
DTI（suspected deep tissue injury）　651
DTOO（distal tibial oblique osteotomy）　852
DTT〔diffusion tensor（fiber）tractography〕　580
Du Vries 法　891
dual energy X-ray absorptiometry（D[E]XA）　17, 56, 288
Duchenne 型筋ジストロフィー　297, 300, 301, 351
Duchenne 歩行　724
duplex scan　322, 329
Dupuytren 拘縮　534, 761
dural arteriovenous fistula（dural AVF）　569
dural ectasia　599
dural tail sign　565
Duvries 法　843
DVR（Direct Vertebral Rotation）　594
DVT（deep vein thrombosis）　327, 345
DW-MRN（diffusion weighted MRN）　686
DWI（diffusion weighted MR imaging）　580
dynamic 法　732
Dynamic Spinal Brace　609
dynamic stretching　340
dyschondrosteosis（Leri-Weill）　257
dysfunction no-pain joint（DN）　110
dysostosis　236
dysostosis multiplex　234, 236, 274
dysplasia epiphysealis capitis femoris　730
dysplasia of the dens　622
dystrophic type　598

E

EAC（early appropriate care）　41
early onset scoliosis　592
Eaton 分類　524
EB（ethambutol）　141, 147
EBUS（endobronchial ultrasound）　640
eccentric loading exercise　889
ECMO　47
ECOG-PS　168
ectopic bone formation　74
ectopic ossification about the elbow　447
ECU 腱鞘炎　491, 500
Eden テスト　409
EDMD　302
Edmonton Symptom Assessment System-revised（ESAS-r）　168
Ehlers-Danlos 症候群　270, 567, 597
Eichenholtz 分類　880
Eichhoff テスト　497
EIH（exercise-induced hypoalgesia）　605
El Escorial 基準　581
elastic stable intramedullary nailing（ESIN）　54, 768
elbow dislocation　440
elbow flexion test　409, 634
elbow injuries in sports　98
elbow instability　453
elbow ligament injury　452
electromyography　6
Ellis-van Creveld 症候群　237, 249, 837
emergency medical information system（EMIS）　76
Emery-Dreifuss 型筋ジストロフィー　302
EMIS（emergency medical information system）　76
enchondroma　542
enchondromatosis　277, 543
endobronchial ultrasound（EBUS）　640
endovascular therapy（EVT）　329
Enterobacter cloacae　120
enthesitis　217
enthesopathy　444, 718, 892
enthesophytes　217
entrapment neuropathy in the lower extremity　759
EORTC（European Organization for Research and Treatment of Cancer）　168
EORTC QOL-C 30　168
eosinophilic granuloma　604

索引

947

索引

epidural AVF(epidural arteriovenous fistula) 569
epidural block 24
EPINet 35
epiphyseal separation of the vertebral body 703
eponym 236
EPUAP(European Pressure Ulcer Advisory Panel) 331
Erb 麻痺 407
eribulin 159
Erying の6徴候 629
ES 細胞 784
ESAS-r(Edmonton Symptom Assessment System-revised) 168
Escherichia coli 120
ESIN(elastic stable intramedullary nailing) 54, 768
Essex-Lopresti 損傷 441
Essex-Lopresti 脱臼骨折 489
Essex-Lopresti 分類 861
ESWT 115
ethambutol(EB) 141, 147
EULAR(European League Against Rheumatism) 194
EULAR 推奨 2016 196
European Organization for Research and Treatment of Cancer (EORTC) 168
European Pressure Ulcer Advisory Panel(EPUAP) 331
EVT(endovascular therapy) 329
Ewing 肉腫 134, 150, 158, 182, 709, 821
Ewing sarcoma 182
EWSR1 156
examination of the ankle 833
examination of the foot 833
excisional surgery 558
exercise-induced amenorrhea 87
exercise-induced hypoalgesia(EIH) 605
exercise prescription for elderly patients with musculoskeletal disorders 336
exostosin(*EXT*) 276
extension block 法 508
extension block pin 509
external fixation for bone fracture 66
extracapsular arterial ring 746
extrusion 684

F

fabella 症候群 759
FABER テスト 105, 727, 751
facet cysts in the lumbar spine 700

FADIR test 105
FAI(femoroacetabular impingement) 104, 727, 731, 750
FAI 診断指針 105
failed back syndrome(FBS) 690
false profile 像 104
Fanconi 貧血 497
far-lateral disc herniation 686
FAST(focused assessment with sonography for trauma) 38
fast field echo 法 2
fat embolism syndrome(FES) 47
fat free mass(FFM) 89
fat pad sign 431
fatigue fracture 93
FBS(failed back syndrome) 690
FDG-PET 16, 617
FED(full-endoscopic discectomy) 109, 683, 689
Feil 分類 624
felon 538
femoral fractures in children 768
femoral head fracture 744
femoral neck fracture 745
femoral nerve stretch test(FNST) 684
femoral shaft fracture 766
femoral subtrochanteric fracture 764
femoroacetabular impingement (FAI) 104, 727, 731, 739, 750
femorotibial angle(FTA) 780, 826
Fenton's syndrome 488
FES(fat embolism syndrome) 47
FES(functional electrical stimulation) 350
FESS(full-endoscopic spine surgery) 685
FFD 109
FFE 法 2
FFF(flexible flatfoot) 838
FFM(fat free mass) 89
FFP 保存 19
FFPE 156
FGFR2 遺伝子 282
FGFR 3 240
FGFR 3 軟骨異異形成症グループ 232, 241
FGFR 3 chondrodysplasia group 241
FHL テスト 895
fibrillation potential(Fib) 8, 71
fibro-osseous tunnel 760
fibroblastic type 177
fibrodysplasia ossificans progressiva (FOP) 278
fibrosarcoma 185

fibrous union 433
Ficat-Arlet 分類 226, 434
Fielding 分類 626
filamin グループと関連疾患 248
filamin B 248
filamin group and related disorders 248
filum terminale syndrome 674, 676
FIM(functional independence measure) 334, 335, 341, 349
finger amputation 515
finger escape sign 616
finger systolic blood pressure % (FSBP%) 325
finger tip injury 513
Finkelstein テスト 497
FISH 法 156
fishtail 変形 55
flaccid palsy 875
flake sign 436
flare-up 278
flatfoot in childhood 838
fleck sign 872
flexible flatfoot(FFF) 838
flexion-adduction test 733
flexion abduction external rotation test 105
flexion adduction internal rotation test 105
flexor hallucis longus tendinopathy 896
flip test 673
floating elbow 42
floating knee 42
floating shoulder 413
FLS(fracture liaison service) 57
fluorescence *in situ* hybridization 法 156
flushing 640
FNCLCC(La Fédération Nationale des Centres de Lutte Contre le Cancer) 155
FNST(femoral nerve stretch test) 109, 684
FO(foot orthosis) 353
focused assessment with sonography for trauma(FAST) 38
Foix-Alajouanine syndrome 569
Foley カテーテル 714
follicle stimulating hormone(FSH) 88
FOM(fosfomycin) 146
Fontaine 分類 321, 323, 329
foot deformity in patients with rheumatoid arthritis 878
foot orthosis(FO) 353
foot problems caused by gout 881

948

FOP(fibrodysplasia ossificans progressiva)　234, **278**
fosfomycin(FOM)　146
fovea sign　480, 490
fracture-dislocation of the PIP joints　508
fracture dislocation of the Lisfranc joint　863
fracture dislocations　57
fracture liaison service(FLS)　57
fracture of metatarsus　864
fracture of phalanges　864
fracture of the distal femur　770
fracture of the lateral humeral condyle　431
fracture of the medial humeral condyle　432
fracture of the medial humeral epicondyle　433
fracture of the patella　789
fracture of the rib　660
fracture of the scapula　413
fracture of the sternum　660
fracture of the tibia and fibula　823
fracture of the tibial intercondylar eminence　792
fracture of the tibial tubercle　793
fractures in young children　53
fractures of abused infant and young children　58
fractures of the head of the radius　441
fractures of the metacarpals　505
fractures of the neck of the radius　441
fractures of the proximal phalanges　506
frailty　297
Frankel 分類　647
fraying　284
free freezing 法　167
free running wave　8
free vascularized bone graft　136
Freeman-Sheldon 症候群　531
Freiberg 病　112, **839**, 865
Freiberg test　672, 706
friction tendinopathy　521
frog-leg position　716
Frohse's arcade　467
Froment 徴候　473, 474, 500
frontotemporal lobar degeneration(FTLD)　579
frozen gait　350
frozen shoulder　418
FSBP%(finger systolic blood pressure %)　325

FSH(follicle stimulating hormone)　88
FSHD　298, 302
FTA(femoro-tibial angle)　780, 827
FTLD(frontotemporal lobar degeneration)　579
Fugl-Meyer assessment　349
Fugl-Meyer test　335
Fukutin　301
Fulcrum backward bending 法　601
fulcrum test　93
full-endoscopic discectomy(FED)　109, 683, 689
full-endoscopic spine surgery(FESS)　685
function and anatomy of the spine　550
functional anatomy and biomechanics of the hip joint　722
functional anatomy of the knee　780
functional anatomy of the lower leg　820
functional anatomy of the shoulder　378
functional electrical stimulation(FES)　350
functional independence measure(FIM)　334, 335, 341, 349
functional reach test　347
fungal infection in bone and joint　123

G

G-CSF 製剤　322
Gächter 分類　817
Gaenslen テスト　710, 717, 725
GAG　687
Galeazzi 骨折　459
Galeazzi 脱臼骨折　457, 481, 489
Ganga hospital open injury score(GHOIS)　75
ganglion　541
ganglion cysts in the lumbar spine　700
Gantzer の筋　457
Garden 分類　60
Garden stage　745
Gardner 症候群　176
Garré[硬化性]骨髄炎　133
Gartland 分類　431
gastrocnemio-semimembranous bursa　817
gastrocnemius recession　889, 894
Gaucher 病　434, 737
Gauthier sign　761
GCI(glial cytoplasmic inclusion)　578

GCT(giant cell tumor)　555
Geissler 分類　482
genetic diagnosis and genetic counselling　235
genetic diagnosis of bone and soft tissue tumors　156
genetic inflammatory/ rheumatoid-like osteoarthropathies　280
geriatric fracture　55
Ghent 診断基準　597
GHOIS(Ganga hospital open injury score)　75
ghost sign　816
giant cell tumor(GCT)　555
　—— of bone　171
　—— of tendon sheath　544
Giemsa 染色　154
Gilura の arch　481
Gissane 角　861
Gitelman 症候群　308
giving way　781
GLI3　837
glial cytoplasmic inclusion(GCI)　578
glioma　543
Global Modular Reconstruction System(GMRS)　164
glomus tumor　541
GM　43
GMFCS(gross motor function classification system)　310
GMFM(gross motor function measure)　310
GMFM-66　310
GMRS(Global Modular Reconstruction System)　164
GNAS　156
gnomAD　236
GnRH　87
GnRH 負荷試験　88
Gorham 病　556
Goss の superior shoulder suspensory complex(S. S. S. C.)　414
Gould 法　868
gout　212
GPC　120
GPi　547
Graf 法　726
graft on flap　513
GRAPPA(Group for Research and Assessment of Psoriasis and Psoriatic Arthritis)　221
grasping test　811
gravity test　857
Grebe dysplasia　257
Greenberg 骨異形成症　259

索引

Greenberg の分類　623
Greig 頭蓋多合指症候群　837
grinding test　524
Grisel 症候群　626
gross motor function classification system（GMFCS）　310
gross motor function measure（GMFM）　310
Group for Research and Assessment of Psoriasis and Psoriatic Arthritis（GRAPPA）　221
Growing Kotz System　164
growing rod 法　592, 594, 596
growth spurt　730
guided growth 法　255
Guillain-Barré 症候群　303, 306, 349, 637
Gurd の診断基準　47
Guyon 管　499, 504
Guyon 管症候群　490, 499

H

H-E 染色　155
H3F3A　156
H3F3B　156
Hagland's deformity　890
Hajdu-Cheney 症候群　262
HAL（Hybrid Assistive Limb）　352
halberd pelvis　238
hallux valgus　842
hallux vulgus angle（HVA）　842
Halo 式装具　354
halo gravity 牽引　26
halo vest 固定　26
HAM（HTLV-1 associated myelopathy）　618
Hamada 分類　390
Hammer toe　845
Hammond 法　842
hand-arm vibration syndrome　325
Hand-Schüller-Christian 病　173
hand amputation　515
hand held dynamometer（HHD）　5
hangman 骨折　644
　── の分類　645
Hanhart 症候群　527
Hannover fracture scale '98　75
Hansen 病　879
Hanson pin system　747
harlequin sign　640
Hattrup & Johnson 分類　845
Hawkins 分類　852
Hawkins sign　390, 852
HBO（hyperbaric oxygen therapy）　142
HBV　196
HCG（hypochondrogenesis）　245

heat edema　547
Heberden 結節　523
Heberden nodes　523
Heel Cord Stretching　839
heel lift　114
Hegemann 病　434
Heifetz の進行度分類　848
hemophilic arthritis　221
hemosiderin cap　562
Henneman の原理　5
Herbert 分類　486
hereditary hypophosphatemic rickets with hypercalciuria（HHRH）　285
hereditary osteochondrodystrophia deformans　255
herniation pits　751
heterotopic bone formation　314
heterotopic ossification　447
Hexapod システム　877
HFF-STA（hypermobile flatfoot with short tendo-Achilles）　838
HGF プラスミド　322
HGVD（Human Genetic Variation Database）　236
HHD（hand held dynamometer）　5
HHR（humeral head replacement）　204
HHRH（hereditary hypophosphatemic rickets with hypercalciuria）　285
high-risk fracture　873
high pressure injection injury　515
high tibial osteotomy（HTO）　814, 816
Hilgenreiner 線　726
Hill-Sachs 損傷　96, 383, 394
Hill-Sachs 病変　391
hinge abduction　730
hip fracture dislocation　743
hip orthosis（HO）　353
Hippocrates 法　394
Hippocrates 指　540
Hirschsprung 病　253
histiocytosis X　173
HIV 脊髄症　582
HLA-B 27　215
HMRS（Howmedica Modular Resection System）　165
HO（hip orthosis）　353
Hoehn & Yahr 分類　349
Hoffa 病（膝蓋下脂肪体炎）　805
Hoffa disease　805
Hoffa sign　805
Hoffmann 徴候　631, 634
Hoffmann 反射　615, 616
Hohmann 体操　842

Holstein-Lewis 骨折　51
Holt-Oram 症候群　401, 497, 533, 838
Homans 徴候　345
hook of hamate fracture　487
hook test　436
Hoover test　673
Horii's circle　452
Horner 症候群　640
Horner 徴候　574
hourglass 現象　398, 436
Howmedica Modular Resection System（HMRS）　165
HPGD　267
HS　273
HSAN-4　304
HTLV-1 関連痙性対麻痺　618
HTLV-1 関連脊髄症　582
HTLV-1 associated myelopathy（HAM）　618
HTO（high tibial osteotomy）　814, 816
Huber 法　534
Huftlendestrecksteife　672
Hughston Plica Test　803
human-made disaster　76
Human Genetic Variation Database（HGVD）　236
Hume 骨折　459
humeral head replacement（HHR）　204
humeral shaft fractures　429
humpback deformity　478
Hunter 症候群　273
Hurler 症候群　273
HVA（hallux vulgus angle）　842
Hybrid Assistive Limb（HAL）　352
hydraulic distention　803
hydromyelia　574
hyperbaric oxygen therapy（HBO）　142
hyperesthesia　615
hyperexternal rotation テスト　96
hypermobile flatfoot with short tendo-Achilles（HFF-STA）　838
hypermobile meniscus　801
hypermobility　596
HyperPP　308
hyperuricemia　212
hypesthesia　615
hypochondrogenesis（HCG）　245
hypochondroplasia　241, 243
hypochondroplasia-like dysplasia　242
hypophosphatasia　240, 271
hypophosphatemic rickets　272
hypoplasia of the trochlea of the humerus　434

(G〜J)

HypoPP　308
hypovolemic shock　38

I

I-Cell（アイセル）病　275
iBF（interactive Bio-Feedback）　352
IBG（impaction bone grafting）　773
IC　169
ICARS（International Cooperative Ataxia Rating Scale）　350
ICF（International Classification of Functioning, Disability and Health）　362
ICFSG（International Clubfoot Study Group）　836
ICRS　804
ICRS 分類　783
ICT（infection control team）　22, 145
Ideberg 分類　413
IDH1　156
IDH2　156
idiopathic hemarthrosis of the knee　782
idiopathic juvenile osteoporosis（IJO）　269
idiopathic osteonecrosis of the femoral head（ION）　224
idiopathic osteonecrosis of the knee　815
IE（infective endocarditis）　120
IFITM5（*interferon-induced transmembrane protein 5*）　267
IFN-γ　147
ifosfamide（IFO）　159, 179
IgG4 関連疾患　197
IGHL（inferior glenohumeral ligament）　378
IGRA　141
IJO（idiopathic juvenile osteoporosis）　269
IL-6 阻害薬　198
IL-12/IL-23 阻害薬　216
IL-17 阻害薬　216
IL-23 阻害薬　216
iliopsoas pyomyositis　706
iliotibial band friction syndrome　810
iliotibialitis　810
Ilizarov 創外固定　855
Ilizarov 法　29, 132, 136
imaging in the diagnosis of bone and soft tissue tumors　152
iMAP（intra-medullary antibiotics perfusion）　138
impaction bone grafting（IBG）　773
impingement 症候群　419
impingement zone　810

IMRT（intensity modulated radiation therapy）　161
in situ 固定　596
in situ 固定法　731
in situ single screw fixation　731
inclusion-cell disease　275
indirect reduction　63
infection associated with spinal implants　145
infection control team（ICT）　22, 145
infection with anaerobic bacteria　125
infective endocarditis（IE）　120
inferior glenohumeral ligament（IGHL）　378
informed consent　35
ingrown toenail　847
INH（isoniazid）　141, 147
initial step pain　892
injuries of bifurcated ligament　871
injuries of the acromioclavicular joint　411
injury in the sternoclavicular joint　393
injury of the middle and lower cervical spine and spinal cord　646
injury of the upper cervical spine and spinal cord　644
insertional Achilles tendinopathy　889
institutional bank　31
insufficiency fracture　59
intensity modulated radiation therapy（IMRT）　161
interactive Bio-Feedback（iBF）　352
intercalated bone　478
interferon-induced transmembrane protein 5（*IFITM5*）　267
internal impingement　419
International Classification of Functioning, Disability and Health（ICF）　362
International Clubfoot Study Group（ICFSG）　836
International Cooperative Ataxia Rating Scale（ICARS）　350
International Society of Lymphology（ISL）　328
interventional radiology（IVR）　39
intra-articular fractures　57
intra-medullary antibiotics perfusion（iMAP）　138
intra-soft tissue antibiotics perfusion（iSAP）　138
intracranial hypotension　585
intrafocal 法　508

intramedullary AVM（intramedullary arteriovenous malformation）　569
intramedullary nail fixation of fractures　50
intraoperative spinal cord monitoring　8
intrathecal baclofen therapy（ITB）　311
intravenous patient-controlled analgesia（IV-PCA）　23
ION（idiopathic osteonecrosis of the femoral head）　224
iPS 細胞　576, 784
iSAP（intra-soft tissue antibiotics perfusion）　138
ISL（International Society of Lymphology）　328
Isline 病　865
isokinetic contraction　340
isometric contraction　340
isoniazid（INH）　141, 147
isotonic contraction　340
ITB（intrathecal baclofen therapy）　311
IV-PCA（intravenous patient-controlled analgesia）　23
IVR（interventional radiology）　39

J

Jackson テスト　583, 615, 632
Jacob の分類　431
Jaffe's triangle　153
JAK（Janus kinase）　199
JAK 阻害薬　201
Jansen 型　237
Janus kinase（JAK）　199
Japan Advanced Trauma Evaluation and Care（JATEC™）　39
Japan Children's Cancer Group（JCCG）　151
Japan Clinical Oncology Group（JCOG）　151
Japan College of Rheumatology（JCR）　195
Japan Ewing Sarcoma Study（JESS）　151
Japan Rhabdomyosarcoma Study Group（JRSG）　151
Japanese Musculoskeletal Oncology Group（JMOG）　151
JATEC™（Japan Advanced Trauma Evaluation and Care）　39
JATEC™ プロトコル　39
JBJT（joint by joint theory）　110
JCCG（Japan Children's Cancer Group）　151

索引

JCOG（Japan Clinical Oncology Group）　151
JCR（Japan College of Rheumatology）　195
Jefferson 骨折　26, 644
Jeffery 型損傷　441
jersey finger　101
jersey injury　517
JESS（Japan Ewing Sarcoma Study）　151, 182
Jeune 症候群　237
Jewett 型装具　355
JIA（juvenile idiopathic arthritis）　208
　──の分類基準　209
JKOM　336
JMOG（Japanese Musculoskeletal Oncology Group）　151
JOA Hip score　225
Jobe 法　454
joint by joint theory（JBJT）　110
joint contracture　338
joint depression fracture　861
joint puncture　3
Jones 骨折　82, 865, 873
Jones 分類　829
Jones 法　891
JRSG（Japan Rhabdomyosarcoma Study Group）　151
JSS　349
jumper's knee　806
juvenile idiopathic arthritis（JIA）　208
juvenile lumbar disc herniation　682
juxtacortical chondroma　544

K

KAFO（knee ankle foot orthosis）　353
Kanavel の 4 徴候　537
Kapandji 法　64
Karnofsky performance status（KPS）　168
Keegan 型頚椎症　379
Keegan 型頚椎症性神経根症　380
Kelly 改良法　891
Kelly 法　891
Kemp 徴候　685, 697
Kemp テスト　551, 672
Kernig 徴候　570
Kesagake approach　855
Keutel 症候群　259
Kibler test　396
Kienböck 病　103, 470, 480, 481, 492, 520
King 変法　474
King 法　464
Kleinert 変法　495
Kleinert 法　518
Klippel-Feil 奇形の斜頚　621
Klippel-Feil 症候群　401, 619, 624
Klippel-Feil syndrome　624
Klippel-Trenaunay-Weber 症候群　532, 756
Klumpke 麻痺　407
KMLS（Kyocera Modular Limb Salvage System）　164
knee ankle foot orthosis（KAFO）　353
knee orthosis（KO）　353
Kniest 骨異形成症　230, 234, 237, 244, 246
Kniest dysplasia　245, 246
Knight 型腰仙椎装具　355
knuckle cast　507
knuckle pad　534
KO（knee orthosis）　353
Köhler 病　839
Köhler disease　839
König 法　891
Kozlowski 型　238, 254
KPS（Karnofsky performance status）　168
Krackow 法　452
KS　273
Kugelberg-Welander 病　875
Kyocera Modular Limb Salvage System（KMLS）　164

L

La Fédération Nationale des Centres de Lutte Contre le Cancer（FNCLCC）　155
Laaveg-Ponseti　836
labrum injury of the shoulder　396
laceration of finger extensor tendon　518
laceration of finger flexor tendon　517
Lachman テスト　110, 781, 792, 797, 801
LAG-3　163
lamin A/C　302
Langenskiöld 分類　827
Langer 症候群　257
Langer-Giedion 症候群　256, 276
Langerhans 細胞　173
Langerhans 細胞組織球腫　150
Langerhans 細胞組織球症　171, 173, 556
Langerhans cell histiocytosis（LCH）　556
　──of bone　173

Lapidus 法　843
Larsen 症候群　236, 248, 606, 621
Larsen の grade 分類　450
Larsen syndrome　248
Lasègue テスト　672
Latarjet 法　96, 378
late onset scoliosis　592
late segmental collapse（LSC）　747
lateral collateral ligament（LCL）　438, 452, 780
lateral epicondylitis　444
lateral epiphyseal artery　743
lateral lumbar disc herniation　686
lateral meniscus（LM）　782
lateral pillar 分類　729
lateral pivot shift テスト　439
lateral ulnar collateral ligament（LUCL）　438, 452
Lauenstein 像　104, 727
Lauge-Hansen 分類　856
Laurence-Moon-Biedl 症候群　837
LC-DCP（limited contact-dynamic compression plate）　48
LCH（Langerhans cell histiocytosis）　556
　──of bone　173
LCL（lateral collateral ligament）　438, 452, 780
LCL 損傷　795
LCL 複合体　438
LCP（locking compression plate）　49, 458
Le Fort（Wagstaff）lesion　856, 857
leg compartment syndrome　822
leg ulcers　329
Legg-Calvé-Perthes disease　728
leiomyosarcoma　185
Lenke 分類　593
Leri-Weill 症候群　464
lesser sigmoid notch　438
Letterer-Siwe 病　173
leukemia　187
Levine 分類　644
Lewis-Rorabeck 分類　770
LGMD　301
LGMD 1　301
LGMD 2　301
LH（luteinizing hormone）　87
Lhermitte 徴候　577, 616
LHRH 負荷試験　88
Lichtman 分類　493
lift off テスト　96, 390, 399
ligamentotaxis　63, 67
limb length discrepancy　756
limb salvage index（LSI）　75
limited contact-dynamic compression plate（LC-DCP）　48

(J〜M)

linezolid（LZD） 121
liposarcoma **184**
LIPUS（low-intensity pulsed ultrasound） 62, **68**, 115
Lisch 結節 599
Lisfranc 関節 833
Lisfranc 関節損傷 112
Lisfranc 関節脱臼骨折 **863**
Lisfranc 靱帯損傷 **871**
Lisfranc 切断 358
Lisfranc 複合体 871
Lisfranc ligament injuries **871**
Little Leaguer's elbow 98
Little Leaguer's shoulder 419
LL（lumbar lordosis） 601
LM（lateral meniscus） 782
load and shift テスト 380
locked symphysis 716
locking compression plate（LCP） 49
Locking Kessler 法 452
locking of MP joint of index finger **522**
locking of MP joint of thumb **522**
Loeys-Dietz 症候群 597
long-term care insurance system 367
long tract sign 615
longitudinal epiphyseal bracket 530
loose shoulder 393
Love 変法 682
Love 法 689
lover's paralysis 71
Lovibond 角 540
low-intensity pulsed ultrasound（LIPUS） 62, **68**, 115
low-risk fracture 873
lower extremity orthosis 352
LRINEC スコア 143
LRTI 法 524
LSC（late segmental collapse） 747
LSI（limb salvage index） 75
LSO 354
LSS（lumbar spinal stenosis） 698
LT 1 MTA 850
LTIL（lunotriquetral interosseous ligament） 478
LUCL（lateral ulnar collateral ligament） 438, 452
lumbar degenerative kyphoscoliosis 599
lumbar degenerative spondylolisthesis 695
lumbar disc herniation（LDH）in adults **684**

lumbar disc herniation in the aged **685**
lumbar lordosis（LL） 601
lumbar spinal instability **704**
lumbar spinal stenosis（LSS） **697**, 698
lumbar spine injury related to sports activities **108**
lumbar spondylolisthesis in adults **692**
lumbar spondylolysis in adults **692**
lumbar spondylolysis in children and adolescents **693**
lumbosacral lipoma 674
lunate dislocation **484**
lunatomalacia **492**
lunotriquetral interosseous ligament（LTIL） 478
luteinizing hormone（LH） 87
lymphedema **328**
lysosomal storage disease with skeletal involvement（dysostosis multiplex group） **273**
LZD（linezolid） 121

M

M 蛋白 188
Machado-Joseph 病 578
MacNab 分類 687
macrodactyly **531**
MACS（manual ability classification system） 310
Madelung 変形 257, **464**
MADS（musculoskeletal ambulation disability symptom complex） **345**
Maffucci 症候群 170, 181, 277, 532, **543**
Magerl 法 623
magic angle effect 385
Maisonneuve 骨折 856, 869
Malgaigne 圧痛 823
malignant fibrous histiocytoma（MFH） 183
malignant lymphoma **187**
malignant peripheral nerve sheath tumor（MPNST） **187**
malleolar fractures of ankle joint **856**
mallet finger **509**
mallet toe **845**
management of chronic low back pain **679**
mangled extremity severity score（MESS） 75
mangled extremity syndrome index（MES） 75

Mann 試験 616
Mann 法 842
manual ability classification system（MACS） 310
manual muscle testing（MMT） 5, 335, **338**, 615, 781
MAP 加赤血球 19
MAP 療法 158
Marfan 症候群 230, 270, **279**, 567, **596**
Marfanoid 596
Maroteaux 型 257
Maroteaux-Lamy 症候群 274
Martin and Pipkin 分類 104
MAS（modified Ashworth scale） 349
Mason-Morrey 分類 442
Masquelet 法 63, 132, 135, 136, 828
mass gathering 77
mastocytosis 265
MBC 123
MBEC（minimum biofilm eradication concentration） 122, 123
McCormack の Load-sharing 分類 667
McCune-Albright 症候群 53, 234, **290**
McDonald 診断基準 577
McGregor line 619
MCJ（midcarpal joint） 478
Mckay 836
McKinney and Nelson 分類 104
McKusick 型 237
McKusick 型骨幹端異形成症 234
McKusick 型軟骨・毛髪低形成症 253
MCL（medial collateral ligament） 438, 452, 780
MCL 損傷 795
MCL 複合体 438
McMurray テスト 781, 801
McRae line 619
MD 法 18
MDA（metaphyseal-diaphyseal angle） 827
MDCT（multidetector-row CT） 481
MDM2 156
MDS-UPDRS 349
mechanistic target of rapamycin（mTOR） 280
MED（microendoscopic discectomy） 683, 685, 689
medial collateral ligament（MCL） 438, 452, 780
medial synovial membrane（MSM） 803
medial tibial stress syndrome 822

■索引

median nerve palsy　470
medical check-ups of orthopaedics
　　83
medical pension certificate　371
melorheostosis　263, 265
Ménière 病　641
meningothelial meningioma　566
menisci　781
meniscus injuries　800
MEP（moter evoked potential）　23
MES（mangled extremity syndrome
　index）　75
mesomelic and rhizo-mesomelic
　dysplasia　257
MESS（mangled extremity severity
　score）　75
metabolic bone disease　284
metachondromatosis　276, 278
metaphyseal-diaphyseal angle
　（MDA）　827
metaphyseal dysplasia　252, 253
　──, Jansen type　255
　──, Schmid type　252, 255
metaphyseal flaring　237
metastatic spine tumor　557
metatropic dysplasia　247
methicillin-resistant *Staphylococcus
　aureus*（MRSA）　120, 707
methicillin-susceptible
　Staphylococcus aureus（MSSA）
　　120
methotrexate（MTX）
　　158, 179, 195, 198
metronidazole　144
Meyer 骨異形成症　729, 730
Meyerding の進行度分類　534
Meyerding 分類　697
Meyers と McKeever 分類　792
MFH（malignant fibrous
　histiocytoma）　183
MGHL（middle glenohumeral
　ligament）　378
MGHL 損傷　422
MIBI シンチグラフィー　16
MIC　121
MIC creep　121
Mickey Mouse sign　287
micro densitometry 法　18
microendoscopic discectomy（MED）
　　683, 685, 689
midcarpal joint（MCJ）　478
middle finger extension test　444
middle glenohumeral ligament
　（MGHL）　378
Mikulicz 線　780
Mikulicz 病　197
Milch 法　491

milking テスト　100, 439
Milwaukee brace　590
Mini-BESTest　350
minimal displacement　97
minimally displaced fracture　427
minimally invasive plate
　osteosynthesis（MIPO）
　　137, 430, 458, 771, 774, 791
minimum biofilm eradication
　concentration（MBEC）　122, 123
Mink らの分類　801
minocycline（MINO）　121
MIPO（minimally invasive plate
　osteosynthesis）
　　137, 430, 458, 771, 774, 791
misdirection　70
Mitchell 変法　205
Mitchell 法　842
Mizuno テスト　551
MJD　578
MMT（manual muscle testing）
　　5, 335, 338, 615, 781
MOB（multiply operated back）　690
Möbius 症候群　527
Modic change　702
modified Ashworth scale（MAS）
　　349
modified CE 角　727
modified Dunn 像　104
modified lasso-loop 法　868
monosodium urate（MSU）　212
Monteggia 骨折　443, 458
　── Bado 分類　459
Monteggia 脱臼骨折　457
Morel-Lavallée lesion　44, 767
Morley テスト　409, 616
Morquio 症候群　231, 273, 621
Morquio 病　256
Morton 病
　　551, 760, 865, 883, 884, 885
motor evoked potential（MEP）　23
motor neuron disease　615
motor unit potential（MUP）　6, 71
moving valgus stress test　100
MP 関節脱臼　507
MP 関節背側脱臼　522
MP 関節部伸筋腱脱臼　101
MPC　123
MPNST（malignant peripheral nerve
　sheath tumor）　187
MPR（multi planar reconstruction）
　　3, 647, 666, 863
MR neurography（MRN）　298
MRI diagnosis of the shoulder
　disease　385
MRN（MR neurography）　298

MRSA（methicillin-resistant
　Staphylococcus aureus）　120, 707
── による感染症　121
MS（multiple sclerosis）　553
MSA（multiple system atrophy）
　　350, 578
MSA-C　350
MSA-P　350
MSM（medial synovial membrane）
　　803
MSSA（methicillin-susceptible
　Staphylococcus aureus）　120
MSU（monosodium urate）　212
MSU 結晶沈着　212
MSU crystal aggregation　212
MSW（mutant selection window）
　　123
mTOR（mechanistic target of
　rapamycin）　280
MTX（methotrexate）
　　158, 179, 195, 198
MTX・LV 救援療法　158
mucolipidosis　275
mucopolysaccharidoses　273
Mulder テスト　886
Mulder sign　761
multi planar reconstruction（MPR）
　　3, 647, 666, 863
multidetector-row CT（MDCT）　481
multidirectional instability　852
multiple cartilaginous exostoses
　　276
multiple epiphyseal dysplasia
　　250, 256
　──, pseudoachondroplasia group
　　250
multiple fractures　41
multiple myeloma　188
multiple sclerosis（MS）　553, 577
multiple system atrophy（MSA）
　　350, 578
multiply operated back（MOB）　690
MUP（motor unit potential）　6, 71
muscle contusion　92
muscle evoked potential after
　electrical stimulation to the brain
　（Br(E)-MsEP）　8
muscle evoked potential after
　electrical stimulation to the brain
　（Sp(E)-MsEP）　8
muscle reeducation　340
muscle rupture of hamstrings　775
muscle rupture of quadriceps　775
muscle strain　92
muscle strengthening exercise　339
muscular torticollis　627

musculoskeletal ambulation disability symptom complex（MADS） 345
musculoskeletal rehabilitation 334
mutant selection window（MSW） 123
Mycobacterium tuberculosis 554
myelitis 582
myelography 12
myelopathy hand 616, 634
myelotomy 570
Myerson の分類 849, 863
Myf 5 300
myiasis 330
MyoD 300
MyoD1 186
Myogenin 300
myositis ossifcans 447
myositis ossifcans traumatica 74
myotonin-protein kinase 302

N

NA（neuralgic amyotrophy） 305
National Institutes of Health stroke scale（NIHSS） 349
National Pressure Ulcer Advisory Panel（NPUAP） 331
natural disaster 76
navicular fracture 862
NCS（nerve conduction study） 6
NDT（neuro developmental treatment） 310
necrotizing fasciitis 143
needle electromyography（nEMG） 6
needlestick injuries 33
Neer テスト 380
Neer 分類 427
Neer sign 390
negative pressure wound therapy（NPWT） 42, 44, 146, 708
nEMG（needle electromyography） 6
neoadjuvant chemotherapy 179
nerve conduction study（NCS） 6
nerve conduction velocity 6
nerve injury, ischemia, soft-tissue injury, skeletal injury, shock, and age of patient score（NISSSA） 75
neuralgic amyotrophy 305, 473, 518, 519, 648
neuralgic amyotrophy（NA） 305
neurapraxia 70, 406
neuro developmental treatment（NDT） 310
neuroarthropathy 879

neurofibromatosis 154, 598
neurofibromatosis 1（NF1） 187, 234, 598, 827
neurological diagnosis of cervical myelopathy 615
neuropathic arthropathy 222, 879
neuropathic foot 879
neuropathic joint 879
neurotmesis 70, 406
neurotrophic tyrosine kinase receptor type 1（NTRK1） 304
neutral zero starting position 338
Newton テスト変法 710
Newton test 717, 725
NF1（neurofibromatosis 1） 187, 234, 598, 827
NF2 598
NIHSS（National Institutes of Health stroke scale） 349
NinJa コホート 210
NISSSA（nerve injury, ischemia, soft-tissue injury, skeletal injury, shock, and age of patient score） 75
NLR family, pyrin domain containing 3（NLRP3） 882
NLRP3（NLR family, pyrin domain containing 3） 882
NMES 115
nodular tenosynovitis 544
non-invasive positive pressure ventilation（NPPV） 579
nondystrophic type 598
nonorganic dysfunctional low back pain 680
nonorganic tenderness 680
nonsteroidal anti-inflammatory drugs（NSAIDs） 107, 198, 307
nontuberculous mycobacteriosis 140
Nora's lesion 884
nosology and classification of genetic skeletal disorders: 2015 revision 232
NPPV（non-invasive positive pressure ventilation） 579
NPUAP（National Pressure Ulcer Advisory Panel） 331
NPWT（negative pressure wound therapy） 42, 44, 146, 708
NRS（numerical rating scale） 362, 665
NSAIDs（nonsteroidal anti-inflammatory drugs） 107, 198, 307
NSAIDs 潰瘍 200

NST（nutrition support team） 331, 668
NTRK1（neurotrophic tyrosine kinase receptor type 1） 304
numerical rating scale（NRS） 362, 665
Nunley らの分類 871
nutcracker fracture 862
nutrition support team（NST） 331, 668

O

O脚 757
O'Brien テスト 96, 380, 396
O'Brien active compression test 436
O'Driscoll 法 454
O-arm 594
OA 412
OARSI 813
Ober test 811
oblique V-Y 前進皮弁 513
obstetrical brachial plexus injury 405
obstructive shock 38
occlusive dressing 法 513
occult fracture 746
occult ガングリオン 480
OCD（osteochondritis dissecans） 98, 448, 804
oculodentodigital dysplasia（ODDD） 526
ofloxacin（OFLX） 122
Ogden 分類 793
Ohshio 法 205
OKC（open kinetic chain） 5
olecranon fracture 440
OLF（ossification of the ligamentum flavum） 658
Ollier 病 170, 181, 277, 532, 542, 756
OLS（osteoporosis liaison service） 57
Ombrédanne 線 726
OMC brace（Osaka Medical College brace） 590
OMIM（Online Mendelian Inheritance in Man） 232
One finger test 718
one finger test 陽性 710
onion-peel appearance 150
Online Mendelian Inheritance in Man（OMIM） 232
open book injury 716
open kinetic chain（OKC） 5
open reduction and internal fixation（ORIF） 865
operative treatment of cerebral palsy 311

索引

OPG 287
OPLL（ossification of posterior longitudinal ligament） 9, 581
—— of the cervical spine 635
OPMD 302
ORIF（open reduction and internal fixation） 865
orthopaedic sports medicine 80
Orthopaedic Trauma Association open fracture classification（OTA-OFC） 75
Orthopedic Salvage System（OSS） 164
orthopedic shoes 355
Ortolani テスト 725
os odontoideum 622
Os peroneum 898
Os peroneum 障害 897
Os subfibulare 898
Os subfibulare 障害 897
Os subtibiale 障害 897
Osaka Medical College brace（OMC brace） 590
Osborne 靱帯 439
Osborne band 474
Osebold-Remondini 型 257
Osgood-Schlatter 病 110, 116, 793, 807, 821
OSMED（otospondylomegaepiphyseal dysplasia） 247
OSS（Orthopedic Salvage System） 164
ossification of posterior longitudinal ligament（OPLL） 9, 581
—— of the thoracic spine 656
—— of the cervical spine 635
ossification of the ligamentum flavum（OLF） 658
osteitis pubis 717
osteoarthritis of glenohumeral joint 422
osteoarthritis of Lisfranc joint 848
osteoarthritis of the ankle joint 850
osteoarthritis of the CM joint of the thumb 524
osteoarthritis of the elbow 448
osteoarthritis of the hip 739
osteoarthritis of the knee 811
osteoblastic type 177
osteoblastoma 884
osteochondral lesion of the talar dome 860
osteochondritis dissecans（OCD） 98, 448, 804
—— of the elbow 446
—— of the knee 804

osteochondrodysplasia 230, 236
osteoconduction 31
osteogenesis imperfecta 240, 267, 618
osteogenesis imperfecta and decreased bone density group 267
osteoinduction 31
osteomalacia 284
osteomyelitis following open fractures 134
osteomyelitis with skin and bone defect 135
osteonecrosis of the femoral head 737
osteopetrosis 261
osteopetrosis and related disorders 261
osteopoikilosis 265
osteoporosis 288
osteoporosis liaison service（OLS） 57
osteoporotic vertebral fracture 558
osteosarcoma 177
OTA-OFC（Orthopaedic Trauma Association open fracture classification） 75
other sclerosing bone disorders 266
otospondylomegaepiphyseal dysplasia（OSMED） 247
outcome measure of musculoskeletal disorders 335
Outerbridge-柏木法 449
over work weakness 351
overfaced pedicle 239

P

P-AntiRoLL 868
P1NP 288
PABPN1 302
Pace test 706
pachydermoperiostosis 267
PAD（peripheral arterial disease） 321, 329, 697
Paget 病 134, 177
Paget-Schroetter 症候群 408
Paget's disease of bone（PDB） 286
pain control for the shoulder pain 381
pain provocation test 396
painful arc sign 380
painful bipartite patella 810
painful instability 204
painful stiffness 204
palliative care of malignant tumors 167

palliative surgery 558
Palmer 分類 490
Palmer 分類 class 1 482
Palmer 分類 class 2 482
palmoplantar pustulosis（PPP） 664
pamidronate 270
Pancoast 腫瘍 418, 552, 631, 632
Pancoast 症候群 640
Panner 病 446
PAO（pustulotic arthro-osteitis） 664
Papanicolaou 染色 154
paprika 徴候 135
paralytic foot 875
paraplegia 655
parathyroid hormone（PTH） 63, 560
Parkinson 病 295, 296, 349, 546, 628
paronychia 539
parosteal chondroma 544
pars interarticularis 693
partial incongruity 863
PAS 染色 155
passive exercise 340
passive stretch test 822
Pasteur 処理 167
patella tendon reflex（PTR） 673
patellar dislocation 786, 787
patellar tendon bearing（PTB） 824
patellar tendon bearing 装具 853, 880
patellofemoral pain syndrome（PFPS） 803
pathologic FF 838
pathology in the sternoclavicular joint 393
Patrick テスト 673, 710, 717, 727
Pauwels の理論 722
Pax 3 300
PAX3-FOXO1 186
Pax 7 300
PAX7-FOXO1 186
pazopanib 159
PCL（posterior cruciate ligament） 780
PCPS 47
PCT（procalcitonin） 146
PD-1 163
PDB（Paget's disease of bone） 286
PDGF（platelet-derived growth factor） 540
peak bone mass 89
PED（percutaneous endoscopic discectomy） 145, 685
pedicle freezing 法 167
pedicle sign 556, 679
peel back phenomenon 396

(O〜P)

pelvic incidence(PI)　601
───, lumbar lordosis(PI-LL)　599
pelvic ring fracture　714
pelvic ring instability　717
pelvic tilt(PT)　599, 601
pencil and cap 変形　523
percutaneous endoscopic discectomy(PED)　145, 685
percutaneous epiphysiodesis with transphyseal screw(PETS)　277
percutaneous exposure　33
percutaneous pedicle screw(PPS)　59, 145
percutaneous 法　868
perfect O sign　470
performance status(PS)　168
perilunate dislocation　484
perimedullary arteriovenous fistula (perimedullary AVF)　569
periodic limb movement(PLM)　308
periodic paralysis　308
periosteal chondroma　544
peripheral arterial disease(PAD)　321, 329, 697
peripheral nerve injection injury of the upper extremity　474
peripheral nerve injuries　69
peripheral SpA　216
periprosthetic femoral fracture after total hip arthroplasty　772
periprosthetic femoral fracture after total knee arthroplasty　774
periprosthetic joint infection(PJI)　139
periventricular leukomalacia(PVL)　310
Perkins 線　726
peroneal nerve palsy　825
peroneal tendon dislocation　890
Perthes 病　105, 225, 261, 723, 728, 733, 738, 756
Perthes 病様変化　256
pes anserinus　818
pes anserinus tendinitis bursitis syndrome　818
PETS(percutaneous epiphysiodesis with transphyseal screw)　277
Peyronie 病　534
Pfeiffer 症候群　282
PFPS(patellofemoral pain syndrome)　803
Phalen テスト　470, 499, 634
Phemister の 3 徴　141
PHEX　272
phlegmon　126
PHN(post-herpetic neuralgia)　307

physical examination of the shoulder joint　379
physical therapy for articular contracture　342
physiologic bowlegs　757
physiologic knock-knees　757
physiolysis　465, 530
PI(pelvic incidence)　601
PI-LL(pelvic incidence, lumbar lordosis)　599
piano key 症状　411
piano key sign　524
piano key test　480
Pierre-Robin 症候群　247
pigmented villonodular synovitis (PV[N]S)　175, 751, 783, 834
pilon 骨折　854
pin prick テスト　551, 615
pincer 病変　105
pincer type FAI　105
PIP 関節側副靱帯損傷　102
PIP 関節損傷　101
PIP 関節脱臼骨折　508
PIPC　43
Pipkin 分類　744
Pirani 法　834
piriformis syndrome　704
pivot shift テスト　110, 781, 797
PJI(periprosthetic joint infection)　139
plafond 骨折　854
plantar fasciitis　892
plantigrade　876
plantigrade foot　880
plate fixation of fractures　48
platelet-derived growth factor (PDGF)　540
Platzgummer 法　891
PLC 機能不全　796
PLC 損傷　795
plethysmography　329
plexiform neurofibroma　187
PLF(posterolateral lumbar fusion)　601
PLM(periodic limb movement)　308
PLRI(postero-lateral rotatory instability)　452, 453
PMP22　301
PMR　210
PMRI(postero-medial rotatory instability)　453
Pn(E)-MsEP　8
Pn(E)-SCEP(spinal cord evoked potential after electrical stimulation to the peripheral nerve)　8

PNF(proprioceptive neuromuscular facilitation)　340
PNF ストレッチング　340
POL(posterior oblique ligament)　438
Poland 症候群　283, 401, 527, 837
polka-dot appearance　170
polydactyly　526, 836
polymyositis　302
polyneuropathy　303, 349, 351
POMS(profile of mood states)　86
Ponseti 法　835, 836
popliteal cyst　817
positive sharp wave(PSW)　8, 71
post-herpetic neuralgia(PHN)　307
post-polio syndrome(PPS)　349
post-thrombotic syndrome(PTS)　327
posterior ankle impingement syndrome　895
posterior cruciate ligament(PCL)　780
─── injury　798
posterior drawer test　798
posterior hump　238
posterior oblique ligament(POL)　438
posterior sagging　781
posterior sagging sign　798
posterior tibial tendon dysfunction (PTTD)　849
postero-lateral rotatory instability (PLRI)　452, 453
postero-medial rotatory instability (PMRI)　453
posterolateral complex　780
posterolateral drawer test　796
posterolateral lumbar fusion(PLF)　601
postlaminectomy spine deformity　605
postoperative discitis　707
posttraumatic progressive spine deformity　606
posttraumatic syringomyelia　575
postural orthostatic tachycardia syndrome(POTS)　586
POTS(postural orthostatic tachycardia syndrome)　586
Pott 麻痺　147, 554
PPP(palmoplantar pustulosis)　664
PPRD(progressive pseudorheumatoid dysplasia)　280
PPS(percutaneous pedicle screw)　59, 145
PPS(post-polio syndrome)　349

■索引

pQCT 法　18
pre-participation health screening and evaluations　82
predictive salvage index(PSI)　75
Preiser 病　481, 493
prenatal diagnosis　240
pressure ulcers　331
　——　in spinal cord injury patients　651
preventable trauma death　660
prevention of falls　347
prevention of surgical site infection　22
PRICE 処置　114
primary management of the dirty and crushed wound　42
primary resuscitation　39
primary treatment of patients with multiple trauma　39
primary tumors of the spine　555
procalcitonin(PCT)　146
procedure of the compensation in the workmen's accident　364
profile of mood states(POMS)　86
profundus test　520
progressive muscular dystrophy　301
progressive pseudorheumatoid dysplasia(PPRD)　280
Propionibacterium acnes　120
proprioceptive neuromuscular facilitation(PNF)　340
prosthetic prescription　356, 358
prosthetic reconstruction after wide resection of malignant bone tumors　164
Proteus 症候群　532, 756
protrusion　684
proximal humeral fractures　427
PRP　785
PS(performance status)　168
PsA(psoriatic arthritis)　219
psammomatous 型髄膜腫　565
psammomatous meningioma　566
pseudo-Morquio disease type Ⅱ　254
pseudo-OA　214
pseudo-RA　214
pseudoachondroplasia　251
pseudoarthrosis　62
pseudoepiphysis　282
pseudogout　214
Pseudomonas aeruginosa　120, 123
pseudorupture of the rotator cuff　413
PSI(predictive salvage index)　75
psoas sign　706

psoriatic arthritis(PsA)　219
PSW(positive sharp wave)　8
PT(pelvic tilt)　599, 601
PTB(patellar tendon bearing)　824
PTB 装具　853, 880
PTE(pulmonary thromboembolism)　20, 327
PTH(parathyroid hormone)　63, 560
PTH 組換え製剤　290
PTR(patella tendon reflex)　673
PTS(post-thrombotic syndrome)　327
PTTD(posterior tibial tendon dysfunction)　849
pull-out 法　453
pulled elbow　443
pulley lesion　419, 422
pulmonary thromboembolism(PTE)　20, 327
pulse wave velocity(PWV)　698
pulseless pink　516
pump bump　890
pustulotic arthro-osteitis(PAO)　664
Putti-Platt 法　391
PVL(periventricular leukomalacia)　310
PV[N]S(pigmented villonodular synovitis)　175, 751, 783, 834
PWV(pulse wave velocity)　698
pycnodysostosis　262
pyknodysostosis　262
pyogenic spondylitis　144
pyogenic tenosynovitis　537
pyrazinamide(PZA)　141, 147

Q

Q 角　780
Q-angle　84
QCT(quantitative CT)　18
QFT　147, 554
quality of upper extremity skills test(QUEST)　310
quantitative CT(QCT)　18
quantitative ultrasound(QUS)　18
QUEST(quality of upper extremity skills test)　310
QUS(quantitative ultrasound)　18

R

RA(radiographic absorptiometry)　18
RA(rheumatoid arthritis)　194, 494, 619, 642
　——　with vasculitis　211

radial collateral ligament(RCL)　438
radial deficiency　497
radial nerve palsy　467
radiculography　14
radiocarpal joint(RCJ)　478
radiofrequency device　29
radiographic absorptiometry(RA)　18
radionuclide imaging　16
radioulnar ligament　478
range of motion(ROM) testing　338
RANK　222
RANKL(receptor activator of NF-κB ligand)　160, 222, 558
RAO(rotational acetabular osteotomy)　728
rapidly destructive coxarthropathy(RDC)　735
Ray amputation　884
Raynaud 現象　11, 324
Raynaud 症候群　324, 545
Raynaud 病　324, 409, 545
RCDP　259
RCJ(radiocarpal joint)　478
RCL(radial collateral ligament)　438
RDC(rapidly destructive coxarthropathy)　735
RDQ　336
reamer irrigator aspirator(RIA)　137
REBOA(resuscitative endovascular balloon occlusion of the aorta)　39, 715
receptor activator of NF-κB ligand(RANKL)　160, 222, 558
receptor activator of nuclear factor-κB　222
reconstructive ladder　136
RED-S(relative energy deficiency in sport)　87
red neck 症候群　121
reflex sympathetic dystrophy(RSD)　547
regional bank　31
regional migratory osteoporosis　735
rehabilitation and management of children with severe motor and intellectual disabilities　313
rehabilitation for fractures and dislocations　344
rehabilitation for neuromuscular diseases　349
rehabilitation for rheumatoid arthritis, functional exercise and orthotic treatment　202

(P〜S)

rehabilitation for the disease of the shoulder　416
rehabilitation management of cerebral palsy　309
Reiter 症候群　718
relative energy deficiency in sport（RED-S）　87
relocation test　396
remitting seronegative symmetrical synovitis with pitting edema 症候群　210
remplissage 法　96
renal osteodystrophy（ROD）　284
repetitive saliva swallowing test（RSST）　348
resistive exercise　340
rest, icing, compression, elevation（RICE）　53
resting-state fMRI　586
restless legs syndrome（RLS）　308
resuscitative endovascular balloon occlusion of the aorta（REBOA）　39, 715
reverse Barton 骨折　460
reverse Bigelow 法　744
reverse shoulder arthroplasty（RSA）　204
Reverse Total Shoulder Arthroplasty　403
reversed Oreo cookie sign　105
revision TKA　774
RFP（rifampicin）　121, 141, 146, 147
rhabdomyosarcoma　186
rheumatic shoulder　423
rheumatoid arthritis（RA）　194, 494, 642
── in the cervical spine　642
── of the elbow　450
rheumatoid vasculitis　211
rheumatoid wrist　494
RIA（reamer irrigator aspirator）　137
Ribbing 病　264
RICE（rest, icing, compression, elevation）　53
RICE 処置　81
RICE 療法　776
rickets　284
rifampicin（RFP）　121, 141, 146, 147
rigidus　843
rim enhancement　144
ring injury　514
RIO Robotic Arm Interactive Orthopedic System　742
RIS　288
risk management for elderly patients with musculoskeletal disorders　336

Risser sign　590
RLS（restless legs syndrome）　308
RLS mimics　308
RMRP　234, 253
Robertson の 3 方向牽引　508
Robinson 分類　415
ROBODOC　742
Rockwood 分類　95, 412
ROD（renal osteodystrophy）　284
Roland 骨折　510
Romberg 徴候　616
Rommens 分類　60, 714
Roos テスト　404, 409, 500
rosebud appearance　282
Rosenberg 撮影　812
Rosenberg 法　782
rotational acetabular osteotomy（RAO）　728
rotational supracondylar fracture　506
rotator cuff tear of the shoulder　389
RS3PE 症候群　210
RSA（reverse shoulder arthroplasty）　204
RSD（reflex sympathetic dystrophy）　547
RSST（repetitive saliva swallowing test）　348
Ruedi 分類　854
runners knee　810
rupture of the long head of the biceps tendon　398
Russell-Silver 症候群　532
Rutherford 分類　323, 329

S

SAA（spinal adhesive arachnoiditis）　572
SAC（space available for spinal cord）　622
sacral sparing　616, 647
sacral tumors　708
sacroiliac joint dislocation　714
sacroiliac joint pain　709
sacroiliac joint shear テスト　718
sacroiliitis　718
SADDAN（severe achondroplasia with developmental delay and acanthosis nigricans）　241
sagittal vertical axis（SVA）　599, 601
Salter 手術　727, 728
Salter-Harris 分類　53, 97, 115
Salter-Harris IV 型　432
SAM system　837
Sanders 分類　861
Sanfilippo 症候群　273
SAPHO 症候群　134, 551, 664

SARA（scale for the assessment and rating of ataxia）　350
sarcopenia　297
Saturday night palsy　468
Saturday night paralysis　71
saucerization　541
Saupe 分類　810
Sauvé-Kapandji 法　495
SCA 1（spinocerebellar ataxia type 1）　578
SCA 2　578
scale for the assessment and rating of ataxia（SARA）　350
Scammon の発育・発達曲線　80
scaphocapitate syndrome　488
scaphoid fracture　485
scaphoid nonunion advanced collapse wrist　480, 485
scaphoid shift test　480, 496
scapholunate advanced collapse wrist　480, 482
scapholunate interosseous ligament（SLIL）　478
Scapula-Y 像　383
scapulo-humeral reflex　551
scapulohumeral reflex（SHR）　616
Scarf 法　842
Scarpa 三角　724
SCD（spinocerebellar degeneration）　578
SCFE（slipped capital femoral epiphysis）　730
Schatzker 分類　791
Schenck 分類　799
Scheuermann 病　601, **602**
Schmid 型骨幹端異形成症　234, 237, **252**
Schmorl 結節　702
Schroth 法　591
Schwann 細胞　175, 564
scintigraphy　16
sclerosing osteomyelitis of Garré　133
sclerostin　290
SDM（shared decision making）　195
SDR（selective dorsal rhizotomy）　311
SED congenita　256
SEDC（spondyloepiphyseal dysplasia congenita）　235, 244, **245**
Seddon 分類　71
segmental sign　615
Segond 骨折　**794**, 797
Seinsheimer 分類　764
selective dorsal rhizotomy（SDR）　311

索引

selective estrogen receptor modulator(SERM) 560
self-limited disease 696
SEMD(spondyloepiphyseal dysplasia with marked metaphyseal change) 245
Semmes-Weinstein 475
senile kyphotic spine deformity 604
sensory nerve action potential (SNAP) 6
SEP(somatosensory evoked potential) 8, 23
SEPS 329
septic arthritis of the hip in infancy 733
septic arthritis of the knee 816
sequestration 684
serendipity view 384
SERM(selective estrogen receptor modulator) 290, 560
seronegative spondyloarthropathy (SNSA) 219, 718
Sever病 111, 839
severe achondroplasia with developmental delay and acanthosis nigricans(SADDAN) 241
SF-36® 334, 336
SGHL(superior glenohumeral ligament) 378
shared decision making(SDM) 195
Sharp角 727
shear test 480
shelf disorder of the knee 802
Shenton線 726
SHEZスタディ 307
SHFM(split hand/foot malformation) 529
Shilla手術 596
Shilla法 592
shin splints 822
Shock Index 38
shoelace technique 105
shortening-distraction 29
shoulder joint replacement 400
shoulder problems associated with sports 94
SHOX遺伝子 464
SHR(scapulohumeral reflex) 616
SIAS(stroke impairment assessment set) 349
SIF(subchondral insufficiency fracture) 751
── of the femoral head 739
Sillence分類 234, 267
Silver-Russell症候群 756

simple motor test for cerebral palsy (SMTCP) 310
simulation test 680
Sinding Larsen-Johansson病 808
single heel rise test 114, 849
single screw dynamic fixation 732
sinus tarsi syndrome 870
Sjögren症候群 200, 577
SK法 494
skeletal ciliopathy 237, 238
skeletal metastasis of the extremities 190
skeletal related events(SRE) 558
skewfoot 838
skier's thumb 101
skin perfusion pressure(SPP) 321, 323, 329
skull traction 26
SLAC wrist 480, 482
SLAP損傷 396, 420
SLCO2A1 267
SLE(systemic lupus erythematosus) 494, 737
sleeve fracture 789
SLIC(sub axial injury classification) 646
sliding hip screw 747
SLIL(scapholunate interosseous ligament) 478
slipped capital femoral epiphysis (SCFE) 730
SLR(straight leg raising) 672, 682, 821
SLRテスト 672, 684
Sly病 274
SM(streptomycin) 141, 147
SMD(spina malleolar distance) 114
SMD(spondylometaphyseal dysplasia) 254
SMD corner fracture型 254
SMD Kozlowski型 238, 254
Smith-Petersenアプローチ 745
Smith骨折 460, 463
SMTCP(simple motor test for cerebral palsy) 310
SNAC wrist 480, 485
SNAP(sensory nerve action potential) 6
snapping finger 521
snapping hip 734
snapping scapula 391
snow storm appearance 47
SNRI 573, 691
SNSA(seronegative spondyloarthropathy) 718
SNUGS法 710
Snyder分類 396, 420

somatosensory evoked potential (S[S]EP) 8, 23
SOMI(sternooccipital mandibular immobilizer) 354
SOMI装具 355
SOX9 258
Sp(E)-MsEP(muscle evoked potential after electrical stimulation to the brain) 8
Sp(E)-SCEP(spinal cord evoked potential after electrical stimulation to the spinal cord) 8
SpA 219
space available for spinal cord(SAC) 622
spasmodic torticollis 628
spastic foot 876
spastic hand 545
Speedテスト 380, 398, 436
spicula 150
spina bifida 673
spina bifida aperta 675
spina bifida occulta 674
spina malleolar distance(SMD) 114
spinal adhesive arachnoiditis(SAA) 572
spinal arachnoid cyst 567
spinal arteriovenous malformation 568
spinal cord evoked potential 8
spinal cord evoked potential after electrical stimulation to the brain (Br(E)-SCEP) 8
spinal cord evoked potential after electrical stimulation to the peripheral nerve(Pn(E)-SCEP) 8
spinal cord evoked potential after electrical stimulation to the spinal cord(Sp(E)-SCEP) 8
spinal deformity in patients with neuromuscular disease 608
spinal dysraphism 673
spinal hemorrhage 570
spinal intramedullary tumors 562
spinal orthosis 354
Spine painDETECT 610
Spinnerの誘発テスト 472
spinocerebellar ataxia type 1(SCA1) 578
spinocerebellar degeneration(SCD) 578
spiral extramedullary tumors 564
splaying 284
split hand/foot malformation (SHFM) 529
split sign 473

SPOC 装具　353
spondylo-epi(-meta) physeal dysplasia(SED, SEMD)　255
spondyloarthritis　215
spondyloenchondrodysplasia　254
spondyloepimetaphyseal dysplasia, Strudwick type　255
spondyloepiphyseal dysplasia, Maroteaux type　254
spondyloepiphyseal dysplasia congenita(SEDC)　235, 244, 245
spondyloepiphyseal dysplasia tarda　255
spondyloepiphyseal dysplasia with marked metaphyseal change (SEMD)　245
spondylometaphyseal dysplasia (SMD)　254
spondyloperipheral dysplasia　245
sports injuries in pelvis and hip joint　104
sports injuries of foot and ankle　111
sports injuries of the wrist joint and finger　101
sports injuries of thigh, knee, and leg　110
SPP(skin perfusion pressure)　321, 323, 329
SPR(superior peroneal retinaculum)　891
sprain　52
Sprengel 変形　401, 625
Spurling テスト　551, 583, 615, 631, 632
Squeeze テスト　869
SRE(skeletal related events)　558
SRS-Schwab 分類　599
SRY(*sex determining region Y*)-*box9*　258
SS shunt　575
SS18-SSX　184
SSEP(somatosensory evoked potential)　8, 23
SSI(surgical site infection)　120
ST 合剤　707
standard precautions　34
Staphylococcus aureus　123
Staphylococcus epidermidis　123
Staphylococcus lugdunensis　120
star-field pattern　47
starting pain　812
STAS(support team assessment schedule)　168
static stretching　340
STEF　335
Steinberg 分類　226

Steinbrocker の stage 分類　450
Stenar's lesion　522
sternocostoclavicular hyperostosis　663
sternooccipital mandibular immobilizer(SOMI)　354
Stickler 症候群　235, 247
Stickler 症候群 1 型　234, 244, 245
Stieda's process　895
Stimson 法　394, 744
stimulated EMG　8
straight leg raising(SLR)　672, 682, 821
Streptococcus agalactiae　120
streptomycin(SM)　141, 147
stress fracture　93
―― caused by sports activity　93
―― of medial malleolus　874
―― of tarsal navicular　874
―― of the metatarsal　873
stretching　339
Striker view　383
stroke impairment assessment set (SIAS)　349
stroke rehabilitation　348
Struthers のアーケード　427, 474
Stulberg 分類　730
sub axial injury classification(SLIC)　646
subchondral insufficiency fracture (SIF)　751
―― of the femoral head　739
subcutaneous flexor tendon rupture　520
subligamentous extrusion　684
sublime tubercle　438
sublimis test　520
subtle injury　871
successful aging　116
Sugio-Kajii 症候群　256
sulbactam　144
sulcus sign　380
superficial fibromatosis　884
superior glenohumeral ligament (SGHL)　378
superior labrum anterior superior lesion　396
superior peroneal retinaculum(SPR)　891
supply system of prosthetic and orthotic appliances　363
support team assessment schedule (STAS)　168
supracondylar humerus fractures　430
suprapatellar アプローチ　50

surgical intervention for rheumatoid arthritis　204
surgical site infection(SSI)　120
suspected deep tissue injury(DTI)　331, 651
Sutcliffe 型　254
suture bridge 法　890
SVA(sagittal vertical axis)　599, 601
swallow sign　381
swan-neck deformity　512
symbrachydactyly　527
Syme 切断　358
symptomatic accessory navicular　899
symptomatic hallux sesamoid　896
syndactyly　526, 836
syndesmophytes　218
synovial fluid analysis　3
synovial osteochondromatosis　700, 803
synovial sarcoma　184
syringomyelia　574
systemic lupus erythematosus(SLE)　494, 737
SYT-SSX 融合遺伝子　156

T

T 細胞共刺激阻害薬　198
T スポット®TB　147, 554
T-solution One　742
T-SPOT　147
T1ρ マッピング　2
T2 強調像　2
TAE　56
tail sign　164
tailor's bunion　847
talonavicular coverage angle　850
talus fracture　858
TAO(thromboangiitis obliterans)　320
TAR 症候群　533
targeted synthetic DMARDs　198
tarsal coalition　760, 841
tarsal tunnel syndrome　884
Taylor spatial frame　30
TAZ　43
TBI(toe-brachial pressure index)　322, 323, 329
TBW 法　790
TCC(total contact cast)　879
TCP　32
TcPO$_2$(transcutaneous pressure of oxygen)　323, 329
TDD(teardrop distance)　727
TDM　121
TEA(total elbow arthroplasty)　204, 451

teardrop distance(TDD) 727
teardrop sign 430, 472
tedizolid(TZD) 121
teicoplanin(TEIC) 121
Temtamy-McKuisick 分類 837
TEN(titanium elastic nail) 824
tendinitis 896
tendinitis(tenosynovitis) of the long head of the biceps 398
tendinitis calcarea **540**
tendinopathy 896
tenosynovial giant cell tumor, localized type **544**
tenosynovitis 521
TENS 115
tension band 固定法 416
tension band 法 857
tension band wiring 法 440, 790
terrible triad 441
terrible triad injury 453
Terry-Thomas sign 481
tethered cord syndrome **676**
TFC(triangular fibrocartilage) 478
TFCC(triangular fibrocartilage complex) 459, 478, 489
TFCC 損傷 101, 102, **490**
TFT(tight filum terminale) 676
TFT 誘発テスト 676
TGFB1 266
THA(total hip arthroplasty) 205, 738, 742, 743, 772
thanatophoric dysplasia 241
The Wakayama Spine Study(WSS) 698
therapeutic use exemptions(TUE) 86
thermography 11
thermotherapy 343
Thomas test 723
Thompson 法 205
Thompson-Littler 変法 205
Thompson squeeze test 114, 887
Thomsen テスト 439, 444, 446
thoracic disc herniation **662**
thoracic lumbosacral orthosis (TLSO) 354, 590
thoracic outlet syndrome(TOS) **408**
thoracolumbar injuries of the spine and spinal cord **666**
Thoracolumbar Injury Severity Score system 666
three-dimensional computed tomography 2
three-dimensional magnetic resonance imaging 2

thromboangiitis obliterans(TAO) 320
throwing shoulder injury 419
thumb hypoplasia **533**
tibia vara 826
tibial plateau fracture **791**
tight filum terminale(TFT) 676
Tillaux 骨折 53
Tillaux-Chaput lesion 856, 857
TIME コンセプト 332
timed up-and-go test(TUG) 335, 338, 345, 347
Tinel 徴候 439, 468, 759
Tinel 様徴候 499, 634, 826
TIO 272
titanium elastic nail(TEN) 824
TIVA(total intravenous anesthesia) 23
TKA(total knee arthroplasty) 205, 742, 774
TKA 周囲骨折 774
TL(transverse ligament) 438
TLIF(transforaminal lumbar interbody fusion) 601
TLISS system 666
TLSO(thoracic lumbosacral orthosis) 354, 590
TNF(tumor necrosis factor) 199
TNF 阻害薬 198
TNF-α 222
TNSALP 271
TO(triple osteotomy) 728
toddler's fracture 53
toe-brachial pressure index(TBI) 322, 323, 329
toe-in gait 112
toe-out gait 112
TOH(transient osteoporosis of the hip) 734
ToMMo 236
Tommy-John 手術 454
tongue-type fracture 861
too many toes sign 113, 849
tophaceous pseudogout 155
TOS(thoracic outlet syndrome) 408
total contact cast(TCC) 879, 880
total elbow arthroplasty(TEA) 204, 451
total hip arthroplasty(THA) 205, 738, 742, 743, 772
total incongruity 863
total intravenous anesthesia(TIVA) 23
total knee arthroplasty(TKA) 205, 742, 774

total shoulder arthroplasty(TSA) 204
TPP 308
trabectedin 159
TRACP-5 b 288
training for ADL improvement 340
training for lower-limb amputees 358
training for upper-limb amputees 356
tram track sign 659
transcutaneous pressure of oxygen (TcPO$_2$) 323, 329
transforaminal approach 109
transforaminal lumbar interbody fusion(TLIF) 601
transforming growth factor-β1 遺伝子 266
transient osteoporosis of the hip (TOH) **734**
transient synovitis of the hip **732**
transligamentous extrusion 684
transpedicular screw fixation 646
transtendon repair 421
transverse deficiencies **527**
transverse ligament(TL) 438
trauma management in disasters **76**
Trauma series 383
traumatic dislocation of the shoulder **394**
traumatic disruption of the pubic symphysis **716**
traumatic heterotopic ossification **74**
traumatic shock 38
traumatic soft tissue defect **44**
Treat to Target 195
treatment for acute low back pain **677**
treatment of complications of rheumatoid arthritis **199**
treatment of stiff neck and shoulder **402**
Tremtamy-McKusick 分類 838
Trendelenburg 跛行 551, 725
triangular fibrocartilage(TFC) 478
triangular fibrocartilage complex (TFCC) 459, 478, 489
triangular fibrocartilage complex injury **490**
triangular ligament 478
triangulation technique 28
tricalcium phosphate 136
trichorhinophalangeal dysplasia (TRPS) **256**
TriCombo 試験 163
trident ilia 238

triggered EMG　8
triple osteotomy（TO）　728
trochanteric flip osteotomy　745
trochanteric fracture　**748**
Trömner 反射　616
trophic effect　784
TRPS（trichorhinophalangeal dysplasia）　**256**
True-AP 像　383
Trunk Solution　605
TSA（total shoulder arthroplasty）　204
tsDMARDs　199
tuber angle of Böhler　861
tuberculosis of bone and joint　140
tuberculous spondylitis　147, **554**
tuberous sclerosis　265
TUE（therapeutic use exemptions）　86
TUG（timed up-and-go test）　335, 338, 345, 347
tumor-like lesion　169
tumor necrosis factor（TNF）　199
tumor necrosis factor-α　222
tumor of the foot　883
Turner 症候群　257
two finger squeeze test　890
type 2 collagen group and similar disorder　244
type 2 collagenopathy　244
TZD（tedizolid）　121

U

UCL 損傷　98
ucOC　288
Uhthoff 現象　577
UKA（unicompartmental knee arthroplasty）　742, 816
ulnar head ballottement test　489, 490
ulnar nerve palsy　473
ulnar tunnel syndrome　499
ulnar variance　462
ulnocarpal abutment syndrome　500
ulnocarpal stress test　480, 490, 491
ULT（urate lowering treatment）　212
ultrasonographic diagnosis for the shoulder pathology　386
ultrasonography　10
ultrasound-guided block anesthesia　25
underarm brace　590
undifferentiated/unclassified sarcomas　183
undifferentiated highgrade pleomorphic sarcoma of bone　183
undifferentiated pleomorphic sarcoma（UPS）　**183**
unicompartmental knee arthroplasty（UKA）　742, 816
unilateral unsegmented bar　595
unreduced dislocation and residual dislocation of the hip in DDH　725
upper limb orthosis　351
UPS（undifferentiated pleomorphic sarcoma）　183
upside-down triage　77
urate lowering treatment（ULT）　212
urinary management in acute spinal injury　652

V

VACTERAL　837
valgus instability　453
van Mechelen モデル　91
vancomycin（VCM）　121, 707
Vancouver 分類　772
varicella-zoster virus（VZV）　307
varicose vein　**326**
VAS（visual analogue scale）　335, 362, 665
vascular endothelial growth factor（VEGF）　540
vascular injuries　68
VATER 連合　533
VCA 角　727
VCM（vancomycin）　121, 707
VDC-IE　709
VDC-IE 療法　160
VEGF（vascular endothelial growth factor）　540
Veitch の分類　899
Venn-Watoson 分類　837
venous malformation　543
venous stasis ulcers　329
venous thromboembolism（VTE）　29, **327**
VEPTER 手術　596
VEPTR（vertical expandable prosthetic titanium rib）　592
vertebra plana　604
vertical-center-anterior 角　727
vertical expandable prosthetic titanium rib（VEPTR）　592
vertigo　641
vessel injury and urinary injury associated with pelvic ring fracture　715
VHL　562
viable tumor cell　156
vibration induced white finger（VWF）　325
Vickers 靱帯　464
VIDE　709
VISI（volar intercalated segment instability）　495
VISI 変形　478
visual analogue scale（VAS）　335, 362, 665
Vojta 法　310
volar intercalated segment instability（VISI）　478, 495
Volkmann 拘縮　**466**, 761
Volkmann 三角　857
Volkmann 阻血性拘縮　458
von Hipel Lindau 病　562
von Recklinghausen 病　532, 564, 672
Voorhoeve 病　264
VTE（venous thromboembolism）　29, **327**
VVR　19
VWF（vibration induced white finger）　325
VZV（varicella-zoster virus）　307

W

WAD（whiplash associated disorder）　583
WADA　115
waddling gait　244, 252
Wafer 法　501
Wagstaff lesion　857
waiter's tip position　408
Waldenström 分類　729
walking aids　360
Waller 変性　70, 499
Ward 三角　18
Wartenberg 徴候　473, 474
Wartenberg の指屈反射　616
Wassel 分類　526
Watanabe 分類　837
Watson-Jones 分類　793
WBP（wound bed preparation）　329, 332
Weber 分類　856
Weitbrecht 支帯　745
Wells スコア　327
Werdnig-Hoffmann 病　875
West point axillary lateral view　383
Westhues 手技　862
wheelchair　360
whiplash associated disorder（WAD）　583
Whipple 病　718
white meniscus sign　816

wide resection and reconstruction　179
WIfI 分類　323, 324
Williams 型装具　355
wind-swept deformity　313
windblown hand　531
windlass 現象　842
"winking owl" sign　556
WISP 3（WNT-1-inducible signaling pathway protein 3）　281
WNT-1-inducible signaling pathway protein 3（WISP 3）　281
WOMAC　336
wooden board sign　672
wormian bone　268, 282, 768
wound bed preparation（WBP）　329, 332
Wright テスト　409, 616
wrist arthrography　482
wrist arthroscopy　482
wrist extension test　100, 444
wrist pain　479
writer's cramp　546
WSS（The Wakayama Spine Study）　698

X

X 脚　757
X 染色体優性 Conradi-Hünermann 型点状軟骨異形成症　259
X 連鎖性低リン血症性くる病　272
X 連鎖性劣性末節骨短縮型点状軟骨異形成症　259
X 連鎖遅発性脊椎骨端異形成症　237
X-ray diagnosis of skeletal dysplasia　236
X-ray diagnosis of the shoulder disease　383
xenograft　31
XLH　272

Y

Y 靱帯　832
Yergason テスト　380, 398, 436
Young-Burgess 分類　714

Z

Zanca view　383
Ziehl-Neelsen 染色　147, 555
zone phenomenon　74
zoning　77
ZRS/SHH　837

ギリシャ文字・数字

β-TCP　136
β-ラクタム薬　121
β2-microglobulin（β2-MG）　285, 560
μ オピオイド　683
I 型プロコラーゲン-N-プロペプチド　288
2 型コラーゲン異常症　244
2 型コラーゲン遺伝子　244
2 型コラーゲングループおよび類似疾患　234, **244**
2 型コラーゲン病　235
2 ステップテスト　335, 338
2 皮切アプローチ　855
3D ミエログラフィー　697
6-メルカプトプリン　174
6 分間歩行テスト　337
10 m 歩行時間　335
10 秒テスト　616, 631
11 型コラーゲン異常症　237
13 トリソミー症候群　837
^{18}F-2-fluoro-deoxyglucose-positron emission tomography　617
45° Dunn view　751
^{99m}Tc-MIBI　16
^{99m}Tc 骨シンチグラフィー　74

広告掲載社一覧

（本書掲載順）

掲載社名	広告品名	掲載頁
オーソ・クリニカル・ダイアグノスティックス㈱	ビトロスNTx	3章対向
旭化成ファーマ㈱	企業広告	7章対向
CYBERDYNE㈱	HAL	10章対向
日本臓器製薬㈱	ツートラム	26章対向
㈱医学書院	書籍広告	各所

本書広告取扱担当　医学書院 販売・PR部　電話(03)3817-5696

がん医療の臨床倫理

原著編集：Colleen Gallagher, Michael Ewer

訳：清水 千佳子　国立国際医療研究センター　がん総合診療センター／乳腺・腫瘍内科
　　高島 響子　国立国際医療研究センター研究所　メディカルゲノムセンター
　　森 雅紀　　聖隷三方原病院　緩和支持治療科

「倫理は生きている」
MDアンダーソン発、臨床倫理の最良にして最新のテキスト

目覚ましいスピードで変容を続ける、がん臨床の世界。しかし、その速度に現場のコミュニケーションは、そして倫理は十分に対応できているだろうか。答えの出ない問いにぶつかりながらも、それでも前に進むために。
最前線の臨床家から、これから現場にでる医学生、看護学生、そして当事者まですべてを含めた臨床倫理の最新にして決定版。医療者のみならず倫理の研究者も必携の1冊。

目次
1. がん医療における倫理と組織のアイデンティティ
2. 経験は重要である
3. 患者体験と終末期ケア
4. がんの子どもにおける倫理的問題
5. がんサバイバーシップにおける倫理的問題
6. がんの統合医療と倫理
7. 最近の倫理的な問題
8. 患者と家族を改善に従事させる医療者の倫理的義務
9. 人を対象とする研究における倫理的配慮
10. がん患者が研究参加者となって臨床試験に組み込まれる際の倫理的懸念
11. リーダーを育てる
12. がん患者教育における倫理
13. がん医療における商業主義
14. がん治療における費用の考え方
15. 医療産業における合併、買収、統合
16. 法令とコンプライアンス
17. 多様性とヘルスケア
18. 患者、研究参加者、血縁者に個別遺伝学的所見を開示する際の倫理的な枠組み
19. がんセンターの管理者が直面する倫理的問題
20. 倫理と情報技術

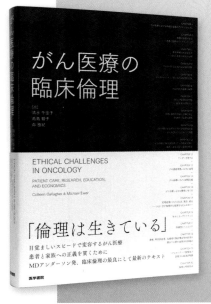

●B5　頁464　2020年　定価:8,800円（本体8,000円+税10%）[ISBN978-4-260-04280-2]

医学書院
〒113-8719　東京都文京区本郷1-28-23　[WEBサイト]https://www.igaku-shoin.co.jp
[販売・PR部]TEL:03-3817-5650　FAX:03-3815-7804　E-mail:sd@igaku-shoin.co.jp

基礎から学ぶ 楽しい学会発表・論文執筆 第2版

中村好一

新常態(ニューノーマル)となったオンライン学会に関する記載も拡充

若手医療関係者や医療系学生に向けて、学会発表や論文執筆のコツを具体的に解説。学会選び、抄録・スライド・ポスターの作成、口演とポスター発表の違い、投稿雑誌選び、投稿規定の重要さ、編集委員会とのやりとり、やってはいけない「べからず集」など、実践的な情報が満載。隠れファンの多い脚注も一読の価値あり。

- A5　2021年　頁240
  [ISBN978-4-260-04651-0]
  定価：3,080円（本体2,800円＋税）

目次

- **第0部　プロローグ**
  - 第1章　はじめに
- **第1部　研究の進め方**
  - 第2章　なぜ，研究を行うのか
  - 第3章　研究を始める前に（日本語の修練と文献検索）
  - 第4章　研究の進め方
- **第2部　主要4部分の書き方，まとめ方**
  - 第5章　「緒言」
  - 第6章　「方法」
  - 第7章　「結果」
  - 第8章　「考察」
  - 第9章　図表の作成
- **第3部　学会発表**
  - 第10章　発表する学会を選ぶ
  - 第11章　学会発表演題申し込み（抄録作成）
  - 第12章　スライドの作成
  - 第13章　ポスターの作成
  - 第14章　発表原稿
  - 第15章　学会発表当日（前後を含めて）
- **第4部　論文執筆・刊行**
  - 第16章　さて，論文執筆（投稿雑誌を選ぶ）
  - 第17章　論文執筆の前に（投稿規定を読む）
  - 第18章　論文の構成
  - 第19章　編集委員会とのやりとり
  - 第20章　論文刊行の後
- **第5部　エピローグ**
  - 第21章　おわりに

医学書院

〒113-8719　東京都文京区本郷1-28-23　[WEBサイト]https://www.igaku-shoin.co.jp
[販売・PR部]TEL:03-3817-5650　FAX:03-3815-7804　E-mail:sd@igaku-shoin.co.jp

こどもの整形外科疾患の診かた

第2版

診断・治療から患者家族への説明まで

編集 **亀ヶ谷真琴** 千葉こどもとおとなの整形外科・院長　編集協力 **西須 孝** 千葉県こども病院整形外科・部長

好評の小児整形外科診療本、新たに24疾患を加えたコンプリート版が誕生！

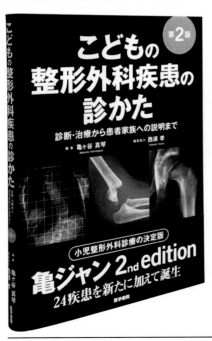

一般整形外科医や若手医師、研修医が日常外来で遭遇する小児の整形外科疾患の診かたについて、患者家族からよく寄せられる質問に対する模範回答例をはじめ、専門医への受け渡しのタイミングを含めた診断・治療の流れを初学者向けにわかりやすく解説して好評を得た書籍の改訂版。今版では、初版の40疾患を最新の情報へとアップデートしているのに加え、さらに幅広い疾患に対応できるよう、全体で64もの小児の整形外科疾患を取り上げている。

 目次

- A 下肢にみられる疾患
- B 上肢にみられる疾患
- C 体幹にみられる疾患
- D スポーツ障害
- E 成長に伴う問題
- F 腫瘍性疾患
- G 全身性疾患

●B5　頁432　2019年　定価：9,900円（本体9,000円＋税10%）
[ISBN978-4-260-03677-1]

 医学書院　〒113-8719　東京都文京区本郷1-28-23　[WEBサイト]https://www.igaku-shoin.co.jp
[販売・PR部]TEL:03-3817-5650　FAX:03-3815-7804　E-mail:sd@igaku-shoin.co.jp